FRANCE

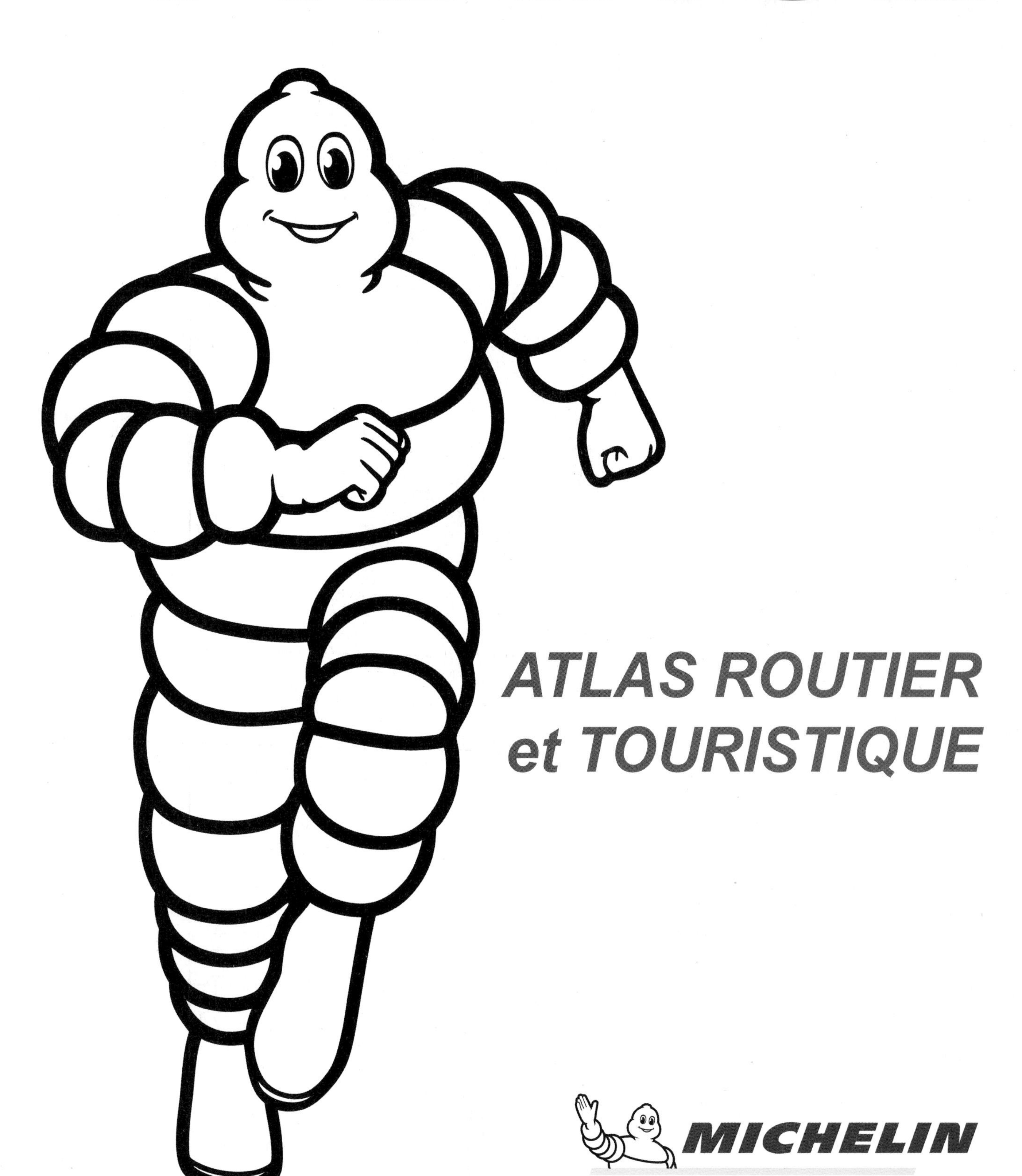

ATLAS ROUTIER
et TOURISTIQUE

MICHELIN

Grands axes routiers

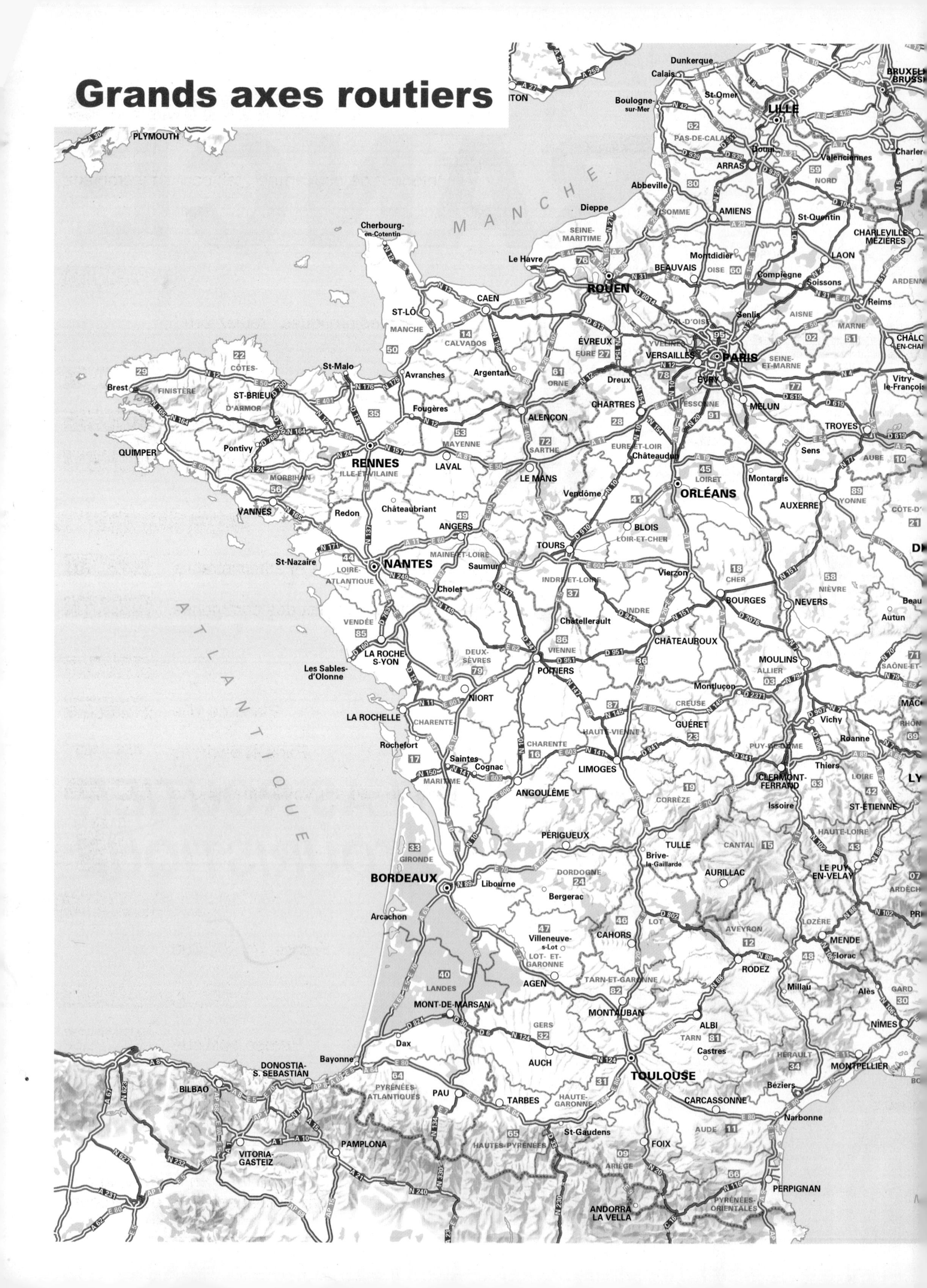

MANCHE
ATLANTIQUE
PLYMOUTH
Dunkerque
Calais
Boulogne-sur-Mer
St-Omer
LILLE
BRUXELLES
PAS-DE-CALAIS
Douai
Valenciennes
ARRAS
NORD
Abbeville
SOMME
AMIENS
Dieppe
St-Quentin
Cherbourg-en-Cotentin
SEINE-MARITIME
CHARLEVILLE-MÉZIÈRES
Montdidier
LAON
Le Havre
BEAUVAIS
OISE
Compiègne
Soissons
ROUEN
Reims
CAEN
ST-LÔ
MANCHE
CALVADOS
Senlis
AISNE
MARNE
ÉVREUX
EURE
VERSAILLES
PARIS
YVELINES
SEINE-ET-MARNE
St-Malo
Avranches
Argentan
ORNE
Dreux
ÉVRY
Vitry-le-François
Brest
FINISTÈRE
CÔTES-D'ARMOR
ST-BRIEUC
Fougères
ALENÇON
CHARTRES
ESSONNE
MELUN
TROYES
QUIMPER
Pontivy
RENNES
ILLE-ET-VILAINE
LAVAL
MAYENNE
SARTHE
LE MANS
EURE-ET-LOIR
Châteaudun
LOIRET
Sens
AUBE
MORBIHAN
VANNES
Redon
Châteaubriant
Vendôme
ORLÉANS
Montargis
AUXERRE
YONNE
ANGERS
BLOIS
LOIR-ET-CHER
St-Nazaire
LOIRE-ATLANTIQUE
NANTES
MAINE-ET-LOIRE
Saumur
TOURS
Vierzon
CHER
NIÈVRE
INDRE-ET-LOIRE
Cholet
INDRE
BOURGES
NEVERS
Autun
VENDÉE
Châtellerault
CHÂTEAUROUX
LA ROCHE-S-YON
DEUX-SÈVRES
VIENNE
POITIERS
MOULINS
ALLIER
Les Sables-d'Olonne
NIORT
Montluçon
LA ROCHELLE
CHARENTE-MARITIME
CREUSE
GUÉRET
Vichy
Roanne
Rochefort
HAUTE-VIENNE
CHARENTE
PUY-DE-DÔME
Thiers
Saintes
Cognac
LIMOGES
CLERMONT-FERRAND
LOIRE
ANGOULÊME
CORRÈZE
Issoire
ST-ÉTIENNE
PÉRIGUEUX
TULLE
Brive-la-Gaillarde
CANTAL
HAUTE-LOIRE
GIRONDE
DORDOGNE
AURILLAC
LE PUY-EN-VELAY
BORDEAUX
Libourne
Bergerac
Arcachon
LOT
AVEYRON
LOZÈRE
CAHORS
Villeneuve-s-Lot
LOT-ET-GARONNE
MENDE
Florac
RODEZ
LANDES
AGEN
TARN-ET-GARONNE
Millau
Alès
GARD
MONT-DE-MARSAN
MONTAUBAN
GERS
ALBI
TARN
NÎMES
Dax
Castres
AUCH
HÉRAULT
MONTPELLIER
Bayonne
DONOSTIA-S. SEBASTIÁN
TOULOUSE
BILBAO
PYRÉNÉES-ATLANTIQUES
PAU
TARBES
HAUTE-GARONNE
CARCASSONNE
Béziers
Narbonne
AUDE
St-Gaudens
HAUTES-PYRÉNÉES
FOIX
PAMPLONA
VITORIA-GASTEIZ
ARIÈGE
PYRÉNÉES-ORIENTALES
PERPIGNAN
ANDORRA LA VELLA

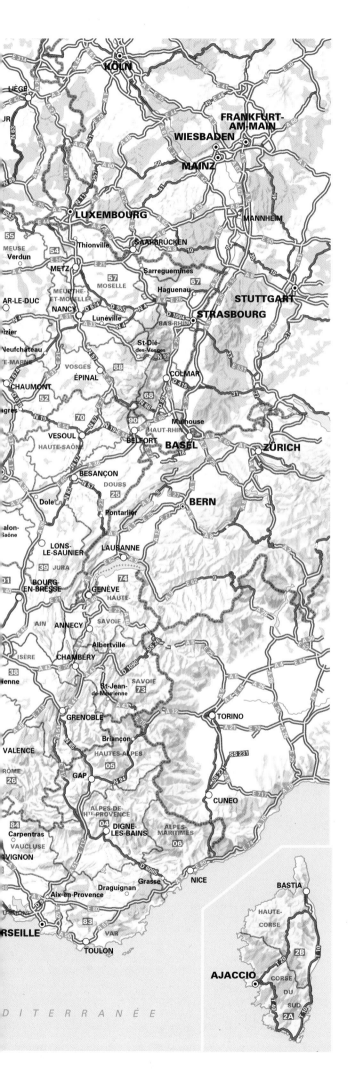

Sommaire

Intérieur de couverture : tableau d'assemblage

	II - VII
Fiches pratiques : roulez zen !	
	1 - 351
Légende	1
France 1/200 000	2 - 351
	352 - 424
France départementale et administrative	352
Index complet des communes	353- 424
	426 - 476
Plans de ville	426 - 475
Paris et environs	458 - 463
Plans de ville sur votre smartphone	476

	477 - 491
France 1/1 200 000	
	492 - 511
Europe politique	492
Europe 1/3 500 000	493 - 511

En fin de volume :
distances et temps de parcours

DÉPARTS EN VACANCES
POUR ÉVITER LE STRESS, PENSEZ À :

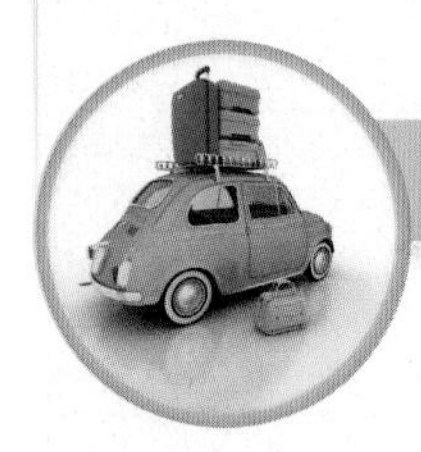

LA VOITURE

- [ ] **PRESSION PNEUS**
- [ ] **NIVEAU HUILE**
- [ ] **NIVEAU LIQUIDE DE REFROIDISSEMENT**
- [ ] **NIVEAU LIQUIDE LAVE-GLACE**
- [ ] **PLEIN CARBURANT**
- [ ] **RACLETTE ANTI-GIVRE**
- [ ] **CHAÎNES**

LA SÉCURITÉ

- [ ] **GILET JAUNE + TRIANGLE**
- [ ] **ÉTHYLOTEST**
- [ ] **PERMIS DE CONDUIRE**
- [ ] **PAPIERS DU VÉHICULE (CARTE GRISE, ATTESTATION D'ASSURANCE)**
- [ ] **NOTICE DU VÉHICULE**
- [ ] **COORDONNÉES DE L'ASSISTANCE**

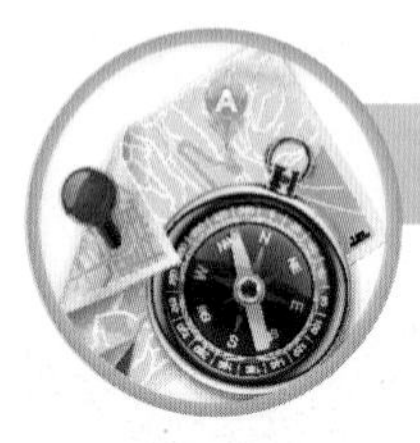

S'ORIENTER

- [ ] **ATLAS, CARTES ET FEUILLE DE ROUTE**

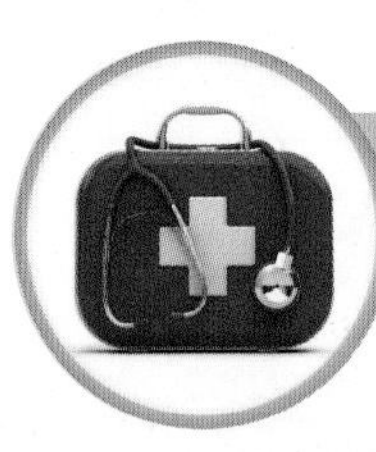

LA SANTÉ

- [ ] **TROUSSE DE SECOURS**
- [ ] **CARTE VITALE**
- [ ] **CARNET DE SANTÉ**
- [ ] **LUNETTES DE SOLEIL**
- [ ] **CHAPEAUX**
- [ ] **ÉCRAN SOLAIRE**

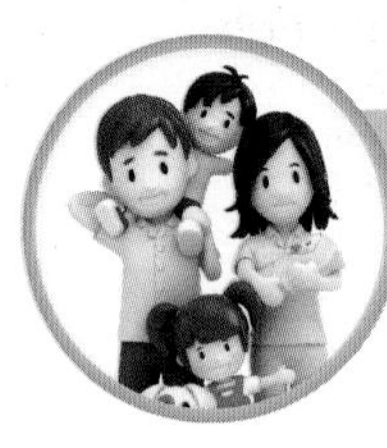

LA FAMILLE

- [ ] **JEUX ENFANTS (CONSOLE DE JEUX, LECTEUR DVD, LIVRES, ETC.)**
- [ ] **BIBERON D'EAU**
- [ ] **VAPORISATEUR**
- [ ] **MÉDICAMENT CONTRE LE MAL DES TRANSPORTS**
- [ ] **REPAS (PETIT POT POUR LES BÉBÉS, PIQUE-NIQUE, COLLATION, ETC..)**
- [ ] **CONTRÔLE DU SIÈGE AUTO POUR ENFANTS**
- [ ] **PARE-SOLEIL**

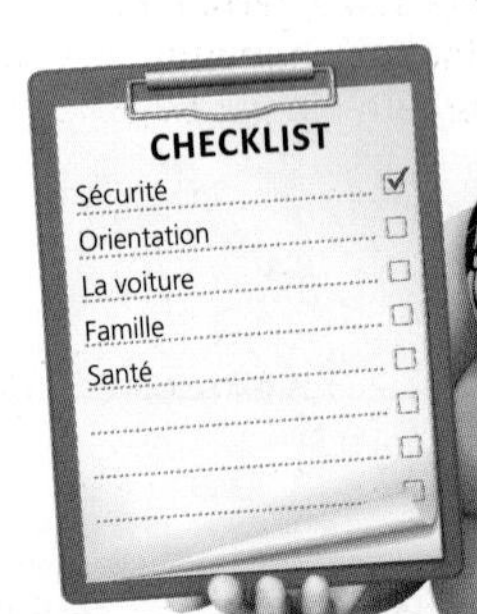

CHECKLIST
Sécurité ✓
Orientation ☐
La voiture ☐
Famille ☐
Santé ☐

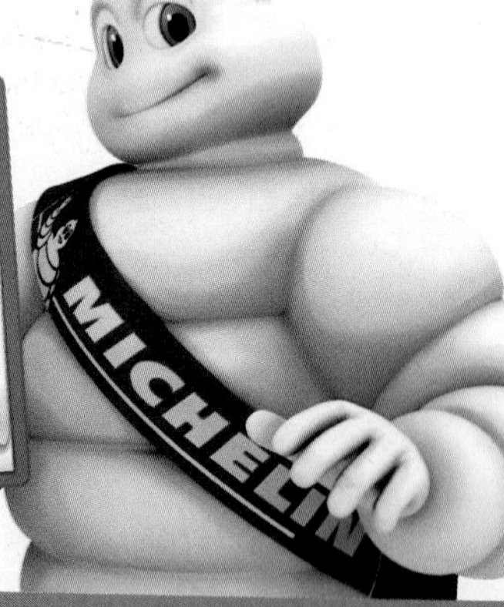

MICHELIN

BONNE ROUTE !

ROULEZ ZEN !

RÉAGIR
EN CAS D'ACCIDENT

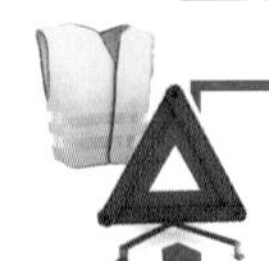

PROTÉGER

- ☑ Allumez vos feux de détresse.

- ☑ Garez-vous avec prudence en évitant de gêner l'accès des secours.

- ☑ Mettez les passagers à l'abri à l'extérieur du véhicule ; sortez par le côté opposé au trafic.

- ☑ Sur autoroute, placez-vous derrière les barrières de sécurité, dirigez-vous immédiatement vers la borne d'appel d'urgence et attendez les secours.

- ☑ Sur route, balisez l'accident par un triangle à 200 mètres en amont, à condition qu'il soit possible de le faire en toute sécurité. **Attention :** ne fumez pas à proximité du lieu de l'accident, afin d'éviter un incendie.

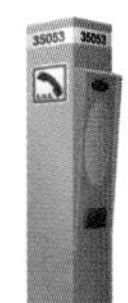

ALERTER

- ☑ **Sur autoroute,** appelez depuis une borne d'appel d'urgence, que vous trouverez tous les deux kilomètres.

- ☑ **En cas d'absence de borne,** vous pouvez **composer le 112** à partir d'un téléphone fixe, d'une cabine téléphonique ou d'un téléphone mobile (numéro d'urgence gratuit).

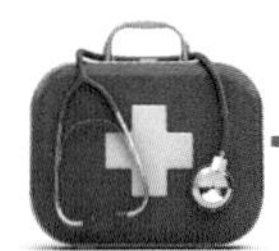

SECOURIR

- ☑ Ne déplacez pas les victimes, sauf en cas de danger imminent tel un incendie.

- ☑ Ne retirez pas le casque d'un conducteur de deux-roues.

- ☑ Ne donnez ni à boire ni à manger aux victimes.

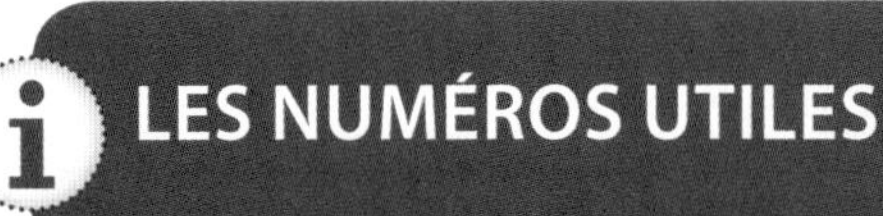

ⓘ LES NUMÉROS UTILES

■ MONDIAL ASSISTANCE :
0800 374 374 (24h/24)

■ EUROP ASSISTANCE :
01 41 85 85 85 (24h/24)

■ ASSURANCES ASSISTANCE :
AGF - ALLIANZ : **0805 905 500**
DIRECT ASSURANCE : **01 55 92 27 20**
GROUPAMA : **0810 630 909**
INTER MUTUELLES ASSISTANCE : **0800 75 75 75**
MAAF : **0800 16 17 18**
MACIF : **0800 774 774**
MAIF : **0800 875 875**
MATMUT : **0800 30 20 30**

ⓘ RADIO AUTOROUTE
ÉCOUTEZ **107.7**

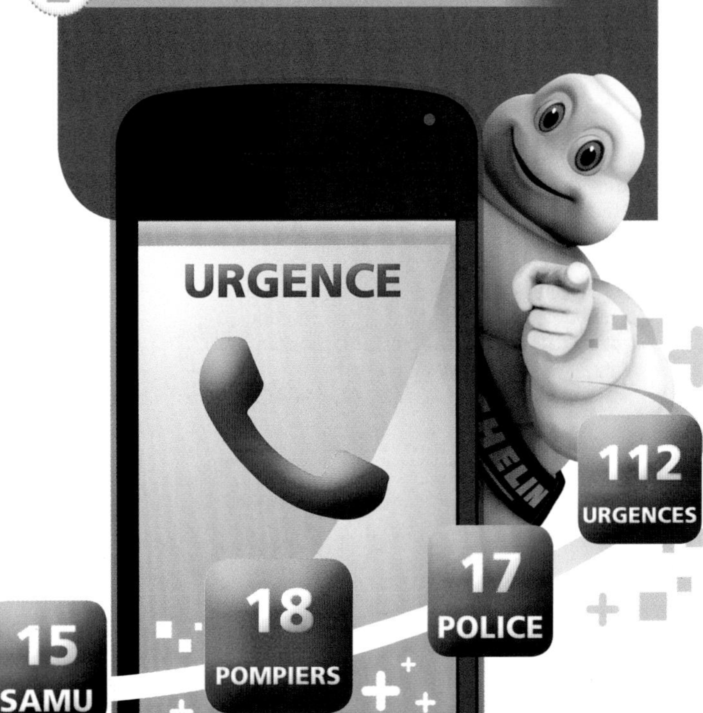

URGENCE

112 URGENCES
17 POLICE
18 POMPIERS
15 SAMU

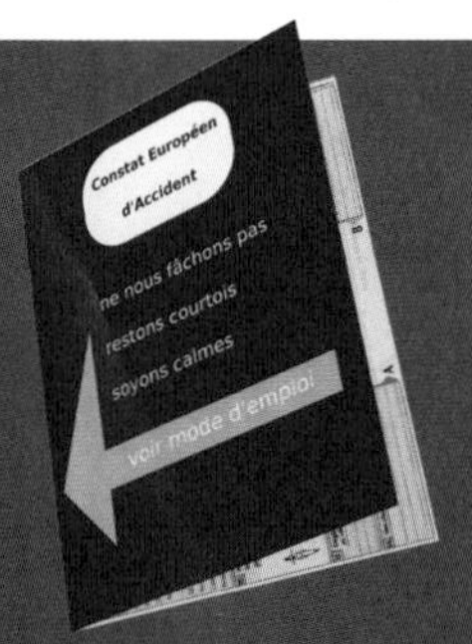

REMPLIR OU PAS UN CONSTAT ?

Le moindre accrochage de circulation exige que les automobilistes échangent leurs coordonnées. **Si l'un refuse, il y a délit de fuite.** En revanche, en cas d'accrochage léger, vous avez tout à fait le droit de ne pas établir de constat et de ne pas déclarer l'incident à votre assureur. **Mais évaluez les conséquences :** il se peut que l'autre conducteur rédige de son côté un constat, et qu'il le remplisse unilatéralement, et qu'il expédie ensuite à son assureur en affirmant que vous vous êtes opposé à l'établissement de ce document amiable. **Méfiez-vous** également des chocs qui peuvent vous sembler très légers en apparence, mais coûtent cher à réparer. Le mieux est de remplir un constat et de ne l'envoyer à l'assureur qu'après un chiffrage précis des travaux de remise en état. **Si les réparations sont d'un coût limité,** il est préférable de ne pas déclarer l'incident pour échapper au malus. **Indemniser directement l'autre automobiliste est parfaitement légal.**

VOYAGER
AVEC DES ENFANTS

N'oubliez pas de faire des pauses-détente pour vous dégourdir les jambes !

Où et comment installer les enfants ?

Il est interdit et dangereux de faire voyager un enfant en voiture sans équipement adapté à sa taille. En France, l'utilisation d'un dispositif de retenue adapté est obligatoire jusqu'à l'âge de 10 ans (ou jusqu'à la taille de 1,35 m). Pour les bébés jusqu'à 15 mois, la position dos à la route est de loin la plus recommandée, après désactivation de l'airbag passager s'il est en place avant.

 ## 5 GESTES À BANNIR

ENFANT CEINTURÉ AVEC ADULTE

La ceinture entoure le corps de l'adulte et de l'enfant posé sur ses genoux. En cas de ralentissement fort, la sangle va bloquer l'enfant, tandis que votre corps projeté en avant va littéralement l'écraser. Risque de lésions gravissimes sur un simple coup de frein.

BÉBÉ ASSIS SUR LES GENOUX

Tout petit, votre nouveau-né se transforme en projectile au premier ralentissement brusque. Même en l'absence de tout accident, un freinage appuyé suffit à le projeter violemment vers le pare-brise. Vos bras même agrippés à lui ne peuvent pas le retenir. En cas de choc dès 20 km/h., des blessures lourdes peuvent l'handicaper à vie.

CEINTURE SOUS L'ÉPAULE

À partir de 10-11 ans, les enfants commencent à prendre quelques libertés avec la ceinture. Ils décrètent que la sangle près de leur cou les gêne et la font passer sous l'aisselle. Une forte décélération provoquerait une lésion thoracique lourde.

ENFANT, DEBOUT ENTRE LES SIÈGES

Surtout dans les monospaces, les enfants adorent rester debout, à l'arrière, entre les sièges avant, en prenant appui sur les dossiers. Un coup de frein fort et l'enfant se transforme en projectile vers le pare-brise !

SIÈGE SANS HARNAIS ATTACHÉ

De nombreux enfants sont juste posés dans leur siège, sans que le harnais soit fixé. L'utilité du siège est alors réduite à néant. De même, ne laissez pas le harnais trop relâché sur le corps de l'enfant : la retenue en cas de choc ne se ferait qu'avec un temps de retard entraînant alors une compression excessive du thorax.

Comment occuper vos enfants ?

Les enfants aiment jouer. Incitez-les à se distraire avec leurs occupations favorites (console électronique, jeux de poche) et organisez des jeux oraux :

C COMME CHAMPION Désignez une lettre de l'alphabet : le 1er qui trouve dans le paysage environnant 3 éléments commençant par cette lettre a gagné !

JEUX DES PLAQUES Faites une phrase avec les lettres des plaques d'immatriculation des véhicules croisés sur la route. (ex : **AB 123 CD** => « **A**lexandre **B**oit du **C**hocolat au **D**entifrice… »)

JEU DES VOITURES Choisissez et comptez le nombre de voitures d'une marque ou d'un modèle précis.

C TU OÙ C ? Retrouvez une ville ou un lieu-dit amusant sur les pages de l'atlas. On commence par un indice sous forme de devinette. (ex : « c'est dans la région où sont fabriquées les espadrilles » …)

CHACUN SON SIÈGE

Groupe 0 (0 à 10 kg } 9 mois) et 0+ (0 à 13 kg } 16 mois)

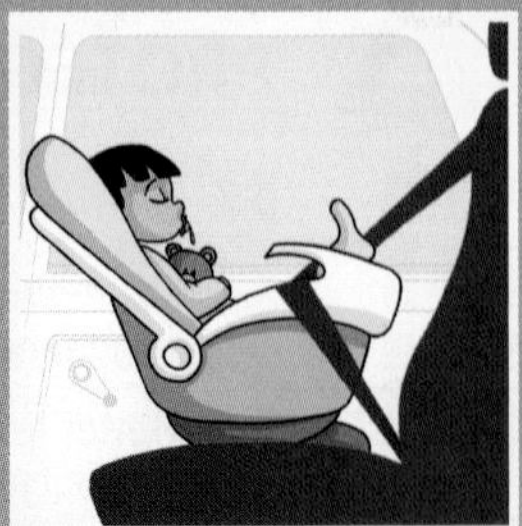

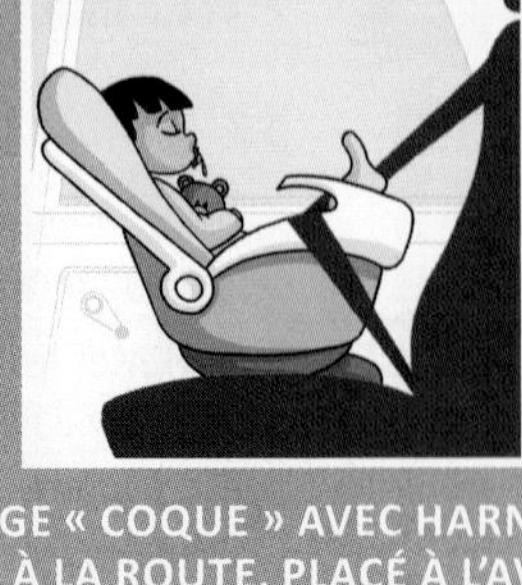

SIÈGE « COQUE » AVEC HARNAIS DOS À LA ROUTE, PLACÉ À L'AVANT OU À L'ARRIÈRE DE LA VOITURE.

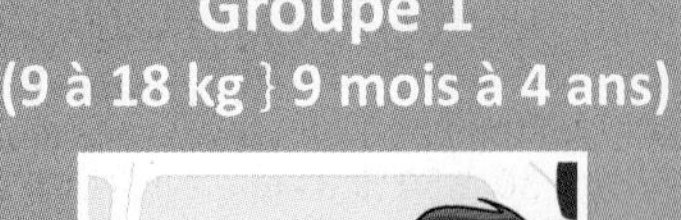

Groupe 1 (9 à 18 kg } 9 mois à 4 ans)

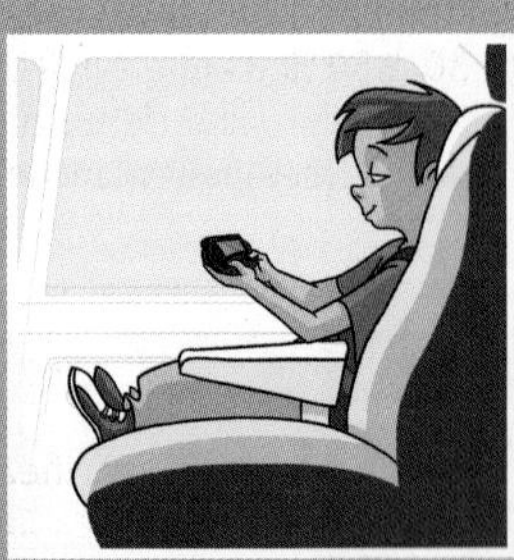

SIÈGE AVEC HARNAIS ET RENFORTS LATÉRAUX, PLACÉ À L'ARRIÈRE DU VÉHICULE

Groupe 2 (15 à 25 kg } 3 à 7 ans) Groupe 3 (22 à 36 kg } 6 à 10 ans)

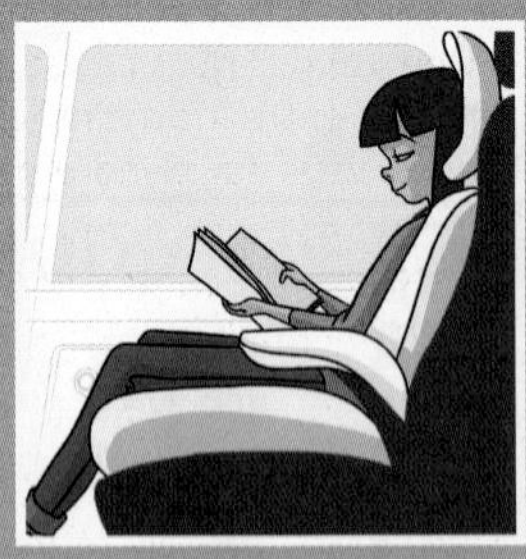

REHAUSSEUR AVEC OU SANS DOSSIER + CEINTURE DE SÉCURITÉ À L'ARRIÈRE DU VÉHICULE

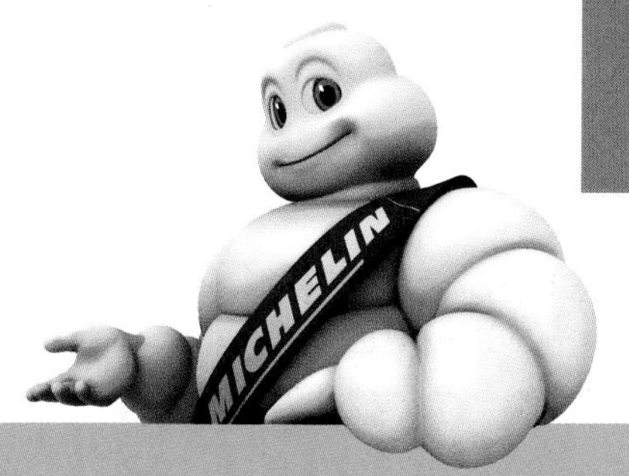

CONDUIRE
DANS DES CONDITIONS DIFFICILES

GÉRER LES INTEMPÉRIES

PLUIE

Sous la pluie, le risque d'accident est multiplié par trois : la visibilité est réduite, les distances de freinage sont allongées de moitié. **Au-dessus de 80 km/h,** une pellicule d'eau peut se former entre le pneu et la chaussée : c'est le phénomène « d'aquaplaning », d'autant plus dangereux que la direction risque alors de ne plus répondre...

En règle générale, il faut **réduire sa vitesse de 20 km/h au moins,** allumer ses feux de croisements, **garder largement ses distances** de sécurité et freiner progressivement par petites impulsions. La pluie vous fait perdre 30 à 50 % d'adhérence et les risques de dérapage se trouvent accrus. Attention : une petite pluie fine peut constituer un piège redoutable, la chaussée peut alors devenir aussi glissante que de la neige !

BROUILLARD

Avant le départ, vérifiez l'éclairage de votre véhicule ; sur la route, **allumez vos codes** ou feux de brouillard. **Réduisez votre vitesse** en fonction de la visibilité et gardez largement vos distances de sécurité avec le véhicule qui vous précède.

Utilisez régulièrement **vos essuie-glaces** et **allumez vos feux de détresse** en cas d'arrêt sur la chaussée (panne, bouchon, accident...)

GLACE ET VERGLAS

Une voiture qui perd sa trajectoire sur la glace devient irrattrapable, même entre les mains les plus expertes. Mais le verglas « noir » peut aussi vous surprendre par plaques ponctuelles sur une route totalement dégagée. **Méfiez-vous,** lorsque la température est négative, des zones restées dans l'ombre, des bordures de bois, des secteurs sujets à brouillard.

NEIGE

Elle fait chuter l'adhérence jusqu'à 80 %. Mais attention, le plus traître dans la neige, ce n'est pas la chaussée plus glissante, mais la grande variation entre les niveaux d'adhérence : **la neige fraîche** offre une adhérence certes basse, mais continue. Au contraire, **un tapis neigeux ancien** accentue les adhérences très variables et peu prévisibles d'un mètre à l'autre, et enfin, **la neige fondante** se colle dans les sculptures des pneus et crée un effet « patinoire ».

RESPECTER LES DISTANCES

Votre distance d'arrêt n'est pas aussi courte que la distance de freinage dont est capable votre voiture car elle intègre votre temps de réaction. Au mieux, il vous faut 1 seconde pour réagir avant d'appuyer sur la pédale de frein en cas d'imprévu... voire 2 en cas d'attention relâchée. **À 90 km/h,** en **1 seconde,** vous parcourez **25 mètres** avant de commencer à freiner.

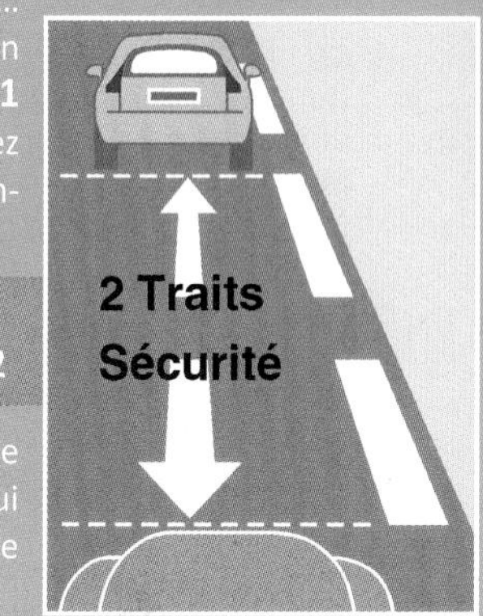

2H DE CONDUITE = TEMPS DE RÉACTION X2

À 130 km/h, cette seconde représente 36 mètres ce qui porte à 129 mètres votre distance de freinage !

2 Traits Sécurité

UNE PAUSE DE 10 MINUTES MINIMUM TOUTES LES 2 HEURES EST INDISPENSABLE !

MÉDICAMENTS

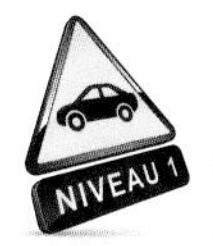

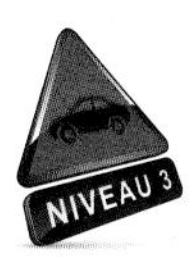

Fiez-vous aux pictogrammes de couleur inscrits sur les boîtes **(jaune, orange, rouge) :** ils indiquent le degré d'assoupissement que la prise des comprimés engendre.

ÉVITER L'ENGOURDISSEMENT

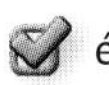

 étirez-vous

tendez un à un les bras à l'horizontale devant vous, en « cassant » le poignet vers l'extérieur et en le faisant pivoter

placez tour à tour les bras à l'horizontale sur les côtés, avant-bras replié, et dirigez-les vers l'arrière en forçant légèrement sur l'articulation des épaules

faites pivoter votre tête de gauche à droite, et effectuez des petites rotations.

CONDUIRE DE NUIT

La nuit représente moins de 10 % du trafic mais **35 % des blessés** et **44 % des personnes tuées** sur la route.

4 FOIS ⊕ DE RISQUE D'AVOIR UN ACCIDENT ENTRE 22H ET 6H DU MATIN !

LES HEURES À ÉVITER

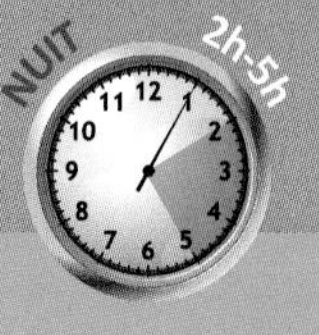

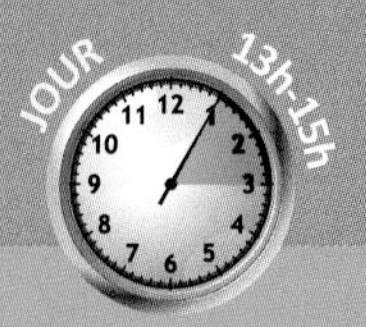

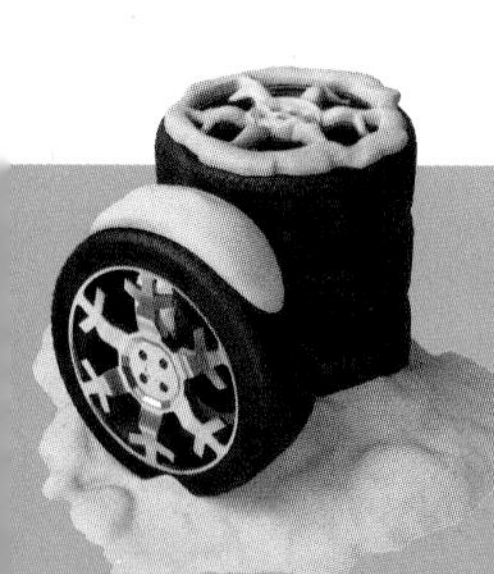

PNEUS NEIGE OU CHAÎNES ?

• **LES PNEUS NEIGE** sont très utiles durant toute la saison hivernale. Sur la neige, ils permettent de **limiter la perte d'adhérence,** et se révèlent **excellents pour la pluie.** Il faut surtout les monter par quatre.

• **LES CHAÎNES ne sont à utiliser que ponctuellement,** en cas de **chaussée entièrement enneigée.** Elles peuvent être rendues obligatoires par les forces de l'ordre. Les chaînes se montent sur les roues motrices de votre voiture.

L'ENTRETIEN
DE VOTRE AUTOMOBILE

PLANNING DE RÉVISION DE LA VOITURE

ESSUIE-GLACE & LAVE-GLACE

ÉCHÉANCE Essuie-glace à vérifier **tous les 3 mois**. Le niveau de lave-glace est à vérifier **avant chaque départ**.

🔧 **RISQUES** Stries lors du balayage.

AMORTISSEURS

ÉCHÉANCE À vérifier **tous les 80 000 km**.

🔧 **RISQUES** Perte de la tenue de route de votre voiture (tenue de cap, adhérence sur les chaussées déformées, efficacité au freinage). Risque insidieux, car très progressif, et donnant dans un premier temps une impression de confort.

FREINS

ÉCHÉANCE Selon recommandation du garagiste. Si vous entendez un fort bruit métallique lors des ralentissements, c'est que les plaquettes de frein sont arrivées à usure totale.

🔧 **RISQUES** La capacité de freinage est alors réduite de 90 %.

LIQUIDE DE FREINS

ÉCHÉANCE À changer **tous les 2 ans**.

🔧 **RISQUES** Absence soudaine de répondant en appuyant sur la pédale (Formation de bulles dans le circuit de freinage qui se charge progressivement en eau).

ÉCLAIRAGE

ÉCHÉANCE Code et pleins phares à vérifier **périodiquement**.

PRESSION DES PNEUS

ÉCHÉANCE Tous les mois, et avant un long déplacement.

🔧 **RISQUES** Dégradation de la tenue de route, surtout en virage. Allongement des distances de freinage. Échauffement et risque d'éclatement. Usure accélérée de la bande de roulement et fatigue de la structure du pneu.

CONTRÔLE TECHNIQUE

En France, toute voiture âgée de 4 ans doit passer un contrôle technique.
• La première visite doit se faire dans les six mois avant son quatrième anniversaire.
• La date de première immatriculation portée sur la carte grise fait référence pour définir le jour ultime de passage au contrôle. Par la suite, les visites se font tous les deux ans.
• L'administration n'envoie aucune convocation : c'est à vous de présenter spontanément votre voiture dans un centre agréé.
• Le passage coûte autour de 65 € et exige un rendez-vous.

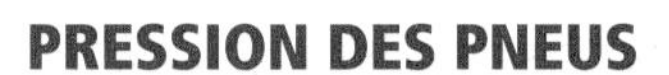

FOCUS PNEUS

Ne prenez la route qu'avec des pneus en bon état. Eux seuls assurent le contact de votre voiture avec la chaussée. Voici ce qui peut les altérer et donc vous obliger à un remplacement.

USURE

INDICATEUR Légalement, la profondeur des sculptures doit être au minimum de 1,6 mm. Le niveau du témoin d'usure est localisé par un triangle sur le flanc (un bibendum chez Michelin).

✓ **RECOMMANDATION** Les pneus se changent au minimum 2 par 2 (par essieu). Même si le pneu n'est pas usé de façon homogène, et à partir du moment où une zone a atteint la hauteur minimum du témoin d'usure. Faites régler en même temps la géométrie des suspensions.

HERNIE

INDICATEUR Petite bosse sur le flanc du pneu.

✓ **RECOMMANDATION** Si la hernie est grosse, il faut changer le pneu.

DÉCHIRURE

INDICATEUR On peut l'évaluer en soulevant le caoutchouc.

✓ **RECOMMANDATION** Un simple accroc de surface n'est pas problématique. En revanche, si on voit la trame du pneu, il faut le changer.

SOUS-GONFLAGE PROLONGÉ

INDICATEUR Pas obligatoirement visible à l'extérieur.

✓ **RECOMMANDATION** Si vous avez roulé plus de 20 km avec un déficit de pression d'un bar (1 kg), il faut faire examiner l'intérieur du pneu par un professionnel (risque de déchapage = perte de la bande de roulement).

CONSEIL DE BIB !

POUR BIEN GONFLER SES PNEUS

• SURGONFLEZ de 0,3 bar (300 grammes) en cas de voiture chargée ou de pneus chauds. (Ou alors reportez-vous aux préconisations du constructeur : sur un nombre croissant de voitures, les préconisations de pression en charge sont nettement plus élevées).

• N'oubliez pas de VÉRIFIER LA PRESSION sur la roue de secours. S'il s'agit d'une roue galette, la pression peut être très élevée (3 à 4 bars).

• SURGONFLEZ de 0,4 bar (400 grammes) à l'arrière du véhicule, si vous tractez une caravane.

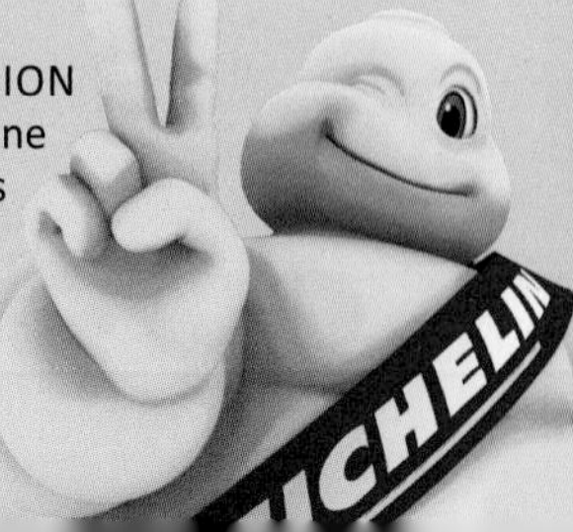

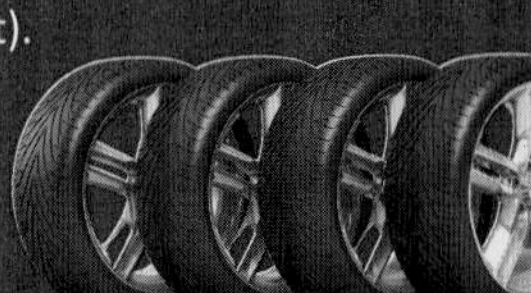

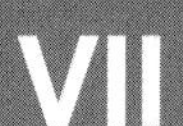

LÉGISLATION FRANÇAISE
INFRACTIONS ET SANCTIONS

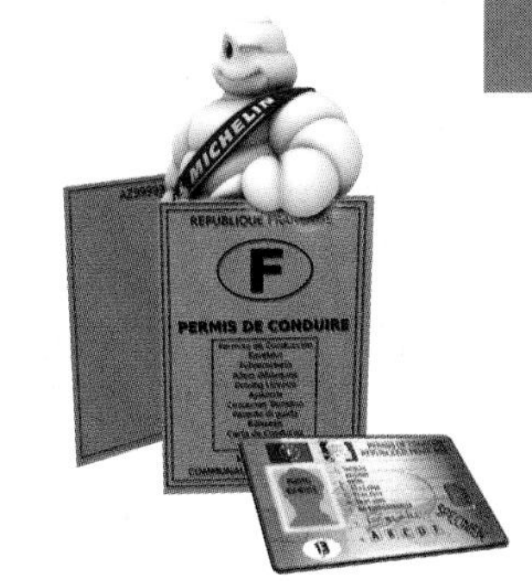

CONTRAVENTIONS
AVEC RETRAIT DE POINTS

NATURE DE LA FAUTE	AMENDE	RETRAIT DE POINTS	SUSPENSION DE PERMIS	SANCTION POSSIBLE
Non présentation de l'attestation d'assurance	35 €	-	-	-
Usage du téléphone tenu en main en conduisant. Port à l'oreille d'un dispositif audio (oreillette, casque, etc...)	135 €	3	-	-
Circulation sur bande d'arrêt d'urgence	135 €	3	MAXI 3 ANS	-
Changement de direction sans avertissement préalable (clignotant)	35 €	3	MAXI 3 ANS	-
Arrêt ou stationnement dangereux, ou de nuit sur route sans éclairage	135 €	3	MAXI 3 ANS	-
Défaut de port de ceinture de sécurité	135 €	3	-	-
Défaut de port de casque (2 roues motorisées)	135 €	3	-	-
Non-respect de l'arrêt au feu rouge ou au stop ou au cédez le passage	135 €	4	MAXI 3 ANS	-
Refus de priorité	135 €	4	MAXI 3 ANS	-
Circulation en sens interdit	135 €	4	MAXI 3 ANS	-
Marche arrière ou demi-tour sur autoroute et rocade d'accès	135 €	4	MAXI 3 ANS	-
Non-respect de la distance de sécurité entre 2 véhicules	135 €	3	MAXI 3 ANS	-
Chevauchement de ligne continue	135 €	1	MAXI 3 ANS	-
Franchissement de ligne continue	135 €	3	MAXI 3 ANS	-
Dépassement dangereux	135 €	3	MAXI 3 ANS	-
Accélération du conducteur sur le point d'être dépassé	135 €	2	MAXI 3 ANS	-
Circulation à gauche sur une chaussée à double sens	135 €	3	MAXI 3 ANS	-
Circulation de nuit ou par visibilité insuffisante sans éclairage	135 €	4	MAXI 3 ANS	-
Conduite en état alcoolique (0,5 à 0,8 g/litre de sang)	135 €	6	MAXI 3 ANS	IMMOBILISATION

LES PRINCIPAUX DÉLITS

NATURE DE LA FAUTE	AMENDE	RETRAIT DE POINTS	SUSPENSION DE PERMIS	SANCTION POSSIBLE
Excès de vitesse > 50 km/h	MAXI 3 750 €	6	MAXI 3 ANS	PRISON (MAXI 3 MOIS)
Défaut d'assurance	MAXI 3 750 €	-	SUSPENSION/ANNULATION DE 3 ANS (SANS SURSIS NI PERMIS BLANC)	IMMOBILISATION/ CONFISCATION
Refus d'obtempérer	MAXI 3 750 €	6	MAXI 3 ANS	PRISON (MAXI 3 MOIS)
Mise en danger d'autrui	MAXI 15 000 €	-	MAXI 5 ANS (ANNULATION)	PRISON (MAXI 1 AN)
Usage de fausses plaques	3 750 €	6	3 ANS	PRISON (MAXI 5 ANS)
Usurpation de plaques	MAXI 30 000 €	6	MAX 3 ANS (ANNULATION)	PRISON (MAXI 7 ANS)
Délit de fuite	MAXI 75 000 €	6	MAX 3 ANS (ANNULATION)	PRISON (MAXI 2 ANS)
Conduite avec une alcoolémie égale ou supérieure à 0,8 g/litre de sang ou en état d'ivresse manifeste. Refus de se soumettre à une vérification de présence d'alcool dans le sang.	MAXI 4 500 €	6	SUSPENSION/ANNULATION DE 3 ANS (SANS SURSIS NI PERMIS BLANC)	IMMOBILISATION/ PRISON 2 ANS
Récidive de conduite avec une alcoolémie égale ou supérieure à 0,8 g/litre de sang ou en état d'ivresse manifeste	9 000 €	6	ANNULATION DE 3 ANS (SANS SURSIS NI PERMIS BLANC)	IMMOBILISATION/ CONFISCATION/PRISON 4 ANS
Conduite sous l'effet de drogue ou refus de dépistage de drogue	4 500 €	6	SUSPENSION/ANNULATION DE 3 ANS (SANS SURSIS NI PERMIS BLANC)	IMMOBILISATION/ CONFISCATION/PRISON 2 ANS
Conduite sans permis de conduire	MAXI 15 000 €	-		IMMOBILISATION/ CONFISCATION/PRISON 1 AN
Conduite malgré une suspension administrative ou judiciaire du permis de conduire ou une rétention du permis de conduire	MAXI 4 500 €	6	SUSPENSION/ANNULATION DE 3 ANS (SANS SURSIS NI PERMIS BLANC)	IMMOBILISATION/ CONFISCATION/PRISON 2 ANS
Accident occasionnant des blessures graves (incapacité temporaire de travail > 3 mois) avec circonstances aggravantes (emprise d'alcool...)	MAXI 45 000 €	6	MAXI 5 ANS (ANNULATION)	IMMOBILISATION /PRISON (MAXI 3 ANS)
Accident avec homicide involontaire	MAXI 75 000 €	6	MAXI 5 ANS (ANNULATION)	IMMOBILISATION /PRISON (MAXI 5 ANS)

Légende	Key	Zeichenerklärung

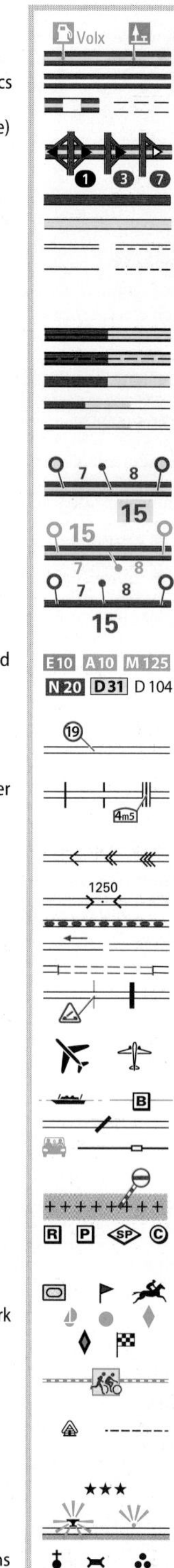

Routes / Roads / Straßen

Légende	Key	Zeichenerklärung
Autoroute - Station-service - Aire de repos	Motorway - Petrol station - Rest area	Autobahn - Tankstelle - Tankstelle mit Raststätte
Double chaussée de type autoroutier	Dual carriageway with motorway characteristics	Schnellstraße mit getrennten Fahrbahnen
Autoroute - Route en construction (le cas échéant : date de mise en service prévue)	Motorway - Road under construction (when available : with scheduled opening date)	Autobahn - Straße im Bau (ggf. voraussichtliches Datum der Verkehrsfreigabe)
Échangeurs : complet - partiels	Interchanges: complete, limited	Anschlussstellen: Voll- bzw. Teilanschlussstellen
Numéros d'échangeurs	Interchange numbers	Anschlussstellennummern
Route de liaison internationale ou nationale	International and national road network	Internationale bzw.nationale Hauptverkehrsstraße
Route de liaison interrégionale ou de dégagement	Interregional and less congested road	Überregionale Verbindungsstraße oder Umleitungsstrecke
Route revêtue - non revêtue	Road surfaced - unsurfaced	Straße mit Belag - ohne Belag
Chemin d'exploitation - Sentier	Rough track - Footpath	Wirtschaftsweg - Pfad

Largeur des routes / Road widths / Straßenbreiten

Légende	Key	Zeichenerklärung
Chaussées séparées	Dual carriageway	Getrennte Fahrbahnen
4 voies	4 lanes	4 Fahrspuren
2 voies larges	2 wide lanes	2 breite Fahrspuren
2 voies	2 lanes	2 Fahrspuren
1 voie	1 lane	1 Fahrspur

Distances (totalisées et partielles) / Distances (total and intermediate) / Entfernungen (Gesamt- und Teilentfernungen)

Légende	Key	Zeichenerklärung
Section à péage sur autoroute	Toll roads on motorway	Mautstrecke auf der Autobahn
Section libre sur autoroute	Toll-free section on motorway	Mautfreie Strecke auf der Autobahn
sur route	on road	auf der Straße

Numérotation - Signalisation / Numbering - Signs / Nummerierung - Wegweisung

Légende	Key	Zeichenerklärung
Route européenne - Autoroute - Route métropolitaine	European route - Motorway - Metropolitan road	Europastraße - Autobahn - Straße der Metropolregion
Route nationale - départementale	National road - Departmental road	Nationalstraße - Departementstraße

E10 A10 M125
N20 D31 D 104

Alertes Sécurité / Safety Warnings / Sicherheitsalerts

Légende	Key	Zeichenerklärung
Limites de charge : d'un pont, d'une route (au-dessous de 19 t.)	Load limit of a bridge, of a road (under 19 t)	Höchstbelastung einer Straße/Brücke (angegeben, wenn unter 19 t)
Passages de la route : à niveau - supérieur - inférieur Hauteur limitée (au-dessous de 4,50 m)	Level crossing: railway passing, under road, over road. Height limit (under 4.50 m)	Bahnübergänge: Schienengleich, Unterführung, Überführung. Beschränkung der Durchfahrtshöhe (angegeben, wenn unter 4,50 m)
Forte déclivité (flèches dans le sens de la montée) de 5 à 9%, de 9 à 13%, 13% et plus	Steep hill (ascent in direction of the arrow) 5 - 9%, 9 -13%, 13% +	Starke Steigung (Steigung in Pfeilrichtung) 5-9%, 9-13%, 13% und mehr
Col et sa cote d'altitude	Pass and its height above sea level	Pass mit Höhenangabe
Parcours difficile ou dangereux	Difficult or dangerous section of road	Schwierige oder gefährliche Strecke
Route à sens unique - Route réglementée	One way road - Road subject to restrictions	Einbahnstraße - Straße mit Verkehrsbeschränkungen
Route interdite	Prohibited road	Gesperrte Straße
Pont mobile - Barrière de péage	Swing bridge - Toll barrier	Bewegliche Brücke - Mautstelle

Transports / Transportation / Verkehrsmittel

Légende	Key	Zeichenerklärung
Aéroport - Aérodrome	Airport - Airfield	Flughafen - Flugplatz
Transport des autos : par bateau - par bac	Transportation of vehicles: by boat - by ferry	Schiffsverbindungen: per Schiff - per Fähre
Bac pour piétons et cycles	Ferry (passengers and cycles only)	Fähre für Personen und Fahrräder
Covoiturage - Voie ferrée - Gare	Carpooling - Railway - Station	Mitfahrzentrale - Bahnlinie - Bahnhof

Administration / Administration / Verwaltung

Légende	Key	Zeichenerklärung
Frontière - Douane	National boundary - Customs post	Staatsgrenze - Zoll
Capitale de division administrative	Administrative district seat	Verwaltungshauptstadt

R P ⬧P⬧ C

Sports - Loisirs / Sport & Recreation Facilities / Sport - Freizeit

Légende	Key	Zeichenerklärung
Stade - Golf - Hippodrome	Stadium - Golf course - Horse racetrack	Stadion - Golfplatz - Pferderennbahn
Port de plaisance - Baignade - Parc aquatique	Pleasure boat harbour - Bathing place - Water park	Yachthafen - Strandbad - Badepark
Base ou parc de loisirs - Circuit automobile	Country park - Racing circuit	Freizeitanlage - Rennstrecke
Piste cyclable / Voie Verte	Cycle paths and nature trails	Radwege und autofreie Wege
Source : Association Française des Véloroutes et Voies Vertes	Source : Association Française des Véloroutes et Voies Vertes	Source : Association Française des Véloroutes et Voies Vertes
Refuge de montagne - Sentier de randonnée	Mountain refuge hut - Hiking trail	Schutzhütte - Markierter Wanderweg

Curiosités / Sights / Sehenswürdigkeiten

Légende	Key	Zeichenerklärung
Principales curiosités : voir LE GUIDE VERT	Principal sights: see THE GREEN GUIDE	Hauptsehenswürdigkeiten: siehe GRÜNER REISEFÜHRER
Table d'orientation - Panorama - Point de vue	Viewing table - Panoramic view - Viewpoint	Orientierungstafel - Rundblick - Aussichtspunkt
Parcours pittoresque	Scenic route	Landschaftlich schöne Strecke
Édifice religieux - Château - Ruines	Religious building - Historic house, castle - Ruins	Sakral-Bau - Schloss, Burg - Ruine
Monument mégalithique - Phare - Moulin à vent	Prehistoric monument - Lighthouse - Windmill	Vorgeschichtliches Steindenkmal - Leuchtturm - Windmühle
Train touristique - Cimetière militaire	Tourist train - Military cemetery	Museumseisenbahn-Linie - Soldatenfriedhof
Grotte - Autres curiosités	Cave - Other places of interest	Höhle - Sonstige Sehenswürdigkeit

Signes divers / Other signs / Sonstige Zeichen

Légende	Key	Zeichenerklärung
Puits de pétrole ou de gaz - Carrière - Éolienne	Oil or gas well - Quarry - Wind turbine	Erdöl-, Erdgasförderstelle - Steinbruch - Windkraftanlage
Transporteur industriel aérien	Industrial cable way	Industrieschwebebahn
Usine - Barrage	Factory - Dam	Fabrik - Staudamm
Tour ou pylône de télécommunications	Telecommunications tower or mast	Funk-, Sendeturm
Raffinerie - Centrale électrique - Centrale nucléaire	Refinery - Power station - Nuclear Power Station	Raffinerie - Kraftwerk - Kernkraftwerk
Phare ou balise - Moulin à vent	Lighthouse or beacon - Windmill	Leuchtturm oder Leuchtfeuer - Windmühle
Château d'eau - Hôpital	Water tower - Hospital	Wasserturm - Krankenhaus
Église ou chapelle - Cimetière - Calvaire	Church or chapel - Cemetery - Wayside cross	Kirche oder Kapelle - Friedhof - Bildstock
Château - Fort - Ruines - Village étape	Castle - Fort - Ruines - Stopover village	Schloss, Burg, Fort, Festung - Ruine - Übernachtungsort
Grotte - Monument - Altiport	Grotte - Monument - Mountain airfield	Höhle - Denkmal - Landeplatz im Gebirge
Forêt ou bois - Forêt domaniale	Forest or wood - State forest	Wald oder Gehölz - Staatsforst

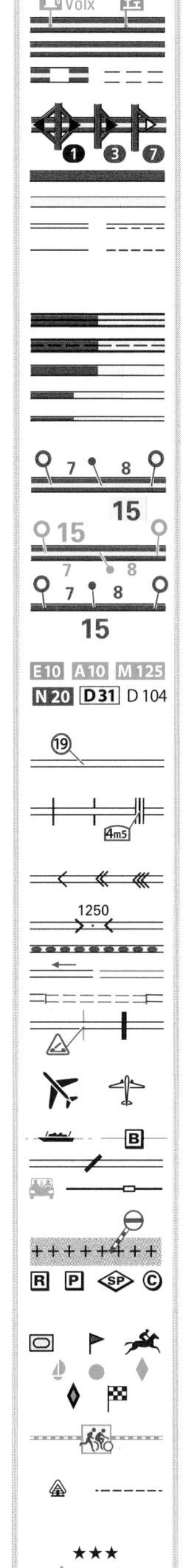

Verklaring van de tekens

Wegen
Autosnelweg - Tankstation - Rustplaats
Gescheiden rijbanen van het type autosnelweg
Autosnelweg - Weg in aanleg
(indien bekend: datum openstelling)
Aansluitingen: volledig, gedeeltelijk
Afritnummers
Internationale of nationale verbindingsweg
Interregionale verbindingsweg
Verharde weg - Onverharde weg
Landbouwweg - Pad

Breedte van de wegen
Gescheiden rijbanen
4 rijstroken
2 brede rijstroken
2 rijstroken
1 rijstrook

Afstanden (totaal en gedeeltelijk)
Gedeelte met tol op
autosnelwegen

Tolvrij gedeelte op autosnelwegen

op andere wegen

Wegnummers - Bewegwijzering
Europaweg - Autosnelweg - Stadsweg
Nationale weg - Departementale weg

Veiligheidswaarschuwingen
Maximum draagvermogen: van een brug, van een
weg (indien minder dan 19 t)
Wegovergangen: gelijkvloers, overheen,
onderdoor.
Vrije hoogte (indien lager dan 4,5 m)
Steile helling (pijlen in de richting van de helling)
5 - 9%, 9 - 13%, 13% of meer
Bergpas en hoogte boven de zeespiegel
Moeilijk of gevaarlijk traject
Weg met eenrichtingsverkeer - Beperkt opengestelde weg
Verboden weg
Beweegbare brug - Tol

Vervoer
Luchthaven - Vliegveld
Vervoer van auto's:
per boot - per veerpont
Veerpont voor voetgangers en fietsers
Carpoolplaats - Spoorweg - Station

Administratie
Staatsgrens - Douanekantoor
Hoofdplaats van administratief gebied

Sport - Recreatie
Stadion - Golfterrein - Renbaan
Jachthaven - Zwemplaats - Watersport
Recreatiepark - Autocircuit
Fietspad / Wandelpad in de natuur
Source : Association Française
des Véloroutes et Voies Vertes
Berghut - Afstandswandelpad

Bezienswaardigheden
Belangrijkste bezienswaardigheden: zie DE GROENE GIDS
Oriëntatietafel - Panorama - Uitzichtpunt
Schilderachtig traject
Kerkelijk gebouw - Kasteel - Ruïne
Megaliet - Vuurtoren - Molen
Toeristentreintje - Militaire begraafplaats
Grot - Andere bezienswaardigheden

Diverse tekens
Olie- of gasput - Steengroeve - Windmolen
Kabelvrachtvervoer
Fabriek - Stuwdam
Telecommunicatietoren of -mast
Raffinaderij - Elektriciteitscentrale - Kerncentrale
Vuurtoren of baken - Molen
Watertoren - Hospitaal
Kerk of kapel - Begraafplaats - Kruisbeeld
Kasteel - Fort - Ruïne - Dorp voor overnachting
Grot - Monument - Landingsbaan in de bergen
Bos - Staatsbos

Legenda

Strade
Autostrada - Stazione di servizio - Area di riposo
Doppia carreggiata di tipo autostradale
Autostrada - Strada in costruzione
(data di apertura prevista)
Svincoli: completo, parziale
Svincoli numerati
Strada di collegamento internazionale o nazionale
Strada di collegamento interregionale o di disimpegno
Strada rivestita - non rivestita
Strada per carri - Sentiero

Larghezza delle strade
Carreggiate separate
4 corsie
2 corsie larghe
2 corsie
1 corsia

Distanze (totali e parziali)
Tratto a pedaggio
su autostrada

Tratto esente da pedaggio su autostrada

su strada

Numerazione - Segnaletica
Strada europea - Autostrada - Strada metropolitana
Strada nazionale - dipartimentale

Segnalazioni stradali
Limite di portata di un ponte, di una strada
(inferiore a 19 t.)
Passaggi della strada: a livello, cavalcavia,
sottopassaggio
Limite di altezza (inferiore a 4,50 m)
Forte pendenza (salita nel senso della freccia)
da 5 a 9%, da 9 a 13%, superiore a 13%
Passo ed altitudine
Percorso difficile o pericoloso
Strada a senso unico - Strada a circolazione regolamentata
Strada vietata
Ponte mobile - Casello

Trasporti
Aeroporto - Aerodromo
Trasporto auto:
su traghetto - su chiatta
Traghetto per pedoni e biciclette
Carpooling - Ferrovia - Stazione

Amministrazione
Frontiera - Dogana
Capoluogo amministrativo

Sport - Divertimento
Stadio - Golf - Ippodromo
Porto turistico - Stabilimento balneare - Parco acquatico
Area o parco per attività ricreative - Circuito automobilistico
Pista ciclabile / Viottolo
Source : Association
Française des Véloroutes et Voies Vertes
Rifugio - Sentiero per escursioni

Mete e luoghi d'interesse
Principali luoghi d'interesse, vedere LA GUIDA VERDE
Tavola di orientamento - Panorama - Vista
Percorso pittoresco
Edificio religioso - Castello - Rovine
Monumento megalitico - Faro - Mulino a vento
Trenino turistico - Cimitero militare
Grotta - Altri luoghi d'interesse

Simboli vari
Pozzo petrolifero o gas naturale - Cava - Centrale eolica
Teleferica industriale
Fabbrica - Diga
Torre o pilone per telecomunicazioni
Raffineria - Centrale elettrica - Centrale nucleare
Faro o boa - Mulino a vento
Torre idrica - Ospedale
Chiesa o cappella - Cimitero - Calvario
Castello - Forte - Rovine - Paese tappa
Grotta - Monumento - Altiporto
Foresta o bosco - Foresta demaniale

Signos convencionales

Carreteras
Autopista - Estación servicio - Área de descanso
Autovía
Autopista - Carretera en construcción
(en su caso : fecha prevista de entrada en servicio)
Enlaces: completo, parciales
Números de los accesos
Carretera de comunicación internacional o nacional
Carretera de comunicación interregional o alternativo
Carretera asfaltada - sin asfaltar
Camino agrícola - Sendero

Ancho de las carreteras
Calzadas separadas
Cuatro carriles
Dos carriles anchos
Dos carriles
Un carril

Distancias (totales y parciales)
Tramo de peaje
en autopista

Tramo libre en autopista

en carretera

Numeración - Señalización
Carretera europea - Autopista - Carretera metropolitana
Carretera nacional - provincial

Alertas Seguridad
Carga límite de un puente, de una carretera
(inferior a 19 t)
Pasos de la carretera: a nivel, superior, inferior
Altura limitada
(inferior a 4,50 m)
Pendiente pronunciada (las flechas indican el sentido
del ascenso) de 5 a 9%, 9 a 13%, 13% y superior
Puerto y su altitud
Recorrido difícil o peligroso
Carretera de sentido único - Carretera restringida
Tramo prohibido
Puente móvil - Barrera de peaje

Transportes
Aeropuerto - Aeródromo
Transporte de coches :
por barco - por barcaza
Barcaza para el paso de peatones y vehículos dos ruedas
Coche compartido - Línea férrea - Estación

Administración
Frontera - Puesto de aduanas
Capital de división administrativa

Deportes - Ocio
Estadio - Golf - Hipódromo
Puerto deportivo - Zona de baño - Parque acuático
Parque de ocio - Circuito automovilístico
Pista ciclista / Vereda
Source : Association Française
des Véloroutes et Voies Vertes
Refugio de montaña - Sendero balizado

Curiosidades
Principales curiosidades: ver LA GUÍA VERDE
Mesa de orientación - Vista panorámica - Vista parcial
Recorrido pintoresco
Edificio religioso - Castillo - Ruinas
Monumento megalítico - Faro - Molino de viento
Tren turístico - Cementerio militar
Cueva - Otras curiosidades

Signos diversos
Pozos de petróleo o de gas - Cantera - Parque eólico
Transportador industrial aéreo
Fábrica - Presa
Torreta o poste de telecomunicación
Refinería - Central eléctrica - Central nuclear
Faro o baliza - Molino de viento
Fuente - Hospital
Iglesia o capilla - Cementerio - Crucero
Castillo - Fortaleza - Ruinas - Población-etapa
Cueva - Monumento - Altipuerto
Bosque - Patrimonio Forestal del Estado

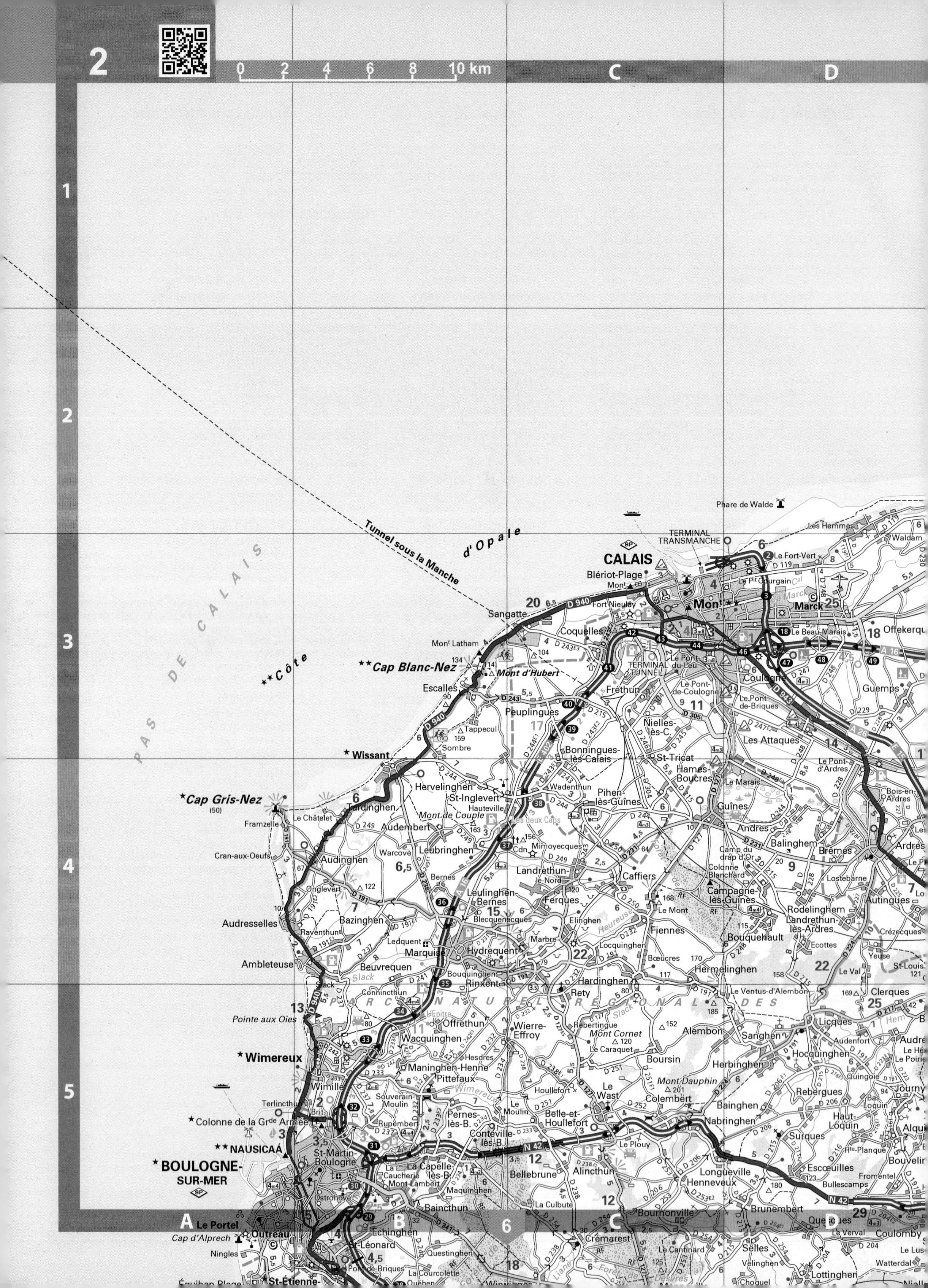

2
0 2 4 6 8 10 km
C
D
1
2
3
4
5
A
B
6
PAS DE CALAIS
Tunnel sous la Manche
Côte d'Opale
Phare de Walde
Les Hemmes
Waldam
TERMINAL TRANSMANCHE
CALAIS
Blériot-Plage
Le Fort-Vert
Le Pt Courgain
Marck
Sangatte
Fort Nieulay
Coquelles
Le Beau-Marais
Offekerque
Mont Latham
Cap Blanc-Nez
Mont d'Hubert
TERMINAL TUNNEL
Le Pont-du-Leu
Coulogne
Escalles
Fréthun
Le Pont-de-Coulogne
Le Pont de-Briques
Guemps
Peuplingues
Nielles-lès-C.
Tappecul
Sombre
Les Attaques
Wissant
Bonningues-lès-Calais
St-Tricat
Hames-Boucres
Le Pont d'Ardres
Cap Gris-Nez
Framzelle
Le Châtelet
Tardinghen
Hervelinghen
St-Inglevert
Hauteville
Wadenthun
Pihen-lès-Guînes
Le Marais
Guînes
Bois-en-Ardres
Audembert
Mont de Couple
Les deux Caps
Andres
Balinghem
Brêmes
Ardres
Cran-aux-Oeufs
Audinghen
Warcove
Leubringhen
Mimoyecques
Camp du drap d'Or
Colonne Blanchard
Onglevert
Bernes
Landrethun-le-Nord
Caffiers
Campagne-lès-Guînes
Lostebarne
Autingues
Leulinghen-Bernes
Ferques
Le Mont
Rodelinghem
Landrethun-lès-Ardres
Audresselles
Raventhun
Bazinghen
Blecquenecques
Elinghen
Fiennes
Bouquehault
Crézecques
Ledquent
Marquise
Hydrequent
Marbre
Locquinghen
Ecottes
Ambleteuse
Beuvrequen
Bœucres
Hermelinghen
Yeuse
St-Louis
Slack
Rinxent
Hardinghen
Le Val
Conincthun
Rety
Le Ventus-d'Alembon
Clerques
PARC NATUREL RÉGIONAL DES
Pointe aux Oies
L'Epitre
Offrethun
Wierre-Effroy
Rebertingue
Mont Cornet
Alembon
Licques
Sanghen
Audenfort
Wimereux
Wacquinghen
Le Caraquet
Boursin
Herbinghen
Hocquinghen
Maninghen-Henne
Hesdres
Pittefaux
Mont Dauphin
La Quingoie
Journy
Wimille
Souverain-Moulin
Houllefort
Le Wast
Rebergues
Terlincthun
Colembert
Bainghen
Haut-Loquin
Colonne de la Grde Armée
Rupembert
Pernes-lès-B.
Le Moulin
Belle-et-Houllefort
Nabringhen
Alquines
Conteville-lès-B.
Surques
Hte-Planque
NAUSICAÁ
St-Martin-Boulogne
Le Plouy
BOULOGNE-SUR-MER
La Caucherie
La Capelle-lès-B.
Bellebrune
Alincthun
Longueville
Henneveux
Escœuilles
Bouvelinghem
Fromentel
Mont-Lambert
Maquinghen
Bullescamps
Ostrohove
La Culbute
Baincthun
Brunembert
Quesques
Le Portel
Outreau
Bournonville
Cap d'Alprech
Echinghen
Crémarest
Le Verval
Coulomby
Ningles
St-Léonard
Questinghen
Le Cantinard
Selles
Pont-de-Briques
La Courcolette
Velinghen
Watterdal
Equihen Plage
St-Étienne-
Quéhen
Choquel
Lottinghen
A 16
A 26
N 42
D 940
D 243
D 191
D 244
D 215
D 231

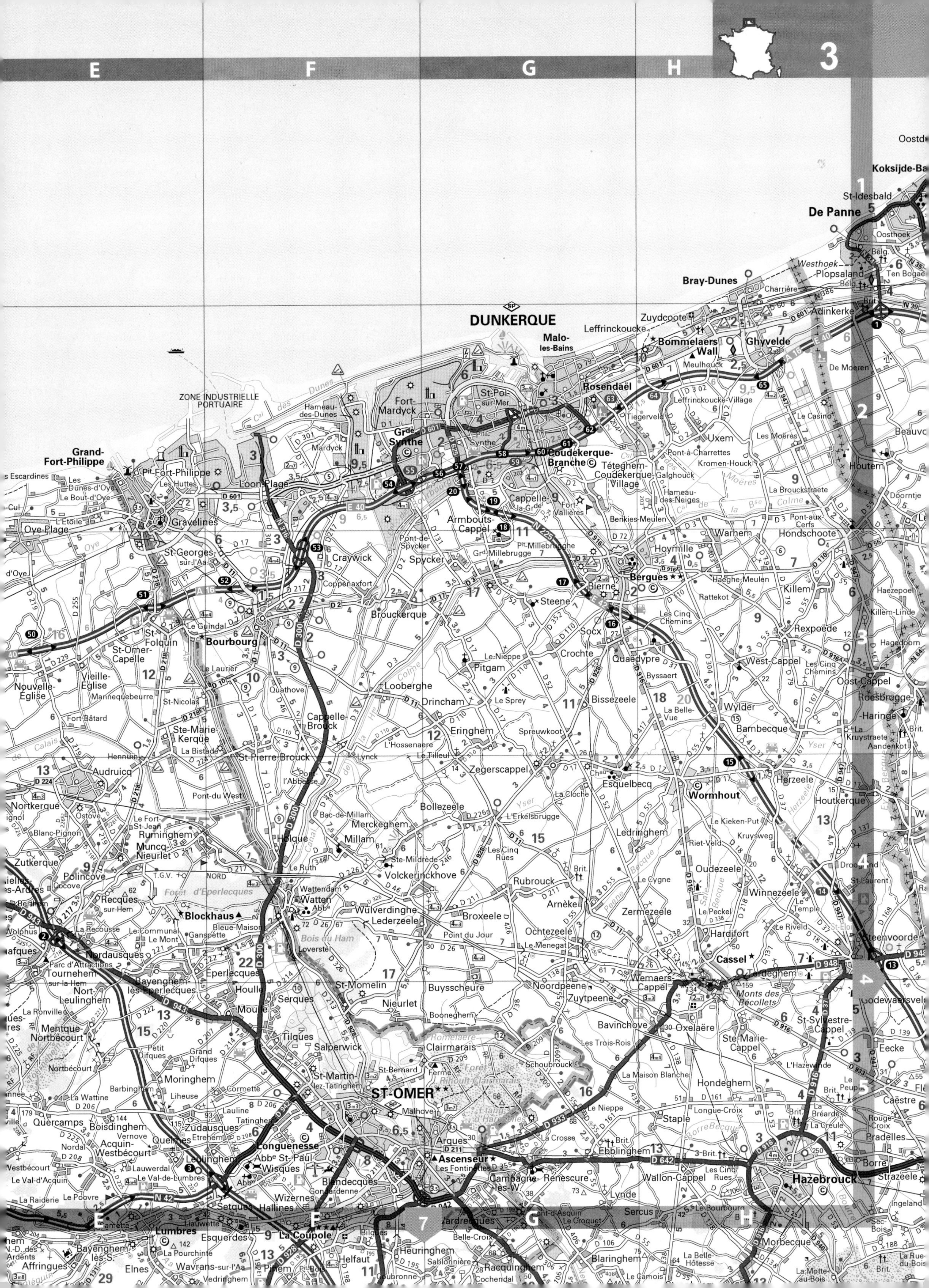
DUNKERQUE
Malo-les-Bains
Leffrinckoucke
Zuydcoote
Bray-Dunes
De Panne
St-Idesbald
Koksijde-Ba
Oostd
Oosthoek
Westhoek
Plopsaland
Ten Bogae
Adinkerke
Bommelaers Wall
Ghyvelde
Meulhouck
De Moeren
Rosendaël
Leffrinckoucke-Village
Tiegerveld
Uxem
Les Moëres
Le Casino
Beauvo
Houtem
Coudekerque-Branche
Téteghem-Coudekerque-Village
Pont-à-Chartettes
Kromen-Houck
Galghouck
Hameau-des-Neiges
La Broucktraete
Doornije
St-Pol-sur-Mer
Fort-Mardyck
Mardyck
Hameau-des-Dunes
ZONE INDUSTRIELLE PORTUAIRE
Grande-Synthe
Petite-Synthe
Grand-Fort-Philippe
Petit-Fort-Philippe
Les Escardines
Les Dunes-d'Oye
Le Bout-d'Oye
Les Huttes
Loon-Plage
Gravelines
L'Etoile
Oye-Plage
St-Georges-sur-l'Aa
Craywick
Spycker
Pont-de-Spycker
Coppenaxfort
Armbouts-Cappel
Cappelle-la-Grande
Fort Vallières
Benkies-Meulen
Petit-Millebrugghe
Grand-Millebrugge
Warhem
Hondschoote
Pont-aux-Cerfs
Hoymille
Bergues
Bierne
Haeghe-Meulen
Rattekot
Killem
Haezepoel
Killem-Linde
Rexpoëde
Hagedoorn
Steene
Brouckerque
Socx
Les Cinq Chemins
Crochte
Quaëdypre
Byssaert
West-Cappel
Les Cinq Chemins
Oost-Cappel
Roesbrugge-Haringe
St-Folquin
Bourbourg
Le Guindal
St-Omer-Capelle
Vieille-Eglise
Nouvelle-Eglise
Mannequebeurre
Le Laurier
Quathove
Looberghe
Pitgam
Le Nieppe
Le Sprey
Bissezeele
La Belle-Vue
Wylder
Bambecque
Kruystraete
Aandenkot
Drincham
Eringhem
Spreuwkoot
Cappelle-Brouck
St-Nicolas
Fort-Bâtard
Ste-Marie-Kerque
La Bistade
St-Pierre-Brouck
L'Hossenaere
Le Tilleul
Lynck
Zegerscappel
Esquelbecq
Wormhout
Herzeele
Houtkerque
Hennuin
Audruicq
Pont-du-West
Pont-l'Abbesse
Bollezeele
L'Erkelsbrugge
La Cloche
Le Kieken-Put
Kruysweg
Nortkerque
Ostove
Le Fort-St-Jean
Blanc-Pignon
Ruminghem
Muncq-Nieurlet
Bac-de-Millam
Merckeghem
Millam
Holque
Ledringhem
Riet-Veld
Oudezeele
Droogland
St-Laurent
Zutkerque
Polincove
Cocove
Le Ruth
Ste-Mildrède
Volckerinckhove
Les Cinq Rues
Rubrouck
Le Cygne
Winnezeele
Le Temple
Recques-sur-Hem
Forêt d'Eperlecques
Blockhaus
Watten
Wattendam
Wulverdinghe
Lederzeele
Broxeele
Arnèke
Zermezeele
Le Peckel
Hardifort
Le Riveld
Steenvoorde
Wolphus
La Recousse
Le Communal
Ganspette
Bleue-Maison
Le Mont
Bois du Ham
Loverstel
Point du Jour
Ochtezeele
Le Menegat
Cassel
Terdeghem
Nordausques
Parc d'Attractions
Tournehem-sur-la-Hem
Eperlecques
Houlle
Moulle
Serques
St-Momelin
Nieurlet
Buysscheure
Noordpeene
Zuytpeene
Wemaers-Cappel
Monts des Récollets
Godewaersvelde
Bayenghem-lès-Eperlecques
Nort-Leulinghem
La Ronville
Mentque-Nortbécourt
Booneghem
Bavinchove
Oxelaëre
St-Sylvestre-Cappel
Eecke
Tilques
Salperwick
Romelaere
Clairmarais
Les Trois-Rois
Ste-Marie-Cappel
Petit Difques
Grand Difques
Schoubrouck
Nortbécourt
Moringhem
St-Martin-lez-Tatinghem
St-Bernard
Ferme
Forêt de Rihoult-Clairmarais
La Maison Blanche
L'Hazewinde
Barbinghem
Liheuse
Cormette
La Wattine
ST-OMER
Malhove
Etang d'Harchelles
Le Nieppe
Hondeghem
Caëstre
Quercamps
Boisdinghem
Vernove
Lauline
Tatinghem
Zudausques
Etrehem
Longuenesse
Longue-Croix
Staple
La Bréarde
La Creule
Rouge Croix
Pradelles
Acquin-Westbécourt
Querrines
La Crosse
Ebblinghem
Westbécourt
Leulinghem
Abbaye St-Paul
Wisques
Arques
Ascenseur
Les Fontinettes
Campagne-lès-W.
Renescure
Wallon-Cappel
Les Cinq Rues
Hazebrouck
Borre
Strazeele
Lauwerdal
Le Val-de-Lumbres
Le Val-d'Acquin
Blendecques
Gondardenne
La Raiderie
Le Poavre
Setques
Hallines
Wizernes
Lynde
Sercus
Le Bourbourg
Ingeland
Sec-Bois
Lumbres
Lauwette
Esquerdes
La Coupole
Wardrecques
Ont-d'Asquin
Le Croquet
Belle-Croix
Heuringhem
Morbecque
Bayenghem-lès-S.
La Pourchinte
N.-D. des Ardents
Affringues
Elnes
Wavrans-sur-l'Aa
Vedringhem
Pihem
Helfaut
Sablonnière
Racquinghem
Blaringhem
La Belle-Hôtesse
La Motte-au-Bois
La Rue-du-Bois
Coubronne
Cochendal
Le Camois
Bilques
Calais
Colme
Yser
A 16
A 25
E 40
E 42
N 225
D 300
D 943
D 642
D 916
D 948

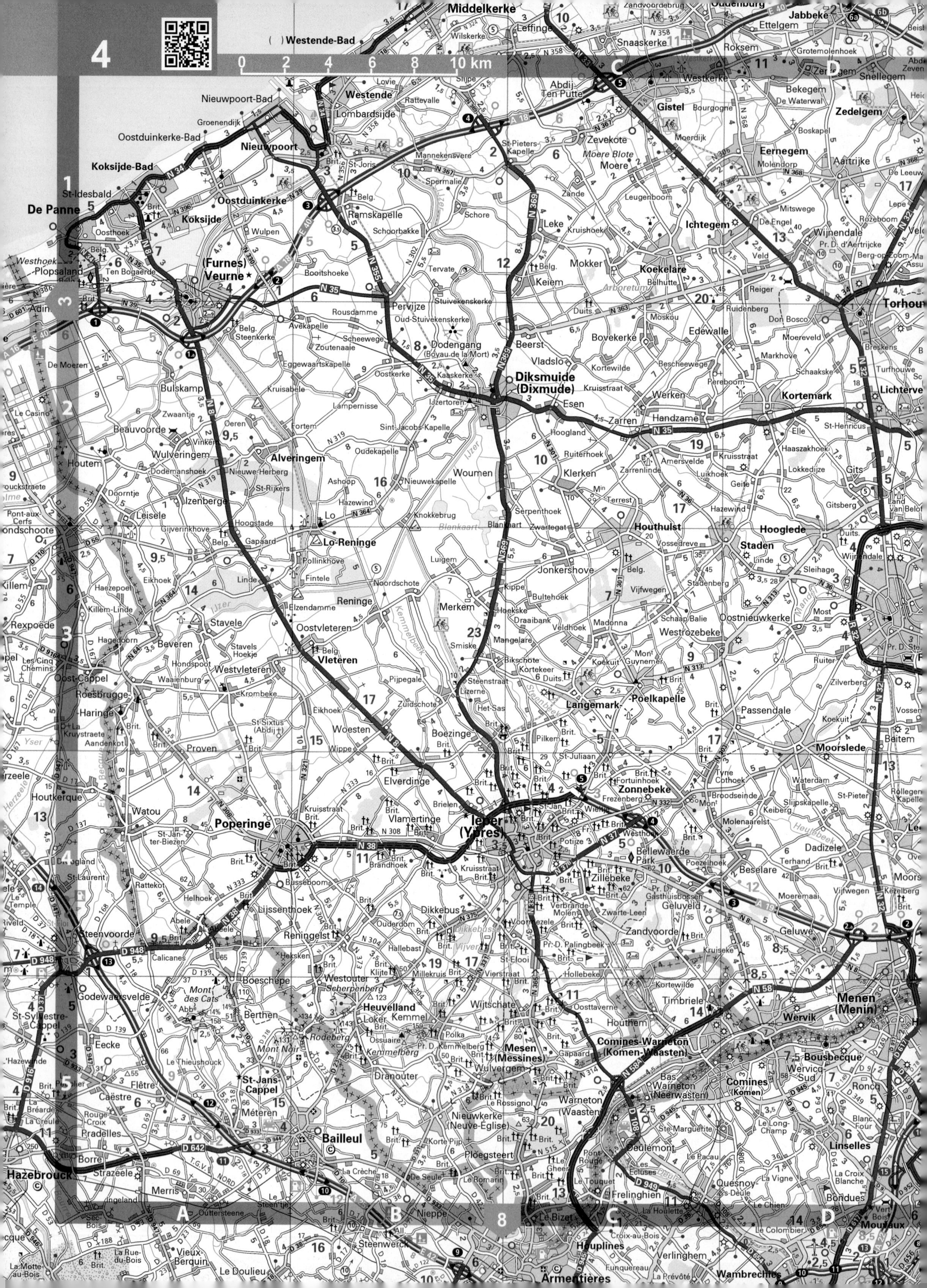
4
0 2 4 6 8 10 km
Middelkerke
Westende-Bad
Westende
Lombardsijde
Nieuwpoort-Bad
Groenendijk
Oostduinkerke-Bad
Nieuwpoort
Koksijde-Bad
St-Idesbald
De Panne
Oostduinkerke
Koksijde
Oosthoek
Wulpen
Westhoek
Plopsaland
Ten Bogaerde
(Furnes)
Veurne
Booitshoeke
Ramskapelle
Schoorbakke
St-Joris
Mannekensvere
Spermalie
Schore
Leffinge
Wilskerke
Snaaskerke
Abdij Ten Putte
Gistel
Zevekote
St-Pieters-Kapelle
Moere Blote
Moere
Zande
Leke
Keiem
Mokker
Kruishoek
Ichtegem
Koekelare
Belhutte
Leugenboom
Moerdijk
Bourgogne
Ettelgem
Roksem
Westkerke
Jabbeke
Zerkegem
Snellegem
Bekegem
De Waterwal
Zedelgem
Eernegem
Molendorp
Aartrijke
Boskapel
Mitswege
De Engel
Wijnendale
Pr. D. d'Aertrijcke
Torhout
Veld
Reiger
Ruidenberg
Moskou
Edewalle
Don Bosco
Moereveld
Breskens
Markhove
Schaakske
Kortemark
Lichtervelde
Turfhouwe
Pervijze
Stuivekenskerke
Oud-Stuivekenskerke
Dodengang
(Boyau de la Mort)
Kaaskerke
Tervate
Beerst
Vladslo
Diksmuide
(Dixmude)
Esen
Zarren
Handzame
Kortewilde
Bovekerke
Bescheewege
Pereboom
Werken
Kruisstraat
Arboretum
Rousdamme
Avekapelle
Scheewege
Zoutenaaie
Belg.
Steenkerke
Eggewaartskapelle
Oostkerke
IJzertoren
Lampernisse
Kruisabele
Bulskamp
Adinkerke
De Moeren
Le Casino
Beauvoorde
Zwaantje
Oeren
Vinkem
Wulveringem
Alveringem
Fortem
Sint-Jacobs-Kapelle
Oudekapelle
Nieuwe-Herberg
Houtem
Dodemanshoek
St-Rijkers
Ashoop
Nieuwekapelle
Woumen
Hoogland
Ruiterhoek
Klerken
Zarrenlinde
Amersvelde
Kruisstraat
Luikhoek
Geite
Haaszakhoek
Lokkedijze
Gits
Gitsberg
St-Henricus
Elle
Izenberge
Leisele
Doorntje
Hoogstade
Gijverinkhove
Hazewind
Lo
Lo-Reninge
Gapaard
Knokkebrug
Blankaart
Serpenthoek
Zwartegat
Terrest
Houthulst
Vossedreve
Staden
Hooglede
Linde
Sleihage
Wijnendale
Pollinkhove
Fintele
Noordschote
Luigem
Jonkershove
Kippe
Bultehoek
Vijfwegen
Stadenberg
Reninge
Elzendamme
Merkem
Hoekske
Draaibank
Veldhoek
Madonna
Schaap Balie
Oostnieuwkerke
Westrozebeke
Most
Rondschoote
Pont-aux-Cerfs
Killem
Haezepoel
Killem-Linde
Eikhoek
Stavele
Rexpoëde
Hagedoorn
Beveren
Stavels Hoekje
Hondspoot
Oostvleteren
Vleteren
Westvleteren
Waaienburg
Krombeke
Les Cinq Chemins
Oost-Cappel
Roesbrugge-Haringe
Smiske
Mangelare
Bikschote
Kortekeer
Mon Guynemer
Langemark-Poelkapelle
Steenstraat
Lizerne
Het-Sas
Pijpegale
Zuidschote
Eikhoek
St-Sixtus (Abdij)
Proven
Woesten
Wippe
Boezinge
Pilkem
St-Juliaan
Passendale
Koekuit
Moorslede
Beitem
Aandenkot
Houtkerque
Watou
Poperinge
St-Jan-ter-Biezen
Elverdinge
Vlamertinge
Brielen
Ieper
(Ypres)
St-Jan
Wieltje
Potijze
Fortuinhoek
Zonnebeke
Frezenberg
Tyne Cot
Broodseinde
Waterdam
St-Pieter
Slijpskapelle
Keiberg
Molenaarelst
Westhoek
Bellewaerde Park
Poezelhoek
Beselare
Dadizele
Terhand
Herzeele
Droogland
St-Laurent
Le Temple
Rattekot
Helhoek
Busseboom
Brandhoek
Kruisstraat
Lijssenthoek
Abele
Steenvoorde
Calicanes
Reningelst
Ouderdom
Dikkebus
Dikkebus Vijver
Zillebeke
Verbrande Molen
Zwarte-Leen
Pr.-D. Gasthuisbossen
Geluveld
Zandvoorde
Voormezele
Pr.-D. Palingbeek
St-Elooi
Hallebast
Hekske
Boeschepe
Westouter
Scherpenberg
Klijte
Millekruis
Vierstraat
Hollebeke
Kortewilde
Kruiseke
Geluwe
Moerenmaai
Vijfwegen
Kezelberg
Godewaersvelde
Mont des Cats
Abbé
Berthen
Heuvelland
Kemmel
Loker
Ossuaire
Rodeberg
Kemmelberg
Pr. D. Kemmelberg
Polka
Wijtschate
Oosttaverne
Houthem
Timbriele
Wervik
Menen
(Menin)
St-Sylvestre-Cappel
Eecke
Le Thieushouck
Mont Noir
Dranouter
Mesen
(Messines)
Wulvergem
Gapaard
Comines-Warneton
(Komen-Waasten)
Bousbecque
Wervicq-Sud
Comines
(Komen)
Roncq
Hazewinde
La Bréarde
Caëstre
Flêtre
St-Jans-Cappel
Méteren
Nieuwkerke
(Neuve-Église)
Le Rossignol
Bas Warneton
(Neerwaasten)
Warneton
(Waasten)
Ste-Marguerite
Le Long-Champ
Blanc Four
Linselles
La Creule
Rouge-Croix
Pradelles
Borre
Strazeele
Bailleul
Korte Pijp
Ploegsteert
Deûlémont
Le Pacau
Hazebrouck
Merris
La Crèche
De Seule
Le Romarin
Pont Rouge
Les Écluses
Le Touquet
Frelinghien
Quesnoy-s-Deûle
La Vigne
La Croix Blanche
Bondues
Ingeland
Outtersteene
Le Steen'tje
Nieppe
Le Bizet
La Houlette
Le Chien
Le Colombier
Mouvaux
Sec-Bois
La Rue-du-Bois
La Motte-au-Bois
Vieux-Berquin
Le Doulieu
Steenwerck
Houplines
Croix-au-Bois
Verlinghem
Armentières
Wambrechies
Funquereau
La Prévôté
A
B
C
D
1
2
3
4
5
8
E 40
A 18
A 19
N 8
N 35
N 369
N 38
N 58
N 32
D 948
D 642

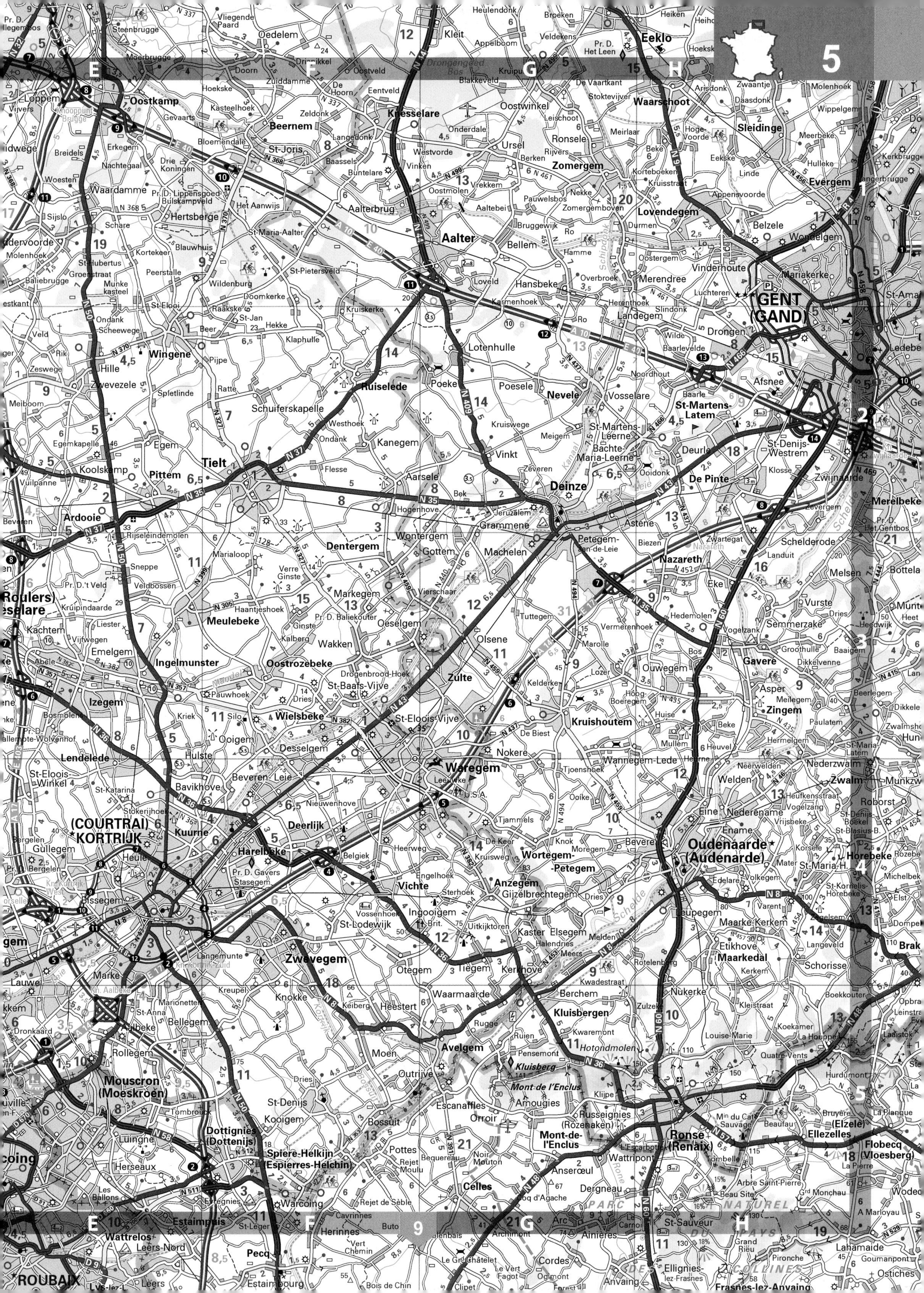
5
E
F
G
H
Eeklo
Oedelem
Kleit
Oostkamp
Loppem
Beernem
Knesselare
Oostwinkel
Waarschoot
Sleidinge
Evergem
Zomergem
Ursel
Ronsele
St-Joris
Waardamme
Hertsberge
Aalterbrug
Aalter
Bellem
Lovendegem
Wondelgem
Mariakerke
Vinderhoute
Merendree
Hansbeke
Landegem
GENT
(GAND)
Drongen
Wingene
Ruiselede
Lotenhulle
Poeke
Poesele
Nevele
Vosselare
Afsnee
St-Martens-Latem
St-Denijs-Westrem
Zwijnaarde
Deurle
De Pinte
Merelbeke
Tielt
Pittem
Koolskamp
Ardooie
Kanegem
Aarsele
Vinkt
Deinze
Zeveren
Bachte-Maria-Leerne
Astene
Petegem-aan-de-Leie
Nazareth
Eke
Scheldewindeke
Dentergem
Wontergem
Gottem
Machelen
Grammene
Markegem
Oeselgem
Wakken
Olsene
Meulebeke
Ingelmunster
Oostrozebeke
Zulte
Gavere
Asper
Zingem
Izegem
Wielsbeke
St-Baafs-Vijve
St-Eloois-Vijve
Kruishoutem
Lendelede
Desselgem
Waregem
Nokere
Wannegem-Lede
Welden
Zwalm
Beveren-Leie
Bavikhove
Deerlijk
Kuurne
(COURTRAI)
KORTRIJK
Harelbeke
Heule
Gullegem
Bissegem
Vichte
Anzegem
Wortegem-Petegem
Oudenaarde
(Audenaarde)
Ingooigem
Tiegem
Kaster
Elsegem
Kerkhove
Zwevegem
Marke
Mouscron
(Moeskroen)
Otegem
Waarmaarde
Berchem
Kluisbergen
Maarkedal
Avelgem
Kluisberg
Mont-de-l'Enclus
Amougies
Russeignies
(Rozenaken)
Ronse
(Renaix)
Ellezelles
Dottignies
(Dottenijs)
Spiere-Helkijn
(Espierres-Helchin)
Celles
Herseaux
Estaimpuis
Wattrelos
Pecq
Leers
ROUBAIX
Estaimbourg
Arc
Ainières
Ellignies
Frasnes-lez-Anvaing
Flobecq
(Vloesberg)
Mont-de-l'Enclus
Moen
Bossuit
Escanaffles
Orroir
PARC NATUREL DU PAYS DES COLLINES
Roulers)
Roeselare
Hulste
Stasegem
Rollegem
Bellegem
Knokke
Heestert
Rugge
Outrijve
Kooigem
St-Denijs
Warcoing
Herinnes
Bevere
Eine
Ename
Horebeke
Melden
Zulzeke
Nukerke
Leupegem
Etikhove
Schorisse
Maarke-Kerkem
Louise-Marie
Quatre-Vents
Wannegem-Lede
Vurste
Semmerzake
Baaigem
Dikkelvenne
Ouwegem
Melsen
Bottelare
Drongengoed Bos
Blakkeveld
Kruipu
Veldekens
Heulendonk
Broeken
Heiken
Steenbrugge
Vliegende Paard
Moerbrugge
Doorn
Oostveld
Zuiddamme
Hoekske
Eentveld
Kasteelhoek
Gevaarts
Zeldonk
Onderdale
Leischoot
Meirlaar
Bloemendale
Langedonk
Westvorde
Berken
Rijvers
Erkegem
Nachtegaal
Drie Koningen
Baassels
Buntelare
Vinken
Vrekkem
Ostmolen
Aaltebei
Pauwelsbos
Nekke
Zomergem-boven
Durmen
Oostergem
Luchteren
Bruggewijk
Ro
Hamme
Overbroek
Herenthoek
Wilde
Baarlevelde
Noordhout
Baarle
Kruiswege
Meigem
Ooidonk
Hogenhove
Jeruzalem
Biezen
Zwartegat
Landuit
Vierschaar
Tuttegem
Vermerenhoek
Hedemolen
Vogelzank
Marolle
Lozer
Kalberg
Ginste
Drogenbrood-Hoek
Dries
Silo
Ooigem
Kelderke
Hoog-Boeregem
Huise
Beke
Heuvel
Mullem
Meilegem
Paulatem
Hermelgem
De Biest
Tjoenshoek
Ooike
Tjammels
Knok
Moregem
De Keer
Kruisweg
Heerweg
Belgiek
Engelhoek
Sterhoek
Vossenhol
St-Lodewijk
Uitkijktoren
Gijzelbrechtegem
Halendries
Meers
Kwadestraat
Kreupel
Marionetten
St-Anna
Keiberg
Pensemont
Ruien
Kwaremont
Hotondmolen
Klijpe
Noir Mouton
Bequereau
Rejet Moulu
Pottes
Anserœul
Dergneau
Wattripont
L'Escarbotte
Tombelle
Beau Site
Arbre Saint-Pierre
Monchau
La Pierre
Buto
Cavrinnes
Vert Chemin
St-Léger
Evregnies
Les Ballons
Leers-Nord
Bois de Chin
Le Vert Fagot
Ogimont
Cordes
Anvaing
St-Sauveur
Grand Rieu
Lahamaide
Wodecq
A Marloyau
Goumanpont
Ostiches
Le Grd Châtelet
Clipet
Archimont
Pironche
Celles
Rejet de Sèble
Tombrouck
Luingne
Dronkaard
Lauwe
Pr. D. Gavers
Lepelhoek
Knooppunt Brugge
Pr. D. Lippensgoed Bulskampveld
St-Maria-Aalter
Het Aanwijs
Schare
Kortekeer
Blauwhuis
St-Hubertus
Groenstraat
Munke kasteel
Peerstalle
Wildenburg
St-Pietersveld
Doomkerke
Raakske
St-Jan
Hekke
Kruiskerke
Karmenhoek
St-Eloois
Ondank
Scheewege
Beer
Klaphulle
Pijpe
Rik
Hille
Zwevezele
Spletlinde
Ratte
Schuiferskapelle
Westhoek
Egemkapelle
Egem
Flesse
Bek
Vuilpanne
Rijseleindemolen
Marialoop
Sneppe
Veldbossen
Pr. D. 't Veld
Kruipindaarde
Haantjeshoek
Verre Ginste
Pr. D. Baliekouter
Kachtem
Liester
Vijfwegen
Emelgem
Abele
Bosmolens
Pauwhoek
Kriek
St-Eloois-Winkel
St-Katarina
Stokerijhoek
Nieuwenhove
Bergelen
Vijvers
Breidels
Woesten
Sijslo
Molenhoek
Baliebrugge
Veld
Zesweg
Meiboom
Beveren
Sleidinge
Zwaantje
Daasdonk
Molenhoek
Wippelgem
Hoge Voorde
Eekske
Linde
Meerbeke
Hulleke
Kortebroeken
Kruisstraat
Appensvoorde
Belzele
St-Amand
Ledeberg
Klosse
Zevergem
Pr. D. Het Gentbos
Scheldeode
Dries
Munte
Heedwijk
Groothulle
Beerlegem
Dikkele
Zwalmsh.
Hun.
St-Maria-Latem
Nederzwalm
Munkzwalm
Neerwelden
Heufkensstraat
Vogelzang
Nederename
Roborst
Vrijsbeke
St-Denijs-Boekel
St-Blasius-B.
Korsele
Rozebeke
Mater
St-Maria-H.
Michelbeke
St-Kornelis-Horebeke
Volkegem
Edelare
Varent
Zegelsem
Elst
Dompel
Langeveld
Brak
Rotelenberg
Kerkem
Boekkouter
Opbrakel
Leinstraat
Ladeuze
Kleistraat
Koekamer
La Houppe
Hurdumont
Bruyère
Sauvage
Beaufau
(Elzele)
La Plangue
Mont-de-l'Enclus
Estaimpuis
Wattrelos

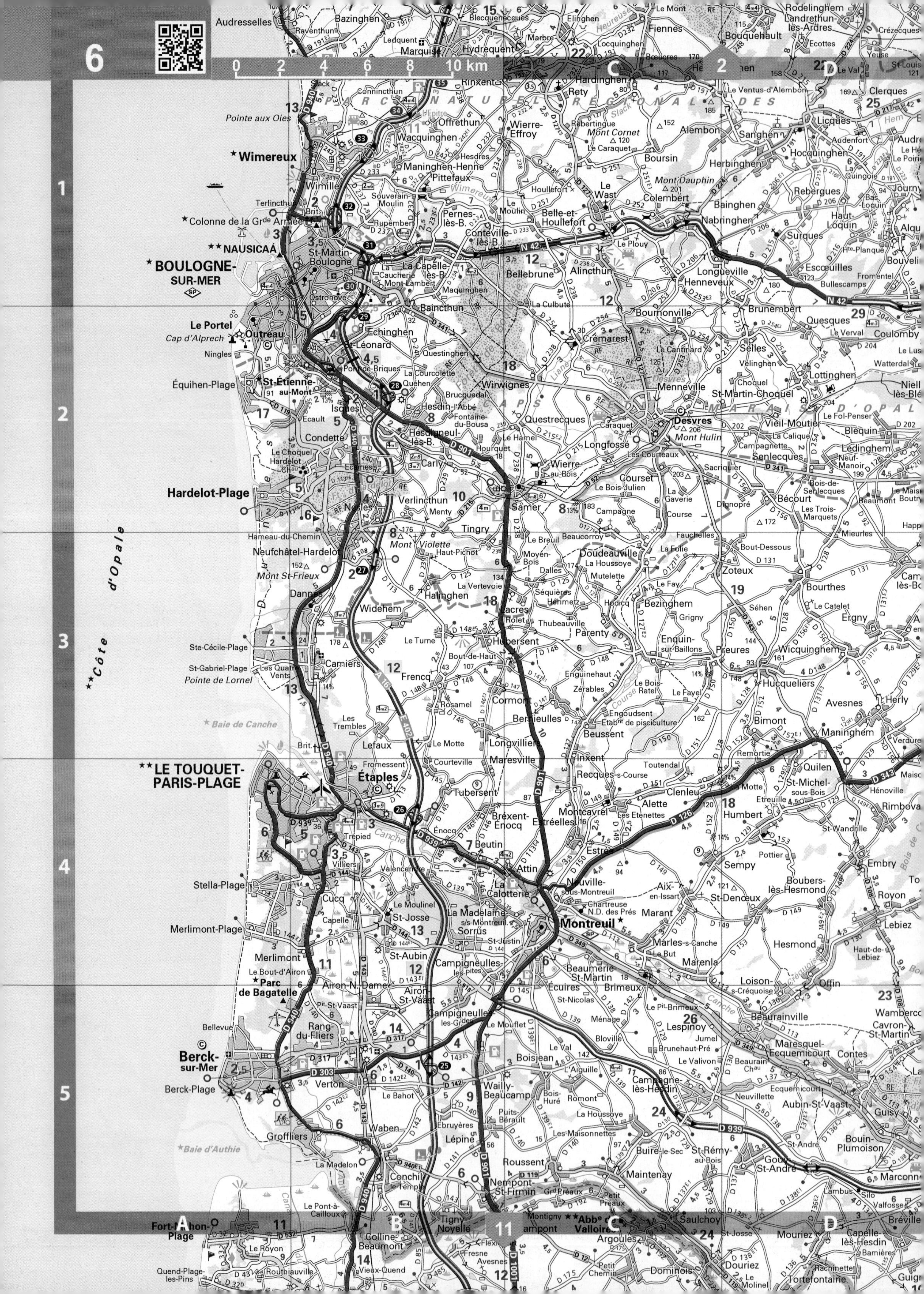
6
0 2 4 6 8 10 km
C
2
D
1
2
3
4
5
A
B
11
C
D
PARC NATUREL RÉGIONAL DES CAPS ET MARAIS D'OPALE
Audresselles
Bazinghen
Raventhun
Ledquent
Marquise
Hydrequent
Blecquenecques
Elinghen
Fiennes
Locquinghen
Le Mont
Rodelinghem
Landrethun-lès-Ardres
Bouquehault
Crézecques
Ecottes
Yeuse
St-Louis
Le Val
Hardinghen
Rety
Le Ventus-d'Alembon
Clerques
Licques
Slack
Conninchun
Offrethun
Wierre-Effroy
Rebertingue
Mont Cornet
Le Caraquet
Alembon
Sanghen
Audenfort
Pointe aux Oies
Wacquinghen
Boursin
Herbinghen
Hocquinghen
Wimereux
Maninghen-Henne
Pittefaux
Hesdres
Mont Dauphin
Le Wast
Colembert
Rebergues
Journy
Wimille
Terlincthun
Souverain-Moulin
Houllefort
Belle-et-Houllefort
Bainghen
Nabringhen
Haut-Loquin
Colonne de la Grde Armée
Rupembert
Pernes-lès-B.
Conteville-lès-B.
Le Moulin
Surques
NAUSICAÁ
St-Martin-Boulogne
La Capelle-lès-B.
Le Plouy
Alincthun
Longueville
Henneveux
Escœuilles
BOULOGNE-SUR-MER
La Caucherie
Mont-Lambert
Bellebrune
Bullescamps
Maquinghen
Ostrohove
Baincthun
La Culbute
Bournonville
Brunembert
Quesques
Le Verval
Coulomby
Le Portel
Outreau
Cap d'Alprech
Echinghen
St-Léonard
Questinghen
Crémarest
Le Cantinard
Selles
Ningles
Pont-de-Briques
La Courcolette
Quéhen
Forêt de Boulogne
Wirwignes
Velinghen
Lottinghen
Watterdal
Équihen-Plage
St-Étienne-au-Mont
Brucquedal
Liane
Menneville
Choquel
St-Martin-Choquel
Hesdin-l'Abbé
Isques
Ecault
Fontaine-du-Bousa
Questrecques
Desvres
Mont Hulin
Vieil-Moutier
Le Fol-Penser
Condette
Hesdigneul-lès-B.
Le Hamel
Longfossé
Le Caraquet
Bléquin
La Calique
Campagnette
Senlecques
Ledinghem
Le Choquel
Hardelot
Ecames
Carly
Hourquet
Wierre-au-Bois
Les Courteaux
Sacriquier
Neuf-Manoir
Hardelot-Plage
Verlincthun
Menty
Samer
Courset
Le Bois-Julien
La Gaverie
Course
Dignopré
Bécourt
Bois-de-Senlecques
Les Trois-Marquets
Beaumont
Nesles
Campagne
Tingry
Hameau-du-Chemin
Mont Violette
Haut-Pichot
Le Breuil
Beaucorroy
Fauchelles
Mieurles
Neufchâtel-Hardelot
Moyen-Bois
Doudeauville
La Folie
Bout-Dessous
Mont St-Frieux
La Houssoye
Dalles
Mutelette
Zoteux
Bourthes
Dannes
La Vertevoie
Halinghen
Séquières
Hérimetz
Le Fay
Hodicq
Bezinghem
Le Catelet
Ergny
Widehem
Lacres
Rolet
Thubeauville
Grigny
Séhen
Le Turne
Hubersent
Parenty
Enquin-sur-Baillons
Preures
Wicquinghem
Ste-Cécile-Plage
Camiers
Bout-de-Haut
St-Gabriel-Plage
Les Quatre Vents
Pointe de Lornel
Côte d'Opale
Frencq
Enguinehault
Zérables
Le Bois-Ratel
Le Fayel
Hucqueliers
Avesnes
Herly
Baie de Canche
Rosamel
Cormont
Engoudsent
Etabt de pisciculture
Les Trembles
Bernieulles
Beussent
Bimont
Maninghem
Lefaux
Le Motte
Longvilliers
Remortie
Verdure
LE TOUQUET-PARIS-PLAGE
Fromessent
Étaples
Courteville
Maresville
Inxent
Toutendal
Recques-s-Course
Quilen
Tubersent
Clenleu
La Motte
St-Michel-sous-Bois
Hénoville
Bréxent-Énocq
Montcavrel
Alette
Etreuille
Humbert
Rimboval
Trépied
Canche
Estréelles
Les Etenettes
St-Wandrille
Villiers
Énocq
Beutin
Estrée
Sempy
Pottier
Embry
Valencendre
Attin
Aix-en-Issart
Boubers-lès-Hesmond
Stella-Plage
La Calotterie
Neuville-sous-Montreuil
Royon
Cucq
Le Moulinel
Chartreuse N.D. des Prés
St-Denœux
Capelle
St-Josse
La Madelaine-s/s-Montreuil
Marant
Montreuil
Lebiez
Merlimont-Plage
Sorrus
St-Justin
Marles-s-Canche
Le But
Hesmond
Haut-de-Lebiez
Merlimont
St-Aubin
Campigneulles-les-petites
Beaumerie-St-Martin
Marenla
Le Bout-d'Airon
Parc de Bagatelle
Airon-N.-Dame
Airon-St-Vaast
Écuires
St-Nicolas
Brimeux
Loison-s-Créquoise
Offin
Pit-St-Vaast
Campigneulles-les-Grandes
Ménage
Le Pit-Brimeux
Beaurainville
Wamberc
Bellevue
Rang-du-Fliers
Le Mouflet
Lespinoy
Cavron-St-Martin
Berck-sur-Mer
Bloville
Jumel
Brunehaut-Pré
Maresquel-Ecquemicourt
Contes
Le Val
Boisjean
Le Valivon
Beaurain Chau
Verton
L'Aiguille
Campagne-lès-Hesdin
Neuvillette
Ecquemicourt
Berck-Plage
Le Bahot
Wailly-Beaucamp
Bois-Huré
Romont
Aubin-St-Vaast
Guisy
Puits-Bérault
La Houssoye
Waben
Ebruyères
St-André
Bouin-Plumoison
Groffliers
Lépine
Les Maisonnettes
Buire-le-Sec
St-Rémy-au-Bois
Baie d'Authie
Roussent
Gouy-St-André
La Madelon
Conchil-le-Temple
Maintenay
Marconne
Nempont-St-Firmin
Grd Préaux
Petit Preaux
Lambus
Le Pont-à-Cailloux
Saulchoy
Valfosse
Fort-Mahon-Plage
Colline-Beaumont
Tigny-Noyelle
Montigny
Abbe de Valloires
Argoules
St-Josse
Mouriez
Brévillers
Capelle-lès-Hesdin
Le Royon
Flexicourt
Fresne
Avesnes
Bamières
Quend-Plage-les-Pins
Routhiauville
Vieux-Quend
Petit Chemin
Dominois
Douriez
Le Molinel
Rachinette
Tortefontaine
N 42
A 16
E 402
D 940
D 901
D 939
D 126
D 343
D 349
D 341

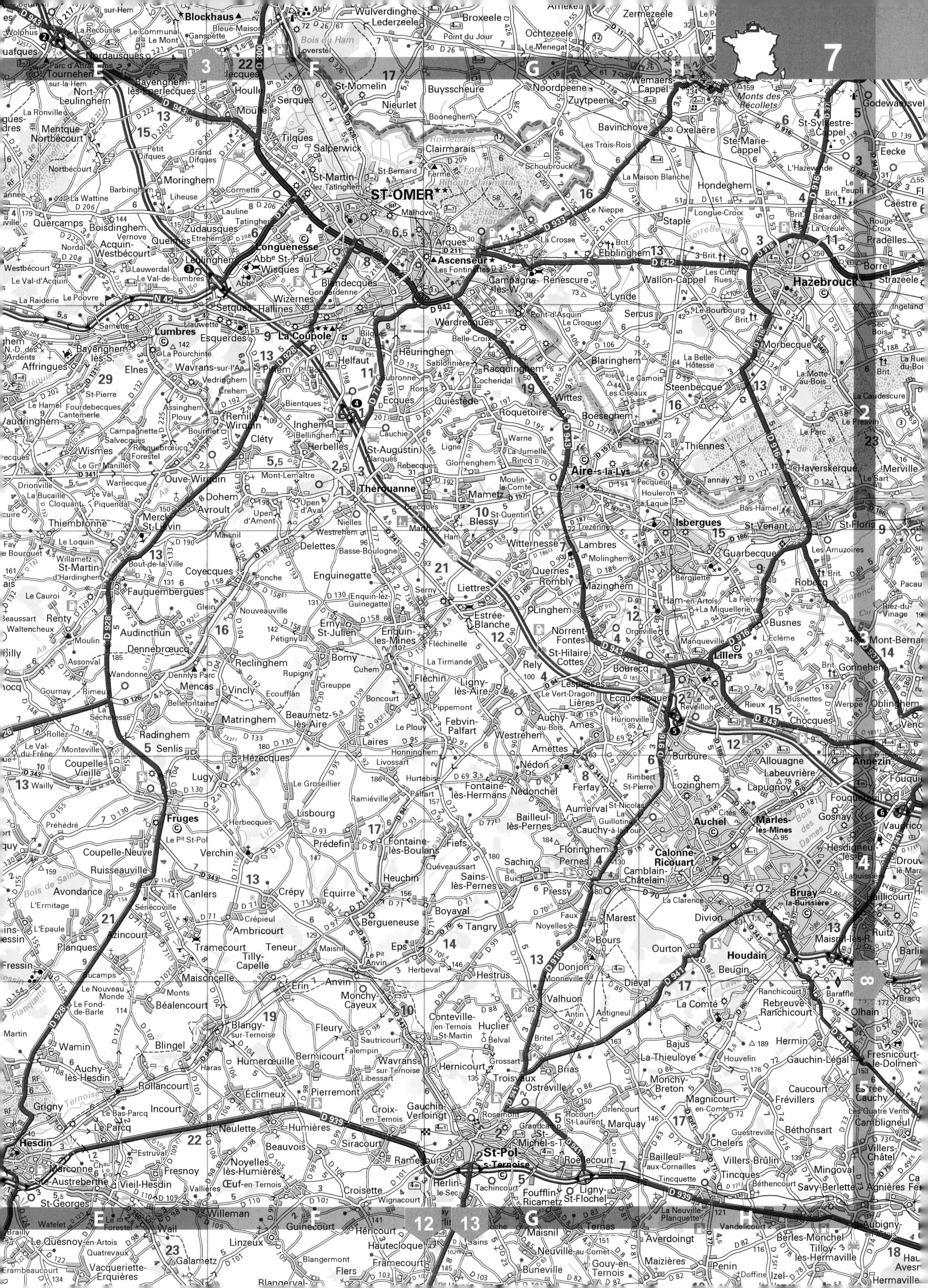

7
3
22
E
F
G
H
Blockhaus
Wulverdinghe
Lederzeele
Broxeele
Ochtezeele
Zermezeele
Nordausques
Tournehem
Bayenghem-lès-Éperlecques
Houlle
Moulle
Serques
St-Momelin
Nieurlet
Buysscheure
Noordpeene
Zuytpeene
Wemaers-Cappel
Monts des Récollets
Godewaersvelde
Nort-Leulinghem
Mentque-Nortbécourt
Tilques
Salperwick
Clairmarais
Bavinchove
Oxelaëre
Ste-Marie-Cappel
St-Sylvestre-Cappel
Eecke
Moringhem
St-Martin-lez-Tatinghem
ST-OMER
Hondeghem
Caëstre
Quercamps
Boisdinghem
Acquin-Westbécourt
Zudausques
Longuenesse
Arques
Staple
Ebblinghem
Hazebrouck
Borre
Strazeele
Pradelles
Wisques
Blendecques
Ascenseur
Campagne-lès-W.
Renescure
Wallon-Cappel
Lynde
N 42
Lumbres
Setques
Hallines
Wizernes
Esquerdes
La Coupole
Wardrecques
Sercus
Morbecque
Bayenghem-lès-S.
Affringues
Elnes
Wavrans-sur-l'Aa
Helfaut
Heuringhem
Racquinghem
Blaringhem
Steenbecque
Ecques
Quiestède
Roquetoire
Wittes
Boëseghem
Thiennes
Le Préavin
Wismes
Cléty
Inghem
Herbelles
St-Augustin
Aire-sur-la-Lys
Haverskerque
Merville
Ouve-Wirquin
Dohem
Avroult
Thérouanne
Mametz
Blessy
Isbergues
St-Venant
St-Floris
Thiembronne
Merck-St-Liévin
Delettes
Witternesse
Lambres
Guarbecque
St-Martin-d'Hardinghem
Fauquembergues
Coyecques
Enguinegatte
Liettres
Quernes
Rombly
Mazinghem
Robecq
Renty
Audincthun
Erny-St-Julien
Enquin-les-Mines
Estrée-Blanche
Linghem
Norrent-Fontes
Ham-en-Artois
Busnes
Dennebrœucq
Reclinghem
Bomy
Fléchin
Ligny-lès-Aire
Rely
St-Hilaire-Cottes
Lillers
Mont-Bernanchon
Gonnehem
Mencas
Vincly
Beaumetz-lès-Aire
Febvin-Palfart
Auchy-au-Bois
Lières
Ecquedecques
Oblinghem
Matringhem
Radinghem
Senlis
Laires
Westrehem
Amettes
Burbure
Allouagne
Chocques
Annezin
Coupelle-Vieille
Lugy
Hézecques
Nédon
Ferfay
Lozinghem
Lapugnoy
Fruges
Lisbourg
Fontaine-lès-Hermans
Nédonchel
Auchel
Marles-les-Mines
Fouquereuil
Vaudricourt
Verchin
Prédefin
Fontaine-lès-Boulans
Bailleul-lès-Pernes
Cauchy-à-la-Tour
Calonne-Ricouart
Gosnay
Coupelle-Neuve
Ruisseauville
Floringhem
Pernes
Camblain-Châtelain
Avondance
Canlers
Crépy
Équirre
Heuchin
Sains-lès-Pernes
Pressy
Bruay-la-Buissière
Azincourt
Ambricourt
Bergueneuse
Boyaval
Tangry
Marest
Divion
Ruitz
Planques
Tramecourt
Tilly-Capelle
Teneur
Eps
Ourton
Houdain
Fressin
Maisoncelle
Anvin
Erin
Hestrus
Donjon
Diéval
Beugin
Bealencourt
Monchy-Cayeux
Valhuon
La Comté
Rebreuve-Ranchicourt
Olhain
Blangy-sur-Ternoise
Fleury
Conteville-en-Ternois
Huclier
Bajus
Hermin
Wamin
Blingel
Humerœuil
Bermicourt
Wavrans-sur-Ternoise
Hernicourt
Brias
La Thieuloye
Gauchin-Légal
Auchy-lès-Hesdin
Rollancourt
Eclimeux
Pierremont
Troisvaux
Ostreville
Monchy-Breton
Magnicourt-en-Comte
Caucourt
Estrée-Cauchy
Grigny
Incourt
Croix-en-Ternois
Gauchin-Verloingt
Marquay
Fréviller
Camblain-l'Abbé
Hesdin
Le Parcq
Neulette
Humières
Siracourt
Ramecourt
St-Pol-sur-Ternoise
Roëllecourt
Bailleul-aux-Cornailles
Béthonsart
Villers-Châtel
Marconne
Ste-Austreberthe
Fresnoy
Vieil-Hesdin
Noyelles-lès-Humières
Œuf-en-Ternois
Croisette
Herlin-le-Sec
Foufflin-Ricametz
Ligny-St-Flochel
Tincques
Savy-Berlette
Agnières
Aubigny-en-Artois
Wail
Guinecourt
Héricourt
Hautecloque
Maisnil
Ternas
Averdoingt
Berles-Monchel
Tilloy-lès-Hermaville
Le Quesnoy-en-Artois
Galametz
Linzeux
Framecourt
Neuville-au-Cornet
Gouy-en-Ternois
Buneville
Maizières
Penin
Izel
Hermaville
Vacqueriette-Erquières
Flers
12
13
8
D 943
D 928
D 916
D 939
D 941
D 642
D 933
D 341
D 343
A 26
E 15

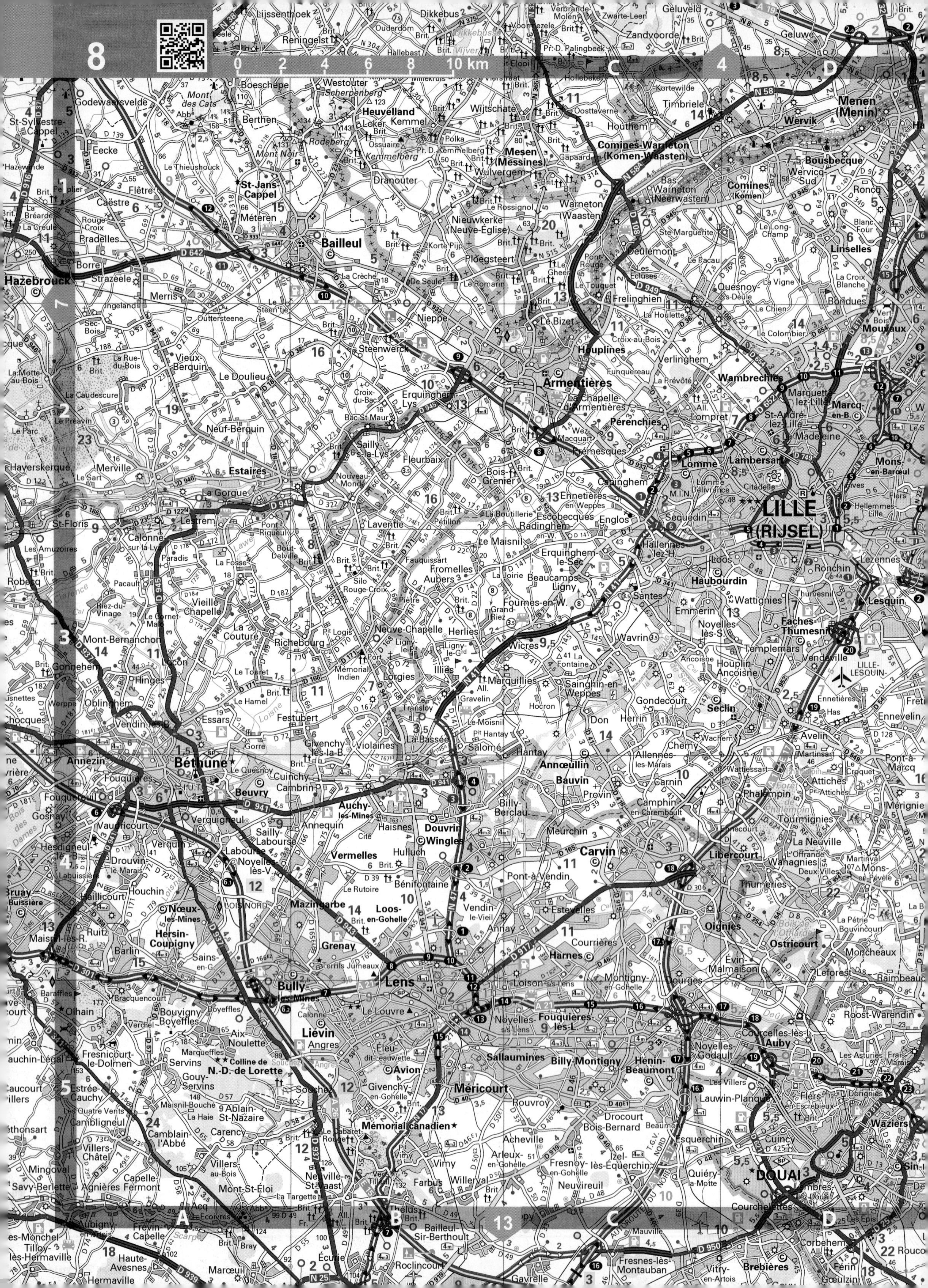

8
0 2 4 6 8 10 km
C
4
D
Lijssenthoek
Dikkebus
Ouderdom
Reningelst
Hallebast
Voormezele
Verbrande-Molen
Zwarte-Leen
Geluveld
Zandvoorde
Geluwe
Westouter
Scherpenberg
Boeschepe
Mont des Cats
Godewaersvelde
St-Sylvestre-Cappel
Berthen
Heuvelland
Loker
Kemmel
Wijtschate
Hollebeke
Oosttaverne
Houthem
Kortewilde
Timbriele
Wervik
Menen (Menin)
Rodeberg
Mont Noir
Kemmelberg
Ossuaire
Pr. D. Kemmelberg
Polka
Mesen (Messines)
Gapaard
Comines-Warneton (Komen-Waasten)
Eecke
Le Thieushouck
Dranouter
Wulvergem
Bas Warneton (Neerwasten)
Comines (Komen)
Bousbecque
Wervicq-Sud
Roncq
Flêtre
Caëstre
St-Jans-Cappel
Méteren
Le Rossignol
Nieuwkerke (Neuve-Église)
Warneton (Waasten)
Ste-Marguerite
Le Long-Champ
Blanc Four
Linselles
Rouge-Croix
Pradelles
Borre
Hazebrouck
Bailleul
Korte Pijp
Ploegsteert
Deûlémont
Le Pacau
Les Écluses
Quesnoy-s-Deûle
La Vigne
La Croix Blanche
Bondues
Strazeele
Merris
La Crèche
De Seule
Le Romarin
Le Gheer
Le Touquet
Frelinghien
Le Chien
Ingeland
Le Steen'tje
Outtersteene
Nieppe
Le Bizet
La Houlette
Mouvaux
Le Colombier
Croix-au-Bois
Steenwerck
Houplines
Verlinghem
Vieux-Berquin
Le Doulieu
La Rue-du-Bois
Armentières
Funquereau
La Prévôté
Wambrechies
Marquette-lez-Lille
Marcq-en-B.
La Motte-au-Bois
La Caudescure
Croix-du-Bac
Erquinghem-Lys
La Chapelle-d'Armentières
Pérenchies
Lompret
St-André-lez-Lille
La Madeleine
Le Préavin
Le Parc
Neuf-Berquin
Bac-St-Maur
Sailly-s-la-Lys
Fleurbaix
Wez-Macquart
Prémesques
Lomme
Lambersart
Mons-en-Barœul
Haverskerque
Merville
Le Sart
Estaires
La Gorgue
Nouveau-Monde
Bois-Grenier
Capinghem
Lomme Délivrance
Citadelle
Hellemmes-Lille
St-Floris
Lestrem
Ennetières-en-Weppes
M.I.N.
LILLE (RIJSEL)
La Boutillerie
Escobecques
Englos
Séquedin
Calonne-sur-la-Lys
Les Amuzoires
Pont Riqueul
Laventie
Radinghem-en-W.
Hallennes-lez-H.
Paradis
La Fosse
Bout-Delville
Le Maisnil
Erquinghem-le-Sec
Loos
Ronchin
Lezennes
Robecq
Pacaut
Fauquissart
Fromelles
Aubers
La Joirie
Beaucamps-Ligny
Haubourdin
Riez-du-Vinage
Vieille-Chapelle
Le Cornet-Malo
Silo Rouge-Croix
Piètre
Fournes-en-W.
Santes
Wattignies
Thumesnil
Lesquin
Grand-Riez
Emmerin
Faches-Thumesnil
Mont-Bernanchon
La Couture
Richebourg
Pt Logis
Neuve-Chapelle
Herlies
Wicres
Wavrin
Noyelles-lès-S.
Templemars
Gonnehem
Locon
Ligny-le-Pt
Ligny-le-Grd
La Fontaine
Ancoisne
Houplin-Ancoisne
Vendeville
LILLE-LESQUIN
Hinges
Le Touret
Mémorial Indien
Lorgies
Illies
Marquillies
Sainghin-en-Weppes
Oblinghem
Le Hamel
Festubert
Gravelin
Hocron
Gondecourt
Seclin
Ennetières
Has
Ennevelin
Chocques
Vendin-lès-B.
Essars
Le Transloy
Le Moisnil
Don
Herrin
Chemy
Wachemy
Avelin
Annezin
Béthune
Gorre
Givenchy-lès-la-B.
Violaines
La Bassée
Pt Hantay
Salomé
Hantay
Annœullin
Allennes-les-Marais
Martinsart
Pont-à-Marcq
Fouquières
Le Quesnoy
Cuinchy
Cambrin
Bauvin
Provin
Carnin
Wattiessart
Le Croquet
Fouquereuil
Beuvry
Auchy-les-Mines
Douvrin
Billy-Berclau
Camphin-en-Carembault
Phalempin
Attiches
Gosnay
Vaudricourt
Verquigneul
Sailly-Labourse
Annequin
Haisnes
Wingles
Meurchin
Tourmignies
Mérignies
Hesdigneul
Verquin
Labourse
Noyelles-lès-V.
Cité
Vermelles
Hulluch
Carvin
Libercourt
La Neuville
L'Offrande
Wahagnies
Deux-Villes
Mons-en-Pévèle
Drouvin-le-Marais
Labuissière
Bruay
Houchin
Bénifontaine
Pont-à-Vendin
Thumeries
Haillicourt
Nœux-les-Mines
Le Rutoire
Mazingarbe
Loos-en-Gohelle
Estevelles
Oignies
La Pétrie
Bouvincourt
Ruitz
Hersin-Coupigny
Grenay
Vendin-le-Vieil
Annay
Courrières
Ostricourt
Moncheaux
Maisnil-lès-R.
Barlin
Sains-en-G.
Terrils Jumeaux
Harnes
Évin-Malmaison
Leforest
Raimbeaucourt
Baraffles
Bracquencourt
Bully-les-Mines
Lens
Loison-s/s-Lens
Montigny-en-Gohelle
Dourges
Olhain
Bouvigny-Boyeffles
Calonne
Le Louvre
Noyelles-s/s-Lens
Fouquières-lès-L.
Roost-Warendin
Courcelles-lès-L.
Auby
Verdrel
Aix-Noulette
Liévin
Angres
Éleu-dit-Leauwette
Sallaumines
Billy-Montigny
Hénin-Beaumont
Noyelles-Godault
Les Asturies
Fresnicourt-le-Dolmen
Servins
Colline de N.-D. de Lorette
Souchez
Avion
Méricourt
Les Villers
Lauwin-Planque
Flers-en-Escrebieux
Dorignies
Estrée-Cauchy
Gouy-Servins
Maisnil-Bouché
Ablain-St-Nazaire
Rouvroy
Drocourt
Bois-Bernard
Beaumont
Cuincy
Waziers
Les Quatre Vents
Cambligneul
La Haie
Carency
Givenchy-en-Gohelle
Mémorial canadien
Camblain-l'Abbé
Villers-Châtel
Acheville
Arleux-en-Gohelle
Fresnoy-en-Gohelle
Izel-lès-Équerchin
Esquerchin
DOUAI
Mingoval
Villers-au-Bois
Neuville-St-Vaast
Vimy
Quiéry-la-Motte
Savy-Berlette
Agnières
Capelle-Fermont
Mont-St-Éloi
La Targette
Farbus
Willerval
Neuvireuil
Lambres-lez-Douai
Acq
Écoivres
Thélus
Courchelettes
Aubigny-en-Artois
Frévin-Capelle
Scarpe
Bailleul-Sir-Berthoult
Mauville
Le Épis
Tilloy-lès-Hermaville
Haute-Avesnes
Bray
Écurie
Roclincourt
Fresnes-lès-Montauban
Vitry-en-Artois
Brebières
Corbehem
Férin
Goeulzin
Hermaville
Marœuil
Gavrelle
Roucourt
A
B
13
C
D

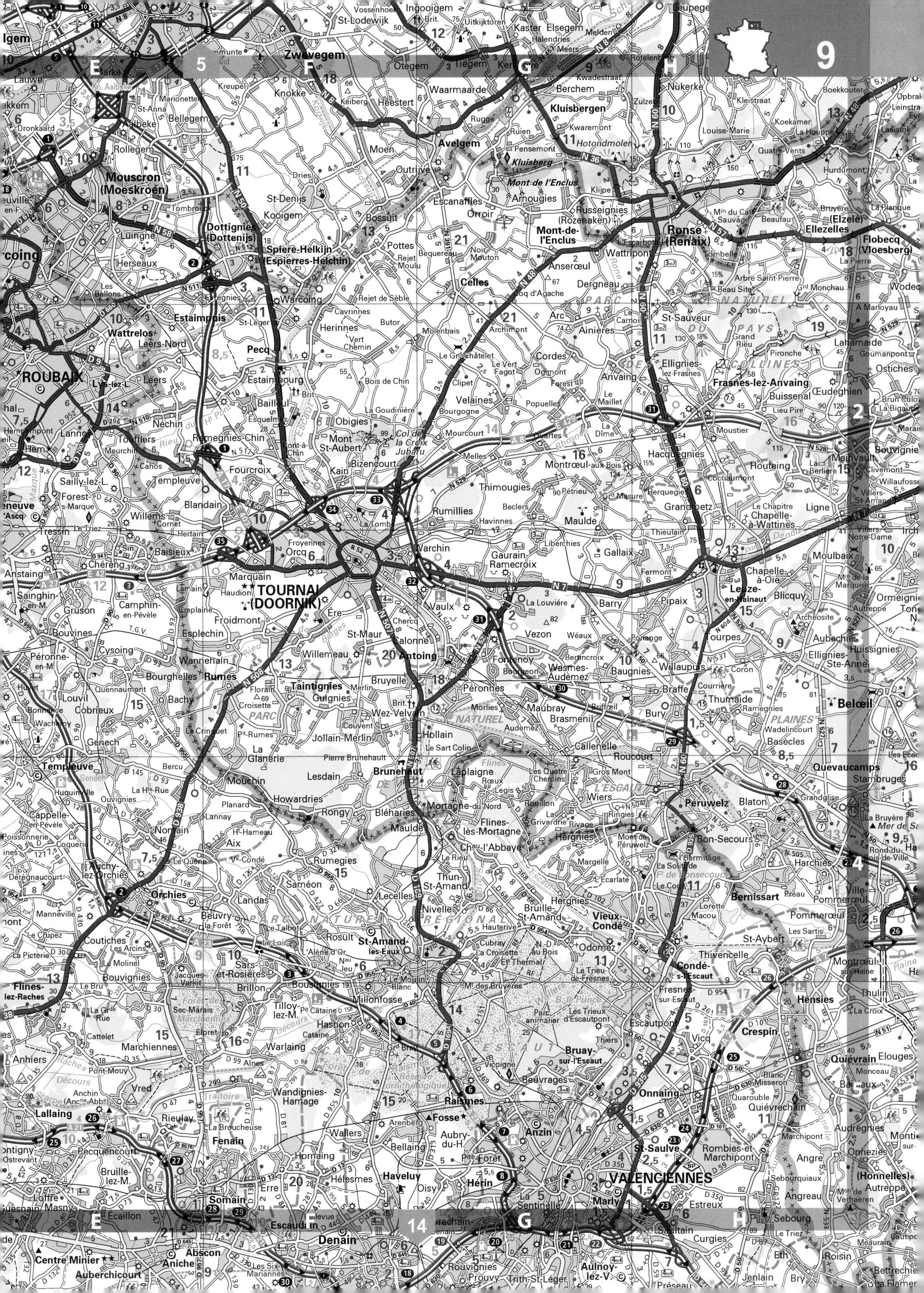
Ingooigem
St-Lodewijk
Kaster
Elsegem
Zwevegem
Otegem
Tiegem
Kerkhove
Berchem
Nukerke
Waarmaarde
Kluisbergen
Knokke
Heestert
Marionetten
Bellegem
Aalbeke
Rollegem
Avelgem
Moen
Outrijve
Kluisberg
Mont-de-l'Enclus
Amougies
Hotondmolen
Louise-Marie
Mouscron
(Moeskroen)
St-Denijs
Kooigem
Bossuit
Escanaffles
Orroir
Russeignies
(Rozenaken)
Ronse
(Renaix)
Ellezelles
Flobecq
(Vloesberg)
Dottignies
(Dottenijs)
Luingne
Herseaux
Spiere-Helkijn
(Espierres-Helchin)
Pottes
Mont-de-l'Enclus
Wattripont
Celles
Anserœul
Dergneau
Warcoing
Estaimpuis
Wattrelos
Leers-Nord
Pecq
Herinnes
Arc
Ainières
St-Sauveur
PARC NATUREL DU PAYS DES COLLINES
ROUBAIX
Lys-lez-L.
Leers
Estaimbourg
Velaines
Cordes
Anvaing
Ellignies-lez-Frasnes
Frasnes-lez-Anvaing
Œudeghien
Nechin
Bailleul
Obigies
Mont St-Aubert
Toufflers
Ramegnies-Chin
Hem
Lannoy
Fourcroix
Templeuve
Kain
Bizencourt
Melles
Montrœul-au-Bois
Hacquegnies
Houtaing
Mainvault
Thimougies
Rumillies
Grandmetz
Ligne
Blandain
Tressin
Willems
Baisieux
Chéreng
Froyennes
Orcq
Warchin
Gaurain-Ramecroix
Maulde
Gallaix
Chapelle-à-Wattines
Moulbaix
Anstaing
Marquain
TOURNAI
(DOORNIK)
Sainghin-en-M.
Gruson
Camphin-en-Pévèle
Froidmont
Ére
Vaulx
Barry
Pipaix
Leuze-en-Hainaut
Blicquy
Chapelle-à-Oie
Bouvines
Cysoing
Esplechin
St-Maur
Calonne
Vezon
Tourpes
Aubechies
Péronne-en-M.
Wannehain
Willemeau
Antoing
Fontenoy
Wasmes-Audemez
Baugnies
Willaupuis
Ellignies-Ste-Anne
Bourghelles
Rumes
Taintignies
Bruyelle
Péronnes
Bury
Braffe
Thumaide
Belœil
Louvil
Cobrieux
Bachy
Guignies
Wez-Velvain
Maubray
Brasmenil
Genech
Jollain-Merlin
Hollain
Callenelle
Roucourt
Basècles
Quevaucamps
Templeuve
La Glanerie
Lesdain
Brunehaut
Laplaigne
Wiers
Péruwelz
Blaton
Stambruges
Mouchin
Howardries
Rongy
Bléharies
Mortagne-du-Nord
Flines-lès-Mortagne
Hergnies
Bon-Secours
Cappelle-en-Pévèle
Nomain
Aix
Maulde
Rumegnies
Auchy-lez-Orchies
Orchies
Sameon
Lecelles
Thun-St-Amand
Nivelle
Bernissart
Harchies
Ville-Pommerœul
Landas
Beuvry-la-Forêt
Rosult
St-Amand-les-Eaux
Brillon-St-Amand
Hergnies
Vieux-Condé
Pommerœul
Coutiches
Sars-et-Rosières
Odomez
St-Aybert
Thivencelle
Condé-s-l'Escaut
Montrœul-sur-Haine
Flines-lez-Raches
Bouvignies
Brillon
Bousignies
Millonfosse
Fresnes-sur-Escaut
Hensies
Thulin
Tilloy-lez-M.
Hasnon
Escautpont
Crespin
Marchiennes
Warlaing
Bruay-sur-l'Escaut
Vicq
Quiévrain
Elouges
Anhiers
Vred
Wandignies-Hamage
Raismes
Onnaing
Quiévrechain
Lallaing
Rieulay
Fenain
Wallers
Fosse
Aubry-du-H.
Anzin
St-Saulve
Rombies-et-Marchipont
Audregnies
Pecquencourt
Bruille-lez-M.
Hornaing
Bellaing
Angre
Haveluy
Hérin
Oisy
VALENCIENNES
(Honnelles)
Loffre
Masny
Somain
Erre
Hélesmes
La Sentinelle
Marly
Estreux
Sebourg
Escaudain
Denain
Saultain
Curgies
Centre Minier
Abscon
Aniche
Auberchicourt
Rouvignies
Prouvy
Trith-St-Léger
Aulnoy-lez-V.
Préseau
Jenlain
Eth
Roisin
E
F
G
H
5
14

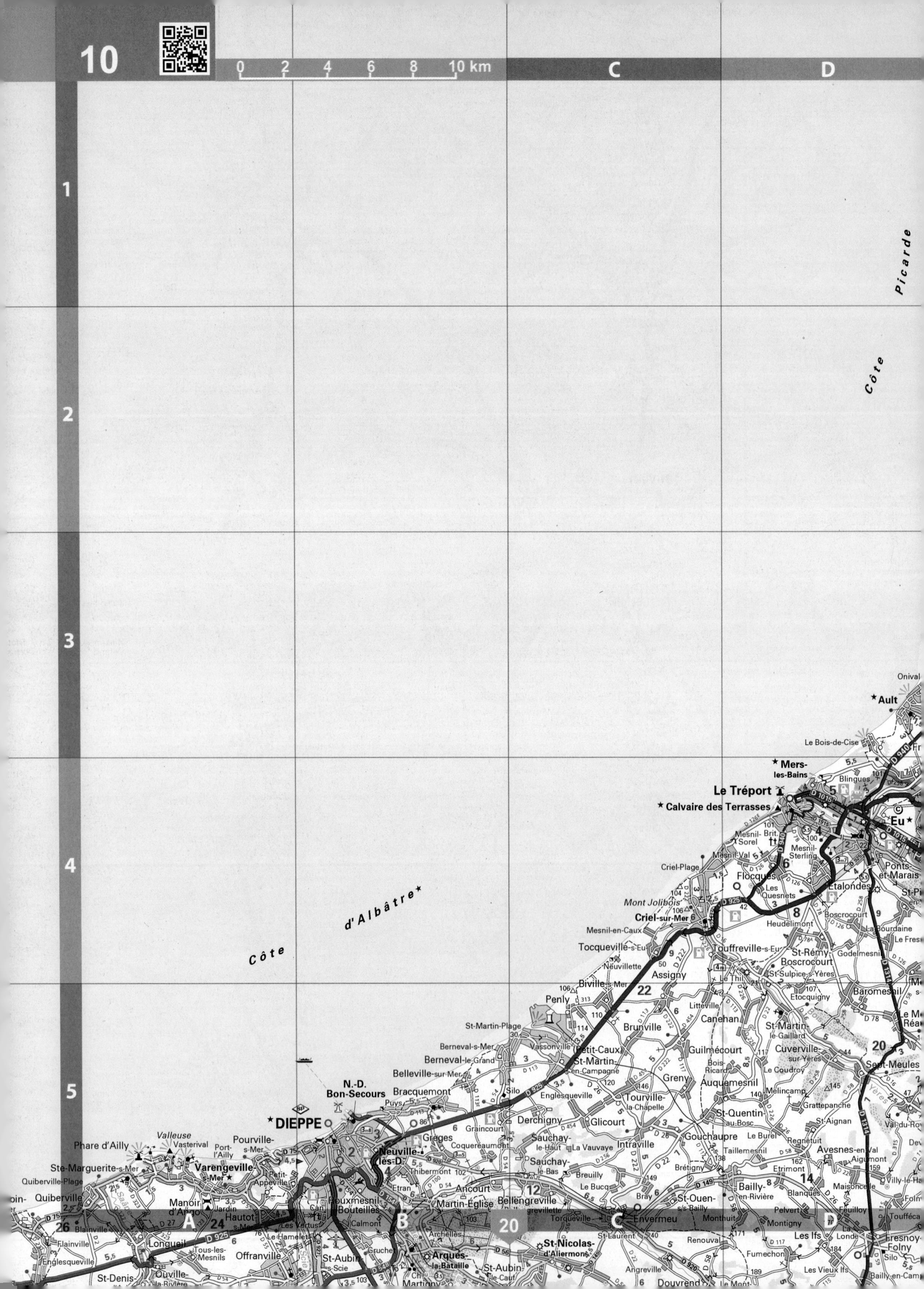
0 2 4 6 8 10 km
A
B
C
D
1
2
3
4
5
Côte Picarde
Côte d'Albâtre
Onival
Ault
Le Bois-de-Cise
Mers-les-Bains
Le Tréport
Calvaire des Terrasses
Eu
Blingues
Mesnil-Sorel
Mesnil-Val
Mesnil-Sterling
Criel-Plage
Flocques
Les Quesnets
Etalondes
Ponts-et-Marais
Mont Jolibois
Criel-sur-Mer
Heudelimont
Boscrocourt
La Bourdaine
Mesnil-en-Caux
Tocqueville-s-Eu
Touffreville-s-Eu
St-Rémy Boscrocourt
Godelmesnil
Neuvillette
Assigny
St-Sulpice-s-Yères
Le Thil
Biville-s-Mer
Penly
Etocquigny
Baromesnil
Litteville
Canehan
St-Martin-le-Gaillard
St-Martin-Plage
Brunville
Vassonville
Petit-Caux
St-Martin-en-Campagne
Guilmécourt
Cuverville-sur-Yères
Sept-Meules
Berneval-s-Mer
Berneval-le-Grand
Bois-Ricard
Auquemesnil
Le Coudroy
Belleville-sur-Mer
Greny
N.-D. Bon-Secours
Bracquemont
Puys
Silo
Englesqueville
Tourville-la-Chapelle
Melincamp
Grattepanche
DIEPPE
Derchigny
Glicourt
St-Quentin-au-Bosc
St-Aignan
Val-du-Roy
Valleuse
Vasterival
Phare d'Ailly
Pourville-s-Mer
Port-l'Ailly
Neuville-lès-D.
Grèges
Graincourt
Coquereaumont
Sauchay-le-Haut
La Vauvaye
Intraville
Gouchaupre
Le Burel
Regnetuit
Avesnes-en-Val
Aigumont
Ste-Marguerite-s-Mer
Varengeville-s-Mer
Petit-Appeville
Thibermont
Sauchay-le-Bas
Breuilly
Brétigny
Taillemesnil
Etrimont
Quiberville-Plage
Quiberville
Manoir d'Ango
Jardin
Hautot-s-Mer
Rouxmesnil-Bouteilles
Etran
Ancourt
Martin-Eglise
Bellengreville
Le Bucq
Bray
St-Ouen-s/s-Bailly
Bailly-en-Rivière
Blanques
Maisoncelle
Villy-le-Haut
Calmont
Archelles
Torqueville
Envermeu
Monthuit
Montigny
Pelvert
Feuilloy
Toufféca
Blainville
Le Hamelet
Les Vertus
St-Laurent
Les Ifs
La Londe
Fresnoy-Folny
Flainville
Longueil
Tous-les-Mesnils
Offranville
Gruchet
Arques-la-Bataille
St-Nicolas-d'Aliermont
Renouval
Fumechon
Silo
Englesqueville
St-Denis
Ouville-la-Rivière
St-Aubin-s-Scie
St-Aubin-le-Cauf
Angreville
Douvrend
Le Mont
Les Vieux Ifs
Bailly-en-Camp
Martigny
D 925
D 940
D 1015
D 54
D 56
D 920
D 149
D 222
D 113
D 58
D 126
D 78
D 22
D 75
D 27
24
26
20
22
12
14
A
B
C
D

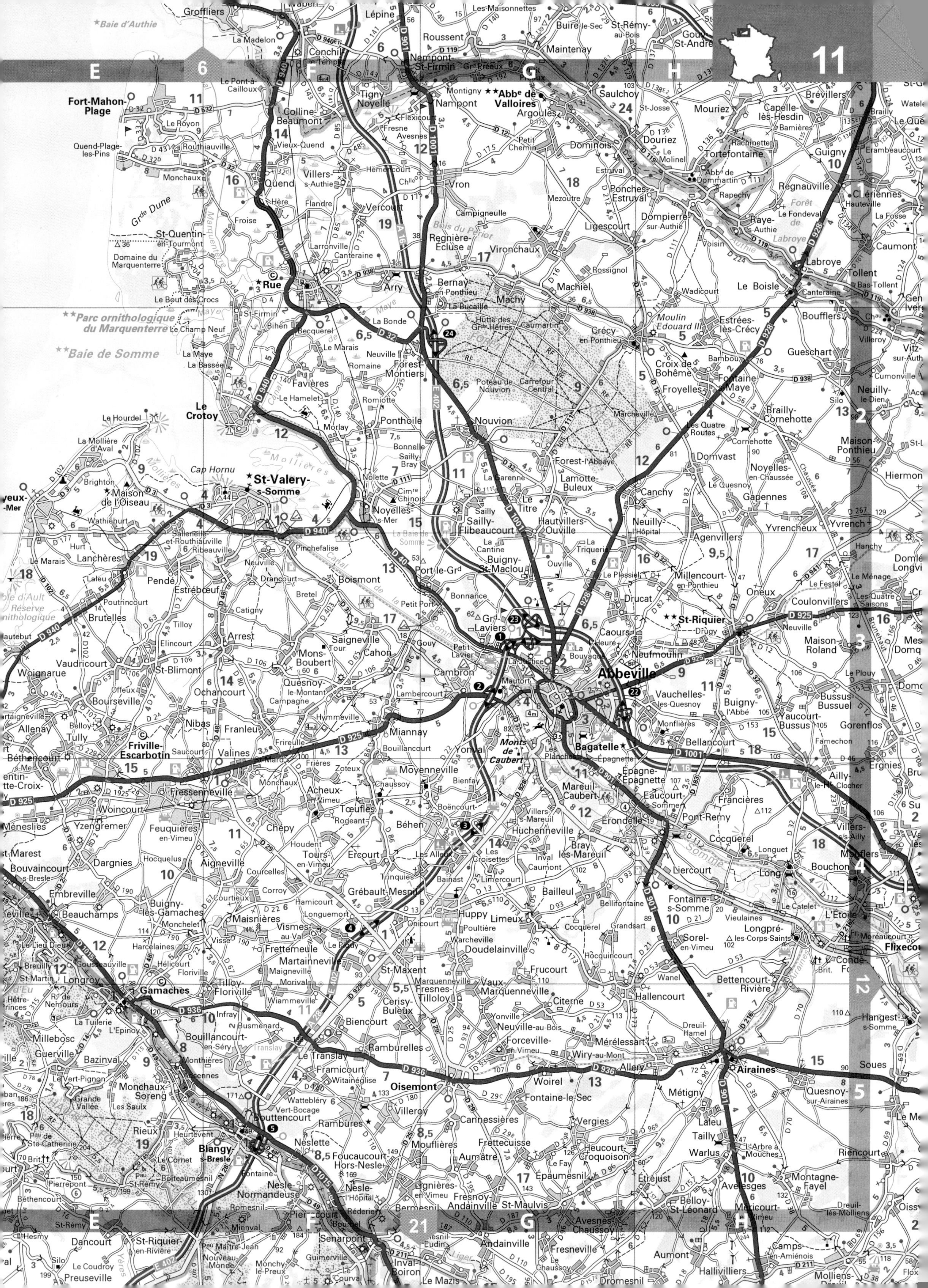
Baie d'Authie
Groffliers
La Madelon
Conchil-le-Temple
Lépine
Roussent
Nempont-St-Firmin
Maintenay
Buire-le-Sec
St-Rémy-au-Bois
Gouy-St-André
Fort-Mahon-Plage
Quend-Plage-les-Pins
Tigny-Noyelle
Nampont
Abbe de Valloires
Argoules
Saulchoy
Brévillers
Mouriez
Capelle-lès-Hesdin
Colline-Beaumont
Vieux-Quend
Douriez
Dominois
Tortefontaine
Guigny
Quend
Villers-s-Authie
Vron
Ponches-Estruval
Regnauville
Monchaux
Gde Dune
St-Quentin-en-Tourmont
Domaine du Marquenterre
Vercourt
Campigneulle
Dompierre-sur-Authie
Raye-s-Authie
Régnière-Ecluse
Vironchaux
Ligescourt
Labroye
Caumont
Rue
Bernay-en-Ponthieu
Arry
Machiel
Le Boisle
Machy
Parc ornithologique du Marquenterre
Baie de Somme
Le Bout des Crocs
Crécy-en-Ponthieu
Estrées-lès-Crécy
Boufflers
Forest-Montiers
Favières
Le Crotoy
Croix de Bohême
Gueschart
Fontaine-s-Maye
Froyelles
Neuilly-le-Dien
Nouvion
Brailly-Cornehotte
Ponthoile
Forest-l'Abbaye
Domvast
Maison-Ponthieu
Cap Hornu
St-Valery-s-Somme
Noyelles-s-Mer
Lamotte-Buleux
Canchy
Noyelles-en-Chaussée
Hiermont
Sailly-Flibeaucourt
Hautvillers-Ouville
Neuilly-l'Hôpital
Gapennes
Yvrench
Lanchères
Pendé
Port-le-Grd
Buigny-St-Maclou
Agenvillers
Yvrencheux
Boismont
Millencourt-en-Ponthieu
Drucat
Onéux
Coulonvillers
Brutelles
Estréboeuf
Saigneville
Grd Laviers
St-Riquier
Caours
Maison-Roland
Arrest
Mons-Boubert
Cambron
Abbeville
Vaudricourt
Woignarue
St-Blimont
Quesnoy-le-Montant
Ochancourt
Vauchelles-les-Quesnoy
Buigny-l'Abbé
Bussus-Bussuel
Yaucourt-Bussus
Gorenflos
Bourseville
Allenay
Friville-Escarbotin
Nibas
Franleu
Miannay
Monts de Caubert
Bagatelle
Bellancourt
Valines
Moyenneville
Mareuil-Caubert
Eaucourt-s-Somme
Ailly-le-Ht-Clocher
Fressenneville
Woincourt
Acheux-en-Vimeu
Tœufles
Huchenneville
Erondelle
Pont-Remy
Francières
Cocquerel
Yzengremer
Feuquières-en-Vimeu
Chépy
Béhen
Bray-lès-Mareuil
Liercourt
Bouvaincourt-s-Bresle
Dargnies
Aigneville
Tours-en-Vimeu
Ercourt
Long
Bouchon
Embreville
Beauchamps
Buigny-lès-Gamaches
Maisnières
Gréhault-Mesnil
Huppy
Limeux
Bailleul
Fontaine-s-Somme
L'Etoile
Vismes-au-Val
Frettemeule
Martainneville
Doudelainville
Sorel-en-Vimeu
Longpré-les-Corps-Saints
Flixecourt
Gamaches
Tilloy-Floriville
St-Maxent
Cerisy-Buleux
Vaux-Marquenneville
Frucourt
Citerne
Hallencourt
Bettencourt-Rivière
Hangest-s-Somme
Biencourt
Neuville-au-Bois
Forceville-en-Vimeu
Mérélessart
Airaines
Bouillancourt-en-Séry
Ramburelles
Wiry-au-Mont
Allery
Soues
Le Translay
Framicourt
Oisemont
Woirel
Fontaine-le-Sec
Métigny
Quesnoy-sur-Airaines
Monchaux-Soreng
Villeroy
Bouttencourt
Rambures
Cannessières
Vergies
Laleu
Tailly
Rieux
Blangy-s-Bresle
Neslette
Mouflières
Frettecuisse
Heucourt-Croquoison
Warlus
Riencourt
Foucaucourt-Hors-Nesle
Aumâtre
Épaumesnil
Étréjust
Avelesges
Montagne-Fayel
Nesle-Normandeuse
Nesle-l'Hôpital
Lignières-en-Vimeu
Fresnoy-Andainville
St-Maulvis
Belloy-St-Léonard
Méricourt-en-Vimeu
Senarpont
Andainville
Avesnes-Chaussoy
Fresneville
Aumont
Hallivillers
Camps-en-Amiénois
Molliens
Dancourt
St-Riquier-en-Rivière
Preuseville
Inval-Boiron
Le Mazis
Dromesnil
E
F
G
H
6
21
12

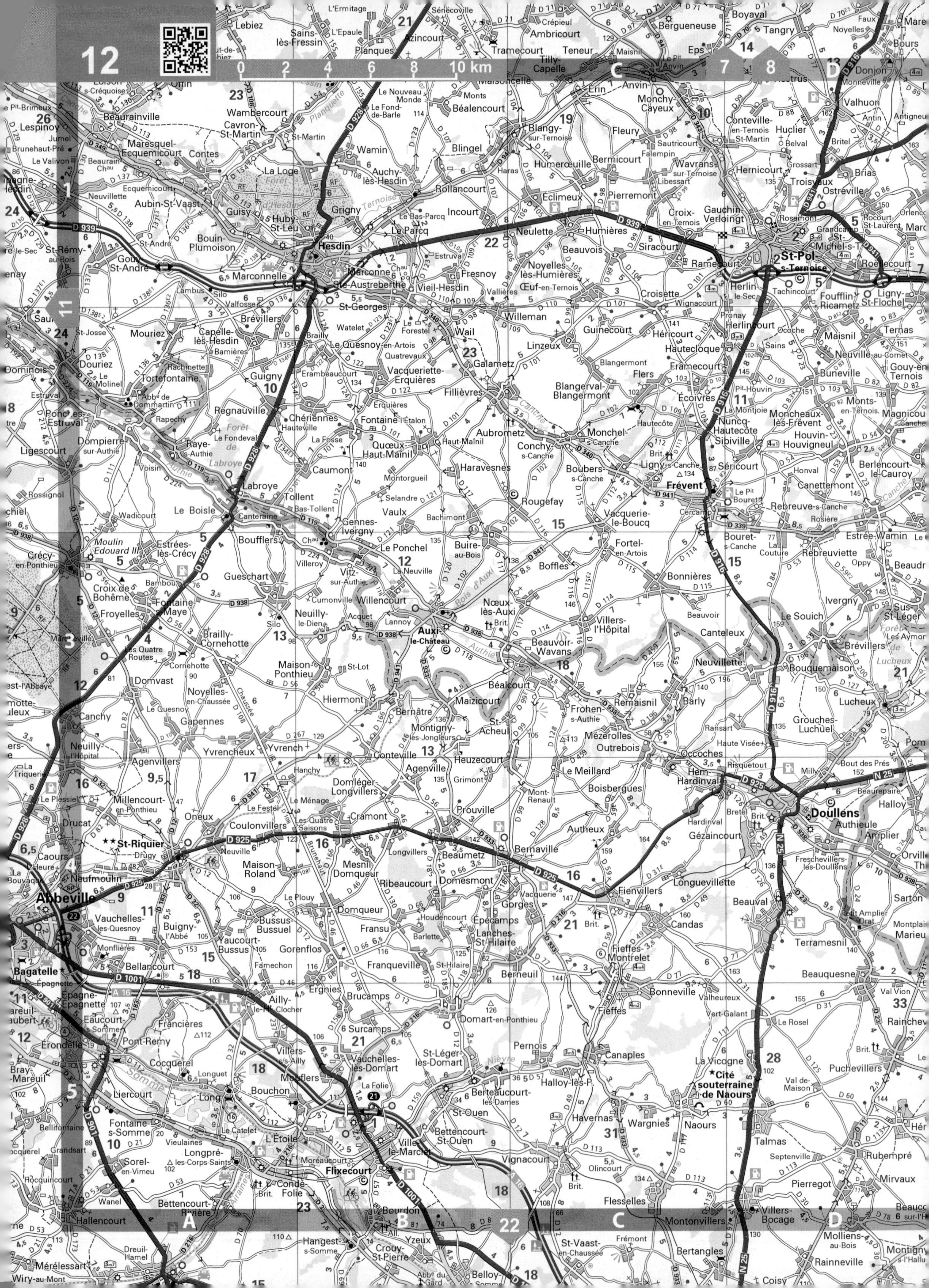

12
0 2 4 6 8 10 km
Hesdin
St-Pol-s-Ternoise
Frévent
Doullens
Abbeville
Auxi-le-Château
Flixecourt
St-Riquier
Crécy-en-Ponthieu
Beaurainville
Wambercourt
Cavron-St-Martin
Maresquel-Ecquemicourt
Contes
Aubin-St-Vaast
Guisy
Huby-St-Leu
Bouin-Plumoison
Marconnelle
Marconne
Ste-Austreberthe
Vieil-Hesdin
St-Georges
Brévillers
Capelle-lès-Hesdin
Mouriez
Douriez
Tortefontaine
Guigny
Regnauville
Dompierre-sur-Authie
Raye-s-Authie
Labroye
Le Boisle
Estrées-lès-Crécy
Boufflers
Gueschart
Fontaine-l'Étalon
Quœux-Haut-Maînil
Caumont
Tollent
Vaulx
Le Ponchel
Vitz-sur-Authie
Willencourt
Neuilly-le-Dien
Maison-Ponthieu
Hiermont
Bernâtre
Domvast
Noyelles-en-Chaussée
Gapennes
Yvrench
Yvrencheux
Agenvillers
Millencourt-en-Ponthieu
Oneux
Coulonvillers
Cramont
Domléger-Longvillers
Agenville
Heuzecourt
Prouville
Beaumetz
Bernaville
Domesmont
Ribeaucourt
Mesnil-Domqueur
Maison-Roland
Buigny-l'Abbé
Bussus-Bussuel
Yaucourt-Bussus
Gorenflos
Franqueville
Domqueur
Fransu
Lanches-St-Hilaire
Épécamps
Gorges
Fienvillers
Candas
Beauval
Bealcourt
Maizicourt
Frohen-s-Authie
Mézerolles
Outrebois
Occoches
Hem-Hardinval
Boisbergues
Autheux
Le Meillard
Remaisnil
Barly
Neuvillette
Bouquemaison
Lucheux
Grouches-Luchuel
Canteleux
Le Souich
Ivergny
Beauvoir-Wavans
Villers-l'Hôpital
Nœux-lès-Auxi
Boffles
Bonnières
Fortel-en-Artois
Vacquerie-le-Boucq
Rebreuviette
Rebreuve-s-Canche
Bouret-s-Canche
Canettemont
Houvin-Houvigneul
Moncheaux-lès-Frévent
Nuncq-Hautecôte
Sibiville
Ligny-s-Canche
Boubers-s-Canche
Conchy-s-Canche
Monchel-s-Canche
Aubrometz
Haravesnes
Rougefay
Buire-au-Bois
Fillièvres
Galametz
Wail
Willeman
Linzeux
Guinecourt
Blangerval-Blangermont
Flers
Framecourt
Hautecloque
Héricourt
Herlincourt
Croisette
Ramecourt
Siracourt
Gauchin-Verloingt
Croix-en-Ternois
Wavrans-sur-Ternoise
Hernicourt
Troisvaux
Ostreville
Conteville-en-Ternois
Huclier
Valhuon
Bermicourt
Humerœuille
Eclimeux
Pierremont
Blangy-sur-Ternoise
Fleury
Monchy-Cayeux
Anvin
Erin
Bealencourt
Blingel
Rollancourt
Incourt
Neulette
Humières
Beauvois
Noyelles-lès-Humières
Œuf-en-Ternois
Fresnoy
Wamin
Auchy-lès-Hesdin
Grigny
Le Parcq
Azincourt
Ambricourt
Tramecourt
Tilly-Capelle
Teneur
Bergueneuse
Boyaval
Tangry
Sains-lès-Fressin
Planques
Lebiez
Ternas
Maisnil
Buneville
Monts-en-Ternois
Magnicourt-s-Canche
Berlencourt-le-Cauroy
Sus-St-Léger
Brévillers
Estrée-Wamin
Ligny-St-Flochel
Foufflin-Ricametz
Roëllecourt
St-Michel-s-T.
Gouy-en-Ternois
Neuville-au-Cornet
Authieule
Amplier
Halloy
Orville
Sarton
Terramesnil
Beauquesne
Puchevillers
Rubempré
Talmas
Naours
Cité souterraine de Naours
Wargnies
Havernas
La Vicogne
Pierregot
Mirvaux
Villers-Bocage
Montonvillers
Bertangles
Molliens-au-Bois
Rainneville
Flesselles
Vignacourt
Canaples
Halloy-lès-P.
Pernois
Berteaucourt-les-Dames
St-Ouen
Bettencourt-St-Ouen
Ville-le-Marclet
St-Léger-lès-Domart
Domart-en-Ponthieu
Berneuil
Fieffes-Montrelet
Bonneville
Surcamps
Vauchelles-lès-Domart
Brucamps
Ergnies
Villers-s-Ailly
Mouflers
Bouchon
L'Étoile
Long
Longpré-les-Corps-Saints
Condé-Folie
Hangest-s-Somme
Yzeux
Crouy-St-Pierre
Bourdon
Liercourt
Cocquerel
Pont-Remy
Francières
Ailly-le-Ht-Clocher
Eaucourt-s-Somme
Épagne-Épagnette
Bellancourt
Vauchelles-les-Quesnoy
Neufmoulin
Caours
Drucat
Canchy
Neuilly-l'Hôpital
Fontaine-s-Somme
Sorel-en-Vimeu
Erondelle
Bray-Mareuil
Hallencourt
Wiry-au-Mont
Mérélessart
Bettencourt-Rivière
Wanel
Froyelles
Fontaine-sur-Maye
Brailly-Cornehotte
Ligescourt
Ponches-Estruval
Lespinoy
D 939
D 928
D 941
D 938
D 925
D 1001
D 916
N 25
A 16
A
B
C
D
1
2
3
4
5
11
22
7
8
13

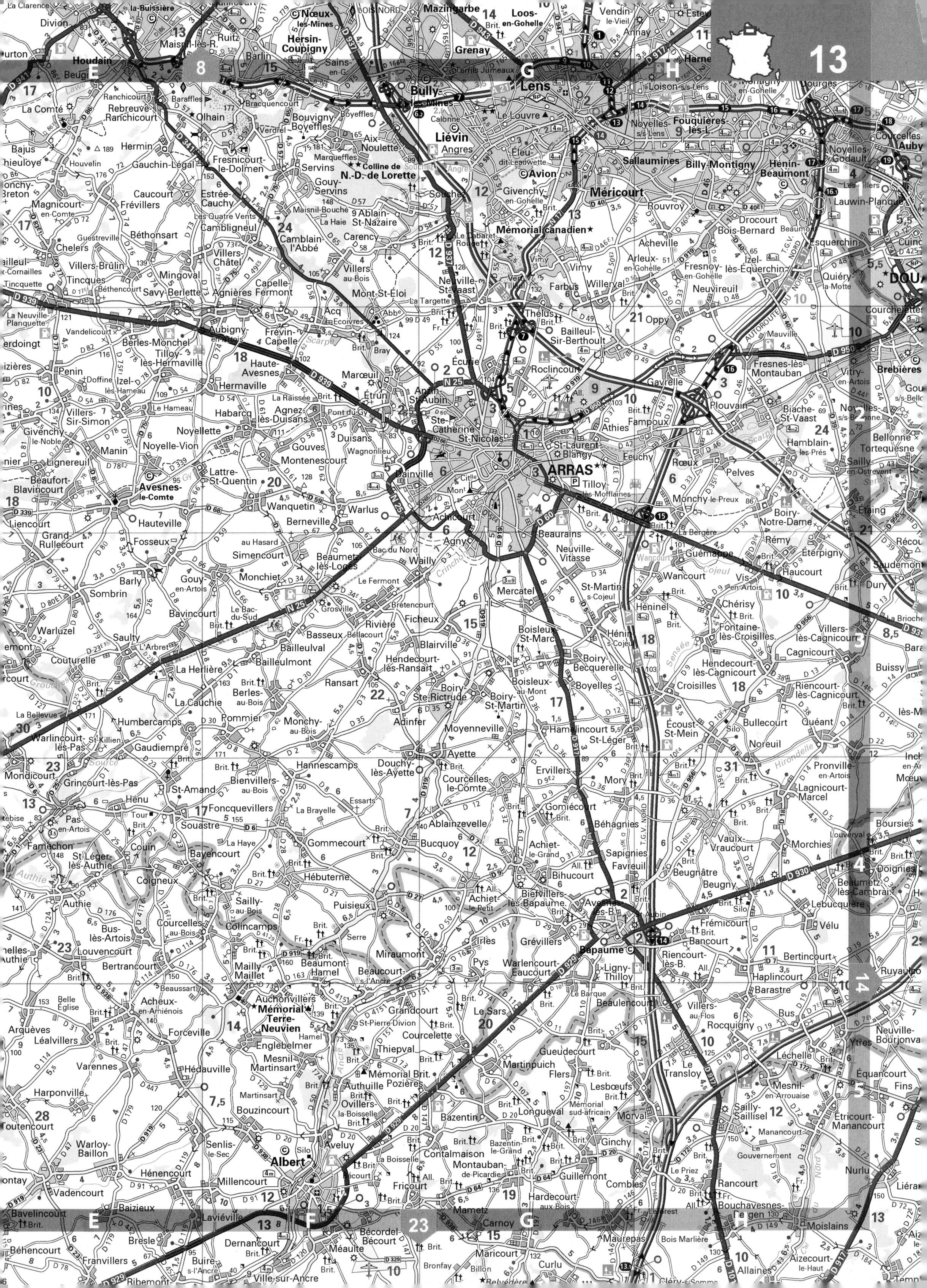

13
8
E
F
G
H
23
Lens
Bully-les-Mines
Liévin
Avion
Méricourt
Sallaumines
Billy-Montigny
Hénin-Beaumont
Noyelles-Godault
Fouquières-lès-L.
Noyelles-s/s-Lens
Loison-s/s-Lens
Harnes
Grenay
Mazingarbe
Loos-en-Gohelle
Vendin-le-Vieil
Annay
Nœux-les-Mines
Hersin-Coupigny
Barlin
Maisnil-les-R.
Ruitz
Houdain
Divion
La Clarence
La Buissière
Beugin
Sains-en-G.
Angres
Aix-Noulette
Colline de N.-D. de Lorette
Souchez
Givenchy-en-Gohelle
Mémorial canadien
Vimy
Farbus
Willerval
Thélus
Bailleul-Sir-Berthoult
Roclincourt
Oppy
Arleux-en-Gohelle
Fresnoy-en-Gohelle
Neuvireuil
Izel-lès-Équerchin
Quiéry-la-Motte
Drocourt
Rouvroy
Bois-Bernard
Acheville
Esquerchin
Courcelles
Auby
Lauwin-Planque
Cuincy
Douai
Courchelettes
Brebières
Vitry-en-Artois
Fresnes-lès-Montauban
Gavrelle
Plouvain
Biache-St-Vaast
Hamblain-les-Prés
Bellonne
Tortequesne
Sailly-en-Ostrevent
Noyelles-s/s-Bellonne
Pelves
Rœux
Fampoux
Athies
Feuchy
St-Laurent-Blangy
Tilloy-lès-Mofflaines
ARRAS
Anzin-St-Aubin
Ste-Catherine
St-Nicolas
Dainville
Achicourt
Agny
Beaurains
Neuville-Vitasse
Mercatel
Wancourt
Guémappe
Monchy-le-Preux
Boiry-Notre-Dame
Rémy
Éterpigny
Haucourt
Vis-en-Artois
Dury
Saudemont
Récourt
Étaing
Chérisy
Fontaine-lès-Croisilles
Héninel
Hénin-s-Cojeul
St-Martin-s-Cojeul
Villers-lès-Cagnicourt
Cagnicourt
Hendecourt-lès-Cagnicourt
Riencourt-lès-Cagnicourt
Croisilles
Boiry-Becquerelle
Boyelles
Boisleux-St-Marc
Boisleux-au-Mont
Hamelincourt
St-Léger
Écoust-St-Mein
Bullecourt
Quéant
Noreuil
Pronville-en-Artois
Lagnicourt-Marcel
Mory
Ervillers
Gomiécourt
Béhagnies
Sapignies
Favreuil
Bihucourt
Achiet-le-Grand
Achiet-le-Petit
Biefvillers-lès-Bapaume
Avesnes-lès-B.
Bapaume
Beugnâtre
Vaulx-Vraucourt
Morchies
Beugny
Lebucquière
Vélu
Beaumetz-lès-Cambrai
Doignies
Boursies
Louverval
Frémicourt
Bancourt
Riencourt-lès-B.
Bertincourt
Haplincourt
Barastre
Ruyaulcourt
Bus
Rocquigny
Ytres
Neuville-Bourjonval
Léchelle
Équancourt
Fins
Le Transloy
Villers-au-Flos
Beaulencourt
Ligny-Thilloy
Warlencourt-Eaucourt
Grévillers
Irles
Pys
Le Sars
Miraumont
Grandcourt
Courcelette
Pozières
Martinpuich
Flers
Gueudecourt
Lesbœufs
Morval
Sailly-Saillisel
Mesnil-en-Arrouaise
Étricourt-Manancourt
Nurlu
Rancourt
Bouchavesnes-Bergen
Moislains
Allaines
Aizecourt-le-Haut
Cléry-s-Somme
Bois Marlière
Le Priez
Combles
Guillemont
Ginchy
Longueval
Mémorial sud-africain
Bazentin
Contalmaison
Montauban-de-Picardie
Hardecourt-aux-Bois
Maurepas
Curlu
Maricourt
Carnoy
Mametz
Fricourt
Bécordel-Bécourt
Méaulte
Albert
Aveluy
Authuille
Ovillers-la-Boisselle
La Boisselle
Thiepval
Mémorial Brit.
Mesnil-Martinsart
Englebelmer
Hamel
Beaumont-Hamel
Beaucourt-s.l'Ancre
Auchonvillers
Mémorial Terre-Neuvien
Mailly-Maillet
Colincamps
Serre
Puisieux
Hébuterne
Gommecourt
Bucquoy
Ablainzevelle
Courcelles-le-Comte
Ayette
Douchy-lès-Ayette
Hannescamps
Foncquevillers
Souastre
Bienvillers-au-Bois
Pommier
Monchy-au-Bois
Adinfer
Boiry-Ste-Rictrude
Boiry-St-Martin
Moyenneville
Hendecourt-lès-Ransart
Ransart
Blairville
Ficheux
Rivière
Bellacourt
Basseux
Bailleulval
Bailleulmont
La Herlière
La Cauchie
Berles-au-Bois
Humbercamps
Gaudiempré
St-Amand
Hénu
Pas-en-Artois
Famechon
Couin
Bayencourt
Sailly-au-Bois
Coigneux
St-Léger-lès-Authie
Authie
Bus-lès-Artois
Courcelles-au-Bois
Louvencourt
Bertrancourt
Acheux-en-Amiénois
Forceville
Hédauville
Varennes
Lealvillers
Arquèves
Harponville
Toutencourt
Warloy-Baillon
Senlis-le-Sec
Bouzincourt
Martinsart
Millencourt
Hénencourt
Vadencourt
Baizieux
Laviéville
Bavelincourt
Béhencourt
Franvillers
Bresle
Dernancourt
Buire-s-l'Ancre
Ville-sur-Ancre
Ribemont
Mondicourt
Grincourt-lès-Pas
Warlincourt-lès-Pas
Humbercourt
Sus-St-Léger
Couturelle
Saulty
Warluzel
Sombrin
Barly
Fosseux
Gouy-en-Artois
Monchiet
Simencourt
Beaumetz-lès-Loges
Wailly
Bac du Nord
Berneville
Warlus
Wanquetin
Montenescourt
Gouves
Duisans
Agnez-lès-Duisans
Habarcq
Étrun
Marœuil
Haute-Avesnes
Hermaville
Tilloy-lès-Hermaville
Berles-Monchel
Aubigny-en-Artois
Frévin-Capelle
Acq
Écoivres
Mont-St-Éloi
Villers-au-Bois
Carency
Ablain-St-Nazaire
Neuville-St-Vaast
Écurie
Camblain-l'Abbé
Cambligneul
Capelle-Fermont
Agnières
Savy-Berlette
Mingoval
Villers-Châtel
Villers-Brûlin
Béthonsart
Frévillers
Estrée-Cauchy
Caucourt
Gauchin-Légal
Hermin
Fresnicourt-le-Dolmen
Servins
Gouy-Servins
Maisnil-Bouché
Olhain
Rebreuve-Ranchicourt
Ranchicourt
La Comté
Bajus
Magnicourt-en-Comté
Chelers
Tincques
Penin
Izel-lès-Hameau
Villers-Sir-Simon
Givenchy-le-Noble
Manin
Lignereuil
Noyellette
Noyelle-Vion
Lattre-St-Quentin
Avesnes-le-Comte
Beaufort-Blavincourt
Liencourt
Hauteville
Grand-Rullecourt

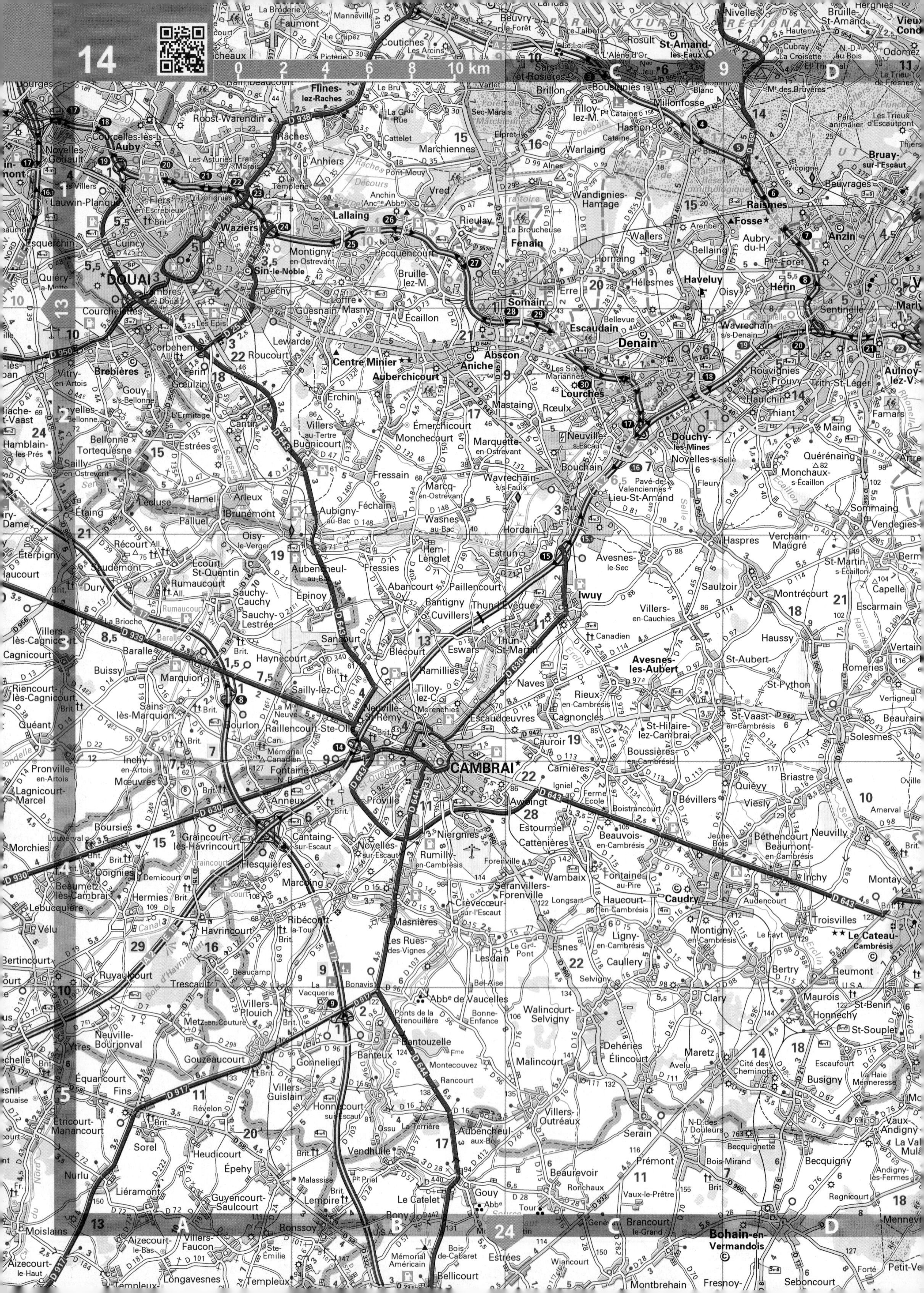
0 2 4 6 8 10 km
13
9
24
A
B
C
D
DOUAI
CAMBRAI
Auby
Flines-lez-Raches
Râches
Anhiers
Marchiennes
Waziers
Sin-le-Noble
Lallaing
Pecquencourt
Montigny-en-Ostrevant
Fenain
Somain
Escaudain
Denain
Abscon
Aniche
Auberchicourt
Lourches
Douchy-les-Mines
Haveluy
Hérin
Anzin
Raismes
Bruay-sur-l'Escaut
St-Amand-les-Eaux
Sars-et-Rosières
Bousignies
Millonfosse
Brillon
Tilloy-lez-M.
Hasnon
Warlaing
Wandignies-Hamage
Rieulay
Wallers
Arenberg
Bellaing
Aubry-du-H.
Hornaing
Hélesmes
Erre
Wavrechain-s/s-Denain
Rouvignies
Prouvy
Haulchin
Thiant
Trith-St-Léger
Aulnoy-lez-V.
Famars
Maing
Quérénaing
Monchaux-s-Écaillon
Noyelles-s-Selle
Lieu-St-Amand
Bouchain
Neuville-s-Escaut
Marquette-en-Ostrevant
Mastaing
Rœulx
Émerchicourt
Monchecourt
Erchin
Villers-au-Tertre
Bugnicourt
Fressain
Marcq-en-Ostrevant
Wasnes-au-Bac
Wavrechain-s/s-Faulx
Hordain
Estrun
Iwuy
Avesnes-le-Sec
Haspres
Verchain-Maugré
Saulzoir
Montrécourt
Villers-en-Cauchies
Avesnes-les-Aubert
St-Aubert
Haussy
St-Vaast-en-Cambrésis
St-Hilaire-lez-Cambrai
Boussières-en-Cambrésis
Quiévy
Viesly
Briastre
Solesmes
Romeries
Vertain
Escarmain
Capelle
Sommaing
Vendegies-
Corbehem
Brebières
Férin
Gœulzin
Roucourt
Lewarde
Guesnain
Masny
Dechy
Lambres-lez-Douai
Courchelettes
Cuincy
Esquerchin
Lauwin-Planque
Flers-en-Escrebieux
Courcelles-lès-L.
Noyelles-Godault
Roost-Warendin
Faumont
Coutiches
Vitry-en-Artois
Gouy-s/s-Bellonne
Cantin
Estrées
Hamel
Arleux
Lécluse
Brunémont
Palluel
Aubigny-au-Bac
Féchain
Oisy-le-Verger
Écourt-St-Quentin
Rumaucourt
Sauchy-Cauchy
Sauchy-Lestrée
Aubencheul-au-Bac
Fressies
Hem-Lenglet
Abancourt
Paillencourt
Bantigny
Cuvillers
Thun-l'Évêque
Thun-St-Martin
Eswars
Ramillies
Blécourt
Sancourt
Haynecourt
Épinoy
Tilloy-lez-C.
Sailly-lez-C.
Neuville-St-Rémy
Raillencourt-Ste-Olle
Fontaine-N.-D.
Escaudœuvres
Naves
Cagnoncles
Rieux-en-Cambrésis
Cauroir
Carnières
Awoingt
Estourmel
Cattenières
Beauvois-en-Cambrésis
Boistrancourt
Bévillers
Caudry
Fontaine-au-Pire
Wambaix
Haucourt-en-Cambrésis
Ligny-en-Cambrésis
Montigny-en-Cambrésis
Caullery
Clary
Inchy
Béthencourt
Beaumont-en-Cambrésis
Neuvilly
Troisvilles
Le Cateau-Cambrésis
Reumont
Maurois
Honnechy
St-Benin
St-Souplet
Busigny
Escaufourt
Maretz
Bertry
Proville
Niergnies
Rumilly-en-Cambrésis
Séranvillers-Forenville
Crèvecœur-sur-l'Escaut
Masnières
Marcoing
Noyelles-sur-Escaut
Cantaing-sur-Escaut
Anneux
Flesquières
Graincourt-lès-Havrincourt
Havrincourt
Ribécourt-la-Tour
Les Rues-des-Vignes
Lesdain
Esnes
Walincourt-Selvigny
Malincourt
Deheries
Élincourt
Villers-Outréaux
Serain
Prémont
Bohain-en-Vermandois
Becquigny
Vaux-Andigny
Aubencheul-aux-Bois
Gouy
Le Catelet
Bony
Vendhuile
Honnecourt-sur-Escaut
Banteux
Bantouzelle
Gonnelieu
Villers-Guislain
Villers-Plouich
Metz-en-Couture
Gouzeaucourt
Trescault
Ruyaulcourt
Bertincourt
Ytres
Neuville-Bourjonval
Équancourt
Fins
Sorel
Heudicourt
Épehy
Lempire
Ronssoy
Guyencourt-Saulcourt
Liéramont
Nurlu
Moislains
Aizecourt-le-Bas
Villers-Faucon
Templeux
Longavesnes
Bellicourt
Estrées
Hermies
Doignies
Beaumetz-lès-Cambrai
Lebucquière
Vélu
Boursies
Morchies
Mœuvres
Inchy-en-Artois
Pronville-en-Artois
Lagnicourt-Marcel
Quéant
Bourlon
Sains-lès-Marquion
Marquion
Buissy
Baralle
Cagnicourt
Villers-lès-Cagnicourt
Riencourt-lès-Cagnicourt
Dury
Saudemont
Récourt
Étaing
Éterpigny
Sailly-en-Ostrevent
Tortequesne
Bellonne
Hamblain-les-Prés
Biache-St-Vaast
Noyelles-s/s-Bellonne
Centre Minier
Abbe de Vaucelles
Mémorial Canadien
Mémorial Américain
Canal du Nord
Canal de St-Quentin
A 2
A 21
A 26
A 23
E 17
E 19
D 643
D 939
D 630
D 917
D 644

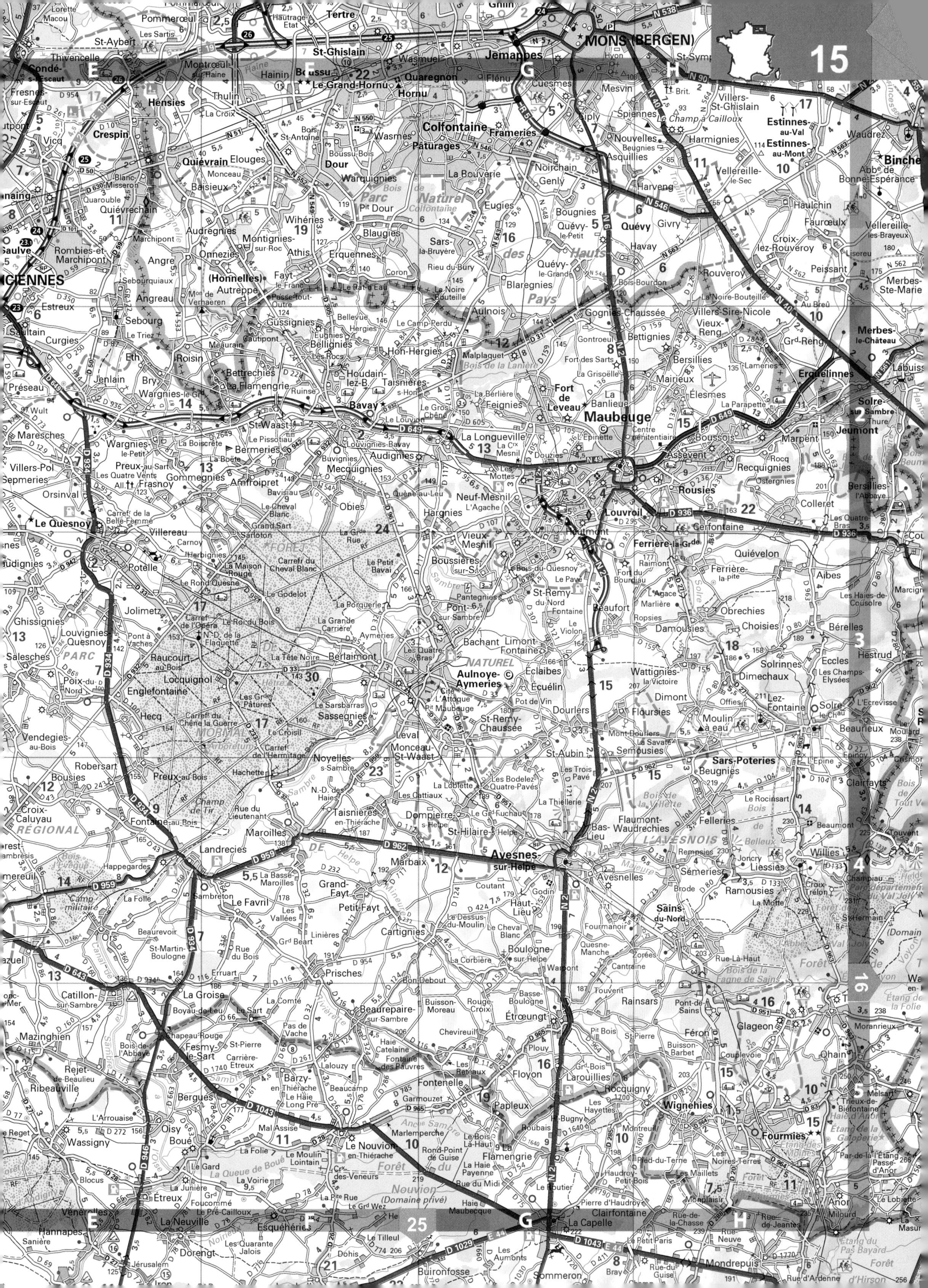

15
MONS (BERGEN)
Jemappes
St-Ghislain
Boussu
Le Grand-Hornu
Quaregnon
Hornu
Colfontaine
Pâturages
Frameries
Hensies
Crespin
Quiévrain
Dour
Quévy
Binche
Estinnes-au-Val
Estinnes-au-Mont
Merbes-le-Château
Erquelinnes
Jeumont
Maubeuge
Fort de Leveau
Bavay
Le Quesnoy
Louvroil
Hautmont
Ferrière-la-Grande
Aulnoye-Aymeries
Berlaimont
Landrecies
Maroilles
Avesnes-sur-Helpe
Sars-Poteries
Solre-le-Château
Sains-du-Nord
Wignehies
Fourmies
La Capelle
Le Nouvion-en-Thiérache
Étreux
Wassigny
Sassegnies
Locquignol
Englefontaine
Jenlain
Sebourg
Condé-sur-Escaut
Valenciennes
Parc Naturel des Hauts Pays
Forêt de Mormal
Parc Naturel Régional de l'Avesnois
Bois l'Évêque
Forêt du Nouvion (Domaine privé)

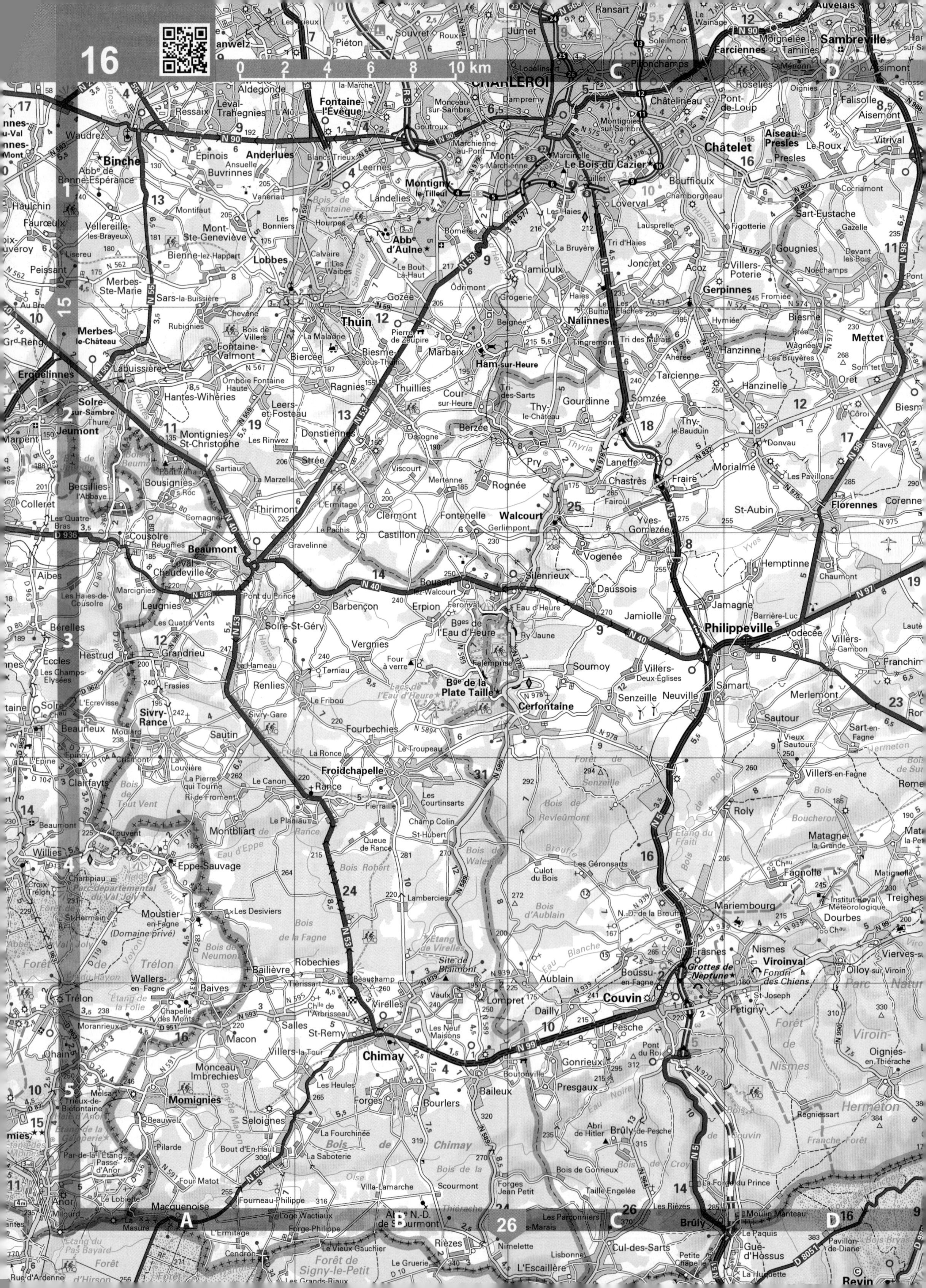

0 2 4 6 8 10 km
CHARLEROI
Jumet
Ransart
Piéton
Souvret
Roux
Le Wainage
Soleilmont
Pironchamps
Farciennes
Moignelée
Tamines
Sambreville
Auvelais
Aldegonde
Ressaix
Leval-Trahegnies
Fontaine-l'Evêque
Monceau-sur-Sambre
Dampremy
Goutroux
Marchienne-au-Pont
Châtelineau
Pont-de-Loup
Roselies
Oignies
Falisolle
Aisemont
Vitrival
Waudrez
Binche
Epinois
Anderlues
Buvrinnes
Anuelle
Leernes
Blancs Trieux
Montigny-le-Tilleul
Mont-s-Marchienne
Marcinelle
Montignies-sur-Sambre
Le Bois du Cazier
Couillet
Châtelet
Aiseau-Presles
Presles
Le Roux
Abbe de Bonne-Espérance
Vellereille-les-Brayeux
Haulchin
Fauroeulx
Peissant
Merbes-Ste-Marie
Montifaut
Mont-Ste-Geneviève
Bienne-lez-Happart
Lobbes
Les Bonniers
Hourpes
Abbe d'Aulne
Landelies
Bois de Fontaine
Bomerée
Les Haies
Loverval
Bouffioulx
Chamborgneau
Cocriamont
Sart-Eustache
Gazelle
Figotterie
Lausprelle
La Bruyère
Jamioulx
Joncret
Acoz
Villers-Poterie
Gougnies
Devant les Bois
Noëchamps
Calvaire
Les Waibes
Le Bout La-Haut
Odrimont
Grogerie
Haies
Bultia
Les Flaches
Gerpinnes
Fromiée
Biesme
Hymiée
Prée
Wagnée
Mettet
Scri
Sars-la-Buissière
Chevêne
Rubignies
Bois de Villers
Fontaine-Valmont
Thuin
Gozée
Pierre de Zeupire
Marbaix
Ham-sur-Heure
Beignée
Nalinnes
Tingremont
Tri des Marais
Ahérée
Hanzinne
Les Bruyères
Som'tet
Oret
Merbes-le-Château
Au Bric
Grd-Reng
Erquelinnes
Labuissière
La Maladrie
Biercée
Biesme-sous-Thuin
Ombois Fontaine
Haute
Hantes-Wihéries
Ragnies
Thuillies
Cour-sur-Heure
Tri-des-Sarts
Thy-le-Château
Gourdinne
Somzée
Tarcienne
Hanzinelle
Biesme
Solre-sur-Sambre
Thure
Jeumont
Marpent
Montignies-St-Christophe
Leers-et-Fosteau
Les Rinwez
Donstiennes
Ossogne
Berzée
Thyria
Pry
Thy-le-Bauduin
Donvau
Coroi
Stave
Bois Beumont
Pont Romain
Sartiau
Bousignies-s-Roc
Strée
Viscourt
Mertenne
Rognée
Laneffe
Chastrès
Fraire
Morialmé
Les Pavillons
Bersillies-l'Abbaye
Colleret
La Marzelle
Thirimont
L'Ermitage
Clermont
Fontenelle
Walcourt
Fairoul
Yves-Gomezée
St-Aubin
Florennes
Corenne
Les Quatre-Bras
Comagne
Le Pachis
Castillon
Gerlimpont
Vogenée
Cousolre
Reugnies
Beaumont
Gravelinne
Leval-Chaudeville
Boussu-lez-Walcourt
Silenrieux
Daussois
Hemptinne
Chaumont
Aibes
Marcignies
Pont du Prince
Barbençon
Erpion
Feronval
Eau d'Heure
Jamiolle
Jamagne
Barrière-Luc
Philippeville
Vodecée
Villers-le-Gambon
Les Haies-de-Cousolre
Leugnies
Les Quatre Vents
Solre-St-Géry
Vergnies
Bges de l'Eau d'Heure
Ry-Jaune
Soumoy
Bérelles
Eccles
Hestrud
Grandrieu
Le Hameau
Renlies
Four à verre
Terniau
Lacs de l'Eau d'Heure
Falemprise
Bge de la Plate Taille
Cerfontaine
Villers-Deux-Eglises
Senzeille
Neuville
Samart
Merlemont
Franchim
Les Champs-Elysées
L'Ecrevisse
Frasies
Sivry-Rance
Sivry-Gare
Le Fribou
Fourbechies
Sautin
Sautour
Sart-en-Fagne
Vieux Sautour
Solre-le-Château
Beaurieux
Moulard
L'Epine
Epinoy
Clairfayts
Crismont
La Louvière
La Pierre qui Tourne
Ri de Froment
Le Canon
Rance
La Ronce
Le Troupeau
Froidchapelle
Pierraille
Les Courtinsarts
Forêt de Senzeille
Bois de Revleûmont
Villers-en-Fagne
Bois de Sur
Rome
Roly
Boucheron
Bois de Tout Vent
Beaumont
Touvent
Montbliart
Le Planiau
Champ Colin
St-Hubert
Queue de Rance
Etang du Fraiti
Matagne-la-Grande
Matagne-la-Petite
Willies
Eppe-Sauvage
Eau d'Eppe
Bois Robert
Bois de Walestru
Brouffe
Les Géronsarts
Culot du Bois
Fagnolle
Matignolle
Champiau
Croix-Trélon
Parc départemental du Val Joly
Helde
Moustier-en-Fagne
(Domaine privé)
Les Desiviers
Lambercies
Bois d'Aublain
N.-D. de la Brouffe
Mariembourg
Institut Royal Météorologique
Dourbes
Treignes
St-Hermain
Forêt de Trélon
Bois de Neumont
Bois de la Fagne
Etang de Virelles
Site de Blaimont
Frasnes
Grottes de Neptune
Nismes
Viroinval
Fondry des Chiens
Vierves-sur-Viroin
Olloy-sur-Viroin
Parc Naturel
Trélon
Wallers-en-Fagne
Baives
Bailièvre
Robechies
Beauchamp
Tierissart
Vaulx
Lompret
Aublain
Boussu-en-Fagne
Couvin
St-Joseph
Petigny
Etang de la Folie
Chapelle des Monts
Moranrieux
Salles
St-Remy
Chlle de l'Arbrisseau
Virelles
Les Neuf Maisons
Dailly
Pesche
Forêt de Nismes
Viroin
Oignies-en-Thiérache
Ohain
Macon
Villers-la-Tour
Chimay
Pont du Roi
Gonrieux
Monceau-Imbrechies
Momignies
Melsart
Trieux-de-Béfontaine
Les Heules
Forges
Bourlers
Baileux
Boutonville
Presgaux
Hermeton
Regniessart
Beauwelz
Seloignes
Abri de Hitler
Brûly-de-Pesche
Bois de Couvin
Franche-Forêt
Etang de la Galoperie
Pilarde
La Fourchinée
Bois de Chimay
Par-de-la-l'Etang
Passe-d'Anor
Bout d'En-Haut
La Saboterie
Bois de la Thiérache
Bois de Gonrieux
Bois de Croy
Anor
Four Matot
Villa-Lamarche
Scourmont
Forges Jean Petit
Taille Engelée
La Forge du Prince
Le Lobiette
Milourd
Macquenoise
Fourneau-Philippe
Les Riezes
Moulin Manteau
La Masure
Loge Wactiaux
Forge-Philippe
Abbe N.-D. de Scourmont
Les Parconniers
Brûly
Le Paquis
Gué-d'Hossus
Pavillon-de-Diane
Etang du Pas Bayard
L'Ermitage
Cendron
Le Vieux Gauchier
Forêt de Signy-le-Petit
Riezes
Nimelette
Lisbonne
Cul-des-Sarts
Petite Chapelle
La Huquette
Forêt d'Hirson
Rue d'Ardenne
Le Gruerie
Les Grands-Riaux
L'Escaillère
Revin
A B C D
26

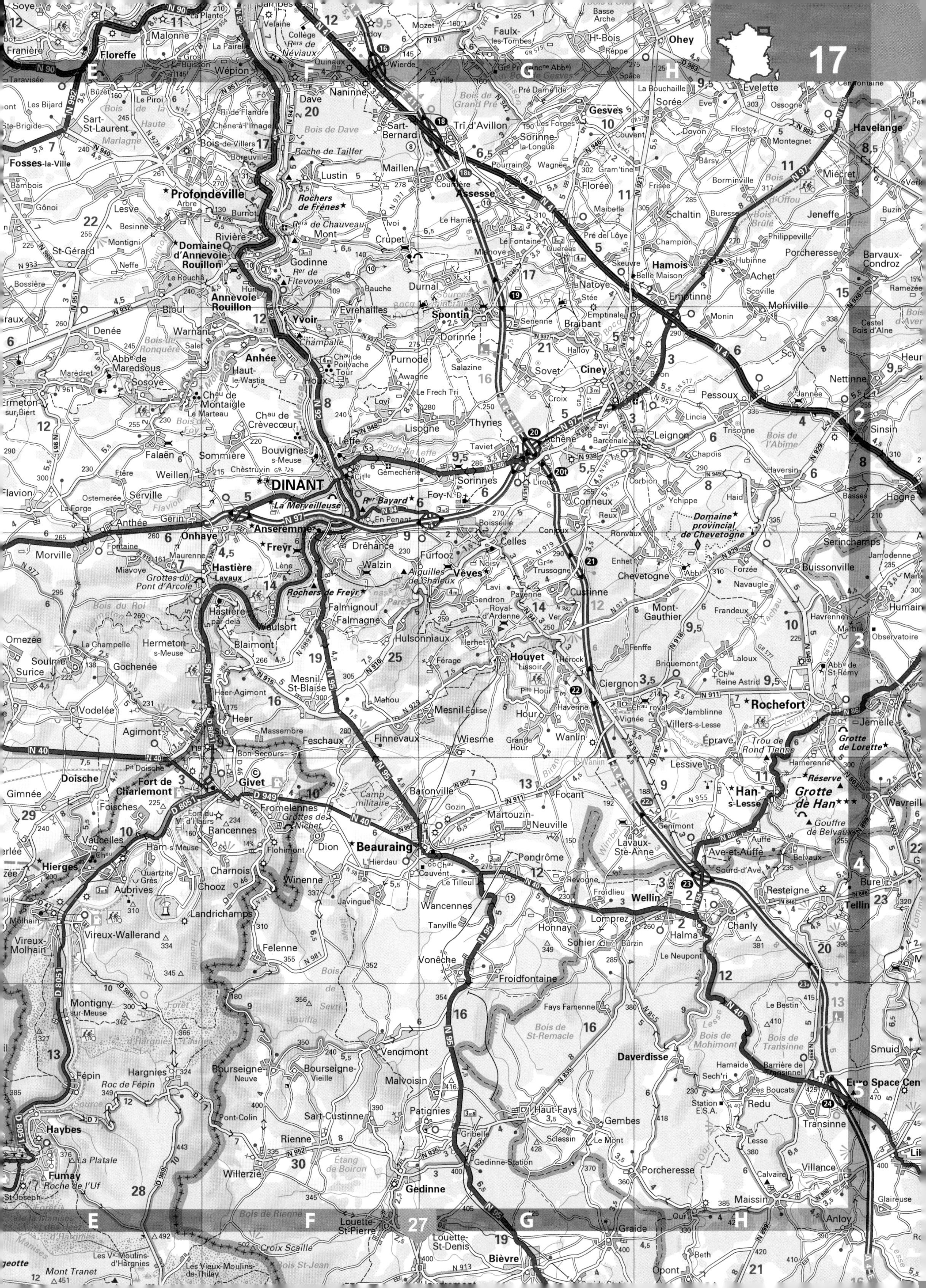
Floreffe
Malonne
Wépion
Naninne
Dave
Faulx-les-Tombes
Ohey
Gesves
Evelette
Havelange
Fosses-la-Ville
Profondeville
Lustin
Maillen
Assesse
Tri d'Avillon
Sart-Bernard
Florée
Schaltin
Miécret
Jeneffe
St-Gérard
Domaine d'Annevoie-Rouillon
Annevoie-Rouillon
Godinne
Crupet
Durnal
Spontin
Hamois
Achet
Mohiville
Barvaux-Condroz
Yvoir
Evrehailles
Dorinne
Purnode
Natoye
Emptinne
Braibant
Ciney
Denée
Warnant
Anhée
Abbaye de Maredsous
Sosoye
Haut-le-Wastia
Chau de Montaigle
Chau de Crèvecœur
Lisogne
Thynes
Achêne
Leignon
Pessoux
Nettinne
Sinsin
Falaën
Sommière
Bouvignes-s-Meuse
Weillen
DINANT
Sorinnes
Foy-N.-D.
Conneux
Haversin
Hogne
Serville
Anthée
Onhaye
Anseremme
Freyr
Dréhance
Furfooz
Celles
Vêves
Morville
Hastière
Lavaux
Rochers de Freyr
Aiguilles de Chaleux
Chevetogne
Domaine provincial de Chevetogne
Buissonville
Custinne
Mont-Gauthier
Humain
Hastière-par-delà
Waulsort
Falmignoul
Falmagne
Hulsonniaux
Houyet
Havrenne
Hermeton-s-Meuse
Blaimont
Omezée
Gochenée
Soulme
Surice
Mesnil-St-Blaise
Ciergnon
Rochefort
Vodelée
Agimont
Heer
Feschaux
Finnevaux
Mesnil-Église
Wiesme
Hour
Wanlin
Villers-s-Lesse
Éprave
Jemelle
Grotte de Lorette
Doische
Fort de Charlemont
Givet
Baronville
Focant
Lessive
Han-s-Lesse
Grotte de Han
Gimnée
Foisches
Rancennes
Fromelennes
Grottes de Nichet
Camp militaire
Martouzin-Neuville
Gouffre de Belvaux
Vaucelles
Hierges
Ham-s-Meuse
Dion
Beauraing
Pondrôme
Ave-et-Auffe
Charnois
Aubrives
Chooz
Winenne
Wellin
Resteigne
Tellin
Landrichamps
Wancennes
Lomprez
Halma
Chanly
Vireux-Molhain
Vireux-Wallerand
Felenne
Vonêche
Honnay
Sohier
Froidfontaine
Montigny-sur-Meuse
Fays Famenne
Bois de St-Remacle
Bois de Mohimont
Bois de Transinne
Smuid
Hargnies
Bourseigne-Neuve
Bourseigne-Vieille
Vencimont
Malvoisin
Daverdisse
Euro Space Center
Fépin
Roc de Fépin
Haybes
Sart-Custinne
Patignies
Haut-Fays
Gembes
Redu
Transinne
Rienne
Gedinne-Station
Porcheresse
Villance
Fumay
Roche de l'Uf
La Platale
Willerzie
Étang de Boiron
Gedinne
Maissin
Anloy
Louette-St-Pierre
Louette-St-Denis
Bièvre
Graide
Croix Scaille
Mont Tranet
Opont
Beth

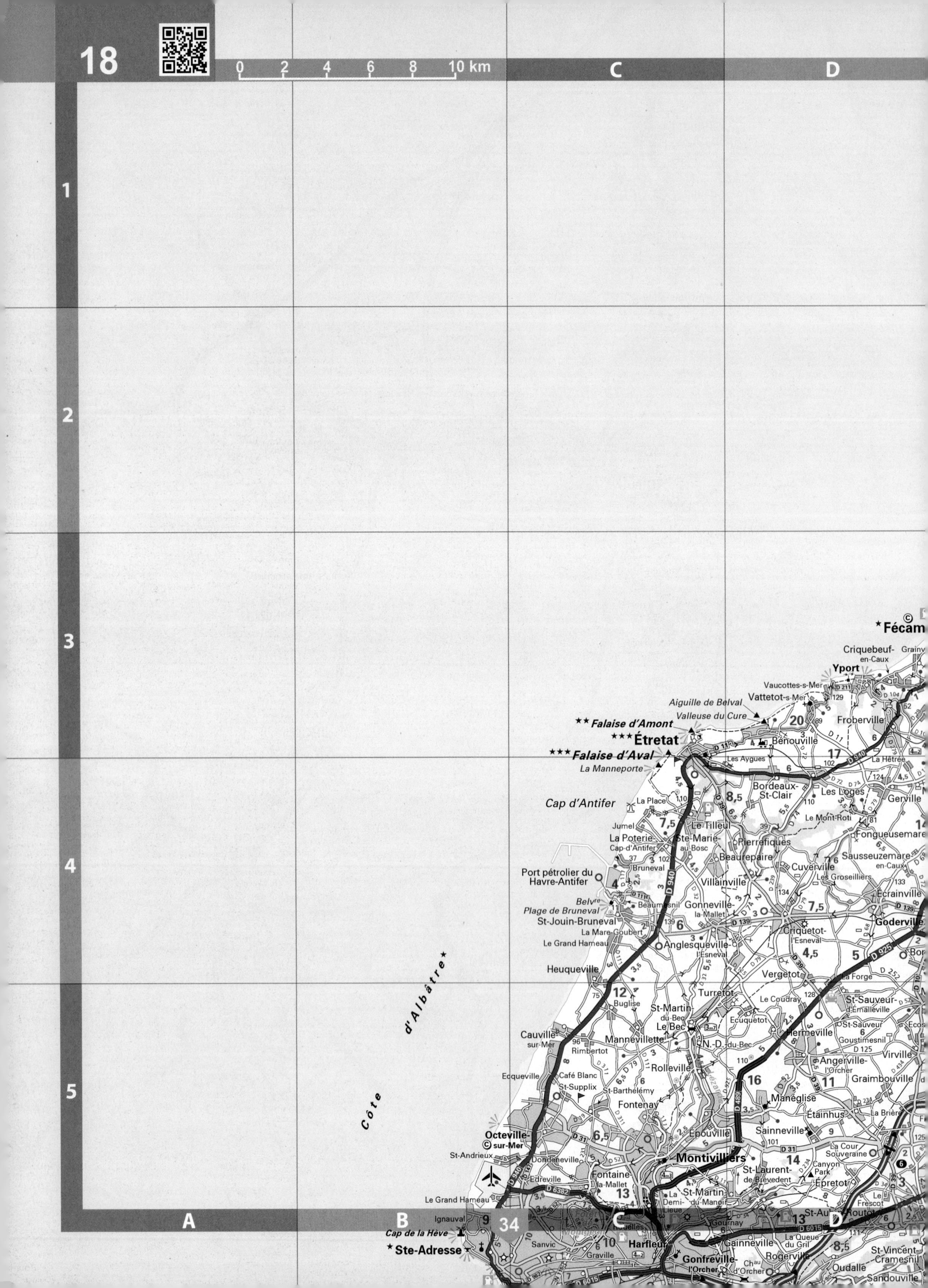

18

0 2 4 6 8 10 km

1

2

3

C   D

★ **Fécam**

Criquebeuf- Grainv
en-Caux

Yport

Vaucottes-s-Mer
Vattetot-s-Mer
Aiguille de Belval
Valleuse du Cure   **20**
★★ *Falaise d'Amont*
★★★ **Étretat**   Bénouville
★★★ *Falaise d'Aval*   **17**
La Manneporte   Les Aygues   La Hêtrée

Froberville

Gerville

Bordeaux-
St-Clair   Les Loges
8,5
Cap d'Antifer   La Place   Le Mont-Roti
Jumel   **7,5**   Le Tilleul   **1**
La Poterie   Ste-Marie-   Pierrefiques   Fongueusemare
Cap-d'Antifer   au Bosc
Bruneval   **6**   Beaurepaire   Saussezemare-
Port pétrolier du   Villainville   Cuverville   en-Caux
Havre-Antifer   **4**   Les Groseilliers   Écrainville
Belv^re   Beaumesnil   Gonneville-   **7,5**
Plage de Bruneval   la-Mallet   **Goderville**
St-Jouin-Bruneval   139
La Mare-Goubert   Criquetot-
Le Grand Hameau   Anglesqueville-   l'Esneval   **4,5**   **5**   Bor
l'Esneval
Heuqueville   Vergetot   La Forge

75   **12**   Turretot   Le Coudray   St-Sauveur-
Buglise   d'Emalléville
St-Martin-   Ecuquetot   St-Sauveur   Écos
Cauville   du-Bec   **6**   Goustimesnil
sur-Mer   Le Bec   Hermeville   Virville
Rimbertot   N.-D. du-Bec   Angerville-   **11**
Mannevillette   l'Orcher   Graimbouville
Ecqueville   Café Blanc   Rolleville
St-Supplix   **16**   Manéglise
St-Barthélémy   Étainhus   La Brière
Fontenay   Sainneville
  Épouville   101
  La Cour
Octeville-   **6,5**   **14**   Souveraine
sur-Mer   Canyon
St-Andrieux   Dondeneville   **Montivilliers**   Park   Épretot
Edreville   Fontaine-   St-Laurent-
Le Grand Hameau   la-Mallet   **13**   de-Brevedent   La
Ignauval   La   St-Martin-   **13**   Routot
Demi-   du-Manoir   St-Au
★ **Cap de la Hève**   **9**   **34**   Lieue   Gournay
Sanvic   **10**   **Harfleur**   Gainneville   La Queue
★ **Ste-Adresse**   Graville   **Gonfreville-**   du Gril   **8,5**
l'Orcher   Ch^au   Rogerville   St-Vincent-
d'Orcher   Cramesni
Oudallé   Sandouville

Côte d'Albâtre

A   B   C   D

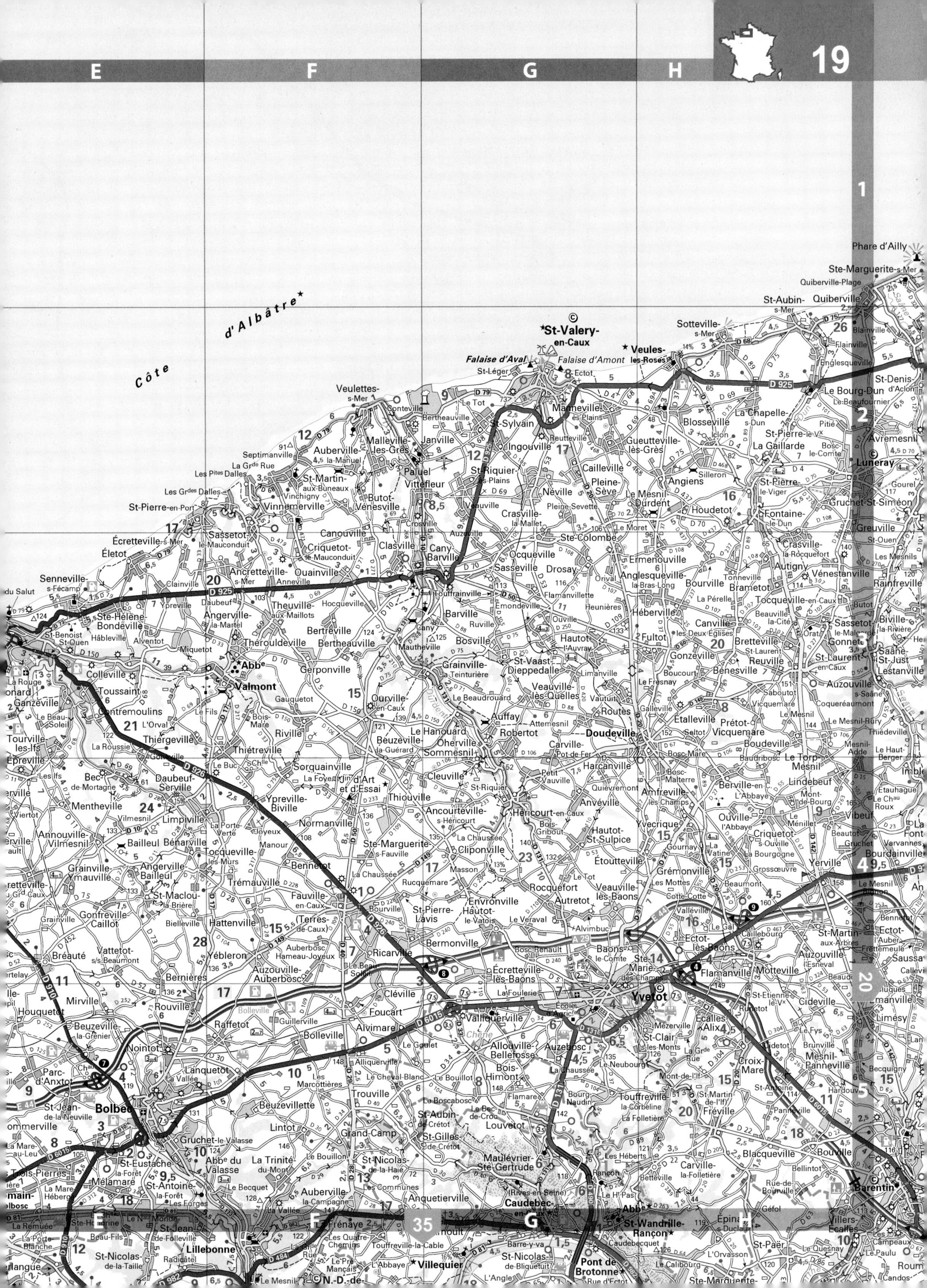
19
E
F
G
H
1
2
3
4
5
20
35
Phare d'Ailly
Ste-Marguerite-s-Mer
Quiberville-Plage
St-Aubin-s-Mer
Quiberville
Côte d'Albâtre
St-Valery-en-Caux
Sotteville-s-Mer
Veules-les-Roses
Falaise d'Aval
Falaise d'Amont
St-Léger
Ectot
Blainville
Flainville
Englesqueville
St-Denis-d'Aclon
Le Bourg-Dun
Le Beaufournier
Veulettes-s-Mer
Conteville
Le Tot
Bertheauville
St-Sylvain
Manneville-ès-Plains
Blosseville
La Chapelle-s-Dun
Pitié
Avremesnil
Janville
Malleville-les-Grès
Auberville-la-Manuel
Septimanville
La Grde Rue
Les Ptes Dalles
Les Grdes Dalles
St-Martin-aux-Buneaux
Paluel
Vittefleur
Ingouville
Reutteville
Gueutteville-lès-Grès
St-Pierre-le-Vx
La Gaillarde
Bosc-le-Comte
Luneray
St-Riquier-ès-Plains
Cailleville
Pleine-Sève
Angiens
Silleron
St-Pierre-le-Viger
Gourel
Butot-Vénesville
Névile
Le Mesnil-Durdent
Gruchet-St-Siméon
St-Pierre-en-Port
Vinnemerville
Vauville
Pleine-Sevette
Houdetot
Fontaine-le-Dun
Crasville-la-Mallet
Sassetot-le-Mauconduit
Écretteville-s-Mer
Életot
Canouville
Criquetot-le-Mauconduit
Clasville
Crosville
Auzeville
Cany-Barville
Ste-Colombe
Le Moret
Greuville
St-Ouen
Ocqueville
Ermenouville
Crasville-la-Rocquefort
Les Mesnils
Ancretteville-s-Mer
Anneville
Ouainville
Sasseville
Drosay
Anglesqueville-la-Bras-Long
Autigny
Vénestanville
Rainfreville
Senneville-s-Fécamp
Clainville
Bourville
Tonneville
Brametot
Touffrainville
Flamanvillette
La Pérelle
Tocqueville-en-Caux
Ypreville
Daubeuf
Theuville-aux-Maillots
Hocqueville
Émondeville
Heunières
Héberville
Butot
Ste-Hélène-Bondeville
Angerville-la-Martel
Barville
Ruville
Ouville
Beauville-la-Cité
Biville-la-Rivière
St-Benoist
St-Ouen
Hâbleville
Alventot
Bertreville
Bertheauville
Canville-les-Deux-Églises
Sassetot-le-Malgardé
Thérouldeville
Miquetot
Mautheville
Bosville
Hautot-l'Auvray
Fultot
Bretteville-St-Laurent
Gonnetot
Saâne-St-Just
Colleville
Abbe
Valmont
Gerponville
Grainville-la-Teinturière
St-Vaast-Dieppedalle
Limanville
Gonzeville
Boucourt
Reuville
Bénesville
St-Laurent-en-Caux
Lestanville
La Rouge
Toussaint
Gauguetot
Le Beaudrouard
Veauville-lès-Quelles
Vautuit
Le Fresnay
Saboutot
Auzouville-s-Saâne
Ganzeville
Contremoulins
Le Fils
Ourville-en-Caux
Auffay
Routes
Galleville
Vicquemare
Coqueréaumont
Le Beau-Soleil
L'Orval
Bois-Mare
Riville
Attemesnil
Robertot
Doudeville
Étalleville
Prétot-Vicquemare
Le Mesnil
Le Mesnil-Rury
Thiédeville
Tourville-les-Ifs
La Roussie
Thiergeville
Beuzeville-la-Guérard
Le Hanouard
Oherville
Sommesnil
Carville-Pot-de-Fer
Seltot
Bosc-Mare
Boudeville
Mesnil-Adde
Le Haut-Berger
Épreville
Gonville
Thiétreville
Sorquainville
Le Buc
Chêne
Les Ifs
Bec-de-Mortagne
Daubeuf-Serville
La Foye
Jdin d'Art et d'Essai
Cleuville
St-Riquier
Petit Vauville
Harcanville
Bosc-Malterre
Baudribosc
Le Torp-Mesnil
Imbleville
Amfreville-les-Champs
Quièvremont
Berville-en-Caux
L'Abbaye
Lindebeuf
Mont-de-Bourg
Étauhague
Le Chau Roux
Mentheville
Ypreville-Biville
Thiouville
Ancourteville-s-Héricourt
Héricourt-en-Caux
Anvéville
Limpiville
Vilmesnil
La Porte-Verte
Joyeux
Normanville
Bois-Gribout
Hautot-St-Sulpice
Yvecrique
Ouville-l'Abbaye
Criquetot-s-Ouville
Le Ménillet
Vibeuf
Annouville-Vilmesnil
Bailleul
Bénarville
Manour
Ste-Marguerite-s-Fauville
La Chaussée
Cliponville
La Vatine
La Bourgogne
Beautot
Gruchet
Varvannes
Bourdainville
Tocqueville-les-Murs
Bennetot
Masson
Étoutteville
Gournay
Grossœuvre
Yerville
Grainville-Ymauville
Angerville-Bailleul
Trémauville
Rucquemare
Rocquefort
Le Tot
Veauville-lès-Baons
Grémonville
Les Mottes
Cotte-Cotte
Beaumont
Le Mesnil Buhon
St-Maclou-la-Brière
Fauville-en-Caux
St-Pierre-Lavis
Environville
Hautot-le-Vatois
Autretot
Valleville
Bennetot
Ectot-l'Auber
Gonfreville-Caillot
Grainville
Bielleville
Hattenville
(Terres-de-Caux)
Bourville
Le Veraval
Alvimbuc
Ectot-lès-Baons
Le Gal
Callebourg
St-Martin-aux-Arbres
Frettemeule
Bréauté
Vattetot-s/s-Beaumont
Yébleron
Auberbosc
Hameau-Joyeux
Ricarville
Bermonville
Bosc-Renault
Baons-le-Comte
Ste-Marie-des-Champs
Auzouville-l'Esneval
Saussay
Le Beau Soleil
Écretteville-lès-Baons
Flamanville
Motteville
Beaudé
Bernières
Auzouville-Auberbosc
Cléville
La Foulerie
Yvetot
Cideville
Mirville
Rouville
Bolleville
Foucart
Valliquerville
École d'Agricre
St-Étienne-le-Vx
Ecalles-Alix
Raffetot
Guilleville
Alvimare
Mézerville
St-Clair-les-Monts
Le Fys
Houquetot
Beuzeville-la-Grenier
Bolleville
Allouville-Bellefosse
Auzebosc
Brunville
Nointot
Le Goulet
Bois-Himont
Le Neubourg
La Grde Rue
Mesnil-Panneville
Parc-d'Anxtot
Lanquetot
La Vallée
Les Marcottières
Le Cheval-Blanc
Le Bouillot
La Chaussée
Mont-de-l'If
Croix-Mare
Becquigny
St-Jean-de-la-Neuville
Bolbec
Beuzevillette
Trouville
Le Boscabosc
Flamare
Bourg-Naudin
Touffreville-la-Corbeline
St-Martin-de-l'If
Fréville
St-Antoine
Hardouville
Panneville
Rommerville
Lintot
St-Aubin-de-Crétot
Le Bec-de-Croc
Louvetot
La Folletière
Gruchet-le-Valasse
Grand-Camp
St-Gilles-de-Crétot
La Mare-au-Leu
St-Eustache-la-Forêt
Abbe du Valasse
La Trinité-du-Mont
Le Bouillon
St-Nicolas-de-la-Haie
Maulévrier-Ste-Gertrude
Les Héberts
Carville-la-Folletière
Blacqueville
Bouville
Trois-Pierres
Mélamare
St-Antoine-la-Forêt
Les Forges
Le Becquet
Auberville-la-Campagne
Les Communes
Anquetierville
(Rives-en-Seine)
Caudebec-en-Caux
Rançon
Betteville
Le Ht Pas
Bellintot
Rue-de-Bourville
Barentin
La Mare Hébergt
La Vallée
Abbe
St-Wandrille-Rançon
Gefol
Villers-Écalles
St-Nicolas-de-la-Taille
La Remuée
St-Jean-de-Folleville
Lillebonne
Beau-Fils
La Porte Blanche
Le Nal Monde
Frénaye
Les Quatre-Chemins
Touffreville-la-Cable
Barre-y-va
St-Nicolas-de-Bliquetuit
Caudebecquet
Épinay-s-Duclair
L'Orvasson
St-Paër
Le Quesnay
Campeaux
Le Paulu
Radicatel
L'Abbaye
Villequier
Le Pré Mançais
L'Angle
Pont de Brotonne
La Calibourg
Ste-Marguerite
Le Mesnil
N.-D.-de-
Candos
Roumare
Le Cormier
Vaux
D 925
D 926
D 6015
D 131
D 50
D 149
A 29
A 150
E 44
D 910
D 40
D 20
D 142
D 10
D 79

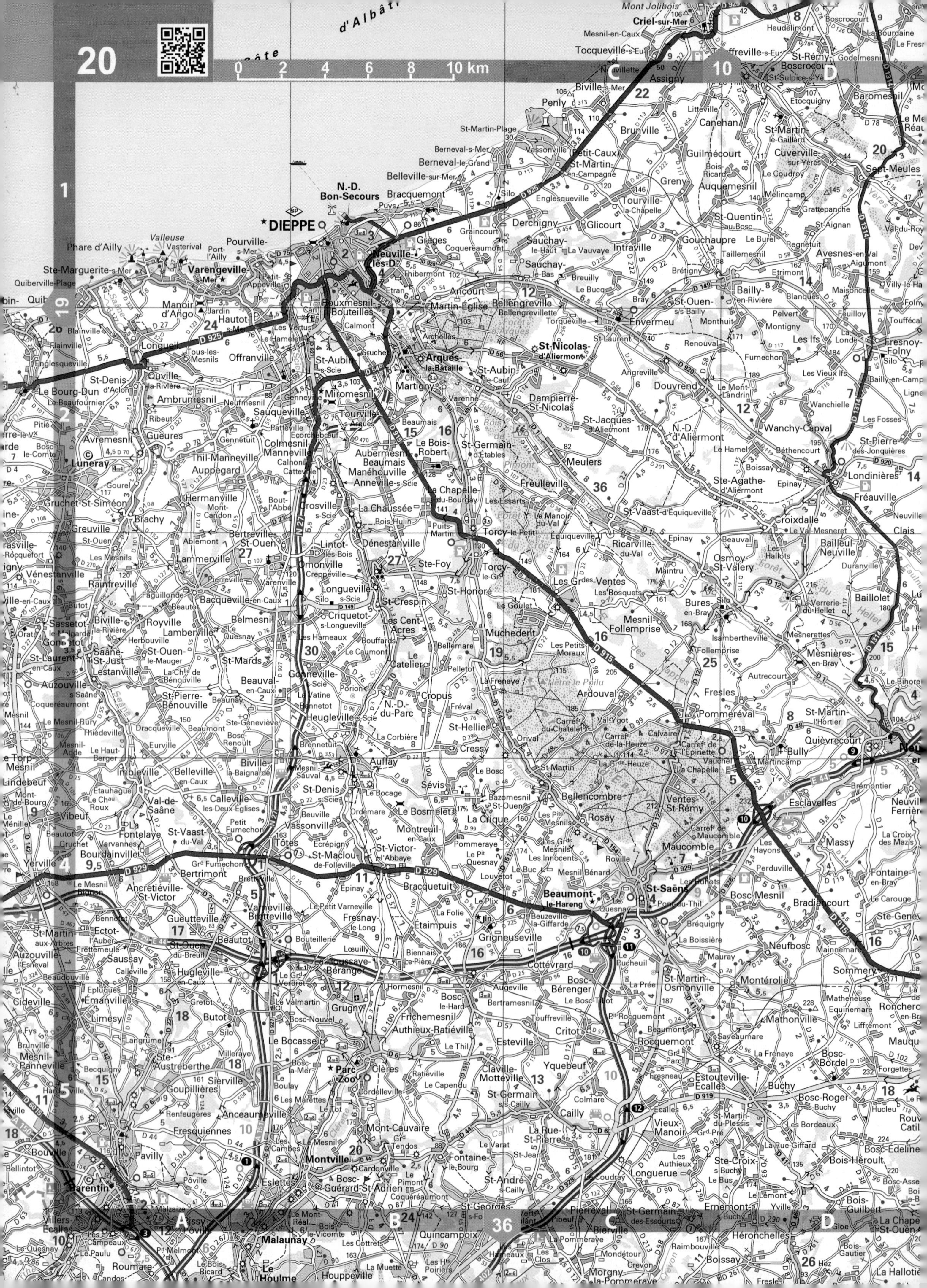
20
0 2 4 6 8 10 km
Côte d'Albâtre
Mont Jolibois
Criel-sur-Mer
Mesnil-en-Caux
Tocqueville-s-Eu
Heudelimont
St-Rémy-Boscrocourt
St-Sulpice-s-Yères
Assigny
Biville-s-Mer
Penly
Brunville
Canehan
Etocquigny
St-Martin-le-Gaillard
Baromesnil
St-Martin-Plage
Berneval-s-Mer
Berneval-le-Grand
Belleville-sur-Mer
Vassonville
(Petit-Caux)
St-Martin-en-Campagne
Greny
Guilmécourt
Bois-Ricard
Auquemesnil
Cuverville-sur-Yères
Sept-Meules
N.-D. Bon-Secours
Bracquemont
Puys
Englesqueville
Tourville-la-Chapelle
St-Quentin-au-Bosc
DIEPPE
Phare d'Ailly
Valleuse
Vasterival
Pourville-s-Mer
Ste-Marguerite-s-Mer
Quiberville-Plage
Varengeville-s-Mer
Manoir d'Ango
Hautot-s-Mer
Grèges
Neuville-lès-D.
Derchigny
Glicourt
Sauchay-le-Haut
Sauchay-le-Bas
Intraville
Gouchaupre
Avesnes-en-Val
Ancourt
Martin-Eglise
Bellengreville
Envermeu
St-Ouen-s/s-Bailly
Bailly-en-Rivière
Rouxmesnil-Bouteilles
Longueil
Offranville
Tous-les-Mesnils
Arques-la-Bataille
St-Nicolas-d'Aliermont
St-Aubin-le-Cauf
St-Aubin-s-Scie
Martigny
Forêt d'Arques
Les Ifs
Fresnoy-Folny
St-Denis-d'Aclon
Le Bourg-Dun
Ouville-la-Rivière
Ambrumesnil
Sauqueville
Miromesnil
Fourville-s-Arques
Dampierre-St-Nicolas
Douvrend
Londinières
Avremesnil
Gueures
Colmesnil-Manneville
Beaumais
Le Bois-Robert
St-Germain-d'Etables
St-Jacques-d'Aliermont
N.-D.-d'Aliermont
Wanchy-Capval
Luneray
Thil-Manneville
Auppegard
Aubermesnil-Beaumais
Manéhouville
Anneville-s-Scie
La Chapelle-du-Bourgay
Meulers
Freulleville
Ste-Agathe-d'Aliermont
Fréauville
Gruchet-St-Siméon
Hermanville
Brachy
Grosville-s-Scie
La Chaussée
St-Vaast-d'Equiqueville
Croixdalle
Greuville
Bertreville-St-Ouen
Lintot-les-Bois
Dénestanville
Torcy-le-Petit
Torcy-le-Grand
Ricarville-du-Val
Osmoy-St-Valery
Bailleul-Neuville
Vénestanville
Lammerville
Omonville
Ste-Foy
Rainfreville
Longueville-s-Scie
St-Crespin
St-Honoré
Les Grandes-Ventes
Bures-en-Bray
Baillolet
Bacqueville-en-Caux
Belmesnil
Criquetot-s-Longueville
Les Cent-Acres
Mesnil-Follemprise
Biville-la-Rivière
Royville
Lamberville
Muchedent
Sassetot-le-Malgardé
St-Ouen-le-Mauger
St-Mards
Le Catelier
Saâne-St-Just
Lestanville
Mesnières-en-Bray
St-Laurent-en-Caux
Auzouville-s-Saâne
Beauval-en-Caux
Gonneville-s-Scie
Cropus
Ardouval
Fresles
St-Pierre-Bénouville
N.-D.-du-Parc
St-Hellier
Pommeréval
St-Martin-l'Hortier
Heugleville-s-Scie
Quièvrecourt
Biville-la-Baignarde
Auffay
Cressy
Bully
Imbleville
Belleville-en-Caux
Calleville-les-Deux-Eglises
Sévis
St-Denis-s-Scie
Bellencombre
Ventes-St-Rémy
Esclavelles
Val-de-Saâne
Vibeuf
Le Bosmelet
La Crique
Rosay
Vassonville
Montreuil-en-Caux
Massy
St-Vaast-du-Val
Tôtes
St-Maclou-de-Folleville
St-Victor-l'Abbaye
Maucomble
Bourdainville
Bertrimont
Yerville
Bracquetuit
St-Saëns
Beaumont-le-Hareng
Ancretiéville-St-Victor
Varneville-Bretteville
Fresnay-le-Long
Bosc-Mesnil
Bradiancourt
Gueutteville
Etaimpuis
Grigneuseville
Neufbosc
Sommery
St-Ouen-du-Breuil
Hugleville-en-Caux
La Houssaye-Béranger
Cottévrard
Bosc-Bérenger
St-Martin-Osmonville
Montérolier
Saussay
Auzouville-l'Esneval
Emanville
Grugny
Frichemesnil
Authieux-Ratiéville
Critot
Mathonville
Cideville
Limésy
Butot
Le Bocasse
Esteville
Rocquemont
Bosc-Bordel
Mesnil-Panneville
Ste-Austreberthe
Sierville
Clères
Claville-Motteville
Yquebeuf
Estouteville-Ecalles
Buchy
Goupillières
Anceaumeville
St-Germain-s-Cailly
Cailly
Bosc-Roger-Buchy
Fresquiennes
Mont-Cauvaire
La Rue-St-Pierre
Vieux-Manoir
Pavilly
Montville
Fontaine-le-Bourg
Ste-Croix-s-Buchy
Bois-Héroult
Barentin
Eslettes
Bosc-Guérard-St-Adrien
St-André-s-Cailly
Longuerue
Villers-Ecalles
Malaunay
St-Georges-s-Fontaine
Pierreval
St-Germain-des-Essourts
Ernemont-s-Buchy
Bois-Guilbert
Quincampoix
Bierville
Héronchelles
Le Houlme
Houppeville
Morgny-la-Pommeraye
Boissay
D 925
D 929
D 915
D 1314
N 27
A 29
A 28
E 44
A
B
C
D
1
2
3
4
5
10
19
36

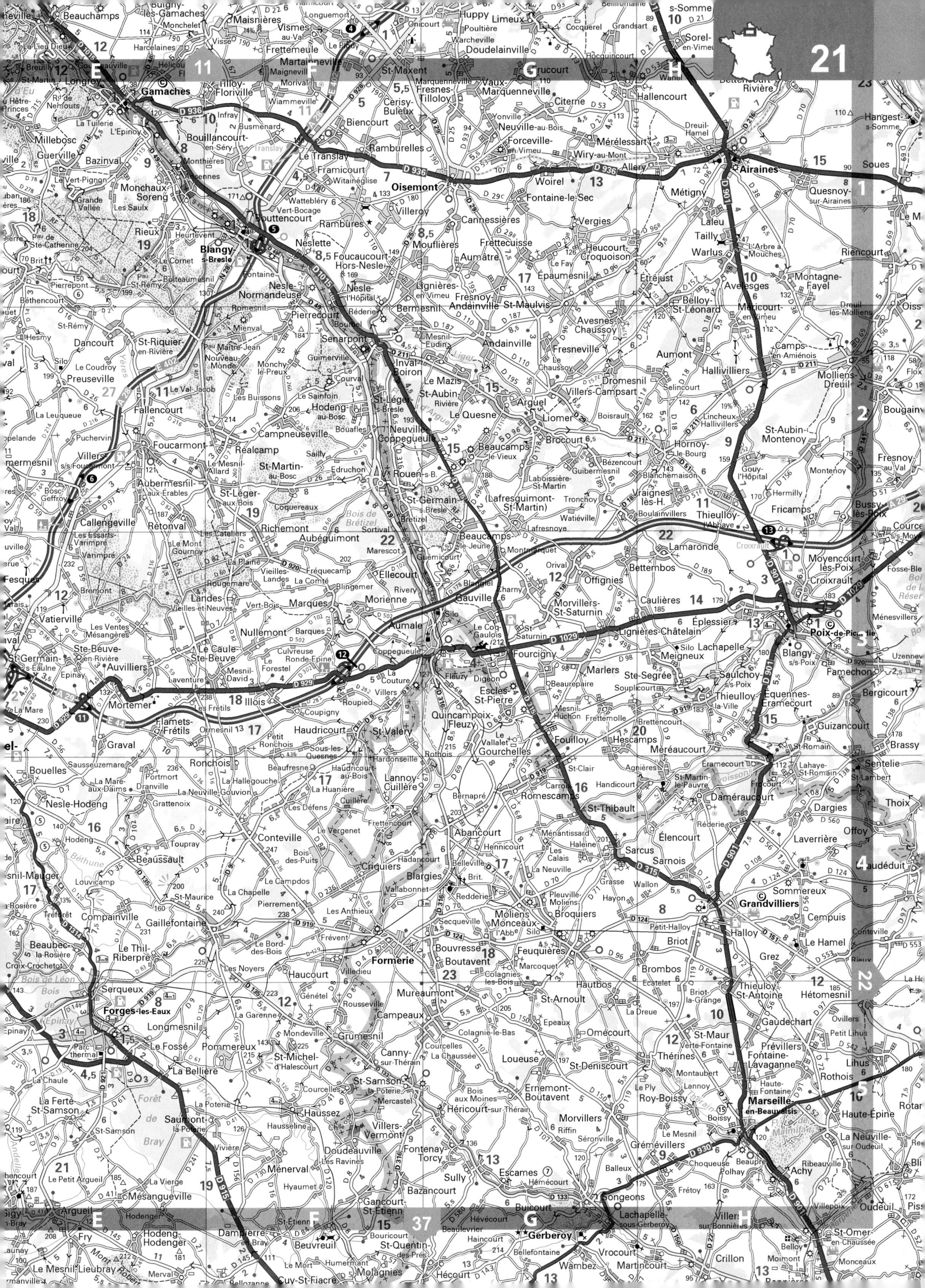
Gamaches
Blangy-s-Bresle
Oisemont
Airaines
Senarpont
Foucarmont
Aumale
Poix-de-Picardie
Grandvilliers
Formerie
Forges-les-Eaux
Marseille-en-Beauvaisis
Gerberoy
Songeons
Beauchamps
Longroy
Millebosc
Monchaux-Soreng
Rieux
Nesle-Normandeuse
Neslette
Mouflières
Aumâtre
Frettecuisse
Hallencourt
Métigny
Warlus
Avelesges
Camps-en-Amiénois
Molliens-Dreuil
Hornoy-le-Bourg
Thieulloy-l'Abbaye
Lamaronde
Croixrault
Caulières
Lignières-Châtelain
Blargies
Sarcus
Feuquières
Canny-sur-Thérain
Haussez
Sully
St-Samson
Saumont-la-Poterie
Menerval
Mésangueville
Argueil
Hodeng-Hodenger
Beuvreuil
Cuy-St-Fiacre
Achy
Villers-sur-Bonnières
Crillon
Vatierville
Nullemont
Morienne
Ellecourt
Illois
Mortemer
Haudricourt
Criquiers
Compainville
Gaillefontaine
Serqueux
Campeaux
Grumesnil
Abancourt
Romescamps
Fouilloy
Hescamps
Méréaucourt
Dargies
Laverrière
Sommereux
Cempuis
Halloy
Briot
Brombos
Thérines
Héricourt-sur-Thérain
Escames
Bazancourt
Lachapelle-sous-Gerberoy
Vrocourt
Wambez
Monceaux
St-Omer-en-Chaussée
Oudeuil
Haute-Épine
La Neuville-sur-Oudeuil
Rothois
Lihus
Prévillers
Gaudechart
Hétomesnil
Fontaine-Lavaganne
Roy-Boissy
Grémévillers
Omécourt
Loueuse
St-Deniscourt
Morvillers
Haucourt
Villers-Vermont
Fontenay-Torcy
Doudeauville
St-Michel-d'Halescourt
Pommereux
La Bellière
Longmesnil
Le Fossé
Beaubec-la-Rosière
Le Thil-Riberpré
Beaussault
Conteville
Lannoy-Cuillère
Quincampoix-Fleuzy
Escles-St-Pierre
Fourcigny
Morvillers-St-Saturnin
Offignies
Bettembos
Moyencourt-lès-Poix
Bergicourt
Famechon
Éplessier
Saulchoy-s/s-Poix
Thieulloy-la-Ville
Équennes-Éramecourt
Guizancourt
Brassy
Offoy
Daméraucourt
Élencourt
Sarnois
Fricamps
Bussy-lès-Poix
Fresnoy-au-Val
Bougainville
St-Aubin-Montenoy
Aumont
Hallivilliers
Dromesnil
Villers-Campsart
Liomer
Brocourt
Arguel
Le Quesne
Andainville
Fresneville
Avesnes-Chaussoy
Belloy-St-Léonard
Méricourt-en-Vimeu
Montagne-Fayel
Riencourt
Quesnoy-sur-Airaines
Soues
Hangest-s-Somme
Sorel-en-Vimeu
Limeux
Huppy
Vismes
Maisnières
Frettemeule
Martainneville
Tilloy-Floriville
Bouillancourt-en-Séry
Le Translay
Framicourt
Rambures
Villeroy
Cannessières
Fontaine-le-Sec
Woirel
Vergies
Heucourt-Croquoison
Épaumesnil
Étréjust
Bermesnil
Lignières-en-Vimeu
Fresnoy-Andainville
St-Maulvis
Inval-Boiron
Le Mazis
St-Aubin-Rivière
Beaucamps-le-Vieux
Beaucamps-le-Jeune
St-Germain-s-Bresle
Rouen-s-B.
Neuville-Coppegueule
St-Léger-s-Bresle
Hodeng-au-Bosc
Campneuseville
Réalcamp
St-Martin-au-Bosc
St-Léger-aux-Bois
Aubermesnil-aux-Érables
Callengeville
Réthonval
Richemont
Aubéguimont
Landes-Vieilles-et-Neuves
Marques
Le Caule-Ste-Beuve
Auvilliers
Ste-Beuve-en-Rivière
St-Germain-s-Eaulne
Fallencourt
Preuseville
Dancourt
St-Riquier-en-Rivière
Graval
Bouelles
Nesle-Hodeng
Flamets-Frétils
Ronchois
Gourchelles
Bouvresse
Boutavent
Mureaumont
Moliens
Broquiers
Thieuloy-St-Antoine
Pierrecourt
Fréquecamp
Le Mont Gournoy
Forêt d'Eu
Bray

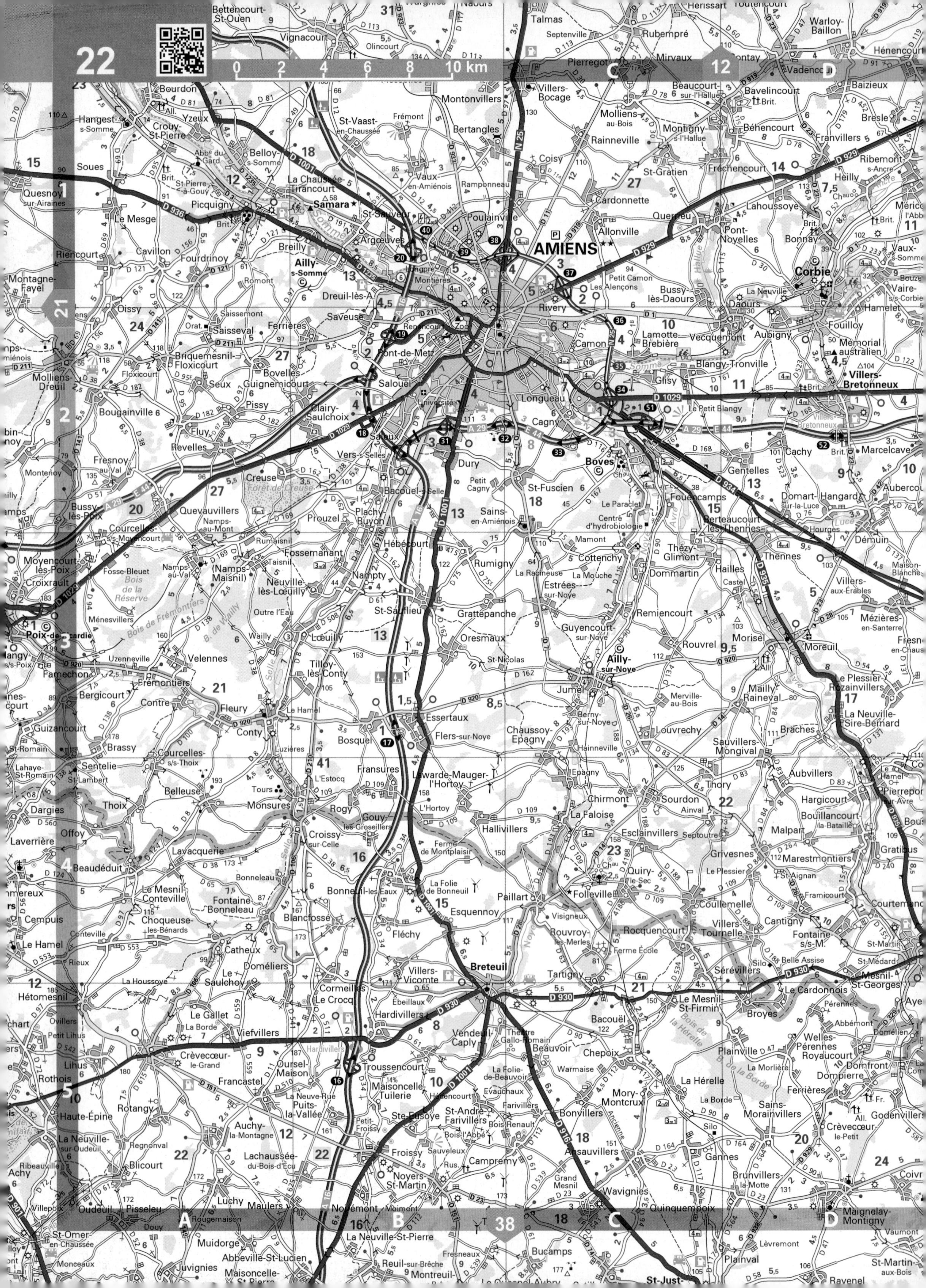

0 2 4 6 8 10 km
12
21
38
A B C D
1 2 3 4 5
AMIENS
Bettencourt-St-Ouen
Vignacourt
Olincourt
Talmas
Septenville
Rubempré
Herissart
Mirvaux
Pierregot
Contay
Warloy-Baillon
Hénencourt
Vadencourt
Baizieux
Bourdon
Hangest-s-Somme
Yzeux
Crouy-St-Pierre
Fremont
St-Vaast-en-Chaussée
Montonvillers
Villers-Bocage
Bertangles
Molliens-au-Bois
Beaucourt-sur-l'Hallue
Bavelincourt
Montigny-s-l'Hallue
Béhencourt
Bresle
Franvillers
Rainneville
Coisy
St-Gratien
Fréchencourt
Ribemont-s-Ancre
Heilly
Soues
Quesnoy-sur-Airaines
Belloy-s-Somme
Abbé du Gard
St-Pierre-à-Gouy
La Chaussée-Tirancourt
Samara
Vaux-en-Amiénois
Ramponneau
Cardonnette
Querrieu
Lahoussoye
Picquigny
Le Mesge
St-Sauveur
Poulainville
Allonville
Pont-Noyelles
Bonnay
Méricourt-l'Abbé
Riencourt
Cavillon
Fourdrinoy
Breilly
Argœuves
Ailly-s-Somme
Longpré
Montières
Petit Camon
Les Alençons
Bussy-lès-Daours
Corbie
Vaux-s-Somme
Montagne-Fayel
Romont
Dreuil-lès-A.
Rivery
La Neuville
Daours
Vaire-s/s-Corbie
Hamelet
Oissy
Saissemont
Saisseval
Ferrières
Saveuse
Renancourt
Zoo
Camon
Lamotte-Brebière
Vecquemont
Aubigny
Fouilloy
Mémorial australien
Molliens-Dreuil
Briquemesnil-Floxicourt
Floxicourt
Bovelles
Pont-de-Metz
Blangy-Tronville
Glisy
Villers-Bretonneux
Seux
Guignemicourt
Salouël
Longueau
Le Petit Blangy
Bougainville
Pissy
Clairy-Saulchoix
Université
Cagny
Fluy
Revelles
Saleux
Vers-s-Selles
Dury
Boves
Cachy
Marcelcave
Fresnoy-au-Val
Monténoy
Creuse
Forêt de Creuse
Bacouel-s-Selle
Petit Cagny
St-Fuscien
Gentelles
Domart-sur-la-Luce
Hangard
Aubercourt
Bussy-lès-Poix
Quevauvillers
Namps-au-Mont
Prouzel
Plachy-Buyon
Sains-en-Amiénois
Le Paraclet
Centre d'hydrobiologie
Fouencamps
Berteaucourt-lès-Thennes
Hourges
Démuin
Courcelles-s/s-Moyencourt
Rumaisnil
Fossemanant
Hébécourt
Rumigny
Mamont
Cottenchy
Thézy-Glimont
Thennes
Hailles
Moyencourt-lès-Poix
Fosse-Bleuet
Namps-au-Val
Taisnil
(Namps-Maisnil)
Neuville-lès-Lœuilly
Nampty
La Racineuse
La Mouche
Estrées-sur-Noye
Dommartin
Castel
Villers-aux-Erables
Maison-Blanche
Croixrault
Bois de la Réserve
Ménesvillers
Bois de Frémontiers
B. de Wailly
Outre l'Eau
St-Sauflieu
Grattepanche
Remiencourt
Mézières-en-Santerre
Poix-de-Picardie
Wailly
Lœuilly
Oresmaux
Guyencourt-sur-Noye
Morisel
Rouvrel
Moreuil
Fresnoy-en-Chaussée
Uzenneville
Velennes
Tilloy-lès-Conty
St-Nicolas
Ailly-sur-Noye
Famechon
Frémontiers
Bergicourt
Jumel
Mailly-Raineval
Le Plessier-Rozainvillers
Contre
Fleury
Le Hamel
Essertaux
Merville-au-Bois
La Neuville-Sire-Bernard
Guizancourt
Conty
Bosquel
Flers-sur-Noye
Chaussoy-Epagny
Berny-sur-Noye
Louvrechy
Braches
Brassy
Luzières
Hainneville
Sauvillers-Mongival
Lahaye-St-Romain
St-Romain
Sentelie
Courcelles-s/s-Thoix
Fransures
Lawarde-Mauger-l'Hortoy
Epagny
Thory
Aubvillers
St-Lambert
Belleuse
L'Estocq
Tours
L'Hortoy
Chirmont
Sourdon
Ainval
Hargicourt
Pierrepont-sur-Avre
Dargies
Thoix
Monsures
Rogy
Gouy-les-Groseillers
Hallivillers
La Faloise
Bouillancourt-la-Bataille
Laverrière
Offoy
Croissy-sur-Celle
Esclainvillers
Septoutre
Malpart
Lavacquerie
Ferme de Montplaisir
Grivesnes
Marestmontiers
Gratibus
Beaudéduit
Bonneleau
Quiry-le-Sec
Le Plessier
St-Aignan
Le Mesnil-Conteville
Fontaine-Bonneleau
Bonneuil-les-Eaux
La Folie de Bonneuil
Paillart
Folleville
Coullemelle
Framicourt
Courtemanche
Campuis
Choqueuse-les-Bénards
Blancfosse
Esquennoy
Visigneux
Rouvroy-les-Merles
Rocquencourt
Villers-Tournelle
Cantigny
Fontaine-s/s-M.
Conteville
Le Hamel
Catheux
Fléchy
Ferme École
St-Martin
Rieux
Doméliers
Le Saulchoy
Villers-Vicomte
Breteuil
Tartigny
Sérévillers
Silo
Belle Assise
St-Médard
Mesnil-St-Georges
Hétomesnil
La Houssoye
Cormeilles
Le Crocq
Ebeillaux
Le Mesnil-St-Firmin
Le Cardonnois
Broyes
Ayencourt
Le Gallet
La Borde
Hardivillers
Vendeuil-Caply
Théâtre Gallo-Romain
Beauvoir
Bacouël
Pérennes
Abbémont
Domélien
Ovillers
Petit Lihus
Viefvillers
Chepoix
Bois de la Hérelle
Plainville
Welles-Pérennes
Royaucourt
Lihus
Crèvecœur-le-Grand
Oursel-Maison
Troussencourt
La Folie-de-Beauvoir
Warmaise
La Morlière
Domfront
Dompierre
Rothois
Francastel
Maisoncelle-Tuilerie
Hédencourt
Evauchaux
La Hérelle
B. de la Borde
Haute-Épine
Rotangy
La Neuve-Rue
Puits-la-Vallée
Ste-Eusoye
St-André-Farivillers
Farivillers
Bois Renault
Mory-Montcrux
Ferrières
Sains-Morainvillers
Auchy-la-Montagne
Petit-Froissy
Bois-l'Abbé
Bonvillers
La Borde
Crèvecœur-le-Petit
Godenvillers
La Neuville-sur-Oudeuil
Regnonval
Lachaussée-du-Bois-d'Écu
Froissy
Sauveleux
Campremy
Ansauvillers
Gannes
Ribeauville
Achy
Blicourt
Noyers-St-Martin
Grand Mesnil
Wavignies
Brunvillers-la-Motte
Coivrel
Villepoix
Oudeuil
Pisseleu
Luchy
Maulers
Noirémont
Moimont
Quinquempoix
Maignelay-Montigny
Rougemaison
St-Omer-en-Chaussée
Douy
Muidorge
La Neuville-St-Pierre
Bucamps
Lèvremont
Vaumont
Abbeville-St-Lucien
Fresneaux
Plainval
St-Martin-aux-Bois
Monceaux
Juvignies
Maisoncelle-St-Pierre
Reuil-sur-Brêche
Montreuil
St-Just
Ravenel

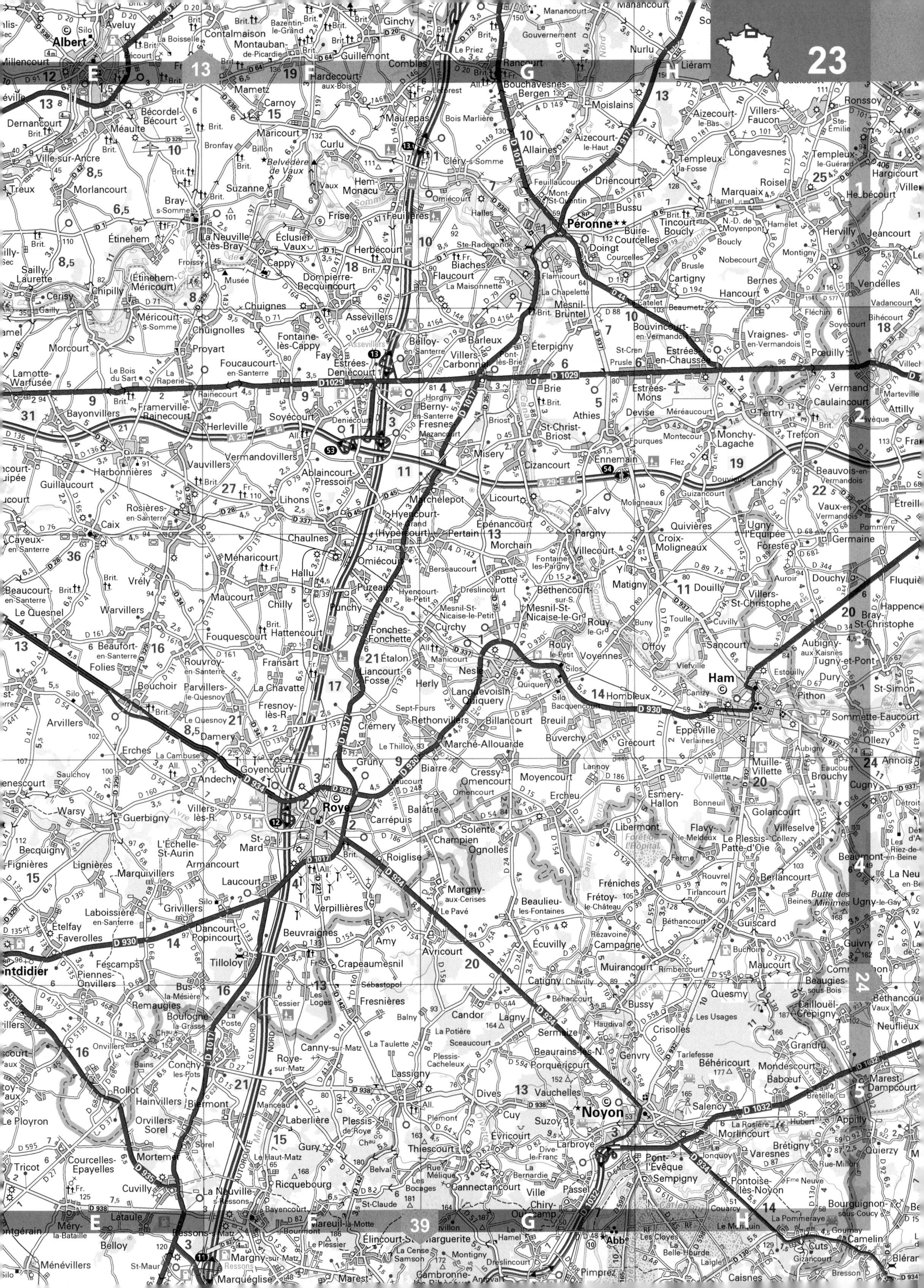
23
Albert
Aveluy
Contalmaison
Montauban-de-Picardie
Guillemont
Ginchy
Combles
Rancourt
Manancourt
Nurlu
Liéramont
Millencourt
Mametz
Carnoy
Hardecourt-aux-Bois
Maurepas
Bouchavesnes-Bergen
Moislains
Aizecourt-le-Bas
Villers-Faucon
Ronssoy
Dernancourt
Bécordel-Bécourt
Méaulte
Maricourt
Curlu
Cléry-s-Somme
Allaines
Aizecourt-le-Haut
Templeux-la-Fosse
Longavesnes
Templeux-le-Guérard
Hargicourt
Ville-sur-Ancre
Morlancourt
Suzanne
Hem-Monacu
Feuillaucourt
Mont-St-Quentin
Driencourt
Bussu
Marquaix
Roisel
Hesbécourt
Treux
Bray-s-Somme
Frise
Feuillères
Omiécourt
Halles
Péronne
Buire-Courcelles
Tincourt-Boucly
Hervilly
Jeancourt
Étinehem
La Neuville-lès-Bray
Éclusier-Vaux
Herbécourt
Biaches
Ste-Radegonde
Doingt
Montigny
Sailly-Laurette
Cappy
Dompierre-Becquincourt
Flaucourt
Cartigny
Bernes
Vendelles
Cerisy
Chipilly
Chuignes
Mesnil-Bruntel
Hancourt
Méricourt-s-Somme
Chuignolles
Assevillers
Barleux
Bouvincourt-en-Vermandois
Vraignes-en-Vermandois
Soyécourt
Bihécourt
Morcourt
Proyart
Fontaine-lès-Cappy
Belloy-en-Santerre
Villers-Carbonnel
Éterpigny
Estrées-en-Chaussée
Pœuilly
Foucaucourt-en-Santerre
Estrées-Deniécourt
Lamotte-Warfusée
Brie
Athies
Mons
Vermand
Caulaincourt
Bayonvillers
Framerville-Rainecourt
Herleville
Berny-en-Santerre
Fresnes-Mazancourt
St-Christ-Briost
Devise
Tertry
Trefcon
Attilly
Harbonnières
Vauvillers
Vermandovillers
Ablaincourt-Pressoir
Misery
Cizancourt
Ennemain
Monchy-Lagache
Beauvois-en-Vermandois
Guillaucourt
Rosières-en-Santerre
Lihons
Marchélepot
Licourt
Falvy
Lanchy
Vaux-en-Vermandois
Caix
Chaulnes
Hyencourt-le-Grand
Pertain
Épénancourt
Pargny
Quivières
Ugny-l'Équipée
Germaine
Cayeux-en-Santerre
Méharicourt
Omiécourt
Morchain
Villecourt
Croix-Moligneaux
Foreste
Beaucourt-en-Santerre
Vrély
Hallu
Puzeaux
Potte
Béthencourt-sur-Somme
Matigny
Douilly
Villers-St-Christophe
Douchy
Le Quesnel
Warvillers
Maucourt
Chilly
Punchy
Mesnil-St-Nicaise
Rouy-le-Grand
Offoy
Bray-St-Christophe
Happencourt
Beaufort-en-Santerre
Fouquescourt
Hattencourt
Fonches-Fonchette
Curchy
Nesle
Rouy-le-Petit
Voyennes
Sancourt
Aubigny
Tugny-et-Pont
Folies
Rouvroy-en-Santerre
Fransart
Étalon
Liancourt-Fosse
Herly
Languevoisin-Quiquery
Hombleux
Ham
Dury
St-Simon
Bouchoir
Parvillers-le-Quesnoy
La Chavatte
Fresnoy-lès-Roye
Crémery
Rethonvillers
Billancourt
Breuil
Buverchy
Eppeville
Sommette-Eaucourt
Arvillers
Damery
Marché-Allouarde
Grécourt
Ollezy
Erches
Andechy
Goyencourt
Gruny
Biarre
Cressy-Omencourt
Moyencourt
Muille-Villette
Brouchy
Annois
Cugny
Warsy
Guerbigny
Villers-lès-Roye
Roye
Carrépuis
Balâtre
Ercheu
Esmery-Hallon
Golancourt
Becquigny
L'Échelle-St-Aurin
St-Mard
Solente
Champien
Ognolles
Libermont
Flavy-le-Meldeux
Le Plessis-Patte-d'Oie
Villeselve
Fignières
Lignières
Marquivillers
Armancourt
Roiglise
Beaumont-en-Beine
Laucourt
Margny-aux-Cerises
Fréniches
Berlancourt
Laboissière-en-Santerre
Grivillers
Verpillières
Beaulieu-les-Fontaines
Fréto y-le-Château
Guiscard
Ugny-le-Gay
Ételfay
Faverolles
Dancourt-Popincourt
Beuvraignes
Amy
Avricourt
Écuvilly
Campagne
Tilloloy
Crapeaumesnil
Muirancourt
Maucourt
Guivry
Montdidier
Fescamps
Piennes-Onvillers
Catigny
Beaugies-sous-Bois
Bus-la-Mésière
Fresnières
Candor
Lagny
Quesmy
Caillouël-Crépigny
Remaugies
Boulogne-la-Grasse
Les Loges
Sermaize
Bussy
Crisolles
Neuflieux
Onvillers
Canny-sur-Matz
Beaurains-lès-Noyon
Porquéricourt
Genvry
Grandrû
Conchy-les-Pots
Roye-sur-Matz
Lassigny
Béhéricourt
Mondescourt
Babœuf
Marest-Dampcourt
Rollot
Hainvillers
Dives
Vauchelles
Noyon
Salency
Orvillers-Sorel
Plessis-de-Roye
Cuy
Suzoy
Évricourt
Larbroye
Morlincourt
Appilly
Le Ployron
Laberlière
Gury
Thiescourt
Dive-le-Franc
Pont-l'Évêque
Sempigny
Varesnes
Brétigny
Quierzy
Courcelles-Epayelles
Mortemer
Ricquebourg
Cannectancourt
Ville
Passel
Pontoise-lès-Noyon
Tricot
Cuvilly
La Neuville-sur-Ressons
St-Claude
Chiry-Ourscamp
Bourguignon-sous-Coucy
Méry-la-Bataille
Lataule
Ressons-sur-Matz
Mareuil-la-Motte
Élincourt-Ste-Marguerite
Camelin
Belloy
Margny-sur-Matz
Montigny
Pimprez
Caisnes
Blérancourt
Ménévillers
Marquéglise
Cambronne-lès-Ribécourt
Dreslincourt
Bresson
Autoroute du Nord
T.G.V. Nord
Canal du Nord
Somme
Avre
Matz
Verse
Forêt de l'Hôpital
Butte des Minimes
Belvédère de Vaux
Musée
A 1 E 15
A 1 E 19
A 29 E 44
D 1029
D 1017
D 930
D 934
D 935
D 937
D 1032
13
19
12
24
39
E
F
G
H
1
2
3
4
5

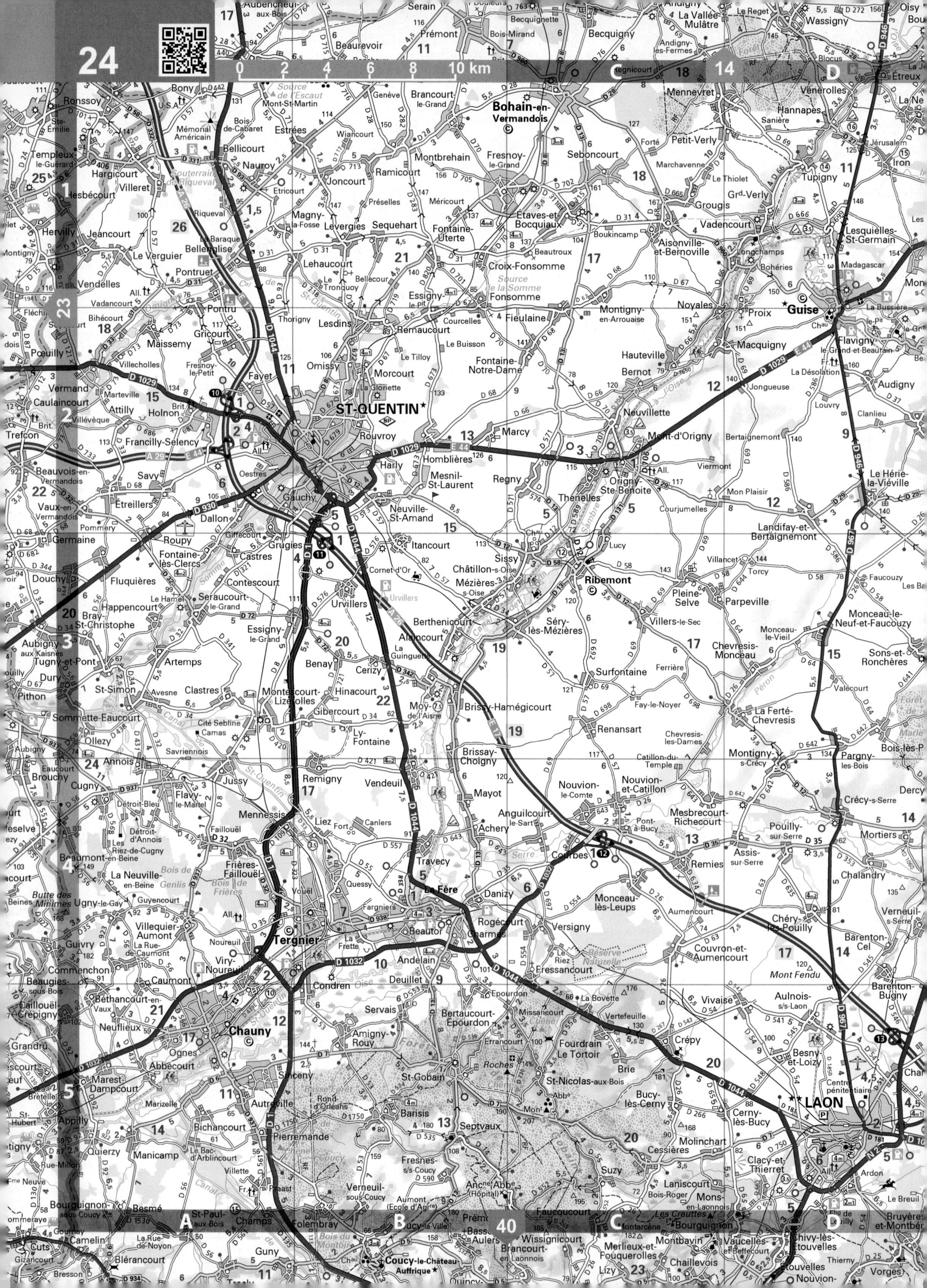

0 2 4 6 8 10 km
Bohain-en-Vermandois
ST-QUENTIN
Guise
Ribemont
La Fère
Tergnier
Chauny
LAON
Coucy-le-Château-Auffrique
Serain
Prémont
Beaurevoir
Becquigny
Wassigny
Étreux
Vénérolles
Mennevret
Hannapes
Bony
Ronssoy
Templeux-le-Guérard
Hargicourt
Bellicourt
Nauroy
Joncourt
Ramicourt
Montbrehain
Fresnoy-le-Grand
Seboncourt
Petit-Verly
Grand-Verly
Tupigny
Grougis
Vadencourt
Aisonville-et-Bernoville
Étaves-et-Bocquiaux
Fontaine-Uterte
Sequehart
Levergies
Magny-la-Fosse
Lehaucourt
Croix-Fonsomme
Fonsomme
Fieulaine
Montigny-en-Arrouaise
Noyales
Proix
Macquigny
Hauteville
Bernot
Flavigny-le-Grand-et-Beaurain
Audigny
Lesquielles-St-Germain
Madagascar
Jeancourt
Vendelles
Hervilly
Le Verguier
Bellenglise
Pontruet
Pontru
Maissemy
Gricourt
Vermand
Holnon
Fayet
Omissy
Lesdins
Remaucourt
Morcourt
Rouvroy
Fontaine-Notre-Dame
Marcy
Neuvillette
Mont-d'Origny
Origny-Ste-Benoite
Thenelles
Regny
Homblières
Harly
Mesnil-St-Laurent
Neuville-St-Amand
Itancourt
Gauchy
Grugies
Castres
Contescourt
Savy
Dallon
Roupy
Francilly-Selency
Beauvois-en-Vermandois
Vaux-en-Vermandois
Germaine
Fluquières
Happencourt
Seraucourt-le-Grand
Essigny-le-Grand
Urvillers
Sissy
Châtillon-s-Oise
Mézières-s-Oise
Lucy
Pleine-Selve
Parpeville
Villers-le-Sec
Landifay-et-Bertaignemont
Le Hérie-la-Viéville
Berthenicourt
Alaincourt
Séry-lès-Mézières
Surfontaine
Chevresis-Monceau
La Ferté-Chevresis
Renansart
Artemps
Tugny-et-Pont
St-Simon
Clastres
Montescourt-Lizerolles
Benay
Cerizy
Hinacourt
Moÿ-de-l'Aisne
Brissy-Hamégicourt
Ly-Fontaine
Gibercourt
Brissay-Choigny
Remigny
Vendeuil
Mayot
Achery
Anguilcourt-le-Sart
Nouvion-le-Comte
Nouvion-et-Catillon
Mesbrecourt-Richecourt
Montigny-s-Crécy
Pargny-les-Bois
Crécy-s-Serre
Pouilly-sur-Serre
Mortiers
Assis-sur-Serre
Remies
Chalandry
Ollezy
Annois
Flavy-le-Martel
Jussy
Cugny
Mennessis
Liez
Travecy
Courbes
Frières-Faillouël
Quessy
Danizy
Rogécourt
Charmes
Beautor
Versigny
Monceau-lès-Leups
Aumencourt
Couvron-et-Aumencourt
Chéry-lès-Pouilly
Barenton-Cel
Barenton-Bugny
Aulnois-s/s-Laon
Ugny-le-Gay
Villequier-Aumont
Guivry
Commenchon
Viry-Noureuil
Caumont
Andelain
Condren
Deuillet
Fressancourt
Servais
Bertaucourt-Epourdon
Amigny-Rouy
Fourdrain
Le Tortoir
Crépy
Vivaise
Besny-et-Loizy
Béthancourt-en-Vaux
Neuflieux
Ognes
Abbécourt
Marest-Dampcourt
Sinceny
St-Gobain
Autreville
Barisis
Septvaux
St-Nicolas-aux-Bois
Brie
Bucy-lès-Cerny
Cerny-lès-Bucy
Molinchart
Cessières
Clacy-et-Thierret
Suzy
Laniscourt
Bichancourt
Manicamp
Quierzy
Pierremande
Fresnes-s/s-Coucy
Verneuil-sous-Coucy
Folembray
Champs
Besmé
Bourguignon-sous-Coucy
Camelin
Blérancourt
Guny
Bucy-la-Ville
Brancourt-en-Laonnois
Wissignicourt
Faucoucourt
Bourguignon
Merlieux-et-Fouquerolles
Vaucelles-et-Beffecourt
Chivy-lès-Étouvelles
Étouvelles
Chaillevois
Ardon
Forêt de St-Gobain
Canal de St-Quentin
Source de l'Escaut
Source de la Somme
Réserve Naturelle
Mont Fendu
D 1029
D 1044
D 1032
D 930
D 967
D 946
D 1
A 26
A 29
E 44
E 17
N 2

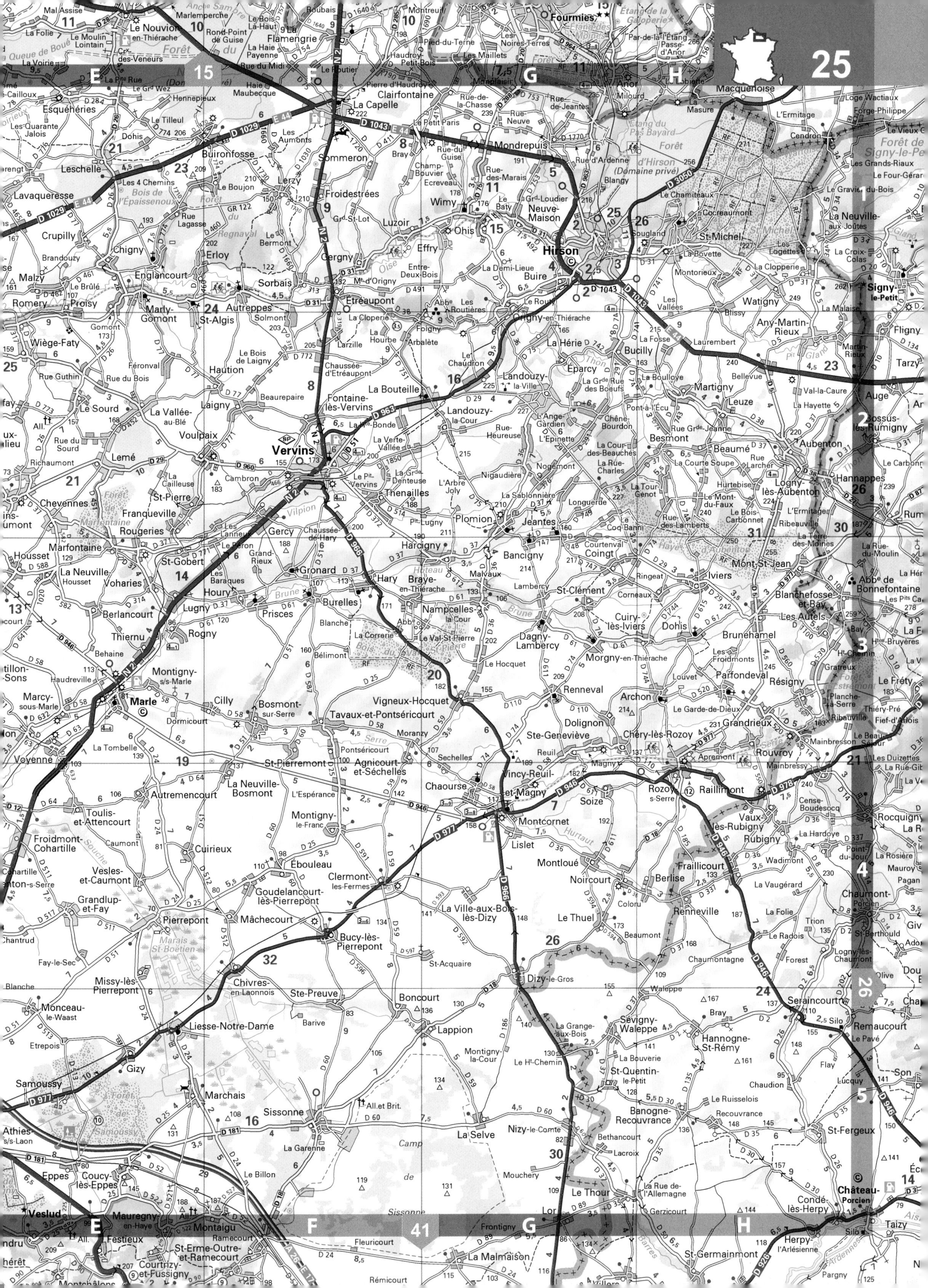
25
15
41
26
E
F
G
H
1
2
3
4
5
Le Nouvion-en-Thiérache
Fourmies
Étang de la Galoperie
Forêt du Nouvion
La Capelle
Clairfontaine
Anor
Macquenoise
Esquéhéries
Buironfosse
Sommeron
Mondrepuis
Forêt de Signy-le-Petit
Leschelle
Lavaqueresse
Lerzy
Froidestrées
Wimy
Neuve-Maison
Hirson
Forêt d'Hirson (Domaine privé)
Bois de l'Epaisseneux
Crupilly
Chigny
Erloy
Gergny
Luzoir
Ohis
Effry
Buire
St-Michel
La Neuville-aux-Joûtes
Englancourt
Sorbais
Étréaupont
Foigny
Origny-en-Thiérache
Signy-le-Petit
Malzy
Romery
Proisy
Marly-Gomont
Autreppes
St-Algis
Watigny
Any-Martin-Rieux
Wiège-Faty
Haution
La Hérie
Eparcy
Bucilly
Martigny
Tarzy
Landouzy-la-Ville
La Bouteille
Fontaine-lès-Vervins
Le Sourd
La Vallée-au-Blé
Laigny
Voulpaix
Landouzy-la-Cour
Leuze
Auge
Besmont
Beaumé
Aubenton
Bossus-lès-Rumigny
Vervins
Lemé
Thenailles
Logny-lès-Aubenton
Hannappes
Chevennes
Franqueville
St-Pierre
Rougeries
Plomion
Jeantes
Coingt
Forêt de Marfontaine
Marfontaine
Gercy
Harcigny
Bancigny
Iviers
Mont-St-Jean
La Neuville-Housset
Voharies
St-Gobert
Gronard
Hary
Braye-en-Thiérache
St-Clément
Blanchefosse-et-Bay
Les Autels
Houry
Lugny
Prisces
Burelles
Nampcelles-la-Cour
Cuiry-lès-Iviers
Dohis
Brunehamel
Berlancourt
Thiernu
Rogny
Dagny-Lambercy
Morgny-en-Thiérache
Parfondeval
Résigny
Le Fréty
Montigny-s/s-Marle
Marle
Cilly
Bosmont-sur-Serre
Vigneux-Hocquet
Tavaux-et-Pontséricourt
Renneval
Archon
Grandrieux
Dolignon
Ste-Geneviève
Chéry-lès-Rozoy
Voyenne
St-Pierremont
Agnicourt-et-Séchelles
Vincy-Reuil-et-Magny
Rozoy-s-Serre
Raillimont
Rouvroy
Autremencourt
La Neuville-Bosmont
Chaourse
Montcornet
Soize
Toulis-et-Attencourt
Montigny-le-Franc
Lislet
Vaux-lès-Rubigny
Rubigny
Rocquigny
Froidmont-Cohartille
Cuirieux
Éboulea
Montloué
Noircourt
Berlise
Fraillicourt
Vesles-et-Caumont
Clermont-les-Fermes
Chaumont-Porcien
Grandlup-et-Fay
Goudelancourt-lès-Pierrepont
Pierrepont
Mâchecourt
La Ville-aux-Bois-lès-Dizy
Le Thuel
Renneville
Bucy-lès-Pierrepont
St-Acquaire
Dizy-le-Gros
Missy-lès-Pierrepont
Chivres-en-Laonnois
Ste-Preuve
Boncourt
Seraincourt
Monceau-le-Waast
Liesse-Notre-Dame
Lappion
Sévigny-Waleppe
Hannogne-St-Rémy
Remaucourt
Gizy
Marchais
St-Quentin-le-Petit
Samoussy
Forêt de Samoussy
Sissonne
Banogne-Recouvrance
Nizy-le-Comte
La Selve
St-Fergeux
Camp de Sissonne
Eppes
Coucy-lès-Eppes
Le Thour
Château-Porcien
Condé-lès-Herpy
Mauregny-en-Haye
Montaigu
Lor
Herpy-l'Arlésienne
Taizy
St-Erme-Outre-et-Ramecourt
Courtrizy-et-Fussigny
La Malmaison
St-Germainmont

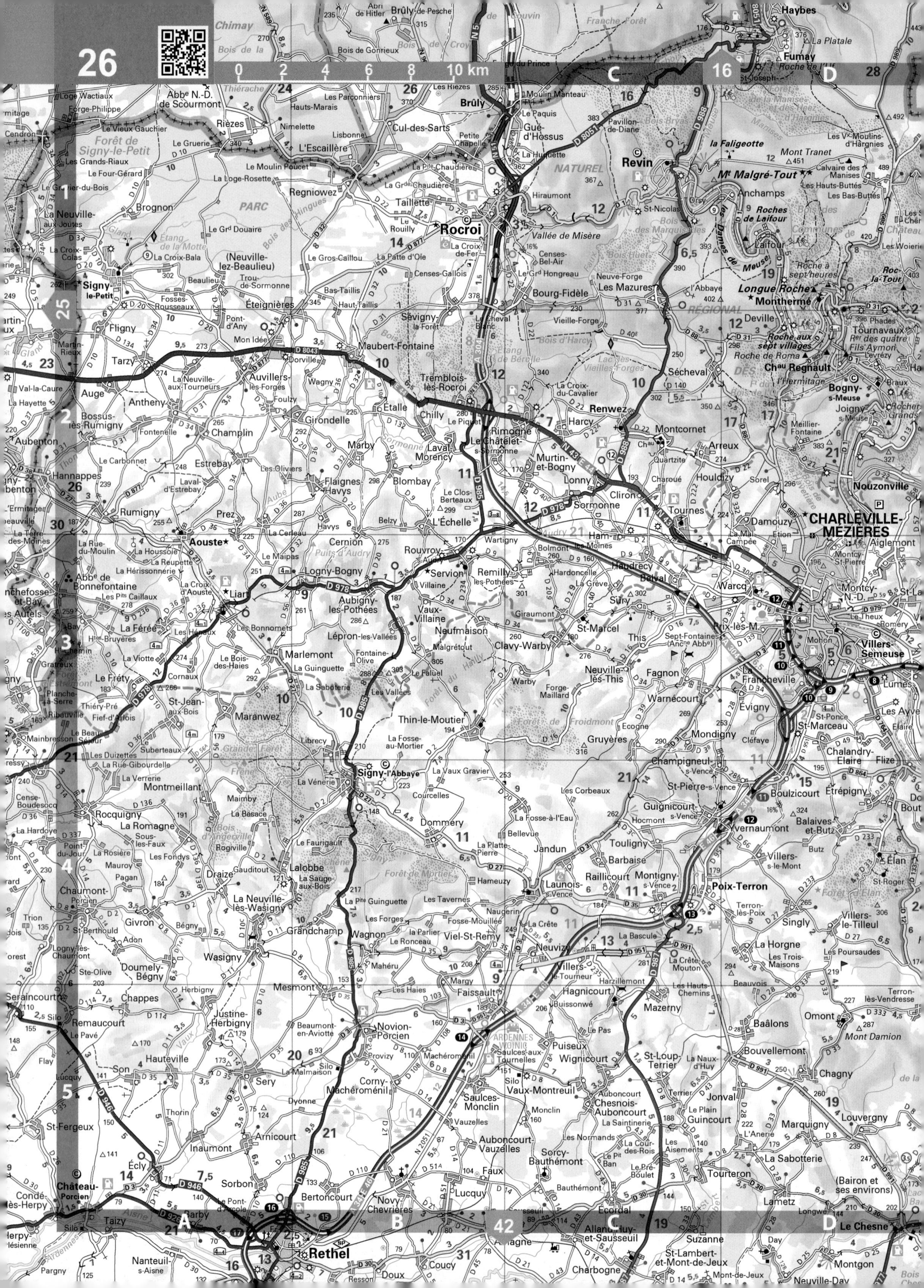
0 2 4 6 8 10 km
Chimay
Brûly-de-Pesche
Haybes
Fumay
Brûly
Riezes
Forêt de Signy-le-Petit
L'Escaillère
Cul-des-Sarts
Gué-d'Hossus
Revin
la Faligeotte
Mont Tranet
Mt Malgré-Tout
Anchamps
Roches de Laifour
Laifour
Rocroi
Vallée de Misère
Dames de Meuse
Signy-le-Petit
La Neuville-aux-Joûtes
Brognon
Regniowez
Taillette
Bourg-Fidèle
Les Mazures
Longue Roche
Monthermé
Deville
Roche aux sept villages
Tournavaux
Éteignières
Maubert-Fontaine
Tarzy
Fligny
Auge
Auvillers-les-Forges
Tremblois-lès-Rocroi
Sécheval
Renwez
Bogny-s-Meuse
Joigny-s-Meuse
Aubenton
Bossus-lès-Rumigny
Antheny
Champlin
Girondelle
Étalle
Chilly
Rimogne
Harcy
Montcornet
Arreux
Hannappes
Rumigny
Estrebay
Flaignes-Havys
Blombay
Laval-Morency
Le Châtelet-s-Sormonne
Murtin-et-Bogny
Lonny
Cliron
Tournes
Houldizy
Nouzonville
Aouste
Prez
L'Échelle
Sormonne
Damouzy
CHARLEVILLE-MÉZIÈRES
Aiglemont
Liart
Logny-Bogny
Cernion
Rouvroy
Servion
Remilly-les-Pothées
Ham-les-Moines
Haudrecy
Belval
Warcq
Aubigny-les-Pothées
Vaux-Villaine
Neufmaison
Sury
St-Marcel
This
Prix-lès-M.
Villers-Semeuse
La Férée
Marlemont
Lépron-les-Vallées
Clavy-Warby
Neuville-lès-This
Fagnon
La Francheville
Lumes
Le Fréty
St-Jean-aux-Bois
Maranwez
Thin-le-Moutier
Warnécourt
Évigny
St-Marceau
Forêt de Froidmont
Gruyères
Mondigny
Signy-l'Abbaye
Champigneul-s-Vence
St-Pierre-s-Vence
Boulzicourt
Flize
Montmeillant
Rocquigny
La Romagne
Dommery
Jandun
Touligny
Guignicourt-s-Vence
Yvernaumont
Balaives-et-Butz
Chaumont-Porcien
Draize
Lalobbe
Forêt de Mortier
Launois-s-Vence
Raillicourt
Montigny-s-Vence
Poix-Terron
Villers-s-le-Mont
Élan
La Neuville-lès-Wasigny
Givron
Grandchamp
Wagnon
Viel-St-Remy
Neuvizy
Singly
Villers-le-Tilleul
Wasigny
Doumely-Bégny
Mesmont
Faissault
Hagnicourt
Mazerny
La Horgne
Chappes
Justine-Herbigny
Remaucourt
Hauteville
Novion-Porcien
Puiseux
Wignicourt
St-Loup-Terrier
Baâlons
Omont
Mont Damion
Bouvellemont
Sery
Corny-Machéroménil
Saulces-Monclin
Vaux-Montreuil
Chesnois-Auboncourt
Jonval
Chagny
St-Fergeux
Arnicourt
Inaumont
Auboncourt-Vauzelles
Sorcy-Bauthémont
Guincourt
Marquigny
Louvergny
Écly
Château-Porcien
Sorbon
Bertoncourt
Novy-Chevrières
Lucquy
Faux
Tourteron
La Sabotterie
Lametz
Le Chesne
Rethel
Allan-Huy-et-Sausseuil
Suzanne
St-Lambert-et-Mont-de-Jeux
Charbogne
Montgon
Neuville-Day
Nanteuil-s-Aisne
Coucy
Doux
Taizy
42

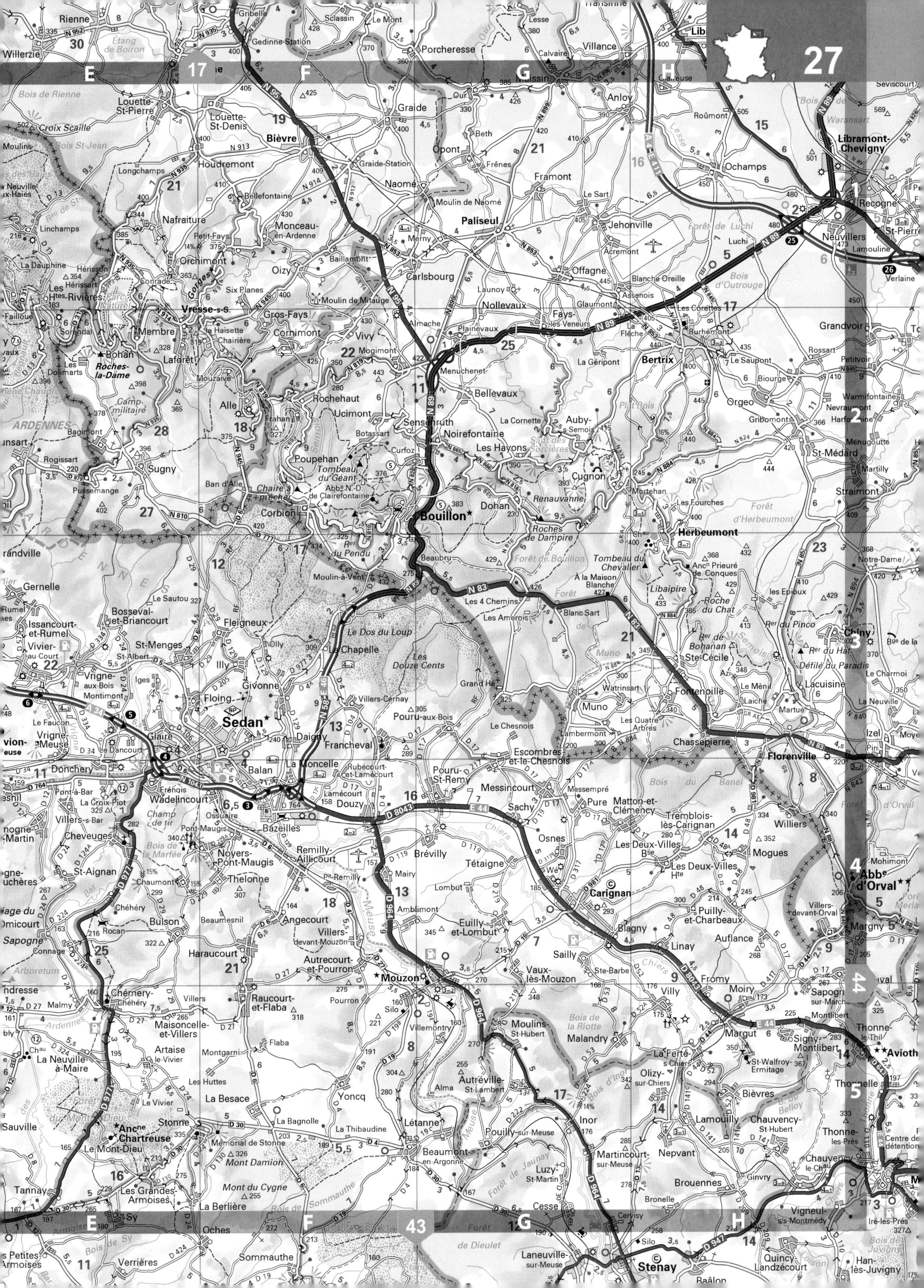
27
17
43
44
E
F
G
H
Rienne
Willerzie
Gedinne-Station
Porcheresse
Villance
Maissin
Anloy
Louette-St-Pierre
Louette-St-Denis
Bièvre
Graide
Opont
Framont
Libramont-Chevigny
Ochamps
Recogne
Neuvillers
St-Pierre
Houdremont
Naomé
Paliseul
Jehonville
Nafraiture
Monceau-en-Ardenne
Orchimont
Oizy
Carlsbourg
Offagne
Vresse-s-S.
Gros-Fays
Cornimont
Vivy
Nollevaux
Fays-les-Veneurs
Bertrix
Membre
Laforêt
Bohan
Roches la-Dame
Alle
Rochehaut
Ucimont
Bellevaux
Orgeo
Sugny
Poupehan
Noirefontaine
Les Hayons
Auby-s-Semois
Cugnon
St-Médard
Straimont
Bouillon
Dohan
Herbeumont
Corbion
Sedan
Floing
Givonne
Fleigneux
La Chapelle
Le Dos du Loup
Les Douze Cents
Daigny
Francheval
Pouru-aux-Bois
Chiny
Ste-Cécile
Lacuisine
Fontenoille
Muno
Chassepierre
Florenville
Donchery
Wadelincourt
Balan
Bazeilles
Douzy
Pouru-St-Remy
Messincourt
Sachy
Pure
Matton-et-Clémency
Tremblois-lès-Carignan
Williers
Osnes
Carignan
Mogues
Abbe d'Orval
Margny
Villers-devant-Orval
Brévilly
Tétaigne
Remilly-Aillicourt
Noyers-Pont-Maugis
Thelonne
St-Aignan
Cheveuges
Vrigne-Meuse
Vrigne-aux-Bois
Bulson
Angecourt
Villers-devant-Mouzon
Euilly-et-Lombut
Blagny
Linay
Puilly-et-Charbeaux
Auflance
Haraucourt
Autrecourt-et-Pourron
Mouzon
Vaux-lès-Mouzon
Sailly
Villy
Fromy
Moiry
Margut
Signy-Montlibert
Thonne-le-Thil
Avioth
Chémery-Chéhéry
Raucourt-et-Flaba
Maisoncelle-et-Villers
Moulins-St-Hubert
Malandry
La Ferté-s-Chiers
Olizy-sur-Chiers
Bièvres
Thonnelle
La Neuville-à-Maire
Artaise le-Vivier
Autréville-St-Lambert
Yoncq
Létanne
Pouilly-sur-Meuse
Inor
Lamouilly
Chauvency-St-Hubert
Thonne-les-Prés
Stonne
Anc.ne Chartreuse
Le Mont-Dieu
La Besace
Beaumont-en-Argonne
Martincourt-sur-Meuse
Nepvant
Chauvency-le-Château
Les Grandes-Armoises
Tannay
La Berlière
Mont Damion
Mont du Cygne
Luzy-St-Martin
Brouennes
Cesse
Vigneul-s-Montmédy
Sy
Oches
Sommauthe
Laneuville-sur-Meuse
Stenay
Quincy-Landzécourt
Han-lès-Juvigny
Les Petites-Armoises
Verrières
Forêt de Sedan
Forêt de Bouillon
ARDENNES

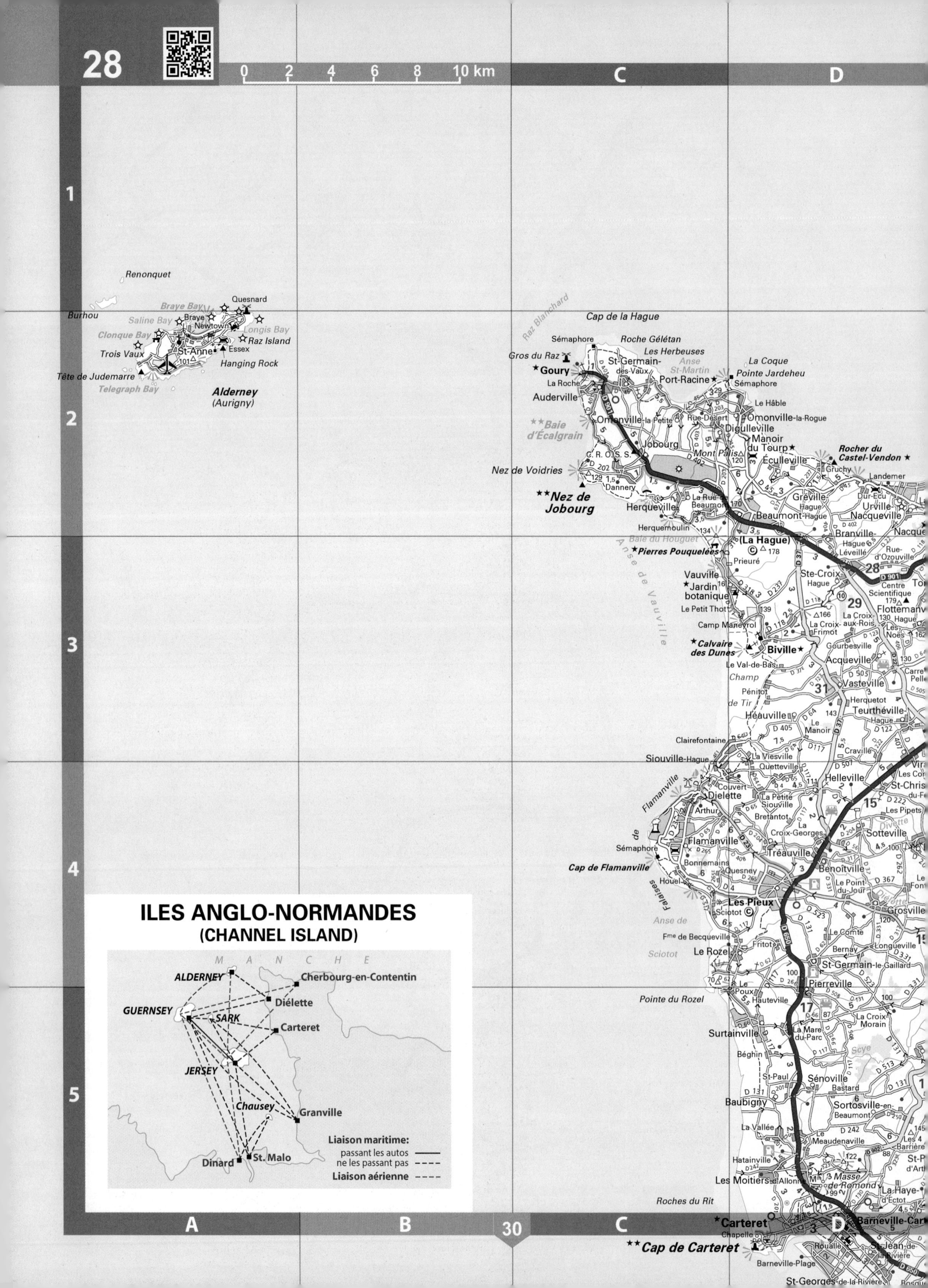
28
0 2 4 6 8 10 km
C
D
1
2
3
4
5
A
B
30
Renonquet
Burhou
Braye Bay
Saline Bay
Clonque Bay
Quesnard
Braye
Newtown
Longis Bay
Raz Island
Essex
Trois Vaux
St-Anne
Hanging Rock
Tête de Judemarre
Telegraph Bay
Alderney
(Aurigny)
Raz Blanchard
Cap de la Hague
Sémaphore
Roche Gélétan
Les Herbeuses
Gros du Raz
St-Germain-des-Vaux
Anse St-Martin
La Coque
Pointe Jardeheu
Goury
La Roche
Port-Racine
Auderville
Le Hâble
Omonville-la-Petite
Rue-Désert
Omonville-la-Rogue
Digulleville
Baie d'Écalgrain
Jobourg
Manoir du Tourp
Mont Pali
Rocher du Castel-Vendon
C. R. O. S. S.
Éculleville
Nez de Voidries
Dannery
Gréville-Hague
Landemer
Nez de Jobourg
Herqueville
La Rue-de-Beaumont
Beaumont-Hague
Urville-Nacqueville
Herquemoulin
Baie du Houguet
(La Hague)
Branville-Hague
Pierres Pouquelées
Prieuré
Léveillé
Rue-d'Ozouville
Anse de Vauville
Vauville
Jardin botanique
Ste-Croix-Hague
Centre Scientifique
Le Petit Thot
Flottemanv
Camp Maneyrol
La Croix-Frimot
La Croix-aux-Rois
Calvaire des Dunes
Biville
Gourbesville
Acqueville
Le Val-de-Bas
Champ de Tir
Vasteville
Pénitot
Herquetot
Teurthéville-Hague
Héauville
Le Manoir
Clairefontaine
Craville
Siouville-Hague
La Viesville
Quetteville
Flamanville
Couvert
Dielette
Helleville
St-Chris
Arthur
La Petite Siouville
Bretantot
Les Pipets
Divette
Croix-Georges
Sotteville
Sémaphore
Tréauville
Cap de Flamanville
Bonnemains
Benoîtville
Quesney
Le Point-du-Jour
Falaises
Houel
Les Pieux
Sciotot
Grosville
Anse de Sciotot
Fme de Becqueville
Le Comte
Longueville
Le Rozel
Fritot
Bernay
St-Germain-le-Gaillard
Le Poux
Pierreville
Pointe du Rozel
Hauteville
La Croix-Morain
Surtainville
La Mare-du-Parc
Scye
Béghin
St-Paul
Sénoville
Bastard
Baubigny
Sortosville-en-Beaumont
La Vallée
Le Meaudenaville
Les 4 Barrière
Hatainville
Les Moitiers-d'Allonne
Masse de Romond
La Haye-d'Ectot
Roches du Rit
Carteret
Chapelle
Barneville-Car
Cap de Carteret
Roualle
St-Jean-de-la-Rivière
Barneville-Plage
St-Georges-de-la-Rivière
ILES ANGLO-NORMANDES
(CHANNEL ISLAND)
M A N C H E
ALDERNEY
Cherbourg-en-Contentin
GUERNSEY
Diélette
SARK
Carteret
JERSEY
Chausey
Granville
Dinard
St. Malo
Liaison maritime:
passant les autos
ne les passant pas
Liaison aérienne

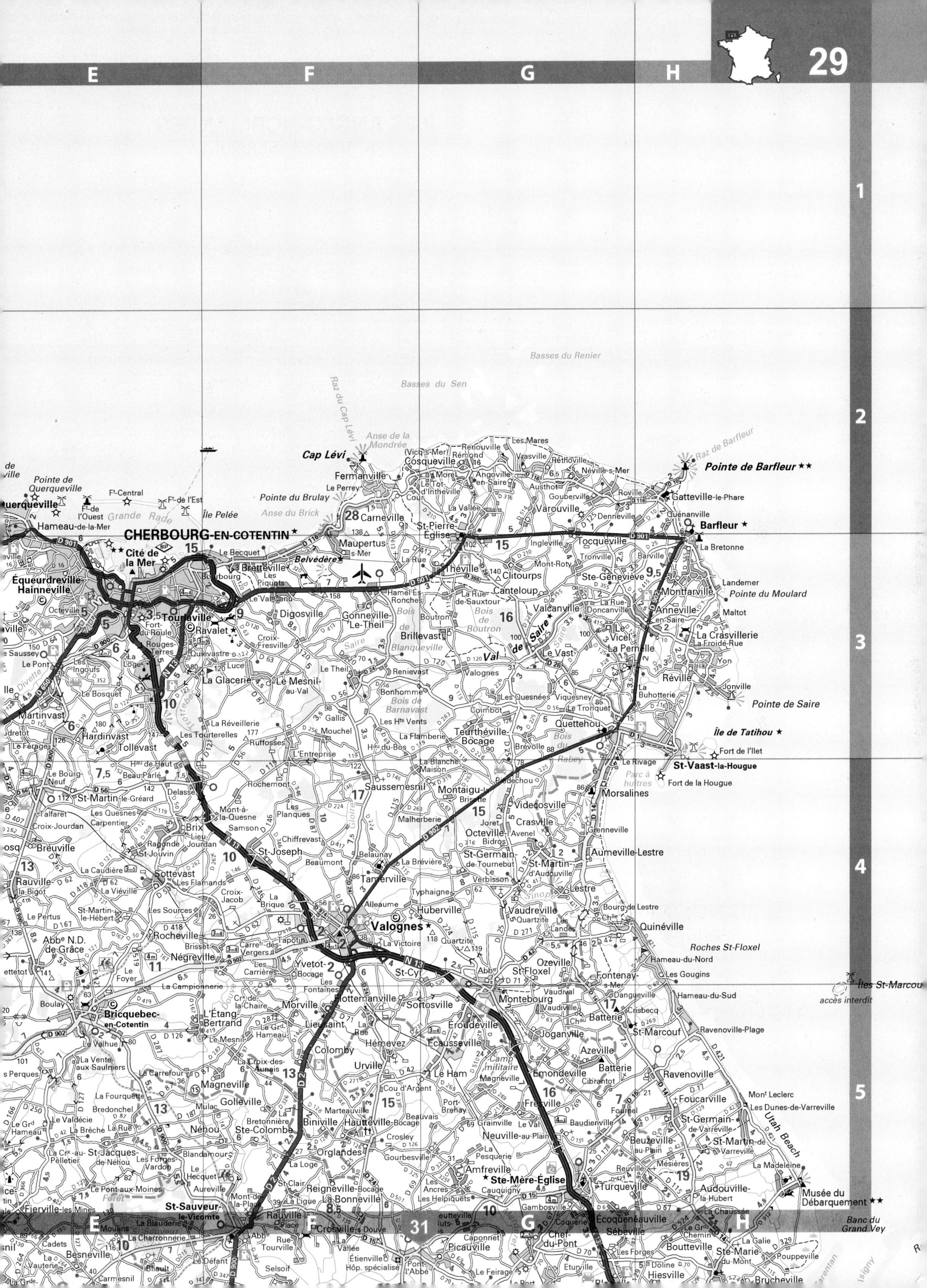
E
F
G
H
1
2
3
4
5
Basses du Renier
Basses du Sen
Raz du Cap Lévi
Anse de la Mondrée
Cap Lévi
Raz de Barfleur
Pointe de Barfleur ★★
Pointe de Querqueville
Querqueville
Ft-Central
Ft-de l'Ouest
Ft-de l'Est
Grande Rade
Île Pelée
Pointe du Brulay
Anse du Brick
Hameau-de-la-Mer
CHERBOURG-EN-COTENTIN ★
Cité de la Mer
Équeurdreville-Hainneville
Tourlaville
Ravalet ★
Le Becquet
Bretteville
Bourbourg
Les Piquets
Le Val-Canu
Fermanville
Le Perrey
Carneville
Maupertus-s-Mer
Belvédère ★
Cosqueville
Renouville
Rémond
Angoville-en-Saire
Le Tot-d'Intheville
La Vallée
St-Pierre-Église
Les Mares
Vrasville
Réthoville
Néville-s-Mer
Austhot
Gouberville
Varouville
Denneville
Roville
Gatteville-le-Phare
Quénanville
Barfleur ★
La Bretonne
Tocqueville
Ingleville
Tronville
Barville
Théville
Clitourps
Mont-Roty
Ste-Geneviève
Canteloup
Montfarville
Landemer
Pointe du Moulard
Anneville-en-Saire
Maltot
La Crasvillerie
La Froide-Rue
Yon
Réville
Jonville
Pointe de Saire
La Buhotterie
Valcanville
Le Vicel
La Pernelle
Le Vast
Val de Saire ★
Bois de Boutron
Boutron
Brillevast
Hamel-Ès Ronches
Bois de Blanqueville
Gonneville-Le-Theil
Digosville
Croix-Fresville
Quiévastre
Luce
La Glacerie
Le Mesnil-au-Val
Le Theil
Renievast
Valognes
Bonhomme
Bois de Barnavast
Gallis
Mouchel
Les Hts Vents
Coimbot
Les Quesnées
Viquesney
Le Tronquet
Quettehou
Teurthéville-Bocage
La Flamberie
Brévolle
Bois du Rabey
Île de Tatihou ★
Fort de l'Ilet
St-Vaast-la-Hougue
Fort de la Hougue
Le Rivage
Parc à huîtres
Morsalines
La Réveillerie
Les Tourterelles
Ruffosses
Martinvast
Hardinvast
Tollevast
Le Férage
Le Bourg-Neuf
Beau-Parlé
Delasse
St-Martin-le-Gréard
Talfaret
Les Quesnes
Carpentier
Croix-Jourdan
Brix
Mont-à-la-Quesne
Samson
Ragonde
St-Jouvin
Breuville
Rauville-la-Bigot
La Caudière
Sottevast
Les Flamands
La Viéville
St-Martin-le-Hébert
Le Pertus
Les Sources
Rocheville
Abbe N.D. de Grâce
Négreville
Brisset
Carré des Vergers
Les Carrières
Le Foyer
La Campionnerie
Bricquebec-en-Cotentin
Boulay
Le Valhue
La Vente-aux-Saulniers
Les Perques
La Fourquette
Bredonchel
Le Valdécie
Le Grd Hameau
La Brèche
La Rue
La Crx-au-Pelletier
St-Jacques-de-Néhou
Les Forges-Vardon
Blandamour
Le Hecquet
Aureville
Le Pont-aux-Moines
Fierville-les-Mines
Forêt
St-Sauveur-le-Vicomte
Mont-de-la-Place
La Blauderie
Moulins
La Charronnerie
Cadets
Besneville
La Vauterie
Carmesnil
Le Défant
Blhault
L'Étang-Bertrand
Le Mesnil
La Croix-des-Aunais
Le Carrefour
Magneville
Mulac
Golleville
Néhou
Ste-Colombe
Bretonnière
Rochemont
Saussemesnil
L'Entreprise
Les Planques
Chiffrevast
St-Joseph
Beaumont
Croix-Jacob
La Brique
Tapotin
Yvetot-Bocage
Les Fontaines
Morville
Lieusaint
La Rue
Le Grd Hameau
Colomby
Hémevez
Urville
Brévolle
La Blanche-Maison
Montaigu-la-Brisette
Malherberie
Belaunay
La Brévière
Tamerville
Alleaume
Valognes
La Victoire
Quartzite
St-Cyr
Hottemanville
Sortosville
Eroudeville
Écausseville
Le Ham
Cou d'Argent
Biniville
Hautteville-Bocage
Beauvais
Crosley
Gourbesville
Orglandes
La Loge
St-Clair
Reigneville-Bocage
La Bonneville
La Ligue
Rauville-la-Place
Crosville-s-Douve
Tourville
La Vallée
Étienville
Hôp. spécialisé
Pont-l'Abbé
Selsoif
Videcosville
Joret
Crasville
Octeville-l'Avenel
Bidros
St-Germain-de-Tournebut
Le Verbisson
St-Martin-d'Audouville
Grenneville
Aumeville-Lestre
Lestre
Typhaigne
Huberville
Vaudreville
Les Landes
Quineville
Bourg de Lestre
Sinope
Quartzite
Ozeville
St-Floxel
Abbé
Montebourg
Roches St-Floxel
Hameau-du-Nord
Les Gougins
Îles St-Marcouf
accès interdit
Fontenay-s-Mer
Dangueville
Hameau-du-Sud
Vaudival
Vaudiville
Batterie
Crisbecq
St-Marcouf
Joganville
Ravenoville-Plage
Azeville
Batterie
Camp militaire
Magneville
Émondeville
Cibrantot
Ravenoville
Foucarville
Les Dunes-de-Varreville
Mont Leclerc
Utah Beach
Fresville
Fournel
Baudienville
St-Germain-de-Varreville
St-Martin-de-Varreville
Port-Brehay
Grainville
Le Val
Neuville-au-Plain
La Pesquerie
Beuzeville-au-Plain
Mésières
Reuville
Audouville-la-Hubert
La Madeleine
Musée du Débarquement ★★
Amfreville
Ste-Mère-Église
Cauquigny
Turqueville
Les Ancres
Les Helpiquets
Gambosville
Écoquenéauville
Sébeville
Coquerie
Chef-du-Pont
Caponnet
Picauville
Le Feirage
Les Forges
Eturville
Doline
Hiesville
Boutteville
Le Grd Chemin
Ste-Marie-du-Mont
La Galie
Pouppeville
La Chaussée
Banc du Grand Vey
Brucheville
31

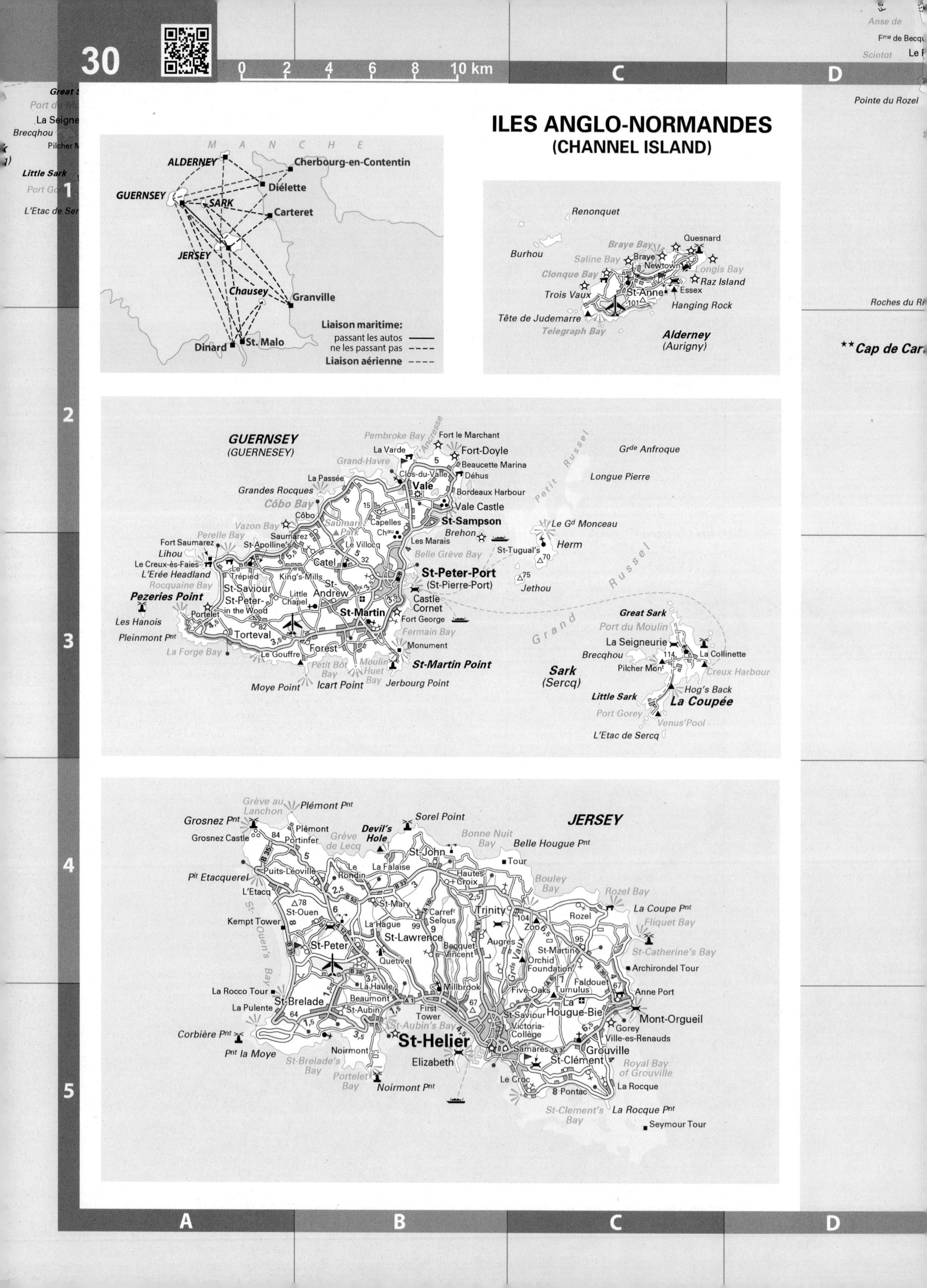

0 2 4 6 8 10 km

ILES ANGLO-NORMANDES
(CHANNEL ISLAND)

Inset map (liaisons):

MANCHE

ALDERNEY
Cherbourg-en-Contentin
Diélette
GUERNSEY
SARK
Carteret
JERSEY
Chausey
Granville
Dinard St. Malo

Liaison maritime:
passant les autos
ne les passant pas
Liaison aérienne

Renonquet
Quesnard
Braye Bay
Burhou
Saline Bay Braye Newtown Longis Bay
Clonque Bay St-Anne Raz Island
Trois Vaux 101 Essex
Tête de Judemarre Hanging Rock
Telegraph Bay
Alderney
(Aurigny)

Cap de Car...
Pointe du Rozel
Roches du R...
Anse de
Fme de Becqu...
Sciotot Le F...

GUERNSEY map:

GUERNSEY
(GUERNESEY)

Pembroke Bay Fort le Marchant
La Varde Fort-Doyle
Grand-Havre Beaucette Marina
La Passée Clos-du-Valle Déhus
5 Bordeaux Harbour
Grandes Rocques
Vale
Côbo Bay
Côbo 15 Capelles Vale Castle
Vazon Bay Châu **St-Sampson**
Saumarez Parc Le Villocq Brehon
Perelle Bay St-Apolline's Les Marais Le Gᵈ Monceau
Fort Saumarez Belle Grève Bay **Herm**
Lihou Catel 32 St-Tugual's 70
Le Creux-ès-Faies King's-Mills Le 75
L'Erée Headland Trépied St- **St-Peter-Port** Jethou
Rocquaine Bay St-Saviour Andrew (St-Pierre-Port)
Pezeries Point St-Peter- Little Castle
Portelet in-the-Wood Chapel **St-Martin** Cornet
Les Hanois 82 Fort George
Pleinmont Pnt Torteval **Forest** Fermain Bay
La Forge Bay Le Gouffre Monument
Petit Bôt Moulin **St-Martin Point**
Moye Point Bay Huet Bay
Icart Point Jerbourg Point

Gr de Anfroque
Longue Pierre
Petit Russel

Grand Russel

Great Sark Port du Moulin
La Seigneurie 114 La Collinette
Brecqhou Pilcher Mont
Sark
(Sercq) Creux Harbour
Little Sark Hog's Back
Port Gorey **La Coupée**
L'Etac de Sercq Venus'Pool

JERSEY map:

Grève au Lanchon Plémont Pnt
Grosnez Pnt **JERSEY**
Grosnez Castle Plémont Sorel Point
84 Portinfer Devil's Bonne Nuit
Grève de Lecq Hole Bay Belle Hougue Pnt
Pit Etacquerel Le La Falaise **St-John** Tour
L'Etacq Rondin Hautes Bouley
78 2,5 Croix 2,5 Bay Rozel Bay
St-Ouen 6 53 St-Mary Carref La Coupe Pnt
Kempt Tower La'Hague Selous Trinity 104 Rozel Fliquet Bay
8 99 9 Zoo 95
St-Peter **St-Lawrence** Augres St-Martin St-Catherine's Bay
B38 Quetivel Becquet Orchid Archirondel Tour
3,5 Vincent Foundation 7 67
La Rocco Tour La'Haule Millbrook Five-Oaks Faldouet Anne Port
St-Brelade Beaumont Tumulus La **Mont-Orgueil**
La Pulente 64 St-Aubin First A7 St-Saviour Hougue-Bie
1,5 Tower Victoria- Gorey
Corbière Pnt 1,5 St-Aubin's Bay 4,5 Collège Ville-ès-Renauds
3,5 Samarès Grouville
Pnt la Moye Noirmont Le Croc St-Clément Royal Bay
St-Brelade's **St-Helier** of Grouville
Bay Elizabeth La Rocque
Portelet 8 Pontac
Bay Noirmont Pnt St-Clement's La Rocque Pnt
Bay Seymour Tour

Great S...
Port du M...
La Seigne...
Brecqhou
Pilcher M...
Little Sark
Port Go...
L'Etac de Ser...

Bottom axis: A B C D
Side axis: 1 2 3 4 5

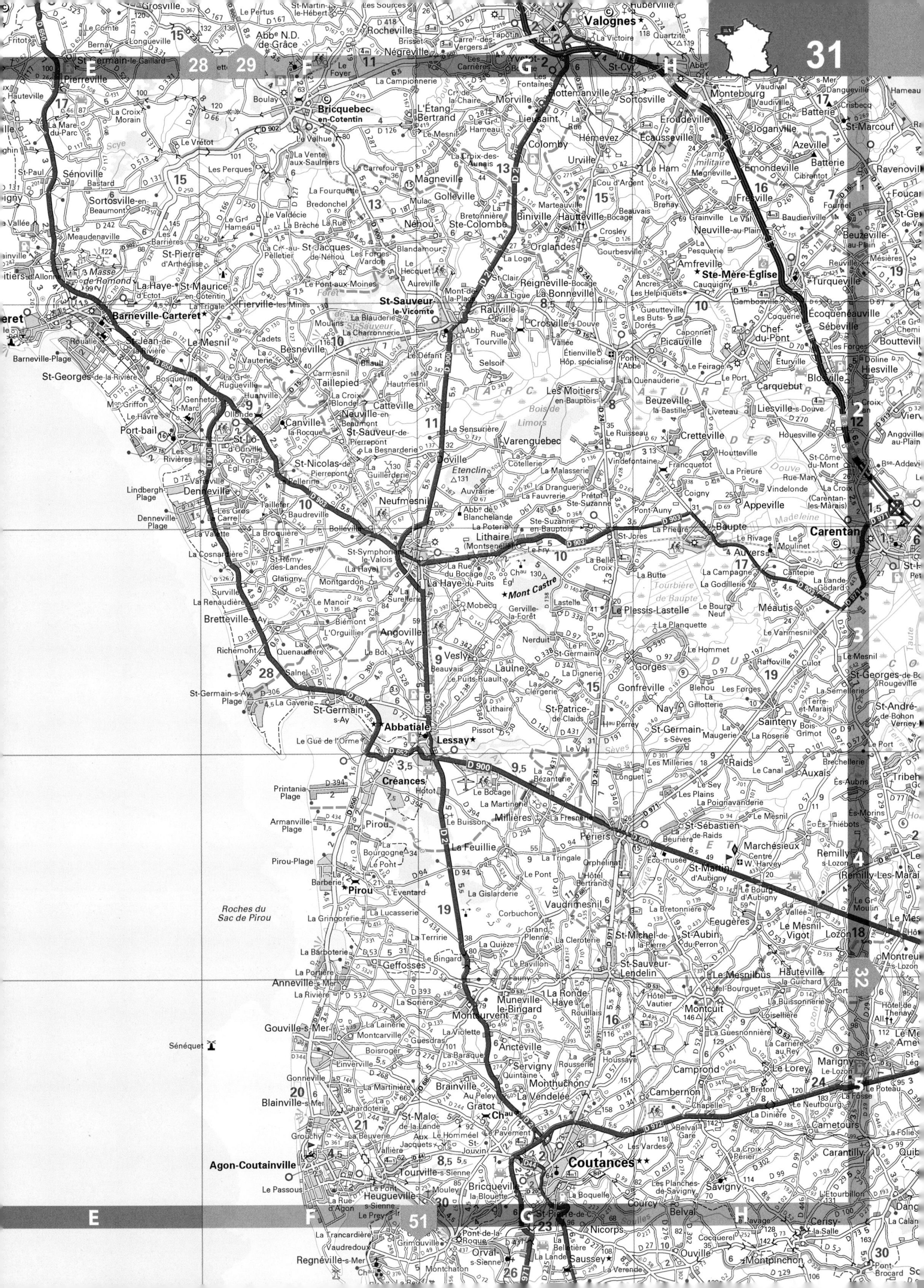
Valognes
St-Germain-le-Gaillard
Pierreville
Bricquebec-en-Cotentin
Négreville
Rocheville
Montebourg
Sortosville
Ste-Mère-Église
St-Sauveur-le-Vicomte
Barneville-Carteret
Port-bail
La Haye-du-Puits
Carentan
Lessay
Abbatiale
Créances
Pirou
Périers
Marchésieux
St-Sauveur-Lendelin
Gouville-s-Mer
Agon-Coutainville
Coutances
Marigny
Mont Castre
Roches du Sac de Pirou
Sénoville
Denneville
Les Moitiers-en-Bauptois
Picauville
Sainteny
Le Plessis-Lastelle
Gonfreville
Muneville-le-Bingard
Heugueville-s-Sienne
Regnéville-s-Mer
E
F
G
H
28
29
51
32

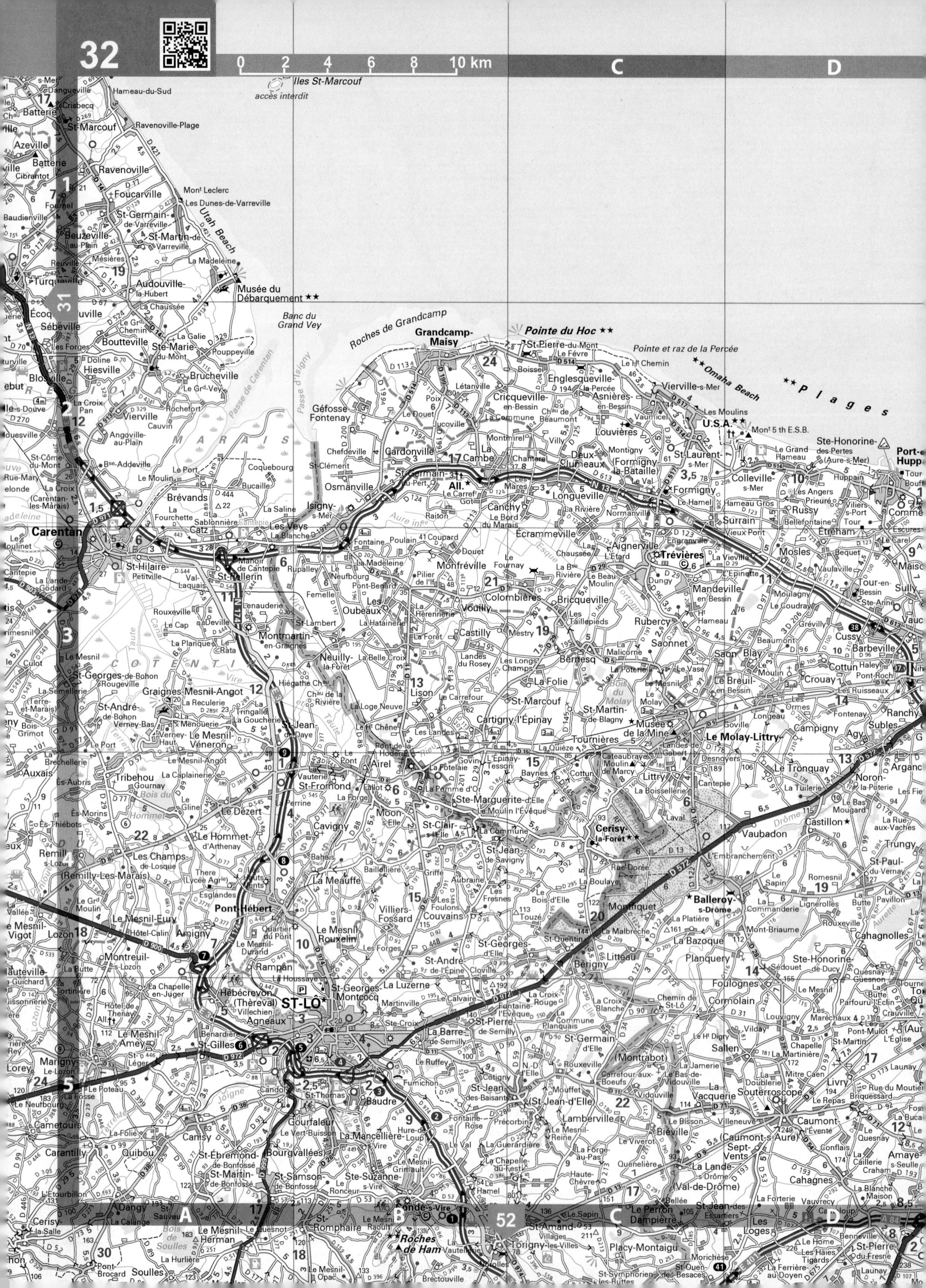
32
0 2 4 6 8 10 km
C
D
Iles St-Marcouf
accès interdit
Utah Beach
Musée du Débarquement ★★
Banc du Grand Vey
Roches de Grandcamp
Grandcamp-Maisy
Pointe du Hoc ★★
St-Pierre-du-Mont
Pointe et raz de la Percée
★★ Omaha Beach
★★ Plages
Ste-Marie-du-Mont
St-Martin-de-Varreville
St-Germain-de-Varreville
Ravenoville
Ravenoville-Plage
St-Marcouf
Azeville
Foucarville
Audouville-la-Hubert
Turqueville
Sébeville
Boutteville
Hiesville
Blosville
Brucheville
Vierville
Angoville-au-Plain
Carentan
St-Hilaire-Petitville
Brévands
Catz
Les Veys
Isigny-s-Mer
Osmanville
Géfosse-Fontenay
Cardonville
La Cambe
Cricqueville-en-Bessin
Englesqueville-la-Percée
Asnières-en-Bessin
Vierville-s-Mer
Louvières
Deux-Jumeaux
Longueville
St-Laurent-s-Mer
Colleville-s-Mer
U.S.A.
Ste-Honorine-des-Pertes
Port-en-Bessin-Huppain
Formigny
Surrain
Trévières
Mosles
Tour-en-Bessin
Mandeville-en-Bessin
Écrammeville
Aignerville
Monfréville
Colombières
Bricqueville
Rubercy
Saonnet
Blay
Cussy
Barbeville
Le Breuil-en-Bessin
Crouay
Campigny
Le Molay-Littry
Musée de la Mine
St-Martin-de-Blagny
Cartigny-l'Épinay
Tournières
Bernesq
La Folie
St-Marcouf
Lison
Neuilly-la-Forêt
Les Oubeaux
Castilly
Vouilly
Montmartin-en-Graignes
St-Pellerin
Graignes-Mesnil-Angot
St-Georges-de-Bohon
St-André-de-Bohon
Le Mesnil-Véneron
Tribehou
Le Dézert
Le Hommet-d'Arthenay
Les Champs-de-Losque
Remilly-Les-Marais
Pont-Hébert
Airel
St-Fromond
Cavigny
La Meauffe
Villiers-Fossard
Couvains
Moon-s-Elle
St-Clair-s-l'Elle
Ste-Marguerite-d'Elle
St-Jean-de-Savigny
Cerisy-la-Forêt ★★
Balleroy-s-Drôme ★
Vaubadon
Castillon ★
Trungy
St-Paul-du-Vernay
Le Tronquay
Noron-la-Poterie
Agy
Subles
Ranchy
Littry
Montfiquet
Bérigny
Litteau
La Bazoque
Planquery
Cormolain
Foulognes
Sallen
Ste-Honorine-de-Ducy
Cahagnolles
Caumont-l'Éventé
Livry
Amayé-s-Seulles
St-Germain-d'Elle
St-Georges-d'Elle
St-André-de-l'Épine
St-Pierre-de-Semilly
La Barre-de-Semilly
ST-LÔ
Agneaux
St-Gilles
Hébécrevon (Thèreval)
Rampan
Le Mesnil-Rouxelin
La Luzerne
St-Georges-Montcocq
Baudre
St-Thomas
Gourfaleur
La Mancellière-s-Vire
Ste-Suzanne-s-Vire
St-Samson-de-Bonfossé
Canisy
Quibou
Carantilly
St-Ébremond-de-Bonfossé
St-Martin-de-Bonfossé
Bourgvallées
Marigny-Le-Lozon
Lozon
Le Mesnil-Eury
Le Mesnil-Vigot
Amigny
Montreuil-s-Lozon
Le Mesnil-Amey
Cametours
Dangy
Cerisy-la-Salle
Le Mesnil-Herman
Soulles
St-Romphaire
Condé-s-Vire
Roches de Ham
Torigny-les-Villes
Placy-Montaigu
St-Amand
Dampierre
Le Perron
St-Jean-des-Essartiers
Les Loges
Sept-Vents
La Lande-s-Drôme (Val-de-Drôme)
Cahagnes
Biéville
Lamberville
St-Jean-des-Baisants
St-Jean-d'Elle
Rouxeville
Vidouville
La Vacquerie
Souterroscope
Précorbin
(Montrabot)
31
52
A
B
C
D
1
2
3
4
5

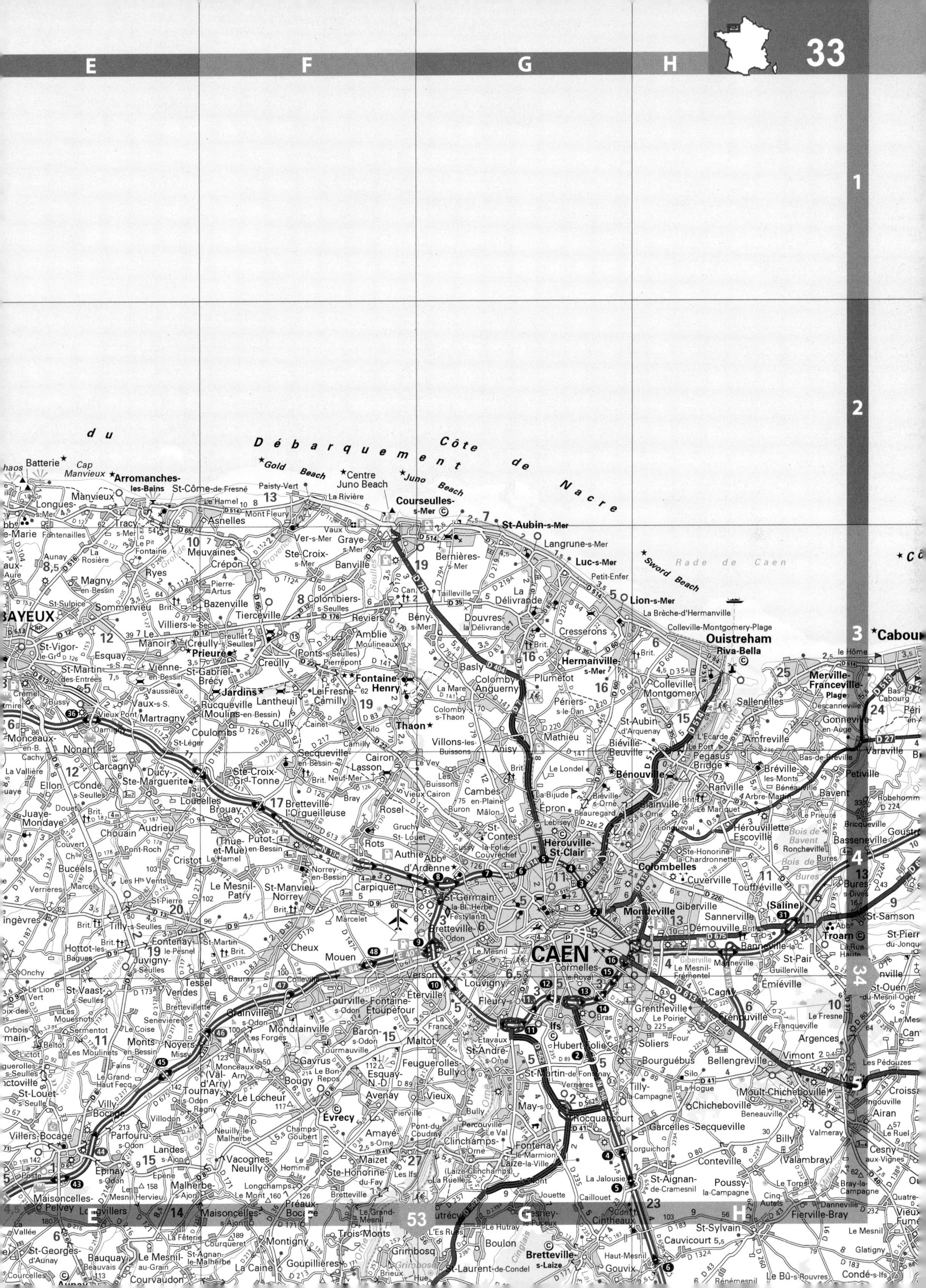

33
E
F
G
H
1
2
3
4
5
du Débarquement
Côte de Nacre
Batterie
Cap Manvieux
Arromanches-les-Bains
Gold Beach
Centre Juno Beach
Juno Beach
Sword Beach
Rade de Caen
Manvieux
St-Côme-de-Fresné
Paisty-Vert
Le Hamel
Mont Fleury
La Rivière
Courseulles-s-Mer
St-Aubin-s-Mer
Langrune-s-Mer
Luc-s-Mer
Petit-Enfer
Lion-s-Mer
La Brèche-d'Hermanville
Colleville-Montgomery-Plage
Ouistreham
Riva-Bella
Cabourg
le Hôme
Merville-Franceville-Plage
Longues-s-Mer
Tracy-s-Mer
Asnelles
Ver-s-Mer
Graye-s-Mer
Vaux
Bernières-s-Mer
Fontenailles
Le Pt Fontaine
Meuvaines
Ste-Croix-s-Mer
Banville
Aunay
La Rosière
Crépon
Ryes
Magny-en-Bessin
Pierre-Artus
Tailleville
La Délivrande
Douvres-la-Délivrande
Colombiers-s-Seulles
Reviers
Bény-s-Mer
Bazenville
Tierceville
Sommervieu
St-Sulpice
BAYEUX
Villiers-le-Sec
Creullet
Creully
Manoir
St-Vigor-le-Gd
Esquay-s-S.
St-Martin-des-Entrées
Vienne-en-Bessin
St-Gabriel-Brécy
Prieuré
Jardins
Vaussieux
Amblie
Moulineaux
Pierrepont
Fontaine-Henry
Le Fresne-Camilly
Lantheuil
Vaux-s-S.
Rucqueville
Martragny
Cully
Cainet
Basly
Colomby-Anguerny
Plumetot
Hermanville-s-Mer
Cresserons
Colleville-Montgomery
St-Aubin-d'Arquenay
Sallenelles
Périers-s-le-Dan
Mathieu
Thaon
Colomby-s-Thaon
Villons-les-Buissons
Anisy
Biéville-Beuville
Bénouville
Pegasus Bridge
Le Port
L'Écarde
Amfreville
Bréville-les-Monts
Ranville
Gonneville-en-Auge
Varaville
Petiville
Bavent
Bas-de-Bréville
Crémel
Bussy
Vieux Pont
Damigny
Monceaux-en-B.
Nonant
Cachy
St-Léger
Coulombs
Secqueville-en-Bessin
Cairon
Lasson
Le Vey
Le Londel
La Vallière
Carcagny
Ducy-Ste-Marguerite
Ste-Croix-Grd-Tonne
Neuf-Mer
Ellon
Condé-s-Seulles
Loucelles
Brouay
Bretteville-l'Orgueilleuse
Bray
Rosel
Les Buissons
Vieux Cairon
Cambes-en-Plaine
Buron
Mâlon
La Bijude
Épron
Beauregard
Lébisey
Biéville-s-Orne
Blainville-s-Orne
Longueval
Le Mariquet
Hérouvillette
Escoville
Bois de Bavent
Robehomme
Bricqueville
Basseneville
Goustranville
Juaye-Mondaye
Chouain
Audrieu
Putot-en-Bessin
(Thue-et-Mue)
Gruchy
St-Louet
St-Contest
La Folie-Couvrechef
Cussy
Hérouville-St-Clair
Ste-Honorine-la-Chardonnette
Colombelles
Cuverville
Touffréville
Roncheville
Bures
Bures-s-Dives
Couvert
Pont-Roch
Cristot
Le Hamel
Norrey-en-Bessin
Rots
Authie
Abbe d'Ardenne
Carpiquet
Bucéels
Les Hts Vents
Le Mesnil-Patry
St-Manvieu-Norrey
St-Germain-la-Bl.-Herbe
Festyland
Verrières
St-Pierre
Marcel
Tilly-s-Seulles
Fontenay-le-Pesnel
St-Martin
Cheux
Marcelet
Bretteville-s-Odon
CAEN
Mondeville
Giberville
Sannerville
Démouville
Banneville-la-C.
(Saline)
Troarn
St-Samson
St-Pierre-du-Jonquet
Hottot-les-Bagues
Juvigny-s-Seulles
Tessel
Rauray
Mouen
Verson
Le Mesnil
Louvigny
Cormelles-le-Royal
Le Mesnil-Frémentel
Manneville
St-Pair
Guillerville
Émiéville
St-Ouen-du-Mesnil-Oger
Onchy
Le Lion-Vert
St-Vaast-s-Seulles
Vendes
Brettevillette
Grainville-s-Odon
Tourville-s-Odon
Fontaine-Étoupefour
Éterville
Fleury-s-O.
Grentheville
Cagny
Frénouville
Le Poirier
Le Fresne
Franqueville
Argences
Orbois
Sermentot
Beltot
Les Moulinets
Monts-en-Bessin
Noyers-Missy
Seneviere
Mondrainville
Les Forges
Missy
Baron-s-Odon
Tourmauville
Maltot
Étavaux
St-André-s-Orne
Ifs
Hubert-Folie
Soliers
Four
Bourguébus
Bellengreville
Vimont
Les Pédouzes
Lictot
Fains
Monceaux
(Val-d'Arry)
Gavrus
Esquay-N.-D.
Le Bon Repos
Feuguerolles-Bully
St-Martin-de-Fontenay
Verrières
Tilly-la-Campagne
Silo
La Hogue
Croissanville
Airan
St-Louet-s-Seulles
Le Grand-Haut Fecq
Tournay-s-Odon
Bougy
Avenay
Vieux
May-s-O.
Chicheboville
(Moult-Chicheboville)
Beneauville
Villy-Bocage
Le Locheur
Regny
Évrecy
Fierville
Bully
Rocquancourt
Garcelles-Secqueville
Valmeray
Le Ruel
Villers-Bocage
Parfouru-s-Odon
Villodon
Neuilly-le-Malherbe
Champs-Goubert
Amayé-s-Orne
Pont-du-Coudray
Percouville
Le Val
Clinchamps-s-Orne
Fontenay-le-Marmion
Laize-la-Ville
Lorguichon
Billy
(Valambray)
Cesny-aux-Vignes
Landes-s-Ajon
Épinay-s-Odon
Vacognes-Neuilly
Le Homme
Maizet
Ste-Honorine-du-Fay
Les Ifs
(Laize-Clinchamps)
La Ruelle
La Jalousie
St-Aignan-de-Cramesnil
Conteville
Poussy-la-Campagne
Le Torps
Bray-la-Campagne
Cinq-Autels
Épene
Malherbe-s-Ajon
Longchamps
Le Mont
Bretteville
Jouette
Caillouet
Maisoncelles-Pelvey
Longvillers
Hervieu
Maisoncelles-s-Ajon
Préaux-Bocage
Le Grand-Mesnil
53
Gouvix
Cintheaux
Fierville-Bray
Danneville
Quatre-Puits
Vieux-Fumé
Vallée
St-Georges-d'Aunay
La Fèterie
Courquerret
Montigny
Trois-Monts
L'Es Rues
Le Hutray
Boulon
Grimbosq
Bretteville-s-Laize
Haut-Mesnil
St-Sylvain
Cauvicourt
Le Mesnil
Glatigny
Bauquay
Beauvais
Le Mesnil-au-Grain
St-Agnan-le-Malherbe
La Caine
Goupillières
St-Laurent-de-Condel
Le Bû-s-Rouvres
Condé-s-Ifs
Courcelles
Courvaudon
Aunay
Rénémesnil
A 84
E 46
A 13
N 13
N 814

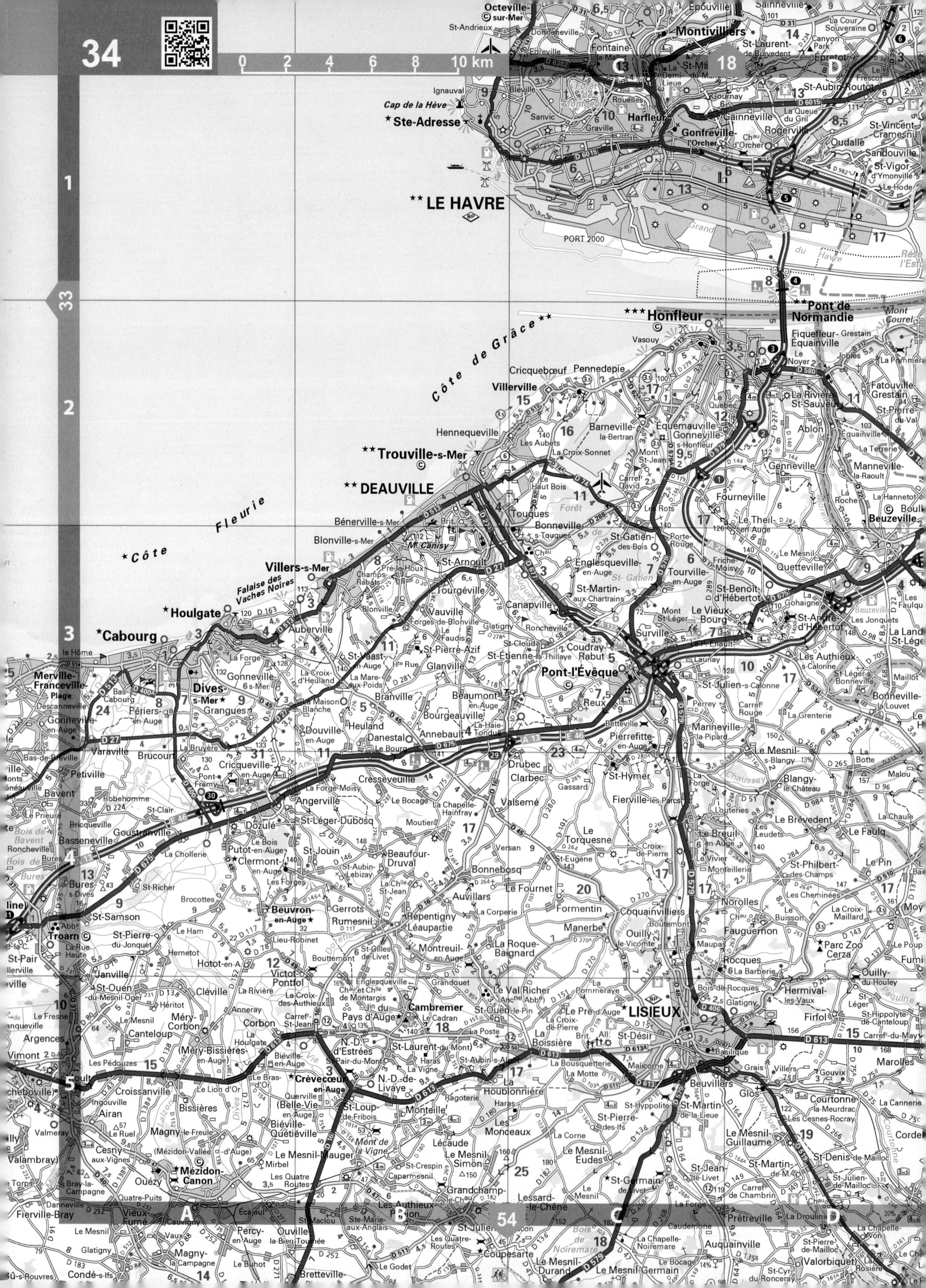
0 2 4 6 8 10 km
18
33
54
A
B
C
D
1
2
3
4
5
Octeville-sur-Mer
Montivilliers
Épouville
St-Andrieux
Fontaine-la-Mallet
St-Laurent-de-Brèvedent
Épretot
Cap de la Hève
Ste-Adresse
Bléville
Sanvic
Rouelles
Graville
Harfleur
Gonfreville-l'Orcher
Gainneville
Rogerville
Oudalle
Sandouville
St-Aubin-Routot
St-Vincent-Cramesnil
St-Vigor-d'Ymonville
Le Hode
LE HAVRE
PORT 2000
Grand Canal du Havre
Honfleur
Pont de Normandie
Côte de Grâce
Vasouy
Fiquefleur-Équainville
Cricqueboeuf
Pennedepie
Villerville
Hennequeville
Barneville-la-Bertran
Équemauville
Gonneville-s-Honfleur
La Rivière-St-Sauveur
Ablon
Fatouville-Grestain
Trouville-s-Mer
DEAUVILLE
Côte Fleurie
Bénerville-s-Mer
Blonville-s-Mer
Mt Canisy
Touques
Bonneville-s-Touques
St-Gatien-des-Bois
Fourneville
Genneville
Beuzeville
Villers-s-Mer
Falaise des Vaches Noires
Houlgate
Cabourg
Merville-Franceville-Plage
Dives-s-Mer
St-Arnoult
Tourgéville
Englesqueville-en-Auge
St-Martin-aux-Chartrains
Tourville-en-Auge
Quetteville
Canapville
St-Benoît-d'Hébertot
Le Vieux-Bourg
St-André-d'Hébertot
Auberville
Gonneville-s-Mer
Vauville
St-Pierre-Azif
Glanville
Surville
Coudray-Rabut
Pont-l'Évêque
St-Étienne-la-Thillaye
St-Julien-s-Calonne
Les Authieux-s-Calonne
Bonneville-la-Louvet
Varaville
Brucourt
Périers-en-Auge
Grangues
Douville-en-Auge
Heuland
Danestal
Branville
Beaumont-en-Auge
Bourgeauville
Annebault
Reux
Pierrefitte-en-Auge
Manneville-la-Pipard
Le Mesnil-s-Blangy
Blangy-le-Château
Petiville
Bavent
Cricqueville-en-Auge
Cresseveuille
Drubec
Clarbec
St-Hymer
Angerville
St-Léger-Dubosq
Valsemé
Fierville-les-Parcs
Dozulé
Goustranville
Basseneville
Putot-en-Auge
St-Jouin
Beaufour-Druval
Bonnebosq
Le Torquesne
Le Breuil-en-Auge
Le Brévedent
Le Faulq
Clermont-en-Auge
Le Fournet
Formentin
Coquainvilliers
St-Philbert-des-Champs
Bures-s-Dives
St-Samson
Troarn
Brocottes
Beuvron-en-Auge
Gerrots
Rumesnil
Repentigny
Léaupartie
Auvillars
Norolles
Fauguernon
Parc Zoo Cerza
Hotot-en-Auge
Victot-Pontfol
Montreuil-en-Auge
La Roque-Baignard
Ouilly-le-Vicomte
Manerbe
Rocques
Hermival-les-Vaux
Janville
St-Ouen-du-Mesnil-Oger
Cléville
Cambremer
Le Val Richer
LISIEUX
St-Désir
Firfol
Méry-Corbon
Canteloup
Argences
Vimont
Corbon
Crèvecoeur-en-Auge
N.-D.-de-Livaye
Beuvillers
Glos
Courtonne-la-Meurdrac
Croissanville
Bissières
Magny-le-Freule
Mézidon-Canon
Le Mesnil-Mauger
Lécaude
Le Mesnil-Simon
Les Monceaux
St-Pierre-des-Ifs
Le Mesnil-Eudes
St-Germain-de-Livet
St-Jean-de-Livet
St-Martin-de-Mailloc
St-Denis-de-Mailloc
Le Mesnil-Guillaume
Grandchamp-le-Château
Les Authieux-Papion
Lessard-et-le-Chêne
Prêtreville
Ouézy
Vieux-Fumé
Percy-en-Auge
Ouville-la-Bien-Tournée
Coupesarte
Auquainville
Le Mesnil-Germain
Fervaques
Magny-la-Campagne
Condé-s-Ifs
A 13
A 29
A 131
A 132
E 46
D 579
D 613
D 675

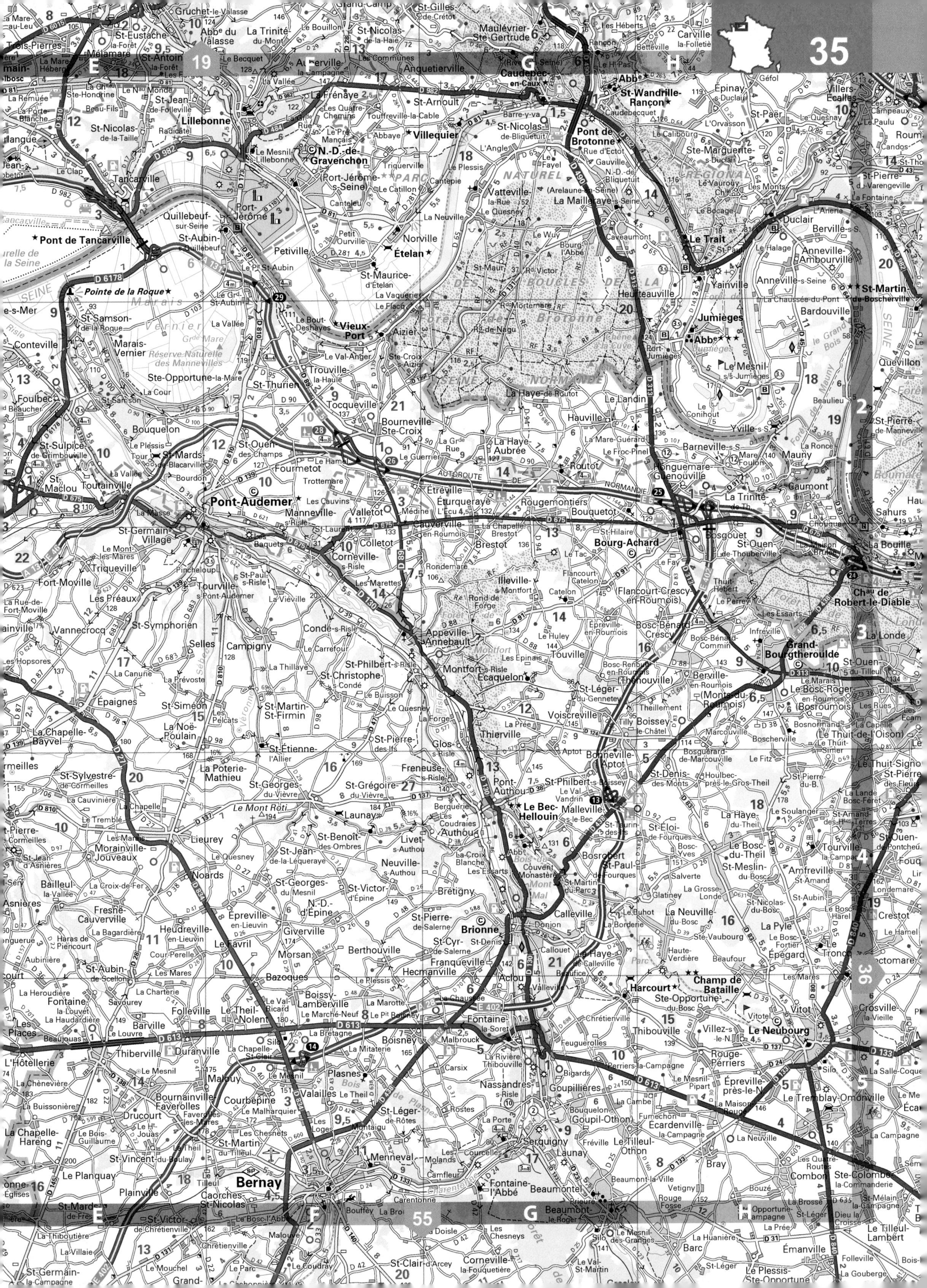
35
19
55
36
E
F
G
H
Lillebonne
Tancarville
Pont de Tancarville
Pointe de la Roque
Quillebeuf-sur-Seine
St-Aubin-s-Quillebeuf
Port-Jérôme
N.-D.-de-Gravenchon
Villequier
Caudebec-en-Caux
St-Wandrille-Rançon
Pont de Brotonne
Vatteville-la-Rue
La Mailleraye-s-Seine
Le Trait
Duclair
St-Martin-de-Boscherville
Jumièges
Yainville
Heurteauville
Vieux-Port
Aizier
Ételan
Norville
Trouville-la-Haule
Tocqueville
Bourneville-Ste-Croix
Pont-Audemer
Manneville-s-Risle
Corneville-s-Risle
Routot
Bourg-Achard
Rougemontiers
Bouquetot
Brestot
Éturqueraye
Étreville
Hauville
La Haye-Aubrée
Barneville-s-S.
Mauny
Yville-s-S.
Le Mesnil-s-Jumièges
Bosgouet
St-Ouen-de-Thouberville
La Bouille
Chau de Robert-le-Diable
La Londe
Grand-Bourgtheroulde
Appeville-Annebault
Montfort-s-Risle
Écaquelon
Illeville-s-Montfort
Thierville
Voiscreville
Boissey-le-Châtel
Bonneville-Aptot
St-Philbert-s-Risle
Glos-s-Risle
Freneuse-s-Risle
Pont-Authou
Le Bec-Hellouin
Malleville-s-le-Bec
Brionne
Calleville
Harcourt
Champ de Bataille
Le Neubourg
St-Georges-du-Vièvre
Lieurey
Noards
Campigny
Selles
St-Symphorien
Triqueville
Toutainville
St-Mards-de-Blacarville
Bouquelon
Marais-Vernier
Réserve Naturelle des Mannevilles
St-Samson-de-la-Roque
Conteville
Foulbec
Fort-Moville
Les Préaux
Vannecrocq
Épaignes
La Chapelle-Bayvel
St-Sylvestre-de-Cormeilles
Morainville-Jouveaux
Bailleul-la-Vallée
Fresne-Cauverville
Heudreville-en-Lieuvin
Le Favril
Giverville
Morsan
Berthouville
Bazoques
Boissy-Lamberville
Le Theil-Nolent
Folleville
Thiberville
Duranville
Malouy
Plasnes
Bernay
Menneval
Serquigny
Fontaine-l'Abbé
Beaumont-le-Roger
Beaumontel
Goupillières
Nassandres
Fontaine-la-Soret
Carsix
Launay
Le Tilleul-Othon
Écardenville-la-Campagne
Perriers-la-Campagne
Rouge-Perriers
Épreville-près-le-N.
Le Tremblay-Omonville
Ste-Colombe-la-Commanderie
Combon
Bray
Émanville
St-Clair-d'Arcey
Corneville-la-Fouquetière
Caorches-St-Nicolas
St-Victor-de-Chrétienville
Plainville
St-Mards-de-Fresne
St-Germain-la-Campagne
AUTOROUTE DE NORMANDIE
A 13
A 28
D 613
D 675
D 982
D 313
SEINE
PARC NATUREL RÉGIONAL DES BOUCLES DE LA SEINE NORMANDE
Forêt de Brotonne
Forêt de Montfort
Forêt de la Londe
Forêt de Roumare

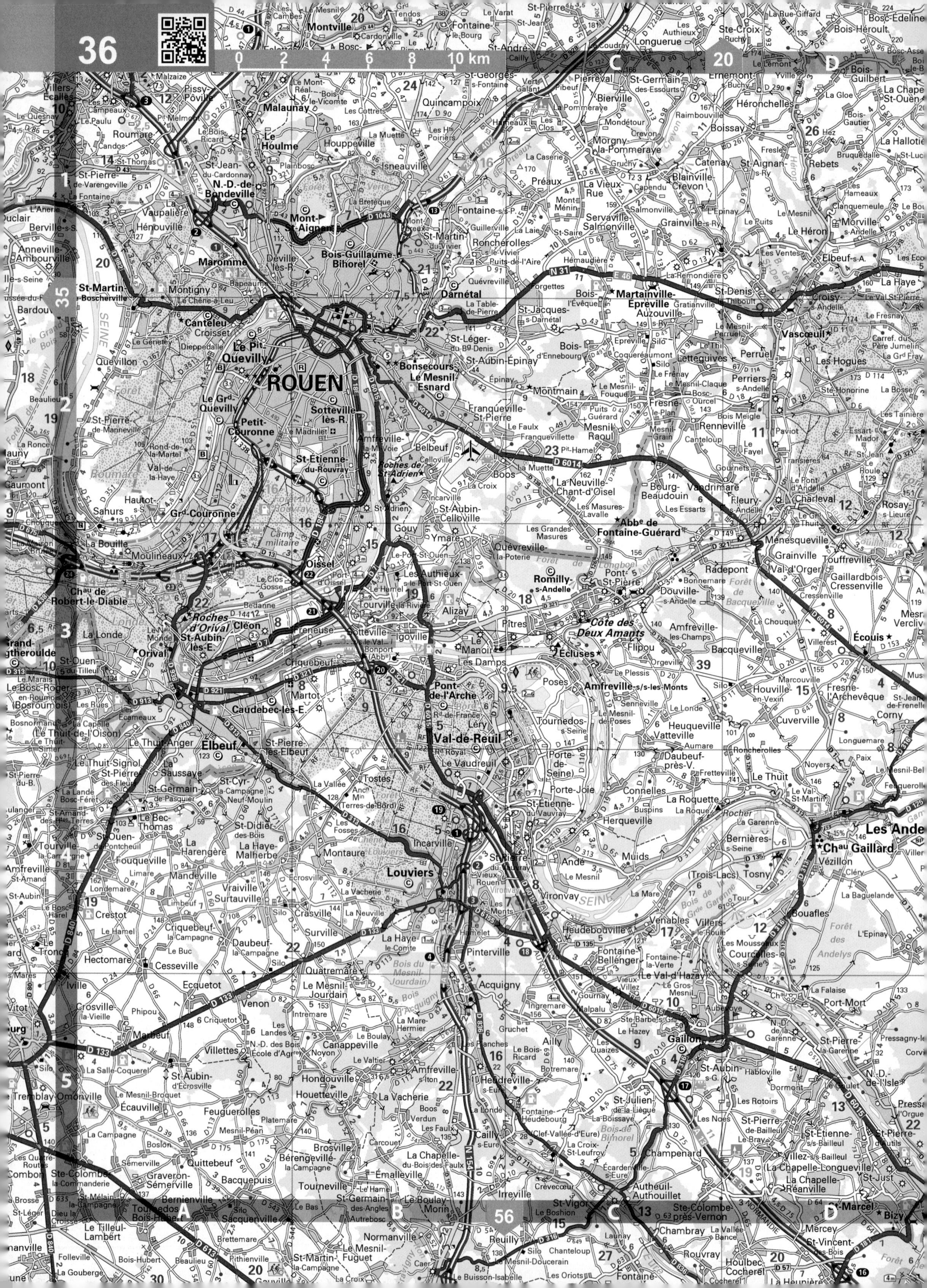
0 2 4 6 8 10 km
C
20
D
Montville
Fontaine-le-Bourg
Longuerue
Malaunay
Quincampoix
Le Houlme
Houppeville
Isneauville
Préaux
Morgny-la-Pommeraye
N.-D.-de-Bondeville
Mont-St-Aignan
Bois-Guillaume-Bihorel
Maromme
Déville-lès-R.
Darnétal
Martainville-Epreville
Canteleu
Croisset
Le Pt. Quevilly
ROUEN
Bonsecours
Le Mesnil-Esnard
Sotteville-lès-R.
Le Grd-Quevilly
Petit-Couronne
St-Étienne-du-Rouvray
Roches de St-Adrien
Grd-Couronne
Oissel
Romilly-s-Andelle
Pont-St-Pierre
Abbe de Fontaine-Guérard
Chau de Robert-le-Diable
Roches d'Orival
Orival
Cléon
St-Aubin-lès-E.
Côte des Deux Amants
Écluses
Pont-de-l'Arche
Val-de-Reuil
Caudebec-lès-E.
Elbeuf
Amfreville-s/s-les-Monts
Louviers
Les Andelys
Chau Gaillard
Gaillon
SEINE
A
B
56
C
D

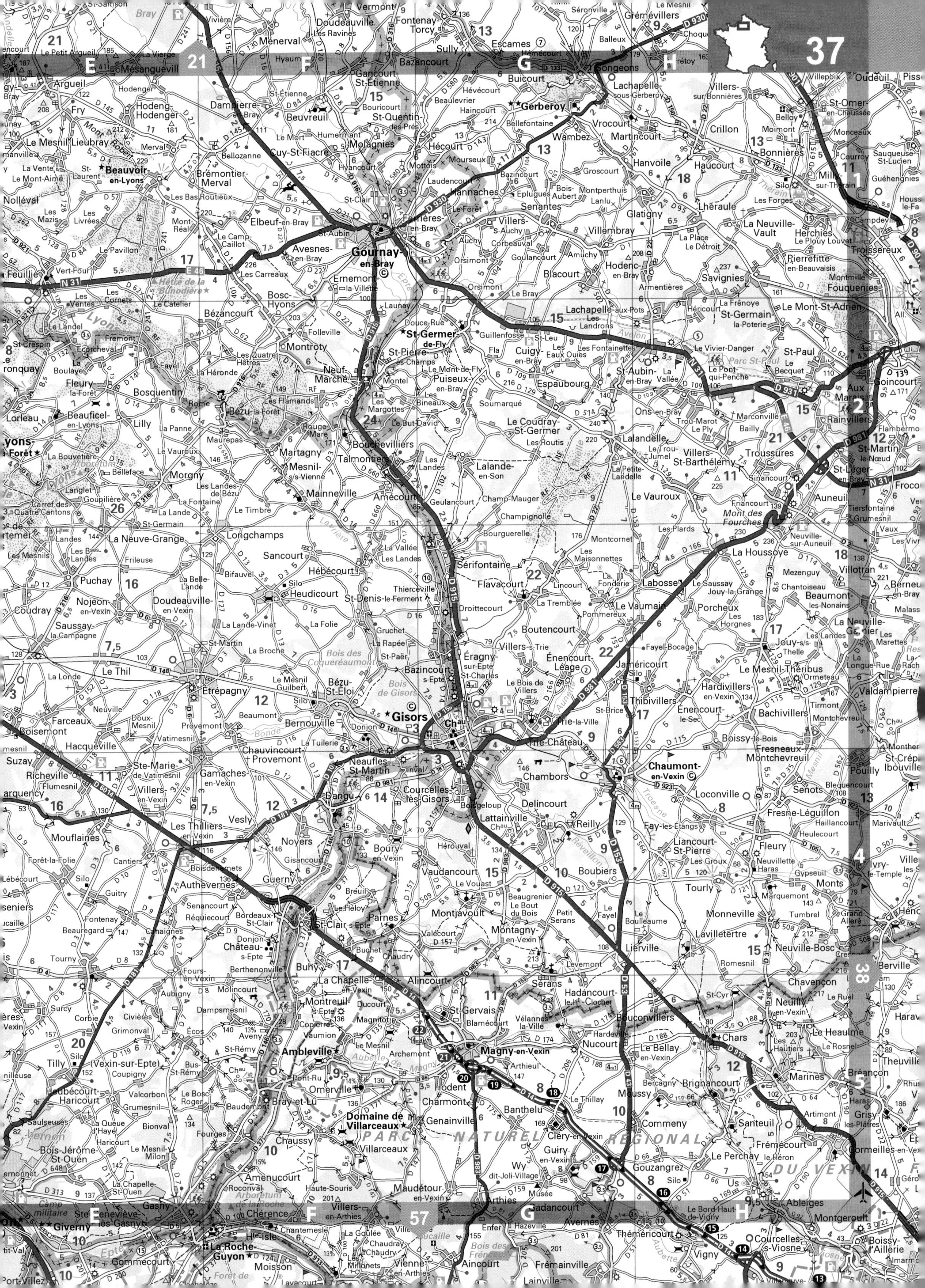

21
E
F
G
H
Doudeauville
Fontenay-Torcy
Sully
Escames
Grémévillers
Songeons
Mésangueville
Bazancourt
Gancourt-St-Étienne
Buicourt
Lachapelle-sous-Gerberoy
Villers-sur-Bonnières
Oudeuil
Argueil
Hodeng-Hodenger
Dampierre-en-Bray
Beuvreuil
St-Quentin-des-Prés
Gerberoy
Vrocourt
Martincourt
Crillon
St-Omer-en-Chaussée
Le Mesnil-Lieubray
Cuy-St-Fiacre
Molagnies
Hécourt
Wambez
Hanvoile
Haucourt
Bonnières
Beauvoir-en-Lyons
Brémontier-Merval
Hannaches
Senantes
Glatigny
Lhéraule
Milly-sur-Thérain
Elbeuf-en-Bray
Ferrières-en-Bray
Villers-s-Auchy
Villembray
La Neuville-Vault
Herchies
Troissereux
Gournay-en-Bray
Avesnes-en-Bray
Blacourt
Hodenc-en-Bray
Savignies
Pierrefitte-en-Beauvaisis
Fouquenies
N 31
E 46
Bosc-Hyons
Bézancourt
Lachapelle-aux-Pots
St-Germain-la-Poterie
Le Mont-St-Adrien
St-Germer-de-Fly
Cuigy-en-Bray
Espaubourg
St-Aubin-en-Bray
St-Paul
Goincourt
Montroty
Neuf-Marché
Puiseux-en-Bray
Ons-en-Bray
Aux Marais
Rainvillers
Fleury-la-Forêt
Bosquentin
Bézu-la-Forêt
Beauficel-en-Lyons
Lilly
Lyons-la-Forêt
Bouchevilliers
Le Coudray-St-Germer
Lalandelle
Villers-St-Barthélemy
Troussures
St-Martin-le-Nœud
St-Léger-en-Bray
Martagny
Mesnil-s-Vienne
Talmontiers
Lalande-en-Son
Morgny
Mainneville
Amécourt
Le Vauroux
Auneuil
La Neuve-Grange
Longchamps
Sancourt
Hébécourt
Sérifontaine
Flavacourt
Labosse
La Houssoye
Puchay
Doudeauville-en-Vexin
Heudicourt
St-Denis-le-Ferment
Le Vaumain
Porcheux
Beaumont-les-Nonains
Nojeon-en-Vexin
Saussay-la-Campagne
Boutencourt
Éragny-sur-Epte
Villers-s-Trie
Énencourt-Léage
Jaméricourt
Jouy-s-Thelle
Le Thil
Étrépagny
Bézu-St-Éloi
Bazincourt-s-Epte
Gisors
Le Mesnil-Théribus
Hardivillers-en-Vexin
Valdampierre
Farceaux
Bernouville
Trie-la-Ville
Trie-Château
Énencourt-le-Sec
Bachivillers
Boisemont
Hacqueville
Chauvincourt-Provemont
Neaufles-St-Martin
Chambors
Chaumont-en-Vexin
Fresneaux-Montchevreuil
Richeville
Gamaches-en-Vexin
Courcelles-lès-Gisors
Loconville
Pouilly
Villers-en-Vexin
Les Thilliers-en-Vexin
Vesly
Dangu
Delincourt
Reilly
Fay-les-Étangs
Fresne-Léguillon
Mouflaines
Noyers
Boury-en-Vexin
Liancourt-St-Pierre
Fleury
Ivry-le-Temple
Authevernes
Guerny
Vaudancourt
Boubiers
Tourly
Monts
Château-s-Epte
St-Clair-s-Epte
Parnes
Montjavoult
Montagny-en-Vexin
Lierville
Monneville
Lavilletertre
Neuville-Bosc
Buhy
La Chapelle-en-Vexin
Alincourt
Serans
Hadancourt-le-Haut-Clocher
Chavençon
Berville
Montreuil-s-Epte
St-Gervais
Bouconvillers
Neuilly-en-Vexin
Chars
Le Heaulme
Ambleville
Magny-en-Vexin
Nucourt
Le Bellay-en-Vexin
Omerville
Hodent
Charmont
Moussy
Brignancourt
Marines
Bray-et-Lû
Domaine de Villarceaux
Genainville
Banthelu
Clery-en-Vexin
Commeny
Santeuil
PARC NATUREL RÉGIONAL DU VEXIN
Chaussy
Villarceaux
Wy dit-Joli-Village
Guiry-en-Vexin
Gouzangrez
Le Perchay
Frémécourt
Amenucourt
Maudétour-en-Vexin
Arthies
Gadancourt
Avernes
Ableiges
Giverny
Ste-Geneviève-lès-Gasny
Chérence
Villers-en-Arthies
57
La Roche-Guyon
Moisson
Aincourt
Frémainville
Théméricourt
Vigny
Courcelles-s-Viosne
Boissy-l'Aillerie
38

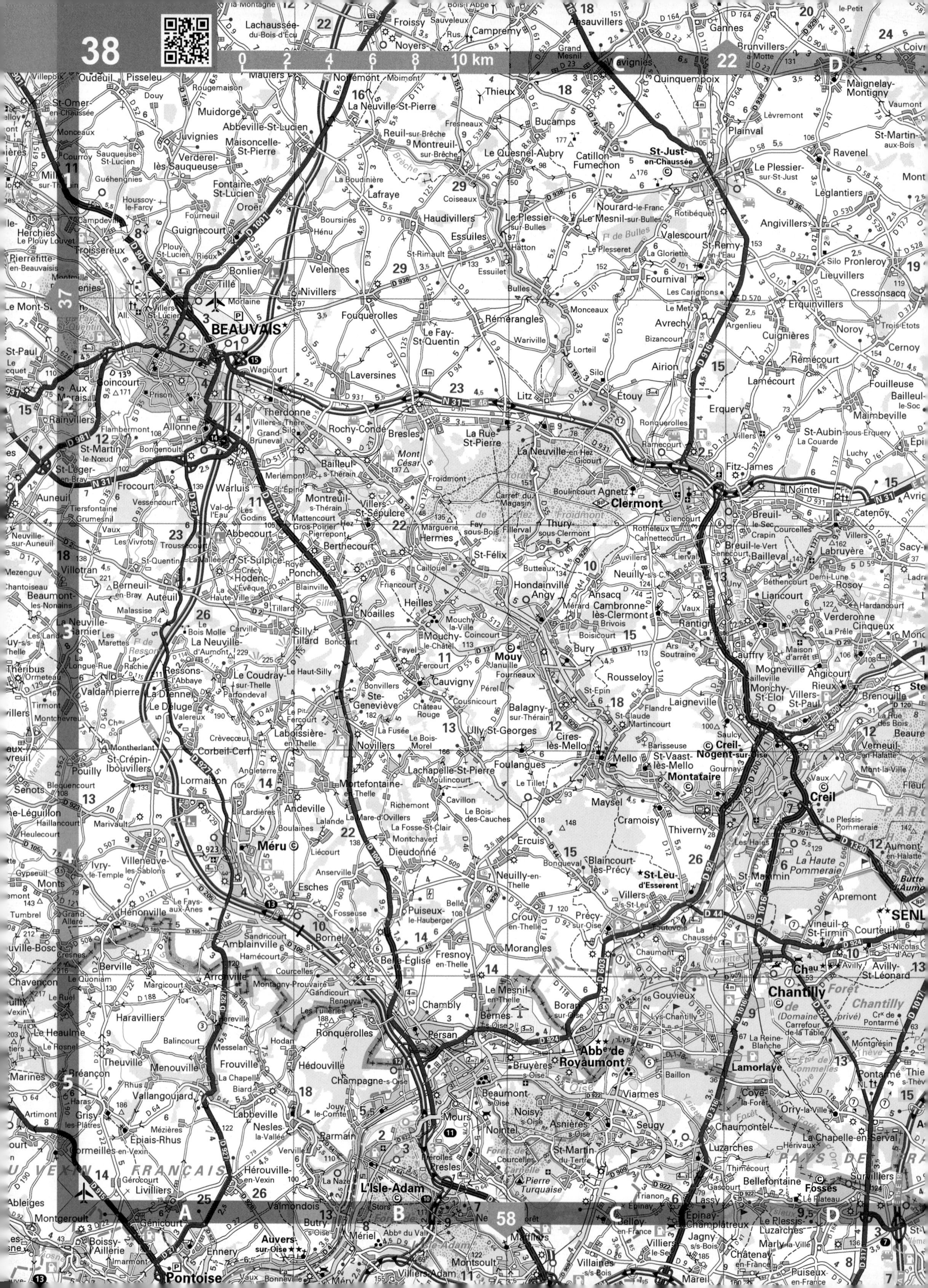

0 2 4 6 8 10 km
BEAUVAIS
Clermont
St-Just-en-Chaussée
Creil
Chantilly
Nogent-sur-Oise
Montataire
Méru
L'Isle-Adam
Pontoise
Auvers-sur-Oise
Beaumont-s-Oise
Persan
Chambly
Abbaye de Royaumont
St-Leu-d'Esserent
Lamorlaye
Fosses
SENLIS
Mouy
Noailles
Liancourt
Luzarches
Viarmes
Bresles
Tillé
Frocourt
Auneuil
Warluis
Allonne
Therdonne
Laversines
Agnetz
Fitz-James
Breuil-le-Vert
Cauffry
Mello
Cires-lès-Mello
Précy-sur-Oise
Gouvieux
Coye-la-Forêt
Orry-la-Ville
La Chapelle-en-Serval
Asnières-s-Oise
Nointel
Presles
Mours
Parmain
Nesles-la-Vallée
Labbeville
Frouville
Hérouville-en-Vexin
Livilliers
Ennery
Génicourt
Boissy-l'Aillerie
Montgeroult
Ableiges
Marines
Bréançon
Grisy-les-Plâtres
Épiais-Rhus
Vallangoujard
Menouville
Theuville
Haravilliers
Amblainville
Hénonville
Ivry-le-Temple
Villeneuve-les-Sablons
Andeville
Esches
Bornel
Belle-Église
Fresnoy-en-Thelle
Neuilly-en-Thelle
Crouy-en-Thelle
Morangles
Le Mesnil-en-Thelle
Bernes-s-Oise
Bruyères-s-Oise
Noisy-s-Oise
Seugy
Chaumontel
Bellefontaine
Épinay-Champlâtreux
Villiers-Adam
Mériel
Montsoult
Maffliers
Ste-Geneviève
Novillers
Cauvigny
Balagny-sur-Thérain
Ully-St-Georges
Laigneville
Monchy-St-Éloi
Villers-St-Paul
Rieux
Brenouille
Verneuil-en-Halatte
Apremont
Vineuil-St-Firmin
Courteuil
Avilly-St-Léonard
Aumont-en-Halatte
La Haute Pommeraie
Forêt de Chantilly
PAYS DE FRANCE
VEXIN FRANÇAIS
Forêt de Hez-Froidmont
Mont César
St-Rémy-en-l'Eau
Valescourt
Nourard-le-Franc
Le Mesnil-sur-Bulles
Bulles
Rémérangles
Litz
Étouy
Airion
Avrechy
Fournival
La Neuville-en-Hez
La Rue-St-Pierre
Rochy-Condé
Bailleul-s-Thérain
Hermes
Berthecourt
Villers-St-Sépulcre
Montreuil-s-Thérain
Abbecourt
St-Sulpice
Ponchon
Heilles
Mouchy-le-Châtel
Hondainville
Angy
Bury
Cambronne-lès-Clermont
Rantigny
Ansacq
Neuilly-s-s-C.
Rousseloy
St-Vaast-lès-Mello
Maysel
Cramoisy
Thiverny
St-Maximin
Blaincourt-lès-Précy
Villers-s-s-St-Leu
Milly-sur-Thérain
Troissereux
Goincourt
Aux Marais
Rainvillers
St-Martin-le-Nœud
St-Léger-en-Bray
Auteuil
Berneuil-en-Bray
Le Coudray-sur-Thelle
La Neuville-d'Aumont
Silly-Tillard
Valdampierre
Corbeil-Cerf
Lormaison
St-Crépin-Ibouvillers
Pouilly
Lachaussée-du-Bois-d'Écu
Froissy
Campremy
Ansauvillers
Wavignies
Quinquempoix
Gannes
Brunvillers-la-Motte
Maignelay-Montigny
Noirémont
La Neuville-St-Pierre
Abbeville-St-Lucien
Muidorge
Juvignies
Reuil-sur-Brêche
Montreuil-sur-Brêche
Le Quesnel-Aubry
Catillon-Fumechon
Bucamps
Thieux
Plainval
Ravenel
Le Plessier-sur-St-Just
Léglantiers
Angivillers
Pronleroy
Lieuvillers
Cressonsacq
Erquinvillers
Cuignières
Noroy
Cernoy
Rémécourt
Lamécourt
Fouilleuse
Erquery
Maimbeville
St-Aubin-sous-Erquery
Nointel
Catenoy
Labruyère
Bailleval
Rosoy
Verderonne
Cinqueux
Mogneville
Angicourt
Lafraye
Haudivillers
Essuiles
Velennes
Nivillers
Fouquerolles
Le Fay-St-Quentin
Guignecourt
Bonlier
Fontaine-St-Lucien
Maisoncelle-St-Pierre
Verderel-lès-Sauqueuse
Pierrefitte-en-Beauvaisis
Herchies
St-Omer-en-Chaussée

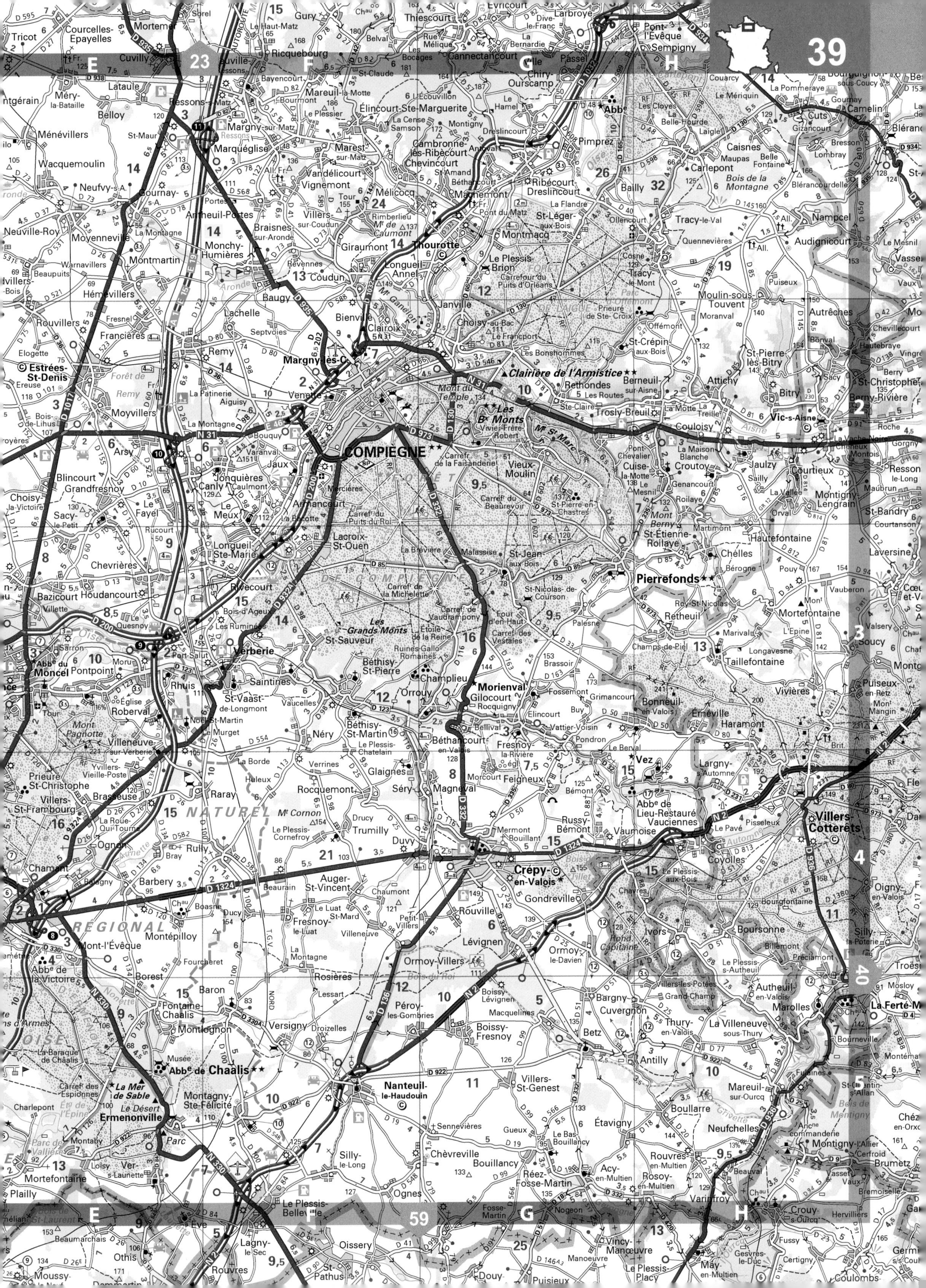
23
E
F
G
H
59
40
Compiègne
Margny-lès-C.
Venette
Clairoix
Choisy-au-Bac
Clairière de l'Armistice
Rethondes
Trosly-Breuil
Pierrefonds
Morienval
Crépy-en-Valois
Villers-Cotterêts
Verberie
Nanteuil-le-Haudouin
Ermenonville
Abbe de Chaalis
Estrées-St-Denis
Thourotte
Longueil-Annel
Coudun
Ribécourt-Dreslincourt
Vic-s-Aisne
Attichy
Couloisy
Vieux-Moulin
St-Jean-aux-Bois
Lacroix-St-Ouen
Longueil-Ste-Marie
Rivecourt
Pont-Ste-Maxence
Moncel
Pontpoint
Rhuis
St-Vaast-de-Longmont
Béthisy-St-Pierre
Béthisy-St-Martin
Néry
Glaignes
Rocquemont
Trumilly
Duvy
Auger-St-Vincent
Fresnoy-le-Luat
Ormoy-Villers
Lévignen
Péroy-les-Gombries
Boissy-Fresnoy
Betz
Bargny
Cuvergnon
Thury-en-Valois
Mareuil-sur-Ourcq
Boullarre
Neufchelles
Étavigny
Villers-St-Genest
Silly-le-Long
Ognes
Chèvreville
Bouillancy
Réez-Fosse-Martin
Acy-en-Multien
Rosoy-en-Multien
Varinfroy
Crouy-s-Ourcq
Montagny-Ste-Félicité
Fontaine-Chaalis
Mont-l'Évêque
Barbery
Rully
Raray
Villeneuve-sur-Verberie
Brasseuse
Villers-St-Frambourg
Ognon
Chamant
Montépilloy
Borest
Baron
Versigny
Gondreville
Rouvile
Vez
Vaumoise
Russy-Bémont
Fresnoy-la-Rivière
Feigneux
Béthancourt-en-Valois
Gilocourt
Orrouy
Champlieu
Saintines
Vauciennes
Coyolles
Largny-s-Automne
Haramont
Vivières
Taillefontaine
Retheuil
Mortefontaine
Chelles
St-Étienne-Roilaye
Cuise-la-Motte
Croutoy
Jaulzy
Courtieux
Montigny-Lengrain
St-Bandry
Laversine
Hautefontaine
Tracy-le-Mont
Tracy-le-Val
St-Crépin-aux-Bois
Offémont
Moulin-sous-Touvent
Autrêches
Nampcel
Audignicourt
Carlepont
Caisnes
Bailly
Pimprez
Chiry-Ourscamp
Passel
Pont-l'Évêque
Sempigny
Cuts
Camelin
Montmacq
Le Plessis-Brion
Janville
Bienville
Marest-sur-Matz
Mélicocq
Vandélicourt
Vignemont
Chevincourt
Cambronne-lès-Ribécourt
Élincourt-Ste-Marguerite
Mareuil-la-Motte
Margny-sur-Matz
Marquéglise
Ressons-s-Matz
Gournay-s-A.
Antheuil-Portes
Monchy-Humières
Braisnes-sur-Aronde
Baugy
Lachelle
Remy
Moyvillers
Arsy
Jaux
Jonquières
Canly
Le Meux
Armancourt
Le Fayel
Chevrières
Houdancourt
Bazicourt
Sacy-le-Petit
Blincourt
Grandfresnoy
Francières
Rouvillers
Hémévillers
Montmartin
Moyenneville
Neufvy-s-A.
Wacquemoulin
Ménévillers
Méry-la-Bataille
Belloy
Lataule
Cuvilly
Courcelles-Epayelles
Tricot
Forêt de Compiègne
Mont Pagnotte
Les Grands Monts
Mont Cornon
Parc Naturel Régional
Forêt de Laigue
Oise
Aisne
Automne
A1
N2
N31
N330
D1324
D332
D973
E46
E15
E19

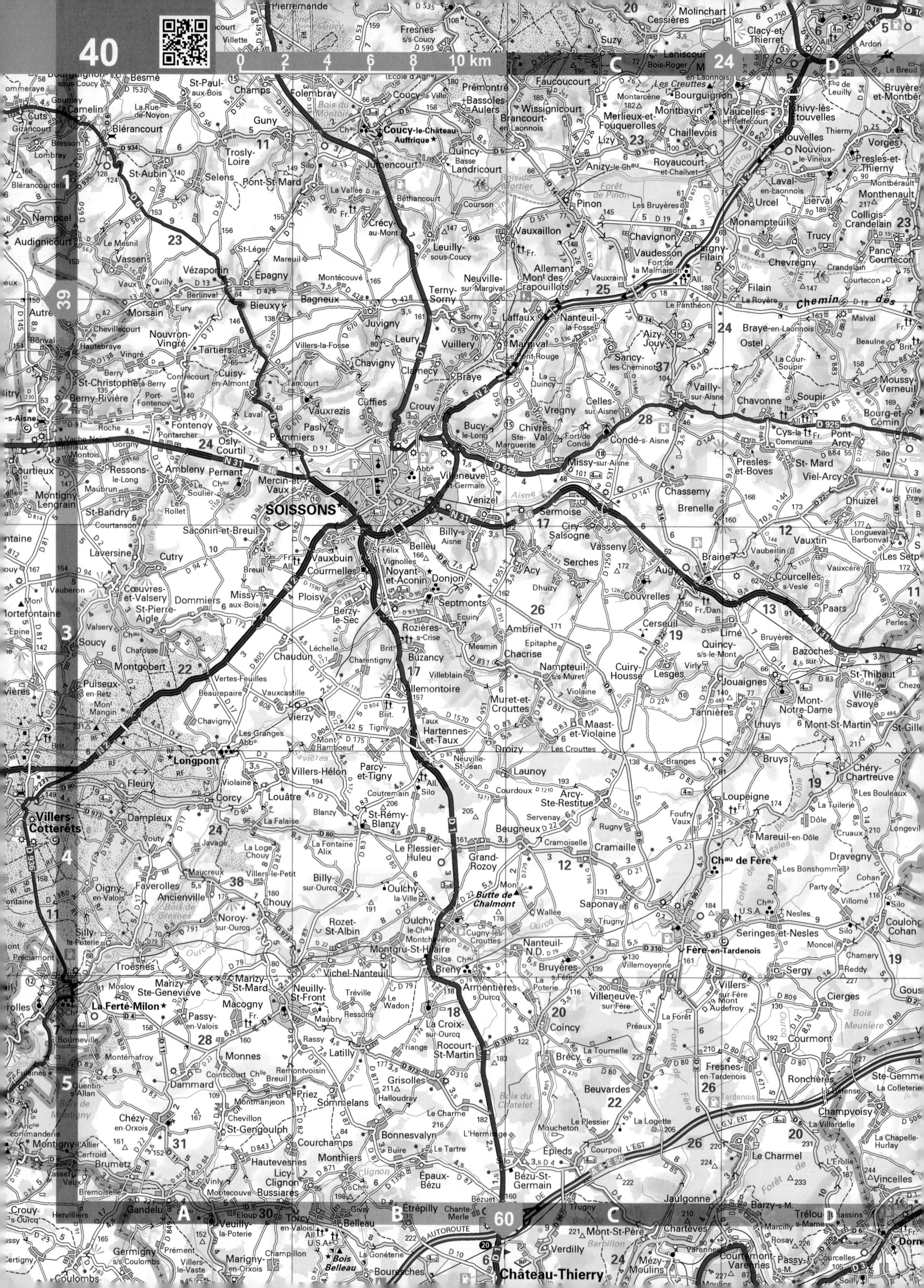
0 2 4 6 8 10 km
24
39
60
SOISSONS
Coucy-le-Château-Auffrique
Bérancourt
Camelin
Cuts
St-Aubin
Nampcel
Audignicourt
Vassens
Morsain
Nouvron-Vingré
St-Christophe-à-Berry
Berny-Rivière
Fontenoy
Osly-Courtil
Ambleny
Pernant
Mercin-et-Vaux
Ressons-le-Long
Montigny-Lengrain
St-Bandry
Laversine
Cutry
Cœuvres-et-Valsery
St-Pierre-Aigle
Soucy
Montgobert
Puiseux-en-Retz
Longpont
Fleury
Villers-Cotterêts
Dampleux
Faverolles
Oigny-en-Valois
Silly-la-Poterie
Troësnes
La Ferté-Milon
Marizy-Ste-Geneviève
Marizy-St-Mard
Passy-en-Valois
Monnes
Dammard
Chézy-en-Orxois
Montigny-l'Allier
Gandelu
Crouy-s-Ourcq
Germigny-s/s-Coulombs
Veuilly-la-Poterie
Torcy-en-Valois
Belleau
Bois Belleau
Bouresches
Château-Thierry
Épaux-Bézu
Bézu-St-Germain
Étrépilly
Lucy-le-Bocage
Licy-Clignon
Bussiares
Hautevesnes
Monthiers
Courchamps
Bonnesvalyn
St-Gengoulph
Priez
Sommelans
Grisolles
Latilly
Neuilly-St-Front
Macogny
Vichel-Nanteuil
Montgru-St-Hilaire
Rozet-St-Albin
Chouy
Noroy-sur-Ourcq
Ancienville
Oulchy-le-Château
Oulchy-la-Ville
Billy-sur-Ourcq
Le Plessier-Huleu
St-Rémy-Blanzy
Louâtre
Villers-Hélon
Corcy
Vierzy
Chaudun
Parcy-et-Tigny
Hartennes-et-Taux
Villemontoire
Buzancy
Rozières-s-Crise
Berzy-le-Sec
Ploisy
Missy-aux-Bois
Dommiers
Saconin-et-Breuil
Vauxbuin
Courmelles
Noyant-et-Aconin
Septmonts
Belleu
Billy-s-Aisne
Venizel
Villeneuve-St-Germain
Pommiers
Pasly
Vauxrezis
Cuffies
Crouy
Bucy-le-Long
Chivres-Val
Missy-sur-Aisne
Condé-s-Aisne
Vailly-sur-Aisne
Chavonne
Soupir
Moussy-Verneuil
Bourg-et-Comin
Cys-la-Commune
Presles-et-Boves
St-Mard
Viel-Arcy
Chassemy
Brenelle
Braine
Courcelles-s-Vesle
Vauxtin
Paars
Bazoches-sur-V.
St-Thibaut
Mont-Notre-Dame
Mont-St-Martin
Chéry-Chartreuve
Loupeigne
Mareuil-en-Dôle
Chau de Fère
Fère-en-Tardenois
Seringes-et-Nesles
Sergy
Villers-sur-Fère
Villeneuve-sur-Fère
Coincy
Brécy
Beuvardes
Fresnes-en-Tardenois
Ronchères
Le Charmel
Jaulgonne
Mont-St-Père
Chartèves
Épieds
Armentières-s-Ourcq
Bruyères-s-Fère
Nanteuil-N.D.
Saponay
Cramaille
Grand-Rozoy
Beugneux
Arcy-Ste-Restitue
Launoy
Droizy
Muret-et-Crouttes
Maast-et-Violaine
Chacrise
Ambrief
Nampteuil-s/s-Muret
Cuiry-Housse
Lesges
Quincy-s/s-le-Mont
Jouaignes
Tannières
Lhuys
Bruys
Cerseuil
Couvrelles
Augy
Vasseny
Serches
Acy
Ciry-Salsogne
Sermoise
Margival
Laffaux
Nanteuil-la-Fosse
Aizy-Jouy
Sancy-les-Cheminots
Celles-sur-Aisne
Vregny
Ostel
Braye-en-Laonnois
Filain
Pargny-Filain
Chavignon
Vaudesson
Allemant
Mont des Crapouillots
Vauxaillon
Pinon
Anizy-le-Château
Lizy
Chaillevois
Merlieux-et-Fouquerolles
Bourguignon
Vaucelles-et-Beffecourt
Chivy-lès-Étouvelles
Étouvelles
Laval-en-Laonnois
Urcel
Monampteuil
Chevregny
Trucy
Colligis-Crandelain
Presles-et-Thierry
Vorges
Nouvion-le-Vineux
Bruyères-et-Montbérault
Ardon
Clacy-et-Thierret
Molinchart
Cessières
Suzy
Faucoucourt
Wissignicourt
Brancourt-en-Laonnois
Prémontré
Bassoles-Aulers
Quincy-Basse
Landricourt
Folembray
Coucy-la-Ville
Fresnes-s/s-Coucy
Pierremande
Champs
St-Paul-aux-Bois
Guny
Trosly-Loire
Selens
Pont-St-Mard
Juménancourt
Crécy-au-Mont
Leuilly-sous-Coucy
Terny-Sorny
Neuville-sur-Margival
Vuillery
Leury
Juvigny
Clamecy
Braye
Chavigny
Bagneux
Épagny
Vézaponin
Bieuxy
Tartiers
Cuisy-en-Almont
Laval
Bois du Châtelet
Butte de Chalmont
Forêt de Pinon
Chemin des Dames
Aisne
Vesle
Ourcq
AUTOROUTE
A 4 - E 50
L.G.V. EST
N 2
N 31
E 46
D 1
D 925
D 6

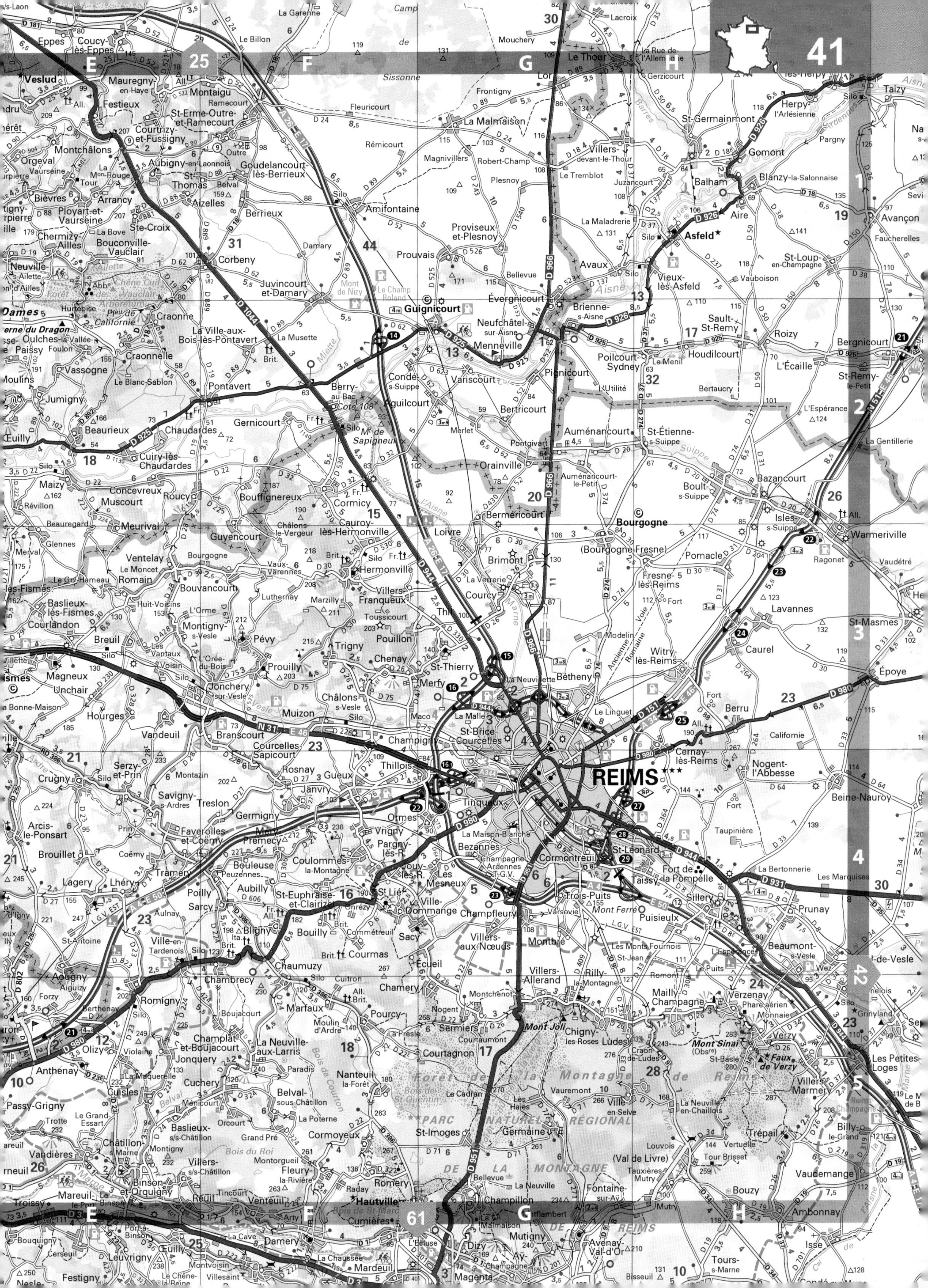

REIMS
Veslud
Eppes
Coucy-lès-Eppes
Mauregny-en-Haye
Montaigu
Festieux
St-Erme-Outre-et-Ramecourt
Courtrizy-et-Fussigny
Montchâlons
Orgeval
Aubigny-en-Laonnois
Goudelancourt-lès-Berrieux
St-Thomas
Aizelles
Bièvres
Arrancy
Ployart-et-Vaurseine
Berrieux
Ste-Croix
Chermizy-Ailles
Bouconville-Vauclair
Corbeny
Juvincourt-et-Damary
Neuville-s-Ailette
Craonne
Craonnelle
Oulches-la-Vallée-Foulon
Paissy
Vassogne
La Ville-aux-Bois-lès-Pontavert
Pontavert
Jumigny
Beaurieux
Chaudardes
Gernicourt
Cuiry-lès-Chaudardes
Concevreux
Muscourt
Roucy
Bouffignereux
Maizy
Révillon
Meurival
Guyencourt
Ventelay
Romain
Bouvancourt
Baslieux-lès-Fismes
Courlandon
Montigny-s-Vesle
Pévy
Breuil
Magneux
Unchair
Jonchery-sur-Vesle
Prouilly
Hourges
Vandeuil
Branscourt
Courcelles-Sapicourt
Muizon
Crugny
Serzy-et-Prin
Savigny-s-Ardres
Treslon
Germigny
Arcis-le-Ponsart
Brouillet
Faverolles-et-Coëmy
Méry-Prémecy
Tramery
Lagery
Lhéry
Poilly
Sarcy
Aubilly
Bouleuse
Ville-en-Tardenois
Aougny
Chambrecy
Romigny
Olizy
Anthenay
Cuisles
Passy-Grigny
Châtillon-s-Marne
Vandières
Binson-et-Orquigny
Mareuil-le-Port
Troissy
Reuil
Venteuil
Damery
Leuvrigny
Festigny
Montaigu
La Malmaison
Amifontaine
Prouvais
Proviseux-et-Plesnoy
Guignicourt
Évergnicourt
Neufchâtel-sur-Aisne
Menneville
Berry-au-Bac
Condé-s-Suippe
Variscourt
Aguilcourt
Pignicourt
Bertricourt
Orainville
Cormicy
Cauroy-lès-Hermonville
Loivre
Bermericourt
Brimont
Hermonville
Villers-Franqueux
Courcy
Pouillon
Trigny
Chenay
St-Thierry
Merfy
Châlons-s-Vesle
Champigny
St-Brice-Courcelles
Thillois
Gueux
Rosnay
Janvry
Tinqueux
Ormes
Vrigny
Pargny-lès-R.
Coulommes-la-Montagne
Jouy-lès-R.
Les Mesneux
St-Euphraise-et-Clairizet
Ville-Dommange
Sacy
Bouilly
Courmas
Écueil
Chaumuzy
Chamery
Marfaux
Pourcy
Sermiers
Courtagnon
Nanteuil-la-Forêt
La Neuville-aux-Larris
Jonquery
Champlat-et-Boujacourt
Cuchery
Belval-sous-Châtillon
Baslieux-s/s-Châtillon
Villers-s/s-Châtillon
Fleury-la-Rivière
Cormoyeux
Romery
Hautvillers
Cumières
Champillon
Dizy
Aÿ
Mutigny
Avenay-Val-d'Or
Bezannes
Cormontreuil
Champfleury
Villers-aux-Nœuds
Montbré
Villers-Allerand
Rilly-la-Montagne
Chigny-les-Roses
Ludes
Mailly-Champagne
Verzenay
Verzy
Villers-Marmery
Trépail
Ambonnay
Bouzy
Louvois
Tauxières-Mutry
Fontaine-sur-Aÿ
Germaine
St-Imoges
Vaudemange
Billy-le-Grand
Sillery
Puisieux
Taissy
St-Léonard
Trois-Puits
Prunay
Beaumont-s-Vesle
Sept-Saulx
Les Petites-Loges
Cernay-lès-Reims
Berru
Nogent-l'Abbesse
Beine-Nauroy
Witry-lès-Reims
Bétheny
Caurel
Lavannes
Fresne-lès-Reims
Pomacle
Bourgogne
Auménancourt
St-Étienne-s-Suippe
Boult-s-Suippe
Bazancourt
Isles-s-Suippe
Warmeriville
Époye
St-Masmes
Heutrégiville
Bergnicourt
St-Remy-le-Petit
L'Écaille
Roizy
Houdilcourt
Poilcourt-Sydney
Sault-St-Remy
Brienne-s-Aisne
Avaux
Vieux-lès-Asfeld
Asfeld
Balham
Blanzy-la-Salonnaise
Gomont
Herpy-l'Arlésienne
St-Germainmont
Aire
Avançon
St-Loup-en-Champagne
Villers-devant-le-Thour
Le Thour
Juzancourt
Taizy
Mont Joli
Mont Sinaï
Faux de Verzy
FORÊT DE LA MONTAGNE DE REIMS
PARC NATUREL RÉGIONAL DE LA MONTAGNE DE REIMS
E
F
G
H
25
61
42

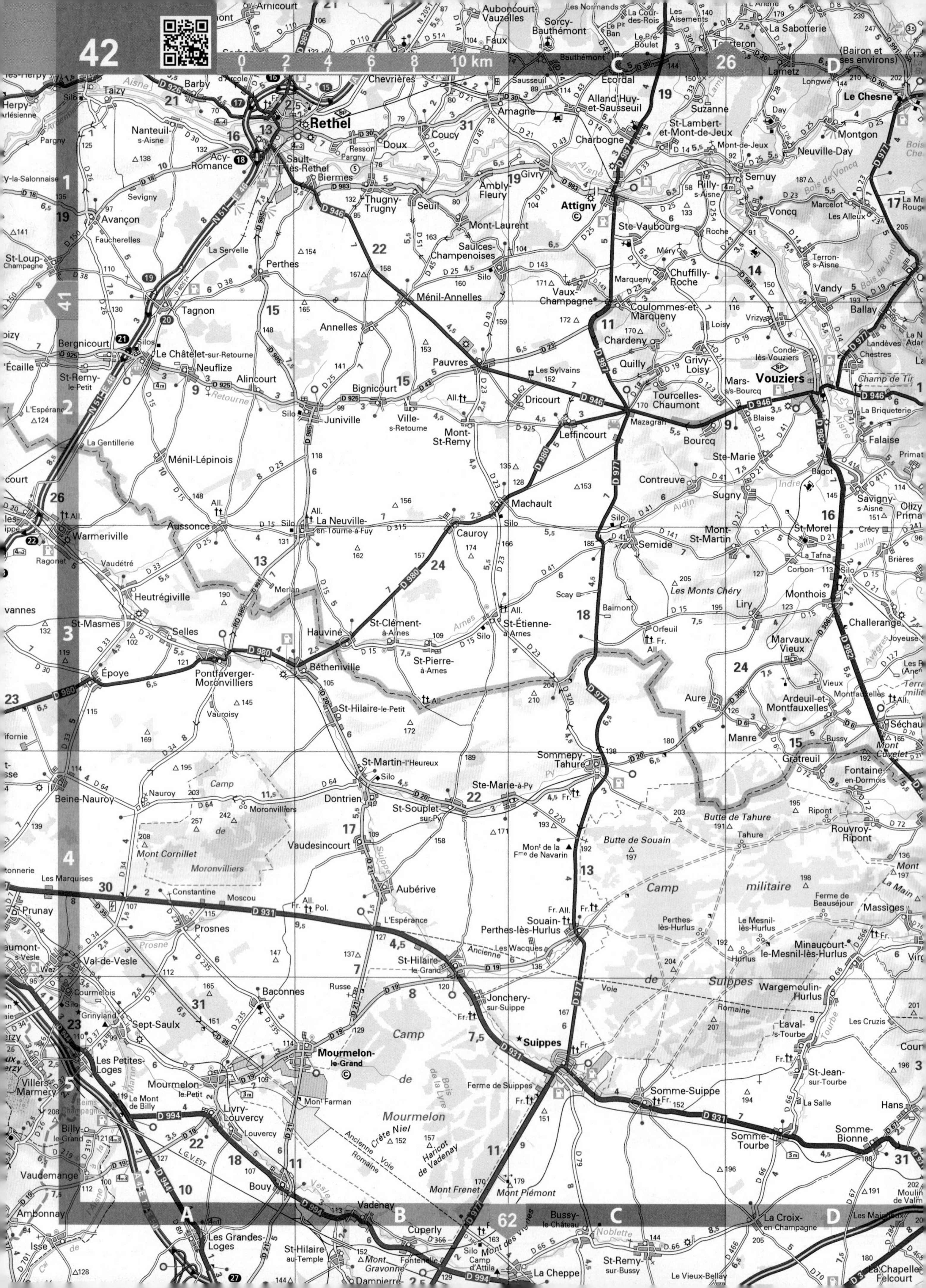

0 2 4 6 8 10 km
Arnicourt
Aubencourt-Vauzelles
Sorcy-Bauthémont
Les Normands
La Cour-des-Rois
Les Aisements
La Sabotterie
Tourteron
(Bairon et ses environs)
Faux
Barby
Chevrières
Écordal
Lametz
Longwé
Le Chesne
Taizy
Rethel
Amagne
Alland'Huy-et-Sausseuil
Suzanne
St-Lambert-et-Mont-de-Jeux
Montgon
Day
Nanteuil-sur-Aisne
Coucy
Doux
Charbogne
Mont-de-Jeux
Neuville-Day
Pargny
Resson
Acy-Romance
Sault-lès-Rethel
Givry
Semuy
Biermes
Rilly-sur-Aisne
Thugny-Trugny
Ambly-Fleury
Attigny
Voncq
Marcelot
Les Alleux
Sevigny
Seuil
Avançon
Mont-Laurent
Ste-Vaubourg
Roche
Faucherelles
Saulces-Champenoises
Méry
Terron-sur-Aisne
St-Loup-Champagne
La Servelle
Perthes
Chuffilly-Roche
Vandy
Vaux-Champagne
Marqueny
Ballay
Tagnon
Ménil-Annelles
Coulommes-et-Marqueny
Vrizy
Annelles
Chardeny
Loisy
Landèves
Chestres
Bergnicourt
Le Châtelet-sur-Retourne
Quilly
Grivy-Loisy
Condé-lès-Vouziers
Neuflize
Pauvres
Les Sylvains
St-Remy-le-Petit
Alincourt
Bignicourt
Tourcelles-Chaumont
Mars-sous-Bourcq
Vouziers
Champ de Tir
L'Espérance
Juniville
Ville-sur-Retourne
Dricourt
Mazagran
La Briqueterie
Mont-St-Remy
Leffincourt
Blaise
Bourcq
Falaise
La Gentillerie
Ménil-Lépinois
Ste-Marie
Contreuve
Bagot
Primat
Machault
Sugny
Savigny-sur-Aisne
Olizy-Primat
Warmeriville
Aussonce
La Neuville-en-Tourne-à-Fuy
Cauroy
Mont-St-Martin
St-Morel
Crécy
Semide
La Tafna
Ragonet
Vaudétré
Corbon
Brières
Heutrégiville
Merlan
Les Monts Chéry
Monthois
Scay
Baimont
Liry
St-Masmes
Selles
Hauviné
St-Clément-à-Arnes
St-Étienne-à-Arnes
Orfeuil
Challerange
Marvaux-Vieux
Joyeuse
Époye
Pontfaverger-Moronvilliers
Bétheniville
St-Pierre-à-Arnes
Vieux
Aure
Ardeuil-et-Montfauxelles
Vauroisy
St-Hilaire-le-Petit
Manre
Séchault
Bussy
Gratreuil
Mont Cuvelet
Fontaine-en-Dormois
St-Martin-l'Heureux
Sommepy-Tahure
Beine-Nauroy
Nauroy
Camp
Moronvilliers
Dontrien
Ste-Marie-à-Py
St-Souplet-sur-Py
Ripont
Rouvroy-Ripont
Butte de Tahure
Tahure
Vaudesincourt
Mont de la Fme de Navarin
Butte de Souain
Mont Cornillet
Moronvilliers
Les Marquises
Camp militaire
Constantine
Moscou
Aubérive
Ferme de Beauséjour
Massiges
Prunay
Prosnes
L'Espérance
Souain-Perthes-lès-Hurlus
Perthes-lès-Hurlus
Le Mesnil-lès-Hurlus
Minaucourt-le-Mesnil-lès-Hurlus
Val-de-Vesle
Les Wacques
Ancienne
St-Hilaire-le-Grand
Hurlus
Wez
Courmelois
Baconnes
Russe
Jonchery-sur-Suippe
de Suippes
Wargemoulin-Hurlus
Voie
Romaine
Grinyland
Sept-Saulx
Camp
Laval-sur-Tourbe
Les Cruzis
Mourmelon-le-Grand
Suippes
Les Petites-Loges
Mourmelon-le-Petit
de
Bois de la Lyre
Ferme de Suippes
Somme-Suippe
St-Jean-sur-Tourbe
Villers-Marmery
Le Mont de Billy
Mont Farman
La Salle
Hans
Billy-le-Grand
Livry-Louvercy
Louvercy
Mourmelon
Ancienne Voie Romaine
Crête Niel
Haricot de Vadenay
Somme-Tourbe
Somme-Bionne
Vaudemange
L.G.V. EST
Mont Frenet
Mont Piémont
Moulin de Valmy
Bouy
Ambonnay
Vadenay
Bussy-le-Château
La Croix-en-Champagne
Les Maigneux
Isse
Les Grandes-Loges
Cuperly
Noblette
St-Hilaire-au-Temple
Mont Gravonne
Fontenelle
Camp d'Attila
Mont des Vignes
St-Remy-sur-Bussy
La Cheppe
Le Vieux-Bellay
Dampierre
La Chapelle-Felcourt
A B C D
1 2 3 4 5
26 41 62

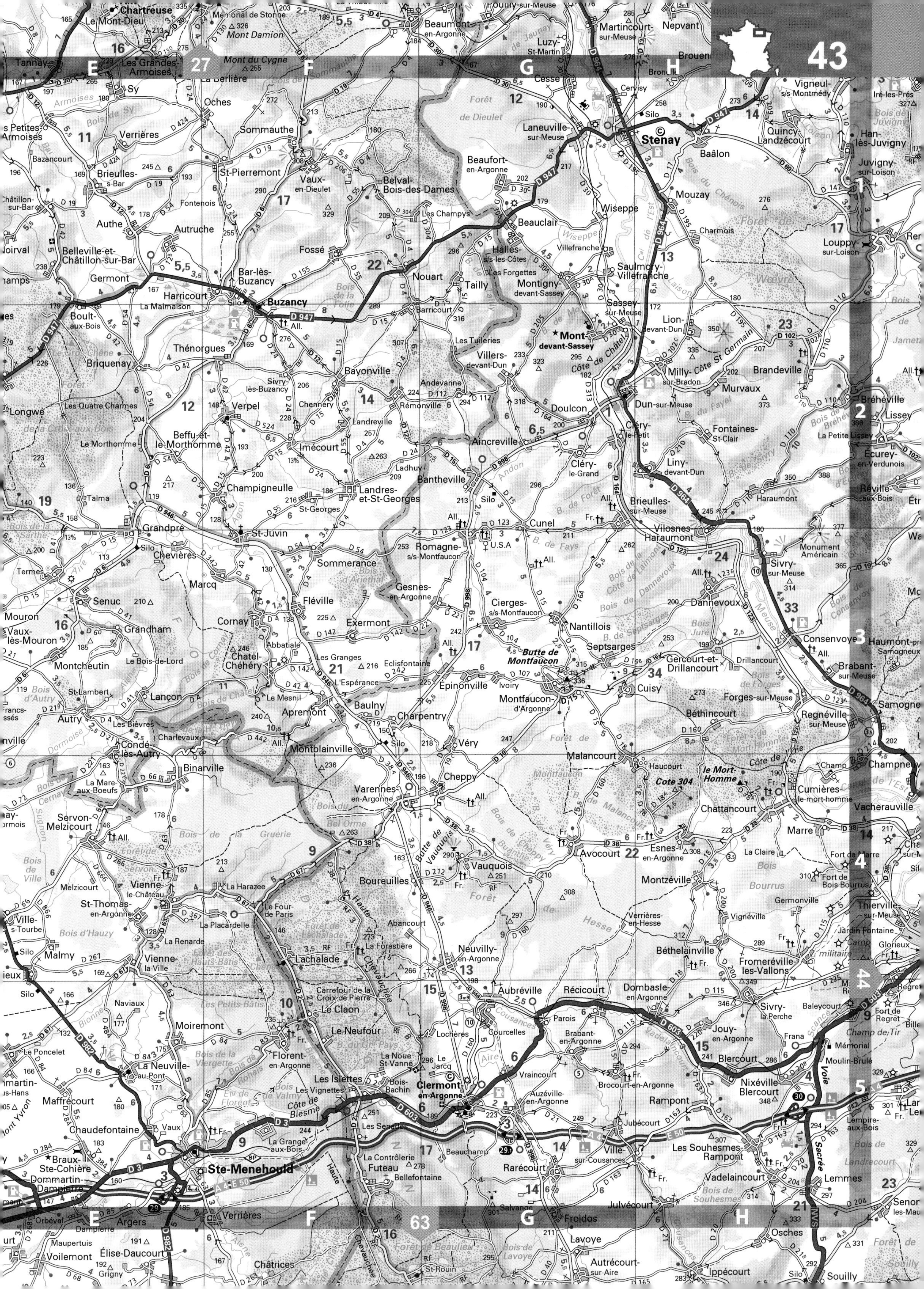

43
27
63
44
E
F
G
H
Chartreuse
Le Mont-Dieu
Mémorial de Stonne
Mont Damion
Mont du Cygne
Beaumont-en-Argonne
Pouilly-sur-Meuse
Martincourt-sur-Meuse
Nepvant
Luzy-St-Martin
Brouennes
Tannay
Les Grandes Armoises
La Berlière
Cesse
Forêt de Jaulnay
Sy
Oches
Sommauthe
Forêt de Dieulet
Laneuville-sur-Meuse
Stenay
Cervisy
Vigneul-s/s-Montmédy
Iré-les-Prés
Quincy-Landzécourt
Han-lès-Juvigny
Juvigny-sur-Loison
Baâlon
Les Petites Armoises
Verrières
Bois de Sy
Bazancourt
Brieulles-s-Bar
St-Pierremont
Vaux-en-Dieulet
Belval-Bois-des-Dames
Beaufort-en-Argonne
Mouzay
Bois du Chénois
Forêt de Woëvre
Châtillon-sur-Bar
Authe
Autruche
Fontenois
Les Champys
Beauclair
Wiseppe
Charmois
Louppy-sur-Loison
Noirval
Belleville-et-Châtillon-sur-Bar
Fossé
Halles-s/s-les-Côtes
Villefranche
Les Forgettes
Saulmory-Villefranche
Germont
Bar-lès-Buzancy
Nouart
Tailly
Montigny-devant-Sassey
Harricourt
La Malmaison
Buzancy
Barricourt
Sassey-sur-Meuse
Lion-devant-Dun
Boult-aux-Bois
Thénorgues
Les Tuileries
Mont-devant-Sassey
Côte St Germain
Brandeville
Briquenay
Bayonville
Villers-devant-Dun
Côte de Châtel
Milly-sur-Bradon
Murvaux
Bréheville
Lissey
Longwé
Les Quatre Charmes
Verpel
Sivry-lès-Buzancy
Chennery
Andevanne
Rémonville
Doulcon
Dun-sur-Meuse
Fontaines-St-Clair
La Petite Lissey
Le Morthomme
Beffu-et-le-Morthomme
Landreville
Imécourt
Aincreville
Cléry-le-Petit
Cléry-le-Grand
Liny-devant-Dun
Ecurey-en-Verdunois
Talma
Champigneulle
Landres-et-St-Georges
St-Georges
Ladhuy
Bantheville
Brieulles-sur-Meuse
Haraumont
Réville-aux-Bois
Grandpré
St-Juvin
Romagne-s/s-Montfaucon
Cunel
U.S.A
Vilosnes-Haraumont
Monument Américain
Sivry-sur-Meuse
Termes
Chevières
Sommerance
B. de Fays
Côte de Lamont
Bois de Dannevoux
Marcq
Gesnes-en-Argonne
Cierges-s/s-Montfaucon
Dannevoux
Senuc
Fléville
Exermont
Nantillois
Septsarges
Bois Juré
Consenvoye
Haumont-près-Samogneux
Mouron
Vaux-lès-Mouron
Grandham
Cornay
Abbatiale
Les Granges
Eclisfontaine
Butte de Montfaucon
Gercourt-et-Drillancourt
Drillancourt
Brabant-sur-Meuse
Montcheutin
Le Bois-de-Lord
Châtel-Chéhéry
L'Espérance
Epinonville
Ivoiry
Montfaucon-d'Argonne
Cuisy
Forges-sur-Meuse
St-Lambert
Lançon
Le Mesnil
Apremont
Baulny
Charpentry
Béthincourt
Regnéville-sur-Meuse
Samogneux
Autry
Les Bièvres
Charlevaux
Montblainville
Véry
Forêt de Montfaucon
Malancourt
Haucourt
Côte 304
le Mort-Homme
Champneuville
Condé-lès-Autry
Binarville
Cheppy
Varennes-en-Argonne
Chattancourt
Cumières-le-mort-homme
Vacherauville
Servon-Melzicourt
La Mare-aux-Boeufs
Bois de la Gruerie
Bel Orme
Butte de Vauquois
Bois de Cheppy
Bois de Malancourt
Avocourt
Esnes-en-Argonne
Marre
La Claire
Fort de Marre
Forêt de Servon
Vienne-le-Château
La Harazée
Vauquois
Boureuilles
Montzéville
Bois Bourrus
Fort de Bois Bourrus
Melzicourt
St-Thomas-en-Argonne
Le Four-de-Paris
Forêt de Hesse
Germonville
Thierville-sur-Meuse
Ville-s-Tourbe
Bois d'Hauzy
La Placardelle
Abancourt
Verrières-en-Hesse
Vignéville
Jardin Fontaine
Camp militaire
Glorieux
Malmy
La Renarde
Vienne-la-Ville
Forêt des Hauts-Bâtis
Forêt de Lachalade
La Forestière
Lachalade
Neuvilly-en-Argonne
Béthelainville
Fromeréville-les-Vallons
Naviaux
Les Petits-Bâtis
Carrefour de la Croix-de-Pierre
Le Claon
Aubréville
Récicourt
Dombasle-en-Argonne
Sivry-la-Perche
Baleycourt
Fort de Regret
Champ de Tir
Moiremont
Le-Neufour
Lochères
Courcelles
Parois
Brabant-en-Argonne
Jouy-en-Argonne
Mémorial
Le Poncelet
La Neuville-au-Pont
Bois de la Vergette
Florent-en-Argonne
B. du Gd Pays
La Noue St-Vanne
Le Jarcq
Vraincourt
Brocourt-en-Argonne
Blercourt
Moulin-Brûlé
Maffrécourt
Les Islettes
Les Vignettes
Bois-Bachin
Clermont-en-Argonne
Auzéville-en-Argonne
Nixéville-Blercourt
Voie Sacrée
Chaudefontaine
Côte de Biesme
Rampont
Lempire-aux-Bois
Vaux
Les Senades
La Grange-aux-Bois
Jubécourt
Les Souhesmes-Rampont
Braux-Ste-Cohière
Ste-Menehould
La Contrôlerie
Futeau
Bellefontaine
Beauchamp
Rarécourt
Ville-sur-Cousances
Vadelaincourt
Lemmes
Dommartin-Dampierre
Salvange
Julvécourt
Bois de Souhesmes
Senoncourt-les-Maujouy
Orbéval
Dampierre
Argers
Froidos
Oches
Maupertuis
Voilemont
Élise-Daucourt
Forêt de Beaulieu
Bois de Lavoye
Lavoye
Autrécourt-sur-Aire
Ippécourt
Souilly
Grigny
Châtrices
St-Rouin

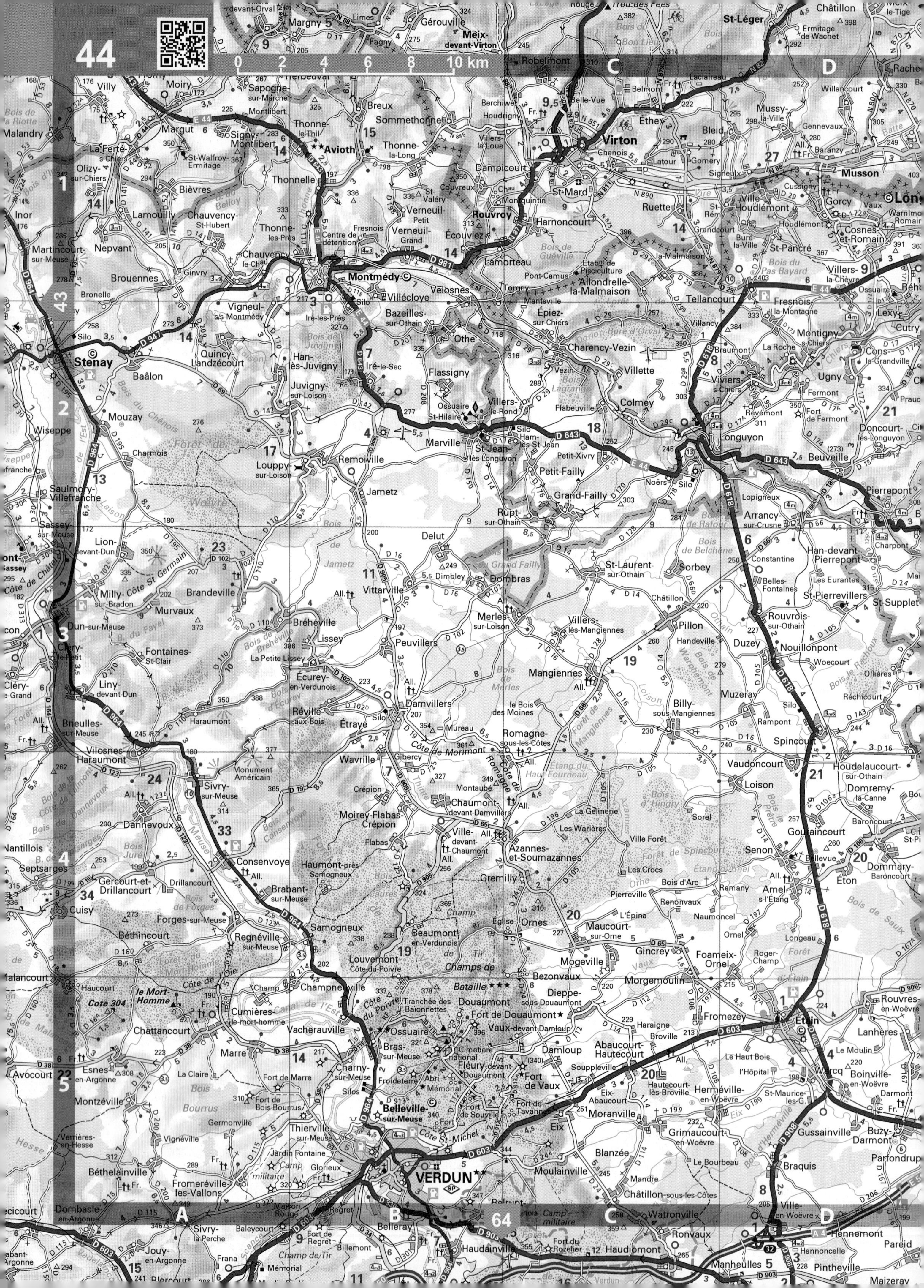

44
0 2 4 6 8 10 km
C
D
A
B
64
43
1
2
3
4
5
Virton
Montmédy
Stenay
Longuyon
Étain
VERDUN
Musson
Avioth
Rouvroy
St-Léger
Margut
Villy
Moiry
Sapogne-sur-Marche
Breux
Sommethonne
Thonne-le-Thil
Thonne-la-Long
Thonnelle
Bièvres
Lamouilly
Chauvency-St-Hubert
Chauvency-le-Château
Nepvant
Brouennes
Inor
Martincourt-sur-Meuse
Malandry
La Ferté-sur-Chiers
Olizy-sur-Chiers
Signy-Montlibert
Dampicourt
Harnoncourt
Lamorteau
Écouviez
Verneuil-Grand
Verneuil-Petit
Thonne-les-Prés
Villécloye
Vélosnes
Torgny
Épiez-sur-Chiers
Charency-Vezin
Villette
Colmey
Tellancourt
Fresnois-la-Montagne
Montigny-sur-Chiers
Viviers-sur-Chiers
Ugny
Cons-la-Grandville
Beuveille
Doncourt-lès-Longuyon
Pierrepont
Arrancy-sur-Crusne
Han-devant-Pierrepont
St-Pierrevillers
St-Supplet
Bazeilles-sur-Othain
Othe
Flassigny
Villers-le-Rond
Iré-le-Sec
Iré-les-Prés
Han-lès-Juvigny
Juvigny-sur-Loison
Quincy-Landzécourt
Baâlon
Vigneul-s/s-Montmédy
Mouzay
Wiseppe
Louppy-sur-Loison
Remoiville
Jametz
Marville
St-Jean-lès-Longuyon
Petit-Failly
Grand-Failly
Rupt-sur-Othain
Noërs
Delut
Dombras
Dimbley
Vittarville
St-Laurent-sur-Othain
Sorbey
Constantine
Rouvrois-sur-Othain
Nouillonpont
Duzey
Pillon
Merles-sur-Loison
Villers-lès-Mangiennes
Mangiennes
Billy-sous-Mangiennes
Muzeray
Spincourt
Vaudoncourt
Loison
Houdelaucourt-sur-Othain
Domremy-la-Canne
Gouraincourt
Senon
Amel-s-l'Étang
Éton
Dommary-Baroncourt
Saulmory-Villefranche
Sassey-sur-Meuse
Lion-devant-Dun
Milly-sur-Bradon
Murvaux
Brandeville
Bréhéville
Lissey
Peuvillers
Dun-sur-Meuse
Fontaines-St-Clair
Cléry-le-Petit
Cléry-le-Grand
Liny-devant-Dun
Écurey-en-Verdunois
Damvillers
Réville-aux-Bois
Étraye
Wavrille
Gibercy
Romagne-sous-les-Côtes
Haraumont
Brieulles-sur-Meuse
Vilosnes-Haraumont
Sivry-sur-Meuse
Dannevoux
Consenvoye
Septsarges
Gercourt-et-Drillancourt
Cuisy
Forges-sur-Meuse
Béthincourt
Regnéville-sur-Meuse
Brabant-sur-Meuse
Haumont-près-Samogneux
Samogneux
Moirey-Flabas-Crépion
Chaumont-devant-Damvillers
Ville-devant-Chaumont
Azannes-et-Soumazannes
Gremilly
Ornes
Maucourt-sur-Orne
Mogeville
Gincrey
Foameix-Ornel
Beaumont-en-Verdunois
Louvemont-Côte-du-Poivre
Bezonvaux
Champneuville
Douaumont
Fort de Douaumont
Vaux-devant-Damloup
Damloup
Dieppe-sous-Douaumont
Morgemoulin
Fromezey
Abaucourt-Hautecourt
Hermeville-en-Woëvre
Warcq
Boinville-en-Woëvre
Rouvres-en-Woëvre
Lanhères
Malancourt
Chattancourt
Cumières-le-mort-homme
Marre
Vacherauville
Bras-sur-Meuse
Charny-sur-Meuse
Fleury-devant-Douaumont
Belleville-sur-Meuse
Thierville-sur-Meuse
Eix
Moranville
Grimaucourt-en-Woëvre
Blanzée
Moulainville
Braquis
Gussainville
Buzy-Darmont
Parfondrupt
Esnes-en-Argonne
Avocourt
Montzéville
Béthelainville
Fromeréville-les-Vallons
Dombasle-en-Argonne
Sivry-la-Perche
Jouy-en-Argonne
Haudainville
Haudiomont
Watronville
Ronvaux
Châtillon-sous-les-Côtes
Ville-en-Woëvre
Hennemont
Pareid
Manheulles
Pintheville
Maizeray
Forêt de Woëvre
Champs de Bataille
Canal de l'Est
Meuse

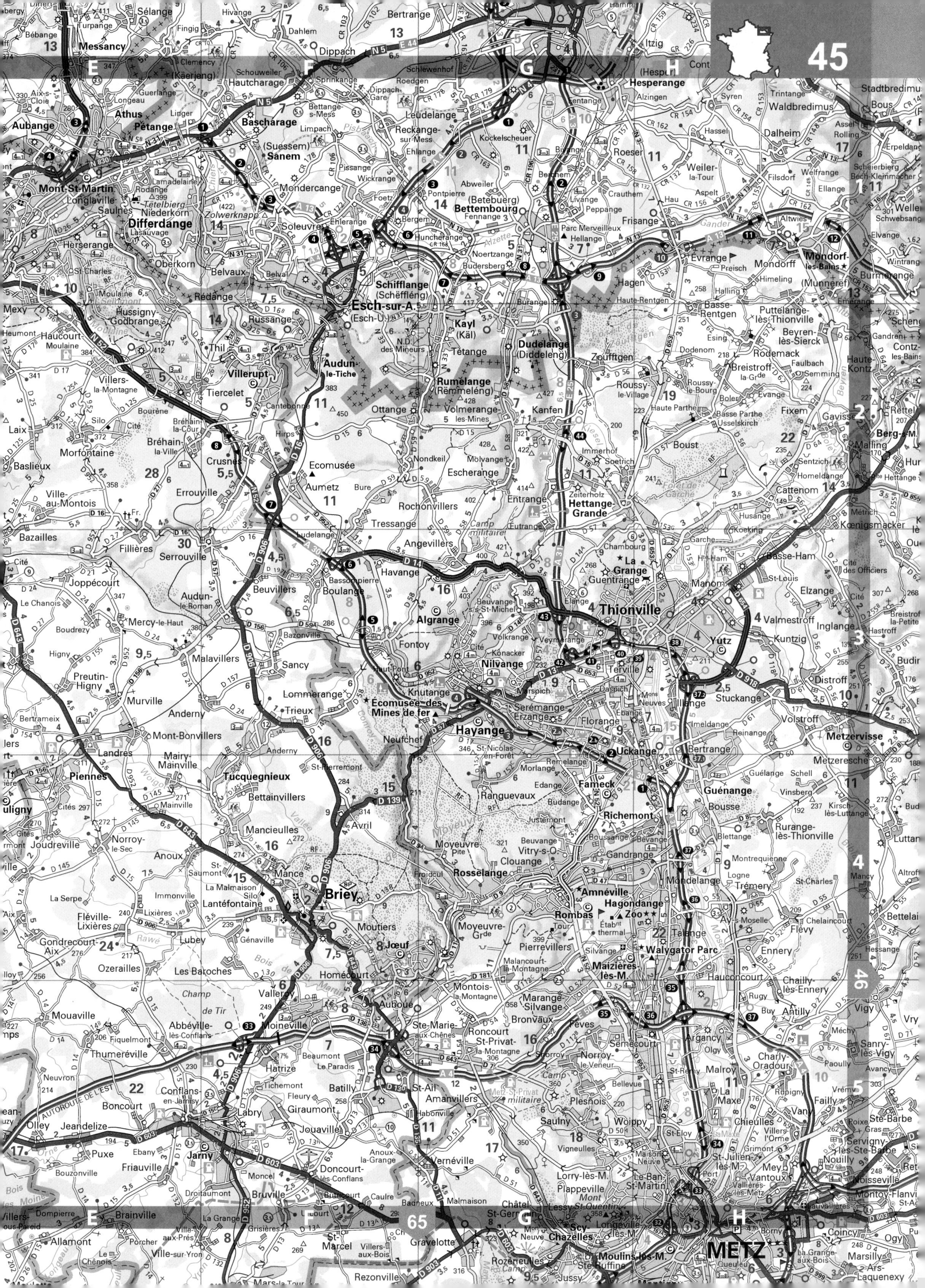

Messancy
Sélange
Hivange
Bertrange
Dippach
Clemency
Schouweiler
Hautcharage
Sprinkange
Schlewenhof
Hesperange
Itzig
Aix-s-Cloie
Athus
Guerlange
Longeau
Aubange
Pétange
Linger
Bascharage
Bettange-s-Mess
Leudelange
Reckange-sur-Mess
Limpach
Kockelscheuer
Fentange
Alzingen
Syren
Trintange
Waldbredimus
Stadtbredimus
Bous
Roeser
Hassel
Dalheim
Assel
Rolling
Erpeldange
(Suessem)
Sanem
Ehlange
Pissange
Wickrange
Bivange
Berchem
Weiler-la-Tour
Filsdorf
Welfrange
Ellange
Mont-St-Martin
Longlaville
Saulnes
Lamadelaine
Rodange
Tetelbierg
Differdange
Niederkorn
Zolwerknapp
Mondercange
Foetz
Pontpierre
Abweiler
(Betebuerg)
Bettembourg
Fennange
Livange
Peppange
Crauthem
Hau
Aspelt
Frisange
Altwies
Schwebsange
Herserange
Lasauvage
Oberkorn
Soleuvre
Ehlerange
Bergem
Huncherange
Noertzange
Parc Merveilleux
Hellange
Gander
Mondorf-les-Bains
Elvange
Wintrange
Mondorff
Evrange
Preisch
Himeling
(Munneref)
Burmerange
Emerange
St-Charles
Moulaine
Belvaux
Belval
Schifflange
(Schëffléng)
Budersberg
Hagen
Haute-Rentgen
Basse-Rentgen
Halling
Puttelange-lès-Thionville
Beyren-lès-Sierck
Schengen
Gandren
Contz-les-Bains
Haute-Kontz
Mexy
Heumont
Haucourt-Moulaine
Hussigny-Godbrange
Rédange
Russange
Esch-sur-A.
(Esch-U.)
Kayl
(Käl)
Tétange
N.D. des Mineurs
Dudelange
(Diddeleng)
Zoufftgen
Dodenom
Breistroff-la-Gde
Rodemack
Faulbach
Semming
Thil
Villerupt
Audun-le-Tiche
Rumelange
(Rëmmeleng)
Roussy-le-Village
Roussy-le-Bourg
Evange
Boler
Basse Parthe
Haute Parthe
Usselskirch
Villers-la-Montagne
Tiercelet
Cantebonne
Ottange
Volmerange-les-Mines
Kanfen
Fixem
Gavisse
Rettel
Laix
Silo
Cité
Bréhain-la-Cour
Bréhain-la-Ville
Hirps
Molvange
Immerhof
Soetrich
Boust
Malling
Berg-s-M.
Morfontaine
Baslieux
Crusnes
Ecomusée
Aumetz
Bure
Nondkeil
Escherange
Sentzich
Homeldange
Cattenom
Hettange
Ville-au-Montois
Errouville
Rochonvillers
Entrange
Zeiterholz
Hettange-Grande
Métrich
Koenigsmacker
Husange
Koeking
Bazailles
Fillières
Serrouville
Tressange
Ludelange
Angevillers
Camp militaire
Garche
Chambourg
La Grange
Guentrange
Basse-Ham
Cité des Officiers
St-Louis
Joppécourt
Le Chanois
Beuvillers
Bassompierre
Havange
Boulange
Beuvange-s/s-St-Michel
Elange
Thionville
Manom
Elzange
Valmestroff
Inglange
Breistroff-la-Petite
Hastroff
Mercy-le-Haut
Audun-le-Roman
Boudrezy
Bazonville
Algrange
Fontoy
Volkrange
Veymerange
Yutz
Kuntzig
Higny
Malavillers
Sancy
Cité
Konacker
Nilvange
Terville
Distroff
Budin
Preutin-Higny
Murville
Haut-Pont
Knutange
Marspich
Daspich
Mons
Neuves
Illange
Stuckange
Volstroff
Lommerange
Trieux
Ecomusée des Mines de fer
Serémange-Erzange
Ebange
Florange
Imeldange
Bertrameix
Anderny
Hayange
St-Nicolas-en-Forêt
Uckange
Reinange
Metzervisse
Landres
Mont-Bonvillers
Mairy-Mainville
Neufchef
Remelange
Bertrange
Metzeresche
Piennes
Tucquegnieux
St-Pierremont
Morlange
Fameck
Guélange
Schell
Bettainvillers
Ranguevaux
Edange
Budange
Guénange
Vinsberg
Bousse
Kirsch-lès-Luttange
Cités
Mainville
Avril
Justemont
Richemont
Rurange-lès-Thionville
Gîtes
Norroy-le-Sec
Mancieulles
Moyeuvre
Beuvange
Boussange
Bévange
Blettange
Luttange
Joudreville
Anoux
Moyeuvre-Pte
Vitry-s-O.
Gandrange
Montrequienne
St-Saumont
Mance
Clouange
Rosselange
Logne
Trémery
Altroff
La Malmaison
Brieuxl
Amnéville
Mondelange
St-Charles
La Serpe
Immonville
Lantéfontaine
Briey
Hagondange
Zoo
Ay-s-Moselle
Chelaincourt
Bettelai
Fléville-Lixières
Lixières
Rombas
Etabt thermal
Flévy
Moutiers
Moyeuvre-Gde
Talange
Gondrecourt-Aix
Lubey
Génaville
Pierrevillers
Silvange
Walygator Parc
Ennery
Hessange
Ozerailles
Jœuf
Malancourt-la-Montagne
Maizières-lès-M.
Hauconcourt
Chailly-lès-Ennery
Les Baroches
Homécourt
Montois-la-Montagne
Rugy
Vigy
Champ de Tir
Valleroy
Marange-Silvange
Buy
Antilly
Mouaville
Auboué
Bronvaux
Fèves
Abbéville-lès-Conflans
Moineville
Ste-Marie-aux-Chênes
Roncourt
St-Privat-la-Montagne
Semécourt
Argancy
Olgy
Méchy
Sanry-lès-Vigy
Fiquelmont
Thumeréville
Beaumont
Le Paradis
Norroy-le-Veneur
Charly-Oradour
Hatrize
St-Remy
Malroy
Paoully
Neuvron
Conflans-en-Jarnisy
Tichemont
Fleury
Batilly
St-Ail
Amanvillers
Metz-St-Privat
Camp militaire
Bellevue
La Maxe
Rupigny
Vrémy
Failly
Ste-Barbe
Autoroute de l'Est
Boncourt
Giraumont
Habonville
Plesnois
Chieulles
Villers-l'Orme
Servigny-lès-Ste-Barbe
Olley
Jeandelize
Labry
Jouaville
Saulny
Woippy
St-Eloy
Grimont
Puxe
Ebany
Jarny
Anoux-la-Grange
Vernéville
Vigneulles
Maison Neuve
St-Julien-lès-M.
Mey
Vantoux
Nouilly
Noisseville
Bouzonville
Friauville
Moncel
Doncourt-lès-Conflans
Lorry-lès-M.
Le Ban-St-Martin
Vallières-lès-Metz
Montoy-Flanville
Droitaumont
Bruville
Caulre
Malmaison
Plappeville
Lessy
St-Quentin
Châtel
Mont St-Quentin
Longeville-lès-M.
Borny
Vallières
Coincy
Ogy
Dompierre
Brainville
La Grange
Badneux
Gravelotte
St-Germain
Scy-Chazelles
Moulins-lès-M.
Ste-Ruffine
Rozérieulles
Villers-aux-Bois
St-Marcel
Porcher
Ville-sur-Yron
Allamont
Le Chenois
Rezonville
Mars-la-Tour
Jussy
Queuleu
La Grange-aux-Bois
Marsilly
Ars-Laquenexy
METZ
E
F
G
H
65
46

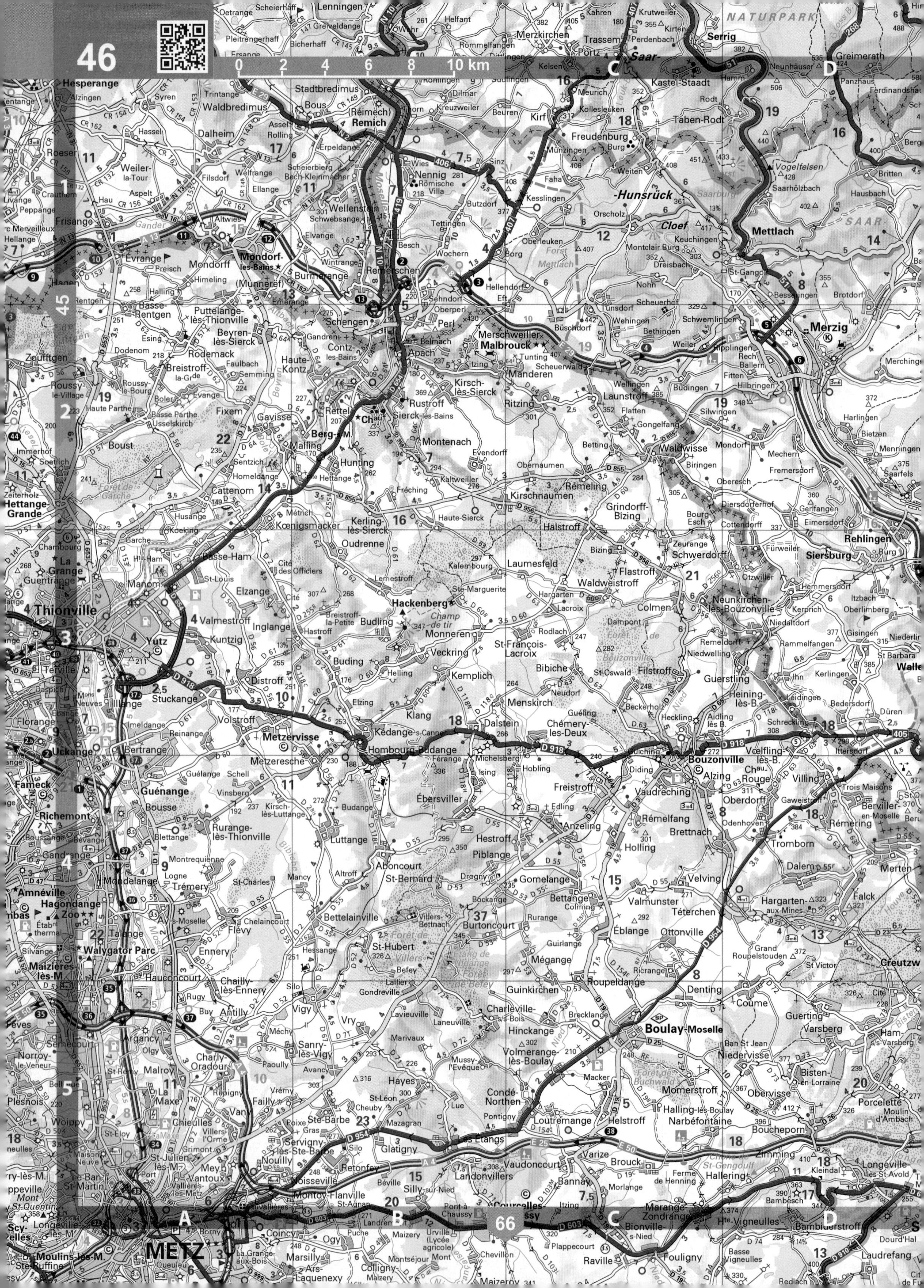

46
0 2 4 6 8 10 km
C
D
NATURPARK
Oetrange
Scheierhaff
Lenningen
Helfant
Merzkirchen
Kahren
Krutweiler
Kirten
Serrig
Greimerath
Pleitrengerhaff
Greiveldange
Bicherhaff
Rommelfangen
Trassem
Perdenbach
Portz
Saar-
Kastel-Staadt
Neunhäuser
Panzhaus
Ferdinandshau
Hesperange
Stadtbredimus
Dilmar
Kelsen
Meurich
Kollesleuken
Rodt
Taben-Rodt
Alzingen
Trintange
Syren
Waldbredimus
Bous
(Réimech)
Remich
Kreuzweiler
Beuren
Kirf
Freudenburg
Burg
Dalheim
Hassel
Assel
Rolling
Erpeldange
Nennig
Römische Villa
Sinz
Münzingen
Weiten
Vogelfelsen
Britten
Roeser
Weiler-la-Tour
Filsdorf
Welfrange
Ellange
Scheierbierg
Bech-Kleinmacher
Wies
Faha
Saarhölzbach
Hausbach
Crauthem
Livange
Peppange
Hau
Aspelt
Wellenstein
Schwebsange
Butzdorf
Kesslingen
-Hunsrück
Saarburg
Orscholz
Cloef
SAAR-
Frisange
Altwies
Tettingen
Mettlach
Merveilleux
Hellange
Gander
Elvange
Besch
Wochern
Oberleuken
Forst Mettlach
Montclair Burg
Keuchingen
Evrange
Preisch
Mondorff
Mondorf-les-Bains
(Munneref)
Wintrange
Remerschen
Borg
Dreisbach
Himeling
Burmerange
Hellendorf
Nohn
St-Gangolf
Brotdorf
Hagen
Rentgen
Basse-Rentgen
Halling
Emerange
Sehndorf
Eft
Scheuerhof
Besseringen
Puttelange-lès-Thionville
Schengen
Oberperl
Tünsdorf
Wehingen
Schwemlingen
Perl
Merzig
Beyren-lès-Sierck
Gandren
Contz-les-Bains
Belmach
Merschweiller
Malbrouck
Büschdorf
Bethingen
Esing
Rodemack
Haute-Kontz
Apach
Kitzing
Tunting
Scheuerwald
Weiler
Rippling
Rech
Ballern
Merchinge
Zoufftgen
Dodenom
Breistroff-la-Grande
Faulbach
Semming
Manderen
Wellingen
Fitten
Roussy-le-Village
Roussy-le-Bourg
Evange
Kirsch-lès-Sierck
Launstroff
Büdingen
Hilbringen
Boler
Fixem
Rettel
Rustroff
Ritzing
Flatten
Silwingen
Harlingen
Haute Parthe
Basse Parthe
Usselskirch
Gavisse
Sierck-les-Bains
Gongelfang
Bietzen
Boust
Berg-s-M.
Malling
Montenach
Betting
Waldwisse
Mondorf
Menningen
Immerhof
Soetrich
Sentzich
Hunting
Evendorff
Obernaumen
Biringen
Mechern
Fremersdorf
Saarfels
Homeldange
Hettange
Kaltweiller
Oberesch
Forêt de Garche
Cattenom
Fréching
Rémeling
Kirschnaumen
Grindorff-Bizing
Diersdorferhof
Gerlfangen
Hettange-Grande
Métrich
Kœnigsmacker
Kerling-lès-Sierck
Haute-Sierck
Halstroff
Bourg-Esch
Cottendorff
Eimersdorf
Rehlingen
Husange
Koeking
Oudrenne
Zeurange
Fürweiler
Siersburg
Garche
Chambourg
Laumesfeld
Bizing
Schwerdorff
La Grange
Basse-Ham
Cité des Officiers
Kalembourg
Flastroff
Otzwiller
Guentrange
Lemestroff
Waldweistroff
Hemmersdorf
St-Louis
Ste-Marguerite
Itzbach
Manom
Elzange
Hackenberg
Hargarten
Neunkirchen-lès-Bouzonville
Oberlimberg
Thionville
Cité
Lacroix
Colmen
Kerprich
Valmestroff
Inglange
Breistroff-la-Petite
Budling
Champ de tir
Rodlach
Dampont
Niedaltdorf
Gisingen
Yutz
Kuntzig
Hastroff
Monneren
St-François-Lacroix
Forêt de Bouzonville
Remeldorff
Rammelfangen
Niederlinz
Terville
Veckring
Bibiche
Niedwelling
St Barbara
Buding
St-Oswald
Filstroff
Walle
Daspich
Distroff
Helling
Kemplich
Guerstling
Ihn
Kerlingen
Neuves Maisons
Stuckange
Illange
Menskirch
Neudorf
Heining-lès-B.
Leidingen
Bedersdorf
Elzing
Beckerholz
Imeldange
Volstroff
Klang
Guéling
Heckling
Aidling lès B.
Schreckling
Düren
Florange
Reinange
Kédange-s-Canner
Dalstein
Chémery-les-Deux
Metzervisse
Hombourg-Budange
Ittersdorf
Uckange
Bertrange
Metzeresche
Ferange
Michelsberg
Bouzonville
Vœlfling-lès-B.
Guiching
Diding
Alzing
Chateau-Rouge
Villing
Guélange
Schell
Ising
Hobling
Trois Maisons
Fameck
Guénange
Vinsberg
Ébersviller
Freistroff
Vaudreching
Oberdorff
Gaweistroff
Berviller-en-Moselle
Bousse
Kirsch-lès-Luttange
Budange
Edling
Rémelfang
Richemont
Odenhoven
Rémering
Rurange-lès-Thionville
Hestroff
Anzeling
Brettnach
Tromborn
Boussange
Bévange
Blettange
Luttange
Piblange
Holling
Gandrange
Montrequienne
Aboncourt
Dalem
Merten
Mondelange
Logne
Trémery
Altroff
St-Bernard
Drogny
Gomelange
Velving
Amnéville
St-Charles
Mancy
Bockange
Bettange
Colming
Valmunster
Hargarten-aux-Mines
Falck
Hagondange
Zoo
Ay-s-Moselle
Chelaincourt
Bettelainville
Villers-Bettnach
Burtoncourt
Rurange
Téterchen
Talange
Flévy
Forêt de St-Hubert
Éblange
Ottonville
Walygator Parc
Ennery
Hessange
Villers
Étang de Nidange
Guirlange
Grand Roupelstouden
St Victor
Creutzwald
Silvange
Maizières-lès-M.
Hauconcourt
Befey
Forêt de Befey
Mégange
Ricrange
Chailly-lès-Ennery
Lallier
Gondreville
Guinkirchen
Roupeldange
Denting
Coume
Cité
Rugy
Buy
Antilly
Vigy
Lavieuville
Charleville-s/s-Bois
Laneuville
Brecklange
Boulay-Moselle
Guerting
Varsberg
Féves
Semécourt
Argancy
Méchy
Vry
Marivaux
Hinckange
Ham-s/s-Varsberg
Norroy-le-Veneur
Olgy
Sanry-lès-Vigy
Volmerange-lès-Boulay
Ban St Jean
Niedervisse
Malroy
Charly-Oradour
Paoully
Avancy
Mussy-l'Évêque
Forêt de Buchwald
Bisten-en-Lorraine
Plesnois
La Maxe
Rupigny
Vany
Vrémy
Failly
Hayes
Condé-Northen
Momerstroff
Obervisse
Porcelette
Moulin d'Ambach
Chieulles
Poixe
Ste-Barbe
Cheuby
Mazagran
Lue
Pontigny
Loutremange
Helstroff
Halling-lès-Boulay
Narbéfontaine
Boucheporn
Woippy
St-Eloy
Villers-l'Orme
Grimont
Servigny-lès-Ste-Barbe
Gras
Glatigny
Les Étangs
Vaudoncourt
Varize
Brouck
Zimming
Longeville-lès-St Avold
Kleindal
St-Julien-lès-M.
Mey
Vantoux
Vallières-lès-Metz
Nouilly
Noisseville
Retonfey
Landonvillers
Bannay
Morlange
Ferme de Henning
Hallering
St-Gengoulf
Le Ban-St-Martin
Montoy-Flanville
Silly-sur-Nied
Béville
Courcelles-Chaussy
Pont-à-Chaussy
Itzing
Marange-Zondrange
Bambesch
Longeville-lès-M.
St-Agnan
Landremont
Maizery
Urville (Lycée agricole)
Hte-Vigneulles
Bambiderstroff
Dourd'Hal
Scy-Chazelles
METZ
Borny
Coincy
Ogy
Puche
Plappecourt
Bionville-s-Nied
Laudrefang
Moulins-lès-M.
Ste-Ruffine
La Grange-aux-Bois
Marsilly
Ars-Laquenexy
Colligny
Montséjour
Chevillon
Raville
Fouligny
Basse Vigneulles
Maizeroy
Redlach
A
B
66

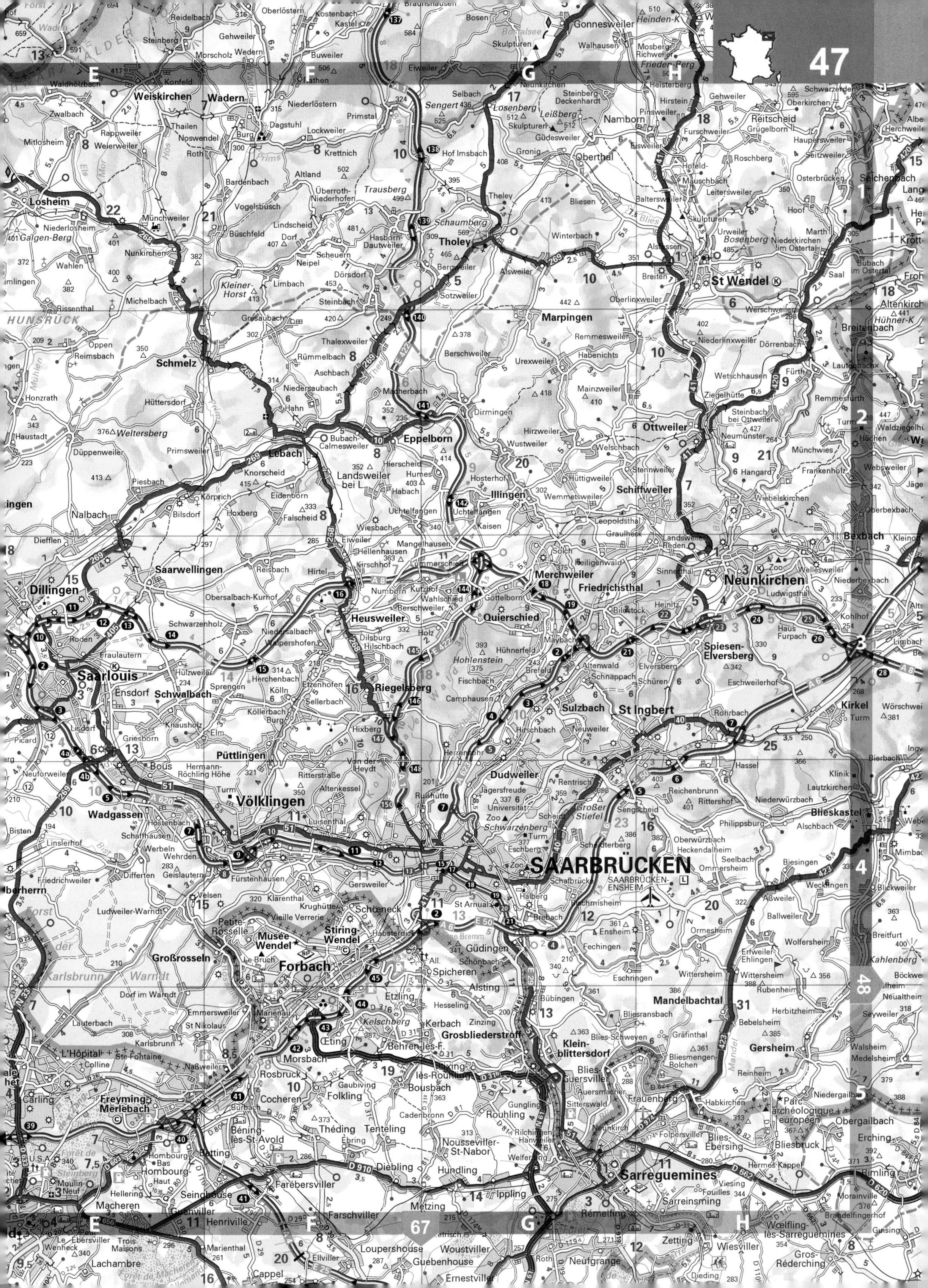

47
48
67
HUNSRÜCK
Losheim
Weiskirchen
Wadern
Schmelz
Lebach
Tholey
St Wendel
Marpingen
Ottweiler
Schiffweiler
Eppelborn
Illingen
Merchweiler
Friedrichsthal
Neunkirchen
Bexbach
Spiesen-Elversberg
Kirkel
Dillingen
Saarwellingen
Heusweiler
Quierschied
Saarlouis
Schwalbach
Ensdorf
Riegelsberg
Sulzbach
St Ingbert
Püttlingen
Dudweiler
Völklingen
Wadgassen
SAARBRÜCKEN
SAARBRÜCKEN-ENSHEIM
Blieskastel
Großrosseln
Forbach
Stiring-Wendel
Musée Wendel
Mandelbachtal
Gersheim
Kleinblittersdorf
Grosbliederstroff
Freyming-Merlebach
Sarreguemines
Ottweiler
Hombourg-Haut
Farébersviller

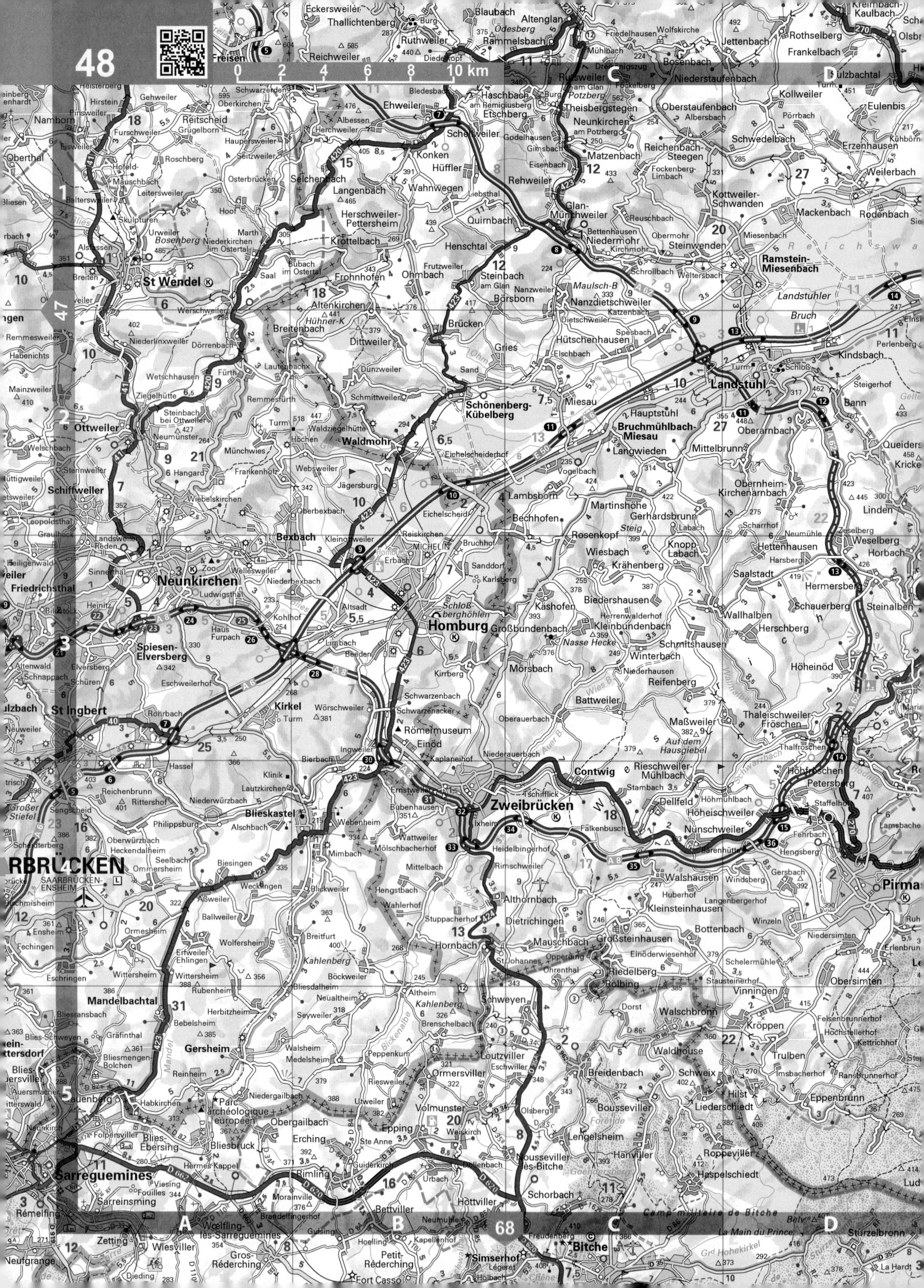
0 2 4 6 8 10 km
Freisen
Eckersweiler
Thallichtenberg
Ruthweiler
Reichweiler
Blaubach
Ödesberg
Rammelsbach
Altenglan
Friedelhausen
Wolfskirche
Mühlbach
Jettenbach
Kreimbach-Kaulbach
Rothselberg
Frankelbach
Bosenbach
Niederstaufenbach
Sulzbachtal
Rutsweiler am Glan
Föckelberg
Haschbach am Remigiusberg
Potzberg
Theisbergstegen
Etschberg
Bledesbach
Ehweiler
Schwarzerden
Gehweiler
Hirstein
Namborn
Pinsweiler
Furschweiler
Reitscheid
Grügelborn
Hauperswiller
Albessen
Herchweiler
Schellweiler
Neunkirchen am Potzberg
Godelhausen
Gimsbach
Matzenbach
Oberstaufenbach
Albersbach
Reichenbach-Steegen
Schwedelbach
Kollweiler
Eulenbis
Erzenhausen
Weilerbach
Pörrbach
Oberthal
Eisweiler
Roschberg
Seitzweiler
Konken
Hüffler
Eisenbach
Fockenberg-Limbach
Kottweiler-Schwanden
Mackenbach
Rodenbach
Hofeld-Mauschbach
Osterbrücken
Selchenbach
Langenbach
Wahnwegen
Rehweiler
Glan-Münchweiler
Leitersweiler
Hoof
Herschweiler-Pettersheim
Liebsthal
Quirnbach
Reuschbach
Miesenbach
Ramstein-Miesenbach
Bliesen
Balterswailer
Skulpturen
Urweiler
Bosenberg
Niederkirchen im Ostertal
Marth
Krottelbach
Henschtal
Bettenhausen
Niedermohr
Kirchmohr
Obermohr
Steinwenden
Reichswald
Alsfassen
St Wendel
Breiten
Saal
Bubach im Ostertal
Frohnhofen
Ohmbach
Frutzweiler
Steinbach am Glan
Nanzweiler
Maulsch-B
Nanzdietschweiler
Schrollbach
Weltersbach
Landstuhler Bruch
Werschweiler
Altenkirchen
Hühner-K
Börsborn
Katzenbach
Dietschweiler
Spesbach
Remmesweiler
Niederlinxweiler
Dörrenbach
Breitenbach
Dittweiler
Brücken
Gries
Hütschenhausen
Elschbach
Kindsbach
Perlenberg
Habenichts
Lautenbach
Ohm
Sand
Landstuhl
Schloß
Turm
Steigerhof
Bann
Mainzweiler
Wetschhausen
Fürth
Dunzweiler
Schmittweiler
Schönenberg-Kübelberg
Miesau
Hauptstuhl
Ziegelhütte
Remmesfürth
Steinbach bei Ottweiler
Neumünster
Waldziegelhütte
Waldmohr
Bruchmühlbach-Miesau
Langwieden
Mittelbrunn
Oberarnbach
Queiders
Kricke
Ottweiler
Höchen
Eichelscheiderhof
Vogelbach
Welschbach
Münchwies
Frankenholz
Websweiler
Jägersburg
Obernheim-Kirchenarnbach
Stennweiler
Hangard
Lambsborn
Martinshöhe
Gerhardsbrunn
Linden
Schiffweiler
Wiebelskirchen
Oberbexbach
Eichelscheid
Bechhofen
Steig
Labach
Scharrhof
Leopoldsthal
Graulheck
Bexbach
Kleinottweiler
Reiskirchen
Bruchhof
Rosenkopf
Knopp-Labach
Neumühle
Hettenhausen
Zeselberg
Weselberg
Horbach
Landsweiler-Reden
Michelin
Homburg
Erbach
Sanddorf
Karlsberg
Wiesbach
Krähenberg
Harsberg
Saalstadt
Hermersberg
Heiligenwald
Sinnerthal
Zoo
Wellesweiler
Niederbexbach
Neunkirchen
Ludwigsthal
Biedershausen
Wallhalben
Schauerberg
Steinalben
Friedrichsthal
Kohlhof
Altstadt
Schloßberghöhlen
Großbundenbach
Käshofen
Herrenwalderhof
Kleinbundenbach
Herschberg
Haus Furpach
Spiesen-Elversberg
Limbach
Beeden
Nasse Hecke
Schmitshausen
Winterbach
Höheinöd
Altenwald
Schnappach
Elversberg
Schüren
Eschweilerhof
Kirrberg
Mörsbach
Niederhausen
Reifenberg
Sulzbach
St Ingbert
Rohrbach
Kirkel
Wörschweiler
Schwarzenbach
Schwarzenacker
Battweiler
Thaleischweiler-Fröschen
Neuweiler
Römermuseum
Einöd
Oberauerbach
Maßweiler
Auf dem Hausgiebel
Hassel
Bierbach
Ingweiler
Kaplaneihof
Niederauerbach
Contwig
Rieschweiler-Mühlbach
Thalfröschen
Höhfröschen
Petersberg
Klinik
Lautzkirchen
Reichenbrunn
Rittershof
Ernstweiler
Tschifflick
Stambach
Dellfeld
Höhmühlbach
Höheischweiler
Staffelhof
Großer Stiefel
Sengscheid
Niederwürzbach
Blieskastel
Bubenhausen
Zweibrücken
Ixheim
Falkenbusch
Nünschweiler
Fehrbach
Hengsberg
Lamsbache
Philippsburg
Alschbach
Webenheim
Wattweiler
Mölschbacherhof
Heidelbingerhof
Bärenhütte
Oberwürzbach
Heckendalheim
Seelbach
Ommersheim
Biesingen
Mimbach
Mittelbach
Rimschweiler
Walshausen
Windsberg
Gersbach
Pirmasens
Saarbrücken
Saarbrücken-Ensheim
Schmisheim
Weckingen
Blickweiler
Hengstbach
Wahlerhof
Althornbach
Huberhof
Kleinsteinhausen
Langenbergerhof
Alsweiler
Ballweiler
Stuppacherhof
Dietrichingen
Bottenbach
Winzeln
Ensheim
Ormesheim
Breitfurt
Hornbach
Mauschbach
Großsteinhausen
Einöderwiesenhof
Niedersimten
Erlenbrunn
Fechingen
Wolfersheim
Erfweiler-Ehlingen
Kahlenberg
St Johannes
Opperding
Ohrenthal
Riedelberg
Rolbing
Schelermühle
Stausteinerhof
Obersimten
Eschringen
Wittersheim
Rubenheim
Böckweiler
Bliesdalheim
Neualtheim
Altheim
Schweyen
Dorst
Vinningen
Mandelbachtal
Herbitzheim
Seyweiler
Brenschelbach
Walschbronn
Kröppen
Felsenbrunnerhof
Hochstellerhof
Kettrichhof
Bliesransbach
Gräfinthal
Bebelsheim
Bickenalbe
Loutzviller
Waldhouse
Trulben
Bliesmengen-Bolchen
Gersheim
Walsheim
Medelsheim
Peppenkum
Eschviller
Breidenbach
Schweix
Imsbacherhof
Ransbrunnerhof
Reinheim
Ormersviller
Riesweiler
Hilst
Eppenbrunn
Habkirchen
Niedergailbach
Parc archéologique européen
Utweiler
Volmunster
Olsberg
Bousseviller
Liederschiedt
Auersmacher
Obergailbach
Epping
Weiskirch
Forêt de
Lengelsheim
Blies-Ebersing
Bliesbruck
Erching
Ste Anne
Guiderkirch
Dollenbach
Hanviller
Roppeviller
Haspelschiedt
Sarreguemines
Hermes Kappel
Rimling
Urbach
Nousseviller-lès-Bitche
Viesing
Fouilles
Sarreinsming
Morainville
Bettviller
Hottviller
Schorbach
Rémelfing
Brandelfingerhof
Neumuhle
Camp militaire de Bitche
Belvé
Wœlfling-lès-Sarreguemines
Gulsing
Hoelling
Kapellenhof
Freudenberg
Bitche
La Main du Prince
Sturzelbronn
Zetting
Wiesviller
Gros-Réderching
Petit-Réderching
Simserhof
Légeret
Grd Hohekirkel
Neufgrange
Dieding
Fort Casso
La Hardt
A 6
A 8
A 62
E 50
D 662
D 620
47
68

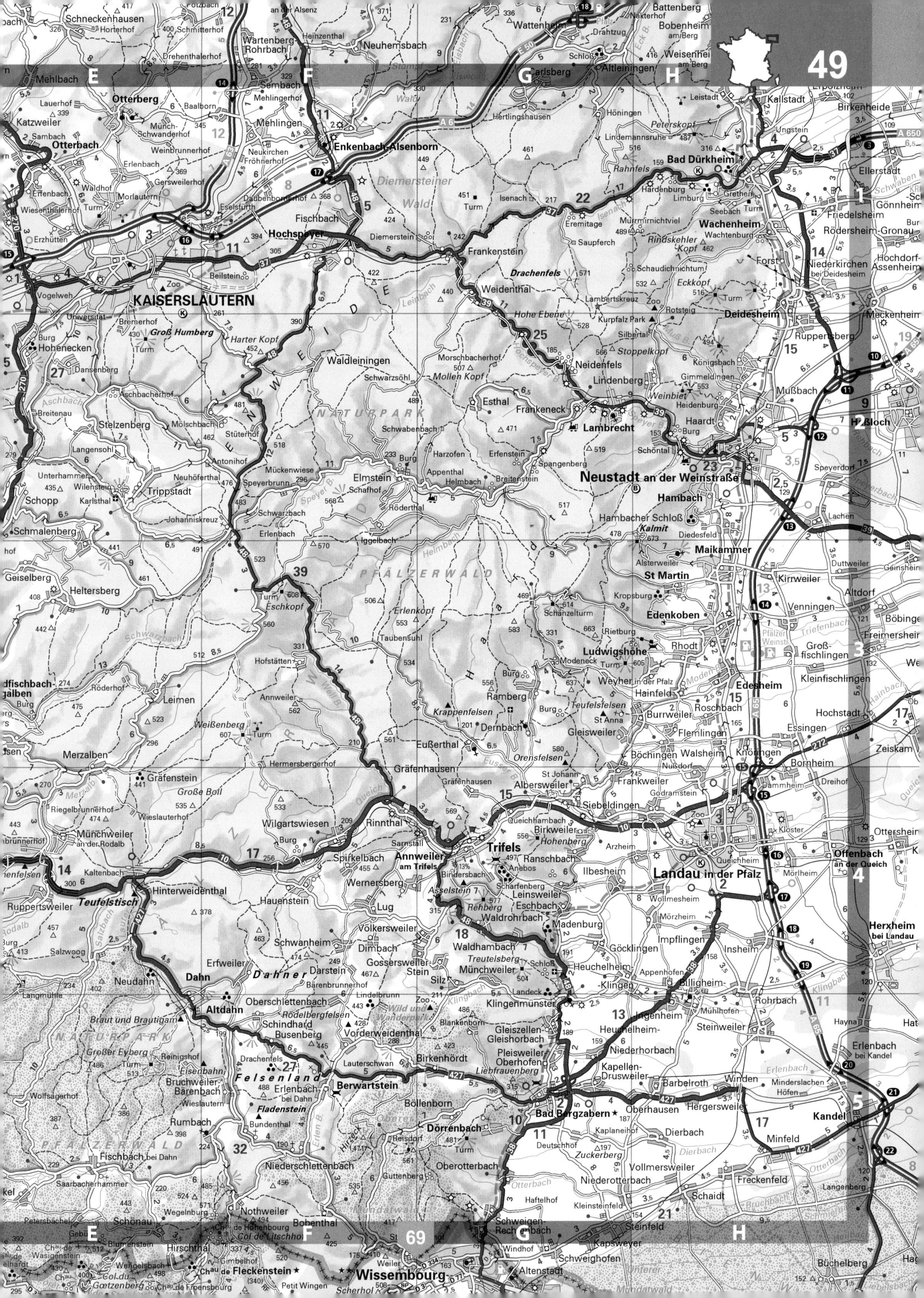
Schneckenhausen
Wartenberg-Rohrbach
Neuhemsbach
Wattenheim
Battenberg
Bobenheim am Berg
Weisenheim am Berg
Mehlbach
Otterberg
Sembach
Mehlingen
Carlsberg
Altleiningen
Kallstadt
Katzweiler
Otterbach
Enkenbach-Alsenborn
Hertlingshausen
Bad Dürkheim
Ellerstadt
Diemersteiner Wald
Fischbach
Hochspeyer
Frankenstein
Isenach
Eremitage
Wachenheim
Friedelsheim
Gönnheim
Rödersheim-Gronau
KAISERSLAUTERN
Vogelweh
Drachenfels
Weidenthal
Forst
Niederkirchen bei Deidesheim
Hochdorf-Assenheim
Groß Humberg
Hohenecken
Harter Kopf
Hohe Ebene
Deidesheim
Meckenheim
Ruppertsberg
Waldleiningen
Neidenfels
Lindenberg
Stoppelkopf
Mußbach
Mollen Kopf
Esthal
Frankeneck
Lambrecht
Haardt
Haßloch
Stelzenberg
NATURPARK
Schwabenbach
Trippstadt
Elmstein
Neustadt an der Weinstraße
Hambach
Hambacher Schloß
Kalmit
Maikammer
Schmalenberg
Heltersberg
St Martin
Kirrweiler
Altdorf
Eschkopf
PFÄLZERWALD
Edenkoben
Venningen
Böbingen
Freimersheim
Rhodt
Groß-fischlingen
Ludwigshöhe
Kleinfischlingen
Leimen
Weyher in der Pfalz
Hainfeld
Edesheim
Roschbach
Hochstadt
Weißenberg
Krappenfelsen
Dernbach
Burrweiler
Flemlingen
Essingen
Zeiskam
Eußerthal
Gleisweiler
Merzalben
Gräfenstein
Orensfelsen
Böchingen
Walsheim
Knöringen
Bornheim
Gräfenhausen
Albersweiler
Frankweiler
Dammheim
Dreihof
Münchweiler an der Rodalb
Wilgartswiesen
Rinnthal
Siebeldingen
Birkweiler
Ottersheim
Trifels
Ranschbach
Annweiler am Trifels
Landau in der Pfalz
Offenbach an der Queich
Ilbesheim
Hinterweidenthal
Teufelstisch
Ruppertsweiler
Wernersberg
Hauenstein
Leinsweiler
Eschbach
Herxheim bei Landau
Madenburg
Völkersweiler
Schwanheim
Waldhambach
Impflingen
Insheim
Göcklingen
Dahn
Erfweiler
Darstein
Münchweiler
Heuchelheim-Klingen
Billigheim-Ingenheim
Neudahn
Altdahn
Oberschlettenbach
Klingenmünster
Rohrbach
Braut und Bräutigam
Rödelbergfelsen
Schindhard
Busenberg
Vorderweidenthal
Gleiszellen-Gleishorbach
Steinweiler
Heuchelheim
Niederhorbach
Pleisweiler-Oberhofen
Erlenbach bei Kandel
Großer Eyberg
Bruchweiler-Bärenbach
Felsenland
Erlenbach bei Dahn
Berwartstein
Birkenhördt
Lauterschwan
Kapellen-Drusweiler
Barbelroth
Winden
Minderslachen
Höfen
Kandel
Fladenstein
Rumbach
Böllenborn
Dörrenbach
Bad Bergzabern
Oberhausen
Hergersweiler
Dierbach
Minfeld
PFÄLZERWALD
Fischbach bei Dahn
Niederschlettenbach
Oberotterbach
Zuckerberg
Vollmersweiler
Niederotterbach
Freckenfeld
Schaidt
Nothweiler
Bobenthal
Schweigen-Rechtenbach
Steinfeld
Kapsweyer
Schönau
Hirschthal
Col de Litschhof
Chau de Fleckenstein
Wissembourg
Altenstadt
Schweighofen
Büchelberg
E
F
G
H
69

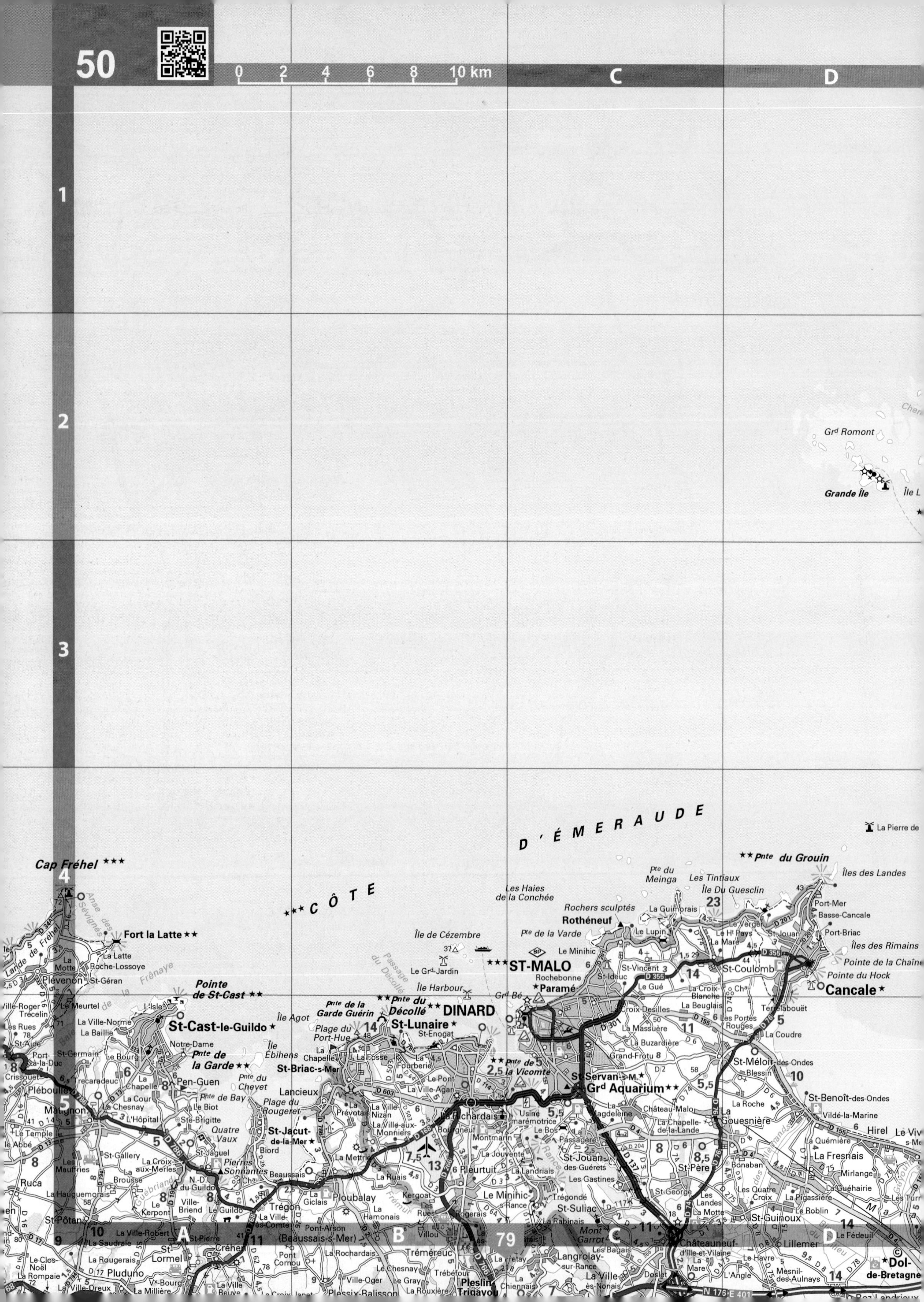

0 2 4 6 8 10 km

C   D

1

2

Grd Romont

Grande Île   *Île L*

3

CÔTE   D'ÉMERAUDE   ⚓ La Pierre de

Cap Fréhel ★★★

★★ Pnte du Grouin

Pte du
Meinga   Les Tintiaux   Îles des Landes
Les Haies   Île Du Guesclin   43
de la Conchée   La Guimorais   Port-Mer
★★★ CÔTE   Rochers sculptés   23   Basse-Cancale
Rothéneuf ★   Le Verger
Fort la Latte ★★   Île de Cézembre   Pte de la Varde   Le Lupin   Le H! Pays   St-Jouan   Port-Briac
La Latte   37   Le Minihic   4 •   Îles des Rimains
Plévenon St-Géran   Le Grd Jardin   St-Vincent 3   1,5 29   44   Pointe de la Chaîne
Roche-Lossoye   ★★★ ST-MALO   St-Ideuc   D 355   Pointe du Hock
Pointe   Île Harbour   ★ Paramé   Le Gué   14   St-Coulomb   Cancale ★
de St-Cast ★★   Grd Bé   6   La Croix-   Terrelabouët   5
St-Cast-le-Guildo ★   Île Agot   Pnte du   ★★ Pnte de la   Croix-Desilles 50   Desilles   Les Portes   La Coudre
Garde Guérin ★★   Décollé ★★ DINARD   La Massuère   11   Rouges
Notre-Dame   Plage du   14   St-Lunaire   La Buzardière   St-Méloir-des-Ondes ★
Pnte de   Port-Hue 48   St-Enogat   Grand-Frotu 8   D 2   58   Blessin   10
la Garde ★★   Île Ébihens   La Chapelle   La   Servan-s-M.   Château-Malo   La Roche
St-Briac-s-Mer ★   La Fosse   Fourberie   2,5 Pnte de   Grd Aquarium ★★   Magdeleine   La Gouesnière   St-Benoît-des-Ondes
Pen-Guen   Pnte du   Lancieux   Le Pont   la Vicomte   Usine   St-Jouan   La Chapelle-   Vildé-la-Marine
Chevet   La Ville-Agan   marémotrice   de-la-Lande   Hirel
Plage du   La Ville   5,5   St-Père   Bonaban   La Quémerais   Le Vi
Quatre   Rougeret   Nizan   Le Bos   La Passagère   8 7,5 8,5   La Fresnais
Vaux   La Mettrie   La Jouvente   St-Jouan-   La Motte   Les Quatre   Mirlange
St-Jacut-   Prévotais   La Ville-aux-   7,5 2,5   des-Guérets   St-George   Croix   Le Turt
de-la-Mer ★   Biord   Monniers   13 6 Pleurtuit   Les Gastines   St-Suliac   St-Guinoux   14
Ville-   Beaussais   Les Rues   Trégondé   Les Landes   Le Fédeuil
Brousse   St-Jaguel   La Giclais   Ploubalay   Kergoat   Le Minihic-s-Rance   Les Quatre   Lillemer
Ste-Brigitte   Villou   La   Mont   Croix   Dol-
Ville-   Trégon   Hamonais   Rogerais   Garrot   79   11   Langrolay-   La Motte   de-Bretagne
Briend   La Ville-   Trémereuc   sur-Rance   St-Guinoux   14
St-Pôtan   A   St-Pierre   B   C   Châteauneuf-   D   14
La Ville-Robert   (Beaussais-s-Mer)   d'Ille-et-Vilaine   N 176

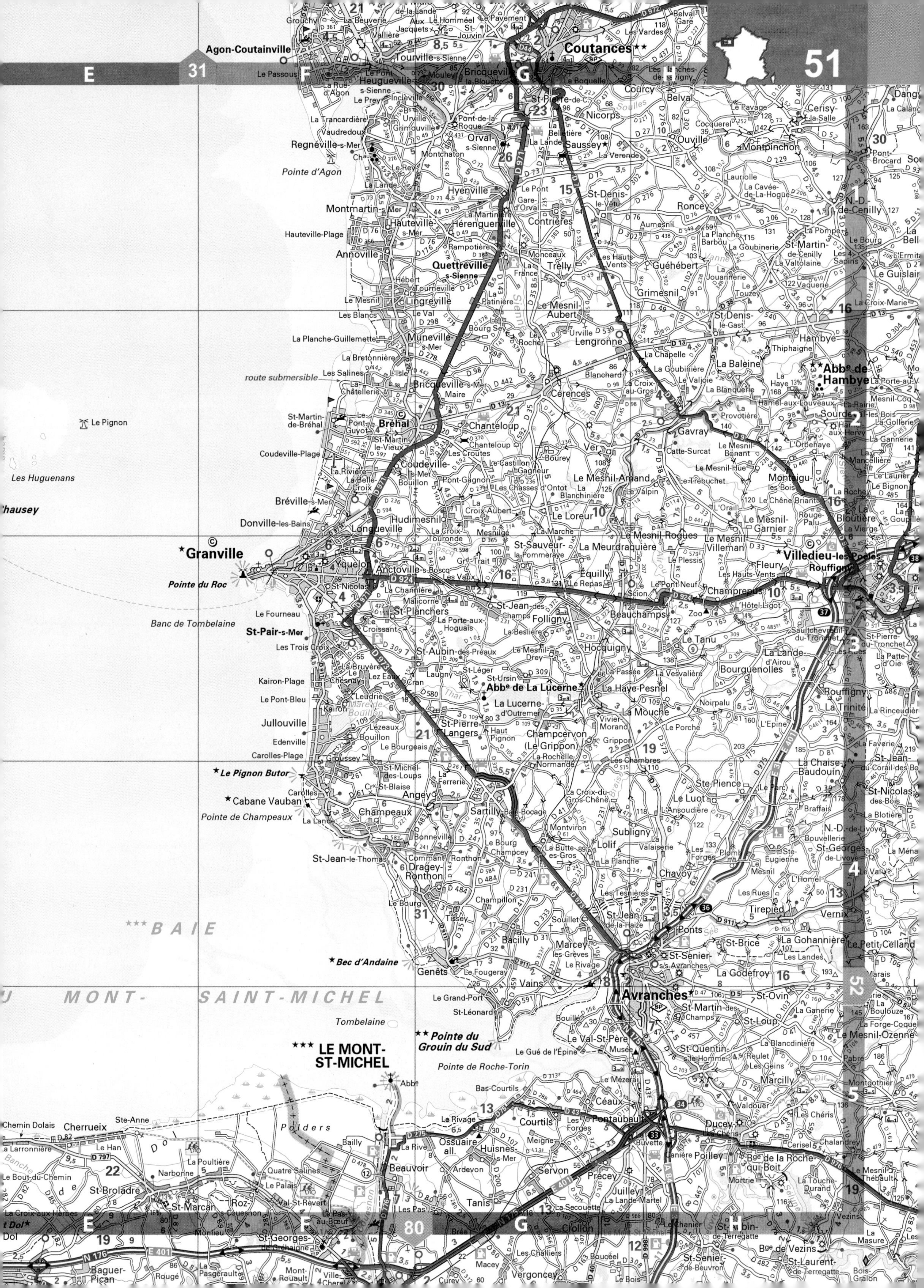

E
31
F
G
H
Agon-Coutainville
Coutances
Le Passous
Heugueville-s-Sienne
Bricqueville-la-Blouette
Tourville-s-Sienne
Grouchy
La Beuverie
Vallière
Le Hommeel
St-Jouvin
Le Pavement
Les Vardes
Courcy
Belval
La Boquelle
St-Pierre-de-C.
Nicorps
Ouville
Cerisy-la-Salle
Montpinchon
Cocquerel
Le Pavage
Regnéville-s-Mer
Vaudredoux
La Trancardière
Urville
Grimouville
Incleville
Le Prey
La Rue-d'Agon
Pont-de-la-Roque
Orval-s-Sienne
Montchaton
Pointe d'Agon
Saussey
La Verende
La Lande
Le Rey
Hyenville
Montmartin-s-Mer
Hauteville-s-Mer
Hauteville-Plage
Annoville
Hérenguerville
La Martinière
La Rampotière
Contrières
Gare-d'Orval
Le Pont
St-Denis-le-Vêtu
Roncey
Aumesnil
La Planche-Barbou
La Goubinerie
St-Martin-de-Cenilly
La Valtolaine
Lauriolle
La Cavée-de-La-Hogue
N.-D.-de-Cenilly
Pont-Brocard
Dangy
La Calange
Quettreville-s-Sienne
Monceaux
Trelly
Les Hauts-Vents
Guéhébert
Grimesnil
La Jouannerie
Le Touzey
Vaquerie
Les Sapins
Le Bourg
Le Guislain
Hébert
Tourneville
Lingreville
Le Mesnil
Les Blancs
Le Val
La Patinière
Le Mesnil-Aubert
St-Denis-le-Gast
La Croix-Marie
La Planche-Guillemette
Muneville-s-Mer
Bourg Sey
Le Rocher
Urville
Lengronne
Hambye
Thiphaigne
La Bretonnière
Les Salines
route submersible
L'Isle
La Châtellerie
La Chapelle
La Goubinière
La Baleine
Abbe de Hambye
La Porte-au-V
Bricqueville-s-Mer
Maire
Cérences
Blanchard
La Croix-au-Gros
Le Valjoie
La Blanquerie
La Haye
Hamel-aux-Louveaux
Mesnil-Coq
Le Pignon
St-Martin-de-Bréhal
Le Pont-Guyot
Bréhal
Chanteloup
La Provotière
Sourdeval-les-Bois
La Rairie
La Gollerie
Aux-Hervy
St-Martin-le-Vieux
Coudeville-Plage
Les Croutes
Bourey
Ver
Gavray
Catte-Surcat
Le Mesnil-Bonant
L'Orbehaye
La Gannerie
Mancellière
Le Laurier
Le Bignon
Les Huguenans
La Rivière
La Belle-Croix
Coudeville-s-Mer
Bouillon
Le Castillon
Gagneur
Pont-Gagnon
Les Chasses d'Ontot
La Blanchinière
Le Mesnil-Amand
Le Valpin
Le Mesnil-Hue
Le Trébuchet
Montaigu-les-Bois
La Roche
Bréville-s-Mer
Chausey
La Croix-Aubert
Le Loreur
L'Orail
Le Chêne-Briant
Le Mesnil-Garnier
Rouge-Palu
La Bloutière
La Vierge
La Goupillère
Donville-les-Bains
Hudimesnil
Longueville
La Croix-Tourende
Mesnilgé
La Marche
Le Mesnil-Rogues
Le Mesnil-Villeman
Granville
Pointe du Roc
Yquelon
St-Nicolas
Anctoville-s-Boscq
Gd-Trait
Les Vaux
St-Sauveur-la-Pommeraye
La Meurdraquière
Equilly
Le Repas
Le Scion
Le Plessis
Le Pont-Neuf
Champrepus
Fleury
Les Hauts-Vents
Villedieu-les-Poêles
Rouffigny
Hôtel-Ligot
Zoo
Banc de Tombelaine
Le Fourneau
La Chanière
Malicorne
St-Planchers
St-Jean-des-Champs
Folligny
Beauchamps
Le Tanu
Saultchevreuil-du-Tronchet
St-Pierre-du-Tronchet
La Patte-d'Oie
St-Pair-s-Mer
Les Trois Croix
Le Croissant
La Porte-aux-Hoguais
La Beslière
Hocquigny
La Lande-d'Airou
Bourguenolles
St-Aubin-des-Préaux
Le Mesnil-Drey
La Passée
La Vesvalière
La Bruyère
Le Chesnay
Lez Eaux
Kairon-Plage
Le Pont-Bleu
Kairon
Leudrie
Mare de Bouillon
Laugny
Cran
St-Léger
St-Ursin
Abbe de La Lucerne
La Haye-Pesnel
Noirpalu
Rouffigny
La Trinité
La Rinceudière
Jullouville
Edenville
Carolles-Plage
Lézeaux
Bouillon
Le Bourgeais
St-Pierre-Langers
La Lucerne-d'Outremer
Haut Pignon
Champcervon (Le Grippon)
Vivier
Morand
La Mouche
Le Porche
L'Epine
La Faverie
Groussey
Le Pignon Butor
Carolles
Cabane Vauban
Pointe de Champeaux
La Lande
St-Michel-des-Loups
Crx-St-Blaise
Angey
Champeaux
La Ferrerie
Sartilly
Baie-Bocage
La Rochelle-Normande
Les Chambres
La Croix-du-Gros-Chêne
Ste-Pience
Le Luot
L'Ansoudière
La Chaise-Baudouin
St-Jean-du-Corail-des-Bois
St-Nicolas-des-Bois
Braffais
La Blotière
St-Jean-le-Thomas
Bonneville
Commant
Ronthon
Dragey-Ronthon
Le Bourg
Champcey
Montviron
La Butte-es-Gros
Lolif
Subligny
La Planche
Valaiserie
Les Forges
Plomb
Chavoy
Ste-Eugienne
N.-D.-de-Livoye
Bouvellerie
St-Georges-de-Livoye
La Ména
Le Val
L'Homel
Mesnil
Les Rues
Tirepied
Vernix
Champillon
Tissey
Souillet
St-Jean-de-la-Haize
Les Tesnières
Ponts
Le Bourg
BAIE
Bec d'Andaine
Genêts
Le Fougeray
Bacilly
Marcey-les-Grèves
Le Rivage
Vains
Avranches
St-Senier-s/s-Avranches
St-Brice
La Gohannière
Les Landes
Le Petit-Celland
La Godefroy
Marais
MONT- SAINT-MICHEL
Le Grand-Port
St-Léonard
Tombelaine
Pointe du Grouin du Sud
LE MONT-ST-MICHEL
Abbe
Pointe de Roche-Torin
Le Gué de l'Épine
Le Val-St-Père
Musée
St-Martin-des-Champs
St-Ovin
St-Loup
La Ganerie
Le Boulouze
La Forge-Cogeat
La Blancdinière
Le Mesnil-Ozenne
St-Quentin-s-le-Homme
Reulet
Les Geins
Marcilly
Le Valdouer
Les Chéris
Montgothier
Le Mézeray
Bas-Courtils
Céaux
Polders
Chemin Dolais
Cherrueix
Ste-Anne
La Larronnière
Le Han
Bailly
Le Rivage
Courtils
Les Forges
Pontaubault
Ducey
Les Chéris
Cerisel
Chalandrey
Ossuaire all.
Huisnes-s-Mer
Meigne
Buvette
Poilley
Bge de la Roche-qui-Boit
La Poultière
Narbonne
Quatre Salines
La Rive
Beauvoir
Ardevon
Servon
Précey
Juilley
Mortrie
La Touche-Durand
Le Mesnil-Thébault
Le Bout-du-Chemin
St-Broladre
Le Palais
Val-St-Revert
St-Marcan
Roz-Couesnon
Les Pas
Pas-au-Bœuf
Tanis
La Secouette
La Lande-Martel
Le Chanier
St-Aubin-de-Terregatte
Vezins
La Croix-aux-Herbes
St Dol
Dol
Montlieu
St-Georges-de-Gréhaigne
80
Brée
Crollon
Bge de Vezins
La Masure
St-Senier-de-Beuvron
St-Laurent-de-Terregatte
Bois-Gralon
Baguer-Pican
Rougé
La Pasgerault
Mont-Rouault
Ville-Cherel
Macey
Les Challiers
Boucéel
Vergoncey
Le Bois
52

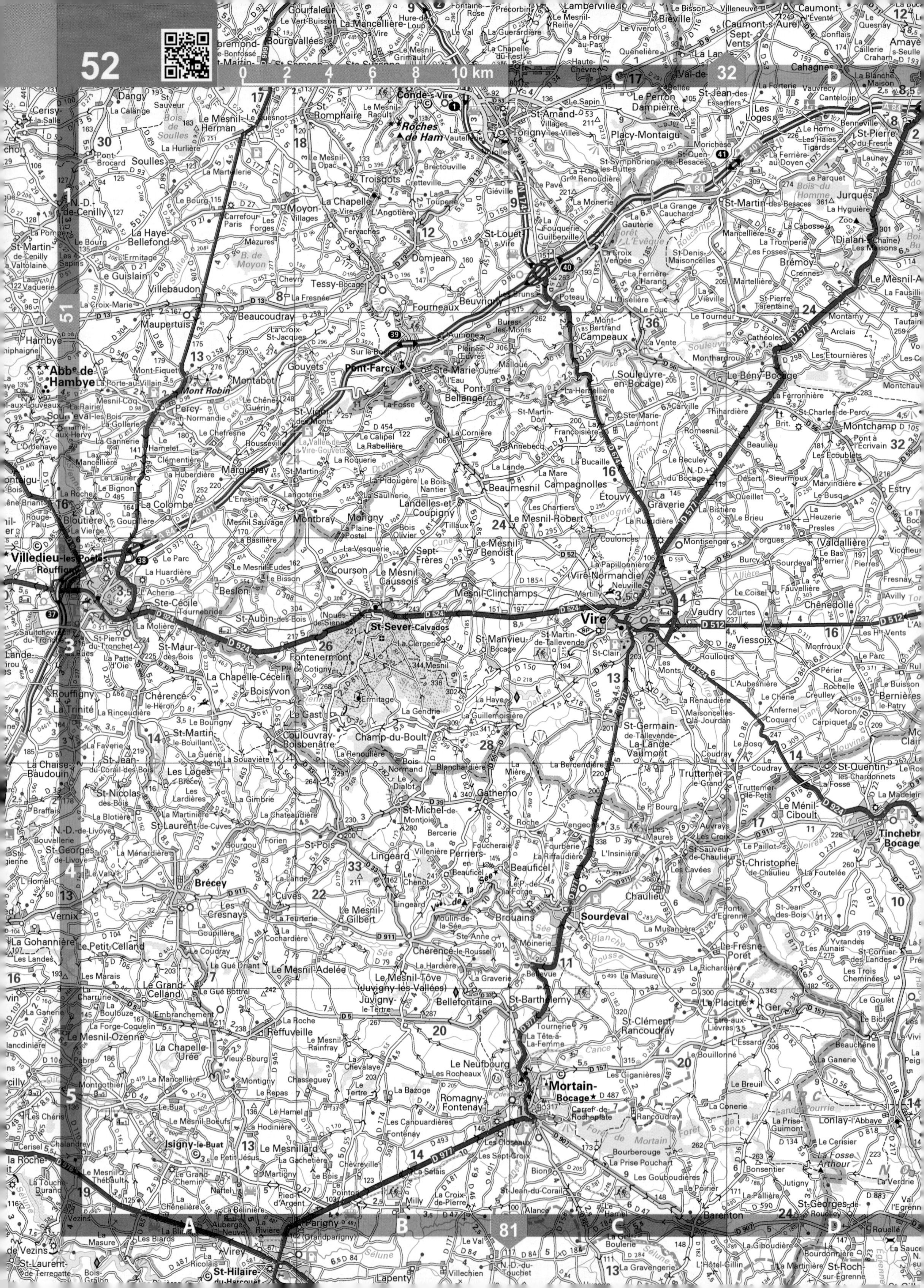
52
0 2 4 6 8 10 km
32
51
81
A
B
C
D
1
2
3
4
5
Condé-s-Vire
Roches de Ham
Torigny-les-Villes
St-Amand
Placy-Montaigu
Le Perron
Dampierre
St-Jean-des-Essartiers
Les Loges
Cahagnes
St-Pierre-du-Fresne
St-Martin-des-Besaces
Jurques
La Ferrière-au-Doyen
Cerisy-la-Salle
Dangy
Soulles
Le Mesnil-Herman
St-Romphaire
Troisgots
La Chapelle-s-Vire
Moyon-Villages
Tessy-Bocage
Domjean
St-Louet-s-Vire
Guilberville
Beuvrigny
Fourneaux
Villebaudon
Le Guislain
La Haye-Bellefond
N.-D.-de-Cenilly
St-Martin-de-Cenilly
Hambye
Abbe de Hambye
Maupertuis
Beaucoudray
Gouvets
Pont-Farcy
Ste-Marie-Outre-l'Eau
Pont-Bellanger
Campeaux
Mont-Bertrand
(Souleuvre-en-Bocage)
Le Bény-Bocage
Montchamp
Mont Robin
Montabot
Percy-en-Normandie
St-Vigor-des-Monts
La Vallée de la Vire-Gouvets
Margueray
La Colombe
Montbray
Morigny
Landelles-et-Coupigny
Beaumesnil
Campagnolles
Le Mesnil-Robert
Étouvy
La Graverie
Villedieu-les-Poêles-Rouffigny
Sept-Frères
Courson
Le Mesnil-Caussois
Mesnil-Clinchamps
(Vire-Normandie)
Vire
Vaudry
Chênedollé
Viessoix
Estry
(Valdallière)
Ste-Cécile
St-Aubin-des-Bois
St-Sever-Calvados
Fontenermont
St-Manvieu-Bocage
St-Maur-des-Bois
La Chapelle-Cécelin
Boisyvon
Chérencé-le-Héron
Rouffigny
La Trinité
Le Gast
Coulouvray-Boisbenâtre
Champ-du-Boult
St-Germain-de-Tallevende-La-Lande-Vaumont
Truttemer-le-Grand
Le Ménil-Ciboult
Tinchebray-Bocage
St-Quentin-les-Chardonnets
La Chaise-Baudouin
St-Jean-du-Corail-des-Bois
Les Loges-s-Brécey
St-Nicolas-des-Bois
St-Laurent-de-Cuves
Gathemo
St-Michel-de-Montjoie
St-Pois
Lingeard
Perriers-en-Beauficel
Beauficel
Sourdeval
Chaulieu
St-Christophe-de-Chaulieu
St-Georges-de-Livoye
Brécey
Cuves
Le Mesnil-Gilbert
Brouains
Vernix
La Gohannière
Le Petit-Celland
Le Grand-Celland
Le Mesnil-Adelée
Chérencé-le-Roussel
Juvigny-le-Tertre
(Juvigny-les-Vallées)
Le Mesnil-Tôve
Bellefontaine
St-Barthélemy
St-Clément-Rancoudray
Le Placître
Ger
Reffuveille
La Chapelle-Urée
Le Mesnil-Ozenne
Le Neufbourg
Mortain-Bocage
Romagny-Fontenay
Isigny-le-Buat
Le Mesnillard
Lonlay-l'Abbaye
Forêt de Mortain
La Fosse Arthour
Parigny
(Grandparigny)
Barenton
St-Georges-de-Rouelley
St-Hilaire-du-Harcouët
Vezins
St-Laurent-de-Terregatte
Virey
Lapenty
N.-D.-du-Touchet
D 524
D 512
D 577
D 911
D 977
A 84
E 401

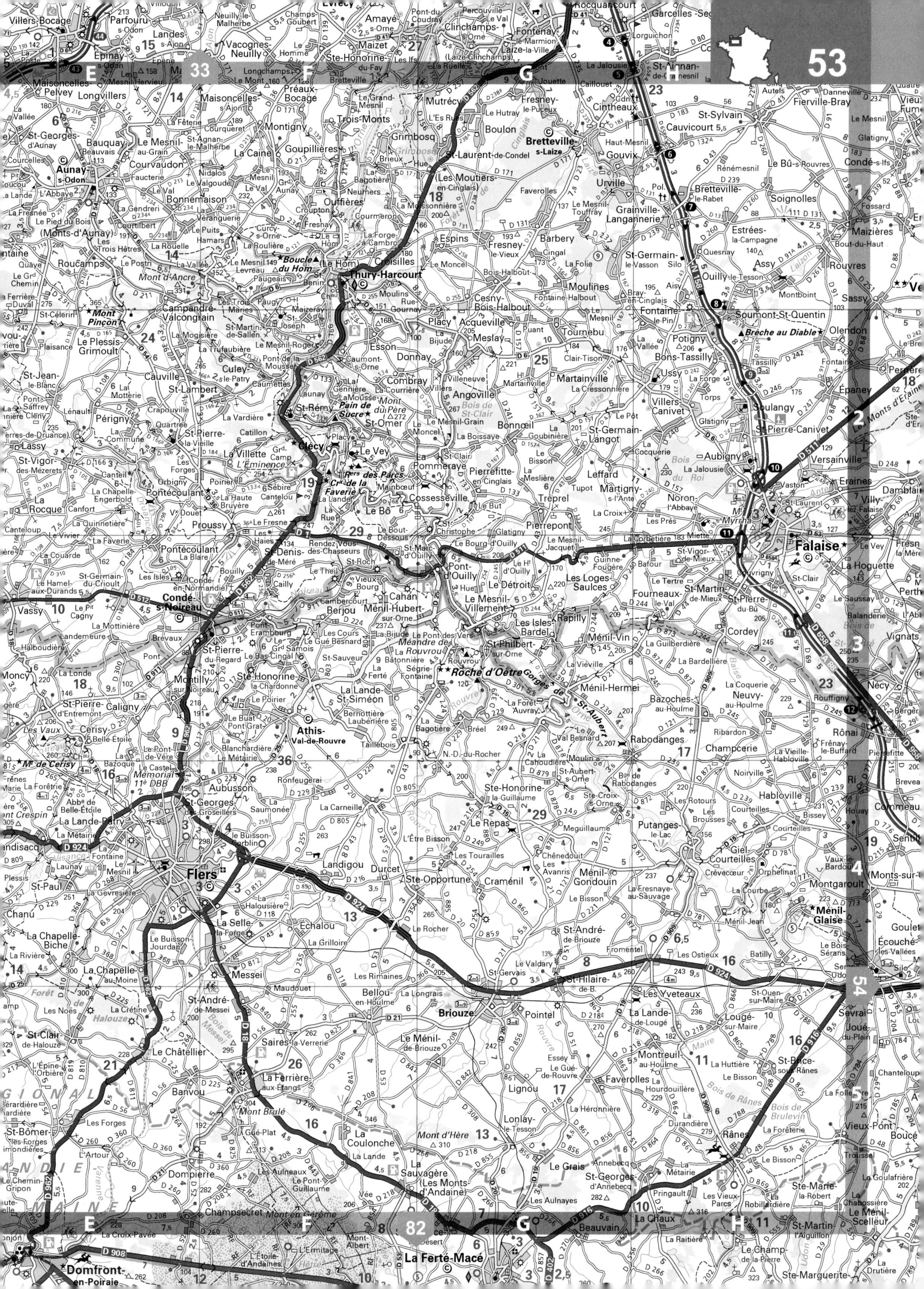
Villers-Bocage
Aunay-s-Odon
Thury-Harcourt
Bretteville-s-Laize
Condé-s-Noireau
Flers
Falaise
Athis-Val-de-Rouvre
Briouze
La Ferté-Macé
Domfront-en-Poiraie
Clécy
Pont-d'Ouilly
Putanges-le-Lac
Rânes
Ménil-Glaise
Mont Pinçon
Roche d'Oëtre
Gorges de St-Aubert
Brèche au Diable
Pain de Sucre
Boucle du Hom
Mont Brûlé
Mont d'Hère
Mont d'Ancre
Forêt de Halouze
Bois de Bruleviń
Bois de Rânes
Cintheaux
St-Sylvain
Ouilly-le-Tesson
Potigny
Soumont-St-Quentin
Olendon
Versainville
Pierrepont
Cesny-Bois-Halbout
St-Pierre-du-Regard
St-Georges-des-Groseillers
Messei
La Lande-Patry
Tinchebray
Cerisy-Belle-Étoile
Mt de Cerisy
Mémorial 11e DBB
Sées
Écouché-les-Vallées
Joué-du-Plain
Montgaroult
Neuvy-au-Houlme
Rabodanges
Ste-Honorine-la-Guillaume
Le Ménil-de-Briouze
Lignou
Lonlay-le-Tesson
Saires-la-Verrerie
La Ferrière-aux-Étangs
Dompierre
Champsecret
La Sauvagère
St-Georges-d'Annebecq
Beauvain
La Chaux
Vieux-Pont
Ste-Marie-la-Robert
St-Martin-l'Aiguillon
Le Ménil-Scelleur
E F G H
33
82
54

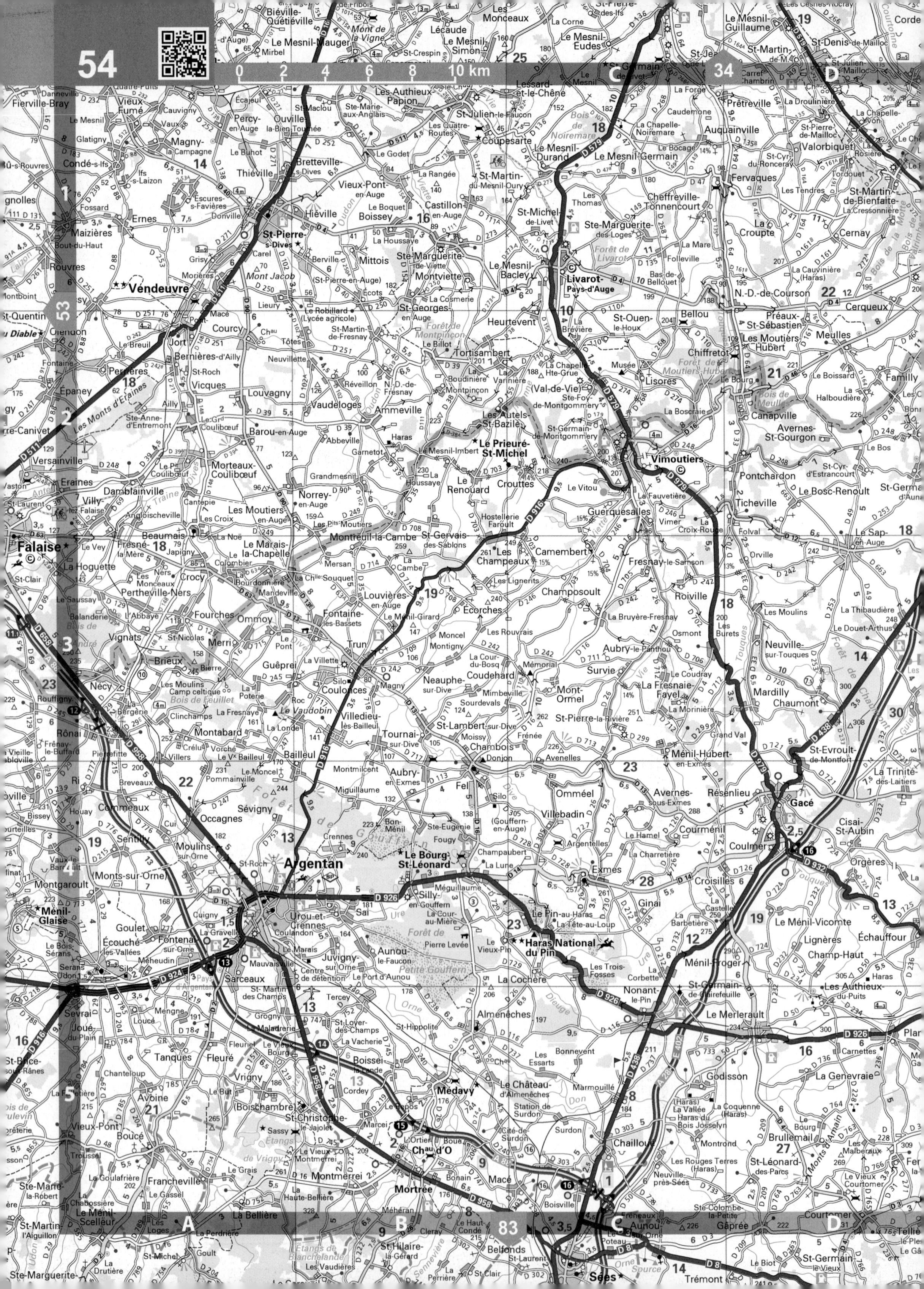

54
0 2 4 6 8 10 km
A B C D
1 2 3 4 5
53 34 83
Biéville-Quétiéville
Le Mesnil-Mauger
Mont de la Vigne
Lécaude
Le Mesnil-Simon
Les Monceaux
Le Mesnil-Eudes
St-Germain-de-Livet
Le Mesnil-Guillaume
St-Martin-de-M.
St-Denis-de-Mailloc
St-Julien-le-Mailloc
Fierville-Bray
Vieux-Fumé
Percy-en-Auge
Ouville-la-Bien-Tournée
Les Authieux-Papion
St-Julien-le-Faucon
Coupesarte
Lessard-et-le-Chêne
Bois de Noiremare
La Chapelle-Noiremare
Prêtreville
Auquainville
Magny-la-Campagne
Condé-s-Ifs
Bretteville-s-Dives
Thiéville
Le Mesnil-Durand
Le Mesnil-Germain
Fervaques
St-Martin-du-Mesnil-Oury
Castillon-en-Auge
Vieux-Pont-en-Auge
Boissey
Hiéville
St-Pierre-s-Dives
Ernes
Maizières
Rouvres
Cheffreville-Tonnencourt
St-Michel-de-Livet
Ste-Marguerite-des-Loges
St-Martin-de-Bienfaite-la-Cressonnière
Cernay
La Croupte
Ste-Marguerite-de-Viette
Montviette
Mittois
Le Mesnil-Bacley
Livarot-Pays-d'Auge
Forêt de Livarot
Bas-de-Bellouet
N.-D.-de-Courson
Vendeuvre
Mont Jacob
St-Georges-en-Auge
Heurtevent
St-Ouen-le-Houx
Bellou
Préaux-St-Sébastien
Cerqueux
Meulles
Les Moutiers-Hubert
Chiffretot
Forêt de Moutiers-Hubert
Familly
St-Quentin
Courcy
Jort
Bernières-d'Ailly
Forêt de Montpinçon
Tortisambert
La Chapelle-Hte-Grue
Lisores
Musée
St-Martin-de-Fresnay
Perrières
Épaney
Vicques
Louvagny
Vaudeloges
Ammeville
Montpinçon
(Val-de-Vie)
Ste-Foy-de-Montgommery
Canapville
Avernes-St-Gourgon
Les Monts d'Eraines
Le Grd Coulibœuf
Barou-en-Auge
Abbeville
Les Autels-St-Bazile
Le Prieuré-St-Michel
St-Germain-de-Montgommery
Vimoutiers
Versainville
Morteaux-Coulibœuf
Le Mesnil-Imbert
Crouttes
Le Renouard
Le Vitou
Pontchardon
Le Bosc-Renoult
Eraines
Damblainville
Norrey-en-Auge
Ticheville
Villy-lez-Falaise
Les Moutiers-en-Auge
Hostellerie Faroult
Guerquesalles
Falaise
Beaumais
Fresné-la-Mère
Le Marais-la-Chapelle
Montreuil-la-Cambe
St-Gervais-des-Sablons
Les Champeaux
Camembert
Le Sap-en-Auge
La Hoguette
Crocy
Pertheville-Ners
Louvières-en-Auge
Écorches
Champosoult
Fresnay-le-Samson
Roiville
Fourches
Ommoy
Fontaine-les-Bassets
Vignats
Merri
Trun
Moncel
Montigny
Les Rouvrais
Aubry-le-Panthou
Neuville-sur-Touques
Brieux
Guêprei
Coudehard
Mémorial
Survie
Mont-Ormel
La Fresnaie-Fayel
Mardilly
Chaumont
Nécy
Coulonces
Neauphe-sur-Dive
Rouffigny
Le Vaudobin
Villedieu-lès-Bailleul
St-Lambert-sur-Dive
Chambois
St-Pierre-la-Rivière
Tournai-sur-Dive
Montabard
Ménil-Hubert-en-Exmes
St-Evroult-de-Montfort
Bailleul
Aubry-en-Exmes
Fel
Ommeel
Avernes-sous-Exmes
Résenlieu
Gacé
La Trinité-des-Laitiers
Commeaux
Sévigny
Forêt de Gouffern
Villebadin
Courménil
Cisai-St-Aubin
Occagnes
Moulins-sur-Orne
Argentan
Le Bourg-St-Léonard
Exmes
Orgères
Croisilles
Ginai
Montgaroult
(Monts-sur-Orne)
Urou-et-Crennes
Le Pin-au-Haras
Haras National du Pin
Ménil-Glaise
Écouché-les-Vallées
Forêt de Pierre Levée
Le Ménil-Vicomte
Échauffour
Champ-Haut
Sarceaux
Aunou-le-Faucon
Ménil-Froger
Nonant-le-Pin
St-Germain-de-Clairefeuille
Les Authieux-du-Puits
Sevrai
Joué-du-Plain
Almenêches
Le Merlerault
Tanques
Fleuré
Boissei-la-Lande
Médavy
Le Château-d'Almenêches
Godisson
La Genevraie
Avoine
Vieux-Pont
Boucé
St-Christophe-le-Jajolet
Marcei
Chau d'O
Chailloué
Brullemail
St-Léonard-des-Parcs
Francheville
Montmerrei
Mortrée
Macé
Ste-Marie-la-Robert
Le Ménil-Scelleur
La Bellière
Aunou-sur-Orne
Gâprée
Courtomer
St-Hilaire-la-Gérard
Belfonds
Sées
Tremont
St-Germain-le-Vieux

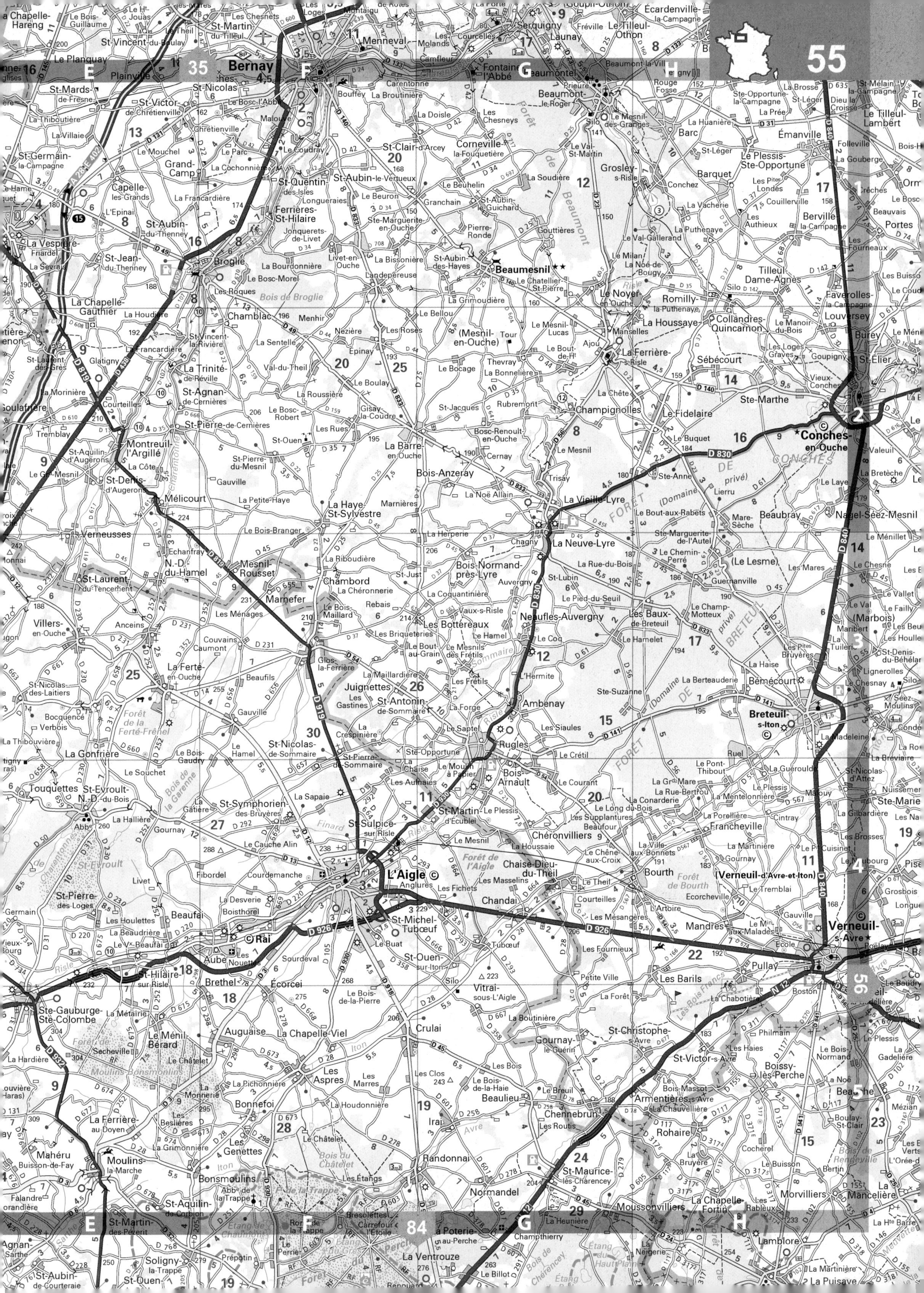
55
35
56
84
E
F
G
H
Bernay
St-Martin-du-Tilleul
St-Vincent-du-Boulay
Menneval
Serquigny
Launay
Fontaine-l'Abbé
Beaumontel
Beaumont-le-Roger
St-Nicolas
St-Victor-de-Chrétienville
St-Mards-de-Fresne
Plainville
Le Planquay
St-Germain-la-Campagne
Capelle-les-Grands
Grand-Camp
St-Aubin-du-Thenney
St-Jean-du-Thenney
La Vespière-Friardel
Broglie
Chamblac
Ferrières-St-Hilaire
St-Quentin-des-Isles
St-Aubin-le-Vertueux
St-Clair-d'Arcey
Corneville-la-Fouquetière
Grosley-s-Risle
Barc
Barquet
Émanville
Le Plessis-Ste-Opportune
Berville-la-Campagne
Portes
Tilleul-Dame-Agnès
Faverolles-la-Campagne
Louversey
Collandres-Quincarnon
Romilly-la-Puthenaye
La Houssaye
La Ferrière-s-Risle
Sébécourt
Ste-Marthe
Conches-en-Ouche
Beaumesnil
Le Noyer-en-Ouche
Mesnil-en-Ouche
Landepéreuse
La Chapelle-Gauthier
La Trinité-de-Réville
St-Agnan-de-Cernières
St-Pierre-de-Cernières
Montreuil-l'Argillé
St-Denis-d'Augerons
Mélicourt
Verneusses
Champignolles
La Barre-en-Ouche
Bois-Anzeray
La Haye-St-Sylvestre
La Vieille-Lyre
La Neuve-Lyre
Bois-Normand-près-Lyre
Le Fidelaire
Beaubray
Nagel-Séez-Mesnil
Mesnil-Rousset
Marnefer
N.-D.-du-Hamel
St-Laurent-du-Tencement
Villers-en-Ouche
Chambord
La Ferté-en-Ouche
Juignettes
St-Antonin-de-Sommaire
Neaufles-Auvergny
Les Bottereaux
Les Baux-de-Breteuil
Ambenay
Rugles
Bémécourt
Breteuil-s-Iton
St-Evroult-N.-D.-du-Bois
Touquettes
La Gonfrière
St-Nicolas-de-Sommaire
St-Symphorien-des-Bruyères
St-Sulpice-sur-Risle
St-Martin-d'Écublei
Bois-Arnault
Chéronvilliers
Francheville
Chaise-Dieu-du-Theil
Bourth
Verneuil-d'Avre-et-Iton
L'Aigle
Chandai
St-Michel-Tubœuf
Rai
Beaufai
St-Pierre-des-Loges
Aube
St-Hilaire-sur-Risle
Ste-Gauburge-Ste-Colombe
Écorcei
St-Ouen-sur-Iton
Vitrai-sous-L'Aigle
Mandres
Verneuil-s-Avre
Pullay
Les Barils
St-Christophe-s-Avre
Crulai
Auguaise
La Chapelle-Viel
Les Aspres
Le Ménil-Bérard
Bonnefoi
Beaulieu
Chennebrun
Armentières-s-Avre
St-Victor-s-Avre
Boissy-lès-Perche
Rohaire
Irai
Randonnai
Les Genettes
Moulins-la-Marche
Bonsmoulins
St-Aquilin-de-Corbion
Normandel
St-Maurice-lès-Charencey
Moussonvilliers
La Chapelle-Fortin
Morvilliers
La Mancelière
Lamblore
La Ventrouze
Soligny-la-Trappe
St-Martin-des-Pézerit
St-Aubin-de-Courteraie
Forêt de Beaumont
Bois de Broglie
Forêt de Conches
Forêt de Breteuil
Forêt de l'Aigle
Forêt de Bourth
Forêt de Sécheville
Bois du Châtelet
Forêt de la Trappe
D 830
D 833
D 840
D 919
D 926
D 141
D 140
D 49
D 45
D 22
N 12
A 28 E 402
Risle
Charentonne
Iton
Avre

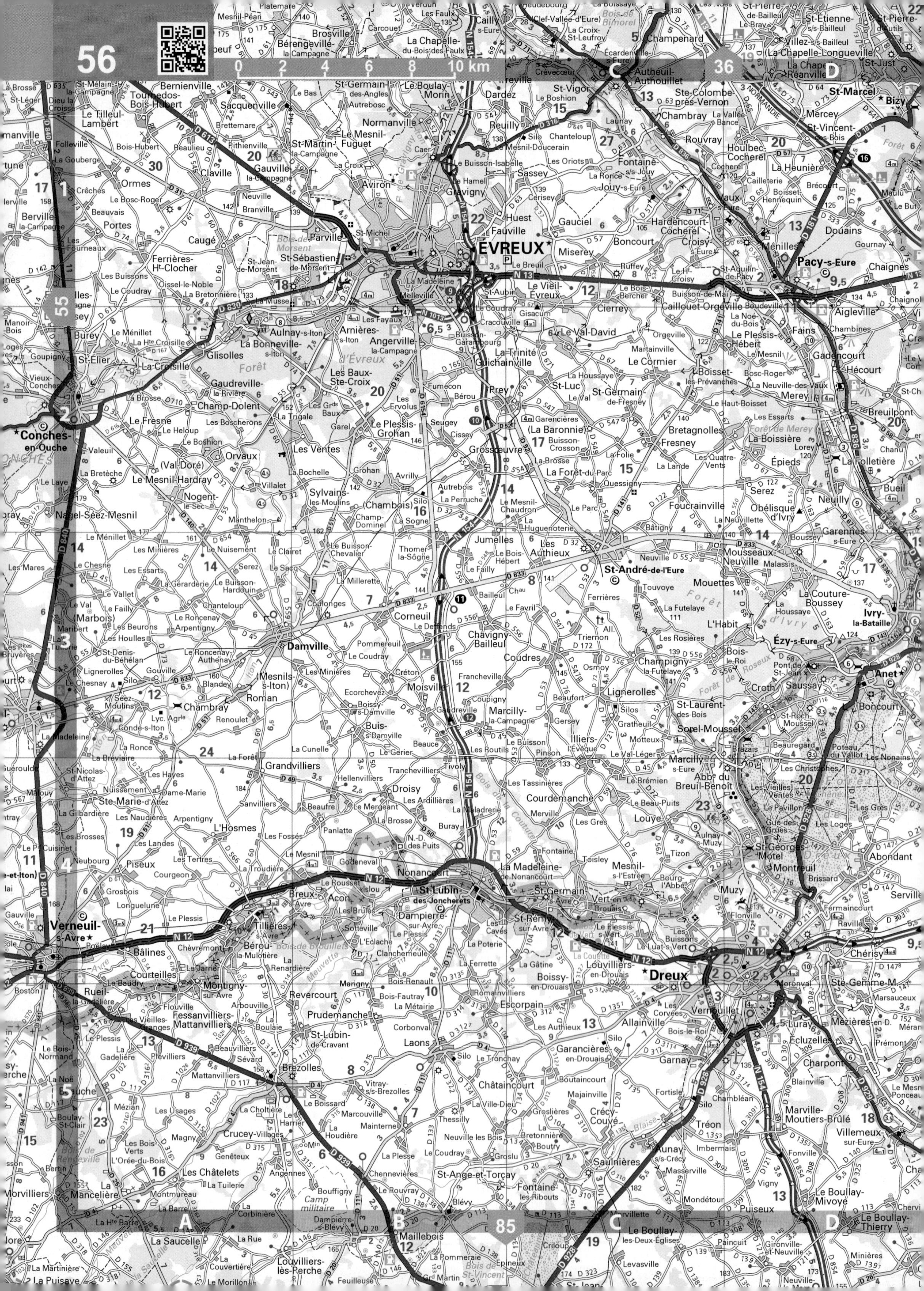
0 2 4 6 8 10 km
36
55
85
A
B
C
D
1
2
3
4
5
ÉVREUX
Pacy-s-Eure
Conches-en-Ouche
Damville
St-André-de-l'Eure
Ivry-la-Bataille
Anet
Dreux
Verneuil-s-Avre
Nonancourt
St-Lubin-des-Joncherets
Tillières-s-Avre
Brezolles
Maillebois
Breteuil
St-Marcel
Bizy
Autheuil-Authouillet
Gravigny
Guichainville
La Trinité
Le Vieil-Évreux
Aulnay-s-Iton
Arnières-s-Iton
Angerville-la-Campagne
Les Baux-Ste-Croix
Le Plessis-Grohan
Grossœuvre
Jumelles
Corneuil
Chavigny-Bailleul
Moisville
Marcilly-la-Campagne
Illiers-l'Évêque
Marcilly-s-Eure
Sorel-Moussel
St-Georges-Motel
Montreuil
Vernouillet
Luray
Écluzelles
Charpont
Marville-Moutiers-Brûlé
Villemeux-sur-Eure
Le Boullay-Mivoye
Le Boullay-Thierry
Le Boullay-les-Deux-Églises
Puiseux
Tréon
Aunay-s/s-Crécy
Crécy-Couvé
Saulnières
Garnay
Châtaincourt
Laons
St-Ange-et-Torçay
Escorpain
Louvilliers-en-Drouais
Allainville
Garancières-en-Drouais
St-Rémy-sur-Avre
St-Germain-s-Avre
Mesnil-s-l'Estrée
Muzy
Abondant
Chérisy
Ste-Gemme-M.
Mézières-en-D.
Croth
Saussay
Boncourt
Ézy-s-Eure
Bois-le-Roi
Mouettes
Mousseaux-Neuville
La Couture-Boussey
Garennes-s-Eure
Bueil
Neuilly
Épieds
Merey
Hécourt
Breuilpont
Fains
Aigleville
Chaignes
Ménilles
Douains
Houlbec-Cocherel
Rouvray
Chambray
Fontaine-s/s-Jouy
Jouy-s-Eure
Gauciel
Huest
Fauville
Miserey
Boncourt
Cierrey
Caillouet-Orgeville
Le Cormier
St-Germain-de-Fresney
Bretagnolles
Fresney
Foucrainville
Champigny-la-Futelaye
Lignerolles
St-Laurent-des-Bois
Coudres
Courdemanche
Louye
Grandvilliers
Droisy
Buis-s-Damville
Roman
Chambray
Piseux
Courteilles
Bâlines
Montigny-sur-Avre
Rueil-la-Gadelière
Fessanvilliers-Mattanvilliers
St-Lubin-de-Cravant
Prudemanche
Revercourt
Dampierre-sur-Avre
Bérou-la-Mulotière
Ste-Marie-d'Attez
L'Hosmes
St-Elier
La Bonneville-s-Iton
Glisolles
Gaudreville-la-Rivière
Champ-Dolent
Orvaux
Le Mesnil-Hardray
Nagel-Séez-Mesnil
Sylvains-les-Moulins
Les Ventes
Parville
St-Sébastien-de-Morsent
Caugé
Aviron
Normanville
Sacquenville
Tournedos-Bois-Hubert
Le Tilleul-Lambert
Claville
Ormes
Portes
Ferrières-Ht-Clocher
Champenard
La Chapelle-Réanville
Villez-s/s-Bailleul
Ste-Colombe-près-Vernon
St-Vigor
Reuilly
Sassey
Dardez
N 13
N 12
N 154
N 1013
D 840
D 830
D 613
D 833
D 939
D 836
D 181
D 928
Forêt d'Évreux
Forêt d'Ivry
Forêt de Merey
Forêt de Roseux
Forêt de Dreux
Bois de Morsent
Bois de Broullets
Camp militaire

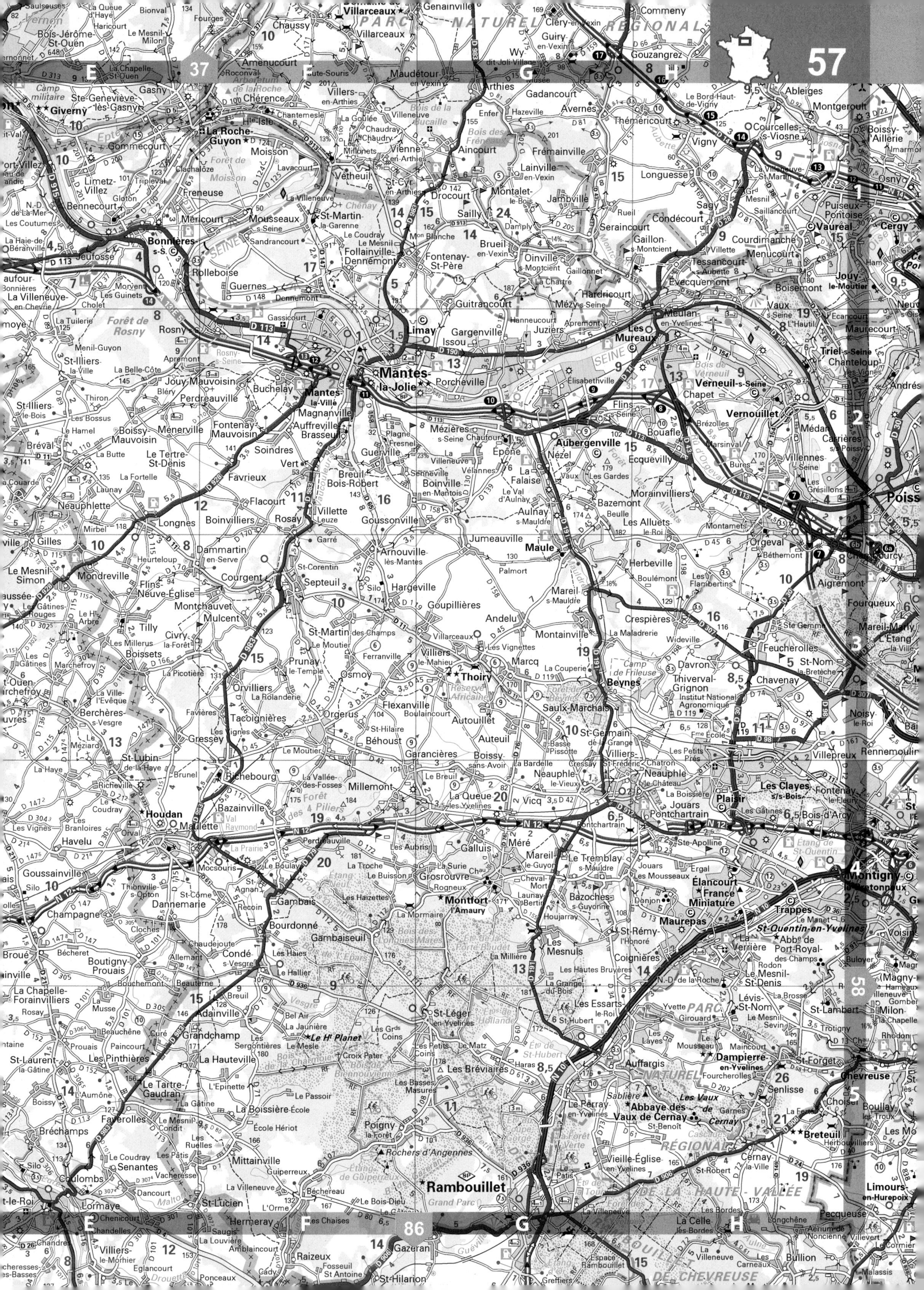

57
37
E
F
G
H
PARC NATUREL RÉGIONAL
Villarceaux
Genainville
Commeny
Chaussy
Clery-en-Vexin
Guiry-en-Vexin
Wy-dit-Joli-Village
Gouzangrez
Bois-Jérôme-St-Ouen
La Chapelle-St-Ouen
Amenucourt
Maudétour-en-Vexin
Arthies
Gadancourt
Ableiges
Montgeroult
Giverny
Ste-Geneviève-lès-Gasny
Gasny
Chérence
Villers-en-Arthies
Avernes
Théméricourt
Vigny
Courcelles-s-Viosne
Boissy-l'Aillerie
La Roche-Guyon
Gommecourt
Moisson
Vienne-en-Arthies
Aincourt
Frémainville
Longuesse
Osny
Limetz-Villez
Lavacourt
Vétheuil
St-Cyr-en-Arthies
Lainville-en-Vexin
Bennecourt
Freneuse
Drocourt
Montalet-le-Bois
Jambville
Sagy
Puiseux-Pontoise
Méricourt
Mousseaux-s-Seine
St-Martin-la-Garenne
Sailly
Condécourt
Vauréal
Cergy
Bonnières-s-S.
Jeufosse
Sandrancourt
Follainville-Dennemont
Fontenay-St-Père
Brueil-en-Vexin
Oinville-s-Montcient
Seraincourt
Gaillon-s-Montcient
Courdimanche
Menucourt
Rolleboise
Tessancourt
Jouy-le-Moutier
Guernes
Evecquemont
Boisemont
La Villeneuve-en-Chevrie
Dennemont
Guitrancourt
Hardricourt
Mézy-s-Seine
Vaux-s-Seine
Forêt de Rosny
Rosny-s-S.
Gassicourt
Limay
Gargenville
Juziers
Meulan-en-Yvelines
Maurecourt
Issou
Les Mureaux
Triel-s-Seine
Chanteloup-les-Vignes
St-Illiers-la-Ville
Jouy-Mauvoisin
Mantes-la-Jolie
Porcheville
Élisabethville
Verneuil-s-Seine
Andrésy
Buchelay
Mantes-la-Ville
Perdreauville
Magnanville
Flins-s-Seine
Vernouillet
Auffreville-Brasseuil
Mézières-s-Seine
Aubergenville
Bouafle
Médan
Bréval
Boissy-Mauvoisin
Ménerville
Fontenay-Mauvoisin
Épône
Ecquevilly
Villennes-s-Seine
Carrières-s/s-Poissy
Soindres
Vert
Guerville
La Falaise
Nézel
Favrieux
Breuil-Bois-Robert
Boinville-en-Mantois
Aulnay-s-Mauldre
Morainvilliers
Bazemont
Poissy
Neauphlette
Flacourt
Villette
Goussonville
Les Alluets-le-Roi
Longnes
Boinvilliers
Rosay
Jumeauville
Maule
Orgeval
Dammartin-en-Serve
Arnouville-lès-Mantes
Herbeville
Chambourcy
Le Mesnil-Simon
Mondreville
Courgent
Septeuil
Hargeville
Mareil-s-Mauldre
Aigremont
Flins-Neuve-Église
Montchauvet
Goupillières
Fourqueux
Tilly
Mulcent
Andelu
Crespières
Mareil-Marly
St-Martin-des-Champs
Montainville
Civry-la-Forêt
Villiers-le-Mahieu
Marcq
Feucherolles
Boissets
Prunay-le-Temple
Thoiry
Beynes
Davron
St-Nom-la-Bretèche
Osmoy
Orvilliers
Thiverval-Grignon
Chavenay
Berchères-s-Vesgre
Flexanville
Autouillet
Saulx-Marchais
Orgerus
Tacoignières
Béhoust
St-Germain-de-la-Grange
Gressey
Garancières
Boissy-sans-Avoir
Villiers-St-Frédéric
Villepreux
Rennemoulin
St-Lubin-de-la-Haye
Richebourg
Millemont
Neauphle-le-Vieux
Neauphle-le-Château
Les Clayes-s/s-Bois
Fontenay-le-Fleury
La Queue-les-Yvelines
Vicq
Plaisir
Jouars-Pontchartrain
Bois-d'Arcy
Houdan
Bazainville
Maulette
Havelu
Galluis
Méré
Mareil-le-Guyon
Le Tremblay-s-Mauldre
Élancourt
France Miniature
Montigny-le-Bretonneux
Goussainville
Grosrouvre
Montfort-l'Amaury
Bazoches-s-Guyonne
Maurepas
Trappes
Thionville-s-Opton
Dannemarie
Gambais
Champagne
Bourdonné
Gambaiseuil
Les Mesnuls
St-Rémy-l'Honoré
St-Quentin-en-Yvelines
Abbe de Port-Royal-des-Champs
Voisins
Boutigny-Prouais
Condé-s-Vesgre
Coignières
La Verrière
Le Mesnil-St-Denis
Magny
Adainville
St-Léger-en-Yvelines
Les Essarts-le-Roi
Lévis-St-Nom
St-Lambert
Milon-la-Chapelle
Grandchamp
La Hauteville
Le Ht Planet
Auffargis
Dampierre-en-Yvelines
St-Forget
Chevreuse
Les Bréviaires
Senlisse
Le Tartre-Gaudran
La Boissière-École
Le Perray-en-Yvelines
Abbaye des Vaux de Cernay
Les Vaux de Cernay
Choisel
Faverolles
Poigny-la-Forêt
Bréchamps
Breteuil
Mittainville
Rochers d'Angennes
Vieille-Église-en-Yvelines
Cernay-la-Ville
Coulombs
Senantes
Rambouillet
Limours-en-Hurepoix
DE LA HAUTE-VALLÉE
Lormaye
St-Lucien
Hermeray
Pecqueuse
Les Chaises
86
La Celle-les-Bordes
Gazeran
Bullion
Villiers-le-Morhier
Raizeux
Espace Rambouillet
DE CHEVREUSE
St-Hilarion
58

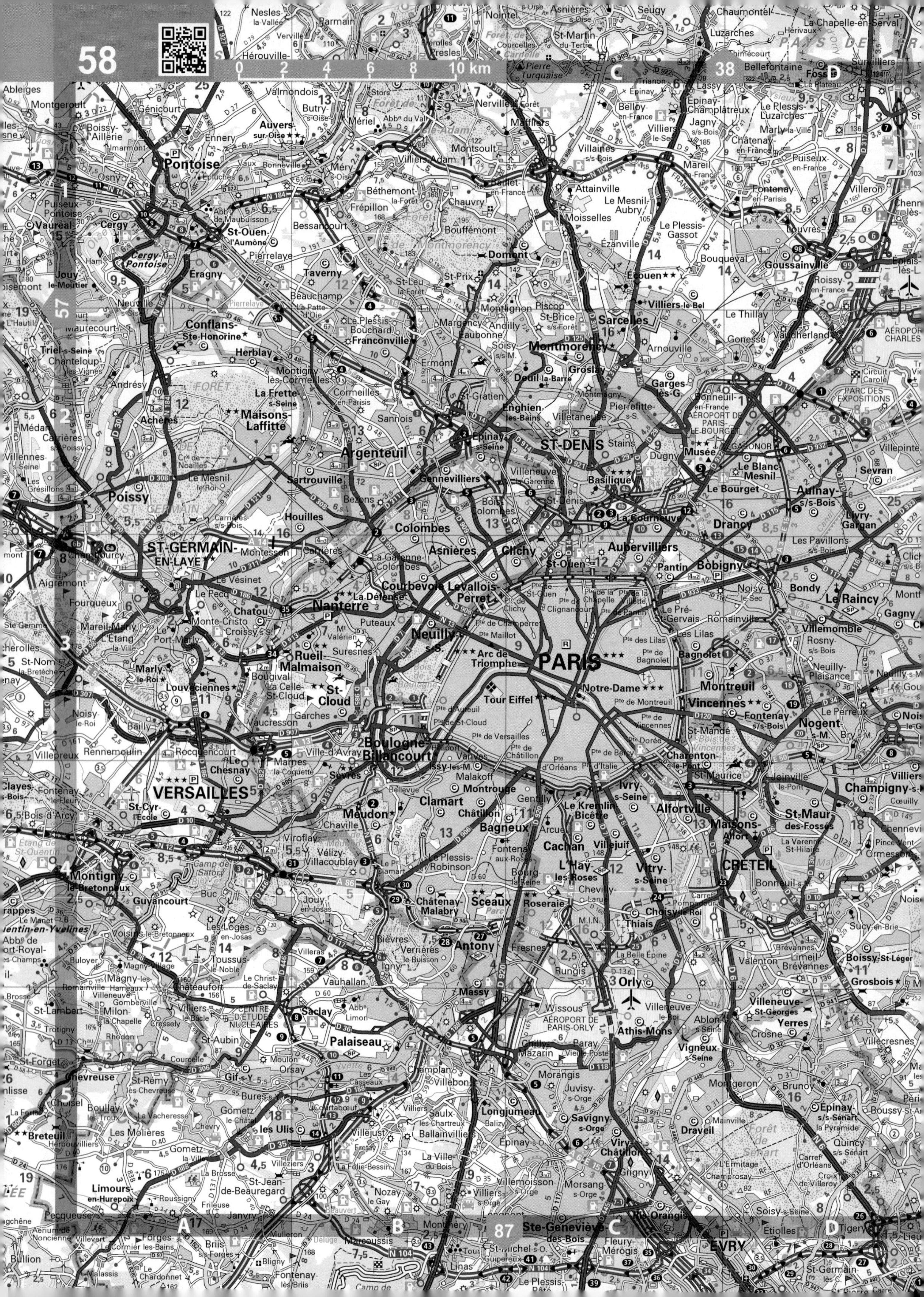
0 2 4 6 8 10 km
38
57
87
A
B
C
D
1
2
3
4
5
PARIS
ST-DENIS
VERSAILLES
ST-GERMAIN-EN-LAYE
Pontoise
Cergy
Cergy-Pontoise
St-Ouen-l'Aumône
Auvers-sur-Oise
Valmondois
Nesles-la-Vallée
Hérouville
Parmain
Presles
Nointel
Asnières-s-Oise
Seugy
Chaumontel
Luzarches
La Chapelle-en-Serval
Survilliers
Fosses
Bellefontaine
Lassy
Epinay-Champlâtreux
Belloy-en-France
Villiers-le-Sec
Jagny-s/s-Bois
Le Plessis-Luzarches
Marly-la-Ville
Châtenay-en-France
Puiseux-en-France
Mareil-en-France
Fontenay-en-Parisis
Villeron
Louvres
Goussainville
Roissy-en-France
AÉROPORT CHARLES
Le Thillay
Vaudherland
Gonesse
Arnouville
Villiers-le-Bel
Ecouen
Sarcelles
Bouqueval
Le Plessis-Gassot
Ézanville
Le Mesnil-Aubry
Attainville
Moisselles
Villaines-s/s-Bois
Baillet-en-France
Montsoult
Maffliers
Nerville-la-Forêt
Villiers-Adam
Méry-s-Oise
Mériel
Butry-s-Oise
Béthemont-la-Forêt
Frépillon
Chauvry
Bessancourt
Bouffémont
Domont
Taverny
St-Leu-la-Forêt
St-Prix
Montlignon
Piscop
St-Brice-s/s-Forêt
Beauchamp
Le Plessis-Bouchard
Franconville
Margency
Andilly
Eaubonne
Soisy-s/s-M.
Montmorency
Groslay
Deuil-la-Barre
Ermont
Montigny-lès-Cormeilles
Cormeilles-en-Parisis
Sannois
St-Gratien
Enghien-les-Bains
Montmagny
Pierrefitte-s-S.
Villetaneuse
Garges-lès-G.
Bonneuil-en-France
AÉROPORT DE PARIS-LE BOURGET
Musée
Dugny
Stains
Epinay-s-Seine
Argenteuil
Gennevilliers
Villeneuve-la-Garenne
Basilique
La Courneuve
Le Blanc-Mesnil
Le Bourget
Aulnay-s/s-Bois
Sevran
Villepinte
Drancy
Livry-Gargan
Les Pavillons-s/s-Bois
Bobigny
Aubervilliers
Pantin
Bondy
Le Raincy
Gagny
Noisy-le-Sec
Romainville
Le Pré-St-Gervais
Les Lilas
Bagnolet
Villemomble
Rosny-s/s-Bois
Neuilly-Plaisance
Montreuil
Vincennes
Fontenay-s/s-Bois
Nogent-s-M.
Le Perreux
St-Mandé
Charenton-le-Pont
St-Maurice
Joinville-le-Pont
Champigny-s-M.
St-Maur-des-Fossés
Maisons-Alfort
Alfortville
Créteil
Bonneuil-s-M.
La Varenne-St-Hilaire
Chennevières
Ormesson
Sucy-en-Brie
Boissy-St-Léger
Grosbois
Valenton
Limeil-Brévannes
Villeneuve-St-Georges
Yerres
Crosne
Brunoy
Montgeron
Vigneux-s-Seine
Draveil
Forêt de Sénart
Épinay-s/s-Sénart
Quincy-s/s-Sénart
Boussy
Soisy-s-Seine
Tigery
Étiolles
EVRY
Ris-Orangis
Grigny
Viry-Châtillon
Savigny-s-Orge
Juvisy-s-Orge
Athis-Mons
Paray-Vieille-Poste
Morangis
Chilly-Mazarin
Longjumeau
Epinay-s-O.
Morsang-s-Orge
Villemoisson-s-Orge
Villiers-s-Orge
Ste-Geneviève-des-Bois
Fleury-Mérogis
Orly
AÉROPORT DE PARIS-ORLY
Wissous
Rungis
Fresnes
Thiais
Choisy-le-Roi
Vitry-s-Seine
Ivry-s-Seine
Villejuif
Le Kremlin-Bicêtre
Arcueil
Cachan
L'Haÿ-les-Roses
Chevilly-Larue
Bourg-la-Reine
Sceaux
Roseraie
Antony
Massy
Verrières-le-Buisson
Igny
Bièvres
Châtenay-Malabry
Le Plessis-Robinson
Fontenay-aux-Roses
Bagneux
Châtillon
Clamart
Montrouge
Malakoff
Vanves
Issy-les-M.
Meudon
Chaville
Viroflay
Vélizy-Villacoublay
Sèvres
Ville-d'Avray
Boulogne-Billancourt
St-Cloud
Garches
Vaucresson
Marnes-la-Coquette
Le Chesnay
Rocquencourt
Bailly
Noisy-le-Roi
Rennemoulin
Villepreux
Fontenay-le-Fleury
St-Cyr-l'École
Bois-d'Arcy
Montigny-le-Bretonneux
Guyancourt
Buc
Jouy-en-Josas
Les Loges-en-Josas
Toussus-le-Noble
Voisins-le-Bretonneux
Magny-les-Hameaux
Châteaufort
Buloyer
Milon-la-Chapelle
Villiers-le-Bâcle
Saclay
Vauhallan
Palaiseau
Orsay
Gif-s-Y.
St-Aubin
Bures
Gometz-le-Châtel
Les Ulis
Villebon
Champlan
Saulx-les-Chartreux
Ballainvilliers
Villejust
La Ville-du-Bois
Nozay
Marcoussis
Montlhéry
Linas
St-Michel-s-O.
Chevreuse
St-Rémy-lès-Chevreuse
Choisel
Boullay-les-Troux
Les Molières
Limours-en-Hurepoix
Briis-s-Forges
Forges-les-Bains
Janvry
Breteuil
St-Forget
St-Lambert
Courcelle
Le Mesnil-St-Denis
Trappes
Plaisir
Les Clayes-s-Bois
Marly-le-Roi
Louveciennes
Bougival
La Celle-St-Cloud
Rueil-Malmaison
Nanterre
La Défense
Puteaux
Suresnes
Courbevoie
Levallois-Perret
Neuilly-s-S.
Arc de Triomphe
Tour Eiffel
Notre-Dame
Clichy
Asnières
Colombes
La Garenne-Colombes
Bois-Colombes
St-Ouen
Bezons
Houilles
Carrières-s-S.
Sartrouville
Montesson
Le Vésinet
Chatou
Croissy-s-S.
Le Pecq
Port-Marly
Mareil-Marly
L'Étang-la-Ville
Fourqueux
Aigremont
Chambourcy
Poissy
Carrières-s-Poissy
Villennes-s-Seine
Médan
Achères
Maisons-Laffitte
La Frette-s-Seine
Herblay
Conflans-Ste-Honorine
Andrésy
Chanteloup-les-Vignes
Triel-s-Seine
Maurecourt
Neuville-s-Oise
Jouy-le-Moutier
Vauréal
Puiseux-Pontoise
Osny
Eragny
Pierrelaye
Ennery
Génicourt
Boissy-l'Aillerie
Montgeroult
Ableiges

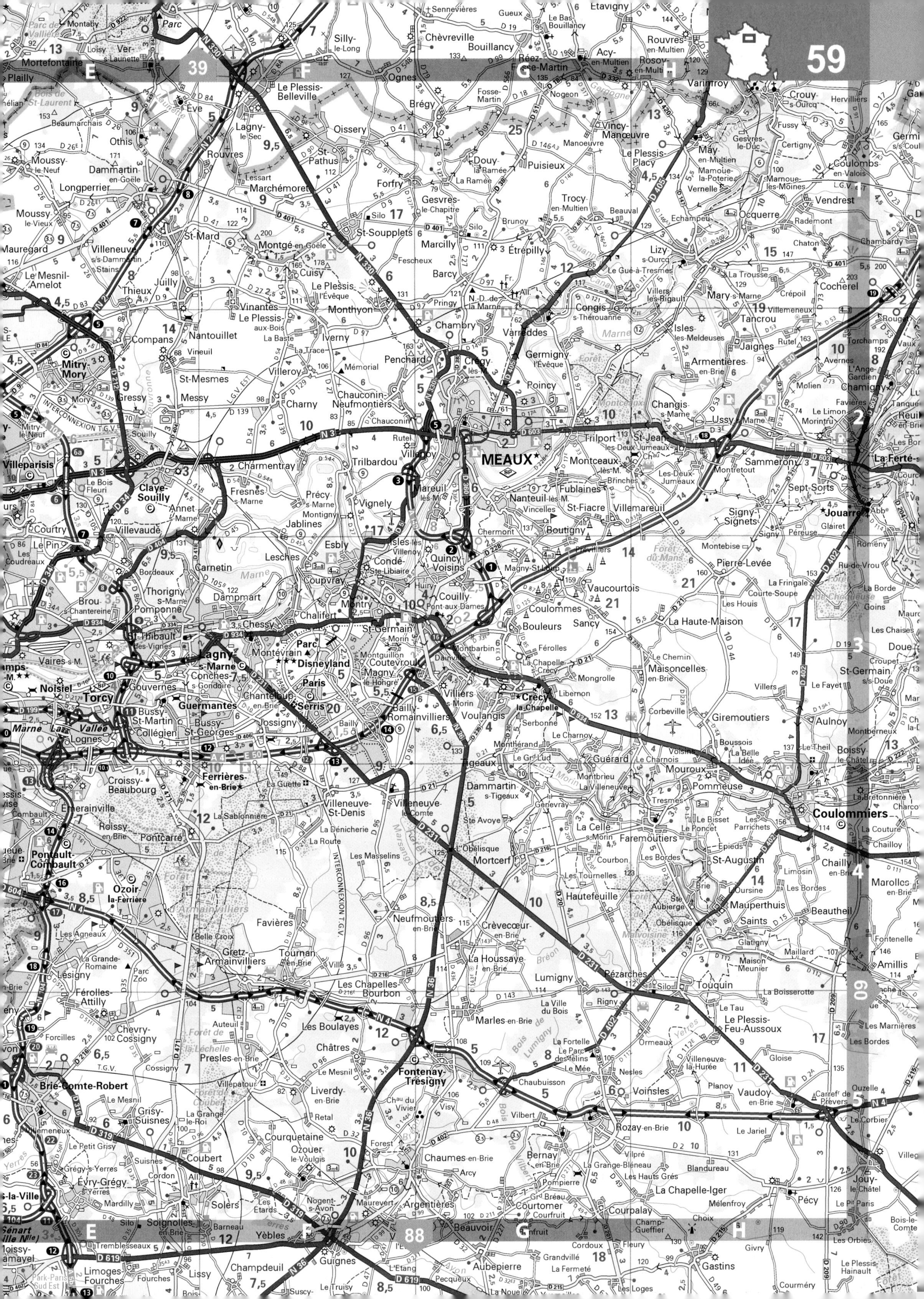
39
88
60
MEAUX
Coulommiers
Lagny-s-Marne
Torcy
Noisiel
Disneyland
Paris
Serris
Crécy-la-Chapelle
Fontenay-Trésigny
Brie-Comte-Robert
Ozoir-la-Ferrière
Pontault-Combault
Ferrières-en-Brie
Claye-Souilly
Mitry-Mory
Villeparisis
Dammartin-en-Goële
Lizy-s-Ourcq
La Ferté-s-Jouarre
Jouarre
Rozay-en-Brie
Tournan-en-Brie
Gretz-Armainvilliers
Chessy
Esbly
Trilport
Villenoy
Chauconin-Neufmontiers
Montévrain
Bussy-St-Georges
Guermantes
Faremoutiers
Pommeuse
Mouroux
Coubert
Guignes
Chaumes-en-Brie
N 330
N 36
N 4
N 3
A 4
E 50
D 231
D 402
D 603
D 934
D 619
D 319
D 401
Marne
Forêt de Crécy
L.G.V. EST
INTERCONNEXION T.G.V.

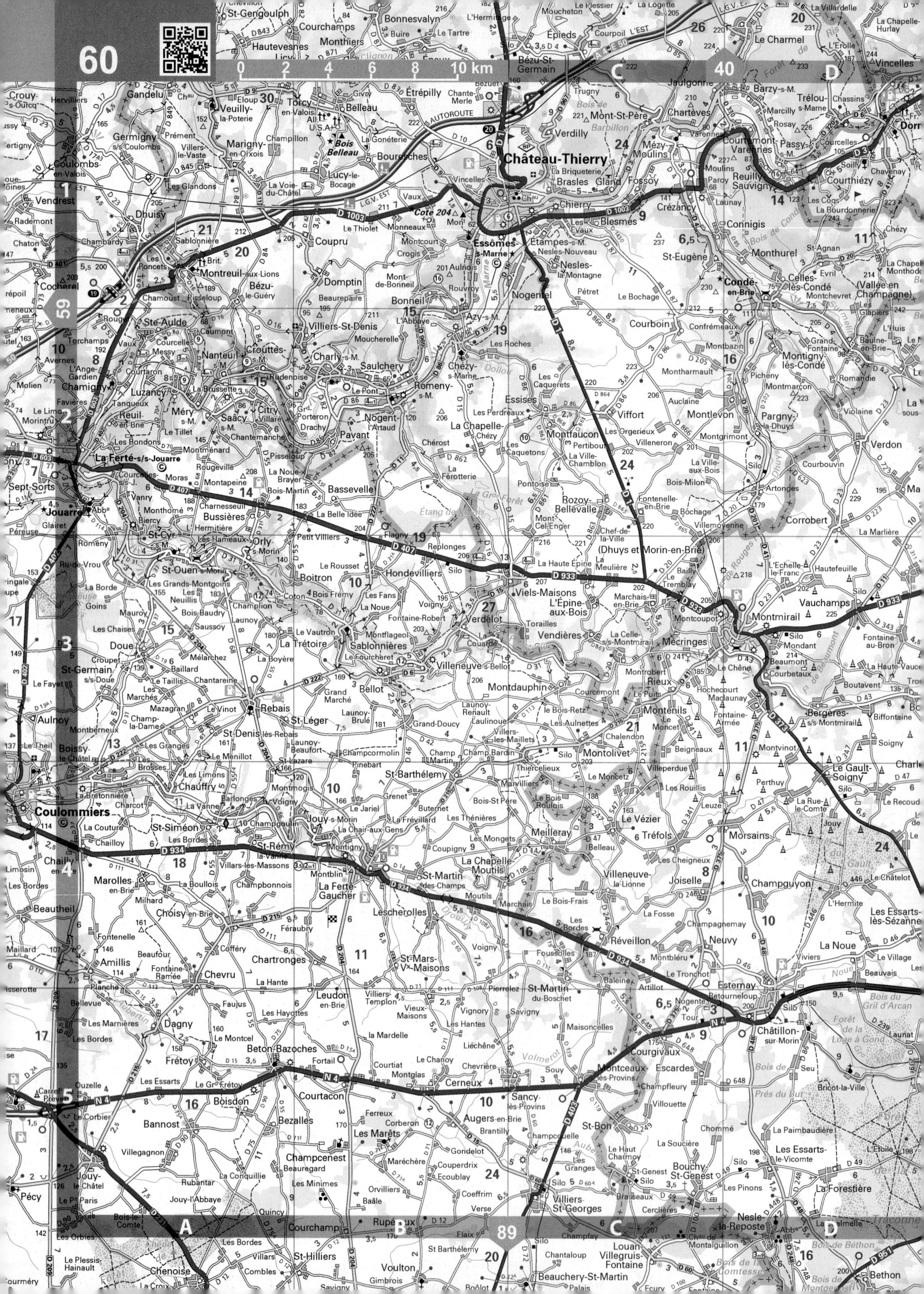

60
0 2 4 6 8 10 km
40
59
89
A
B
C
D
1
2
3
4
5
Château-Thierry
La Ferté-s/s-Jouarre
Coulommiers
Montmirail
La Ferté-Gaucher
Jouarre
Essômes-s-Marne
Nogent-l'Artaud
Charly-s-M.
Condé-en-Brie
Viels-Maisons
Rebais
Esternay
Châtillon-sur-Morin
Sézanne
Villiers-St-Georges
Nesle-la-Reposte
Montreuil-aux-Lions
Gandelu
Bois Belleau
Vendrest
Lizy-s-Ourcq
Chézy-s-Marne
Montfaucon
Verdelot
Sablonnières
St-Cyr-s-M.
Orly-s-Morin
Boissy-le-Châtel
Jouy-s-Morin
St-Rémy-la-Vanne
Choisy-en-Brie
Beton-Bazoches
Courtacon
Sancy-lès-Provins
Montceaux-lès-Provins
Champguyon
Le Gault-Soigny
Vauchamps
Réveillon
Meilleray
Montolivet
Montdauphin
Bellot
St-Barthélemy
Chevru
Dagny
Frétoy
Jouy-le-Châtel
Bannost
Courchamp
Louan-Villegruis-Fontaine
Bethon
D 1003
D 407
D 933
D 934
D 1
N 4
D 402
D 403
D 204
L.G.V. EST
A 4 - E 50
AUTOROUTE
Marne
Cote 204
Étang de Vergis

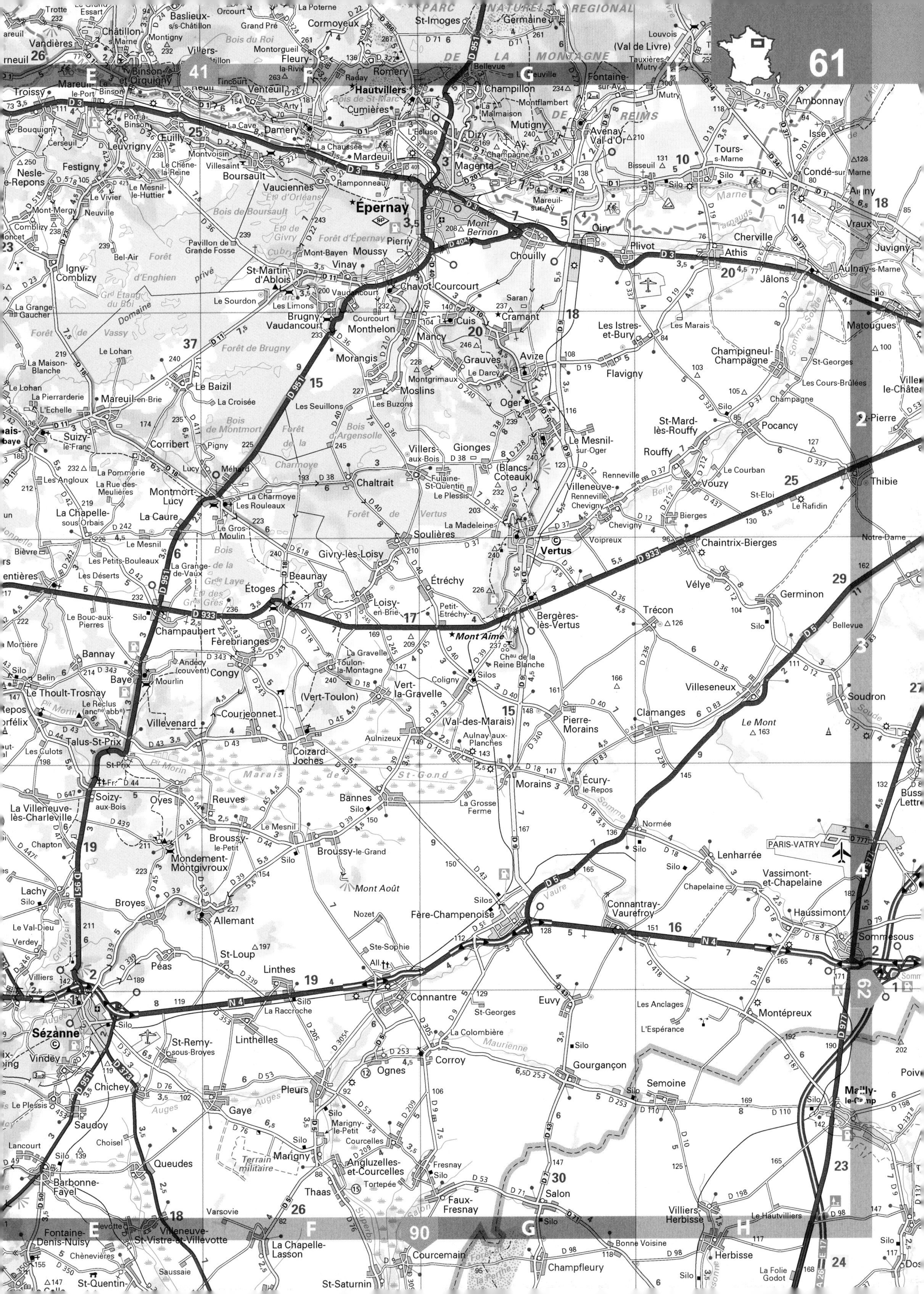
61
PARC NATUREL RÉGIONAL DE LA MONTAGNE DE REIMS
Châtillon-s/Marne
Vandières
Binson-et-Orquigny
Villers-sous-Châtillon
Cormoyeux
St-Imoges
Germaine
Louvois
Fleury-la-Rivière
Romery
Hautvillers
Champillon
Fontaine-sur-Ay
Tauxières-Mutry
Mutry
Ambonnay
Troissy
Mareuil-le-Port
Venteuil
Cumières
Dizy
Mutigny
Avenay-Val-d'Or
Isse
Bouquigny
Port-à-Binson
Œuilly
Damery
Ay-Champagne
Tours-s-Marne
Leuvrigny
Festigny
Montvoisin
Le Chêne-la-Reine
Villesaint
Boursault
Mardeuil
Magenta
Bisseuil
Condé-sur-Marne
Nesle-le-Repons
Le Mesnil-le-Huttier
Vauciennes
Ramponneau
Épernay
Mareuil-sur-Aÿ
Oiry
Aulnay
Vraux
Le Vivier
Neuville
Mont-Mergy
Comblizy
Bois de Boursault
Forêt d'Épernay
Mont Bernon
Pierry
Moussy
Chouilly
Plivot
Cherville
Athis
Juvigny
Igny-Comblizy
Bel-Air
Forêt d'Enghien
Pavillon de Grande Fosse
Mont-Bayen
Vinay
St-Martin-d'Ablois
Aulnay-s-Marne
Jâlons
Le Sourdon
Chavot-Courcourt
Saran
Cramant
La Grange-Gaucher
Grd Étang du Roi
Domaine de Vassy
Brugny-Vaudancourt
Les Limons
Monthelon
Cuis
Mancy
Les Istres-et-Bury
Les Marais
Matougues
Forêt de Brugny
Le Lohan
La Maison-Blanche
Morangis
Grauves
Avize
Flavigny
Champigneul-Champagne
St-Georges
Le Darcy
Montgrimaux
Moslins
Oger
Les Cours-Brûlées
Le Baizil
La Pierrarderie
Mareuil-en-Brie
L'Echelle
La Croisée
Les Seuillons
Les Buzons
Bois d'Argensolle
Le Mesnil-sur-Oger
St-Mard-lès-Rouffy
Pocancy
Suizy-le-Franc
Corribert
Bois de Montmort
Pigny
Forêt de la Charmoye
Villers-aux-Bois
Gionges
Rouffy
Renneville
Thibie
La Pommerie
Les Angloux
La Rue des-Meulières
Méhard
Lucy
Montmort-Lucy
La Charmoye
Les Rouleaux
Chaltrait
Fulaine-St-Quentin
Le Plessis
(Blancs-Coteaux)
Villeneuve-Renneville-Chevigny
Vouzy
Le Courban
St-Eloi
Le Rafidin
La Chapelle-sous-Orbais
La Caure
Le Gros-Moulin
Forêt de Vertus
La Madeleine
Chevigny
Bierges
Le Mesnil
Soulières
Vertus
Voipreux
Chaintrix-Bierges
Notre-Dame
Bièvre
Les Petits-Bouleaux
La Grange-de-Vaux
Bois de la Gde Laye
Givry-lès-Loisy
Les Déserts
Étoges
Beaunay
Étréchy
Vélye
Loisy-en-Brie
Petit-Étréchy
Bergères-lès-Vertus
Germinon
Le Bouc-aux-Pierres
Champaubert
Fèrebrianges
Mont Aimé
Trécon
Bellevue
Mortière
Bannay
La Gravelle
Toulon-la-Montagne
Chau de la Reine Blanche
Andécy (couvent)
Congy
Baye
Mourlin
Silos
Coligny
Le Thoult-Trosnay
Vert-la-Gravelle
(Vert-Toulon)
Villeseneux
Soudron
Le Reclus (ancne abbe)
Courjeonnet
Pierre-Morains
Clamanges
Le Mont
Villevenard
(Val-des-Marais)
Aulnizeux
Aulnay-aux-Planches
Talus-St-Prix
Les Culots
Coizard-Joches
Marais de St-Gond
St-Prix
Morains
Écury-le-Repos
Soizy-aux-Bois
Oyes
Reuves
Bannes
La Grosse Ferme
La Villeneuve-lès-Charleville
Le Mesnil
Broussy-le-Petit
Broussy-le-Grand
Normée
Chapton
Mondement-Montgivroux
Lenharrée
PARIS-VATRY
Vassimont-et-Chapelaine
Chapelaine
Mont Août
Lachy
Broyes
Allemant
Nozet
Fère-Champenoise
Connantray-Vaurefroy
Haussimont
Le Val-Dieu
Verdey
Sommesous
St-Loup
Ste-Sophie
Péas
Linthes
Villiers
Connantre
Euvy
Les Anclages
Montépreux
La Raccroche
St-Georges
L'Espérance
Sézanne
St-Remy-sous-Broyes
Linthelles
La Colombière
Vindey
Corroy
Ognes
Gourgançon
Semoine
Chichey
Pleurs
Gaye
Mailly-le-Camp
Le Plessis
Saudoy
Marigny-le-Petit
Courcelles
Choisel
Lancourt
Terrain militaire
Marigny
Queudes
Angluzelles-et-Courcelles
Fresnay
Barbonne-Fayel
Tortepée
Thaas
Salon
Faux-Fresnay
Varsovie
Villiers-Herbisse
Le Hautvilliers
Fontaine-Denis-Nuisy
Villeneuve-St-Vistre-et-Villevotte
La Chapelle-Lasson
Courcemain
Bonne Voisine
Chènevières
Herbisse
Saussaie
St-Quentin-
St-Saturnin
Champfleury
La Folie Godot
41
62
90

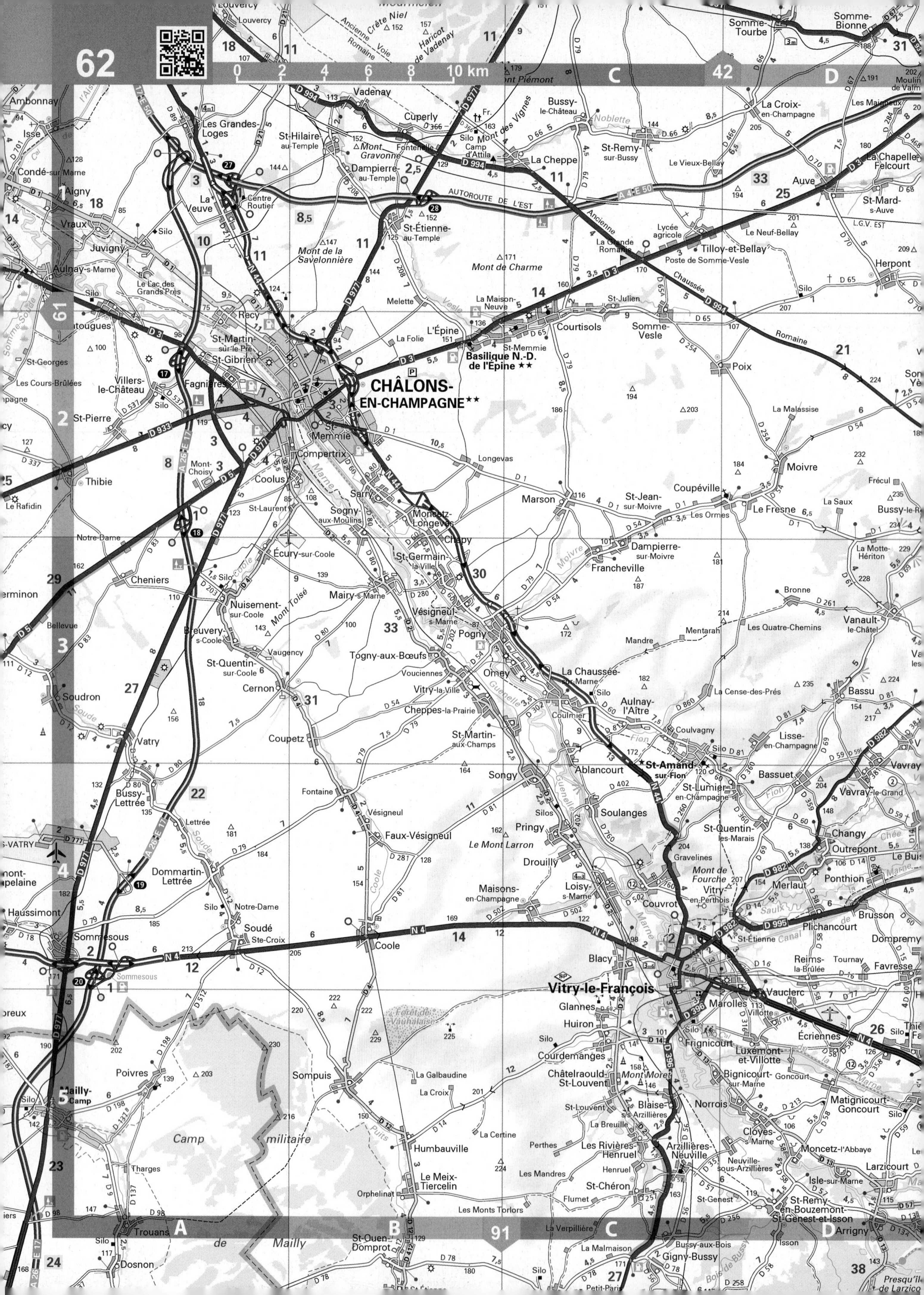

62
0 2 4 6 8 10 km
C
42
D
61
91
A
B
C
D
1
2
3
4
5
Louvercy
Ancienne Voie Romaine
Crête Niel
Haricot de Vadenay
Mont Piémont
Somme-Tourbe
Somme-Bionne
Moulin de Valmy
Ambonnay
Isse
Condé-sur-Marne
Aigny
Vraux
Juvigny
Aulnay-s-Marne
Le Lac des Grands Prés
Recy
St-Martin-sur-le-Pré
St-Gibrien
Fagnières
Villers-le-Château
St-Pierre
St-Georges
Les Cours-Brûlées
Thibie
Le Rafidin
Notre-Dame
Cheniers
Bellevue
Soudron
Vatry
Bussy-Lettrée
Lettrée
Dommartin-Lettrée
Haussimont
Sommesous
Poivres
Mailly-le-Camp
Tharges
Trouans
Dosnon
Camp militaire de Mailly
Les Grandes-Loges
La Veuve
Centre Routier
St-Hilaire-au-Temple
Mont Gravonne
Dampierre-au-Temple
Vadenay
Cuperly
Fontenelle
Silo Camp d'Attila
Mont des Vignes
Bussy-le-Château
La Cheppe
Noblette
St-Remy-sur-Bussy
La Croix-en-Champagne
Le Vieux-Bellay
Auve
La Chapelle-Felcourt
St-Mard-s-Auve
Les Maigneux
AUTOROUTE DE L'EST
L.G.V. EST
St-Étienne-au-Temple
Mont de la Savelonnière
Mont de Charme
Ancienne La Grande Romaine
Lycée agricole
Tilloy-et-Bellay
Poste de Somme-Vesle
Le Neuf-Bellay
Herpont
Chaussée Romaine
Melette
La Maison-Neuve
St-Julien
Courtisols
Somme-Vesle
L'Épine
La Folie
St-Memmie
Basilique N.-D. de l'Épine ★★
CHÂLONS-EN-CHAMPAGNE ★★
Poix
La Malassise
Compertrix
Coolus
Mont-Choisy
St-Laurent
Sarry
Sogny-aux-Moulins
Moncetz-Longevas
Longevas
Chepy
Écury-sur-Coole
St-Germain-la-Ville
Marson
St-Jean-sur-Moivre
Coupéville
Les Ormes
Le Fresne
Moivre
Frécul
La Saux
Bussy-le-Repos
La Motte-Hériton
Dampierre-sur-Moivre
Francheville
Nuisement-sur-Coole
Mont Toisé
Mairy-s-Marne
Vésigneul-s-Marne
Pogny
Breuvery-s-Coole
Vaugency
St-Quentin-sur-Coole
Togny-aux-Bœufs
Vouciennes
Vitry-la-Ville
Omey
Cernon
Cheppes-la-Prairie
St-Martin-aux-Champs
Coupetz
Mandre
Mentarah
Bronne
Les Quatre-Chemins
Vanault-le-Châtel
La Chaussée-sur-Marne
Aulnay-l'Aître
Coulmier
La Cense-des-Prés
Bassu
Coulvagny
Lisse-en-Champagne
St-Amand-sur-Fion
Ablancourt
Songy
Fontaine
Vésigneul
Faux-Vésigneul
Le Mont Larron
Pringy
Silos
Soulanges
St-Lumier-en-Champagne
Bassuet
Vavray
Vavray-le-Grand
St-Quentin-les-Marais
Changy
Outrepont
Le Buisson
Drouilly
Gravelines
Mont de Fourche
Vitry-en-Perthois
Merlaut
Ponthion
Maisons-en-Champagne
Loisy-s-Marne
Couvrot
Notre-Dame
Soudé
Ste-Croix
Coole
Blacy
Vitry-le-François
Glannes
Huiron
St-Étienne
Canal de la Saulx
Plichancourt
Brusson
Dompremy
Reims-la-Brûlée
Tournay
Favresse
Marolles
Vauclerc
Villotte
Écriennes
Frignicourt
Luxémont-et-Villotte
Courdemanges
Châtelraould-St-Louvent
Mont Moret
Bignicourt-sur-Marne
Goncourt
Matignicourt-Goncourt
Forêt de Vauhalaise
Sompuis
La Galbaudine
La Croix
La Certine
Humbauville
Le Meix-Tiercelin
Orphelinat
Les Monts Torlors
Perthes
Les Mandres
Blaise-s-Arzillières
St-Louvent
La Breuille
Norrois
Les Rivières-Henruel
Arzillières-Neuville
Henruel
Cloyes-s-Marne
Moncetz-l'Abbaye
Larzicourt
Neuville-sous-Arzillières
Isle-sur-Marne
St-Chéron
Flumet
St-Genest
St-Remy-en-Bouzemont-St-Genest-et-Isson
Arrigny
Isson
La Verpillière
St-Ouen-Domprot
La Malmaison
Bussy-aux-Bois
Gigny-Bussy
Bois de Bussy
Petit-Paris
Presqu'île de Larzicourt

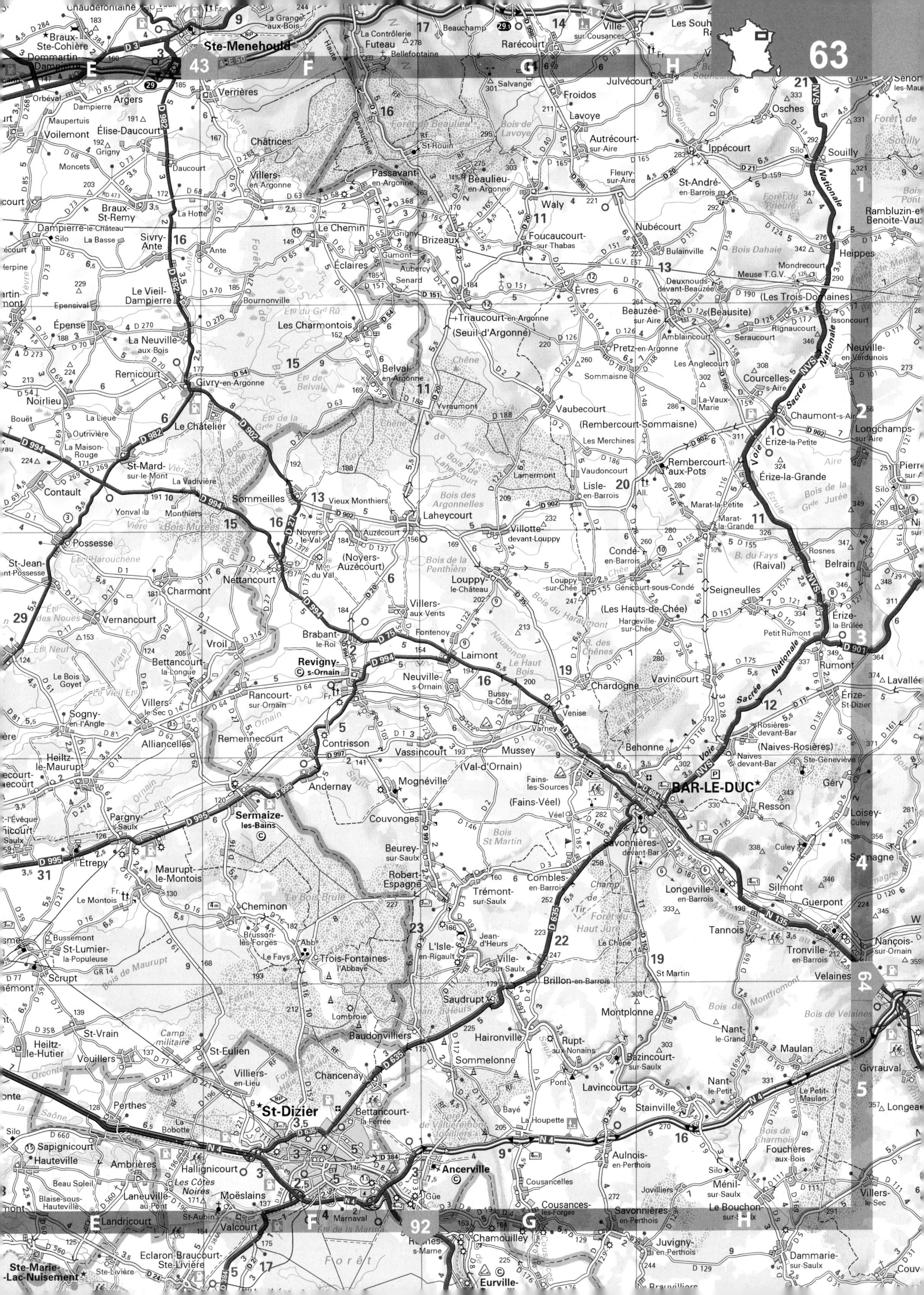
63
43
E
F
G
H
1
2
3
4
5
64
92
Ste-Menehould
Futeau
Beauchamp
Rarécourt
Ville-sur-Cousances
Julvécourt
Froidos
Lavoye
Salvange
Verrières
Argers
Dampierre
Orbéval
Braux-Ste-Cohière
Dommartin-Dampierre
Maupertuis
Élise-Daucourt
Voilemont
Grigny
Moncets
Daucourt
Châtrices
Villers-en-Argonne
Passavant-en-Argonne
St-Rouin
Forêt de Beaulieu
Beaulieu-en-Argonne
Bois de Lavoye
Autrécourt-sur-Aire
Ippécourt
Osches
Souilly
Fleury-sur-Aire
St-André-en-Barrois
Waly
Braux-St-Remy
La Hotte
Dampierre-le-Château
Sivry-Ante
Ante
Le Chemin
Brizeaux
Foucaucourt-sur-Thabas
Nubécourt
Bulainville
Bois Dahaie
Heippes
Rambluzin-et-Benoite-Vaux
Éclaires
Gumont
Aubercy
Senard
Évres
L.G.V. EST
Deuxnouds-devant-Beauzée
Mondrecourt
Meuse T.G.V.
(Les Trois-Domaines)
Le Vieil-Dampierre
Bournonville
Epensival
Épense
La Neuville-aux-Bois
Les Charmontois
Triaucourt-en-Argonne
(Seuil-d'Argonne)
Beauzée-sur-Aire
(Beausite)
Amblaincourt
Seraucourt
Rignaucourt
Issoncourt
Pretz-en-Argonne
Les Anglecourt
Neuville-en-Verdunois
Remicourt
Givry-en-Argonne
Belval-en-Argonne
Étg de Belval
Yvraumont
Sommaisne
Courcelles-s-Aire
La-Vaux-Marie
Noirlieu
Le Châtelier
Vaubecourt
(Rembercourt-Sommaisne)
Chaumont-s-Aire
Érize-la-Petite
Longchamps-sur-Aire
La Lieue
Outrivière
La Maison-Rouge
St-Mard-sur-le-Mont
La Vadivière
Contault
Sommeilles
Vieux Monthiers
Lamermont
Les Merchines
Vaudoncourt
Rembercourt-aux-Pots
Érize-la-Grande
Lisle-en-Barrois
Marat-la-Petite
Marat-la-Grande
Laheycourt
Bois des Argonnelles
Monthiers
Yonval
Bois Mutées
Possesse
Noyers-le-Val
Auzécourt
(Noyers-Auzécourt)
Villotte-devant-Louppy
Condé-en-Barrois
Rosnes
Belrain
(Raival)
B. du Fays
St-Jean-devant-Possesse
Nettancourt
Charmont
Mt du Val
Louppy-le-Château
Louppy-sur-Chée
Génicourt-sous-Condé
Seigneulles
Vernancourt
Villers-aux-Vents
Bois du Haraumont
(Les Hauts-de-Chée)
Hargeville-sur-Chée
Érize-la-Brûlée
Petit Rumont
Brabant-le-Roi
Fontenoy
Vroil
Bettancourt-la-Longue
Laimont
Rumont
Revigny-s-Ornain
Neuville-s-Ornain
Bussy-la-Côte
Chardogne
Vavincourt
Lavallée
Érize-St-Dizier
Le Bois Goyet
Villers-le-Sec
Rancourt-sur-Ornain
Sogny-en-l'Angle
Alliancelles
Remennecourt
Contrisson
Vassincourt
Venise
Varney
Mussey
Behonne
Rosières-devant-Bar
(Naives-Rosières)
Naives-devant-Bar
Ste-Geneviève
Heiltz-le-Maurupt
(Val-d'Ornain)
Fains-les-Sources
(Fains-Véel)
Véel
BAR-LE-DUC
Géry
Resson
Loisey-Culey
Andernay
Mognéville
Sermaize-les-Bains
Pargny-s-Saulx
Étrepy
Couvonges
Bois St Martin
Savonnières-devant-Bar
Culey
Salmagne
Maurupt-le-Montois
Beurey-sur-Saulx
Robert-Espagne
Combles-en-Barrois
Trémont-sur-Saulx
Longeville-en-Barrois
Silmont
Guerpont
Le Montois
Cheminon
Le Bois Brûlé
Champ de Tir
Forêt du Haut Jure
Tannois
Nançois-sur-Ornain
Tronville-en-Barrois
Velaines
Bussemont
St-Lumier-la-Populeuse
Brusson-lès-Forges
Le Fays
Trois-Fontaines-l'Abbaye
L'Isle-en-Rigault
Jean-d'Heurs
Ville-sur-Saulx
Le Chêne
St Martin
Brillon-en-Barrois
Scrupt
Bois de Maurupt
Lombroie
Saudrupt
Montplonne
Bois de Montfromont
Bois de Velaines
St-Vrain
Heiltz-le-Hutier
Vouillers
Camp militaire
St-Eulien
Baudonvilliers
Haironville
Rupt-aux-Nonains
Nant-le-Grand
Maulan
Bazincourt-sur-Saulx
Sommelonne
Villiers-en-Lieu
Chancenay
Pont
Lavincourt
Nant-le-Petit
Le Petit Maulan
Givrauval
Longeaux
Perthes
St-Dizier
Bettancourt-la-Ferrée
Bayé
La Houpette
Stainville
Bois de Charmois
Foucheres-aux-Bois
Silo
Sapignicourt
Hauteville
Ambrières
La Bobotte
Forêt de Valcourt
Jovilliers
Aulnois-en-Perthois
Hallignicourt
Ancerville
Beau Soleil
Laneuville-au-Pont
Les Côtes Noires
Moëslains
Blaise-sous-Hauteville
Cousancelles
Savonnières-en-Perthois
Ménil-sur-Saulx
Villers-le-Sec
Landricourt
Valcourt
Marnaval
Cousances-les-Forges
Le Bouchon-sur-Saulx
Chamouilley
Juvigny-en-Perthois
Dammarie-sur-Saulx
Eclaron-Braucourt-Ste-Livière
Ste-Livière
Ste-Marie-Lac-Nuisement
Eurville
Voie Sacrée Nationale

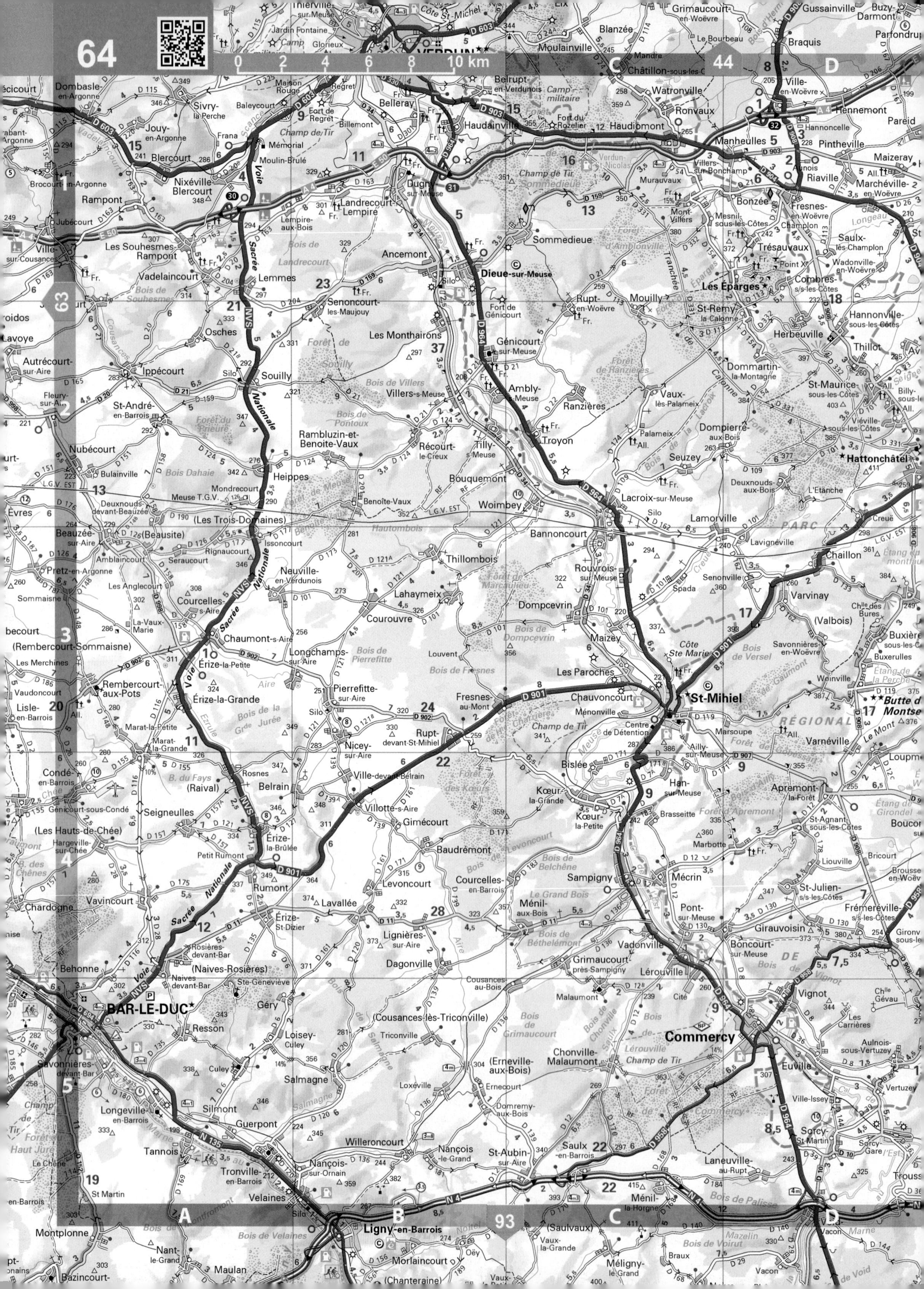

0 2 4 6 8 10 km
Verdun
Dombasle-en-Argonne
Sivry-la-Perche
Jouy-en-Argonne
Blercourt
Nixéville-Blercourt
Rampont
Jubécourt
Brocourt-en-Argonne
Ville-sur-Cousances
Les Souhesmes-Rampont
Vadelaincourt
Lemmes
Senoncourt-les-Maujouy
Osches
Autrécourt-sur-Aire
Ippécourt
Souilly
Lavoye
Fleury-sur-Aire
St-André-en-Barrois
Nubécourt
Bulainville
Heippes
Mondrecourt
Meuse T.G.V.
L.G.V. EST
Deuxnouds-devant-Beauzée
(Les Trois-Domaines)
Évres
Beauzée-sur-Aire
(Beausite)
Amblaincourt
Pretz-en-Argonne
Sommaisne
Les Anglecourt
Seraucourt
Rignaucourt
Issoncourt
Courcelles-s-Aire
La-Vaux-Marie
(Rembercourt-Sommaisne)
Chaumont-s-Aire
Érize-la-Petite
Érize-la-Grande
Rembercourt-aux-Pots
Les Merchines
Vaudoncourt
Lisle-en-Barrois
Marat-la-Petite
Marat-la-Grande
Condé-en-Barrois
Génicourt-sous-Condé
(Les Hauts-de-Chée)
Seigneulles
Hargeville-sur-Chée
(Raival)
Rosnes
Belrain
Érize-la-Brûlée
Petit Rumont
Rumont
Vavincourt
Chardogne
Behonne
Rosières-devant-Bar
(Naives-Rosières)
Naives-devant-Bar
BAR-LE-DUC
Savonnières-devant-Bar
Longeville-en-Barrois
Resson
Géry
Loisey-Culey
Culey
Salmagne
Silmont
Guerpont
Tannois
Tronville-en-Barrois
Velaines
Nançois-sur-Ornain
Willeroncourt
Nançois-le-Grand
St-Aubin-sur-Aire
Ligny-en-Barrois
Montplonne
Nant-le-Grand
Maulan
Bazincourt-
St Martin
Voie Sacrée Nationale
Belleray
Haudainville
Belrupt-en-Verdunois
Watronville
Ronvaux
Châtillon-sous-les-Côtes
Haudiomont
Blanzée
Moulainville
Manheulles
Villers-sur-Bonchamp
Fresnes-en-Woëvre
Bonzée
Dugny-sur-Meuse
Landrecourt-Lempire
Ancemont
Dieue-sur-Meuse
Sommedieue
Mont-Villers
Mesnil-sous-les-Côtes
Trésauvaux
Les Éparges
St-Remy-la-Calonne
Mouilly
Rupt-en-Woëvre
Génicourt-sur-Meuse
Les Monthairons
Villers-s-Meuse
Ambly-s-Meuse
Ranzières
Vaux-lès-Palameix
Dommartin-la-Montagne
Herbeuville
Hannonville-sous-les-Côtes
Thillot
St-Maurice-sous-les-Côtes
Rambluzin-et-Benoite-Vaux
Récourt-le-Creux
Tilly-s-Meuse
Troyon
Dompierre-aux-Bois
Seuzey
Hattonchâtel
Bouquemont
Woimbey
Benoîte-Vaux
Lacroix-sur-Meuse
Lamorville
Deuxnouds-aux-Bois
Bannoncourt
Thillombois
Neuville-en-Verdunois
Lahaymeix
Courouvre
Rouvrois-sur-Meuse
Dompcevrin
Maizey
Longchamps-sur-Aire
Pierrefitte-sur-Aire
Louvent
Fresnes-au-Mont
Les Paroches
Chauvoncourt
St-Mihiel
Rupt-devant-St-Mihiel
Nicey-sur-Aire
Ville-devant-Belrain
Villotte-s-Aire
Gimécourt
Baudrémont
Levoncourt
Lavallée
Érize-St-Dizier
Lignières-sur-Aire
Dagonville
Courcelles-en-Barrois
Ménil-aux-Bois
Grimaucourt-près-Sampigny
Bislée
Kœur-la-Grande
Kœur-la-Petite
Han-sur-Meuse
Sampigny
Mécrin
Pont-sur-Meuse
Vadonville
Lérouville
Commercy
Chonville-Malaumont
(Erneville-aux-Bois)
Saulx-en-Barrois
Ménil-la-Horgne
(Saulvaux)
Laneuville-au-Rupt
Varnéville
Apremont-la-Forêt
St-Agnant-sous-les-Côtes
Marbotte
Liouville
St-Julien-s/s-les-Côtes
Girauvoisin
Boncourt-sur-Meuse
Vignot
Euville
Aulnois-sous-Vertuzey
Sorcy-St-Martin
Ville-Issey
Varvinay
Chaillon
Lavignéville
Spada
Senonville
Savonnières-en-Woëvre
Buxières-sous-les-Côtes
Woinville
Butte de Montsec
Loupmont
Vacon
Void
Meuse
Marne
Aire

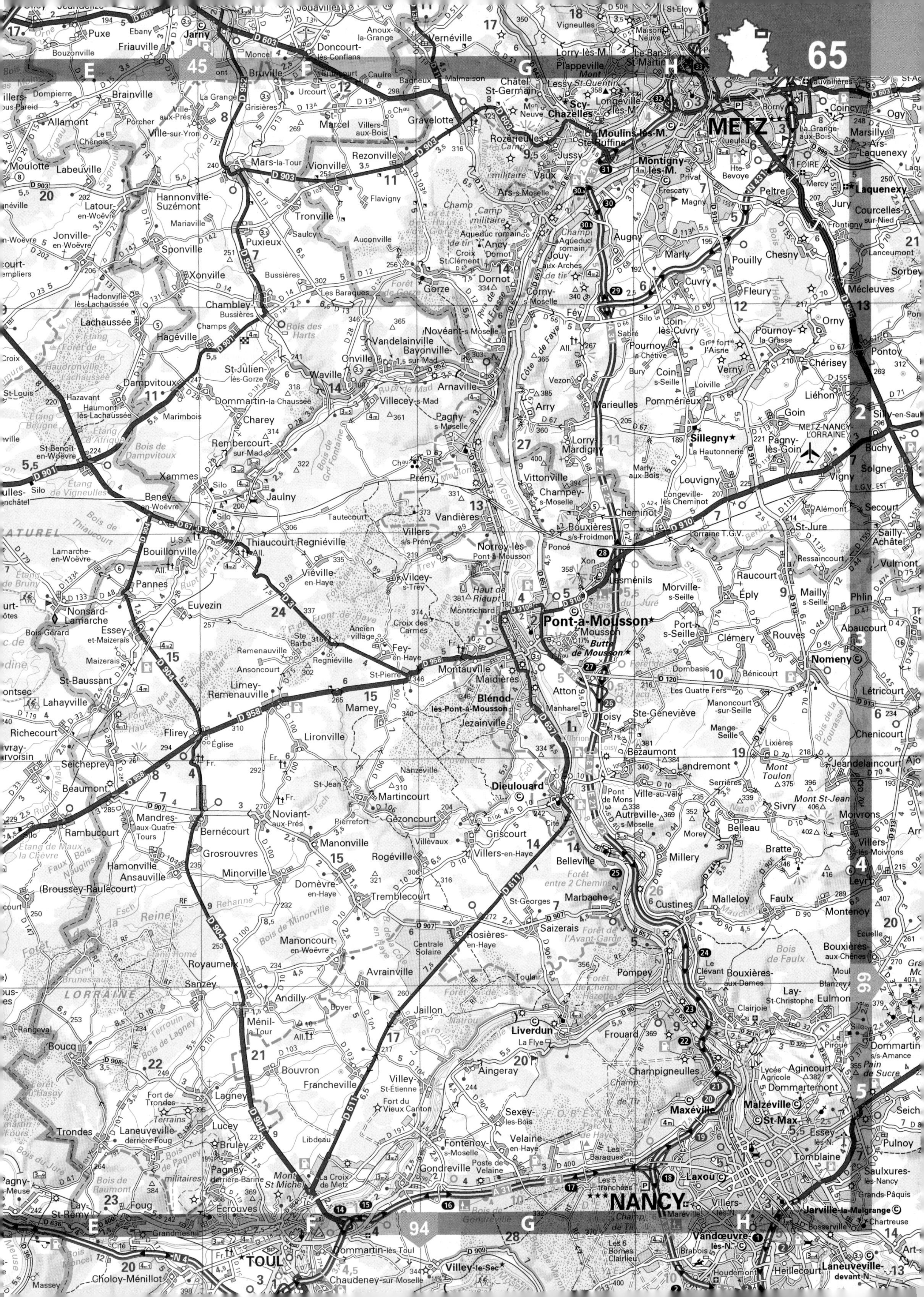

E
F
G
H
45
94
99
METZ
NANCY
Pont-à-Mousson
Jarny
Puxe
Friauville
Bouzonville
Doncourt-lès-Conflans
Jouaville
Anoux-la-Grange
Vernéville
Vigneulles
Lorry-lès-M.
Plappeville
Le Ban-St-Martin
Maison Neuve
St-Eloy
Bruville
Moncel
Caulre
Bagneux
Malmaison
Châtel-St-Germain
Lessy
St-Quentin
Mont
Dompierre
Brainville
La Grange
Ville-aux-Prés
Grisières
Urcourt
St-Marcel
Villers-aux-Bois
Gravelotte
Rozérieulles
Scy-Chazelles
Longeville-lès-M.
Moulins-lès-M.
Ste-Ruffine
Jussy
Vaux
Montigny-lès-M.
Queuleu
Allamont
Porcher
Ville-sur-Yron
Le Chênois
Moulotte
Labeuville
Mars-la-Tour
Vionville
Rezonville
Hannonville-Suzémont
Latour-en-Woëvre
Mariaville
Tronville
Flavigny
Ars-s-Moselle
Camp militaire
Aqueduc romain
Ancy-Dornot
Croix St Clément
Jouy-aux-Arches
Augny
Frescaty
Magny
St-Privat
Hte-Bevoye
Peltre
Mercy
Laquenexy
Ars-Laquenexy
Marsilly
Coincy
Ogy
La Grange-aux-Bois
Jury
Courcelles-sur-Nied
Frontigny
Jonville-en-Woëvre
Sponville
Puxieux
Saulcy
Auconville
Bussières
Gorze
Les Baraques
Forêt de Gorze
Dornot
Corny-s-Moselle
Marly
Pouilly
Chesny
Cuvry
Fleury
Lanceumont
Sorbey
Mécleuves
Xonville
Hadonville-lès-Lachaussée
Chambley-Bussières
Lachaussée
Hagéville
Champs
Bois des Harts
Vandelainville
Bayonville-sur-Mad
Onville
Waville
Novéant-s-Moselle
Côte de Faye
Fey
Coin-lès-Cuvry
Sabré
Pournoy-la-Chétive
Pournoy-la-Grasse
Gde fortie l'Aisne
Verny
Orny
Chérisey
Pontoy
Forêt de Haudronville-Lachaussée
St-Julien-lès-Gorze
Dampvitoux
Rupt de Mad
Arnaville
Villecey-s-Mad
Bury
Coin-s-Seille
Loiville
Pommérieux
Liéhon
Goin
Sillegny
La Hautonnerie
Pagny-lès-Goin
METZ-NANCY-LORRAINE
Silly-en-Saulnois
Buchy
Solgne
Vigny
St-Louis
Hazavant
Haumont-lès-Lachaussée
Marimbois
Dommartin-la-Chaussée
Charey
Pagny-s-Moselle
Vezon
Arry
Marieulles
Lorry-Mardigny
Marly-aux-Bois
Louvigny
Étang Beugné
Étang d'Afrique
Bois de Dampvitoux
St-Benoît-en-Woëvre
Rembercourt-sur-Mad
Bois de Gde Fontaine
Prény
Vittonville
Champey-s-Moselle
Cheminot
Longeville-lès-Cheminot
Alémont
Secourt
Xammes
Silo
Étang de Vigneulles
Jaulny
Beney-en-Woëvre
Tautecourt
Vandières
Bouxières-s/s-Froidmont
Lorraine T.G.V.
St-Jure
Sailly-Achâtel
Thiaucourt-Regniéville
Villers-s/s-Prény
Norroy-lès-Pont-à-Mousson
Poncé
Xon
Lesménils
Ressaincourt
Vulmont
Bouillonville
Lamarche-en-Woëvre
Pannes
Viéville-en-Haye
Vilcey-s-Trey
Haut de Rieupt
Montrichard
Mousson
Butte de Mousson
Morville-s-Seille
Raucourt
Éply
Mailly-s-Seille
Phlin
Nonsard-Lamarche
Bois-Gérard
Essey-et-Maizerais
Euvezin
Ancien village
Croix des Carmes
Fey-en-Haye
Port-s-Seille
Clémery
Rouves
Abaucourt
Nomeny
Maizerais
St-Baussant
Remenauville
Ansoncourt
Regniéville
Ste Barbe
St-Pierre
Montauville
Maidières
Blénod-lès-Pont-à-Mousson
Atton
Dombasle
Bénicourt
Les Quatre Fers
Létricourt
Lahayville
Limey-Remenauville
Mamey
Jezainville
Manharel
Loisy
Ste-Geneviève
Manoncourt-sur-Seille
Mange-Seille
Chenicourt
Richecourt
Flirey
Église
Lironville
Bezaumont
Lixières
Seicheprey
Beaumont
Nanzeville
Landremont
Mont Toulon
Jeandelaincourt
Martincourt
St-Jean
Dieulouard
Pont de Mons
Ville-au-Val
Autreville-s-Moselle
Serrières
Mont St-Jean
Sivry
Moivrons
Mandres-aux-Quatre-Tours
Rambucourt
Bernécourt
Noviant-aux-Prés
Pierrefort
Gézoncourt
Cité
Griscourt
Villers-en-Haye
Belleau
Morey
Villers-lès-Moivrons
Grosrouvres
Manonville
Rogéville
Belleville
Millery
Bratte
Leyr
Hamonville
Ansauville
(Broussey-Raulecourt)
Minorville
Domèvre-en-Haye
Tremblecourt
Forêt entre 2 Chemins
Custines
Malleloy
Faulx
Montenoy
Rehanne
Bois de Minorville
St-Georges
Marbache
Saizerais
Forêt de l'Avant-Garde
Écuelle
Bouxières-aux-Chênes
Manoncourt-en-Woëvre
Centrale Solaire
Rosières-en-Haye
Pompey
Bois de Faulx
Le Clévant
Bouxières-aux-Dames
Royaumeix
Sanzey
LORRAINE
Avrainville
Toulair
Lay-St-Christophe
Eulmont
Andilly
Boyer
Jaillon
Liverdun
Frouard
Clairjoie
Ménil-la-Tour
La Flye
Rangeval
Boucq
Bois de Lagney
Bouvron
Francheville
Aingeray
Champigneulles
Lycée Agricole
Agincourt
Dommartemont
Dommartin-s/s-Amance
Pain de Sucre
Fort de Trondes
Lagney
Villey-St-Étienne
Fort du Vieux Canton
Sexey-les-Bois
Maxéville
Malzéville
St-Max
Essey-lès-N.
Seichamps
Pulnoy
Trondes
Laneuveville-derrière-Foug
Lucey
Bruley
Libdeau
Fontenoy-s-Moselle
Velaine-en-Haye
Les Baraques
Tomblaine
Saulxures-lès-Nancy
Grands-Pâquis
Pagny-s-Meuse
Bois de Raumont
Pagney-derrière-Barine
Mont St Michel
La Croix de Metz
Gondreville
Poste de Velaine
Les 5 tranchées
Laxou
Foug
Lay-St-Rémy
Écrouves
Villers-lès-N.
Jarville-la-Malgrange
Chartreuse
Bosserville
Grandmesnil
TOUL
Dommartin-lès-Toul
Champ de Tir
Vandœuvre-lès-N.
Brabois
Les 6 Bornes
Clairlieu
Choloy-Ménillot
Massey
Chaudeney-sur-Moselle
Villey-le-Sec
Houdemont
Heillecourt
Laneuveville-devant-N.
Art-s-M.
A 31
E 21
E 23
D 903
D 952
D 958
D 904
D 611
D 657
D 910
D 901
D 907
D 400
N 4

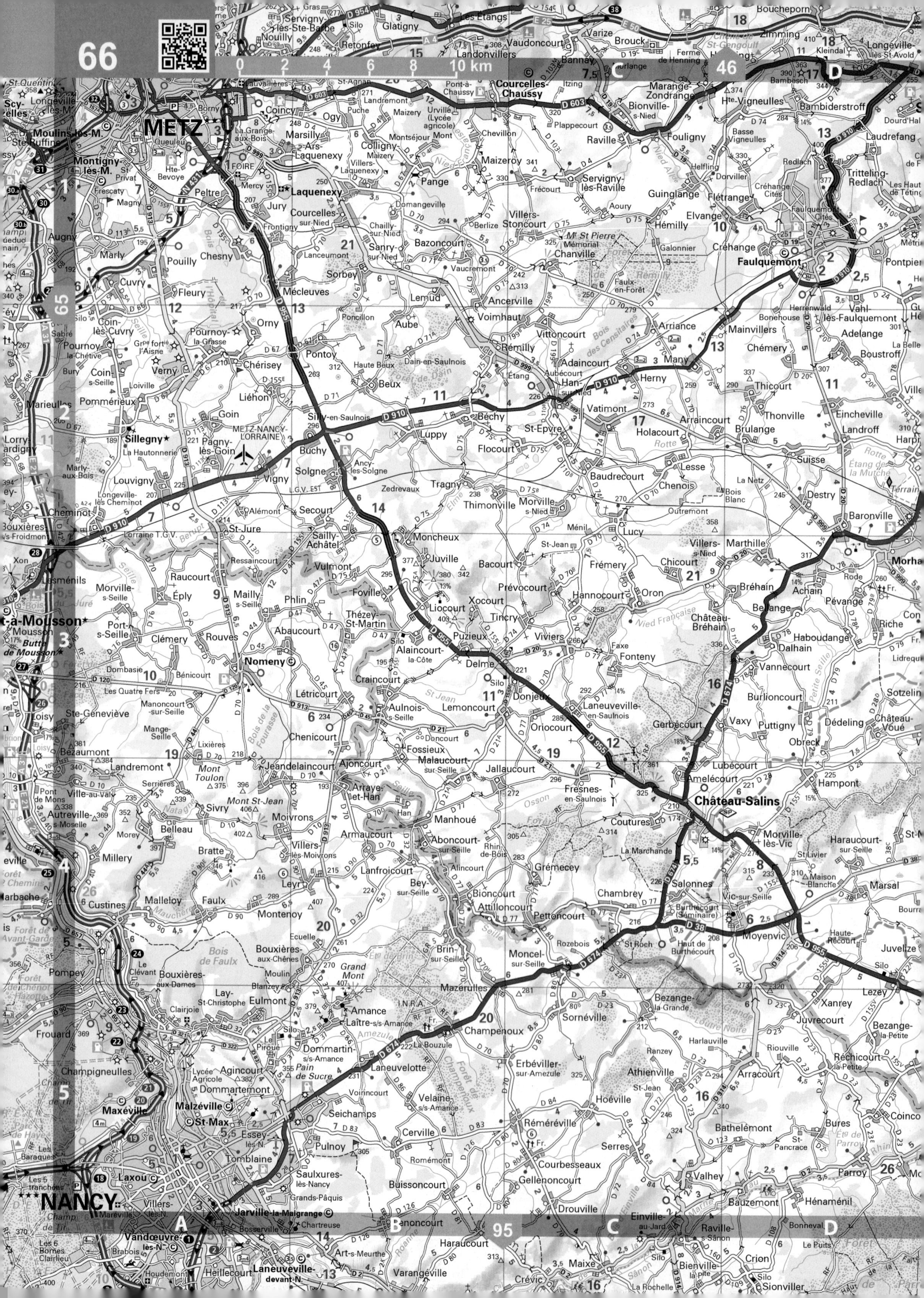
0 2 4 6 8 10 km
46
65
95
METZ
NANCY
Château-Salins
Faulquemont
Courcelles-Chaussy
Nomeny
Pont-à-Mousson
Montigny-lès-M.
Moulins-lès-M.
Scy-Chazelles
Longeville-lès-M.
Marly
Augny
Cuvry
Fleury
Pouilly
Chesny
Peltre
Mercy
Jury
Laquenexy
Courcelles-sur-Nied
Ars-Laquenexy
Colligny
Pange
Maizeroy
Servigny-lès-Raville
Raville
Fouligny
Guinglange
Flétrange
Elvange
Hémilly
Créhange
Bambiderstroff
Laudrefang
Tritteling-Redlach
Boucheporn
Longeville-lès-St-Avold
Varize
Brouck
Bannay
Glatigny
Les Étangs
Vaudoncourt
Landonvillers
Retonfey
Servigny-lès-Ste-Barbe
Nouilly
Coincy
Ogy
Puche
Maizery
Urville (Lycée agricole)
Marsilly
Chevillon
Bionville-s-Nied
Marange-Zondrange
Hte-Vigneulles
Plappecourt
Villers-Stoncourt
Chanville
Aoury
Bazoncourt
Sanry-sur-Nied
Chailly-sur-Nied
Domangeville
Frontigny
Sorbey
Mécleuves
Lemud
Aube
Ancerville
Voimhaut
Vittoncourt
Rémilly
Arriance
Mainvillers
Chémery
Adelange
Boustroff
Vahl-lès-Faulquemont
Many
Herny
Adaincourt
Aubécourt
Han-sur-Nied
Thicourt
Vatimont
Holacourt
Arraincourt
Brulange
Thonville
Eincheville
Landroff
Suisse
Destry
Baronville
Morhange
Lesse
Chenois
Baudrecourt
Béchy
St-Epvre
Flocourt
Luppy
Tragny
Thimonville
Morville-s-Nied
Lucy
Villers-s-Nied
Marthille
Chicourt
Oron
Frémery
Bacourt
Prévocourt
Hannocourt
Bréhain
Achain
Pévange
Bellange
Château-Bréhain
Haboudange
Dalhain
Vannecourt
Burlioncourt
Vaxy
Puttigny
Obreck
Dédeling
Château-Voué
Gerbécourt
Laneuveville-en-Saulnois
Fonteny
Faxe
Viviers
Tincry
Xocourt
Liocourt
Juville
Moncheux
Puzieux
Delme
Donjeux
Oriocourt
Lemoncourt
Jallaucourt
Fresnes-en-Saulnois
Lubécourt
Amelécourt
Hampont
Morville-lès-Vic
Haraucourt-sur-Seille
Coutures
Salonnes
Vic-sur-Seille
Moyenvic
Marsal
Chambrey
Grémecey
Pettoncourt
Attilloncourt
Bioncourt
Moncel-sur-Seille
Rozebois
Brin-sur-Seille
Mazerulles
Champenoux
Sornéville
Bezange-la-Grande
Xanrey
Juvrecourt
Lezey
Juvelize
Bezange-la-Petite
Réchicourt-la-Petite
Arracourt
Athienville
Hoéville
Serres
Réméréville
Erbéviller-sur-Amezule
Courbesseaux
Gellenoncourt
Drouville
Bathelémont
Bures
Parroy
Valhey
Bauzemont
Hénaménil
Einville-au-Jard
Raville-s-Sânon
Crion
Sionviller
Bienville-la-Petite
Maixe
Crévic
Haraucourt
Varangéville
Art-s-Meurthe
Laneuveville-devant-N.
Heillecourt
Houdemont
Vandœuvre-lès-N.
Jarville-la-Malgrange
Villers-lès-N.
Laxou
Maxéville
Malzéville
St-Max
Essey-lès-N.
Tomblaine
Saulxures-lès-Nancy
Pulnoy
Seichamps
Cerville
Buissoncourt
Velaine-s/s-Amance
Laneuvelotte
Dommartemont
Agincourt
Dommartin-s/s-Amance
Laître-s/s-Amance
Amance
Eulmont
Lay-St-Christophe
Bouxières-aux-Dames
Champigneulles
Frouard
Pompey
Custines
Malleloy
Faulx
Montenoy
Bouxières-aux-Chênes
Leyr
Lanfroicourt
Bey-sur-Seille
Aboncourt-sur-Seille
Armaucourt
Villers-lès-Moivrons
Moivrons
Sivry
Bratte
Millery
Autreville-s-Moselle
Belleau
Ville-au-Val
Landremont
Bezaumont
Ste-Geneviève
Loisy
Jeandelaincourt
Ajoncourt
Arraye-et-Han
Manhoué
Chenicourt
Aulnois-s-Seille
Létricourt
Craincourt
Alaincourt-la-Côte
Thézey-St-Martin
Abaucourt
Phlin
Mailly-s-Seille
Éply
Raucourt
Morville-s-Seille
Port-s-Seille
Clémery
Rouves
Bénicourt
Manoncourt-sur-Seille
Mange-Seille
Lixières
Foville
Vulmont
Sailly-Achâtel
Secourt
Solgne
Ancy-lès-Solgne
Vigny
Buchy
Sillegny
Louvigny
Pagny-lès-Goin
Goin
Liéhon
Chérisey
Verny
Pournoy-la-Grasse
Orny
Pontoy
Beux
Silly-en-Saulnois
Pommérieux
Coin-sur-Seille
Coin-lès-Cuvry
Pournoy-la-Chétive
Marieulles
Cheminot
Longeville-lès-Cheminot
St-Jure
Alémont
Lesménils
METZ-NANCY-LORRAINE
Lorraine T.G.V.
L.G.V. EST
Forêt de Dain
Nied Française
Seille

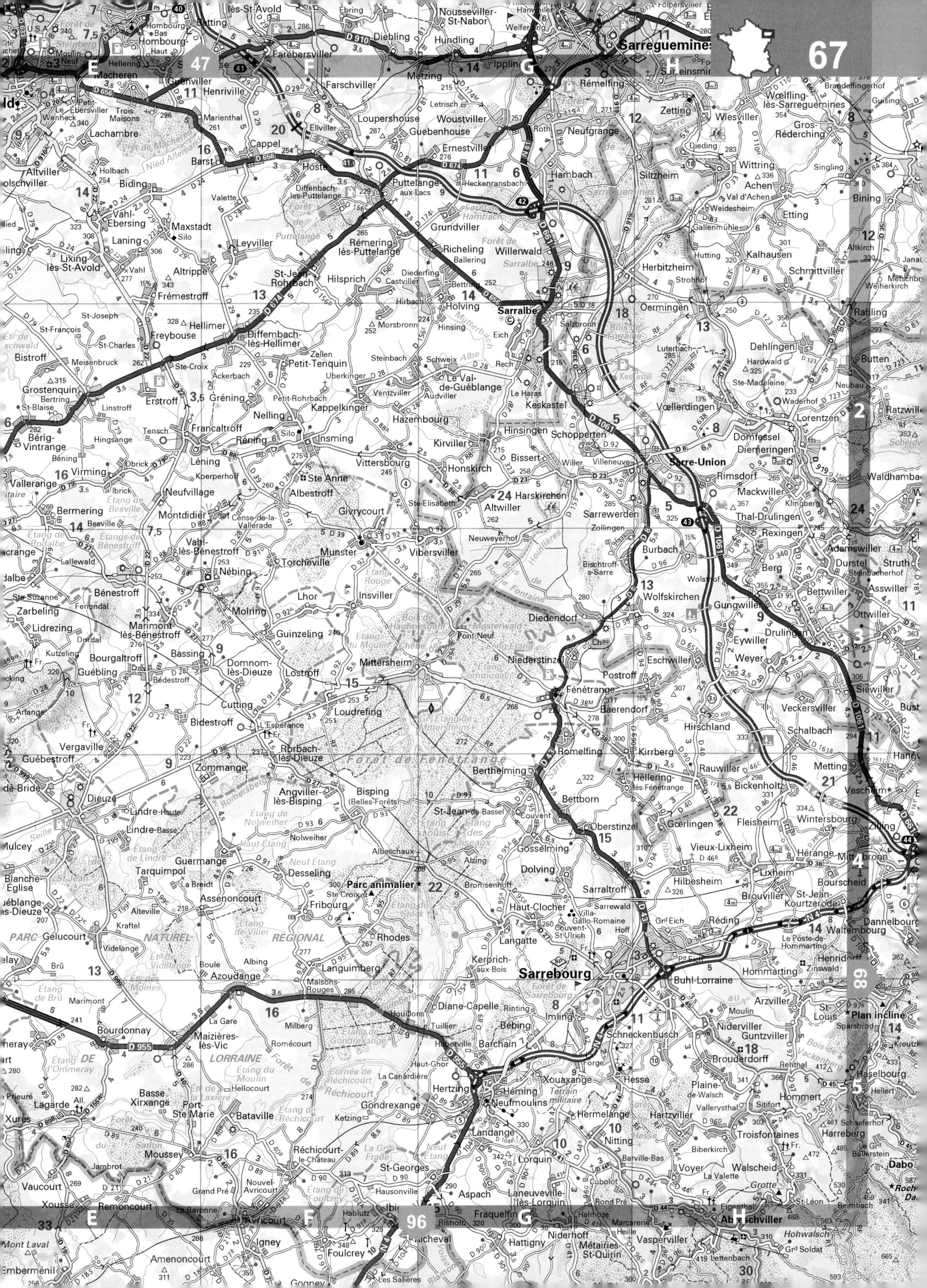
67
47
96
89
Sarreguemines
Farébersviller
Diebling
Hundling
Nousseviller-St-Nabor
Ippling
Rémelfing
Zetting
Wiesviller
Wœlfling-lès-Sarreguemines
Gros-Réderching
Hombourg-Haut
Macheren
Henriville
Guenviller
Farschviller
Metzing
Loupershouse
Woustviller
Guebenhouse
Neufgrange
Ernestviller
Hambach
Siltzheim
Wittring
Achen
Singling
Bining
Lachambre
Barst
Cappel
Hoste
Altviller
Biding
Diffenbach-lès-Puttelange
Puttelange-aux-Lacs
Heckenransbach
Valette
Maxstadt
Vahl-Ebersing
Laning
Lixing-lès-St-Avold
Leyviller
Rémering-lès-Puttelange
Grundviller
Richeling
Willerwald
Herbitzheim
Kalhausen
Etting
Schmittviller
Altrippe
St-Jean-Rohrbach
Hilsprich
Frémestroff
Holving
Sarralbe
Oermingen
Rahling
Hellimer
Freybouse
Diffembach-lès-Hellimer
Dehlingen
Butten
Bistroff
Petit-Tenquin
Le Val-de-Guéblange
Keskastel
Grostenquin
Erstroff
Gréning
Nelling
Kappelkinger
Hazembourg
Vœllerdingen
Lorentzen
Ratzwiller
Bérig-Vintrange
Francaltroff
Réning
Insming
Kirviller
Hinsingen
Schopperten
Domfessel
Diemeringen
Léning
Vittersbourg
Honskirch
Bissert
Sarre-Union
Rimsdorf
Waldhambach
Virming
Vallerange
Neufvillage
Albestroff
Ste Anne
Harskirchen
Altwiller
Mackwiller
Bermering
Montdidier
Givrycourt
Sarrewerden
Thal-Drulingen
Rexingen
Vahl-lès-Bénestroff
Munster
Vibersviller
Burbach
Adamswiller
Nébing
Torcheville
Berg
Bénestroff
Lhor
Insviller
Wolfskirchen
Gungwiller
Bettwiller
Zarbeling
Lidrezing
Molring
Marimont-lès-Bénestroff
Diedendorf
Drulingen
Ottwiller
Guinzeling
Eywiller
Bourgaltroff
Guébling
Bassing
Domnom-lès-Dieuze
Lostroff
Mittersheim
Niederstinzel
Eschwiller
Weyer
Postroff
Fénétrange
Sieswiller
Cutting
Loudrefing
Baerendorf
Veckersviller
Bidestroff
Hirschland
Schalbach
Vergaville
Rorbach-lès-Dieuze
Romelfing
Kirrberg
Guébestroff
Zommange
Forêt de Fénétrange
Berthelming
Rauwiller
Metting
Dieuze
Angviller-lès-Bisping
Bisping
Hellering-lès-Fénétrange
Bickenholtz
Vescheim
Lindre-Haute
Lindre-Basse
St-Jean-de-Bassel
Bettborn
Gœrlingen
Fleisheim
Wintersbourg
Zilling
Oberstinzel
Vieux-Lixheim
Hérange
Mittelbronn
Guermange
Tarquimpol
Desseling
Gosselming
Dolving
Lixheim
Parc animalier
Assenoncourt
Fribourg
Sarraltroff
Hilbesheim
Brouviller
St-Jean-Kourtzerode
Haut-Clocher
Réding
Dannelbourg
Waltembourg
Gelucourt
Rhodes
Langatte
Videlange
PARC NATUREL RÉGIONAL
Languimberg
Kerprich-aux-Bois
Sarrebourg
Buhl-Lorraine
Hommarting
Azoudange
Marimont
Diane-Capelle
Imling
Arzviller
Plan incliné
Bourdonnay
Maizières-lès-Vic
LORRAINE
Bébing
Barchain
Schneckenbusch
Niderviller
Guntzviller
Brouderdorff
Haselbourg
Hertzing
Héming
Xouaxange
Hesse
Plaine-de-Walsch
Hommert
Lagarde
Basse Xirxange
Port-Ste Marie
Bataville
Gondrexange
Neufmoulins
Hermelange
Nitting
Hartzviller
Troisfontaines
Harreberg
Landange
Moussey
Réchicourt-le-Château
Lorquin
Voyer
Walscheid
Dabo
Vaucourt
St-Georges
Aspach
Laneuveville-lès-Lorquin
Xousse
Remoncourt
Avricourt
Fraquelfing
Abreschviller
Igney
Foulcrey
Hattigny
Niderhoff
Vasperviller
Amenoncourt
Métairies-St-Quirin

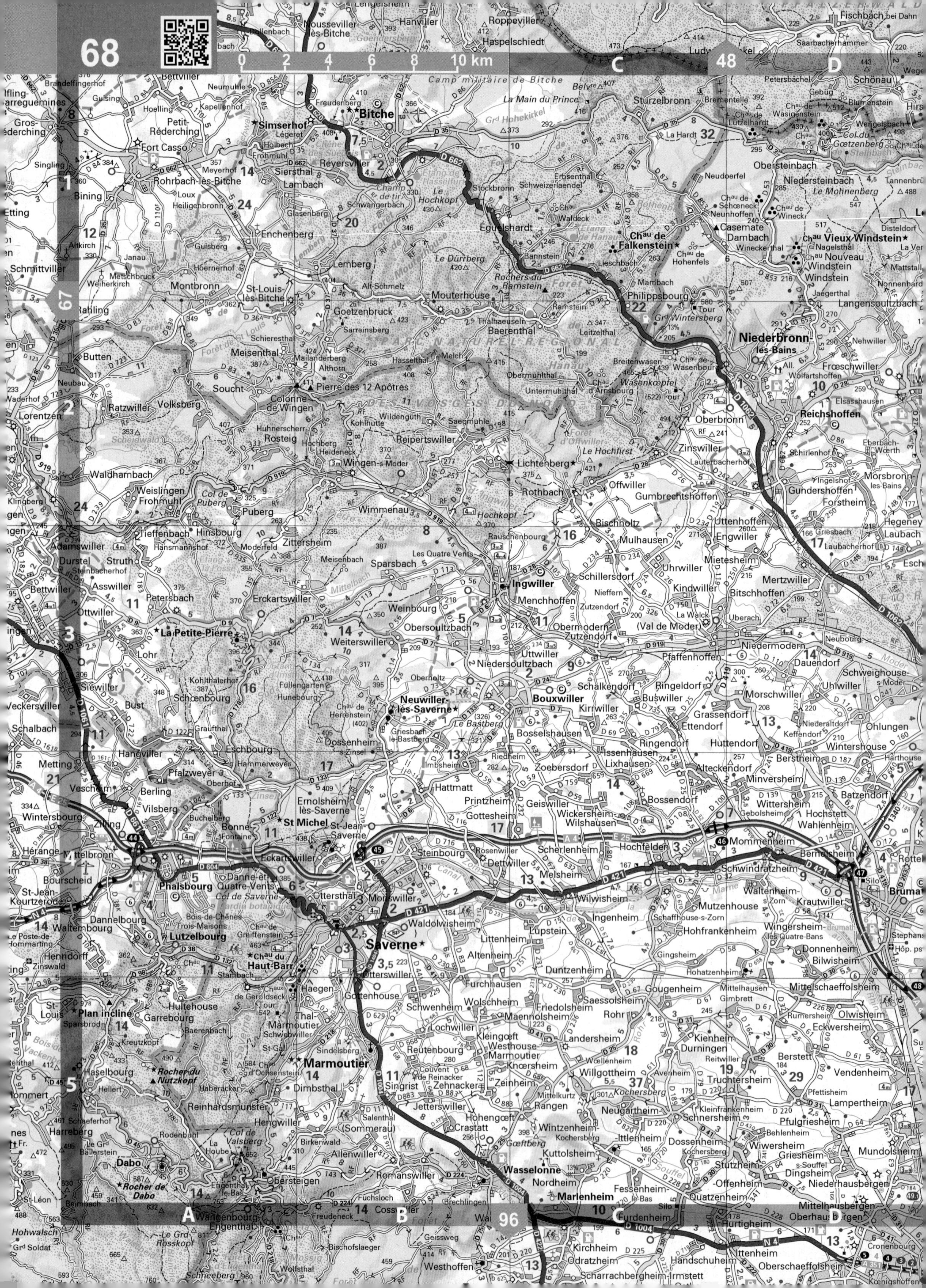

68
0 2 4 6 8 10 km
48
C
D
67
96
A
B
Bitche
Camp militaire de Bitche
Simserhof
Fort Casso
Rohrbach-lès-Bitche
Bining
Siersthal
Lambach
Reyersviller
Enchenberg
Lemberg
Montbronn
St-Louis-lès-Bitche
Goetzenbruck
Mouterhouse
Baerenthal
Eguelshardt
Stockbronn
Sturzelbronn
Obersteinbach
Niedersteinbach
Chau de Falkenstein
Chau Vieux Windstein
Philippsbourg
Niederbronn-les-Bains
Reichshoffen
Oberbronn
Zinswiller
Meisenthal
Soucht
Pierre des 12 Apôtres
Colonne de Wingen
Volksberg
Rosteig
Wingen-s-Moder
Reipertswiller
Lichtenberg
Rothbach
Offwiller
Gumbrechtshoffen
Gundershoffen
Morsbronn-les-Bains
Wimmenau
Puberg
Weislingen
Frohmuhl
Tieffenbach
Hinsbourg
Zittersheim
Sparsbach
Ingwiller
Bischholtz
Mulhausen
Uttenhoffen
Engwiller
Mietesheim
Schillersdorf
Uhrwiller
Mertzwiller
Menchhoffen
Bitschhoffen
Weinbourg
Obersoultzbach
Obermodern-Zutzendorf
Niedermodern
Pfaffenhoffen
Dauendorf
La Petite-Pierre
Petersbach
Erckartswiller
Weiterswiller
Niedersoultzbach
Bouxwiller
Neuwiller-lès-Saverne
Schalkendorf
Ringeldorf
Kirrwiller
Morschwiller
Uhlwiller
Schweighouse-s-Moder
Ohlungen
Wintershouse
Dossenheim-s-Zinsel
Bosselshausen
Ringendorf
Huttendorf
Issenhausen
Lixhausen
Zoebersdorf
Alteckendorf
Minversheim
Berstheim
Batzendorf
Hattmatt
Printzheim
Geiswiller
Wickersheim-Wilshausen
Bossendorf
Wittersheim
Hochstett
Wahlenheim
Ernolsheim-lès-Saverne
St Michel
St-Jean-Saverne
Gottesheim
Steinbourg
Dettwiller
Scherlenheim
Hochfelden
Mommenheim
Bernolsheim
Brumath
Phalsbourg
Mittelbronn
Danne-et-Quatre-Vents
Eckartswiller
Ottersthal
Monswiller
Wilwisheim
Melsheim
Schwindratzheim
Waltenheim-s-Zorn
Mutzenhouse
Krautwiller
Lutzelbourg
Saverne
Waldolwisheim
Littenheim
Lupstein
Ingenheim
Hohfrankenheim
Wingersheim-les-Quatre-Bans
Donnenheim
Bilwisheim
Chau du Haut-Barr
Altenheim
Duntzenheim
Mittelschaeffolsheim
Plan incliné
Garrebourg
Haegen
Gottenhouse
Furchhausen
Wolschheim
Friedolsheim
Saessolsheim
Gougenheim
Olwisheim
Eckwersheim
Thal-Marmoutier
Marmoutier
Landersheim
Kienheim
Durningen
Truchtersheim
Berstett
Vendenheim
Haselbourg
Rocher du Nutzkopf
Reinhardsmunster
Dimbsthal
Singrist
Zehnacker
Zeinheim
Willgottheim
Rangen
Neugartheim-Ittenheim
Schnersheim
Pfulgriesheim
Lampertheim
Hengwiller
Jetterswiller
Hohengœft
Crastatt
Wintzenheim-Kochersberg
Dossenheim-Kochersberg
Wiwersheim
Griesheim-s-Souffel
Mundolsheim
Dabo
Rocher de Dabo
Col de Valsberg
Allenwiller
Romanswiller
Wasselonne
Kuttolsheim
Stutzheim-Offenheim
Dingsheim
Niederhausbergen
Obersteigen
Nordheim
Marlenheim
Fessenheim-le-Bas
Quatzenheim
Mittelhausbergen
Oberhausbergen
Wangenbourg-Engenthal
Cosswiller
Furdenheim
Hurtigheim
Ittenheim
Oberschaeffolsheim
Kirchheim
Odratzheim
Scharrachbergheim-Irmstett
Handschuheim
Westhoffen
Schneeberg
Le Grd Rosskopf
Hohwalsch
St-Léon
Harreberg
Sarreguemines
Gros-Réderching
Petit-Réderching
Schmittviller
Rahling
Butten
Ratzwiller
Lorentzen
Waldhambach
Adamswiller
Durstel
Struth
Asswiller
Bettwiller
Ottwiller
Lohr
Siewiller
Schœnbourg
Bust
Schalbach
Hangviller
Eschbourg
Metting
Vescheim
Berling
Pfalzweyer
Vilsberg
Wintersbourg
Zilling
Hérange
Bourscheid
St-Jean-Kourtzerode
Dannelbourg
Waltembourg
Henridorff
Hultehouse
Schaeferhof

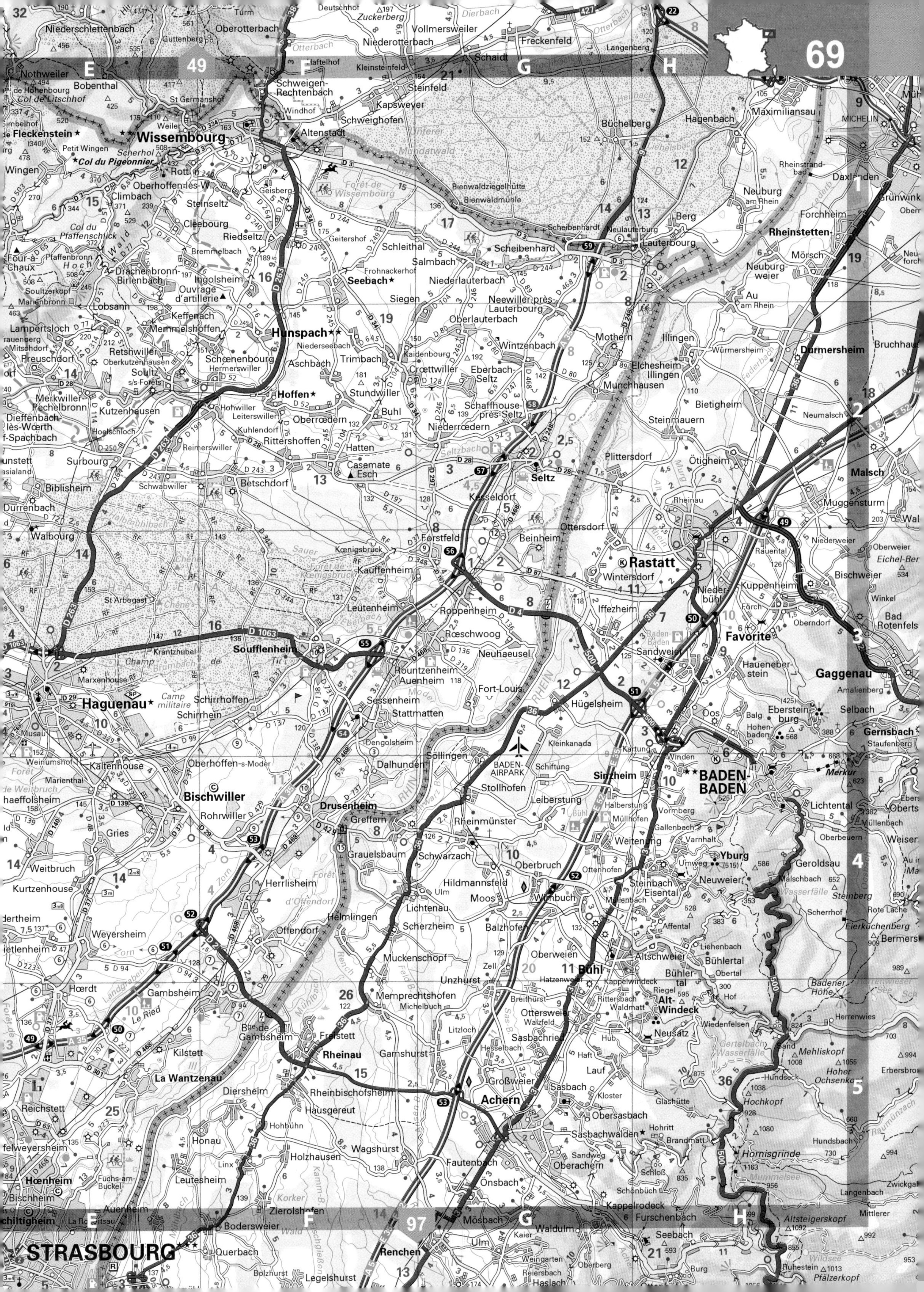

Niederschlettenbach
Oberotterbach
Zuckerberg
Vollmersweiler
Dierbach
Niederotterbach
Freckenfeld
Langenberg
Nothweiler
Bobenthal
Schweigen-Rechtenbach
Kleinsteinfeld
Schaidt
Steinfeld
Col de Litschhof
St Germanshof
Kapsweyer
Windhof
Schweighofen
Büchelberg
Hagenbach
Maximiliansau
Fleckenstein
Wissembourg
Altenstadt
Mundatwald
Petit Wingen
Col du Pigeonnier
Rott
Wingen
Forêt de Wissembourg
Bienwaldziegelhütte
Bienwaldmühle
Rheinstrandbad
Daxlanden
Oberhoffen-lès-W.
Climbach
Steinseltz
Neuburg am Rhein
Grünwinkel
Col du Pfaffenschlick
Cleebourg
Riedseltz
Geitershof
Scheibenhardt
Neulauterburg
Berg
Forchheim
Rheinstetten
Four-à-Chaux
Bremmelbach
Schleithal
Scheibenhard
Lauterbourg
Mörsch
Drachenbronn-Birlenbach
Salmbach
Neuburgweier
Ingolsheim
Frohnackerhof
Seebach
Niederlauterbach
Soultzerkopf
Ouvrage d'artillerie
Siegen
Neewiller-près-Lauterbourg
Au am Rhein
Marienbronn
Lobsann
Keffenach
Oberlauterbach
Lampertsloch
Memmelshoffen
Hunspach
Mothern
Illingen
Retshwiller
Niederseebach
Wintzenbach
Würmersheim
Durmersheim
Bruchhausen
Preuschdorf
Schœenenbourg
Aschbach
Trimbach
Kaidenbourg
Elchesheim-Illingen
Oberkutzenhausen
Hermerswiller
Crœttwiller
Eberbach-Seltz
Soultz s/s-Forêts
Stundwiller
Munchhausen
Hoffen
Buhl
Schaffhouse-près-Seltz
Bietigheim
Merkwiller-Pechelbronn
Kutzenhausen
Hohwiller
Leiterswiller
Neumalsch
Dieffenbach-lès-Wœrth
Oberrœdern
Niederrœdern
Steinmauern
Kuhlendorf
Hoelschloch
Rittershoffen
Hatten
Reimerswiller
Plittersdorf
Ötigheim
Surbourg
Casemate Esch
Seltz
Malsch
Biblisheim
Schwabwiller
Betschdorf
Kesseldorf
Rheinau
Muggensturm
Durrenbach
Walbourg
Forstfeld
Beinheim
Ottersdorf
Niederweier
Oberweier
Sauer
Kœnigsbruck
Forêt de Kœnigsbruck
Kauffenheim
Rastatt
Rauental
Eichel-Berg
St Arbogast
Wintersdorf
Kuppenheim
Bischweier
Leutenheim
Roppenheim
Iffezheim
Niederbühl
Förch
Winkel
Krantzhubel
Rœschwoog
Oberndorf
Bad Rotenfels
Soufflenheim
Baden-Baden
Sandweier
Favorite
Haguenau
Camp militaire
Rountzenheim
Auenheim
Neuhaeusel
Haueneberstein
Gaggenau
Marxenhouse
Fort-Louis
Amalienberg
Schirrhoffen
Schirrhein
Sessenheim
Stattmatten
Hügelsheim
Oos
Ebersteinburg
Selbach
Balg
Hohenbaden
Gernsbach
Staufenberg
Musau
Dengolsheim
Kleinkanada
Weinumshof
Kaltenhouse
Oberhoffen-s-Moder
Söllingen
Dalhunden
Baden-Airpark
Schiftung
Kartung
Winden
Sinzheim
Baden-Baden
Merkur
Marienthal
Bischwiller
Stollhofen
Leiberstung
Halberstung
Vormberg
Lichtental
Haeffolsheim
Rohrwiller
Drusenheim
Greffern
Rheinmünster
Müllhofen
Gallenbach
Müllenbach
Oberbeuern
Gries
Grauelsbaum
Schwarzach
Weitenung
Varnhalt
Yburg
Weitbruch
Herrlisheim
Oberbruch
Umweg
Geroldsau
Kurtzenhouse
Hildmannsfeld
Ottenhofen
Neuweier
Malschbach
Ulm
Moos
Steinbach
Eisental
Wasserfälle
Steinberg
Forêt d'Offendorf
Lichtenau
Vimbuch
Affental
Scherrhof
Weyersheim
Helmlingen
Offendorf
Scherzheim
Balzhofen
Eierkuchenberg
Bermersbach
Zorn
Muckenschopf
Oberweier
Altschweier
Liehenbach
Bühlertal
Obertal
Hœrdt
Gambsheim
Unzhurst
Hatzenweier
Bühl
Kappelwindeck
Bühler-tal
Memprechtshofen
Michelbuch
Breithurst
Rittersbach
Riegel
Alt-Windeck
Badener Höhe
Herrenwieser See
Le Ried
Bge de Gambsheim
Freistett
Litzloch
Otterswei-er
Walzfeld
Waldmatt
Neusatz
Wiedenfelsen
Herrenwies
Kilstett
Hesselbach
Sasbachried
Hub
Gertelbach Wasserfälle
Sand
Mehliskopf
Rheinau
Gamshurst
Haft
Lauf
Hundseck
Hoher Ochsenkopf
Erbersbronn
La Wantzenau
Großweier
Sasbach
Kloster
Glashütte
Hochkopf
Diersheim
Rheinbischofsheim
Achern
Reichstett
Hausgereut
Obersasbach
Hohritt
Hohbühn
Sasbachwalden
Brandmatt
Hundsbach
Honau
Wagshurst
Hornisgrinde
Souffelweyersheim
Holzhausen
Sandweg
Oberachern
Schloß
Mummelsee
Fautenbach
Hœnheim
Linx
Fuchs-am-Buckel
Leutesheim
Önsbach
Schönbüch
Langenbach
Zwickgabel
Bischheim
Auenheim
Korker
Zierolshofen
Kappelrodeck
Mösbach
Furschenbach
Mittlerer
Schiltigheim
Bodersweier
Waldulm
Altsteigerskopf
STRASBOURG
Querbach
Renchen
Kaier
Seebach
Ulm
Weingarten
Oberberg
Ruhestein
Wildsee
Pfälzerkopf
Bolzhurst
Legelshurst
Reiersbach
Haslach
Burg

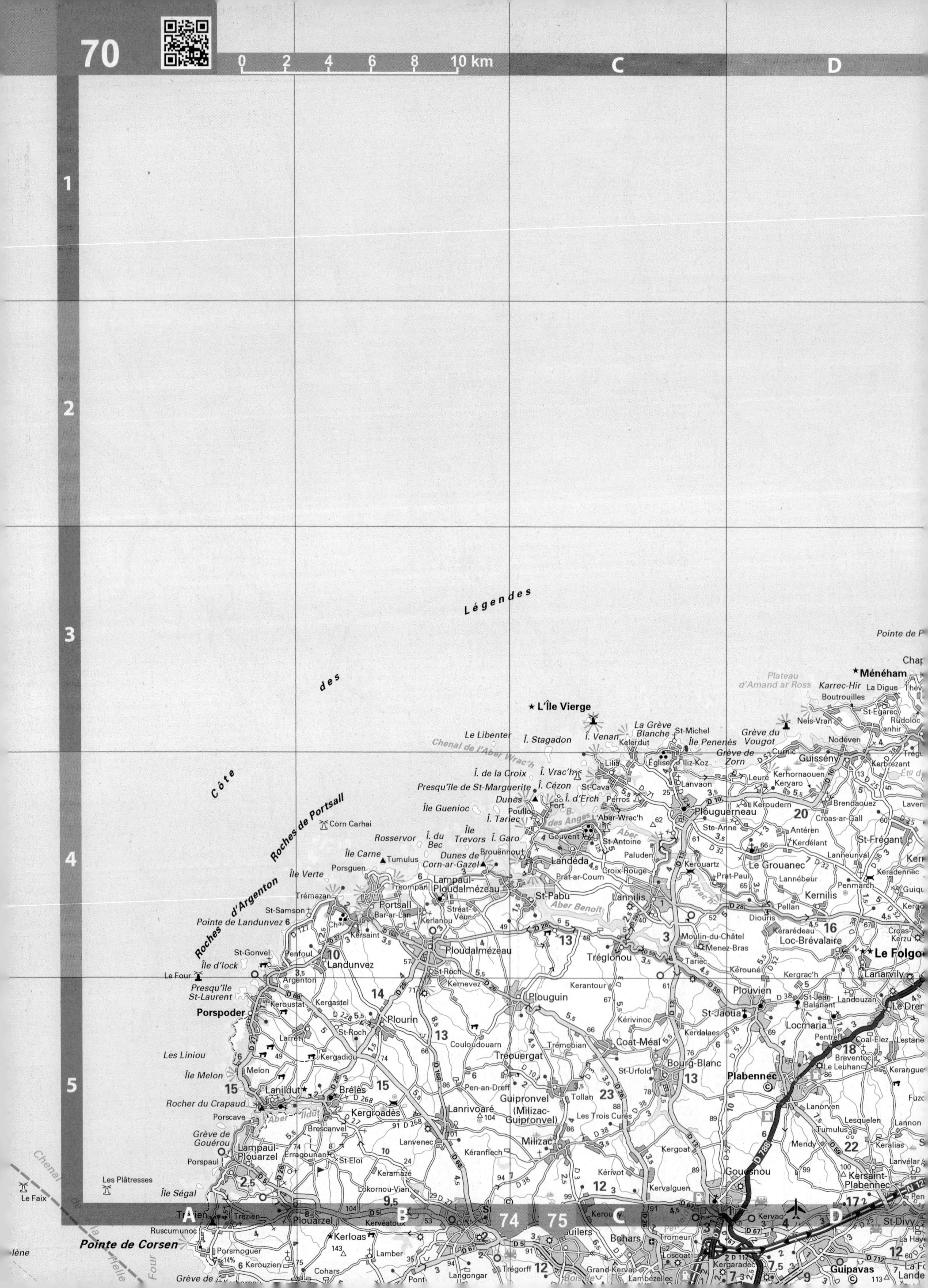

70
0 2 4 6 8 10 km
C
D
1
2
3
4
5
A
B
C
D
74
75
Légendes
des
Côte
Roches de Portsall
Roches d'Argenton
Pointe de P
Chap
Méhéham
Plateau d'Amand ar Ross
Karrec-Hir
La Digue
Boutrouilles
St-Egarec
Rudoloc
Nels-Vran
Nodéven
L'Île Vierge
La Grève Blanche
St-Michel
Grève du Vougot
Le Libenter
Î. Stagadon
Î. Venan
Kelerdut
Île Penenès
Grève de Zorn
Chenal de l'Aber Wrac'h
Lilia
Église
Iliz-Koz
Curnic
Guissény
Î. de la Croix
Î. Vrac'h
St-Cava
Lanvaon
Leuré
Kerhornaouen
Kervaro
Kerbrezant
Presqu'île de St-Marguerite
Î. Cézon
Dunes
Fort
Î. d'Erch
Perros
Plouguerneau
Keroudern
Brendaouez
Île Guenioc
Poulloc
Î. Tariec
B. des Anges
L'Aber-Wrac'h
20
Croas-ar-Gall
Corn Carhai
Rosservor
Î. du Bec
Île Trevors
Î. Garo
Gouvent
St-Antoine
Ste-Anne
Antéren
Kerdélant
St-Frégant
Île Carne
Tumulus
Dunes de Corn-ar-Gazel
Brouënnou
Paluden
Le Grouanec
Lanneunval
Porsguen
Landéda
Croix-Rouge
Kerouartz
Keradennec
Île Verte
Lampaul-Ploudalmézeau
Prat-ar-Coum
Prat-Paul
Lannébeur
Penmarch
Treompan
St-Pabu
Lannilis
Kernilis
Trémazan
Portsall
Aber Benoît
Pellan
St-Samson
Bar-ar-Lan
Stréat-Veur
Diouris
Pointe de Landunvez
Kerlanou
Kérarédeau
16
Loc-Brévalaire
Kersaint
Moulin-du-Châtel
Menez-Bras
St-Gonvel
Penfoul
10
Landunvez
Ploudalmézeau
13
Tréglonou
3
Tariec
Le Folgoët
Île d'Iock
Le Four
Argenton
St-Roch
Kérouné
Kergrac'h
Lanarvily
Presqu'île St-Laurent
Kergastel
Kernevez
Plouguin
Kerantour
Plouvien
St-Jean-Balanant
Landouzan
Le Drer
Porspoder
Keroustat
14
Plourin
St-Jaoua
Locmaria
Larret
13
Kérivinoc
Kerdalaes
Pentreff
Coat-Elez
Lestane
Les Liniou
Kergadiou
Couloudouarn
Trémobian
Coat-Méal
18
Breventoc
Le Leuhan
Kerangue
Île Melon
Melon
Tréouergat
Bourg-Blanc
Plabennec
15
Lanildut
Brélès
15
Pen-an-Dreff
St-Urfold
13
Rocher du Crapaud
Kergroadès
Lanrivoaré
Guipronvel (Milizac-Guipronvel)
23
Tollan
Lanorven
Porscave
Aber-Ildut
Brescanvel
Les Trois Curés
Lesquelen
Lannon
Grève de Gouérou
Lanvenec
Tumulus
Mendy
22
Kéralias
Lampaul-Plouarzel
Erragounan
Kéranflech
Milizac
Kergoat
Porspaul
St-Eloi
Keramazé
Kérivot
Gouesnou
Kersaint-Plabennec
Lanvélar
Les Plâtresses
Le Faix
Île Ségal
Lokornou-Vian
12
Kervalguen
Trézien
Plouarzel
Kervéatoux
Kervao
St-Divy
Chenal du Four
Pointe de Corsen
Ruscumunoc
Kerloas
Guilers
Bohars
Tromeur
La Haye
Porsmoguer
Kerouzien
Lamber
Trégorff
Grand-Kervao
Loscoat
Kergaradec
Guipavas
Grève de
Cohars
Langongar
Lambézellec
Bois de
Landerneau

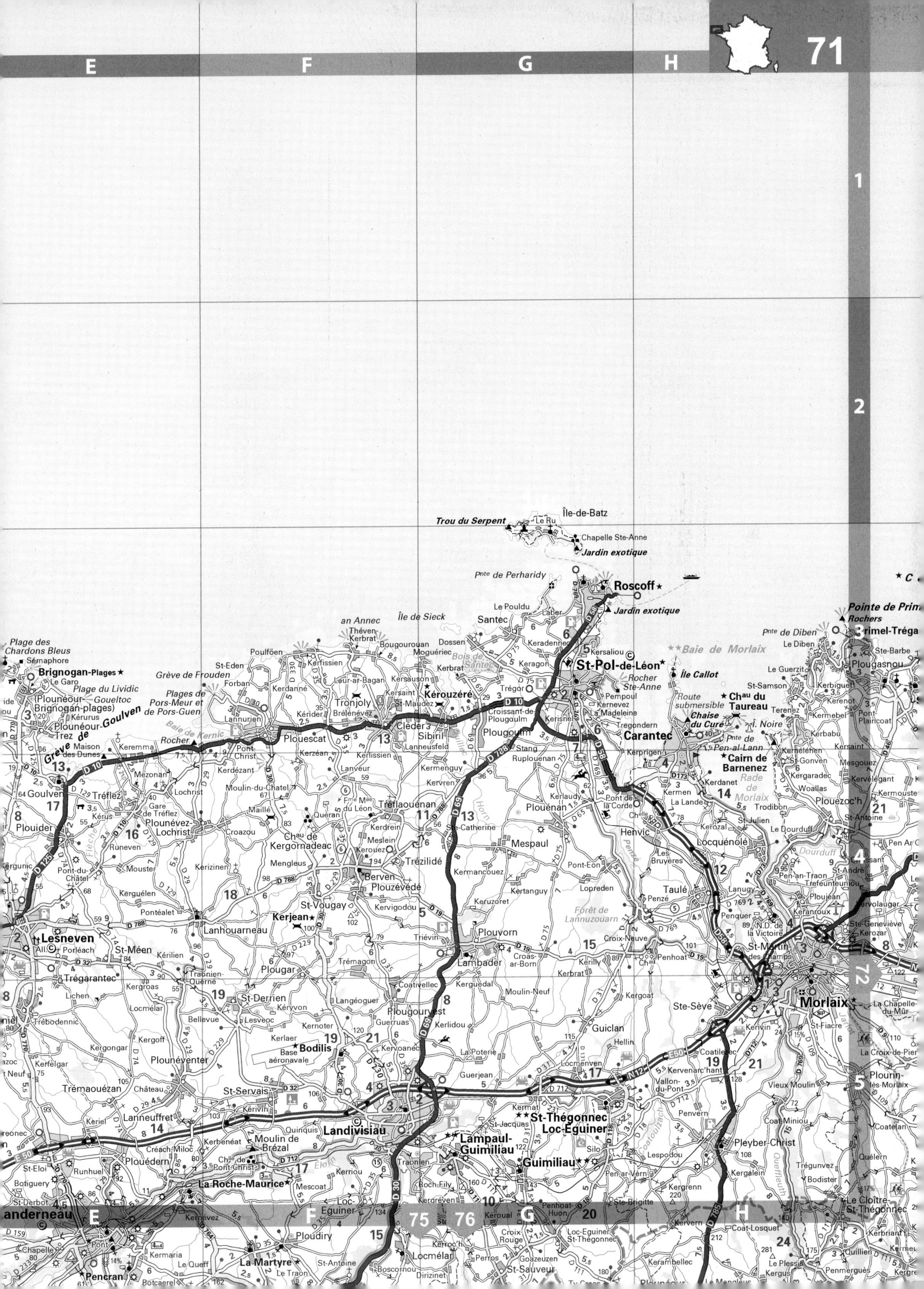

71
E
F
G
H
1
2
3
4
5
Île-de-Batz
Trou du Serpent
Le Ru
Chapelle Ste-Anne
Jardin exotique
Pnte de Perharidy
Roscoff
Jardin exotique
Pointe de Primel
Rochers
Le Pouldu
Santec
Île de Sieck
an Annec
Théven-Kerbrat
Plage des Chardons Bleus
Sémaphore
Brignogan-Plages
Le Garo
Plage du Lividic
Kérurus
(Plounéour-Brignogan-plages)
Goueltoc
Plounéour-Trez
Grève de Goulven
Maison des Dunes
Grève de Frouden
Plages de Pors-Meur et de Pors-Guen
Baie de Kernic
Rocher
Poulfoën
St-Eden
Forban
Lannurien
Plouescat
Kerfissien
Bougourouan
Moguériec
Dossen
Bois de Santec
Keradennec
Kersaliou
St-Pol-de-Léon
Rocher Ste-Anne
Pempoul
Kernevez
La Madeleine
Tregondern
Carantec
Baie de Morlaix
Île Callot
Route submersible
Chaise du Curé
Chau du Taureau
Î. Noire
Pnte de Pen-al-Lann
Cairn de Barnenez
Kerprigent
Rade de Morlaix
Kerdanet
La Lande
Pnte de Diben
Le Diben
Primel-Trégastel
Ste-Barbe
Plougasnou
Le Guerzit
Kerbiguet
St-Samson
Terenez
Kermebel
Kerbabu
Kernéléhen
St-Gonven
Kergaradec
Woallas
Kersaint
Mesgouez
Kervélégant
Pont-Plaincoat
Kermouster
Plouezoc'h
St-Antoine
Tronjoly
Kerdanné
Leur-ar-Bagan
Kersauson
Kersaint
Kérouzéré
Kerbrat
Keragon
Trégor
St-Maudez
Kérider
Brélévénez
Cléder
Sibiril
Croissant-de-Plougoulm
Plougoulm
Kerisnel
Stang
Ruplouenan
Lanneusfeld
Kerlissien
Kerzéan
Lanveur
Keremma
Pont-Christ
Kerdézant
Mézonan
Lochrist
Moulin-du-Chatel
Goulven
Tréflez
Plouider
Kérus
Gare de Tréflez
Plounévez-Lochrist
Croazou
Maillé
Queran
Fme Mes du Léon
Tréflaouénan
Kerdrein
Kermenguy
Kervren
Ste-Catherine
Mespaul
Plouénan
Kerlaudy
Pont de la Corde
Henvic
Les Bruyères
Locquénolé
Le Dourduff
Dourduff
Pen-an-Traon
Trefeuntenniou
Ploujean
Runeven
Mouster
Pont-du-Châtel
Kerizinen
Chau de Kergornadeac
Kerouez
Meslein
Mengleus
Berven
Plouzévédé
Trézilidé
Kermancouez
Pont-Eon
Lopreden
Kertanguy
Forêt de Lannuzouarn
Penzé
Taulé
Lanugy
Penquer
N.D. de la Victoire
St-Julien
Kerozal
Kerguélen
Pontéalet
St-Vougay
Kerjean
Kervigodou
Keruzoret
Lesneven
Porléach
St-Méen
Lanhouarneau
Kérilien
Triévin
Plouvorn
Lambader
Croas-ar-Born
Croix-Neuve
Penhoat
St-Martin-des-Champs
Morlaix
La Chapelle-du-Mûr
Trégarantec
Plougar
Trémagon
Kerilly
Kerbrat
Traonien-Querné
Kergroas
Lichen
Locmélar
St-Derrien
Langoéguer
Coativellec
Kerguédal
Moulin-Neuf
Kergoat
Ste-Sève
Kérivin
St-Fiacre
Trébodennic
Bellevue
Lesvéoc
Kéryvon
Plougourvest
Kerlidou
Guiclan
Hellin
Kernoter
Kerlaer
Bodilis
Base aéronavale
Kervoanec
Guerruas
La Poterie
Kergongar
Kergoff
Plounéventer
Kerfelgar
Guerjean
Locmenven
Kervenarc'hant
Coatilezec
Vallon-du-Pont
Vieux Moulin
Plourin-lès-Morlaix
La Croix-de-Pierre
Trémaouézan
Château
St-Servais
Landivisiau
Kermat
St-Jacques
St-Thégonnec
Loc-Eguiner
Penvern
Coat-Miniou
Coatelan
Lanneuffret
Kérivin
Quinquis
Keriel
Kerbénéat
Moulin de Brézal
Créach-Miloc
Ploudédern
Chlle de Pont-Christ
Lampaul-Guimiliau
Guimiliau
Silo
Lespodou
Pleyber-Christ
Quélern
St-Eloi
Runhuel
Botiguery
Kerriou
Traonien
Roch-Fily
Pen-ar-Vern
Kergalein
Trégunvez
Bodister
La Roche-Maurice
Mescoat
Kergrenn
Ste-Brigitte
St-Derbot
Landerneau
Kernévez
Loc-Eguiner
Kergréven
Kéroual
Penhoat-Huon
Kervern
Coat-Losquet
Le Cloître-St-Thégonnec
Kerbriant
75
76
Ploudiry
Croix-Rouge
Loc-Eguiner-St-Thégonnec
Quillien
Kermaria
La Martyre
Le Queff
Le Traon
St-Antoine
Kerroc'h
Locmélar
Perros
Goazeuzen
St-Sauveur
Kerambellec
Le Plessis
Kergus
Penmergues
Pencran
Botcaerel
Boscornou
Dirizinet
Elorn
Queffleuth
Coatoulzach
Penzé
Jarlot
Flèche
Horn
E 50
N 12
D 10
D 788
D 58
D 69
D 30
D 19
D 32
D 712
D 769
D 125

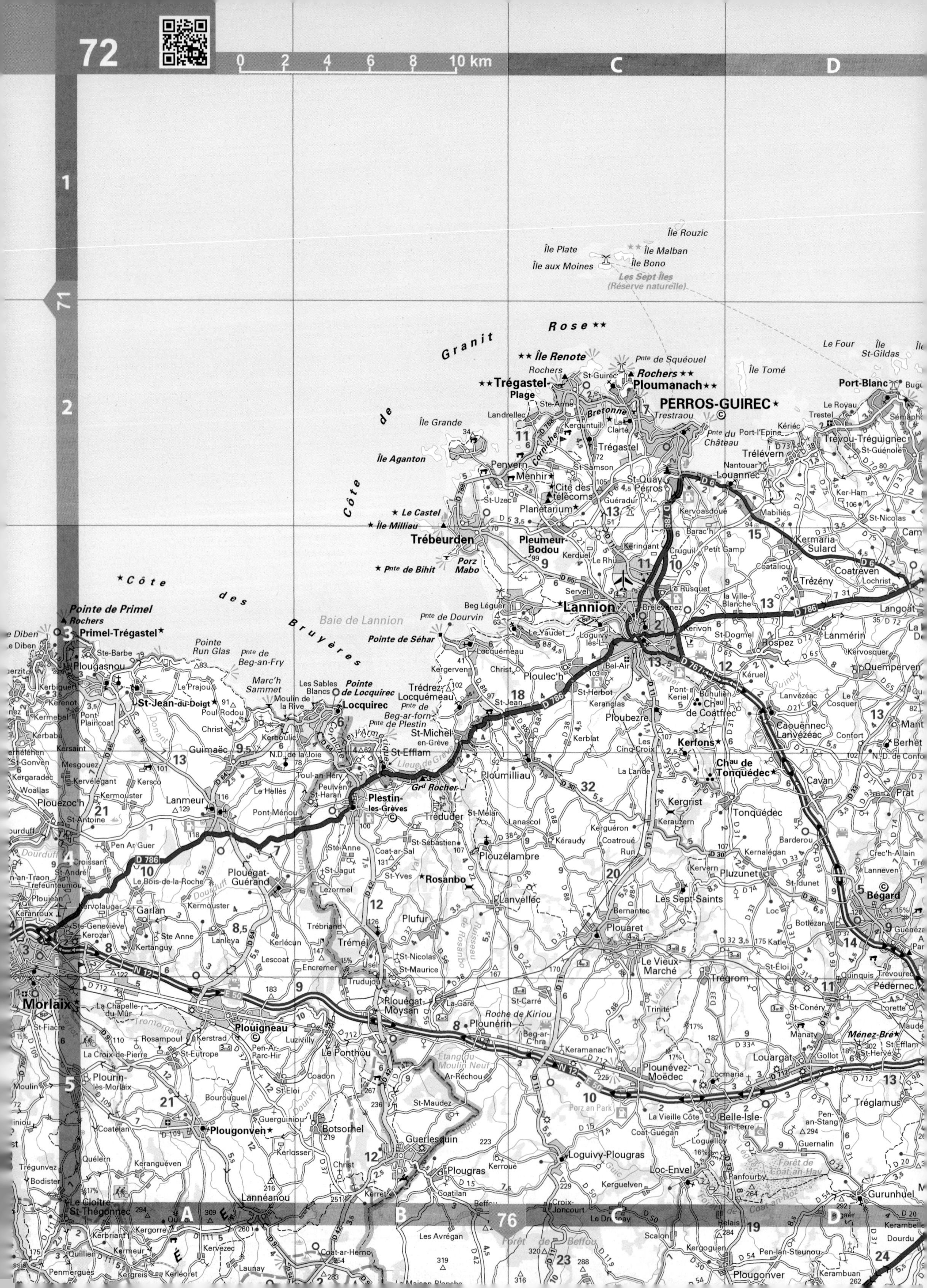
0 2 4 6 8 10 km
C
D
1
2
3
4
5
71
76
A
B
Île Rouzic
Île Plate
Île Malban
Île aux Moines
Île Bono
Les Sept Îles
(Réserve naturelle)
Rose
Granit
de
Côte
Île Renote
Rochers
Pnte de Squéouel
Tregastel-Plage
Rochers Ploumanach
PERROS-GUIREC
Port-Blanc
Le Four
Île St-Gildas
Île Tomé
Île Grande
Île Aganton
Le Castel
Île Milliau
Trébeurden
Pnte de Bihit
Porz Mabo
Pleumeur-Bodou
Planétarium
Cité des télécoms
Menhir
Penvern
Landrellec
Ste-Anne
St-Guirec
Trégastel
Trestraou
Pnte du Château
St-Quay-Perros
Louannec
Trélévern
Trévou-Tréguignec
Kermaria-Sulard
Coatréven
Trézény
Langoat
Lannion
Servel
Brélévenez
Le Rusquet
Côte des Bruyères
Pointe de Primel
Rochers
Primel-Trégastel
Baie de Lannion
Pnte de Dourvin
Pointe de Séhar
Beg Léguer
Le Yaudet
Loguivy-lès-L.
Pointe Run Glas
Pnte de Beg-an-Fry
Marc'h Sammet
Les Sables Blancs
Pointe de Locquirec
Locquirec
Plougasnou
St-Jean-du-Doigt
Ste-Barbe
Guimaëc
Trédrez-Locquémeau
Pnte de Beg-ar-forn
Pnte de Plestin
St-Michel-en-Grève
St-Efflam
Lieue de Grève
Grd Rocher
Plestin-les-Grèves
Ploulec'h
Ploubezre
Kerfons
Chau de Tonquédec
Rospez
Lanmérin
Quemperven
Caouënnec-Lanvézéac
Cavan
Prat
Berhet
Tonquédec
Ploumilliau
Lanmeur
Plouezoc'h
Plouégat-Guérand
Garlan
Tréduder
Plouzélambre
Rosanbo
Lanvellec
Plufur
Pluzunet
Les Sept-Saints
Bégard
Plouaret
Le Vieux-Marché
Tréméi
Trégrom
Pédernec
Morlaix
Plouigneau
Plouégat-Moysan
Plounérin
Roche de Kiriou
Ménez-Bré
Louargat
Plounévez-Moëdec
Belle-Isle-en-Terre
Tréglamus
Plourin-lès-Morlaix
Plougonven
Botsorhel
Guerlesquin
Plougras
Loguivy-Plougras
Loc-Envel
Gurunhuel
Le Cloître-St-Thégonnec
Lannéanou
Forêt de Coat-an-Hay
Forêt de Beffou
Plougonver
D 786
N 12
E 50
D 767
D 712

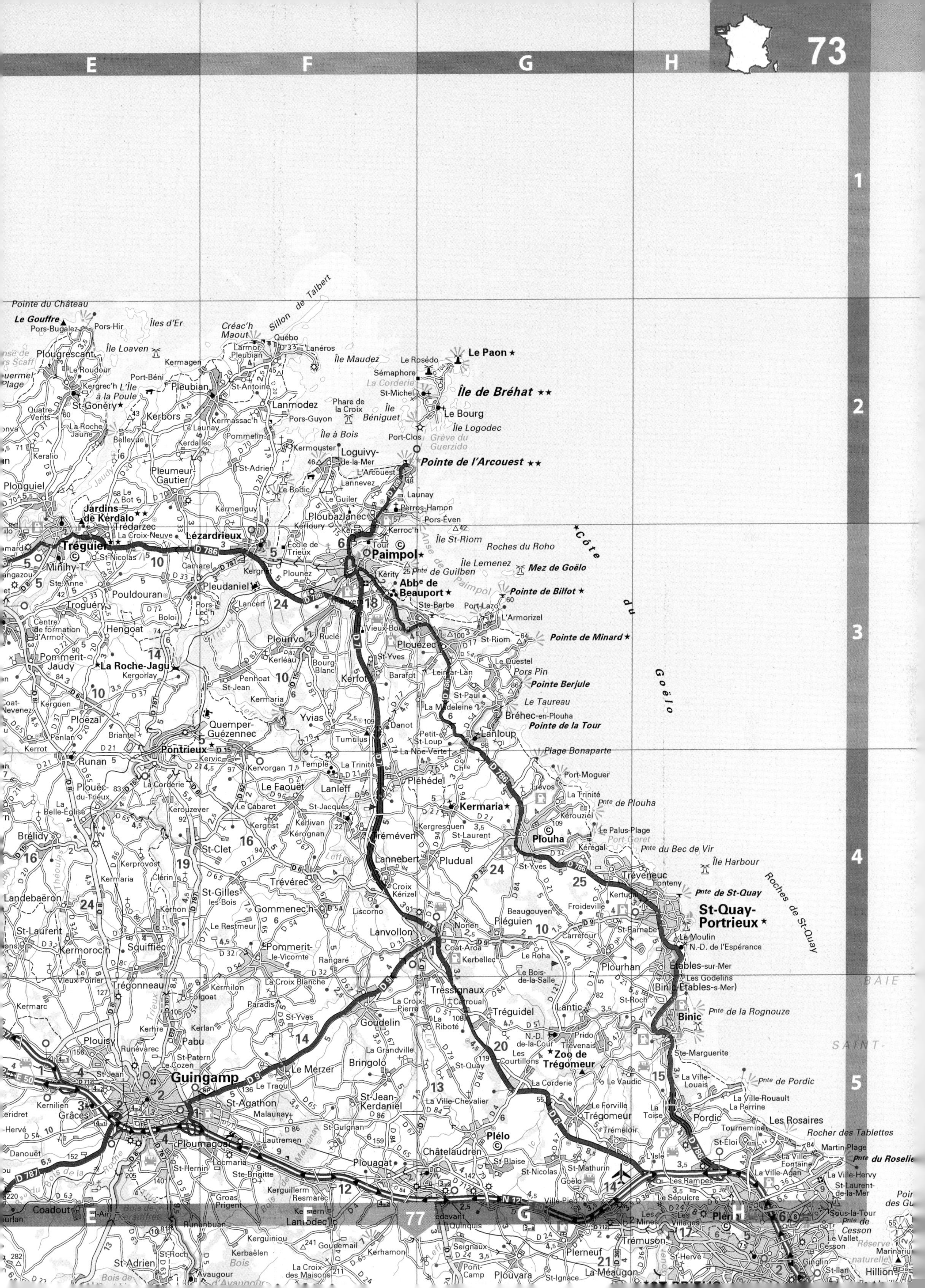
E
F
G
H
1
2
3
4
5
Pointe du Château
Le Gouffre
Pors-Bugalez
Pors-Hir
Îles d'Er
Créac'h Maout
Sillon de Talbert
Québo
Larmor Pleubian
Lanéros
Île Loaven
Plougrescant
Kermagen
Le Roudour
Port-Béni
Île Maudez
Le Rosédo
Le Paon
Sémaphore
La Corderie
St-Michel
Île de Bréhat
Kergrec'h
L'Île à la Poule
Pleubian
St-Antoine
St-Gonéry
Kerbors
Lanmodez
Phare de la Croix
Île Béniguet
Le Bourg
Île Logodec
Quatre-Vents
Kermassac'h
Pors-Guyon
La Roche Jaune
Bellevue
Le Launay
Kerdallec
Pommelin
Île à Bois
Port-Clos
Grève du Guerzido
Keralio
Kermouster
Loguivy-de-la-Mer
Pointe de l'Arcouest
St-Adrien
L'Arcouest
Plouguiel
Pleumeur-Gautier
Lannevez
Le Bodic
Launay
Le Guiler
Perros-Hamon
Jardins de Kerdalo
Kermenguy
Ploubazlanec
Pors-Even
Trédarzec
Kerroc'h
La Croix-Neuve
Lézardrieux
Île St-Riom
Tréguier
Roches du Roho
Côte du Goëlo
Minihy-T.
St-Nicolas
Paimpol
Île Lemenez
Mez de Goëlo
Camarel
Pleudaniel
Plounez
Kérity
Pointe de Guilben
Anse de Paimpol
Ste-Anne
Pouldouran
Abbe de Beauport
Pointe de Bilfot
Troguéry
Lancerf
Ste-Barbe
Port-Lazo
L'Armorizel
Centre de formation d'Armor
Hengoat
Boloi
Vieux-Bourg
Pointe de Minard
Plourivo
Ruclé
Plouézec
St-Riom
Pommerit-Jaudy
La Roche-Jagu
Kerléau
Bourg-Blanc
St-Yves
Le Questel
Kergorlay
Penhoat
Kerfot
Barafot
Leinhar-Lan
Pors Pin
Pointe Berjule
St-Jean
St-Paul
Le Taureau
Kermaria
La Madeleine
Bréhec-en-Plouha
Pointe de la Tour
Ploëzal
Quemper-Guézennec
Yvias
Danot
Penlan
Briantel
Tumulus
Petit-St-Loup
Lanloup
Plage Bonaparte
Kerrot
Pontrieux
Kervic
Runan
La Trinité
Temple
La Noë-Verte
Kervorgan
Port-Moguer
La Corderie
Le Faouët
Lanleff
Pléhédel
Trévos
Plouëc-du-Trieux
Pnte de Plouha
Kermaria
Le Cabaret
St-Jacques
La Belle-Église
Kerouzever
Kergrist
Kerlivan
Kergrequen
St-Laurent
Kérouziel
Plouha
Le Palus-Plage
Port-Goret
Kérogan
Brélidy
St-Clet
Préméven
Kerégal
Pnte du Bec de Vir
Île Harbour
Lannebert
Pludual
Kerprovost
Clérin
St-Yves
Tréveneuc
Roches de St-Quay
Fonteny
Kermaria
Trévérec
Croix Kérizel
Kertugal
Pnte de St-Quay
Landebaëron
St-Gilles-les-Bois
Froideville
St-Quay-Portrieux
Kerhon
Gommenec'h
Liscorno
Beaugouyen
Pléguien
Le Restmeur
Lanvollon
Nonen
Carrefour
St-Barnabé
St-Laurent
Le Moulin
N.-D. de l'Espérance
Kermoroc'h
Squiffiec
Pommerit-le-Vicomte
Coat-Aroa
Kerbellec
Le Roha
Plourhan
Étables-sur-Mer
Rangaré
Le Bois-de-la-Salle
Les Godelins
(Binic-Étables-s-Mer)
Vieux Poirier
Trégonneau
La Croix Blanche
Kermilon
Tressignaux
Baie
Folgoat
Carroual
St-Roch
Kermarc
Paradis
La Croix-Pierre
Lantic
Binic
Pnte de la Rognouze
St-Yves
Tréguidel
La Riboté
Kerlan
Goudelin
Kerhre
Plouisy
Runévarec
Pabu
N.-D. de-la-Cour
Prido
Trévenais
Saint-
La Grandville
Zoo de Trégomeur
St-Patern
Ste-Marguerite
Les Courtillons
St-Quay
Guingamp
Le Merzer
Bringolo
La Ville-Louais
Pnte de Pordic
Le Traou
La Corderie
Le Vaudic
Kernilien
St-Agathon
St-Jean-Kerdaniel
La Ville-Chevalier
La Ville-Rouault
La Perrine
Grâces
Malaunay
Le Forville
Trégomeur
Toise
Pordic
Les Rosaires
St-Hervé
Tournemine
Rocher des Tablettes
Trémeloir
Danouët
Lautremen
St-Guignan
Plélo
Martin-Plage
Ploumagoar
St-Éloi
Pnte du Roselier
Locmaria
Plouagat
Châtelaudren
La Ville-Fontaine
St-Hernin
L'Isle
Ste-Brigitte
St-Blaise
St-Nicolas
St-Mathurin
La Ville-Agan
La Ville-Hervy
Kerguillerm
Resmarec
Goëlo
Les Rampes
St-Laurent-de-la-Mer
Groas-Prigent
Le Sépulcre
Coadout
Bois de Kerauffret
Kermern
Lanrodec
Quinquis
Ville-Pied
Les Mines
Les Villages
Plérin
Sous-la-Tour
Pnte de Cesson
Runanbuan
Trémuson
Le Vallet
Cesson
Kerguiniou
Réserve naturelle
Goudemail
Seignaux
Plerneuf
St-Hervé
Kerbaëlen
Kerhamon
Marinarium
St-Adrien
St-Roch
La Croix-des-Maisons
Pont-Camp
Plouvara
St-Ignace
La Méaugon
Gingli
St-Ilan
Hillion
Avaugour
Bois de
Point des G
77
D 786
D 787
D 7
D 6
D 9
N 12
E 50
D 712
D 787
Bois de la Roche
Bois de Malaunay
Trieux
Leff
Jaudy
Théoulas
Gouët

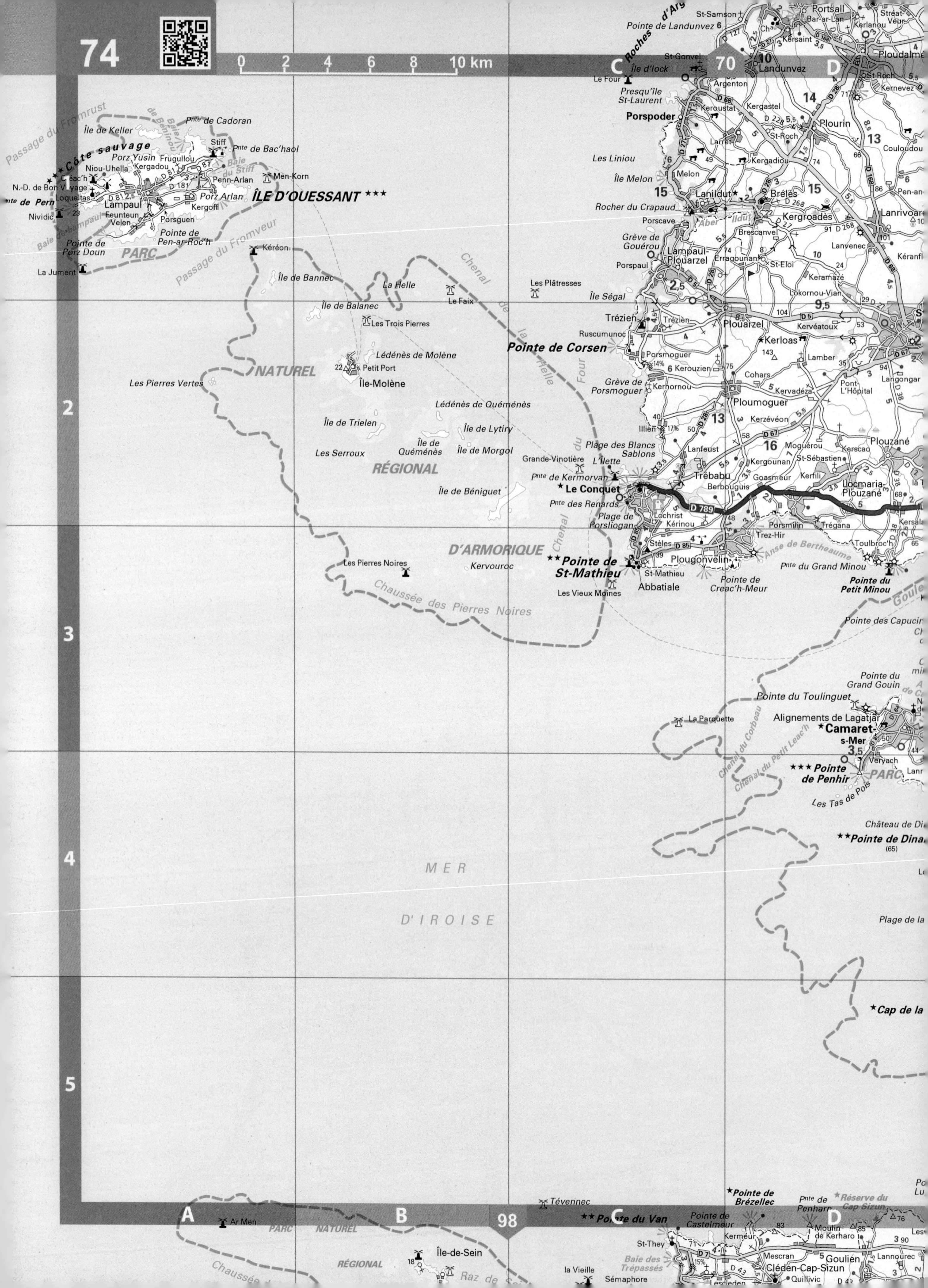

74
0 2 4 6 8 10 km
C
70
D
A
B
98
2
3
4
5
ÎLE D'OUESSANT ★★★
Côte sauvage
Île de Keller
Pnte de Cadoran
Baie de Béninou
Passage du Fromrust
Stiff
Pnte de Bac'haol
Porz Yusin
Frugullou
Niou-Uhella
Kergadou
Baie du Stiff
Men-Korn
N.-D. de Bon Voyage
Penn-Arlan
Loqueltas
Lampaul
Porz Arlan
Kergoff
Nividic
Feunteun Velen
Porsguen
Pointe de Pen-ar-Roc'h
Pointe de Porz Doun
La Jument
Passage du Fromveur
Kéréon
PARC
NATUREL
RÉGIONAL
D'ARMORIQUE
Île de Bannec
La Helle
Le Faix
Les Plâtresses
Île de Balanec
Les Trois Pierres
Lédénès de Molène
Petit Port
Île-Molène
Les Pierres Vertes
Lédénès de Quéménès
Île de Trielen
Île de Lytiry
Île de Quéménès
Île de Morgol
Les Serroux
Île de Béniguet
Les Pierres Noires
Kervouroc
Chaussée des Pierres Noires
Chenal de la Helle
Chenal du Four
MER
D'IROISE
Roches d'Argenton
St-Samson
Pointe de Landunvez
Portsall
Bar-ar-Lan
Kersaint
Kerlanou
Ploudalmézeau
St-Gonvel
Île d'Iock
Le Four
Landunvez
Argenton
Presqu'île St-Laurent
Porspoder
Keroustat
Kergastel
St-Roch
Plourin
Larret
Kernevez
Couloudou
Les Liniou
Île Melon
Melon
Kergadiou
Lanildut
Brélès
Pen-an-
Rocher du Crapaud
Porscave
Aber Ildut
Kergroadès
Lanrivoaré
Grève de Gouérou
Brescanvel
Lampaul-Plouarzel
Erragounan
St-Eloi
Lanvenec
Kéranfl
Porspaul
Keramazé
Île Ségal
Lokornou-Vian
Trézien
Plouarzel
Kervéatoux
Ruscumunoc
Pointe de Corsen
Kerloas
Porsmoguer
Kerouzien
Lamber
Langongar
Grève de Porsmoguer
Kerhornou
Cohars
Kervadéza
Pont-L'Hôpital
Ploumoguer
Kerzévéon
Illien
Plouzané
Plage des Blancs Sablons
Lanfeust
Moguérou
L'Ilette
Grande-Vinotière
Trébabu
Kergounan
St-Sébastien
Kerscao
Pnte de Kermorvan
Goasmeur
Kerfili
Le Conquet
Berbouguis
Locmaria-Plouzané
Pnte des Renards
D 789
Plage de Porsliogan
Lochrist
Kérinou
Porsmilin
Trégana
Trez-Hir
Stèles
Toulbroc'h
Anse de Bertheaume
★★ Pointe de St-Mathieu
St-Mathieu
Plougonvelin
Pnte du Grand Minou
Pointe du Petit Minou
Abbatiale
Pointe de Creac'h-Meur
Les Vieux Moines
Pointe des Capucins
Pointe du Grand Gouin
Pointe du Toulinguet
Alignements de Lagatjar
Camaret-s-Mer
La Parquette
Chenal du Corbeau
Chenal du Petit Leac'h
Veryach
★★★ Pointe de Penhir
Les Tas de Pois
Château de Di
★★Pointe de Dina
Plage de la
★Cap de la
Tévennec
Ar Men
★Pointe de Brézellec
Pnte de Penharn
Réserve du Cap Sizun
★★ Pointe du Van
Pointe de Castelmeur
Kermeur
Moulin de Kerharo
St-They
Baie des Trépassés
Mescran
Goulien
Lannourec
Île-de-Sein
Cléden-Cap-Sizun
Quillivic
la Vieille
Sémaphore
Raz de Sein
Chaussée de Sein

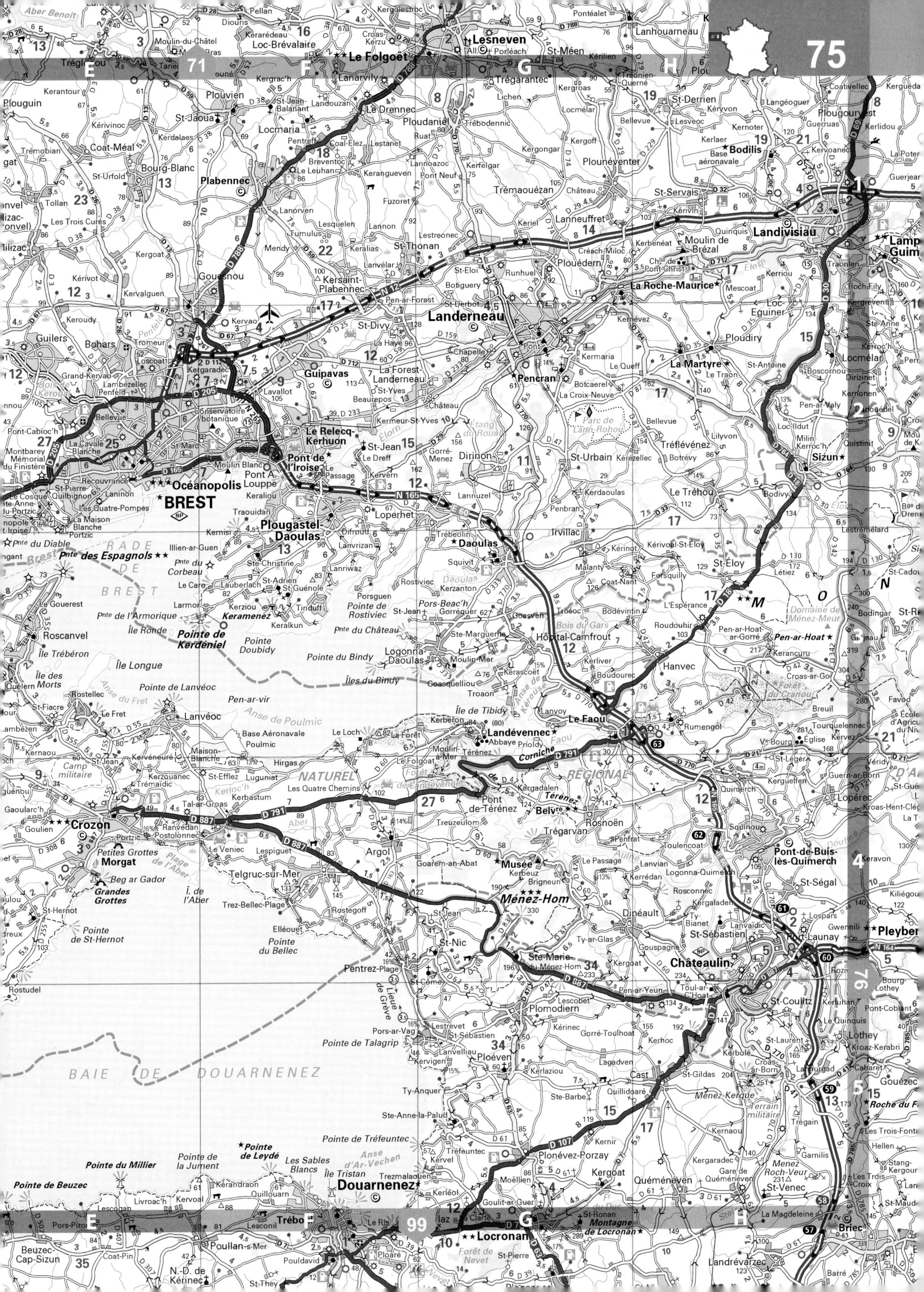

75
71
76
99
E
F
G
H
Aber Benoît
Pellan
Diouris
Kergolestroc
Pontéalet
Lanhouarneau
Kérarédeau
Loc-Brévalaire
Moulin-du-Châtel
Lesneven
Le Folgoët
St-Méen
Lanarvily
Trégarantec
Traonien-Querné
Plouvien
Kergrac'h
St-Jean-Balanant
Landouzan
Le Drennec
Lichen
Kergroas
Locmélar
St-Derrien
Kéryvon
Coativellec
Plouguin
Kerantour
St-Jaoua
Ploudaniel
Trébodennic
Bellevue
Lesveoc
Kernoter
Langéoguer
Plougourvest
Kérivinoc
Kerdalaes
Locmaria
Pentreff
Coat-Elez
Lestanet
Ruat
Kergoff
Kerlaer
Bodilis
Guerruas
Kerlidou
Trémobian
Coat-Méal
Breventoc
Lannoazoc
Kergongar
Base aéronavale
Kervoanec
Bourg-Blanc
Le Leuhan
Kerangueven
Pont Neuf
Kerfelgar
Plounéventer
St-Urfold
Plabennec
Trémaouézan
Château
St-Servais
Tollan
Fuzoret
Lanorven
Landivisiau
Les Trois Curés
Lesquelen
Lannon
Lanneuffret
Kerivin
Lestreonec
Keriel
Quinquis
Moulin de Brézal
Kergoat
Mendy
Tumulus
Keralias
St-Thonan
Créach-Miloc
Kerbenéat
Lanvélar
Kersaint-Plabennec
St-Eloi
Runhuel
Plouédern
Ch. de Pont-Christ
Traonlen
Kérivot
Gouesnou
Botiguery
Mescoat
Kervalguen
Pen-ar-Forest
St-Derbot
La Roche-Maurice
Kerriou
Roc'h-Fily
Keroudy
Landerneau
Loc-Eguiner
Guilers
Bohars
Tromeur
Kervao
St-Divy
Kernévez
Ploudiry
Penfeld
Loscoat
La Haye
Chapelle
Kermaria
La Martyre
Locmélar
Grand-Kervao
Kergaradec
Guipavas
La Forest-Landerneau
Pencran
Le Queff
St-Antoine
Lambézellec
Penfeld
Lavallot
St-Yves
Botcaerel
Le Traon
Boscornou
Dirizinet
Bois de Keroual
Beaurepos
La Croix-Neuve
Pen-ar-Valy
Bellevue
Conservatoire botanique
Château
Kermeur-St-Yves
Étang du Roual
Parc de Lann-Rohou
Bellevue
Loc-Ildut
Pont-Cabioc'h
Le Relecq-Kerhuon
St-Jean
Lilyvon
La Cavale Blanche
St-Marc
Elorn
Gorré-Menez
Dirinon
Tréflévénez
Milin-Kerroc'h
Quistinit
Montbarey Mémorial du Finistère
Moulin Blanc
Pont de l'Iroise
Le Dreff
St-Urbain
Kerézellec
Botrévy
Sizun
Pont A. Louppe
Le Passage
Kervern
Recouvrance
Océanopolis
Lannuzel
Kerdaoulas
Le Tréhou
Bodivy
St-Pierre-Quilbignon
Laninon
BREST
Keraliou
Le Cosquer
St-Anne-du-Portzic
Les Quatre-Pompes
Traouidan
Loperhet
Penbran
Lestremélard
La Maison Blanche
Portzic
Kernisi
Plougastel-Daoulas
Difroud
Trébeolin
Irvillac
Pte du Diable
Illien-ar-Guen
Lanvrizan
Daoulas
Kérinot
Kérivoal-St-Eloy
St-Eloy
Pnte des Espagnols
RADE DE BREST
Pnte du Corbeau
Ste-Christine
Lanriwaz
Squivit
Malanty
Forsquilly
Létiez
St-Cadou
Le Caro
St-Adrien
St-Guénole
Rostiviec
Kerzanton
Coat-Nant
Le Gouerest
Lauberlach
Porsguen
Pointe de Rostiviec
Larmor
Keramenez
Tinduff
Pors-Beac'h
St-Jean
Gorréguer
Goasven
Trøeoc
Bodévintin
L'Espérance
Domaine de Ménez-Meur
Bodingar
Pnte de l'Armorique
Keralkun
Bois du Gars
Roudouhir
Roscanvel
Île Ronde
Pointe de Kerdéniel
Pointe Doubidy
Pnte du Château
Ste-Marguerite
Hôpital-Camfrout
Pen-ar-Hoat-ar-Gorré
Pen-ar-Hoat
Île Trébéron
Logonna-Daoulas
Moulin-Mer
Kerancuru
Île Longue
Pointe du Bindy
Kerliver
Hanvec
Île des Morts
Îles du Bindy
Kerascoët
Boudourec
Croas-ar-Go
Quélern
Pointe de Lanvéoc
Goasquelliou
Troaon
Forêt du Cranou
Rostellec
Anse du Fret
Pen-ar-vir
Anse de Kerouse
St-Fiacre
Le Fret
Lanvéoc
Anse de Poulmic
Île de Tibidy
Lanvoy
Le Faou
Breuil
Lambézen
Kerberon
Landévennec
Rumengol
Tourquelennec
Base Aéronavale Poulmic
Le Loch
La Forêt
Abbaye
Prioldy
Vx-Bourg
Église
Kernaou
Maison-Blanche
Moulin-à-Mer
Térénez
Corniche
St-Léger
Camp militaire
St-Jean
Kervéneuré
Hirgas
Le Folgoat
Faou
RÉGIONAL
Véridy
Kerzouanec
St-Efflez
Luguniat
NATUREL
Forêt de Landévennec
Kergadalen
Térénez
Quimerch
Kerguelfen
Trémaidic
Les Quatre Chemins
Guern-ar-Born
Kerloc'h
Kerbastum
Pont de Térénez
Belvre
Rosnoën
Lopérec
Gaoularc'h
Tal-ar-Groas
Kroas-Hent-Cléguer
Crozon
Ranvedan
Postolonnec
Treuzeulom
Trégarvan
Squinou
Goulien
Portzic
Le Veniec
Lespiguet
Argol
Penfrat
Toulencoat
Pont-de-Buis-lès-Quimerch
Keravon
Petites Grottes
Morgat
Plage de l'Aber
Goarem-an-Abat
Musée
Kerbeuz
Le Passage
Lanvian
Logonna-Quimerch
Beg ar Gador
Telgruc-sur-Mer
Brigneun
Kerrédan
Grandes Grottes
Î. de l'Aber
Ménez-Hom
Rosconnec
St-Ségal
Kiliégou
St-Hernot
Trez-Bellec-Plage
Kergaladen
Rostegoff
Dinéault
Ty-Bianet
Lospars
Pointe de St-Hernot
Elléouet
St-Jean
Lanvaidic
Gwennili
Pointe du Bellec
Ty-ar-Glas
St-Sébastien
Port-Launay
Pleyben
St-Nic
Gouspagne
Châteaulin
Ste-Marie-du-Ménez-Hom
Pentrez-Plage
Kergoat
Rozi
Rostudel
St-Côme
Pen-ar-Yeun
Toul-ar-C'Hoat
St-Coulitz
Bourg-Lothey
Lescobet
Kerluhan
Lieue de Grève
Plomodiern
Pont-Coblant
Le Quinquis
Kérinec
Gorré-Toulhoat
Kerhoc
Lothey
Pors-ar-Vag
Lestrevet
St-Sébastien
St-Laurent
Kroaz-Kerabri
Pointe de Talagrip
Kervigen
Lanvelliau
Ploéven
Kerbolé
Croas-ar-Born
Cabaret
BAIE DE DOUARNENEZ
Lagadven
Lanhurgad
Kerlaziou
Cast
St-Gildas
Gouézec
Ty-Anquer
Ste-Barbe
Quillidoaré
Ménez-Kerque
Roche du F
Terrain militaire
Trégain
Les Trois-Fonta
Ste-Anne-la-Palud
Kernaou
Hellen
Pointe de Tréfeuntec
Kernir
Garnilis
Stang-Kergour
Kervel
Tréfeuntec
Plonévez-Porzay
Pointe de Leydé
Anse d'Ar-Vechen
Kergaradec
Gare de Quéménéven
Menez Roch-Veur
Les Trois Croix
Pointe du Millier
Pointe de la Jument
Les Sables Blancs
Île Tristan
Trezmalaouen
Moëllien
Kergoat
Quéménéven
St-Venec
Pointe de Beuzec
Kérandraon
Quillouarn
Douarnenez
Kerléol
St-Maud
Lescogan
Livroac'h
Kervoal
Goulit-ar-Guer
du Duc
Pors-Piron
Lesconil
Tréboul
Le Ris
Kerlaz
la Clarté
St-Ronan
Montagne de Locronan
La Magdeleine
Briec
Beuzec-Cap-Sizun
Poullan-s-Mer
Locronan
Coat-Pin
Pouldavid
Ploaré
Forêt de Nevet
St-Pierre
Landrévarzec
N.-D. de Kérinec
St-They
Barré

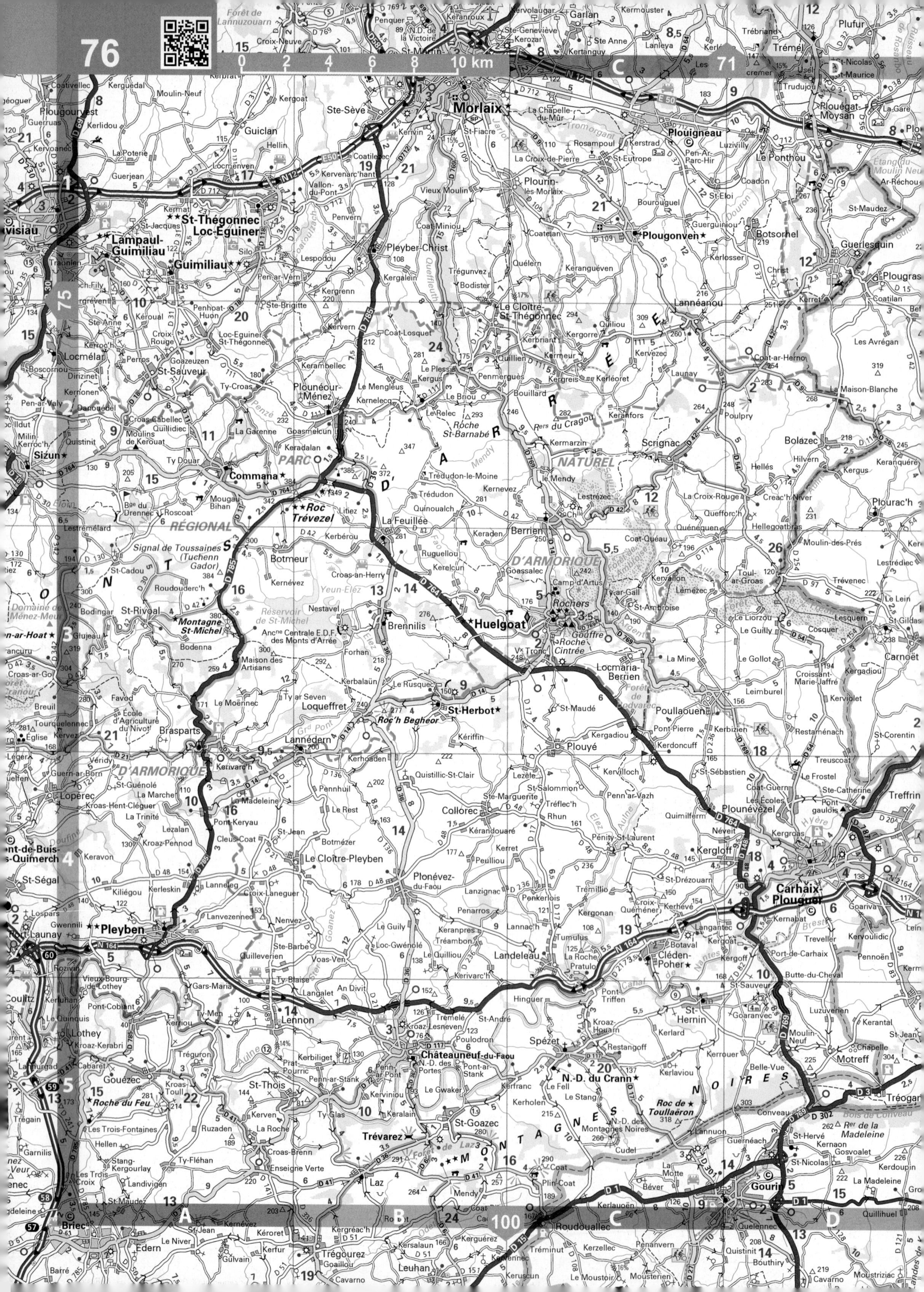

76
0 2 4 6 8 10 km
71
75
100
A
B
C
D
1
2
3
4
5
Morlaix
St-Martin-des-Champs
Ste-Sève
Taulé
Garlan
Plouigneau
Plouégat-Moysan
Le Ponthou
Trémel
Plufur
Plouvorn
Guiclan
Plourin-lès-Morlaix
St-Thégonnec
Loc-Eguiner
Lampaul-Guimiliau
Guimiliau
Landivisiau
Pleyber-Christ
Plougonven
Botsorhel
Guerlesquin
Lannéanou
Le Cloître-St-Thégonnec
Loc-Eguiner-St-Thégonnec
St-Sauveur
Locmélar
Plounéour-Ménez
Commana
Sizun
Roc Trévezel
La Feuillée
Berrien
Scrignac
Bolazec
Plourac'h
Huelgoat
Brennilis
Botmeur
St-Rivoal
Montagne St-Michel
Réservoir de St-Michel
Yeun-Elez
Loqueffret
St-Herbot
Roc'h Begheor
Brasparts
Lannédern
Locmaria-Berrien
Poullaouen
Plouyé
Collorec
Le Cloître-Pleyben
Plonévez-du-Faou
Plounévézel
Kergloff
Carhaix-Plouguer
Landeleau
Cléden-Poher
Pleyben
Lennon
Châteauneuf-du-Faou
Spézet
N.-D. du Crann
St-Hernin
Motreff
Gouézec
St-Thois
Trévarez
St-Goazec
Laz
Roudouallec
Gourin
Edern
Briec
Trégourez
Leuhan
Lothey
Port-Launay
Roche du Feu
Roc de Toullaëron
MONTAGNES NOIRES
MONTS D'ARRÉE
PARC NATUREL RÉGIONAL D'ARMORIQUE
Rochers
Gouffre
Roche Cintrée
Forêt de Huelgoat
Tréflez
Tréflévenez
Locmaria-Berrien
Canal de Nantes à Brest
Aulne
N 12
E 50
N 164
D 785
D 764
D 769

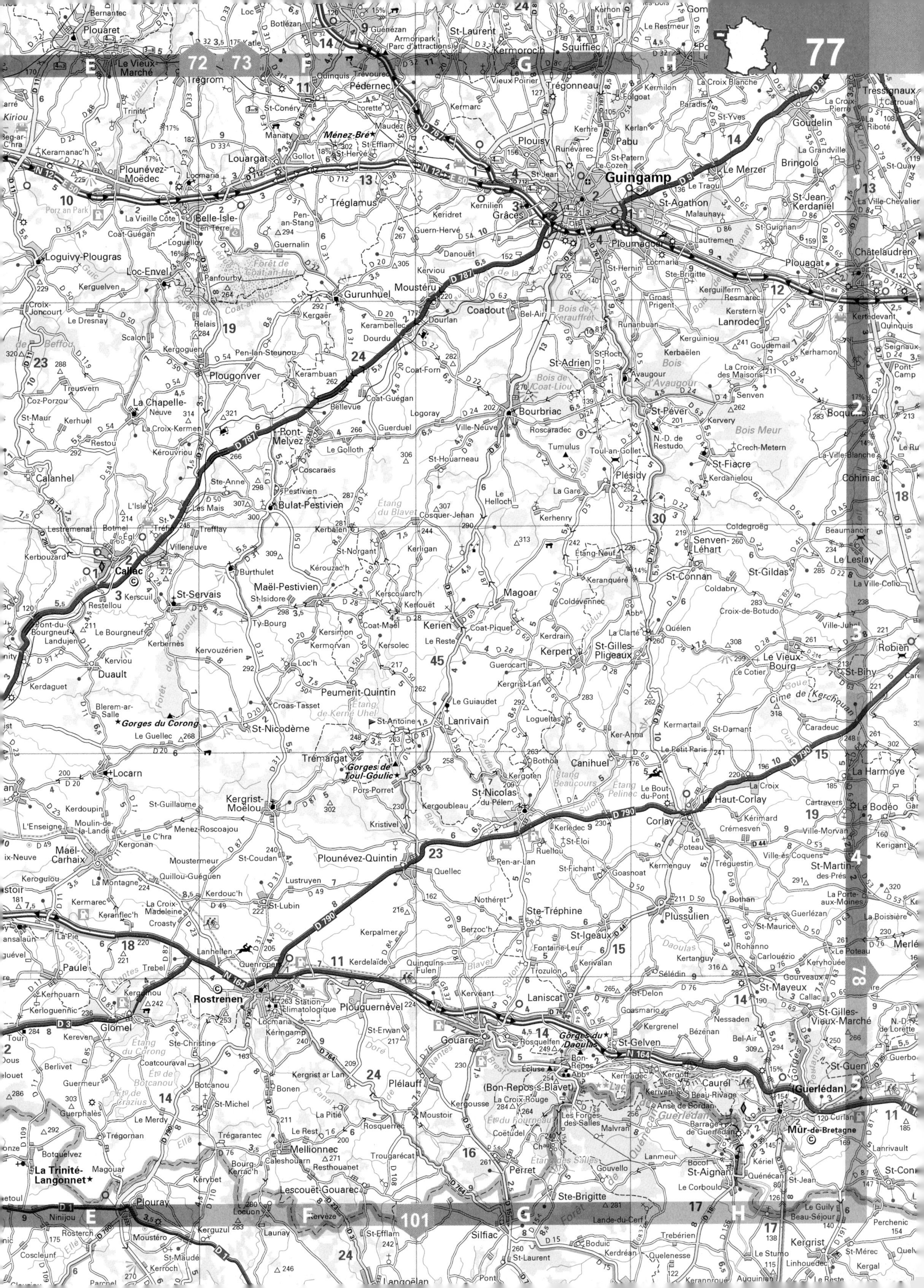

Guingamp

Plouaret · Le Vieux-Marché · Trégrom · Pédernec · Quénézan · St-Laurent · Squiffiec · Tressignaux · Goudelin · Le Merzer · Bringolo · Châtelaudren · Plouagat · Lanrodec · Boquého · Cohiniac · Le Leslay · Le Vieux-Bourg · St-Bihy · Robien · La Harmoye · Le Bodéo · St-Martin-des-Prés · St-Mayeux · St-Gilles-Vieux-Marché · St-Guen · Mûr-de-Bretagne

Louargat · Belle-Isle-en-Terre · Loguivy-Plougras · Loc-Envel · Plougonver · La Chapelle-Neuve · Gurunhuel · Moustéru · Coadout · St-Adrien · Bourbriac · St-Péver · Plésidy · St-Connan · St-Gildas · Senven-Léhart

Callac · Duault · Locarn · St-Servais · Maël-Pestivien · Bulat-Pestivien · Pont-Melvez · Ront-Melvez · Pestivien · Kerien · Kerpert · St-Gilles-Pligeaux · Magoar · Lanrivain · Canihuel · Corlay · Le Haut-Corlay

Gorges du Corong · St-Nicodème · Trémargat · Gorges de Toul-Goulic · Kergrist-Moëlou · Peumerit-Quintin · St-Nicolas-du-Pélem · Ste-Tréphine · St-Igeaux · Plussulien

Maël-Carhaix · Paule · Glomel · Rostrenen · Plouguernével · Plounévez-Quintin · Lanhellen · Kerdelaïde · Kerpalmer · Laniscat · Caurel · Guerlédan

La Trinité-Langonnet · Plouray · Mellionnec · Lescouët-Gouarec · Perret · Plélauff · Gouarec · Bon-Repos-s-Blavet · Gorges du Daoulas · St-Gelven · St-Aignan · Silfiac · Ste-Brigitte

Ménez-Bré · Forêt de Coat-an-Noz · Forêt de Coat-an-Hay · Bois de Kerauffret · Bois de Coat-Liou · Bois d'Avaugour · Bois Meur · Étang du Blavet · Étang de Kerné Uhel · Étang Neuf · Étang Beaucours · Étang Pelinec · Étang du Corong · Lac de Guerlédan · Barrage de Guerlédan

N 12 · E 50 · N 164 · D 787 · D 790 · D 31 · D 712

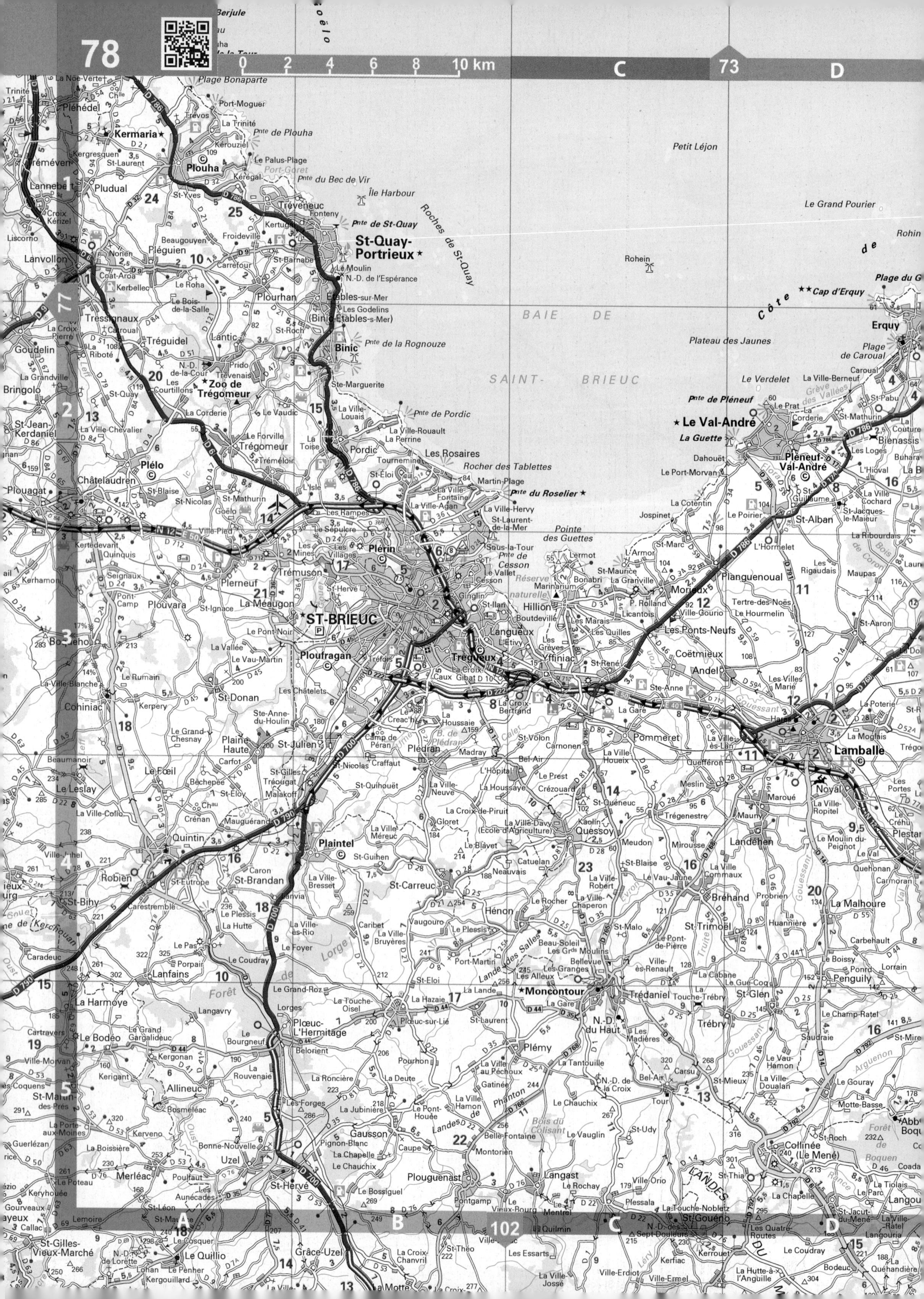

78
0 2 4 6 8 10 km
C
73
D
77
102
A
B
C
D
BAIE DE SAINT-BRIEUC
ST-BRIEUC
St-Quay-Portrieux
Plouha
Kermaria
Binic
Étables-sur-Mer
Pordic
Plérin
Trégueux
Ploufragan
Langueux
Yffiniac
Hillion
Lamballe
Pléneuf-Val-André
Le Val-André
Erquy
Cap d'Erquy
Côte de Penthièvre
Plateau des Jaunes
Petit Léjon
Le Grand Pourier
Rohein
Roches de St-Quay
Île Harbour
Pnte de Plouha
Pnte du Bec de Vir
Pnte de St-Quay
Pnte de la Rognouze
Pnte de Pordic
Pnte du Roselier
Pnte de Pléneuf
Pointe des Guettes
Pnte de Cesson
Rocher des Tablettes
Réserve naturelle
Zoo de Trégomeur
Plélo
Châtelaudren
Lanvollon
Plouagat
Goudelin
Tréguidel
Lantic
Plourhan
Pléguien
Tressignaux
Trégomeur
Quintin
Plaintel
Plédran
Moncontour
Quessoy
Hénon
St-Carreuc
Plœuc-L'Hermitage
Uzel
Merléac
Allineuc
St-Brandan
Lanfains
Le Bodéo
Plouguenast
Langast
Collinée (Le Mené)
Plénée-Jugon
Pommeret
Coëtmieux
Andel
Morieux
Planguenoual
St-Alban
Noyal
Landéhen
Bréhand
Trédaniel
Penguily
Le Gouray
St-Glen
Trébry
N.-D. du Haut
Plémy
Gausson
St-Hervé
Le Quillio
Grâce-Uzel
Forêt de Lorge
Landes de Phanton
Forêt de Boquen
Landes du Mené

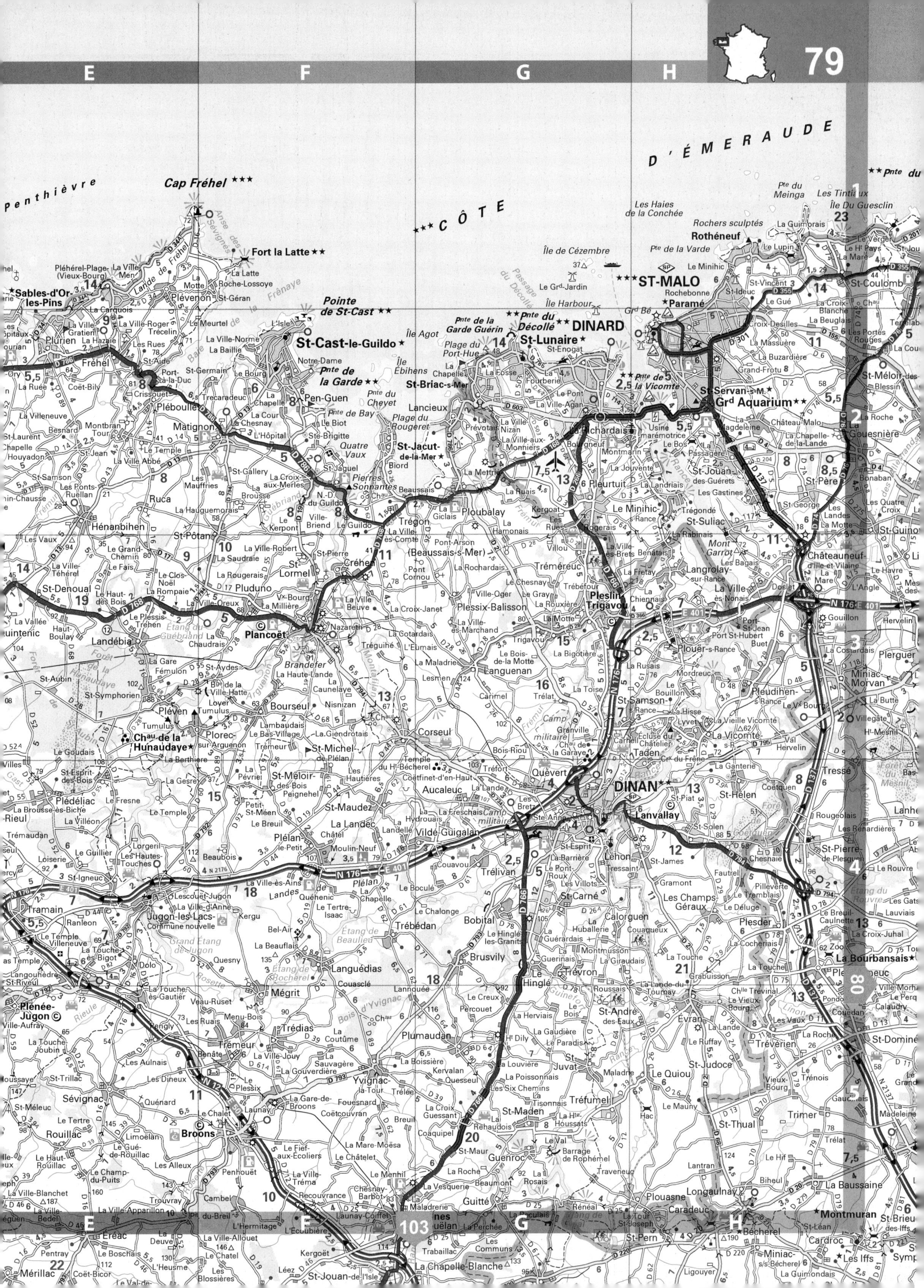
E
F
G
H
D ' É M E R A U D E
*** C Ô T E
Cap Fréhel ***
Fort la Latte **
Penthièvre
Sables-d'Or-les-Pins
Pléhérel-Plage (Vieux-Bourg)
Plévenon
St-Géran
La Motte
La Latte
Roche-Lossoye
Anse des Sévignés
Baie de la Frénaye
Pointe de St-Cast **
St-Cast-le-Guildo *
Pte de la Garde **
Pte du Chevet
Pte de Bay
Notre-Dame
Pen-Guen
L'Isle
Île Agot
Île Ebihens
Pte de la Garde Guérin
Plage du Port-Hue
Pte du Décollé
St-Lunaire *
DINARD
St-Enogat
Passage du Décollé
Île de Cézembre
Le Grd Jardin
Île Harbour
Grd Bé
*** ST-MALO
Rochebonne
Paramé
Pte de la Varde
Le Minihic
Rothéneuf
Rochers sculptés
Les Haies de la Conchée
Pte du Meinga
Les Tintiaux
Île Du Guesclin
Pte du
La Guimorais
Le Lupin
Le Verger
Le Ht Pays
La Mare
St-Jouan
St-Vincent
St-Ideuc
St-Coulomb
Le Gué
La Croix-Blanche
La Beuglais
Les Portes Rouges
Croix-Desilles
La Massuère
La Buzardière
Grand-Frotu
St-Méloir-des-Ondes
Blessin
Pte de la Vicomte
St-Servan-s-M.
Grd Aquarium **
La Magdeleine
Château-Malo
La Chapelle-de-la-Lande
La Gouesnière
La Roche
Bonaban
St-Père
Les Quatre Croix
Les Landes
La Motte
St-Guinoux
Usine marémotrice
Le Bos
Passagère
St-Jouan-des-Guérets
Les Gastines
Tregondé
St-Suliac
St-George
La Rabinais
Mont Garrot
Les Bagais
Châteauneuf-d'Ille-et-Vilaine
Le Havre
La Mare
L'Angle
Langrolay-sur-Rance
La Ville ès-Nonais
Doslet
Gouillon
Hervelin
Port-St-Jean
Port St-Hubert
Buet
Plouër-s-Rance
La Costardais
Plerguer
Miniac-Morvan
Mordreuc
Pleudihen-s-Rance
Le Vx Bourg
La Butte
Villegâte
Ht-Mesnil
La Vicomté-s-Rance
Val Hervelin
Tressé
Forêt du Mesnil
Coëtquen
St-Hélen
La Ganterie
Rougeolais
Les Renardières
St-Pierre-de-Plesguen
Le Rouvre
Étang du Rouvre
Les Gats
Lauvais
La Croix-Juhal
La Bourbansais *
Pleugueneuc
La Ville-Morhan
Le Perq
Calaudry
Pondouët
Couëdan
St-Domineuc
Trévérien
La Roche
Vieux-Bourg
Le Trénois
Gaudinais
La Madeleine
Trimer
Trélat
La Baussaine
Montmuran
St-Brieuc-des-Iffs
Les Iffs
Cardroc
Miniac-s/s-Bécherel
La Guimondais
Bécherel
Lanvallay
DINAN **
Léhon
Tressaint
Taden
Quévert
Écluse du Châtelier
Le Chesnay
Trémereuc
Tréméfour
Pleslin-Trigavou
La Motte
Trigavou
La Bigotière
Le Bois-de-la Motte
Languenan
Trélat
La Toise
St-Samson-s-Rance
Le Bouillon
La Hisse
Lyvet
La Vieille Vicomté
Camp militaire
Granville
Chau de la Garaye
Plouballay
Pleurtuit
Le Minihic-s-Rance
La Richardais
Montmarin
La Jouvente
La Landriais
Kergoat
Les Rues
Rogerais
Villou
La Ville-ès-Brets
Benatais
La Fretay
La Chiennais
Trégon
Pont-Arson (Beaussais-s-Mer)
La Rochardais
Ville-Oger
Plessix-Balisson
La Ville-ès-Marchand
Le Gray
La Rouxière
La Hamonais
Beaussais
Le Giclais
St-Briac-s-Mer
Lancieux
Plage du Rougeret
St-Jacut-de-la-Mer *
Biord
La Fosse
La Chapelle
Fourberie
Le Pont
La Ville-Agan
La Prévotais
La Ville-Nizan
La Ville-aux-Monniers
La Mettrie
La Ruais
Quatre Vaux
Ste-Brigitte
St-Jaguel
Pierres Sonnantes
N.-D. du Guildo
Le Guildo
Ville-Briend
La Ville-ès-Comte
Créhen
St-Pierre
St-Lormel
Pont Cornou
La Ville Beuve
La Croix-Janet
Nazareth
La Cotardais
Tréguihé
L'Eumais
La Maladrie
Lesmen
Carimel
Plancoët
Étang du Guébriand
Chaudrais
Pluduno
Vx-Bourg
La Millière
La Rougerais
La Saudraie
La Ville-Robert
Le Clos-Noël
La Rompaie
La Ville-Oreux
St-Pôtan
La Hauguemorais
Le Kerpont
Ruca
Les Mauffries
La Croix-aux-Merles
Brousse
St-Gallery
Matignon
Le Temple
La Ville Abbé
L'Hôpital
Le Chesnay
La Cour
La Chapelle
Pléboulle
Trecaradeuc
Port-à-la-Duc
St-Germain
Le Bourg
Crissouët
Le Meurtel
La Ville-Norme
La Baillie
Les Rues
St-Aide
Fréhel
La Ville-Roger
Trécelin
La Ville Gratien
La Hazaie
La Carquois
Plurien
Lande de Fréhel
Coët-Bily
La Ruée
La Villeneuve
Montbran Tour
Besnard
St-Laurent
Chapelle Houyadon
St-Jean
St-Samson
Les Ponts-Ruellan
Hénanbihen
Les Vaux
Le Grand-Chemin
Le Fais
La Ville-Tehérel
St-Denoual
Le Haut-des Bois
Le Plessis-Tréhen
La Vallée
Quintenic
Haut-Boulay
Landébia
Forêt de la Hunaudaye
St-Aubin
St-Symphorien
La Gare
Fémulon
St-Aydes
Bg de la Ville-Hatte
Loyer
Tumulus
Pléven
Plorec-sur-Arguenon
Tumulus
Chau de la Hunaudaye *
La Berthière
Le Goudais
St-Esprit-des-Bois
Plédéliac
La Brousse-ès-Biche
La Villéon
Le Fresne
Le Temple
Rieul
Trémaudan
Le Guillier
Loiserie
St-Igneuc
Tramain
Ranleon
Le Temple Villeneuve
La Touche
Les Bigot
Dolo
Jugon-les-Lacs-Commune nouvelle
Grand Étang de Jugon
Lescouët-Jugon
La Ville-d'Anne
Kergu
La Ville-ès-Ains
Landes
Quesny
Plénée-Jugon
Ville-Aufray
La Touche-Joubin
St-Rieul
Langouhèdre
Les Aulnais
Les Dineux
St-Trillac
Sévignac
St-Méleuc
Le Tertre
Rouillac
Limoëlan
Le Gué-de-Rouillac
Le Haut-Rouillac
Le Champ-du-Puits
La Ville-Blanchet
La Ville-Bedel
La Ville-Apparillon
Éréac
Pentray
Le Boschais
Mérillac
Coët-Bicor
Le Val-de
Broons
Le Chalet
Quénard
Le Plessix
Menu-Bois
Les Ruais
Pengly
Trémeur
Benâte
La Ville-Jouy
Trédias
Veau-Ruset
Mégrit
La Touche-ès-Gautier
Rosette
Étang de Rochérel
Languédias
La Beauflais
Étang de Beaulieu
Bel-Air
Quéhénic
Le Tertre-Isaac
Plélan-le-Petit
Châtel
La Landec
St-Maudez
Le Breuil
Petit-St-Méen
St-Méloir-des-Bois
Les Hautières
Paignehel
Plélan-le-Petit
Moulin-Neuf
Les Hautes-Touches
Beaubois
Lorgeril
Corseul
St-Michel-de-Plélan
La Giendrotais
Lambaudais
Le Bas-Village
Bourseul
Nisnizan
La Caunelaye
La Haute-Lande
Brandefer
Trémeur
Temple du Ht-Bécherel
Coëtfinet-d'en-Haut
Aucaleuc
Bois-Riou
Tréfort
La Lande
Les Bretz
Vildé-Guigalan
La Freschais
Landelle
La Hydrouais
Ste-Anne
St-Esprit
La Barrière
Couavou
Trélivan
Le Pont-Roux
Les Villots
St-Carné
Le Boculé
Le Chalonge
Plélan
La Chapelle
Trébédan
Bobital
Le Hinglé
Les Granits
Brusvily
Le Hinglé
Lannouée
Le Creux
Percouet
Plumaudan
Ht Dily
La Louvière
La Poissonnais
Les Six Chemins
Kervalan
Quesseul
La Boissière
La Sauvagère
La Gouverdière
Yvignac-la-Tour
Trélée
La Gare-de-Broons
Fouesnard
Coëtcouvran
Breuil
La Croix Guessant
Coaquipel
La Mare-Moësa
Le Fief-aux-Écoliers
Le Châtelet
La Ville-Tréma
Le Menhil
La Vesquerie
Chesnay-Barbot
Recouvrance
La Roche
Beaumont
Guitté
Guenroc
Le Rehaudois
St-Maur
St-Maden
La Ht Houssats
Tréfumel
La Tisonnais
Le Val
Barrage de Rophémel
Les Rosais
Traveneuc
St-Juvat
Maladrie
Le Quiou
St-Judoce
Le Mauny
St-Thual
Lantran
Longaulnay
Biheul
Le Hil
Plouasne
Caradeuc
Réneal
St-Joseph
La Tour
St-Pern
Ligouyer
Calorguen
Couagueux
Huballerie
Guérardais
Montmusson
La Giraudais
Guerinais
Trévron
La Touche
Grabuisson
St-André-des-Eaux
Roussais
Les Bois
La Herviais
La Gaudière
Le Paradis
Evran
La Lande
Le Ruffay
La Lande-du-Tournay
Chlle Trévinal
Le Vieux-Bourg
Les Champs Géraux
Gramont
Fautrel
Chesnaie
St-James
Pillevèrte
Le Tremblais
Le Déluge
Plesder
La Cocherais
La Touche
Le Breuil-Caulnette
Zoo
St-Piat
St-Solen
La Ville-Allouet
Deuve
Le Chatel
L'Heusme
Les Blossières
L'Hermitage
L'Écoublère
du-Breil
Cambel
Penhouët
Trouvray
Les Alleux
Kergoët
Léez
St-Jouan-de-l'Isle
La Chapelle-Blanche
Les Communs
Trabaillac
La Perchée
La Maladrerie
Launay-Coffel
Bécherel
103
80
N 176
E 401
N 12
E 50
N 137
D 766
D 786
D 768
D 794
D 793
D 792
D 137
D 355
D 301
D 603
D 168
D 795
D 2176
D 2137
D 20
D 220
D 25
D 28
D 62
D 64
D 68
D 75
D 78
D 79
D 89

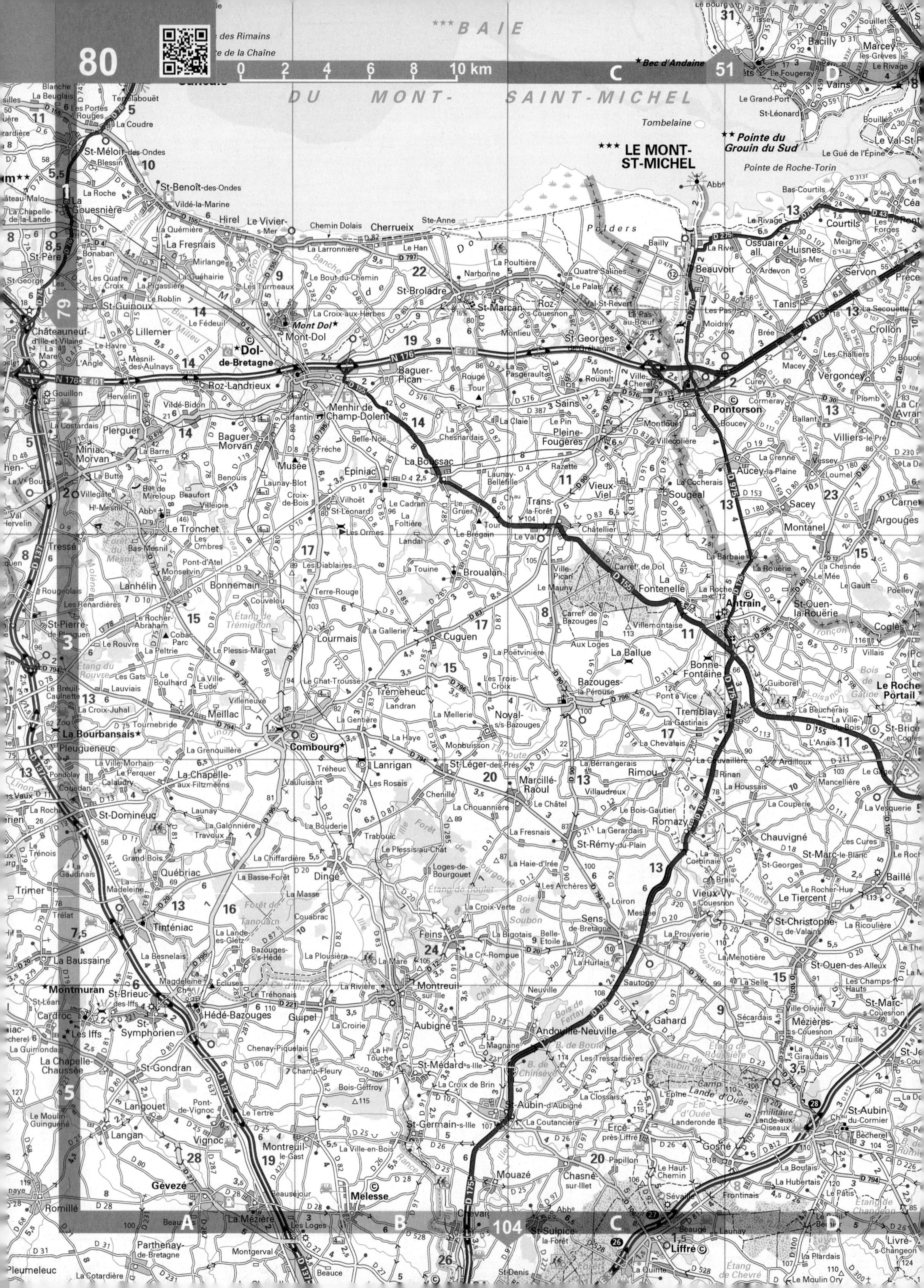
BAIE
DU MONT-SAINT-MICHEL
0 2 4 6 8 10 km
C
51
D
Bec d'Andaine
Tombelaine
LE MONT-ST-MICHEL
Pointe du Grouin du Sud
Pointe de Roche-Torin
Polders
Bacilly
Marcey-les-Grèves
Vains
Le Val-St-Père
Le Grand-Port
St-Léonard
St-Méloir-des-Ondes
St-Benoît-des-Ondes
Vildé-la-Marine
Hirel
Le Vivier-s-Mer
Chemin Dolais
Cherrueix
Ste-Anne
La Gouesnière
St-Père
La Fresnais
Mirlange
St-Guinoux
Lillemer
Châteauneuf-d'Ille-et-Vilaine
Mont Dol
Mont-Dol
Dol-de-Bretagne
St-Broladre
St-Marcan
Roz-s-Couesnon
St-Georges-de-Gréhaigne
Beauvoir
Pontorson
Moidrey
Huisnes-s-Mer
Ardevon
Courtils
Servon
Tanis
Crollon
Macey
Vergoncey
Curey
Roz-Landrieux
Baguer-Pican
Mont-Rouault
Sains
Pleine-Fougères
Montlouet
Villecolière
Baguer-Morvan
Menhir de Champ-Dolent
Pleurtuit
Pierguer
Miniac-Morvan
Epiniac
La Boussac
Vieux-Viel
Sougéal
Aucey-la-Plaine
Sacey
Montanel
Argouges
Villiers-le-Pré
Trans-la-Forêt
Le Tronchet
Tressé
Broualan
Lanhélin
Bonnemain
Étang de Trémigon
Cuguen
Lourmais
Fontenelle
Antrain
St-Ouen-la-Rouërie
Coglès
La Ballue
Bazouges-la-Pérouse
Bonne-Fontaine
Tremblay
Trémeheuc
Noyal-s/s-Bazouges
Meillac
Combourg
La Bourbansais
Pleugueneuc
Lanrigan
St-Léger-des-Prés
Marcillé-Raoul
Rimou
La Chapelle-aux-Filtzméens
St-Domineuc
Romazy
Chauvigné
St-Marc-le-Blanc
Baillé
St-Rémy-du-Plain
Dingé
Québriac
Tinténiac
Le Tiercent
St-Christophe-de-Valains
Vieux-Vy-s-Couesnon
Sens-de-Bretagne
Feins
Montmuran
Les Iffs
St-Brieuc-des-Iffs
Hédé-Bazouges
Guipel
Montreuil-sur-Ille
Aubigné
Gahard
St-Ouen-des-Alleux
Mézières-s-Couesnon
Andouillé-Neuville
St-Médard-s-Ille
La Chapelle-Chaussée
St-Gondran
Langouet
Langan
Vignoc
St-Germain-s-Ille
St-Aubin-d'Aubigné
Ercé-près-Liffré
Gosné
St-Aubin-du-Cormier
Montreuil-le-Gast
Mouazé
Chasné-sur-Illet
Gévezé
Melesse
Romillé
La Mézière
St-Sulpice-la-Forêt
Liffré
Livré-s-Changeon
A
B
C
D
104
79
1
2
3
4
5

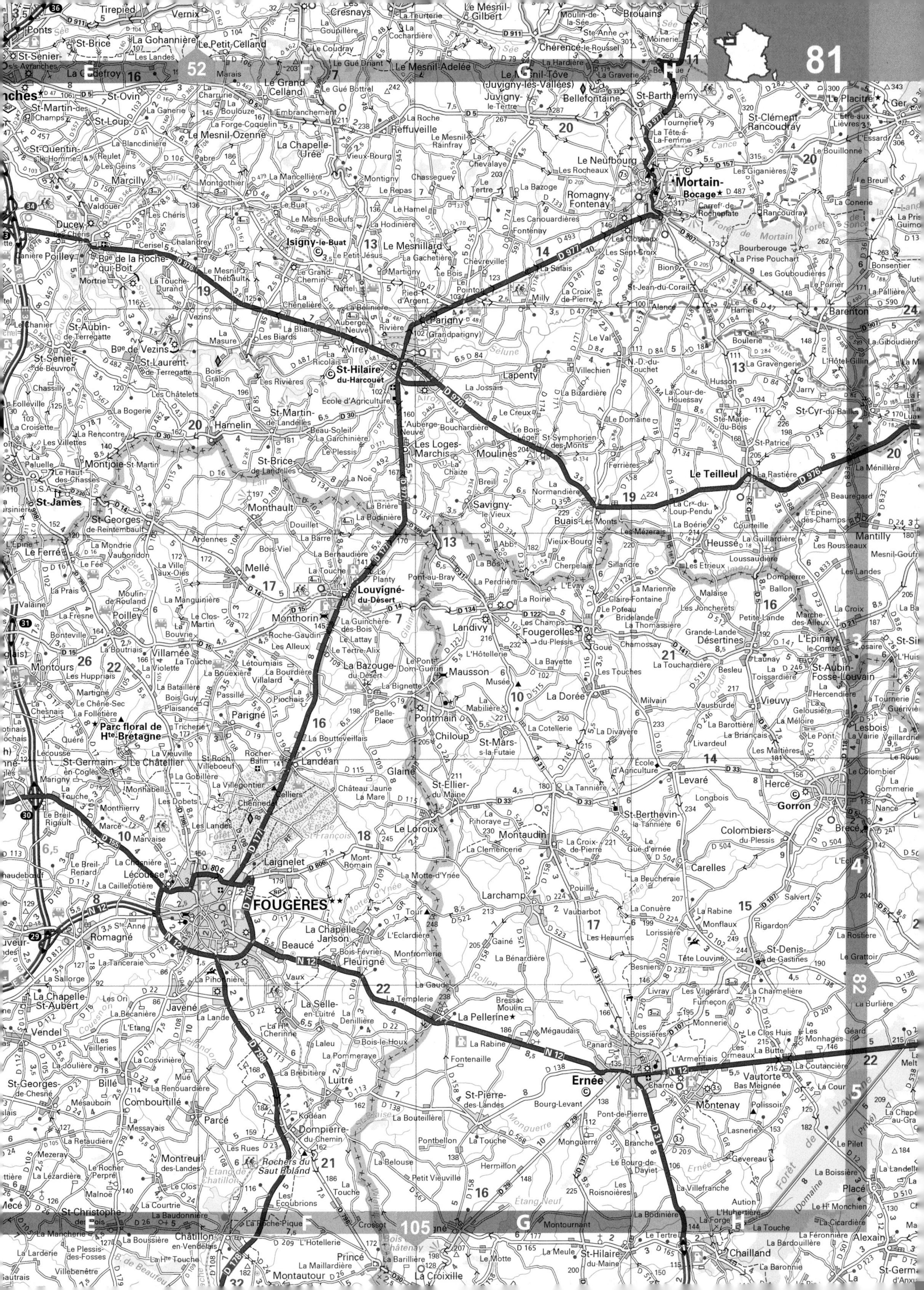
81
52
105
82
E
F
G
H
Tirepied
Vernix
Cresnays
Le Mesnil-Gilbert
Brouains
Ponts
St-Brice
La Gohannière
Le Petit-Celland
Chérencé-le-Roussel
St-Senier-s/s-Avranches
La Godefroy
Le Mesnil-Adelée
Le Mesnil-Tôve
(Juvigny-les-Vallées)
Juvigny-le-Tertre
Bellefontaine
Le Grand-Celland
St-Barthélemy
St-Ovin
St-Martin-des-Champs
St-Loup
Le Mesnil-Ozenne
Reffuveille
La Chapelle-Urée
St-Clément-Rancoudray
Le Placitre
St-Quentin-sur-le-Homme
Marcilly
Le Neufbourg
Mortain-Bocage
Romagny-Fontenay
Ducey-Les Chéris
Isigny-le-Buat
Le Mesnillard
Poilley
Bgo de la Roche-qui-Boit
Chèvreville
Rancoudray
Forêt de Mortain
Bourberouge
Bion
St-Jean-du-Corail
Barenton
St-Aubin-de-Terregatte
Bgo de Vezins
Virey
Parigny
St-Laurent-de-Terregatte
St-Senier-de-Beuvron
St-Hilaire-du-Harcouët
Lapenty
Husson
St-Cyr-du-Bailleul
Hamelin
St-Martin-de-Landelles
Les Loges-Marchis
Moulines
St-Symphorien-des-Monts
Montjoie-St-Martin
St-Brice-de-Landelles
Le Teilleul
St-James
St-Georges-de-Reintembault
Monthault
Savigny-le-Vieux
Buais-Les-Monts
Mantilly
Le Ferré
Heussé
Mellé
Louvigné-du-Désert
Landivy
Fougerolles-du-Plessis
Poilley
Villamée
Montours
Désertines
St-Aubin-Fosse-Louvain
La Bazouge-du-Désert
Mausson
La Dorée
Parc floral de Hte-Bretagne
Parigné
Pontmain
Chiloup
St-Mars-s-la-Futaie
Lesbois
St-Germain-en-Coglès
Le Châtellier
Landéan
Glaine
St-Ellier-du-Maine
Levaré
Hercé
Gorron
Montaudin
St-Berthevin-la-Tannière
Colombiers-du-Plessis
Brecé
Le Loroux
Lécousse
Laignelet
Larchamp
Carelles
FOUGÈRES
Romagné
Beaucé
La Chapelle-Janson
Fleurigné
St-Denis-de-Gastines
La Chapelle-St-Aubert
Javené
La Selle-en-Luitré
La Pellerine
Vendel
Luitré
Ernée
Vautorte
St-Georges-de-Chesné
Billé
Combourtillé
St-Pierre-des-Landes
Montenay
Parcé
Dompierre-du-Chemin
Rochers du Saut Roland
Montreuil-des-Landes
Placé
St-Christophe-des-Bois
Châtillon-en-Vendelais
Princé
St-Hilaire-du-Maine
Chailland
Alexain
Montautour
La Croixille
N 12
D 976
D 977
D 177
D 798
D 31
A 84

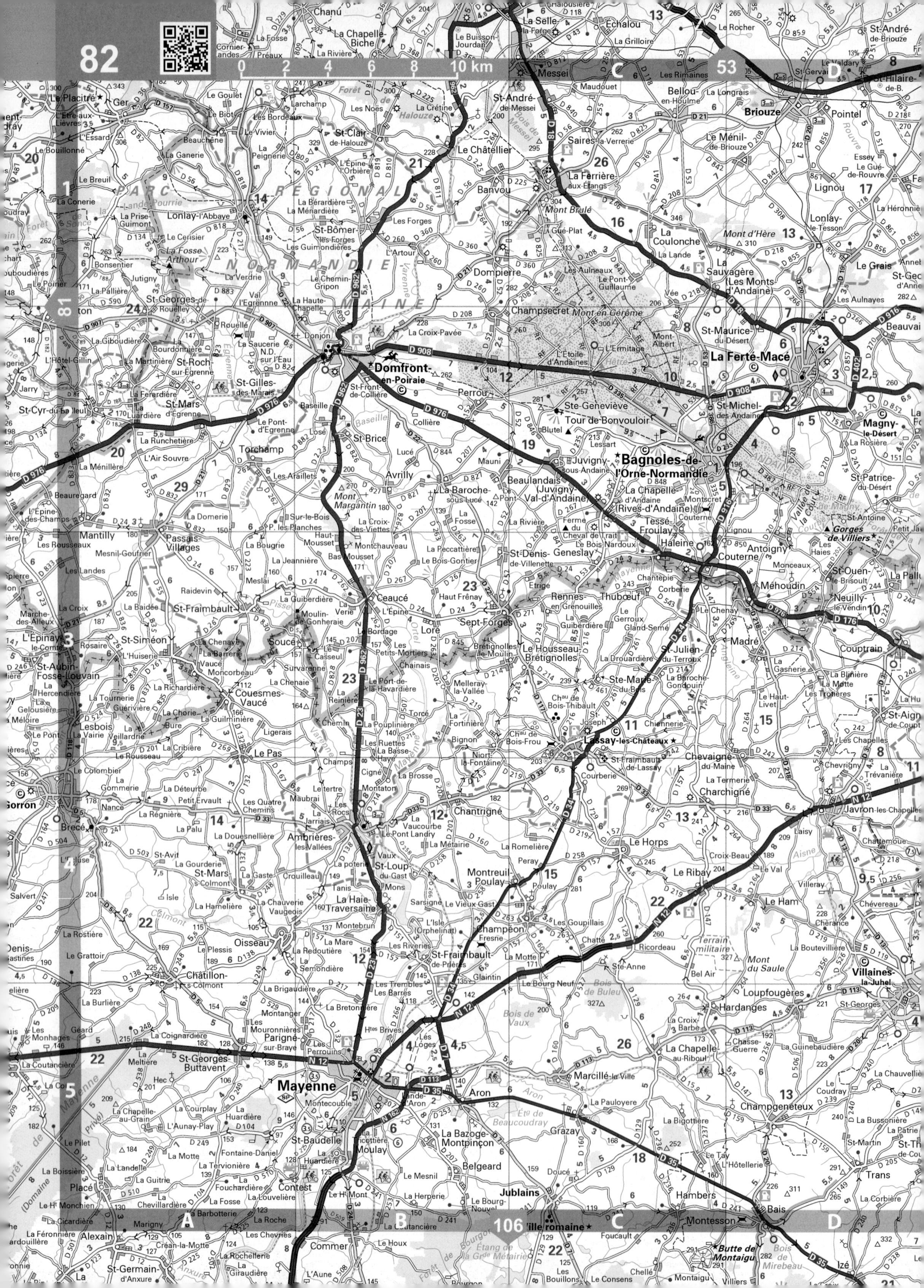

0 2 4 6 8 10 km
53
81
106
A
B
C
D
1
2
3
4
5
PARC NATUREL RÉGIONAL NORMANDIE MAINE
Chanu
La Chapelle-Biche
La Selle-la-Forge
Echalou
St-André-de-Briouze
Messei
Le Placître
Ger
Larchamp
Forêt de Halouze
St-Clair-de-Halouze
St-André-de-Messei
Bellou-en-Houlme
Briouze
Pointel
Le Châtellier
Saires-la-Verrerie
La Ferrière-aux-Étangs
Banvou
Lignou
Lonlay-l'Abbaye
Mont Brûlé
St-Bômer-les-Forges
La Coulonche
Lonlay-le-Tesson
Mont d'Hère
Dompierre
La Sauvagère (Les Monts-d'Andaine)
Le Grais
St-Georges-de-Rouelley
Champsecret
Mont en Gérome
St-Maurice-du-Désert
Beauvain
St-Roch-sur-Egrenne
Domfront-en-Poiraie
La Ferté-Macé
St-Gilles-des-Marais
Perrou
L'Étoile-d'Andaines
St-Cyr-du-Bailleul
St-Mars-d'Egrenne
St-Front-de-Colliere
Ste-Geneviève
Tour de Bonvouloir
St-Michel-des-Andaines
Magny-le-Désert
St-Brice
Torchamp
Juvigny-sous-Andaine
Bagnoles-de-l'Orne-Normandie
Avrilly
Beaulandais (Juvigny-Val-d'Andaine)
La Chapelle-d'Andaine (Rives-d'Andaine)
St-Patrice-du-Désert
Mont Margantin
La Baroche-sous-Lucé
Tessé-Froulay
Mantilly
Passais-Villages
Haleine
Couterne
Antoigny
Gorges de Villiers
St-Denis-de-Villenette
Geneslay
St-Ouen-le-Brisoult
Ceaucé
Méhoudin
St-Fraimbault
Sept-Forges
Rennes-en-Grenouilles
Thubœuf
Neuilly-le-Vendin
L'Epinay-le-Comte
St-Siméon
Soucé
Lore
Bretignolles-le-Moulin
Le Housseau-Brétignolles
St-Julien-du-Terroux
Madré
Couptrain
St-Aubin-Fosse-Louvain
Couesmes-Vaucé
Melleray-la-Vallée
Ste-Marie-du-Bois
Lesbois
Lassay-les-Châteaux
St-Fraimbault-de-Lassay
Chevaigné-du-Maine
Le Pas
Charchigné
Javron-les-Chapelles
Gorron
Brecé
Ambrières-les-Vallées
Chantrigné
Le Horps
St-Mars-sur-Colmont
St-Loup-du-Gast
Montreuil-Poulay
Le Ribay
La Haie-Traversaine
Champéon
Le Ham
Oisseau
St-Fraimbault-de-Prières
Villaines-la-Juhel
Châtillon-sur-Colmont
Loupfougères
Hardanges
Parigné-sur-Braye
La Chapelle-au-Riboul
St-Georges-Buttavent
Mayenne
Aron
Marcillé-la-Ville
Champgenêteux
St-Baudelle
Moulay
La Bazoge-Montpinçon
Grazay
Contest
Belgeard
Jublains
Hambers
Trans
Placé
Alexain
Commer
Montesson
Bais
Butte de Montaigu
Izé

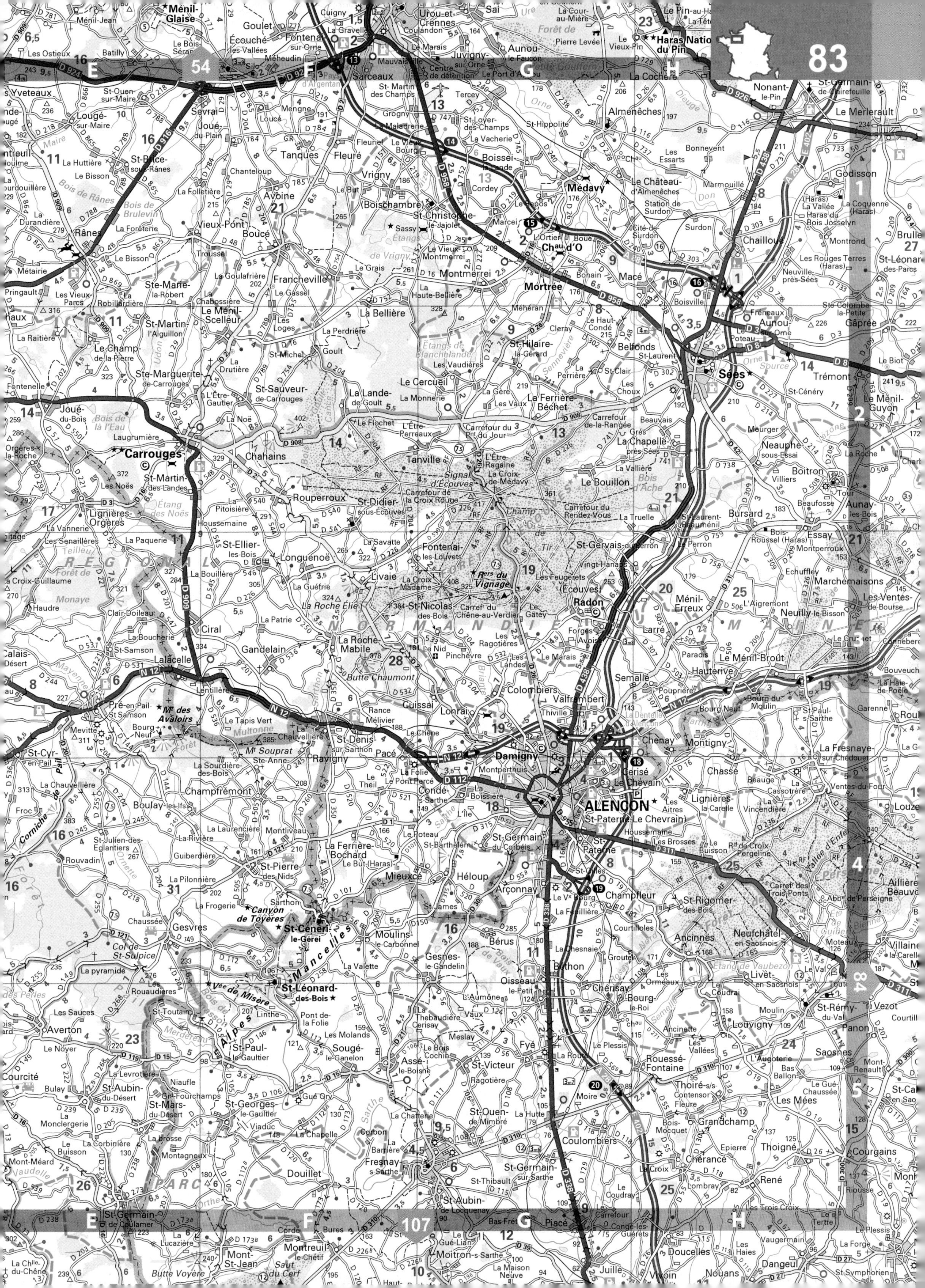
83
54
84
107
E
F
G
H
1
2
3
4
5
Ménil-Glaise
Écouché
Sarceaux
Urou-et-Crennes
Aunou-le-Faucon
Haras National du Pin
Nonant-le-Pin
Le Merlerault
Rânes
Médavy
Almenêches
Mortrée
Chau d'O
Sées
Carrouges
Tanville
Signal d'Écouves
Forêt d'Écouves
St-Nicolas-des-Bois
Radon
La Roche-Mabile
Lalacelle
Pré-en-Pail
Mt des Avaloirs
Damigny
ALENÇON
St-Céneri-le-Gérei
St-Léonard-des-Bois
Alpes Mancelles
Fresnay-s-Sarthe
Neufchâtel-en-Saosnois
Forêt de Perseigne
Mamers
Courgains
Beaumont
Bourg-le-Roi
Coulombiers
Piacé
St-Germain-de-Coulamer
Montreuil-le-Chétif
Doucelles
Juillé
Dangeul
N 12
D 958
D 438
A 28

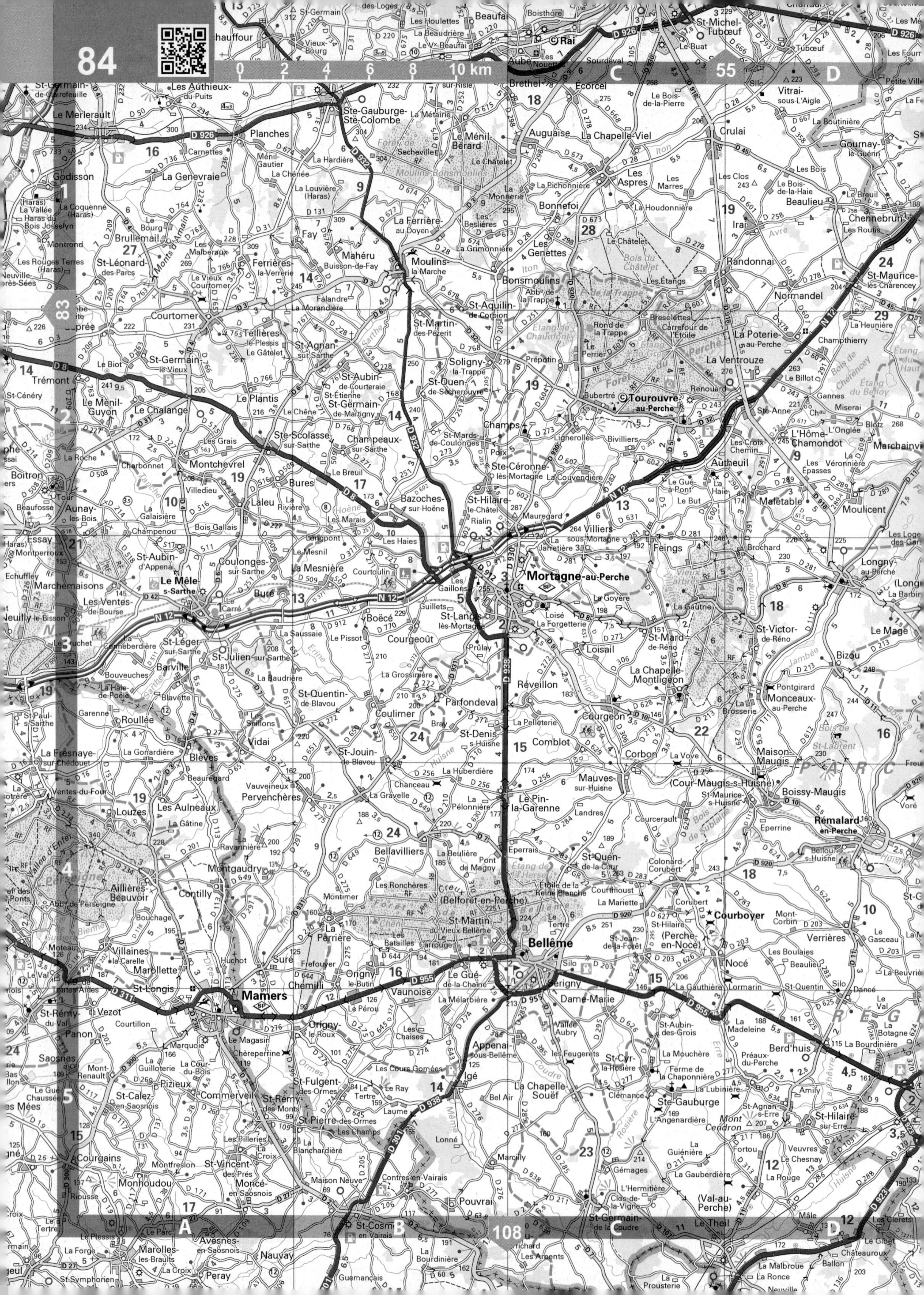
0 2 4 6 8 10 km
55
83
108
A
B
C
D
St-Germain
Les Houlettes
La Beaudrière
Le Vx-Beaufai
Beaufai
Boisthorel
Rai
Aube
St-Michel-Tubœuf
Tubœuf
Le Buat
Chauffour
Vieux-Bourg
Les Authieux-du-Puits
Le Merlerault
Godisson
Ste-Gauburge-Ste-Colombe
La Métairie
Planches
Carnettes
Ménil-Gautier
La Chênée
La Hardière
Forêt de Secheville
Moulins-Bonsmoulins
Le Ménil-Bérard
Le Châtelet
Brethel
Écorcei
Auguaise
La Chapelle-Viel
Le Bois-de-la-Pierre
Crulai
Vitrai-sous-L'Aigle
La Boutinière
Gournay-le-Guérin
Les Aspres
Les Marres
Les Clos
Les Bois
Le Bois-de-la-Haie
Beaulieu
Le Breuil
Chennebrun
Les Routis
La Genevraie
La Coquenne (Haras)
La Vallée
Haras du Bois Josselyn
Le Bourg
Brullemail
Montrond
Les Rouges Terres (Haras)
St-Léonard-des-Parcs
Les Malberaux
Monts d'Amain
Ferrières-la-Verrerie
Le Vieux Courtomer
La Louvière (Haras)
Fay
Maheru
Buisson-de-Fay
La Ferrière-au-Doyen
Moulins-la-Marche
La Monnerie
Les Beslières
La Grimonnière
La Pichonnière
Bonnefoi
Les Genettes
Le Châtelet
Bois du Châtelet
La Houdonnière
Irai
Avre
Randonnai
Les Étangs
Normandel
St-Maurice-lès-Charencey
La Heunière
Bonsmoulins
Abbaye de la Trappe
Forêt de la Trappe
Falandre
La Morandière
St-Martin-des-Pézerit
St-Aquilin-de-Corbion
Courtomer
Tellières
Le Plessis
Le Gâtelet
St-Agnan-sur-Sarthe
Sarthe
Étang de Chaumont
Rond de la Trappe
Le Perrier
Bresolettes
Carrefour de l'Étoile
La Poterie-au-Perche
Champthierry
La Ventrouze
Forêt du Perche
St-Germain-le-Vieux
Le Biot
Trémont
St-Cénéry
Le Plantis
Le Ménil-Guyon
Le Chalange
St-Aubin-de-Courteraie
St-Étienne
St-Germain-de-Martigny
Le Chêne
Soligny-la-Trappe
St-Ouen-de-Sécherouvre
Prépotin
Bubertré
Tourouvre-au-Perche
Renouard
Le Billot
Gannes
Miserai
Étang du Belloy
Bois de Chérencey
Ste-Anne
L'Hôme-Chamondot
L'Onglée
Blotz
Marchainville
Les Grais
La Roche
Charbonnet
Montchevrel
Villedieu
Ste-Scolasse-sur-Sarthe
Champeaux-sur-Sarthe
Le Breuil
Bures
St-Mards-de-Coulonges
Champs
Lignerolles
Bivilliers
Poix
Ste-Céronne-lès-Mortagne
La Couvendière
Les Croix-Chemin
Autheuil
Le Gué-à-Pont
La Haie
Les Véronnière
Épasses
Boitron
Tour
Aunay-les-Bois
Beaufosse
La Galaisière
Laleu
La Rivière
Les Marais
Bois Gallais
Champenou
Bazoches-sur-Hoëne
Hoëne
St-Hilaire-le-Châtel
Rialin
Mauregard
Villiers-sous-Mortagne
Le But
Malétable
Moulicent
Essay
Montperroux
St-Aubin-d'Appenai
Coulonges-sur-Sarthe
Longpont
Le Mesnil
Les Haies
La Jarretière
Feings
Brochard
Les Loges
Echuffley
Marchemaisons
Le Mêle-s-Sarthe
La Mesnière
Courtoulin
Les Gaillons
Mortagne-au-Perche
Vieux Marbre
Longny-au-Perche
La Barbine
Les Ventes-de-Bourse
Buré
Le Carré
Boëcé
Guillets
St-Langis-lès-Mortagne
Loisé
La Forgetterie
La Goyère
La Gautrie
St-Victor-de-Réno
Le Mage
Neuilly-le-Bisson
Le Buchet
La Conneberdière
St-Léger-sur-Sarthe
St-Julien-sur-Sarthe
Barville
La Saussaie
Le Pissot
Courgeoût
Prûlay
Loisail
St-Mard-de-Réno
Bizou
Jambée
Bouveuches
La Haie-de-Poëlé
Blavette
La Baudrière
Erine
La Grossinière
Réveillon
La Chapelle-Montligeon
Chippe
Pontgirard
Monceaux-au-Perche
La Brosserie
St-Paul-s-Sarthe
Garenne
Roullée
St-Quentin-de-Blavou
Coulimer
Parfondeval
Bray
St-Denis-s-Huisne
La Pelleterie
Courgeon
Comblot
Bois de St-Laurent
Maison-Maugis
La Fresnaye-sur-Chédouet
La Gonardière
Blèves
Les Seillons
Vidai
St-Jouin-de-Blavou
Corbon
La Vove
Mauves-sur-Huisne
(Cour-Maugis-s-Huisne)
Boissy-Maugis
St-Maurice-s-Huisne
Bois de Sublaine
PARC
RÉG
Voré
Ventes-du-Four
Beauregard
Vauveineux
Pervenchères
Chanceau
La Huberdière
La Gravelle
La Pélonnière
Le Pin-la-Garenne
Landres
Courcerault
Eperrine
Rémalard-en-Perche
Louzes
Les Aulneaux
La Gâtine
Vallée d'Enfer
La Ravannière
Bellavilliers
La Beulière
Pont de Magny
Eperrais
St-Ouen-de-la-Cour
Colonard-Corubert
Bellou-s-Huisne
Montgaudry
Contilly
Perseigne
Aillières-Beauvoir
Abbaye de Perseigne
Les Ronchères
Montimer
Forêt de Bellême
(Belforêt-en-Perche)
Étang de la Herse
Étoile de la Reine Blanche
Courthioust
La Mariette
Corubert
Courboyer
Mont-Corbin
Verrières
Le Gasseau
Bouchage
La Perrière
Les Batailles
St-Martin-du-Vieux-Bellême
Carrouge
Le Tertre
Bellême
St-Jean-de-la-Forêt
St-Hilaire-(Perche-en-Nocé)
Les Boulaies
Beaulieu
Moteau
Villaines-la-Carelle
Marollette
Huchot
Suré
Frefouyer
Origny-le-Butin
Le Gué-de-la-Chaîne
Silo
Sérigny
Nocé
Lormarin
St-Quentin
Dancé
La Beuvrie
Le Val
St-Longis
Mamers
Chemilli
Vaunoise
La Mélarbière
Dame-Marie
La Gauthière
NID-de-Toutes-Aides
St-Rémy-du-Val
Vezot
Panon
Courtillon
Marquoie
Le Magasin
Chèreperrine
Origny-le-Roux
Le Pérou
Les Chaises
Appenai-sous-Bellême
Vallée Aubry
St-Aubin-des-Grois
La Madeleine
Berd'huis
La Botagne
La Bourdinière
Saosnes
Mont-Renault
La Guilloterie
La Cour-du-Bois
Pizieux
Commerveil
Les Cours Gomées
Igé
Les Feugerets
St-Cyr-la-Rosière
La Mouchère
Ferme de la Chaponnière
Préaux-du-Perche
La Lubinière
Amilly
St-Calez-en-Saosnois
Le Gué-Chaussée
St-Rémy-des-Monts
St-Fulgent-des-Ormes
Le Tertre
Le Ray
Laume
Bel Air
La Chapelle Souëf
Clémance
Ste-Gauburge
L'Angenardière
Mont Cendron
St-Agnan-s-Erre
St-Hilaire-sur-Erre
Les Mées
Courgains
St-Pierre-des-Ormes
Les Champs
Les Pilleries
La Croix
La Blanchardière
Lonné
Marcilly
Gémages
La Guiénière
Fortou
Veuvres
Le Chesnay
La Rouge
Monhoudou
Montfreslon
St-Vincent-des-Prés
Moncé-en-Saosnois
Maison Neuve
Contres-en-Vairais
Pouvrai
L'Hermitière
Clos-de-la-Vigne
La Gauberdière
(Val-au-Perche)
Mâle
Les Clerets
Riousse
St-Cosme-en-Vairais
St-Germain-de-la-Coudre
Le Theil
Le Gibet
Châteauroux
Le Plessis
Le Parc
Avesnes-en-Saosnois
Marolles-les-Braults
Nauvay
La Forge
La Croix
Peray
St-Symphorien
La Bourdinière
Guemançais
Richard
Les Arpents
La Malbroue
La Ronce
Ballon
La Prousterie
Neuville

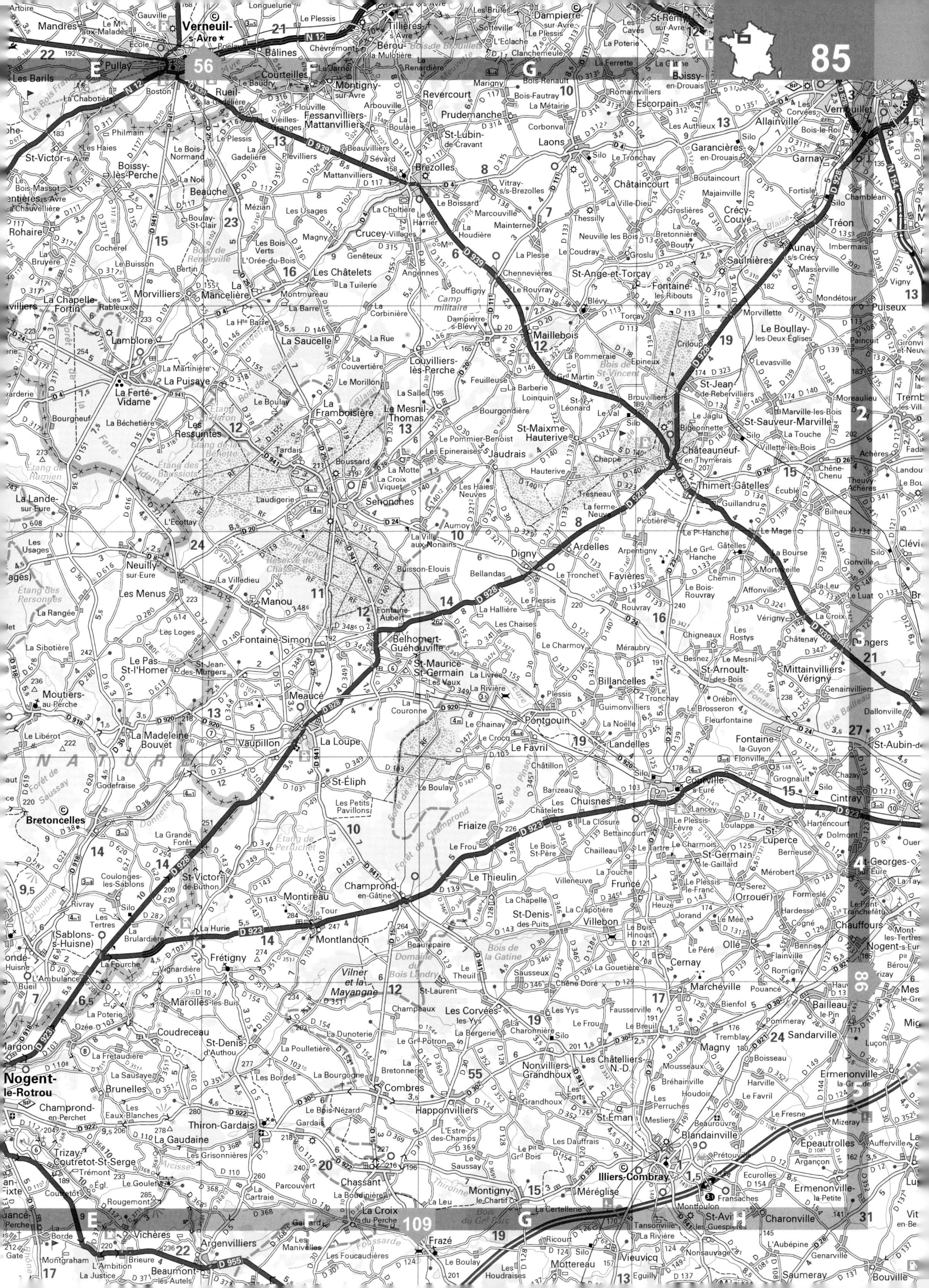

85
56
109
98
E
F
G
H
Verneuil-s-Avre
Mandres
Tillières
Dampierre-sur-Avre
St-Rémy-sur-Avre
Bâlines
Bérou-la-Mulotière
Pullay
Les Barils
Courteilles
Montigny-sur-Avre
Revercourt
Boissy-en-Drouais
Rueil-la-Gadelière
Fessanvilliers-Mattanvilliers
Prudemanche
Escorpain
Allainville
Vernouillet
St-Lubin-de-Cravant
Laons
Garancières-en-Drouais
Garnay
St-Victor-sur-Avre
Boissy-lès-Perche
Brezolles
Châtaincourt
Beauche
Crécy-Couvé
Tréon
Rohaire
Crucey-Villages
Aunay-s/s-Crécy
Saulnières
St-Ange-et-Torçay
Fontaine-les-Ribouts
Morvilliers
La Mancelière
Les Châtelets
Blévy
La Chapelle-Fortin
Puiseux
Lamblore
La Saucelle
Maillebois
Le Boullay-les-Deux-Églises
La Ferté-Vidame
La Puisaye
Louvilliers-lès-Perche
St-Jean-de-Rebervilliers
La Framboisière
Le Mesnil-Thomas
Les Ressuintes
St-Maixme-Hauterive
Châteauneuf-en-Thymerais
St-Sauveur-Marville
Jaudrais
Senonches
Thimert-Gâtelles
Digny
Ardelles
Favières
Neuilly-sur-Eure
Manou
Fontaine-Simon
Belhomert-Guéhouville
St-Maurice-St-Germain
Le Pas-St-l'Homer
Billancelles
St-Arnoult-des-Bois
Mittainvilliers-Vérigny
Dangers
Moutiers-au-Perche
Meaucé
Pontgouin
La Madeleine-Bouvet
Vaupillon
La Loupe
Landelles
Fontaine-la-Guyon
St-Aubin-des-Bois
St-Éliph
Courville-sur-Eure
Chuisnes
Bretoncelles
Friaize
St-Luperce
Cintray
St-Germain-le-Gaillard
St-Georges-sur-Eure
St-Victor-de-Buthon
Le Thieulin
Champrond-en-Gâtine
Fruncé
Montireau
St-Denis-des-Puits
Villebon
Chauffours
Montlandon
Nogent-sur-Eure
Frétigny
Ollé
Cernay
Marolles-les-Buis
Les Corvées-les-Yys
Marchéville
Bailleau-le-Pin
Coudreceau
St-Denis-d'Authou
Magny
Sandarville
Nogent-le-Rotrou
Nonvilliers-Grandhoux
Les Châtelliers-N.-D.
Ermenonville-la-Grande
Combres
Happonvilliers
Champrond-en-Perchet
Thiron-Gardais
St-Eman
Blandainville
Épeautrolles
Illiers-Combray
Trizay-Coutretot-St-Serge
Chassant
Montigny-le-Chartif
Méréglise
Ermenonville-la-Petite
Charonville
St-Avit-les-Guespières
Vichères
Argenvilliers
Frazé
Vieuvicq
Beaumont-les-Autels
Mottereau
Saumeray
Bouville

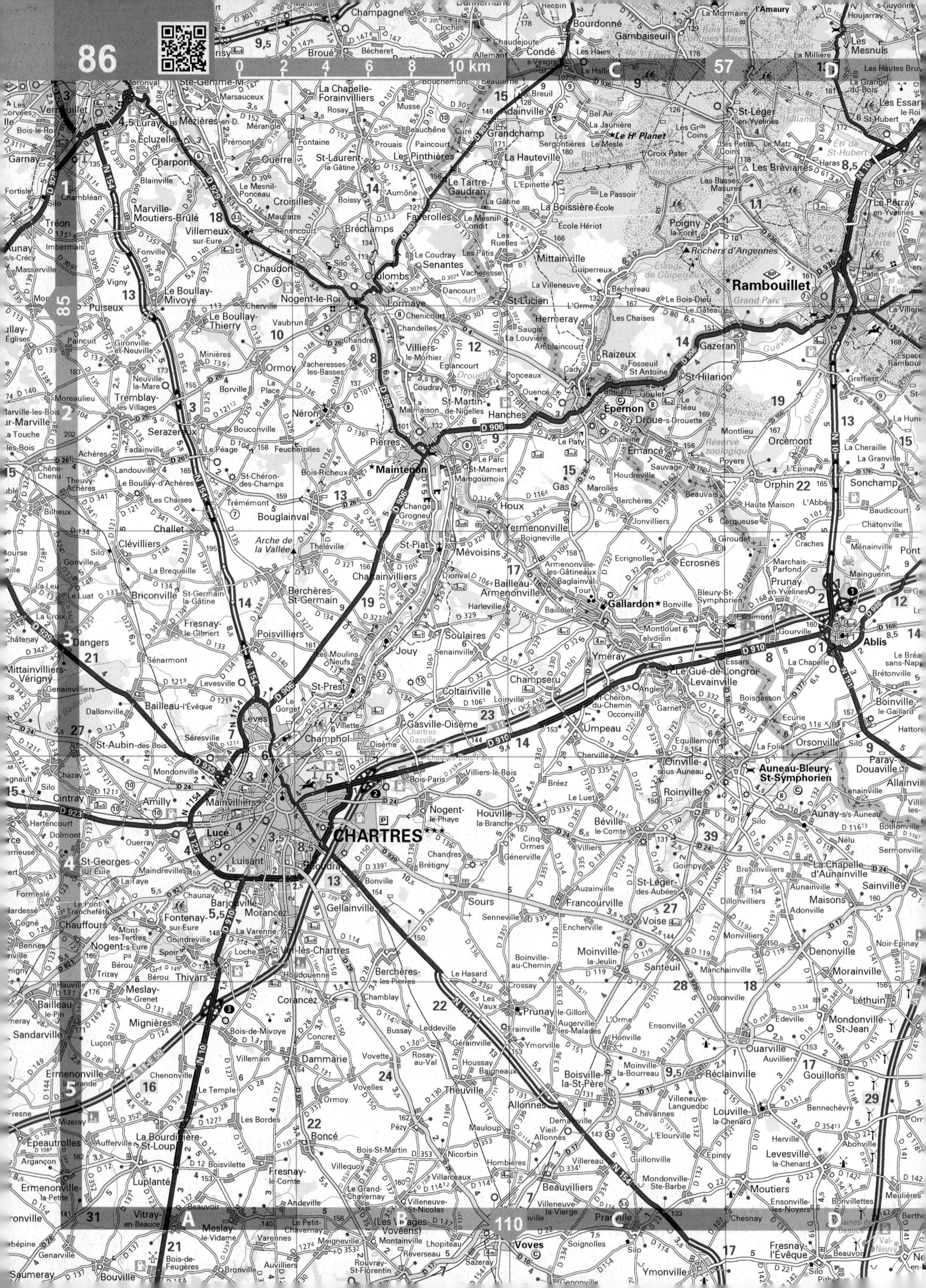
0 2 4 6 8 10 km
57
85
110
Champagne
Broué
Bourdonné
Gambaiseuil
Condé-s-Vesgre
Houjarray
Les Mesnuls
Vernouillet
Lurav
Écluzelles
Mézières-en-D.
La Chapelle-Forainvilliers
Adainville
Grandchamp
La Hauteville
St-Léger-en-Yvelines
Les Bréviaires
Le Hᵗ Planet
Garnay
Charpont
Ouerre
St-Laurent-la-Gâtine
Les Pinthières
Le Tartre-Gaudran
Croisilles
Faverolles
La Boissière-École
Poigny-la-Forêt
Le Perray-en-Yvelines
Marville-Moutiers-Brûlé
Tréon
Villemeux-sur-Eure
Bréchamps
Senantes
Mittainville
Rochers d'Angennes
Chaudon
Coulombs
Rambouillet
Grand Parc
Le Boullay-Mivoye
Nogent-le-Roi
Lormaye
St-Lucien
Hermeray
Puiseux
Le Boullay-Thierry
Vaubrun
Chandelles
Villiers-le-Morhier
Gazeran
Raizeux
Ormoy
St-Hilarion
Tremblay-les-Villages
Néron
Hanches
Épernon
Droue-s-Drouette
Serazereux
Pierres
Maintenon
Émancé
Orcemont
Orphin
Sonchamp
Gas
Houx
Bouglainval
Challet
Clévilliers
Arche de la Vallée
Yermenonville
Mévoisins
St-Piat
Écrosnes
Chartainvilliers
Bailleau-Armenonville
Gallardon
Bonville
Prunay-en-Yvelines
Briconville
Berchères-St-Germain
Fresnay-le-Gilmert
Poisvilliers
Soulaires
Jouy
Ymeray
Ablis
Dangers
Mittainvilliers-Vérigny
Le Gué-de-Longroi
Levainville
Champseru
St-Prest
Bailleau-l'Évêque
Lèves
Coltainville
Gasville-Oisème
Champhol
Umpeau
St-Aubin-des-Bois
Oinville-sous-Auneau
Auneau-Bleury-St-Symphorien
Orsonville
Paray-Douaville
Amilly
Mainvilliers
Cintray
Nogent-le-Phaye
Houville-la-Branche
Roinville
Aunay-s/s-Auneau
CHARTRES
Lucé
Luisant
Béville-le-Comte
St-Georges-sur-Eure
Sours
St-Léger-des-Aubées
Francourville
Barjouville
Morancez
Gellainville
Voise
Sainville
Fontenay-sur-Eure
Nogent-s-Eure
Ver-lès-Chartres
Moinville-la-Jeulin
Santeuil
Denonville
Thivars
Meslay-le-Grenet
Corancez
Berchères-les-Pierres
Prunay-le-Gillon
Léthuin
Mignières
Ouarville
Mondonville-St-Jean
Dammarie
Réclainville
Gouillons
Ermenonville-la-Grande
Theuville
Boisville-la-St-Père
Allonnes
Louville-la-Chenard
Bonce
La Bourdinière-St-Loup
Fresnay-le-Comte
Levesville-la-Chenard
Luplanté
Ermenonville-la-Petite
Beauvilliers
Moutiers
Vitray-en-Beauce
Meslay-le-Vidame
Les Villages Vovéens
Voves
Prasville
Fresnay-l'Évêque
Ymonville
Bouville
Saumeray

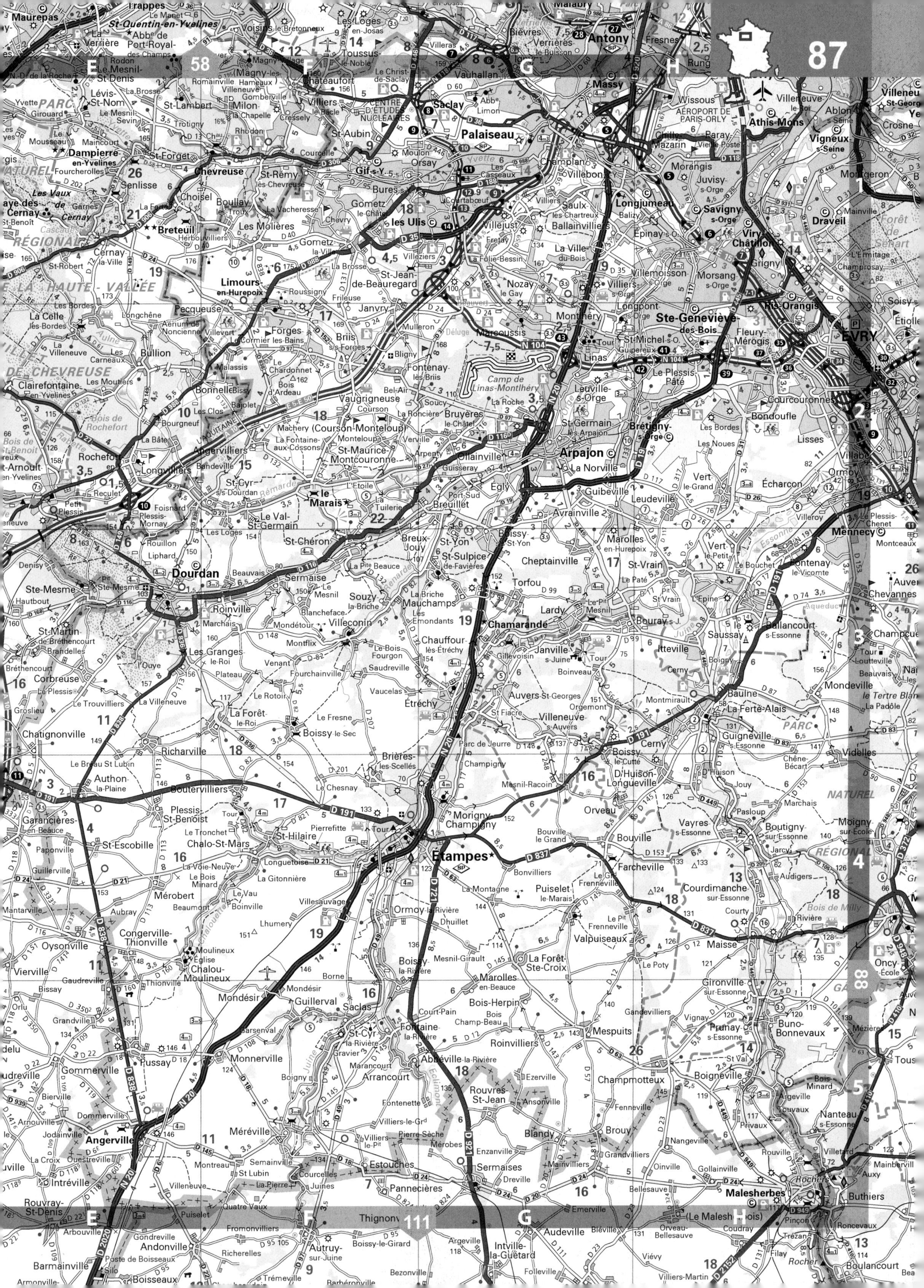

Maurepas
Trappes
St-Quentin-en-Yvelines
La Verrière
Abbaye de Port-Royal-des-Champs
Voisins-le-Bretonneux
Les Loges-en-Josas
Bièvres
Verrières-le-Buisson
Antony
Fresnes
Rungis
Le Mesnil-St-Denis
Magny-les-Hameaux
Châteaufort
Toussus-le-Noble
Villeras
Vauhallan
Massy
Wissous
Aéroport de Paris-Orly
Athis-Mons
Villeneuve-le-Roi
Ablon-s-Seine
Lévis-St-Nom
St-Lambert
Milon-la-Chapelle
Villiers-le-Bâcle
Saclay
Centre d'Études Nucléaires
Palaiseau
Chilly-Mazarin
Paray-Vieille-Poste
Vigneux-s-Seine
Crosne
Dampierre-en-Yvelines
St-Forget
Chevreuse
St-Rémy-lès-Chevreuse
Gif-s-Y.
Orsay
Bures-s-Y.
Champlan
Villebon
Morangis
Juvisy-s-Orge
Savigny-s-Orge
Montgeron
Draveil
Parc Naturel Régional de la Haute-Vallée de Chevreuse
Senlisse
Les Vaux de Cernay
Choisel
Boullay-les-Troux
Gometz-le-Châtel
les Ulis
Villejust
Saulx-les-Chartreux
Ballainvilliers
Longjumeau
Epinay-s-O.
Viry-Châtillon
Grigny
Breteuil
Les Molières
Gometz-la-Ville
Villeziers
La Folie-Bessin
Nozay
La Ville-du-Bois
Villemoisson-s-Orge
Morsang-s-Orge
Ris-Orangis
Cernay-la-Ville
Limours-en-Hurepoix
St-Jean-de-Beauregard
Villiers-s-Orge
Longpont-s-Orge
Ste-Geneviève-des-Bois
Fleury-Mérogis
Évry
Soisy
Étiolles
Pecqueuse
Forges-les-Bains
Briis-s/s-Forges
Janvry
Marcoussis
Montlhéry
Linas
St-Michel-s-O.
Bullion
Clairefontaine-en-Yvelines
Bonnelles
Fontenay-les-Briis
Camp de Linas-Montlhéry
Leuville-s-Orge
Le Plessis-Pâté
Courcouronnes
Bondoufle
Lisses
Rochefort
Longvilliers
Angervilliers
Vaugrigneuse
Machery (Courson-Monteloup)
Bruyères-le-Châtel
St-Germain-lès-Arpajon
Brétigny-s-Orge
Villabé
Ormoy
Arpajon
La Norville
Ollainville
St-Maurice-Montcouronne
St-Cyr-s/s-Dourdan
le Marais
Breuillet
Égly
Guibeville
Vert-le-Grand
Écharcon
Mennecy
Dourdan
St-Chéron
Breux-Jouy
St-Yon
Boissy-s/s-St-Yon
Avrainville
Leudeville
Marolles-en-Hurepoix
Vert-le-Petit
Fontenay-le-Vicomte
Ste-Mesme
Sermaise
Souzy-la-Briche
Mauchamps
St-Sulpice-de-Favières
Torfou
Cheptainville
St-Vrain
Chevannes
Roinville
St-Martin-de-Bréthencourt
Villeconin
Chamarande
Lardy
Bouray-s-J.
Ballancourt-s-Essonne
Les Granges-le-Roi
Chauffour-lès-Étréchy
Janville-s-Juine
Itteville
Saussay
Corbreuse
Étréchy
Auvers-St-Georges
Villeneuve-s-Auvers
Baulne
La Ferté-Alais
Mondeville
Chatignonville
Boissy-le-Sec
Richarville
La Forêt-le-Roi
Cerny
Guigneville-s-Essonne
Videlles
Authon-la-Plaine
Boutervilliers
Brières-les-Scellés
Boissy-le-Cutté
D'Huison-Longueville
Morigny-Champigny
Orveau
Garancières-en-Beauce
Plessis-St-Benoist
St-Escobille
St-Hilaire
Chalo-St-Mars
Étampes
Bouville
Vayres-s-Essonne
Boutigny-sur-Essonne
Moigny-sur-École
Farcheville
Puiselet-le-Marais
Courdimanche-sur-Essonne
Mérobert
Ormoy-la-Rivière
Valpuiseaux
Maisse
Congerville-Thionville
Oysonville
Chalou-Moulineux
Boissy-la-Rivière
La Forêt-Ste-Croix
Marolles-en-Beauce
Oncy-s-École
Mondésir
Guillerval
Saclas
Bois-Herpin
Gironville-sur-Essonne
Pussay
Monnerville
St-Cyr-la-Rivière
Fontaine-la-Rivière
Roinvilliers
Mespuits
Buno-Bonnevaux
Gommerville
Arrancourt
Abbéville-la-Rivière
Champmotteux
Boigneville
Rouvres-St-Jean
Angerville
Méréville
Blandy
Brouy
Nanteau-s-Essonne
Estouches
Sermaises
Malesherbes
Intréville
Rouvray-St-Denis
Andonville
Autruy-sur-Juine
Intville-la-Guétard
Audeville
Buthiers
Boulancourt

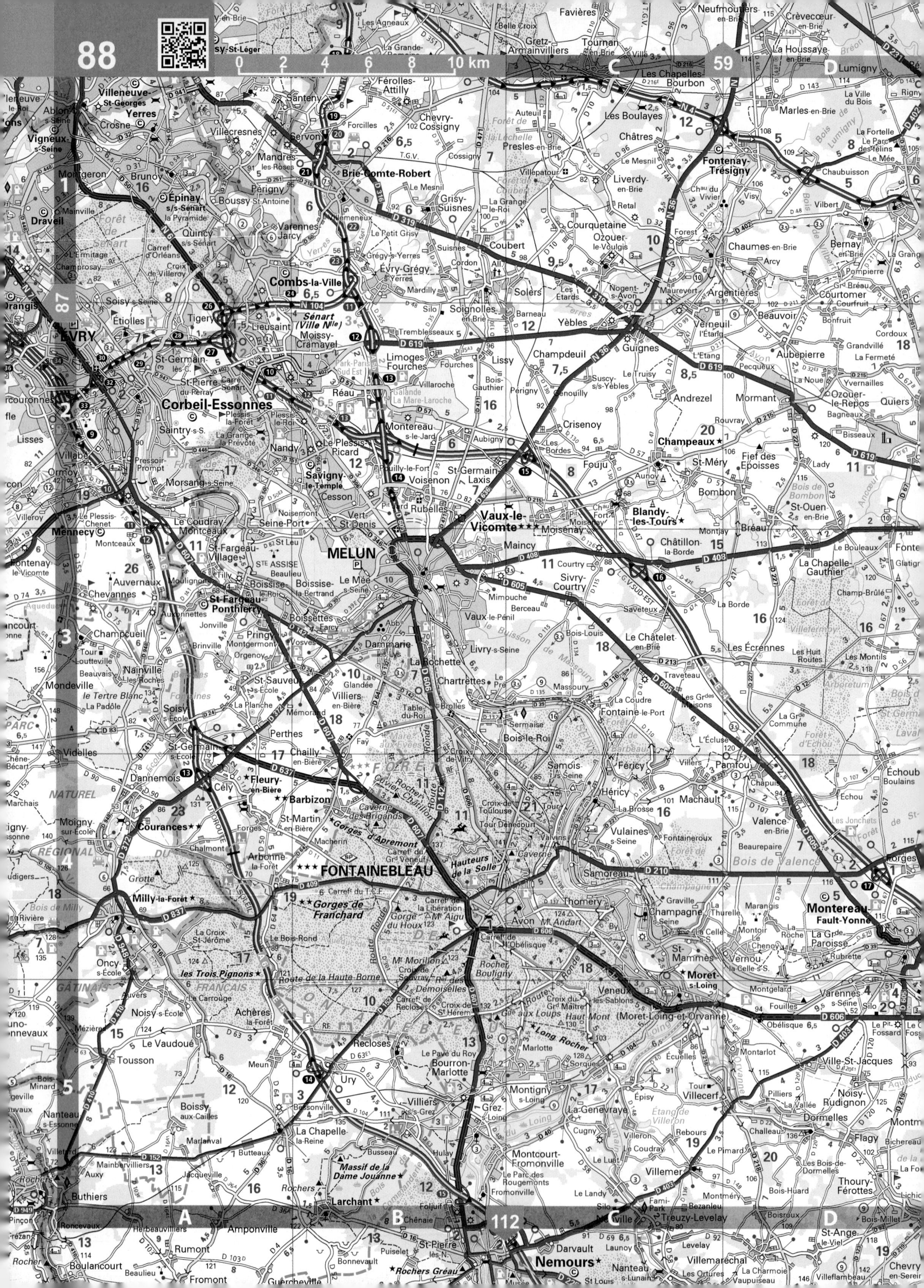

0 2 4 6 8 10 km
59
Lumigny
Favières
Neufmoutiers-en-Brie
Crèvecœur-en-Brie
La Houssaye-en-Brie
Gretz-Armainvilliers
Tournan-en-Brie
Les Chapelles-Bourbon
Villeneuve-St-Georges
Yerres
Crosne
Vigneux-s-Seine
Montgeron
Brunoy
Draveil
Villecresnes
Santeny
Servon
Férolles-Attilly
Chevry-Cossigny
Mandres-les-Roses
Périgny
Brie-Comte-Robert
Forêt de la Léchelle
Presles-en-Brie
Les Boulayes
Châtres
Fontenay-Trésigny
Marles-en-Brie
Épinay-s/s-Sénart
Boussy-St-Antoine
Quincy-s/s-Sénart
Varennes-Jarcy
Grisy-Suisnes
Coubert
Liverdy-en-Brie
Courquetaine
Ozouer-le-Voulgis
Chaumes-en-Brie
Bernay-en-Brie
Forêt de Sénart
Combs-la-Ville
Évry-Grégy-s-Yerres
Soignolles-en-Brie
Solers
Yèbles
Nogent-s-Avon
Argentières
Courtomer
Beauvoir
Soisy-s-Seine
Étiolles
Tigery
Lieusaint
Sénart (Ville Nlle)
Moissy-Cramayel
Évry
Verneuil-l'Étang
Guignes
Grandvillé
Aubepierre
La Fermeté
St-Germain-lès-C.
St-Pierre-du-Perray
Carré Sénart
Limoges-Fourches
Lissy
Champdeuil
Corbeil-Essonnes
Réau
Villaroche
Suscy-s/s-Yèbles
Andrezel
Mormant
Ozouer-le-Repos
Quiers
Lisses
Saintry-s-S.
Nandy
Le Plessis-Picard
Montereau-s-le-Jard
Aubigny
Crisenoy
Champeaux
Rouvray
Villabé
Ormoy
Morsang-s-Seine
Savigny-le-Temple
Cesson
Voisenon
St-Germain-Laxis
Fouju
St-Méry
Fief des Epoisses
Bombon
Lady
Mennecy
Le Coudray-Montceaux
Seine-Port
Vert-St-Denis
Rubelles
Vaux-le-Vicomte
Moisenay
Blandy-les-Tours
Châtillon-la-Borde
Bréau
St-Ouen-en-Brie
Le Bouleaux
Montceaux
Fontenay-le-Vicomte
St-Fargeau-Village
MELUN
Le Mée-s-Seine
Boissise-la-Bertrand
Maincy
Courtry
Sivry-Courtry
La Chapelle-Gauthier
Auvernaux
Chevannes
St-Fargeau-Ponthierry
Boissettes
Mimouche
Vaux-le-Pénil
Berceau
Saveteux
La Borde
Champ-Brûlé
Champcueil
Pringy
Dammarie-les-Lys
Livry-s-Seine
Bois-Louis
Le Châtelet-en-Brie
Les Écrennes
Les Montils
Nainville-les-Roches
La Rochette
Chartrettes
Mondeville
St-Sauveur-s-École
Villiers-en-Bière
Soisy-s-École
Perthes
Fontaine-le-Port
Bois-le-Roi
Traveteau
Videlles
Dannemois
St-Germain-s-École
Chailly-en-Bière
Samois-s-Seine
Féricy
Pamfou
Échouboulains
Cély
Fleury-en-Bière
Barbizon
Héricy
Machault
Courances
Moigny-sur-École
St-Martin-en-Bière
Caverne des Brigands
Gorges d'Apremont
Vulaines-s-Seine
Fontaineroux
Valence-en-Brie
Arbonne-la-Forêt
FONTAINEBLEAU
Hauteurs de la Solle
Samoreau
Bois de Valence
Forges
Milly-la-Forêt
Gorges de Franchard
Avon
Thomery
Champagne-Seine
Montereau-Fault-Yonne
La Grande-Paroisse
Oncy-s-École
les Trois Pignons
Rocher Bouligny
St-Mammès
Moret-s-Loing
Veneux-les-Sablons
(Moret-Loing-et-Orvanne)
Varennes-s-Seine
Noisy-s-École
Achères-la-Forêt
Recloses
Long Rocher
Marlotte
Le Vaudoué
Tousson
Bourron-Marlotte
Ury
Montigny-s-Loing
Villecerf
Ville-St-Jacques
Noisy-Rudignon
Nanteau-s-Essonne
Boissy-aux-Cailles
Villiers-s/s-Grez
Grez-s-Loing
La Genevraye
Dormelles
Flagy
La Chapelle-la-Reine
Massif de la Dame Jouanne
Montcourt-Fromonville
Villemer
Thoury-Férottes
Buthiers
Larchant
Treuzy-Levelay
Amponville
Rumont
Nemours
Boulancourt
St-Pierre-lès-N.
Rochers Gréau
Darvault
Villemaréchal
112
A B C D

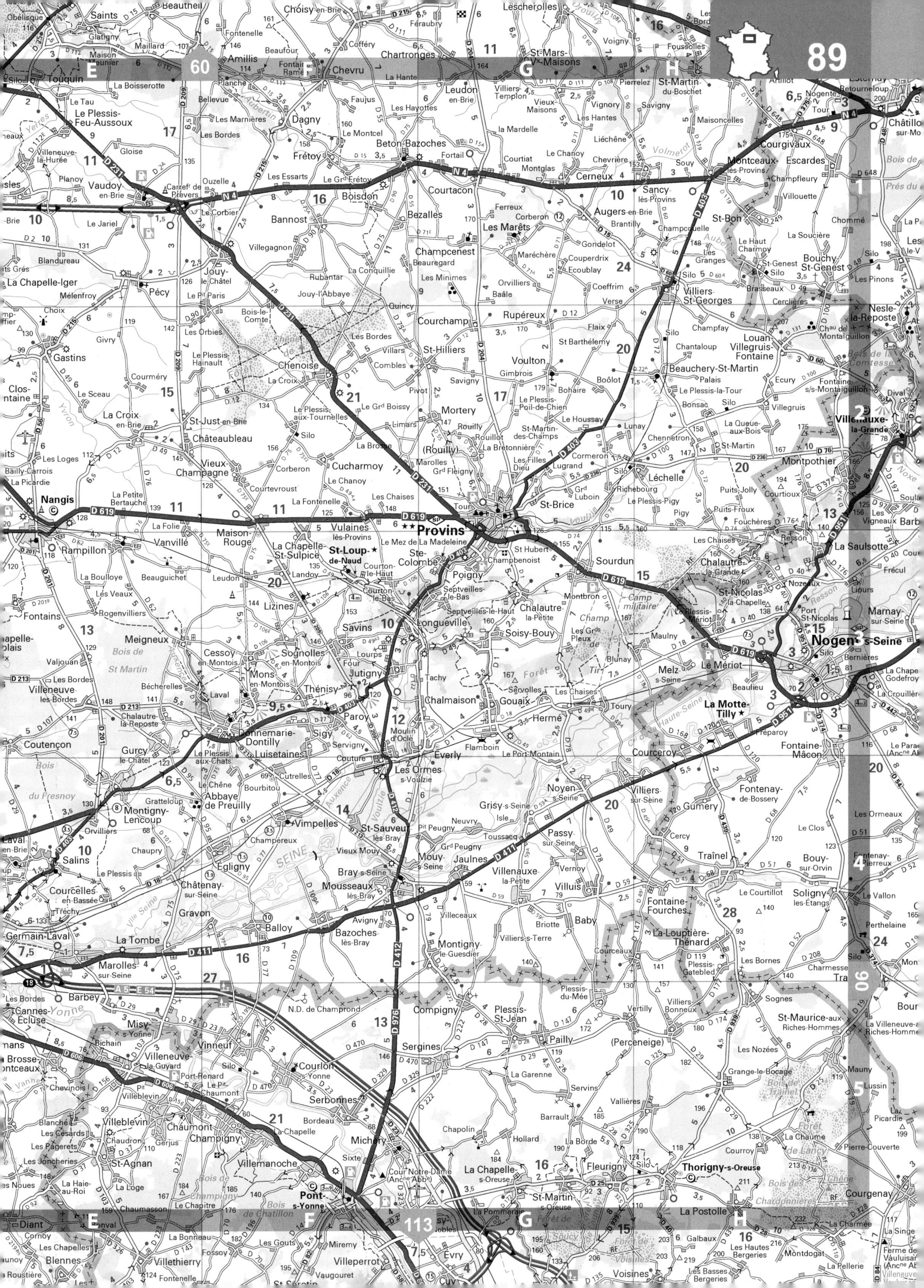

E
F
G
H
60
113
Provins
Nogent-s-Seine
Nangis
Pont-s-Yonne
Saints
Choisy-en-Brie
Chevru
Chartronges
Leudon-en-Brie
St-Mars-Vieux-Maisons
St-Martin-du-Boschet
Le Plessis-Feu-Aussoux
Dagny
Frétoy
Beton-Bazoches
Courtacon
Vaudoy-en-Brie
Montceaux-lès-Provins
Courgivaux
Escardes
Châtillon-sur-Morin
Jouy-le-Châtel
Pécy
La Chapelle-Iger
Bannost
Boisdon
Bezalles
Les Marêts
Champcenest
Augers-en-Brie
Sancy-lès-Provins
St-Bon
Villiers-St-Georges
Bouchy-St-Genest
Nesle-la-Reposte
Gastins
Chenoise
Courchamp
St-Hilliers
Rupéreux
Voulton
Louan-Villegruis-Fontaine
Beauchery-St-Martin
Villenauxe-la-Grande
La Croix-en-Brie
St-Just-en-Brie
Châteaubleau
Vieux-Champagne
Mortery
Cucharmoy
Léchelle
Montpothier
St-Brice
Rampillon
Vanvillé
Maison-Rouge
La Chapelle-St-Sulpice
St-Loup-de-Naud
Ste-Colombe
Poigny
Sourdun
Chalautre-la-Grande
St-Nicolas-la-Chapelle
La Saulsotte
Marnay-sur-Seine
Fontains
Meigneux
Lizines
Savins
Longueville
Soisy-Bouy
Cessoy-en-Montois
Sognolles-en-Montois
Mons-en-Montois
Thénisy
Jutigny
Chalmaison
Gouaix
Hermé
Melz-s-Seine
Le Mériot
La Motte-Tilly
Villeneuve-les-Bordes
Donnemarie-Dontilly
Sigy
Paroy
Everly
Courceroy
Fontaine-Mâcon
Gurcy-le-Châtel
Luisetaines
Les Ormes-s-Voulzie
Noyen-s-Seine
Villiers-sur-Seine
Fontenay-de-Bossery
Montigny-Lencoup
Abbaye de Preuilly
Vimpelles
St-Sauveur-lès-Bray
Grisy-s-Seine
Gumery
Salins
Egligny
Bray-s-Seine
Mouy-s-Seine
Jaulnes
Passy-sur-Seine
Trainel
Bouy-sur-Orvin
Courcelles-en-Bassée
Châtenay-sur-Seine
Mousseaux-lès-Bray
Villenauxe-la-Petite
Villuis
Fontaine-Fourches
Soligny-les-Étangs
Gravon
Balloy
Bazoches-lès-Bray
Montigny-le-Guesdier
Baby
La Louptière-Thénard
Marolles-sur-Seine
Barbey
Compigny
Plessis-St-Jean
Plessis-du-Mée
Villiers-Bonneux
Sognes
St-Maurice-aux-Riches-Hommes
Misy-s-Yonne
Vinneuf
Courlon-s-Yonne
Sergines
Pailly
(Perceneige)
Villeneuve-la-Guyard
Serbonnes
Grange-le-Bocage
Villeblevin
Chaumont
Champigny
Michery
Chapolin
St-Agnan
Villemanoche
La Chapelle-s-Oreuse
Fleurigny
Thorigny-s-Oreuse
Courgenay
St-Martin-s-Oreuse
La Postolle
Evry
Villeperrot
Villethierry
Blennes
N4
D 231
D 619
D 403
D 412
D 411
D 976
D 606
A 5 - E 54
D 951
SEINE
Forêt de Sourdun

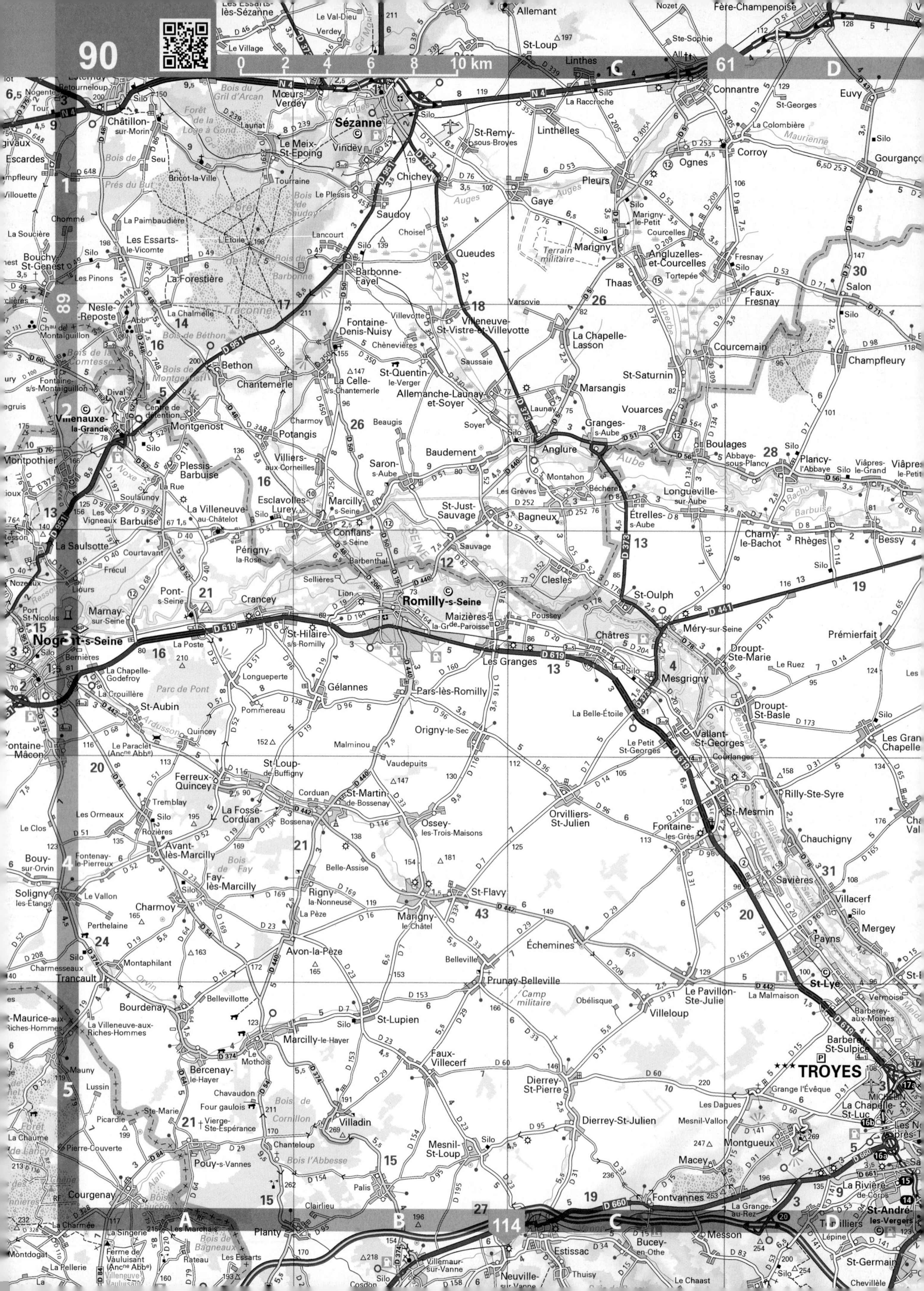
0 2 4 6 8 10 km
61
A
B
C
D
114
1
2
3
4
5
89
Sézanne
Allemant
St-Loup
Linthes
Fère-Champenoise
Connantre
Euvy
St-Georges
La Colombière
Corroy
Ognes
Gourgançon
Le Meix-St-Epoing
Vindey
Châtillon-sur-Morin
Mœurs-Verdey
Le Val-Dieu
Verdey
Le Village
Estemay
Retourneloup
Nogent
Escardes
Bricot-la-Ville
Tourraine
Chichey
St-Remy-sous-Broyes
Linthelles
La Raccroche
Pleurs
Gaye
Le Plessis
Saudoy
Marigny-le-Petit
Courcelles
Marigny
Terrain militaire
Angluzelles-et-Courcelles
Fresnay
Faux-Fresnay
Salon
Thaas
Tortepée
Queudes
Choisel
Lancourt
Barbonne-Fayel
La Paimbaudière
L'Étoile
Les Essarts-le-Vicomte
La Forestière
Bouchy-St-Genest
Les Pinons
Nesle-Reposte
La Chalmelle
Fontaine-Denis-Nuisy
Villevotte
Villeneuve-St-Vistre-et-Villevotte
Varsovie
La Chapelle-Lasson
Courcemain
Champfleury
Chènevières
Saussaie
St-Saturnin
Marsangis
Vouarces
Bethon
Chantemerle
La Celle-s/s-Chantemerle
St-Quentin-le-Verger
Allemanche-Launay-et-Soyer
Soyer
Launay
Granges-s-Aube
Anglure
Boulages
Abbaye-sous-Plancy
Plancy-l'Abbaye
Viâpres-le-Grand
Fontaine-s/s-Montaiguillon
Dival
Villenauxe-la-Grande
Centre de détention
Montgenost
Potangis
Charmoy
Beaugis
Saron-s-Aube
Baudement
Montahon
Bécherel
Longueville-sur-Aube
Montpothier
Plessis-Barbuise
Villiers-aux-Corneilles
La Rue
Soulaunoy
La Villeneuve-au-Châtelot
Esclavolles-Lurey
Marcilly-s-Seine
St-Just-Sauvage
Les Grèves
Bagneux
Étrelles-s-Aube
Charny-le-Bachot
Rhèges
Bessy
Les Vigneaux
Barbuise
Conflans-s-Seine
La Saulsotte
Courtavant
Périgny-la-Rose
Sauvage
Barbenthal
Frécul
Liours
Sellières
Lion
Clesles
Pont-s-Seine
Crancey
Romilly-s-Seine
Maizières-la-Gde-Paroisse
Poussey
St-Oulph
Méry-sur-Seine
Prémierfait
Marnay-sur-Seine
Port St-Nicolas
Nogent-s-Seine
La Poste
St-Hilaire-s/s-Romilly
Les Granges
Châtres
Droupt-Ste-Marie
Le Ruez
Bernières
La Chapelle-Godefroy
La Crouillère
Parc de Pont
Longueperte
Gélannes
Pars-lès-Romilly
Mesgrigny
La Belle-Étoile
St-Aubin
Pommereau
Origny-le-Sec
Le Petit St-Georges
Vallant-St-Georges
Droupt-St-Basle
Les Grandes Chapelles
Fontaine-Mâcon
Le Paraclet
Quincey
Malminou
Vaudepuits
Courlanges
St-Loup-de-Buffigny
Ferreux-Quincey
Tremblay
Corduan
St-Martin-de-Bossenay
La Fosse-Corduan
Bossenay
Orvilliers-St-Julien
Rilly-Ste-Syre
St-Mesnin
Fontaine-les-Grès
Les Ormeaux
Le Clos
Rozières
Avant-lès-Marcilly
Ossey-les-Trois-Maisons
Chauchigny
Bouy-sur-Orvin
Fontenay-le-Pierreux
Bois de Fay
Fay-lès-Marcilly
Belle-Assise
Savières
Villacerf
Soligny-les-Étangs
Le Vallon
Charmoy
Rigny-la-Nonneuse
St-Flavy
La Pèze
Marigny-le-Châtel
Perthelaine
Mergey
Payns
Échemines
Avon-la-Pèze
Charmesseaux
Montaphilant
Trancault
Belleville
Prunay-Belleville
Camp militaire
Obélisque
Le Pavillon-Ste-Julie
St-Lye
La Malmaison
Vermoise
Bourdenay
Bellevillotte
St-Maurice-aux-Riches-Hommes
La Villeneuve-aux-Riches-Hommes
St-Lupien
Villeloup
Barberey-aux-Moines
Marcilly-le-Hayer
Le Mothois
Faux-Villecerf
Barberey-St-Sulpice
Mauny
Lussin
Bercenay-le-Hayer
TROYES
Chavaudon
Four gaulois
Dierrey-St-Pierre
Grange l'Évêque
Ste-Marie
Picardie
Vierge-Ste-Espérance
Bois de Cornillon
Villadin
Dierrey-St-Julien
Les Dagues
Mesnil-Vallon
La Chapelle-St-Luc
La Chaume
Pierre-Couverte
Chanteloup
Mesnil-St-Loup
Montgueux
Bois l'Abbesse
Pouy-s-Vannes
Macey
Courgenay
Palis
Fontvannes
La Rivière-de-Corps
Clairlieu
La Grange-au-Rez
St-André-les-Vergers
La Charmée
La Singerie
Les Marchais
Planty
Bucey-en-Othe
Messon
Torvilliers
Lépine
Ferme de Vauluisant
Rateau
Les Essarts
Villemaur-sur-Vanne
Estissac
Montdogat
La Pellerie
Neuville-sur-Vanne
Thuisy
Le Chaast
St-Germain
Chevillèle
Cosdon
Nozet
Ste-Sophie
Forêt de la Traconne
Bois de Béthon
Forêt de la Perthe
Aube
Seine
N 4
D 951
D 373
D 619
D 441
D 442
D 660

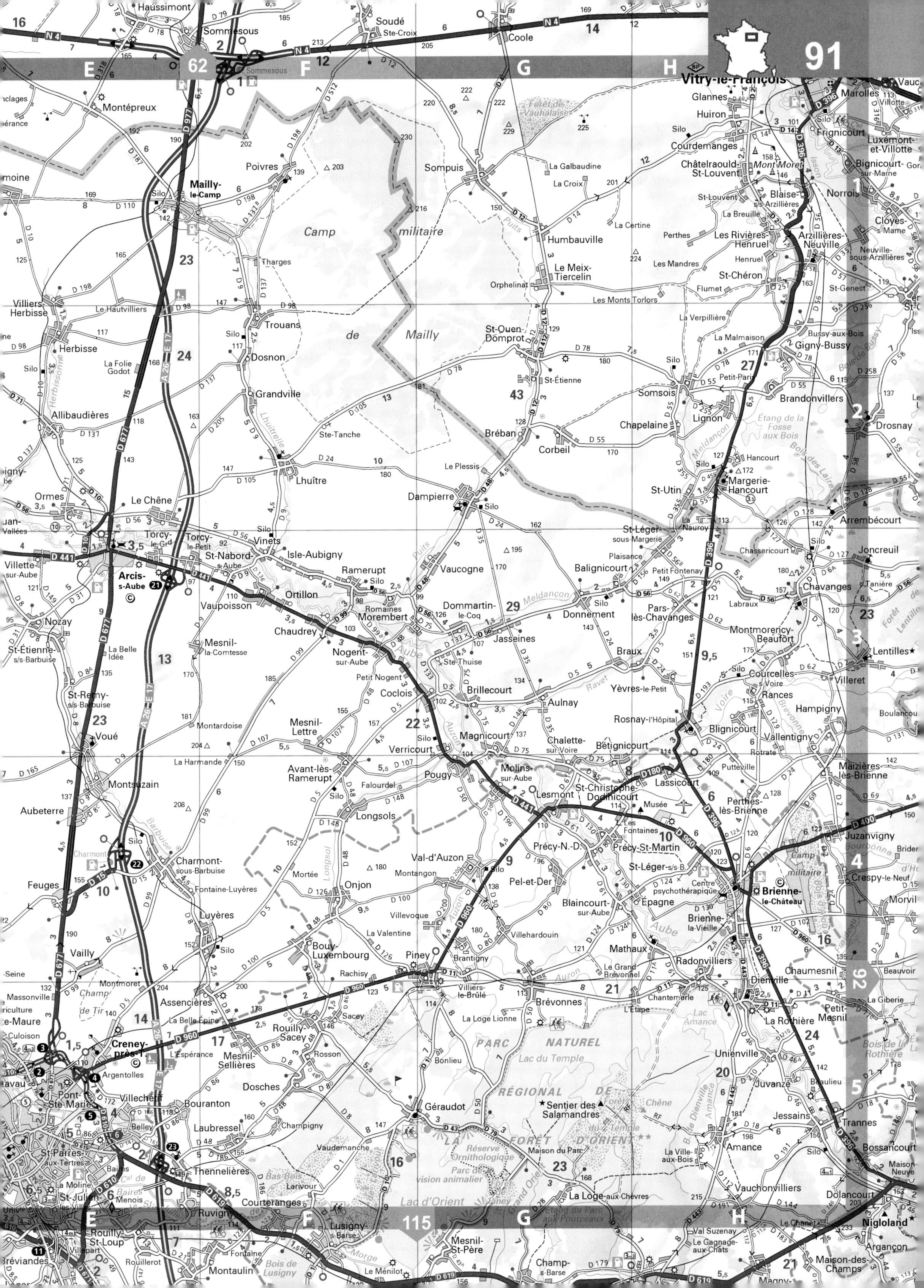
Haussimont
Sommesous
Soudé
Ste-Croix
Coole
Vitry-le-François
Glannes
Huiron
Marolles
Frignicourt
Luxémont-et-Villotte
Bignicourt-sur-Marne
Montépreux
Poivres
Mailly-le-Camp
Sompuis
La Galbaudine
La Croix
Courdemanges
Châtelraould-St-Louvent
Mont Moret
Blaise-s/s-Arzillières
St-Louvent
La Breuille
Norrois
Cloyes-s/Marne
Camp militaire de Mailly
Humbauville
La Certine
Perthes
Les Rivières-Henruel
Henruel
Arzillières-Neuville
Neuville-sous-Arzillières
Les Mandres
Le Meix-Tiercelin
Orphelinat
Les Monts Torlors
Flumet
St-Chéron
St-Genest
Thargés
Villiers-Herbisse
Le Hautvilliers
Trouans
Herbisse
La Folie Godot
Dosnon
St-Ouen-Domprot
La Verpillière
La Malmaison
Bussy-aux-Bois
Gigny-Bussy
St-Étienne
Grandville
Allibaudières
Ste-Tanche
Somsois
Petit-Paris
Brandonvillers
Lignon
Chapelaine
Bréban
Corbeil
Étang de la Fosse aux Bois
Drosnay
Lhuître
Le Plessis
Hancourt
Margerie-Hancourt
St-Utin
Dampierre
Silo
Ormes
Le Chêne
Torcy-le-Grd
Torcy-le-Petit
St-Nabord-s-Aube
Vinets
Isle-Aubigny
Arcis-s-Aube
St-Léger-sous-Margerie
La Nauroy
Arrembécourt
Chassericourt
Joncreuil
Villette-sur-Aube
Ramerupt
Vaucogne
Plaisance
Balignicourt
Petit Fontenay
Tanière
Chavanges
Ortillon
Nozay
Vaupoisson
Romaines
Morembert
Dommartin-le-Coq
Donnement
Pars-lès-Chavanges
Labraux
Chaudrey
Jasseines
Montmorency-Beaufort
Lentilles
St-Étienne-s/s-Barbuise
La Belle Idée
Mesnil-la-Comtesse
Nogent-sur-Aube
Ste-Thuise
Braux
Courcelles-s-Voire
Villeret
Petit Nogent
Coclois
Brillecourt
Yèvres-le-Petit
Rances
St-Remy-s/s-Barbuise
Aulnay
Hampigny
Voué
Montardoise
Mesnil-Lettre
Magnicourt
Chalette-sur-Voire
Rosnay-l'Hôpital
Blignicourt
Vallentigny
Bétignicourt
Rotrate
Verricourt
La Harmande
Avant-lès-Ramerupt
Pougy
Molins-sur-Aube
Lassicourt
Puttevillé
Maizières-lès-Brienne
Montsuzain
Falourdel
Lesmont
St-Christophe-Dodinicourt
Perthes-lès-Brienne
Aubeterre
Longsols
Musée
Les Fontaines
Juzanvigny
Précy-N.-D.
Précy-St-Martin
Charmont-sous-Barbuise
Val-d'Auzon
Pel-et-Der
St-Léger-s/s-B.
Camp militaire
Crespy-le-Neuf
Feuges
Mortée
Montangon
Onjon
Centre psychothérapique
Brienne-le-Château
Fontaine-Luyères
Blaincourt-sur-Aube
Épagne
Luyères
Villevoque
Brienne-la-Vieille
La Valentine
Villehardouin
Vailly
Bouy-Luxembourg
Piney
Brantigny
Mathaux
Radonvilliers
Montmoret
Rachisy
Le Grand Brévonnel
Dienville
Chaumesnil
Beauvoir
Massonville
Champ de Tir
Assencières
Villiers-le-Brûlé
Brévonnes
Chantemerle
L'Étape
La Giberie
Petit Mesnil
Culoison
La Belle Épine
Sacey
La Loge Lionne
Lac Amance
La Rothière
Creney-près-T.
L'Espérance
Rouilly-Sacey
Mesnil-Sellières
PARC NATUREL RÉGIONAL DE LA FORÊT D'ORIENT
Lac du Temple
Unienville
Bois de la Rothière
Argentolles
Rosson
Bonlieu
Juvanzé
Beaulieu
Pont-Ste-Marie
Villechétif
Dosches
Sentier des Salamandres
Forêt du Temple
Chêne
Bouranton
Géraudot
Jessains
Trannes
Belley
Champigny
Laubressel
Vaudemanche
Réserve Ornithologique
Parc de vision animalier
Maison du Parc
Amance
La Ville-aux-Bois
Bossancourt
Maison-Neuve
St-Parres-aux-Tertres
Thennelières
Bas-Bois
Vauchonvilliers
Lavivour
La Moline
St-Julien-les-Villas
Menois
Courteranges
Lac d'Orient
La Loge-aux-Chèvres
Étang du Parc aux Pourceaux
Dolancourt
Nigloland
Ruvigny
Lusigny-s-Barse
Mesnil-St-Père
Val Suzenay
Le Chanet
Rouilly-St-Loup
Villepart
Le Gagnage-aux-Chats
Argançon
Fontaine
Bréviandes
Rouilleröt
Montaulin
Bois de Lusigny
Le Ménilot
Champ-s-Barse
Maison-des-Champs
Magny
E F G H
62 115 92
N 4
D 441
D 960
D 396
D 619
D 677
A 26 E 17

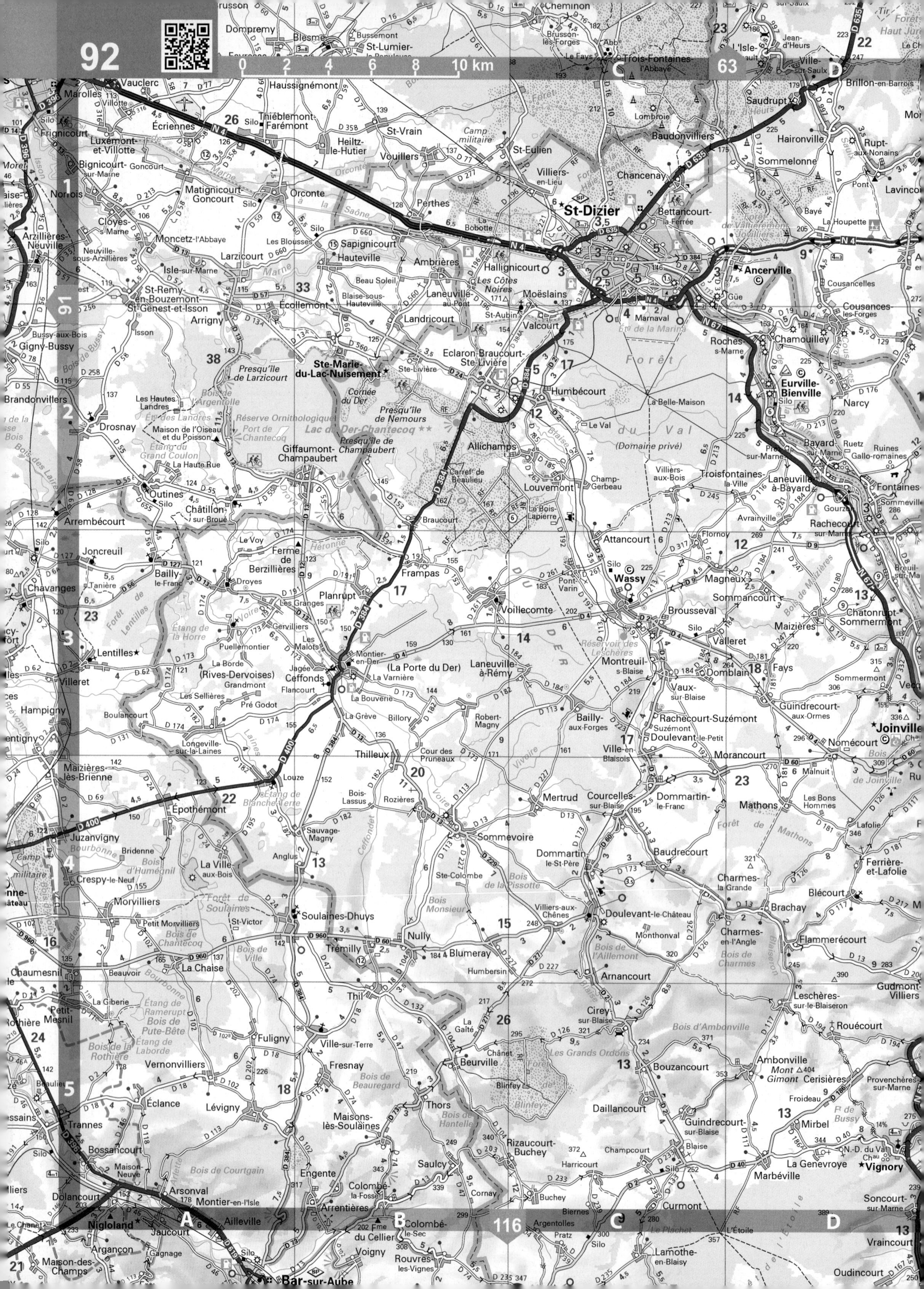
0 2 4 6 8 10 km
63
116
91
St-Dizier
Ancerville
Wassy
Joinville
Bar-sur-Aube
Nigloland
Vignory
Eurville-Bienville
Ste-Marie-du-Lac-Nuisement
Lac du Der-Chantecoq
Réserve Ornithologique
Presqu'île de Larzicourt
Presqu'île de Nemours
Presqu'île de Champaubert
Port de Chantecoq
Maison de l'Oiseau et du Poisson
Forêt du Val
(Domaine privé)
La Belle-Maison
Forêt du Der
Réservoir des Leschères
Montier-en-Der
(La Porte du Der)
(Rives-Dervoises)
Giffaumont-Champaubert
Humbécourt
Allichamps
Louvemont
Eclaron-Braucourt-Ste-Livière
Valcourt
Moëslains
Hallignicourt
Perthes
Vitry
Vauclerc
Marolles
Frignicourt
Luxémont-et-Villotte
Bignicourt-sur-Marne
Matignicourt-Goncourt
Orconte
Larzicourt
Arrigny
Écollemont
Landricourt
Drosnay
Outines
Châtillon-sur-Broué
Arrembécourt
Joncreuil
Chavanges
Lentilles
Droyes
Planrupt
Frampas
Voillecomte
Brousseval
Attancourt
Magneux
Sommancourt
Vallerret
Fays
Doulevant-le-Petit
Doulevant-le-Château
Dommartin-le-Franc
Mathons
Sommevoire
Soulaines-Dhuys
Juzanvigny
Morvilliers
La Chaise
Petit-Mesnil
Trannes
Arsonval
Montier-en-l'Isle
Ailleville
Jaucourt
Colombé-le-Sec
Rouvres-les-Vignes
Lamothe-en-Blaisy
Vraincourt
Oudincourt
Soncourt-sur-Marne
Cirey-sur-Blaise
Beurville
Blumeray
Nully
Trémilly
Thil
Fresnay
Ville-sur-Terre
Fuligny
Lévigny
Éclance
Bossancourt
Thors
Maisons-lès-Soulaines
Saulcy
Engente
Rizaucourt-Buchey
Daillancourt
Guindrecourt-sur-Blaise
Marbéville
Blaise
Curmont
Arnancourt
Ambonville
Mont Gimont
Cerisières
Mirbel
La Genevroye
Leschères-sur-le-Blaiseron
Flammerécourt
Brachay
Blécourt
Ferrière-et-Lafolie
Nomécourt
Guindrecourt-aux-Ormes
Rachecourt-Suzémont
Vaux-sur-Blaise
Domblain
Montreuil-sur-Blaise
Laneuville-à-Rémy
Ceffonds
Thilleux
Louze
Épothémont
Maizières-lès-Brienne
Chamouilley
Roches-sur-Marne
Bayard-sur-Marne
Narcy
Fontaines
Rachecourt-sur-Marne
Chatonrupt-Sommermont
Maizières
Trois-Fontaines-l'Abbaye
Cheminon
Baudonvilliers
Chancenay
Bettancourt-la-Ferrée
Saudrupt
Brillon-en-Barrois
Haironville
Rupt-aux-Nonains
Sommelonne
Lavincourt
Cousances-les-Forges
Villiers-en-Lieu
St-Eulien
Vouillers
Heiltz-le-Hutier
St-Vrain
Thiéblemont-Farémont
Écriennes
Haussignémont
Sapignicourt
Hauteville
Ambrières
Isle-sur-Marne
Moncetz-l'Abbaye
Cloyes-sur-Marne
Norrois
Arzillières-Neuville
St-Remy-en-Bouzemont-St-Genest-et-Isson
Gigny-Bussy
Brandonvilliers
Hampigny
Villeret
Crespy-le-Neuf
La Ville-aux-Bois
Sauvage-Magny
Anglus
Bois-Lassus
Rozières
Mertrud
Courcelles-sur-Blaise
Dommartin-le-St-Père
Baudrecourt
Charmes-la-Grande
Charmes-en-l'Angle
Villiers-aux-Chênes
Humbersin
Bouzancourt
Gudmont-Villiers
Rouécourt
Provenchères-sur-Marne
Voigny
Arrentières
Argançon
Maison-des-Champs
Dolancourt
La Giberie
Vernonvilliers
Chaumesnil
Bailly-aux-Forges
Ville-en-Blaisois
Morancourt
Robert-Magny
Longeville-sur-la-Laines
Puellemontier
Berzillières
Bailly-le-Franc

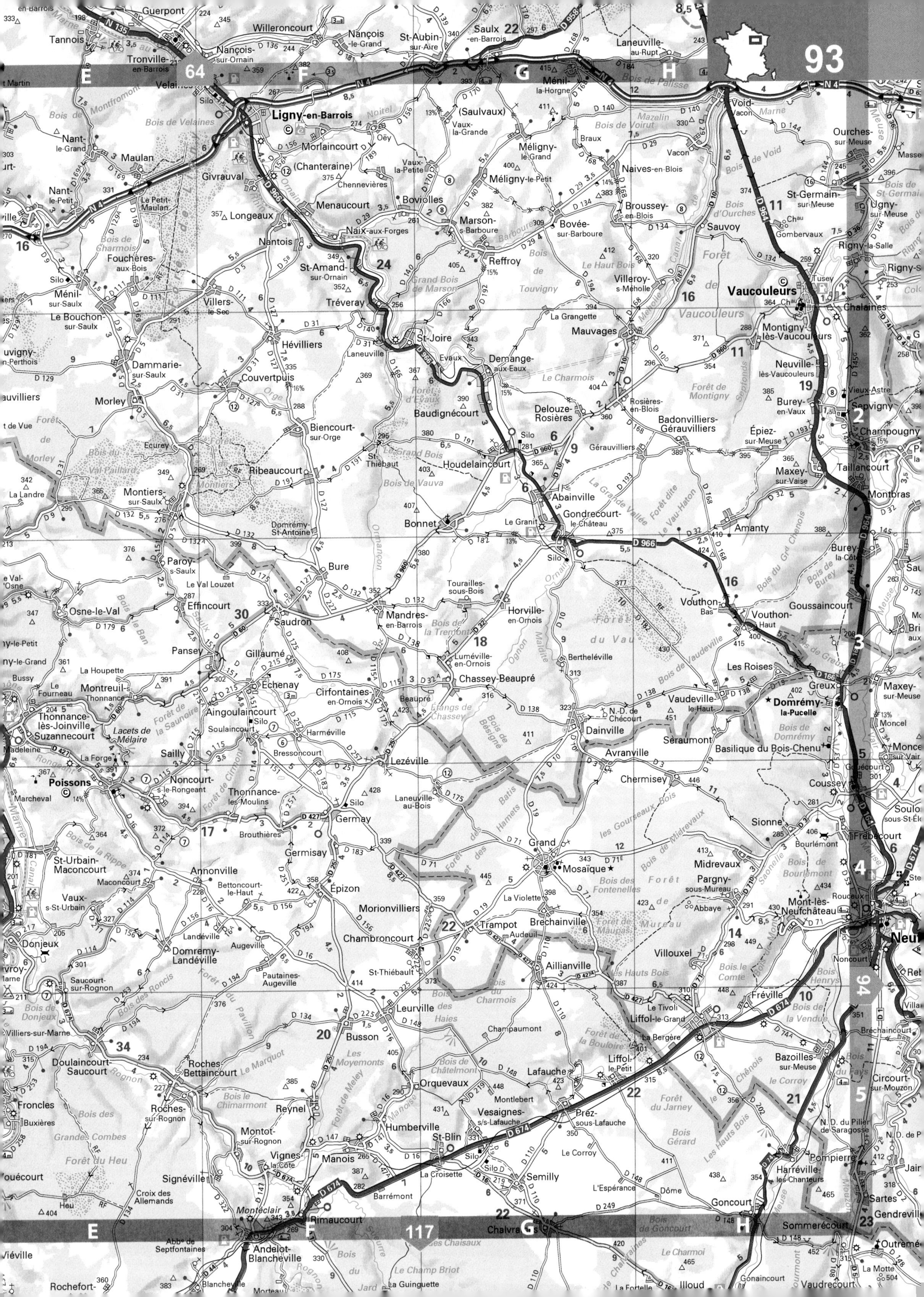
93
94
117
64
E
F
G
H
Guerpont
Willeroncourt
Tannois
Tronville-en-Barrois
Nançois-sur-Ornain
Nançois-le-Grand
St-Aubin-sur-Aire
Saulx-en-Barrois
Laneuville-au-Rupt
Velaines
Ligny-en-Barrois
Ménil-la-Horgne
Void-Vacon
Ourches-sur-Meuse
Nant-le-Grand
Maulan
Morlaincourt
(Saulvaux)
Vaux-la-Grande
Méligny-le-Grand
Méligny-le-Petit
Braux
Vacon
Naives-en-Blois
(Chanteraine)
Chennevières
Vaux-la-Petite
Givrauval
Nant-le-Petit
Le Petit-Maulan
Menaucourt
Boviolles
Marson-s-Barboure
Bovée-sur-Barboure
Broussey-en-Blois
St-Germain-sur-Meuse
Ugny-sur-Meuse
Longeaux
Naix-aux-Forges
Nantois
Reffroy
Sauvoy
Gombervaux
Rigny-la-Salle
Rigny-St-Martin
Fouchères-aux-Bois
St-Amand-sur-Ornain
Tréveray
Villeroy-s-Méholle
Vaucouleurs
Ménil-sur-Saulx
Le Bouchon-sur-Saulx
Villers-le-Sec
Chalaines
Hévilliers
St-Joire
Laneuville
Evaux
Demange-aux-Eaux
Mauvages
La Grangette
Montigny-lès-Vaucouleurs
Dammarie-sur-Saulx
Couvertpuis
Neuville-lès-Vaucouleurs
Morley
Baudignécourt
Delouze-Rosières
Rosières-en-Blois
Badonvilliers-Gérauvilliers
Burey-en-Vaux
Sepvigny
Biencourt-sur-Orge
Champougny
Épiez-sur-Meuse
Houdelaincourt
Gérauvilliers
St-Thiébaut
Ecurey
Ribeaucourt
Taillancourt
Maxey-sur-Vaise
Montbras
Abainville
Gondrecourt-le-Château
Montiers-sur-Saulx
Bonnet
Le Granit
Amanty
La Landre
Domrémy-St-Antoine
Burey-la-Côte
Paroy-s-Saulx
Bure
Tourailles-sous-Bois
Le Val Louzet
Effincourt
Saudron
Mandres-en-Barrois
Horville-en-Ornois
Vouthon-Bas
Vouthon-Haut
Goussaincourt
Osne-le-Val
Pansey
Gillaumé
Luméville-en-Ornois
Bertheléville
La Houpette
Montreuil-s-Thonnance
Echenay
Cirfontaines-en-Ornois
Chassey-Beaupré
Les Roises
Greux
Maxey-sur-Meuse
Le Fourneau
Thonnance-lès-Joinville
Suzannecourt
Aingoulaincourt
Soulaincourt
Harméville
Beaupré
Dainville
Vaudeville-le-Haut
N.-D. de Chécourt
Domrémy-la-Pucelle
Moncel
Sailly
Bressoncourt
Lezéville
Seraumont
Basilique du Bois-Chenu
La Forge
Poissons
Noncourt-s-le-Rongeant
Thonnance-les-Moulins
Avranville
Chermisey
Coussey
Marcheval
Laneuville-au-Bois
Germay
Sionne
Soulosse-sous-St-Élophe
Brouthières
Grand
Bourlémont
Frebécourt
St-Urbain-Maconcourt
Annonville
Germisay
Mosaïque
Midrevaux
Pargny-sous-Mureau
Abbaye
Maconcourt
Bettoncourt-le-Haut
Épizon
La Violette
Mont-lès-Neufchâteau
Rouceux
Vaux-s-St-Urbain
Morionvilliers
Trampot
Brechainville
Neufchâteau
Landéville
Domremy-Landéville
Augeville
Chambroncourt
Audeuil
Villouxel
Donjeux
Saucourt-sur-Rognon
Pautaines-Augeville
St-Thiébault
Aillianville
Noncourt
Le Tivoli
Liffol-le-Grand
Fréville
Villiers-sur-Marne
Leurville
Champaumont
La Bergère
Bréchainville
Doulaincourt-Saucourt
Busson
Roches-Bettaincourt
Liffol-le-Petit
Bazoilles-sur-Meuse
Orquevaux
Lafauche
Montlebert
Circourt-sur-Mouzon
Froncles
Buxières
Reynel
Roches-sur-Rognon
Vesaignes-s/s-Lafauche
Prez-sous-Lafauche
N. D. du Pilier de Saragosse
Humberville
St-Blin
Montot-sur-Rognon
Vignes-la-Côte
Manois
Pompierre
Signéville
La Croisette
Semilly
Le Corroy
Harréville-les-Chanteurs
Croix des Allemands
Heu
Barrémont
L'Espérance
Dôme
Sartes
Gendreville
Montéclair
Rimaucourt
Goncourt
Sommerécourt
Chalvraines
Andelot-Blancheville
Abbaye de Septfontaines
Outremécourt
Rochefort
Blancheville
Morteau
La Guinguette
Illoud
Gonaincourt
Vaudrecourt
La Motte
Forêt de Vaucouleurs
Forêt de Montigny
Bois de Touvigny
Grand Bois de Marson
Forêt d'Evaux
Bois de Vauva
Le Grand Bois
Forêt du Vau
Forêt de Morley
Bois du Val Paillard
Forêt de Cirmont
Forêt de la Saunoire
Lacets de Mélaire
Bois de la Rippe
Forêt de Mureau
Bois des Fontenelles
Forêt du Pavillon
Bois des Roncis
Forêt du Heu
Grandes Combes
Bois le Chimarmont
Forêt de Meley
Les Moyemonts
Bois de Châtelmont
Forêt de la Bouloire
Forêt du Jarney
Bois Gérard
Les Hauts Bois
Bois de Goncourt
Le Charmoi
Le Champ Briot
Les Chaisaux
Le Corroy
Bois de Void
Bois d'Ourches
Marne
Meuse
Ornain
Saulx
Rognon
D 966
D 960
D 964
D 674
N 4
N 135

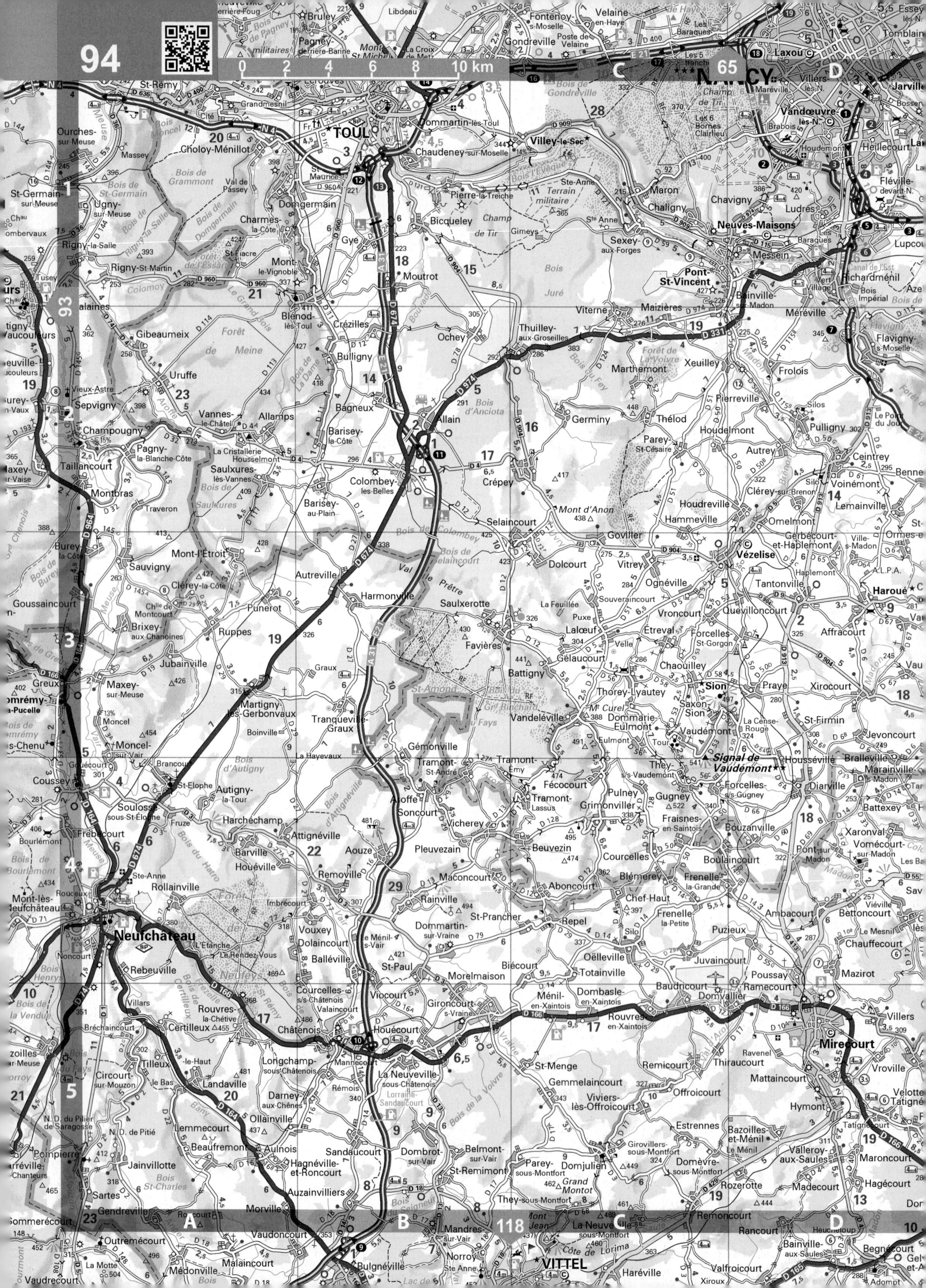

0 2 4 6 8 10 km
65
93
118
A
B
C
D
NANCY
TOUL
Neufchâteau
Mirecourt
VITTEL
Vézelise
Laxou
Vandœuvre-lès-N.
Villers-lès-N.
Maréville
Heillecourt
Fléville-devant-N.
Ludres
Chavigny
Neuves-Maisons
Messein
Richardménil
Pont-St-Vincent
Bainville-sur-Madon
Méréville
Flavigny-s-Moselle
Frolois
Maron
Chaligny
Sexey-aux-Forges
Villey-le-Sec
Chaudeney-sur-Moselle
Dommartin-lès-Toul
Pierre-la-Treiche
Bicqueley
Gye
Moutrot
Blénod-lès-Toul
Crézilles
Ochey
Bulligny
Bagneux
Allain
Barisey-la-Côte
Colombey-les-Belles
Barisey-au-Plain
Crépey
Selaincourt
Thuilley-aux-Groseilles
Maizières
Viterne
Xeuilley
Marthemont
Pierreville
Germiny
Thélod
Houdelmont
Parey-St-Césaire
Pulligny
Autrey
Ceintrey
Voinémont
Clérey-sur-Brenon
Houdreville
Hammeville
Omelmont
Goviller
Dolcourt
Vitrey
Ognéville
Tantonville
Haroué
Quevilloncourt
Vroncourt
Laloeuf
Favières
Saulxerotte
Battigny
Gélaucourt
Chaouilley
Thorey-Lyautey
Sion
Saxon-Sion
Vaudémont
Praye
Xirocourt
St-Firmin
Vandeléville
Dommarie-Eulmont
Signal de Vaudémont
Houséville
Forcelles-s/s-Gugney
Gugney
Pulney
Fécocourt
Tramont-Émy
Tramont-St-André
Tramont-Lassus
Grimonviller
Fraisnes-en-Saintois
Bouzanville
Diarville
Gémonville
Aroffe
Soncourt
Vicherey
Beuvezin
Pleuvezain
Courcelles
Boulaincourt
Blémerey
Frenelle-la-Grande
Frenelle-la-Petite
Chef-Haut
Ambacourt
Maconcourt
Abonccourt
Rainville
St-Prancher
Repel
Puzieux
Dommartin-sur-Vraine
Oëlleville
Juvaincourt
Biécourt
Totainville
Poussay
Mazirot
Ménil-en-Xaintois
Dombasle-en-Xaintois
Baudricourt
Domvallier
Ramecourt
Rouvres-en-Xaintois
Villers
Morelmaison
Gironcourt-s-Vraine
St-Menge
Gemmelaincourt
Remicourt
Thiraucourt
Mattaincourt
Vroville
Hymont
Offroicourt
Viviers-lès-Offroicourt
Estrennes
Bazoilles-et-Ménil
Valleroy-aux-Saules
Maroncourt
Girovillers-sous-Montfort
Domèvre-sous-Montfort
Domjulien
Parey-sous-Montfort
Belmont-sur-Vair
St-Remimont
Rozerotte
Madecourt
Hagécourt
They-sous-Montfort
Remoncourt
Rancourt
Bainville-aux-Saules
La Neuveville-sous-Montfort
Mandres-sur-Vair
Norroy
Bulgnéville
Haréville
Valfroicourt
Sandaucourt
Dombrot-sur-Vair
Auzainvilliers
Hagnéville-et-Roncourt
Aulnois
Morville
Vaudoncourt
Ollainville
Darney-aux-Chênes
La Neuveville-sous-Châtenois
Houécourt
Châtenois
Viocourt
Courcelles-s/s-Châtenois
Balléville
St-Paul
Vouxey
Dolaincourt
Removille
Aouze
Attignéville
Harchéchamp
Barville
Houéville
Rollainville
Rebeuville
Rouvres-la-Chétive
Certilleux
Tilleux
Landaville
Circourt-sur-Mouzon
Lemmecourt
Beaufremont
Jainvillotte
Pompierre
Sartes
Gendreville
Médonville
Malaincourt
Outremécourt
Vaudrecourt
Frebécourt
Coussey
Soulosse-sous-St-Élophe
St-Élophe
Autigny-la-Tour
Moncel-sur-Vair
Martigny-les-Gerbonvaux
Tranqueville-Graux
Maxey-sur-Meuse
Greux
Jubainville
Ruppes
Punerot
Harmonville
Autreville
Brixey-aux-Chanoines
Clérey-la-Côte
Sauvigny
Mont-l'Étroit
Burey-la-Côte
Goussaincourt
Montbras
Taillancourt
Saulxures-lès-Vannes
Pagny-la-Blanche-Côte
Champougny
Sepvigny
Vannes-le-Châtel
Allamps
Uruffe
Gibeaumeix
Rigny-St-Martin
Rigny-la-Salle
Ugny-sur-Meuse
St-Germain-sur-Meuse
Ourches-sur-Meuse
Choloy-Ménillot
Domgermain
Charmes-la-Côte
Mont-le-Vignoble
St-Rémy
Grandmesnil
Bruley
Pagney-derrière-Barine
Gondreville
Fontenoy-s-Moselle
Velaine-en-Haye
Forêt de Meine
Bois de Grammont
Bois de Colombey
Bois du Fays
Forêt de Neufeys
Bois de Saulxures
Bois d'Autigny
Bois d'Attignéville
Bois du Hatro

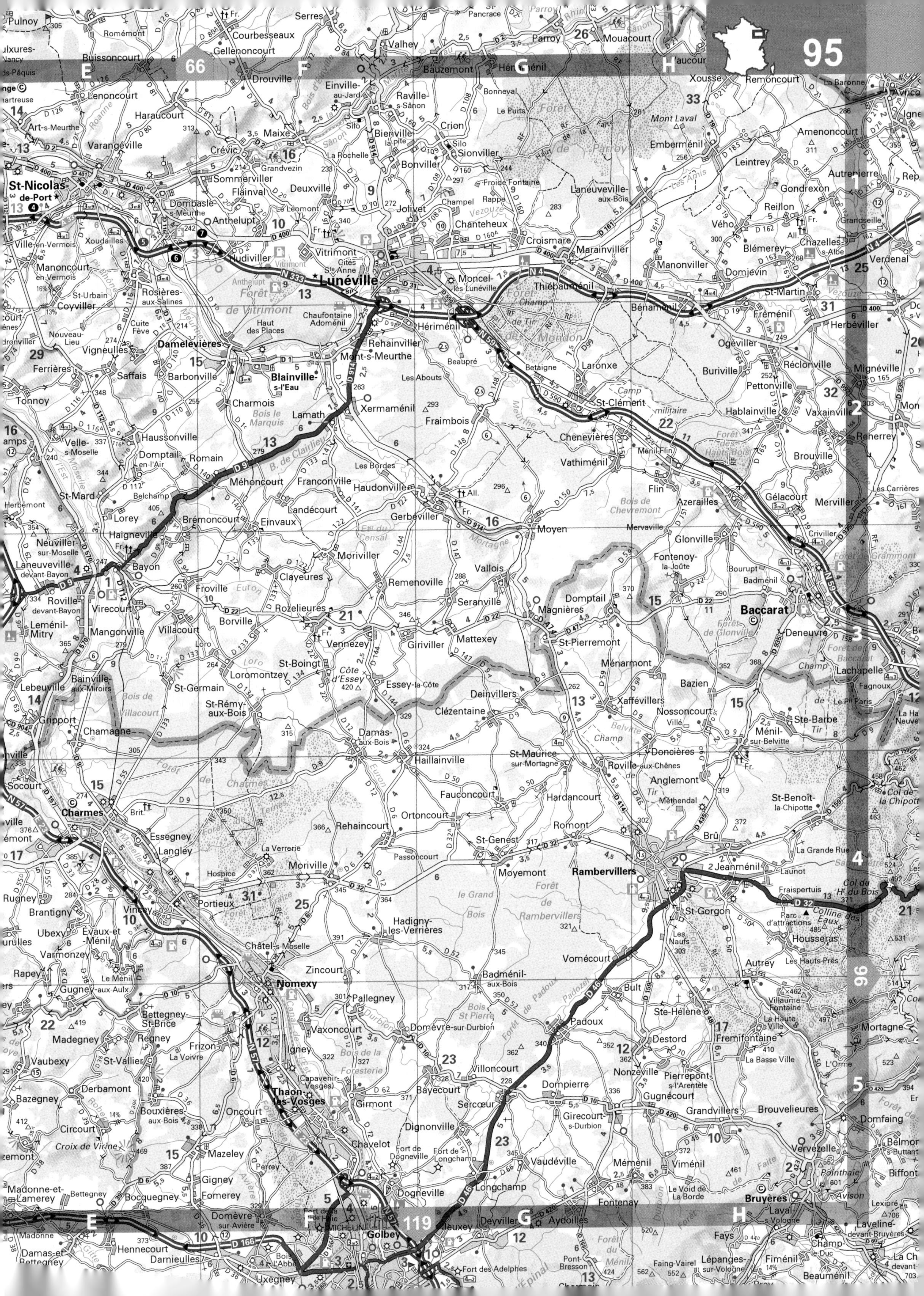
Pulnoy
Serres
Courbesseaux
Gellenoncourt
Valhey
Parroy
Mouacourt
Buissoncourt
Drouville
Bauzemont
Hénaménil
Xousse
Remoncourt
Lenoncourt
Einville-au-Jard
Raville-s-Sânon
Bonneval
Le Puits
Haraucourt
Art-s-Meurthe
Varangéville
Crévic
Maixe
Bienville-la-Petite
Crion
Sionviller
Mont Laval
Emberménil
Amenoncourt
Leintrey
Autrepierre
Gondrexon
Reillon
Vého
Blémerey
Chazelles-s-Albe
St-Nicolas-de-Port
Sommerviller
Flainval
Deuxville
Bonviller
Froide Fontaine
Laneuveville-aux-Bois
Dombasle-s-Meurthe
Anthelupt
Jolivet
Champel
Rappe
Chanteheux
Croismare
Marainviller
Manonviller
Domjevin
Verdenal
Ville-en-Vermois
Xoudailles
Hudiviller
Vitrimont
Lunéville
Moncel-lès-Lunéville
Thiébauménil
Bénaménil
St-Martin
Fréménil
Herbéviller
Manoncourt-en-Vermois
Rosières-aux-Salines
Forêt de Vitrimont
Coyviller
St-Urbain
Chaufontaine
Adoménil
Hériménil
Rehainviller
Mont-s-Meurthe
Ogéviller
Réclonville
Mignéville
Damelevières
Vigneulles
Ferrières
Saffais
Barbonville
Blainville-s-l'Eau
Les Abouts
Beaupré
Betaigne
Laronxe
Buriville
Pettonville
Tonnoy
Charmois
Lamath
Xermaménil
Fraimbois
St-Clément
Hablainville
Vaxainville
Reherrey
Velle-s-Moselle
Haussonville
Domptail-en-l'Air
Romain
Chenevières
Vathiménil
Ménil-Flin
Brouville
Méhoncourt
Franconville
Les Bordes
Haudonville
Flin
Azerailles
Gélacourt
Merviller
St-Mard
Lorey
Brémoncourt
Einvaux
Landécourt
Gerbéviller
Moyen
Mervaville
Glonville
Haigneville
Neuviller-sur-Moselle
Laneuveville-devant-Bayon
Bayon
Moriviller
Vallois
Fontenoy-la-Joûte
Bourupt
Badménil
Roville-devant-Bayon
Virecourt
Froville
Clayeures
Remenoville
Seranville
Domptail
Magnières
Baccarat
Leménil-Mitry
Mangonville
Villacourt
Borville
Rozelieures
Vennezey
Giriviller
Mattexey
St-Pierremont
Deneuvre
Lebeuville
Bainville-aux-Miroirs
Loromontzey
St-Boingt
Côte d'Essey
Essey-la-Côte
Ménarmont
Bazien
Lachapelle
Fagnoux
St-Germain
St-Rémy-aux-Bois
Deinvillers
Clézentaine
Xaffévillers
Nossoncourt
Ville
Ste-Barbe
Ménil-sur-Belvitte
Gripport
Chamagne
Damas-aux-Bois
Haillainville
St-Maurice-sur-Mortagne
Roville-aux-Chênes
Doncières
Anglemont
Méhendal
St-Benoît-la-Chipotte
Col de la Chipotte
Socourt
Charmes
Fauconcourt
Hardancourt
Ortoncourt
Rehaincourt
Romont
Brû
Essegney
Langley
La Verrerie
Passoncourt
St-Genest
Moyemont
Rambervillers
Jeanménil
La Grande Rue
Launot
Fraispertuis
Col du Hᵗ du Bois
Hospice
Moriville
Portieux
Le Grand Bois
Forêt de Rambervillers
St-Gorgon
Parc d'attractions
Colline des Eaux
Housseras
Rugney
Brantigny
Vincey
Ubexy
Évaux-et-Ménil
Hadigny-les-Verrières
Les Naufs
Varmonzey
Châtel-s-Moselle
Zincourt
Vomécourt
Autrey
Les Hauts-Prés
Rapey
Le Ménil
Gugney-aux-Aulx
Nomexy
Badménil-aux-Bois
Bult
Pallegney
Bettegney-St-Brice
Regney
Vaxoncourt
Domèvre-sur-Durbion
Padoux
Ste-Hélène
Villaume
Fontaine
La Haute Ville
Madegney
Frizon
La Voivre
Igney
Bois de la Foresterie
Destord
Fremifontaine
Mortagne
Vaubexy
St-Vallier
Capavenir-Vosges
Villoncourt
Nonzeville
Pierrepont-s-l'Arentèle
La Basse Ville
L'Orme
Bazegney
Derbamont
Thaon-les-Vosges
Bayecourt
Dompierre
Gugnécourt
Circourt
Bouxières-aux-Bois
Oncourt
Girmont
Sercœur
Girecourt-s-Durbion
Grandvillers
Brouvelieures
Domfaing
Croix de Virine
Dignonville
Mazeley
Chavelot
Fort de Dogneville
Fort de Longchamp
Vaudéville
Méménil
Viménil
Vervezelle
Belmont-s-Buttant
Biffontaine
Gigney
Fomerey
Perrey
Dogneville
Longchamp
Fontenay
Le Void de La Borde
Bruyères
Pointhaie
Avison
Madonne-et-Lamerey
Bettegney
Bocquegney
Domèvre-sur-Avière
Golbey
Jeuxey
Deyvillers
Aydoilles
Laval-s-Vologne
Laveline-devant-Bruyères
Damas-et-Bettegney
Hennecourt
Darnieulles
Fays
Champ-le-Duc
Uxegney
Bois l'Abbé
Fort des Adelphes
Pont-Bresson
Faing-Vairel
Lépanges-sur-Vologne
Fiménil
Beauménil
66
96
119

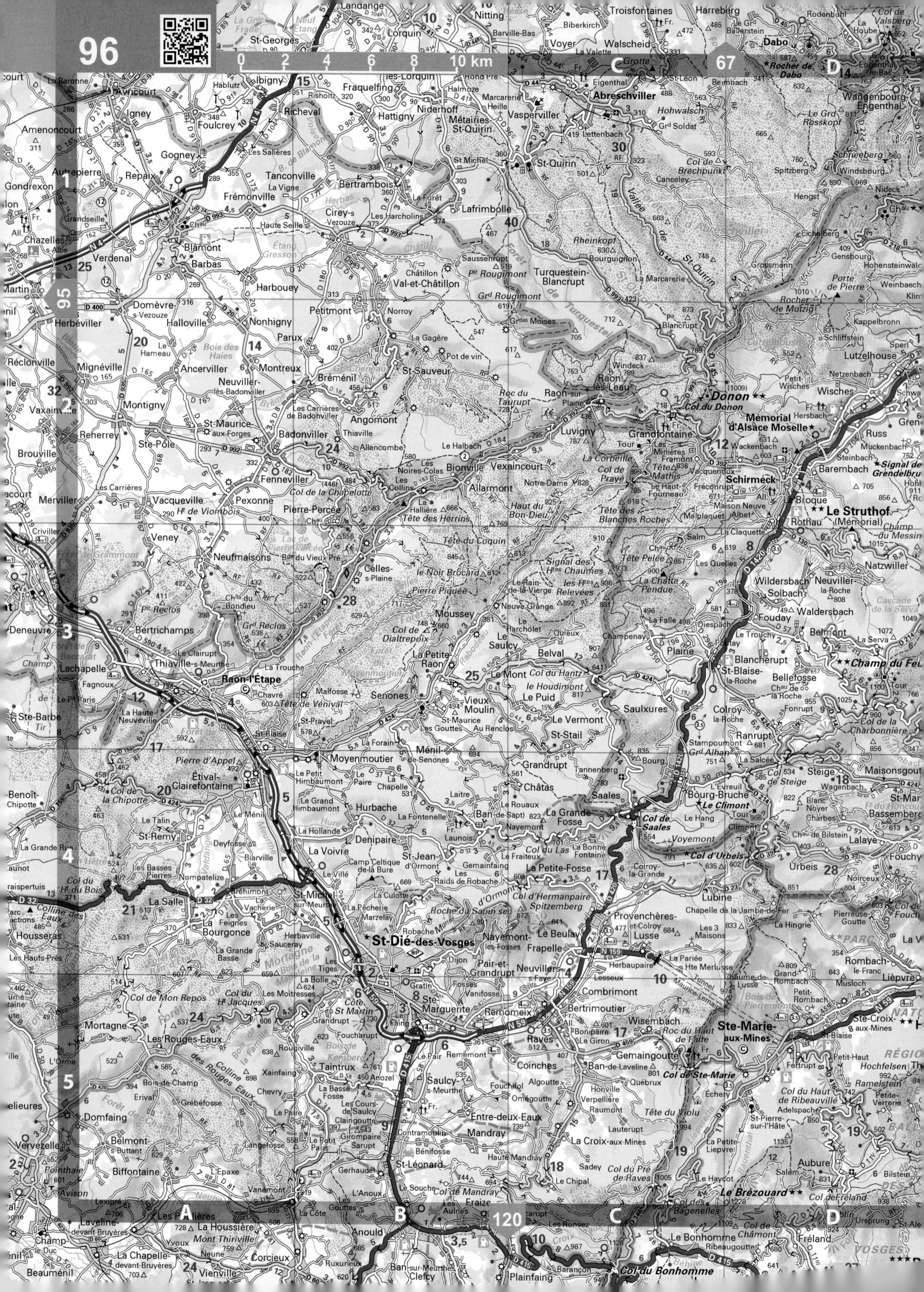

0 2 4 6 8 10 km
Landange
Nitting
Troisfontaines
Harreberg
Biberkirch
St-Georges
Lorquin
Barville-Bas
Voyer
Walscheid
Dabo
Rocher de Dabo
Col de Valsberg
La Valette
Grotte
St-Léon
67
Avricourt
Ibigny
Fraquelfing
Niderhoff
Hattigny
Métairies-St-Quirin
Abreschviller
Vasperviller
Hohwalsch
Eigenthal
Beimbach
Wangenbourg-Engenthal
Le Grd Rosskopf
Igney
Foulcrey
Richeval
Gogney
Amenoncourt
Les Salières
Tanconville
La Vigne
Bertrambois
St-Michel
St-Quirin
Lettenbach
Grd Soldat
Col de Brechpunkt
Canceley
Spitzberg
Schneeberg
Windsbourg
Nideck
Hengst
Autrepierre
Repaix
Gondrexon
Frémonville
Cirey-s-Vezouze
Les Harcholins
La Forêt
Lafrimbolle
Haute Seille
Grandseille
Chazelles-s-Albe
Blâmont
Barbas
Étang Gresson
Verdenal
Harbouey
Châtillon
Val-et-Châtillon
Saussenrupt
Pt Rougimont
Turquestein-Blancrupt
Rheinkopf
Bourguignon
Vallée de St-Quirin
La Marcarerie
Grossmann
Eichelberg
Gensbourg
Hohensteinwald
Porte de Pierre
Weinbacken
Rocher de Mutzig
Kappelbronn
Schliffstein
95
Herbéviller
Domèvre-s-Vezouze
Halloville
Nonhigny
Petitmont
Norroy
Grd Rougimont
Grdes Moises
Pt Blancrupt
Parux
Le Hameau
Bois des Haies
Montreux
La Gagère
Pot de vin
Réclonville
Mignéville
Ancerviller
Neuviller-lès-Badonviller
Bréménil
St-Sauveur
Roc du Taurupt
Raon-sur-Plaine
Raon-lès-Leau
Windeck
Donon
Col du Donon
Lutzelhouse
Petit-Wisches
Wisches
Netzenbach
Vaxainville
Montigny
Les Carrières de Badonviller
Angomont
Luvigny
Grandfontaine
Mémorial d'Alsace Moselle
Reherrey
St-Maurice-aux-Forges
Ste-Pôle
Badonviller
Thiaville
Allencombe
Le Halbach
Les Minières
Framont
Wackenbach
Russ
Muckenbach
Brouville
Fenneviller
Les Noires-Colas
Bionville
Vexaincourt
La Corbeille
Col de Prayé
Tête de Mathis
Vacquenoux
Schirmeck
Steinbach
Barembach
Signal de Grendelbruch
Les Carrières
Merviller
Col de la Chapelotte
Les Collins
Allarmont
Notre-Dame
Le Haut-Fourneau
Fréconrupt
Le Broque
Vacqueville
Pexonne
Pierre-Percée
La Hallière
Tête des Herrins
Haut du Bon-Dieu
Tête des Blanches Roches
Maison Neuve
Albet
Malplaquet
Rothau
Le Struthof (Mémorial)
Ht de Viombois
Veney
Tête du Coquin
Lac de Pierre Percée
Salm
La Claquette
Champ du Messin
Forêt de Grammont
Neufmaisons
Bois du Vieux Pré
Le Noir Brocard
Signal des Htes Chaumes
Tête Pelée
Les Quelles
Natzwiller
Celles-s-Plaine
Le Rain-de-la-Vierge
Les Htes Relevées
La Chatte Pendue
Wildersbach
Neuviller-la-Roche
Solbach
Chlle du Bondieu
Pt Reclos
Pierre Piquée
Neuve Grange
La Falle
Fouday
Waldersbach
Grd Reclos
Moussey
Le Harcholet
Champenay
Diespach
Le Trouchy
Belmont
Deneuvre
Bertrichamps
Col de Dialtrepoix
Le Saulcy
Quieux
Plaine
Blancherupt
Champ du Feu
La Serva
Lachapelle
Thiaville-s-Meurthe
Le Clairupt
La Petite Raon
Belval
St-Blaise-la-Roche
Bellefosse
Raon-l'Étape
La Trouche
Le Mont
Col du Hantz
Fagnoux
Chavré
Malfosse
Senones
Le Houdimont
Le Puid
Vieux Moulin
Saulxures
Colroy-la-Roche
Fonrupt
Col de la Charbonnière
Ste-Barbe
La Haute-Neuveville
Tête de Vénival
St-Prayel
St-Maurice
Les Gouttes
Au Renclos
Le Vermont
St-Stail
Stampoumont
Grd Alhan
Ranrupt
St-Blaise
La Forain
Ménil-de-Senones
Moyenmoutier
Bourg
La Salcée
Steige
Maisonsgoutte
Pierre d'Appel
Grandrupt
Tannenberg
Col de Steige
Benoît-Chipotte
Étival-Clairefontaine
Le Petit Himbaumont
Le Paire
Chapelle
Châtas
Saales
L'Evreuil
Bourg-Bruche
Wagenbach
Col de la Chipotte
Le Grand Himbaumont
Hurbache
Laitre
Le Rouaux
Ban-de-Sapt
La Grande Fosse
Col de Saales
Le Climont
Le Hang
Blanc Noyer
Charbes
Bassemberg
Le Talin
Le Ménil
La Fontenelle
Nayemont
Voyemont
Chau de Bilstein
Lalaye
St-Remy
Deyfosse
La Hollande
Denipaire
Launois
Col du Las
La Bonne Fontaine
Col d'Urbeis
Fouchy
La Grande Rue
Biarville
La Voivre
Camp Celtique de la Bure
St-Jean-d'Ormont
Le Fraiteux
La Petite-Fosse
Colroy-la-Grande
Urbeis
Les Basses Pierres
Nompatelize
Le Villé
Gemainfaing
Les Raids de Robache
Col du Ht du Bois
Bréhimont
St-Michel-sur-Meurthe
La Culotte
Col d'Hermanpaire
Spitzemberg
Lubine
La Salle
La Vacherie
La Pêcherie
Marzelay
Roche du Sapin sec
Provenchères-et-Colroy
Chapelle de la Jambe-de-Fer
Housseras
Les Feignes
La Bourgonce
Herbaville
Robache
St-Dié-des-Vosges
Nayemont-les-Fosses
Le Beulay
Lusse
Les 3 Maisons
La Hingrie
Pierreuse-Goutte
Saucenay
Les Hauts-Prés
La Grande Basse
Mortagne
Les Tiges
Dijon
Pair-et-Grandrupt
Frapelle
Herbaupaire
La Pariée
Hte Merlusse
Rombach-le-Franc
Neuvillers-s-Fave
Lesseux
Tunnel Maurice-Lemaire
Chaume-de-Lusse
Grand-Rombach
Musloch
Liepvre
La Bolle
Les Moitresses
Gratin
Fosses
Vanifosse
Col de Mon Repos
Col du St Jacques
Côte St Martin
Ste-Marguerite
Remomeix
Combrimont
Bertrimoutier
Wisembach
Roc du Haut de Faîte
Petit-Rombach
Ste-Croix-aux-Mines
Mortagne
Les Rouges-Eaux
Grandrupt
Foucharupt
Rougiville
Remémont
Raves
Bonipaire
Le Giron
Ste-Marie-aux-Mines
Gemaingoutte
Ban-de-Laveline
Col de Ste-Marie
Petit-Haut
Hochfelsen
Ramelstein
Bois de Kemberg
Taintrux
Xainfaing
Anozel
Le Pair
Saulcy-s-Meurthe
Coinches
Algoutte
Fouchifol
Omégoutte
Honville
Verpellière
Raumont
Québrux
Échery
Col du Haut de Ribeauvillé
Adelspach
St-Pierre-sur-l'Hâte
Verrerie
Bois-de-Champ
Erival
Grébéfosse
Chevry
La Basse Fosse
Les Cours-de-Saulcy
Colline des Rouges Eaux
Tête du Violu
Domfaing
Entre-deux-Eaux
Lauterupt
La Croix-aux-Mines
La Petite-Liepvre
Vervezelle
Belmont-s-Buttant
Langefosse
Le Petit Paris
Girompaire
Sarupt
Contramoulin
Bénifosse
Mandray
Haute Mandray
Biffontaine
Gerhaudel
St-Léonard
Sadey
Col du Pré de Raves
Auburé
Salem
Bilstein
Le Chipal
L'Epaxe
Vanémont
L'Anoux
Le Souche
Col de Mandray
Le Haycot
Le Brézouard
Col de Fréland
Lexipré
Les Pallières
La Côte
Les Gouttes
Les Aulnes
Fraize
Col des Bagenelles
Laveline-devant-Bruyères
La Houssière
Mont Thiriville
Anould
Les Ronsez
Le Bonhomme
Col de Chamont
Fréland
Ribeaugoutte
Urspung
Champ-le-Duc
Yvoux
Neune
Corcieux
Ruxurieux
Barançon
Col du Bonhomme
La Chapelle-devant-Bruyères
Vienville
Ban-sur-Meurthe-Clefcy
Plainfaing
Beauménil
120

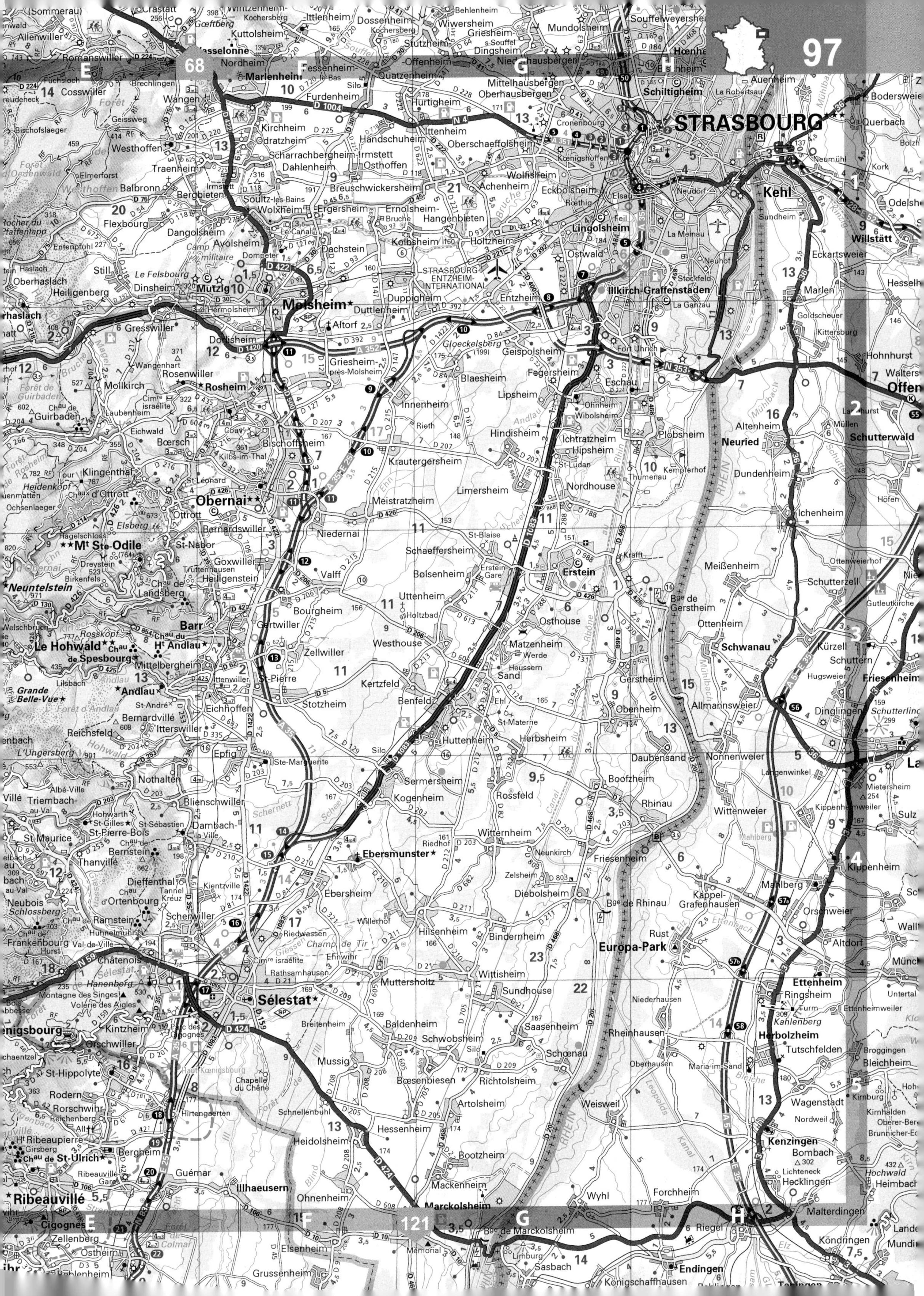
97
STRASBOURG
Schiltigheim
Hœnheim
Bischheim
Souffelweyersheim
Mundolsheim
Niederhausbergen
Mittelhausbergen
Oberhausbergen
Cronenbourg
Kœnigshoffen
Neudorf
La Robertsau
Kehl
Auenheim
Querbach
Sundheim
Neumühl
Willstätt
Eckartsweier
Marlen
Goldscheuer
Kittersburg
Hohnhurst
Offen
Schutterwald
Neuried
Altenheim
Müllen
Dundenheim
Ichenheim
Höfen
Meißenheim
Ottenweierhof
Schutterzell
Gutleutkirche
Ottenheim
Schwanau
Kürzell
Schuttern
Hugsweier
Friesenheim
Allmannsweier
Dinglingen
Schutterlind
Nonnenweier
Langenwinkel
Mietersheim
Kippenheimweiler
Wittenweier
Mahlberg
Kippenheim
Orschweier
Kappel-Grafenhausen
Rust
Europa-Park
Altdorf
Ettenheim
Ringsheim
Kahlenberg
Herbolzheim
Tutschfelden
Broggingen
Bleichheim
Wagenstadt
Nordweil
Kenzingen
Bombach
Hecklingen
Malterdingen
Riegel
Kondringen
Endingen
Königschaffhausen
Forchheim
Wyhl
Weisweil
Oberhausen
Niederhausen
Rheinhausen
Maria-im-Sand
Lingolsheim
Ostwald
Illkirch-Graffenstaden
La Ganzau
Neuhof
Stockfeld
La Meinau
Fort Uhrich
Eschau
Fegersheim
Geispolsheim
Entzheim
Strasbourg-Entzheim International
Holtzheim
Wolfisheim
Eckbolsheim
Achenheim
Oberschaeffolsheim
Ittenheim
Handschuheim
Hurtigheim
Furdenheim
Quatzenheim
Stutzheim-Offenheim
Dingsheim
Griesheim-s-Souffel
Wiwersheim
Dossenheim-Kochersberg
Kuttolsheim
Nordheim
Marlenheim
Wasselonne
Kirchheim
Odratzheim
Scharrachbergheim-Irmstett
Dahlenheim
Osthoffen
Breuschwickersheim
Ernolsheim-Bruche
Hangenbieten
Kolbsheim
Ergersheim
Wolxheim
Soultz-les-Bains
Dachstein
Avolsheim
Dangolsheim
Bergbieten
Balbronn
Flexbourg
Westhoffen
Traenheim
Wangen
Cosswiller
Romanswiller
Allenwiller
Mutzig
Dinsheim
Still
Oberhaslach
Heiligenberg
Molsheim
Duttlenheim
Duppigheim
Altorf
Dorlisheim
Gresswiller
Rosenwiller
Rosheim
Mollkirch
Griesheim-près-Molsheim
Blaesheim
Lipsheim
Innenheim
Rieth
Krautergersheim
Hindisheim
Ichtratzheim
Hipsheim
Plobsheim
Nordhouse
Limersheim
Meistratzheim
Niedernai
Obernai
Bischoffsheim
Bœrsch
Klingenthal
Ottrott
Bernardswiller
St-Nabor
Mt Ste-Odile
Goxwiller
Heiligenstein
Valff
Schaeffersheim
Bolsenheim
Erstein
Krafft
Uttenheim
Bourgheim
Gertwiller
Barr
Zellwiller
Westhouse
Osthouse
Matzenheim
Sand
Gerstheim
Obenheim
Daubensand
Herbsheim
Rhinau
Boofzheim
Rossfeld
Witternheim
Friesenheim
Diebolsheim
Neunkirch
Le Hohwald
Ht Andlau
Mittelbergheim
Andlau
St-Pierre
Kertzfeld
Benfeld
Stotzheim
Huttenheim
Eichhoffen
Bernardvillé
Itterswiller
Reichsfeld
Epfig
Nothalten
Sermersheim
Kogenheim
Blienschwiller
Dambach-la-Ville
Ebersmunster
Ebersheim
Hilsenheim
Bindernheim
Wittisheim
Dieffenthal
Scherwiller
Châtenois
Sélestat
Muttersholtz
Sundhouse
Saasenheim
Baldenheim
Schwobsheim
Schœnau
Richtolsheim
Bœsenbiesen
Artolsheim
Mussig
Hessenheim
Heidolsheim
Bootzheim
Mackenheim
Marckolsheim
Kintzheim
Orschwiller
St-Hippolyte
Rodern
Rorschwihr
Bergheim
Guémar
Illhaeusern
Ohnenheim
Ribeauvillé
Elsenheim
Grussenheim
Ostheim
Zellenberg
Cigognes
Sasbach
Limburg
Thanvillé
Triembach-au-Val
St-Maurice
St-Pierre-Bois
Neubois
Frankenbourg
68
121
E
F
G
H
1
2
3
4
5

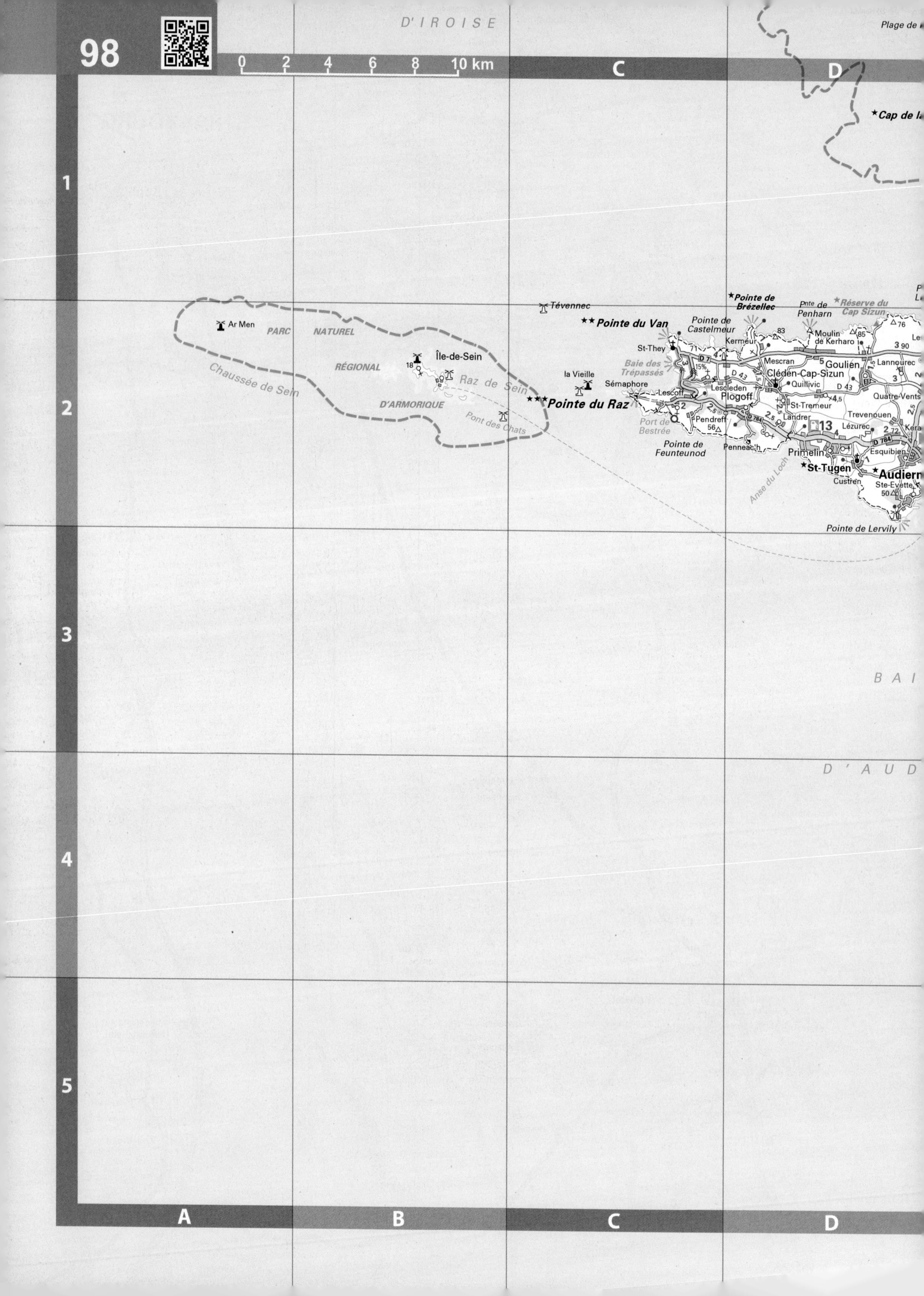

D'IROISE

Plage de

C

D

★ Cap de

0 2 4 6 8 10 km

1

★ Tévennec

★ Pointe de
Brézellec

Pnte de
Penharn

★ Réserve du
Cap Sizun

★ Ar Men

PARC   NATUREL

★★ Pointe du Van

Pointe de
Castelmeur

83

△ 85

△ 76

Le

St-They

71

Kermeur

Moulin
de Kerharo

3 90

RÉGIONAL

18

Île-de-Sein

D 7

15%

Mescran

Cléden-Cap-Sizun

5 Goulien

Lannourec

3

Chaussée de Sein

Raz de Sein

la Vieille

Baie des
Trépassés

D 43

Quillivic

St-Tremeur

Quatre-Vents

2

D'ARMORIQUE

Sémaphore

Lescoff

Lescleden

Plogoff

St-Tremeur

4,5

Trevenouen

2,5

Pont des Chats

★★★ Pointe du Raz

St-Tremeur

2

Pendreff
56 △

D 784

Landrer

2,5

13

Lézurec

2 72

Kera

Port de
Bestrée

Primelin

Esquibien

Pointe de
Feunteunod

Penneach

★ St-Tugen

Custren

Audiern

Ste-Évette

50 △

Pointe de Lervily

3

B A I

D ' A U D

4

5

A   B   C   D

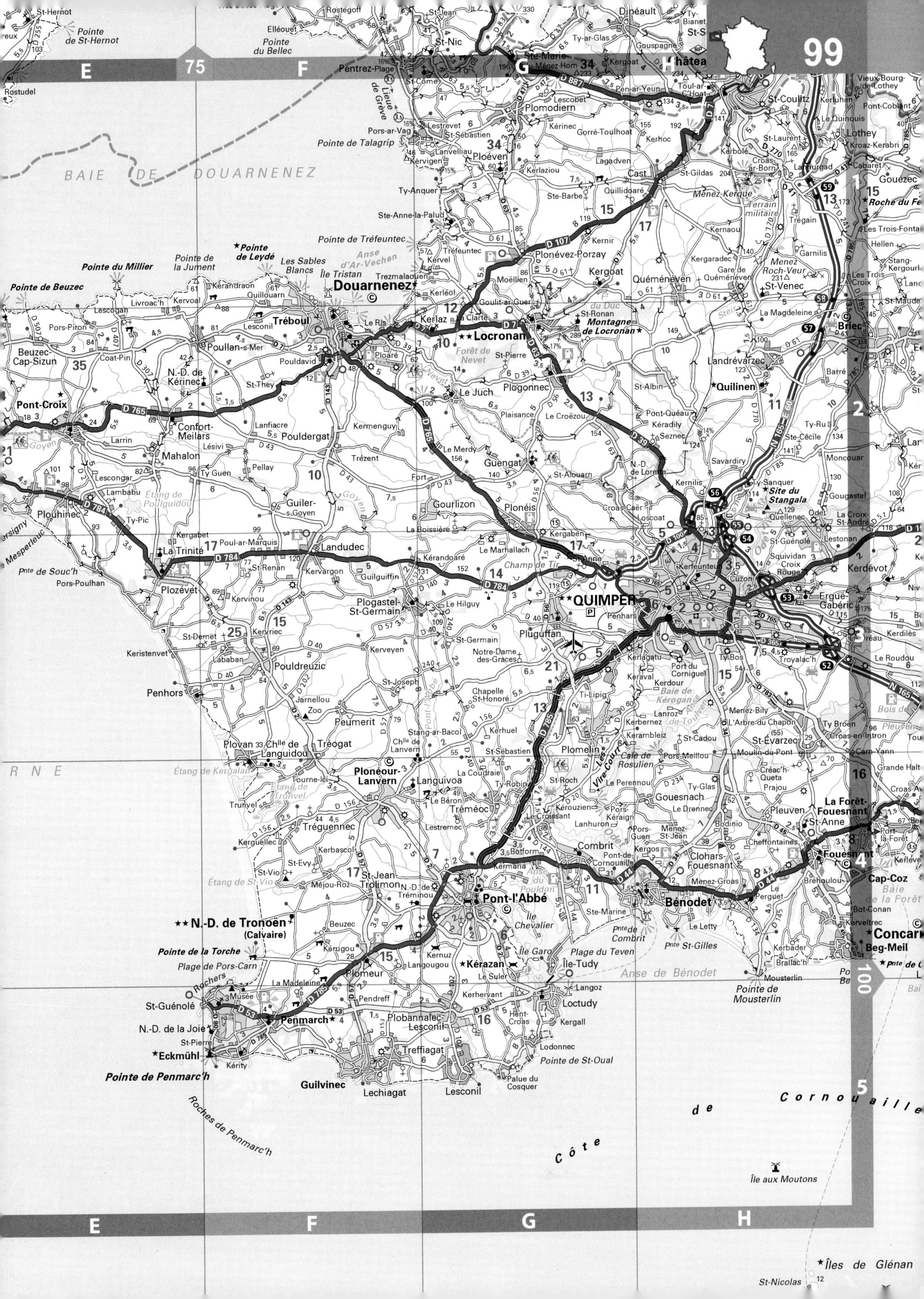

99
75
E
F
G
H
100
BAIE DE DOUARNENEZ
Côte de Cornouaille
St-Hernot
Pointe de St-Hernot
Rostudel
Rostegoff
Elléouet
Pointe du Bellec
St-Jean
St-Nic
Pentrez-Plage
Dinéault
Ty-Bianet
Ty-ar-Glas
Gouspagne
Ste-Marie du Ménez-Hom
Kergoat
St-Côme
Lieue de Grève
Lescobet
Plomodiern
Pen-ar-Yeun
Toul-ar-C'Hoat
St-Coulitz
Vieux-Bourg-de-Lothey
Pont-Coblant
Kerluhan
Le Quinquis
Lothey
Kroaz-Kerabri
Lestrevet
St-Sébastien
Pors-ar-Vag
Pointe de Talagrip
Kérinec
Gorré-Toulhoat
Kerhoc
Lanvelliau
Kervigen
Ploéven
Kerlaziou
Lagadven
Cast
St-Gildas
St-Laurent
Kerbolé
Croas-ar-Born
Lanlurgad
Cabaret
Gouézec
Roche du Feu
Ty-Anquer
Ste-Barbe
Quillidoaré
Ménez-Kerque
Terrain militaire
Trégain
Ste-Anne-la-Palud
Kernaou
Les Trois-Fontaines
Kernir
Pointe de Tréfeuntec
Anse d'Ar-Vechen
Tréfeuntec
Kervel
Plonévez-Porzay
Kergaradec
Garnilis
Helen
Menez Roch-Veur
Gare de Quéménéven
Stang-Kergoulay
Pointe de Leydé
Pointe de la Jument
Pointe du Millier
Les Sables Blancs
Île Tristan
Trezmalaouen
Douarnenez
Moëllien
Kergoat
Quéménéven
St-Venec
Les Trois Croix
Pointe de Beuzec
Kérandraon
Kervoal
Quillouarn
Livroac'h
Kerléot
Goulit-ar-Guer
La Clarté
St-Ronan
Montagne de Locronan
La Magdeleine
St-Maudez
Lescogan
Pors-Piron
Lesconil
Tréboul
Le Rïs
Kerlaz
Locronan
Briec
Beuzec-Cap-Sizun
Coat-Pin
Poullan-s-Mer
Pouldavid
Ploaré
Forêt de Nevet
St-Pierre
Landrévarzec
Barré
N.-D. de Kérinec
St-They
Nevet
Le Juch
Plogonnec
St-Albin
Quilinen
Pont-Croix
Confort-Meilars
Lanfiacre
Kermenguy
Plaisance
Le Croëzou
Pont-Quéau
Kéradily
Seznec
Ty-Ru
Ste-Cécile
Larrin
Goyen
Mahalon
Lésivi
Pouldergat
Le Merdy
Guengat
Savardiry
Moncouar
Lescongar
Ty Guen
Pellay
Trézent
St-Alouarn
N.-D. de Loretta
Lambabu
Étang de Poulguidou
Fort
Kernilis
Ty-Sanquer
Site du Stangala
Gougastel
Plouhinec
Ty-Pic
Guiler-s-Goyen
Gourlizon
Ploneïs
Croas-Caër
Loscoat
Quellenec
Odet
La Croix-St-André
Lestonan
La Boissière
Kergaben
Kerdévot
Kergabet
Poul-ar-Marquis
La Trinité
Landudec
Le Marhallach
Squividan
Croix Rouge
Pte de Souc'h
Pors-Poulhan
Kérandoaré
Kervargon
Guilguiffin
Champ de Tir
St-Renan
Kerfeunteun
Cuzon
Plozévet
Kervinou
Plogastel-St-Germain
Le Hilguy
QUIMPER
Penhars
Ergué-Gabéric
St-Demet
Kervriec
St-Germain
Pluguffan
Kerdilès
Keristenvet
Kerveyen
Notre-Dame des-Grâces
Kerlagatu
Port du Corniguel
Troyalac'h
Le Roudou
Lababan
Pouldreuzic
Keraval
Kerdour
Baie de Kérogan
Penhors
St-Joseph
Chapelle St-Honoré
Ti-Lipig
Jarnellou
Zoo
Lanroz
Anse de Toulven
Ménez-Bily
L'Arbre du Chapon
Ty Broën
Croas-en-Intron
Peumerit
Kerhuel
Kerbernez
Kerambleiz
St-Cadou
St-Évarzec
Stang-ar-Bacol
Plovan
Chlle de Languidou
Tréogat
Chlle de Lanvern
St-Sébastien
Plomelin
Moulin-du-Pont
Carn-Yann
Cale de Rosulien
Pors-Meillou
Créac'h-Queta
Prajou
Grande Halte
Étang de Kergalan
Tourne-Ic
Pont-l'Abbé
Plonéour-Lanvern
Languivoa
La Coudraie
Ty-Robin
St-Roch
Vire Court
Le Perennou
Croas-Avel
Étang de Trunvel
Trunvel
Le Béron
Tréméoc
Kérouzien
Pors-Kéraign
Gouesnach
Ty-Glas
Le Drennec
Pleuven
La Forêt-Fouesnant
St-Anne
Tréguennec
Lestremec
Le Croissant
Lanhuron
Pors-Guen
Menez-St-Jean
Bodinio
Kerguellec
Kerbascol
Combrit
Cheffontaines
Port-la-Forêt
Botform
Pont-de-Cornouaille
Kergos
Clohars-Fouesnant
Fouesnant
St-Evy
St-Vio
Étang de St-Vio
St-Jean-Trolimon
N.-D. de Tréminou
Kermaria
Anse du Pouldon
Ménez-Groas
Le Perguet
Bréhoulou
Cap-Coz
Baie de la Forêt
Méjou-Roz
Bénodet
Ste-Marine
Bot-Conan
Kerveltrec
Beuzec
Île Chevalier
Pte de Combrit
Le Letty
Concarneau
N.-D. de Tronoën (Calvaire)
Pte St-Gilles
Kerbader
Brallac'h
Beg-Meil
Pointe de la Torche
Kérugou
Kernuz
Île Garo
Plage du Teven
Plage de Pors-Carn
Langougou
Kérazan
Île-Tudy
Anse de Bénodet
Mousterlin
Pte de Beg-Meil
Rochers
La Madeleine
Plomeur
Le Suler
Langoz
Pointe de Mousterlin
St-Guénolé
Musée
Pendreff
Kerhervant
Loctudy
N.-D. de la Joie
Penmarch
Plobannalec-Lesconil
Hent-Croas
Kergall
St-Pierre
Eckmühl
Kérity
Treffiagat
Lodonnec
Pointe de St-Oual
Pointe de Penmarc'h
Guilvinec
Lechiagat
Lesconil
Palue du Cosquer
Roches de Penmarc'h
Île aux Moutons
Îles de Glénan
St-Nicolas
D 887
D 107
D 63
D 765
D 784
D 39
D 7
D 785
D 44
D 53
N 165
E 60

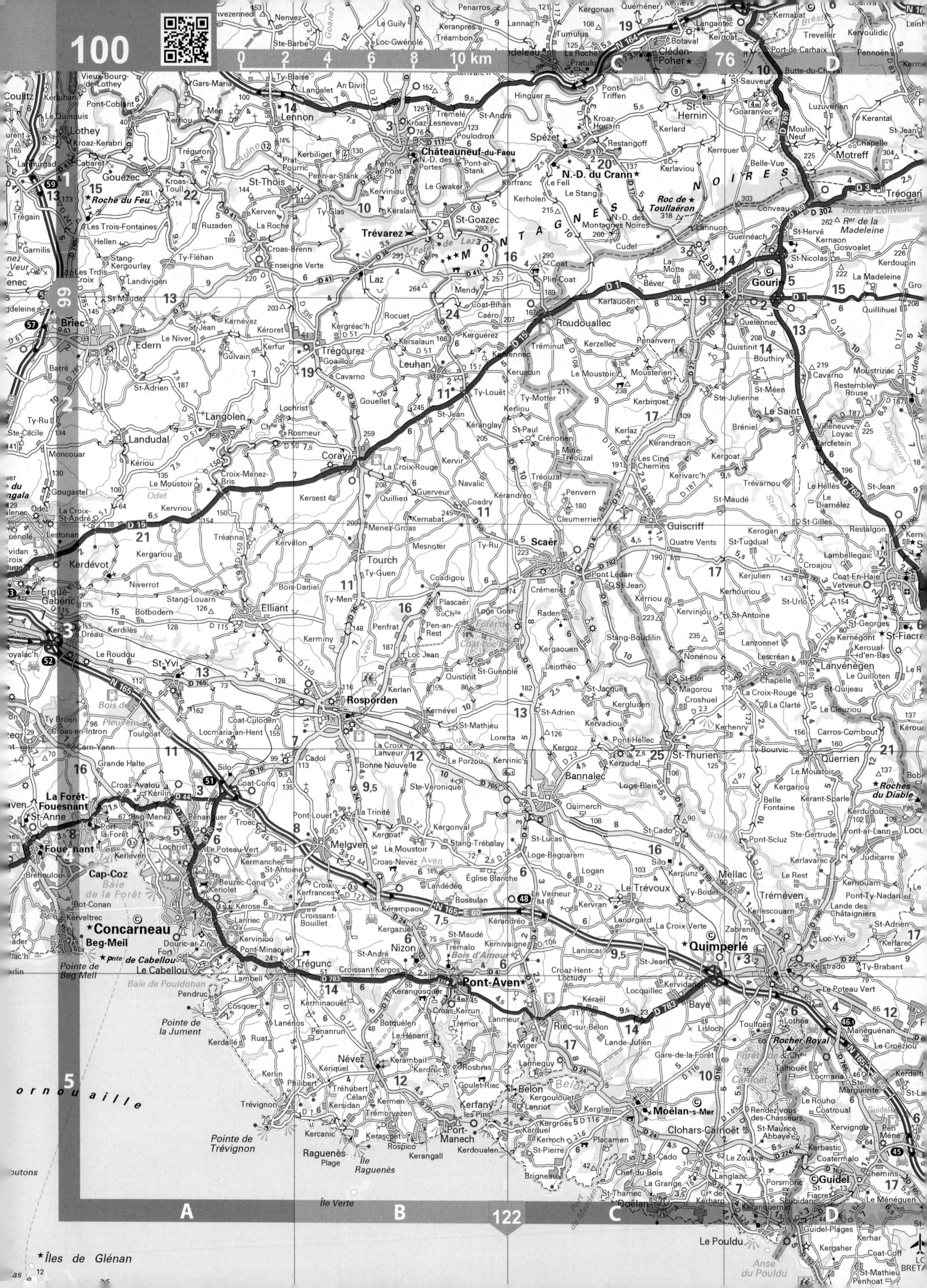
0 2 4 6 8 10 km
76
99
122
A
B
C
D
1
2
3
4
5
Châteauneuf-du-Faou
Cléden-Poher
Lennon
Spézet
N.-D. du Crann
Roc de Toullaëron
Gouézec
Roche du Feu
St-Thois
Trévarez
St-Goazec
M O N T A G N E S N O I R E S
Forêt de Laz
Laz
Plin-Coat
Roudouallec
Gourin
Motreff
Tréogan
Briec
Edern
Trégourez
Leuhan
Langolen
Landudal
Coray
Le Saint
Guiscriff
Scaër
Ergué-Gabéric
Elliant
Tourch
St-Yvi
Rosporden
Kernével
St-Thurien
Bannalec
Querrien
Roches du Diable
St-Fiacre
Lanvénégen
La Forêt-Fouesnant
Fouesnant
Cap-Coz
Baie de la Forêt
Concarneau
Beg-Meil
Pointe de Beg Meil
Pointe du Cabellou
Le Cabellou
Baie de Pouldohan
Melgven
Trégunc
Nizon
Pont-Aven
Bois d'Amour
Riec-sur-Belon
Quimperlé
Mellac
Le Trévoux
Tréméven
Rocher Royal
Forêt de Carnoët
Moëlan-s-Mer
Clohars-Carnoët
Guidel
Guidel-Plages
Le Pouldu
Anse du Pouldu
Doëlan
Névez
Port-Manech
Kerfany-les-Pins
Raguenès-Plage
Île Raguenès
Trévignon
Pointe de Trévignon
Pointe de la Jument
Île Verte
Îles de Glénan
Cornouaille

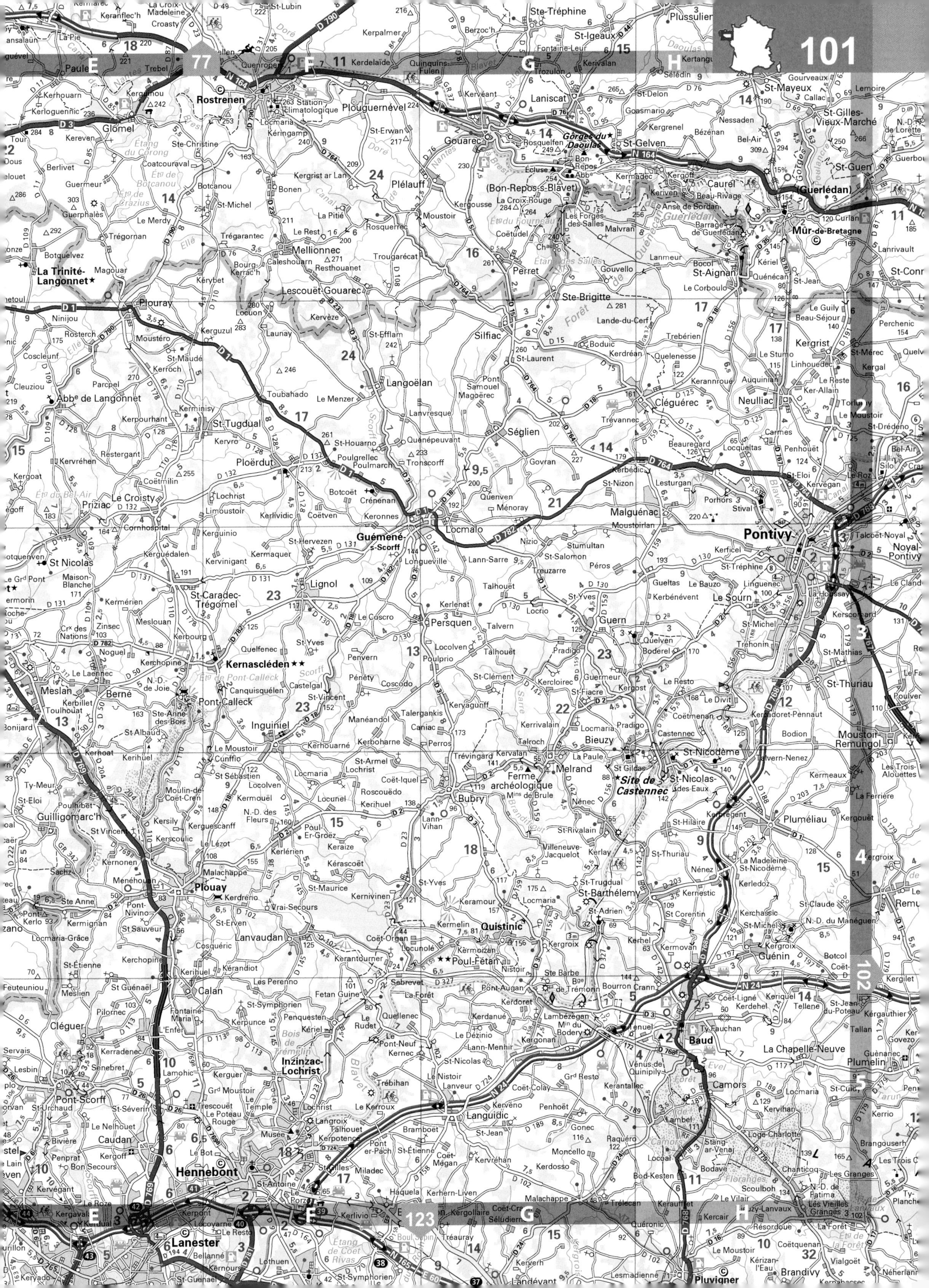

101
E
F
G
H
77
102
123
Rostrenen
Glomel
Paule
Plouguernével
Gouarec
Laniscat
St-Gelven
Gorges du Daoulas
Ste-Tréphine
St-Igeaux
Plussulien
St-Mayeux
St-Gilles-Vieux-Marché
Mûr-de-Bretagne
(Guerlédan)
Caurel
Lac de Guerlédan
Forêt de Quénécan
St-Aignan
Perret
Silfiac
Plélauff
Mellionnec
Lescouët-Gouarec
Plouray
La Trinité-Langonnet
Abbe de Langonnet
Langoëlan
Séglien
Cléguérec
Neulliac
Kergrist
Ste-Brigitte
St-Tugdual
Ploërdut
Priziac
Le Croisty
St Nicolas
Guémené-s-Scorff
Locmalo
Malguénac
Pontivy
Noyal-Pontivy
Lignol
Persquen
Guern
Le Sourn
St-Thuriau
Kernascléden
St-Caradec-Trégomel
Berné
Meslan
Pont-Calleck
Inguiniel
Bieuzy
Melrand
Site de Castennec
St-Nicodème
Moustoir-Remungol
Bubry
Ferme archéologique
Pluméliau
Plouay
Quistinic
Poul-Fétan
St-Barthélemy
Guénin
Remungol
Calan
Lanvaudan
Inzinzac-Lochrist
Baud
Camors
Languidic
Hennebont
Caudan
Lanester
Pont-Scorff
Cléguer
Plumelin
La Chapelle-Neuve
Pluvigner
Brandivy
N 164
N 24
N 165
D 764
D 768
D 782
D 769
D 790

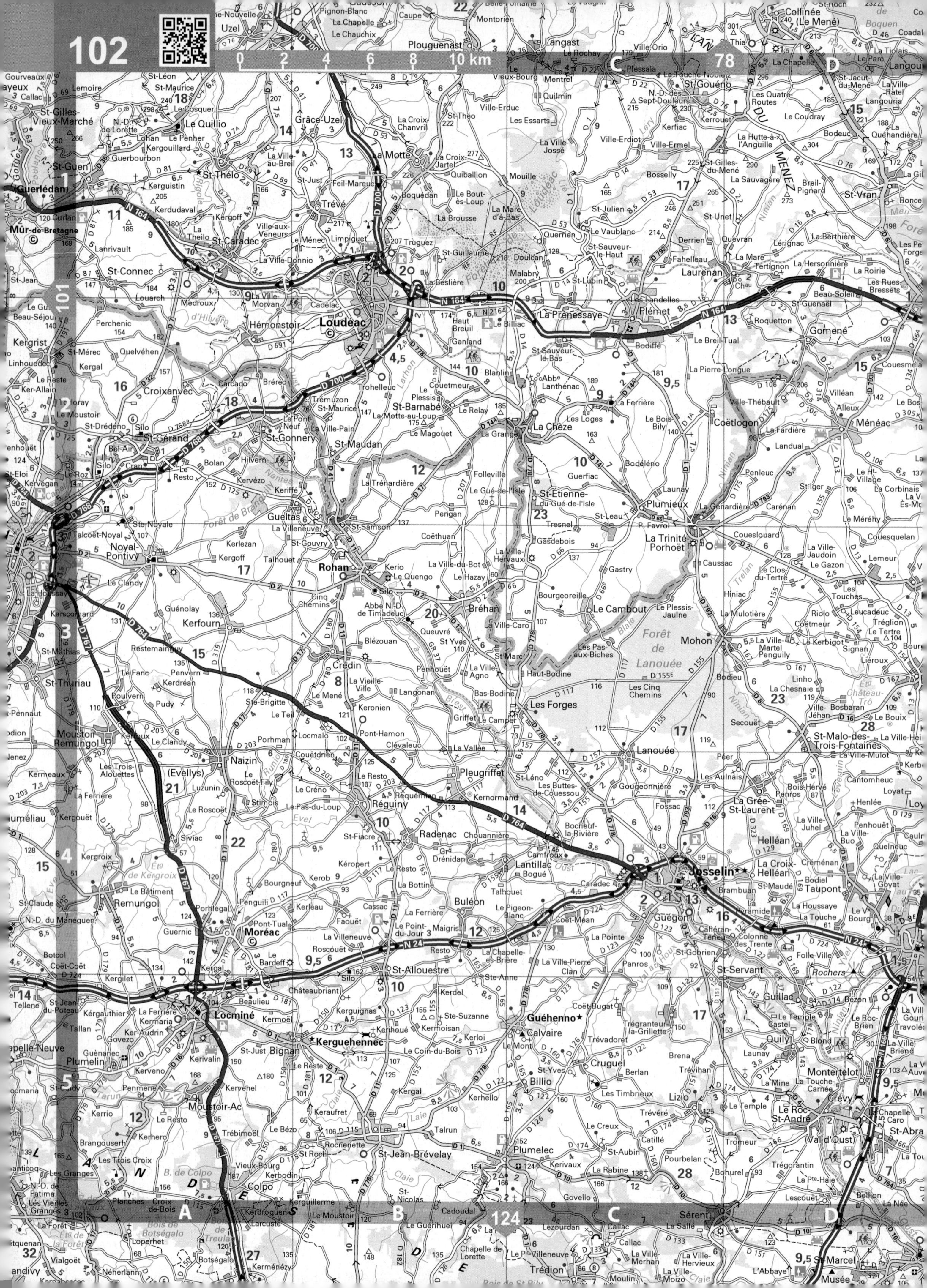

102
0
2
4
6
8
10 km
78
101
124
A
B
C
D
1
2
3
4
5
Uzel
Plouguenast
Langast
Plessala
Collinée (Le Mené)
St-Gouéno
Le Quillio
Grâce-Uzel
La Motte
St-Guen
(Guerlédan)
Mûr-de-Bretagne
St-Thélo
Trévé
St-Caradec
St-Connec
Loudéac
Hémonstoir
La Prénessaye
Plémet
Laurenan
St-Vran
Gomené
Kergrist
Croixanvec
St-Gérand
St-Gonnery
St-Maudan
St-Barnabé
La Chèze
Coëtlogon
Ménéac
Plumieux
La Trinité-Porhoët
Noyal-Pontivy
Gueltas
Rohan
St-Étienne-du-Gué-de-l'Isle
Bréhan
Kerfourn
Crédin
Forêt de Lanouée
Mohon
Les Forges
Lanouée
Naizin
Moustoir-Remungol
(Evellys)
Pleugriffet
Réguiny
Radenac
St-Malo-des-Trois-Fontaines
La Grée-St-Laurent
Helléan
Josselin
La Croix-Helléan
Taupont
Remungol
Moréac
Lantillac
Buléon
Guégon
St-Allouestre
Locminé
Guéhenno
St-Servant
Guillac
Bignan
Kerguehennec
Plumelin
Moustoir-Ac
Cruguel
Quily
Montertelot
Lizio
Le Roc-St-André
(Val d'Oust)
St-Jean-Brévelay
Plumelec
Colpo
Sérent
St-Marcel
N 164
N 24
D 700
D 768
D 764
D 767
D 778
D 793

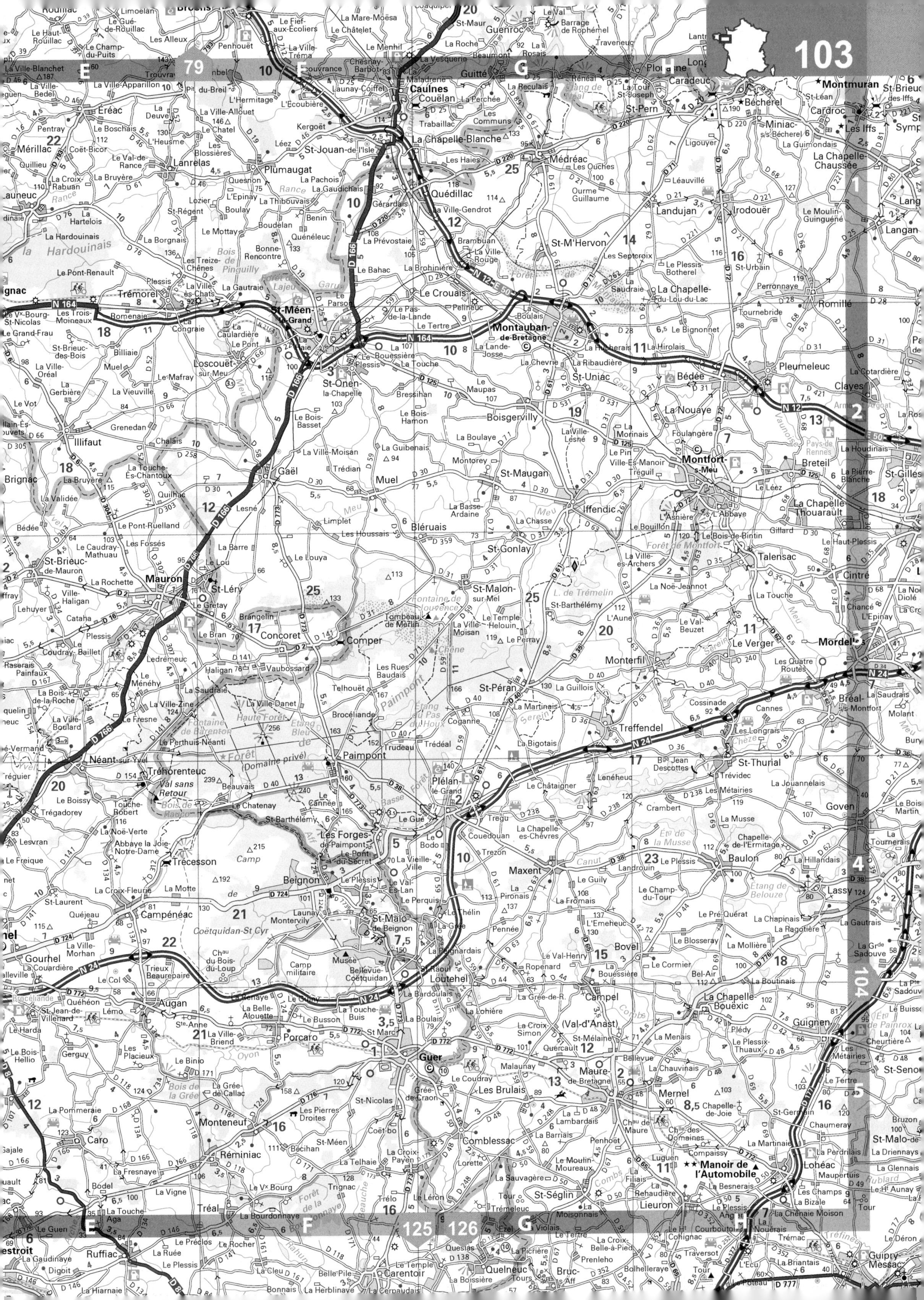

103
79
125
126
104
E
F
G
H
Caulnes
Montmuran
St-Brieuc-des-Iffs
Bécherel
St-Pern
Médréac
Quédillac
Irodouër
Landujan
La Chapelle-Blanche
St-Jouan-de-l'Isle
Plumaugat
Lanrelas
Éréac
Mérillac
Trémorel
St-Méen-le-Grand
Montauban-de-Bretagne
Romillé
Pleumeleuc
Bédée
La Nouaye
Montfort-s-Meu
Breteil
St-Gilles
Iffendic
Boisgervilly
St-Onen-la-Chapelle
Loscouët-sur-Meu
Illifaut
Gaël
Muel
St-Maugan
Bléruais
St-Gonlay
Talensac
Cintré
Mauron
St-Léry
Concoret
Comper
St-Malon-sur-Mel
Monterfil
Le Verger
Mordelles
Bréal-s/s-Montfort
Treffendel
St-Thurial
St-Péran
Paimpont
Plélan-le-Grand
Néant-sur-Yvel
Tréhorenteuc
Val sans Retour
Tombeau de Merlin
Fontaine de Jouvence
Fontaine de Barenton
Forêt (Domaine privé)
Les Forges
Beignon
Maxent
Baulon
Goven
Lassy
Tréal
Campénéac
Coëtquidan-St Cyr
St-Malo-de-Beignon
Bovel
Campel
La Chapelle-Bouëxic
Guignen
Augan
Porcaro
Guer
Maure-de-Bretagne
Mernel
Les Brulais
Comblessac
Monteneuf
Réminiac
Caro
Ruffiac
Carentoir
Quelneuc
St-Séglin
Lieuron
Lohéac
Manoir de l'Automobile
Guipry-Messac
N 24
N 12
N 164
D 166
D 766

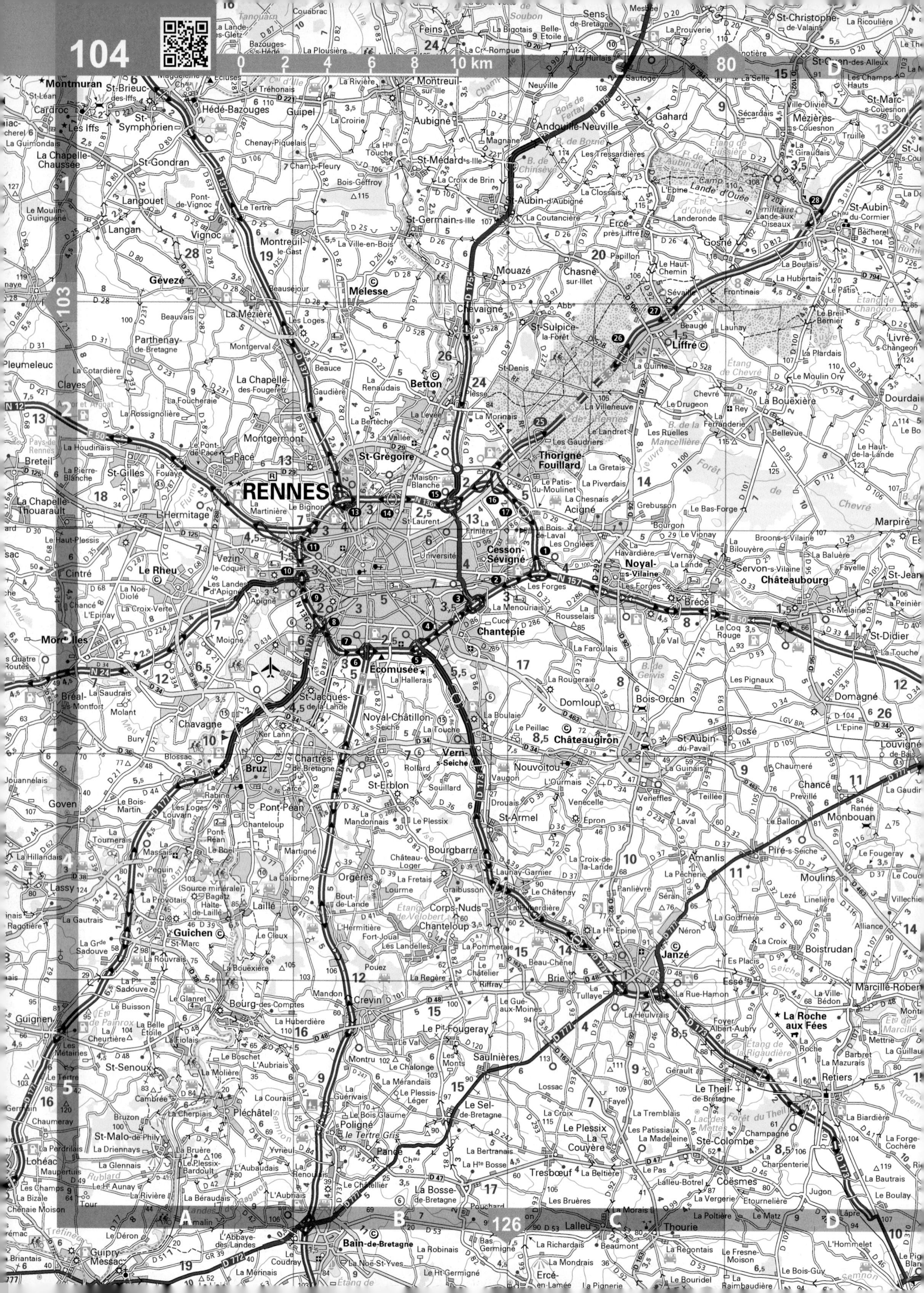
0 2 4 6 8 10 km
80
103
126
Montmuran
St-Brieuc-des-Iffs
Hédé-Bazouges
Guipel
Montreuil-sur-Ille
Aubigné
Feins
Sens-de-Bretagne
St-Christophe-de-Valains
St-Ouen-des-Alleux
Andouillé-Neuville
Gahard
Mézières-s-Couesnon
St-Marc-s-Couesnon
Cardroc
Les Iffs
St-Symphorien
La Chapelle-Chaussée
St-Gondran
St-Médard-s-Ille
St-Aubin-d'Aubigné
Langouet
Langan
Vignoc
St-Germain-s-Ille
Ercé-près-Liffré
Gosné
St-Aubin-du-Cormier
Montreuil-le-Gast
Mouazé
Chasné-sur-Illet
Gévezé
Melesse
Chevaigné
St-Sulpice-la-Forêt
Liffré
La Mézière
Parthenay-de-Bretagne
Betton
La Bouëxière
Dourdain
Pleumeleuc
Clayes
La Chapelle-des-Fougeretz
Montgermont
Pacé
St-Grégoire
Thorigné-Fouillard
Breteil
St-Gilles
RENNES
Acigné
La Chapelle-Thouarault
L'Hermitage
Cesson-Sévigné
Noyal-s-Vilaine
Servon-s-Vilaine
Châteaubourg
Le Rheu
Vezin-le-Coquet
Cintré
Chantepie
Brécé
St-Didier
Mordelles
Ecomusée
Domloup
Domagné
Bréal-s-Montfort
St-Jacques-de-la-Lande
Noyal-Châtillon-s-Seiche
Châteaugiron
Ossé
Chavagne
Vern-s-Seiche
Nouvoitou
St-Aubin-du-Pavail
Louvigné-de-Bais
Bruz
Chartres-de-Bretagne
St-Erblon
Goven
Pont-Péan
St-Armel
Chancé
Monbouan
Bourgbarré
Amanlis
Piré-s-Seiche
Lassy
Orgères
Corps-Nuds
Moulins
Laillé
Guichen
Chanteloup
Janzé
Boistrudan
Brie
Marcillé-Robert
La Roche aux Fées
Guignen
Bourg-des-Comptes
Crevin
Le Pt Fougeray
St-Senoux
Saulnières
Retiers
Pléchâtel
Le Sel-de-Bretagne
Le Theil-de-Bretagne
St-Malo-de-Phily
Poligné
Le Plessix
Ste-Colombe
Lohéac
Pancé
La Couyère
Tresbœuf
Coësmes
La Bosse-de-Bretagne
Bain-de-Bretagne
Lalleu
Thourie
Guipry-Messac
Ercé-en-Lamée
A
B
C
D
1
2
3
4
5

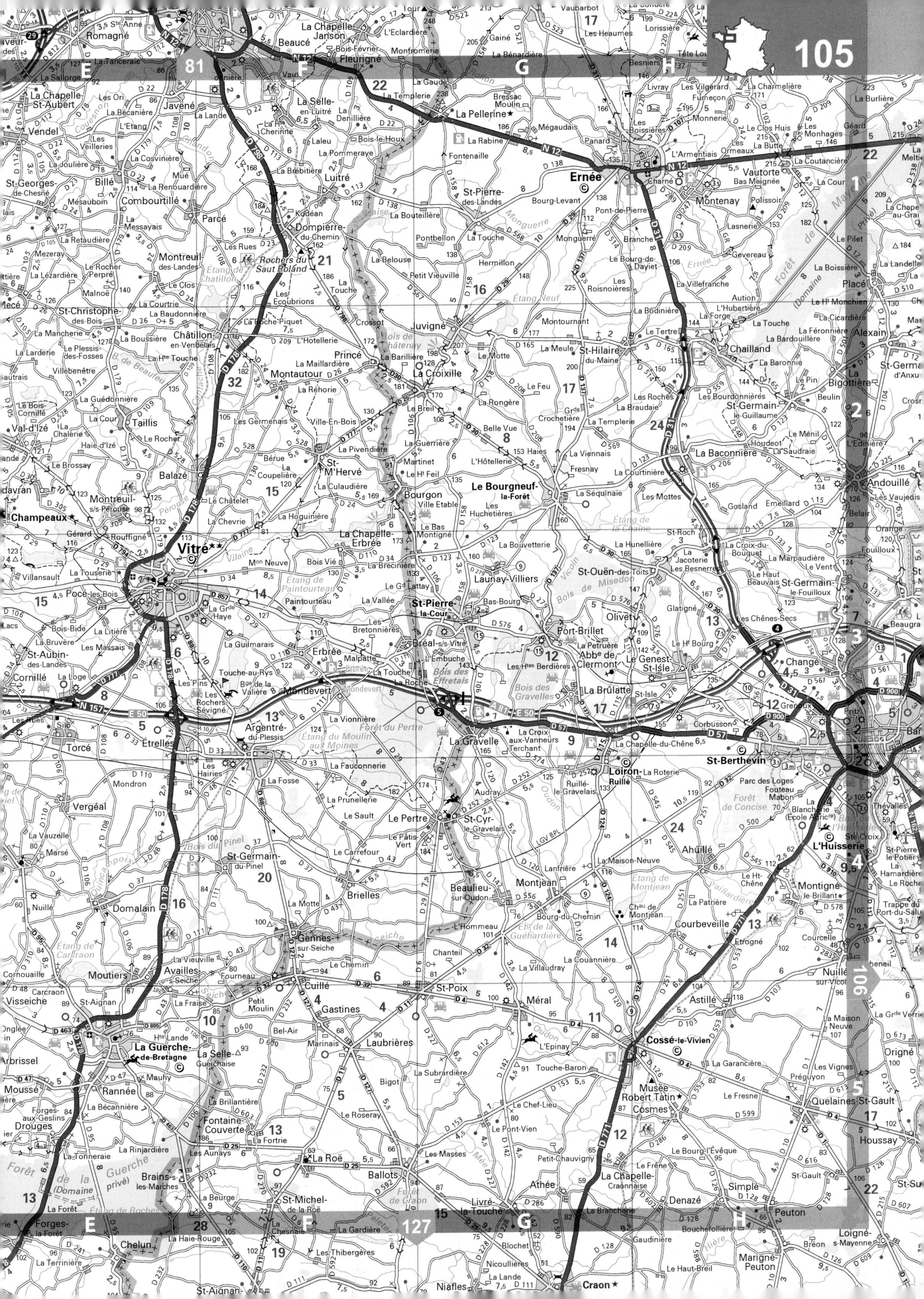
105
81
106
127
E
F
G
H
1
2
3
4
5
Romagné
La Chapelle-Janson
Beaucé
Fleurigné
La Pellerine
Vaubarbot
Les Heaumes
Lorissière
Besnières
La Chapelle-St-Aubert
Javené
Vendel
La Selle-en-Luitré
La Templerie
La Gaude
Bressac
Mégaudais
La Rabine
Fontenaille
Luitré
Billé
Combourtillé
Parcé
St-Georges-de-Chesné
Dompierre-du-Chemin
St-Pierre-des-Landes
Bourg-Levant
Ernée
Livray
Les Vilgérard
Fumeçon
Monnerie
Les Boissières
Panard
L'Armentiais
Ormeaux
La Butte
La Coutancière
Vautorte
Montenay
Charné
Pont-de-Pierre
Montreuil-des-Landes
Rochers du Saut Roland
Étang de Châtillon
Les Écoubrions
La Belouse
Petit Vieuville
Pontbellon
La Touche
Hermillon
Mongueré
Branche
Le Bourg-de-Dayiet
Les Roisnoières
Lasnerie
Gevereau
La Villefranche
La Boissière
Placé
Forêt de Mayenne
St-Christophe-des-Bois
Châtillon-en-Vendelais
La Roche-Piquet
Princé
Juvigné
Étang Neuf
Montournant
St-Hilaire-du-Maine
Le Tertre
Chailland
La Bodinière
La Touche
Alexain
Bigottière
Montautour
La Croixille
Le Motte
Le Feu
La Rongère
Les Roches
La Braudaie
St-Germain-le-Guillaume
Beulin
Taillis
Val-d'Izé
Ville-En-Bois
Le Breil
Belle Vue
Crochetière
La Templerie
La Baconnière
Le Ménil
Houdeot
La Saudraie
Balazé
St-M'Hervé
Martinet
L'Hôtellerie
Haies
La Viennais
Fresnay
La Courtinière
Andouillé
Champeaux
Montreuil-s/s-Pérouse
Le Châtelet
Bourgon
Ville Etable
Le Bourgneuf-la-Forêt
Les Huchetières
La Séquinaie
Les Mottes
Gosland
Emeillard
La Chevrie
La Hoguinière
La Chapelle-Erbrée
Le Bas Montigné
La Bouvetterie
La Hunellière
St-Roch
La Jacoterie
Les Besnerres
La Croix-du-Bouquet
La Marpaudière
Le Vent
Vitré
Vilaine
Bois Vié
La Bréciniere
Launay-Villiers
St-Ouën-des-Toits
Bois de Misedon
Le Haut Beauvais
St-Germain-le-Fouilloux
Villansault
Pocé-les-Bois
Étang de Paintourteau
Paintourteau
La Vallée
St-Pierre-la-Cour
Bas-Bourg
Olivet
Glatigné
Les Chênes-Secs
Beaugra
Bois-Bide
La Litière
La Grde Haye
Les Bretonnières
Port-Brillet
La Petruère
Abbe de Clermont
Le Genest-St-Isle
Le Ht Bourg
Changé
St-Aubin-des-Landes
Les Massais
La Guilmarais
Erbrée
Malpatte
Bréal-s/s-Vitré
L'Embuche
Les Htes Berdières
Cornillé
Touche-au-Rys
Bois des Effretais
Bois des Gravelles
La Brûlatte
St-Isle
Grenoux
Les Pins
Bge de la Valière
Mondevert
Les Rochers-Sévigné
Torcé
Étrelles
Argentré-du-Plessis
La Vionnière
Forêt du Pertre
Étang du Moulin aux Moines
La Gravelle
La Croix-aux-Vanneurs
Terchant
La Chapelle-du-Chêne
Corbusson
St-Berthevin
Pritz
Les Hairies
La Fauconnerie
Audray
Ruillé-le-Gravelais
Loiron-Ruillé
La Roterie
Parc des Loges
Fouteau
Mabon
Forêt de Concise
La Blancherie (École Agricre)
Thévalles
Mondron
La Fosse
La Prunellerie
Le Pertre
St-Cyr-le-Gravelais
Vergéal
Le Sault
Le Pâtis-Vert
Oudon
Ahuillé
L'Huisserie
Ste-Croix
St-Pierre-le-Potier
La Hamardière
La Vauzelle
Marsé
Bois du Pinel
St-Germain-du-Pinel
Le Carrefour
LGV BPL
Lanfrière
La Maison-Neuve
Étang de Montjean
Le Ht-Chêne
Montigné-le-Brillant
Trappe du Port-du-Salut
Domalain
Brielles
La Motte
Beaulieu-sur-Oudon
Montjean
Bourg-du-Chemin
Chau de Montjean
La Patrière
Courbeveille
Nuillé
Étang de Carcraon
Gennes-sur-Seiche
Seiche
L'Hommeau
Étg de la Guéhardière
Étrogné
Courcelle
Nuillé-sur-Vicoin
Chanteil
La Couannière
Moutiers
Availles-s-Seiche
La Vieuville
Fourneau
Le Chemin
Cuillé
La Villaudray
Cornouaille
Carcraon
Visseiche
St-Aignan
La Fraise
Petit Moulin
Gastines
St-Poix
Méral
Astillé
La Maison Neuve
La Grde Verrie
La Guerche-de-Bretagne
La Selle-Guerchaise
Bel-Air
Marinais
Laubrières
L'Epinay
Cossé-le-Vivien
Origné
Arbrissel
Mauhy
Rannée
Bigot
La Subrardière
Touche-Baron
La Garancière
Les Vignes
Préguyon
Mousée
La Brillantière
Musée Robert Tatin
Cosmes
Le Fresne
Quelaines-St-Gault
Forges-aux-Geslins
Drouges
La Bécannière
Fontaine-Couverte
La Fortrie
Le Roseray
Le Chef-Lieu
Le Pont-Vien
Houssay
La Rinjardière
La Tonneraie
Les Aunays
La Roë
Les Masses
Petit-Chauvigny
Le Bourg-l'Évêque
Le Frêne
St-Gault
Forêt de la Guerche (Domaine privé)
Brains-s-les-Marches
Ballots
Forêt de Graon
Athée
La Chapelle-Craonnaise
Simplé
Denazé
Peuton
La Forêt
La Beurge
St-Michel-de-la-Roë
Livré-la-Touche
La Branchère
Forges-la-Forêt
Chelun
La Haie-Rouge
La Chesnaie
La Gardière
Les Thibergères
Blochet
Gaudinière
Bouchefollière
Loigné-s-Mayenne
Bréon
La Terrinière
Nicoullières
Le Haut-Breil
Marigné-Peuton
St-Aignan
Niafles
La Lande
Craon

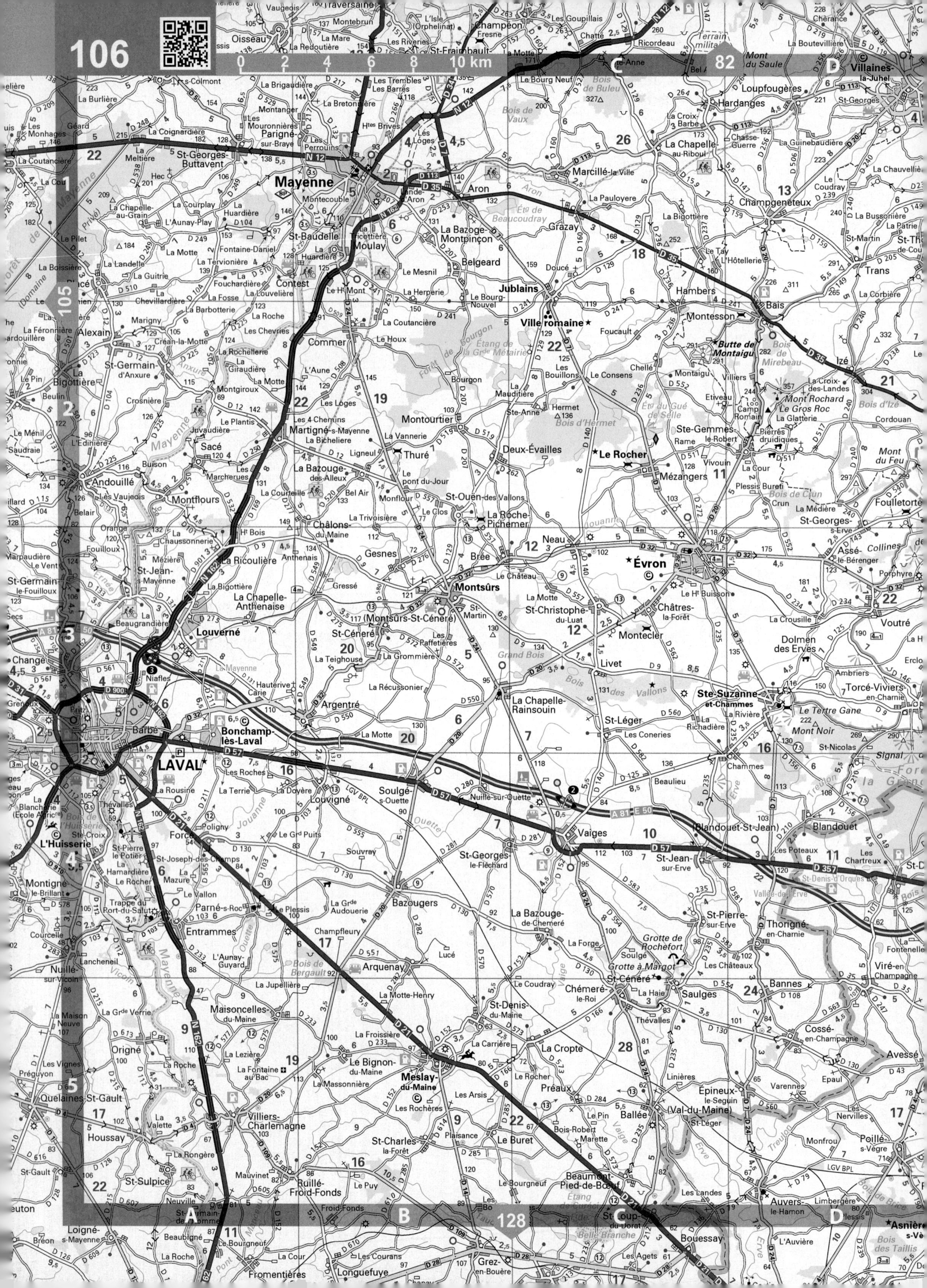

106
0 2 4 6 8 10 km
82
105
128
A
B
C
D
1
2
3
4
5
Mayenne
LAVAL
Évron
Montsûrs
Meslay-du-Maine
Villaines-la-Juhel
Ste-Suzanne-et-Chammes
Jublains
Ville romaine
Le Rocher
Butte de Montaigu
Mont Rochard
Le Gros Roc
Pierres druidiques
Mont du Saule
Mont du Feu
Grotte de Rochefort
Grotte à Margot
Bonchamp-lès-Laval
Louverné
L'Huisserie
Argentré
Louvigné
Soulgé-s-Ouette
Vaiges
Bazougers
Arquenay
Entrammes
Parné-s-Roc
Nuillé-sur-Vicoin
Quelaines-St-Gault
Villiers-Charlemagne
Ruillé-Froid-Fonds
St-Charles-la-Forêt
Le Buret
Ballée
Épineux-le-Seguin
(Val-du-Maine)
Beaumont-Pied-de-Bœuf
Bouessay
Grez-en-Bouère
Saulges
St-Céneré
Chéméré-le-Roi
Thorigné-en-Charnie
Blandouet
(Blandouet-St-Jean)
St-Jean-sur-Erve
St-Pierre-sur-Erve
Bannes
Cossé-en-Champagne
Torcé-Viviers-en-Charnie
Voutré
Assé-le-Bérenger
St-Georges-s-Erve
Foulletorte
Mézangers
Ste-Gemmes-le-Robert
Hambers
Bais
Izé
Trans
Champgenéteux
Hardanges
La Chapelle-au-Riboul
Marcillé-la-Ville
Aron
Grazay
Belgeard
Moulay
St-Baudelle
Contest
Commer
Martigné-s-Mayenne
Montourtier
Deux-Évailles
St-Ouën-des-Vallons
La Bazouge-des-Alleux
Montflours
Andouillé
Alexain
St-Germain-d'Anxure
Châlons-du-Maine
Gesnes
Brée
Neau
Châtres-la-Forêt
St-Christophe-du-Luat
Montecler
Livet
La Chapelle-Rainsouin
St-Léger
(Montsûrs-St-Céneré)
St-Céneré
St-Georges-le-Fléchard
La Bazouge-de-Chemeré
St-Denis-du-Maine
Maisoncelles-du-Maine
Le Bignon-du-Maine
Houssay
St-Sulpice
Loigné-s-Mayenne
Origné
St-Georges-Buttavent
Parigné-sur-Braye
Forêt de Bourgon
Bois d'Hermet
Bois des Vallons
N 12
N 162
D 35
D 32
D 57
D 21
A 81 E 50
LGV BPL

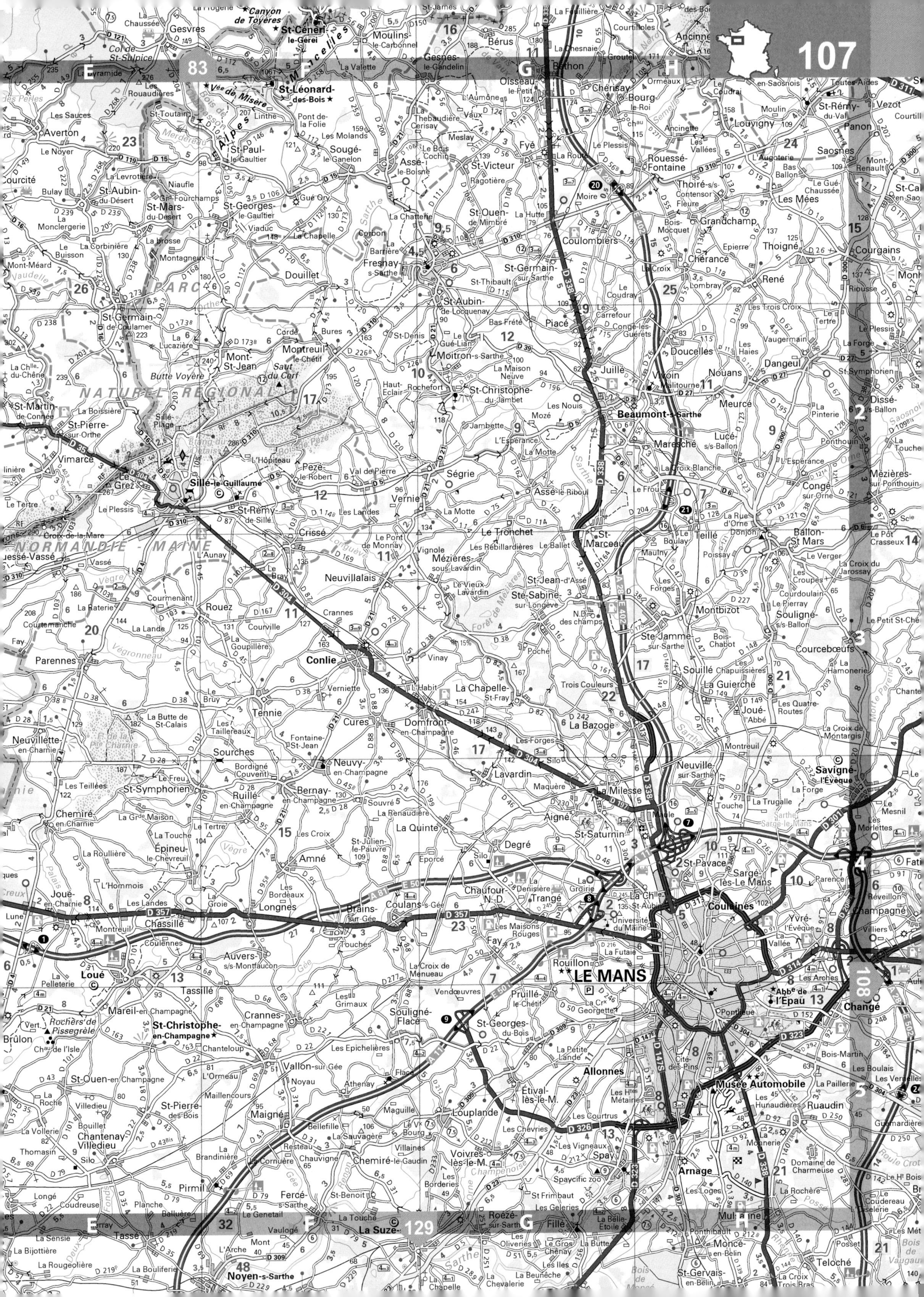
107
83
129
108
E
F
G
H
LE MANS
Sillé-le-Guillaume
Beaumont-s-Sarthe
Conlie
Loué
Fresnay-s-Sarthe
St-Léonard-des-Bois
St-Céneri-le-Gérei
Canyon de Toyères
Alpes Mancelles
PARC NATUREL RÉGIONAL NORMANDIE - MAINE
Gesvres
Averton
St-Paul-le-Gaultier
St-Aubin-du-Désert
St-Mars-du-Désert
St-Georges-le-Gaultier
Douillet
Assé-le-Boisne
Sougé-le-Ganelon
Moulins-le-Carbonnel
Gesnes-le-Gandelin
Bérus
Oisseau-le-Petit
Fyé
St-Victeur
St-Ouen-de-Mimbré
St-Germain-sur-Sarthe
Coulombiers
Rouessé-Fontaine
Thoiré-s/s-Contensor
Louvigny
Saosnes
St-Rémy-du-Val
Les Mées
Thoigné
Courgains
René
Dangeul
Doucelles
Vivoin
Juillé
Piacé
St-Aubin-de-Locquenay
St-Christophe-du-Jambet
Moitron-s-Sarthe
Montreuil-le-Chétif
Mont-St-Jean
St-Germain-de-Coulamer
St-Martin-de-Connée
St-Pierre-sur-Orthe
Vimarcé
Le Grez
St-Rémy-de-Sillé
Pezé-le-Robert
Ségrie
Vernie
Assé-le-Riboul
Le Tronchet
Mézières-sous-Lavardin
Neuvillalais
Crissé
Rouez
Tennie
Cures
Domfront-en-Champagne
La Chapelle-St-Fray
La Bazoge
Ste-Sabine-sur-Longève
St-Jean-d'Assé
St-Marceau
Teillé
Ballon-St Mars
Montbizot
Souligné-s/s-Ballon
Ste-Jamme-sur-Sarthe
Souillé
La Guierche
Joué-l'Abbé
Courceboeufs
Savigné-l'Évêque
Neuville-sur-Sarthe
La Milesse
Lavardin
Aigné
St-Saturnin
Degré
La Quinte
Neuvy-en-Champagne
Bernay-en-Champagne
Ruillé-en-Champagne
St-Symphorien
Sourches
Chemiré-en-Charnie
Neuvillette-en-Charnie
Épineu-le-Chevreuil
Amné
Longnes
Brains-sur-Gée
Coulans-s-Gée
Chaufour-N.-D.
Trangé
Coulaines
Sargé-lès-Le Mans
Yvré-l'Évêque
Changé
Abbaye de l'Épau
Musée Automobile
Ruaudin
Arnage
Allonnes
Étival-lès-le-M.
Louplande
Pruillé-le-Chétif
St-Georges-du-Bois
Souligné-Flacé
Rouillon
Fay
Chassillé
Auvers-s/s-Montfaucon
Tassillé
Mareil-en-Champagne
St-Christophe-en-Champagne
Crannes-en-Champagne
Vallon-sur-Gée
Maigné
Chemiré-le-Gaudin
Voivres-lès-le-M.
Spay
Fillé
Roëzé-sur-Sarthe
La Suze
Noyen-s-Sarthe
Pirmil
Fercé-s-Sarthe
St-Ouen-en-Champagne
St-Pierre-des-Bois
Chantenay-Villedieu
Brûlon
Joué-en-Charnie
Tassé
Moncé-en-Belin
St-Gervais-en-Belin
Mulsanne
Teloché
Parennes
Vaudelle
Orthe
Vègre
Sarthe
Gée
A 28
A 81
A 11
D 338
D 304
D 357
D 310

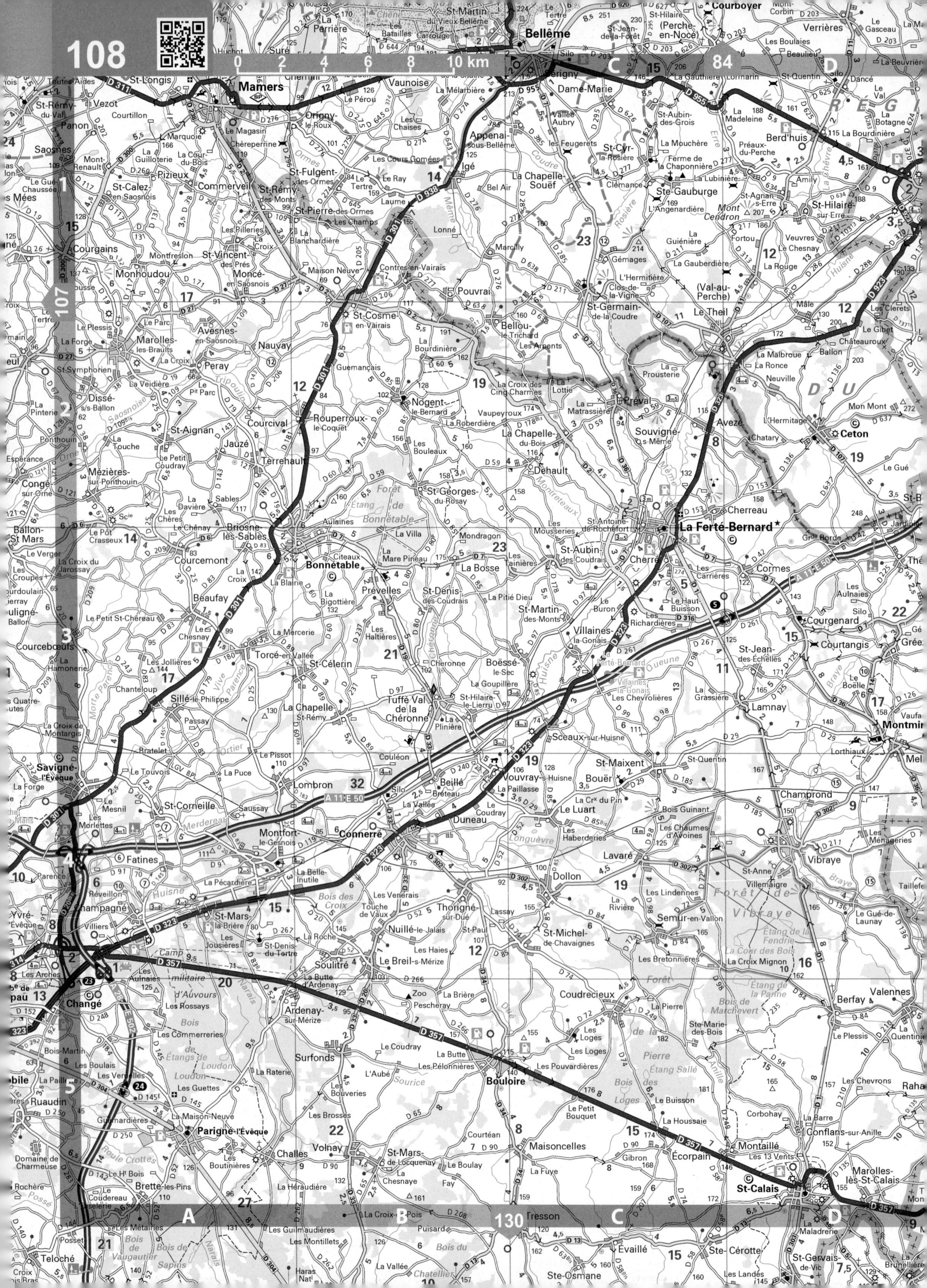

0 2 4 6 8 10 km
84
107
130
A
B
C
D
1
2
3
4
5
Bellême
Mamers
St-Longis
Vaunoise
St-Martin-du-Vieux-Bellême
La Perrière
Dame-Marie
Appenai-sous-Bellême
Igé
St-Cyr-la-Rosière
Ste-Gauburge
La Chapelle-Souëf
St-Fulgent-des-Ormes
St-Rémy-des-Monts
St-Pierre-des-Ormes
Saosnes
St-Rémy-du-Val
Vezot
Panon
Mont-Renault
Pizieux
St-Calez-en-Saosnois
Commerveil
Courgains
Monhoudou
St-Vincent-des-Prés
Moncé-en-Saosnois
Contres-en-Vairais
Pouvrai
Marcilly
St-Germain-de-la-Coudre
Gémages
L'Hermitière
Le Theil
(Val-au-Perche)
St-Agnan-s-Erre
St-Hilaire-sur-Erre
Préaux-du-Perche
Berd'huis
Dancé
Verrières
Courboyer
St-Hilaire-(Perche-en-Noce)
Marolles-les-Braults
Avesnes-en-Saosnois
Nauvay
St-Cosme-en-Vairais
Bellou-le-Trichard
Peray
Dissé-s/s-Ballon
Courcival
Rouperroux-le-Coquet
Nogent-le-Bernard
St-Aignan
Jauzé
Terrehault
Mézières-sur-Ponthouin
Congé-sur-Orne
Ballon-St Mars
Briosne-lès-Sables
Bonnétable
Forêt de Bonnétable
St-Georges-du-Rosay
Dehault
La Chapelle-du-Bois
Préval
Souvigné-s-Même
Avezé
Ceton
Chateauroux
Ballon
La Ferté-Bernard
Cherreau
Cherré
St-Aubin-des-Coudrais
St-Antoine-de-Rochefort
Courcemont
Beaufay
Prévelles
St-Denis-des-Coudrais
La Bosse
St-Martin-des-Monts
Villaines-la-Gonais
Cormes
Courgenard
Courtangis
St-Jean-des-Échelles
Torcé-en-Vallée
St-Célerin
Boëssé-le-Sec
Sillé-le-Philippe
La Chapelle-St-Rémy
Tuffé Val de la Chéronne
St-Hilaire-le-Lierru
Sceaux-sur-Huisne
Lamnay
Montmirail
Savigné-l'Évêque
Lombron
Beillé
Vouvray-s-Huisne
Bouër
St-Maixent
Champrond
St-Corneille
Montfort-le-Gesnois
Connerré
Duneau
Le Luart
Lavaré
Vibraye
Fatines
Champagné
St-Mars-la-Brière
Thorigné-sur-Dué
Dollon
Semur-en-Vallon
Forêt de Vibraye
Yvré-l'Évêque
Nuillé-le-Jalais
St-Michel-de-Chavaignes
Soulitré
Le Breil-s-Mérize
Changé
Camp militaire d'Auvours
Ardenay-sur-Mérize
Coudrecieux
Berfay
Valennes
Surfonds
Bouloire
Bois des Loges
Ste-Marie-des-Bois
Parigné-l'Évêque
Challes
Volnay
St-Mars-de-Locquenay
Maisoncelles
Écorpain
Montaillé
St-Calais
Conflans-sur-Anille
Marolles-lès-St-Calais
Brette-les-Pins
Teloché
Tresson
Évaillé
Ste-Cérotte
Ste-Osmane
St-Gervais-de-Vic
Ruaudin
A 11 - E 50
A 28 - E 502
D 301
D 323
D 357
D 955
D 938
D 923

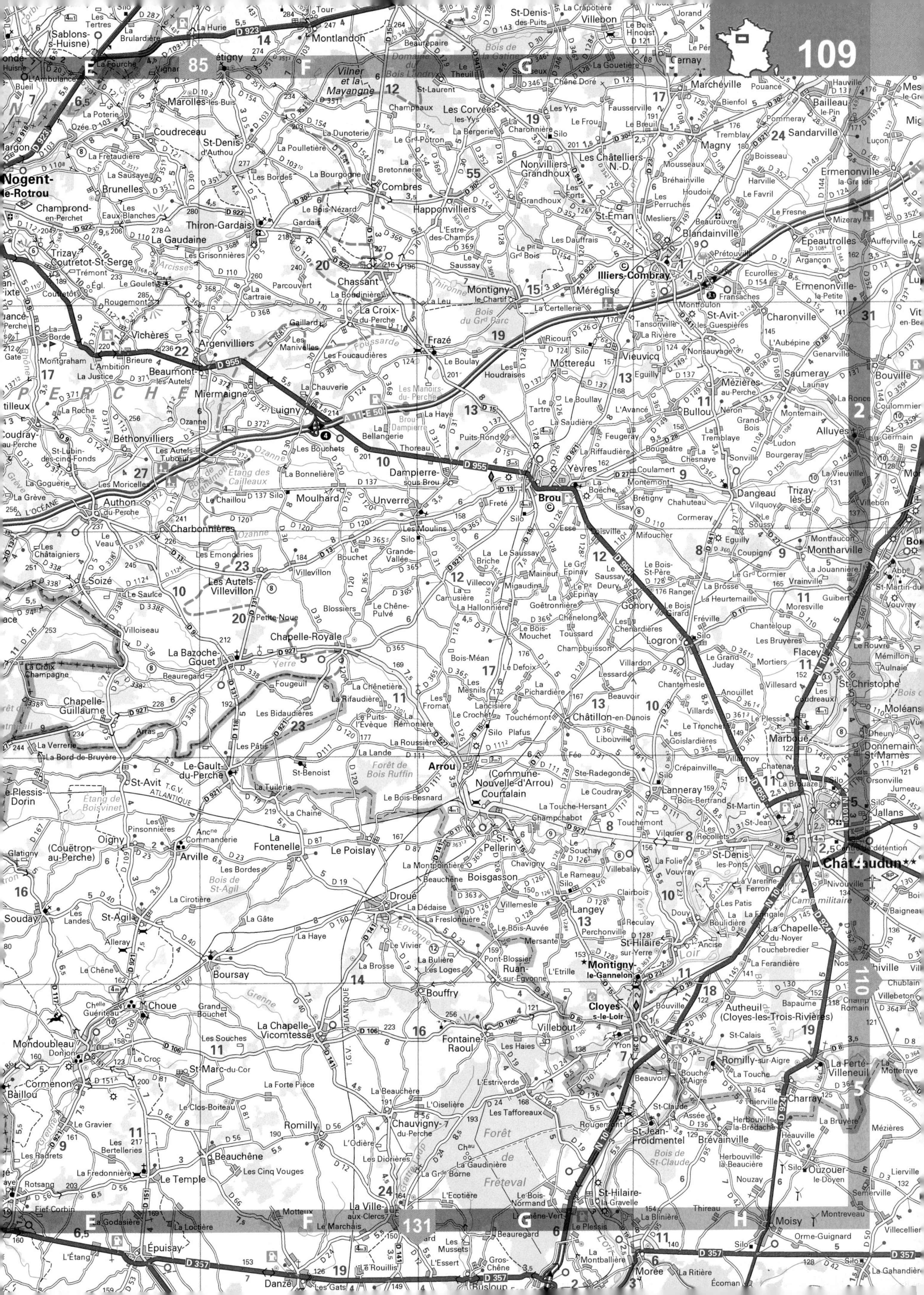
109
85
131
110
E
F
G
H
Nogent-le-Rotrou
Montlandon
St-Denis-des-Puits
Villebon
Cernay
Marchéville
Bailleau-le-Pin
Sandarville
Magny
Ermenonville-la-Grande
Les Corvées-les-Yys
Nonvilliers-Grandhoux
Les Châtelliers-N.-D.
Marolles-les-Buis
Coudreceau
St-Denis-d'Authou
Combres
Happonvilliers
St-Eman
Blandainville
Illiers-Combray
Méréglise
Épeautrolles
Ermenonville-la-Petite
Champrond-en-Perchet
Thiron-Gardais
La Gaudaine
Trizay-Coutretot-St-Serge
Chassant
Montigny-le-Chartif
Frazé
La Croix-du-Perche
Vichères
Argenvilliers
Beaumont-les-Autels
Miermaigne
Luigny
Vieuvicq
Mottereau
St-Avit-les-Guespières
Charonville
Bullou
Mézières-au-Perche
Saumeray
Bouville
Alluyes
Béthonvilliers
Authon-du-Perche
Dampierre-sous-Brou
Brou
Yèvres
Dangeau
Trizay-lès-B.
Unverre
Moulhard
Charbonnières
Les Autels-Villevillon
Soizé
Chapelle-Royale
La Bazoche-Gouet
Logron
Montharville
Flacey
Chapelle-Guillaume
Arrou
Châtillon-en-Dunois
Marboué
Le Gault-du-Perche
Nouvelle-d'Arrou
Courtalain
Lanneray
St-Christophe
Moléans
Donnemain-St-Mamès
Châteaudun
Jallans
St-Pellerin
Boisgasson
Langey
Droué
Arville
Oigny
La Fontenelle
Le Poislay
St-Denis-les-Ponts
St-Agil
Souday
Boursay
Ruan-sur-Egvonne
Montigny-le-Gannelon
St-Hilaire-sur-Yerre
Cloyes-s-le-Loir
Autheuil
(Cloyes-les-Trois-Rivières)
Choue
Mondoubleau
Bouffry
La Chapelle-Vicomtesse
Fontaine-Raoul
Villebout
Romilly-sur-Aigre
La Ferté-Villeneuil
Cormenon
Baillou
St-Marc-du-Cor
Romilly
Chauvigny-du-Perche
St-Jean-Froidmentel
Brévainville
Charray
Le Temple
Beauchêne
La Ville-aux-Clercs
St-Hilaire-la-Gravelle
Ouzouer-le-Doyen
Moisy
Épuisay
Danzé
Morée
P E R C H E
Forêt de Fréteval
Forêt de Bois Ruffin
Bois de St-Claude
D 955
D 923
D 921
D 927
N 10
D 357
A 11-E 50
L'OCÉANE
T.G.V. ATLANTIQUE

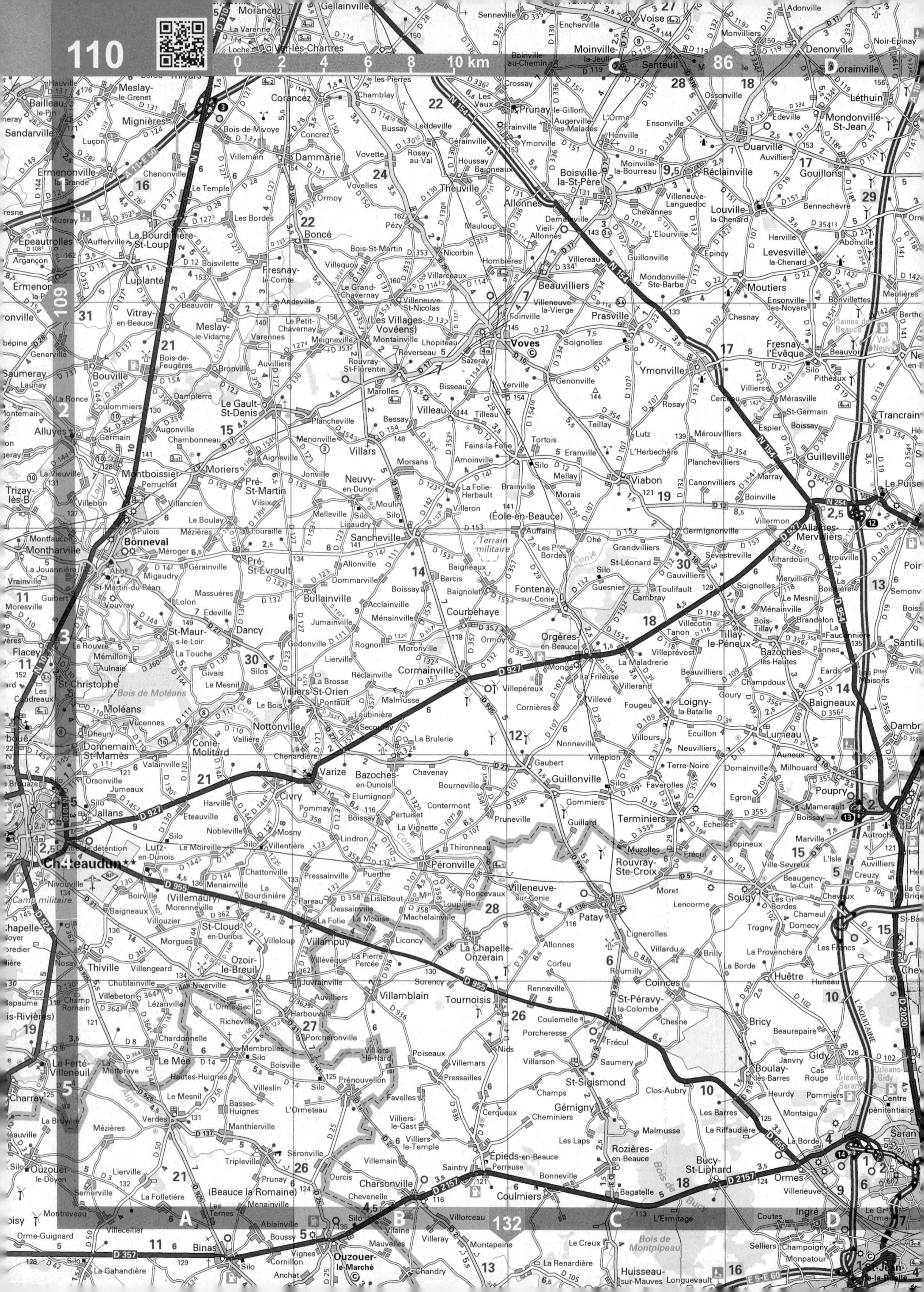

110
0 2 4 6 8 10 km
86
109
132
A
B
C
D
1
2
3
4
5
Morancez
Gellainville
Senneville
Voise
Adonville
La Varenne
Ver-lès-Chartres
Encherville
Moinville-la-Jeulin
Santeuil
Monvilliers
Noir-Epinay
Denonville
Boinville-au-Chemin
Morainville
Hauville
Meslay-le-Grenet
Corancez
Chamblay
Crossay
Prunay-le-Gillon
Ossonville
Léthuin
Bailleau-le-Pin
Les Vaux
Frainville
Augerville-les-Malades
L'Orme
Edeville
Mondonville-St-Jean
Mignières
Bois-de-Mivoye
Concrez
Bussay
Leddeville
Gérainville
Ymorville
Honville
Ensonville
Ouarville
Sandarville
Luçon
Dammarie
Vovette
Rosay-au-Val
Auvilliers
Moinville-la-Bourreau
Réclainville
Gouillons
Villemain
Houssay
Baigneaux
Boisville-la-St-Père
Ermenonville-la-Grande
Chenonville
Le Temple
Vovelles
Theuville
Allonnes
Villeneuve-Languedoc
Louville-la-Chenard
Bennechèvre
Ormoy
Chevannes
Mizeray
Les Bordes
Bonce
Pézy
Mauloup
Demativille
Vieil-Allonnes
L'Elourville
Herville
Abonville
Epeautrolles
Aufferville
La Bourdinière-St-Loup
Bois-St-Martin
Nicorbin
Hombières
Guillonville
Epincy
Levesville-la-Chenard
Argançon
Boisvilette
Fresnay-le-Comte
Villequoy
Villarceaux
Villereau
Mondonville-Ste-Barbe
Ermenonville-la-Petite
Luplanté
Le Grand-Chavernay
Beauvilliers
Moutiers
Meulières
Ensonville-les-Noyers
Bonvillettes
Vitray-en-Beauce
Beauvoir
Andeville
Villeneuve-St-Nicolas
Villeneuve-la-Vierge
Prasville
Chesnay
Le Petit-Chavernay
(Les Villages-Vovéens)
Foinville
Meslay-le-Vidame
Varennes
Meigneville
Montainville
Lhopiteau
Voves
Soignolles
Plaines-de-Beauce
Genarville
Bois-de-Feugères
Reverseau
Sazeray
Silo
Ymonville
Fresnay-l'Évêque
Val-Neuvy
Saumeray
Launay
Bouville
Bronville
Auvilliers
Rouvray-St-Florentin
Genonville
Pitheaux
Beauvois
La Ronce
Coulommiers
Dampierre
Marolles
Bisseau
Yerville
Cerceau
Villiers
Mérasville
Montemain
Le Gault-St-Denis
Villeau
Tilleau
Rosay
St-Germain
Trancrainville
Alluyes
St-Germain
Augonville
Plancheville
Bessay
Teillay
Espier
Boissay
Chambonneau
Menonville
Fains-la-Folie
Lutz
Mérouvilliers
Villars
Tortois
Guilleville
Montboissier
Perruchet
Aigneville
Moriers
Amoinville
Eranville
L'Herbechère
Planchevilliers
La Vieuville
Pré-St-Martin
Jonville
Morsans
Mellay
Marray
Trizay-lès-B.
Neuvy-en-Dunois
Viabon
Le Puiset
Villebon
Vilsix
La Folie-Herbault
Brainville
Morais
Canonvilliers
Pulois
Villancien
Melleville
Moulin
Boinville
Le Boulay
Mézières
Ligaudry
Villeron
(École-en-Beauce)
Villermon
Allaines-Mervilliers
Montfaucon
Montharville
Bonneval
Touraille
Méroger
Sancheville
Terrain militaire
Auffains
Ohé
Germignonville
Grandvilliers
Sevestreville
La Jouannière
Abbé
Gérainville
Pré-St-Evroult
Migaudry
Allonville
Baigneaux
Bercis
Les Pites Bordes
Conie
St-Léonard
Mihardouin
Outrouville
Vrainville
Dommarville
Boissay
Baignolet
Fontenay-sur-Conie
Guesnier
Toulifault
Cambray
Soignolles
Mervilliers
Boissière
Guibert
St-Martin-du-Péan
Bullainville
Acclainville
Le Mesnil
Moresville
Lolon
Massuères
Jumainville
Ménainville
Courbehaye
Ménainville
Brandelon
Vouvray
Edeville
Dancy
Orgères-en-Beauce
Villecotin
Bois-Tillay
La Fauconnière
St-Maur-s-le-Loir
Godonville
Rognon
Moronville
Ormoy
Tanon
Tillay-le-Péneux
Bazoches-les-Hautes
Pannes
Flacey
Le Rouvre
La Touche
Villeprévost
Santilly
Mémillon
Aulnaie
Givais
Lierville
Cormainville
Monge
La Maladrerie
Beauvilliers
Eards
Les Pites Maisons
St-Christophe
Le Mesnil
Silos
La Brosse
Réclainville
La Frileuse
Villerand
Champdoux
Bois de Moléans
Villiers-St-Orien
Villepéreux
Goury
Baigneaux
Les Coudreaux
Le Bois
Malmusse
Pontault
Cornières
Villevé
Fougeu
Loigny-la-Bataille
Dambron
Moléans
Vucennes
Nottonville
Loubinière
Secouray
Ecuillon
Lumeau
Boué
Dheury
Vallière
La Brulerie
Nonneville
Villours
Neuvilliers
Donnemain-St-Mamès
Conie-Molitard
Chenardière
Gaubert
Villepion
Terre-Noire
Auneux
Milhouard
Valainville
Varize
Chavenay
Domainville
Orsonville
Jumeaux
Bazoches-en-Dunois
Guillonville
Faverolles
Poupry
La Brouaze
Civry
Elumignon
Bourneville
Egron
Mamerault
Jallans
Harville
Pommay
Contermont
Gommiers
Boissay
Eteauville
Boissay
Pertuiset
Pruneville
Terminiers
Echelles
Autroche
Nobleville
Mosny
La Vignette
Guillard
Marville
Lutz-en-Dunois
Le Moirville
Villentière
Lindron
Thironneau
Muzelles
Frécul
Topineux
L'Isle
Châteaudun
Centre de détention
Chattonville
Pressainville
Péronville
Rouvray-Ste-Croix
Ville-Sevreux
Creuzy
Nivouville
Menainville
Puerthe
Beaugency-le-Cuit
Camp militaire
Boirville
(Villemaury)
La Bourdinière
Pareau
Lislebout
Min
Roncevaux
Villeneuve-sur-Conie
Moret
Sougy
Chevaux
Morenneville
Dessainville
Loupille
Lencorme
Les Gdes Bordes
Baigneaux
Villouzier
La Folie
La Mouise
Machelainville
Patay
Chameul
Chapelle-Royer
St-Cloud-en-Dunois
Villeloup
Liconcy
Lignerolles
Trogny
Domecy
Morgues
Villampuy
La Chapelle-Onzerain
Allonnes
Les Francs
Thiville
Villengeard
Ozoir-le-Breuil
Villévêque
La Pierre Percée
Corfeu
Villardu
Brilly
La Provenchère
Nosay
Chublainville
Niverville
Juvrainville
Sorency
Roumilly
La Borde
Champ Romain
Villebeton
Lézanville
Auvilliers
Villamblain
Tournoisis
Renneville
Coinces
Huêtre
Huneau
L'Orme-Sec
Harbouville
St-Péravy-la-Colombe
L'Aquitaine
Richeville
Coulemelle
Bricy
Chardonnelle
Porcheronville
Porcheresse
Chesne
Beaurepaire
La Ferté-Villeneuil
Membrolles
Le Mée
Villiers-le-Hard
Poiseaux
Nids
Frécul
Gidy
Janvry
Motteraye
Hautes-Huignes
Boisville
Villemars
Villarson
Saumery
Boulay-les-Barres
Cas Rouge
Orléans-Gidy
Prénouvellon
Pressailles
St-Sigismond
Charray
Le Mesnil
Villeslin
Favelles
Champs
Clos-Aubry
Heurdy
Pommiers
Centre pénitentiaire
Basses-Huignes
L'Ormeteau
Cerqueux
Gémigny
Les Barres
Montaigu
La Bruyère
Verdes
Manthierville
Villiers-le-Gast
Cheminiers
Malmusse
Mézières
Villiers-le-Temple
Les Laps
La Riffaudière
La Borde
Saran
Séronville
Villemain
Épieds-en-Beauce
Rozières-en-Beauce
Tripleville
Perreuse
Bucy-St-Liphard
Ouzouer-le-Doyen
Lierville
Prunay
Ourcis
Charsonville
Saintry
Bonneville
Bois de Bucy
Ormes
Semerville
La Folletière
(Beauce la Romaine)
Chevenelle
Coulmiers
Bagatelle
Villeneuve
Menainville
Les Ternes
Montreveau
Ablainville
Villorceau
L'Ermitage
Coutes
Ingré
Orme
Villecellier
Boussy
Vilaine
Villeray
Bois de Montpipeau
Orme-Guignard
Binas
Mauvelles
Montapeine
Le Creux
Selliers
Champoigny
Monpatour
Vignes
Ouzouer-le-Marché
La Gahandière
Cornillon
Anchat
Chandry
La Renardière
Huisseau-sur-Mauves
Longuevault
St-Jean-de-la-Ruelle
N 154
N 10
A 11
A 10
D 927
D 955
D 2157
D 357
D 2020
N 254
D 17
D 12
D 10
D 935

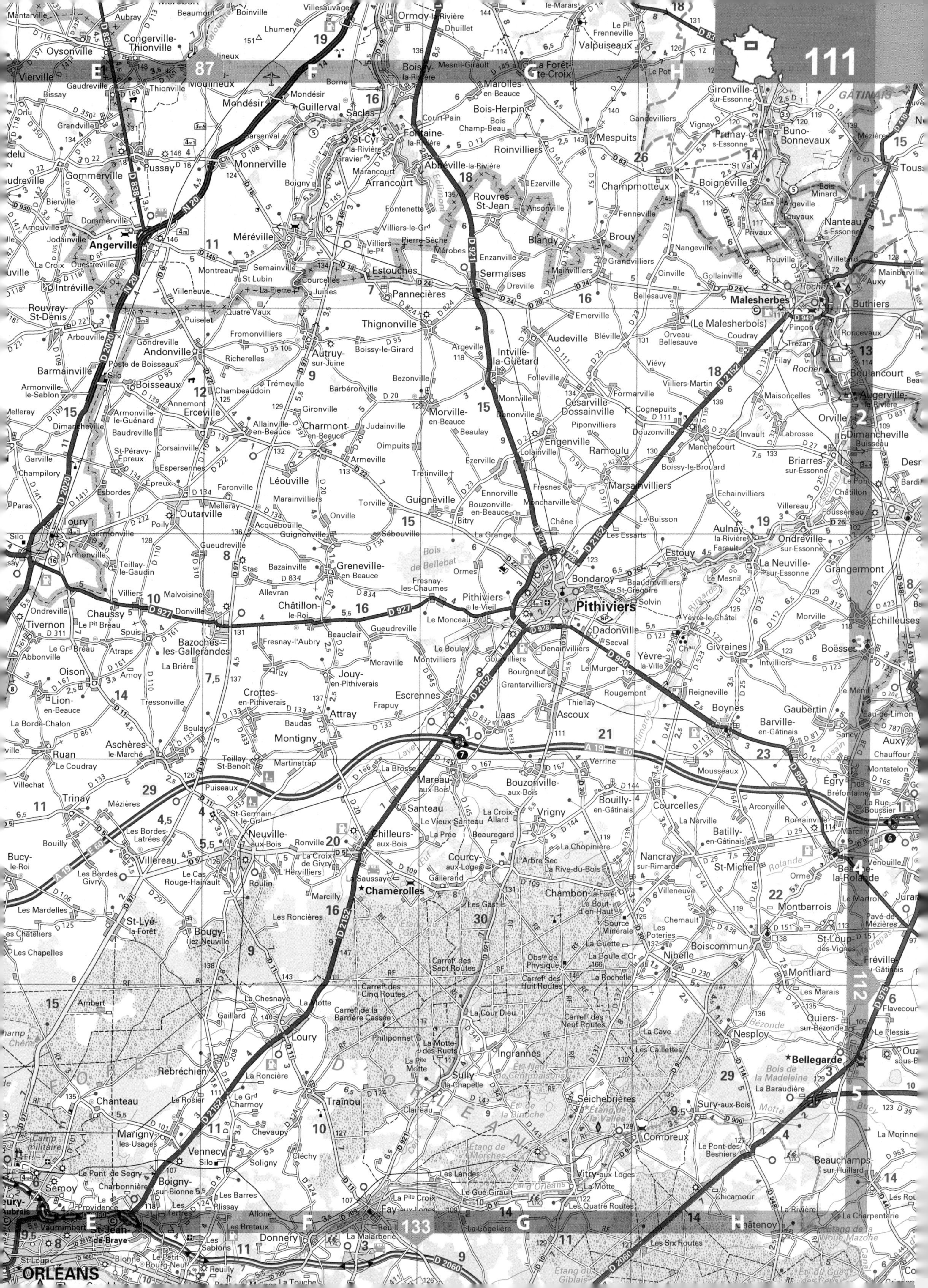

111
87
133
112
E
F
G
H
GÂTINAIS
Angerville
Méréville
Monnerville
Pussay
Gommerville
Oysonville
Congerville-Thionville
Mondésir
Guillerval
Saclas
St-Cyr-la-Rivière
Fontaine-la-Rivière
Abbéville-la-Rivière
Arrancourt
Ormoy-la-Rivière
Boissy-la-Rivière
Marolles-en-Beauce
Bois-Herpin
Roinvilliers
Mespuits
Champmotteux
Rouvres-St-Jean
Blandy
Brouy
Gironville-sur-Essonne
Buno-Bonnevaux
Prunay-s-Essonne
Boigneville
Nanteau-s-Essonne
Malesherbes
Buthiers
(Le Malesherbois)
Estouches
Pannecières
Sermaises
Intville-la-Guétard
Audeville
Thignonville
Autruy-sur-Juine
Andonville
Barmainville
Boisseaux
Erceville
Charmont-en-Beauce
Morville-en-Beauce
Césarville-Dossainville
Engenville
Ramoulu
Marsainvilliers
Léouville
Guigneville
Outarville
Toury
Greneville-en-Beauce
Pithiviers
Pithiviers-le-Vieil
Bondaroy
Dadonville
Yèvre-la-Ville
Givraines
Aulnay-la-Rivière
Estouy
Ondreville-sur-Essonne
La Neuville-sur-Essonne
Grangermont
Échilleuses
Boësses
Chaussy
Tivernon
Bazoches-les-Gallerandes
Châtillon-le-Roi
Jouy-en-Pithiverais
Escrennes
Laas
Ascoux
Boynes
Barville-en-Gâtinais
Gaubertin
Crottes-en-Pithiverais
Attray
Montigny
Aschères-le-Marché
Ruan
Oison
Lion-en-Beauce
Trinay
Mareau-aux-Bois
Bouzonville-aux-Bois
Bouilly-en-Gâtinais
Courcelles
Batilly-en-Gâtinais
Neuville-aux-Bois
Santeau
Chilleurs-aux-Bois
Vrigny
Villereau
Courcy-aux-Loges
Nancray-sur-Rimarde
St-Michel
Beaune-la-Rolande
Chamerolles
Chambon-la-Forêt
Montbarrois
Boiscommun
Nibelle
St-Loup-des-Vignes
Montliard
St-Lyé-la-Forêt
Bougy-lez-Neuville
Loury
Ingrannes
Nesploy
Bellegarde
Rebréchien
Chanteau
Traînou
Sully-la-Chapelle
Seichebrières
Sury-aux-Bois
Combreux
Marigny-les-Usages
Vennecy
Boigny-sur-Bionne
Semoy
Vitry-aux-Loges
Fay-aux-Loges
Donnery
St-Jean-de-Braye
ORLÉANS
Chateauneuf
FORÊT D'ORLÉANS
A 19
E 60
D 2152
D 2020
D 927
D 921
D 950
D 2060
D 948
N 20
D 838

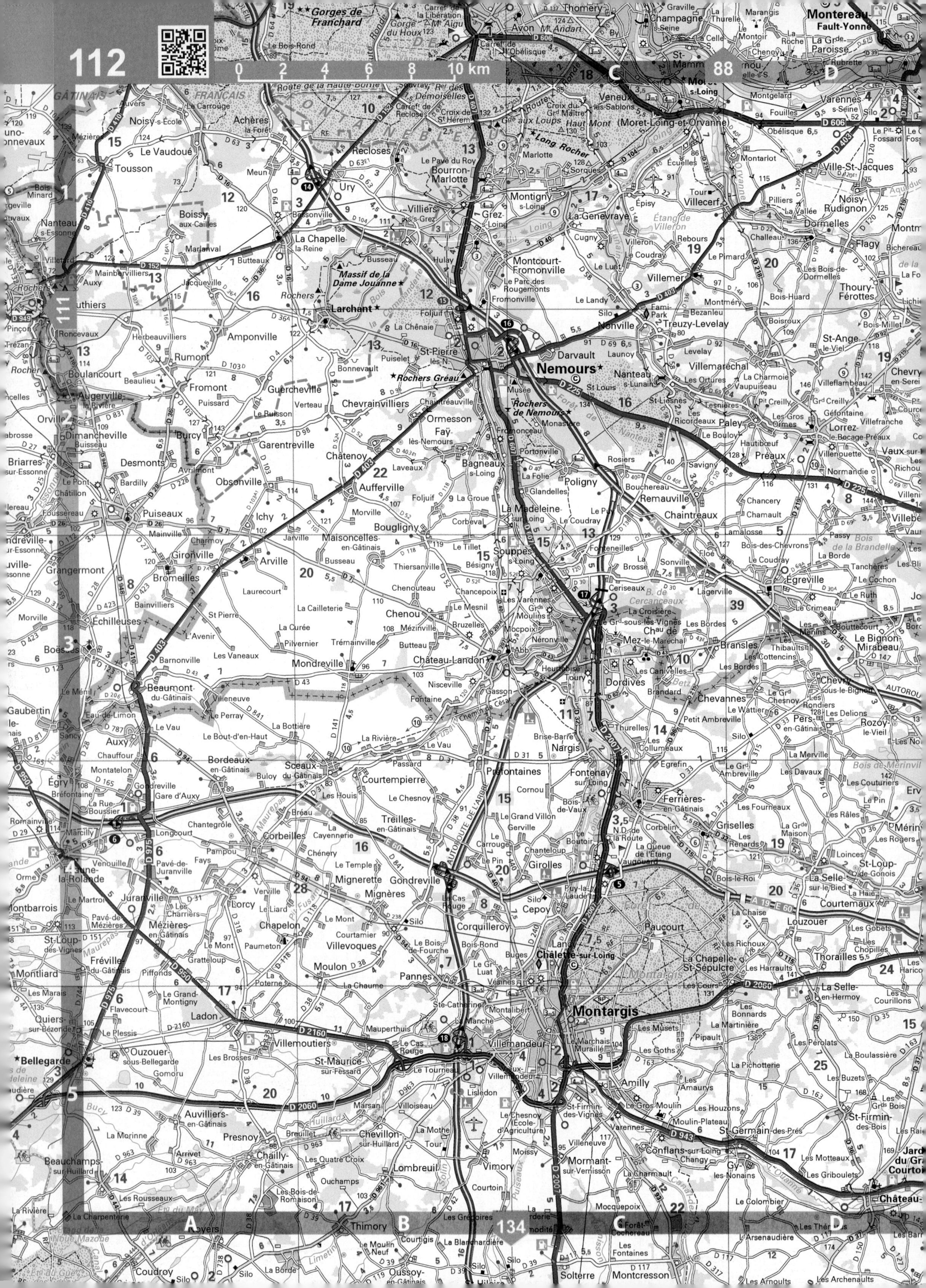

112
0 2 4 6 8 10 km
88
111
134
A
B
C
D
1
2
3
4
5
Gorges de Franchard
Thomery
Champagne-sur-Seine
Montereau-Fault-Yonne
Avon
Moret-sur-Loing
Veneux-les-Sablons
(Moret-Loing-et-Orvanne)
Long Rocher
Noisy-sur-École
Le Vaudoué
Tousson
Achères-la-Forêt
Recloses
Bourron-Marlotte
Ury
Montigny-sur-Loing
Villiers-sous-Grez
Grez-sur-Loing
La Genevraye
Villecerf
Épisy
Ville-St-Jacques
Noisy-Rudignon
Dormelles
Flagy
Nanteau-sur-Essonne
Boissy-aux-Cailles
La Chapelle-la-Reine
Massif de la Dame Jouanne
Larchant
Montcourt-Fromonville
Villemer
Treuzy-Levelay
Nonville
Nemours
Rochers de Nemours
Rochers Gréau
St-Pierre-lès-Nemours
Nanteau-sur-Lunain
Thoury-Férottes
St-Ange-le-Viel
Chevry-en-Sereine
Villemaréchal
Lorrez-le-Bocage-Préaux
Amponville
Rumont
Fromont
Guercheville
Chevrainvilliers
Ormesson
Faÿ-lès-Nemours
Boulancourt
Augerville-la-Rivière
Orville
Dimancheville
Briarres-sur-Essonne
Desmonts
Burcy
Garentreville
Obsonville
Châtenoy
Aufferville
Bagneaux-sur-Loing
Poligny
Remauville
Chaintreaux
Puiseaux
Ichy
La Madeleine-sur-Loing
Bougligny
Maisoncelles-en-Gâtinais
Arville
Gironville
Bromeilles
Souppes-sur-Loing
Égreville
Échilleuses
Chenou
Château-Landon
Mondreville
Dordives
Bransles
Chevannes
Le Bignon-Mirabeau
Beaumont-du-Gâtinais
Bordeaux-en-Gâtinais
Sceaux-du-Gâtinais
Courtempierre
Nargis
Fontenay-sur-Loing
Préfontaines
Ferrières-en-Gâtinais
Griselles
Corbeilles
Treilles-en-Gâtinais
Mignerette
Gondreville
Mignères
Girolles
Cepoy
Beaune-la-Rolande
Juranville
Lorcy
Chapelon
Villevoques
Corquilleroy
Paucourt
Châlette-sur-Loing
Montargis
La Chapelle-St-Sépulcre
Courtemaux
Louzouer
Thorailles
La Selle-en-Hermoy
Ladon
Pannes
Villemandeur
Amilly
Bellegarde
Ouzouer-sous-Bellegarde
Villemoutiers
St-Maurice-sur-Fessard
Auvilliers-en-Gâtinais
Presnoy
Chailly-en-Gâtinais
Chevillon-sur-Huillard
Lombreuil
Vimory
Mormant-sur-Vernisson
Conflans-sur-Loing
St-Germain-des-Prés
St-Firmin-des-Bois
Thimory
Solterre
Montcresson
Coudroy
A 6
A 19
A 77
E 15
E 60
D 606
D 403
D 225
D 2007
D 2060
D 2160
D 943
D 975
D 950

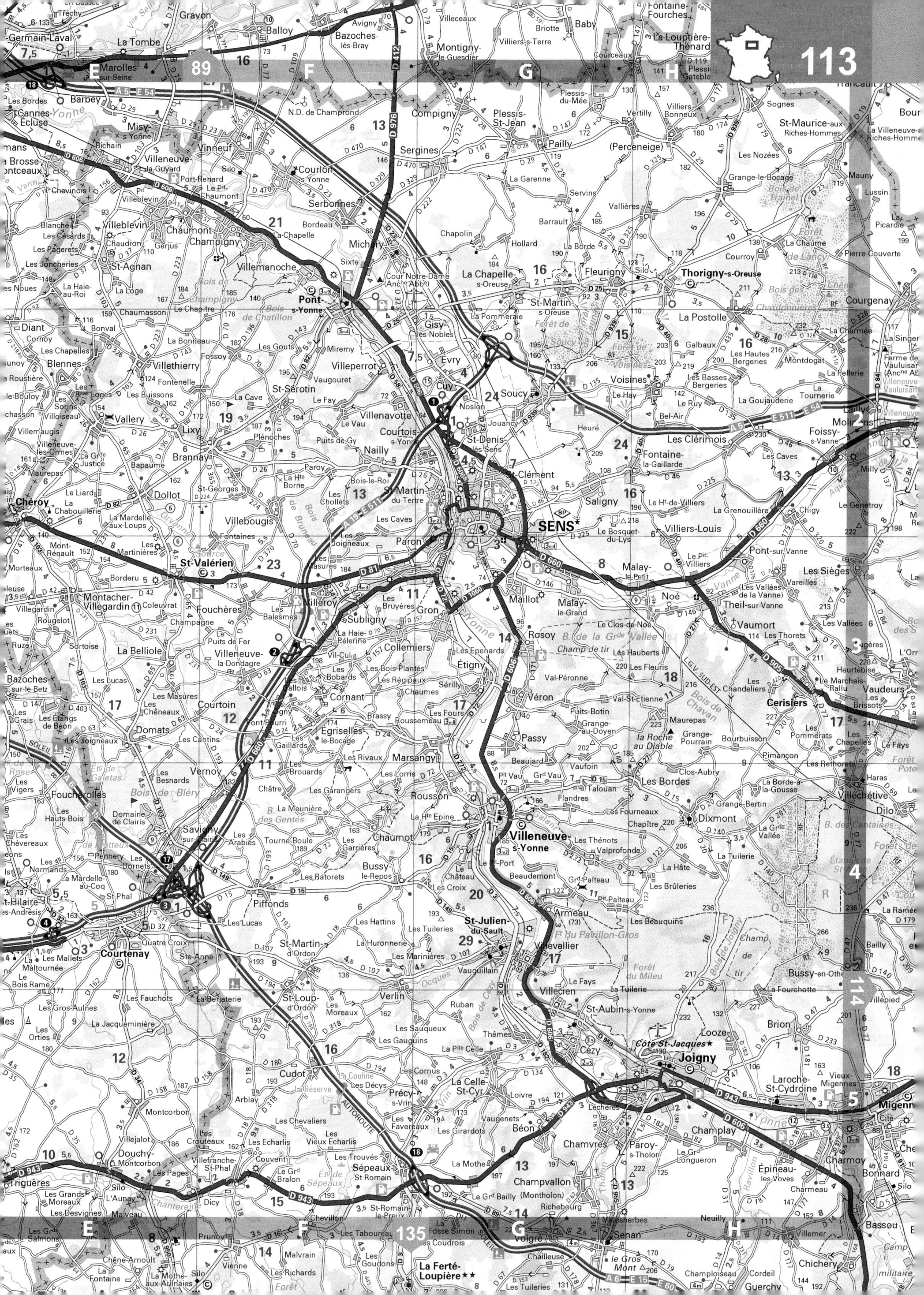
89
E
F
G
H
Gravon
Balloy
Avigny
Villeceaux
Briotte
Baby
Fontaine-Fourches
La-Louptière-Thénard
La Tombe
Bazoches-lès-Bray
Montigny-le-Guesdier
Villiers-s-Terre
Courceaux
Marolles-sur-Seine
Barbey
Misy-s-Yonne
Cannes-Écluse
Les Bordes
N.D. de Champrond
Compigny
Plessis-St-Jean
Plessis-du-Mée
Vertilly
Villiers-Bonneux
Sognes
St-Maurice-aux-Riches-Hommes
Bichain
Villeneuve-la-Guyard
Vinneuf
Silo
Courlon-s-Yonne
Sergines
Pailly
(Perceneige)
Les Nozées
Grange-le-Bocage
Port-Renard
Chevinois
Villeblevin
Chaumont
Serbonnes
La Garenne
Servins
Vallières
Bois de Trainel
Mauny
Lussin
Villeblevin
Blanché
Les Césards
Les Pagerets
Chaudron
Champigny
La Chapelle
Bordeau
Michery
Barrault
Chapolin
Hollard
La Borde
Courroy
La Chaume
Picardie
Pierre-Couverte
Les Joncheries
St-Agnan
Villemanoche
Sixte
Cour Notre-Dame (Anc.ne Abb.e)
La Chapelle-s-Oreuse
Fleurigny
Thorigny-s-Oreuse
Forêt de Lancy
La Haie-au-Roi
Les Noues
La Loge
Bois de Champigny
Pont-s-Yonne
St-Martin-s-Oreuse
La Postolle
Bois des Chardonnières
Courgenay
Chaumasson
Le Chapitre
Bois de Chatillon
Gisy-les-Nobles
La Pommeraie
Forêt de Soucy
Forêt de Launay
Forêt de Voisines
Galbaux
Les Hautes Bergeries
La Charmée
Montdogat
Le Singer
Ferme de Vauluisant
Diant
Bonval
La Bonneau
Fossoy
Les Gouts
Miremy
Villeperrot
Cornoy
Les Chapelles
Blennes
Villethierry
Fontenelle
Vaugouret
Évry
Cuy
Soucy
Voisines
Les Basses Bergeries
La Pellerie
La Tournerie
Le Bouloy
Les Loges
Les Buissons
St-Sérotin
Le Fay
Nolson
Le Hay
Le Ruy
La Goujauderie
Villevallier
Vallery
La Cave
Villenavotte
Jouancy
Bel-Air
Molinons
Villeneuve-les-Ormes
Lixy
Plénoches
Courtois-s-Yonne
Puits de Gy
St-Denis-lès-Sens
Heuré
Les Clérimois
Foissy-s-Vanne
Brannay
Nailly
Fontaine-la-Gaillarde
Les Caves
Maurepas
Bapaume
Paroy
La Hte Borne
Bois-le-Roi
St-Clément
Le Liard
La Chabouillerie
Dollot
St-Georges
Les Chollets
St-Martin-du-Tertre
Saligny
Le Ht-de-Villiers
La Grenouillère
Chigy
Le Genetroy
Chéroy
La Mardelle-aux-Loups
Villebougis
Bois de Bruneau
Les Caves
SENS
Le Bosquet-du-Lys
Villiers-Louis
Les Martinières
Fontaines
Joigneaux
Paron
Mont-Renault
Source
St-Valérien
Les Masures
Malay-le-Petit
Le Pit Villiers
Pont-sur-Vanne
Les Sièges
Morteaux
Borderu
Villeroy
Noé
Theil-sur-Vanne
(Les Vallées de la Vanne)
Vareilles
Montacher-Villegardin
Coleuvrat
Fouchères
Les Balesmes
Les Bruyères
Gron
Maillot
Malay-le-Grand
Villegardin
Rougelot
Champagne
Subligny
Le Clos-de-Noé
Vaumort
Les Vallées
Les Thorets
Puits de Fer
La Haie-Pélerine
B. de la Grde Vallée
Ruzé
Sortoise
La Belliole
Villeneuve-la-Dondagne
Vil-Cul
Collemiers
Les Epenards
Rosoy
Champ de tir
Les Hauberts
Heurtebise
L'Orme
Les Bois-Plantés
Étigny
Les Fleuris
Bazoches-sur-le-Betz
Les Lucas
Les Bobards
Les Régipaux
Sérilly
Val-Péronne
Le Marchais-Rallu
Vaudeurs
Galiois
Cornant
Chaumes
Véron
Val-St-Étienne
Bois de Chavan
Les Chandeliers
Cerisiers
Les Brissots
Les Masures
Courtoin
Les Chêneaux
Les Étangs de Béon
Brassy
Roussemeau
Les Fours
Puits-Botin
Grange-au-Doyen
Maurepas
Les Grais
Domats
Egriselles-le-Bocage
Les Gaillards
Les Cantins
Passy
La Roche au Diable
Grange-Pourrain
Bourbuisson
Les Pommerats
Les Chapelles
Le Fays
Les Joigneaux
Les Rivaux
Marsangy
Beaujard
Vaufoin
Pimançon
Les Rethorets
Forêt
Soleil
Étg de Galetas
Rose
Les Besnards
Vernoy
Les Brouards
Les Lorris
Pit Vau
Grd Vau
Talouan
Les Bordes
Clos-Aubry
Haras
La Borde-à-la-Gousse
Les Vigers
Foucherolles
Bois de Bléry
Châtre
Les Garangers
Rousson
Flandres
Grange-Bertin
Villechétive
Dilo
Les Hauts-Bois
Domaine de Clairis
La Meunière
B. des Gentes
La Hte Epine
Villeneuve-s-Yonne
Les Fourneaux
Chapitre
Dixmont
B. des Centaines
Les Chèvereaux
Savigny-sur-Clairis
Les Arables
Tourne-Boule
Les Garrières
Chaumot
Les Thénots
Valprofonde
La Grde Vallée
Pennery
Les Dornets
Les Normands
La Mardelle-au-Coq
Bussy-le-Repos
Les Ratorets
Le Château
Les Croix
Beaudemont
Grd-Palteau
La Hâte
La Tuilerie
Les Brûleries
St-Hilaire
St-André
St-Phal
Piffonds
Pit-Palteau
St-Julien-du-Sault
Armeau
Les Beauquins
Courtenay
Quatre Croix
Les Lucas
Les Hattins
Les Tuileries
Ste-Anne
St-Martin-d'Ordon
La Huronnerie
Ft du Pavillon-Gros
Bois de Joigny
Champ de tir
La Rameé
Les Mallets
La Maltournée
Le Bois Ramé
Les Marinières
Vauguillain
Villevallier
Forêt du Mileu
Bussy-en-Othe
Bailly
Les Fauchots
La Berjaterie
St-Loup-d'Ordon
Verlin
Ruban
Bois de Cézy
Les Fays
La Tuilerie
Villecien
La Fourchotte
Villepied
Les Gros-Aulnes
La Jacqueminière
Les Orties
Les Moreaux
Les Sauqueux
Les Gauguins
Thèmes
St-Aubin-s-Yonne
Brion
Looze
Côte St-Jacques
Joigny
La Pite Celle
Cézy
Cudot
Arblay
La Couline
La Réserve
Les Décys
Les Cornus
La Celle-St-Cyr
Précy-s-Vrin
Loivre
Lécheres
Laroche-St-Cydroine
Vieux-Migennes
Migennes
Cité
Montcorbon
Les Chevaliers
Favereaux
Les Girardots
Vaugenets
Béon
Champlay
Les Crouteaux
Les Echarlis
Vieux Echarlis
Chamvres
Paroy-s-Tholon
Le Grd Longueron
Villejalot
Douchy-Montcorbon
Villefranche-St-Phal
Couvent
Les Trouvés
Sépeaux
St-Romain
La Mothe
Épineau-les-Voves
Charmoy
Bonnard
Les Pages
Le Grd Bralon
Étg de Sépeaux
Champvallon (Montholon)
Charmeau
Triguères
Les Grands Moreaux
Les Desvignes
Silo
L'Aunay
Dicy
Le Grd Bailly
Richebourg
Thollon
Ravillon
Malveau
Chevillon
St-Romain-le-Preux
La Fosse Simon
Malesherbes
Neuilly
Villemer
Bassou
Les Grd Salmons
Prunoy
Les Tabourequ
Les Coudrois
Volgré
Senan
Camp militaire
Chêne-Arnoult
Malvrain
Les Goudons
Chailleuse
le Gros Mont
Cordeil
Chichery
La Fontaine
La Mothe-aux-Aulnaies
Vienne
Les Richards
Forêt
La Ferté-Loupière
Les Tuileries
Champloiseau
Guerchy
135
114
AUTOROUTE
L.G.V. SUD-EST
Yonne
Vanne
Orvanne
Ocques
Vrin
Chantereine
Galant

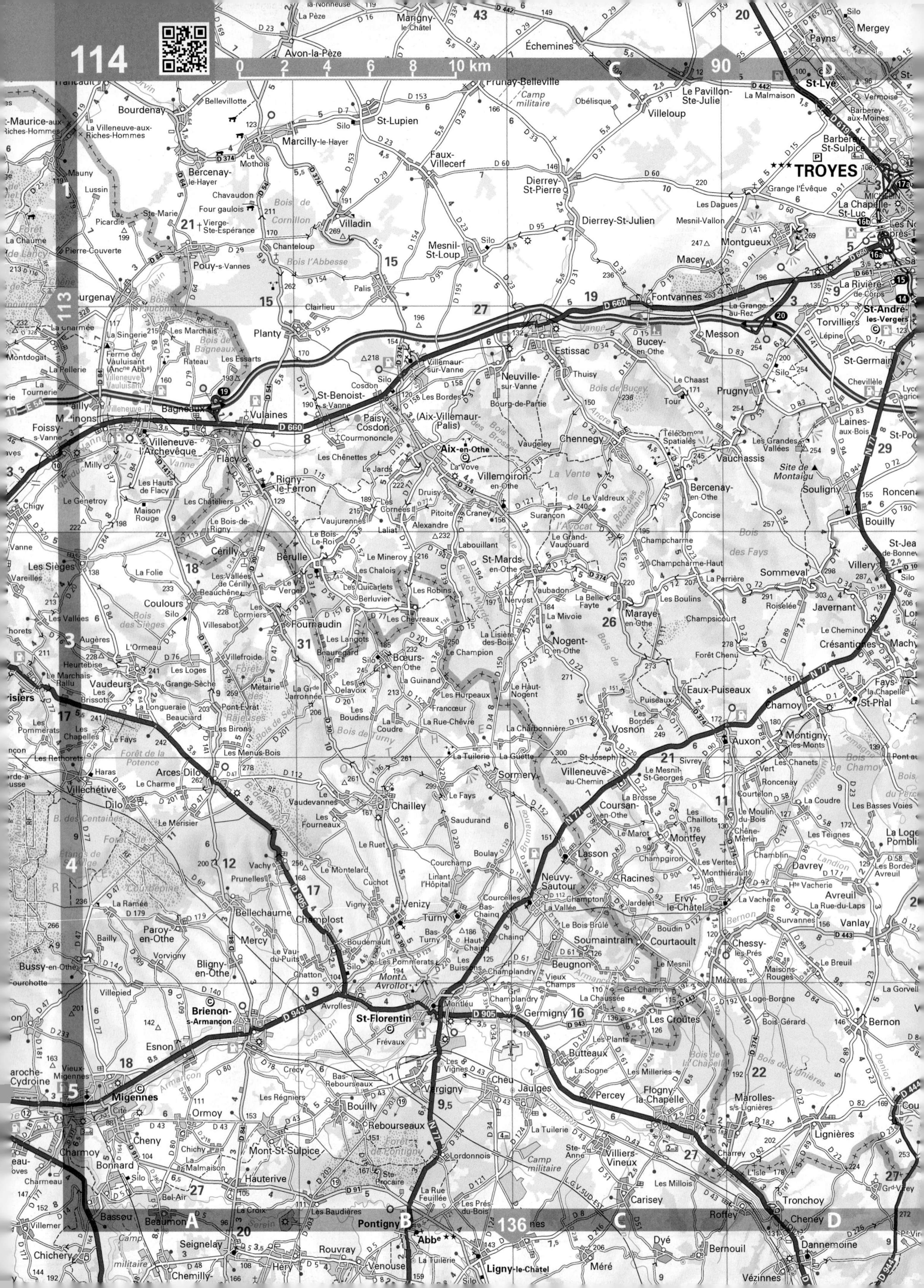
0 2 4 6 8 10 km
TROYES
St-Lyé
Payns
Mergey
Barberey-St-Sulpice
Barberey-aux-Moines
La Chapelle-St-Luc
Grange l'Évêque
Les Dagues
Mesnil-Vallon
Montgueux
Macey
Fontvannes
La Grange-au-Rez
La Rivière-de-Corps
St-André-les-Vergers
Torvilliers
Lépine
Messon
St-Germain
Chevillèle
Prugny
Laines-aux-Bois
St-Pouange
Vauchassis
Les Grandes Vallées
Site de Montaigu
Souligny
Bouilly
Roncenay
Villery
Sommeval
Javernant
Roiselée
Le Cheminot
Crésantignes
Machy
Fays-la-Chapelle
St-Phal
Chamoy
Montigny-les-Monts
Les Chanets
Roncenay
Vert
Courtelon
Le Moulin-du-Bois
La Coudre
Les Basses Voies
Les Teignes
La Loge-Pomblin
Davrey
Les Bordes-Avreuil
Avreuil
Vanlay
La Vacherie
La Rue-du-Laps
Survannes
Chessy-les-Prés
Le Breuil
Maisons-Rouges
Loge-Borgne
Bois-Gérard
Bernon
Marolles-s/s-Lignières
Lignières
Charrey
L'Isle
Tronchoy
Cheney
Dannemoine
Vézinnes
Bernouil
Roffey
Dyé
Méré
Carisey
Les Millois
Villiers-Vineux
Ste-Anne
Flogny-la-Chapelle
Percey
Jaulges
La Sogne
Les Millerie
Butteaux
Les Plants
Les Croûtes
Germigny
La Chaussée
Le Mesnil
Mézières
Courtaoult
Soumaintrain
Beugnon
Vieux Champs
Champlandry
Montleu
St-Florentin
Frévaux
Avrolles
Mont Avrollot
Les Pommerats
Boudemault
Bas-Turny
Haut-Chaing
Chaing
Les Buissons
Turny
Venizy
Vigny
Cuchot
Linant
Courchamp
Courcelles
Bas-Chaing
Neuvy-Sautour
Champton
La Vallée
Le Bois Brûlé
Jardelet
Ervy-le-Châtel
Boudin
Racines
Champgiron
Les Ventes
Monthiérault
Montfey
Le Marot
Lasson
Coursan-en-Othe
La Brosse
Les Chaillots
Chêne-Merlin
Le Mesnil-St-Georges
Sivrey
Auxon
Villeneuve-au-Chemin
St-Joseph
Sormery
La Guette
La Tuilerie
La Charbonnière
Vosnon
Les Bordes
Eaux-Puiseaux
Puiseaux
Forêt Chenu
Champsicourt
Maraye-en-Othe
Les Boulins
La Perrière
Champcharme-Haut
Champcharme
Concise
Bercenay-en-Othe
Le Valdreux
Surançon
Bois des Montcains
La Vente de l'Avocat
Le Grand-Vaucouard
Vaubadon
La Belle Fayte
La Mivoie
Nogent-en-Othe
Bois de Marve
Le Haut-Nogent
Le Nervost
St-Mards-en-Othe
La Lisière-des-Bois
Le Champion
Labouillant
Craney
Pitoite
Villemoiron-en-Othe
Vaugeley
Chennegy
Télécomons Spatiales
Aix-en-Othe
La Vove
Druisy
Alexandre
Laliat
Les Cornées
Vaujurennes
Le Bois-le-Roi
Bérulle
Le Mineroy
Les Chalois
Les Quicarlets
Berluvier
Les Robins
Les Chevreaux
Le Verger
Fournaudin
Les Langots
Beauregard
Bœurs-en-Othe
La Guinand
Les Delavoix
Les Hurpeaux
Francœur
La Rue-Chêvre
Les Boudins
La Coudre
Bois de Turny
Chailley
Le Fays
Saudurand
Boulay
Le Ruet
Le Montelard
Les Fourneaux
Vaudevannes
Arces-Dilo
Le Charme
Dilo
Villechétive
Haras
Les Rethorets
Les Menus-Bois
Les Birons
Beauciard
Pont-Evrat
Grange-Sèche
Les Loges
Villefroide
La Métairie
Le Mérisier
Vachy
Prunelles
La Ramée
Bellechaume
Champlost
Mercy
Le Vau-du-Puits
Chatton
Paroy-en-Othe
Vorvigny
Bligny-en-Othe
Bussy-en-Othe
Bailly
Villepied
Brienon-s-Armançon
Esnon
Vieux-Migennes
Migennes
Cité
Laroche-Cydroine
Ormoy
Cheny
Chichy
La Malmaison
Hauterive
Bonnard
Charmoy
Bel-Air
Bassou
Beaumont
Seignelay
Chemilly
Chichery
Villemer
Héry
Rouvray
Venouse
Pontigny
Abbe
Ligny-le-Châtel
La Tuilerie
Les Prés-du-Bois
La Rue Feuillée
Lordonnois
Ste-Procaire
Forêt de Pontigny
Rebourseaux
Bas-Rebourseaux
Bouilly
Mont-St-Sulpice
Les Régniers
Crécy
Vergigny
Les Vignes
Chéu
Camp militaire
La Croix
Les Baudières
Vaudeurs
Heurtebise
Le Marchais-Rallu
Les Brissots
La Longueraie
Les Chapelles
Le Fays
Forêt de la Potence
Augères
L'Ormeau
Les Vallées
Coulours
Villesabot
Les Cormiers
Beauchêne
Les Vallées de Cérilly
Cérilly
La Folie
Les Sièges
Vareilles
Bois des Sièges
Le Bois-de-Rigny
Les Châteliers
Rigny-le-Ferron
Maison Rouge
Les Hauts de Flacy
Le Genetroy
Chigy
Milly
Flacy
Les Chênettes
Le Jards
Villeneuve-l'Archevêque
Foissy-s-Vanne
Molinons
Bagneaux
Vulaines
Paisy-Cosdon
Cosdon
Courmononcle
St-Benoist-s-Vanne
Villemaur-sur-Vanne
(Aix-Villemaur-Palis)
Les Bordes
Neuville-sur-Vanne
Bourg-de-Partie
Estissac
Thuisy
Bucey-en-Othe
Bois de Bucey
Le Chaast
Tour
Planty
Clairlieu
Palis
Les Marchais
La Singerie
Ferme de Vauluisant
Villeneuve-Vauluisant
Rateau
Les Essarts
La Charmée
La Pellerie
Montdogat
La Tournerie
Courgenay
Pouy-s-Vannes
Vierge-Ste-Espérance
Pierre-Couverte
Picardie
Ste-Marie
Four gaulois
Chavaudon
Bercenay-le-Hayer
Le Mothois
Marcilly-le-Hayer
St-Lupien
Faux-Villecerf
Villadin
Chanteloup
Bois l'Abbesse
Bois de Cornillon
Mesnil-St-Loup
Dierrey-St-Pierre
Dierrey-St-Julien
Villeloup
Le Pavillon-Ste-Julie
Obélisque
La Malmaison
Prunay-Belleville
Camp militaire
Échemines
Marigny-le-Châtel
Avon-la-Pèze
La Pèze
Bourdenay
Bellevillotte
La Villeneuve-aux-Riches-Hommes
St-Maurice-aux-Riches-Hommes
Mauny
Lussin
La Chaume
Forêt de Lancy

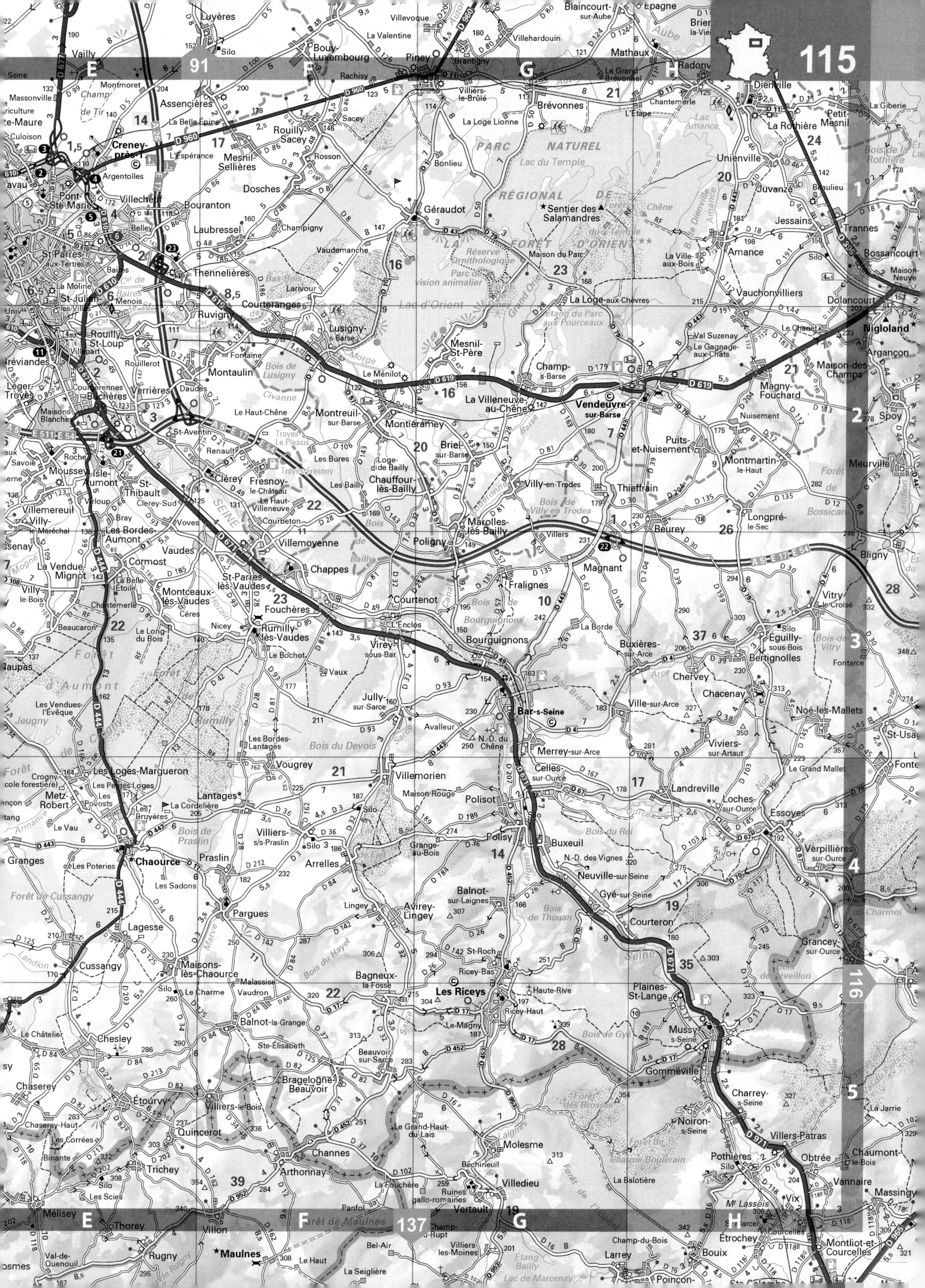
Luyères
Villevoque
Blaincourt-sur-Aube
Épagne
Vailly
Bouy-Luxembourg
La Valentine
Piney
Villehardouin
Mathaux
Radonvilliers
Brantigny
Rachisy
Villiers-le-Brûlé
Le Grand Brévonnel
Montmoret
Assencières
Brévonnes
Dienville
Chantemerle
L'Étape
Champ de Tir
Sacey
La Loge Lionne
Petit-Mesnil
La Giberie
La Belle Épine
La Rothière
Creney-près-Troyes
Rouilly-Sacey
Rosson
PARC NATUREL RÉGIONAL DE LA FORÊT D'ORIENT
Lac du Temple
Lac Amance
Unienville
Juvanzé
Beaulieu
L'Espérance
Mesnil-Sellières
Bonlieu
Argentolles
Pont-Ste-Marie
Villechétif
Dosches
Bouranton
Géraudot
Sentier des Salamandres
Jessains
Trannes
Bossancourt
Maison-Neuve
Laubressel
Champigny
Amance
La Ville-aux-Bois
St-Parres-aux-Tertres
Vaudemanche
Réserve Ornithologique
Parc de vision animalier
Maison du Parc
Thennelières
Lac d'Orient
La Loge-aux-Chèvres
Vauchonvilliers
Dolancourt
La Moline
St-Julien-les-Villas
Baires
Menois
Larivour
Courteranges
Ruvigny
Étang du Parc aux Pourceaux
Val Suzenay
Le Gagnage-aux-Chats
Le Chanet
Nigloland
Argançon
Rouilly-St-Loup
Lusigny-sur-Barse
Mesnil-St-Père
Maison-des-Champs
Bréviandes
Villepart
Fontaine
Bois de Lusigny
Rouillerot
Montaulin
Le Ménilot
Champ-sur-Barse
Magny-Fouchard
Spoy
Léger
Troyes
Courgerennes
Buchères
Verrières
Daudes
Civanne
Montreuil-sur-Barse
La Villeneuve-au-Chêne
Vendeuvre-sur-Barse
Maisons Blanches
Le Haut-Chêne
Montiéramey
Nuisement
St-Aventin
Renault
Troyes Le Plessis
Puits-et-Nuisement
Meurville
Roche
Savoie
Moussey
Isle-Aumont
St-Thibault
Clérey
Fresnoy-le-Château
Troyes-Fresnoy
Les Bures
Loge-de-Bailly
Briel-sur-Barse
Montmartin-le-Haut
Villy-en-Trodes
Thieffrain
Forêt de Bossican
Verloup
Clérey-Sud
Les Bailly
Chauffour-lès-Bailly
Villemereuil
Villy-le-Maréchal
Bray
Le Haut-Villeneuve
Courbeton
Bois de Villy en Trodes
Les Bordes-Aumont
Voves
Marolles-lès-Bailly
Villers
Beurey
Longpré-le-Sec
Bligny
Vaudes
Villemoyenne
Poligny
Magnant
Mogne
La Vendue-Mignot
Cormost
Chappes
Villy-le-Bois
La Belle Étoile
Montceaux-lès-Vaudes
St-Parres-lès-Vaudes
Fraligne
Chantemerle
Fouchères
Courtenot
Bois de Bourguignons
Vitry-le-Croisé
Céres
Beaucaron
Le Long-du-Bois
Nicey
Rumilly-lès-Vaudes
L'Enclos
La Borde
Buxières-sur-Arce
Éguilly-sous-Bois
Bertignolles
Forêt d'Aumont
Virey-sous-Bar
Le Bochot
Bourguignons
Fontarce
Vaux
Chervey
Bois Bréard
Chacenay
Jully-sur-Sarce
Les Vendues-l'Évêque
Jeugny
Forêt de Rumilly
Bar-s-Seine
Ville-sur-Arce
Noé-les-Mallets
Avalleur
N.-D. du Chêne
Viviers-sur-Artaut
St-Usage
Les Bordes-Lantages
Bois du Devois
Merrey-sur-Arce
Celles-sur-Ource
Le Grand Mallet
Fontette
Crogny
Vougrey
Villemorien
Landreville
Les Loges-Margueron
Les Petites Loges
Metz-Robert
Lantages
Maison Rouge
Polisot
Loches-sur-Ource
Essoyes
Les Povosts
La Cordelière
Les Bruyères
Villiers-s/s-Praslin
Bois de Praslin
Le Vau
Grange-au-Bois
Polisy
Buxeuil
Bois du Roi
Verpillières-sur-Ource
Chaource
Praslin
Les Poteries
Arrelles
N.-D. des Vignes
Neuville-sur-Seine
Les Sadons
Forêt de Cussangy
Lingey
Avirey-Lingey
Balnot-sur-Laignes
Gyé-sur-Seine
Courteron
Pargues
Bois de Thouan
Lagesse
St-Roch
Grancey-sur-Ource
Cussangy
Maisons-lès-Chaource
Bois du Hayet
Ricey-Bas
Bagneux-la-Fosse
Malassise
Vaudron
Les Riceys
Haute-Rive
Plaines-St-Lange
Le Charme
Ricey-Haut
Le Magny
Balnot-la-Grange
Bois de Gyé
Mussy-s-Seine
Le Châtelier
Chesley
Ste-Élisabeth
Beauvoir-sur-Sarce
Gommeville
Chaserey
Bragelogne-Beauvoir
Forêt des Brosses
Charrey-s-Seine
Étourvy
Villiers-le-Bois
La Jarrie
Chaserey-Haut
Quincerot
Le Grand-Haut-du-Lais
Noiron-s-Seine
Les Corrées
Villers-Patras
Binante
Trichey
Channes
Molesme
Forêt de Charme-Boulerain
Pothières
Obtrée
Chaumont-le-Bois
Arthonnay
Béchineuil
Villedieu
La Balotière
Vannaire
Les Scies
La Fouchère
Ruines gallo-romaines
Mt Lassois
Vix
Massingy
Mélisey
Thorey
Panfol
Forêt de Maulnes
Vertault
Champ-du-Rupt
Courcelles
Villon
Champ-du-Bois
Étrochey
Montliot-et-Courcelles
Val-de-Quenouil
Rugny
Maulnes
Bel-Air
Villiers-les-Moines
Larrey
Bouix
Le Haut
La Seiglière
Étang Bailly
Lac de Marcenay
Poinçon
E F G H
91
137
116

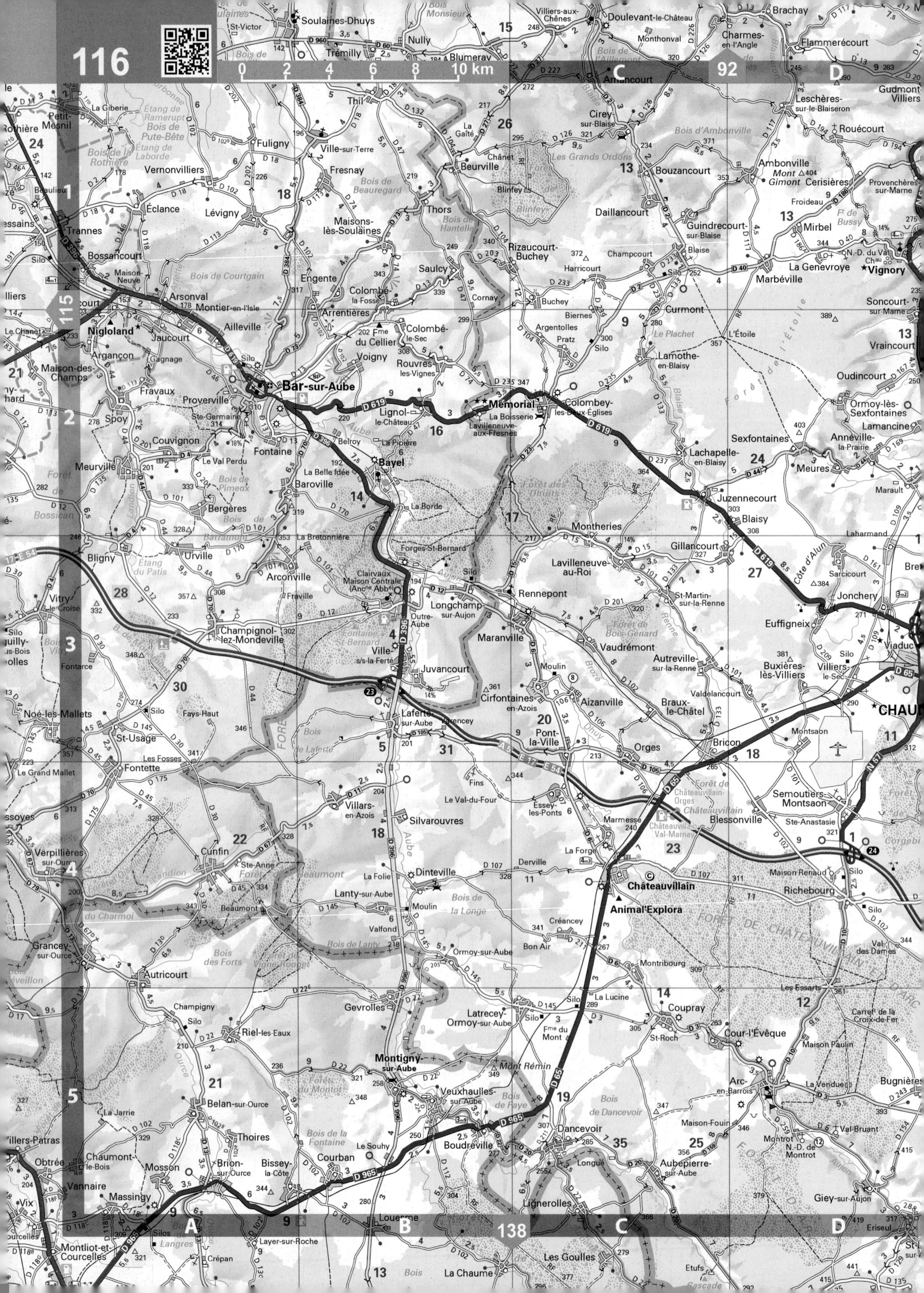

116
0 2 4 6 8 10 km
92
138
A
B
C
D
1
2
3
4
5
115
Soulaines-Dhuys
St-Victor
Nully
Trémilly
Blumeray
Villiers-aux-Chênes
Doulevant-le-Château
Monthonval
Charmes-en-l'Angle
Brachay
Flammerécourt
Amancourt
Leschères-sur-le-Blaiseron
Gudmont-Villiers
La Giberie
Petit-Mesnil
Rothière
Étang de Ramerupt
Bois de Pute-Bête
Étang de Laborde
Bois de la Rothière
Fuligny
Ville-sur-Terre
Thil
La Gaîté
Cirey-sur-Blaise
Bois d'Ambonville
Rouécourt
Vernonvilliers
Fresnay
Chânet
Beurville
Les Grands Ordons
Bouzancourt
Ambonville
Mont Gimont
Cerisières
Provenchères-sur-Marne
Beaulieu
Éclance
Lévigny
Bois de Beauregard
Maisons-lès-Soulaines
Thors
Bois de Hantelle
Blinfey
Forêt de Blinfey
Daillancourt
Guindrecourt-sur-Blaise
Froideau
Mirbel
Trannes
Bossancourt
Maison-Neuve
Bois de Courtgain
Engente
Saulcy
Rizaucourt-Buchey
Harricourt
Champcourt
Blaise
La Genevroye
Marbéville
Vignory
N.-D. du Val
Colombé-la-Fosse
Arrentières
Cornay
Buchey
Curmont
Soncourt-sur-Marne
Arsonval
Montier-en-l'Isle
Ailleville
Nigloland
Jaucourt
Biernes
Argentolles
Pratz
Le Plachet
L'Étoile
Vraincourt
Le Chanet
Maison-des-Champs
Arçonçon
Gagnage
Fme du Cellier
Colombé-le-Sec
Voigny
Rouvres-les-Vignes
Lamothe-en-Blaisy
Oudincourt
Fravaux
Proverville
Bar-sur-Aube
Lignol-le-Château
Mémorial
La Boisserie
Lavilleneuve-aux-Fresnes
Colombey-les-Deux-Églises
Ormoy-lès-Sexfontaines
Lamancine
Spoy
Ste-Germaine
Couvignon
Fontaine
Belroy
La Pipière
Sexfontaines
Annéville-la-Prairie
Meurville
Le Val Perdu
Bois de Pimeaux
Bayel
La Belle Idée
Baroville
Lachapelle-en-Blaisy
Meures
Marault
Forêt de Bossican
Bergères
La Borde
Forêt des Dhuits
Juzennecourt
Blaisy
Laharmand
Bligny
Barramont
La Bretonnière
Forges-St-Bernard
Montheries
Gillancourt
Urville
Étang du Patis
Arconville
Clairvaux Maison Centrale (Anc. Abb.)
Lavilleneuve-au-Roi
Sarcicourt
Vitry-le-Croisé
Fraville
Longchamp-sur-Aujon
Rennepont
St-Martin-sur-la-Renne
Côte d'Alun
Jonchery
Eufﬁgneix
Champignol-lez-Mondeville
Outre-Aube
Fontaine St-Bernard
Maranville
Forêt de Bois-Gérard
Vaudrémont
Viaduc
Fontarce
Ville-s/s-la-Ferté
Juvancourt
Moulin
Autreville-sur-la-Renne
Buxières-lès-Villiers
Villiers-le-Sec
Noé-les-Mallets
Fays-Haut
Cirfontaines-en-Azois
Aizanville
Braux-le-Châtel
Valdelancourt
CHAUMONT
St-Usage
Laferté-sur-Aube
Varencey
Pont-la-Ville
Dhuy
Orges
Bricon
Montsaon
Les Fosses
Fontette
Le Grand Mallet
Fins
Le Val-du-Four
Essey-les-Ponts
Forêt de Châteauvillain-Orges
Semoutiers-Montsaon
Villars-en-Azois
Silvarouvres
Marmesse
Châteauvillain Val-Marnay
Blessonville
Ste-Anastasie
Verpillières-sur-Ource
Cunfin
Ste-Anne
Forêt de Beaumont
La Folie
Dinteville
Derville
La Forge
Châteauvillain
Animal'Explora
Maison Renaud
Richebourg
Lanty-sur-Aube
Bois de la Longe
Beaumont
du Charmoi
Valfond
Créancey
Forêt de Châteauvillain et d'Arc
Grancey-sur-Ource
Bois des Forts
Bois de Lanty
Ormoy-sur-Aube
Bon Air
Montribourg
Val-des-Dames
Autricourt
Gevrolles
Latrecey-Ormoy-sur-Aube
La Lucine
Coupray
Les Essarts
Carrefr de la Croix-de-Fer
Champigny
Riel-les-Eaux
Fme du Mont
St-Roch
Cour-l'Évêque
Maison Paulin
Montigny-sur-Aube
Mont Rémin
Forêt du Montot
Veuxhaulles-sur-Aube
Bois de Faye
Bois de Dancevoir
Arc-en-Barrois
La Vendue
Bugnières
La Jarrie
Belan-sur-Ource
Bois de la Fontaine
Dancevoir
Maison-Fouin
Montrot
N.-D. de Montrot
Val-Bruant
Thoires
Villers-Patras
Obtrée
Chaumont-le-Bois
Mosson
Brion-sur-Ource
Bissey-la-Côte
Courban
Le Souhy
Boudreville
Longue
Aubepierre-sur-Aube
Vannaire
Massingy
Lignerolles
Giey-sur-Aujon
Vix
Louesme
Layer-sur-Roche
Silos
Langres
Eriseul
Montliot-et-Courcelles
Crépan
Les Goulles
La Chaume
Etufs

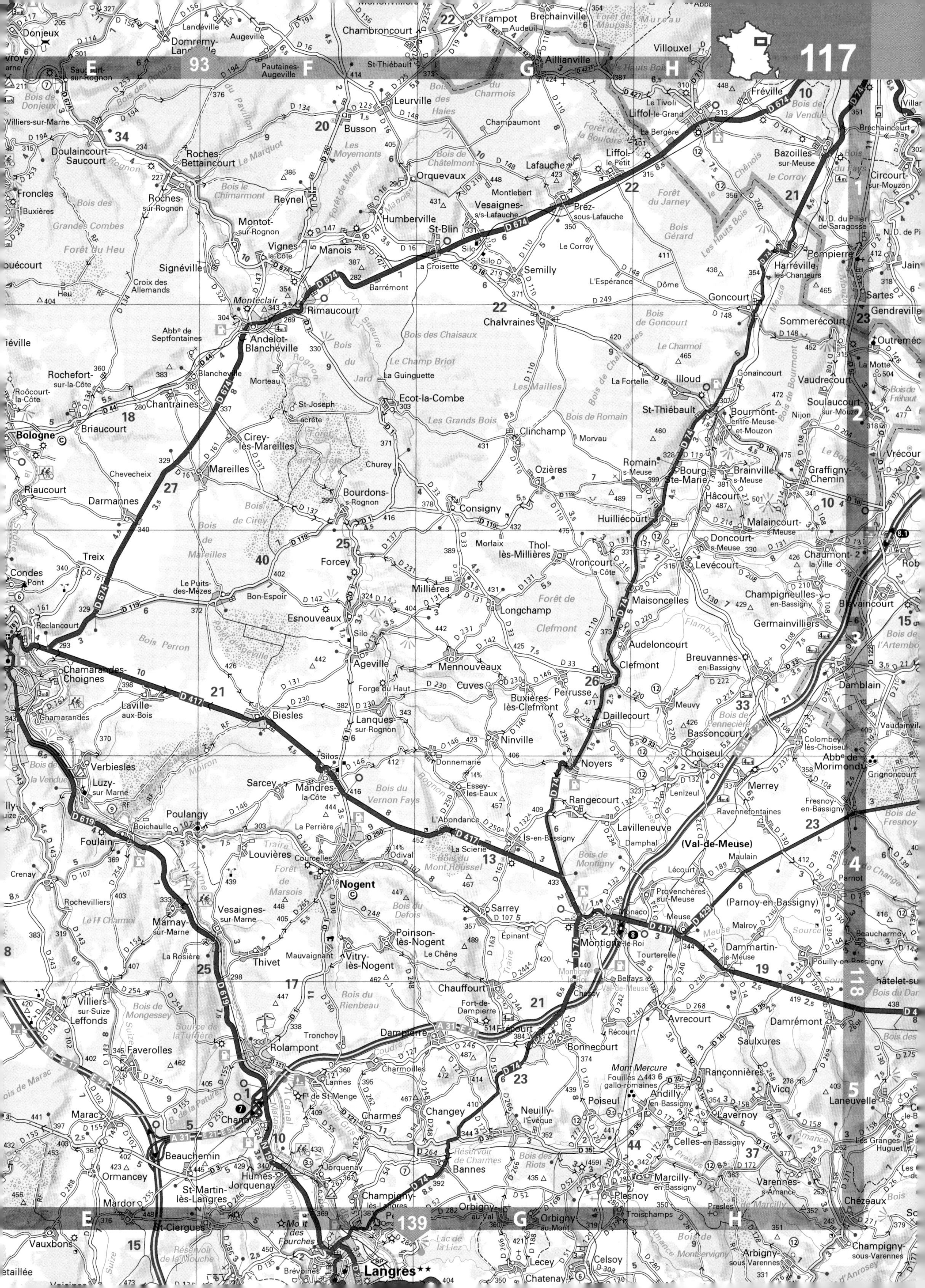

117
E
F
G
H
93
139
118
Donjeux
Saucourt-sur-Rognon
Domremy-Landéville
Augeville
Pautaines-Augeville
Chambroncourt
St-Thiébault
Trampot
Brechainville
Aillianville
Villouxel
Forêt de Maupas
Les Hauts Bois
Bois de Donjeux
Villiers-sur-Marne
Doulaincourt-Saucourt
Roches-Bettaincourt
Leurville
Busson
Bois des Haies
Bois du Charmois
Champaumont
Liffol-le-Grand
Fréville
Le Tivoli
La Bergère
Forêt de la Bouloire
Liffol-le-Petit
Lafauche
Bazoilles-sur-Meuse
Circourt-sur-Mouzon
Froncles
Buxières
Roches-sur-Rognon
Bois le Chimarmont
Reynel
Les Moyemonts
Bois de Châtelmont
Orquevaux
Montlebert
Vesaignes-s/s-Lafauche
Prez-sous-Lafauche
Forêt du Jarney
Le Corroy
Bois des Grandes Combes
Forêt du Heu
Montot-sur-Rognon
Humberville
St-Blin
Manois
Vignes-la-Côte
Signéville
Croix des Allemands
Heu
Semilly
Le Corroy
L'Espérance
Dôme
Bois Gérard
Goncourt
Harréville-les-Chanteurs
Pompierre
N. D. du Pilier de Saragosse
Sartes
Gendreville
Sommerécourt
Outremécourt
Montéclair
Rimaucourt
Barrémont
La Croisette
Andelot-Blancheville
Abbe de Septfontaines
Chalvraines
Bois de Goncourt
Bois des Chaisaux
Le Charmoi
Rochefort-sur-la-Côte
Roôcourt-la-Côte
Blancheville
Morteau
Bois du Jard
Le Champ Briot
La Guinguette
Les Mailles
La Fortelle
Illoud
Gonaincourt
Vaudrecourt
La Motte
Chantraines
St-Joseph
Lacrête
Ecot-la-Combe
Les Grands Bois
Bois de Romain
St-Thiébault
Bourmont-entre-Meuse-et-Mouzon
Nijon
Soulaucourt-sur-Mouzon
Bologne
Briaucourt
Cirey-lès-Mareilles
Forêt de la Crête
Clinchamp
Morvau
Romain-s-Meuse
Bourg-Ste-Marie
Brainville-s-Meuse
Graffigny-Chemin
Vrécourt
Riaucourt
Chevecheix
Mareilles
Churey
Ozières
Hâcourt
Darmannes
Bourdons-s-Rognon
Consigny
Huilliécourt
Malaincourt-s-Meuse
Bois de Cirey
Bois de Mareilles
Morlaix
Thol-lès-Millières
Doncourt-s-Meuse
Chaumont-la-Ville
Treix
Forcey
Millières
Vroncourt-la-Côte
Levécourt
Condes
Le Puits-des-Mèzes
Bon-Espoir
Esnouveaux
Longchamp
Forêt de Clefmont
Maisoncelles
Champigneulles-en-Bassigny
Reclancourt
Bois Perron
Forêt d'Ageville
Silo
Ageville
Mennouveaux
Audeloncourt
Clefmont
Breuvannes-en-Bassigny
Germainvilliers
Damblain
Chamarandes-Choignes
Laville-aux-Bois
Biesles
Forge du Haut
Cuves
Buxières-lès-Clefmont
Perrusse
Daillecourt
Meuvy
Bois de Pennecière
Bassoncourt
Vaudainville
Chamarandes
Lanques-sur-Rognon
Ninville
Noyers
Choiseul
Colombey-lès-Choiseul
Abbe de Morimond
Verbiesles
Luzy-sur-Marne
Moiron
Sarcey
Mandres-la-Côte
Donnemarie
Essey-les-Eaux
Bois du Vernon Fays
Rangecourt
Lenizeul
Merrey
Fresnoy-en-Bassigny
Poulangy
Boichaulle
La Perrière
L'Abondance
Is-en-Bassigny
Lavilleneuve
Ravennefontaines
Foulain
Louvières
Courcelles
Odival
La Scierie
Bois du Mont Roussel
Bois de Montigny
Damphal
(Val-de-Meuse)
Maulain
Crenay
Forêt de Marsois
Nogent
Lécourt
Provenchères-sur-Meuse
Parnot
(Parnoy-en-Bassigny)
Rochevilliers
Le Ht Charmoi
Marnay-sur-Marne
Vesaignes-sur-Marne
Bois du Defois
Sarrey
Épinant
Montigny-le-Roi
Meuse
Malroy
Beaucharmoy
Poinson-lès-Nogent
Le Chêne
Tourterelle
Dammartin-s-Meuse
Pouilly-en-Bassigny
La Rosière
Thivet
Mauvaignant
Vitry-lès-Nogent
Belfays
Val-de-Meuse
Villiers-sur-Suize
Leffonds
Bois de Mongessey
Source de la Tuffière
Bois du Rienbeau
Chauffourt
Fort-de-Dampierre
Avrecourt
Damrémont
Faverolles
Rolampont
Tronchoy
Dampierre
Frécourt
Récourt
Bonnecourt
Saulxures
Mont Mercure
Fouilles gallo-romaines
Rançonnières
Lannes
Charmoilles
Ft de St-Menge
Vicq
Marac
Chanoy
Charmes
Changey
Neuilly-l'Évêque
Poiseul
Andilly-en-Bassigny
Lavernoy
Laneuvelle
Beauchemin
Réservoir de Charmes
Bois des Riots
Celles-en-Bassigny
Les Granges-Huguet
Ormancey
Humes-Jorquenay
Jorquenay
Bannes
Marcilly-en-Bassigny
Varennes-s-Amance
St-Martin-lès-Langres
Champigny-lès-Langres
Orbigny-au-Val
Plesnoy
Forêt de Marcilly
Mardor
St-Ciergues
Mont des Fourches
Lac de la Liez
Orbigny-au-Mont
Troischamps
Presles
Chézeaux
Vauxbons
Réservoir de la Mouche
Brévoines
Langres
Lecey
Celsoy
Chatenay
Bois de Montservigny
Arbigny-sous-Varennes
Champigny-sous-Varennes

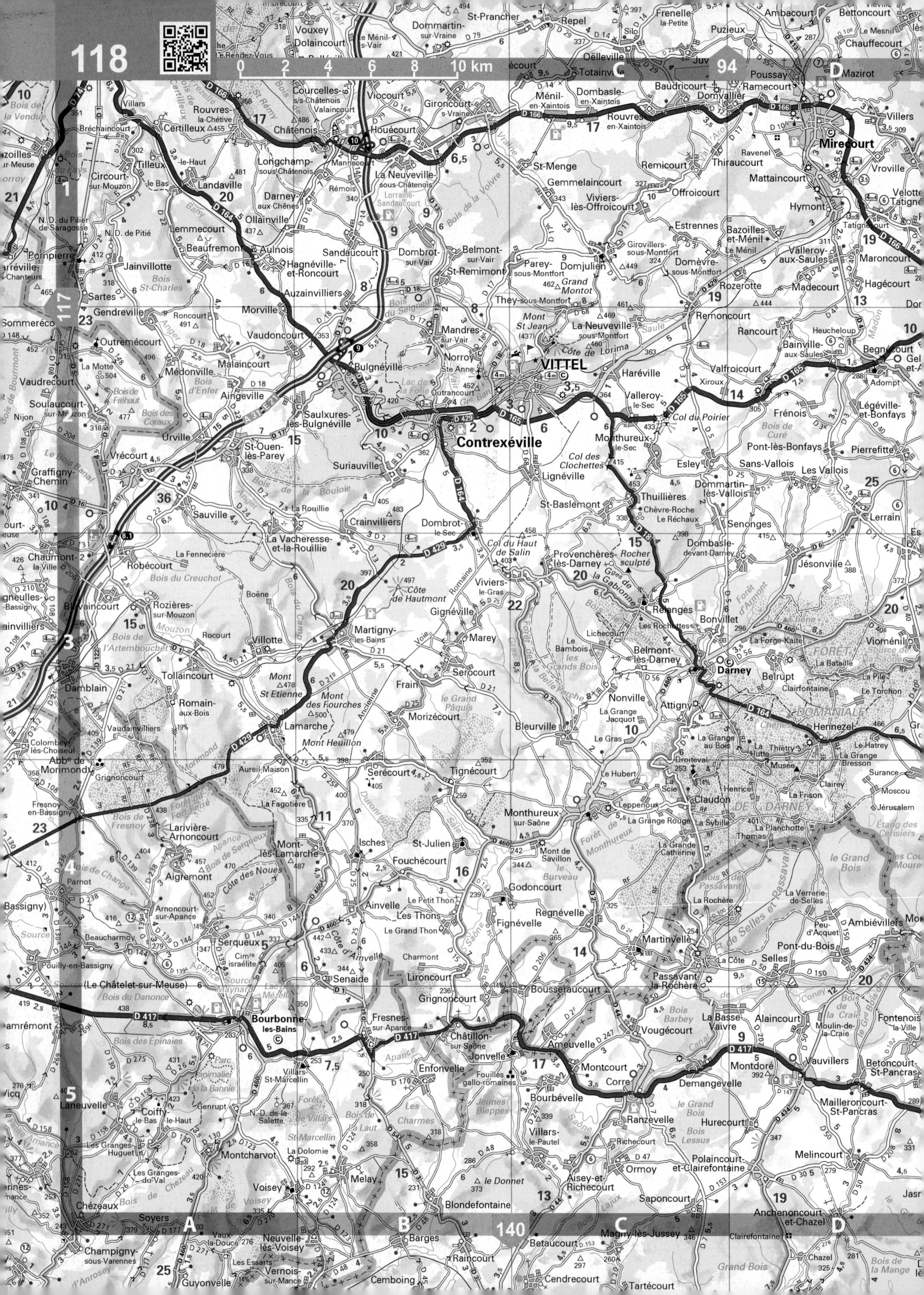
0 2 4 6 8 10 km
94
117
140
A
B
C
D
Vouxey
Dolaincourt
Dommartin-sur-Vraine
St-Prancher
Repel
Frenelle-la-Petite
Ambacourt
Bettoncourt
Chauffecourt
Puzieux
Oëlleville
Totainville
Poussay
Mazirot
Courcelles-s/s-Châtenois
Viocourt
Gironcourt-s-Vraine
Ménil-en-Xaintois
Dombasle-en-Xaintois
Baudricourt
Domvallier
Ramecourt
Villars
Rouvres-la-Chétive
Certilleux
Châtenois
Houécourt
Rouvres-en-Xaintois
Mirecourt
Villers
Bréchaincourt
Tilleux
Longchamp-sous-Châtenois
Mannecourt
La Neuveville-sous-Châtenois
St-Menge
Remicourt
Thiraucourt
Ravenel
Vroville
Circourt-sur-Mouzon
Landaville
Darney-aux-Chênes
Rémois
Lorraine-Sandaucourt
Gemmelaincourt
Viviers-lès-Offroicourt
Offroicourt
Mattaincourt
Hymont
Velotte-et-Tatignécourt
N. D. du Pilier de Saragosse
N. D. de Pitié
Ollainville
Lemmecourt
Beaufremont
Aulnois
Pompierre
Jainvillotte
Sandaucourt
Dombrot-sur-Vair
Belmont-sur-Vair
St-Remimont
Parey-sous-Montfort
Domjulien
Grand Montot
Girovillers-sous-Montfort
Domèvre-sous-Montfort
Estrennes
Bazoilles-et-Ménil
Le Ménil
Valleroy-aux-Saules
Maroncourt
Hagécourt
Madecourt
Rozerotte
Hagnéville-et-Roncourt
Auzainvilliers
Bois St-Charles
Sartes
Gendreville
Morville
Vaudoncourt
They-sous-Montfort
Mont St Jean
La Neuveville-sous-Montfort
Côte de Lorima
Remoncourt
Rancourt
Heucheloup
Bainville-aux-Saules
Begnécourt
Outremécourt
Roncourt
Médonville
Malaincourt
Bulgnéville
Mandres-sur-Vair
Norroy
Ste Anne
VITTEL
Haréville
Valfroicourt
Xiroux
Vaudrecourt
La Motte
Bois d'Enfer
Aingeville
Lac de la Folie
Outrancourt
Valleroy-le-Sec
Col du Poirier
Adompt
Soulaucourt-sur-Mouzon
Bois de Fréhaut
Bois des Coraux
Nijon
Urville
Saulxures-lès-Bulgnéville
Contrexéville
Monthureux-le-Sec
Frénois
Légéville-et-Bonfays
Bois de Curé
Pont-lès-Bonfays
Vrécourt
St-Ouen-lès-Parey
Suriauville
Col des Clochettes
Lignéville
Esley
Sans-Vallois
Pierrefitte
Les Vallois
Graffigny-Chemin
Bois de la Bouloie
Thuillières
Dommartin-lès-Vallois
Sauville
La Rouillie
Crainvilliers
Dombrot-le-Sec
St-Baslemont
Chèvre-Roche
Le Réchaux
Senonges
Lerrain
Chaumont-la-Ville
Robécourt
La Fennecière
La Vacheresse-et-la-Rouillie
Col du Haut de Salin
Provenchères-lès-Darney
Rocher sculpté
Dombasle-devant-Darney
Jésonville
Bois du Creuchot
Boëne
Côte de Hautmont
Viviers-le-Gras
Gorges de la Gabionne
Relanges
Bonvillet
Forêt d'Armont
Blevaincourt
Rozières-sur-Mouzon
Gignéville
Les Rochottes
Bois de l'Artemboucher
Rocourt
Villotte
Martigny-les-Bains
Marey
Lichécourt
Le Bamboisi
Les Grands Bois
Belmont-lès-Darney
La Forge-Kaitel
Viomenil
Source de la Saône
FORÊT
Darney
Belrupt
La Bataille
Tollaincourt
Mont St Etienne
Frain
Serocourt
Forêt de la Belle Perche
Nonville
Attigny
Clairfontaine
Le Torchon
Damblain
Romain-aux-Bois
Mont des Fourches
le Grand Pâquis
La Grange Jacquot
DOMANIALE
Hennezel
Vaudainvilliers
Lamarche
Morizécourt
Bleurville
Le Gras
Colombey-lès-Choiseul
Abbaye de Morimond
Grignoncourt
Mont Heuillon
La Grange au Bois
La Hutte
Thiétry
Le Hatrey
La Grange Bresson
Aureil-Maison
Serécourt
Tignécourt
Droiteval
Musée
Surance
Moscou
Fresnoy-en-Bassigny
La Fagotière
Forêt de Flabémont
Le Hubert
La Scie
Henricel
Clairey
La Frison
Claudon
Jérusalem
Bois de Fresnoy
Larivière-Arnoncourt
Monthureux-sur-Saône
Leppenoux
La Grange Rouge
DE DARNEY
La Sybille
La Planchotte
Thomas
Étang des Cerisiers
Mont-lès-Lamarche
Isches
St-Julien
Mont de Savillon
le Burveau
Forêt de Monthureux
La Grande Catherine
le Grand Bois
Parnot
Aigremont
Côte des Noues
Fouchécourt
Godoncourt
Bois de Passavant
La Rochère
La Verrerie-de-Selles
Arnoncourt-sur-Apance
Ainvelle
Le Petit Thon
Les Thons
Le Grand Thon
Fignévelle
Regnévelle
Ambiévillers
Peu-d'Acquet
Beaucharmoy
Serqueux
Côte d'Ainvelle
Charmont
Martinvelle
Pont-du-Bois
Pouilly-en-Bassigny
Cimre israélite
Senaide
Lironcourt
La Côte
Selles
(Le Châtelet-sur-Meuse)
Bois du Danonce
Grignoncourt
Bousseraucourt
Passavant-la-Rochère
Coney
Bois de la Craie
Moulin-de-la-Craie
Fontenois-la-Ville
Bourbonne-les-Bains
Fresnes-sur-Apance
Châtillon-sur-Saône
Ameuvelle
Vougécourt
La Basse-Vaivre
Alaincourt
Bois des Epinaies
Parc animalier de la Bannie
Villars-St-Marcellin
Enfonvelle
Jonvelle
Fouilles gallo-romaines
Montcourt
Corre
Montdoré
Vauvillers
Demangevelle
Betoncourt-St-Pancras
Mailleroncourt-St-Pancras
Laneuvelle
Coiffy-le-Bas
Coiffy-le-Haut
Genrupt
N.-D. de-la-Salette
Forêt de Villars
Bois de la Laut
Les Charmes
Jeunes Bieppes
Bourbévelle
Ranzevelle
le Grand Bois
Hurecourt
Bois Lessus
Les Granges-Huguet
St-Marcellin
Villars-le-Pautel
Richecourt
Montcharvot
La Dolomie
Ormoy
Polaincourt-et-Clairefontaine
Melincourt
Les Granges-du-Val
Bois de Chézeau
Voisey
Melay
le Donnet
Aisey-et-Richecourt
Saponcourt
Chézeaux
Blondefontaine
Anchenoncourt-et-Chazel
Soyers
Vaux-la-Douce
Neuvelle-lès-Voisey
Barges
Raincourt
Betaucourt
Magny-lès-Jussey
Clairefontaine
Chazel
Bois de la Mange
Champigny-sous-Varennes
Les Essarts
Vernois-sur-Mance
Guyonvelle
Cemboing
Cendrecourt
Tartécourt
Grand Bois

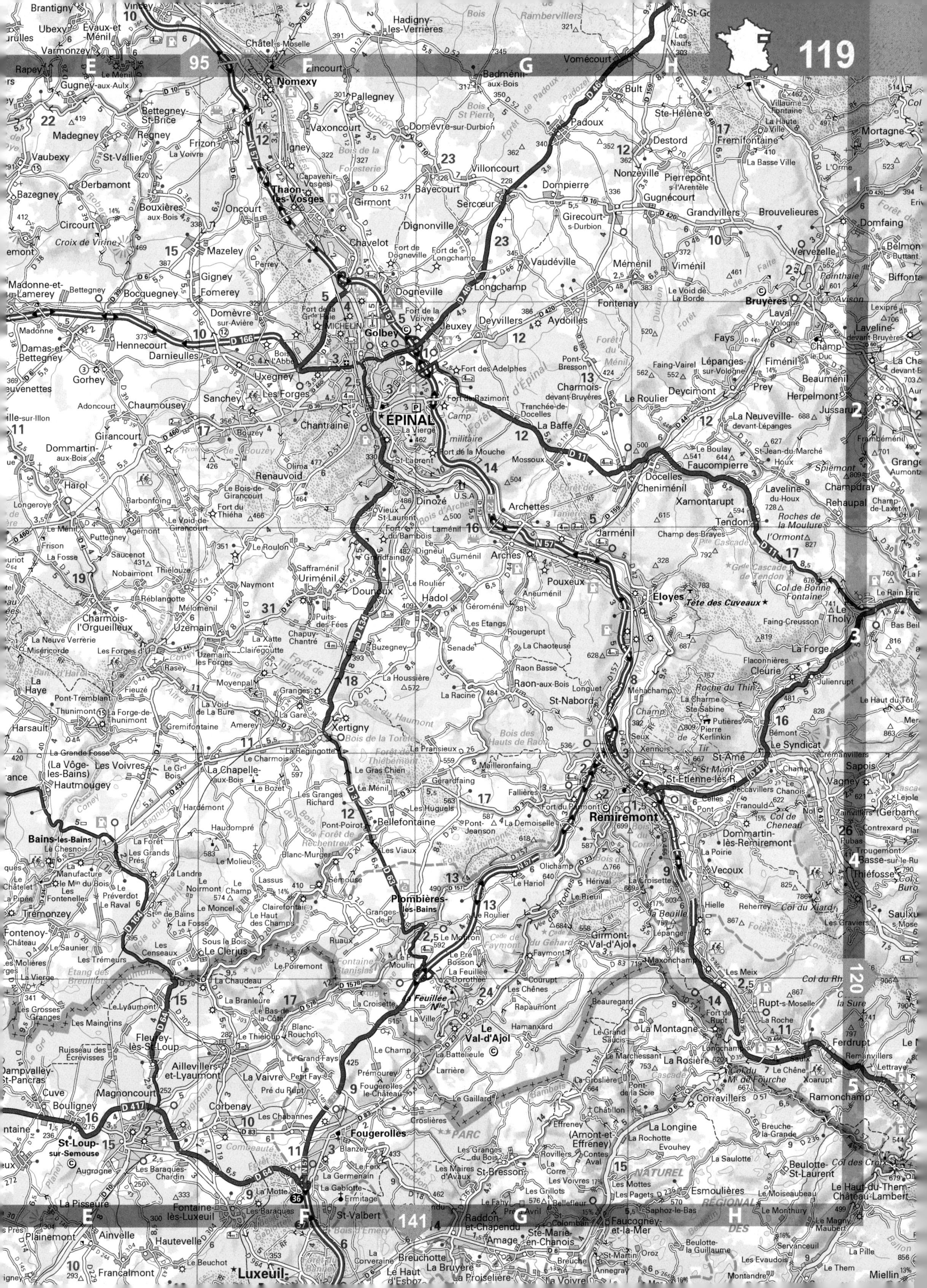
119
120
95
141
E
F
G
H
Nomexy
Châtel-s-Moselle
Thaon-les-Vosges
Golbey
ÉPINAL
Chantraine
Les Forges
Uxegney
Sanchey
Chaumousey
Darnieulles
Hennecourt
Dogneville
Jeuxey
Deyvillers
Longchamp
Vaudéville
Padoux
Dompierre
Girecourt-s-Durbion
Grandvillers
Brouvelieures
Bruyères
Laval-s-Vologne
Lépanges-sur-Vologne
Docelles
Deycimont
Charmois-devant-Bruyères
Arches
Archettes
Jarménil
Pouxeux
Eloyes
Tête des Cuveaux
Dinozé
Hadol
Dounoux
Uriménil
Xertigny
Bellefontaine
Plombières-les-Bains
Remiremont
St-Nabord
St-Amé
St-Étienne-lès-R.
Vagney
Le Tholy
Cleurie
Le Syndicat
Dommartin-lès-Remiremont
Vecoux
Girmont-Val-d'Ajol
Le Val-d'Ajol
La Feuillée Nle
Rupt-s-Moselle
Ferdrupt
Ramonchamp
Fougerolles
Corbenay
Aillevillers-et-Lyaumont
Fleurey-lès-St-Loup
St-Loup-sur-Semouse
Bains-les-Bains
La Chapelle-aux-Bois
Hautmougey
Uzemain
Charmois-l'Orgueilleux
Harol
Dommartin-aux-Bois
Girancourt
Renauvoid
Faucogney-et-la-Mer
Raddon-et-Chapendu
Amage
Ste-Marie-en-Chanois
Corravillers
Esmoulières
Beulotte-St-Laurent
Le Haut-du-Them-Château-Lambert
Luxeuil-
St-Valbert
Fontaine-lès-Luxeuil
Ainvelle
Francalmont
Mortagne
Domfaing
Champdray
Rehaupal
Tendon
Faucompierre
Xamontarupt
Forêt de Tillonhaie
Forêt d'Épinal
Camp militaire
PARC NATUREL RÉGIONAL

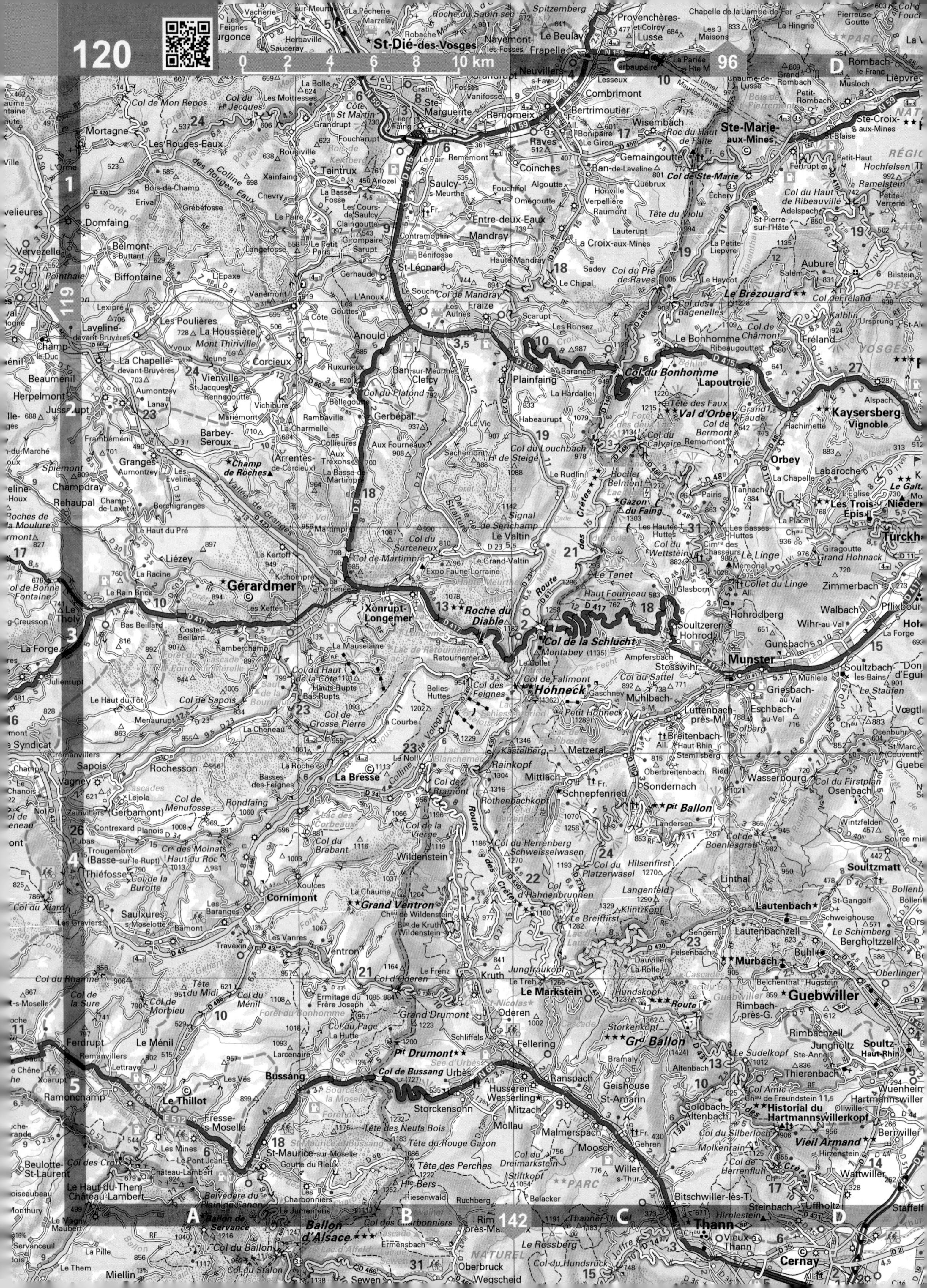

0 2 4 6 8 10 km
96
119
142
A
B
C
D
1
2
3
4
5
St-Dié-des-Vosges
Spitzemberg
Provenchères-et-Colroy
Lusse
Le Beulay
Nayemont-les-Fosses
Frapelle
Neuvillers-s-Fave
Lesseux
Combrimont
Bertrimoutier
Wisembach
Ste-Marie-aux-Mines
Rombach-le-Franc
Lièpvre
Ste-Croix-aux-Mines
Mortagne
Col de Mon Repos
Col du Ht Jacques
Les Rouges-Eaux
Colline des Rouges Eaux
Ste-Marguerite
Remomeix
Raves
Saint Martin
Taintrux
Saulcy-s-Meurthe
Coinches
Ban-de-Laveline
Gemaingoutte
Col de Ste-Marie
Domfaing
Vervezelle
Belmont-s-Buttant
Biffontaine
Entre-deux-Eaux
Mandray
La Croix-aux-Mines
Tête du Violu
St-Léonard
Col du Pré de Raves
Aubure
Le Brézouard
Col de Mandray
Fraize
Col des Bagenelles
Col de Fréland
Fréland
Laveline-devant-Bruyères
Les Poulières
La Houssière
Mont Thiriville
Corcieux
Anould
Plainfaing
Col du Bonhomme
Le Bonhomme
Lapoutroie
Kaysersberg-Vignoble
Champ-le-Duc
La Chapelle-devant-Bruyères
Vienville
Jussarupt
Gerbépal
Col du Plafond
Ban-sur-Meurthe-Clefcy
Val d'Orbey
Orbey
Granges-Aumontzey
Champ de Roches
Vallée de Granges
Col du Louchbach
Ht de Steige
Col du Calvaire
Le Rudlin
Rocher Belmont
Gazon du Faing
Labaroche
Les Trois-Epis
Champdray
Rehaupal
Défilé de Straiture
Signal de Sérichamp
Le Valtin
Col du Wettstein
Le Linge
Liézey
Col de Martimpré
Col du Surceneux
Expo Faune-Lorraine
Le Grand-Valtin
Le Tanet
Gérardmer
Xonrupt-Longemer
Roche du Diable
Col de la Schlucht
Montabey (1135)
Haut Fourneau
Soultzeren
Hohrod
Hohrodberg
Munster
Wihr-au-Val
Walbach
Gunsbach
Le Tholy
La Forge
Col de Bonne Fontaine
Col du Haut de la Côte
Col de Falimont
Col des Feignes
Hohneck
Petit Hohneck
Col du Sattel
Stosswihr
Muhlbach-s-M.
Luttenbach-près-M.
Eschbach-au-Val
Griesbach-au-Val
Soultzbach-les-Bains
Col de Sapois
Col de Grosse Pierre
La Bresse
Metzeral
Breitenbach-Haut-Rhin
Sapois
Rochesson
Vagney
Rainkopf
Mittlach
Sondernach
Schnepfenried
Pt Ballon
Wasserbourg
Col du Firstplan
Osenbach
Col de Menufosse
Col de Bramont
Rothenbachkopf
Route des Crêtes
Col de la Vierge
Col du Brabant
Col du Herrenberg
Schweisselwasen
Col de Boenlesgrab
Soultzmatt
Thiéfosse
Wildenstein
Col du Platzerwasel
Hilsenfirst
Linthal
Cornimont
Grand Ventron
Col d'Hahnenbrunnen
Le Breitfirst
Lautenbach
Lautenbachzell
Saulxures-s-Moselotte
Ventron
Murbach
Buhl
Col du Rhamne
Col d'Oderen
Kruth
Le Markstein
Guebwiller
Col de Morbieu
Col du Ménil
Grand Drumont
Oderen
Le Ménil
Ferdrupt
Col du Page
Pt Drumont
Fellering
Grd Ballon
Col de Bussang
Bussang
Urbès
Husseren-Wesserling
Ranspach
Geishouse
St-Amarin
Le Thillot
Ramonchamp
Fresse-s-Moselle
Storckensohn
Mitzach
Mollau
Malmerspach
Moosch
Historial du Hartmannswillerkopf
Vieil Armand
St-Maurice-sur-Moselle
Tête des Neufs Bois
Tête du Rouge Gazon
Col du Silberloch
Beulotte-St-Laurent
Château-Lambert
Tête des Perches
Willer-s-Thur
Wattwiller
Bitschwiller-les-T.
Ballon de Servance
Ballon d'Alsace
Col des Charbonniers
Thann
Vieux-Thann
Cernay
Le Rossberg
Col du Ballon
Col du Stalon
Sewen
Oberbruck
Wegscheid

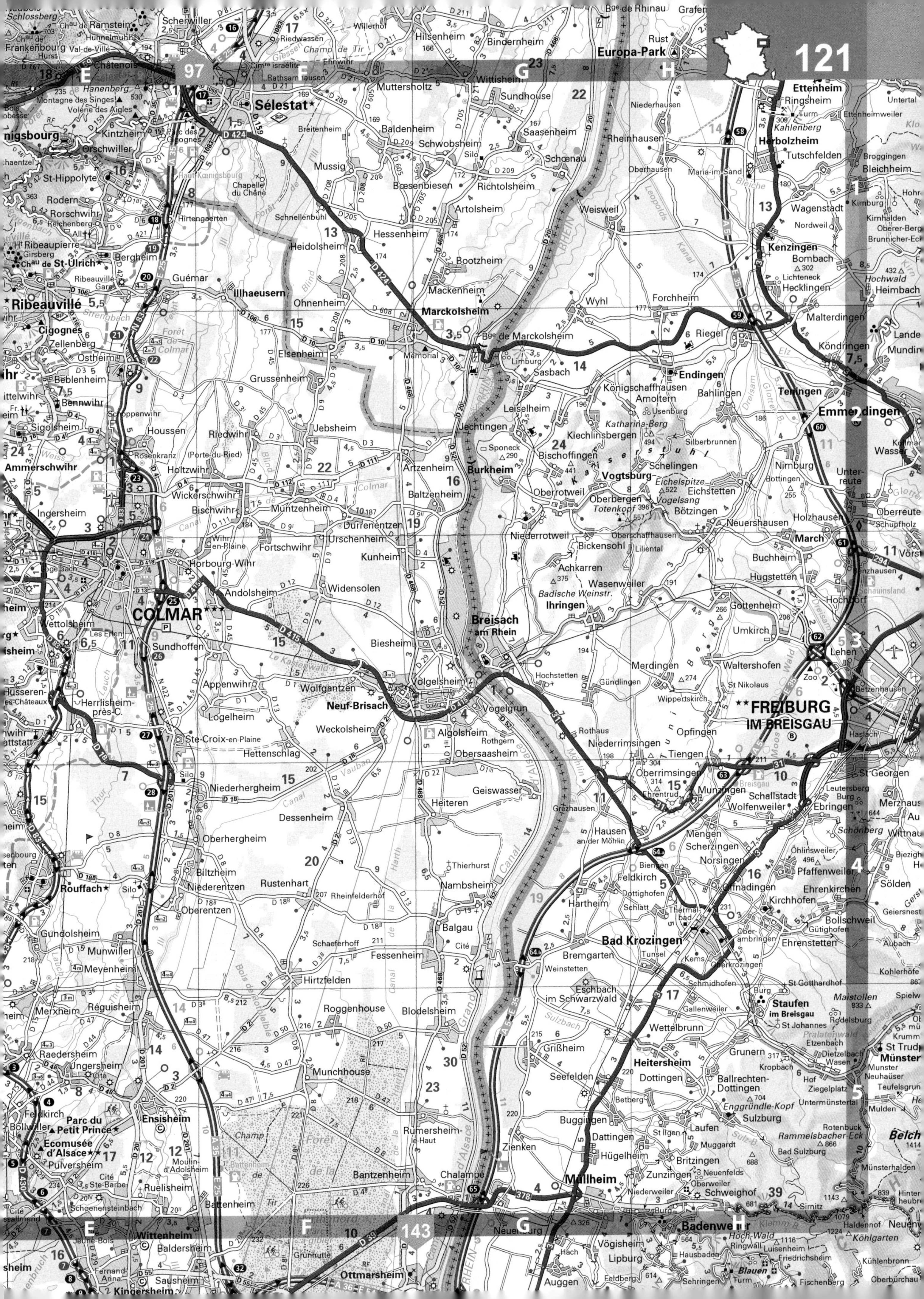
121
Sélestat
Scherwiller
Châtenois
Ribeauvillé
Bergheim
St-Hippolyte
Orschwiller
Kintzheim
Rodern
Rorschwihr
Guémar
Illhaeusern
Ostheim
Zellenberg
Beblenheim
Bennwihr
Sigolsheim
Ammerschwihr
Ingersheim
Houssen
Riedwihr
Holtzwihr
Wickerschwihr
Bischwihr
Muntzenheim
Horbourg-Wihr
Andolsheim
COLMAR
Wettolsheim
Sundhoffen
Appenwihr
Logelheim
Herrlisheim-près-C.
Ste-Croix-en-Plaine
Hettenschlag
Niederhergheim
Oberhergheim
Biltzheim
Niederentzen
Oberentzen
Rouffach
Gundolsheim
Munwiller
Meyenheim
Réguisheim
Merxheim
Raedersheim
Ungersheim
Feldkirch
Bollwiller
Parc du Petit Prince
Ecomusée d'Alsace
Pulversheim
Ensisheim
Ruelisheim
Battenheim
Baldersheim
Wittenheim
Sausheim
Kingersheim
Ottmarsheim
Bantzenheim
Chalampé
Rumersheim-le-Haut
Munchhouse
Roggenhouse
Blodelsheim
Hirtzfelden
Fessenheim
Balgau
Nambsheim
Rustenhart
Heiteren
Dessenheim
Geiswasser
Obersaasheim
Algolsheim
Weckolsheim
Wolfgantzen
Neuf-Brisach
Volgelsheim
Vogelgrun
Biesheim
Widensolen
Kunheim
Urschenheim
Durrenentzen
Fortschwihr
Baltzenheim
Artzenheim
Jebsheim
Grussenheim
Elsenheim
Ohnenheim
Marckolsheim
Mackenheim
Bootzheim
Heidolsheim
Hessenheim
Artolsheim
Richtolsheim
Bœsenbiesen
Schwobsheim
Baldenheim
Muttersholtz
Mussig
Saasenheim
Schœnau
Sundhouse
Wittisheim
Hilsenheim
Bindernheim
Europa-Park
Rust
Ettenheim
Ringsheim
Herbolzheim
Rheinhausen
Weisweil
Kenzingen
Wyhl
Forchheim
Riegel
Endingen
Sasbach
Königschaffhausen
Leiselheim
Jechtingen
Burkheim
Bischoffingen
Vogtsburg
Oberrotweil
Bötzingen
Niederrotweil
Achkarren
Ihringen
Wasenweiler
Breisach am Rhein
Gottenheim
Umkirch
Merdingen
FREIBURG IM BREISGAU
Emmendingen
Teningen
Malterdingen
Kenzingen
Denzlingen
March
Hugstetten
Niederrimsingen
Oberrimsingen
Munzingen
Opfingen
Tiengen
Schallstadt
Ebringen
Hausen an der Möhlin
Mengen
Norsingen
Pfaffenweiler
Kirchhofen
Ehrenkirchen
Bad Krozingen
Bremgarten
Staufen im Breisgau
Heitersheim
Grißheim
Seefelden
Buggingen
Sulzburg
Müllheim
Neuenburg
Badenweiler
Auggen
Vögisheim
Lipburg
Zienken
Hügelheim
Schweighof

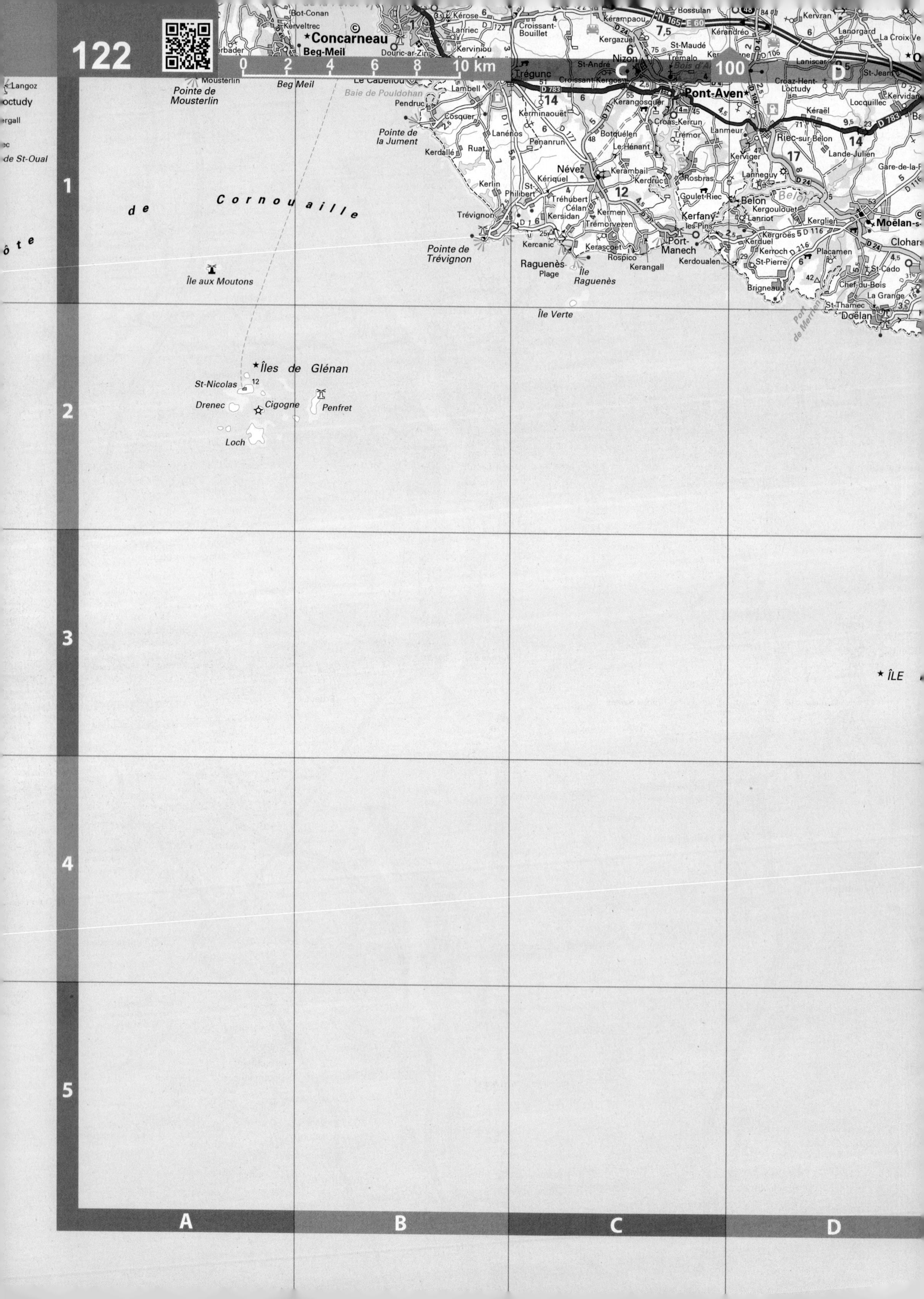

0 2 4 6 8 10 km

★Concarneau
Beg-Meil

Pointe de
Mousterlin

Mousterlin

Beg Meil

Le Cabellou

Baie de Pouldohan

Pendruc

Langoz
octudy
rgall
ec
de St-Oual

Pointe de
la Jument

Kerdallé

Ruat

Cosquer

Lanénos

Penanrun

Lambell

Kerminaouët

★ Douric-ar-Zin

Trévignon

D 1

Kersidan

Kerlin

St-
Philibert

Trémorvezen

Kermen

Célan

Tréhubert

Kériquel

Névez

12

Kerdruc

Kerangosquer

Kergazuel

Croissant-
Bouillet

Kérose

Lanriec

Kerviniou

Tréguna

Croissant

St-André

Kerangosu

D 22

Kérampaou

Kérandréo

St-Maudé

Nizon

Trémalo

Pont-Aven ★

Kerampou
N 165 E 60
7,5
6
75

Bossulan

Kervran

La Croix

Lanorgard

14

Croas-Hent-
Loctudy

Locquillec

Kervidan

Kéraël

Riec-sur-Belon

Lande-Julien

Gare-de-la-

Moëlan-s

Clohars

St-Cado

La Grange

Doëlan

Île aux Moutons

★ Îles de Glénan

St-Nicolas   12
Drenec   Cigogne   Penfret
Loch

Île Verte

Côte   de   C o r n o u a i l l e

Pointe de
Trévignon

Kercanic

Raguenès
Plage

Île
Raguenès

Rospico

Kerangall

Port-
Manech

Goulet-Riec

Rosbras

Kerduel

Kerfany
les-Pins

Belon

Kergoulouet
Lanriot

Kerglien

Kerroch

Kergroës

St-Pierre

Placamen

Chef-du-Bois

Brigneau

Île Verte

★ ÎLE

A   B   C   D

1

2

3

4

5

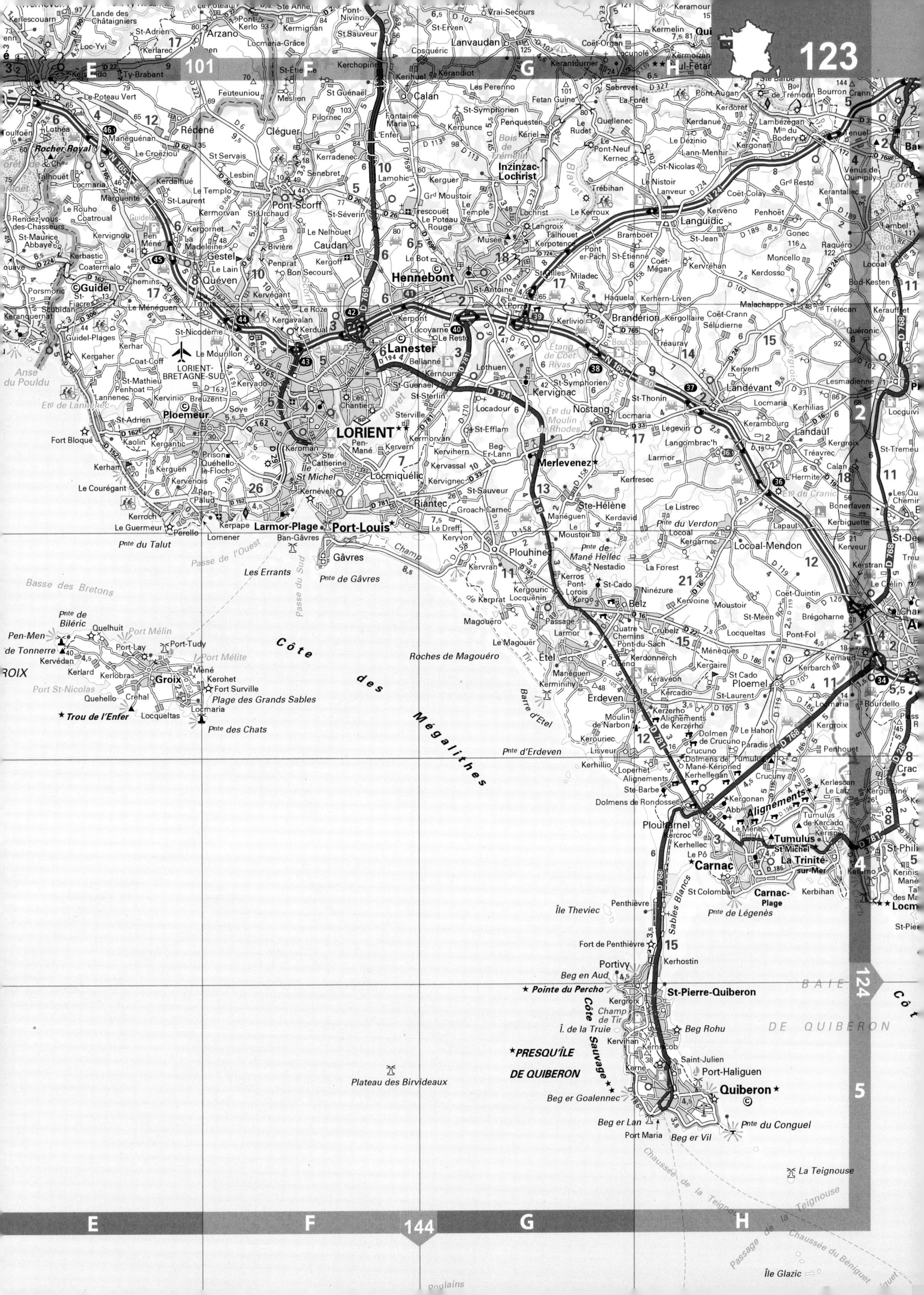
123
101
124
144
E
F
G
H
1
2
3
4
5
Lorient
Lanester
Hennebont
Inzinzac-Lochrist
Ploemeur
Lorient-Bretagne-Sud
Larmor-Plage
Port-Louis
Gâvres
Riantec
Locmiquélic
Merlevenez
Kervignac
Nostang
Landévant
Languidic
Brandérion
Caudan
Quéven
Guidel
Guidel-Plages
Pont-Scorff
Cléguer
Rédéné
Calan
Lanvaudan
Plouhinec
Belz
Étel
Erdeven
Ploemel
Locoal-Mendon
Landaul
Plouharnel
Carnac
Carnac-Plage
La Trinité-sur-Mer
Quiberon
St-Pierre-Quiberon
Portivy
Port-Haliguen
Presqu'île de Quiberon
Côte Sauvage
Côte des Mégalithes
Alignements
Tumulus
Groix
Port-Tudy
Port-Lay
Locmaria
Pointe des Chats
Trou de l'Enfer
Pen-Men
Pointe du Talut
Pointe de Gâvres
Les Errants
Basse des Bretons
Roches de Magouéro
Barre d'Etel
Pointe d'Erdeven
Île Theviec
Pointe de Légenès
Fort de Penthièvre
Pointe du Percho
Beg Rohu
Beg er Goalennec
Beg er Lan
Beg er Vil
Port Maria
Pointe du Conguel
Plateau des Birvideaux
La Teignouse
Île Glazic
Chaussée de la Teignouse
Passage de la Teignouse
Baie de Quiberon
Anse du Pouldu
Sables Blancs

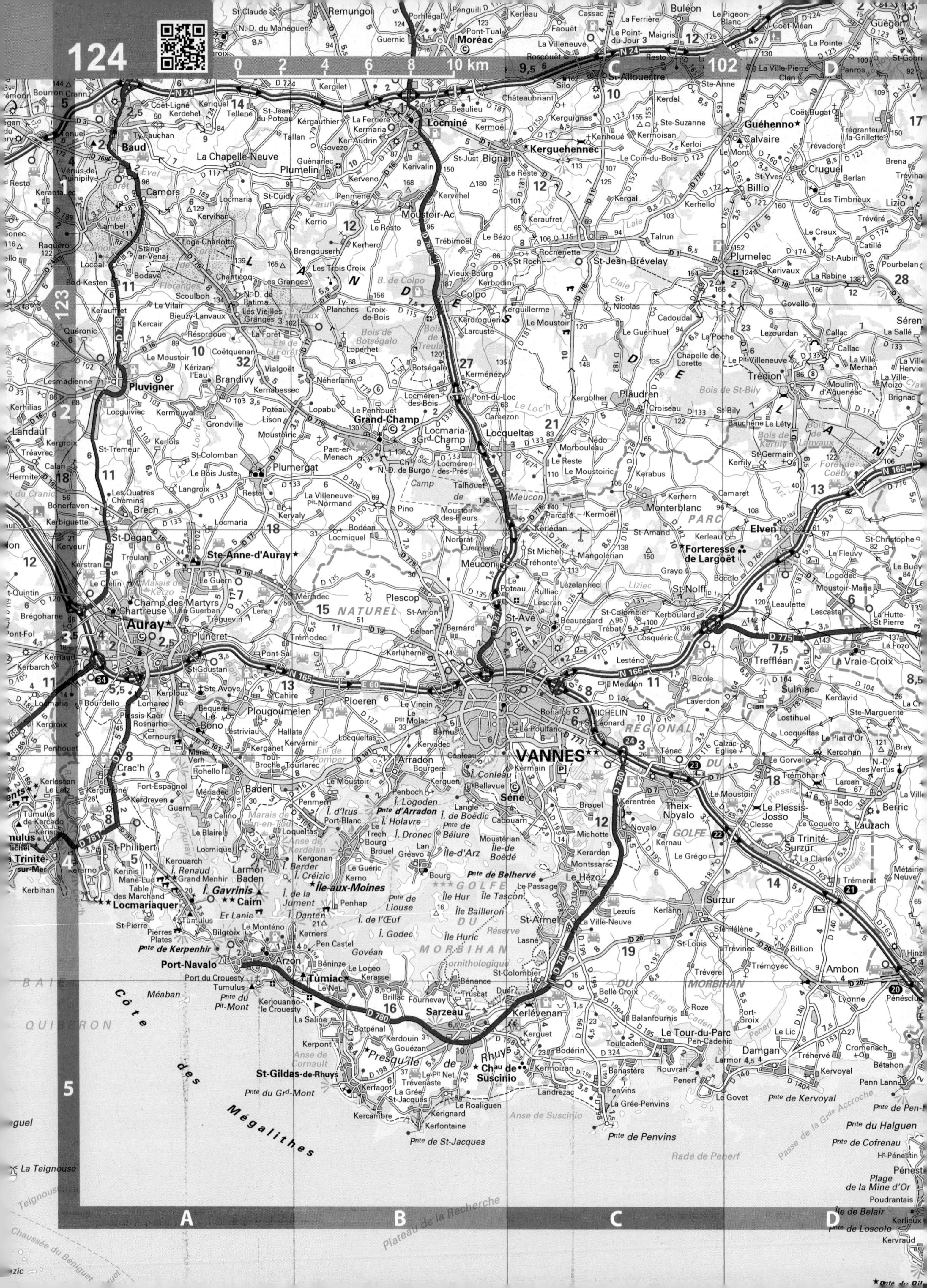

0 2 4 6 8 10 km
102
123
Baud
Locminé
Moréac
St-Allouestre
Guéhenno
Buléon
Camors
Plumelin
Moustoir-Ac
Bignan
Kerguehennec
St-Jean-Brévelay
Plumelec
Bois de Colpo
Colpo
Pluvigner
Brandivy
Grand-Champ
Locmaria-Grd-Champ
Locqueltas
Plaudren
Trédion
Landaul
Plumergat
Monterblanc
Elven
Forteresse de Largoët
Brech
Ste-Anne-d'Auray
Meucon
St-Avé
St-Nolff
Treffléan
Auray
Pluneret
Plescop
NATUREL
RÉGIONAL
PARC
Ploeren
Plougoumelen
Le Bono
Vannes
Séné
Theix-Noyalo
Sulniac
Crac'h
Arradon
Baden
Larmor-Baden
Île-aux-Moines
Île-d'Arz
GOLFE DU MORBIHAN
Réserve ornithologique
Le Hézo
St-Armel
Surzur
La Trinité-Surzur
Berric
Lauzach
Locmariaquer
Î. Gavrinis
Cairn
St-Philibert
Port-Navalo
Arzon
Tumiac
Sarzeau
Presqu'île de Rhuys
Chau de Suscinio
St-Gildas-de-Rhuys
Kerlévenan
Le Tour-du-Parc
Damgan
Ambon
Anse de Suscinio
Pnte de Penvins
Rade de Penerf
Pnte de St-Jacques
Côte des Mégalithes
BAIE DE QUIBERON
Méaban
Pnte de Kerpenhir
Pnte du Grd-Mont
Pnte de Kervoyal
Pnte du Halguen
Pnte de Cofrenau
Plage de la Mine d'Or
Île de Belair
Pnte de Loscolo
La Teignouse
Plateau de la Recherche
Chaussée du Béniguet
N 24
N 165
N 166
E 60
D 775
D 780
A B C D
1 2 3 4 5

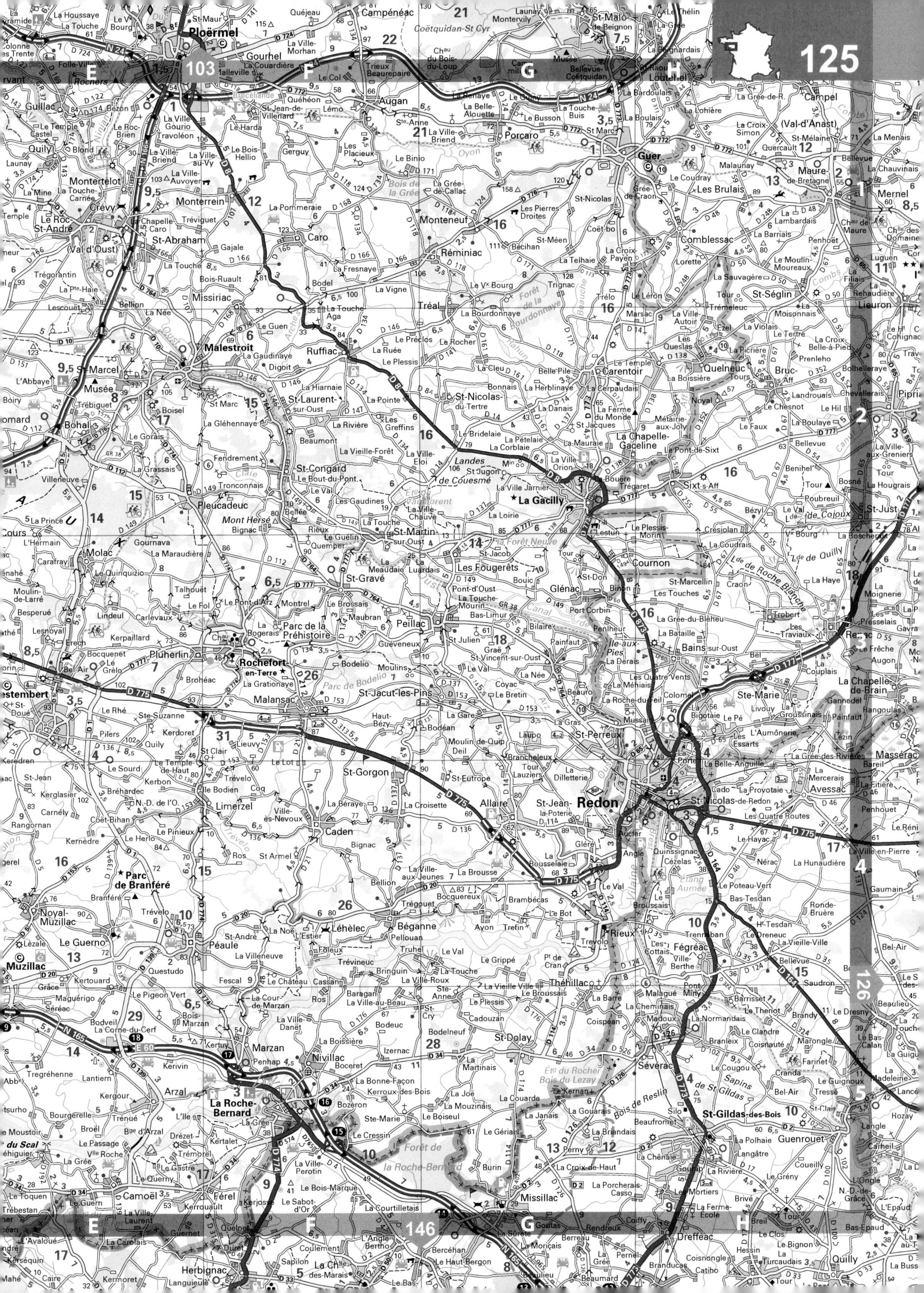
125
103
146
126
E
F
G
H
Ploërmel
Campénéac
Coëtquidan-St Cyr
St-Malo-de-Beignon
Le Thélin
Montervily
Gourhel
Malleville
La Ville-Morhan
Trieux Beaurepaire
Chau du Bois-du-Loup
Musée
Bellevue-Coëtquidan
Loutehel
Augan
Quéhéon
St-Jean-de-Villenard
Lémo
Ste-Anne
La Belle-Alouette
Porcaro
St Marc
Guer
La Gree-de-R.
Campel
(Val-d'Anast)
La Croix-Simon
St-Mélaine
Quercault
La Menais
Maure-de-Bretagne
Bellevue
La Chauvinais
Mernel
Guillac
Bézon
Le Temple
Quily
Le Roc-Brien
Travoléon
La Ville-Gourio
Le Harda
Gerguy
Les Placieux
Le Binio
La Ville-Briend
Oyon
Montertelot
La Touche-Carnée
Crévy
Le Roc-St-André
(Val d'Oust)
St-Abraham
La Chapelle-Caro
Tréviguet
Monterrein
La Ville-au-Vy
Le Bois-Hellio
La Ville-Auvoyer
La Pommeraie
Caro
Bois de la Grée
La Grée-de-Callac
Monteneuf
Les Pierres Droites
St-Nicolas
Grée-de-Craon
Le Coudray
Les Brulais
Comblessac
Malaunay
Réminiac
Bécihan
St-Méen
La Telhaie
Coët-bo
La Croix-Payen
La Lambardais
La Barrais
Penhoët
Chau de Maure
Le Moulin-Moureaux
Lorette
Luguen
Trégorantin
La Pte-Haie
Missiriac
Bois-Ruault
Gajale
La Touche
La Fresnaye
La Vigne
Le Vx Bourg
Trignac
Forêt de la Bourdonnaye
La Sauvagère
Tour
St-Séglin
La Filiais
La Rehaudière
Lieuron
Lescouët
Bellion
La Née
Bodel
La Touche Aga
Tréal
La Bourdonnaye
Trélo
Marsac
Le Léron
La Ville-Autoir
Trémeleuc
Moisonnais
Le Guen
Malestroit
Ruffiac
Le Préclos
Le Rocher
La Ruée
Le Plessis
Les Queslas
Ezel
La Violais
La Picrière
Le Tertre
La Croix-Belle-à-Pied
Prenleho
St-Marcel
Musée
L'Abbaye
La Gaudinaye
Digoit
La Hiarnaie
St-Laurent-sur-Oust
La Cleu
Belle-Pile
Carentoir
Le Temple
Quelneuc
La Boissière
Tours
Bruc-sur-Aff
Bolhelleraye
Landrouais
Chevallerais
Pipriac
Bonnais
La Herblinaye
La Cerpaudais
Trébiguet
Boisel
St Marc
La Pointe
St-Nicolas-du-Tertre
Noyal
Le Chesnot
Le Hil
Bohal
La Gléhennaye
La Rivière
Les Greffins
La Danais
La Ferme du Monde
St Jacques
Métairie-aux-Joly
Le Faux
La Boulaye
Le Gorais
Beaumont
La Vieille-Forêt
La Ville-Eloi
Le Bridelaie
La Pételaie
La Corblaie
La Mauraie
La Chapelle-Gaceline
Le Pont-de-Sixt
Bellevue
La Ville-aux-Greniers
Fendrement
La Grassais
St-Congard
Le Bout-du-Pont
Landes de Couesmé
St Jugon
La Ville-Orion
La Bouëre
Trégaret
Sixt-s-Aff
Benihel
Bosné
La Hougrais
Villeneuve
Tronconnais
Le Val
Les Gaudines
Étg de Vaulaurent
La Ville Jarnier
La Gacilly
Tour
Poubreuil
St-Just
Pleucadeuc
Mont Hersé
Bellée
La Touche
La Ville-Chauve
La Loirie
Le Plessis-Morin
Crésiolan
Bézyl
Le Val
Lde de Cojoux
La Prince
Cours
L'Hermain
Gournava
La Maraudière
Bignac
Rieux
Le Guélin
Quempen
St-Martin-sur-Oust
St-Jacob
La Forêt Neuve
Lestun
La Coudrais
Vx Bourg
La Boschère
Molac
Carafray
Le Quinquizio
Talhouët
St-Gravé
La Meaudaie
Luardais
Les Fougerêts
Cournon
Lde de Quilly
Lde de Roche Blanche
La Haye
Monistin-de-Larré
Besperué
Lindeul
Carlevaux
Le Pont-d'Arz
Montrel
Le Fol
Le Brossais
Maubran
Peillac
Pont-d'Oust
La Touche-Mourin
Bas-Limur
Bouic
St-Don
Glénac
Binon
Port Corbin
St-Marcellin
Craon
Les Touches
La Moignerie
Lesnoyal
Erech
Kerpaillard
La Bogerais
Parc de la Préhistoire
St Julien
Bilaire
Penlheur
La Gree-du-Bléheu
La Bataille
Trobert
Les Pressellais
Les Travaux
Renac
Gavra
Bocquenet
Le Grélo
Bel-Air
Pluherlin
Rochefort-en-Terre
Guéveneux
Moulins
Bodelio
Parc de Bodelio
Graë
St-Vincent-sur-Oust
Painfaut
Île-aux-Pies
La Derais
Bains-sur-Oust
Bel
Le Frêche
Augan
Questembert
St-Doué
Brohéac
La Grationaye
Malansac
St-Jacut-les-Pins
Coyac
Le Bretin
La Née
Beauro
Les Quatre Vents
La Méhiais
La Roche-du-Teil
Colomel
Ste-Marie
Livouy
Les Groussinais
Gannedel
Painfaut
La Chapelle-de-Brain
Le Rhé
Ste-Suzanne
Kerdoret
Pilers
Quily
Lieuvy
St Clair
Haut-Bézy
Bodéan
La Gare
Le Gras
St-Perreux
Mussain
Bigotaie
Le Pé
Rangoulas
L'Aumônerie
Les Essarts
Lézin
Kerédren
St-Jean
Kerglasier
Carnély
Rangornan
Le Temple-de-Haut
Le Sourd
Kerbon
Le Lot
St-Gorgon
Moulin-de-Quip
Deil
Laupo
Brancheleux
Tour Lauziers
La Dilletterie
La Belle-Anguille
La Gree-des-Rivières
Masserac
Bareil
La Mercerais
Avessac
Fitière
Bréhardec
Trévelo
Île Bodien
N.-D. de l'O.
Coq
Limerzel
Ville-ès-Nevoux
St-Eutrope
Allaire
St-Jean-la-Poterie
Redon
St-Nicolas-de-Redon
Cado
La Provotaie
Les Quatre Routes
Penhouet
Le Réni
Coët-Bihan
Kernèdre
Le Herlo
Le Pinieux
La Béraye
La Croisette
Caden
Bignac
Glére
Aucfer
Angle
Quinssignac
Cézelas
Le Hayac
Nérac
La Hunaudière
La Ville-en-Pierre
Parc de Branféré
Branféré
Ros
St Armel
La Ville-aux-Jeunes
Bellion
La Brousse
La Bousselaie
Le Val
Étang Aumée
Le Poteau-Vert
Bas-Tesdan
Gaumain
Noyal-Muzillac
Trévelo
Trégueut
Bocquereux
Brambécas
Le Bot
Ronde-Bruère
Lézale
Le Guerno
St-André
Péaule
La Noë
L'Estier
Léhélec
Béganne
Pellouan
Ayon
Trefin
Rieux
Trévolo
Tremnaban
Fégréac
Les Cottais
H-Tesdan
Le Dreneuc
La Vieille-Ville
Bel-Air
Muzillac
La Villeneuve
Foleux
Truhel
Le Val
Le Grippé
Pt de Cran
La Ville-Berthe
Bellevue
Saudron
Kertouard
Questudo
Fescal
Le Château
Cassan
Trévineuc
Bringuin
La Touche
La Ville-Roux
Théhillac
Pont Miny
Grâce
Maguérigo
Séréac
Le Pigeon Vert
La Cour-de-Marzan
Baragan
La Ville-au-Beau
Ste-Anne
La Vieille Ville
Le Broussais
Le Plessis
La Barre
Malagué
Les Cheminais
Barrisset
Le Thenot
Le Dresny
Beaulieu
Bodveil
La Corne-du-Cerf
Bois-Marzan
La Ville-Danet
Bodeuc
St-Cry
Cadouzan
Coispéan
Madoux
La Normandais
Brandy
Kertuy
Marzan
Nivillac
Bodelneuf
St-Dolay
Le Clandre
Coisnauté
Marongle
Le Bas-Calan
La Touche
Tregréhenne
Lantiern
Kerivin
Penhap
La Boissière
Boceret
Izernac
La Martinais
Étg du Rocher
Bois du Lezay
Sévérac
Branleix
Le Cougou
Farinet
La Guigu
Kergour
Arzal
La Roche-Bernard
La Bonne-Façon
Kerroux-des-Bois
La Joe
La Mouzinais
La Couarde
Le Kernan
Bois de Reslin
de St Gildas
Sapins
Cranda
Bel-Air
Le Guignoux
La Madeleine
Lanc
Bourgerelle
Trénué
L'Ile
La Grée
Bozeron
Ste-Marie
Le Boiseul
La Janais
La Gouarais
Silo
St-Gildas-des-Bois
Tressé
St-Clair
Hozay
Broël
Bge d'Arzal
Drézet
Kertalet
Le Cressin
Forêt de la Roche-Bernard
Le Gérials
La Briandais
Beaufromet
La Polhaie
Guenrouet
Langle
Le Passage
Vlle Roche
Trémorel
La Ville-Perotin
Burin
Perny
La Chênaie
Langâtre
Cheil
La Grée
Le Gastre
Le Querny
Férel
Le Bois-Marqué
La Croix-de-Haut
Goulan
La Rivière
Coueilli
Le Grény
L'Ongle
N.-D. de Grâce
Camoël
Le Guern
Kerrouault
Kerjosse
Le Sabot-d'Or
La Courtilletais
Missillac
La Porcherais-Casso
Les Mortiers
Brivé
L'Epaud
Trébestan
La Ville-Laurent
Guernet
Quelnet
La Ferme-École
Coiffy
Tour
Bas-Epaud
L'Avaloué
La Carolais
L'Angle Bertho
Goutas
La Sorette
Rendreux
Berreau
La Moriçais
Dreffeac
Breil
Le Clos
Hessin
Le Bignon
Kerséquin
Coulement
Sapilon
Berçéhan
Le Haut-Bergon
Pernel
Coisnongle
Catiho
Branducas
La Turcaudais
Quilly
Mahé
Herbignac
Langueule
Kermoret
Caire
La Chle-des-Marais
Le Bas
Beaumard
La Buss
Tour
N 24
N 165
E 60
D 775
D 777
D 764
D 773
D 8
D 772
D 764
D 177
D 164
D 873
D 774
D 34
D 2
D 20

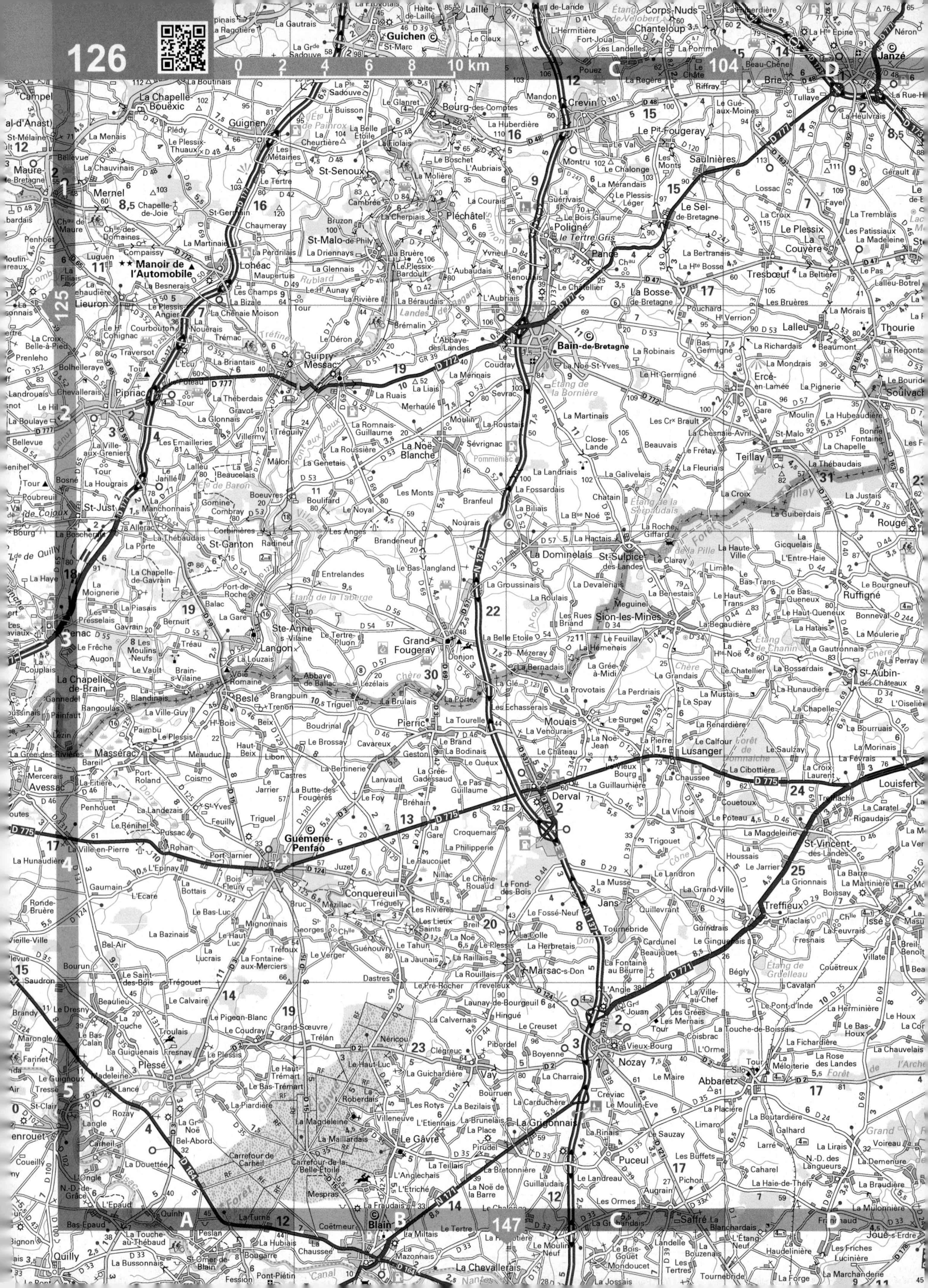

126
0 2 4 6 8 10 km
104
125
147
Guichen
Janzé
Bain-de-Bretagne
Guipry-Messac
Pipriac
Lohéac
Manoir de l'Automobile
Grand-Fougeray
Derval
Guémené-Penfao
Nozay
Blain
Le Gâvre
Lusanger
Sion-les-Mines
St-Sulpice-des-Landes
Rougé
Teillay
Ruffigné
Louisfert
St-Vincent-des-Landes
Treffieux
Abbaretz
Jans
Marsac-s-Don
Conquereuil
Plessé
Massérac
Avessac
Langon
Ste-Anne-s-Vilaine
Beslé
La Noë-Blanche
Pléchâtel
St-Malo-de-Phily
St-Senoux
Crevin
Poligné
Pancé
Le Sel-de-Bretagne
Saulnières
Tresbœuf
La Bosse-de-Bretagne
Lalleu
Thourie
Ercé-en-Lamée
La Dominelais
St-Aubin-des-Châteaux
Issé
Puceul
Saffré
Vay
La Grigonnais
St-Ganton
Mernel
Maure-de-Bretagne
Lieuron
St-Just
Guignen
La Chapelle-Bouëxic
Bourg-des-Comptes
Chanteloup
Corps-Nuds
Le Petit-Fougeray
Brie
Le Plessis
La Couyère
Sévrignac
Forêt du Gâvre
Étang de la Bornière
Étang de Quilly
Chère
Vilaine
Don

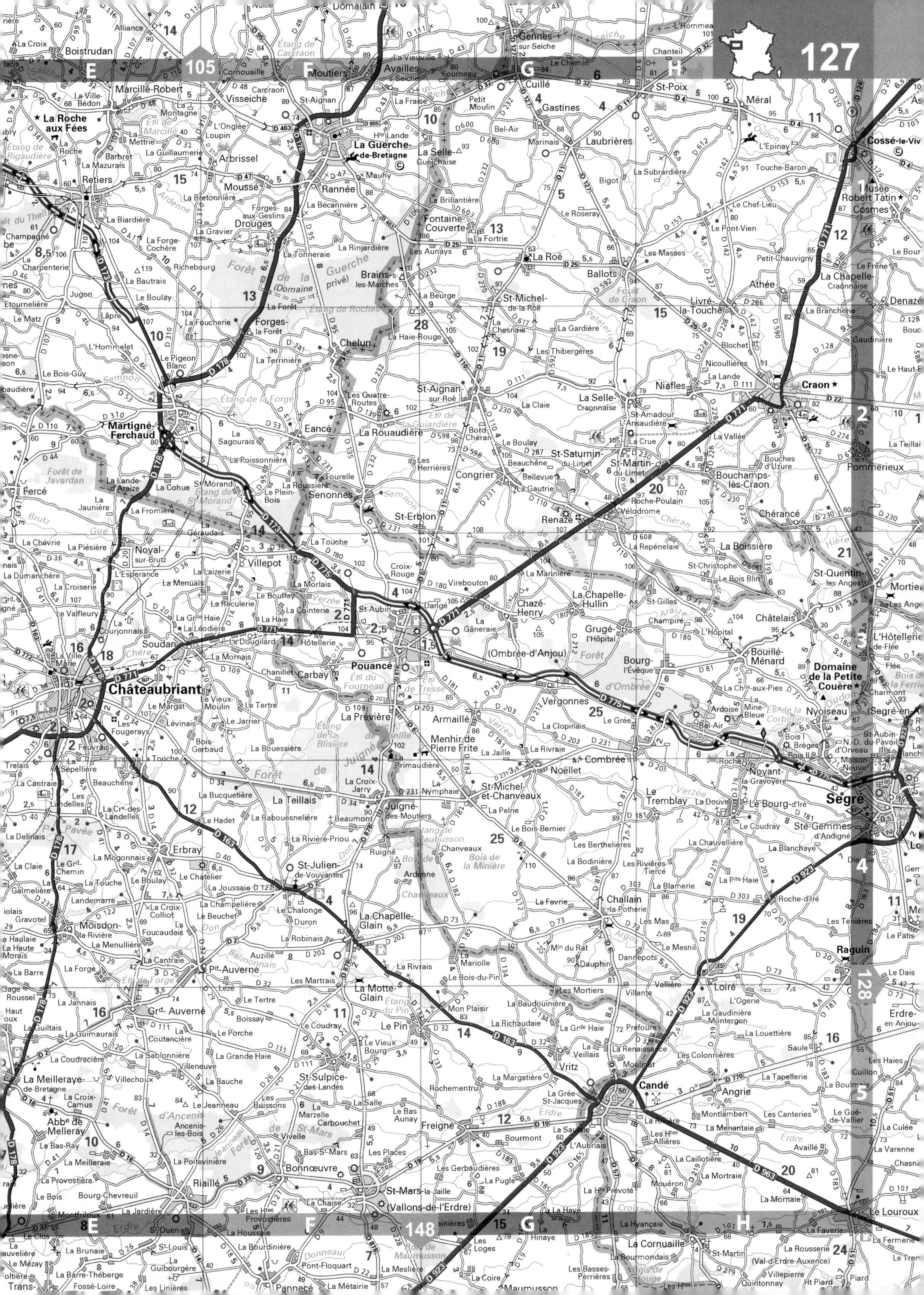

127
105
128
148
E
F
G
H
Domalain
Boistrudan
La Roche aux Fées
Marcillé-Robert
Visseiche
Moutiers
Availles-sur-Seiche
Gennes-sur-Seiche
Cuillé
St-Poix
Méral
Cossé-le-Vivien
Retiers
Arbrissel
La Guerche-de-Bretagne
La Selle-Guerchaise
Gastines
Laubrières
Mousse
Rannée
Drouges
Forges-aux-Geslins
Fontaine-Couverte
La Roë
Ballots
Musée Robert Tatin
Cosmes
Forêt de la Guerche (Domaine privé)
Brains-s-les-Marches
St-Michel-de-la-Roë
Livré-la-Touche
Athée
La Chapelle-Craonnaise
Forges-la-Forêt
Chelun
La Selle-Craonnaise
Niafles
Craon
St-Aignan-sur-Roë
Martigné-Ferchaud
Eancé
La Rouaudière
Congrier
St-Saturnin-du-Limet
St-Martin-du-Limet
Bouchamps-lès-Craon
Pommerieux
Forêt de Javardan
Fercé
Senonnes
St-Erblon
Renazé
Chérancé
La Boissière
St-Quentin-les-Anges
Noyal-sur-Brutz
Villepot
La Chapelle-Hullin
Chazé-Henry
Châtelais
St-Aubin
Grugé-l'Hôpital
Bouillé-Ménard
L'Hôtellerie-de-Flée
Soudan
Châteaubriant
Pouancé
Carbay
(Ombrée-d'Anjou)
Bourg-l'Évêque
Domaine de la Petite Couère
Nyoiseau
Armaillé
Vergonnes
La Prévière
Menhir de Pierre Frite
Combrée
Noëllet
Novant-la-Gravoyère
Segré
(Segré-en-Anjou Bleu)
Forêt de Juigné
Juigné-des-Moutiers
St-Michel-et-Chanveaux
Le Tremblay
Le Bourg-d'Iré
Ste-Gemmes-d'Andigné
Erbray
St-Julien-de-Vouvantes
Chanveaux
Challain-la-Potherie
Moisdon-la-Rivière
La Chapelle-Glain
Raguin
Pt-Auverne
Loiré
Grd-Auverne
La Motte-Glain
Erdre-en-Anjou
Le Pin
Vritz
La Meilleraye-de-Bretagne
St-Sulpice-des-Landes
Candé
Angrie
Abbe de Melleray
Forêt d'Ancenis
Freigné
Riaillé
Bonnœuvre
St-Mars-la-Jaille (Vallons-de-l'Erdre)
Le Louroux
La Cornuaille
St-Ouen
Pannecé
Maumusson
D 178
D 771
D 163
D 775
D 923
D 963

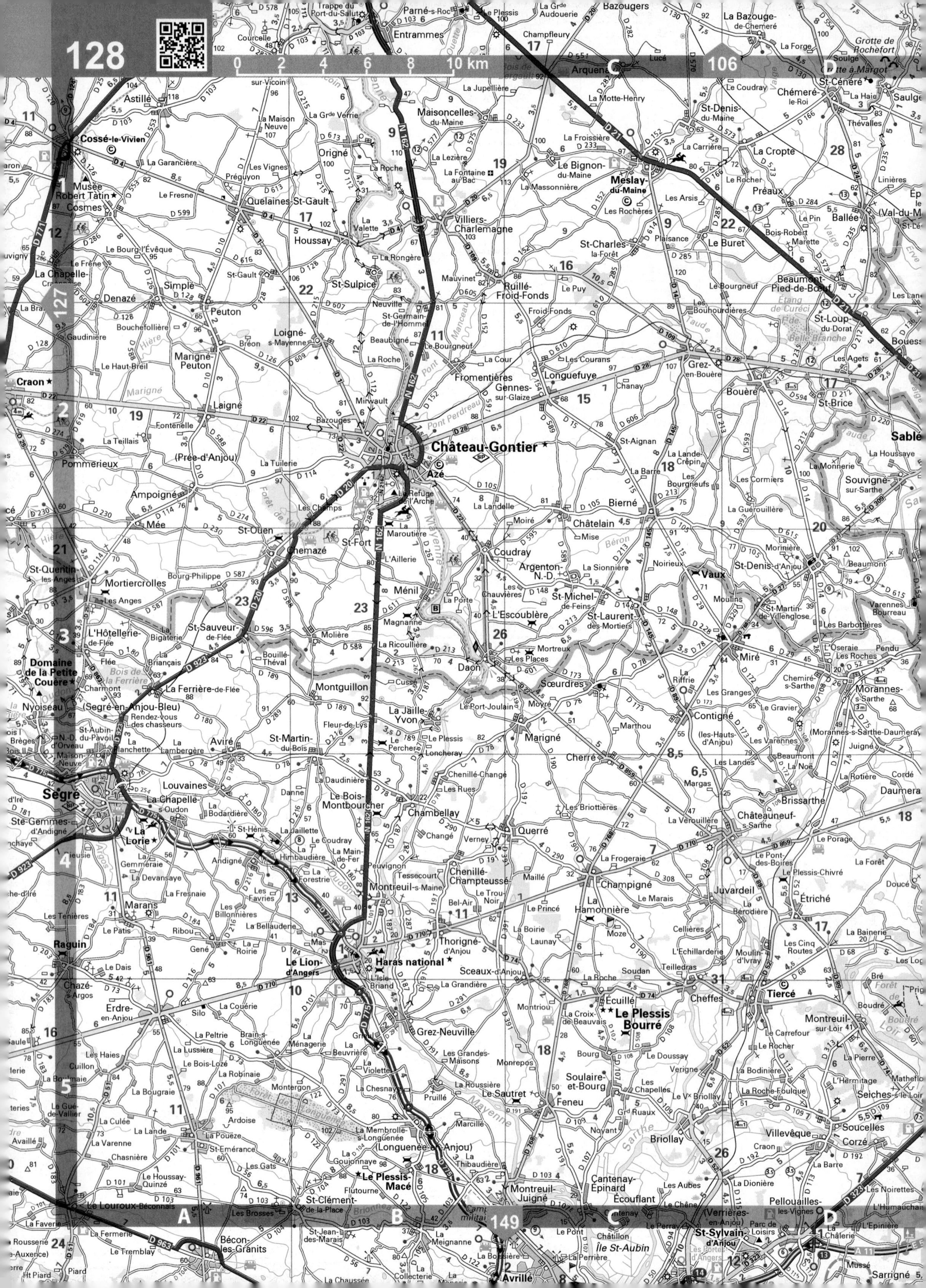

128
106
127
149
0 2 4 6 8 10 km
A
B
C
D
1
2
3
4
5
Cossé-le-Vivien
Astillé
Musée Robert Tatin
Cosmes
La Garancière
Préguyon
Quelaines-St-Gault
Origné
La Roche
Entrammes
Parné-s-Roc
Le Plessis
La Grde Audouerie
Bazougers
Champfleury
Arquenay
Luçé
La Bazouge-de-Chemeré
La Forge
Grotte de Rochefort
Soulgé
Grotte à Margot
St-Cénéré
Chémeré-le-Roi
La Haie
Saulges
Thévalles
Le Coudray
St-Denis-du-Maine
La Carrière
La Cropte
Le Rocher
Préaux
Ballée
Linières
Bois-Robert
Marette
Beaumont-Pied-de-Bœuf
St-Loup-du-Dorat
Étang de Curéci
Belle Branche
Boues
Les Agets
La Jupellière
La Motte-Henry
Maisoncelles-du-Maine
La Froissière
Le Bignon-du-Maine
La Lezière
La Fontaine au Bac
La Massonnière
Meslay-du-Maine
Les Rochères
Les Arsis
Plaisance
Le Buret
St-Charles-la-Forêt
La Grde Verrie
La Maison Neuve
Courcelle
Trappe du Port-du-Salut
Les Vignes
Le Fresne
La Valette
Houssay
Villiers-Charlemagne
Le Bourg-l'Évêque
La Rongère
St-Sulpice
St-Gault
Simplé
Mauvinet
Ruillé-Froid-Fonds
Le Puy
Froid-Fonds
Le Bourgneuf
Les Bouhourdières
La Chapelle-Craonnaise
Denazé
Peuton
Bouchefollière
Gaudinière
Neuville
St-Germain-de-l'Hommel
Beaubigné
Loigné-s-Mayenne
Bréon
Marigné-Peuton
Le Haut-Breil
La Roche
La Cour
Fromentières
Gennes-sur-Glaize
Les Courans
Longuefuye
Chanay
Grez-en-Bouère
Bouère
St-Brice
Craon
Marigné
Laigné
Fontenelle
Mirwault
Bazouges
Pont Perdreau
Château-Gontier
Azé
La Teillais
Pommerieux
(Prée-d'Anjou)
La Tuilerie
St-Aignan
La Lande-Crépin
La Barre
Les Bourgneufs
Les Cormiers
La Monnerie
Souvigné-sur-Sarthe
La Houssaye
Sablé
Ampoigné
Mée
Les Champs
Refuge de l'Arche
La Landelle
Bierné
Châtelain
Mise
La Guérouillère
St-Ouen
Chemazé
St-Fort
Maroutière
L'Aillerie
Coudray
Moiré
Argenton-N.-D.
La Sionnière
Noirieux
Vaux
St-Denis-d'Anjou
Morinière
Beaumont
St-Quentin-les-Anges
Mortiercrolles
Les Anges
Bourg-Philippe
Ménil
La Porte
Les Chauvières
St-Michel-de-Feins
St-Laurent-des-Mortiers
Moulins
St-Martin-de-Villenglose
Varennes-Bourreau
Les Barbottières
L'Hôtellerie-de-Flée
Bigaterie
St-Sauveur-de-Flée
Molière
Magnanne
L'Escoublère
La Ricoullière
Mortreux
Les Places
Daon
Miré
L'Oseraie
Pendu
Les Roches
Domaine de la Petite Couère
Flée
Bois de la Ferrière
Briançais
Bouillé-Théval
Charmont
La Ferrière-de-Flée
Montguillon
Cussé
Sœurdres
La Riffrie
Les Granges
Chemiré-s-Sarthe
Morannes-s-Sarthe
Nyoiseau
(Segré-en-Anjou-Bleu)
Rendez-vous des chasseurs
La Jaille-Yvon
Le Port-Joulain
Moyré
Marthou
Contigné (les-Hauts-d'Anjou)
Le Gravier
(Morannes-s-Sarthe-Daumeray)
St-Aubin-du-Pavoil
N.-D. d'Orveau
Brèges
La Planchette
La Lambergère
Aviré
St-Martin-du-Bois
Fleur-de-Lys
Le Perche
Le Plessis
Loncheray
Marigné
Les Varennes
Juigné
Maison-Neuve
Segré
Louvaines
La Daudinière
Chenillé-Changé
Cherré
Les Landes
Beaumont
La Noë
La Rotière
Cordé
Daumeray
Danne
Le-Bois-Montbourcher
Les Rues
Margas
Brissarthe
Ste-Gemmes-d'Andigné
La Chapelle-s-Oudon
La Bodardière
Chambellay
Les Briottières
La Verouillère
Châteauneuf-s-Sarthe
La Lorie
St-Hénis
La Jaillette
Le Coudray
Changé
Verney
Querré
Le Porage
Le Pont-des-Boires
Le Plessis-Chivré
La Forêt
La Gemmeraie
Andigné
Himbaudière
La Main-de-Fer
Peuvignon
Tessecourt
Chenillé-Champteussé
La Frogeraie
Champigné
Juvardeil
Doucé
La Devansaye
La Forestrie
Maillé
Le Marais
Étriché
La Bérodière
Marans
La Fresnaie
Les Favries
Les Billonnières
Montreuil-s-Maine
Le Trou-Noir
Bel-Air
Le Princé
La Hamonnière
Les Tenières
Le Patis
Ribou
La Bellaudière
Mas
La Boirie
Launay
Moze
Cellières
Les Cinq Routes
La Bainerie
Raguin
Gené
La Roirie
Thorigné-d'Anjou
L'Échillardérie
Moulin-d'Ivray
Teilledras
Le Lion-d'Angers
Haras national
Le Dais
Sceaux-d'Anjou
Chazé-s-Argos
L'Isle Briand
La Grandière
La Roche
Soudan
Cheffes
Tiercé
Brè
Forêt de
Erdre-en-Anjou
La Couérie
Silo
Montriou
Écuillé
La Croix-de-Beauvais
Le Plessis Bourré
Boudré
Montreuil-sur-Loir
La Peltrie
Brain-s-Longuenée
Grez-Neuville
La Ménagerie
Le Carrefour
Le Rocher
Les Haies
La Lussière
Le Bois-Lozé
La Beuvrière
Les Grandes-Maisons
Monrepos
Bourg
Le Doussay
La Pierre
Cuillon
La Boulmaie
La Robinaie
La Violette
La Roussière
Soulaire-et-Bourg
Verigne
La Bodinière
Matheflon
La Bougraie
Montergon
La Chesnay
Le Sautret
Les Chapelles
La Roche-Foulque
L'Hermitage
Seiches-s-le-Loir
Le Gué-de-Vallier
Forêt de Longuenée
Ardoise
Pruillé
Feneu
Le Vx Briollay
Grd Ruaux
La Culée
Marcillé
Noyant
Briollay
Soucelles
Villevêque
Corzé
Availlé
La Lande
La Pouëze
La Membrolle-s-Longuenée
La Varenne
Chasnière
St-Émerance
(Longuenée-en-Anjou)
Craon
La Goujonnaye
La Thibaudière
Les Gats
Le Plessis-Macé
Cantenay-Épinard
Les Aubes
La Barre
La Dionière
Le Houssay-Quinzé
Flutourne
Montreuil-Juigné
Écouflant
Le Chêne
Pellouailles-les-Vignes
Les Noirettes
L'Humauchais
Le Louroux-Béconnais
Les Brosses
St-Clément-de-la-Place
Camp militaire
(Verrières-en-Anjou)
St-Sylvain-d'Anjou
Parc de Loisirs
La Châlerie
L'Épinière
La Faverie
La Fermerie
La Rousserie
(...-Auxence)
Le Tremblay
Bécon-les-Granits
St-Jean-des-Marais
La Meignanne
Le Pont
Châtillon
Île St-Aubin
La Perrière
Les Portes d'Angers
Mussé
Sarrigné
Ht Piard
Piard
La Chaussée
La Collecterie
La Bossière
Avrillé

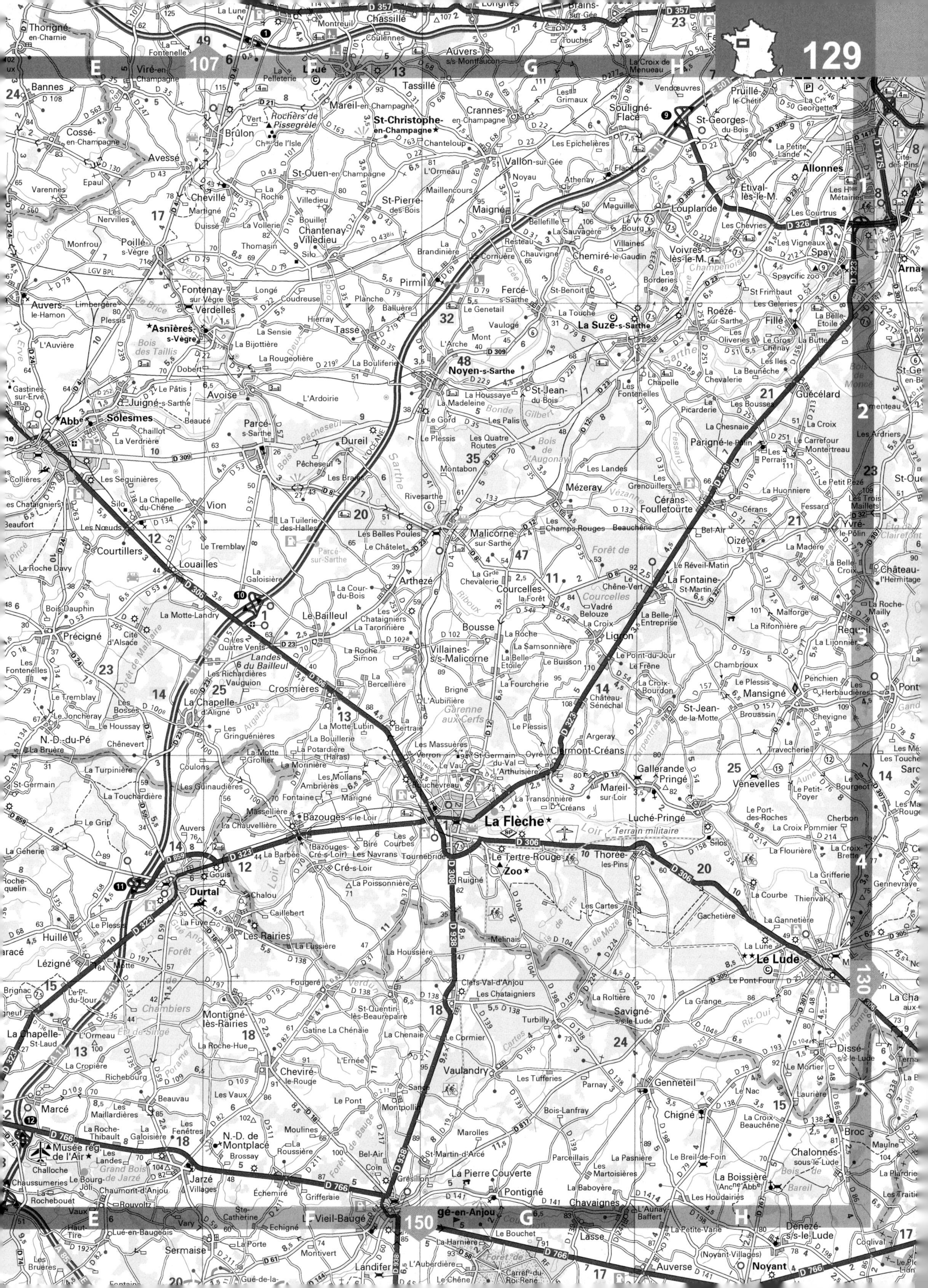

Le Mans
Thorigné-en-Charnie
Viré-en-Champagne
Loué
Chassillé
Coulonges
Auvers-s/s-Montfaucon
Tassillé
Vendœuvres
Pruillé-le-Chétif
Bannes
Brûlon
Rochers de Pissegrèle
Mareil-en-Champagne
St-Christophe-en-Champagne
Crannes-en-Champagne
Souligné-Flacé
St-Georges-du-Bois
Cossé-en-Champagne
Avessé
St-Ouen-en-Champagne
Vallon-sur-Gée
Allonnes
Chevillé
Pirmil
Maigné
Louplande
Étival-lès-le-M.
Poillé-s-Vègre
Chantenay-Villedieu
St-Pierre-des-Bois
Chemiré-le-Gaudin
Voivres-lès-le-M.
Spay
Fontenay-sur-Vègre
Auvers-le-Hamon
Verdelles
Asnières-s-Vègre
Fercé-s-Sarthe
La Suze-s-Sarthe
Roézé-sur-Sarthe
Fillé
Tassé
Noyen-s-Sarthe
St-Jean-du-Bois
Guécélard
Solesmes
Juigné-s-Sarthe
Avoise
Parcé-s-Sarthe
Dureil
Pécheseul
Parigné-le-Pôlin
Sablé-sur-Sarthe
Vion
Malicorne-sur-Sarthe
Mézeray
Cérans-Foulletourte
Yvré-le-Pôlin
Louailles
Courtillers
Arthezé
Courcelles-la-Forêt
La Fontaine-St-Martin
Précigné
Le Bailleul
Villaines-s/s-Malicorne
Bousse
Ligron
Requeil
Crosmières
La Chapelle-d'Aligné
Mansigné
St-Jean-de-la-Motte
N.-D.-du-Pé
Clermont-Créans
Mareil-sur-Loir
Gallerande
Pringé
Vénevelles
Bazouges-s-le-Loir
La Flèche
Luché-Pringé
Durtal
Cré-s-Loir
Le Tertre-Rouge
Zoo
Thorée-les-Pins
Huillé
Les Rairies
Le Lude
Lézigné
Clefs-Val-d'Anjou
Montigné-lès-Rairies
Savigné-s/s-le-Lude
Dissé-s/s-le-Lude
La Chapelle-St-Laud
Chevirè-le-Rouge
Vaulandry
Genneteil
Chigné
Marcé
N.-D. de Montplace
Broc
Musée rég. de l'Air
Jarzé Villages
Chalonnes-sous-le-Lude
La Pierre Couverte
Pontigné
La Boissière
Chavaignes
Vieil-Baugé
Baugé-en-Anjou
Lasse
Dénezé-s/s-le-Lude
Sermaise
Auverse
Noyant
Landifer
Forêt de Chambiers
Forêt de Baugé
Terrain militaire
A 11
E 501
A 85
D 306
D 323
D 766
D 938
D 309
D 357
E
F
G
H
107
150
130
1
2
3
4
5

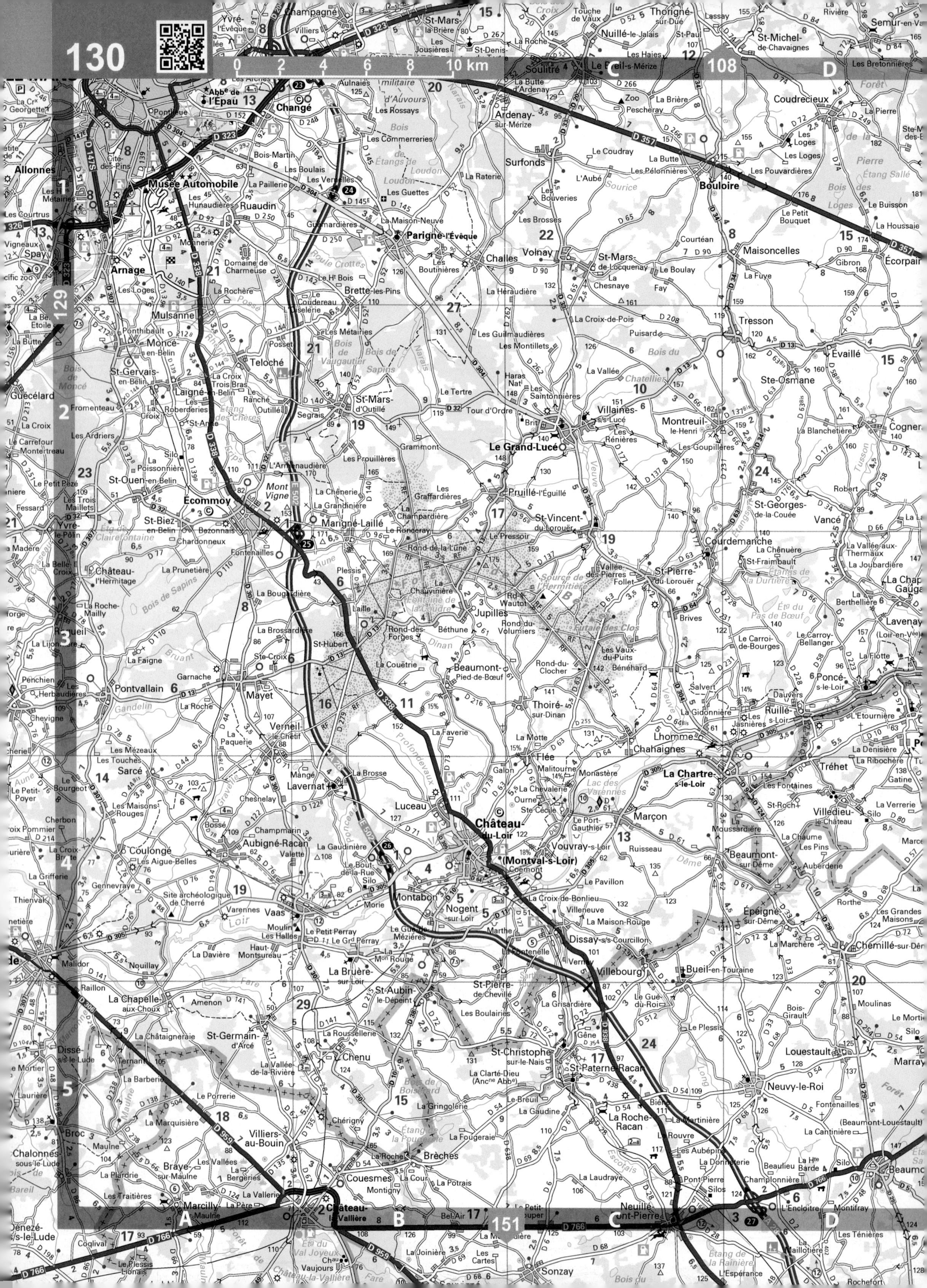
0 2 4 6 8 10 km
108
151
129
A
B
C
D
1
2
3
4
5
Champagné
Yvré-l'Évêque
St-Mars-la-Brière
Touche de Vaux
Nuillé-le-Jalais
Thorigné-sur-Dué
Lassay
St-Michel-de-Chavaignes
Semur-en-Vallon
Abbe de l'Épau
Changé
Soulitré
Le Breil-s-Mérize
Ardenay-sur-Mérize
Coudrecieux
Allonnes
Musée Automobile
Ruaudin
Surfonds
Bouloire
Arnage
Parigné-l'Évêque
Challes
Volnay
St-Mars-de-Locquenay
Maisoncelles
Écorpain
Spay
Mulsanne
Brette-les-Pins
Tresson
Moncé-en-Belin
Teloché
St-Gervais-en-Belin
Laigné-en-Belin
St-Mars-d'Outillé
Évaillé
Ste-Osmane
Guécélard
Villaines-s/s-Lucé
Montreuil-le-Henri
Le Grand-Lucé
Cogners
St-Ouen-en-Belin
Écommoy
Pruillé-l'Éguillé
Mont Vigne
Marigné-Laillé
St-Vincent-du-Lorouër
St-Georges-de-la-Couée
Vancé
St-Biez-en-Belin
Yvré-le-Pôlin
Courdemanche
Château-l'Hermitage
St-Pierre-du-Lorouër
Jupilles
Forêt de Bercé
Beaumont-Pied-de-Bœuf
Pontvallain
Mayet
Thoiré-sur-Dinan
Ponce-s-le-Loir
Ruillé-s-Loir
Verneil-le-Chétif
Lhomme
Chahaignes
Flée
La Chartre-s-le-Loir
Sarcé
Lavernat
Luceau
Château-du-Loir
(Montval-s-Loir)
Vouvray-s-Loir
Marçon
Aubigné-Racan
Coulongé
Beaumont-sur-Dême
Montabon
Nogent-sur-Loir
Vaas
Dissay-s/s-Courcillon
Épeigné-sur-Dême
Chemillé-sur-Dême
Villebourg
Bueil-en-Touraine
La Bruère-sur-Loir
St-Aubin-le-Dépeint
St-Pierre-de-Chevillé
La Chapelle-aux-Choux
St-Germain-d'Arcé
Chenu
St-Christophe-sur-le-Nais
St-Paterne-Racan
Louestault
Neuvy-le-Roi
Dissé-s/s-le-Lude
Broc
Villiers-au-Bouin
La Roche-Racan
Chalonnes-sous-le-Lude
Braye-sur-Maulne
Brèches
Couesmes
Marcilly
Château-la-Vallière
Neuillé-Pont-Pierre
Denezé-s/s-le-Lude
Sonzay
Beaumont
D 357
D 338
D 304
D 305
D 766
D 959
A 28
E 502

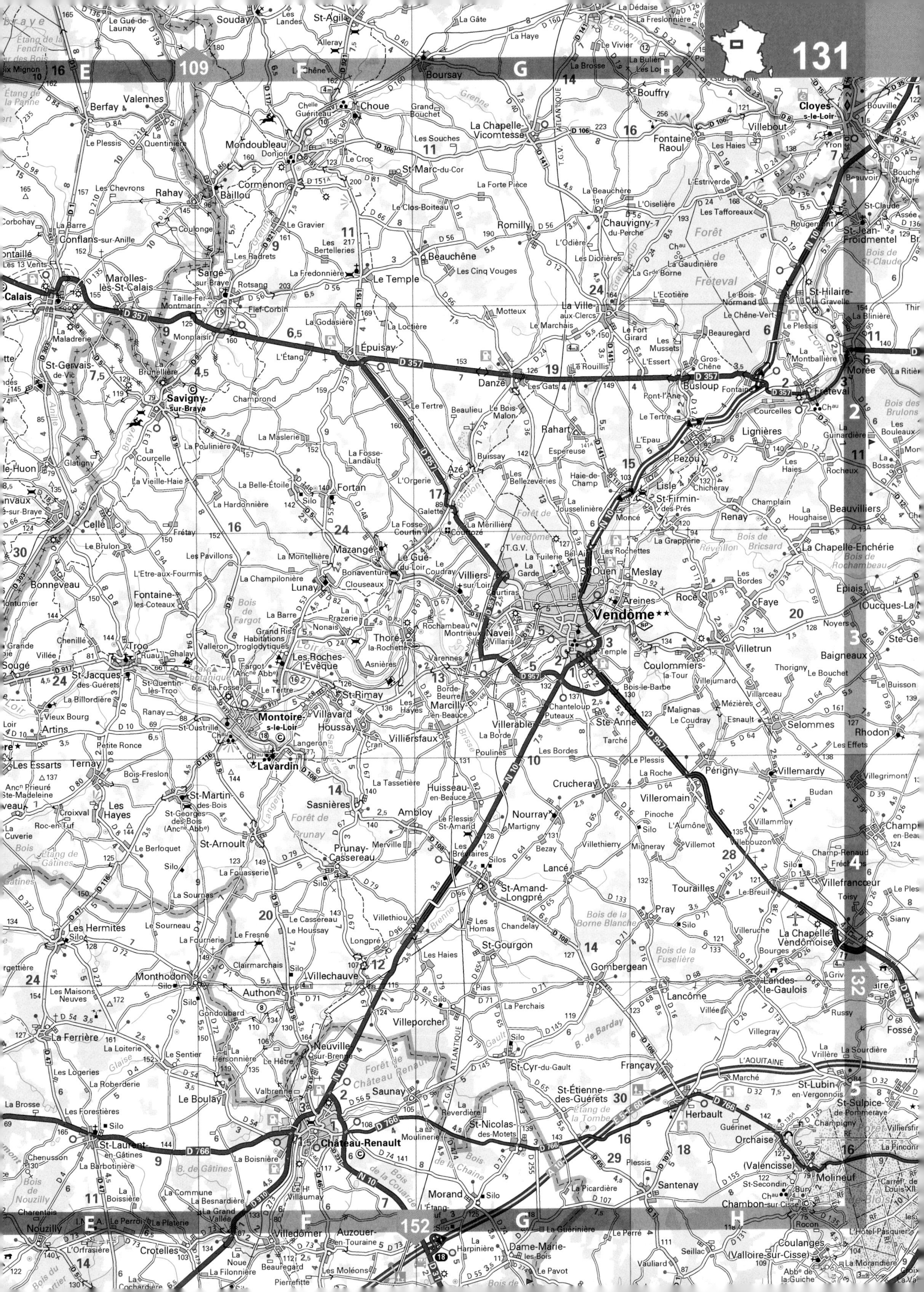
131
109
132
152
E
F
G
H
Souday
St-Agil
Boursay
Mondoubleau
Choue
Cormenon
Baillou
Rahay
Sargé-sur-Braye
Conflans-sur-Anille
Marolles-lès-St-Calais
Calais
St-Gervais-de-Vic
Savigny-sur-Braye
Épuisay
Danzé
Busloup
Fréteval
Morée
Cloyes-s-le-Loir
La Chapelle-Vicomtesse
Fontaine-Raoul
St-Marc-du-Cor
Romilly
Chauvigny-du-Perche
Forêt de Fréteval
La Ville-aux-Clercs
St-Jean-Froidmentel
St-Hilaire-la-Gravelle
Lignières
Pezou
Lisle
St-Firmin-des-Prés
Azé
Fortan
Mazangé
Lunay
Le Gué-du-Loir
Villiers-sur-Loir
Vendôme
Naveil
Thoré-la-Rochette
Les Roches-l'Évêque
Montoire-s-le-Loir
Lavardin
Troo
St-Jacques-des-Guérets
Artins
Ternay
Les Hayes
St-Martin-des-Bois
St-Arnoult
Houssay
Villiersfaux
Marcilly-en-Beauce
Villerable
Ste-Anne
Meslay
Coulommiers-la-Tour
Villetrun
Faye
Épiais
Selommes
Périgny
Crucheray
Villeromain
Huisseau-en-Beauce
Nourray
Ambloy
Sasnières
Prunay-Cassereau
St-Amand-Longpré
Lancé
Tourailles
Pray
La Chapelle-Vendômoise
St-Gourgon
Gombergean
Landes-le-Gaulois
Lancôme
Villechauve
Authon
Monthodon
Les Hermites
La Ferrière
Le Boulay
Neuville-sur-Brenne
Villeporcher
St-Cyr-du-Gault
Françay
St-Étienne-des-Guérets
Herbault
St-Lubin-en-Vergonnois
Château-Renault
Saunay
St-Nicolas-des-Motets
St-Laurent-en-Gâtines
Nouzilly
Crotelles
Villedômer
Auzouer-en-Touraine
Morand
Dame-Marie-les-Bois
Santenay
Orchaise
Molineuf
Chambon-sur-Cisse
Coulanges (Valloire-sur-Cisse)
Forêt de Château Renault
D 357
D 957
N 10
D 766
A 10
L'AQUITAINE
T.G.V. ATLANTIQUE

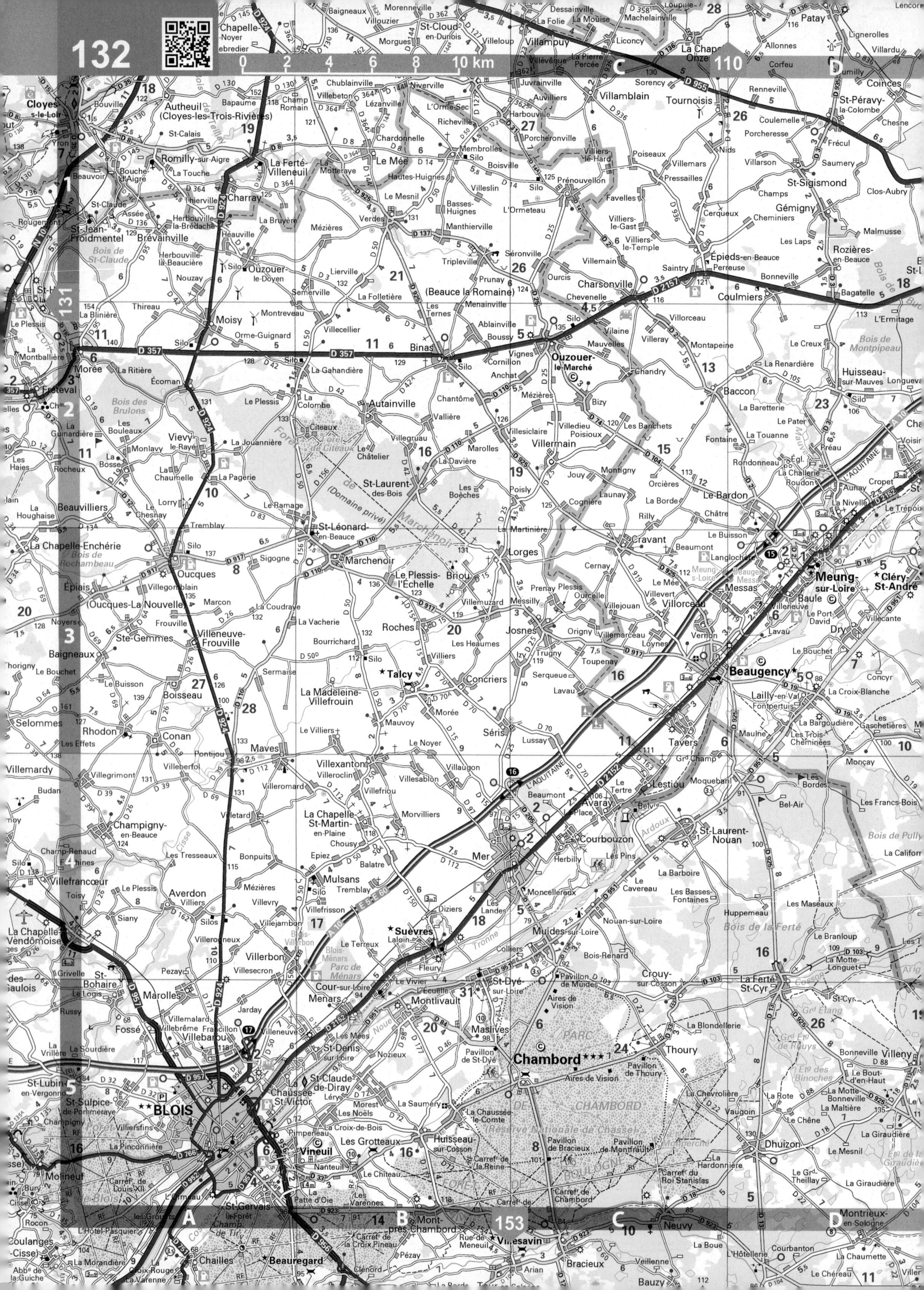
132
0 2 4 6 8 10 km
110
131
153
A
B
C
D
Baigneaux
Morenneville
Villouzier
St-Cloud-en-Dunois
Morgues
Villeloup
Dessainville
La Folie
La Mouise
Villampuy
Loupille
Machelainville
Liconcy
La Pierre Percée
Villevêque
La Chapelle-Onzerain
Patay
Lignerolles
Allonnes
Villardu
Corfeu
Dumilly
Coinces
Chapelle-Noyer
Chublainville
Villebeton
Lézanville
Niverville
L'Orme-Sec
Juvrainville
Auvilliers
Villamblain
Sorency
Renneville
Tournoisis
St-Péravy-la-Colombe
Cloyes-s-le-Loir
Bouville
Autheuil (Cloyes-les-Trois-Rivières)
Bapaume
Champ Romain
Richeville
Harbouville
Porcheronville
Coulemelle
Porcheresse
Chesne
Frécul
St-Calais
Chardonnelle
Membrolles
Silo
Villiers-le-Hard
Poiseaux
Nids
Saumery
Villarson
Villemars
Pressailles
Romilly-sur-Aigre
La Touche
La Ferté-Villeneuil
La Motteraye
Le Mée
Hautes-Huignes
Boisville
Prénouvellon
Villeslin
St-Sigismond
Clos-Aubry
Champs
Gémigny
Beauvoir
Bouche-d'Aigre
Thierville
Charray
Le Mesnil
Basses-Huignes
Favelles
Cerqueux
Cheminiers
St-Claude
Assée
Herbouville-la-Brédache
Verdes
L'Ormeteau
Villiers-le-Gast
Malmusse
St-Jean-Froidmentel
Brévainville
La Bruyère
Mézières
Manthierville
Villiers-le-Temple
Les Laps
Rozières-en-Beauce
Heauville
Séronville
Épieds-en-Beauce
Perreuse
Bois de St-Claude
Herbouville-la-Beaucière
Ouzouer-le-Doyen
Lierville
Tripleville
Villemain
Saintry
Bonneville
Nouzay
Semerville
La Folletière
Prunay
Ourcis
Charsonville
Coulmiers
Bagatelle
(Beauce la Romaine)
Menainville
Chevenelle
La Blinière
Thireau
Moisy
Montreveau
Les Ternes
Ablainville
Boussy
Villorceau
L'Ermitage
Le Plessis
Villecellier
Vilaine
Villeray
Le Creux
Orme-Guignard
Binas
Mauvelles
Montapeine
Bois de Montpipeau
La Montballière
Vignes
Ouzouer-le-Marché
Cornillon
Anchat
Chandry
La Renardière
Huisseau-sur-Mauves
Longueva
Morée
La Ritière
La Gahandière
Fréteval
Écoman
Autainville
Chantôme
Mézières
Bizy
Baccon
Bois des Brulons
La Colombe
Le Plessis
Cîteaux
Vallière
Villesiclaire
Villedieu
Poisioux
Les Banchets
La Baretterie
Le Pater
La Gunardière
Les Bouleaux
Vievy-le-Rayé
La Jouannière
Forêt de Cîteaux
Le Châtelier
Villegruau
Marolles
Villermain
Fontaine
La Touanne
Préau
Monlavy
La Bosse
Rondonneau
Église
La Challerie
Roudon
Les Haies
Rocheux
La Chaumelle
La Pagerie
St-Laurent-des-Bois
La Davière
Jouy
Montigny
Orcières
Le Bardon
Aunay
Cropet
Les Boëches
Poisly
Launay
La Borde
Beauvilliers
Lorry
Le Chesnay
Le Ramage
(Domaine privé)
Cognière
Rilly
Châtre
La Nivelle
Le Trépoix
La Houghaise
Tremblay
St-Léonard-en-Beauce
Forêt de Marchenoir
La Martinière
Cravant
Le Buisson
Beaumont
Langlochère
La Chapelle-Enchérie
Bois de Rochambeau
Silo
Oucques
Sigogne
Marchenoir
Briou
Lorges
Cernay
Meung-s-Loire
Beaugency-Messas
Meung-sur-Loire
Cléry-St-André
Épiais
Villegomblain
Le Plessis-l'Échelle
Prenay
Plessis
Ourcelle
Le Mée
Villevert
Messas
Baule
(Oucques-La Nouvelle)
Marcon
La Coudrave
Villemuzard
Messilly
Villejouan
Villorceau
Le Port-David
Villecante
Noyers
Frouville
La Vacherie
Roches
Josnes
Origny
Villemarceau
Loynes
Lavau
Dry
Ste-Gemmes
Villeneuve-Frouville
Bourrichard
Les Heaumes
Vernon
Baigneaux
Izy
Trugny
Toupenay
Le Bouchet
Thorigny
Le Bouchet
Silo
Talcy
Villiers
Serqueue
Beaugency
Concyr
Le Buisson
Sermaise
Concriers
Lavau
Lailly-en-Val
Fontpertuis
La Croix-Blanche
Boisseau
La Madeleine-Villefrouin
Morée
Les Bargoudière
Les Gaschetières
Selommes
Rhodon
Mauvoy
Séris
Lussay
Tavers
Mauline
Les Trois-Cheminées
Les Effets
Conan
Le Villiers
Le Noyer
Gd Champ
Monçay
Pontijou
Maves
Villexanton
Villeroclin
Villaugon
Lestiou
Moquebaril
Les Bordes
Villemardy
Villegrimont
Villebertol
Villesablon
Le Tertre
Bel-Air
Budan
Villeromard
Villefriou
Beaumont
Avaray
Belvir
Les Francs-Bois
Villetard
La Chapelle-St-Martin-en-Plaine
Morvilliers
La Place
Champigny-en-Beauce
Chousy
Mer
Courbouzon
St-Laurent-Nouan
Bois de Pully
Champ-Renaud
Les Tresseaux
Bonpuits
Epiez
Balatre
Herbilly
Les Pins
La Californie
Villefrancœur
Mulsans
Tremblay
Moncellereux
La Barboire
Le Plessis
Averdon
Mézières
Villiers
Villevry
Diziers
Le Cavereau
Les Basses-Fontaines
Les Maseaux
Toisy
Siany
Silos
Villefrisson
Les Landes
Huppemeau
Villejambon
Suèvres
Nouan-sur-Loire
Bois de la Ferté
La Chapelle-Vendômoise
Villerogneux
Bois-Villerbon
Laloin
Muides-sur-Loire
Le Branloup
Villerbon
Blois-Ménars
Le Terreaux
Colliers
Bois-Renard
La Motte-Longuet
Grivelle
St-Bohaire
Pezay
Villesecron
Parc de Ménars
Fleury
Tronne
Crouy-sur-Cosson
La Ferté-St-Cyr
des-Baulois
Le Logis
Cour-sur-Loire
Le Vivier
L'Écuelle
St-Dyé-sur-Loire
Pavillon de Muides
Cosson
St-Cyr
Marolles
Menars
Montlivault
Aires de Vision
Gd Étang
Russy
Jarday
Les Mées
Maslives
La Blondellerie
Fossé
Villemalard
Villebrême
Francillon
Villeneuve
Parc
Étang de Rhuys
Villebarou
St-Denis-sur-Loire
Nozieux
Pavillon de St-Dyé
Chambord
Thoury
Pavillon de Thoury
Bonneville
Villeny
La Sourdière
Aires de Vision
Étang des Binoches
Le Bout-d'en-Haut
St-Lubin-en-Vergonnois
St-Claude-de-Diray
Chaussée-St-Victor
La Chevrolière
La Rote
La Motte-Bonneville
St-Sulpice-de-Pommeraye
BLOIS
Léry
Morest
La Saumery
La Chaussée-le-Comte
de Chambord
Vaugoin
La Maltière
Champigny
Forêt Villiersfins
Les Noëls
(Réserve Nationale de Chasse)
Le Chêne
La Croix-de-Bois
Pimpeneau
Les Grotteaux
Huisseau-sur-Cosson
Pavillon de Bracieux
Pavillon de Montfrault
Étang de Montperché
Dhuizon
La Giraudière
La Pinçonnière
Vineuil
Carref de la Reine
Forêt de Boulogne
Le Mesnil
Molineuf
Nanteuil
Le Chiteau
Carref du Roi Stanislas
La Hardonnière
Carref de Louis XII
Forêt de Blois
Carref de Chambord
Le Gd Theillay
La Giraudière
Bury
L'Ormeau
La Patte d'Oie
Les Varennes
Carref de
Cisse
St-Gervais-la-Forêt
Mont-près-Chambord
Neuvy
Montrieux-en-Sologne
Rocon
les Grouets
Champ de Tir
Carref de la Croix Pineau
Rue-de-Meneuil
Villesavin
La Boue
Coulanges
L'Hôtel-Pasquier
Pézay
Courbanton
(-Cisse)
La Morandière
Chailles
Beauregard
Clénord
Arian
Bracieux
Veillenne
L'Hôtellerie
La Chaumette
Abbe de la Guiche
Croix-Rouge
La Varenne
Bauzy
Le Chéreau
L'AQUITAINE
LOIRE

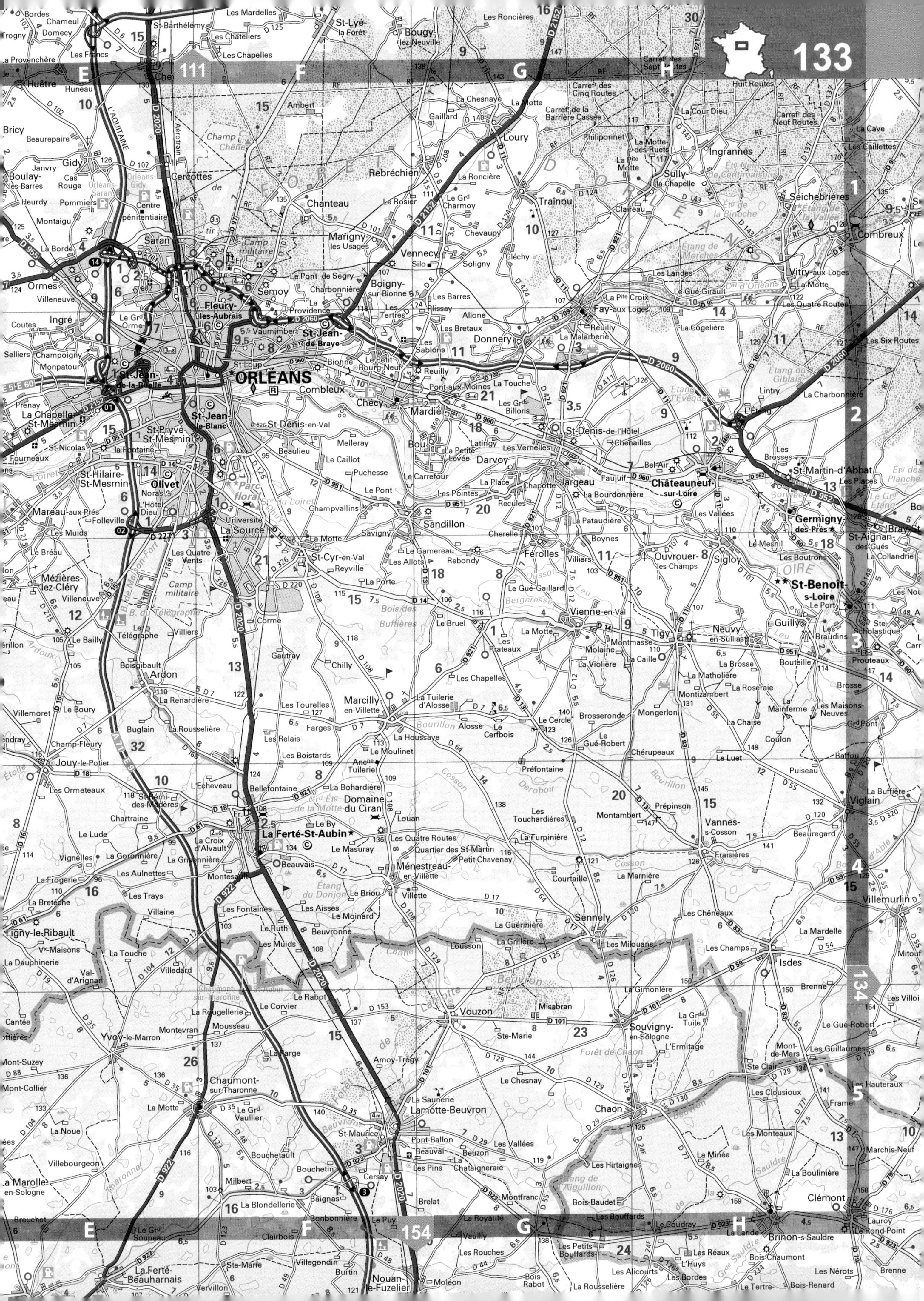

111
E
F
G
H
Bordes
Chameul
Domecy
Trogny
La Provenchère
Les Francs
St-Barthélemy
Les Mardelles
Les Chatelliers
Les Chapelles
St-Lyé-la-Forêt
Bougy-lez-Neuville
Les Roncières
Carref. des Sept Routes
Huêtre
Huneau
Chevilly
Ambert
La Chesnaye
La Motte
Carref. des Cinq Routes
Carref. de la Barrière Cassée
Huit Routes
La Cour Dieu
Carref. des Neuf Routes
Gaillard
Loury
Philiponnet
La Motte-des-Ruets
Ingrannes
Bricy
Beaurepaire
Gidy
Janvry
Boulay-les-Barres
Cercottes
Rebréchien
La Roncière
Sully-la-Chapelle
Seichebrières
Combreux
Heurdy
Pommiers
Chanteau
Le Rosier
Le Grd Charmoy
Traînou
Clairreau
Montaigu
Marigny-les-Usages
Chevaupy
Saran
La Borde
Vennecy
Silo
Soligny
Cléchy
Ormes
Villeneuve
Semoy
Le Pont de Segry
Boigny-sur-Bionne
Les Barres
Plissay
Allone
Les Landes
Le Gué-Girault
Vitry-aux-Loges
La Motte
Les Quatre Routes
Ingré
Coutes
Fleury-les-Aubrais
La Providence
Vaumimbert
St-Jean-de-Braye
Les Bretaux
Les Sablons
Donnery
Fay-aux-Loges
La Malarberie
Reuilly
La Cogelière
Les Six Routes
Selliers
Champoigny
Monpatour
St-Jean-de-la-Ruelle
St-Loup
ORLÉANS
Bionne
Le Petit Bourg-Neuf
Reuilly
Pont-aux-Moines
La Touche
Combleux
Chécy
Mardié
Les Grds Billons
St-Denis-de-l'Hôtel
Chenailles
Lintry
La Charbonnière
L'Étang
Prenay
La Chapelle-St-Mesmin
St-Jean-le-Blanc
St-Denis-en-Val
St-Pryvé-St-Mesmin
Fourneaux
St-Nicolas
La Fontaine
Melleray
Beaulieu
Le Caillot
Puchesse
Bou
La Petite Levée
Latingy
Darvoy
Les Vernelles
Bel-Air
Faujuif
Châteauneuf-sur-Loire
Les Brosses
St-Martin-d'Abbat
Les Places
St-Hilaire-St-Mesmin
Olivet
Noras
Parc floral
Le Carrefour
Le Pont
La Place
Chapotte
Jargeau
La Bourdonnière
Mareau-aux-Prés
Folleville
L'Hôtel Dieu
Université
La Source
Champvallins
Les Pointes
Recules
Sandillon
La Pataudière
Les Vallées
Germigny-des-Prés
Les Muids
Le Bréau
Les Quatre-Vents
La Motte
Savigny
Cherelle
Boynes
Ferolles
Villiers
Ouvrouer-les-Champs
Sigloy
Le Mesnil
Les Boutrons
St-Aignan-des-Gués
La Collandrie
Mézières-lez-Cléry
Villeneuve
St-Cyr-en-Val
Reyville
Le Gamereau
Les Allots
Rebondy
Le Gué-Gaillard
St-Benoît-s-Loire
Le Port
Camp militaire
B. du Télégraphe
Le Télégraphe
Le Bailly
La Porte
Bois des Buffières
Le Bruel
Vienne-en-Val
La Motte
Tigy
Neuvy-en-Sullias
Guilly
Ste-Scholastique
Les Braudins
Villiers
Corme
Les Prateaux
Montmasse
Molaine
La Violière
La Caille
La Brosse
Bouteille
Les Prouteaux
Boisgibault
Ardon
La Renardière
Gautray
Chilly
Les Chapelles
La Matholière
La Roseraie
Montizambert
Villemoret
Le Boury
Les Tourelles
Marcilly-en-Villette
La Tuilerie d'Alosse
Alosse
Le Cerfbois
Le Cercle
Brosseronde
Mongerlon
La Mainferme
Les Maisons-Neuves
Buglain
La Rousselière
Farges
Les Relais
La Houssaye
Le Gué-Robert
La Chaise
Grd Pont
Champ-Fleury
Jouy-le-Potier
Les Boistards
Le Moulinet
Anc.ne Tuilerie
Préfontaine
Chérupeaux
Coulon
Le Luet
Puiseau
Les Ormeteaux
L'Echeveau
Bellefontaine
La Bohardière
Domaine du Ciran
Deroboir
Bourillon
La Buffière
Viglain
St-Rémi-des-Madères
Chartraine
Louan
Les Touchardières
Montambert
Prépinson
Vannes-s-Cosson
Beauregard
Le Lude
La Croix d'Alvault
La Ferté-St-Aubin
Le By
Les Quatre Routes
Quartier des St-Martin
La Turpinière
Vignelles
La Goronnière
La Grisonnière
Le Masuray
Petit Chavenay
Fraisières
Les Aulnettes
Montesault
Beauvais
Ménestreau-en-Villette
Courtaille
La Marnière
La Frogerie
Les Trays
Étang du Donjon
Le Briou
Villette
Villemurlin
La Bretèche
Villaine
Les Fontaines
Les Aisses
Le Moinard
Sennely
Les Chêneaux
Ligny-le-Ribault
Le Ruth
Beuvronne
La Guérinière
La Mardelle
Vx Maisons
La Touche
Les Muids
Lousson
La Grillère
Les Milouans
Les Champs
Isdes
La Dauphinerie
Villedard
Val-d'Arignan
Beuvron
La Gimonière
Brenne
Les Villoi
Le Rabot
Cantée
La Rougellerie
Le Corvier
Vouzon
Misabran
Souvigny-en-Sologne
La Grde Tuile
Le Gué-Robert
Montevran
Mousseau
Ste-Marie
L'Ermitage
Mont-de-Mars
Les Guillaumes
Yvoy-le-Marron
La Farge
Amoy-Trégy
Forêt de Chaon
Mont-Suzey
Ste Clair
Chaumont-sur-Tharonne
Le Chesnay
Les Clousioux
Mont-Collier
La Motte
Le Grd Vaullier
La Saunerie
Lamotte-Beuvron
Chaon
Framel
La Noue
St-Maurice
Pont-Ballon
Les Vallées
Les Monteaux
Villebourgeon
Bouchetault
Beauval
Beuzon
La Châtaigneraie
Les Hirtaignes
La Minée
Marchis-Neuf
Bouchetin
Cersay
Les Pins
Étang de l'Aiguillon
La Boulinière
La Marolle-en-Sologne
Milbert
Baignas
Montfranc
Bois-Baudet
Clémont
La Blondellerie
Brelat
Bonbonnière
Le Puy
La Royauté
Les Bouffards
Le Coudray
Brinon-s-Sauldre
Lauroy
Le Rond-Point
Breuchet
Le Grd Soupeau
Clairbois
Vauilly
Les Petits Bouffards
La Lande
Les Rouches
Les Réaux
L'Huys
Bois-Chaumont
Villegondin
Ste-Marie
Burtin
La Ferté-Beauharnais
Vervillon
Nouan-le-Fuzelier
Moléon
Bois-Rabot
Les Alicourts
Les Bordes
La Rousselière
Les Nérots
Bois-Renard
Le Tertre
Brenne
154
134

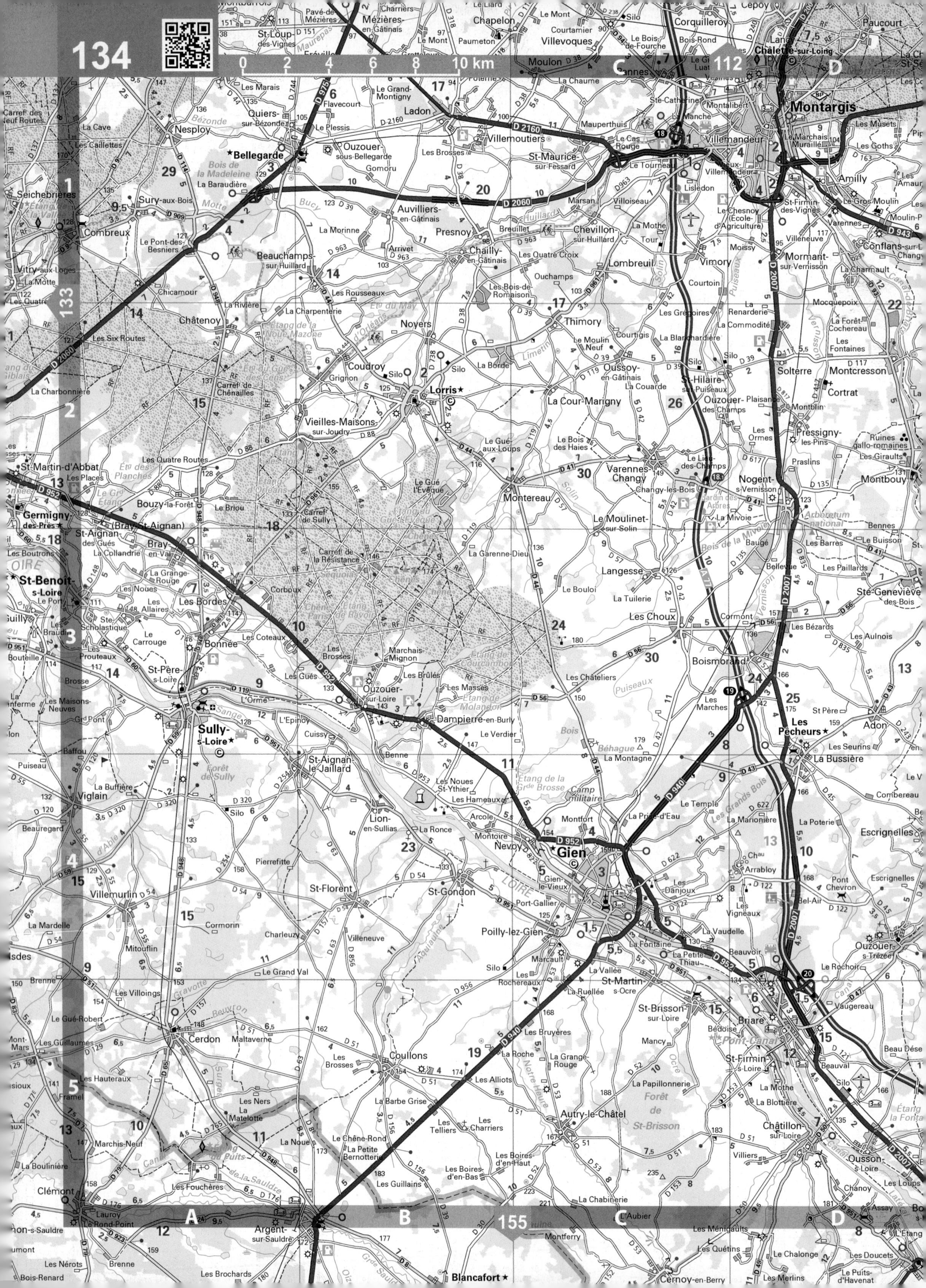
0 2 4 6 8 10 km
112
133
155
A
B
C
D
Montargis
Châlette-sur-Loing
Amilly
Villemandeur
Corquilleroy
Paucourt
Cepoy
Cannes
Chapelon
Villevoques
Mézières-en-Gâtinais
St-Loup-des-Vignes
Ladon
Quiers-sur-Bézonde
Nesploy
Bellegarde
Ouzouer-sous-Bellegarde
Villemoutiers
St-Maurice-sur-Fessard
Seichebrières
Sury-aux-Bois
Combreux
Vitry-aux-Loges
Auvilliers-en-Gâtinais
Presnoy
Chailly-en-Gâtinais
Chevillon-sur-Huillard
Lombreuil
Vimory
Beauchamps-sur-Huillard
Châtenoy
Noyers
Thimory
Oussoy-en-Gâtinais
St-Hilaire-sur-Puiseaux
Solterre
Montcresson
Cortrat
Coudroy
Lorris
Vieilles-Maisons-sur-Joudry
La Cour-Marigny
Ouzouer-des-Champs
Pressigny-les-Pins
St-Martin-d'Abbat
Germigny-des-Prés
Bouzy-la-Forêt
Varennes-Changy
Nogent-sur-Vernisson
Montbouy
Montereau
Le Moulinet-sur-Solin
St-Aignan-des-Gués
Bray-en-Val
St-Benoît-s-Loire
Langesse
Les Bordes
Ste-Geneviève-des-Bois
Les Choux
Bonnée
St-Père-s-Loire
Boismorand
Ouzouer-sur-Loire
Dampierre-en-Burly
Sully-s-Loire
Les Pêcheurs
Adon
La Bussière
St-Aignan-le-Jaillard
Viglain
Lion-en-Sullias
Nevoy
Gien
Escrignelles
Villemurlin
St-Florent
St-Gondon
Poilly-lez-Gien
Ouzouer-s-Trézée
St-Martin-s-Ocre
St-Brisson-sur-Loire
Briare
Cerdon
Coullons
St-Firmin-s-Loire
Autry-le-Châtel
Châtillon-sur-Loire
Ousson-s-Loire
Clémont
Argent-sur-Sauldre
Blancafort
Cernoy-en-Berry
Forêt de St-Brisson
Forêt de Sully
LOIRE
D 2060
D 2160
D 2007
D 952
D 940
A 77

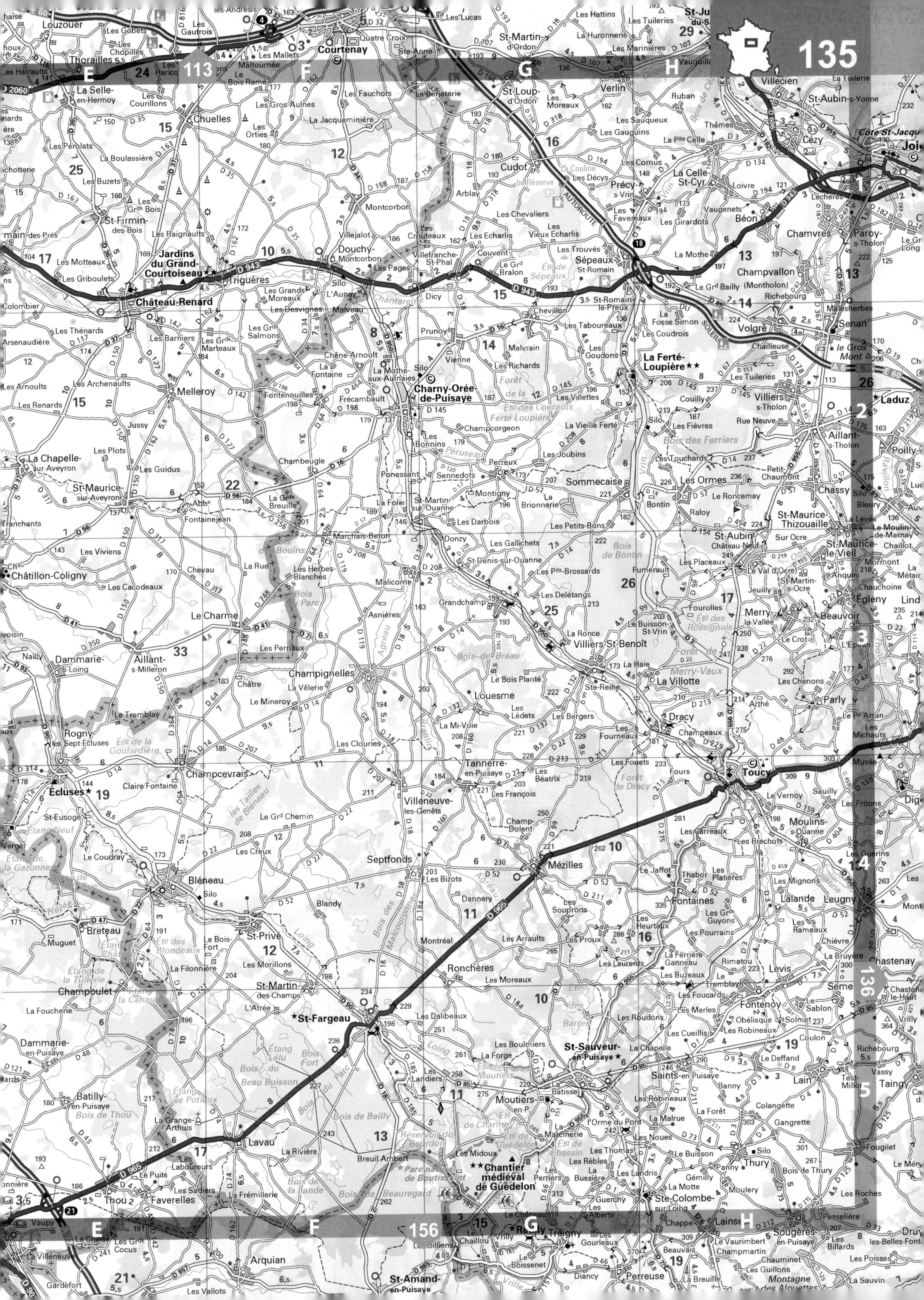
135
113
136
156
Courtenay
Château-Renard
Jardins du Grand-Courtoiseau
Charny-Orée-de-Puisaye
La Ferté-Loupière
Toucy
Joigny
Villiers-s-Tholon
Aillant-s-Tholon
Châtillon-Coligny
Champignelles
Bléneau
St-Fargeau
St-Sauveur-en-Puisaye
Chantier médiéval de Guédelon
Mézilles
Villiers-St-Benoît
Ste-Colombe-sur-Loing
St-Amand-en-Puisaye
Écluses
Rogny-les-Sept-Écluses
Champcevrais
Septfonds
Villeneuve-les-Genêts
Tannerre-en-Puisaye
Moutiers-en-P.
Treigny
Saints-en-Puisaye
Fontenoy
Lavau
Faverelles
Arquian
Batilly-en-Puisaye
Dammarie-en-Puisaye
Champoulet
Breteau
St-Privé
Ronchères
Fontaines
Moulins-s-Ouanne
Leugny
Lalande
Parly
Dracy
Ste-Reine
La Villotte
Égleny
Beauvoir
Chassy
Les Ormes
Sommecaise
St-Aubin-Château-Neuf
St-Maurice-Thizouaille
St-Maurice-le-Vieil
Senan
Volgré
Champvallon
Béon
Chamvres
Cézy
St-Aubin-s-Yonne
Villecien
La Celle-St-Cyr
Précy-s-Vrin
Sépeaux
Cudot
Verlin
St-Loup-d'Ordon
St-Martin-d'Ordon
Douchy-Montcorbon
Triguères
Chuelles
La Selle-en-Hermoy
Louzouer
St-Firmin-des-Bois
Melleroy
La Chapelle-sur-Aveyron
St-Maurice-sur-Aveyron
Aillant-s-Milleron
Dammarie-s-Loing
Le Charme
Louesme
Grandchamp
Malicorne
Fontenouilles
AUTOROUTE DU SOLEIL
A 6
D 943
D 965
D 955
D 950
D 16
D 18
D 3
Forêt de la Ferté Loupière
Bois des Ferriers
Forêt de Merry-Vaux
Bois de Bailly
Parc naturel de Boutissaint

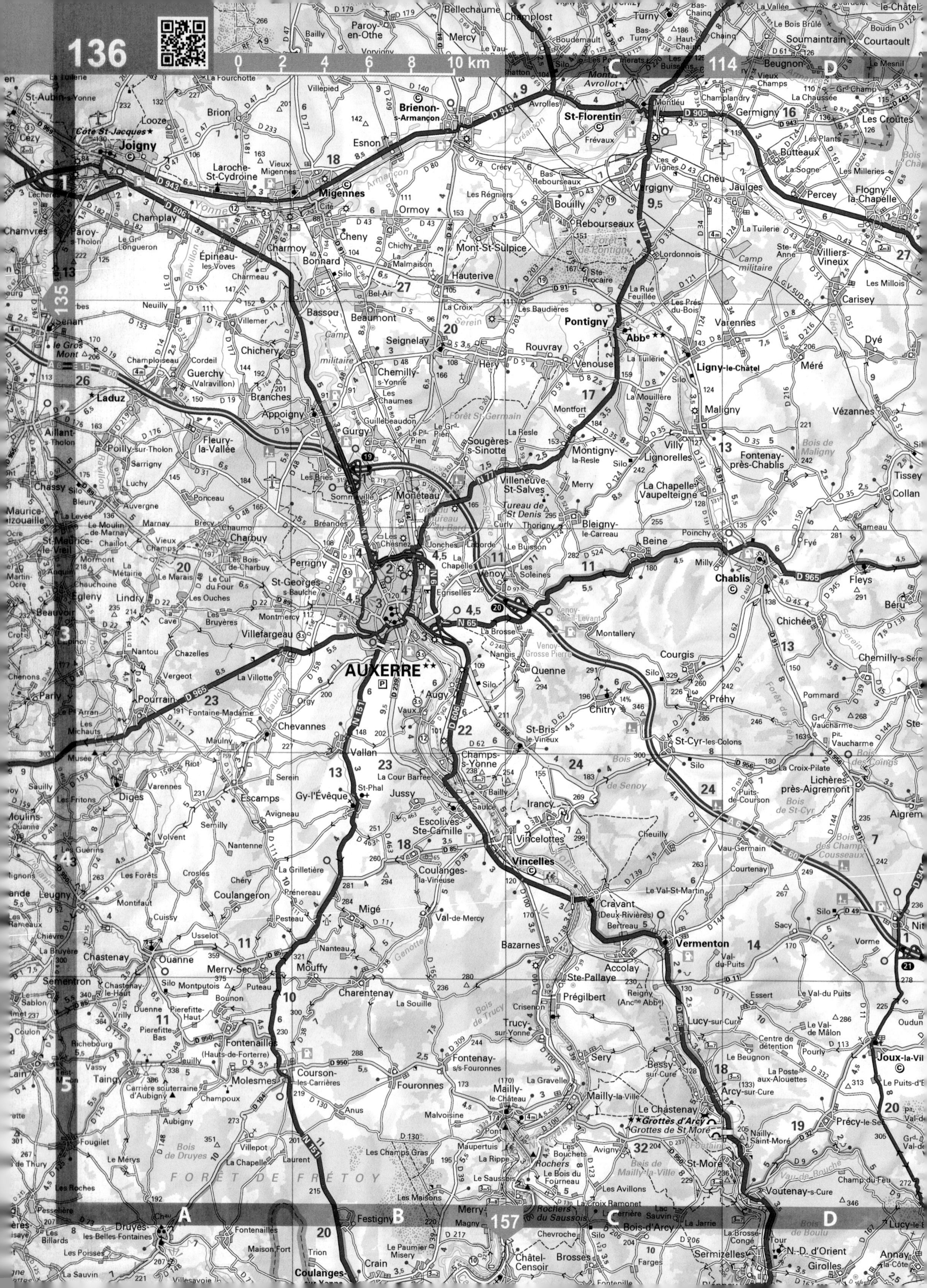
0 2 4 6 8 10 km
114
135
157
27
A
B
C
D
1
2
3
4
5
Joigny
Côte St-Jacques
St-Aubin-s-Yonne
Cézy
Looze
Brion
Laroche-St-Cydroine
Vieux-Migennes
Migennes
Esnon
Brienon-s-Armançon
Villepied
Paroy-en-Othe
Bellechaume
Mercy
Champlost
Turny
Avrolles
St-Florentin
Frévaux
Montléu
Germigny
Soumaintrain
Courtaoult
Beugnon
Butteaux
Les Croûtes
Flogny-la-Chapelle
Percey
Jaulges
Chéu
Vergigny
Bouilly
Rebourseaux
Lordonnois
Villiers-Vineux
Carisey
Crécy
Ormoy
Cheny
Bonnard
Charmoy
Champlay
Paroy-s-Tholon
Épineau-les-Voves
Chamvres
Mont-St-Sulpice
Hauterive
Forêt de Pontigny
Pontigny
Venouse
Rouvray
Ligny-le-Châtel
Varennes
Méré
Dyé
Maligny
Vézannes
Seignelay
Beaumont
Bassou
Chichery
Chemilly-s-Yonne
Hery
Montfort
Guerchy
Laduz
Appoigny
Branches
Aillant-s-Tholon
Poilly-sur-Tholon
Fleury-la-Vallée
Gurgy
Sougères-s-Sinotte
Montigny-la-Resle
Villy
Lignorelles
Fontenay-près-Chablis
Villeneuve-St-Salves
La Chapelle-Vaupelteigne
Bleigny-le-Carreau
Monéteau
Chassy
Charbuy
Beine
Chablis
Fleys
Béru
Chichée
Perrigny
St-Georges-s-Baulche
Venoy
Lindry
Égleny
Villefargeau
AUXERRE
Montallery
Courgis
Chemilly-s-Serein
Quenne
Chitry
Préhy
Augy
Pourrain
Chevannes
Vaux
St-Bris-le-Vineux
St-Cyr-les-Colons
Vallan
Champs-s-Yonne
Lichères-près-Aigremont
Diges
Escamps
Gy-l'Évêque
Jussy
Irancy
Escolives-Ste-Camille
Vincelottes
Vincelles
Coulanges-la-Vineuse
Coulangeron
Leugny
Migé
Val-de-Mercy
Cravant
Vermenton
Bazarnes
Accolay
Ouanne
Merry-Sec
Mouffy
Chastenay
Charentenay
Ste-Pallaye
Prégilbert
Trucy-sur-Yonne
Lucy-sur-Cure
Fontenailles
Taingy
Molesmes
Courson-les-Carrières
Fouronnes
Fontenay-s/s-Fouronnes
Sery
Bessy-sur-Cure
Arcy-sur-Cure
Joux-la-Ville
Mailly-le-Château
Mailly-la-Ville
Grottes d'Arcy
Précy-le-Sec
Voutenay-s-Cure
FORÊT DE FRÉTOY
Druyes-les-Belles-Fontaines
Festigny
Merry-Sec
Châtel-Censoir
Bois-d'Arcy
Sermizelles
N.-D. d'Orient
Girolles
Coulanges-s-Yonne
AUXERRE
A 6
E 15
E 60
N 77
N 6
N 151
D 965
D 943
D 905

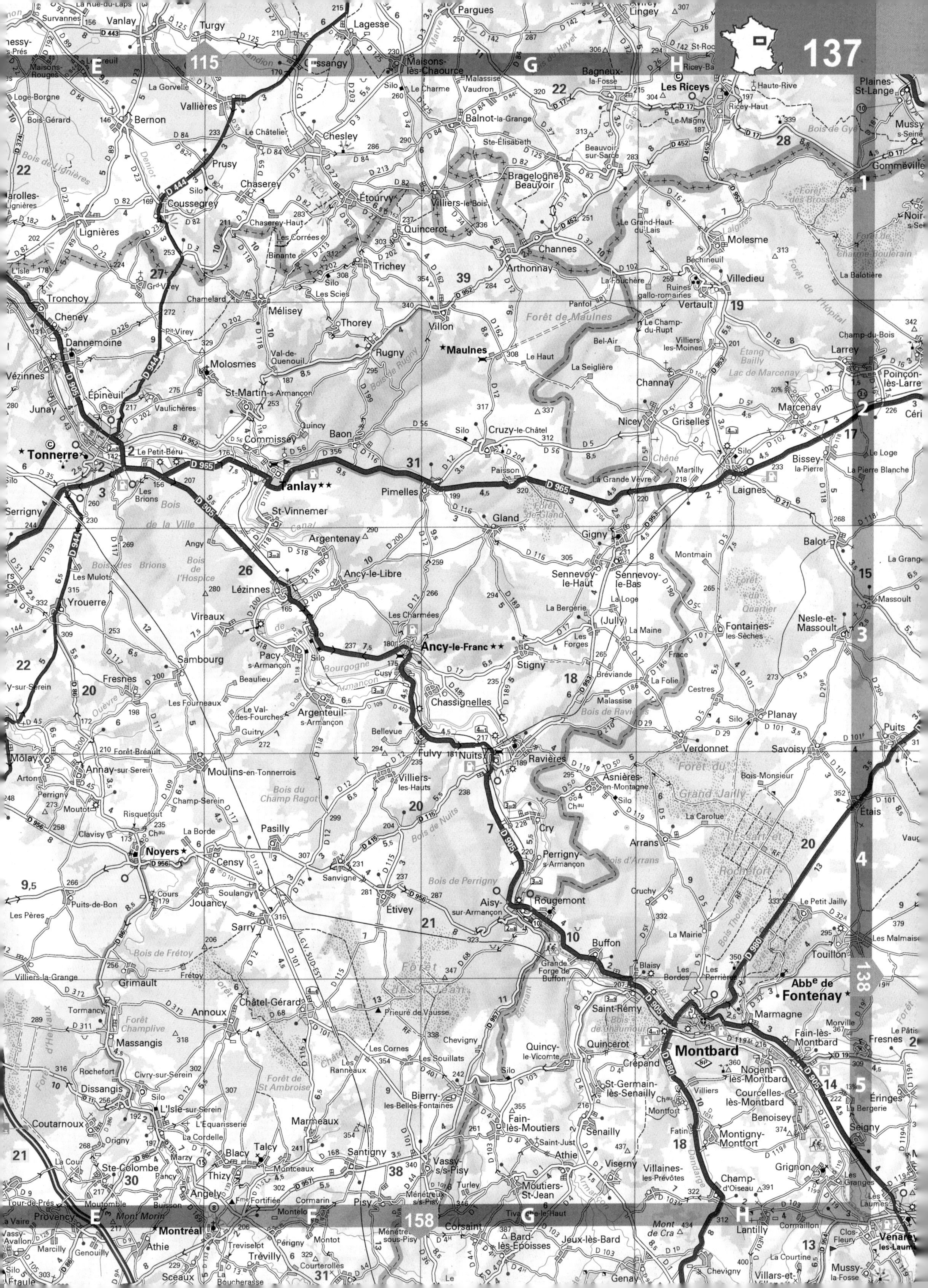

137
115
138
158
E
F
G
H
Tonnerre
Tanlay
Ancy-le-Franc
Montbard
Noyers
Montréal
Les Riceys
Abbe de Fontenay
Maulnes
Forêt de Maulnes
Lagesse
Pargues
Lingey
Turgy
Vanlay
Cussangy
Maisons-lès-Chaource
Bagneux-la-Fosse
Vallières
Bernon
Chesley
Balnot-la-Grange
Prusy
Coussegrey
Chaserey
Étourvy
Villiers-le-Bois
Bragelogne-Beauvoir
Lignières
Quincerot
Channes
Arthonnay
Molesme
Trichey
Villedieu
Vertault
Tronchoy
Cheney
Dannemoine
Mélisey
Thorey
Villon
Rugny
Molosmes
Épineuil
Junay
Vézinnes
St-Martin-s-Armançon
Commissey
Baon
Cruzy-le-Châtel
Nicey
Griselles
Channay
Marcenay
Laignes
Pimelles
Gland
Gigny
St-Vinnemer
Argentenay
Ancy-le-Libre
Lézinnes
Sennevoy-le-Haut
Sennevoy-le-Bas
Yrouerre
Vireaux
Pacy-s-Armançon
Sambourg
Stigny
Fresnes
Chassignelles
Argenteuil-s-Armançon
Nesle-et-Massoult
Fontaines-les-Sèches
Planay
Verdonnet
Savoisy
Ravières
Nuits
Fulvy
Annay-sur-Serein
Moulins-en-Tonnerrois
Villiers-les-Hauts
Asnières-en-Montagne
Étais
Pasilly
Cry
Perrigny-s-Armançon
Censy
Arrans
Étivey
Aisy-sur-Armançon
Rougemont
Jouancy
Sarry
Buffon
Grimault
Annoux
Châtel-Gérard
Saint-Rémy
Quincerot
Marmagne
Massangis
Quincy-le-Vicomte
Crépand
Fain-lès-Montbard
Dissangis
L'Isle-sur-Serein
Bierry-les-Belles-Fontaines
Fain-lès-Moutiers
Nogent-lès-Montbard
Courcelles-lès-Montbard
Benoisey
Marmeaux
Santigny
Vassy-s/s-Pisy
Athie
Viserny
Montigny-Montfort
Ste-Colombe
Blacy
Talcy
Thizy
Angely
Pisy
Moutiers-St-Jean
Villaines-les-Prévôtes
Champ-d'Oiseau
Grignon
Provency
Bard-lès-Époisses
Jeux-lès-Bard
Lantilly
Venarey-les-Laumes
Forêt de St-Jean
Forêt Champlive
Bois de Fretoy
Forêt du Grand Jailly
Bois de la Ville

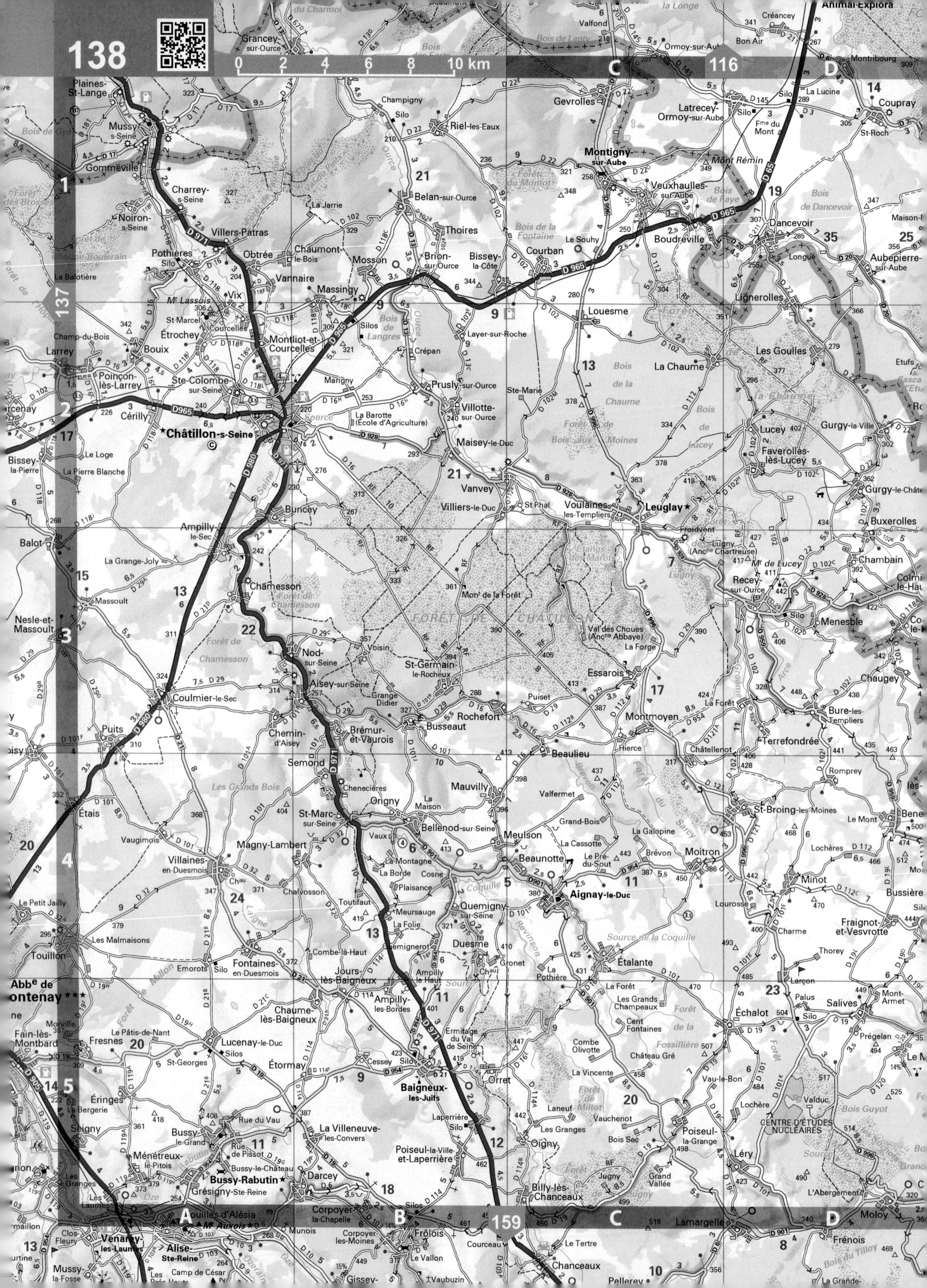
0 2 4 6 8 10 km
116
159
137
Plaines-St-Lange
Mussy-s-Seine
Gommeville
Grancey-sur-Ource
Champigny
Riel-les-Eaux
Gevrolles
Montigny-sur-Aube
Latrecey-Ormoy-sur-Aube
Coupray
St-Roch
Montribourg
Créancey
Bon Air
Ormoy-sur-Aube
Valfond
Charrey-s-Seine
Noiron-s-Seine
Villers-Patras
Pothières
Obtrée
Chaumont-le-Bois
Belan-sur-Ource
Thoires
Mosson
Brion-sur-Ource
Bissey-la-Côte
Courban
Veuxhaulles-sur-Aube
Boudreville
Dancevoir
Aubepierre-sur-Aube
Lignerolles
La Balotière
Vannaire
Massingy
Vix
Mt Lassois
Étrochey
Montliot-et-Courcelles
Louesme
Layer-sur-Roche
Crépan
Larrey
Bouix
Poinçon-lès-Larrey
Ste-Colombe-sur-Seine
Cérilly
Châtillon-s-Seine
Prusly-sur-Ource
Villotte-sur-Ource
Marigny
La Barotte (École d'Agriculture)
Maisey-le-Duc
La Chaume
Les Goulles
Lucey
Faverolles-lès-Lucey
Gurgy-la-Ville
Gurgy-le-Château
Bissey-la-Pierre
La Pierre Blanche
Vanvey
Villiers-le-Duc
Voulaines-les-Templiers
Leuglay
Buncey
Ampilly-le-Sec
Balot
Chamesson
Mont de la Forêt
Forêt de Châtillon
Recey-sur-Ource
Menesble
Buxerolles
Chambain
Nesle-et-Massoult
Massoult
Nod-sur-Seine
Aisey-sur-Seine
St-Germain-le-Rocheux
Val des Choues (Ancne Abbaye)
Essarois
Chaugey
Bure-les-Templiers
Coulmier-le-Sec
Puits
Chemin-d'Aisey
Brémur-et-Vaurois
Busseaut
Rochefort
Beaulieu
Montmoyen
Terrefondrée
Semond
Mauvilly
Étais
St-Marc-sur-Seine
Origny
Bellenod-sur-Seine
Meulson
Beaunotte
Aignay-le-Duc
Moitron
St-Broing-les-Moines
Minot
Villaines-en-Duesmois
Magny-Lambert
Quemigny-sur-Seine
Duesme
Étalante
Fraignot-et-Vesvrotte
Touillon
Les Malmaisons
Fontaines-en-Duesmois
Jours-lès-Baigneux
Ampilly-les-Bordes
Échalot
Salives
Abbe de Fontenay
Fain-lès-Montbard
Fresnes
Lucenay-le-Duc
Chaume-lès-Baigneux
Étormay
Baigneux-les-Juifs
Éringes
Seigny
Bussy-le-Grand
La Villeneuve-les-Convers
Poiseul-la-Ville-et-Laperrière
Poiseul-la-Grange
Léry
Ménétreux-le-Pitois
Bussy-Rabutin
Grésigny-Ste-Reine
Darcey
Billy-lès-Chanceaux
Venarey-les-Laumes
Alise-Ste-Reine
Mt Auxois
Corpoyer-la-Chapelle
Frôlois
Lamargelle
Frénois
Moloy
Chanceaux
Centre d'Études Nucléaires
A
B
C
D
1
2
3
4
5

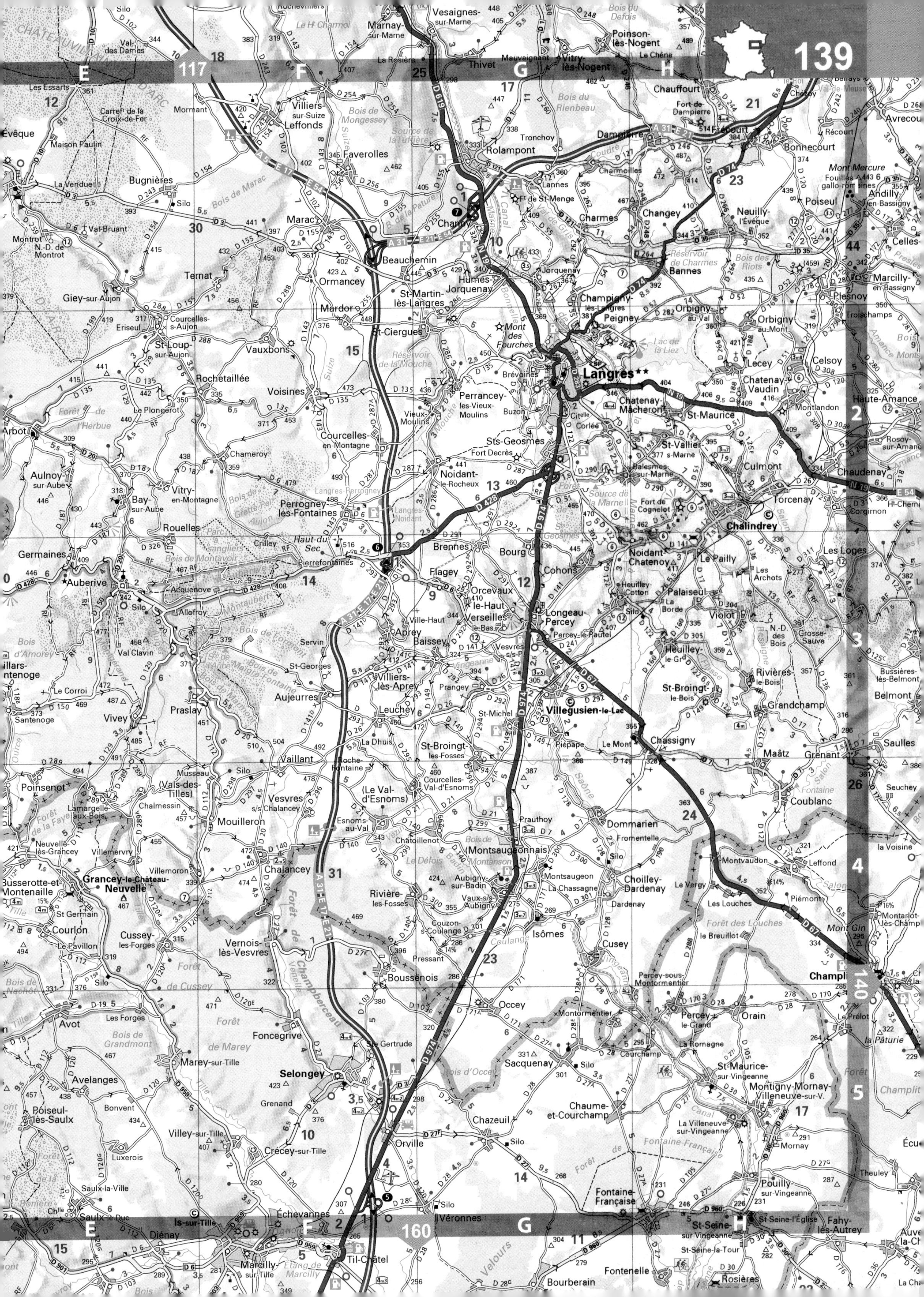
139
117
160
140
E
F
G
H
Vesaignes-sur-Marne
Marnay-sur-Marne
Poinson-lès-Nogent
Vitry-lès-Nogent
Mauvaignant
Thivet
La Rosière
Le Chêne
Val-des-Dames
Les Essarts
Carref de la Croix-de-Fer
Évêque
Maison Paulin
Mormant
Villiers-sur-Suize
Leffonds
Bois de Mongessey
Source de la Tuffière
Bois du Rienbeau
Tronchoy
Chauffourt
Fort-de-Dampierre
Dampierre
Frécourt
Récourt
Avrecourt
Bonnecourt
Rolampont
Faverolles
Bugnières
La Vendue
Bois de Marac
Silo
Charmoilles
Lannes
Mont Mercure
Fouilles gallo-romaines
Andilly-en-Bassigny
Poiseul
Val-Bruant
Montrot
N.-D. de Montrot
Marac
Chanoy
Fort de St-Menge
Charmes
Changey
Neuilly-l'Évêque
Beauchemin
Ormancey
Ternat
Giey-sur-Aujon
Humes-Jorquenay
Jorquenay
Réservoir de Charmes
Bannes
Bois des Riots
Celles-
Marcilly-en-Bassigny
Plesnoy
St-Martin-lès-Langres
Mardor
Champigny-lès-Langres
Peigney
Orbigny-au-Val
Orbigny-au-Mont
Troischamps
Courcelles-s-Aujon
Eriseul
St-Loup-sur-Aujon
Vauxbons
St-Ciergues
Mont des Fourches
Lac de la Liez
Réservoir de la Mouche
Brévoines
Langres
Lecey
Celsoy
Chatenay-Vaudin
Rochetaillée
Voisines
Perrancey-les-Vieux-Moulins
Vieux-Moulins
Buzon
Chatenay-Mâcheron
St-Maurice
Montlandon
Haute-Amance
Le Plongerot
Forêt de l'Herbue
Arbot
Citelle
Corlée
Sts-Geosmes
St-Vallier-s-Marne
Courcelles-en-Montagne
Chameroy
Fort Decrès
Noidant-le-Rocheux
Balesmes-sur-Marne
Culmont
Chaudenay
Rosoy-sur-Amance
Aulnoy-sur-Aube
Vitry-en-Montagne
Bay-sur-Aube
Langres-Perrogney
Perrogney-les-Fontaines
Source de la Marne
Fort de Cognelot
Torcenay
Chalindrey
Corgirnon
Rouelles
Parc à sangliers
Crilley
Haut-du-Sec
Brennes
Bourg
Noidant-Chatenoy
Le Pailly
Les Loges
Germaines
Bois de Montavoir
Pierrefontaines
Flagey
Cohons
Les Archots
Auberive
Acquenove
Allofroy
Orcevaux
le-Haut
Verseilles-le-Bas
Longeau-Percey
Heuilley-Cotton
Palaiseul
La Borde
Violot
Ville-Haut
Aprey
Percey-le-Pautel
N.-D. des Bois
Grosse-Sauve
Bois d'Amorey
Val Clavin
Servin
Baissey
Vesvres-s/s-P.
Heuilley-le-Grand
St-Georges
Bois de Maigre Fontaine
Villiers-lès-Aprey
Prangey
Rivières-le-Bois
Bussières-lès-Belmont
Le Corroi
Aujeurres
St-Broingt-le-Bois
Belmont
Santenoge
Vivey
Praslay
Leuchey
St-Michel
Villegusien-le-Lac
Grandchamp
Piépape
Le Mont
Chassigny
Maâtz
Grenant
Saulles
La Dhuis
Roche-Fontaine
St-Broingt-les-Fosses
Vaillant
Musseau
(Vals-des-Tilles)
Courcelles-Val-d'Esnoms
Poinsenot
Lamargelle-aux-Bois
Chalmessin
Vesvres-s/s-Chalancey
(Le Val-d'Esnoms)
Coublanc
Seuchey
Mouilleron
Esnoms-au-Val
Prauthoy
Dommarien
Fromentelle
Neuvelle-lès-Grancey
Villemervry
Chatoillenot
Bois de (Montsaugeonnais)
Montsaugeon
La Chassagne
Choilley-Dardenay
Dardenay
Montvaudon
Leffond
La Voisine
Villemoron
Chalancey
Le Défois
Montanson
Aubigny-sur-Badin
Vaux-s/s-Aubigny
Le Vergy
Piémont
Grancey-le-Château-Neuvelle
Busserotte-et-Montenaille
St Germain
Courlon
Rivière-les-Fosses
Couzon-s-Coulange
Isômes
Les Louches
Forêt des Louches
Montarlot-lès-Champ
Cussey-les-Forges
Vernois-lès-Vesvres
Le Breuillot
Mont Gin
Le Pavillon
Pressant
Cusey
Champlitte
Bois de Nachot
Forêt de Cussey
Boussenois
Percey-sous-Montormentier
Avot
Les Forges
Bois de Grandmont
Forêt de Marey
Foncegrive
Occey
Montormentier
Percey-le-Grand
Orain
Le Prélot
La Pâturie
Ste Gertrude
Sacquenay
Courchamp
La Romagne
St-Maurice-sur-Vingeanne
Marey-sur-Tille
Avelanges
Selongey
Bois d'Occey
Montigny-Mornay-Villeneuve-sur-V.
Champlitte
Poiseul-lès-Saulx
Bonvent
Grenand
Chazeuil
Chaume-et-Courchamp
La Villeneuve-sur-Vingeanne
Villey-sur-Tille
Crécey-sur-Tille
Orville
Fontaine-Française
Mornay
Écu
Luxerois
Theuley
Saulx-la-Ville
Pouilly-sur-Vingeanne
Saulx-le-Duc
Is-sur-Tille
Échevannes
Véronnes
St-Seine-sur-Vingeanne
St-Seine-l'Église
St-Seine-la-Tour
Fahy-lès-Autrey
Diénay
Marcilly-sur-Tille
Étang de Marcilly
Til-Châtel
Velours
Fontenelle
Bourberain
Rosières
La Chal
Canal
Chamberceau
Vingeanne
Saône
Salon

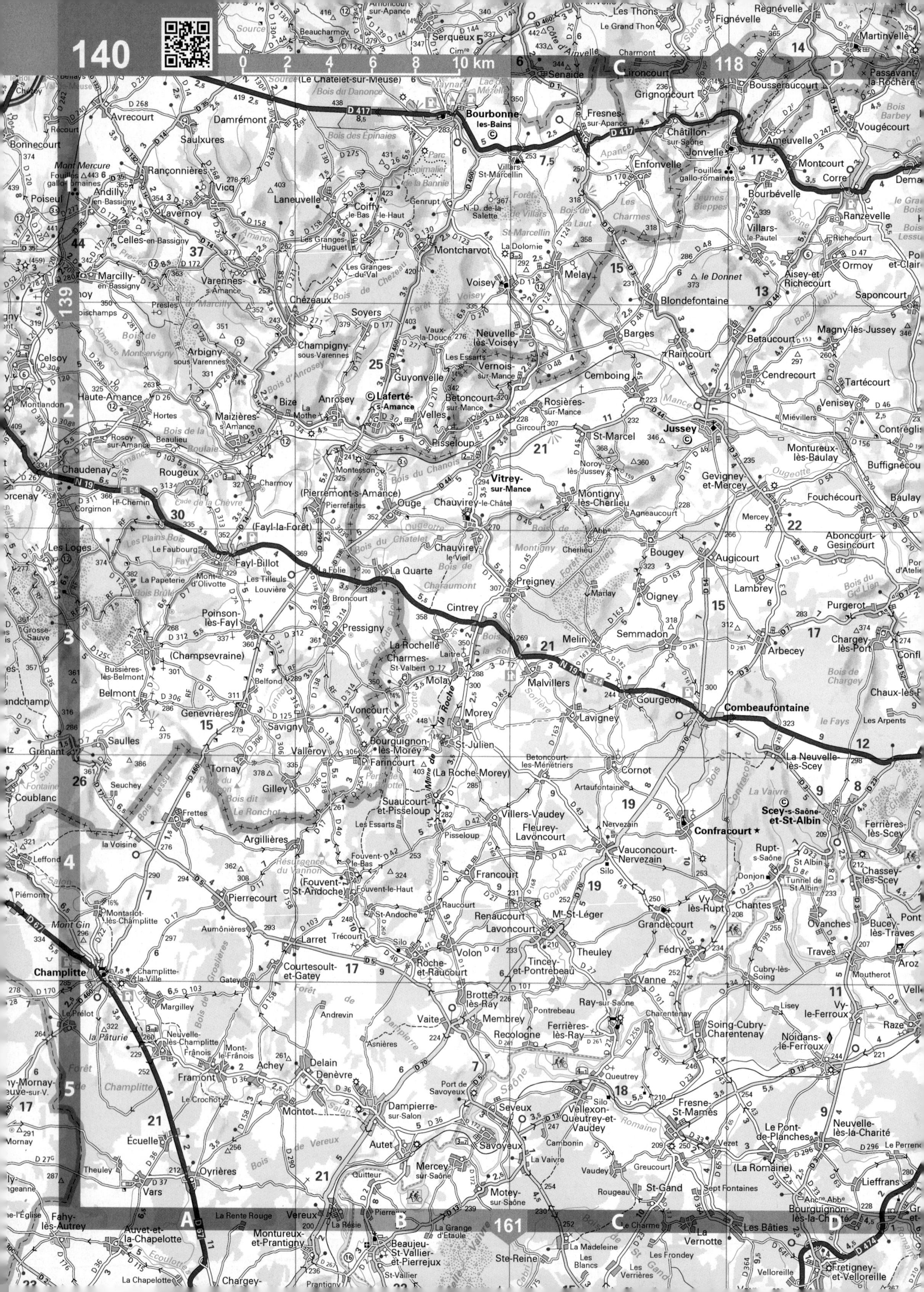
140
0 2 4 6 8 10 km
118
161
139
A
B
C
D
Bourbonne-les-Bains
Senaide
Lironcourt
Passavant-la-Rochère
Martinvelle
Regnévelle
Fignévelle
Les Thons
Serqueux
Beaucharmoy
Grignoncourt
Bousseraucourt
Fresnes-sur-Apance
Châtillon-sur-Saône
Jonvelle
Ameuvelle
Vougécourt
Montcourt
Corre
Enfonvelle
Bourbévelle
Ranzevelle
Villars-le-Pautel
Aisey-et-Richecourt
Ormoy
Avrecourt
Damrémont
Saulxures
Bonnecourt
Rançonnières
Vicq
Poiseul
Andilly-en-Bassigny
Laneuvelle
Coiffy-le-Bas
Coiffy-le-Haut
Genrupt
Villars-St-Marcellin
Lavernoy
Celles-en-Bassigny
Montcharvot
La Dolomie
Melay
Voisey
Blondefontaine
Marcilly-en-Bassigny
Varennes-s-Amance
Chézeaux
Soyers
Neuvelle-lès-Voisey
Barges
Betaucourt
Raincourt
Magny-lès-Jussey
Saponcourt
Celsoy
Champigny-sous-Varennes
Arbigny-sous-Varennes
Vaux-la-Douce
Guyonvelle
Les Essarts
Vernois-sur-Mance
Cemboing
Cendrecourt
Tartécourt
Haute-Amance
Maizières-s-Amance
Hortes
Bize
Anrosey
La Mothe
Laferté-s-Amance
Velles
Betoncourt-sur-Mance
Rosières-sur-Mance
Gircourt
Jussey
Venisey
Contréglise
Rosoy-sur-Amance
Chaudenay
Rougeux
Pisseloup
St-Marcel
Noroy-lès-Jussey
Montureux-lès-Baulay
Buffignécourt
Montesson
Charmoy
Vitrey-sur-Mance
Montigny-lès-Cherlieu
Gevigney-et-Mercey
Corgirnon
(Pierremont-s-Amance)
Pierrefaites
Ouge
Chauvirey-le-Châtel
Agneaucourt
Fouchécourt
Baulay
Mercey
Aboncourt-Gesincourt
(Fayl-la-Forêt)
Les Loges
Fayl-Billot
Chauvirey-le-Vieil
Cherlieu
Bougey
Augicourt
La Folie
La Quarte
Preigney
Oigney
Lambrey
Purgerot
La Papeterie
Mont d'Olivotte
Les Tilleuls
Louvière
Broncourt
Marlay
Cintrey
Semmadon
Poinson-lès-Fayl
Pressigny
Melin
Arbecey
Chargey-lès-Port
Grosse Sauve
La Rochelle
Charmes-St-Valbert
Laitre
(Champsevraine)
Malvillers
Gourgeon
Combeaufontaine
Bussières-lès-Belmont
Belfond
Molay
Belmont
Genevrières
Savigny
Voncourt
Morey
Lavigney
Chaux-lès-Port
Le Fays
Les Arpents
Saulles
Grenant
Valleroy
Bourguignon-lès-Morey
St-Julien
Farincourt
(La Roche-Morey)
Betoncourt-les-Ménétriers
Cornot
La Neuvelle-lès-Scey
Tornay
Gilley
Seuchey
Coublanc
Frettes
Suaucourt-et-Pisseloup
Artaufontaine
Villers-Vaudey
Fleurey-Lavoncourt
Nervezain
Confracourt
Scey-s-Saône-et-St-Albin
Ferrières-lès-Scey
Argillières
Les Essarts
Pisseloup
Vauconcourt-Nervezain
Rupt-s-Saône
Chassey-lès-Scey
la Voisine
Leffond
Fouvent-le-Bas
Fouvent-le-Haut
(Fouvent-St-Andoche)
Francourt
Donjon
St Albin
Tunnel de St Albin
Piémont
Pierrecourt
Raucourt
Renaucourt
Lavoncourt
Mt-St-Léger
Grandecourt
Vy-lès-Rupt
Chantes
Ovanches
Bucey-lès-Traves
Montarlot-lès-Champlitte
Mont Gin
Aumônières
Larret
St-Andoche
Trécourt
Silo
Volon
Theuley
Fédry
Traves
Champlitte
Champlitte-la-Ville
Courtesoult-et-Gatey
Gatey
Roche-et-Raucourt
Tincey-et-Pontrebeau
Vanne
Cubry-lès-Soing
Moutherot
Margilley
Le Prélot
Andrevin
Brotte-lès-Ray
Ray-sur-Saône
Pontrebeau
Charentenay
Soing-Cubry-Charentenay
Lisey
Vy-le-Ferroux
Raze
Neuvelle-Champlitte
Frânois
Mont-le-Frânois
la Pâturie
Asnières
Vaite
Membrey
Recologne
Ferrières-lès-Ray
Noidans-le-Ferroux
Achey
Delain
Denèvre
Framont
Le Crochot
Montot
Dampierre-sur-Salon
Port de Savoyeux
Seveux
Vellexon-Queutrey-et-Vaudey
Queutrey
Fresne-St-Mamès
Le Pont-de-Planches
Neuvelle-lès-la-Charité
Écuelle
Autet
Savoyeux
Cambonin
Vezet
Mercey-sur-Saône
La Vaivre
Vaudey
Greucourt
(La Romaine)
Lieffrans
Theuley
Oyrières
Vars
Quitteur
Motey-sur-Saône
Rougeau
St-Gand
Sept Fontaines
Bourguignon-lès-la-Charité
Fahy-lès-Autrey
Auvet-et-la-Chapelotte
La Rente Rouge
Vereux
La Résie
La Grange d'Etaule
Le Charme
La Vernotte
Les Bâties
Montureux-et-Prantigny
Beaujeu-St-Vallier-et-Pierrejux
Ste-Reine
La Madeleine
Les Blancs
Les Verrières
Les Frondey
Vellloreille
Fretigney-et-Velloreille
La Chapelotte
Chargey-
St-Vallier
Prantigny
D 417
N 19
E 54
D 460
D 67
D 70
D 13

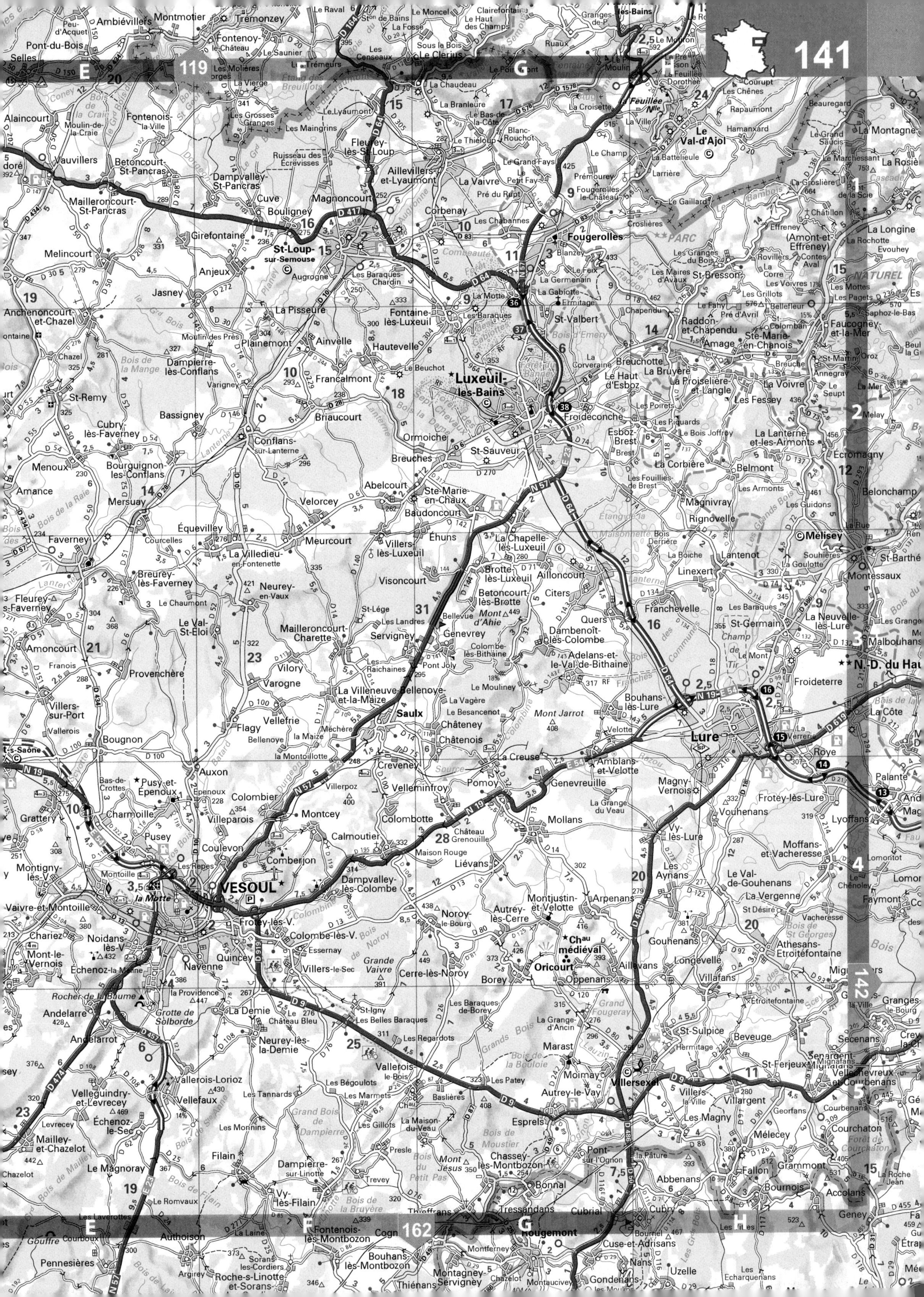
119
142
162
Montmotier
Tremonzey
Ambiévillers
Pont-du-Bois
Selles
Fontenoy-le-Château
Le Clerjus
Les Conseaux
Sous le Bois
Le Moncel
Clairefontaine
Ruaux
Le Val-d'Ajol
La Feuillée Nlle
Alaincourt
Fontenois-la-Ville
Vauvillers
Betoncourt-St-Pancras
Dampvalley-St-Pancras
Fleurey-lès-St-Loup
Aillevillers-et-Lyaumont
La Vaivre
Corbenay
Fougerolles-le-Château
Fougerolles
Mailleroncourt-St-Pancras
Cuve
Bouligney
Magnoncourt
Girefontaine
St-Loup-sur-Semouse
Melincourt
Anjeux
Jasney
Anchenoncourt-et-Chazel
La Pisseure
Fontaine-lès-Luxeuil
Plainemont
Ainvelle
Hautevelle
Dampierre-lès-Conflans
Francalmont
Luxeuil-les-Bains
St-Valbert
Breuchotte
Raddon-et-Chapendu
Ste-Marie-en-Chanois
Faucogney-et-la-Mer
St-Remy
Bassigney
Briaucourt
Froideconche
La Proiselière-et-Langle
La Voivre
Les Fessey
Cubry-lès-Faverney
Conflans-sur-Lanterne
Ormoiche
St-Sauveur
Breuches
Esboz-Brest
La Corbière
Belmont
La Lanterne-et-les-Armonts
Écromagny
Menoux
Bourguignon-lès-Conflans
Amance
Mersuay
Abelcourt
Velorcey
Ste-Marie-en-Chaux
Baudoncourt
Magnivray
Rignovelle
Belonchamp
Faverney
Équevilley
Meurcourt
Villers-lès-Luxeuil
Éhuns
La Chapelle-lès-Luxeuil
Mélisey
Lantenot
Linexert
Montessaux
La Villedieu-en-Fontenette
Breurey-lès-Faverney
Neurey-en-Vaux
Visoncourt
Brotte-lès-Luxeuil
Ailloncourt
Citers
Franchevelle
La Neuvelle-lès-Lure
Fleurey-lès-Faverney
Le Val-St-Eloi
Mailleroncourt-Charette
Servigney
Betoncourt-lès-Brotte
Genevrey
Quers
Dambenoît-lès-Colombe
Adelans-et-le-Val-de-Bithaine
St-Germain
Malbouhans
Amoncourt
Provenchère
Vilory
Varogne
La Villeneuve-Bellenoye-et-la-Maize
Saulx
Châteney
Châtenois
Bouhans-lès-Lure
Lure
Froideterre
La Côte
Villers-sur-Port
Flagy
Vellefrie
Bougnon
Auxon
Creveney
Velleminfroy
Pomoy
Amblans-et-Velotte
Genevreuille
Magny-Vernois
Roye
Palante
Frotey-lès-Lure
Pusy-et-Épenoux
Colombier
Villeparois
Montcey
Colombotte
Calmoutier
Mollans
Vouhenans
Vy-lès-Lure
Lyoffans
Grattery
Charmoille
Pusey
Coulevon
Comberjon
Dampvalley-lès-Colombe
Liévans
Les Aynans
Moffans-et-Vacheresse
Montigny-lès-V.
VESOUL
Frotey-lès-V.
Noroy-le-Bourg
Montjustin-et-Velotte
Autrey-lès-Cerre
Arpenans
Le Val-de-Gouhenans
La Vergenne
Vaivre-et-Montoille
Chariez
Noidans-lès-V.
Mont-le-Vernois
Échenoz-la-Méline
Colombe-lès-V.
Quincey
Navenne
Villers-le-Sec
Cerre-lès-Noroy
Borey
Oricourt
Oppenans
Aillevans
Gouhenans
Athesans-Etroitefontaine
Longevelle
Villafans
Andelarre
Andelarrot
La Demie
Neurey-lès-la-Demie
Les Regardots
Vallerois-le-Bois
Marast
Moimay
Villersexel
St-Sulpice
Beveuge
Secenans
St-Ferjeux
Vallerois-Lorioz
Velleguindry-et-Levrecey
Vellefaux
Échenoz-le-Sec
Mailley-et-Chazelot
Les Tannards
Les Marmets
Autrey-le-Vay
Esprels
Villers-la-Ville
Villargent
Les Magny
Mélecey
Courchaton
Filain
Dampierre-sur-Linotte
Chassey-lès-Montbozon
Pont-sur-l'Ognon
Abbenans
Fallon
Grammont
Bournois
Accolans
Le Magnoray
Vy-lès-Filain
Tressandans
Bonnal
Cubrial
Cubry
Geney
Authoison
Fontenois-lès-Montbozon
Rougemont
Cuse-et-Adrisans
Pennesières
Bouhans-lès-Montbozon
Roche-s-Linotte-et-Sorans
Montagney-Servigney
Thiénans
Nans
Uzelle
Gondenans

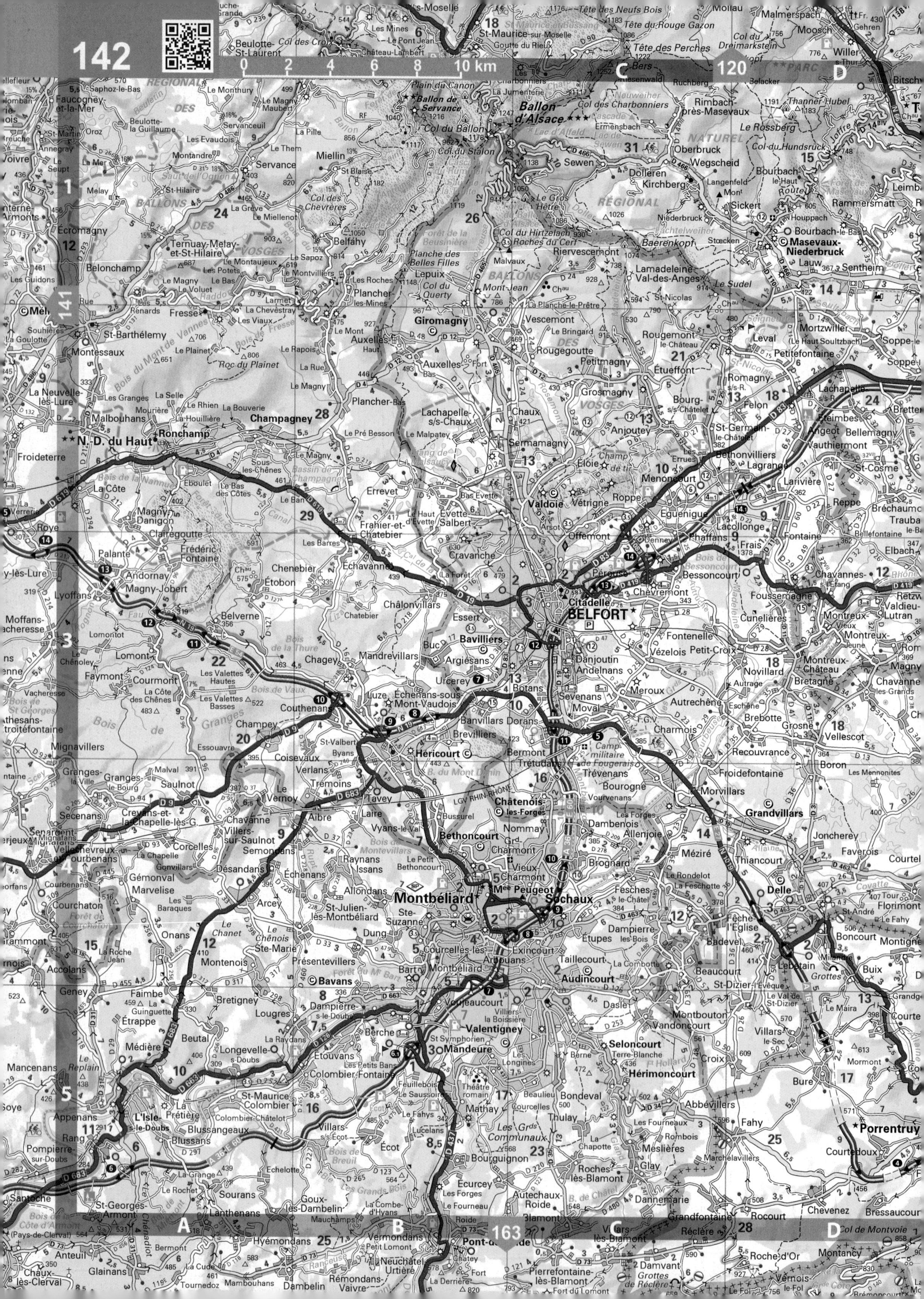
141
120
163
0 2 4 6 8 10 km
A
B
C
D
1
2
3
4
5
St-Maurice-sur-Moselle
Tête des Neufs Bois
Tête du Rouge Gazon
Tête des Perches
Ballon de Servance
Ballon d'Alsace
Col du Ballon
Col des Charbonniers
Col du Stalon
Sewen
Oberbruck
Dolleren
Kirchberg
Wegscheid
Rimbach-près-Masevaux
Le Rossberg
Masevaux-Niederbruck
Bourbach-le-Bas
Sentheim
Faucogney-et-la-Mer
Servance
Miellin
Ternuay-Melay-et-St-Hilaire
Belfahy
Belonchamp
Plancher-les-Mines
Lepuix
Giromagny
Auxelles-Haut
Auxelles-Bas
Rougegoutte
Vescemont
Rougemont-le-Château
Étueffont
Grosmagny
Romagny-s/s-R.
Lachapelle-s/s-R.
Melisey
St-Barthélemy
Montessaux
La Neuvelle-lès-Lure
Malbouhans
N.-D. du Haut
Ronchamp
Champagney
Plancher-Bas
Lachapelle-s/s-Chaux
Chaux
Sermamagny
Anjoutey
Bourg-s/s-Châtelet
St-Germain-le-Châtelet
Felon
Éteimbes
Angeot
Bellemagny
Vauthiermont
Froideterre
La Côte
Magny-Danigon
Clairegoutte
Frédéric-Fontaine
Errevet
Frahier-et-Chatebier
Evette-Salbert
Valdoie
Vétrigne
Éloie
Roppe
Menoncourt
Bethonvilliers
Lagrange
Larivière
Reppe
Eguenigue
Lacollonge
Offemont
Phaffans
Fontaine
Roye
Palante
Andornay
Magny-Jobert
Lyoffans
Chenebier
Échavanne
Étobon
Cravanche
Pérouse
Bessoncourt
Chèvremont
Frais
Foussemagne
Chavannes-les-Grands
Citadelle
BELFORT
Châlonvillars
Essert
Bavilliers
Buc
Argiésans
Danjoutin
Andelnans
Fontenelle
Vézelois
Petit-Croix
Cunelières
Montreux-Château
Novillard
Bretagne
Belverne
Lomont
Chagey
Mandrevillars
Urcerey
Botans
Sevenans
Meroux
Moval
Autrechêne
Brebotte
Grosne
Vellescot
Faymont
Courmont
Les Valettes Hautes
Couthenans
Luze
Échenans-sous-Mont-Vaudois
Banvillars
Dorans
Charmois
Bermont
Trétudans
Recouvrance
Boron
Champey
Coisevaux
St-Valbert
Héricourt
Brevilliers
Tavey
Verlans
Trémoins
Châtenois-les-Forges
Trévenans
Bourogne
Froidefontaine
Morvillars
Grandvillars
Saulnot
Le Vernoy
Aibre
Laire
Vyans-le-Val
Bussurel
Nommay
Dambenois
Allenjoie
Joncherey
Faverois
Chavanne
Villers-sur-Saulnot
Semondans
Corcelles
Désandans
Raynans
Issans
Bethoncourt
Grand-Charmont
Vieux-Charmont
Brognard
Méziré
Thiancourt
Courtelevant
Gémonval
Marvelise
Échenans
Allondans
Arcey
St-Julien-lès-Montbéliard
Montbéliard
Sochaux
Fesches-le-Châtel
Delle
Florimont
Courchaton
Onans
Ste-Suzanne
Dung
Étupes
Dampierre-les-Bois
Badevel
Fêche-l'Église
Boncourt
Montignez
Accolans
Ste-Marie
Montenois
Présentevillers
Courcelles-lès-Montbéliard
Exincourt
Taillecourt
Audincourt
Beaucourt
Lebetain
Buix
Bavans
Bart
Arbouans
St-Dizier-l'Évêque
Geney
Faimbe
Bretigney
Lougres
Dampierre-sur-le-Doubs
Voujeaucourt
Valentigney
Dasle
Vandoncourt
Montbouton
Villars-le-Sec
Courtemaîche
Étrappe
Beutal
Longevelle-sur-Doubs
Médière
Berche
Étouvans
Colombier-Fontaine
Mandeure
Seloncourt
Hérimoncourt
Croix
Bure
Mancenans
L'Isle-sur-le-Doubs
St-Maurice-Colombier
Blussangeaux
Blussans
Villars-s/s-Écot
Écot
Mathay
Bondeval
Thulay
Abbévillers
Meslières
Fahy
Porrentruy
Courtedoux
Glay
Roches-lès-Blamont
Bourguignon
Les Grds Communaux
Écurcey
Autechaux-Roide
Dannemarie
Rocourt
Chevenez
Bressaucourt
Sourans
Goux-lès-Dambelin
St-Georges-Armont
Lanthenans
Mauchamps
Blamont
Grandfontaine
Réclère
Col de Montvoie
Hyémondans
Vermondans
Pont-de-Roide
Villars-lès-Blamont
Roche-d'Or
Montancy
Anteuil
Glainans
Neuchâtel-Urtière
Rémondans-Vaivre
Pierrefontaine-lès-Blamont
Damvant
Grottes de Réclère
Chaux-lès-Clerval
Tournedoz
Mambouhans
Dambelin
Fort du Lomont
Vernois-le-Fol
Appenans
Rang
Pompierre-sur-Doubs
Santoche
Mme Peugeot
Théâtre romain
Camp militaire de Fougerais
LGV RHIN-RHÔNE
A 36
E 60
D 19
D 83
D 419
D 619
D 463
D 683
D 437
N 19
N 1019
A 16

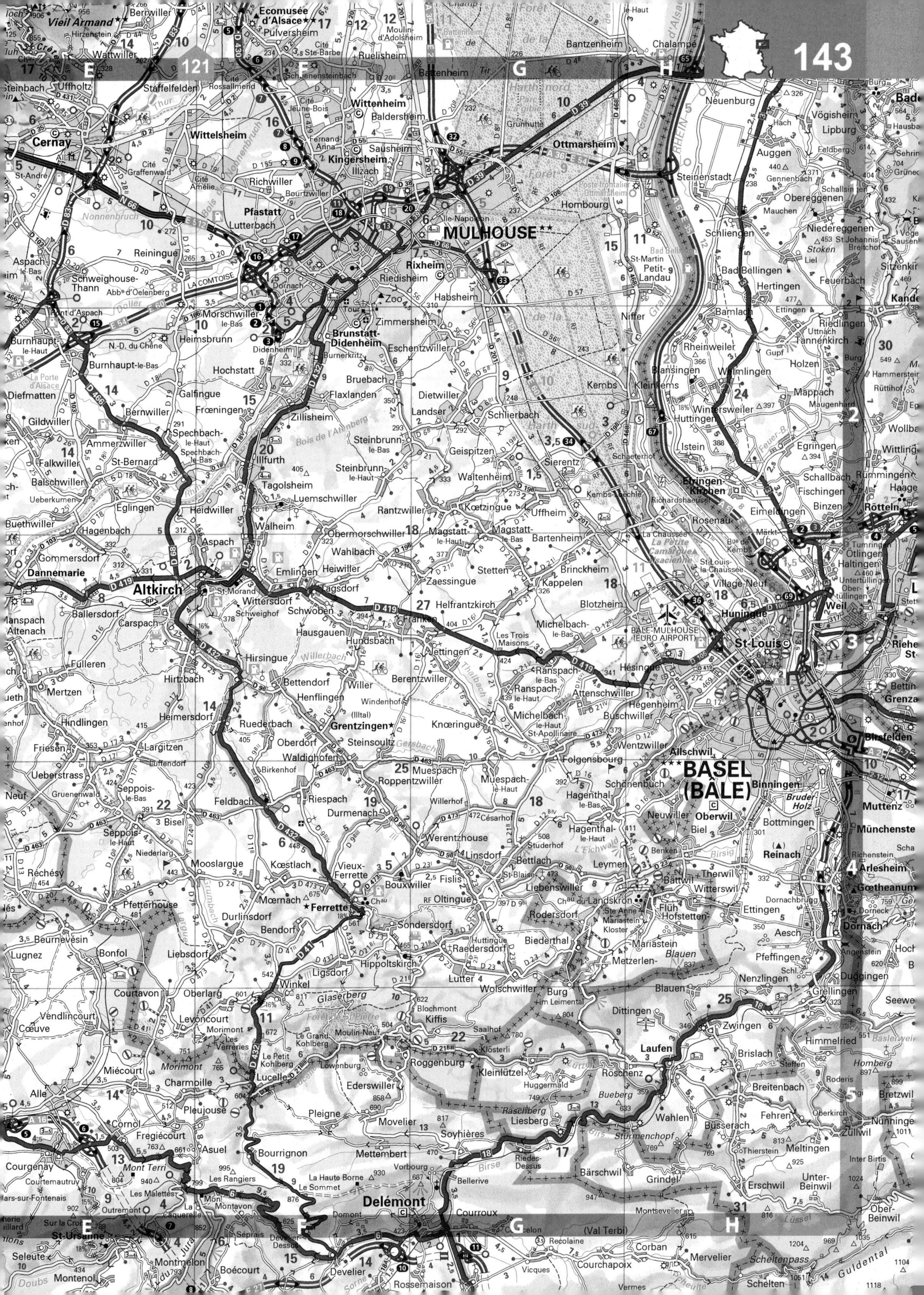

Vieil Armand
Ecomusée d'Alsace
Berrwiller
Pulversheim
Wattwiller
Staffelfelden
Uffholtz
Cernay
Wittelsheim
Wittenheim
Baldersheim
Kingersheim
Sausheim
Illzach
Richwiller
Pfastatt
Lutterbach
MULHOUSE
Rixheim
Riedisheim
Habsheim
Zimmersheim
Brunstatt-Didenheim
Morschwiller-le-Bas
Heimsbrunn
Reiningue
Schweighouse-Thann
Burnhaupt-le-Haut
Burnhaupt-le-Bas
Hochstatt
Galfingue
Frœningen
Bernwiller
Spechbach-le-Haut
Illfurth
Zillisheim
Flaxlanden
Bruebach
Eschentzwiller
Dietwiller
Landser
Schlierbach
Steinbrunn-le-Bas
Steinbrunn-le-Haut
Geispitzen
Waltenheim
Sierentz
Kembs
Bantzenheim
Chalampé
Ottmarsheim
Hombourg
Battenheim
Niffer
Petit-Landau
Diefmatten
Gildwiller
Ammerzwiller
Falkwiller
St-Bernard
Balschwiller
Eglingen
Heidwiller
Tagolsheim
Luemschwiller
Walheim
Buethwiller
Hagenbach
Gommersdorf
Dannemarie
Aspach
Altkirch
Emlingen
Tagsdorf
Wittersdorf
Schwoben
Obermorschwiller
Wahlbach
Heiwiller
Rantzwiller
Magstatt-le-Haut
Magstatt-le-Bas
Kœtzingue
Uffheim
Bartenheim
Zaessingue
Stetten
Brinckheim
Kappelen
Helfrantzkirch
Blotzheim
Village-Neuf
Huningue
St-Louis
BÂLE-MULHOUSE (EURO AIRPORT)
Hésingue
Hegenheim
Buschwiller
Ballersdorf
Carspach
Hausgauen
Hundsbach
Franken
Jettingen
Ranspach-le-Bas
Ranspach-le-Haut
Attenschwiller
Michelbach-le-Bas
Michelbach-le-Haut
Fulleren
Mertzen
Hirtzbach
Hirsingue
Bettendorf
Willer
Henflingen
Berentzwiller
Grentzingen
Knœringue
Folgensbourg
Wentzwiller
Hindlingen
Heimersdorf
Ruederbach
Oberdorf
Steinsoultz
Waldighofen
Largitzen
Friesen
Ueberstrass
Seppois-le-Bas
Seppois-le-Haut
Bisel
Feldbach
Riespach
Roppentzwiller
Muespach
Muespach-le-Haut
Durmenach
Werentzhouse
Linsdorf
Hagenthal-le-Bas
Hagenthal-le-Haut
Schönenbuch
Allschwil
BASEL (BÂLE)
Binningen
Oberwil
Neuwiller
Biel
Bottmingen
Reinach
Mooslargue
Kœstlach
Vieux-Ferrette
Bouxwiller
Fislis
Oltingue
Bettlach
Leymen
Liebenswiller
Benken
Therwil
Witterswil
Ettingen
Bättwil
Flüh
Hofstetten
Rodersdorf
Mariastein
Metzerlen-
Aesch
Dornach
Arlesheim
Muttenz
Münchenstein
Pfetterhouse
Mœrnach
Ferrette
Durlinsdorf
Sondersdorf
Bendorf
Raedersdorf
Biederthal
Ligsdorf
Hippoltskirch
Lutter
Wolschwiller
Burg
Blauen
Nenzlingen
Pfeffingen
Duggingen
Grellingen
Beurnevésin
Bonfol
Lugnez
Liebsdorf
Courtavon
Oberlarg
Winkel
Vendlincourt
Levoncourt
Kiffis
Dittingen
Zwingen
Laufen
Brislach
Cœuve
Miécourt
Charmoille
Lucelle
Roggenburg
Kleinlützel
Röschenz
Alle
Pleujouse
Ederswiler
Pleigne
Movelier
Soyhières
Liesberg
Wahlen
Büsserach
Breitenbach
Fehren
Cornol
Fregiécourt
Asuel
Bourrignon
Mettembert
Bärschwil
Grindel
Erschwil
Meltingen
Zullwil
Nunningen
Courgenay
Mont Terri
Les Rangiers
Delémont
Courroux
Montsevelier
Unter-Beinwil
Ober-Beinwil
St-Ursanne
Seleute
Montmelon
Montenol
Boécourt
Develier
Rossemaison
Vicques
Courchapoix
Corban
Mervelier
Scheltenpass
Schelten
Neuenburg
Steinenstadt
Auggen
Schliengen
Bad Bellingen
Bamlach
Rheinweiler
Blansingen
Kleinkems
Huttingen
Istein
Efringen-Kirchen
Eimeldingen
Rosenau
Märkt
Weil
Ötlingen
Haltingen
Riehen
Birsfelden
Wintersweiler
Welmlingen
Mappach
Egringen
Holzen
Fischingen
Binzen
Rötteln
Riedlingen
Tannenkirch
Feuerbach
Hertingen
Obereggenen
Niedereggenen
Vögisheim
Lipburg
Kandern

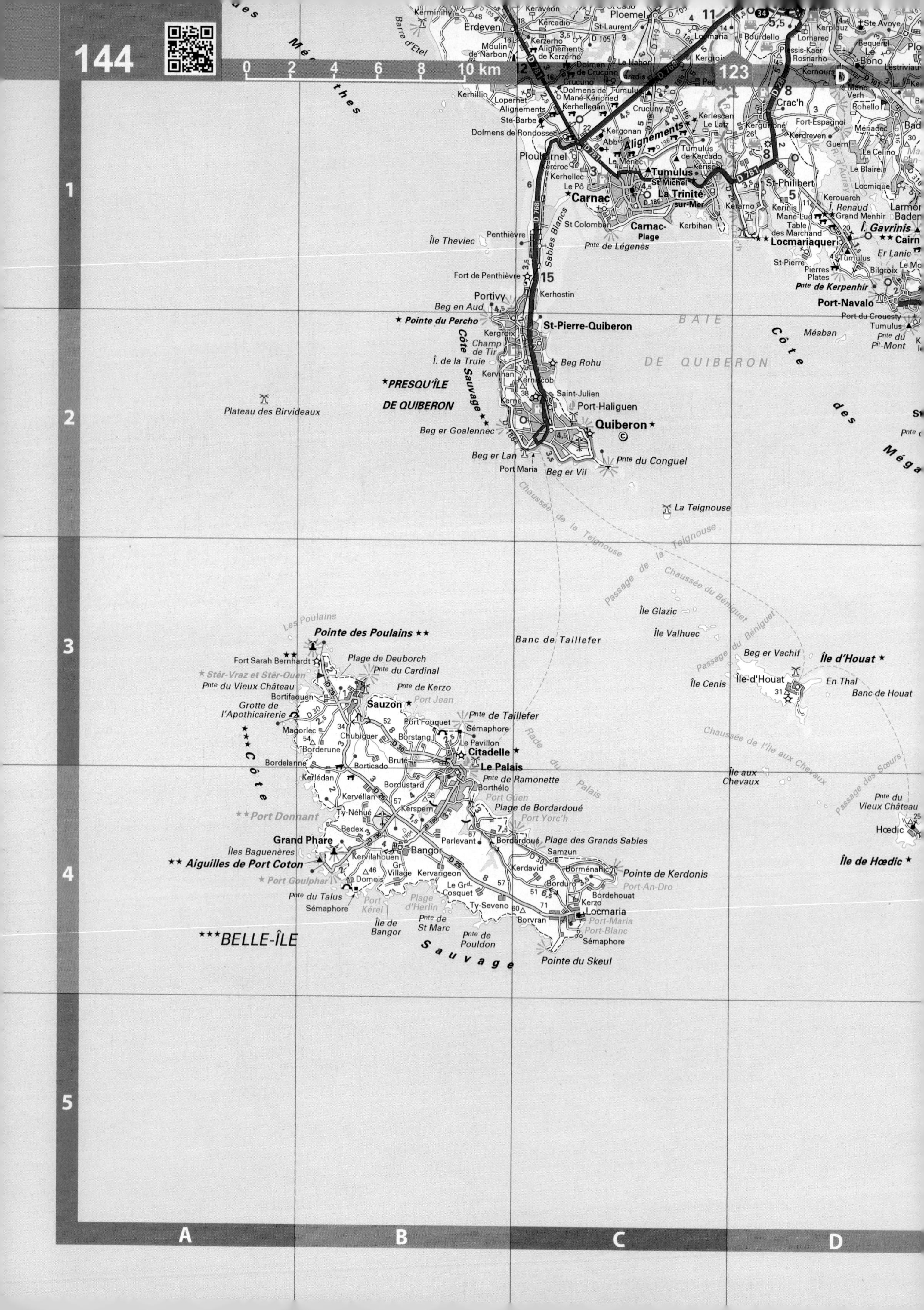
0 2 4 6 8 10 km
123
Erdeven
Ploemel
St-Laurent
Kerzerho
Alignements de Kerzerho
Moulin de Narbon
Kerhillio
Loperhet
Alignements
Ste-Barbe
Dolmens de Rondossec
Plouharnel
Kercroc
Kerhellec
Le Pô
Carnac
Alignements
Tumulus
St-Michel
La Trinité-sur-Mer
Carnac-Plage
St Colomban
Kerbihan
Pnte de Légenès
Le Ménec
Crucuny
Kergonan
Tumulus de Kercado
Kerlescan
Le Latz
Crac'h
Fort-Espagnol
Kerdreven
Guern
St-Philibert
Kerouarch
Î. Renaud
Grand Menhir
Table des Marchand
Locmariaquer
Î. Gavrinis
Cairn
Er Lanic
St-Pierre
Pierres Plates
Tumulus
Bilgroix
Pnte de Kerpenhir
Port-Navalo
Port du Crouesty
Tumulus
Pnte du Pit-Mont
Méaban
Le Bono
Baden
Larmor
Locmiquel
Le Blaire
Le Celino
Rohello
Mériadec
Bourdello
Lomarec
Kerplouz
Ste Avoye
Bequerel
Rosnarho
Kernours
Barre d'Etel
Kerminihy
Île Theviec
Penthièvre
Sables Blancs
Fort de Penthièvre
Kerhostin
Portivy
Beg en Aud
Pointe du Percho
St-Pierre-Quiberon
Kergroix
Champ de Tir
Î. de la Truie
Côte Sauvage
Beg Rohu
Kervihan
Kerniscob
Saint-Julien
Port-Haliguen
PRESQU'ÎLE DE QUIBERON
Quiberon
Beg er Goalennec
Beg er Lan
Port Maria
Beg er Vil
Pnte du Conguel
BAIE DE QUIBERON
Côte des Mégalithes
Plateau des Birvideaux
La Teignouse
Chaussée de la Teignouse
Passage de la Teignouse
Chaussée du Béniguet
Passage du Béniguet
Île Glazic
Île Valhuec
Banc de Taillefer
Beg er Vachif
Île d'Houat
Île-d'Houat
Île Cenis
En Thal
Banc de Houat
Chaussée de l'Île aux Chevaux
Île aux Chevaux
Passage des Sœurs
Pnte du Vieux Château
Hœdic
Île de Hœdic
Les Poulains
Pointe des Poulains
Fort Sarah Bernhardt
Plage de Deuborch
Pnte du Cardinal
Stêr-Vraz et Stêr-Ouen
Pnte du Vieux Château
Bortifaouen
Grotte de l'Apothicairerie
Pnte de Kerzo
Port Jean
Sauzon
Pnte de Taillefer
Port Fouquet
Sémaphore
Magorlec
Borderune
Chubiguer
Borstang
Le Pavillon
Citadelle
Le Palais
Bordelanne
Borticado
Bruté
Pnte de Ramonette
Borthélo
Rade du Palais
Kerlédan
Bordustard
Port Güen
Côte Sauvage
Kervellan
Kerspern
Plage de Bordardoué
Port Donnant
Ty-Néhué
Port Yorc'h
Bedex
Parlevant
Bordardoué
Plage des Grands Sables
Grand Phare
Îles Baguenères
Aiguilles de Port Coton
Bangor
Kervilahouen
Grd Village
Kervarigeon
Samzun
Kerdavid
Borménahic
Pointe de Kerdonis
Port-An-Dro
Bordehouat
Port Goulphar
Domois
Le Grd Cosquet
Borduro
Kerzo
Pnte du Talus
Sémaphore
Port Kérel
Plage d'Herlin
Ty-Seveno
Borvran
Locmaria
Port-Maria
Port-Blanc
Sémaphore
Île de Bangor
Pnte de St Marc
Pnte de Pouldon
Pointe du Skeul
BELLE-ÎLE
1
2
3
4
5
A
B
C
D

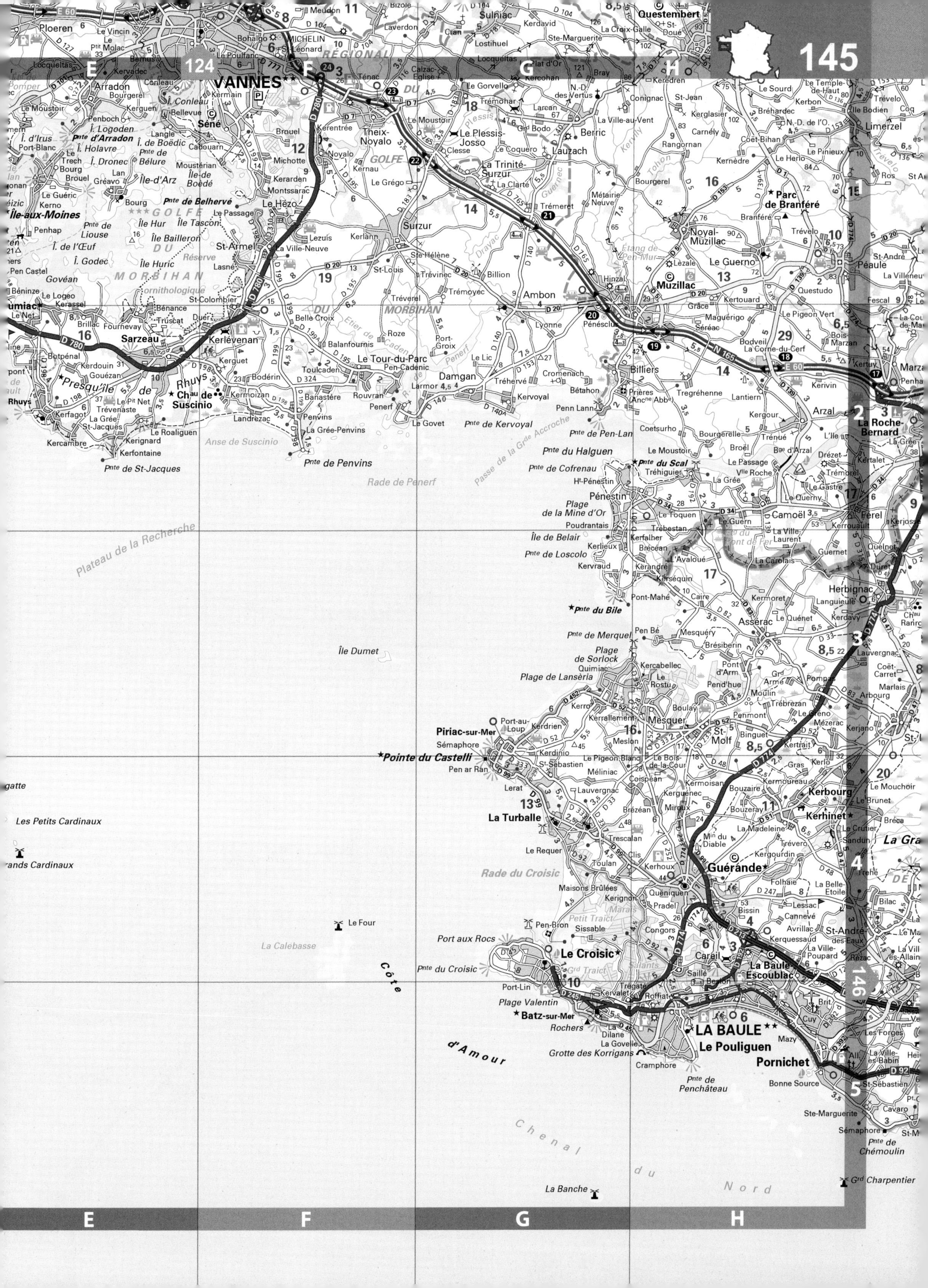

145
124
146
E
F
G
H
VANNES
Ploeren
Questembert
Sulniac
Meucon
Theix-Noyalo
Séné
Arradon
Île-aux-Moines
Île-d'Arz
GOLFE DU MORBIHAN
Le Hézo
St-Armel
Surzur
Lauzach
Berric
La Trinité-Surzur
Le Plessis-Josso
Noyal-Muzillac
Muzillac
Parc de Branféré
Le Guerno
Péaule
Limerzel
Ambon
Billiers
Sarzeau
Presqu'île de Rhuys
Chau de Suscinio
Kerlévenan
Le Tour-du-Parc
Damgan
Arzal
La Roche-Bernard
Pte de St-Jacques
Pte de Penvins
Anse de Suscinio
Rade de Penerf
Passe de la Grde Accroche
Pte de Kervoyal
Pte de Pen-Lan
Pte du Halguen
Pte du Scal
Pte de Cofrenau
Pénestin
Camoël
Férel
Herbignac
Assérac
Pte du Bile
Pte de Merquel
Île Dumet
Plateau de la Recherche
Plage de Lanséria
Mesquer
St-Molf
Piriac-sur-Mer
Pointe du Castelli
La Turballe
Kerbourg
Kerhinet
Guérande
Rade du Croisic
Le Croisic
Pte du Croisic
Port aux Rocs
Batz-sur-Mer
LA BAULE
Le Pouliguen
La Baule-Escoublac
Pornichet
Pte de Penchâteau
Grotte des Korrigans
Côte d'Amour
Chenal du Nord
Le Four
La Calebasse
La Banche
Les Petits Cardinaux
Grands Cardinaux
Pte de Chémoulin
Grd Charpentier
Ste-Marguerite
St-Sébastien
N 165
E 60
D 774
D 780

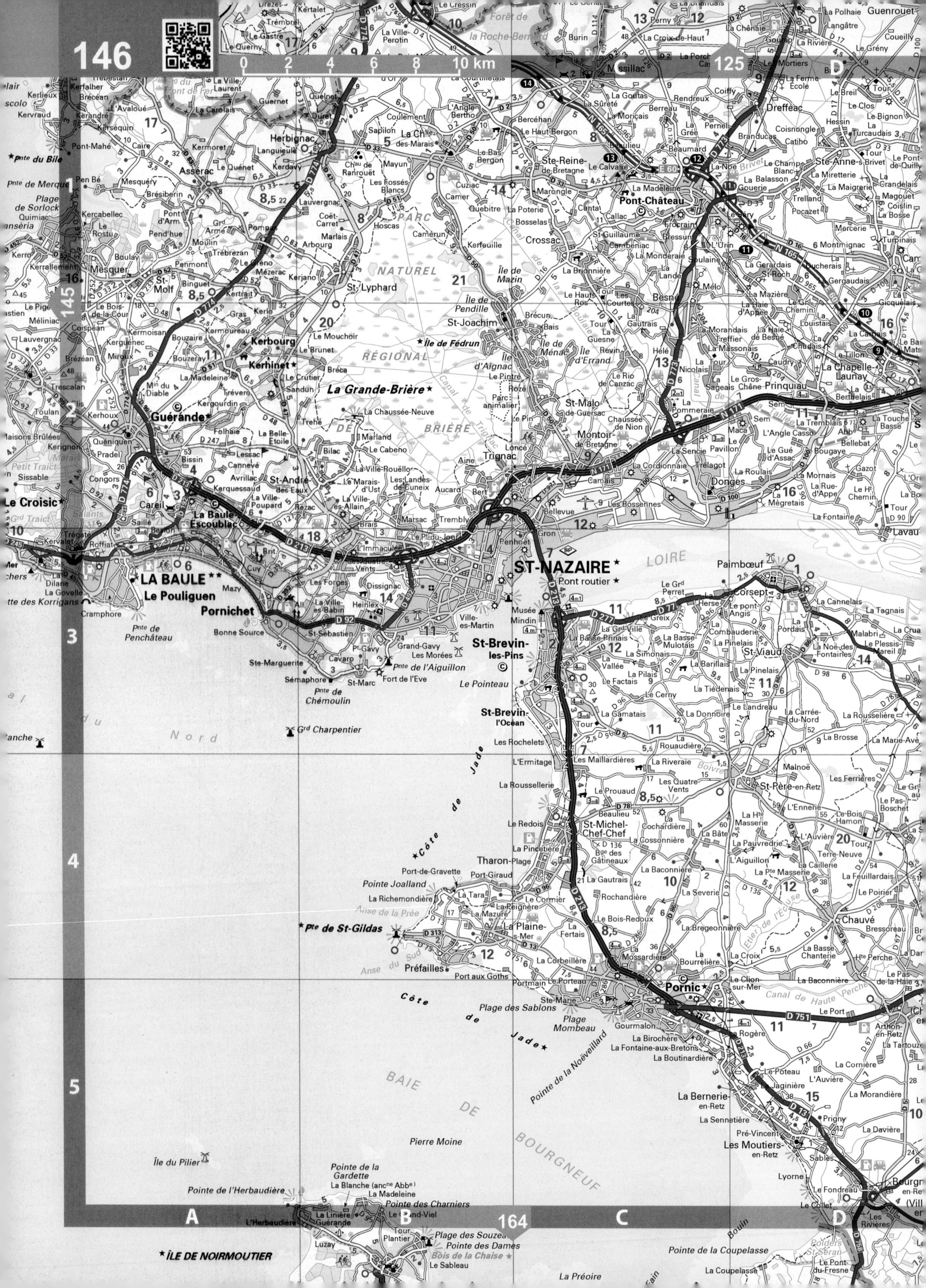

0 2 4 6 8 10 km
125
145
164
A
B
C
D
1
2
3
4
5
Forêt de la Roche-Bernard
Missillac
Herbignac
Assérac
Pont-Château
Ste-Reine-de-Bretagne
Dreffeac
Ste-Anne-s-Brivet
Guenrouet
Mesquer
St-Molf
Crossac
St-Lyphard
PARC NATUREL RÉGIONAL DE BRIÈRE
La Grande-Brière
Île de Fédrun
St-Joachim
Besné
Kerbourg
Kerhinet
Guérande
La Chapelle-Launay
Prinquiau
St-Malo-de-Guersac
Montoir-de-Bretagne
Trignac
Donges
Le Croisic
La Baule-Escoublac
St-André-des-Eaux
LA BAULE
Le Pouliguen
Pornichet
ST-NAZAIRE
Pont routier
LOIRE
Paimbœuf
Corsept
St-Brevin-les-Pins
St-Brevin-l'Océan
St-Viaud
Pte de Penchâteau
Pte de l'Aiguillon
Pte de Chémoulin
Grd Charpentier
Côte de Jade
St-Père-en-Retz
St-Michel-Chef-Chef
Tharon-Plage
Pointe Joalland
Pte de St-Gildas
La Plaine-s-Mer
Préfailles
Chauvé
Pornic
Plage des Sablons
Plage Mombeau
Pointe de la Noëveillard
BAIE DE BOURGNEUF
Pierre Moine
La Bernerie-en-Retz
Les Moutiers-en-Retz
Île du Pilier
Pointe de l'Herbaudière
Pointe de la Gardette
Pointe des Charniers
L'Herbaudière
Plage des Souzeaux
Pointe des Dames
Bois de la Chaise
ÎLE DE NOIRMOUTIER
Pointe de la Coupelasse

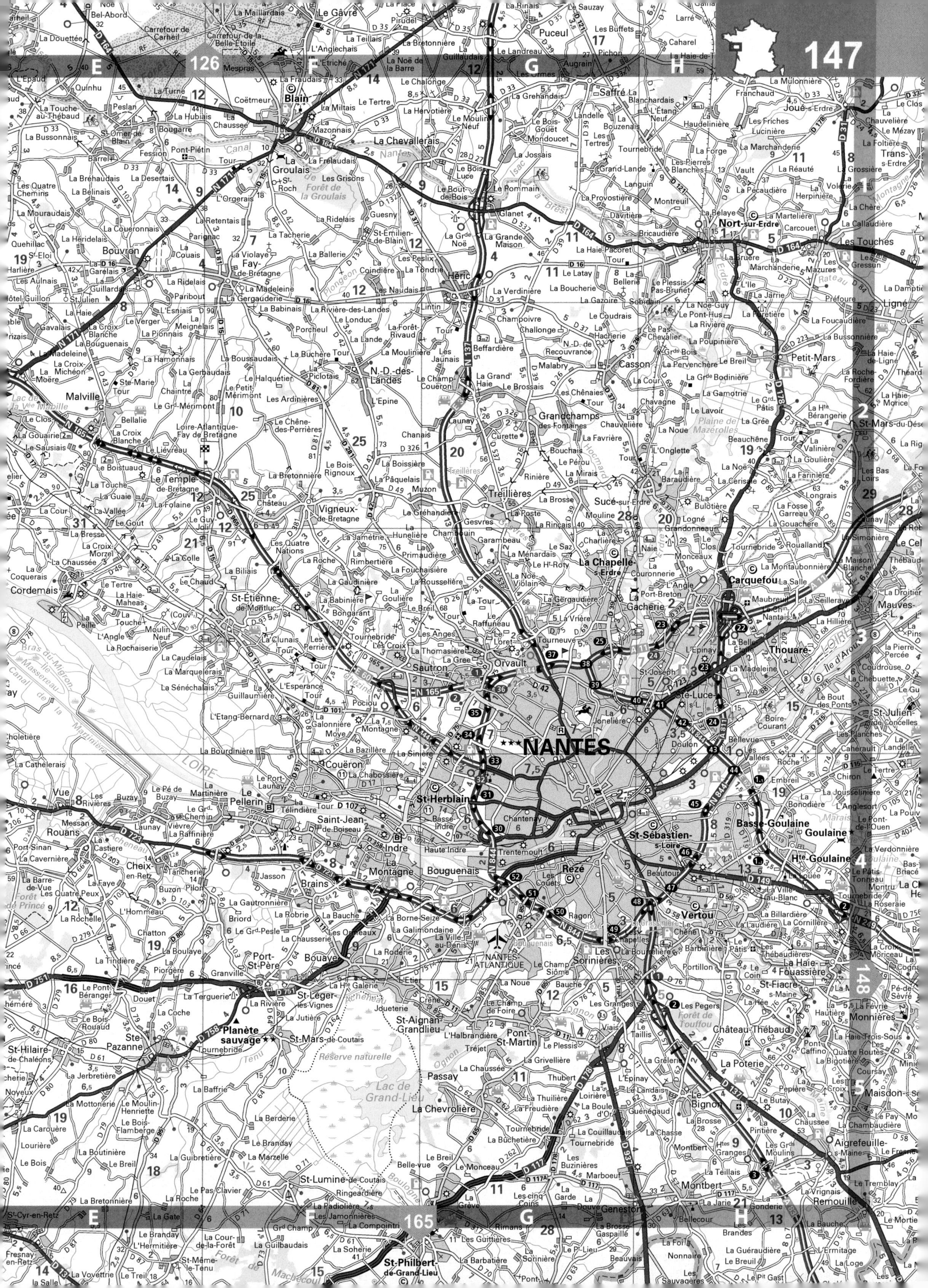
147
126
148
165
E
F
G
H
1
2
3
4
5
NANTES
Blain
La Groulais
Bouvron
Fay-de-Bretagne
Héric
Nort-sur-Erdre
Les Touches
Ligné
Petit-Mars
St-Mars-du-Désert
Casson
Grandchamps-des-Fontaines
N.-D.-des-Landes
Malville
Le Temple-de-Bretagne
Vigneux-de-Bretagne
Treillières
Sucé-sur-Erdre
La Chapelle-s-Erdre
Carquefou
Thouaré-s-L.
Mauves-s-L.
Cordemais
St-Étienne-de-Montluc
Orvault
Sautron
Couëron
St-Herblain
Le Pellerin
Vue
Rouans
Cheix-en-Retz
Saint-Jean-de-Boiseau
Indre
La Montagne
Bouguenais
Brains
Rezé
St-Sébastien-s-Loire
Vertou
Ste-Luce-s-L.
Basse-Goulaine
Goulaine
Hte-Goulaine
Bouaye
Port-St-Père
St-Léger-les-Vignes
St-Aignan-Grandlieu
Pont-St-Martin
Les Sorinières
Château-Thébaud
La Haie-Fouassière
St-Fiacre-s-Maine
Monnières
Ste-Pazanne
St-Hilaire-de-Chaléons
St-Mars-de-Coutais
Planète sauvage
Passay
La Chevrolière
Lac de Grand-Lieu
Réserve naturelle
St-Lumine-de-Coutais
Le Bignon
Montbert
Geneston
Aigrefeuille-s-Maine
Remouillé
Maisdon-s-Sèvre
St-Philbert-de-Grand-Lieu
NANTES ATLANTIQUE
LOIRE
Forêt de la Groulais
Forêt du Gâvre
Canal de Nantes à Brest
Plaine de Mazerolles
Forêt de Touffou
N 171
N 165
N 137
N 844
A 11
A 844
D 164
D 751
D 723
D 178
D 137
D 117

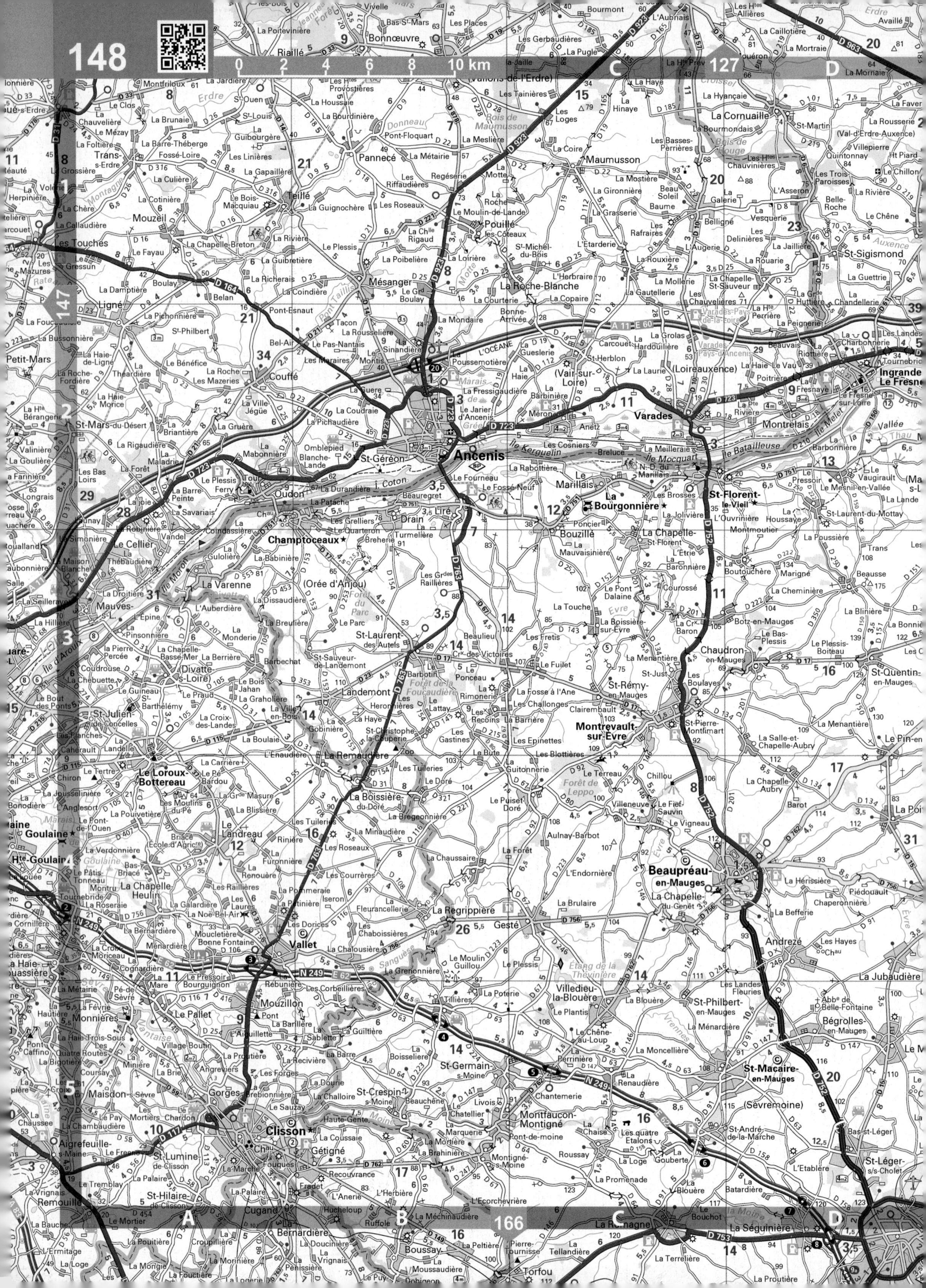
0 2 4 6 8 10 km
127
147
166
39
Ancenis
Varades
Champtoceaux
Oudon
St-Géréon
Couffé
Mésanger
Pouillé-les-Côteaux
La Roche-Blanche
Maumusson
Teillé
Mouzeil
Ligné
Les Touches
Trans-s-Erdre
Riaillé
Bonnœuvre
La Cornuaille
St-Sigismond
Ingrande
Le Fresne
Montrelais
St-Florent-le-Vieil
La Bourgonnière
Le Marillais
Bouzillé
Drain
Liré
Le Cellier
Mauves-s.-L.
St-Mars-du-Désert
La Varenne
(Orée d'Anjou)
St-Laurent-des-Autels
Landemont
La Remaudière
La Boissière-du-Doré
Le Loroux-Bottereau
Le Landreau
La Chapelle-Heulin
Vallet
Goulaine
Le Pallet
Mouzillon
Gorges
Clisson
Gétigné
Maisdon-s-Sèvre
Monnières
Aigrefeuille-s-Maine
Remouillé
St-Hilaire-de-Clisson
Cugand
Boussay
Torfou
Montrevault-sur-Èvre
Chaudron-en-Mauges
St-Quentin-en-Mauges
Beaupréau-en-Mauges
Villedieu-la-Blouère
La Regrippière
Gesté
St-Germain-s-Moine
Montfaucon-Montigné
St-Macaire-en-Mauges
(Sèvremoine)
St-Léger-s/s-Cholet
La Séguinière
La Romagne
Bégrolles-en-Mauges
Andrezé
St-Philbert-en-Mauges
Forêt de Leppo
Forêt de la Foucaudière
L'OCÉANE
A 11 - E 60
N 249 - E 62
D 723
D 763
D 752
D 164

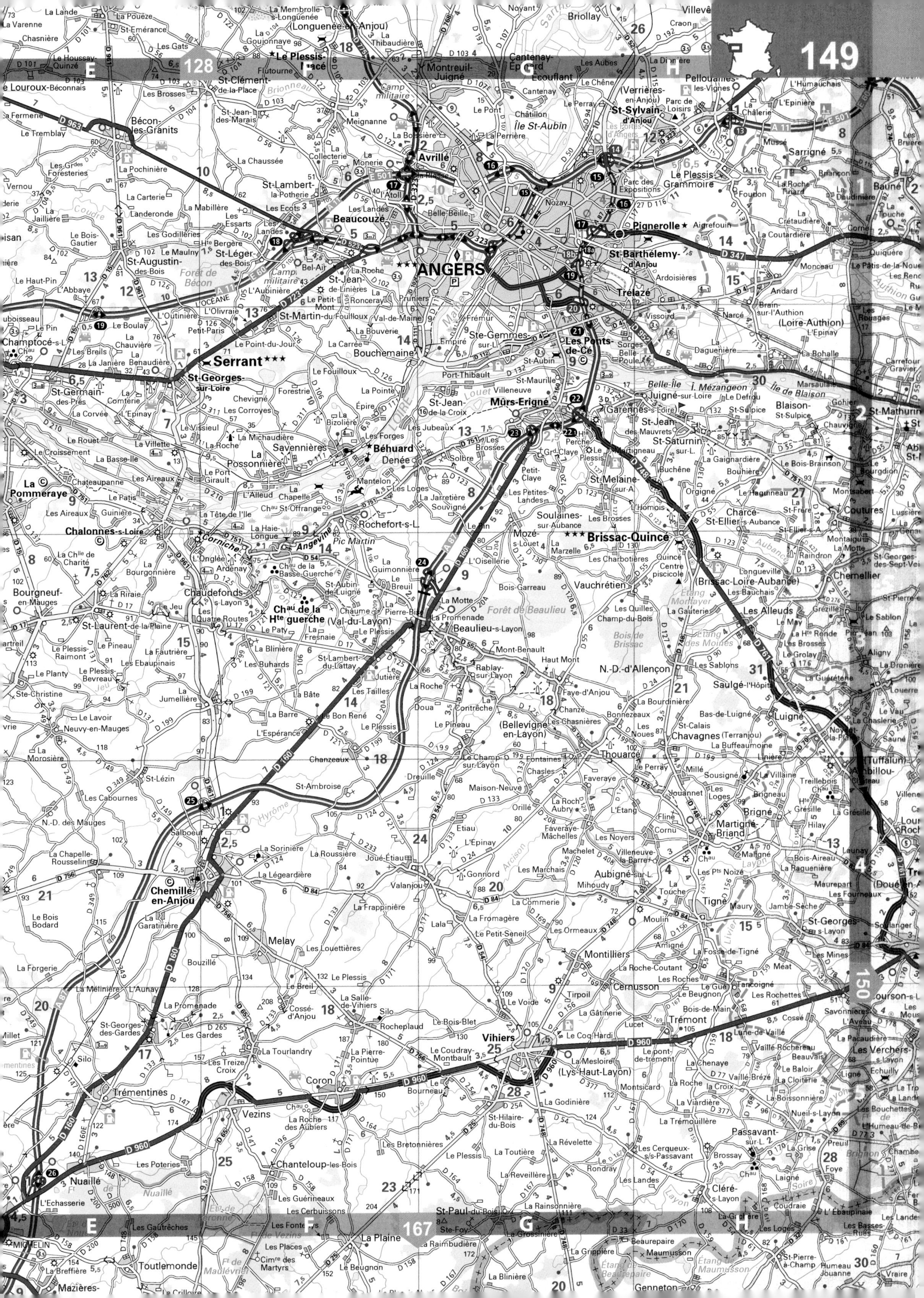
128
E
F
G
H
ANGERS
Avrillé
Beaucouzé
Trélazé
St-Barthélemy-d'Anjou
St-Sylvain-d'Anjou
Pignerolle
Les Ponts-de-Cé
Ste-Gemmes-sur-L.
Bouchemaine
Mûrs-Erigné
Serrant
St-Georges-sur-Loire
Béhuard
Savennières
La Possonnière
Rochefort-s-L.
Chalonnes-s-Loire
La Pommeraye
Brissac-Quincé
Vauchrétien
Juigné-sur-Loire
Blaison
St-Jean-des-Mauvrets
St-Saturnin-sur-L.
St-Melaine-sur-A.
Chaudefonds-s-Layon
St-Aubin-de-Luigné
Chau de la Hte guerche (Val-du-Layon)
Beaulieu-s-Layon
Rablay-sur-Layon
St-Lambert-du-Lattay
St-Laurent-de-la-Plaine
Bourgneuf-en-Mauges
Chemillé-en-Anjou
Melay
Thouarcé
Faye-d'Anjou
Martigné-Briand
Aubigné-sur-L.
Tigné
Montilliers
Cernusson
Vihiers
Trémont
Passavant-sur-L.
Cléré-s-Layon
Nuaillé
Trémentines
Vezins
Coron
Chanteloup-les-Bois
St-Paul-du-Bois
Toutlemonde
Mazières-
La Plaine
Bécon-les-Granits
St-Augustin-des-Bois
St-Léger-des-Bois
St-Lambert-la-Potherie
St-Martin-du-Fouilloux
Champtocé-s-L.
St-Germain-des-Prés
Le Plessis-Grammoire
Sarrigné
Andard
Saulgé-l'Hôpital
Luigné
Chavagnes
Brigné
St-Georges-s-Layon
Doué-en-A.
Les Alleuds
Chemellier
Coutures
Forêt de Beaulieu
Forêt de Bécon
Loire
Layon
A 11
A 87
D 160
D 961
D 748
D 960
D 751
D 723
D 347
D 952
167
150

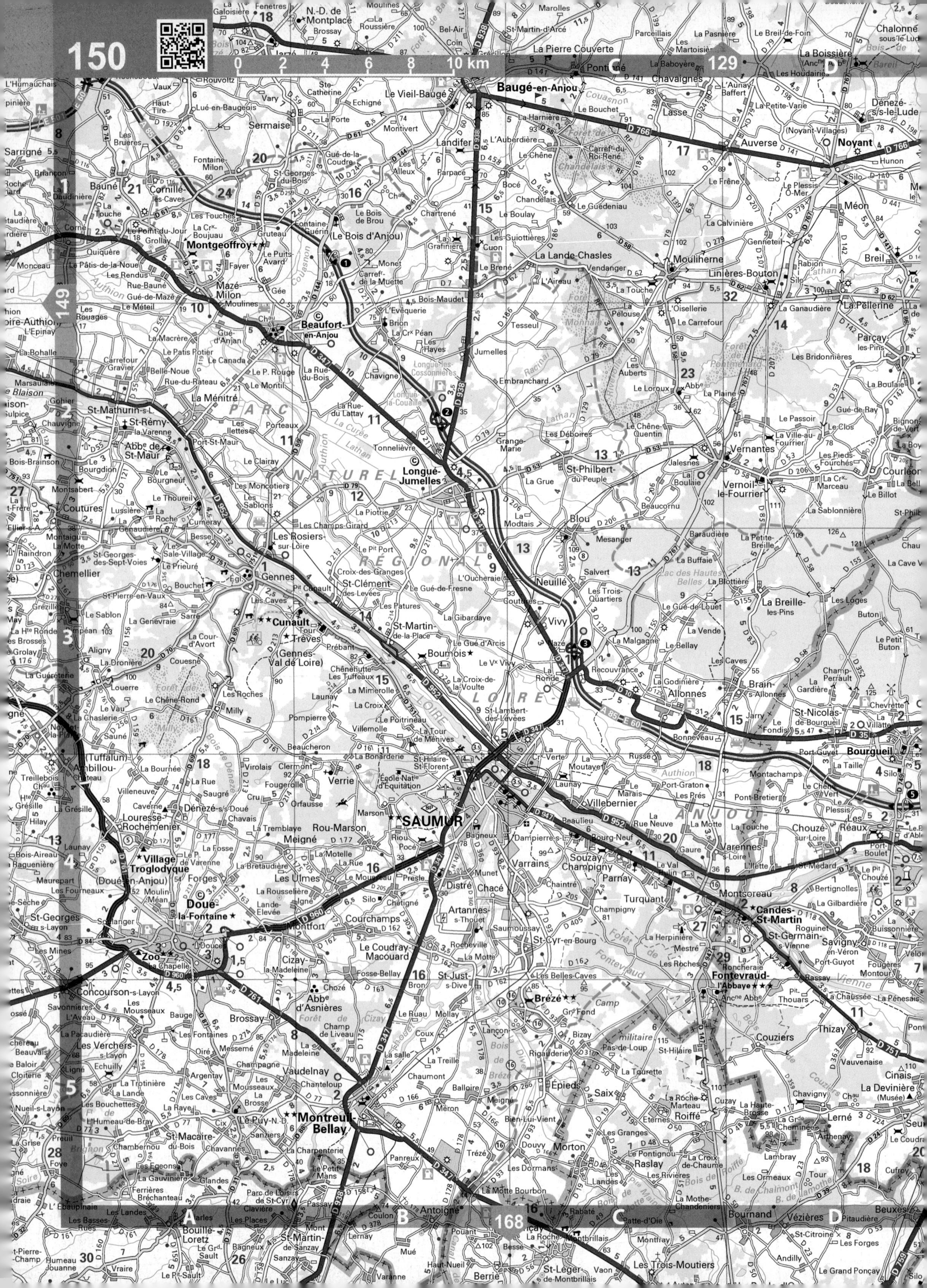
0 2 4 6 8 10 km
129
149
168
Baugé-en-Anjou
Le Vieil-Baugé
Pontigné
Chavaignes
Noyant
Auverse
Landifer
Sermaise
Montgeoffroy
Mazé-Milon
Beaufort-en-Anjou
Le Bois d'Anjou
Fontaine-Guérin
Mouliherne
Linières-Bouton
La Lande-Chasles
Forêt de Chandelais
Longué-Jumelles
Jumelles
La Ménitré
St-Mathurin-s-L.
St-Rémy-la-Varenne
Abbe de St-Maur
Les Rosiers-sur-Loire
Gennes
Cunault
Trèves
(Gennes-Val de Loire)
St-Clément-des-Levées
St-Martin-de-la-Place
Boumois
Vivy
Neuillé
Blou
St-Philbert-du-Peuple
Vernantes
Vernoil-le-Fourrier
Allonnes
Brain-s-Allonnes
St-Nicolas-de-Bourgueil
Bourgueil
PARC NATUREL RÉGIONAL LOIRE ANJOU
SAUMUR
St-Hilaire-St-Florent
Villebernier
Varennes-s-Loire
Montsoreau
Candes-St-Martin
Fontevraud-l'Abbaye
Souzay-Champigny
Parnay
Turquant
Dampierre-s-L.
Varrains
Chacé
Distré
Artannes-s-Thouet
St-Cyr-en-Bourg
Brézé
Doué-la-Fontaine
Village Troglodytique
Dénezé-s/s-Doué
Louresse-Rochemenier
Ambillou-Château
(Tuffalun)
Concourson-s-Layon
Montreuil-Bellay
Le Coudray-Macouard
Le Puy-N.-D.
Épieds
Saix
Roiffé
Couziers
Chouzé-sur-Loire
Thizay
Morton
Raslay
St-Macaire-du-Bois
Les Verchers-s-Layon
Brossay
Vaudelnay
Forêt de Fontevraud
Vienne
Authion
Lathan
D 347
D 938
D 952
D 766
A 85 - E 60
D 35
D 960
D 761

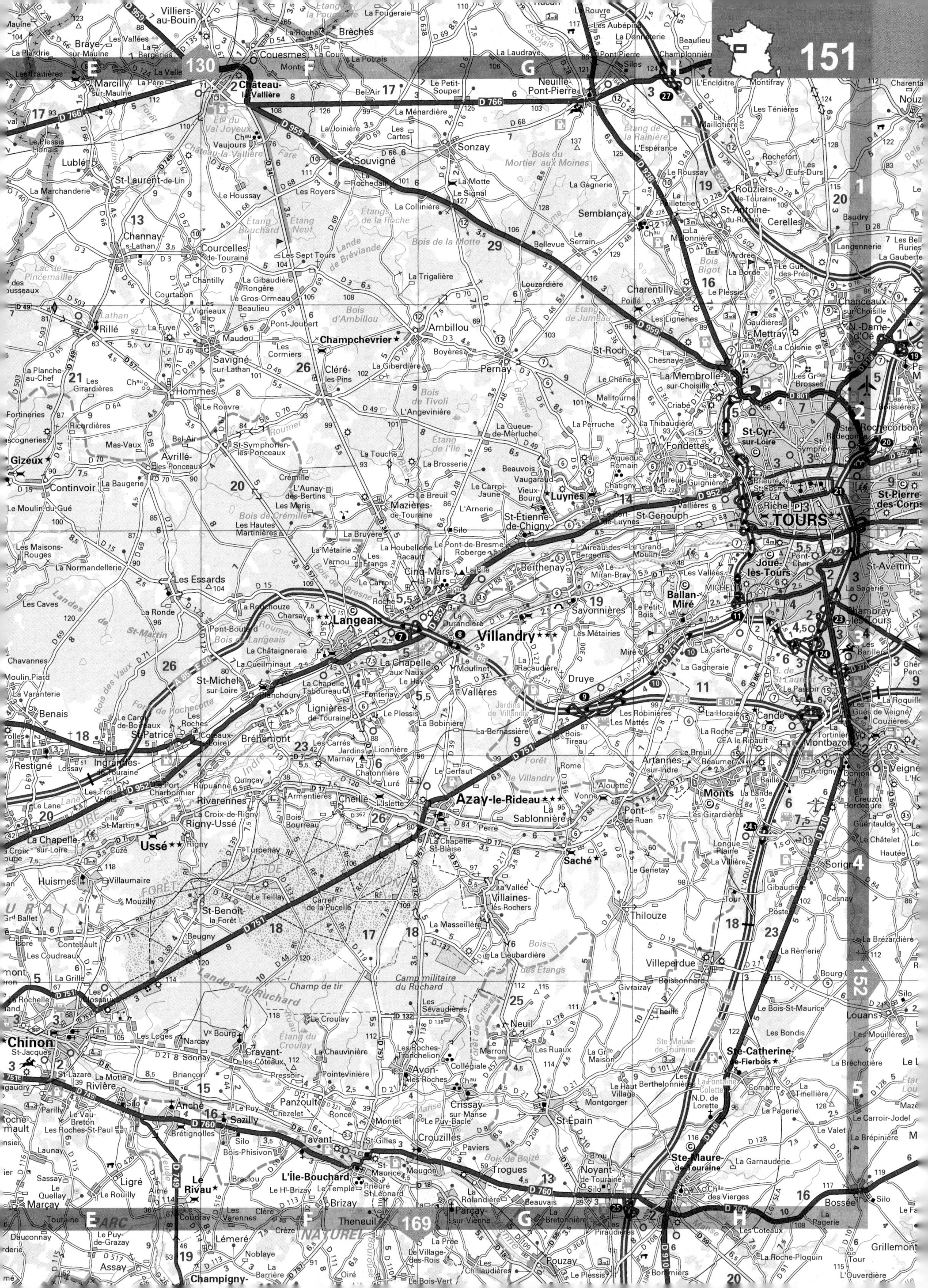

151
130
152
169
E
F
G
H
Château-la-Vallière
Villiers-au-Bouin
Couesmes
Brèches
Marcilly-sur-Maulne
Neuillé-Pont-Pierre
Sonzay
Souvigné
Lublé
St-Laurent-de-Lin
Channay-s-Lathan
Courcelles-de-Touraine
Semblançay
Charentilly
Rouziers-de-Touraine
St-Antoine-du-Rocher
Cerelles
Rillé
Savigné-sur-Lathan
Hommes
Champchevrier
Cléré-les-Pins
Ambillou
Pernay
St-Roch
Mettray
Chanceaux-sur-Choisille
La Membrolle-sur-Choisille
Gizeux
Avrillé-les-Ponceaux
St-Symphorien-les-Ponceaux
Continvoir
Mazières-de-Touraine
Luynes
Fondettes
St-Cyr-sur-Loire
TOURS
St-Pierre-des-Corps
St-Étienne-de-Chigny
St-Genouph
Joué-lès-Tours
Ballan-Miré
Berthenay
Savonnières
Villandry
Cinq-Mars-la-Pile
Langeais
Les Essards
St-Michel-sur-Loire
La Chapelle-aux-Naux
Lignières-de-Touraine
Vallères
Druye
St-Avertin
Chambray-lès-Tours
Benais
St-Patrice
Bréhémont
Ingrandes-de-Touraine
Restigné
Rivarennes
Rigny-Ussé
Ussé
Azay-le-Rideau
Cheillé
Saché
Pont-de-Ruan
Artannes-sur-Indre
Monts
Montbazon
Veigné
Candé
Huismes
St-Benoît-la-Forêt
Villaines-les-Rochers
Thilouze
Villeperdue
Sorigny
Chinon
Cravant-les-Coteaux
Avon-les-Roches
Crissay-sur-Manse
Neuil
Ste-Catherine-de-Fierbois
Louans
Rivière
Anché
Sazilly
Panzoult
Tavant
L'Île-Bouchard
Crouzilles
Trogues
St-Épain
Noyant-de-Touraine
Ste-Maure-de-Touraine
Ligré
Le Rivau
Marçay
Brizay
Theneuil
Parçay-sur-Vienne
Pouzay
Bossée
Assay
Champigny-
Lémeré
Forêt de Chinon
Landes du Ruchard
Camp militaire du Ruchard
Forêt de Villandry
LOIRE
A 85
A 10
D 751
D 952
D 959
D 766
D 760
D 910

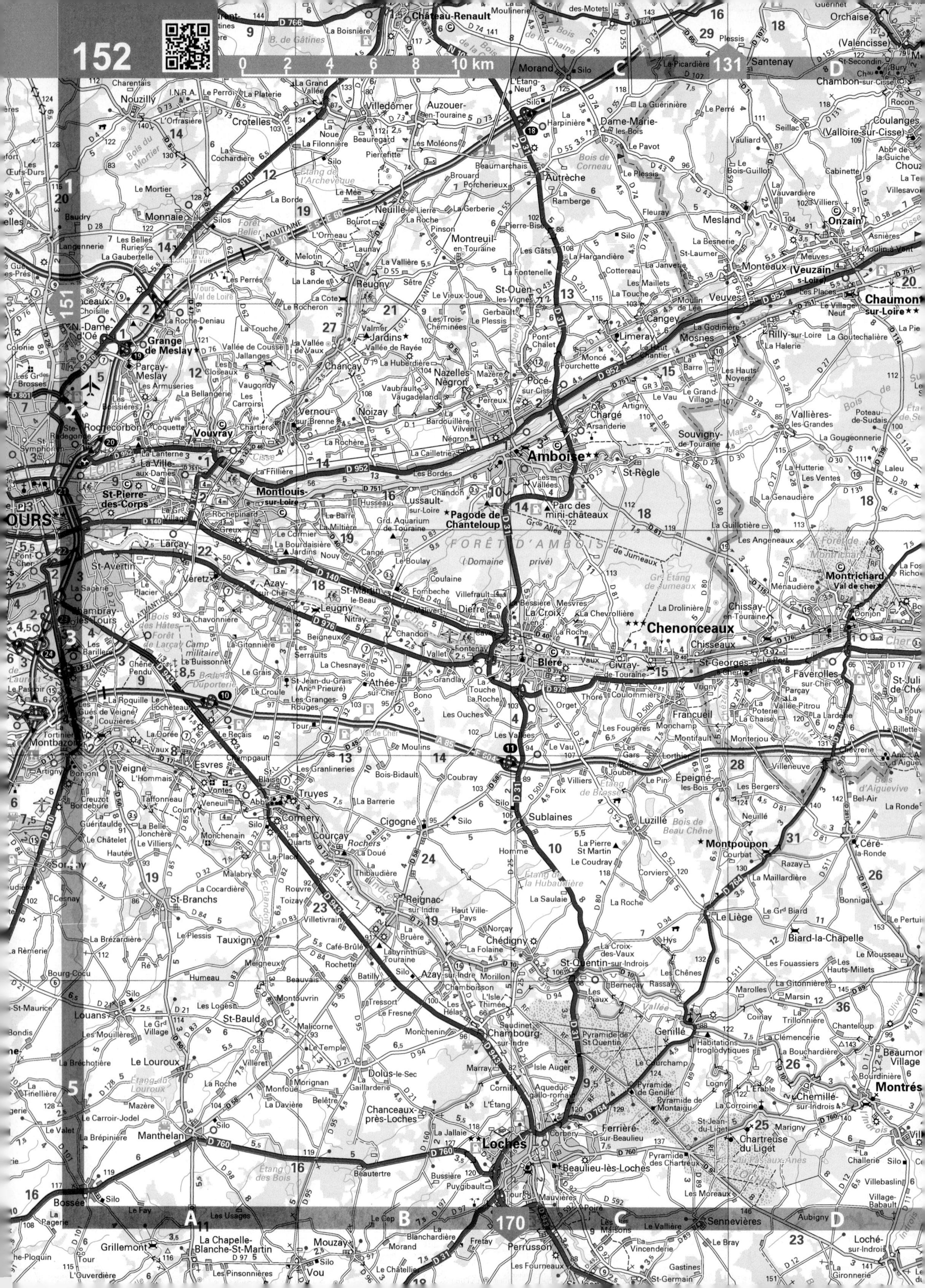
152
0 2 4 6 8 10 km
131
151
170
A
B
C
D
1
2
3
4
5
Château-Renault
Morand
Santenay
Chambon-sur-Cisse
Nouzilly
Crotelles
Villedômer
Auzouer-en-Touraine
Dame-Marie-les-Bois
Coulanges (Valloire-sur-Cisse)
Orchaise (Valencisse)
Monnaie
Autrèche
Mesland
Onzain
Reugny
Neuillé-le-Lierre
Montreuil-en-Touraine
St-Ouen-les-Vignes
Monteaux
(Veuzain-s-Loire)
Chaumont-sur-Loire
Grange de Meslay
Parçay-Meslay
Chançay
Nazelles-Négron
Pocé-sur-Cisse
Limeray
Cangey
Mosnes
Rilly-sur-Loire
Vouvray
Vernou-sur-Brenne
Noizay
Rochecorbon
Amboise
Chargé
Souvigny-de-Touraine
Vallières-les-Grandes
St-Pierre-des-Corps
Tours
Montlouis-sur-Loire
Lussault-sur-Loire
Pagode de Chanteloup
Parc des mini-châteaux
St-Règle
Forêt d'Amboise
Larçay
St-Avertin
Véretz
Azay-sur-Cher
St-Martin-le-Beau
Chambray-lès-Tours
Dierre
La Croix-en-T.
Chenonceaux
Chissay-en-Touraine
Montrichard Val de Cher
Bléré
Civray-de-Touraine
Chisseaux
St-Georges-sur-Cher
Faverolles-sur-Cher
Athée-sur-Cher
Francueil
Montbazon
Veigné
Esvres
Truyes
Cormery
Courçay
Cigogné
Sublaines
Luzillé
Épeigné-les-Bois
Montpoupon
Céré-la-Ronde
Sorigny
St-Branchs
Tauxigny
Reignac-sur-Indre
Chédigny
Le Liège
Biard-la-Chapelle
Azay-sur-Indre
St-Quentin-sur-Indrois
Genillé
Louans
St-Bauld
Chambourg-sur-Indre
Le Louroux
Dolus-le-Sec
Chanceaux-près-Loches
Manthelan
Loches
Beaulieu-lès-Loches
Ferrière-sur-Beaulieu
Chartreuse du Liget
Chemillé-sur-Indrois
Montrésor
Bossée
Sennevières
Perrusson
Mouzay
La Chapelle-Blanche-St-Martin
Grillemont
Vou
Loché-sur-Indrois

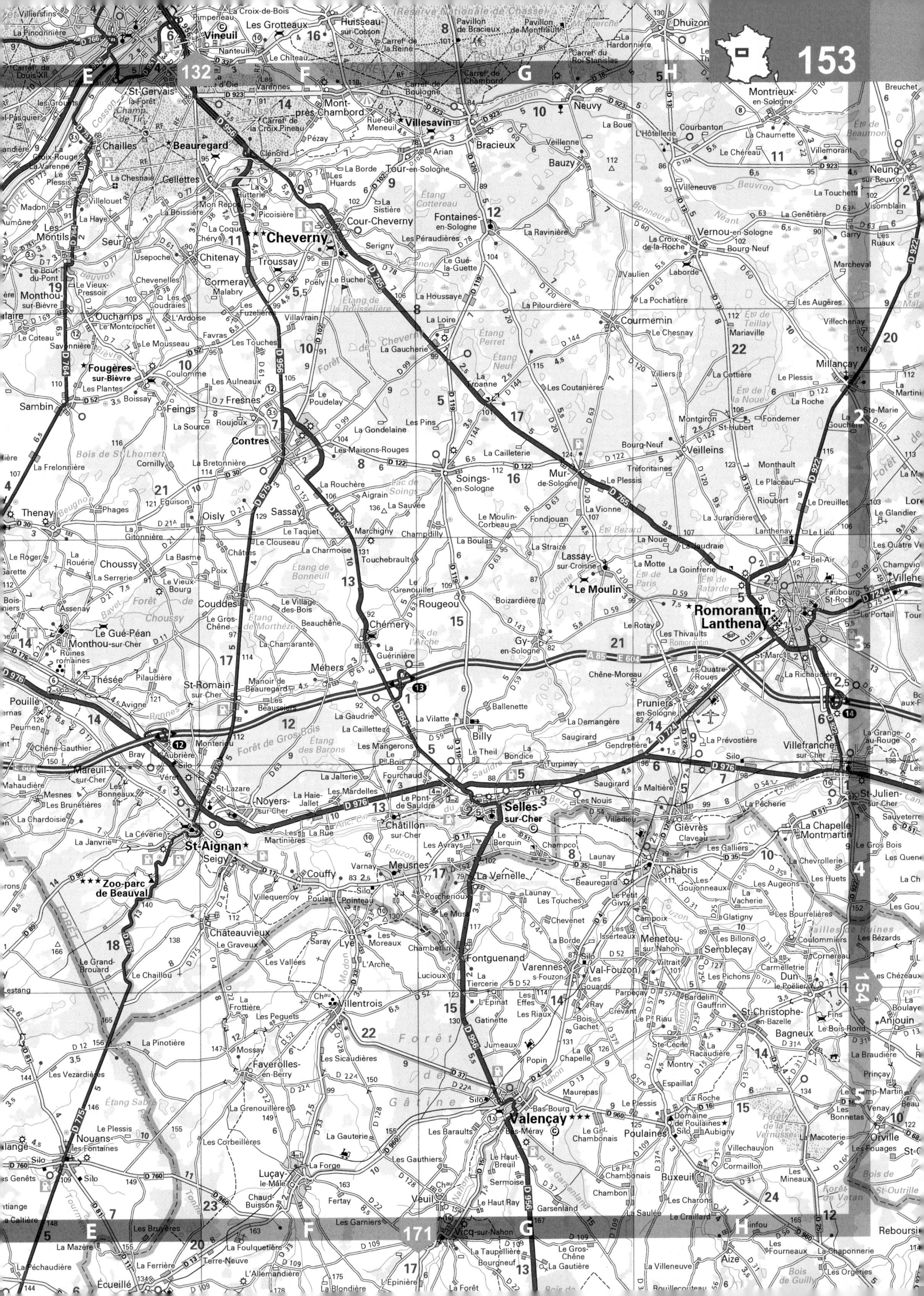

Vineuil
Les Grotteaux
Huisseau-sur-Cosson
Dhuizon
St-Gervais-la-Forêt
Mont-près-Chambord
Villesavin
Bracieux
Neuvy
Montrieux-en-Sologne
Chailles
Beauregard
Cellettes
Tour-en-Sologne
Bauzy
Neung-sur-Beuvron
Les Montils
Seur
Cheverny
Cour-Cheverny
Fontaines-en-Sologne
Vernou-en-Sologne
Chitenay
Troussay
Cormeray
Monthou-sur-Bièvre
Ouchamps
Courmemin
Fougères-sur-Bièvre
Millançay
Sambin
Feings
Fresnes
Contres
Soings-en-Sologne
Mur-de-Sologne
Veilleins
Thenay
Oisly
Sassay
Choussy
Couddes
Rougeou
Lassay-sur-Croisne
Le Moulin
Romorantin-Lanthenay
Le Gué-Péan
Monthou-sur-Cher
Chémery
Gy-en-Sologne
Thésée
St-Romain-sur-Cher
Méhers
Pouillé
Pruniers-en-Sologne
Billy
Villefranche-sur-Cher
Mareuil-sur-Cher
Noyers-sur-Cher
Selles-sur-Cher
St-Julien-sur-Cher
St-Aignan
Seigy
Châtillon-sur-Cher
Gièvres
Zoo-parc de Beauval
Couffy
Meusnes
Chabris
Châteauvieux
Lye
Fontguenand
Menetou-sur-Nahon
Sembleçay
Varennes-s-Fouzon
Dun-le-Poëlier
Villentrois
St-Christophe-en-Bazelle
Bagneux
Anjouin
Faverolles-en-Berry
Valençay
Poulaines
Orville
Nouans-les-Fontaines
Luçay-le-Mâle
Veuil
Buxeuil
Vicq-sur-Nahon
Écueillé
Forêt de Gâtine
Forêt de Gros-Bois
Forêt de Choussy
Forêt de Cheverny
Forêt de Boulogne
A 85
E 604
D 956
D 976
D 765
D 922
D 724
132
171
154
E
F
G
H

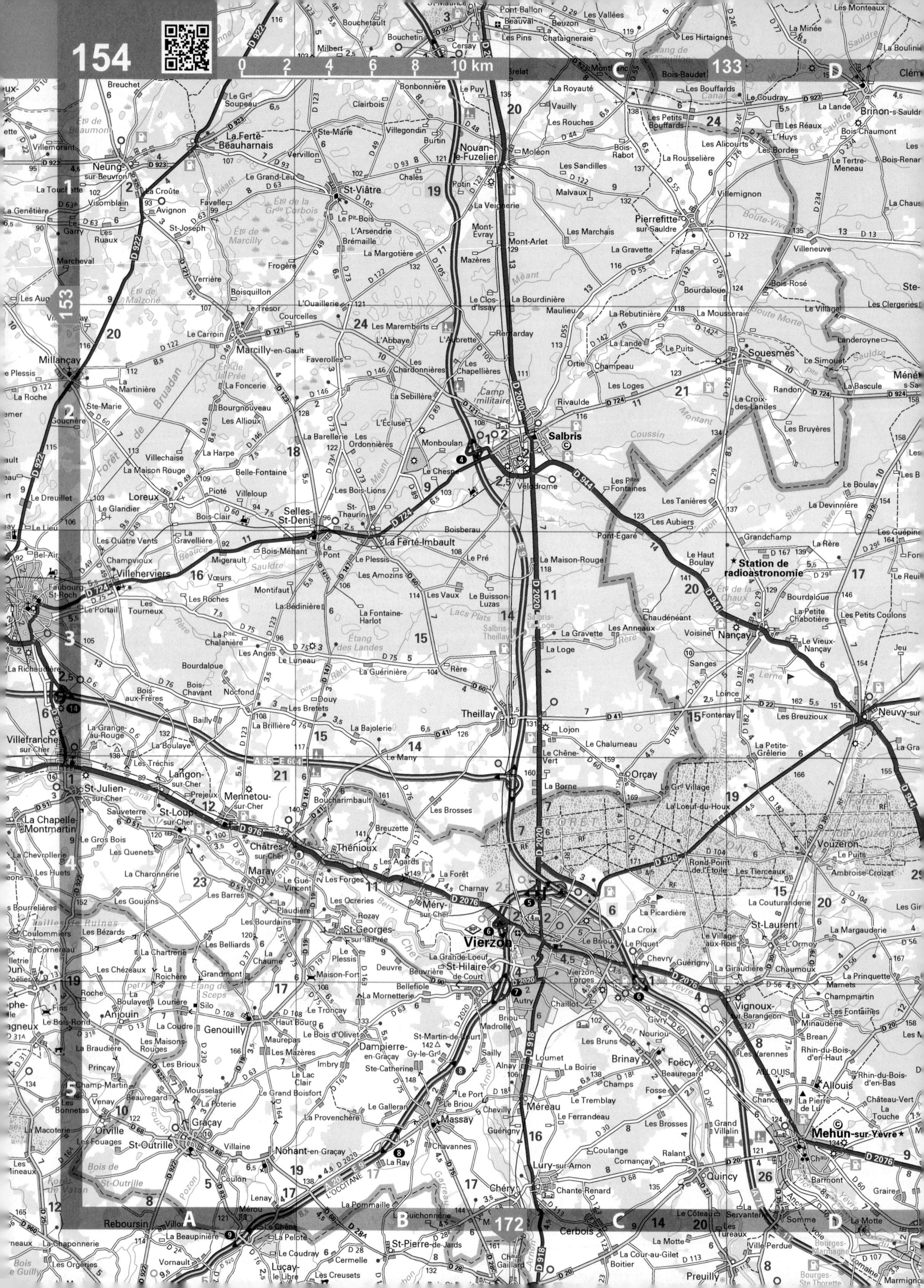
0 2 4 6 8 10 km
133
153
172
La Ferté-Beauharnais
Neung-sur-Beuvron
Nouan-le-Fuzelier
St-Viâtre
Pierrefitte-sur-Sauldre
Brinon-s-Sauldre
Marcilly-en-Gault
Millançay
Souesmes
Salbris
Loreux
Selles-St-Denis
La Ferté-Imbault
Villeherviers
Station de radioastronomie
Nançay
Theillay
Neuvy-sur-Barangeon
Villefranche-sur-Cher
Langon-sur-Cher
St-Julien-sur-Cher
Mennetou-sur-Cher
St-Loup-sur-Cher
La Chapelle-Montmartin
Châtres-sur-Cher
Thénioux
Maray
Orçay
Vouzeron
Méry-sur-Cher
Vierzon
St-Georges-sur-la-Prée
St-Hilaire-de-Court
St-Laurent
Vignoux-sur-Barangeon
Genouilly
Dampierre-en-Graçay
Anjouin
Graçay
St-Outrille
Nohant-en-Graçay
Massay
Méreau
Brinay
Foëcy
Allouis
Mehun-sur-Yèvre
Lury-sur-Arnon
Quincy
Chéry
Reboursin
Cerbois
St-Pierre-de-Jards
Luçay-le-Libre
Preuilly
Camp militaire
Forêt de Vierzon
L'OCCITANE
A 85 E 604
A 20
A 71 E 9
D 2020
D 2076
D 944
D 922
D 724
A
B
C
D

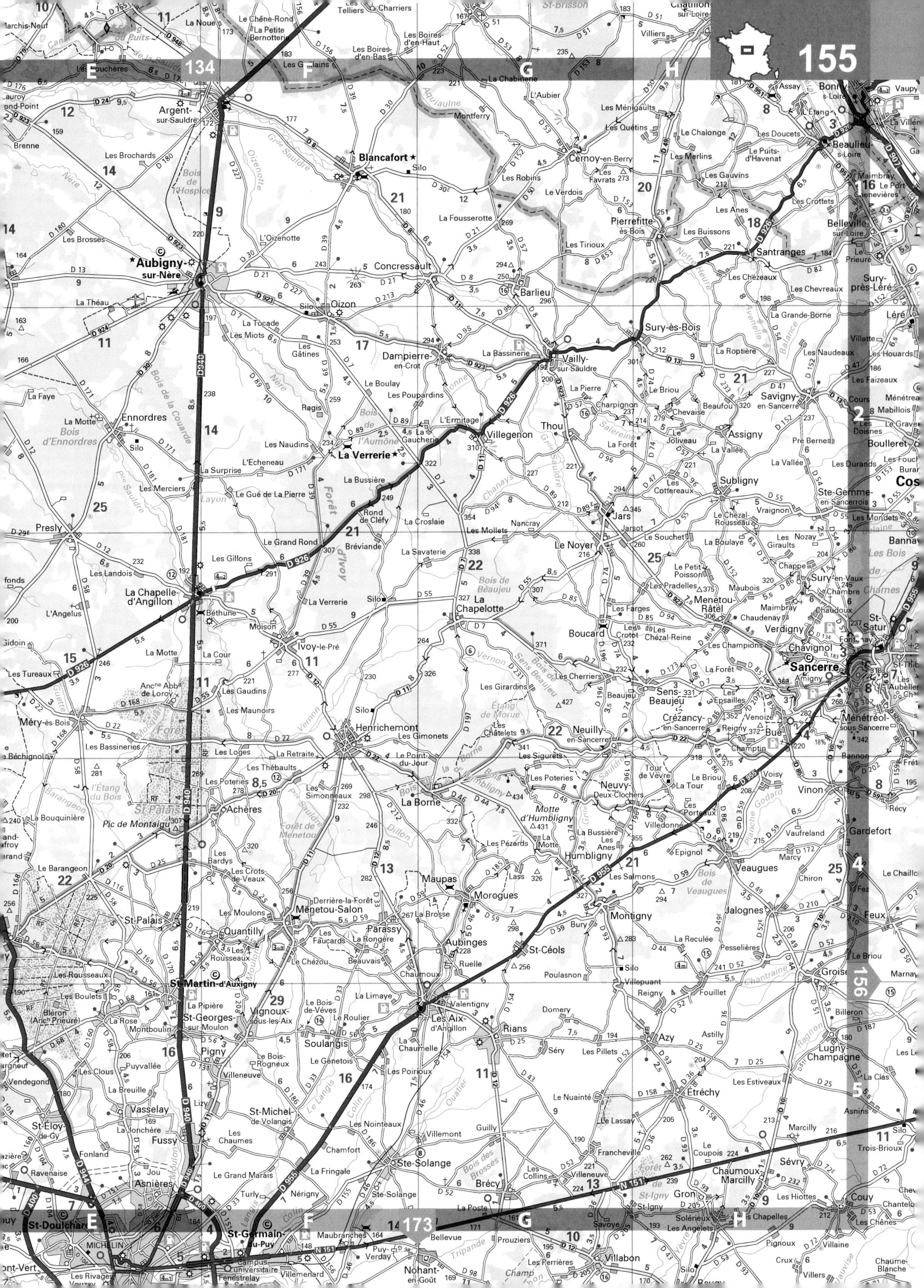

134
E
F
G
H
Argent-sur-Sauldre
Blancafort
Le Chêne-Rond
La Petite Bernotterie
Les Boires d'en-Haut
Les Boires d'en-Bas
Les Girlains
La Chabinerie
L'Aubier
Montferry
Cernoy-en-Berry
Les Ménigaults
Les Quétins
Le Chalonge
Les Merlins
Les Doucets
Beaulieu-s-Loire
Bonny-s-Loire
Assay
Vaupy
Brenne
Les Brochards
Bois de l'Hospice
Aubigny-sur-Nère
L'Oizenotte
Concressault
Barlieu
Les Robins
Le Verdois
Les Favrats
Pierrefitte-ès-Bois
Les Gauvins
Le Puits-d'Havenat
Les Crottets
Belleville-sur-Loire
Santranges
Les Buissons
Les Tirioux
Les Chézeaux
Les Chevreaux
Sury-près-Léré
Léré
La Fousserotte
La Théau
Oizon
La Focade
Les Miots
Les Gâtines
Dampierre-en-Crot
La Bassinerie
Vailly-sur-Sauldre
Sury-ès-Bois
La Roptière
Les Naudeaux
La Grande-Borne
Savigny-en-Sancerre
Ennordres
Bois d'Ennordres
La Motte
Silo
Les Naudins
La Verrerie
L'Echeneau
La Surprise
Les Merciers
Le Gué de La Pierre
Bois de l'Aumône
Les Poupardins
Le Boulay
Ragis
L'Ermitage
Villegenon
La Gaucherie
Thou
La Pierre
Charpignon
Chevaise
Le Briou
Beaufou
Assigny
La Forêt
Le Joliveau
La Vallée
Subligny
Les Cottereaux
Boulleret
Ste-Gemme-en-Sancerrois
Presly
La Bussière
Rond de Cléfy
La Croslaie
Forêt d'Ivoy
Bréviande
Le Grand Rond
La Savaterie
Nancray
Les Mollets
Le Noyer
Jars
Jarsot
Le Souchet
La Boulaye
Le Chézal-Rousseau
Vraignon
Les Gillons
Les Landois
La Chapelle-d'Angillon
L'Angelus
Béthune
Moison
La Verrerie
Bois de Beaujeu
La Chapelotte
Les Pradelles
Le Petit Poisson
Maubois
Sury-en-Vaux
Ménetou-Râtel
Chaudenay
Maimbray
Verdigny
Les Farges
Boucard
Le Crotot
Les Chézal-Reine
Les Champions
Chavignol
Sancerre
St-Satur
Les Tureaux
La Motte
La Cour
Ivoy-le-Pré
Les Gaudins
Anc^ne Abb^e de Loroy
Les Maunoirs
Les Girardins
Les Cherriers
Sens-Beaujeu
Beaujeu
Les Epsailles
Amigny
Méry-ès-Bois
Les Bassinieres
Forêt de St Palais
Henrichemont
Les Gimonets
La Retraite
Les Loges
Le Point-du-Jour
Les Châtelets
Les Sigurets
Neuilly-en-Sancerre
Crézancy-en-Sancerre
Reigny
Venoize
Bué
Champtin
Ménétréol-sous-Sancerre
Bannon
Les Thébaults
Les Poteries
Les Simonneaux
Achères
La Borne
Les Poteries
Motte d'Humbligny
Neuvy-Deux-Clochers
Tour de Vèvre
La Tour
Le Briou
Villedonné
Les Porteaux
Voisy
Vinon
L'Étang du Bois
Pic de Montaigu
La Bouquinière
Forêt de Menetou
Les Bardys
Les Crots-de-Veaux
Les Pézards
La Bussière
Les Anes
Humbligny
Epignol
Vaufreland
Veaugues
Gardefort
Le Barangeon
St-Palais
Les Moulons
Quantilly
Menetou-Salon
Derrière-la-Forêt
Parassy
La Brosse
Maupas
Morogues
Lass
Les Salmons
Montigny
Bury
Bois de Veaugues
Jalognes
Chiron
Feux
Les Rousseaux
Les Faucards
La Rongère
Le Chézou
Beauvais
Aubinges
Ruelle
St-Céols
La Reculée
Pesselières
Poulasnon
Silo
Villepuant
Reigny
Fouillet
Groise
St-Martin-d'Auxigny
Les Boulets
Blèron (Anc^n Prieuré)
La Pipière
St-Georges-sur-Moulon
Montboulin
La Rose
Vignoux-sous-les-Aix
Le Bois-de-Vèves
Le Roulier
La Limaye
Chaumoux
Valentigny
Les Aix-d'Angillon
Rians
Domery
Azy
Astilly
Billeron
Lugny-Champagne
Pigny
Soulangis
Les Bois-Rogneux
Le Génetois
La Chaumelle
Les Poirioux
Séry
Les Pillets
Les Clous
Puyvallée
Villeneuve
La Breuille
Vasselay
St-Michel-de-Volangis
Le Nuainté
Étréchy
Les Estiveaux
Asnins
St-Eloy-de-Gy
La Jonchère
Fussy
Les Chaumes
Les Nointeaux
Villemont
Guilly
Le Lassay
Marcilly
Trois-Brioux
Fonland
Chamfort
Ste-Solange
Bois des Brosses
Francheville
Le Coupois
Sévry
Ravenaise
Jou
Asnières
Le Grand Marais
La Fringale
Les Collins
Villeneuve
Brécy
Chaumoux-Marcilly
Gron
Couy
Turly
Nérigny
Ste-Solange
La Poste
St-Igny
Solérieux
Les Angelets
Les Hiottes
Les Chapelles
St-Doulchard
Michelin
St-Germain-du-Puy
Maubranches
Bellevue
Prouziers
Savoye
Pignoux
Villaine
Chaume-Blanche
Les Rivages
Campus universitaire
Fenestrelay
Villemenard
Puy-Verdoy
Nohant-en-Goût
Les Perrières
Villabon
Crux
Villers
156
173

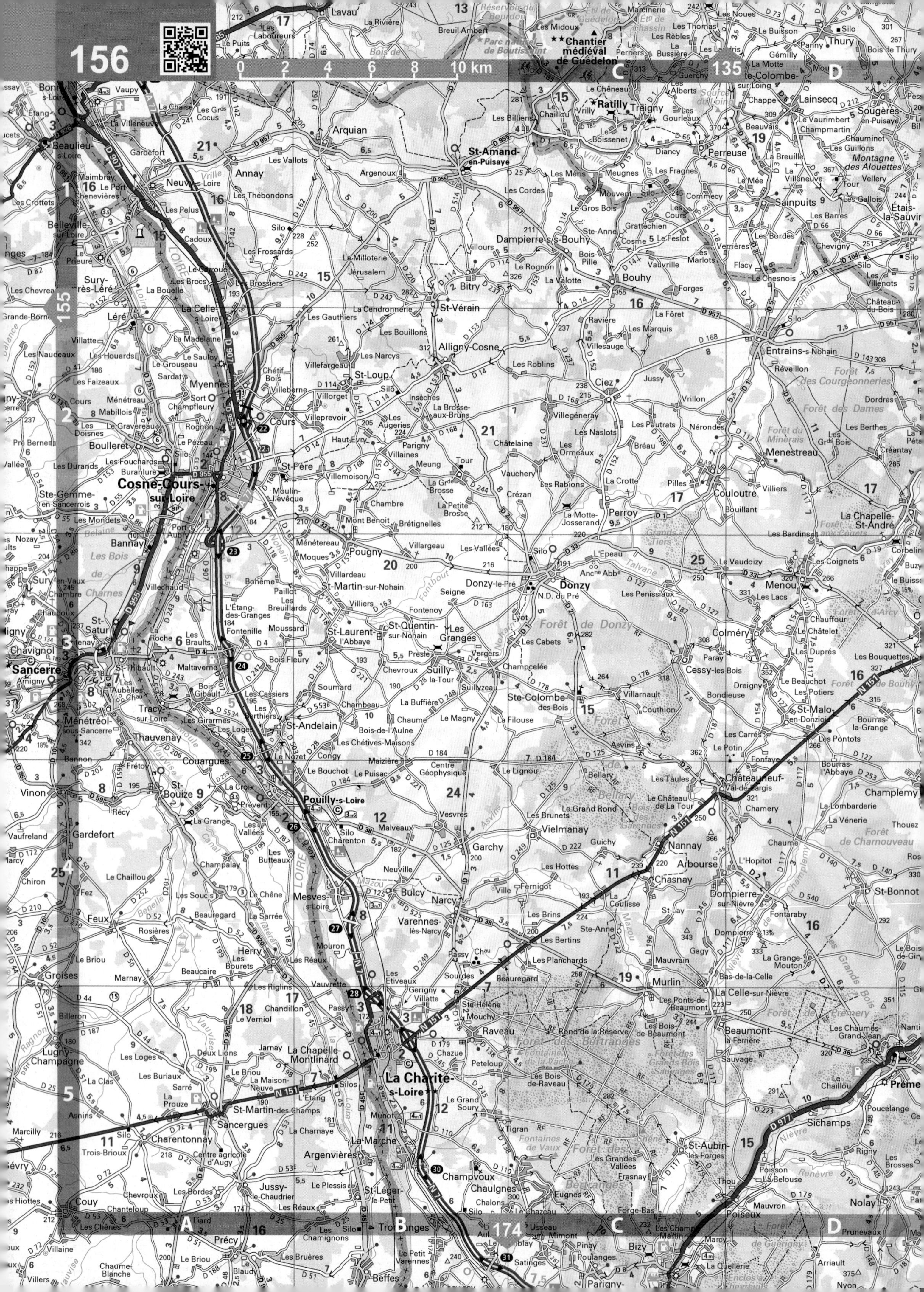

156
0 2 4 6 8 10 km
135
155
174
A
B
C
D
1
2
3
4
5
Chantier médiéval de Guédelon
Ratilly
Treigny
Lainsecq
Sougères-en-Puisaye
Thury
Arquian
St-Amand-en-Puisaye
Perreuse
Sainpuits
Étais-la-Sauvin
Beaulieu-s-Loire
Annay
Neuvy-s-Loire
Belleville-sur-Loire
Dampierre-s-s-Bouhy
Bouhy
Bitry
St-Vérain
Sury-près-Léré
Léré
La Celle-s-Loire
Alligny-Cosne
Entrains-s-Nohain
Myennes
St-Loup
Ciez
Cours
Boulleret
Menestreau
Cosne-Cours-sur-Loire
St-Père
Couloutre
Ste-Gemme-en-Sancerrois
Perroy
La Chapelle-St-André
Bannay
Pougny
Donzy
Menou
St-Martin-sur-Nohain
Donzy-le-Pré
St-Satur
St-Laurent-l'Abbaye
St-Quentin-sur-Nohain
Les Granges
Colméry
Sancerre
St-Thibault
Suilly-la-Tour
Cessy-les-Bois
Ménétréol-sous-Sancerre
Tracy-sur-Loire
Ste-Colombe-des-Bois
St-Malo-en-Donziois
St-Andelain
Thauvenay
Couargues
Châteauneuf-Val-de-Bargis
Vinon
St-Bouize
Pouilly-s-Loire
Champlemy
Gardefort
Vielmanay
Garchy
Nannay
Arbourse
Chasnay
Mesves-s-Loire
Bulcy
Narcy
Dompierre-sur-Nièvre
St-Bonnot
Feux
Varennes-lès-Narcy
Herry
Groises
Murlin
La Celle-sur-Nièvre
Raveau
Beaumont-la-Ferrière
La Chapelle-Montlinard
La Charité-s-Loire
Lugny-Champagne
St-Martin-des-Champs
Sancergues
Charentonnay
Sichamps
Prémery
St-Aubin-les-Forges
Argenvières
Champvoux
Chaulgnes
Jussy-le-Chaudrier
St-Léger-le-Petit
Couy
Nolay
Poiseux
Précy
Tronsanges
Beffes
Bizy
Forêt de Donzy
Forêt des Bertranges
Forêt de Bellary
Forêt des Dames
Forêt des Courgeonneries
Forêt de Charnouveau
Forêt de Prémery
Montagne des Alouettes
LOIRE

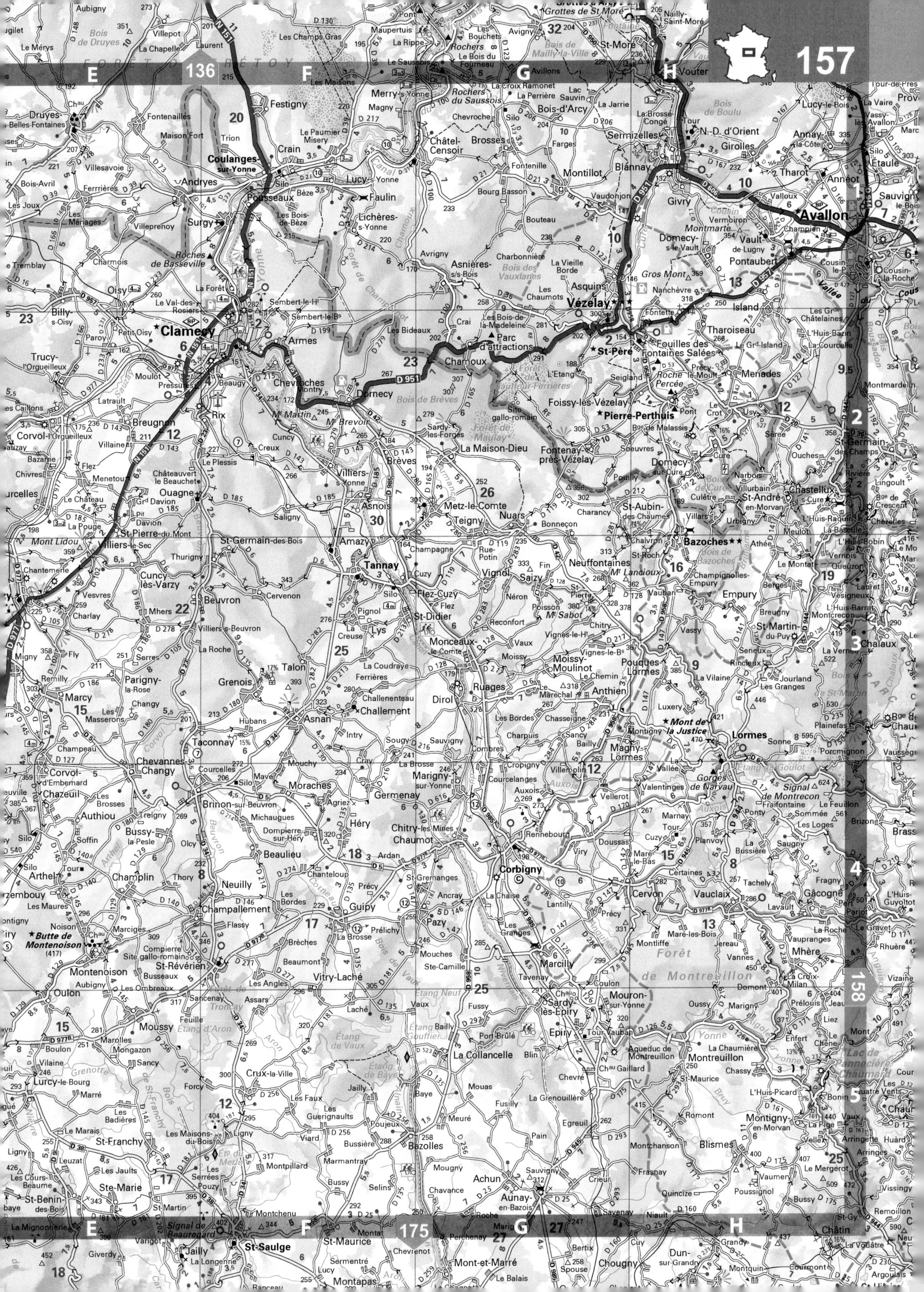
136
E
F
G
H
Aubigny
Villepot
Laurent
La Chapelle
Bois de Druyes
Le Mérys
Les Champs Gras
Maupertuis
La Rippe
Grottes de St Moré
Nailly-Saint-Moré
Avigny
St-Moré
Bois de Mailly-la-Ville
Rochers
Le Bois du Fourneau
Le Saussois
Avillons
H Vouter
Druyes-les-Belles-Fontaines
Festigny
Merry-s-Yonne
Magny
Rochers du Saussois
La Croix Ramonet
La Perrière
Lac Sauvin
Bois-d'Arcy
La Jarrie
La Brosse-Congé
Fontenailles
Maison Fort
Trion
Crain
Le Paumier
Misery
Châtel-Censoir
Brosses
Farges
Sermizelles
N.-D. d'Orient
Girolles
Lucy-le-Bois
Annay-la-Côte
Coulanges-sur-Yonne
Andryes
Villesavoie
Lucy-s-Yonne
Faulin
Fontenille
Montillot
Blannay
Tharot
Annéot
Étaule
Sauvigny-le-Bois
Pousseaux
Bèze
Bourg Basson
Vaudonjon
Givry
Valloux
Avallon
Ferrières
Les Bois-de-Bèze
Lichères-s-Yonne
Surgy
Villeprenoy
Bouteau
Cousin
Vermoiron
Montmarte
Domecy-s-le-Vault
Vault-de-Lugny
Champien
Roches de Basseville
Charmois
Avrigny
Asnières-s/s-Bois
Charbonnière
Bois des Vauxlanes
La Vieille Borde
Asquins
Gros Mont
Pontaubert
Cousin-le-Pt
Cousin-la-Roche
Oisy
La Forêt
Le Val-des-Rosiers
Sembert-le-Ht
Sembert-le-Bs
Les Chaumots
Vézelay
Nanchèvre
Island
Billy-s-Oisy
Clamecy
Petit Oisy
Paroy
Armes
Les Bideaux
Crai
Les Bois-de-la-Madeleine
Parc d'attractions
Fontette
Tharoiseau
Fouilles des Fontaines Salées
St-Père
Le Grd-Island
La Courcelle
L'Huis-Bazin
Trucy-l'Orgueilleux
Moulot
Pressures
Beaugy
Chevroches
Montry
Dornecy
Chamoux
L'Étang
Seigland
Roche Percée
Précy-le-Moult
Menades
Montmardelin
Breugnon
Rix
Mt Martin
Mt Brevoir
Bois de Brèves
Forêt de Maulay
Site gallo-romain
Foissy-lès-Vézelay
Pierre-Perthuis
Pont
Le Crot
Usy
Corvol-l'Orgueilleux
Villaine
Bazarne
Chivres
Menetou
Flez
Cuncy
Creux
Le Plessis
Sardy-les-Forges
La Maison-Dieu
Fontenay-près-Vézelay
Bge de Malassis
Soeuvres
Domecy-sur-Cure
Sérée
St-Germain-des-Champs
Ouches
Châteauvert
Le Beauchet
Ouagne
Grd Davion
Davion
Le Château
La Pouge
Villiers-s-Yonne
Brèves
Metz-le-Comte
Teigny
Nuars
Bonneçon
Charancy
St-Aubin-des-Chaumes
Narbois
Villurbain
St-André-en-Morvan
Chastellux-s-Cure
Culêtre
Villars
Urbigny
Mont Lidou
St-Pierre-du-Mont
Villiers-le-Sec
Chantemerle
Cuncy-lès-Varzy
St-Germain-des-Bois
Thurigny
Amazy
Saligny
Asnois
Tannay
Champagne
Cuzy
Rue-Potin
Vignol
Saizy
Fin
Neuffontaines
Chalvron
St-Roch
Bazoches
Bois de Bazoches
Athée
Mt Landioux
Champignolles-Empury
Empury
Vesvres
Charlay
Beuvron
Mhers
Cervenon
Flez-Cuzy
Silo
Pignol
St-Didier
Néron
Poisson
Mt Sabot
Chitry
Vauban
Breugny
St-Martin-du-Puy
Montcrecon
Villiers-s-Beuvron
La Roche
Serres
Parigny-la-Rose
Mary
Remilly
Marcy
Talon
Grenois
Lys
La Creuse
Monceaux-le-Comte
Reconfort
Vaux
Vignes-le-Ht
Vignes-le-Bs
Moissy-Moulinot
Pouques-Lormes
Vassy
Seneux
Rincieux
Jourland
Les Granges
Chalaux
La Coudraye
Ferrières
Challenteau
Challement
Asnan
Dirol
Ruages
Le Chemin
Le Maréchal
Anthien
La Vilaine
Luxery
Mont de la Justice
Lormes
Sonne
Plainefas
Porcmignon
Masserons
Changy
Hubans
Taconnay
Intry
Sougy
Sauvigny
Les Bordes
Chasseigne
Charpuis
Sancy
Bailly
Magny-Lormes
Montigny
La Vallée
Étang du Goulot
Gorges de Narvau
Champeau
Chevannes-Changy
Corvol-d'Embernard
Chazeuil
Courcelles
Mave
Mouchy
Cray
La Brosse
Marigny-sur-Yonne
Combres
Cropigny
Courcelanges
Villemolin
Valentinges
Signal de Montrecon
Fraifontaine
Le Feuillon
Les Brosses
Authiou
Brinon-sur-Beuvron
Moraches
Agriez
Germenay
Auxois
Vellerot
Marnay
Tour
Ponty
Sommée
Les Loges
Brizon
Treigny
Michaugues
Dompierre-sur-Héry
Héry
Chitry-les-Mines
Chaumot
Rennebourg
Doussas
Cuzy
Maré-le-Bas
Planvoy
La Bussière
Saugny
Bussy-la-Pesle
Soffin
Olcy
Beaulieu
Ardan
Corbigny
Viry
Certaines
Vauclaix
Tachely
Arthel
Champlin
Thory
Neuilly
Chanteloup
Précy
St-Gremanges
Ancray
Lantilly
Cervon
Lavault
Gâcogne
Les Maures
Noison
Champallement
Les Bordes
Guipy
Pazy
La Chaise
Les Granges
Précy
Mare-les-Bois
Jereau
Vaupranges
Mhère
Butte de Montenoison
Marcigès
Compierre
Site gallo-romain
St-Révérien
Flassy
Brèches
La Brosse
Prélichy
Beaumont
Mouches
Ste-Camille
Marcilly
Montliffe
Forêt de Montreuillon
Vannes
Dornont
La Croix-Milan
Montenoison
Aubigny
Les Ombreaux
Busseaux
Les Angles
Vitry-Laché
Tavenay
Coulon
Oulon
Sancenay
Assars
Etang Neuf
Fussy
Sardy-lès-Epiry
Mouron-sur-Yonne
Oussy
Marigny
Prélouis
Feuille
Étang d'Aron
Moussy
Laché
Vaux
Epiry
Tour Vauban
Marolles
Mongazon
Sancy
Étang Bailly
Gouffier
Étang de Vaux
Port-Brûlé
Aqueduc de Montreuillon
La Chaumière
Enfert
Boulon
Vilaine
Lucy-le-Bourg
Marré
Crux-la-Ville
La Collancelle
Blin
Chau Gaillard
Montreuillon
Chassy
Forcy
Jailly
Baye
Mouas
Chevré
St-Maurice
Lac de Pannecière-Chaumard
Les Faux
Les Guerignaults
Poujeux
Fusilly
La Grenouillère
L'Huis-Picard
Les Badières
Le Marais
St-Franchy
Les Maisons-du-Bois
Ligny
Viard
Bussière
Bazolles
Meuré
Egreuil
Romont
Montigny-en-Morvan
La Pige
Arringette
St-Gy
Ligny
Leuzat
Les Jaults
Les Cours-Beaume
Ste-Marie
St-Benin-des-Bois
Les Serrées
Pouzy
St-Martin
Montpillard
Marmantray
Bussy
Selins
Mougny
Chavance
Achun
Sauvigny
Aunay-en-Bazois
Pain
Montchanson
Blismes
Fraisnay
Quincize
Poussignol
Vaumery
Le Mergerot
Bussy
Montchenu
Niault
La Mignonnerie
Signal de Beauregard
St-Saulge
Jailly
La Longenne
Varigot
Giverdy
Montat
St-Maurice
Chevrenot
175
Perchenay
Mont-et-Marré
Sermentré
Lucy
Montapas
Ranceau
Le Balais
Bertix
Spouse
Chougny
Cuy
Dun-sur-Grandry
Grandry
Montquin
Courmont
Châtin
La Vouatre
Argoulais
158
Vessigny
Remoillon
Quarré
Vaurière
Tour-de-Pré
Vassy-lès-Avallon
Lac du Crescent
Chezelles
L'Huis-Raquin
Vernois
Queuzon
Laurent
Vésigneux
L'Huis-Barrat
La Verne
Pannecière
Vizaine
Rhuère
Le Gravet
Prélichy
Liez
Mont
Quatre Vents
Huard
Arringes
Remilly
Saint-Martin
PARC
Lingoult
Bge de Crescent
Forêt de Champagnat
Forêt de Tronçay
Bois de Boulu
Vallée du Cousin
Canal du Nivernais
Forêt de Champeau
Bois de St-Martin
Forêt de Tronçay
Forêt des Ferrières
Auxois
Yonne
Cure
Beuvron
Aron
Anguison
Vallée
Rocher
Chaumard

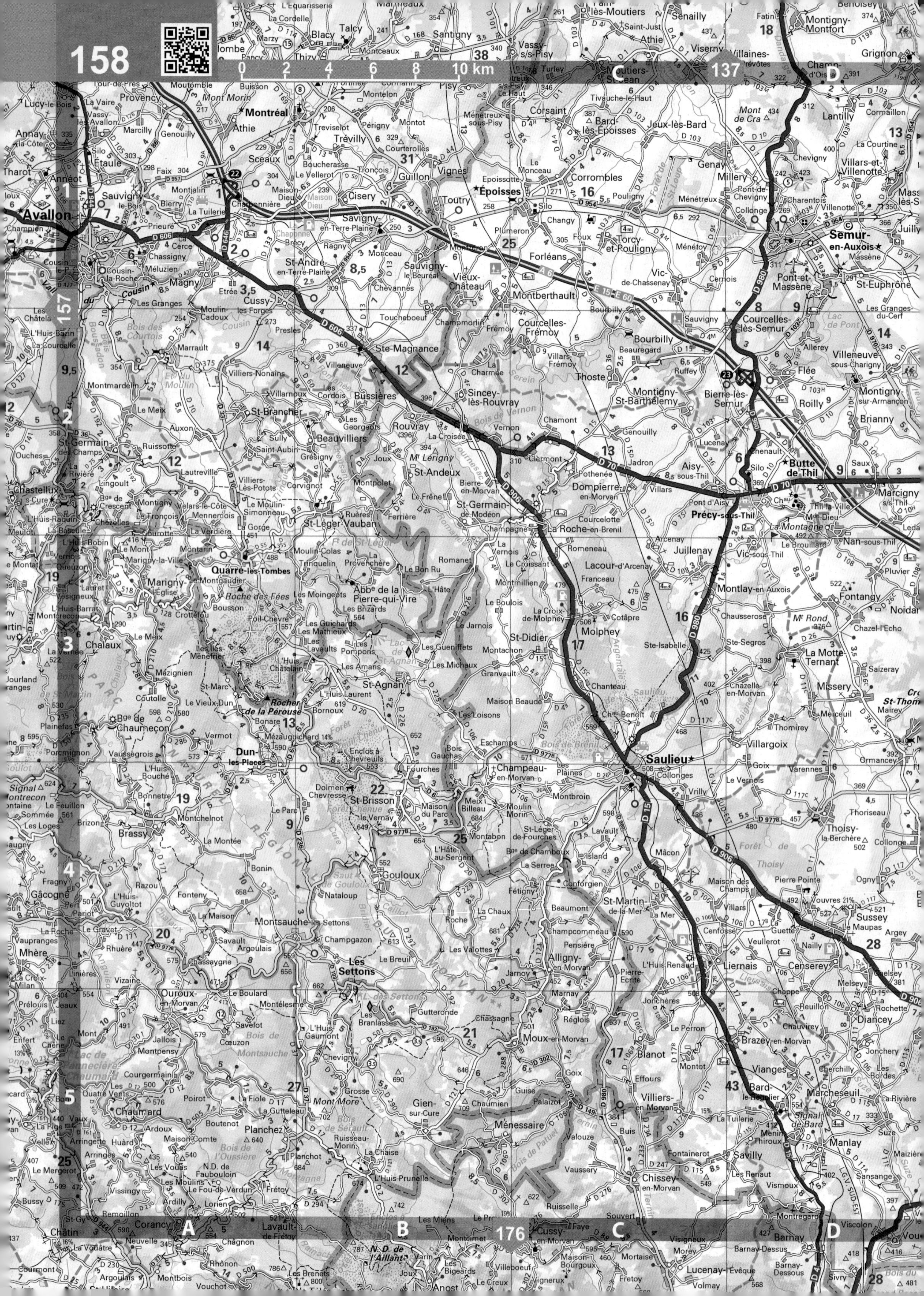

0 2 4 6 8 10 km
137
157
176
Avallon
Montréal
Athie
Provency
Sceaux
Trévilly
Guillon
Époisses
Toutry
Corrombles
Bard-lès-Époisses
Jeux-lès-Bard
Genay
Millery
Semur-en-Auxois
Pont-et-Massène
St-Euphrône
Lantilly
Villars-et-Villenotte
Magny
Cussy-les-Forges
St-André-en-Terre-Plaine
Sauvigny-le-Beuréal
Vieux-Château
Montberthault
Forléans
Courcelles-Frémoy
Bourbilly
Courcelles-lès-Semur
Ste-Magnance
Bussières
Sincey-lès-Rouvray
Thoste
Montigny-St-Barthélemy
Bierre-lès-Semur
Flée
Villeneuve-sous-Charigny
Montigny-sur-Armançon
Brianny
Roilly
St-Brancher
Beauvilliers
Rouvray
St-Andeux
Aisy-sous-Thil
Butte de Thil
Marcigny s/s Thil
St-Germain-des-Champs
Chastellux-s-Cure
St-Léger-Vauban
St-Germain-de-Modéon
Dompierre-en-Morvan
La Roche-en-Brenil
Précy-sous-Thil
Vic-sous-Thil
Nan-sous-Thil
Quarré-les-Tombes
Marigny-l'Église
Abbaye de la Pierre-qui-Vire
Juillenay
Lacour-d'Arcenay
Montlay-en-Auxois
Fontangy
Chalaux
St-Didier
Molphey
Ste-Isabelle
La Motte-Ternant
Missery
St-Agnan
Rocher de la Pérouse
Dun-les-Places
Saulieu
Villargoix
Champeau-en-Morvan
St-Brisson
Brassy
Thoisy-la-Berchère
Gouloux
St-Martin-de-la-Mer
Liernais
Sussey
Montsauche-les-Settons
Les Settons
Alligny-en-Morvan
Ouroux-en-Morvan
Moux-en-Morvan
Blanot
Brazey-en-Morvan
Chaumard
Gien-sur-Cure
Ménessaire
Villiers-en-Morvan
Bard-le-Régulier
Marcheseuil
Manlay
Planchez
Chissey-en-Morvan
Savilly
Corancy
Cussy-en-Morvan
Lucenay-l'Évêque
Barnay

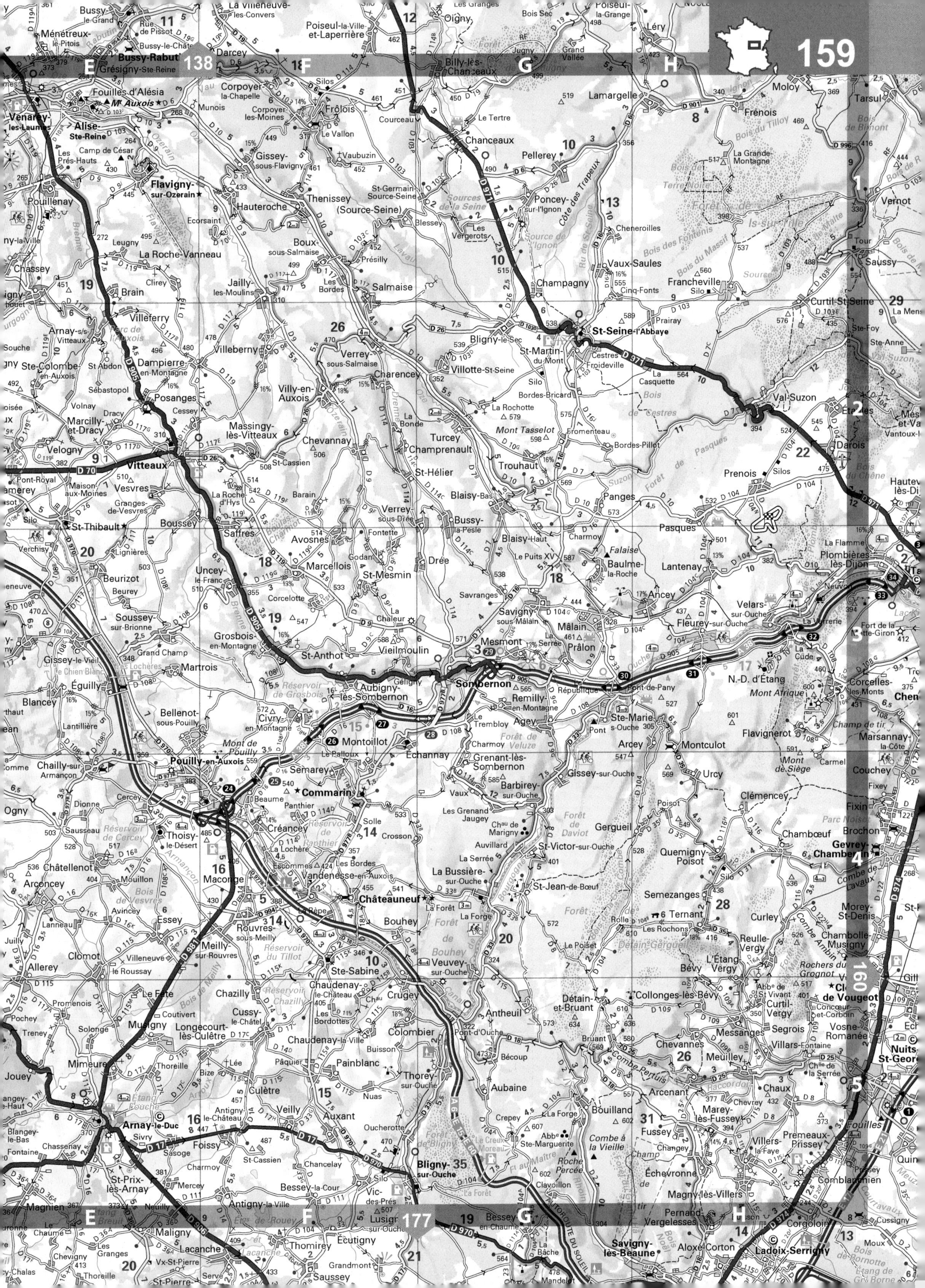
159
138
177
160
E
F
G
H
Bussy-le-Grand
Ménétreux-le-Pitois
Bussy-Rabutin
Grésigny-Ste-Reine
Darcey
La Villeneuve-les-Convers
Poiseul-la-Ville-et-Laperrière
Oigny
Billy-lès-Chanceaux
Poiseul-la-Grange
Léry
Fouilles d'Alésia
Mt Auxois
Venarey-les-Laumes
Alise-Ste-Reine
Corpoyer-la-Chapelle
Corpoyer-les-Moines
Munois
Frôlois
Le Vallon
Vaubuzin
Courceau
Chanceaux
Le Tertre
Lamargelle
Moloy
Frénois
Tarsul
Pellerey
La Grande-Montagne
Forêt de Is-sur-Tille
Vernot
Camp de César
Les Prés-Hauts
Gissey-sous-Flavigny
Flavigny-sur-Ozerain
Pouillenay
Hauteroche
Thenissey (Source-Seine)
St-Germain-Source-Seine
Sources de la Seine
Poncey-sur-l'Ignon
Côte des Trapeaux
Blessey
Les Vergerots
Source de l'Ignon
Cheneroilles
Bois des Fontenis
Bois du Massif
Tour
Saussy
Ecorsaint
Leugny
La Roche-Vanneau
Boux-sous-Salmaise
Présilly
Vaux-Saules
Francheville
Chassey
Clirey
Jailly-les-Moulins
Les Bordes
Salmaise
Champagny
Cinq-Fonts
Curtil-St-Seine
Brain
Villeferry
Arnay-s/s-Vitteaux
Parc de l'Auxois
Villeberny
Verrey-sous-Salmaise
Bligny-le-Sec
St-Seine-l'Abbaye
Prairay
Ste-Foy
Ste-Anne
Val Suzon
Dampierre-en-Montagne
St Abdon
Ste-Colombe-en-Auxois
Charencey
Villotte-St-Seine
St-Martin-du-Mont
Cestres
Froideville
La Casquette
Val-Suzon
Sébastopol
Posanges
Cessey
Villy-en-Auxois
Bordes-Bricard
La Rochotte
Mont Tasselot
Fromenteau
Bordes-Pillot
Étaules
Darois
Volnay
Dracy
Marcilly-et-Dracy
Massingy-lès-Vitteaux
Chevannay
La Bonde
Turcey
Champrenault
Velogny
Vitteaux
St-Cassien
St-Hélier
Trouhaut
Forêt de Pasques
Prenois
Silos
Pont-Royal
Maison-aux-Moines
Vesvres
Granges-de-Vesvres
La Roche-d'Hys
Barain
Blaisy-Bas
Panges
Pasques
Hauteville-lès-Dijon
St-Thibault
Boussey
Saffres
Verrey-sous-Drée
Fontette
Bussy-la-Pesle
Blaisy-Haut
Charmoy
Falaise
La Flamme
Verchisy
Lignières
Avosnes
Godan
Marcellois
St-Mesmin
Drée
Le Puits XV
Baulme-la-Roche
Lantenay
Plombières-lès-Dijon
Beurizot
Beurey
Uncey-le-Franc
Corcelotte
Savranges
Ancey
Neuvon
Velars-sur-Ouche
Soussey-sur-Brionne
Grosbois-en-Montagne
La Chaleur
Savigny-sous-Mâlain
Mâlain
Fleurey-sur-Ouche
La Verrerie
Fort de la Motte-Giron
Grand Champ
Gissey-le-Vieil
Les Locheres
Martrois
St-Anthot
Vieilmoulin
Mesmont
Serrée
Prâlon
La Cude
Éguilly
Réservoir de Grosbois
Aubigny-lès-Sombernon
Gélgny
Sombernon
Remilly-en-Montagne
République
Pont-de-Pany
N.-D. d'Etang
Mont Afrique
Corcelles-les-Monts
Blancey
Bellenot-sous-Pouilly
Civry-en-Montagne
Le Trembloy
Agey
Ste-Marie-s-Ouche
Flavignerot
Champ de tir
Marsannay-la-Côte
Lantillière
Mont de Pouilly
Montoillot
Forêt de Veluze
Charmoy
Arcey
Montculot
Chailly-sur-Armançon
Pouilly-en-Auxois
Le Palloux
Semarey
Échannay
Grenant-lès-Sombernon
Barbirey-sur-Ouche
Gissey-sur-Ouche
Urcy
Mont de Siège
Carmel
Couchey
Dionne
Cercey
Beaume
Commarin
Panthier
Vaux
Les Grenand
Jaugey
Clémencey
Fixey
Fixin
Ogny
Sausseau
Réservoir de Cercey
Thoisy-le-Désert
Créancey
Réservoir de Panthier
Solle
Crosson
Chau de Marigny
Forêt de Daviot
Gergueil
Poisot
Chambœuf
Parc Noisot
Brochon
Gevrey-Chambertin
Châtellenot
La Lochère
Auvillard
La Serrée
St-Victor-sur-Ouche
Quemigny-Poisot
Combe de Lavaux
Arconcey
Mouillon
Macorge
Escommes
Vandenesse-en-Auxois
Les Bordes
La Bussière-sur-Ouche
St-Jean-de-Bœuf
Silo
Bois de Vesvres
Avincey
Essey
Châteauneuf
La Forêt
La Forge
Semezanges
Ternant
Morey-St-Denis
Curley
Lanneau
La Repe
Bouhey
Forêt de Bouhey
Forêt
Rolle
Les Rochons
Combe Ambin
Chambolle-Musigny
Juilly
Rouvres-sous-Meilly
Réservoir du Tillot
Le Poiset
Détain-Gergueil
Reulle-Vergy
Clomot
Meilly-sur-Rouvres
Ste-Sabine
Veuvey-sur-Ouche
L'Étang-Vergy
Rochers du Grognot
Allerey
Villeneuve
le Roussay
Bois de Meilly
Chaudenay-le-Château
Bévy
Abbe de St Vivant
Clos de Vougeot
Le Fête
Chazilly
Réservoir de Chazilly
Crugey
Détain-et-Bruant
Collonges-lès-Bévy
Curtil-Vergy
Concœur-et-Corboin
Promenois
Coutivert
Cussy-le-Châtel
Les Bordottes
Antheuil
Pochey
Treney
Solonge
Musigny
Longecourt-lès-Culêtre
Colombier
Pont-d'Ouche
Messanges
Segrois
Vosne-Romanée
Chaudenay-la-Ville
Buisson
Bruant
Chevannes
Villars-Fontaine
Nuits-St-Georges
Mimeure
Thoreille
Lée
Pâquier
Painblanc
Bécoup
Combe Pertuis
Meuilley
Chaux
Chle de la Serrée
Jouey
Bize
Culètre
Thorey-sur-Ouche
Nuas
Aubaine
Arcenant
Raccordon
Étang Fouché
Antigny-le-Château
Veilly
Auxant
Crepey
La Forge
Bouilland
Marey-lès-Fussey
Chevrey
Blangey-le-Haut
Arnay-le-Duc
Sivry
Foissy
Oucherotte
Forêt de Bligny
Le Creux Moreau
Abbe de Ste-Marguerite
Combe à la Vieille
Fussey
Villers-la-Faye
Premeaux-Prissey
Fouilles
Blangey-le-Bas
Chassenay
Sasoge
St-Cassien
Chancelay
Bligny-sur-Ouche
Roche Percée
Champ
Changey
Fontaine
Charmoy
Mercey
Bessey-la-Cour
Vic-des-Prés
La Forêt
Clavoillon
Échevronne
Comblanchien
St-Prix-lès-Arnay
Antigny-la-Ville
Magny-lès-Villers
Magnien
Neuilly
Étang Breuil
Étang de Rouey
Lusigny-sur-Ouche
Bessey-en-Chaume
Pernand-Vergelesses
Corgoloin
Cussigny
Chaume
Maligny
Thomirey
Ecutigny
Savigny-lès-Beaune
Aloxe-Corton
Ladoix-Serrigny
Moux
Bois de Corrotte
Étang de Gd Borne
Chevigny
Les Granges
Lacanche
Vx-St-Pierre
Grandmont
La Bâche
Chalas
Thoreille
St-Pierre
Serve
Saussey
Mandelot
Autoroute du Soleil

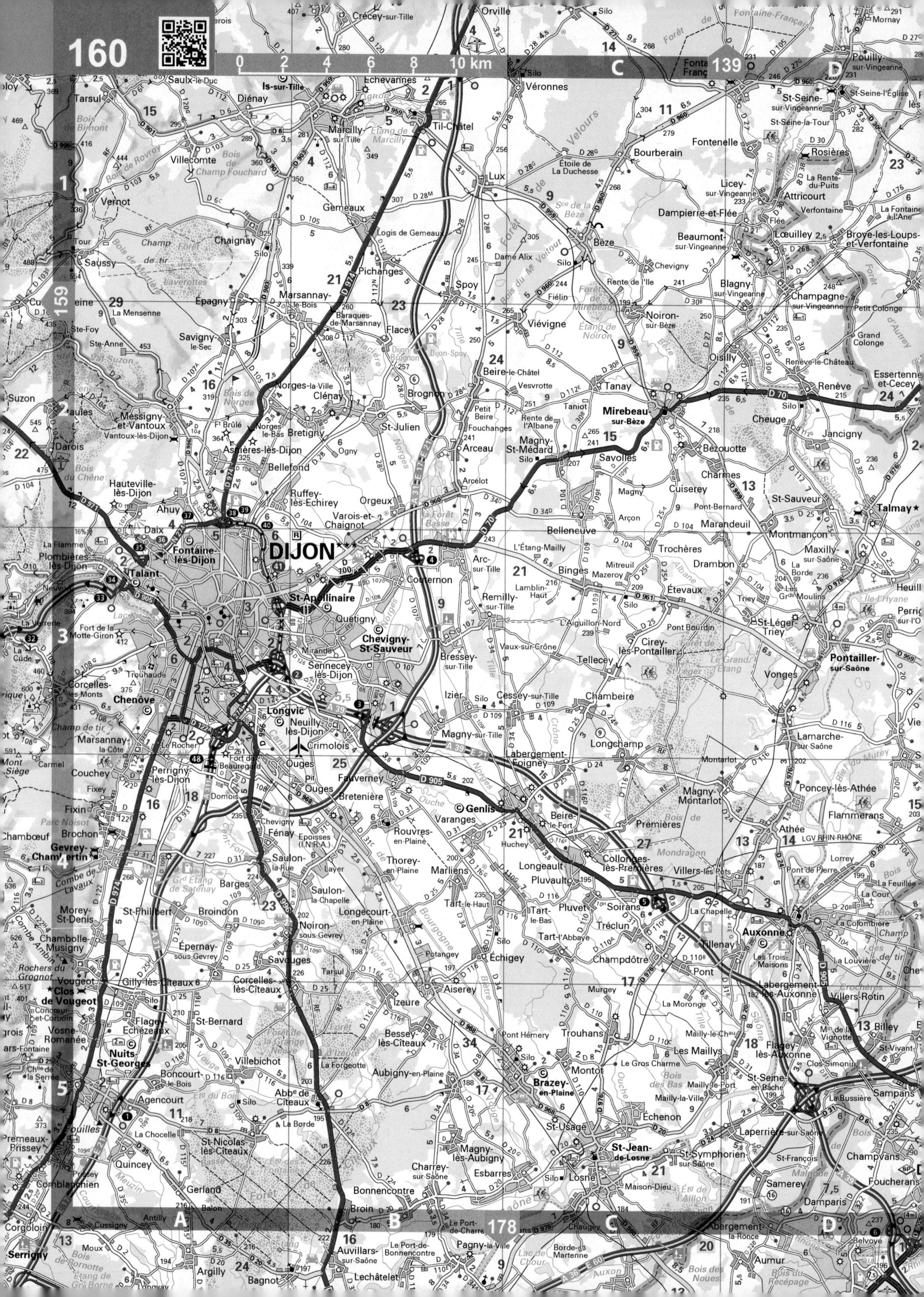

0 2 4 6 8 10 km
C
D
139
159
178
A
B
C
D
1
2
3
4
5
Orville
Crécey-sur-Tille
Silo
Fontaine-Française
Forêt de
Mornay
Pouilly-sur-Vingeanne
Saulx-le-Duc
Is-sur-Tille
Échevannes
Véronnes
St-Seine-sur-Vingeanne
St-Seine-l'Église
St-Seine-la-Tour
Tarsul
Diénay
Marcilly-sur-Tille
Til-Châtel
Fontenelle
Rosières
Étang de Marcilly
Bois de Bimont
Bois de Rovroy
Villecomte
Bois de Champ Fouchard
Bourberain
Étoile de La Duchesse
Velours
La Rente-du-Puits
Licey-sur-Vingeanne
Attricourt
Vernot
Gemeaux
Lux
Dampierre-et-Flée
Verfontaine
La Fontaine à l'Ane
Logis de Gemeaux
Sce de la Bèze
Flée
Lœuilley
Broye-les-Loups-et-Verfontaine
Beaumont-sur-Vingeanne
Chaignay
Champ de tir
Bois de Montièrs
Lavérottes
Tour
Saussy
Bèze
Dame Alix
Chevigny
Pichanges
Spoy
Rente de l'Ile
Blagny-sur-Vingeanne
Champagne-sur-Vingeanne
Petit Colonge
Bois du Mt Voitout
Fiélin
Forêt de Mirebeau
Noiron-sur-Bèze
Étang de Noiron
Épagny
Marsannay-le-Bois
Baraques-de-Marsannay
Flacey
Viévigne
La Mensenne
Ste-Foy
Ste-Anne
Savigny-le-Sec
Val-Suzon
Dijon-Bressey
Dijon-Spoy
Forêt de Clénay
Flacière
Beire-le-Châtel
Oisilly
Renève-le-Château
Grand Colonge
Essertenne-et-Cecey
Renève
Tanay
Vesvrotte
Taniot
Mirebeau-sur-Bèze
Norges-la-Ville
Clénay
Brognon
Bois de Norges
Messigny-et-Vantoux
Vantoux-lès-Dijon
Ft Brûlé
Norges-le-Bas
Bretigny
St-Julien
Petit Beire
Fouchanges
Rente de l'Albane
Magny-St-Médard
Cheuge
Jancigny
Bois de Mirebeau
Darois
Asnières-lès-Dijon
Ogny
Arceau
Savolles
Bézouotte
Bois du Chêne
Bellefond
Arcelot
Charmes
Hauteville-lès-Dijon
Ahuy
Ruffey-lès-Echirey
Orgeux
Varois-et-Chaignot
La Forêt Basse
Magny
Cuiserey
St-Sauveur
Talmay
Pont-Bernard
Arçon
Marandeuil
Daix
Montmançon
Belleneuve
La Flamme
Plombières-lès-Dijon
Talant
Fontaine-lès-Dijon
DIJON
L'Étang-Mailly
Trochères
Maxilly-sur-Saône
Arc-sur-Tille
Binges
Mitreuil
Mazeroy
Drambon
La Borde
Couternon
Lamblin-Haut
Étevaux
Les Grs Moulins
Île l'Hyane
Heuilley
St-Apollinaire
Remilly-sur-Tille
Silo
Trieu
Perrigny-sur-l'Ognon
Fort de la Motte-Giron
Lac Kir
Quetigny
L'Aiguillon-Nord
St-Léger-Triey
La Verrerie
Chevigny-St-Sauveur
Pont Bourdin
Cirey-lès-Pontailler
Forêt de St-Léger
La Cude
Mirande
Bressey-sur-Tille
Vaux-sur-Crône
Tellecey
Le Grand Étang
Pontailler-sur-Saône
Trouhaude
Sennecey-lès-Dijon
Vonges
Corcelles-les-Monts
Chenôve
Longvic
Izier
Cessey-sur-Tille
Chambeire
Neuilly-lès-Dijon
Champ de tir
Marsannay-la-Côte
Le Rocher
Crimolois
Magny-sur-Tille
Longchamp
Lamarche-sur-Saône
Mont Siège
Carmel
Couchey
Perrigny-lès-Dijon
Fort de Beauregard
Ouges
Pt Ouges
Fauverney
Labergement-Foigney
Montarlot
Fixey
Domois
Bretenière
Genlis
Magny-Montarlot
Poncey-lès-Athée
Fixin
Parc Noisot
Chevigny
Fénay
Varanges
Beire-le-Fort
Flammerans
Chambœuf
Brochon
Époisses (I.N.R.A.)
Rouvres-en-Plaine
Huchey
Premières
Athée
LGV RHIN-RHÔNE
Gevrey-Chambertin
Saulon-la-Rue
Thorey-en-Plaine
Collonges-lès-Premières
Mondragon
Lorrey
Combe de Lavaux
Grd Étang de Satenay
Barges
Marliens
Longeault
Villers-les-Pots
Pont de Pierre
La Feuillée
Saulon-la-Chapelle
Pluvault
Morey-St-Denis
St-Philibert
Broindon
Longecourt-en-Plaine
Tart-le-Haut
Pluvet
Soirans
La Chapelle
Auxonne
La Colombière
Tart-le-Bas
Tréclun
Chambolle-Musigny
Noiron-sous-Gevrey
Tart-l'Abbaye
Tillenay
Épernay-sous-Gevrey
Potangey
Échigey
Champdôtre
Les Trois-Maisons
La Louvière
Rochers du Grognot
Savouges
Pont
Vougeot
Gilly-lès-Cîteaux
Corcelles-lès-Cîteaux
Tarsul
Aiserey
Labergement-lès-Auxonne
Villers-Rotin
Clos de Vougeot
Izeure
Murgey
La Moronge
Concœur-et-Corboin
Flagey-Echézeaux
St-Bernard
Vosne-Romanée
Pont Hémery
Trouhans
Mailly-le-Chau
Billey
Bessey-lès-Cîteaux
Forêt de la Grange
Les Maillys
Flagey-lès-Auxonne
Nuits-St-Georges
Villebichot
La Forgeotte
Silo
Montot
Le Gros Charme
St-Vivant
Clos Simonin
Boncourt-le-Bois
Aubigny-en-Plaine
Brazey-en-Plaine
Bois des Bas
Mailly-le-Port
St-Seine-en-Bâche
Sampans
Agencourt
Abbe de Cîteaux
Mailly-la-Ville
La Bussière
La Borde
Échenon
Premeaux-Prissey
La Chocelle
St-Nicolas-lès-Cîteaux
St-Usage
Laperrière-sur-Saône
Quincey
Magny-lès-Aubigny
St-Jean-de-Losne
St-Symphorien-sur-Saône
St-François
Champvans
Charrey-sur-Saône
Esbarres
Losne
Maison-Dieu
Samerey
Comblanchien
Gerland
Bonnencontre
Ét de l'Aillon
Damparis
Foucherans
Balon
Antilly
Cussigny
Broin
Le Port-de-Charrey
Chaugey
Abergement-la-Ronce
Corgoloin
Serrigny
Moux
Bois de Bornotte
Étang de Grd Borne
Argilly
Bagnot
Auvillars-sur-Saône
Le Port-de-Bonnencontre
Lechâtelet
Pagny-la-Ville
Lac de Chour
Borde-de-Martenne
Auxon
Bois des Noues
Aumur
Bois du Récépage
Belvoye

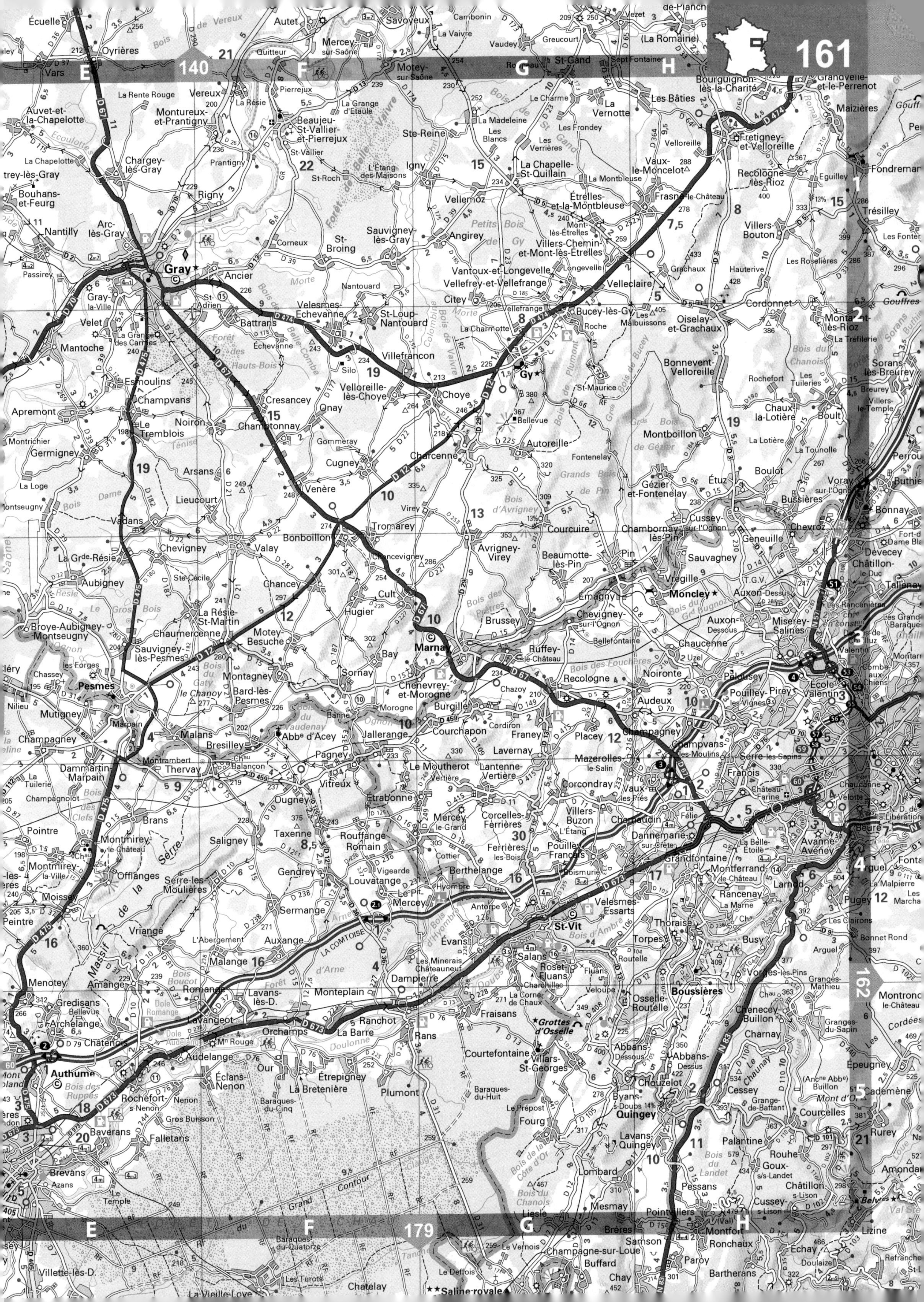
Écuelle
Oyrières
Autet
Savoyeux
Mercey-sur-Saône
Motey-sur-Saône
Vaudey
Greucourt
St-Gand
(La Romaine)
Sept Fontaines
Bourguignon-lès-la-Charité
Grandvelle-et-le-Perrenot
Vars
Vereux
Montureux-et-Prantigny
Beaujeu-St-Vallier-et-Pierrejux
Ste-Reine
La Vernotte
Les Bâties
Maizières
Auvet-et-la-Chapelotte
Chargey-lès-Gray
Igny
La Chapelle-St-Quillain
Vaux-le-Moncelot
Fretigney-et-Velloreille
Fondremand
Bouhans-et-Feurg
Rigny
Vellemoz
Étrelles-et-la-Montbleuse
Frasne-le-Château
Recologne-lès-Rioz
Nantilly
Arc-lès-Gray
Sauvigney-lès-Gray
Angirey
St-Broing
Villers-Chemin-et-Mont-lès-Étrelles
Villers-Bouton
Trésilley
Gray
Ancier
Vantoux-et-Longevelle
Vellefrey-et-Vellefrange
Velleclaire
Gray-la-Ville
Velet
Battrans
Velesmes-Echevanne
St-Loup-Nantouard
Citey
Bucey-lès-Gy
Oiselay-et-Grachaux
Cordonnet
Montarlot-lès-Rioz
Mantoche
Villefrancon
Gy
Bonnevent-Velloreille
Sorans-lès-Breurey
Esmoulins
Champvans
Cresancey
Velloreille-lès-Choye
Choye
Onay
Apremont
Noiron
Champtonnay
Autoreille
Montboillon
Chaux-la-Lotière
Boult
Germigney
Le Tremblois
Arsans
Cugney
Charcenne
Gézier-et-Fontenelay
Étuz
Boulot
Voray-sur-l'Ognon
Lieucourt
Venère
Tromarey
Courcuire
Bussières
Bonnay
Vadans
Bonboillon
Avrigney-Virey
Chambornay-lès-Pin
Cussey-sur-l'Ognon
Geneuille
Chevroz
Devecey
Chevigney
Valay
Beaumotte-lès-Pin
Pin
Sauvagney
Châtillon-le-Duc
La Gr^de-Résie
Aubigney
Chancey
Cult
Hugier
Émagny
Vregille
Moncley
Auxon-Dessus
Broye-Aubigney-Montseugny
La Résie-St-Martin
Chaumercenne
Motey-Besuche
Marnay
Brussey
Chevigney-sur-l'Ognon
Auxon-Dessous
Miserey-Salines
Sauvigney-lès-Pesmes
Bay
Ruffey-le-Château
Chaucenne
Pesmes
Montagney
Bard-lès-Pesmes
Sornay
Chenevrey-et-Morogne
Recologne
Noironte
Pouilley-les-Vignes
Pirey
École-Valentin
Mutigney
Burgille
Franey
Placey
Audeux
Champagney
Malans
Bresilley
Abb^e d'Acey
Jallerange
Courchapon
Lavernay
Champvans-les-Moulins
Serre-les-Sapins
Dammartin-Marpain
Thervay
Pagney
Le Moutherot
Lantenne-Vertière
Mazerolles-le-Salin
Franois
Vitreux
Ougney
Étrabonne
Corcondray
Vaux-les-Prés
Chaudanne
Brans
Taxenne
Rouffange
Mercey-le-Grand
Corcelles-Ferrières
Villers-Buzon
Chemaudin
Dannemarie-sur-Crête
Beure
Pointre
Montmirey-le-Château
Saligney
Romain
Ferrières-les-Bois
Pouilley-Français
Grandfontaine
Montferrand-le-Château
Avanne-Aveney
Arguel
Montmirey-la-Ville
Offlanges
Serre-les-Moulières
Gendrey
Louvatange
Berthelange
Moissey
Sermange
Le P^it Mercey
Antorpe
Velesmes-Essarts
Rancenay
Larnod
Pugey
Peintre
Vriange
Auxange
St-Vit
Thoraise
Torpes
Busy
Massif de la Serre
Malange
Évans
Salans
Roset-Fluans
Boussières
Vorges-les-Pins
Menotey
Amange
Romange
Lavans-lès-D.
Monteplain
Dampierre
Osselle-Routelle
Gredisans
Archelange
Lavangeot
Ranchot
Fraisans
Grottes d'Osselle
Chenecey-Buillon
Charnay
Montrond-le-Château
Châtenois
Orchamps
La Barre
Rans
Abbans-Dessous
Abbans-Dessus
Authume
Audelange
Éclans-Nenon
Our
Étrepigney
Courtefontaine
Villars-St-Georges
Chouzelot
Épeugney
Rochefort-s-Nenon
La Bretenière
Plumont
Byans-s-Doubs
Quingey
Cessey
Cademène
Baverans
Falletans
Fourg
Lavans-Quingey
Palantine
Courcelles
Rurey
Brevans
Lombard
Pessans
Rouhe
Goux-s/s-Landet
Châtillon-s-Lison
Cussey-s-Lison
Mesmay
Liesle
Pointvillers
Montfort
Samson
Ronchaux
Champagne-sur-Loue
Buffard
Paroy
Chay
Bartherans
Échay
Lizine
Villette-lès-D.
Chatelay
Saline royale
La Vieille-Loye
Forêt de Chaux
Grand Contour
LA COMTOISE

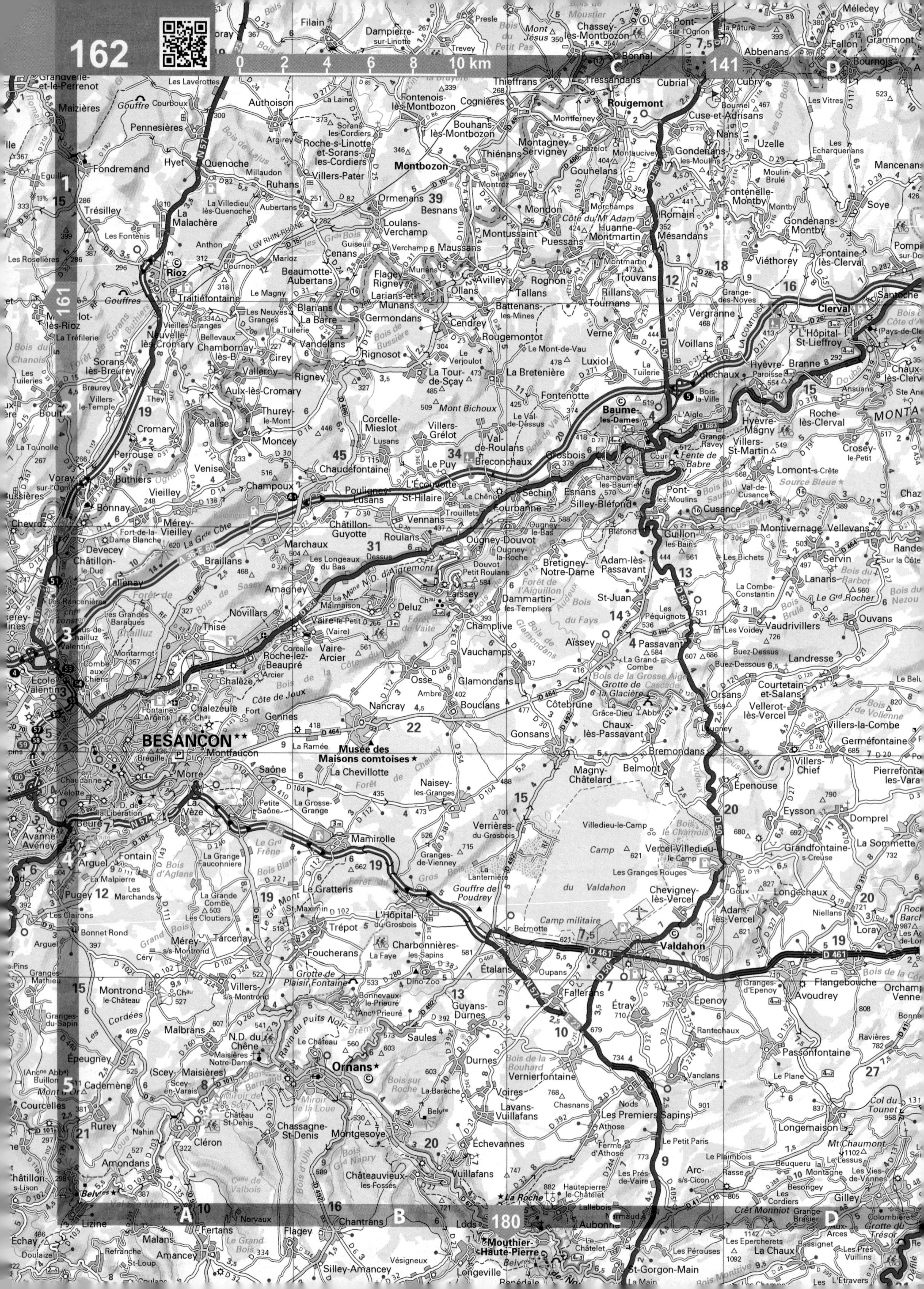
0 2 4 6 8 10 km
141
180
161
A
B
C
D
1
2
3
4
5
Filain
Dampierre-sur-Linotte
Presle
Mont Jésus
Chassey-lès-Montbozon
Pont-sur-l'Ognon
Mélecey
Fallon
Grammont
Abbenans
Bournois
Grandvelle-et-le-Perrenot
Les Laverottes
Thieffrans
Tressandans
Bonnal
Cubrial
Cubry
Maizières
Gouffre
Courboux
Authoison
La Laine
Fontenois-lès-Montbozon
Cognières
Rougemont
Cuse-et-Adrisans
Pennesières
Sorans-les-Cordiers
Bouhans-lès-Montbozon
Montferney
Nans
Uzelle
Roche-s-Linotte-et-Sorans-les-Cordiers
Argirey
Thiénans
Montagney-Servigney
Gondenans-les-Moulins
Les Echarquenans
Fondremand
Hyet
Quenoche
Villers-Pater
Montbozon
Gouhelans
Mancenans
Millaudon
Ruhans
Servigney
Montroz
Moulin-Brulé
Fonténelle-Montby
Tresilley
La Malachère
La Villedieu-lès-Quenoche
Aubertans
Ormenans
Besnans
Mondon
Morchamps
Romain
Soye
Côte du Mt Adam
Les Fontenis
Loulans-Verchamp
Montussaint
Huanne-Montmartin
Mésandans
Gondenans-Montby
Anthon
LGV RHIN-RHÔNE
Guiseuil
Verchamp
Maussans
Puessans
Fontaine-lès-Clerval
Les Roselières
Rioz
Dournon
Marloz
Cenans
Montmartin
Viéthorey
Beaumotte-Aubertans
Flagey-Rigney
Avilley
Rognon
Trouvans
Traitiéfontaine
Le Magny
Larians-et-Munans
Ollans
Tallans
Rillans
Grange-des-Noyes
Gouffres
Blarians
Battenans-les-Mines
Tournans
Vergranne
Santoche
Clerval
Merlot-lès-Rioz
Les Neuves Granges
Germondans
Neuvelle-lès-Cromary
La Tuilerie
La Barre
Cendrey
Verne
L'Hôpital-St-Lieffroy
La Tréfilerie
Bellevaux
Chambornay-lès-B.
Vandelans
Bois de Bussière
Rougemontot
Voillans
Sorans-lès-Breurey
Cirey
Rignosot
Le Verjoulot
Le Mont-de-Vau
Luxiol
Hyèvre-Paroisse
Branne
Chaux-lès-Clerval
Les Tuileries
Valleroy
Rigney
La Tour-de-Sçay
La Bretenière
La Tuilerie
Autechaux
Breurey
Villers-le-Temple
Aulx-lès-Cromary
Fontenotte
Baume-les-Dames
Bois-la-Ville
Ste Anne
Boult
Thurey-le-Mont
Mont Bichoux
Le Val-de-Dessus
L'Aigle
Roche-lès-Clerval
Cromary
Palise
Corcelle-Mieslot
Villers-Grélot
Val-de-Roulans
Hyèvre-Magny
MONTA
La Tounolle
Perrouse
Moncey
Lusans
Grange Ravey
Villers-St-Martin
Crosey-le-Petit
Venise
Chaudefontaine
Le Puy
Breconchaux
Grosbois
Cour
Fente de Babre
Lomont-s-Crête
Voray-sur-l'Ognon
Buthiers
Champoux
L'Écouvotte
Champvans-les-Baume
Source Bleue
Bussières
Vieilley
Pouligney-Lusans
St-Hilaire
Séchin
Esnans
Pont-les-Moulins
Val-de-Cusance
Chaz
Bonnay
Le Chênot
Fourbanne
Silley-Bléfond
Cusance
Les Trouillets
Mérey-Vieilley
Châtillon-Guyotte
Vennans
Ougney-le-Bas
Chevroz
La Grde Côte
Roulans
Bléfond
Guillon-les-Bains
Montivernage
Vellevans
Fort-de-la-Dame Blanche
Ougney-Douvot
Ougney-la-Roche
Devecey
Marchaux
Dessus
Bretigney-Notre-Dame
Adam-lès-Passavant
Les Bichets
Servin
Rande
Châtillon-le-Duc
Braillans
Les Longeaux du Bas
Douvot
Petit Roulans
Sur la Côte
Tallenay
Mne N.D. d'Aigremont
Forêt de l'Aiguillon
Lanans
Bois du Barbot
Bois de Sassy
Amagney
Laissey
Dammartin-les-Templiers
St-Juan
La Combe-Constantin
Le Grd Rocher
Bois du Nezou
Les Rancenières
Les Grandes Baraques
Novillars
Malmaison
Deluz
Vaire-le-Petit
(Vaire)
Forêt de Vaite
Champlive
Les Péquignots
Ouvans
Vaudrivillers
Thise
Les Voidey
Bois Brûlé
Chailluz
Passavant
Aïssey
Vauchamps
Glamondans
Valentin
Montarmot
Corcelle
Roche-lez-Beaupré
Vaire-Arcier
Arcier
La Grand-Combe
Buez-Dessus
Buez-Dessous
Landresse
Combe-aux-Chiens
École-Valentin
Chalèze
Osse
Ambre
Bois de la Grosse Aige
Grotte de la Glacière
Grotte de Cascade
Courtetain-et-Salans
Le Belu
Côte de Joux
Orsans
Fontaine-Argent
Chalezeule
Fort
Gennes
Nancray
Bouclans
Côtebrune
Grâce-Dieu
Abb.
Vellerot-lès-Vercel
Bois de Volienne
Villers-la-Combe
Besançon
La Ramée
Musée des Maisons comtoises
Gonsans
Chaux-lès-Passavant
Germéfontaine
Brégille
Montfaucon
Bremondans
Villers-Chief
Saône
La Chevillotte
Forêt de Chauley
Magny-Châtelard
Belmont
Pierrefontaine-les-Varans
Chaudanne
Morre
Naisey-les-Granges
Épenouse
Velotte
N.D. de la Libération
Petite Saône
La Grosse-Grange
Eysson
Beure
La Vèze
Verrières-du-Grosbois
Villedieu-le-Camp
Bois de Chamois
Domprel
Avanne-Aveney
Mamirolle
Camp
Vercel-Villedieu-le-Camp
Grandfontaine-s-Creuse
La Sommette
Arguel
Fontain
Le Grd Frêne
La Grange Fauconnière
Granges-de-Vienney
La Lanternière
Les Granges Rouges
Bois d'Aglans
Bois Blanc
Gros Bois
du Valdahon
La Malpierre
Les Marchands
Le Gratteris
Gouffre de Poudrey
Chevigney-lès-Vercel
Goux
Longechaux
Pugey
La Grande Combe
Grd Mont
Les Cloutiers
St-Maximin
L'Hôpital-du-Grosbois
Camp militaire
Adam-lès-Vercel
Niellans
Les Clairons
Trépot
Bermotte
Loray
Bonnet Rond
Grand Bois
Mérey-s/s-Montrond
Tarcenay
Charbonnières-les-Sapins
Valdahon
Foucherans
La Faye
Étalans
Oupans
Flangebouche
Grotte de Plaisir Fontaine
Dino-Zoo
Granges-d'Epenoy
Avoudrey
Villers-s/s-Montrond
Montrond-le-Château
Bonnevaux-le-Prieuré
Anct Prieuré
Fallerans
Épenoy
Orchamps-Vennes
Granges-du-Sapin
Les Cordées
Guyans-Durnes
Étray
Malbrans
N.D. du Chêne
Ravin du Puits Noir
Rantechaux
Maisières-Notre-Dame
Le Château
Saules
Épeugney
(Scey-Maisières)
Ornans
Durnes
Bois de la Bouhard
Vernierfontaine
Passonfontaine
Ravières
(Ancne Abbe) Buillon
Mont d'Or
Cademène
Scey-en-Varais
Miroir de Scey
Miroir de la Loue
Bois sur Roche
La Barèche
Voires
Vanclans
Le Plane
Courcelles
Château St-Denis
Chassagne-St-Denis
Lavans-Vuillafans
Chasnans
Nods
Rurey
(Les Premiers Sapins)
Athose
Longemaison
Col du Tounet
Nahin
Cléron
Montgesoye
Échevannes
Le Petit Paris
Mt Chaumont
Ferme d'Athose
Amondans
Grd Napry
Vuillafans
Le Plaimbois
Le Lessus
Châtillon-s-Lison
Châteauvieux-les-Fossés
Les Prés-de-Vaire
Arc-s/s-Cicon
Rasse
Beuqueru
La Montagne
Les Vies-de-Vennes
Belvès
Val de Valbois
Val Ste Marie
La Roche
Hautepierre-le-Châtelet
Les Cordiers
Besongey
Gilley
Lizine
Norvaux
Chantrans
Lods
Lallebois
Aubonne
Crêt Monniot
Grange Brasier
Colombière
Grotte du Trésor
Fertans
Flagey
Mouthier-Haute-Pierre
Le Châtelet
Les Epercherets
Arces
Malans
Amancey
Le Grand Bois
Les Pérouses
La Chaux
Bassignet
Les Prés-Vuillins
Echay
Doulaize
Refranche
St-Loup
Silley-Amancey
Vésigneux
Longeville
Belvr
St-Gorgon-Main
Les Étravers
Renédale
La Main

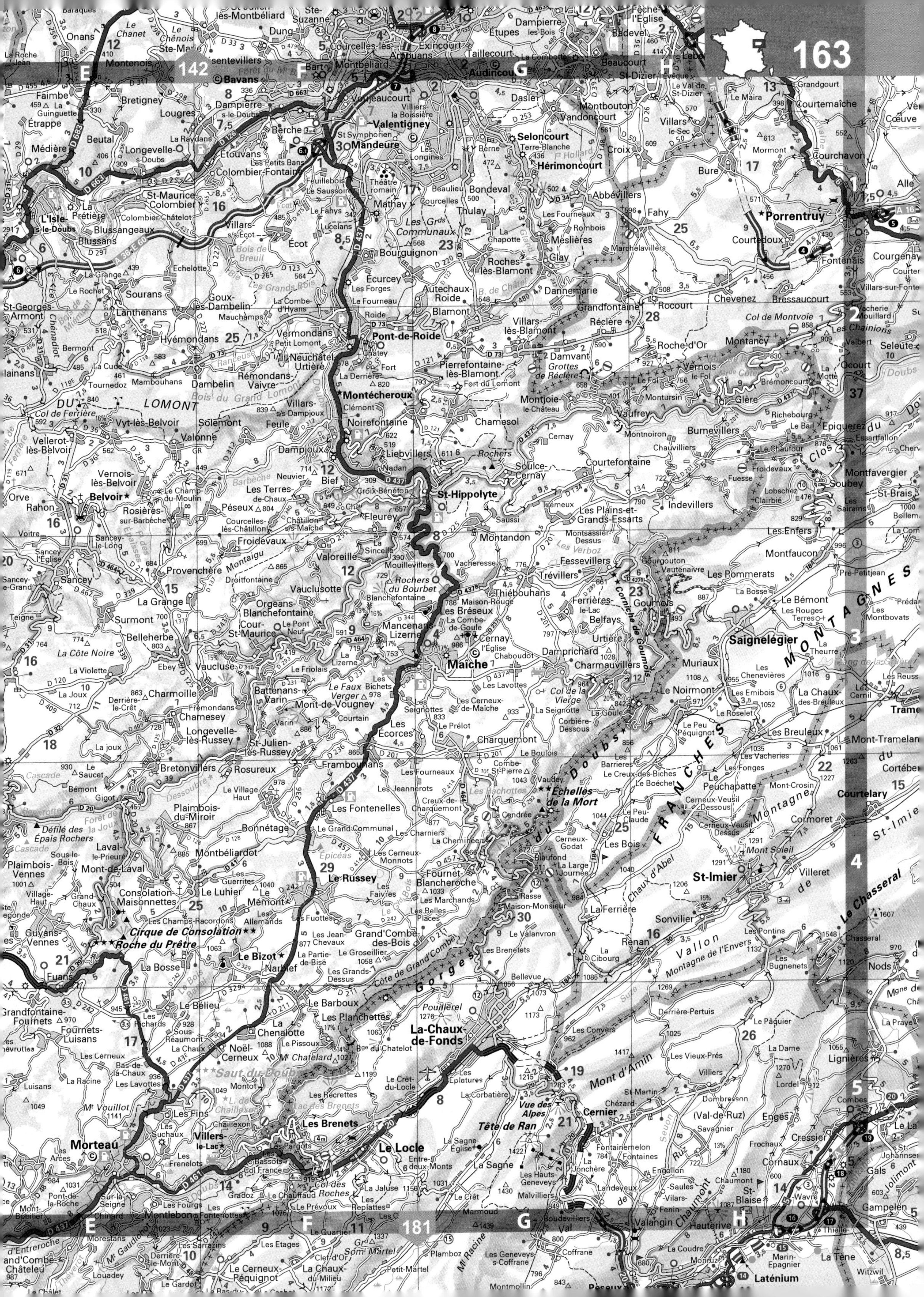

142
181
E
F
G
H
Onans
Montenois
Bavans
Dung
Montbéliard
Audincourt
Exincourt
Taillecourt
Étupes
Dampierre-les-Bois
Badevel
Fêche-l'Église
Beaucourt
St-Dizier-l'Évêque
Faimbe
Bretigney
Dampierre-s-le-Doubs
Lougres
Voujeaucourt
Valentigney
Dasle
Vandoncourt
Montbouton
Étrappe
Beutal
Médière
Longevelle-s-Doubs
Étouvans
Berche
Mandeure
Seloncourt
Hérimoncourt
Colombier-Fontaine
L'Isle-s-le-Doubs
St-Maurice-Colombier
Blussangeaux
Blussans
Villars-s/s-Écot
Écot
Théâtre romain
Mathay
Beaulieu
Bondeval
Thulay
Abbévillers
Meslières
Glay
Les Grds Communaux
Bourguignon
Roches-lès-Blamont
Autechaux-Roide
Écurcey
Blamont
Dannemarie
Grandfontaine
Réclère
Rocourt
Sourans
Goux-lès-Dambelin
Lanthenans
Hyémondans
Vermondans
Pont-de-Roide
Villars-lès-Blamont
Damvant
Grottes de Réclère
Roche-d'Or
Neuchâtel-Urtière
Dambelin
Rémondans-Vaivre
Pierrefontaine-lès-Blamont
Fort du Lomont
Montécheroux
LOMONT
Bois du Grand Lomont
Col de Ferrière
Vyt-lès-Belvoir
Solemont
Valonne
Feule
Noirefontaine
Chamesol
Montjoie-le-Château
Vaufrey
Glère
Vellerot-lès-Belvoir
Vernois-lès-Belvoir
Belvoir
Rahon
Orve
Dampjoux
Liebvillers
Bief
St-Hippolyte
Soulce-Cernay
Courtefontaine
Indevillers
Les Plains-et-Grands-Essarts
Les Terres-de-Chaux
Péseux
Rosières-sur-Barbèche
Fleurey
Châtillon-s/s-Maîche
Froidevaux
Sancey-le-Long
Sancey-l'Église
Sancey
Provenchère
Montaigu
Valoreille
Montandon
Fessevillers
Trévillers
Vauclusotte
Rochers du Bourbet
Thiébouhans
Ferrières-le-Lac
Belfays
Goumois
Corniche de Goumois
Orgeans-Blanchefontaine
Cour-St-Maurice
Les Bréseux
Mancenans-Lizerne
Maîche
Cernay-l'Église
Urtière
Damprichard
Charmauvillers
Saignelégier
Muriaux
La Grange
Surmont
Belleherbe
La Côte Noire
Vaucluse
Ebey
Battenans-Varin
Le Faux Verger
Mont-de-Vougney
Les Écorces
Charquemont
Col de la Vierge
Le Noirmont
Charmoille
Chamesey
Longevelle-lès-Russey
St-Julien-lès-Russey
Frambouhans
Les Fontenelles
Bretonvillers
Rosureux
Plaimbois-du-Miroir
Bonnétage
Échelles de la Mort
Défilé des Épais Rochers
Laval-le-Prieuré
Mont-de-Laval
Montbéliardot
Le Russey
Fournet-Blancheroche
Les Bois
FRANCHES MONTAGNES
St-Imier
Villeret
Mont Soleil
Le Chasseral
Consolation-Maisonnettes
Cirque de Consolation
Roche du Prêtre
Le Luhier
Le Mémont
Grand'Combe-des-Bois
La Ferrière
Renan
Sonvilier
Vallon
Le Bizot
Narbief
La Bosse
Fuans
Gorges du Doubs
Côte de Grand'Combe
Bellevue
La Cibourg
Le Bélieu
Les Planchettes
La Chenalotte
Noël-Cerneux
Saut du Doubs
La Chaux-de-Fonds
Pouillerel
Mont d'Amin
Vue des Alpes
Tête de Ran
Cernier
Les Fins
Les Brenets
Le Locle
Villers-le-Lac
Morteau
Montlebon
La Sagne
Les Hauts-Geneveys
Valangin
Chaumont
Hauterive
St-Blaise
Laténium
Porrentruy
Courtedoux
Fontenais
Courgenay
Bure
Fahy
Chevenez
Bressaucourt
Col de Montvoie
Les Chainions
Montancy
Vernois-le-Fol
Brémoncourt
Ocourt
Epiquerez
Montfavergier
Soubey
Montfaucon
Les Pommerats
Les Breuleux
Mont-Tramelan
Courtelary
Cormoret
Chasseral
Nods
Lignières
Cressier
Le Landeron
Marin-Epagnier
La Tène
Gampelen
Le Clos du Doubs

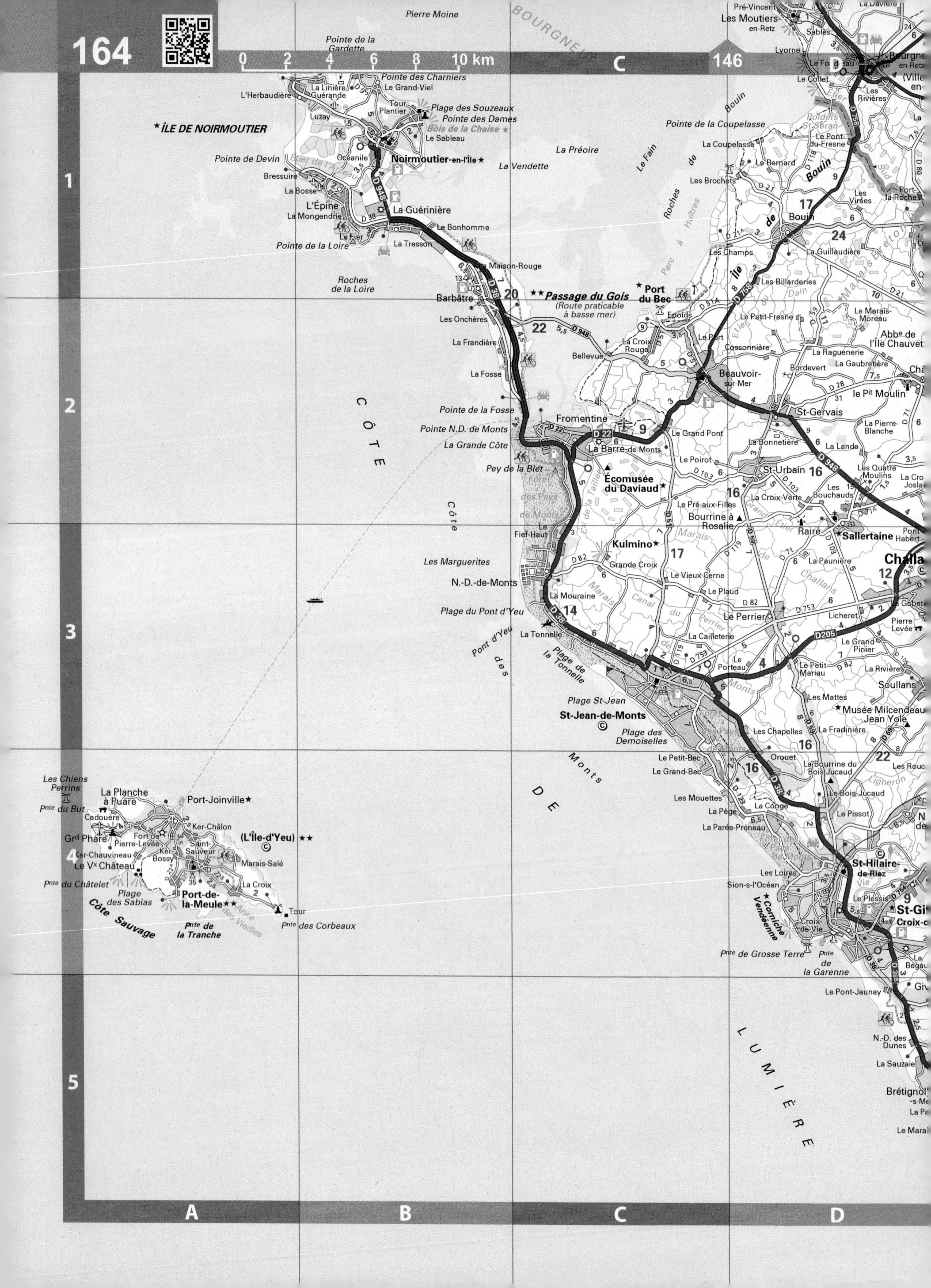

164
0 2 4 6 8 10 km
146
A
B
C
D
1
2
3
4
5
BOURGNEUF
Pierre Moine
Pointe de la Gardette
Pointe des Charniers
La Linière
Le Grand-Viel
L'Herbaudière
Guérande
Tour Plantier
Plage des Souzeaux
Pointe des Dames
Bois de la Chaise
Le Sableau
Luzay
ÎLE DE NOIRMOUTIER
Océanile
Noirmoutier-en-l'Île
Pointe de Devin
Étier de l'Arzeau
Bressuire
La Bosse
L'Épine
La Mongendrie
La Guérinière
Le Fier
Le Bonhomme
Pointe de la Loire
La Tresson
La Maison-Rouge
Roches de la Loire
Barbâtre
Les Onchères
La Frandière
La Fosse
Pointe de la Fosse
Pointe N.D. de Monts
La Grande Côte
Pey de la Blet
La Préoire
La Vendette
Le Fain
Roches de Bouin
Parc à Huîtres
Pointe de la Coupelasse
La Coupelasse
Le Bernard
Les Brochets
Bouin
Les Champs
Les Billarderies
Île de Bouin
Passage du Gois
(Route praticable à basse mer)
Port du Bec
Époids
La Croix Rouge
Bellevue
Le Port
Cossonnière
Beauvoir-sur-Mer
Fromentine
La Barre-de-Monts
Le Grand Pont
Le Poirot
Écomusée du Daviaud
St-Gervais
St-Urbain
Le Pré-aux-Filles
Bourrine à Rosalie
Kulmino
Grande Croix
Le Vieux Cerne
Le Plaud
Le Perrier
La Cailletière
Le Porteau
Forêt des Pays de Monts
Le Fief-Haut
Les Marguerites
N.-D.-de-Monts
La Mouraine
Plage du Pont d'Yeu
La Tonnelle
Plage de la Tonnelle
Pont d'Yeu
Plage St-Jean
St-Jean-de-Monts
Plage des Demoiselles
Le Petit-Bec
Le Grand-Bec
Les Mouettes
La Pège
La Parée-Préneau
La Conge
Orouet
Les Chapelles
La Bourrine du Bois Jucaud
Le Bois-Jucaud
Le Pissot
Les Loires
Sion-s-l'Océan
Corniche Vendéenne
Croix-de-Vie
St-Hilaire-de-Riez
Le Plessis
Pte de Grosse Terre
Pte de la Garenne
Le Pont-Jaunay
N.-D. des Dunes
La Sauzaie
Brétignolles
Côte de Monts
CÔTE DE LUMIÈRE
Les Moutiers-en-Retz
Pré-Vincent
Sables
Lyorne
Le Collet
Bourgneuf-en-Retz
Les Rivières
Polders St-Séran
Le Pont-du-Fresne
Les Virées
Port-la-Roche
La Guillaudière
Le Petit-Fresne
Le Marais-Moreau
Abbe de l'Île Chauvet
La Raguenerie
La Gaubretière
Bordevert
le Pt Moulin
La Pierre-Blanche
La Lande
La Bonnetière
Les Quatre Moulins
Les Bouchauds
La Croix-Verte
Sallertaine
Pont Habert
Riairé
La Paunière
Marais de Challans
Challans
Licheret
Le Gobetière
Pierre Levée
Le Grand Pinier
Le Petit Mariau
La Rivière
Soullans
Les Mattes
Musée Milcendeau Jean Yole
La Fradinière
Les Rouches
Ligneron
Les Chiens Perrins
La Planche à Puare
Port-Joinville
Pte du But
Cadouère
Ker-Châlon
Grd Phare
Fort de Pierre-Levée
(L'Île-d'Yeu)
Ker-Chauvineau
Saint-Sauveur
Ker-Bossy
Le Vx Château
Marais-Salé
Pte du Châtelet
La Croix
Plage des Sabias
Port-de-la-Meule
Côte Sauvage
Pte de la Tranche
Anse des Vieilles
Tour
Pte des Corbeaux
D 948
D 38
D 22
D 758
D 753
D 205
D 82
D 59
D 51
D 103

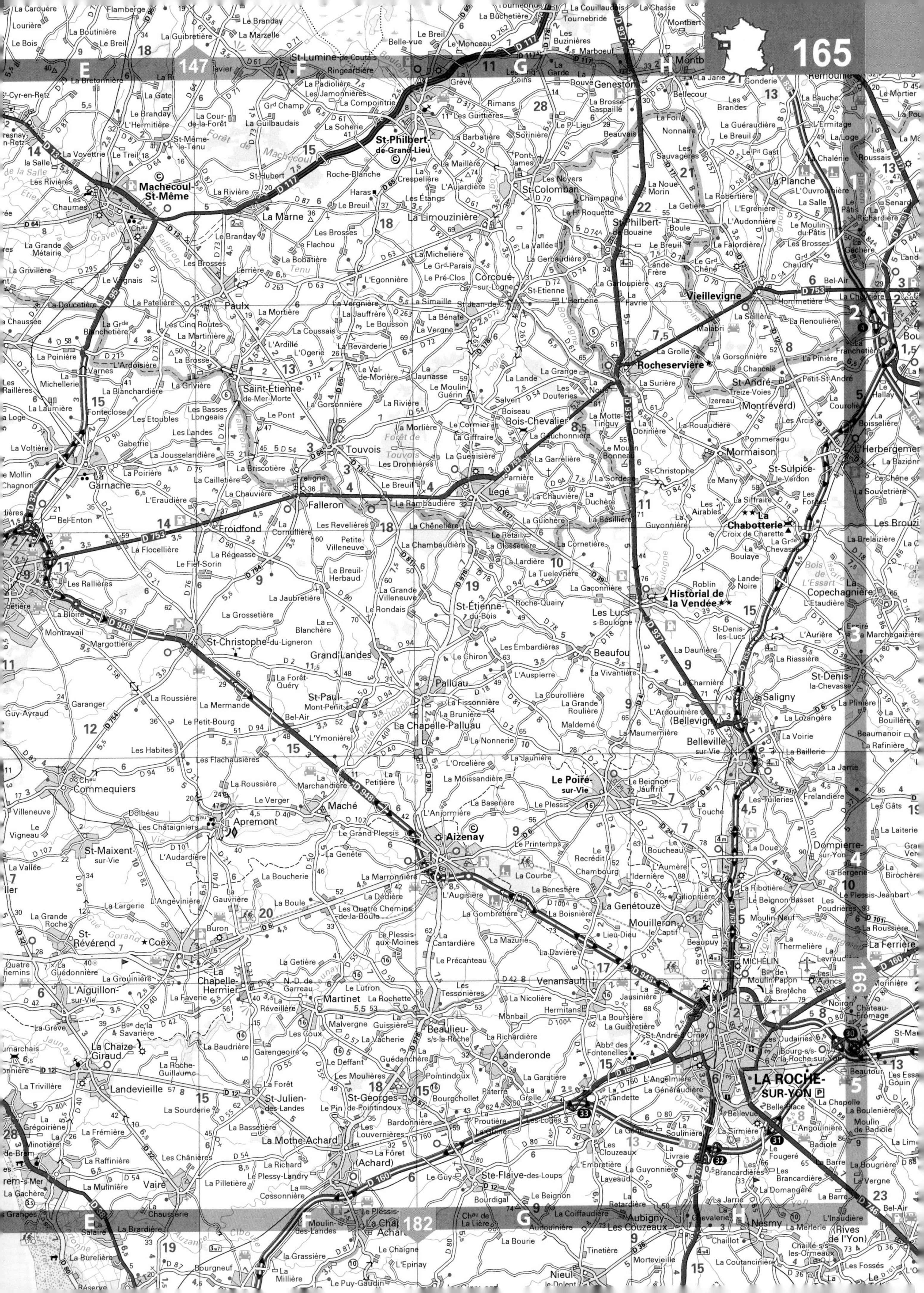

147
E
F
G
H
St-Lumine-de-Coutais
St-Philbert-de-Grand-Lieu
Machecoul-St-Même
La Marne
La Limouzinière
St-Colomban
Geneston
St-Philbert-de-Bouaine
Paulx
Corcoué-sur-Logne
Vieillevigne
Rocheservière
Saint-Étienne-de-Mer-Morte
Touvois
Bois-Chevalier
Mormaison
L'Herbergement
La Garnache
Falleron
Legé
La Chabotterie
Froidfond
St-Étienne-du-Bois
Historial de la Vendée
Les Lucs-s-Boulogne
St-Christophe-du-Ligneron
Grand'Landes
Palluau
Beaufou
St-Paul-Mont-Penit
La Chapelle-Palluau
Saligny
Belleville-sur-Vie
Commequiers
Le Poiré-sur-Vie
Maché
Apremont
Aizenay
St-Maixent-sur-Vie
Dompierre-sur-Yon
Coëx
St-Révérend
La Chapelle-Hermier
La Genétouze
Mouilleron-le-Captif
Venansault
Martinet
L'Aiguillon-sur-Vie
Beaulieu-s/s-la-Roche
La Chaize-Giraud
Landeronde
Landevieille
St-Julien-des-Landes
St-Georges-de-Pointindoux
LA ROCHE-SUR-YON
La Mothe-Achard
Ste-Flaive-des-Loups
Vairé
Aubigny-Les Clouzeaux
Nesmy
182
166

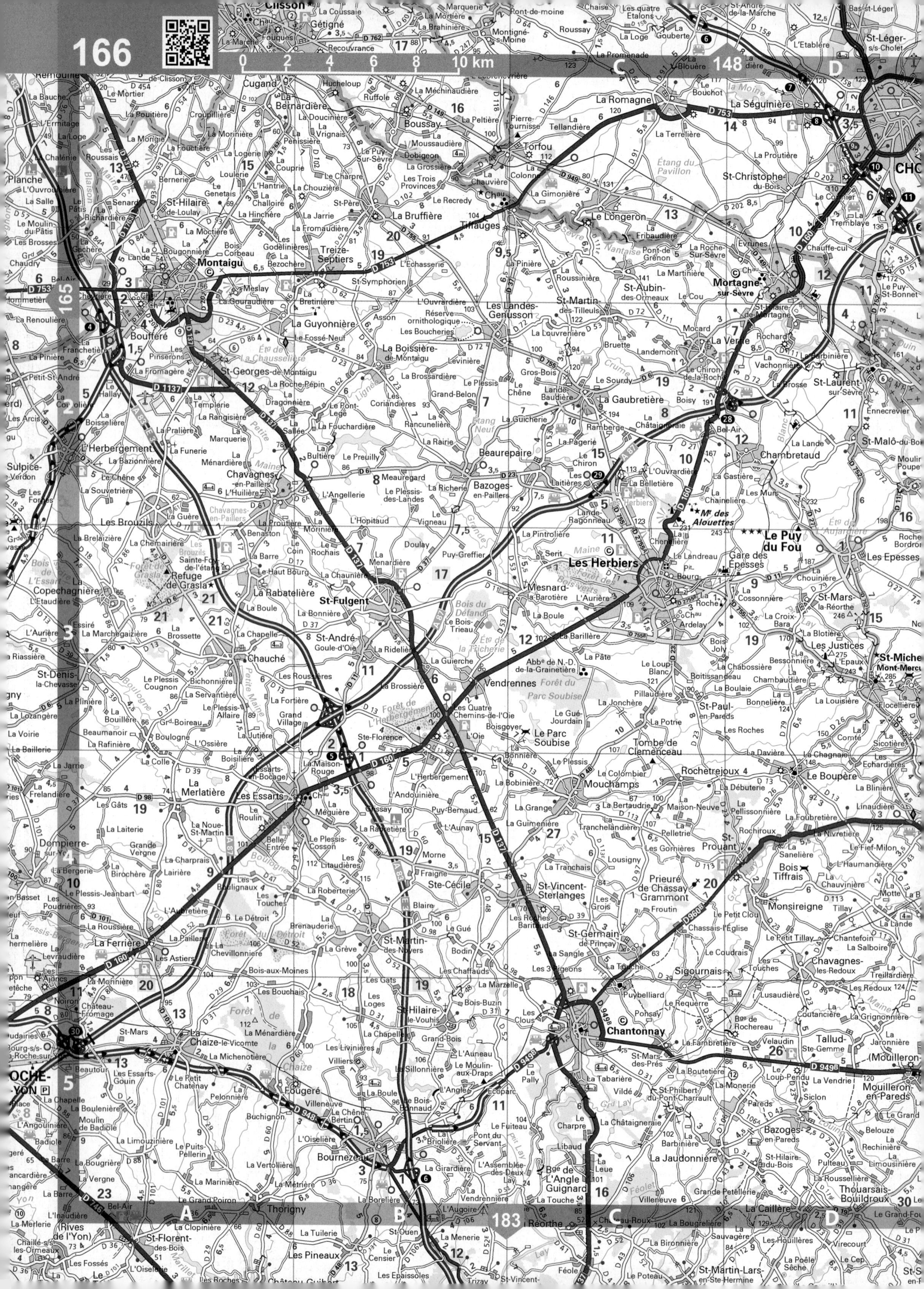

166
0 2 4 6 8 10 km
148
165
183
A
B
C
D
1
2
3
4
5
Clisson
Gétigné
Cugand
La Bernardière
Boussay
Torfou
La Romagne
La Séguinière
St-Léger-s/s-Cholet
St-Christophe-du-Bois
Cholet
St-Hilaire-de-Loulay
La Bruffière
Tiffauges
Le Longeron
Montaigu
Treize-Septiers
St-Aubin-des-Ormeaux
Mortagne-sur-Sèvre
Boufféré
La Guyonnière
Les Landes-Genusson
St-Martin-des-Tilleuls
La Verrie
St-Georges-de-Montaigu
La Boissière-de-Montaigu
La Gaubretière
St-Laurent-sur-Sèvre
L'Herbergement
Chavagnes-en-Paillers
Beaurepaire
Bazoges-en-Paillers
Chambretaud
St-Malô-du-Bois
Les Brouzils
Les Herbiers
Le Puy du Fou
Les Epesses
Refuge de Grasla
St-Fulgent
Mesnard-la-Barotière
St-Mars-la-Réorthe
Chauché
St-André-Goule-d'Oie
Vendrennes
St-Michel-Mont-Mercure
St-Denis-la-Chevasse
St-Paul-en-Pareds
Le Parc Soubise
Les Essarts
Mouchamps
Rochetrejoux
Le Boupère
Merlatière
Dompierre-sur-Yon
Ste-Cécile
St-Prouant
St-Vincent-Sterlanges
Monsireigne
La Ferrière
St-Martin-des-Noyers
St-Germain-de-Prinçay
Sigournais
Chavagnes-les-Redoux
Chantonnay
La Chaize-le-Vicomte
St-Hilaire-le-Vouhis
Tallud-Ste-Gemme
Fougeré
Mouilleron-en-Pareds
Bournezeau
Bazoges-en-Pareds
La Roche-sur-Yon
Thouarsais-Bouildroux
Thorigny
Réorthe
La Caillère
St-Florent-des-Bois
Rives de l'Yon
St-Martin-Lars-en-Ste-Hermine

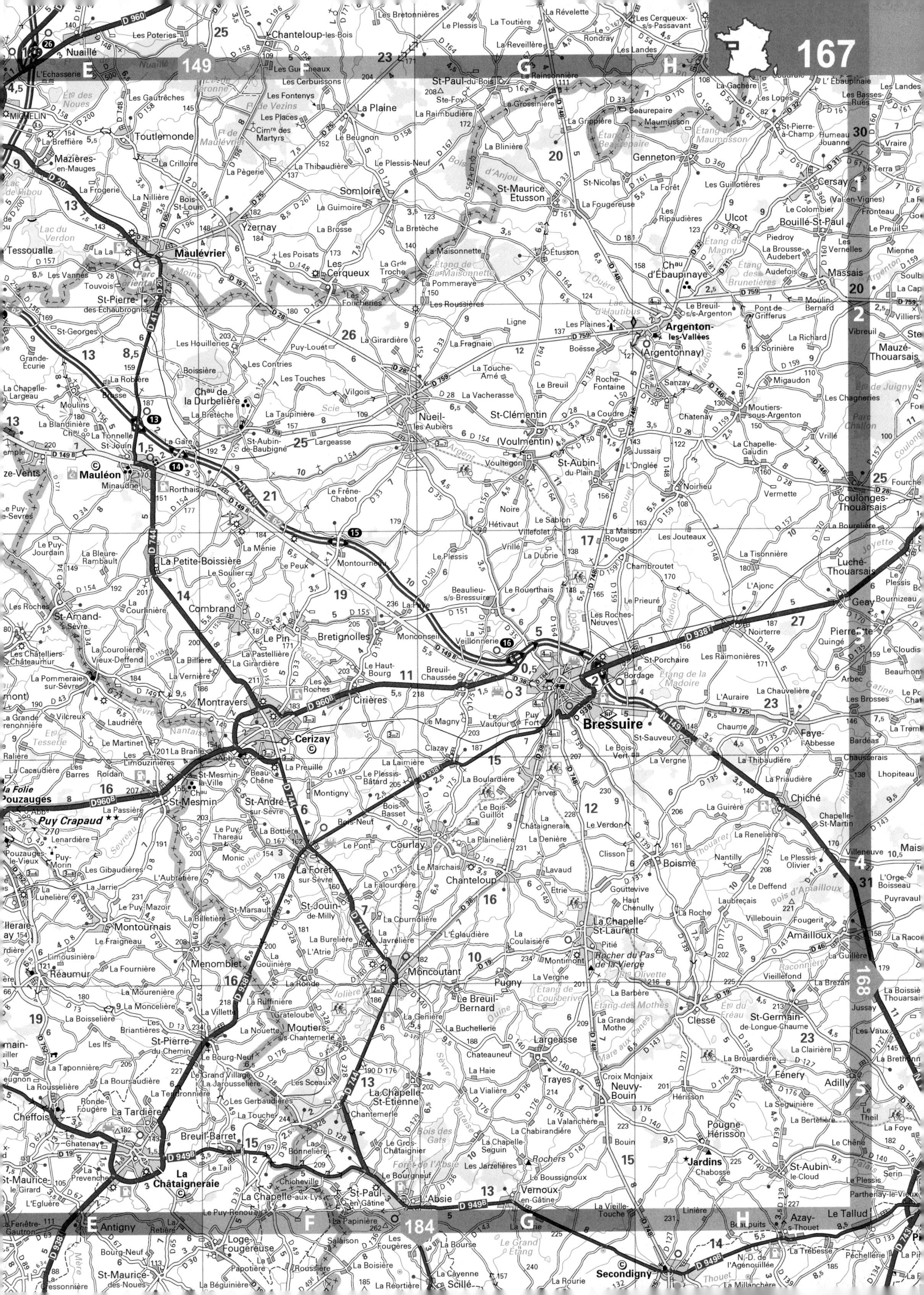

167
149
184
168
E
F
G
H
Nuaillé
Chanteloup-les-Bois
St-Paul-du-Bois
La Plaine
Toutlemonde
Mazières-en-Mauges
Somloire
Yzernay
Maulévrier
Les Cerqueux
St-Pierre-des-Échaubrognes
St-Maurice-Étusson
Étusson
Genneton
Cersay (Val-en-Vignes)
Bouillé-St-Paul
Ulcot
Massais
Ch^au d'Ébaupinaye
Argenton-les-Vallées
(Argentonnay)
Mauzé-Thouarsais
Coulonges-Thouarsais
Nueil-les-Aubiers
St-Clémentin
(Voulmentin)
St-Aubin-du-Plain
Moutiers-sous-Argenton
Mauléon
St-Aubin-de-Baubigné
Ch^au de la Durbelière
La Petite-Boissière
Luché-Thouarsais
Geay
Pierrefitte
Combrand
Bretignolles
Le Pin
St-Amand-sur-Sèvre
Montravers
Cerizay
Bressuire
Chiché
Faye-l'Abbesse
Pouzauges
St-Mesmin
St-André-sur-Sèvre
Courlay
Boismé
Chanteloup
La Forêt-sur-Sèvre
Montournais
Menomblet
Réaumur
Moncoutant
La Chapelle-St-Laurent
Amailloux
Pugny
Le Breuil-Bernard
Largeasse
Clessé
St-Germain-de-Longue-Chaume
St-Pierre-du-Chemin
Moutiers-s/s-Chantemerle
Traye
Neuvy-Bouin
Adilly
Fénery
La Tardière
Cheffois
La Chapelle-St-Étienne
Pougne-Hérisson
La Châtaigneraie
Breuil-Barret
St-Paul-en-Gâtine
L'Absie
Vernoux-en-Gâtine
St-Aubin-le-Cloud
Azay-s-Thouet
Le Tallud
Secondigny
Antigny
Loge-Fougereuse
St-Maurice-des-Noues
Scillé
Puy Crapaud
Rocher du Pas de la Vierge

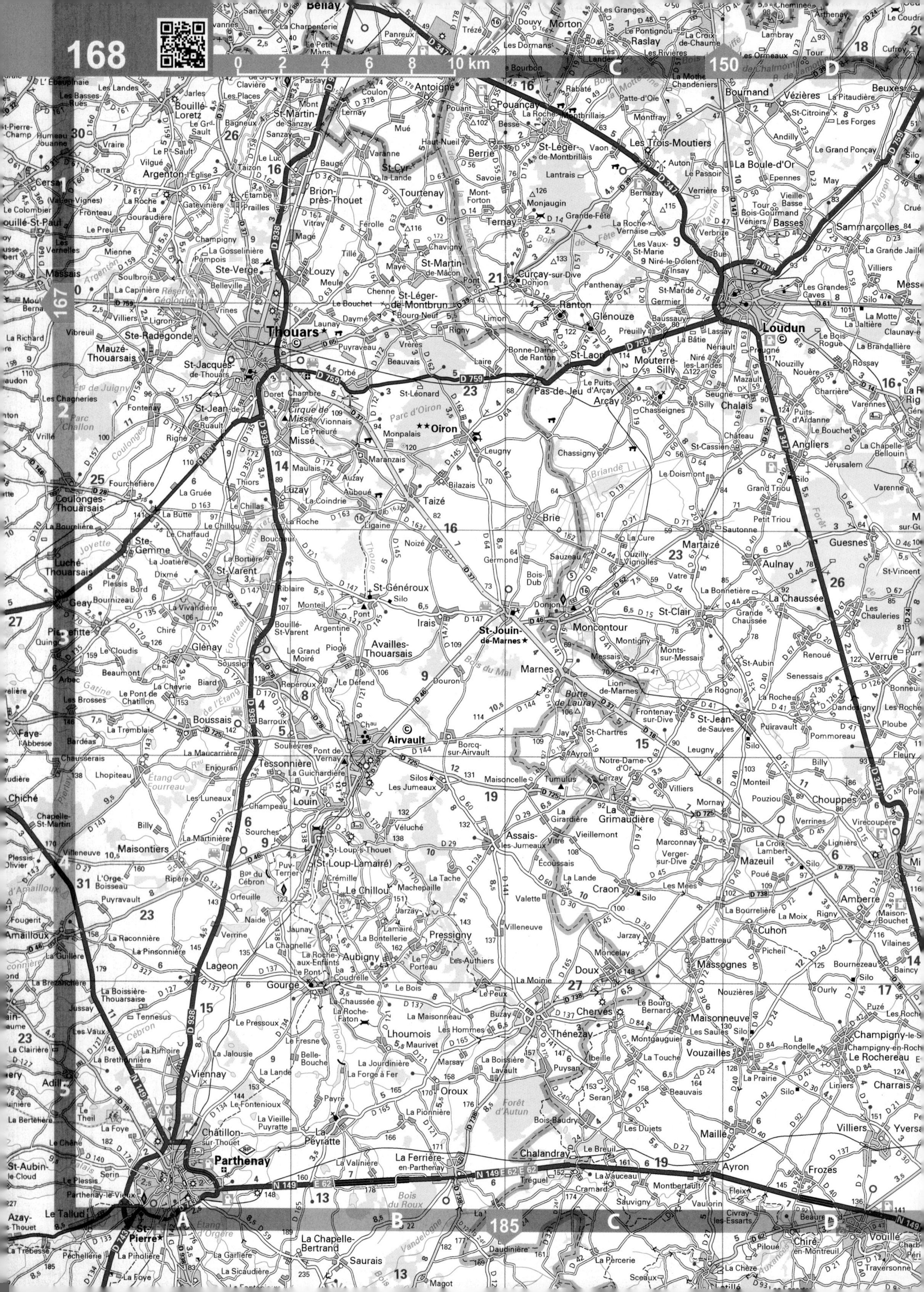

168
0 2 4 6 8 10 km
C
150
D
167
185
A
B
C
D
1
2
3
4
5
Thouars
Loudun
Airvault
Parthenay
Oiron
St-Jouin-de-Marnes
Moncontour
Les Trois-Moutiers
Argenton-l'Église
Bouillé-Loretz
St-Martin-de-Sanzay
Brion-près-Thouet
Tourtenay
St-Cyr-la-Lande
Antoigné
Pouançay
St-Léger-de-Montbrillais
Morton
Raslay
Curçay-sur-Dive
Ranton
Glénouze
St-Laon
Mouterre-Silly
Arçay
Pas-de-Jeu
Ste-Radegonde
Mauzé-Thouarsais
St-Jacques-de-Thouars
St-Jean-de-Thouars
Missé
Louzy
Ste-Verge
St-Léger-de-Montbrun
St-Martin-de-Mâcon
Taizé
Luzay
Coulonges-Thouarsais
Luché-Thouarsais
Ste-Gemme
St-Varent
Geay
Glénay
Boussais
St-Généroux
Irais
Availles-Thouarsais
Marnes
Brie
Martaizé
Aulnay
La Chaussée
St-Clair
Guesnes
Angliers
Chalais
Basses
Sammarçolles
Maisontiers
Tessonnière
Louin
Assais-les-Jumeaux
La Grimaudière
Mazeuil
Craon
Cuhon
Massognes
Amberre
Chouppes
Lageon
Gourgé
Aubigny
Pressigny
Lhoumois
Doux
Chervès
Thénezay
Vouzailles
Maisonneuve
Oroux
Viennay
Châtillon-sur-Thouet
La Peyratte
La Ferrière-en-Parthenay
Chalandray
Ayron
Maillé
Villiers
Champigny-le-Sec
Le Rochereau
Charrais
Frozes
Vouillé
Chiré-en-Montreuil
Parthenay-le-Vieux
St-Pierre
La Chapelle-Bertrand
Saurais
Chiché
Amailloux
Adilly
Forêt d'Autun
Bois du Mai
Parc d'Oiron
Cirque de Missé
Butte de Lauray
N 149
E 62
D 938
D 759
D 347
D 725
D 46
D 37
D 147

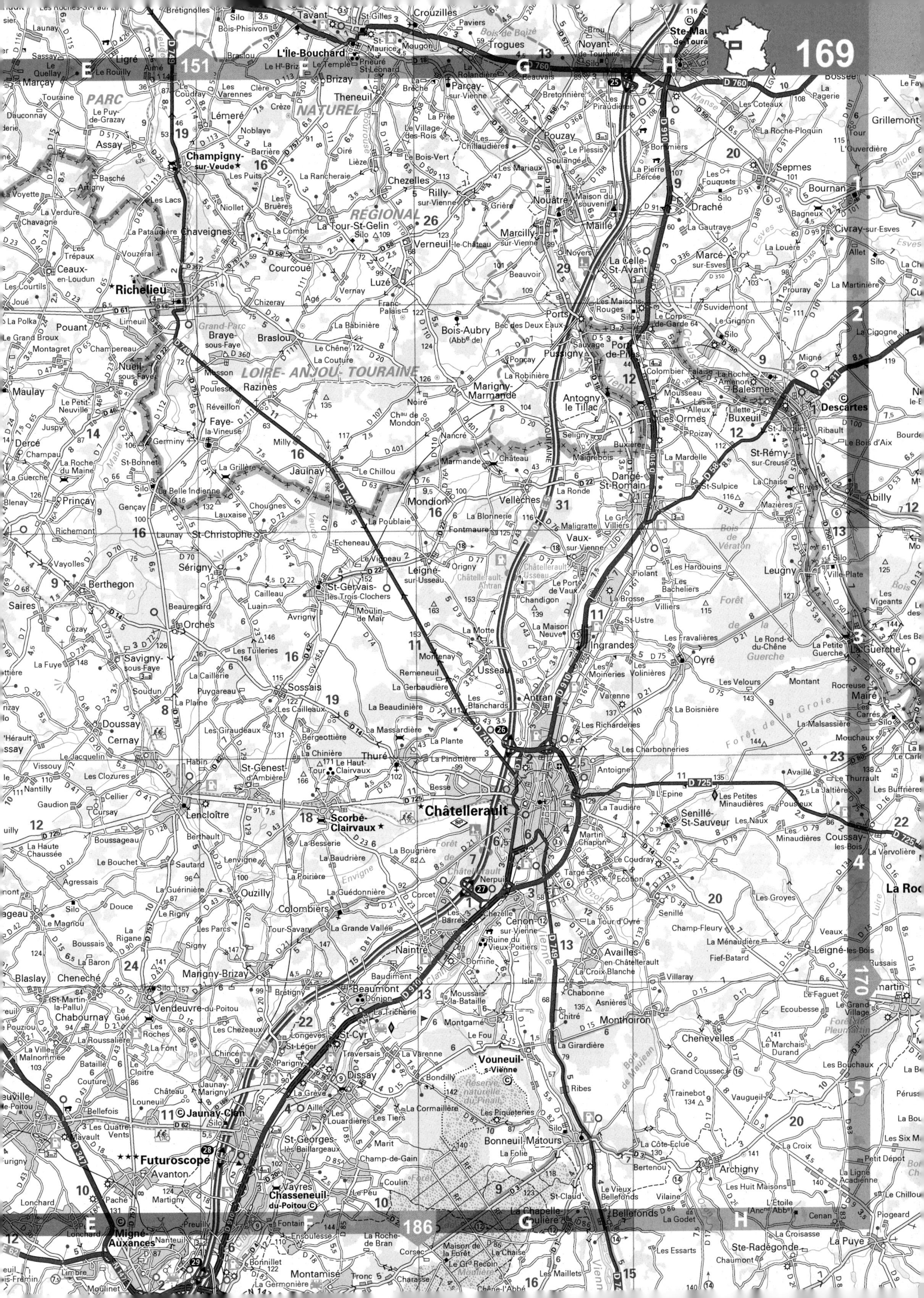
169
151
186
170
PARC
NATUREL
RÉGIONAL
LOIRE-ANJOU-TOURAINE
L'Île-Bouchard
Tavant
Crouzilles
Trogues
Noyant-de-Touraine
Ste-Maure-de-Touraine
Ligré
Le Rouilly
Marçay
Brizay
Theneuil
Parçay-sur-Vienne
Lémeré
Assay
Champigny-sur-Veude
Pouzay
Sepmes
Grillemont
Bournan
Chezelles
Rilly-sur-Vienne
Nouâtre
Maillé
Drache
Civray-sur-Esves
Chaveignes
La Tour-St-Gelin
Verneuil-le-Château
Marcilly-sur-Vienne
Marcé-sur-Esves
La Celle-St-Avant
Ceaux-en-Loudun
Richelieu
Courcoué
Luzé
Bois-Aubry
Ports
Pouant
Braye-sous-Faye
Braslou
Pussigny
Port-de-Piles
Balesmes
Descartes
Nueil-sous-Faye
Maulay
Razines
Marigny-Marmande
Antogny le Tillac
Les Ormes
Buxeuil
Faye-la-Vineuse
Dercé
Jaulnay
Dangé-St-Romain
St-Rémy-sur-Creuse
Princay
Mondion
Vellèches
Abilly
Leugny
St-Christophe
Sérigny
Leigné-sur-Usseau
Vaux-sur-Vienne
Berthegon
St-Gervais-les-Trois-Clochers
Orches
Ingrandes
Oyré
La Guerche
Savigny-sous-Faye
Usseau
Sossais
Antran
Mairé
Doussay
Cernay
Thuré
Châtellerault
Antoigne
Lencloître
St-Genest-d'Ambière
Scorbé-Clairvaux
Senillé-St-Sauveur
Coussay-les-Bois
La Roche-Posay
Ouzilly
Colombiers
Cenon-sur-Vienne
Naintré
Availles-en-Châtellerault
Leigné-les-Bois
Marigny-Brizay
Beaumont
Vendeuvre-du-Poitou
Chabournay
Monthoiron
St-Cyr
Vouneuil-s-Vienne
Chenevelles
Dissay
Jaunay-Clan
Futuroscope
Bonneuil-Matours
Archigny
St-Georges-lès-Baillargeaux
Chasseneuil-du-Poitou
Avanton
La Chapelle-Moulière
Migné-Auxances
Montamisé
Ste-Radegonde
La Puye

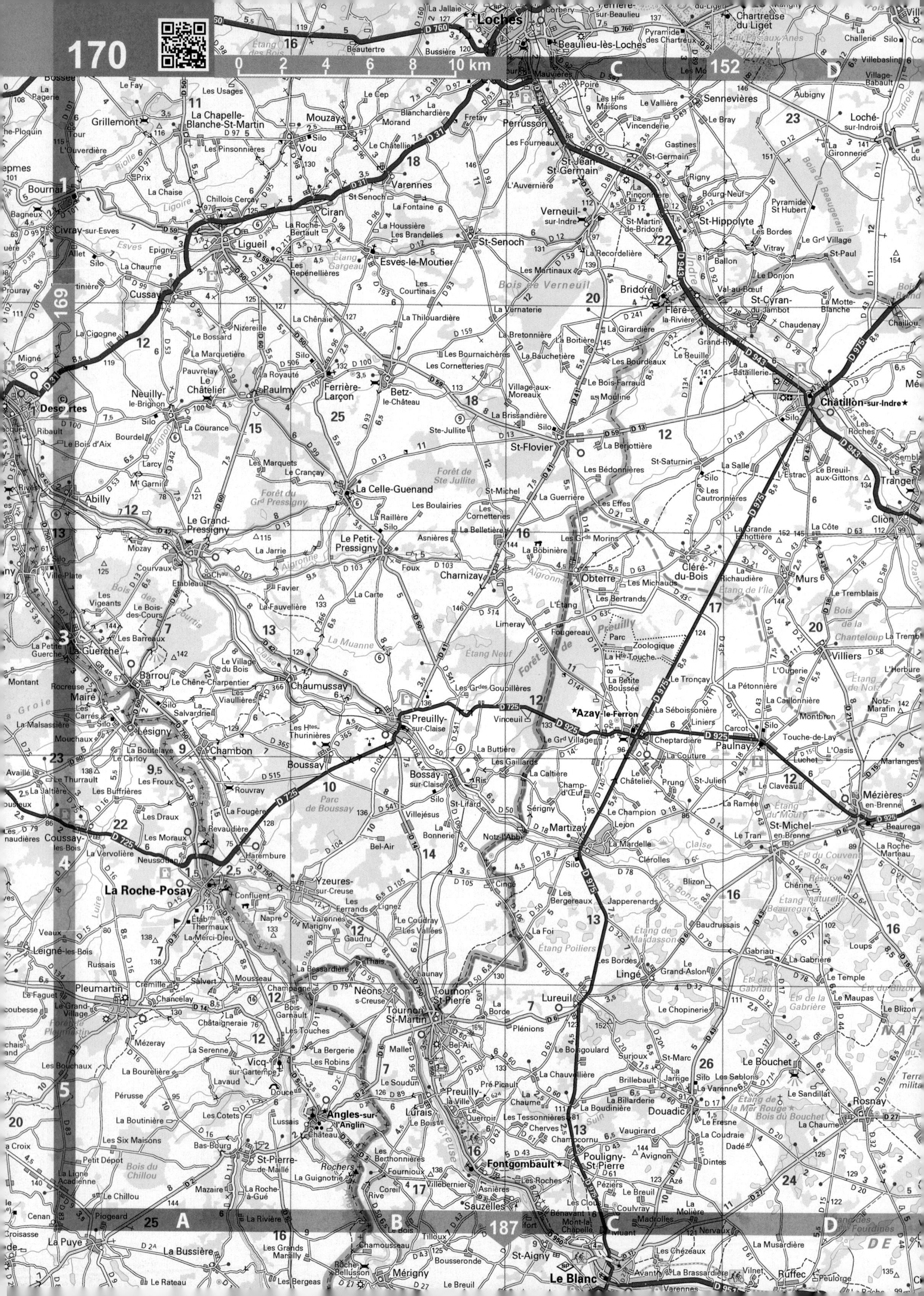

0 2 4 6 8 10 km
152
187
169
A
B
C
D
Loches
Beaulieu-lès-Loches
Chartreuse du Liget
Perrusson
St-Jean-St-Germain
Sennevières
Loché-sur-Indrois
Grillemont
La Chapelle-Blanche-St-Martin
Mouzay
Vou
Varennes
Ciran
Ligueil
Esves-le-Moutier
St-Senoch
Verneuil-sur-Indre
St-Hippolyte
Bournan
Civray-sur-Esves
Cussay
Bois de Verneuil
Bridoré
Fléré-la-Rivière
St-Cyran-du-Jambot
Châtillon-sur-Indre
Descartes
Neuilly-le-Brignon
Le Châtelier
Paulmy
Ferrière-Larçon
Betz-le-Château
St-Flovier
La Celle-Guenand
Forêt de Ste Julitte
Forêt du Grd Pressigny
Abilly
Le Grand-Pressigny
Le Petit-Pressigny
Charnizay
Obterre
Cléré-du-Bois
Murs
Clion
La Guerche
Barrou
Chaumussay
Preuilly-sur-Claise
Azay-le-Ferron
Forêt de Preuilly
Parc Zoologique
Villiers
Lésigny
Chambon
Boussay
Bossay-sur-Claise
Martizay
Paulnay
Mézières-en-Brenne
St-Michel-en-Brenne
Parc de Boussay
Coussay-les-Bois
La Roche-Posay
Yzeures-sur-Creuse
Lingé
Leigné-les-Bois
Pleumartin
Néons-s-Creuse
Tournon-St-Pierre
Tournon-St-Martin
Lureuil
Étang de la Mer Rouge
Bois du Bouchet
Le Bouchet
Rosnay
Vicq-sur-Gartempe
Angles-sur-l'Anglin
Preuilly-la-Ville
Douadic
Fontgombault
Pouligny-St-Pierre
St-Pierre-de-Maillé
Bois du Chillou
La Puye
La Bussière
Mérigny
St-Aigny
Le Blanc
Ruffec

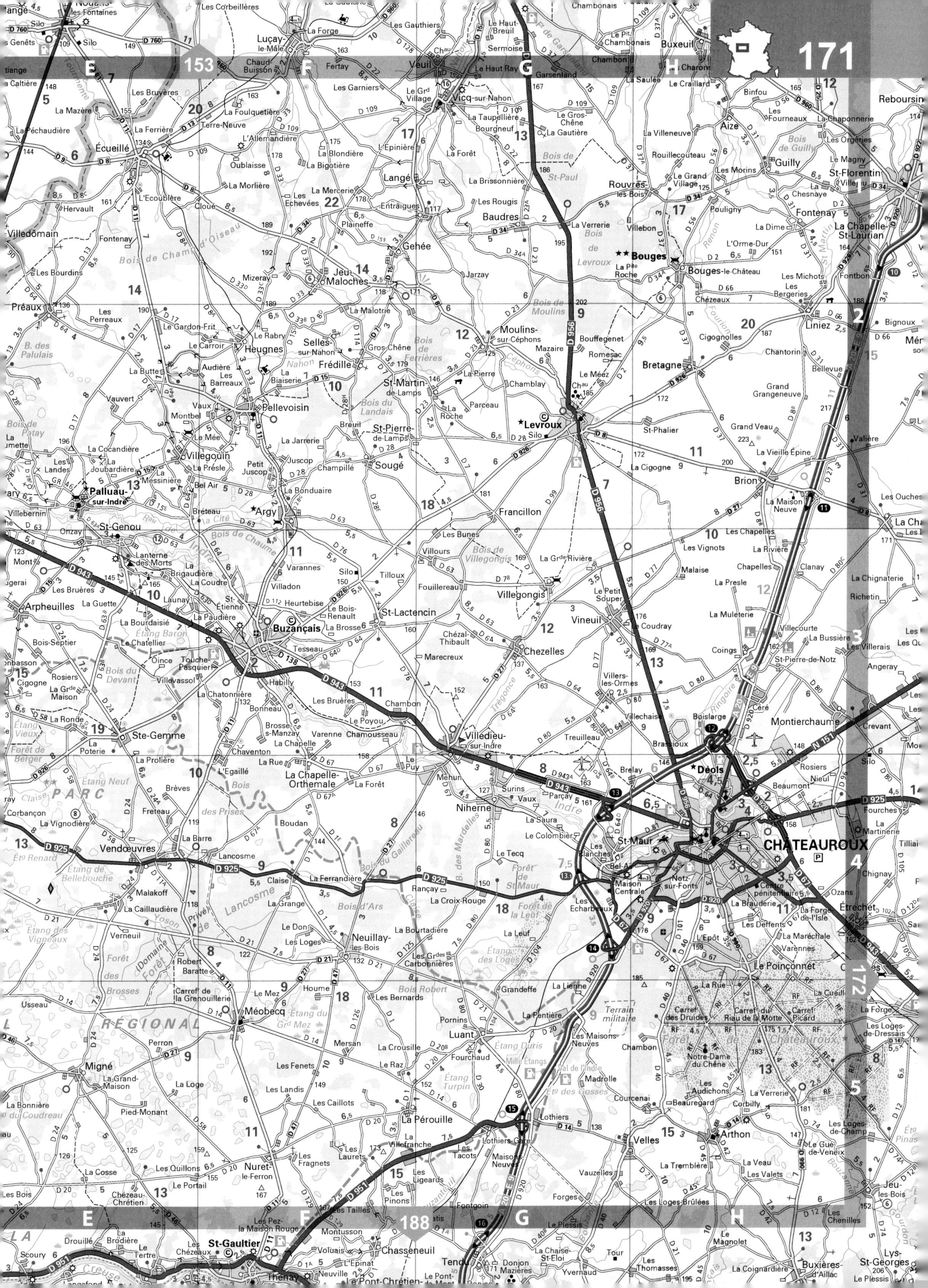

171
153
172
188
E
F
G
H
Les Corbeillères
Les Gauthiers
La Forge
Luçay-le-Mâle
Chaud-Buisson
Fertay
Veuil
Le Haut-Breuil
Sermoise
Le Haut Ray
Chambonais
Le Pt Chambonais
Buxeuil
Chambon
Garsenland
Les Charons
Nouans-les-Fontaines
Silo
Les Genêts
La Caltière
Les Bruyères
La Mazère
La Péchaudière
La Ferrière
Terre-Neuve
La Fouqulatière
Écueillé
L'Allemandière
La Blondière
La Bigotière
Oublaisse
La Morlière
L'Ecoublère
Cloué
Hervault
Villedômain
Fontenay
Les Bourdins
Préaux
Les Perreaux
Le Gardon-Frit
Le Carroir
B. des Palulais
La Butte
Audière
Les Barreaux
Vauvert
Vaux
Montbel
Le Mée
Les Landes
La Joubardière
La Cocandière
Villegouin
La Présle
Palluau-sur-Indre
La Messinière
Bel Air
Bréteau
Argy
St-Genou
Onzay
Villebernin
Lanterne des Morts
Arpheuilles
Les Bruères
La Guette
La Brigaudière
La Coudre
Launay
St-Étienne
La Paudière
La Bourdaisié
Étang Baron
Le Chatellier
Bois-Septier
Cigogne
Rosiers
Le Grd Maison
Oince
Toucher
Pasquier
Villavassol
La Chatonnière
La Ronde
Ste-Gemme
La Poterie
La Prolière
Forêt de Berger
Étang Neuf
PARC
Brèves
L'Egaillé
Corbançon
La Vignodière
Freteau
La Barre
Vendœuvres
Lancosme
Étang de Bellebouche
Malakoff
La Caillaudière
Verneuil
Étang des Vigneaux
Robert Baratte
Carref de la Grenouillère
Usseau
RÉGIONAL
Méobecq
Perron
Migné
La Grand-Maison
La Bonnière
La Loge
Pied-Monant
Les Quillons
La Cosse
Le Portail
Les Bois
Chézeau-Chrétien
Nuret-le-Ferron
Drouille
La Brodière
Le Tertre
Les Chézeaux
St-Gaultier
Scoury
Thenay
Vicq-sur-Nahon
La Taupellière
Bourgneuf
Le Grd Village
Les Garniers
L'Épinière
La Forêt
Langé
La Mercerie
Les Echevées
Entraigues
Plaineffe
Gehée
Jeu-Maloches
La Malotrie
Mizeray
Selles-sur-Nahon
Le Rabry
Heugnes
Gros-Chêne
Frédille
La Biaiserie
Pellevoisin
St-Martin-de-Lamps
Bois de Ferrières
Bois du Landais
Breuil
St-Pierre-de-Lamps
La Jarrerie
Juscop
Petit Juscop
Champillé
Sougé
La Bonduaire
Varannes
Villadon
Silo
Tilloux
Heurtebise
Le Bois-Renault
La Brosse
Buzançais
Tesseau
St-Lactencin
Habilly
Les Bruères
Bonneau
Brosse-s-Manzay
La Chapelle
Varenne
Chamousseau
Chaventon
La Rue
La Chapelle-Orthemale
La Forêt
Le Poyou
Chambon
Boudan
Bois Lancosme
La Ferrandière
Rançay
La Croix-Rouge
Claise
La Grange
Bois d'Ars
Le Don
Les Loges
Neuillay-les-Bois
La Bourtadière
Les Grdes Carbonnières
Le Mez
Houme
Les Bernards
Bois Robert
Mersan
La Crousille
Le Raz
Les Fenets
Les Landis
Les Caillots
La Pérouille
Les Laurets
Les Fragnets
Les Ligeards
Les Pinons
Les Tailles
Montusson
Volvais
Chasseneuil
L'Epinat
Neuville
Le Pont-Chrétien
Le Haut-Breuil
La Saulée
Le Craillard
Binfou
Aize
Les Fourneaux
La Chaponnerie
Rebourgin
La Villeneuve
Rouillecouteau
Bois de Guilly
Guilly
Les Orgeries
Le Magny
St-Florentin
Les Morins
Le Grand Village
Rouvres-les-Bois
Le Chesnaye
Pouligny
Fontenay
La Chapelle-St-Laurian
Villebon
La Dime
L'Orme-Dur
Bouges
Bouges-le-Château
La Pte Roche
Les Michots
Les Bergeries
Chézeaux
Fontbon
Liniez
Bignoux
Cigognolles
Chantorin
Bellevue
Bretagne
Grand Grangeneuve
Grand Veau
St-Phalier
La Vieille Épine
Valière
Brion
La Maison Neuve
Les Ouches
Les Chapelles
La Rivière
Les Vignots
Malaise
Chapelles
Clanay
La Presle
La Chignaterie
Richetin
La Muleterie
Villecourte
La Bussière
Les Villerais
Coings
St-Pierre-de-Notz
Angeray
Céré
Montierchaume
Crevant
Boislarge
Brassioux
Rosiers
Nieul
Beaumont
Fourches
La Martinerie
CHÂTEAUROUX
Chignay
Ozans
Étrechet
La Forge-de-l'Isle
La Marchale
Varennes
Le Poinçonnet
Les Deffends
La Brauderie
Chambonais
Garsenland
Le Gros-Chêne
La Gautière
Bois de St-Paul
La Brissonnière
Les Rougis
Baudres
La Verrerie
Bois de Levroux
Jarzay
Bois de Moulins
Moulins-sur-Céphons
Bouffegenet
Mazaire
Romesac
Le Méez
La Pierre
Chamblay
Parceau
La Roche
Levroux
Silo
La Cigogne
Francillon
Les Bunes
Villours
Bois de Villegongis
La Grde Rivière
Fouillereau
Villegongis
Le Petit Souper
Vineuil
Le Coudray
Chézal-Thibault
Marecreux
Chezelles
Villers-les-Ormes
Villechaise
Treuillaux
Villedieu-sur-Indre
Le Puy
Mehun
Surins
Vaux
Parçay
Brelay
Déols
Niherne
La Saura
Le Colombier
St-Maur
Les Planches
Bel-Air
Maison Centrale
Notz-sur-Fonts
Le Tecq
Forêt de St Maur
Les Echarbeaux
Forêt de la Leuf
La Leuf
L'Épot
Étang des Loges
Grandeffe
La Lienne
Terrain militaire
La Pentière
Pornins
Luant
Étang Duris
Mille Étangs
Les Maisons-Neuves
Chambon
Fourchaud
Étang Turpin
Val de l'Indre
Madrolle
Étg des Gosses
Courcenai
La Rue
Carref des Druides
Carref du Riau de la Motte
Carref Picard
La Cueille
Forêt de Châteauroux
Notre-Dame du Chêne
Les Audichons
La Verrerie
Beauregard
Corbilly
Lothiers
Lothiers-Gare
Les Tacots
Maisons-Neuves
Velles
Arthon
Le Gué de-Veneix
La Trembière
Le Veau
Les Valets
Vauzelles
Forges
Les Loges-Brûlées
Les Loges-de-Champ
Les Loges-de-Dressais
La Forge
Jeu-les-Bois
Les Chenilles
Fontgoin
Le Plessis
Le Magnolet
La Chaise-St-Eloi
Tour
Les Thomasses
Yvernaud
La Coignardière
Buxières-d'Aillac
Lys-St-Georges
Le Plessis
Tendu
Donjon
Mazières

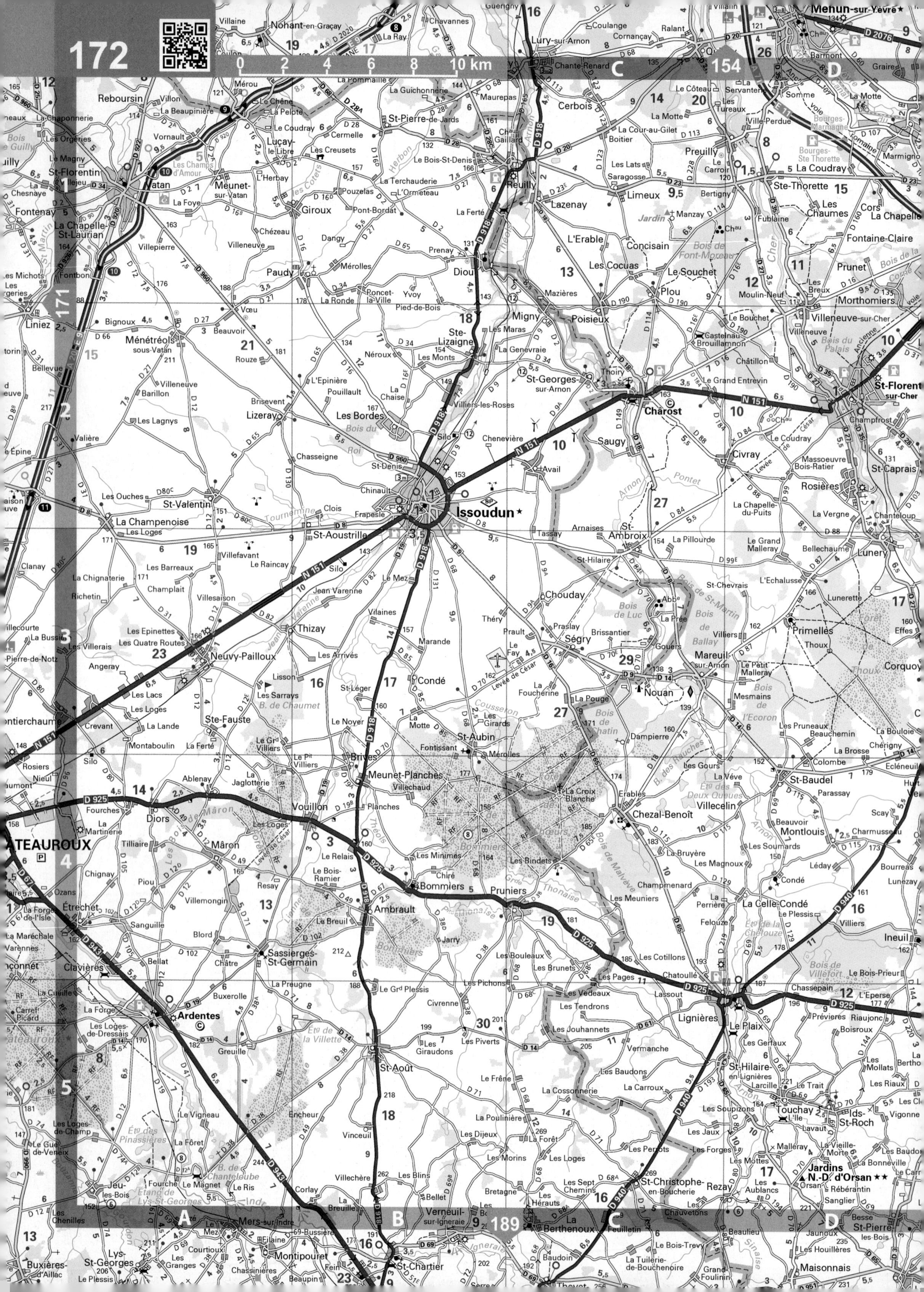
172
0 2 4 6 8 10 km
154
171
189
Menun-sur-Yèvre
Nohant-en-Graçay
Lury-sur-Arnon
Chante-Renard
Reboursin
St-Florentin
Vatan
Meunet-sur-Vatan
Lucay-le-Libre
St-Pierre-de-Jards
Cerbois
Preuilly
Ste-Thorette
La Coudray
Reuilly
Lazenay
Limeux
Giroux
La Chapelle-St-Laurian
Fontenay
Paudy
Diou
L'Erable
Concisain
Les Cocuas
Le Souchet
Plou
Mazières
Migny
Poisieux
Ste-Lizaigne
Ménétréols-sous-Vatan
Liniez
Villeneuve-sur-Cher
Morthomiers
St-Georges-sur-Arnon
Lizeray
Les Bordes
Charost
St-Florent-sur-Cher
Saugy
Civray
St-Valentin
La Champenoise
Issoudun
St-Aoustrille
Tournemine
Arnaises
St-Ambroix
Lunery
Rosières
St-Caprais
Thizay
Neuvy-Pailloux
Chouday
Ségry
Mareuil-sur-Arnon
Primelles
Nouan
Condé
Ste-Fauste
St-Aubin
Brives
Meunet-Planches
Vouillon
Diors
Chezal-Benoît
Villecelin
St-Baudel
Montlouis
Bommiers
Pruniers
Ambrault
Sassierges-St-Germain
Clavières
Ardentes
Lignières
Le Plaix
St-Août
St-Hilaire-en-Lignières
Touchay
Ids-St-Roch
St-Christophe-en-Boucherie
Rezay
Jardins N.-D. d'Orsan
Mers-sur-Indre
Verneuil-sur-Igneraie
La Berthenoux
St-Chartier
Montipouret
Lys-St-Georges
Buxières-d'Aillac
Maisonnais
Issoudun
Forêt de Bommiers
Bois de Chaumet
Bois de Luc
Bois de St-Martin
Forêt de Thoux
N 151
D 925
D 918
D 940
D 943

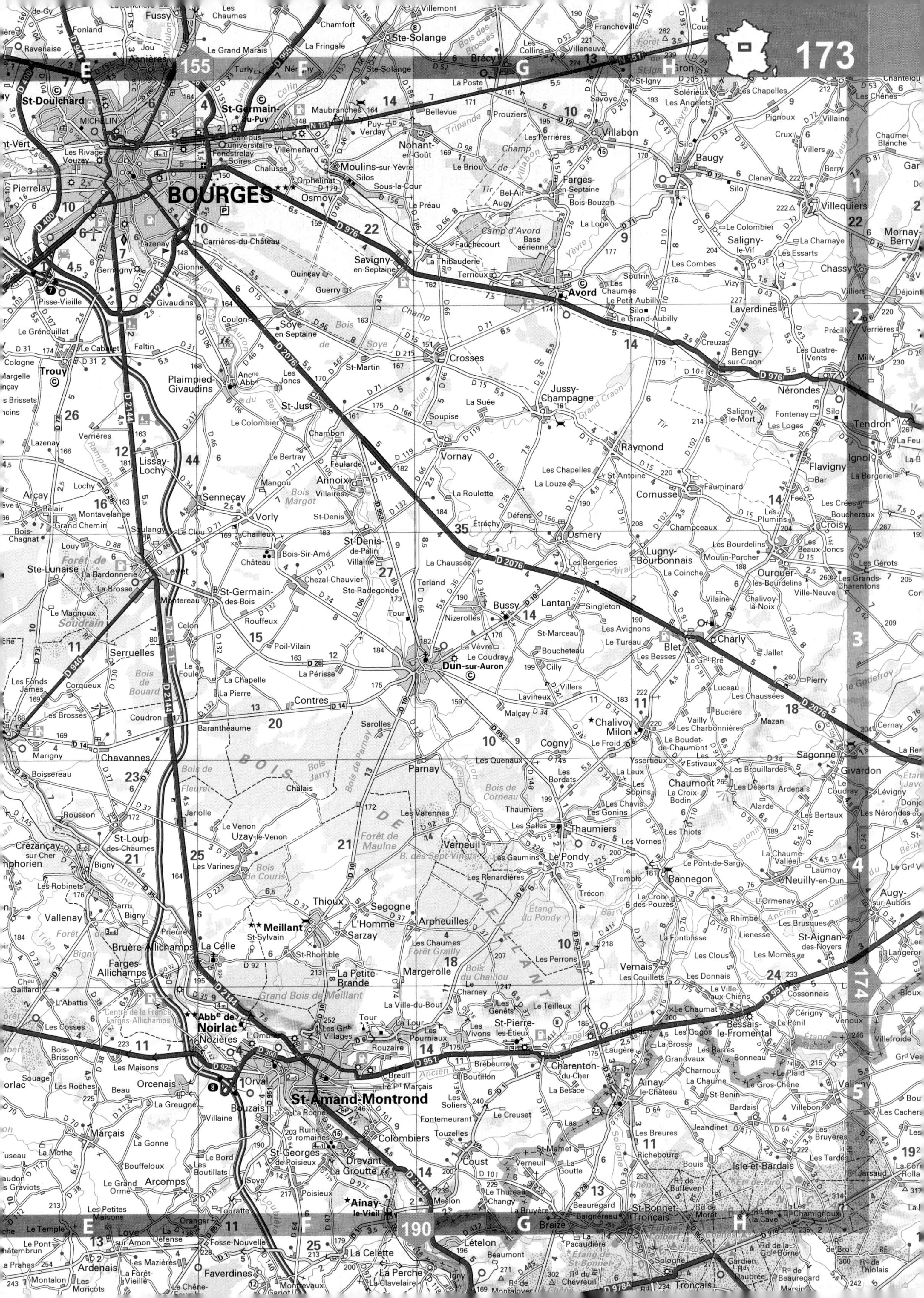
173
155
174
190
BOURGES
St-Doulchard
St-Germain-du-Puy
Ste-Solange
Fussy
Asnières
Brécy
Villabon
Baugy
Farges-en-Septaine
Osmoy
Moulins-sur-Yèvre
Nohant-en-Goût
Savigny-en-Septaine
Avord
Villequiers
Mornay-Berry
Chassy
Laverdines
Bengy-sur-Craon
Nérondes
Tendron
Crosses
Soye-en-Septaine
Plaimpied-Givaudins
St-Just
Jussy-Champagne
Raymond
Vornay
Annoix
Trouy
Lissay-Lochy
Senneçay
Vorly
Cornusse
Flavigny
Croisy
Osmery
Lugny-Bourbonnais
Ourouer-les-Bourdelins
Levet
Ste-Lunaise
St-Germain-des-Bois
St-Denis-de-Palin
Bussy
Lantan
Charly
Blet
Dun-sur-Auron
Chalivoy-Milon
Cogny
Sagonne
Givardon
Serruelles
Chavannes
Contres
Parnay
Thaumiers
Uzay-le-Venon
St-Loup-des-Chaumes
Crézançay-sur-Cher
Verneuil
Le Pondy
Bannegon
Neuilly-en-Dun
Augy-sur-Aubois
Meillant
Arpheuilles
Vallenay
Bruère-Allichamps
Farges-Allichamps
La Celle
Vernais
St-Aignan-des-Noyers
Bessais-le-Fromental
Noirlac
Nozières
Orval
St-Amand-Montrond
Colombiers
Drevant
Charenton-du-Cher
Ainay-le-Château
Valigny
Isle-et-Bardais
Ainay-le-Vieil
St-Bonnet-Tronçais
Braize
Ardenais
Faverdines
Forêt de Meillant
Bois de Bouard
Forêt de Maulne
Camp d'Avord
Canal de Berry
D 2076
D 976
D 2144
D 951
A 71 E 11

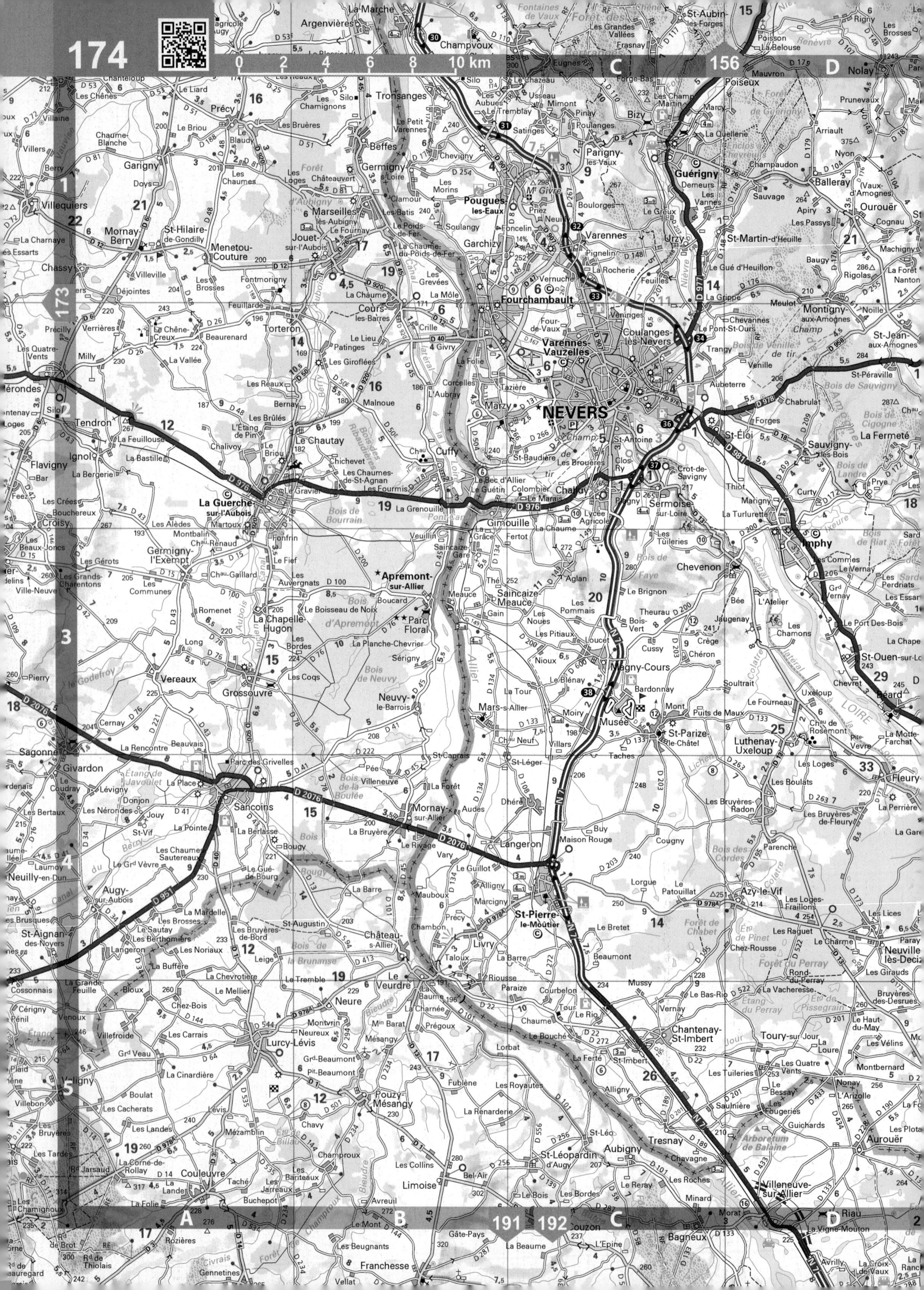
0 2 4 6 8 10 km
156
173
191
192
NEVERS
Varennes-Vauzelles
Fourchambault
Pougues-les-Eaux
Garchizy
Marzy
Coulanges-lès-Nevers
Guérigny
Urzy
Varennes
Parigny-les-Vaux
Germigny-s-Loire
Marseilles-lès-Aubigny
Jouet-sur-l'Aubois
Mornay-Berry
Villequiers
Garigny
Précy
Tronsanges
Beffes
Champvoux
Argenvières
La Marche
St-Aubin-les-Forges
Poiseux
Montigny-aux-Amognes
St-Jean-aux-Amognes
Sauvigny-les-Bois
St-Éloi
Imphy
Chevenon
Sermoise-sur-Loire
Challuy
Gimouille
Cuffy
Le Chautay
La Guerche-sur-l'Aubois
Torteron
Cours-les-Barres
Germigny-l'Exempt
Apremont-sur-Allier
Parc Floral
La Chapelle-Hugon
Saincaize-Meauce
Magny-Cours
St-Parize-le-Châtel
Luthenay-Uxeloup
Béard
Fleury-sur-Loire
Mars-s-Allier
Neuvy-le-Barrois
Grossouvre
Vereaux
Sagonne
Givardon
Sancoins
Mornay-sur-Allier
Langeron
St-Pierre-le-Moûtier
Azy-le-Vif
Neuville-lès-Decize
Chantenay-St-Imbert
Toury-sur-Jour
Le Veurdre
Château-s-Allier
Livry
Augy-sur-Aubois
St-Aignan-des-Noyers
Neure
Lucy-Lévis
Pouzy-Mésangy
Couleuvre
Limoise
St-Léopardin-d'Augy
Aubigny
Tresnay
Villeneuve-sur-Allier
Bagneux
Franchesse
Riau
Forêt des Bertranges
Bois de Bourrain
Forêt de Chabet
Forêt du Perray
Arboretum de Balaine
Allier
LOIRE
Canal latéral à la Loire
A77
N7
D 976
D 2076
D 981
D 951
Nolay
Bizy
Cuffy
Musée
Aglan
Jaugenay
Uxeloup
Dhéré
Villars
Taches
Bardonnay
Mont
Puits de Maux
A
B
C
D
1
2
3
4
5

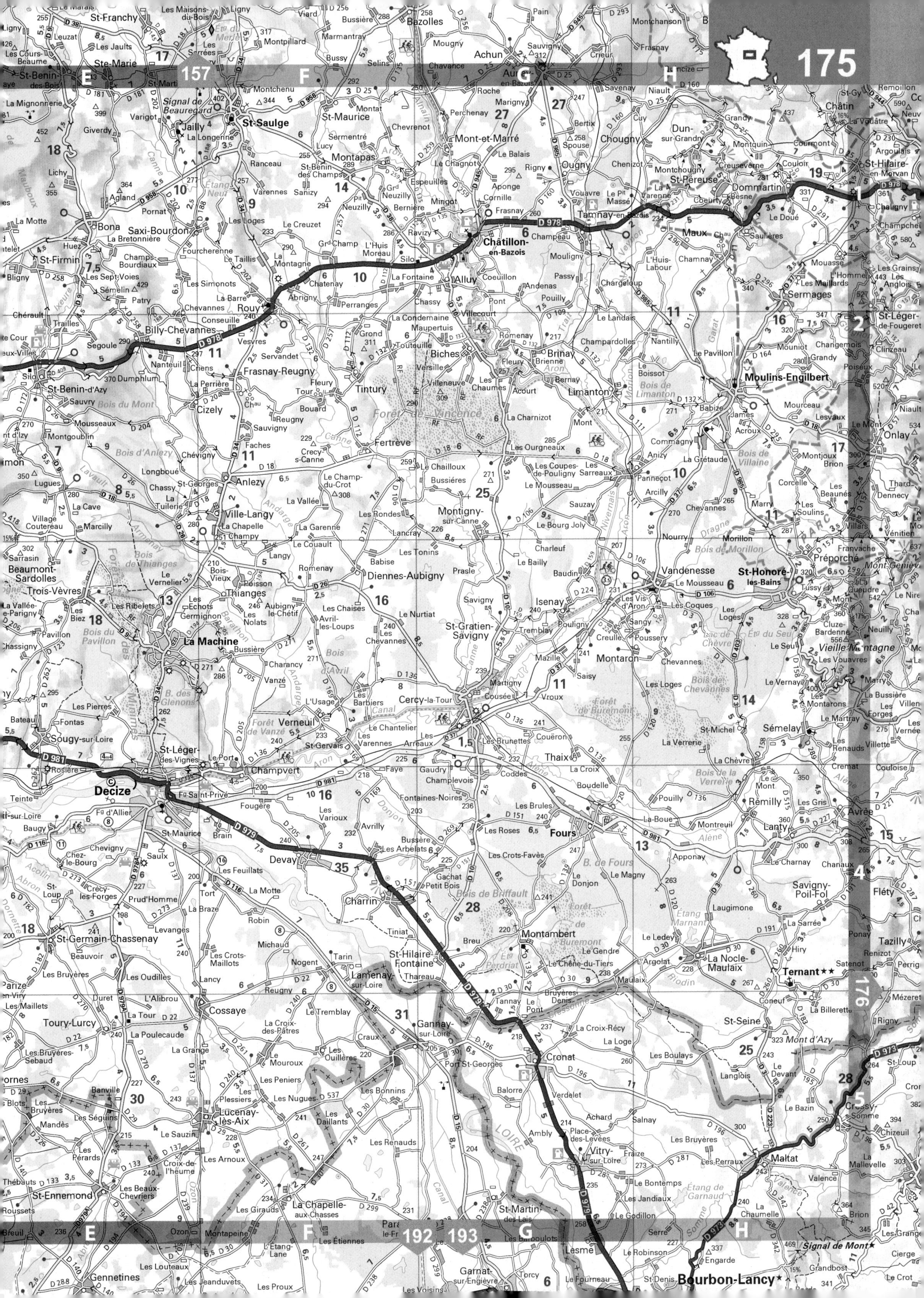
157
E
F
G
H
St-Franchy
St-Saulge
Signal de Beauregard
Jailly
St-Maurice
Montapas
Bazolles
Achun
Aunay-en-Bazois
Sauvigny
Montchanson
Mont-et-Marré
Chougny
Dun-sur-Grandry
Ougny
St-Péreuse
Dommartin
Châtin
St-Hilaire-en-Morvan
Châtillon-en-Bazois
Tamnay-en-Bazois
Maux
Bona
Saxi-Bourdon
St-Firmin
Rouy
Alluy
Billy-Chevannes
Biches
Brinay
Moulins-Engilbert
Sermages
St-Léger-de-Fougeret
St-Benin-d'Azy
Frasnay-Reugny
Tintury
Forêt de Vincence
Limanton
Cizely
Fertrève
Onlay
Anlezy
Montigny-sur-Canne
Pannecot
Ville-Langy
Diennes-Aubigny
Vandenesse
St-Honoré-les-Bains
Préporché
Beaumont-Sardolles
Trois-Vèvres
Thianges
Isenay
St-Gratien-Savigny
La Machine
Montaron
Vieille-Montagne
Cercy-la-Tour
Verneuil
Sémelay
Sougy-sur-Loire
St-Léger-des-Vignes
Champvert
Thaix
Decize
Remilly
Avrée
Fours
Devay
Charrin
Savigny-Poil-Fol
Flêty
St-Germain-Chassenay
Montambert
Tazilly
St-Hilaire-Fontaine
La Nocle-Maulaix
Ternant
Cossaye
Toury-Lurcy
Gannay-sur-Loire
Cronat
St-Seine
Lucenay-lès-Aix
Vitry-sur-Loire
Maltat
Cressy-Sur-Somme
St-Ennemond
La Chapelle-aux-Chasses
St-Martin-des-Lais
LOIRE
Bourbon-Lancy
Signal de Mont
Gennetines
Garnat-sur-Engièvre
Lesme
192
193
176
D 978
D 981
D 979
D 973

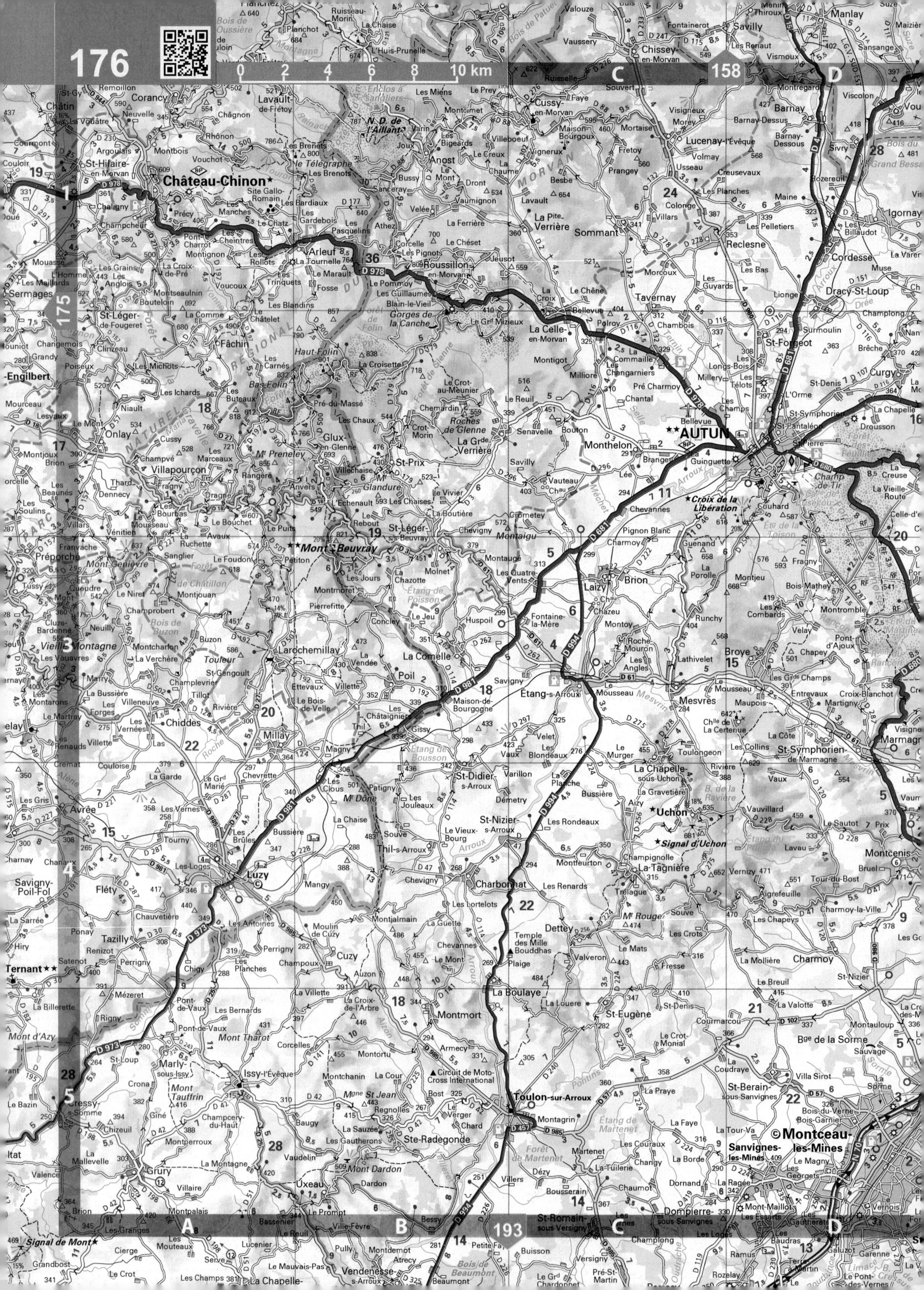

176
0 2 4 6 8 10 km
158
175
193
A
B
C
D
Château-Chinon
AUTUN
Luzy
Montceau-les-Mines
Sanvignes-les-Mines
Toulon-sur-Arroux
Étang-s-Arroux
Mont Beuvray
MORVAN
RÉGIONAL
NATUREL
PARC
Signal d'Uchon
Uchon
Croix de la Libération
Temple des Mille Bouddhas
Circuit de Moto-Cross International
N. D. de l'Aillant
Gorges de la Canche
Roches de Glenne
Haut-Folin
Bas-Folin
Mt Preneley
Mont Dône
Mt Rouge
Mont Tharot
Mont Tauffrin
Mont Dardon
Mont d'Azy
Signal de Mont
Ternant
Corancy
Lavault-de-Frétoy
St-Hilaire-en-Morvan
Arleuf
Roussillon-en-Morvan
Anost
Cussy-en-Morvan
Chissey-en-Morvan
Savilly
Manlay
Barnay
Lucenay-l'Évêque
Sommant
La Pte Verrière
Reclesne
Igornay
Cordesse
Dracy-St-Loup
Tavernay
La Celle-en-Morvan
St-Forgeot
Curgy
Monthelon
La Grde Verrière
St-Prix
Glux-en-Glenne
St-Léger-de-Fougeret
Fâchin
Onlay
Villapourçon
St-Léger-s-Beuvray
Laizy
Brion
La Comelle
Larochemillay
Poil
Millay
Chiddes
La Grande-Verrière
Mesvres
Broye
La Chapelle-sous-Uchon
St-Symphorien-de-Marmagne
Marmagne
Montcenis
St-Didier-s-Arroux
St-Nizier-s-Arroux
Charbonnat
Thil-s-Arroux
La Tagnière
Dettey
Cuzy
Tazilly
Fléty
Savigny-Poil-Fol
Avrée
Préporche
Vieille-Montagne
Marly-sous-Issy
Issy-l'Évêque
Cressy-s-Somme
Grury
Montmort
La Boulaye
St-Eugène
Ste-Radegonde
Úxeau
St-Berain-sous-Sanvignes
Charmoy
St-Romain-sous-Versigny
Dompierre-sous-Sanvignes
Marly
Étang de Poisson
Étang de Bousson
Étang de Martenet
Forêt de Martenet
B. de la Ravière
Bois de Buzon
Forêt de Châtillon
Champ de Tir
D 978
D 981
D 973
D 994
D 680
D 681
D 61
Sermages
Engilbert

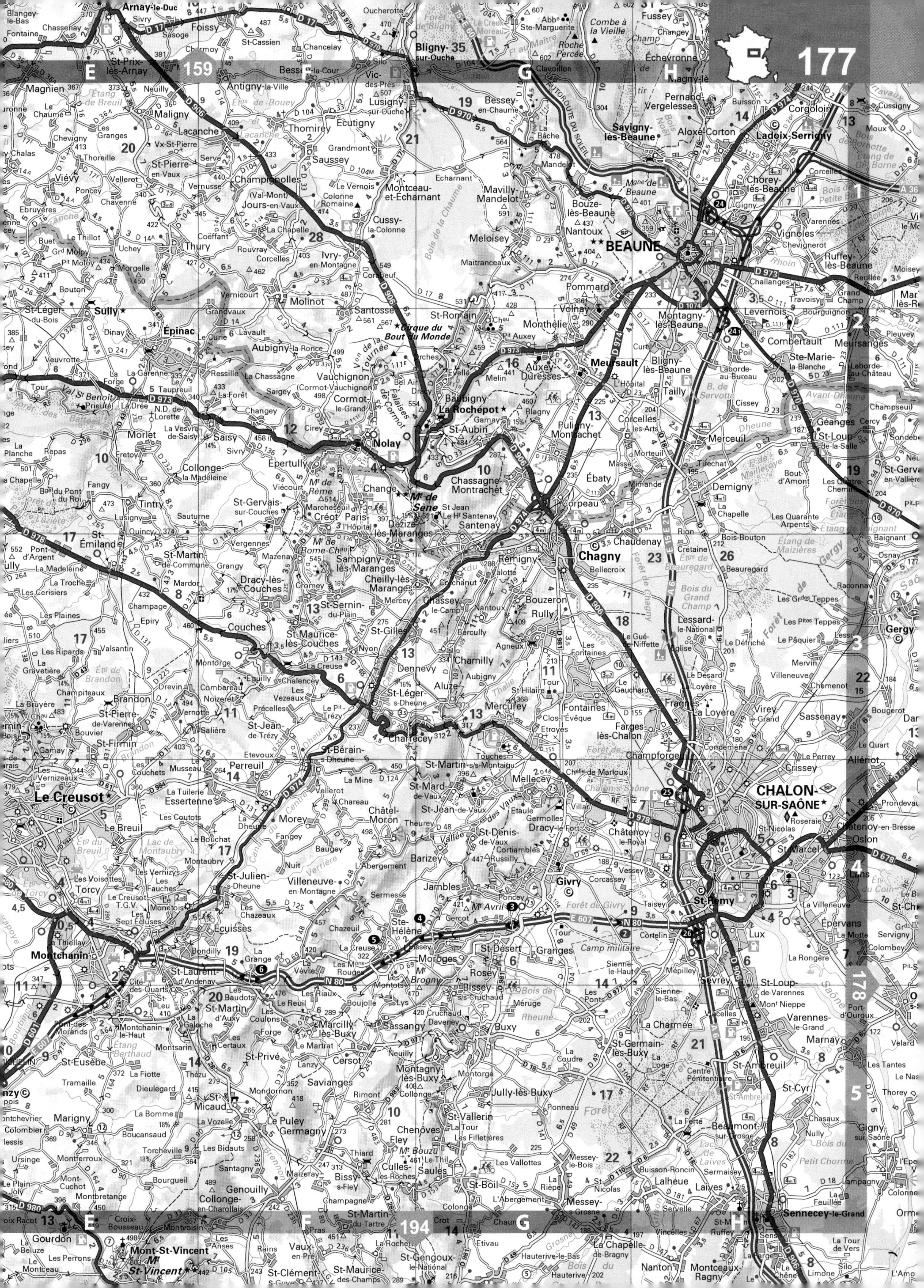

177
159
178
194
E
F
G
H
1
2
3
4
5
BEAUNE
CHALON-SUR-SAÔNE
Le Creusot
Montchanin
Chagny
Meursault
Nolay
La Rochepot
Bligny-sur-Ouche
Arnay-le-Duc
Épinac
Savigny-lès-Beaune
Ladoix-Serrigny
Pommard
Volnay
Santenay
Givry
Buxy
St-Rémy
St-Marcel
Sennecey-le-Grand
Gergy
Couches
Mont-St-Vincent
St-Gengoux-le-National
Montagny-lès-Buxy
Mercurey
Rully
Cirque du Bout du Monde
Mt de Sène
AUTOROUTE DU SOLEIL
A 6
A 36
D 906
D 974
D 973
D 978
D 970
N 80
E 607

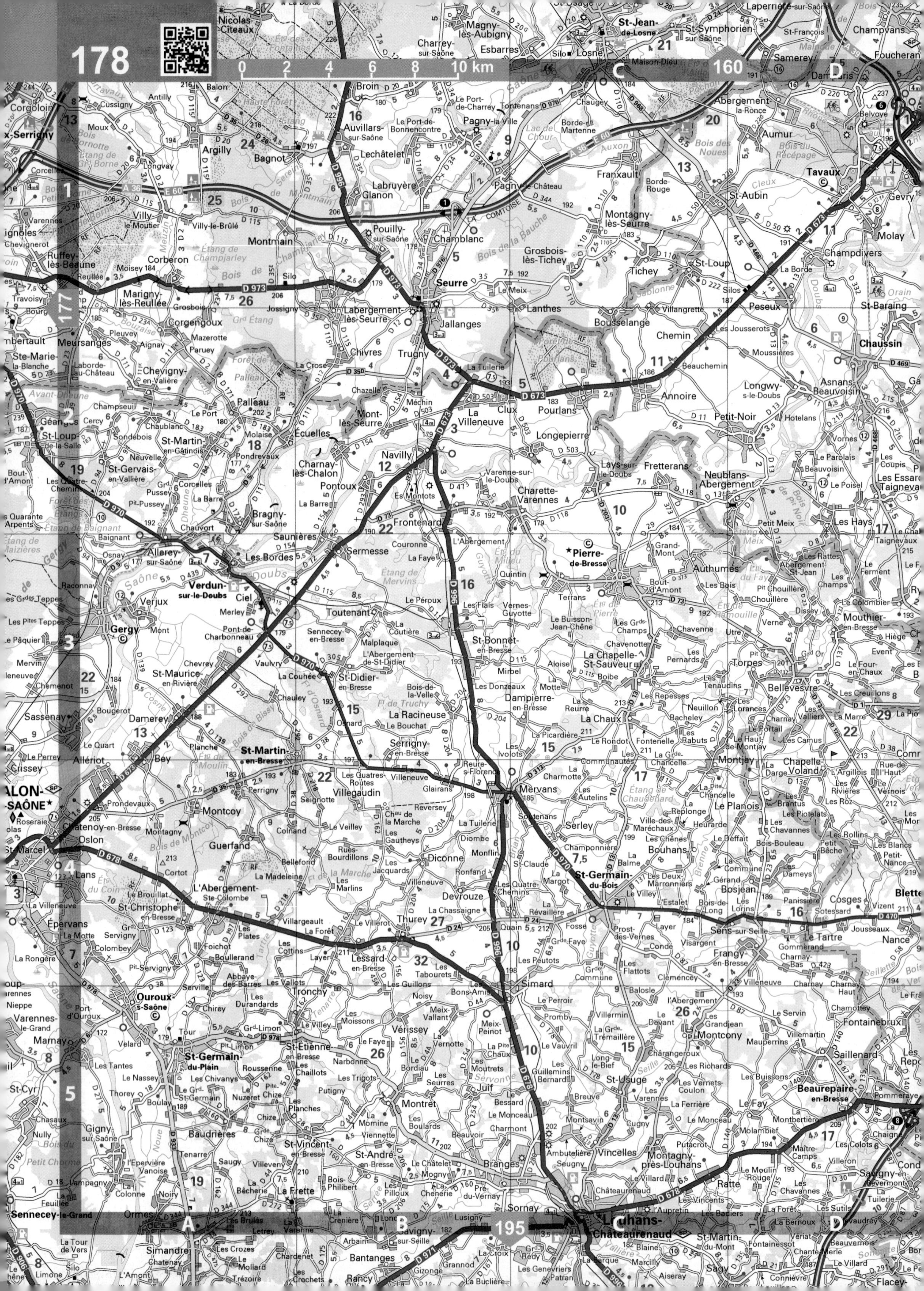

178
0 2 4 6 8 10 km
160
177
195
A
B
C
D
1
2
3
4
5
St-Jean-de-Losne
Seurre
Verdun-sur-le-Doubs
Pierre-de-Bresse
Gergy
St-Martin-en-Bresse
Mervans
St-Germain-du-Bois
Louhans-Châteaurenaud
Ouroux-s-Saône
St-Germain-du-Plain
Tavaux
Chaussin
Beaurepaire-en-Bresse
Sennecey-le-Grand
Chalon-sur-Saône
Châtenoy-en-Bresse
Magny-lès-Aubigny
Charrey-sur-Saône
Auvillars-sur-Saône
Labruyère
Glanon
Pouilly-sur-Saône
Chamblanc
Pagny-la-Ville
Pagny-le-Château
Montagny-lès-Seurre
Grosbois-lès-Tichey
St-Aubin
Molay
Champdivers
Peseux
Bousselange
Chemin
Annoire
Longwy-s-le-Doubs
Asnans-Beauvoisin
Labergement-lès-Seurre
Jallanges
Trugny
Chivres
Pourlans
Clux
La Villeneuve
Longepierre
Navilly
Écuelles
Mont-lès-Seurre
Palleau
St-Martin-en-Gâtinois
Charnay-lès-Chalon
Pontoux
Frontenard
Saunières
Sermesse
Les Bordes
Allerey-sur-Saône
Ciel
Toutenant
St-Bonnet-en-Bresse
Charette-Varennes
Lays-sur-le-Doubs
Fretterans
Neublans-Abergement
Authumes
Serrigny-en-Bresse
La Racineuse
St-Didier-en-Bresse
Damerey
St-Maurice-en-Rivière
Allériot
Bey
Montcoy
Guerfand
Villegaudin
Diconne
Devrouze
Thurey
Lessard-en-Bresse
Simard
Serley
Montjay
Bouhans
Sens-sur-Seille
Frangy-en-Bresse
Montcony
Saillenard
Vérissey
St-Étienne-en-Bresse
Montret
Juif
Branges
Sornay
Vincelles
Montagny-près-Louhans
Ratte
St-Usuge
Le Fay
St-Vincent-en-Bresse
St-André-en-Bresse
La Frette
Baudrières
Gigny-sur-Saône
Savigny-sur-Seille
Simandre
Oslon
Lans
St-Marcel
Épervans
St-Christophe-en-Bresse
L'Abergement-Ste-Colombe
Sassenay
Crissey
A 36
E 60
A 39
D 973
D 996
D 673
D 970
D 678
D 975
D 971

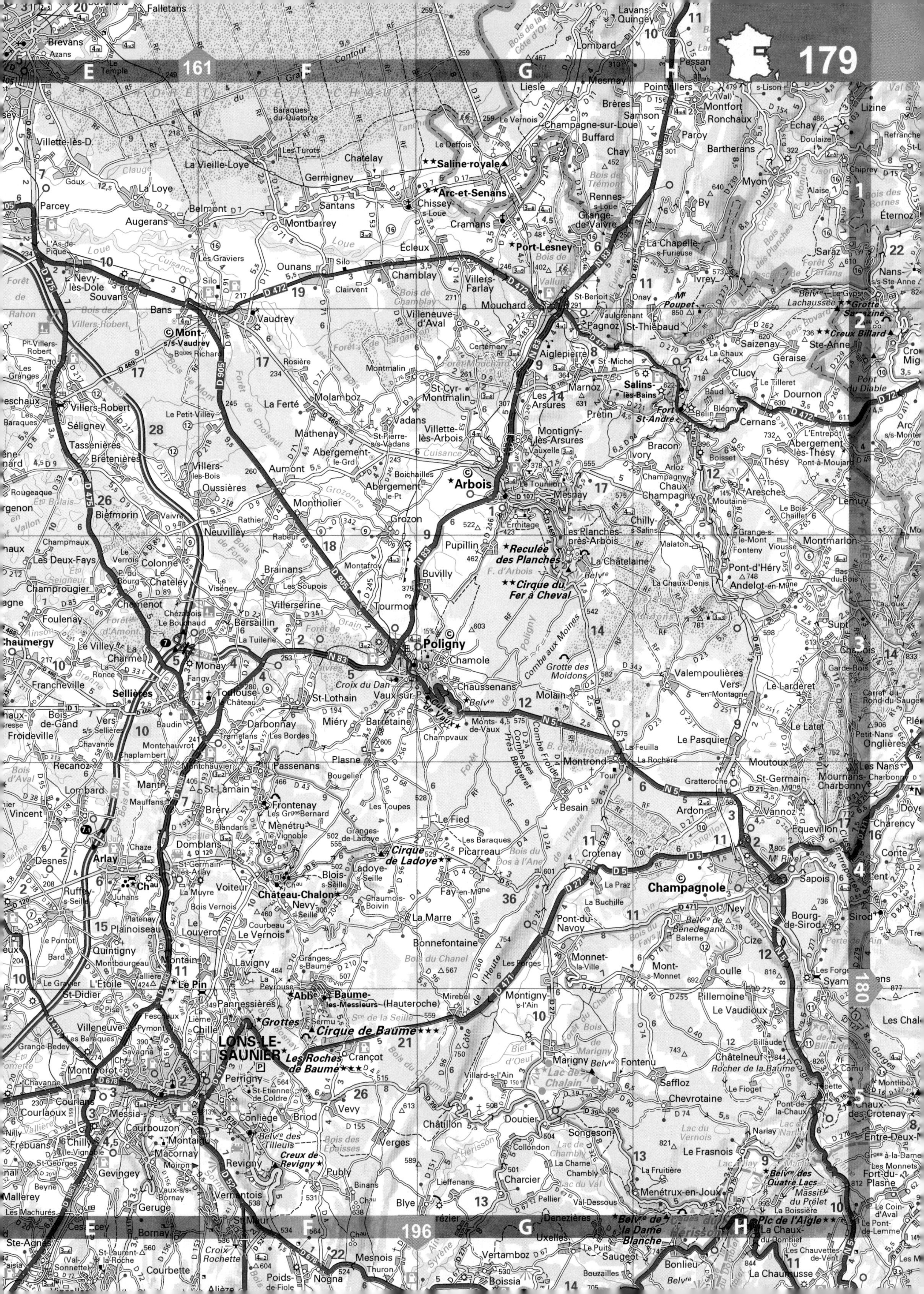
179
161
196
180
E
F
G
H
1
2
3
4
5
Forêt de Chaux
Saline royale
Arc-et-Senans
Port-Lesney
Mouchard
Salins-les-Bains
Fort St-André
Arbois
Reculée des Planches
Cirque du Fer à Cheval
Poligny
Culée de Vaux
Grotte des Moidons
Champagnole
Cirque de Ladoye
Château-Chalon
Baume-les-Messieurs
Cirque de Baume
Grottes
LONS-LE-SAUNIER
Les Roches de Baume
Creux de Revigny
Lac de Chalain
Belv^re des Quatre Lacs
Pic de l'Aigle
Belv^re de la Dame Blanche
Grotte Sarrazine
Creux Billard
Pont du Diable
Mont-s/s-Vaudrey
Arlay
Sellières
Chaumergy
Voiteur
Le Pin
Crançot
Doucier
Clairvaux
Nozeroy
Andelot-en-Mgne
Mont Poupet
Vaux-sur-P.
Villers-Farlay
Dole
Ivrey
Bracon
Pupillin
Montrond
Crotenay
Sirod
Bourg-de-Sirod
Chaux-des-Crotenay
Fort-du-Plasne
Montmorot
Perrigny
Conliège
Revigny
Macornay
Messia-s-S.
Courbouzon
Chille
Pannessières
Vevy
Briod
Châtillon
Saffloz
Le Frasnois
Ménétrux-en-Joux
Ney
Syam
Loulle
Pillemoine
Le Vaudioux
Châtelneuf
Fontenu
Marigny
Songeson
Menétru-le-Vignoble
Ladoye-s-Seille
Nevy-s-Seille
Blois-s-Seille
Plasne
Barretaine
Miéry
Chamole
Chaussenans
Montholier
Aumont
Grozon
Tourmont
Buvilly
Villerserine
Bersaillin
Colonne
Neuvilley
Oussières
Villers-les-Bois
Vadans
Mathenay
La Ferté
Molamboz
St-Cyr-Montmalin
Aiglepierre
Marnoz
Les Arsures
Montigny-lès-Arsures
Vaudrey
Bans
Souvans
Nevy-lès-Dole
Augerans
Belmont
Santans
Germigney
Chissey-s-Loue
Cramans
Champagne-sur-Loue
Liesle
Buffard
Myon
Lizine
Nans-s/s-Ste-Anne
Ste-Anne
Saizenay
Clucy
Dournon
Cernans
Thésy
Aresches
Lemuy
Montmarlon
Supt
Chapois
Vers-en-Montagne
Le Pasquier
Les Nans
Mournans-Charbonny
Vannoz
Equevillon
Sapois
Mt Rivel
La Châtelaine
Les Planches-près-Arbois
Mesnay
Chilly-s-Salins
Molain
Besain
Montigny-s-l'Ain
Monnet-la-Ville
Mont-s-Monnet
Pont-du-Navoy
Bonnefontaine
La Marre
Passenans
Frontenay
St-Lamain
Domblans
Brery
Mantry
Lavigny
L'Étoile
Plainoiseau
Quintigny
St-Didier
Villeneuve-s-Pymont
Courlans
Courlaoux
Chilly
Gevingey
Vernantois
Publy
Verges
Blye
Charcier
Vertamboz
Uxelles
Bonlieu
La Chaux-du-Dombief
Mesnois
Nogna
Poids-de-Fiole
Courbette
Bornay
Geruge

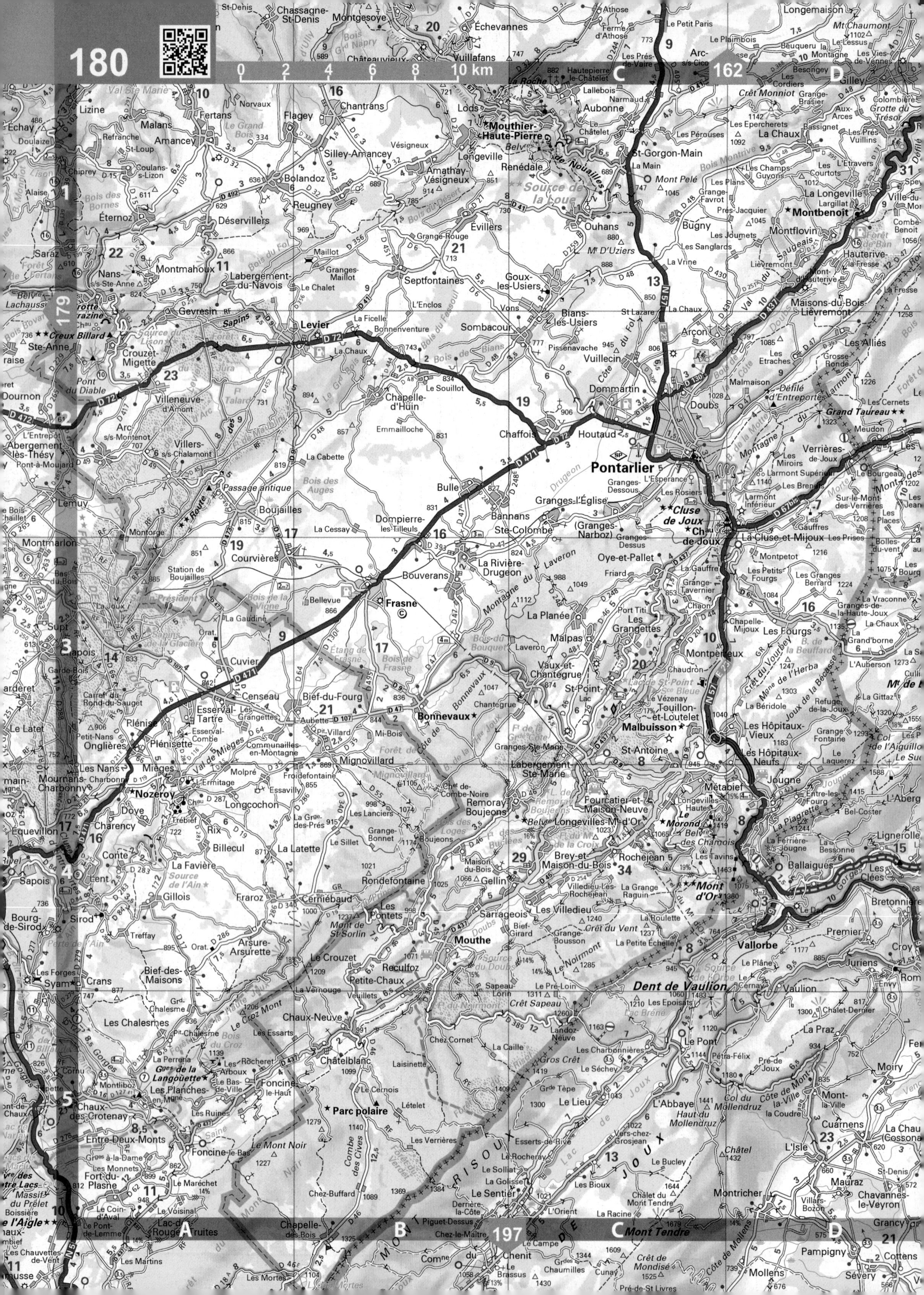

0 2 4 6 8 10 km
162
179
197
Chassagne-St-Denis
Montgesoye
Échevannes
Athose
Le Petit Paris
Longemaison
Mt Chaumont
Vuillafans
Châteauvieux
Arc-s/s-Cicon
Hauterpierre-le-Châtelet
Les Prés-de-Vaire
Gilley
Lizine
Norvaux
Flagey
Chantrans
Lods
Mouthier-Haute-Pierre
Aubonne
Lallebois
Narmaud
Crêt Monniot
Grange-Brasier
Colombière
Grotte du Trésor
Échay
Malans
Amancey
Fertans
Le Grand Bois
Silley-Amancey
Vésigneux
Longeville
Renédale
St-Gorgon-Main
Les Pérouses
Les Epercherets
La Chaux
Les Prés-Vuillins
Refranche
St-Loup
Coulans-s-Lizon
Bolandoz
Amathay-Vésigneux
Gorges de Nouailles
Source de la Loue
La Main
Mont Pelé
Les Champs-Guyons
Les Courtots
L'Etravers
Chiprey
Alaise
Éternoz
Déservillers
Reugney
Évillers
Ouhans
Bugny
La Longeville
Largillat
Montbenoît
Ville-du-Pont
Montflovin
Nans-s/s-Ste-Anne
Montmahoux
Labergement-du-Navois
Maillot
Granges-Maillot
Grange-Rouge
Septfontaines
Goux-les-Usiers
Mt D'Uziers
Les Sanglards
La Vrine
Les Joumets
Hauterive-la-Fresse
Lièvremont
Maisons-du-Bois-Lièvremont
Le Chalet
L'Enclos
Vons
Bians-les-Usiers
St Lazare
La Chaux
Arçon
Val du Saugeais
Gevresin
Levier
La Ficelle
Bonnenventure
Sombacour
Pissenavache
Vuillecin
Côte du Fol
Les Alliés
Creux Billard
Ste-Anne
Crouzet-Migette
Source du Lison
La Chaux
Bois de Bians
Les Etraches
Grosse-Ronde
Pont du Diable
Dournon
Forêt de la Joux
Le Souillot
Chapelle-d'Huin
Dommartin
Malmaison
Doubs
Défilé d'Entreportes
Villeneuve-d'Amont
Arc-s/s-Montenot
Emmailloche
Chaffois
Houtaud
Pontarlier
Grand Taureau
Meudon
Abergement-lès-Thésy
Pont-à-Moujard
Villers-s/s-Chalamont
La Cabette
L'Espérance
Granges-Dessous
Les Rosiers
Les Miroirs
Larmont Supérieur
Verrières-de-Joux
Le Bourgeau
Bois des Auges
Passage antique
Route des Sapins
Bulle
Granges-l'Église
Drugeon
Les Brenets
Larmont Inférieur
Sur-le-Mont-des-Verrières
Lemuy
Boujailles
Dompierre-les-Tilleuls
Bannans
Cluse de Joux
Chau de Joux
Les Gauffres
Les Places
Montorge
La Cessay
Ste-Colombe
(Granges-Narboz)
Granges-Dessus
La Cluse-et-Mijoux
Les Prises
Bolles-du-vent
Montmarlon
Courvières
Station de Boujailles
La Rivière-Drugeon
Oye-et-Pallet
Montpetot
Bouverans
Montagne du Laveron
Friard
La Gauffre
Grange-Tavernier
Les Petits-Fourgs
Les Granges Berrard
Bellevue
Frasne
Bois de la Vigne
La Joux
La Gaudine
La Planée
Port Titi
Les Grangettes
Chaon
Chapelle-Mijoux
Les Fourgs
La Vraconne
Granges-de-la-Haute-Joux
La Chaux
Grand'borne
Supt
Chapois
Sapins de la Glacière
Étang de Frasne
Bois de Frasne
Bois du Bouquet
Laveron
Malpas
Montperreux
Chaudron
Crêt du Vourbey
Bois de la Beuffarde
L'Auberson
Garde-Bois
Cuvier
Vaux-et-Chantegrue
Lac de St-Point
Source Bleue
Mgne de l'Herba
Carrefour du Rond-du-Sauget
Censeau
Esserval-Tartre
Les Grangettes
Bief-du-Fourg
Aubette
Pt Villard
Bonnevaux
Chantegrue
St-Point-Lac
Le Vézenay
Touillon-et-Loutelet
Malbuisson
La Béridole
Joux de la Becasse
Refuge de la Joux
La Gittaz
Le Latet
Plénise
Plénisette
Esserval-Combe
Communailles-en-Montagne
Mi-Bois
Forêt de la Grande Côte
Granges-Ste-Marie
St-Antoine
Les Hôpitaux-Vieux
Grange Fontaine
Col de l'Aiguillon
Onglières
Petit-Nans
Val de Mièges
Mignovillard
Labergement-Ste-Marie
Les Hôpitaux-Neufs
Le Laquerez
Mournans-Charbonny
Les Nans
Charbonny
Mièges
L'Ermitage
Molpré
Froidefontaine
Essavilly
Nozeroy
Longcochon
Combe-Noire
Remoray-Boujeons
Fourcatier-et-Maison-Neuve
Métabief
Jougne
Entre-les-Fourg
Doye
Trébief
Equevillon
Charency
Rix
La Grange-des-Prés
Les Lanciers
Grange-Bonnet
Bois des Loges
Boujeons
Longevilles-Mt-d'Or
Le Morond
Longevilles Hautes
Belvédère des Chamois
La Piagrette
Bel-Coster
Lignerolle
Conte
Billecul
La Latette
Le Sillet
Le Buclées
Forêt du Mont de la Croix
Brey-et-Maison-du-Bois
Rochejean
Les Tavins
La Ferrière-s/s-Jougne
Les Bessonne
Ballaigues
Sapois
Lent
La Favière
Source de l'Ain
Rondefontaine
Maison-du-Bois
Gellin
Villedieu-Les-Rochejean
La Grange Raguin
Mont d'Or
Les Clées
Gilloïs
Fraroz
Cerniébaud
Les Pontets
Les Villedieu
La Roulette
Bretonnières
Bourg-de-Sirod
Sirod
Mont de St Sorlin
Sarrageois
Bief-Girard
Crêt du Vent
Grange-Bousson
Vallorbe
Premier
Croy
Treffay
Arsure-Arsurette
Mouthe
Source du Doubs
La Petite Échelle
Le Noirmont
Le Plâne
Juriens
Syam
Les Forges
Crans
Bief-des-Maisons
Le Crouzet
Reculfoz
Petite-Chaux
Sapeau
Lorin
Le Pré-Loin
Source de l'Orbe
Les Cernaux
Dent de Vaulion
Vaulion
Romainmôtier
Grd Chalesme
Le Croz Mont
La Vernouge
Veuillets
Crêt Sapeau
Les Epoisats
Lac Brenet
Chalet-Dernier
Les Chalesmes
Pt Chalesme
Bois du Croz
Les Essarts
Chaux-Neuve
Landoz-Neuve
La Praz
La Perrena
Gorges de la Langouette
Les Rocheret
Les Arboux
Le Bas-de-Ville
Châtelblanc
Laisinette
Chez Cornet
La Caille
Gros Crêt
Les Charbonnières
Le Pont
Pétra-Félix
Pré-de-Joux
Moiry
Montliboz
Les Planches-en-Montagne
Foncine-le-Haut
Le Cernois
Le Séchey
Grde Tèpe
Le Lieu
Col du Mollendruz
Côte de Mont-la-Ville
Mont-la-Ville
La Coudre
Chaux-des-Crotenay
Les Ruines
Parc polaire
Lételet
L'Abbaye
Haut du Mollendruz
Cuarnens
Entre-Deux-Monts
Foncine-le-Bas
Le Mont Noir
Combe des Cives
Les Verrières
Esserts-de-Rive
Vers-chez-Grosjean
Lac de Joux
Châtel
L'Isle
La Chaux (Cossonay)
Grges à-la-Dame
Les Monnets
Fort-du-Plasne
Le Maréchet
Le Rocheray
Le Bucley
Mauraz
St-Denis
Massif du Prélet
Lacs des Rouges-Truites
Le Voisinal
Le Coin-d'Aval
Chez-Buffard
Le Solliat
La Golisse
Le Sentier
Les Bioux
Chalet du Mont Tendre
Montricher
Villars-Bozon
Chavannes-le-Veyron
Le Pont-de-Lemme
Lac-des-Rouges-Truites
Chapelle-des-Bois
Derrière-la-Côte
L'Orient
La Racine
Mont Tendre
Grancy
Piguet-Dessus
Chez-le-Maître
Mont Risoux
Le Campe
Le Chenit
Crêt de Mondisé
Pampigny
Cottens
Les Chauvettes-de-Vent
Les Martins
Comne du Chenit
Le Brassus
Grdes Chaumilles
Cunay
Pré-de-St Livres
Côte de Mollens
Mollens
Sévery
Les Mortes

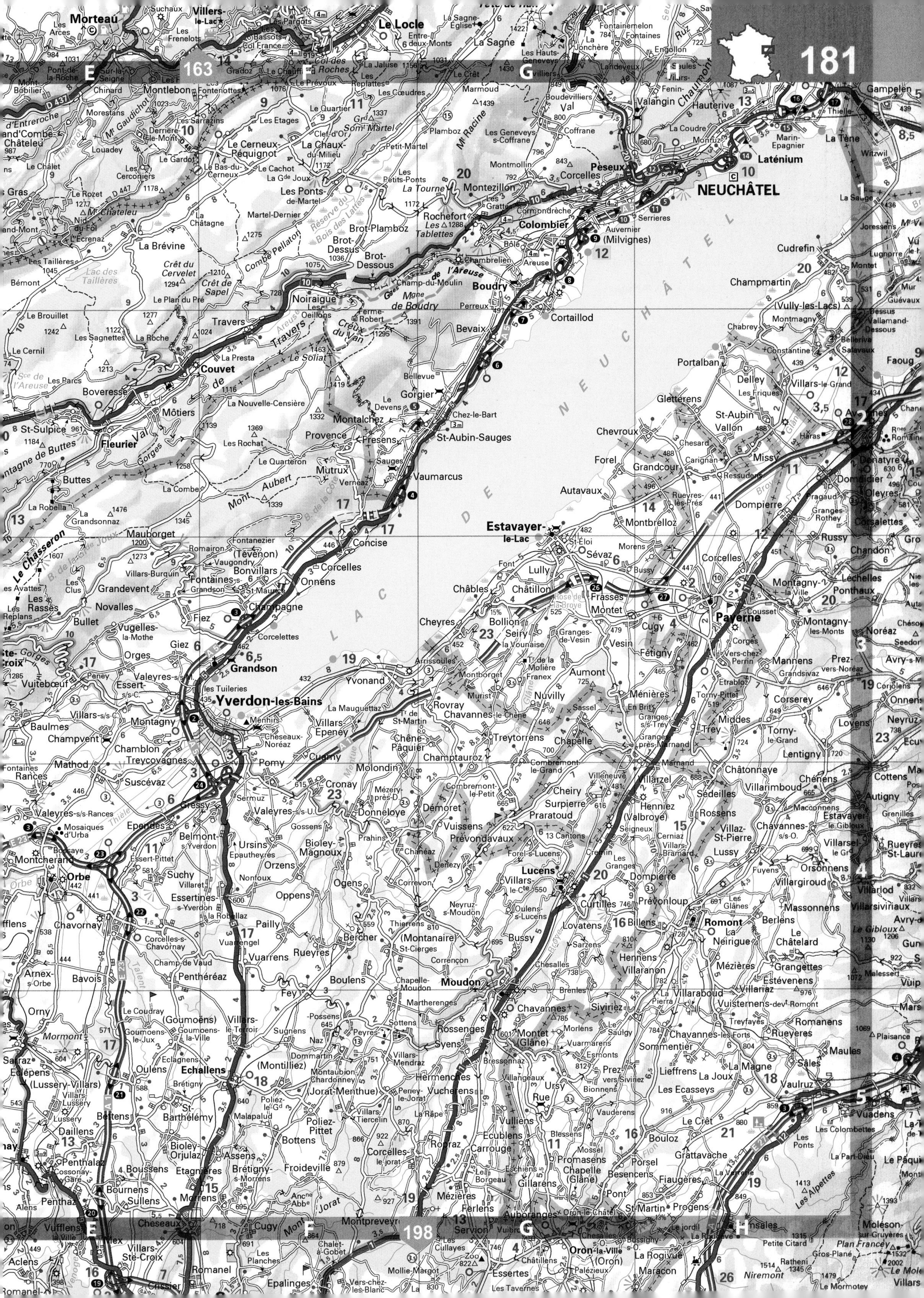

181
163
198
E
F
G
H
1
2
3
4
5
Morteau
Villers-le-Lac
Le Locle
La Sagne
Montlebon
Valangin
Hauterive
Gampelen
Laténium
NEUCHÂTEL
La Tène
Peseux
Corcelles
Colombier
Auvernier
(Milvignes)
Serrières
Boudry
Cortaillod
Bevaix
Rochefort
Montezillon
Les Ponts-de-Martel
La Chaux-du-Milieu
Le Cerneux-Péquignot
La Brévine
Brot-Plamboz
Brot-Dessous
Noiraigue
Travers
Couvet
Môtiers
Boveresse
Fleurier
St-Sulpice
Buttes
Mauborget
Gorgier
Chez-le-Bart
St-Aubin-Sauges
Vaumarcus
Montalchez
Provence
Concise
Corcelles
Onnens
Bonvillars
Champagne
Grandson
Yverdon-les-Bains
Grandevent
Novalles
Bullet
Fiez
Vugelles-la-Mothe
Giez
Orges
Valeyres-s/M.
Vuiteboeuf
Ste-Croix
Baulmes
Champvent
Montagny
Chamblon
Treycovagnes
Mathod
Suscévaz
Rances
Valeyres-s/s-Rances
Orbe
Montcherand
Chavornay
Ependes
Belmont-s-Yverdon
Ursins
Suchy
Essertines-s-Yverdon
Orzens
Oppens
Ogens
Pailly
Bercher
Rueyres
Vuarrens
Penthéréaz
Bavois
Orny
Goumoëns
Villars-le-Terroir
Echallens
Oulens
Bettens
Daillens
Penthalaz
Bournens
Sullens
Boussens
Etagnières
Assens
Morrens
Cheseaux
Cugy
Romanel
Epalinges
Bioley-Orjulaz
St-Barthélémy
Poliez-Pittet
Bottens
Froideville
Montpreveyres
Corcelles-le-Jorat
Mézières
Ferlens
Servion
Moudon
Lucens
Chavannes
Rossenges
Syens
Hermenches
Vucherens
Ropraz
Carrouge
Ecublens
Vuillens
Rue
Ursy
Promasens
Chapelle (Glâne)
Gillarens
Auboranges
Oron-la-Ville (Oron)
Oron-le-Châtel
Essertes
Palézieux
Maracon
Progens
St-Martin
Pont
Porsel
Besencens
Fiaugères
Bouloz
Grattavache
Le Crêt
Vaulruz
Sâles
Maules
Vuadens
Semsales
Remaufens
Moléson-sur-Gruyères
Les Alpettes
Niremont
Romont
Billens
Mézières
Villaraboud
Siviriez
Vuisternens-dvt-Romont
Sommentier
Lieffrens
La Joux
La Magne
Les Ecasseys
Chavannes-les-Forts
Romanens
Rueyres
Montet (Glâne)
Torny-le-Grand
Middes
Trey
Payerne
Corcelles
Cugy
Fétigny
Ménières
Granges-près-Marnand
Henniez
Villarzel
Sédeilles
Rossens
Villaz-St-Pierre
Lussy
Châtonnaye
Villarimboud
Estavayer-le-Lac
Font
Lully
Châtillon
Châbles
Cheyres
Bollion
Seiry
Frasses
Montet
Aumont
Nuvilly
Vesin
Murist
Rovray
Chavannes-le-Chêne
Chêne-Pâquier
Treytorrens
Yvonand
Cuarny
Pomy
Molondin
Cronay
Donneloye
Démoret
Vuissens
Prévondavaux
Chapelle
Cheiry
Surpierre
Praratoud
Dompierre
Domdidier
Avenches
Chevroux
Forel
Grandcour
Missy
Autavaux
Montbrelloz
Portalban
Delley
Gletterens
St-Aubin
Vallon
Cudrefin
Champmartin
Montmagny
Villars-le-Grand
Faoug
Montagny-la-Ville
Léchelles
Ponthaux
Montagny-les-Monts
Prez-vers-Noréaz
Corserey
Lentigny
Chénens
Autigny
Estavayer-le-Gibloux
Orsonnens
Villargiroud
Massonnens
Berlens
Le Châtelard
Grangettes
Estévenens
LAC DE NEUCHÂTEL
Le Chasseron
Le Soliat
Creux du Van
Lac des Taillères
Gorges de l'Areuse

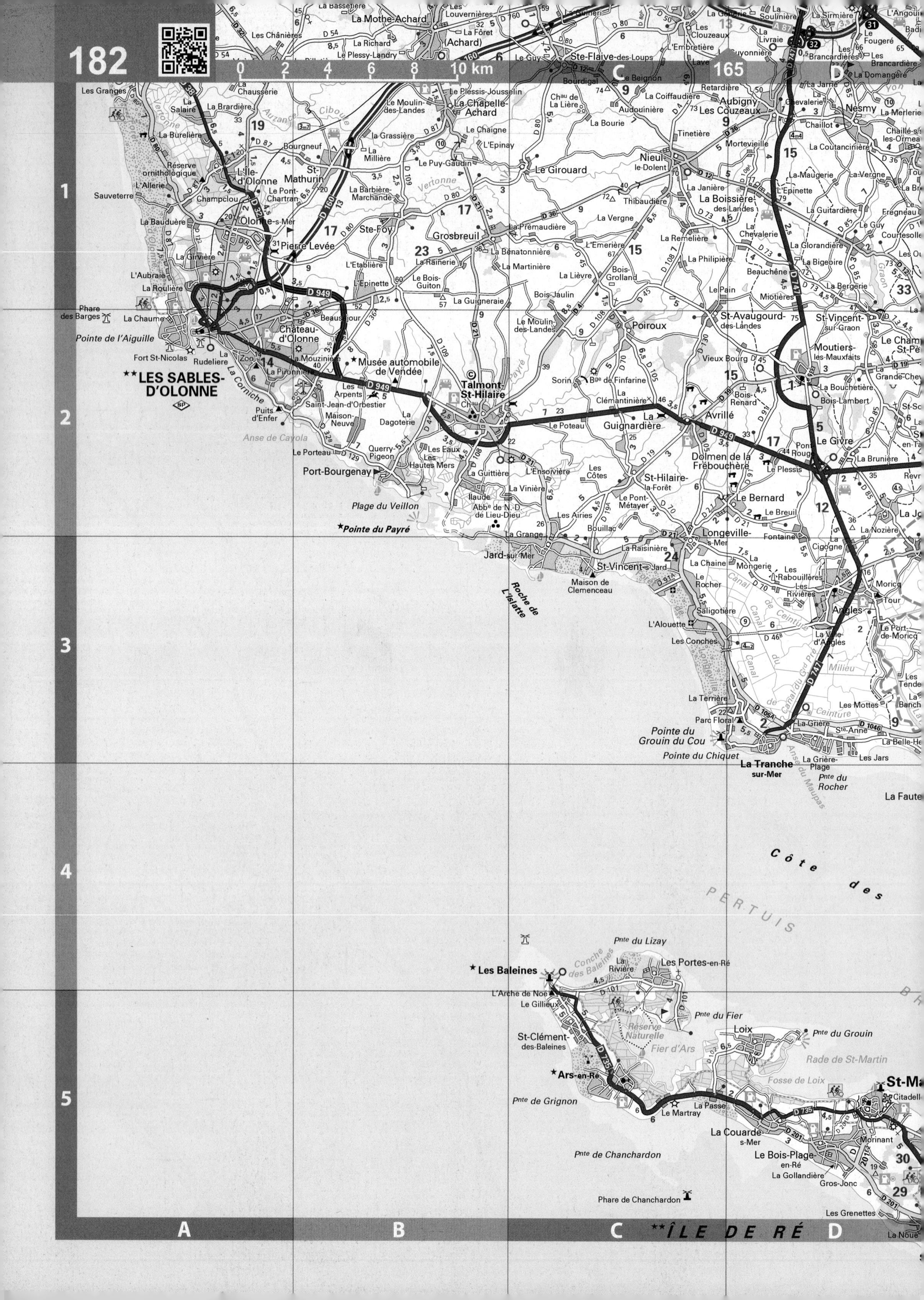
0 2 4 6 8 10 km
165
A
B
C
D
1
2
3
4
5
La Mothe-Achard
(Achard)
Les Chânières
La Richard
Le Plessy-Landry
La Forêt
Louvernières
Ste-Flaive-des-Loups
Les Clouzeaux
L'Embretière
La Livraie
La Sirmière
Le Fougeré
Brancardières
La Domangère
Les Granges
La Salaire
La Brardière
Chausserie
Le Moulin-des-Landes
La Chapelle-Achard
Le Plessis-Jousselin
Le Beignon
Bourdigal
Chau de La Lière
Audouinière
La Coiffaudière
Retardière
Aubigny
Les Couzeaux
Nesmy
La Merlerie
Chaillot
La Burelière
La Grassière
Le Chaigne
L'Epinay
La Bourie
Tinetière
Mortevieille
La Coutancinière
Bourgneuf
La Millière
Le Puy-Gaudin
Le Girouard
Nieul-le-Dolent
Réserve ornithologique
L'Allerie
Sauveterre
L'Ile-d'Olonne
St-Mathurin
Le Pont-Chartran
Champclou
La Barbière-Marchande
Vertonne
La Janière
La Maugerie
La Vergne
L'Epinette
Thibaudière
La Boissière-des-Landes
La Guitardière
La Baudière
Olonne-s-Mer
Pierre Levée
Ste-Foy
Grosbreuil
La Prémaudière
La Vergne
La Remelière
La Chevalerie
La Glorandière
La Girvière
L'Aubraie
La Roulière
L'Etablière
L'Epinette
La Rainerie
Le Bois-Guiton
La Bénatonnière
La Martinière
L'Emerière
La Lièvre
Bois-Grolland
La Philipière
La Bigeoire
Beauchêne
La Bergerie
Le Pain
Miotières
Phare des Barges
La Chaume
Pointe de l'Aiguille
Fort St-Nicolas
Rudelière
Château-d'Olonne
Beausejour
La Guigneraie
Bois-Jaulin
Le Moulin-des-Landes
Poiroux
St-Avaugourd-des-Landes
St-Vincent-sur-Graon
Moutiers-les-Mauxfaits
Zoo
La Mouzinière
Musée automobile de Vendée
La Pironnière
Vieux Bourg
★★LES SABLES-D'OLONNE
La Corniche
Les Arpents
Saint-Jean-d'Orbestier
Talmont-St-Hilaire
Chau
Sorin
Bge de Finfarine
Bois-Renard
La Bouchetière
Bois-Lambert
Puits d'Enfer
Maison-Neuve
La Dagoterie
Le Poteau
La Clémantinière
La Guignardière
Avrillé
Le Givre
Anse de Cayola
Le Porteau
Querry-Pigeon
Les Eaux
Les Hautes Mers
La Guittière
L'Ensoivière
Les Côtes
St-Hilaire-la-Forêt
Dolmen de la Frébouchère
Le Plessis
La Brunière
Port-Bourgenay
La Vinière
Ilaude
Abbe de N.-D. de Lieu-Dieu
Le Pont-Métayer
Les Airies
Le Bernard
Le Breuil
Plage du Veillon
★Pointe du Payré
La Grange
Bouillac
Longeville-s-Mer
Fontaine
Cigogne
La Nozière
Jard-sur-Mer
La Raisinière
St-Vincent-s-Jard
Maison de Clemenceau
La Chaine
La Mongerie
Les Rabouillères
Les Rivières
Roche de L'Islatte
Le Rocher
Saligotière
Angles
Tour
L'Alouette
Les Conches
Canal de Ceinture
La Ville-d'Angles
Le Port-de-Moricq
Milieu
La Terrière
Les Mottes
Parc Floral
La Grière
Ste-Anne
Pointe du Grouin du Cou
Pointe du Chiquet
La Tranche-sur-Mer
La Grière-Plage
Les Jars
La Belle-Henriette
Anse du Maupas
Pte du Rocher
La Faute
Côte des
PERTUIS
Pte du Lizay
★Les Baleines
Conche des Baleines
La Rivière
Les Portes-en-Ré
L'Arche de Noé
Le Gillieux
Pte du Fier
Réserve Naturelle
Fier d'Ars
Loix
Pte du Grouin
St-Clément-des-Baleines
Rade de St-Martin
Fosse de Loix
★Ars-en-Ré
Pte de Grignon
Le Martray
La Passe
La Couarde-s-Mer
Citadelle
Morinant
Pte de Chanchardon
Le Bois-Plage-en-Ré
La Gollandière
Gros-Jonc
Phare de Chanchardon
Les Grenettes
La Noue
★★ÎLE DE RÉ
D 949
D 747
D 160
D 32
D 21
D 36
A 87

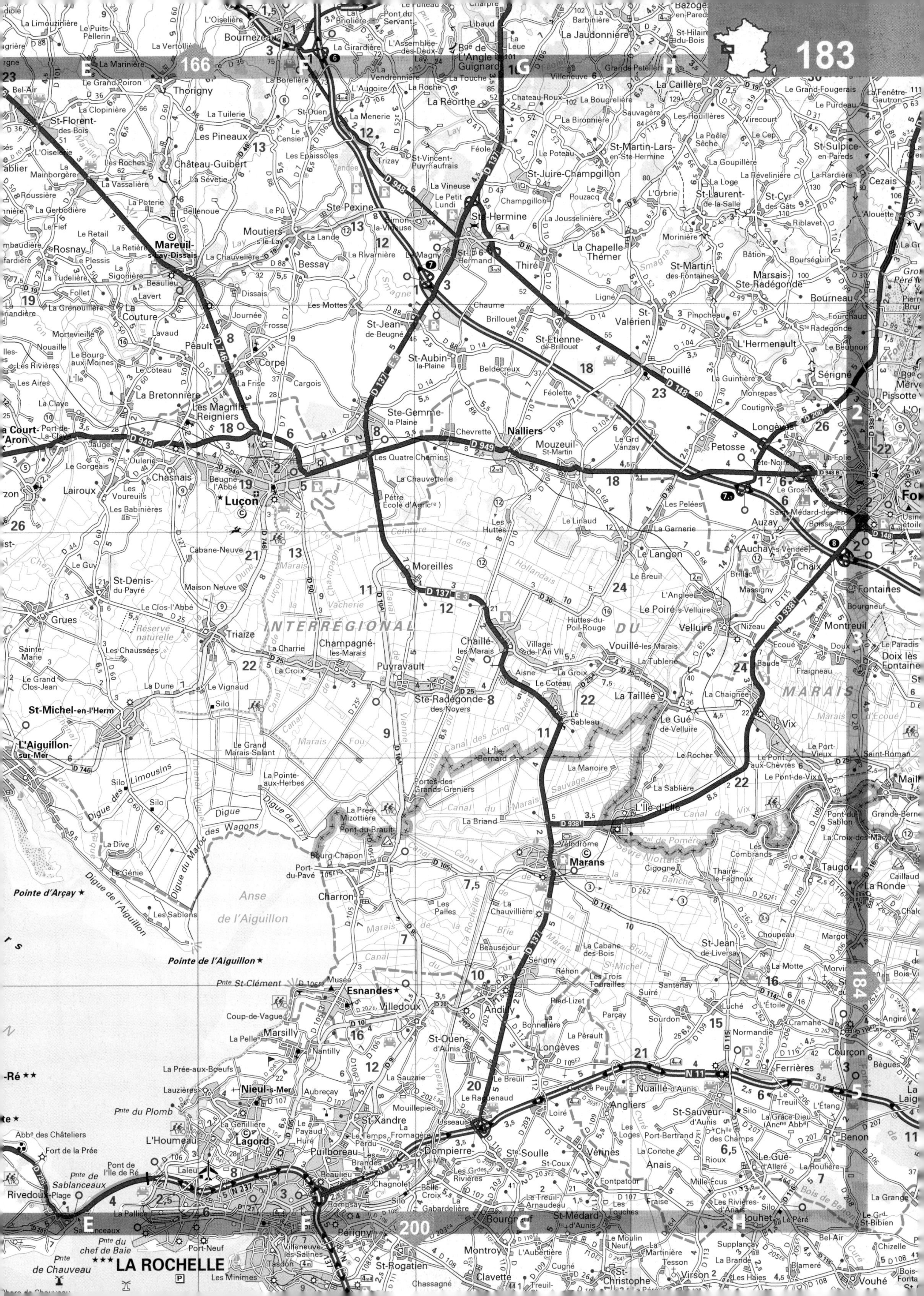

183
166
184
200
La Limouzinière
Le Puits-Pellerin
La Vertollière
L'Oiselière
Bournezeau
La Marinière
Thorigny
Le Grand Poiron
Bel-Air
St-Florent-des-Bois
La Clopinière
La Tuilerie
Les Pineaux
Château-Guibert
Les Roches
Mainborgère
La Vassalière
La Sèvetie
La Roussière
La Poterie
La Gerbodière
Bellenoue
Le Fief
Le Retail
Mareuil-s-Lay-Dissais
Rosnay
La Retière
Le Plessis
La Sigonière
La Chauvelière
La Tudelière
Beaulieu
Follet
Lavert
Dissais
La Grenouillère
La Couture
Journée
Lavaud
Mortevieille
Nouaille
Les Rivières
Le Bourg-aux-Moines
Le Coteau
Péault
Corpe
Frosse
Les Aires
La Frise
Cargois
La Bretonnière
La Claye
Les Magnils-Reigniers
Port-de-la-Claye
Jauger
La Court-d'Aron
L'Oulerie
Le Gorgeais
Chasnais
Beugné-l'Abbé
Lairoux
Les Voureuils
Luçon
Les Babinières
Cabane-Neuve
Le Guy
St-Denis-du-Payré
Maison Neuve
Le Clos-l'Abbé
Grues
Réserve naturelle
Triaize
Sainte-Marie
Les Chaussées
La Charrie
Le Grand Clos-Jean
La Dune
Le Vignaud
Silo
St-Michel-en-l'Herm
L'Aiguillon-sur-Mer
Le Grand Marais-Salant
Digue des Limousins
La Pointe-aux-Herbes
Digue
Digue de 1771
Digue du Maroc
des Wagons
La Dive
Le Génie
Les Sablons
Pointe d'Arçay
Anse de l'Aiguillon
Digue de l'Aiguillon
Pointe de l'Aiguillon
Pnte St-Clément
Musée
Esnandes
Villedoux
Coup-de-Vague
Marsilly
La Pelle
Nantilly
La Prée-aux-Boeufs
Lauzières
Nieul-s-Mer
Aubreçay
Pnte du Plomb
La Genillière
L'Houmeau
Lagord
Le Payaud
Huré
Abbe des Châteliers
Fort de la Prée
Pont de l'Île de Ré
Pnte de Sablanceaux
Rivedoux-Plage
La Pallice
Sablanceaux
Pnte du chef de Baie
Pnte de Chauveau
LA ROCHELLE
Port-Neuf
Laleu
Les Minimes
Villeneuve-les-Salines
Tasdon
Périgny
Beaulieu
Puilboreau
Chagnolet
Rompsay
Mouillepied
St-Xandre
La Sauzaie
Les Temps
Perdu
Le Fromagère
Usseau
Dompierre-s-Mer
Belle Croix
La Gabardelière
Montroy
St-Rogatien
Chassagné
Clavette
Bourgneuf
St-Médard-d'Aunis
L'Aubertière
Cugné
St-Christophe
Le Moulin Neuf
La Martinière
Tesson
Virson
La Brande
Les Haies
Supplançay
Vouhé
Chizelle
Bel-Air
Le Péré
Bouhet
La Grange
Le Grd-St-Bibien
Benon
Bois de Benon
La Roulière
Le Gué-d'Alleré
Anais
Mille-Écus
Rioux
Les Rivières-d'Anais
La Conche
Port-Bertrand
Les Loges
Vérines
St-Coux
Ste-Soulle
Fontpatour
Le Treuil-Arnaudeau
Les Touches
Fraise
Angliers
Loiré
Le Peu
Nuaillé-d'Aunis
St-Sauveur-d'Aunis
Chlle des Champs
La Grâce-Dieu (Ancne Abbe)
Le Treuil
L'Étang
Ferrières
Courçon
Bègues
Angiré
Cramahé
L'Étoile
Normandie
Luché
Sourdon
Suiré
Parçay
La Pérault
Longèves
Bonnelière
Pied-Lizet
St-Ouen-d'Aunis
Andilly
Le Breuil
Le Raguenaud
Sérigny
Réhon
Les Trois Tourailles
Santenay
La Cabane-des-Bois
Beauséjour
La Chauvillière
Les Palles
Charron
Port-du-Pavé
Bourg-Chapon
Pont-du-Brault
La Prée-Mizottière
La Briand
Marans
Vélodrome
Cigogne
Thaire-le-Fagnoux
Les Combrands
Taugon
La Ronde
Caillaud
St-Jean-de-Liversay
Choupeau
Margot
La Motte
Morvin
Bois-V
Pont-du-Sablon
La Croix-des-Mary
Grande-Bernegoue
Le Pont-de-Vix
Le Pont-aux-Chèvres
Le Port-Vieux
Saint-Roman
L'Île-d'Elle
La Sablière
La Manoire
Le Rocher
L'Île-Bernard
Portes-des-Grands-Greniers
Le Sableau
Le Gué-de-Velluire
La Taillée
La Chaignée
Vix
Le Coteau
Aisne
La Groix
Village-de-l'An VII
Chaillé-les-Marais
Vouillé-les-Marais
La Tublerie
Ste-Radégonde-des-Noyers
Puyravault
Champagné-les-Marais
La Croix
INTERRÉGIONAL
DU
MARAIS
Moreilles
Huttes-du-Poil-Rouge
Le Poiré-s-Velluire
Velluire
Nizeau
L'Anglée
Le Breuil
Le Langon
Les Huttes
La Garnerie
Le Linaud
Les Pelées
Auchay (s-Vendée)
Chaix
Brillac
Massigny
Fontaines
Bourgneuf
Montreuil
Écoué
Doux
Le Paradis
Doix lès Fontaines
Fraigneau
Baude
Auzay
Boisse
Saint-Médard-des-Prés
Le Gros-Noyer
Tête-Noire
Petosse
La Folie
Longèves
Coutigny
Monrepas
Pissotte
Sérigné
Le Beugnon
Fourchaud
Ste Radegonde
L'Hermenault
Pouillé
La Guintière
Le Grd Vanzay
Mouzeuil-St-Martin
Nalliers
Chevrette
Les Quatre Chemins
La Chauvetterie
Pètre
École d'Agricre
Ceinture des Hollandais
Ste-Gemme-la-Plaine
St-Aubin-la-Plaine
Beldecreux
Féolette
St-Étienne-de-Brillouet
Brillouet
Chaume
St-Jean-de-Beugné
Les Mottes
Bessay
Moutiers-s-le-Lay
La Lande
La Rivarnière
Le Magny
St-Hermand
Ste-Hermine
Thiré
La Chapelle-Thémer
Ligné
St-Valérien
Pinocheau
Ste-Pexine
Simon-la-Vineuse
La Vineuse
Le Petit Lundi
Champgillon
La Jousselinière
St-Juire-Champgillon
Le Pouzacq
Le Poteau
St-Martin-Lars-en-Ste-Hermine
L'Orbrie
St-Laurent-de-la-Salle
Morinière
St-Martin-des-Fontaines
Bâtion
Marsais-Ste-Radégonde
Bourséguin
Bourneau
Riblavet
St-Cyr-des-Gâts
La Rardière
La Révelinière
Cezais
L'Alouette
St-Sulpice-en-Pareds
Le Cep
Virecourt
La Goupillière
La Poêle Sèche
Les Houillères
La Sauvagère
La Bironnière
La Bougrelière
Château-Roux
La Caillère
Le Grand-Fougerais
Le Purdeau
La Fenêtre-Gautron
La Réorthe
La Menerie
St-Ouen
Le Censier
Les Épaissoles
Trizay
St-Vincent-Puymaufrais
Féole
Le Lu
La Roche
L'Augoire
La Vendrennière
La Borelière
La Touche
La Leue
Bge de L'Angle Guignard
L'Assemblée-des-Deux-Lay
Pont du Servant
La Briolière
La Girardière
Libaud
La Jaudonnière
Barbinière
Grande Petellerie
Villeneuve
Bazoges-en-Pareds
St-Hilaire-du-Bois

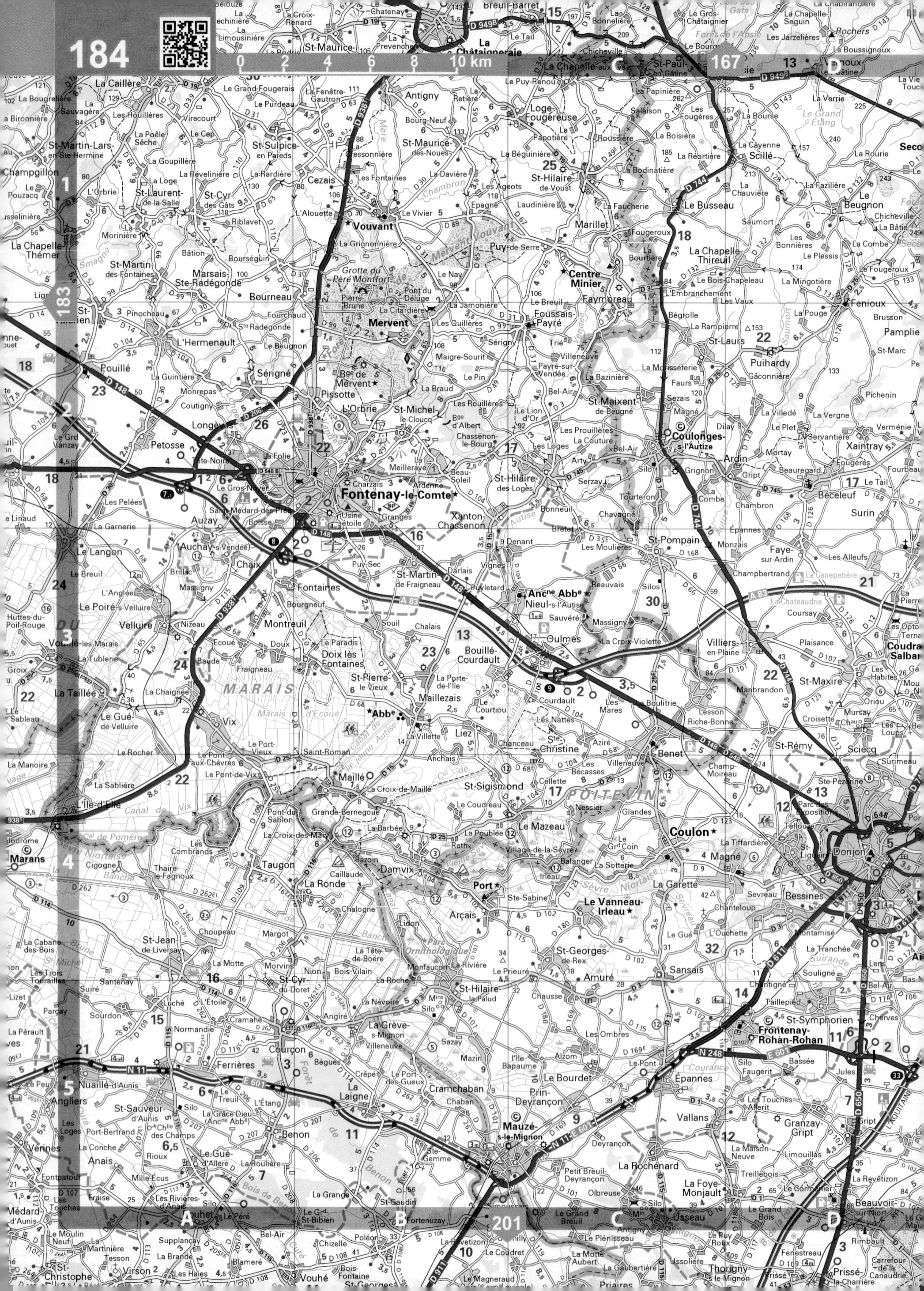

184
0 2 4 6 8 10 km
167
183
201
A
B
C
D
1
2
3
4
5
La Châtaigneraie
Breuil-Barret
St-Maurice-
La Caillère
St-Martin-Lars-en-Ste-Hermine
Champgillon
St-Sulpice-en-Pareds
St-Laurent-de-la-Salle
St-Cyr-des-Gâts
Cezais
Antigny
St-Maurice-des-Noues
Vouvant
Loge-Fougereuse
St-Hilaire-de-Voust
St-Paul-en-Gâtine
La Chapelle-aux-Lys
Scillé
Le Busseau
Le Beugnon
La Chapelle-Thémer
St-Martin-des-Fontaines
Marsais-Ste-Radégonde
Bourneau
Grotte du Père Montfort
Mervent
Puy-de-Serre
Marillet
Centre Minier
Faymoreau
La Chapelle-Thireuil
L'Hermenault
Pouillé
Sérigné
Pissotte
L'Orbrie
St-Michel-le-Cloucq
Foussais-Payré
Puihardy
St-Laurs
Fenioux
Longèves
Petosse
Fontenay-le-Comte
St-Hilaire-des-Loges
St-Maixent-de-Beugné
Coulonges-s-l'Autize
Ardin
Xaintray
Beceleuf
Auzay
Xanton-Chassenon
St-Pompain
Faye-sur-Ardin
Le Langon
Chaix
Fontaines
St-Martin-de-Fraigneau
Anc^ne Abb^e
Nieul-s-l'Autise
Oulmes
Le Poiré-s-Velluire
Velluire
Montreuil
Doix lès Fontaines
Bouillé-Courdault
Villiers-en-Plaine
Coudray-Salbart
Vouillé-les-Marais
MARAIS
St-Pierre-le-Vieux
Maillezais
Abb^e
St-Maxire
Vix
Liez
Benet
St-Rémy
Sciecq
Le Gué-de-Velluire
Maillé
Ste-Christine
St-Sigismond
POITEVIN
L'Île-d'Elle
Damvix
Le Mazeau
Coulon
Magné
Donjon
Marans
Taugon
La Ronde
Arçais
Port
Le Vanneau-Irleau
Bessines
St-Jean-de-Liversay
Parc Ornithologique
St-Georges-de-Rex
Sansais
St-Cyr-du-Doret
St-Hilaire-la-Palud
Amuré
Courçon
Frontenay-Rohan-Rohan
St-Symphorien
Ferrières
Nuaillé-d'Aunis
Angliers
La Laigne
Cramchaban
Le Bourdet
Prin-Deyrançon
Épannes
Vallans
Granzay-Gript
St-Sauveur-d'Aunis
Benon
Mauzé-s-le-Mignon
La Rochénard
La Foye-Monjault
Beauvoir-sur-Niort
Anais
Le Gué-d'Alleré
Usseau
Prissé-la-Charrière
Vouhé
Virson
St-Christophe
A 83
E 601
N 11
N 248
D 148
D 938T
D 744

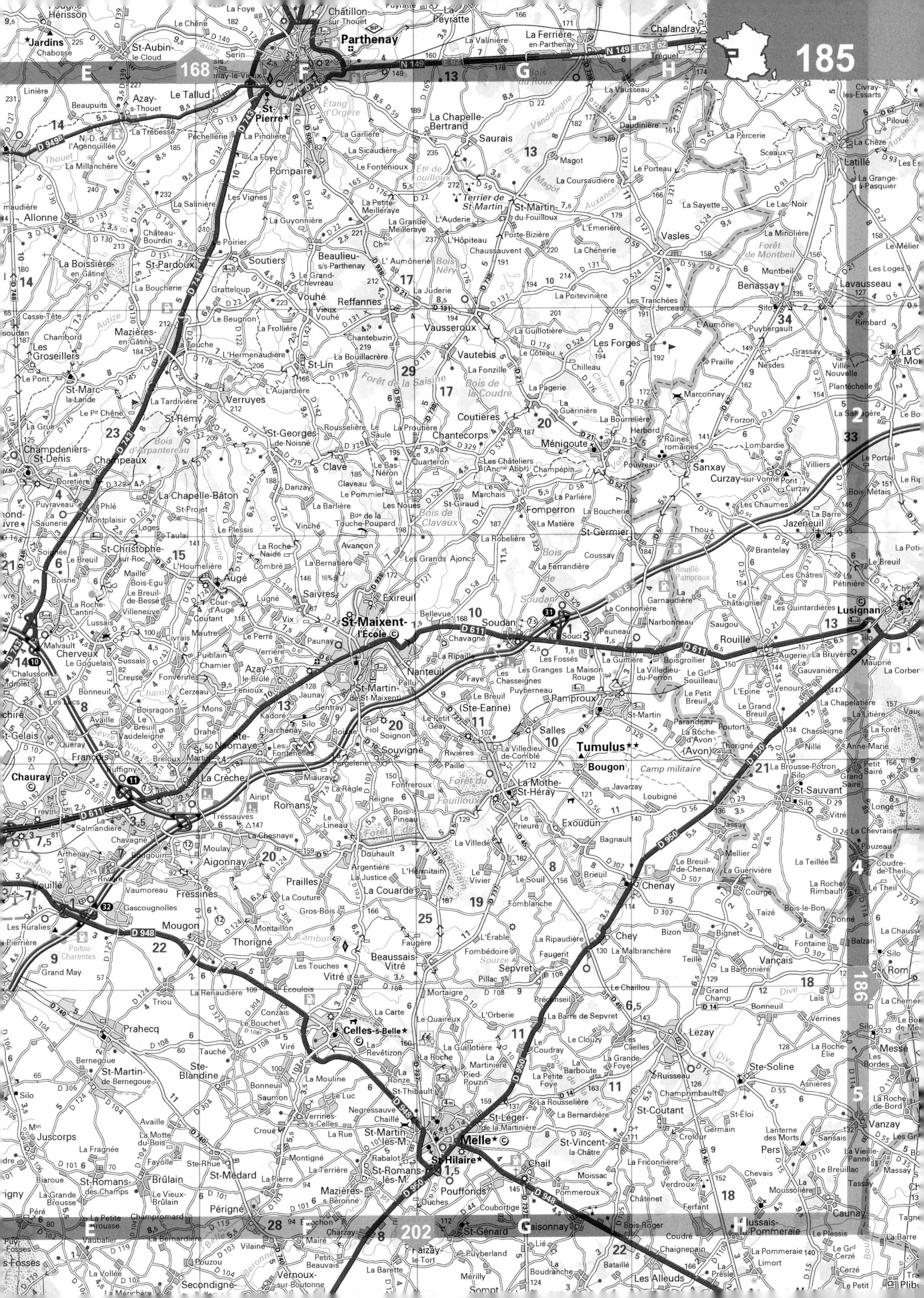

185
168
186
202
E
F
G
H
Parthenay
Châtillon-sur-Thouet
La Peyratte
La Ferrière-en-Parthenay
Chalandray
Hérisson
Jardins
Chabosse
St-Aubin-le-Cloud
Le Chêne
La Foye
Serin
Le Tallud
Azay-s-Thouet
Beaupuits
St-Pierre
Étang d'Orgère
La Chapelle-Bertrand
Saurais
La Vausseau
La Daudinière
Civray-les-Essarts
Pilouë
Latillé
La Chèze
Sceaux
La Percerie
La Trebesse
Pechellerie
La Pinolière
N.-D. de l'Agenouillée
Thouet
La Millanchère
La Foye
Pompaire
La Garlière
La Sicaudière
Le Fontenioux
Étg de Fouilloux
Magot
Le Porteau
La Grange-à-Pasquier
Terrier de St-Martin
St-Martin-du-Fouilloux
La Coursaudière
Auxances
Bois de Magot
La Salinière
Les Vignes
Viette
La Petite-Meilleraye
La Grande-Meilleraye
L'Auderie
La Sayette
Le Lac-Noir
Allonne
La Guyonnière
Château-Bourdin
Le Poirier
L'Hôpiteau
Porte-Bizière
L'Émerière
Vasles
La Minolière
Chaussauvent
La Chénerie
Forêt de Montbeil
Le Mélier
La Boissière-en-Gâtine
St-Pardoux
Soutiers
Beaulieu-s/s-Parthenay
L'Aumônerie
Bois Néry
Montbeil
Benassay
Les Loges
Lavausseau
La Boucherie
Gratteloup
Le Grand-Chevreau
Vouhé
Reffannes
La Juderie
La Poitevinière
Les Tranchées
Jerceau
Casse-Tête
Autize
Le Beugnon
Vieux Vouhé
Vausseroux
L'Aumône
Puybergault
Rimbard
Mazières-en-Gâtine
La Frollière
Chantebuzin
La Guillotière
Le Côteau
Les Forges
Chambord
Les Groseillers
La Touche
L'Hermenaudière
St-Lin
La Bouillacrère
Vautebis
Chilleau
Praille
Nesdes
Grassay
Villé-Nouvelle
Le Pont
St-Marc-la-Lande
Forêt de la Saisine
La Fonzille
Bois de la Coudre
Marconnay
Plantéchelle
La Tardivière
Verruyes
L'Aujardière
La Pagerie
La Guérinière
La Bourrelière
Herbord
Forzon
La Salvagère
La Grue
Le Pt Chêne
St-Rémy
Rousselière
Le Saule
La Proutière
Coutières
Ruines romaines
Lombardie
Champdeniers-St-Denis
Bois d'Arpantereau
St-Georges-de-Noisné
Chantecorps
Ménigoute
Pouvreau
Sanxay
Le Portail
Champeaux
Clavé
Le Bas-Néron
Quarteron
Les Châteliers (Ancne Abbe)
Champépin
Curzay-sur-Vonne
Villiers
La Doretière
Claveau
Le Pommier
Le Marchais
La Parlière
Bois-Métais
Puyraveau
La Chapelle-Bâton
Danzay
La Barlière
Les Noues
St-Giraud
Fomperron
Les Chaumes
La Saunerie
Phlé
St-Projet
Vinché
Bois de Clavaux
Bas de la Touche-Poupard
La Matière
La Boucherie
La Barre
Montplaisir
Loges
Le Plessis
La Robelière
St-Germier
Thou
Jazeneuil
Taulai
Montbrune
La Roche-Naide
Avançon
Brantelay
Soignée
St-Christophe-sur-Roc
L'Houmelière
Combré
La Bernatière
Les Grands Ajoncs
Bois de Soudan
Coussay
La Ferrandière
Rouillé-Pamproux
Le Breuil
La Pétinière
Boisne
Maillé
Bois-Egu
Augé
Saivres
Exireuil
Les Châtres
Le Breuil-de-Bessé
Cour-d'Augé
Lugné
Garnaudière
Le Châtaignier
La Roche-Cantin
Villeneuve
Coutant
Vix
St-Maixent-l'École
Bellevue
Soudan
Souci
La Connonière
Narbonneau
Les Quintardières
Lusignan
Lussais
Maufre
Le Perré
Paunay
Chavagne
Peuneau
Saugou
Rouillé
Malvault
Cherveux
Le Goguelais
Civrais
Verrière
Puiblain
Chamier
Azay-le-Brûlé
La Ripaille
Les Fossés
La Guittière
Boisgrollier
Augerie
La Bruyère
Mauprié
La Corbelière
Chalusson
Sussais
Creuse
Fonverines
Nanteuil
Faye
Les Granges
La Maison Rouge
La Villedieu-du-Perron
Le Gd Souilleau
Gauvanière
Bonneuil
Cerzeau
Fenioux
Jaunay
St-Martin-de-St-Maixent
Pallu
Les Chasseignes
Puyberneau
Pamproux
Le Petit Breuil
L'Épine
Venours
La Chapelatière
Les Lucs
Boisragon
Mons
Kadoré
Gentray
Le Breuil (Ste-Eanne)
St-Martin
Le Grand Breuil
La Litière
Availle
Le Breuil
Vaudeleigne
Drahé
Charchenay
Silo
Fiol
Soignon
Le Petit Gesy
Salles
Parandeau
La Roche-d'Avon
Poutort
Chasseigne
La Forêt
Sèvre Niortaise
Ste-Néomaye
Les Fontenelles
Souvigné
Rivières
La Villedieu-de-Comblé
Tumulus
Thorigné
Nillé
Anne-Marie
St-Gelais
Quéray
François
Breloux
Martin
Pergelerie
Paille
(Avon)
Ruffigny
La Crèche
Miauray
Fonfreroux
Forêt du Fouilloux
La Mothe-St-Héray
Bougon
Camp militaire
La Brousse-Potron
Petit Sairé
Grand Sairé
Chauray
La Règle
Reigne
Javarzay
Loubigné
St-Sauvant
Aiript
Romans
Bois-Pineau
Longé
Trévins
Salmandière
Tressauves
Le Lineau
Le Prieuré
Exoudun
Vitré
Chavagné
La Chesnaye
La Villedé
Bagnault
Jassay
La Chevraise
Arthenay
Moulay
Aigonnay
Douhault
Argentière
La Justice
L'Hermitain
Le Vivier
Le Souil
Brieuil
Mellier
Le Breuil-de-Chenay
La Guérivière
Pouzeau
La Teillée
Coudre-de-Theil
Vouillé
Rivière
Vaumoreau
Fressines
Prailles
La Couarde
Chenay
Courgé
La Roche-Rimbault
Le Theil
Gascougnolles
La Couture
Gros-Bois
Fomblanche
Taizé
Bois-le-Bon
Donné
Les Ruralies
Poitou-Charentes
Mougon
Montaillon
Faugère
L'Érable
La Ripaudière
Chey
Bizon
Bignet
La Chaussée
La Pierrière
Thorigné
Fombédoire
Source
Sepvret
Faugerit
La Malbranchère
La Fontaine
Vançais
Teillé
La Baronnière
Balzan
Grand May
Les Touches
Beaussais-Vitré
Pillac
Rom
Triou
La Renaudière
Écoulois
Mortaigre
Le Chaillou
Grand Champ
Bonneuil
Dive
Laris
La Chemer
Conzais
Le Bouchet
La Carte
Le Quaireux
L'Orberie
Préconseil
La Barre de Sepvret
Lezay
Vérrines
Prahecq
Celles-s-Belle
La Revêtizon
La Guillotière
La Martinière
Le Coudray
Le Clouzy
Les Clielles
La Grande-Foye
La Roche-Élie
Messé
Bernegoue
Tauché
Viré
La Roche
Pied-Pouzin
La Petite Foye
La Barboute
Bois de la Foye
Ste-Soline
Les Bordes
St-Martin-de-Bernegoue
Ste-Blandine
Bonneuil
Saumon
La Mouline
La Ronze
St-Thibault
Ruisseau
Champrimbault
Asnières
La Roche-de-Bord
Silo
Le Luc
Negressauve
Chaillé
St-Léger-de-la-Martinière
La Rousselière
La Bernardière
St-Coutant
St-Éloi
Germain
Vanzay
Availle
Juscorps
La Motte-du-Bois
Croué
Verrines-s/s-Celles
La Rue
St-Martin-lès-M.
Melle
St-Vincent-la-Châtre
Croluor
Lanterne des Morts
Sansais
La Vieille-Panne
La Fragnée
Favolle
Ste-Rhue
Montigné
Rabalot
St-Hilaire
Chail
La Friconnière
Pers
Massay
Biaroue
St-Romans-des-Champs
Brûlain
St-Médard
La Terrière
St-Romans-lès-M.
Moissac
Chevais
Le Breuillac
La Grande Brousse
Le Vieux-Brûlain
La Pierre
Mazières-s-Béronne
Pouffonds
Pommeroux
Verdroux
Mousssolière
Tassay
Péré
Périgné
Ouches
Couborlige
Châtenet
Ferfant
La Petite Brousse
Champromard
Bochon
St-Génard
Gaisonnay
Bois-Roger
Caunay
Vaubalier
La Bernardière
Charzay
Maire
Faizay
Lié
Chaignepain
Hussais-la-Pommeraie
Le Plessis
La Barre
Fossés
Vilaine
Petit Beauvais
Le Tort
Puyberland
Coudré
La Pommeraie
Le Grd Cerzé
Pouzou
Vernoux-sur-Boutonne
La Barette
Merilly
Boudranche
Bataillé
Limort
La Presle
Cerzé
La Vollée
Secondigné
Sompt
Les Alleuds
Le Petit

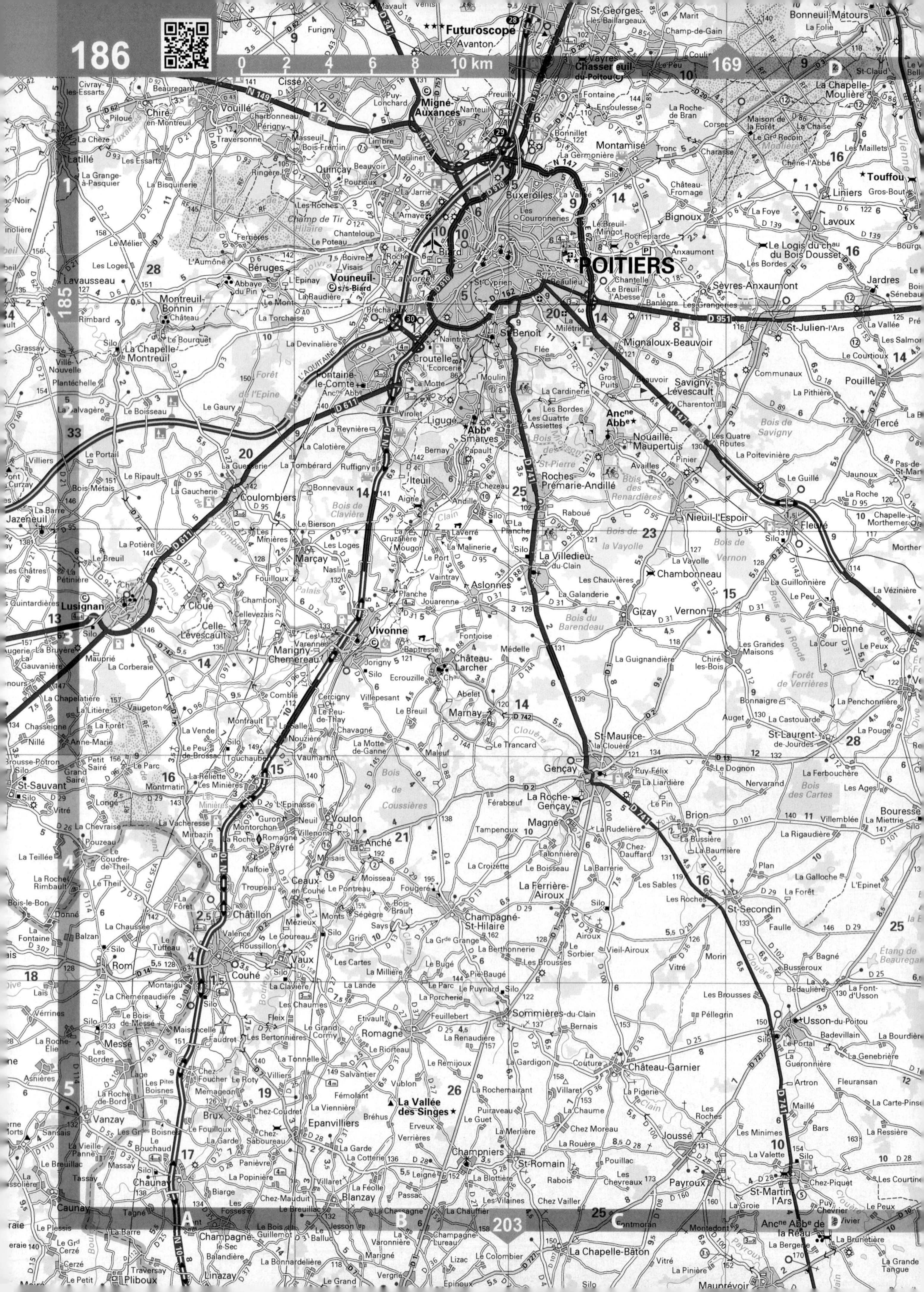
186
0 2 4 6 8 10 km
169
185
203
Futuroscope
Avanton
St-Georges-lès-Baillargeaux
Chasseneuil-du-Poitou
Bonneuil-Matours
Cissé
Migné-Auxances
Vouillé
Chiré-en-Montreuil
Latillé
Quinçay
Montamisé
Buxerolles
POITIERS
Béruges
Vouneuil-s/s-Biard
Biard
Montreuil-Bonnin
Lavausseau
La Chapelle-Montreuil
St-Benoît
Mignaloux-Beauvoir
Savigny-Lévescault
Sèvres-Anxaumont
St-Julien-l'Ars
Croutelle
Fontaine-le-Comte
Ligugé
Nouaillé-Maupertuis
Roches-Prémarie-Andillé
Coulombiers
Jazeneuil
Lusignan
Celle-Lévescault
Marçay
Vivonne
La Villedieu-du-Clain
Aslonnes
Château-Larcher
Marigny-Chémereau
Gizay
Vernon
Nieuil-l'Espoir
Fleuré
Pouillé
Tercé
Dienné
Marnay
St-Maurice-la-Clouère
Gençay
La Roche-Gençay
Magné
St-Laurent-de-Jourdes
Brion
St-Sauvant
Voulon
Anché
Payré
Châtillon
Couhé
Vaux
Champagné-St-Hilaire
La Ferrière-Airoux
St-Secondin
Usson-du-Poitou
Sommières-du-Clain
Château-Garnier
Romagne
Messé
Vanzay
Chaunay
Brux
Epanvilliers
La Vallée des Singes
Champniers
St-Romain
Payroux
Joussé
St-Martin-l'Ars
Blanzay
Linazay
Champagné-le-Sec
La Chapelle-Bâton
Pliboux
Touffou
Liniers
Lavoux
Jardres
Bignoux
Forêt de Vouillé
Forêt de l'Epine
Bois de Savigny
Forêt de Verrières
A 10 E 5 L'AQUITAINE
N 149
N 147
N 10
D 951
D 741
D 611
LGV SEA

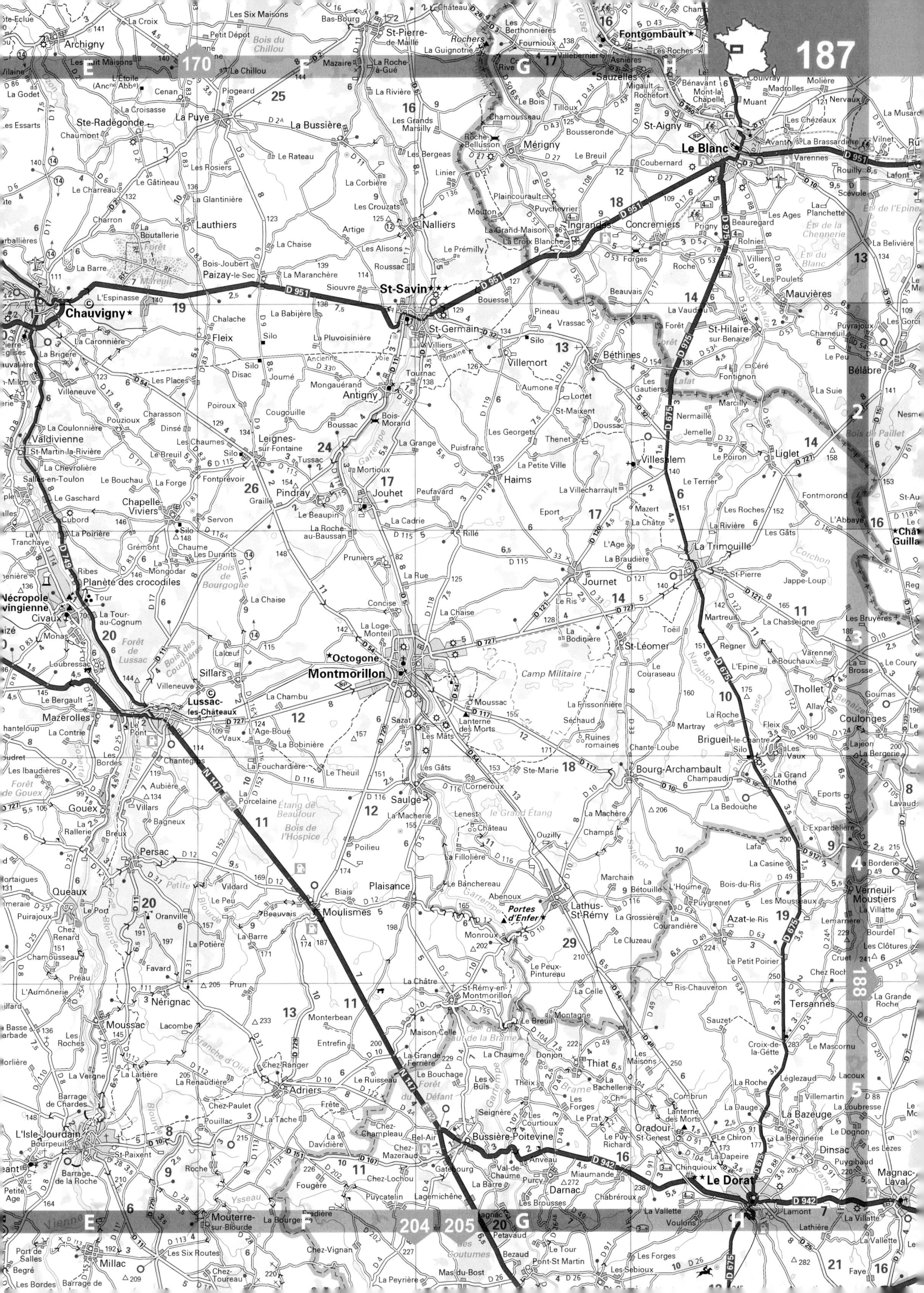

187
170
188
204
205
E
F
G
H
1
2
3
4
5
Archigny
Les Six Maisons
Bas-Bourg
St-Pierre-de-Maillé
Rochers
Les Berthonnières
Fourniaux
Fontgombault
La Croix
Petit Dépot
Bois du Chillou
La Guignotrie
Villebernier
Asnières
Les Roches
Le Chillou
Mazaire
La Roche-à-Gué
Sauzelles
L'Étoile
Cenan
Piogeard
La Rivière
Migault
Rochefort
Bénavant
Mont-la-Chapelle
Muant
Coulvray
Madrolles
Molière
Nervaux
La Godet
La Croisasse
La Puye
La Bussière
Les Grands Marsilly
Le Bois
Tilloux
Chamousseau
St-Aigny
Les Chézeaux
La Musard
Les Essarts
Ste-Radégonde
Chaumont
Le Rateau
Les Bergeas
Roche-Bellusson
Mérigny
Bousseronde
Le Blanc
Avant
La Brassardière
Vilnet
Varennes
Le Breuil
Coubernard
Rouilly
Lafont
Les Rosiers
Le Gâtineau
Linier
La Corbière
Scévole
Le Charreau
La Glantinière
Les Crouzats
Plaincourault
Puychevrier
Ingrandes
Concremiers
Les Ages
La Planchette
Charron
La Boutallerie
Lauthiers
Nalliers
Mouton
La Grand-Maison
La Croix Blanche
Prigny
Beauregard
Rolnier
La Bélivière
Artige
Les Alisons
Le Prémilly
Forges
Roche
Villiers
Les Poulets
Forêt de Mareuil
La Chaise
Bois-Joubert
Paizay-le-Sec
La Maranchère
Roussac
Siouvre
St-Savin
Bouesse
Beauvais
Mauvières
La Barre
Chauvigny
L'Espinasse
La Babijère
St-Germain
Pineau
Vrassac
La Vaudieu
La Forêt
St-Hilaire-sur-Benaize
Charneuil
Puyrajoux
Les Gorces
La Caronnière
Fleix
Silo
La Pluvoisinière
Villiers
Villemort
Béthines
Fontignon
Céré
Le Peu
Bélâbre
La Brigère
Les Places
Disac
Joumé
Mongauérand
Antigny
Tournac
L'Aumone
Lortet
Les Gautiers
La Suie
Villeneuve
Poiroux
Cougouille
Boussac
Bois-Morand
St-Maixent
Nermaille
Marcilly
La Coulonnière
Charasson
Pouzioux
Dinsé
Les Georgets
Doussac
Jemelle
Valdivienne
St-Martin-la-Rivière
Les Chaumes
Leignes-sur-Fontaine
La Grange
Puisfranc
Thenet
Liglet
La Chevrolière
Le Breuil
Tussac
Mortioux
Haims
La Petite Ville
Villesalem
Le Poiron
Salles-en-Toulon
Le Bouchau
La Forge
Fontprévoir
Pindray
Jouhet
Peufavard
La Villecharrault
Le Terrier
Fontmorond
Le Gaschard
Chapelle-Viviers
Graillé
Le Beaupin
Mazert
Les Roches
Cubord
Servon
La Roche-au-Baussan
La Cadrie
Eport
La Châtre
La Rivière
L'Abbaye
La Poirière
Rillé
Les Gâts
Grémont
Chaume
Les Durants
Pruniers
L'Age
La Braudière
La Trimouille
Corchon
Ribes
La Mongodar
Bois de Bourgogne
La Rue
Journet
St-Pierre
Jappe-Loup
Planète des crocodiles
Nécropole mérovingienne
Tour
La Tour-au-Cognum
Civaux
La Chaise
Concise
La Chaise
Le Ris
Martreuil
La Chasseigne
Les Bruyères
Monas
Forêt de Lussac
La Loge-Monteil
La Bodinière
Toëil
Regner
Loubressac
Laleuf
Octogone
Montmorillon
Camp Militaire
St-Léomer
Le Couraseau
L'Epine
Le Bouchaux
Varenne
La Brosse
Le Coury
Le Bergault
Sillars
Villeneuve
Lussac-les-Châteaux
La Chambu
Moussac
Lanterne des Morts
La Frissonnière
Séchaud
Thollet
Allay
Goumas
Mazerolles
La Contrie
Le Pont
L'Age-Boué
Vaux
La Bobinière
Sazat
Les Mats
Ruines romaines
Chante-Loube
Martray
La Roche
Brigueil-le-Chantre
Les Vaux
Fleix
Coulonges
Lajeon
La Bergerie
Les Ibaudières
Chantegros
Les Bordes
La Fouchardière
Le Theuil
Les Gâts
Ste-Marie
Bourg-Archambault
Champaudin
La Grand Mothe
Forêt de Goux
Aubière
Villars
Gouex
La Porcelaine
Étang de Beaufour
Bois de l'Hospice
Saulgé
Corneroux
Lenest
le Grand Étang
Château
La Machère
La Bedouche
Eports
Lavaud
La Rallerie
Breux
Bagneux
La Macherie
Ouzilly
Champs
L'Expardelière
Poilieu
La Fillolière
Lafa
Persac
Vildard
Biais
Plaisance
Le Banchereau
Marchain
La Bétouille
L'Houme
Bois-du-Ris
La Casine
La Borderie
Verneuil-Moustiers
Queaux
Le Port
Puirajoux
Le Peu
Oranville
Beauvais
Moulismes
Abenoux
Portes d'Enfer
Lathus-St-Rémy
La Grossière
La Courandière
Puygrenet
Azat-le-Ris
Les Mousseaux
La Villatte
Lemarnière
Chez Renard
Chamousseau
La Barre
La Potière
Monroux
Le Cluzeau
Bourdel
Les Clôtures
Cruet
Favard
Prun
Le Peux-Pintureau
Le Petit Poirier
Chez Roche
Preau
L'Aumônerie
Nérignac
La Châtre
St-Rémy-en-Montmorillon
La Celle
Ris-Chauveron
Tersannes
La Grande Roche
Moussac
Lacombe
Monterbean
Maison-Celle
Saut de la Brame
Le Breuil
Montagne
Sauzet
Les Roches
Entrefin
La Grande Ferrière
La Chaume
Donjon
Thiat
Les Maisons
Croix-de-la-Gétte
Le Mascornu
La Vergne
La Laitière
La Renaudière
Chez Ranger
Le Ruisseau
Le Bouchage
Les Buis
Theix
La Bachellerie
La Roche
Léglezaud
Lacoux
Barrage de Chardes
Adriers
Forêt du Défant
Chez-Paulet
Frête
Seignère
Les Forges
Combrun
Lanterne des Morts
La Dauge
Villemartin
La Loubresse
La Bazeuge
L'Isle-Jourdain
Bourpeuil
Pouillac
La Tache
Chez-Champleau
Les Courtioux
Le Prat
Le Puy-Richard
Oradour-St-Genest
Le Chiron
La Bergerie
Dinsac
Le Dognon
Les Lezes
St-Paixent
La Davidière
Chez-Mazeraud
Bel-Air
Bussière-Poitevine
Anveau
La Dapeire
Chinquioux
Puygibaud
Barrage de la Roche
Roche
Fougère
Chez-Lochou
Gatebourg
Val-de-Chaume
Purcy
Miaumande
Darnac
Le Dorat
Magnac-Laval
Petite Age
Puycatelin
Lagemichène
La Barre
Les Brousses
Chabréroux
La Vallette
Voulons
Lamont
La Villatte
Lathière
Mouterre-sur-Blourde
La Bourgeaude
Frédière
Petavaud
Des Coutumes
La Vallette
Port de Salles
Les Six Routes
Chez-Vignan
Bezaud
Le Tour
Pont-St Martin
Les Forges
Les Sebioux
Bégré
Millac
Chez-Toureau
La Peyrière
Mas-du-Bost
Faye
Les Bordes
Barrage de
D 951
D 975
D 675
D 727
D 942
N 147
E 62

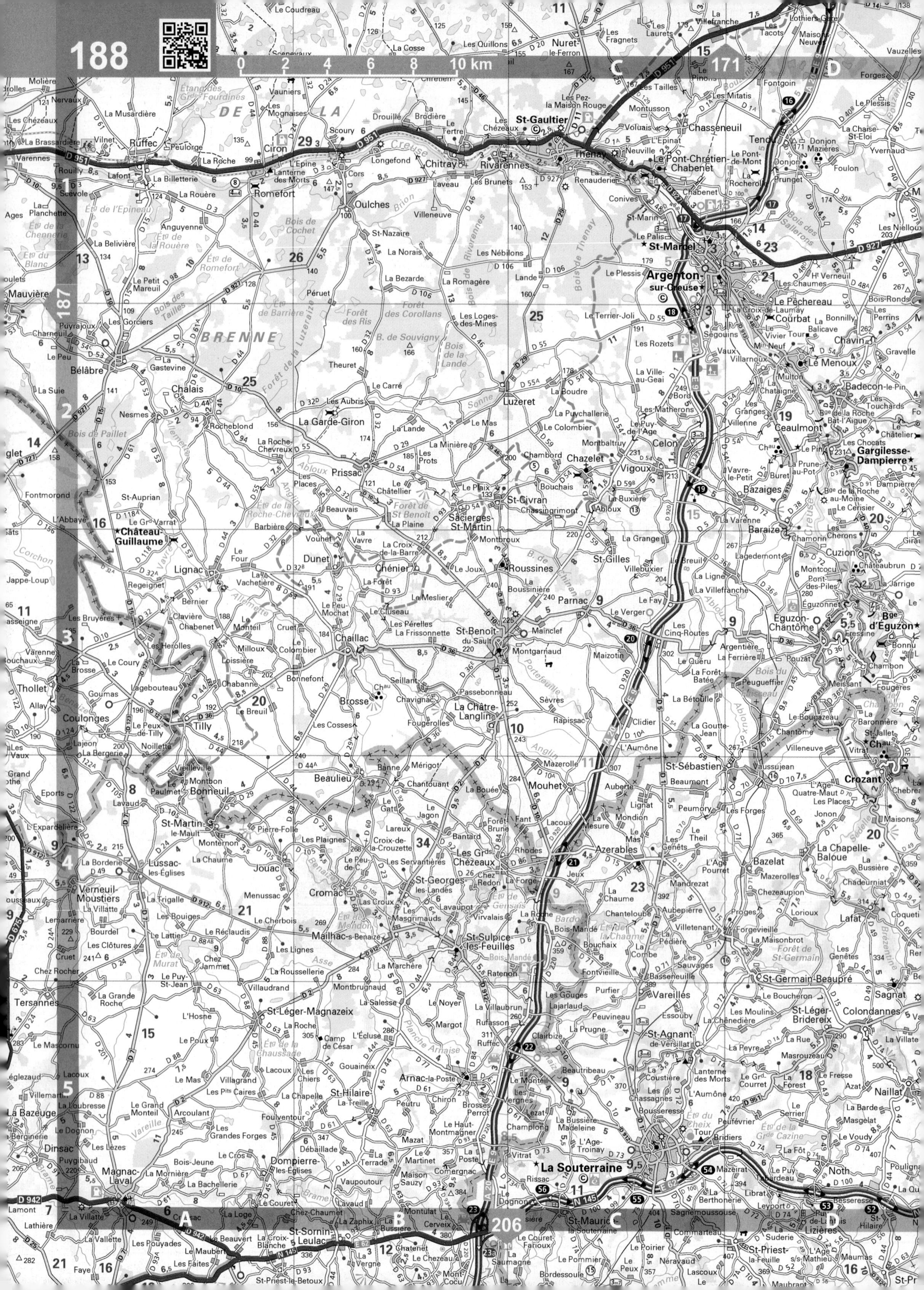

188
0 2 4 6 8 10 km
171
187
206
C
D
A
B
BRENNE
St-Gaultier
Ruffec
Ciron
Scoury
Chitray
Rivarennes
Thenay
Chasseneuil
Le Pont-Chrétien-Chabenet
Romefort
Oulches
Argenton-sur-Creuse
St-Marcel
Le Pêchereau
Bélâbre
Chalais
Luzeret
La Garde-Giron
Prissac
Celon
Chazelet
Vigoux
Bazaiges
Gargilesse-Dampierre
Ceaulmont
Le Menoux
Badecon-le-Pin
Château-Guillaume
Lignac
Dunet
Chénier
Roussines
St-Gilles
Parnac
Sacierges-St-Martin
St-Civran
Chaillac
St-Benoît-du-Sault
Éguzon-Chantôme
Cuzion
Crozant
Tilly
Coulonges
Thollet
La Châtre-Langlin
Mouhet
St-Sébastien
Beaulieu
Bonneuil
St-Martin-le-Mault
Lussac-les-Églises
Jouac
Azerables
Les Grands Chézeaux
Cromac
St-Georges-les-Landes
Verneuil-Moustiers
Mailhac-s-Benaize
St-Sulpice-les-Feuilles
La Chapelle-Baloue
Bazelat
Lafat
St-Germain-Beaupré
Vareilles
St-Léger-Magnazeix
St-Agnant-de-Versillat
St-Léger-Bridereix
Colondannes
Sagnat
Tersannes
Arnac-la-Poste
St-Hilaire-la-Treille
Naillat
Magnac-Laval
Dompierre-les-Églises
La Souterraine
Dinsac
La Bazeuge
St-Maurice-la-Souterraine
St-Sornin-Leulac
St-Priest-la-Feuille
Noth
Lizières
Forêt de St-Germain
Forêt de la Luzeraize

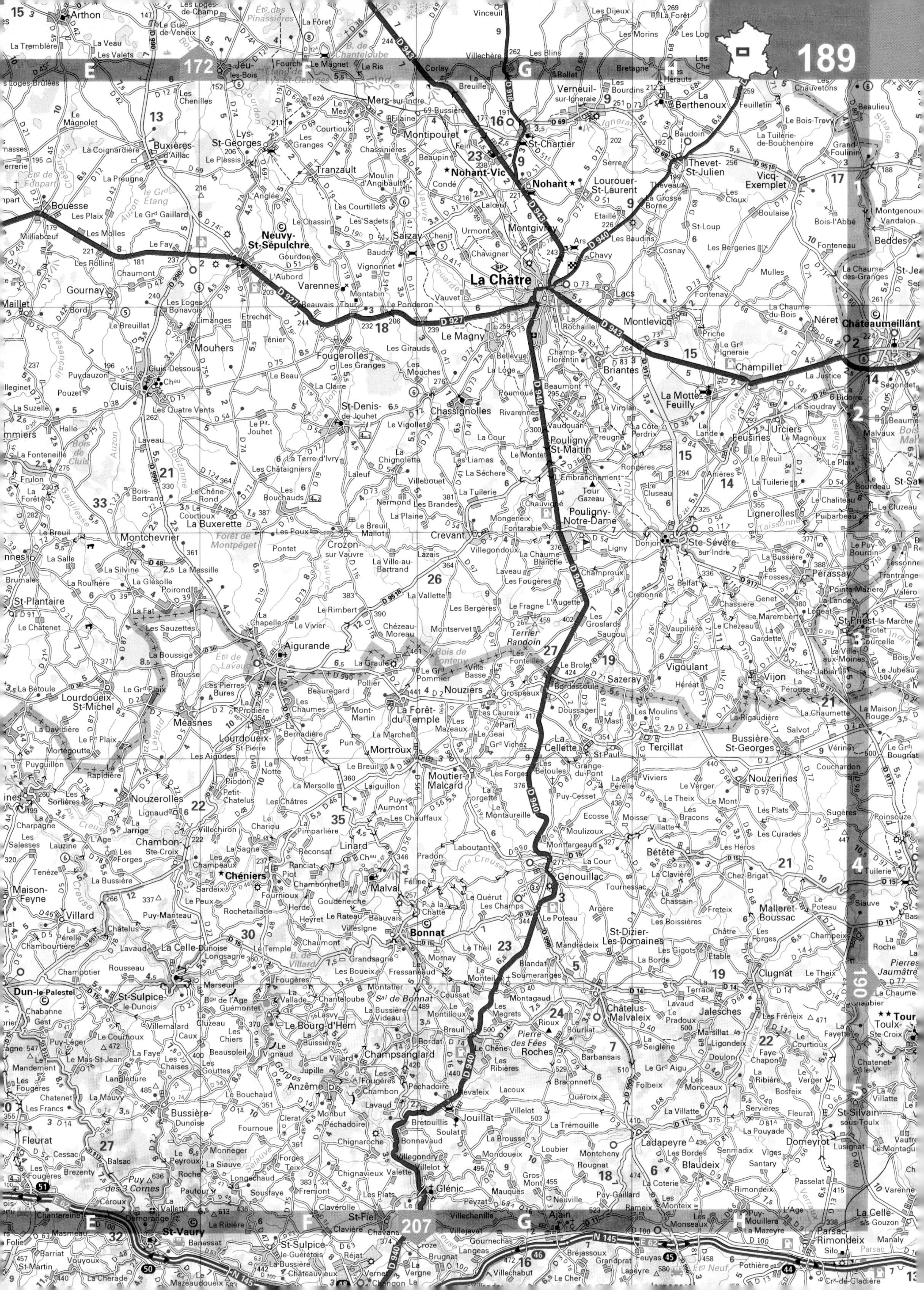

189
172
190
207
E
F
G
H
Arthon
Jeu-les-Bois
Mers-sur-Indre
Montipouret
Lys-St-Georges
Buxières-d'Aillac
St-Chartier
Nohant-Vic
Nohant
Verneuil-sur-Igneraie
La Berthenoux
Thevet-St-Julien
Vicq-Exemplet
Tranzault
Lourouer-St-Laurent
Bouesse
Neuvy-St-Sépulchre
Montgivray
La Châtre
Sarzay
Gournay
Lacs
Montlevicq
Néret
Châteaumeillant
Champillet
Mouhers
Cluis
Le Magny
Fougerolles
Briantes
La Motte-Feuilly
St-Denis-de-Jouhet
Chassignolles
Urciers
Feusines
Pouligny-St-Martin
Pouligny-Notre-Dame
Lignerolles
Crozon-sur-Vauvre
Crevant
Montchevrier
Ste-Sévère-sur-Indre
Pérassay
La Buxerette
St-Plantaire
Aigurande
Vigoulant
Vijon
Sazeray
Nouziers
Lourdoueix-St-Michel
Méasnes
Lourdoueix-St-Pierre
La Forêt-du-Temple
Mortroux
La Cellette
Tercillat
Bussière-St-Georges
Moutier-Malcard
Nouzerines
Nouzerolles
Chambon-Ste-Croix
Linard
Malval
Bétête
Chéniers
Genouillac
Maison-Feyne
Villard
Bonnat
La Celle-Dunoise
St-Dizier-Les-Domaines
Malleret-Boussac
Clugnat
Dun-le-Palestel
St-Sulpice-le-Dunois
Le Bourg-d'Hem
Châtelus-Malvaleix
Jalesches
Toulx-Ste-Croix
Champsanglard
Roches
Anzême
Jouillat
Bussière-Dunoise
Fleurat
Ladapeyre
St-Silvain-sous-Toulx
Domeyrot
Glénic
Ajain
St-Vaury
St-Fiel
St-Sulpice-le-Guérétois
Parsac-Rimondeix
La Celle-s/s-Gouzon
D 943
D 940
D 927
D 990
N 145
E 62

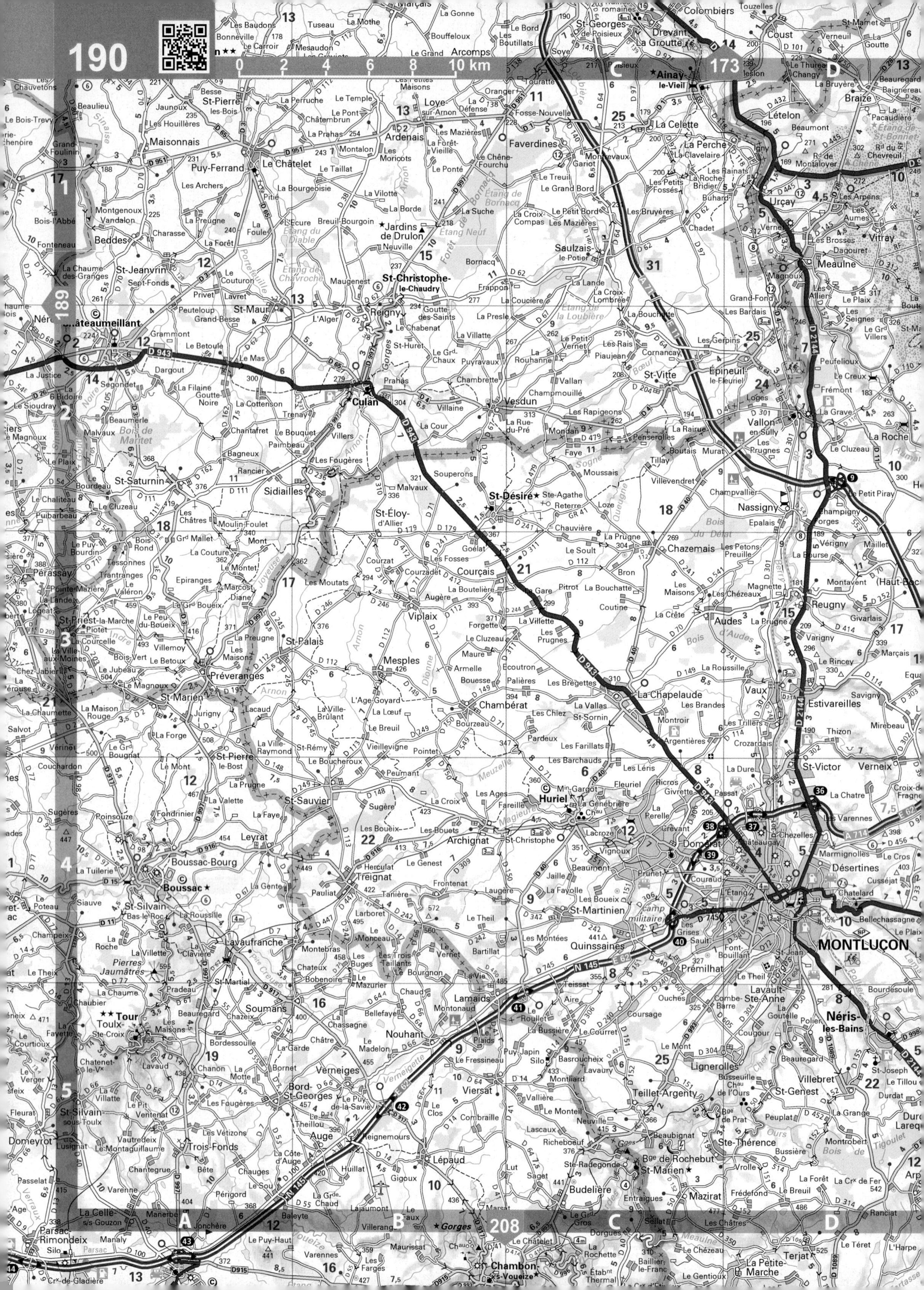

0 2 4 6 8 10 km
173
189
208
A
B
C
D
1
2
3
4
5
MONTLUÇON
Culan
Huriel
Boussac
Châteaumeillant
St-Christophe-le-Chaudry
St-Désiré
Ainay-le-Vieil
Néris-les-Bains
Vallon-en-Sully
Préveranges
Lavaufranche
Domérat
Désertines
Chambérat
Viplaix
Mesples
St-Marien
Treignat
Vesdun
Saulzais-le-Potier
Meaulne
Urçay
Épineuil-le-Fleuriel
Nassigny
Estivareilles
St-Victor
Quinssaines
Prémilhat
Lignerolles
Teillet-Argenty
Ste-Thérence
St-Genest
Villebret
Chambon-s-Voueize
Toulx-Ste-Croix
Soumans
Nouhant
Viersat
Auge
Lépaud
Verneiges
Bord-St-Georges
Faverdines
La Celette
La Perche
Le Châtelet
Puy-Ferrand
Maisonnais
St-Jeanvrin
St-Maur
Reigny
Sidiailles
St-Saturnin
Beddes
Pérassay
St-Priest-la-Marche
St-Pierre-le-Bost
St-Sauvier
St-Palais
Courçais
La Chapelaude
Chazemais
Audes
Reugny
Braize
Vitray
Lételon
Archignat
St-Martinien
Budelière
Mazirat
Jardins de Drulon
Étang Neuf
Forêt de Bornacq
Étang de Chavroche
A 71
A 714
D 943
D 2144
N 145
E 62

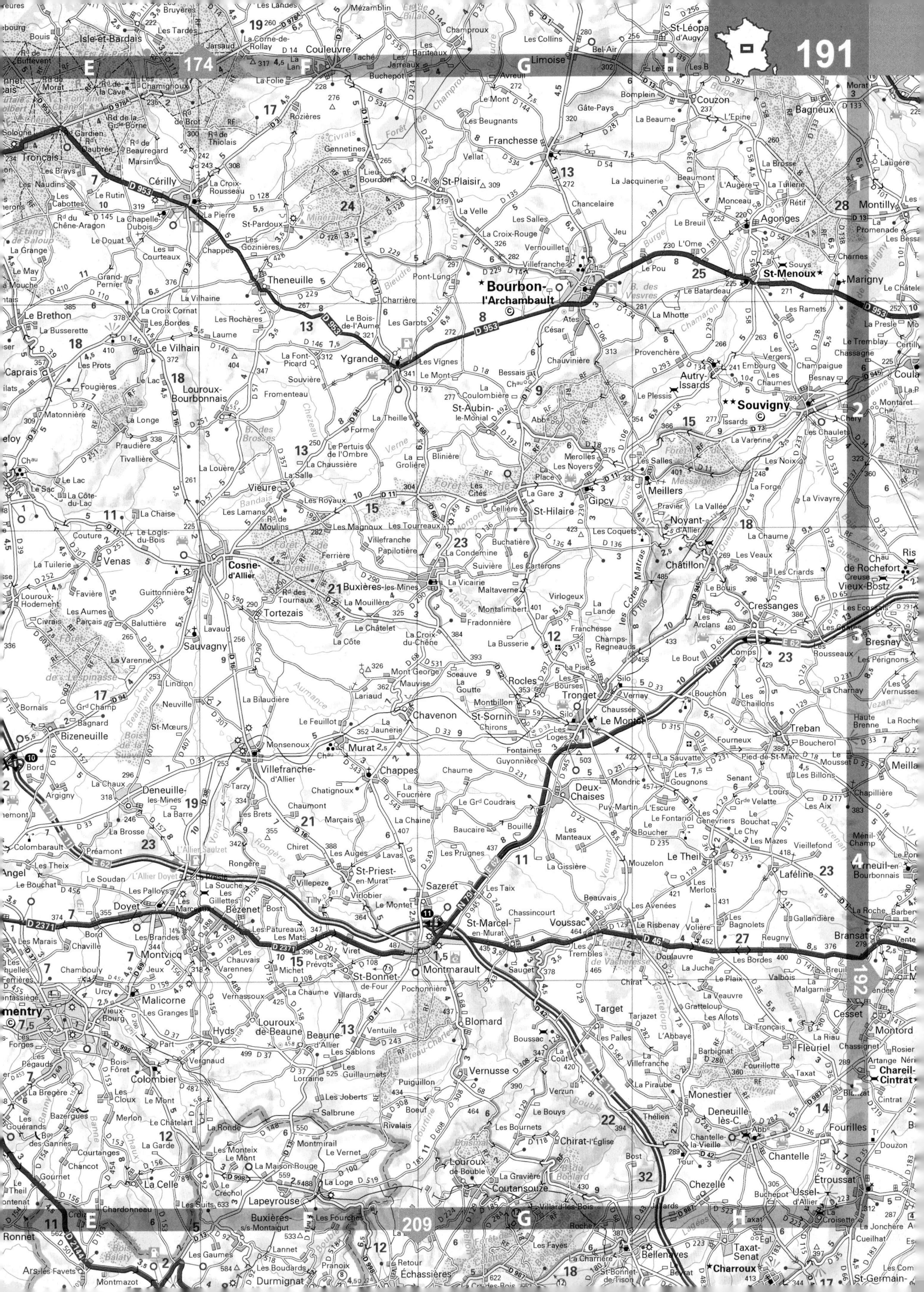

174
209
192
E
F
G
H
Isle-et-Bardais
Couleuvre
Limoise
Bel-Air
St-Léopardin-d'Augy
Couzon
Bagneux
Cérilly
Tronçais
Franchesse
St-Plaisir
Lieu-Bourdon
Gennetines
Rozières
Les Beugnants
Le Mont
Champroux
Mézamblin
Les Bariteaux
Buchepot
La Folie
Bomplein
Gâte-Pays
La Beaume
L'Epine
La Brosse
Beaumont
La Jacquinerie
La Tuilerie
L'Augère
Retif
Montilly
Agonges
St-Menoux
Marigny
Souys
Bourbon-l'Archambault
Villefranche
Vernouillet
Chancelaire
Les Salles
La Croix-Rouge
La Velle
Pont-Lung
Theneuille
Les Gozinières
St-Pardoux
La Chapelle-Dubois
La Pierre
Chappes
La Croix-Rousseau
Marsin
Le Brethon
La Busserette
Le Vilhain
Laume
Les Bordes
La Croix Cornat
La Vilhaine
Les Rochères
Ygrande
Les Vignes
Le Bois-de-l'Aume
Les Garots
La Font-Picard
Souvière
Fromenteau
Louroux-Bourbonnais
Le Lac
Les Prots
Fougières
Matonnière
La Longe
Praudière
Tivallière
Le Sac
La Côte-du-Lac
Venas
Couture
La Tuilerie
Favière
Louroux-Hodement
Les Aumes
Parçais
Cosne-d'Allier
Guittonnière
Tortezais
Balutière
Sauvagny
Lavaud
La Varenne
Lindron
La Chaise
Les Logis-du-Bois
Vieure
Les Royaux
Les Lamans
Rd de Moulins
Ferrière
Buxières-les-Mines
La Vicairie
La Mouillière
Le Châtelet
La Côte
La Croix-du-Chêne
Villefranche
Papilotière
La Condemine
Suivière
Les Carterons
Buchatière
Maltaverne
Montalimbert
Fradonnière
La Busserie
La Salle
La Chaussière
Le Pertuis de l'Ombre
La Grolière
Blinière
La Theille
Forme
St-Aubin-le-Monial
Bessais
La Coulombière
Le Mont
Les Cités
Cellière
La Gare
St-Hilaire
Gipcy
Merolles
Les Noyers
Chauvinière
César
Ates
Provenchère
Le Plessis
Autry-Issards
Souvigny
Issards
Embourg
Champaigue
Besnay
Les Vergers
Chassagne
Le Tremblay
La Presle
Le Châtelet
Les Ramets
La Mhotte
Le Batardeau
Le Pou
Meillers
Les Salles
La Varenne
Les Noix
La Forge
La Vivayre
La Vallée
Pravier
Noyant-d'Allier
Les Coquets
Châtillon
La Chaume
Les Veaux
Les Criards
Le Bouis
Cressanges
Les Arclans
Comps
Le Bout
Bresnay
Les Rousseaux
Les Pérignons
La Charnay
Treban
Boucherol
Fourneux
Pied-de-St-Marc
La Sauvatte
Les Gougnons
Senant
Les Billons
Chapillière
Lours
Les Aix
Grde Velatte
Le Bouchat
Le Chy
Les Mazes
Vieillefond
Le Theil
Laféline
Les Merlots
Bagnolets
Gallandière
Reugny
Bransat
Les Bordes
Valbois
Breuil
Malgarnie
Cesset
Montord
Fleuriel
Taxat
Chareil-Cintrat
Monestier
Deneuille-lès-C.
Fourilles
Chantelle
Chezelle
Ussel-d'Allier
Étroussat
Charroux
Taxat-Senat
St-Germain-
Bellenaves
Chirat-l'Église
Coutansouze
Louroux-de-Bouble
Target
Vernusse
Blomard
Voussac
St-Marcel-en-Murat
Sazeret
Montmarault
St-Bonnet-de-Four
Villards
Chaume
Deux-Chaises
Le Montet
Tronget
Rocles
Vernay
Silo
Les Bourses
La Pise
Franchesse
Champs-Regneauds
Virlogeux
Dar
La Lande
Chavenon
St-Sornin
Chirons
Montbillon
La Goutte
Sceauve
Mauvise
Mont George
Lariaud
La Bilaudière
Neuville
Murat
Chappes
Villefranche-d'Allier
Monsenoux
Tarzy
Deneuille-les-Mines
Bizeneuille
Bagnarl
Bornais
Argigny
La Chaux
La Barre
La Brosse
Colombarault
Préamont
Rongère
Chiret
Les Auges
Lavas
St-Priest-en-Murat
Villepeze
Virlobier
Tilly
Bézenet
Doyet
Les Palloys
Les Gillettes
La Souche
Les Prugnes
La Gissière
Mouzelon
Les Manteaux
Bouillé
Baucaire
Le Grd Coudrais
La Foucrière
La Chaine
Chaumont
Marçais
Chatignoux
Puy-Martin
Mondric
Guyonnière
Fontaines
Montvicq
Chamboully
Jeux
Les Chauvais
Varennes
Les Prévots
Viret
Michet
Malicorne
Vernassoux
La Chaume
Les Granges
Louroux-de-Beaune
Beaune-d'Allier
Ventuile
Hyds
Colombier
Vergnaud
Bois-Fôret
Part
Les Sablons
Les Guillaumets
Lorraine
Les Joberts
Salbrune
Puiguillon
Rivalais
Boeuf
Commentry
Les Forges
Les Pégauds
La Bregère
Bazergues
Merlon
Les Gouérands
Courtanges
Chancot
Gournet
La Celle
Le Châtelart
La Garde
La Ronde
Montmirail
Le Vernet
Les Monteix
La Maison-Rouge
Le Créchol
La Loge
Lapeyrouse
Les Suits
Buxières-s/s-Montaigut
Les Fourches
Lannet
Les Gaumes
Les Boudards
Pranoix
Durmignat
Retour
Échassières
Ars-les-Favets
Montmazot
Ronnet
Chardonneau
Les Bournets
Le Bouys
Verzun
La Piraube
Thélien
Les Palles
L'Abbaye
Gratteloup
Les Allots
La Veauvre
Le Plaix
La Juche
Doulauvre
Les Trembles
Chirat
Sauget
Chassincourt
Les Taix
Beauvais
Les Avenées
Le Risbenay
Bost
Jallards
Roche
La Charrière
St-Bonnet-de-Tison
Les Fayes
Villard-les-Bois
La Gravière
Forêt de Tronçais
Forêt de Dreuille
Forêt de Lespinasse
Forêt des Colettes
Forêt de Messarges
Forêt de Champroux
Forêt de Grosbois
Étang de Saloup
A 71
E 11
E 62
N 79
D 953
D 2371
D 46

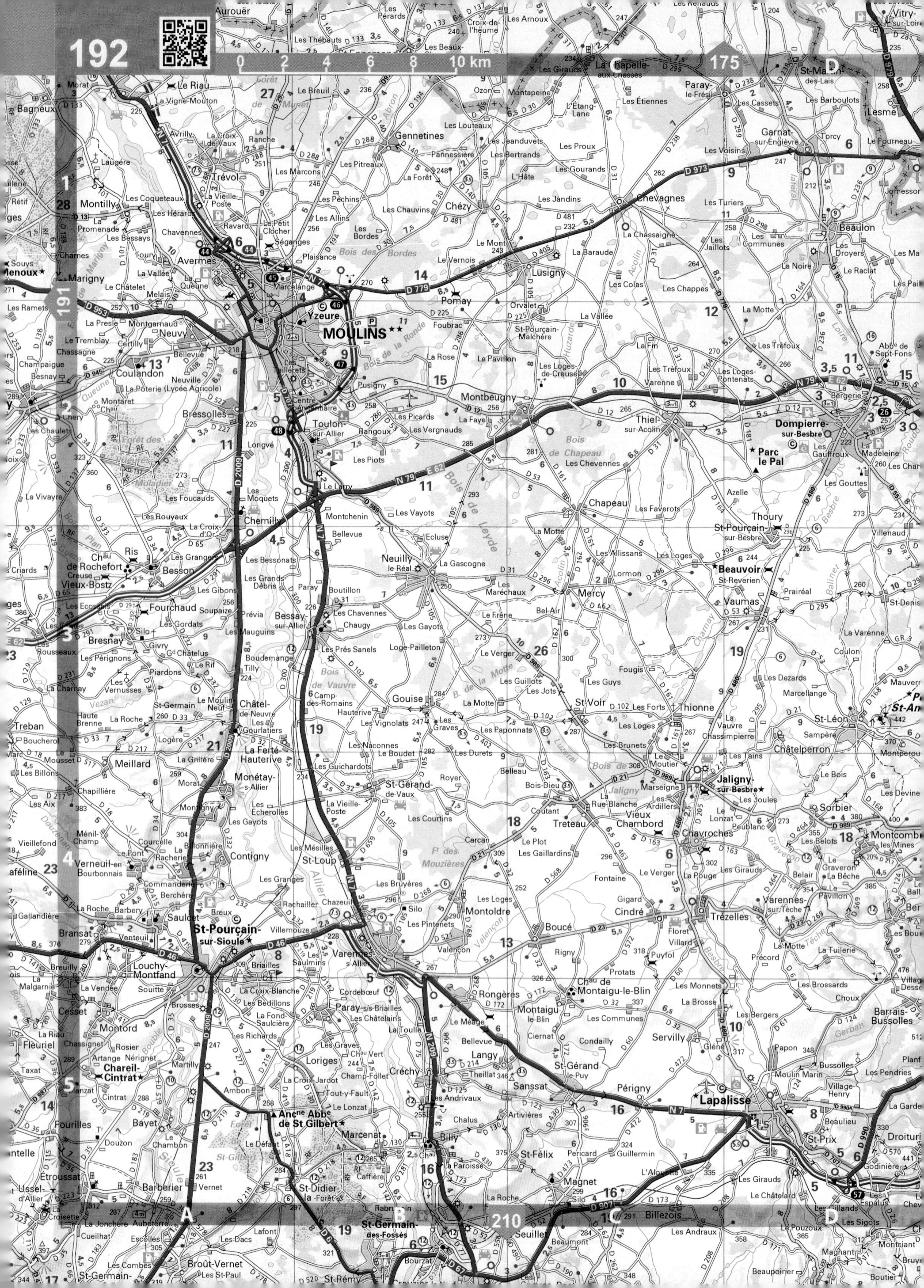

192
0 2 4 6 8 10 km
175
191
210
A
B
C
D
MOULINS
Yzeure
Avermes
Trévol
Montilly
Coulandon
Neuvy
Bressolles
Toulon-sur-Allier
Chevagnes
Lusigny
Thiel-sur-Acolin
Dompierre-sur-Besbre
Parc le Pal
Beaulon
Garnat-sur-Engièvre
Paray-le-Frésil
La Chapelle-aux-Chasses
St-Martin-des-Lais
Gennetines
Chézy
Montbeugny
Neuilly-le-Réal
Chemilly
Besson
Bessay-sur-Allier
Chapeau
Mercy
Beauvoir
Vaumas
Thionne
Jaligny-sur-Besbre
Chavroches
Trézelles
Varennes-sur-Tèche
Sorbier
St-Léon
Châtelperron
Montcombroux-les-Mines
Gouise
St-Voir
St-Gérand-de-Vaux
Treteau
Vieux Chambord
Cindré
Boucé
Montoldre
La Ferté-Hauterive
Châtel-de-Neuvre
Monétay-s-Allier
Contigny
Meillard
Verneuil-en-Bourbonnais
St-Loup
Varennes-s-Allier
St-Pourçain-sur-Sioule
Saulcet
Louchy-Montfand
Bransat
Paray-s/s-Briailles
Rongères
Montaigu-le-Blin
Servilly
Barrais-Bussolles
Lapalisse
Périgny
Sanssat
Créchy
Loriges
Langy
St-Gérand-le-Puy
Billy
St-Félix
Magnet
Marcenat
St-Didier-la-Forêt
St-Germain-des-Fossés
Seuillet
Billezois
Chareil-Cintrat
Fourilles
Étroussat
Barberier
Ussel-d'Allier
Broût-Vernet
St-Prix
Droiturier
Bresnay
Fourchaud
Marigny
Souvigny
Lesme
N 7
N 79
E 62
D 2009
N 209
D 973
D 779
Forêt de Marigny
Bois de Chapeau
Bois de Leyde
Forêt de Munet
Allier
Sioule
Besbre
Acolin

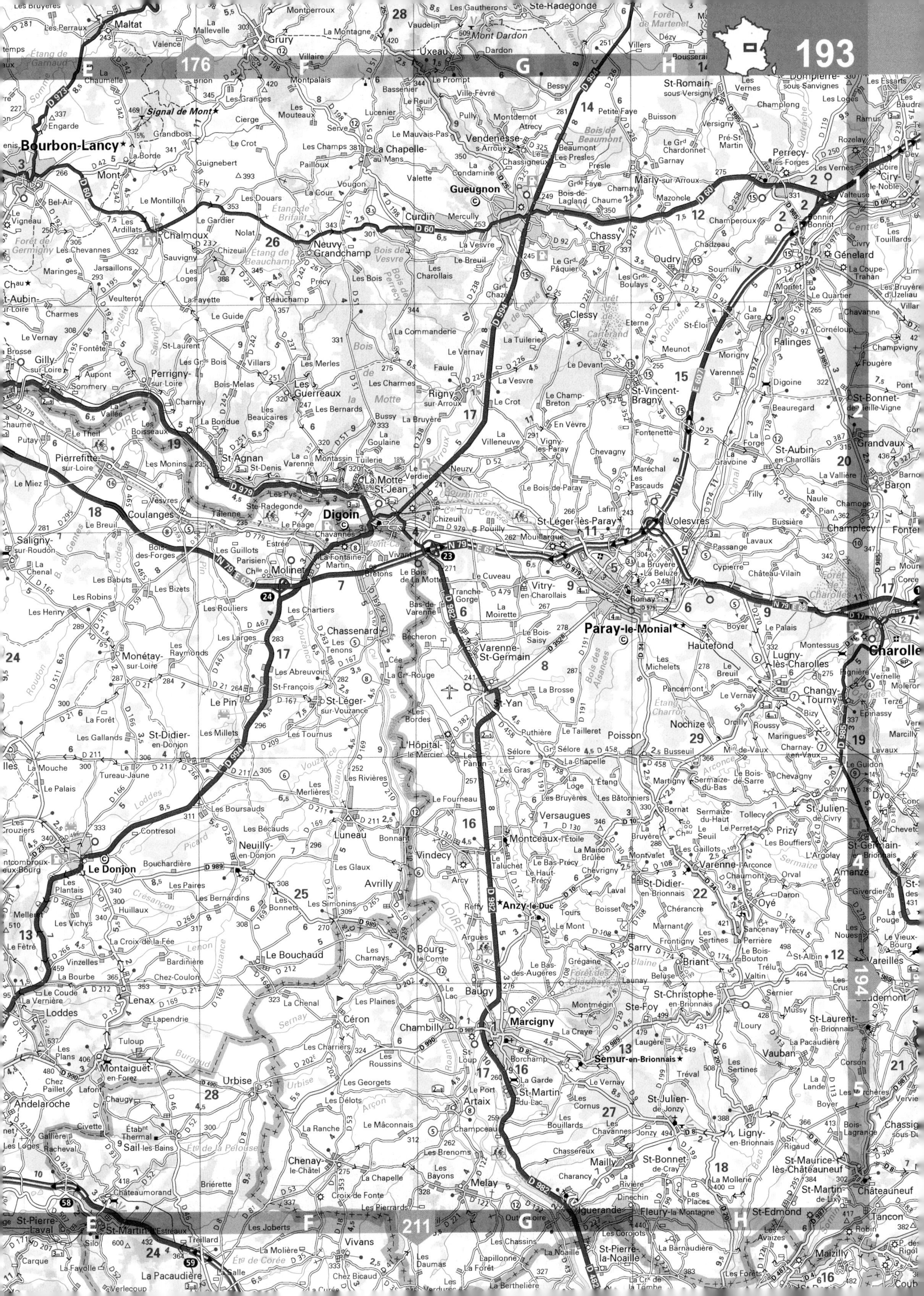
193
176
211
194
Bourbon-Lancy
Maltat
Grury
Uxeau
Mont Dardon
Ste-Radegonde
Signal de Mont
Cronat
Vendenesse-s-Arroux
Gueugnon
Curdin
Chalmoux
Neuvy-Grandchamp
Marly-sur-Arroux
Perrecy-les-Forges
Ciry-le-Noble
Génelard
Palinges
Chassy
Oudry
Clessy
St-Vincent-Bragny
St-Aubin-en-Charollais
Grandvaux
Baron
Rigny-sur-Arroux
Les Guerreaux
Gilly-sur-Loire
Perrigny-sur-Loire
St-Agnan
Pierrefitte-sur-Loire
La Motte-St-Jean
Digoin
Coulanges
Saligny-sur-Roudon
Molinet
Vitry-en-Charollais
St-Léger-lès-Paray
Volesvres
Paray-le-Monial
Hautefond
Lugny-lès-Charolles
Charolles
Changy
Monétay-sur-Loire
Chassenard
Varenne-St-Germain
St-Yan
St-Léger-sur-Vouzance
Le Pin
St-Didier-en-Donjon
L'Hôpital-le-Mercier
Nochize
Poisson
Versaugues
Montceaux-l'Étoile
Luneau
Vindecy
Avrilly
Neuilly-en-Donjon
Le Donjon
Anzy-le-Duc
Varenne-l'Arconce
St-Didier-en-Brionnais
Oyé
St-Julien-de-Civry
Prizy
Amanzé
Bourg-le-Comte
Baugy
Marcigny
Sarry
Briant
St-Christophe-en-Brionnais
Ste-Foy
Semur-en-Brionnais
Vauban
St-Laurent-en-Brionnais
Lenax
Loddes
Montaiguët-en-Forez
Céron
Chambilly
Urbise
St-Martin-du-Lac
Artaix
Sail-les-Bains
Chenay-le-Châtel
Melay
Iguerande
Mailly
St-Bonnet-de-Cray
Ligny-en-Brionnais
St-Julien-de-Jonzy
St-Maurice-lès-Châteauneuf
Châteauneuf
St-Pierre-Laval
St-Martin-d'Estreaux
La Pacaudière
Vivans
St-Pierre-la-Noaille
Fleury-la-Montagne
St-Edmond
Tancon
Maizilly
LOIRE
Forêt de Germigny
Étang de Garnaud
Forêt de Martenet
Bois de Beaumont
Bois de Vesvre
Forêt de Charolles
Forêt des Charnays
Bois des Alsances
Arconce
Loire
Arroux
Bourbince
Oudrache
Vouzance
Sornin
D 994
D 982
D 979
D 60
N 79
E 62
N 70
E 607
D 989
D 985

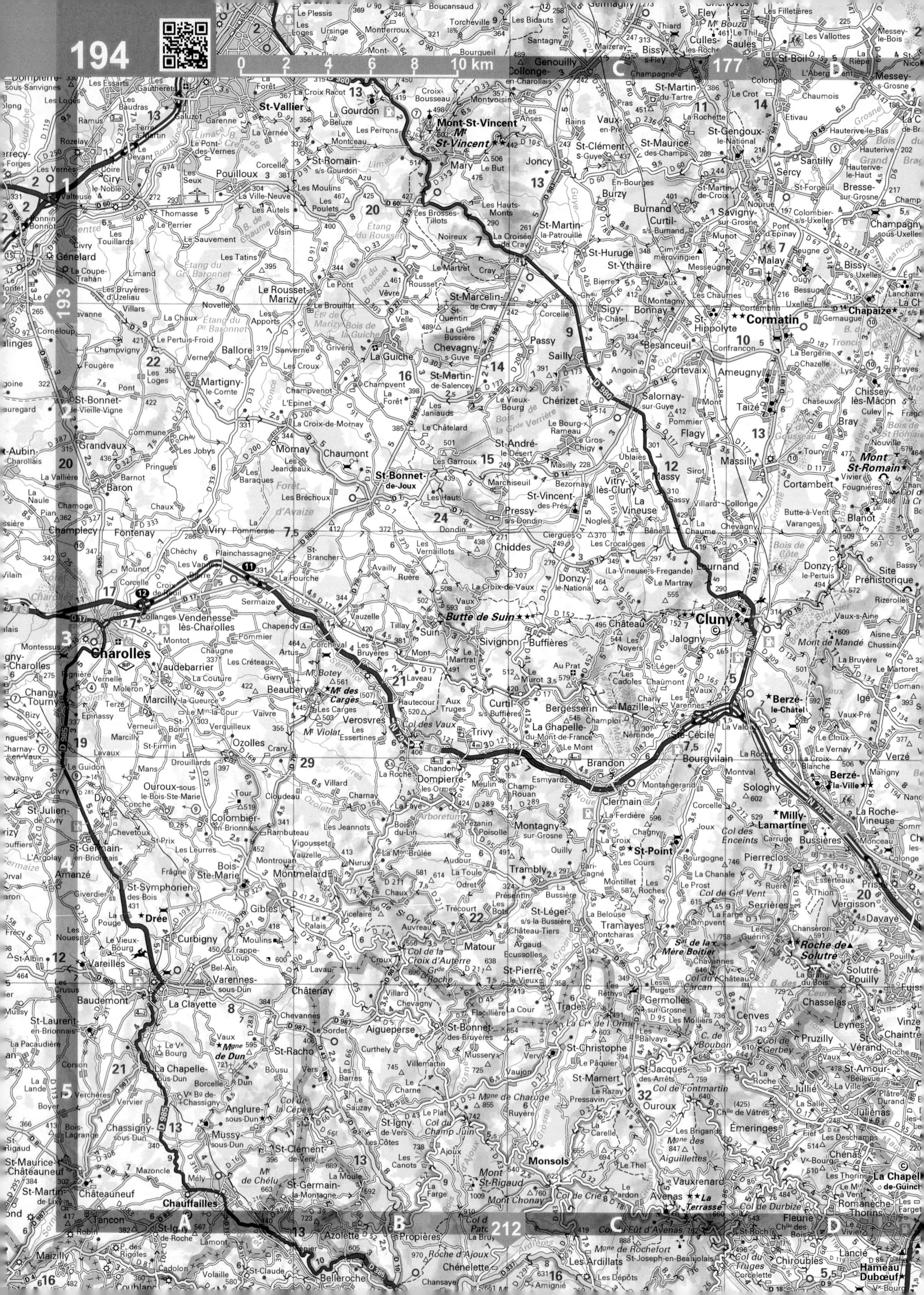
0 2 4 6 8 10 km
177
193
212
A
B
C
D
1
2
3
4
5
Charolles
Cluny
Cormatin
Mont-St-Vincent
Mt St-Vincent
St-Vallier
Gourdon
Génelard
Ciry-le-Noble
Pouilloux
Joncy
St-Gengoux-le-National
Sercy
Malay
Chapaize
St-Bonnet-de-Joux
Chaumont
La Guiche
Chevagny-s-Guye
St-Martin-de-Salencey
Salornay-sur-Guye
Taizé
Massilly
Mont St-Romain
Butte de Suin
Château
Jalogny
Berzé-le-Châtel
Berzé-la-Ville
Milly-Lamartine
Roche de Solutré
Solutré-Pouilly
Vergisson
Davayé
Pierreclos
St-Point
Tramayes
Matour
Dompierre-les-Ormes
Trivy
Verosvres
Mt des Cargès
Vendenesse-lès-Charolles
Vaudebarrier
Ozolles
Colombier-en-Brionnais
Bois-Ste-Marie
Montmelard
Gibles
Dyo
Dree
Curbigny
Vareilles
La Clayette
Baudemont
Varennes-sous-Dun
Mgne de Dun
La Chapelle-sous-Dun
Anglure-sous-Dun
Chassigny-sous-Dun
Mussy-sous-Dun
Châteauneuf
Chauffailles
Aigueperse
St-Bonnet-des-Bruyères
St-Christophe
St-Mamert
Ouroux
Monsols
Mont St-Rigaud
Col de Crie
Avenas
La Terrasse
Propières
Azolette
Chénelette
Les Ardillats
Col du Fût d'Avenas
St-Joseph-en-Beaujolais
Chiroubles
Fleurie
Hameau Duboeuf
Romanèche-Thorins
Juliénas
Jullié
Émeringes
St-Amour-Bellevue
Chasselas
Leynes
Pruzilly
Chânes
La Chapelle-de-Guinchay
Cenves
Germolles-sur-Grosne
Trades
Col de la Croix d'Auterre
St-Pierre-le-Vieux
Ste-Cécile
Bourgvilain
Clermain
Brandon
Montagny-sur-Grosne
Trambly
Mazille
Bergesserin
La Chapelle-du-Mont-de-France
Curtil-s/s-Buffières
Sivignon
Buffières
Chiddes
Pressy-s/s-Dondin
St-Vincent-des-Prés
Vitry-lès-Cluny
Donzy-le-National
Lournand
Flagy
Cortevaix
Ameugny
Bonnay
Sigy-le-Châtel
St-Hippolyte
Passy
Sailly
Chérizet
St-André-le-Désert
St-Marcelin-de-Cray
Marizy
Le Rousset
Martigny-le-Comte
Ballore
St-Bonnet-de-Vieille-Vigne
Grandvaux
Baron
Champlecy
Fontenay
Viry
Marcilly-la-Gueurce
Beaubery
Changy-Tourny
St-Julien-de-Civry
St-Germain-en-Brionnais
Amanzé
St-Symphorien-des-Bois
St-Laurent-en-Brionnais
St-Maurice-Châteauneuf
St-Martin-de-Lixy
Tancon
St-Igny-de-Roche
St-Igny-de-Vers
St-Clément-de-Vers
St-Germain-la-Montagne
Belleroche
Mgne de Rochefort
Chissey-lès-Mâcon
Blanot
Cortambert
Donzy-le-Pertuis
Site Préhistorique
Igé
Verzé
Sologny
Bussières
La Roche-Vineuse
Prissé
Serrières
Col de Fontmartin
Col de la Cépée
Col du Champ Juin
Mont Chonay
Col de Durbize
E 62
N 79
D 980
D 985

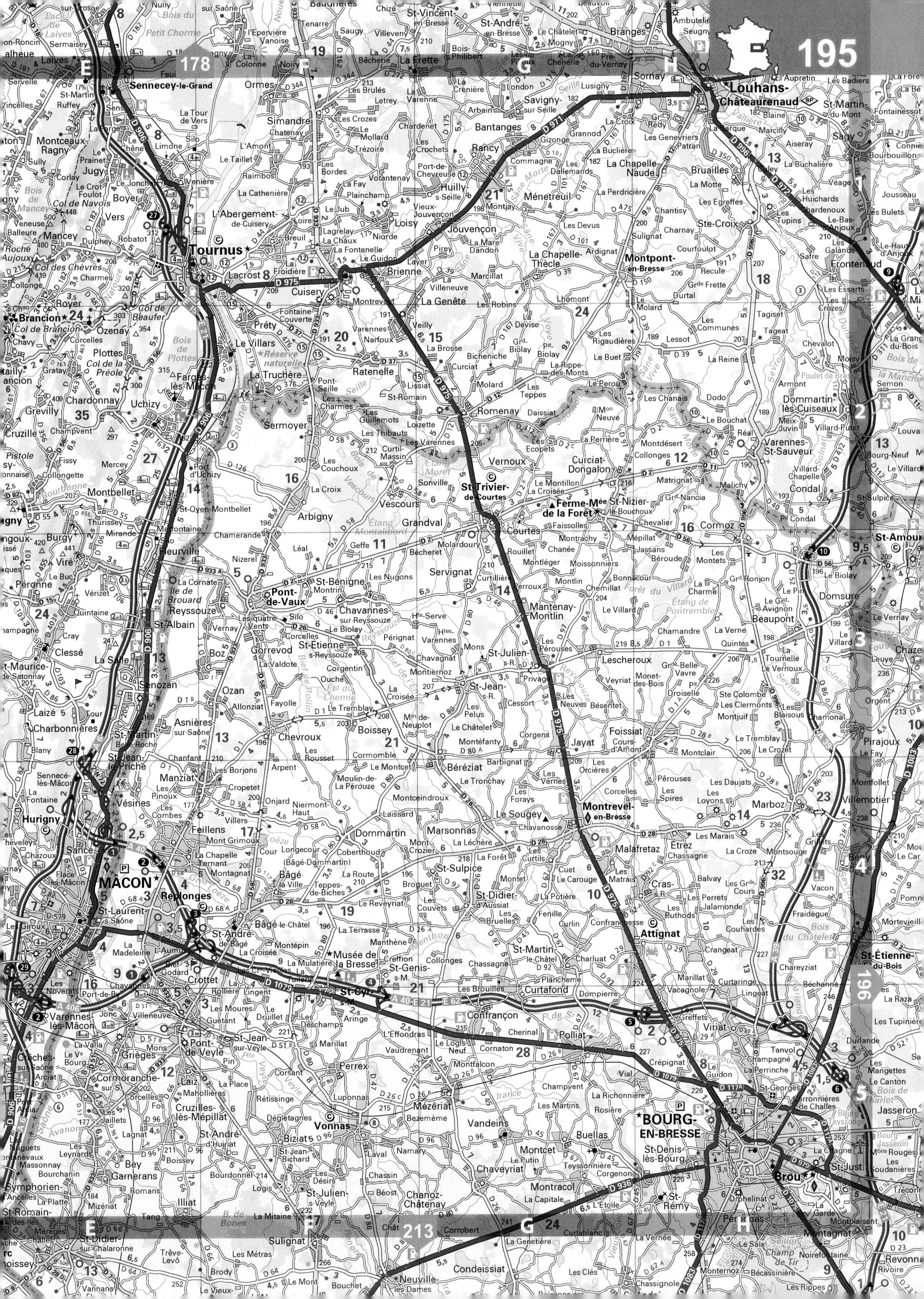

195
178
196
213
E
F
G
H
Sennecey-le-Grand
Louhans-Châteaurenaud
Tournus
Cuisery
Montpont-en-Bresse
Romenay
St-Trivier-de-Courtes
Ferme-Mée de la Forêt
Pont-de-Vaux
Mâcon
Replonges
St-Laurent-s-Saône
Bâgé-le-Châtel
Musée de la Bresse
Montrevel-en-Bresse
Attignat
Bourg-en-Bresse
Brou
Vonnas
Pont-de-Veyle
St-Amour
Hurigny
Branges
Brancion
Chardonnay
Uchizy
Lacrost
Ratenelle
Vernoux
Marboz
Viriat
Péronnas

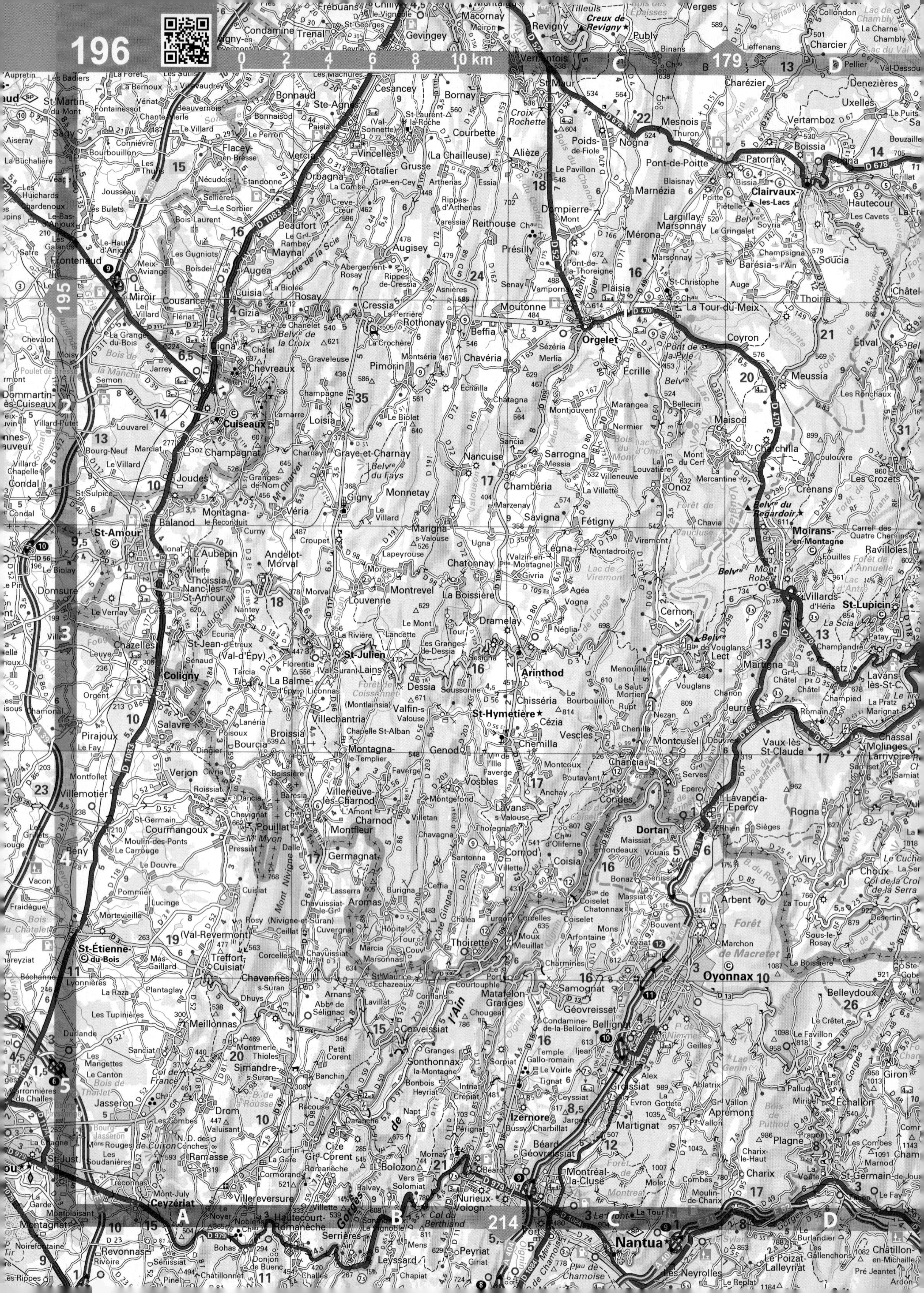
0 2 4 6 8 10 km
179
195
214
A B C D
1 2 3 4 5
Frébuans
Condamine
Trenal
St-Georges
Gevingey
Macornay
Moiron
Revigny
Creux de Revigny
Publy
Verges
Collondon
Chambly
Charcier
Lieffenans
Vernantois
St-Maur
Pellier
Val-Dessous
Charézier
Denezières
Uxelles
Vertamboz
Mesnois
Nogna
Thuron
Poids-de-Fiole
Alièze
Pont-de-Poitte
Patornay
Boissia
Cogna
Clairvaux-les-Lacs
Hautecour
Les Cavets
Marnézia
Blaisnay
Poitte
Pietelle
Soyria
Largillay-Marsonnay
Le Gringalet
Champsigna
Soucia
Baresia-s-l'Ain
Mérona
Dompierre-s-Mont
Pont-de-la-Thoreigne
Plaisia
St-Christophe
Auge
Thoiria
Châtel
La Tour-du-Meix
Coyron
Étival
Meussia
Les Ronchaux
Orgelet
Sézéria
Merlia
Pont de la Pyle
Écrille
Moutonne
Beffia
Rothonay
Cressia
La Perrière
Asnières
Présilly
Reithouse
Senay
Vamporne
Aupretin
Les Badiers
La Forêt
La Bernoux
Villevaudrey
Cesancey
Bornay
Bonnaud
Ste-Agnès
St-Martin-du-Mont
Fontainessot
Vériat
Beauvernois
Chante-Merle
Bonnaisod
St-Laurent-la-Roche
Courbette
Croix Rochette
Sagy
Aiseray
Le Villard
Le Perron
Vercia
Vincelles
(La Chailleuse)
La Buchalière
Connièvre
Flacey-en-Bresse
Bourbouillon
Les Thuris
Nécudois
L'Étandonne
Orbagna
Rotalier
Grusse
Arthenas
Essia
Les Huichards
Chardenoux
Le-Bas-d'Anjoux
Jousseau
Sellières
Le Sorbier
La Combe
Crève-Cœur
Rippes-d'Arthenas
Varessia
Les Bulets
Bois-Laurent
Beaufort
Le Grd Rambey
Maynal
Augisey
Safre
Le-Haut-d'Anjoux
Les Galands
Les Gugniots
Frontenaud
Meix-Aviange
Boisdel
Augea
Abergement-Rosay
Rippes-de-Cressia
Le Miroir
Cousance
Cuisia
La Biolée
Rosay
Fériat
Le Villard
Gizia
Le Chanelet
Belvre de la Croix
Digna
Châtel
La Grange-du-Bois
Chevalot
Moisy
Jarrey
Chevreaux
La Crochère
Graveleuse
Pimorin
Montséria
Chavéria
Bois de la Manche
Poulet de Bresse
Semon
Dommartin-lès-Cuiseaux
Champagne
Loisia
Échailla
Chatagna
Montjouvent
Marangea
Bellecin
Maisod
Charchilla
Villard-Putet
Louvarel
Cuiseaux
Lamarre
Le Biolet
Nermier
Bois du Mont
Lac d'Onoz
Bourg-Neuf
Marciat
Goz
Champagnat
Charnay
Graye-et-Charnay
Nancuise
Sarrogna
Messia
Villeneuve
Louvatière
Mont du Cerf
Mercantine
Coulouvre
Villard-Chapelle
Le Villard
Granges-de-Nom
Belvre du Fays
Condal
St-Sulpice
Joudes
Monnetay
Chambéria
La Villette
Onoz
Crénans
Les Crozets
Gigny
Marzenay
Savigna
Fétigny
Forêt de Vaucluse
Belvre du Regardoir
Montagna-le-Reconduit
Balanod
Véria
Le Villard
Chavia
Moirans-en-Montagne
Carref des Quatre Chemins
Ravilloles
St-Amour
Curny
Croupet
Marigna-s-Valouse
Ugna
Viremont
Montadroit
Légna
L'Aubépin
Andelot-Morval
Lapeyrouse
Chatonnay
(Valzin-en-Petite-Montagne)
Fouilles
Forêt de l'Annuelle
Le Biolay
Domsure
Thoissia
Nanc-lès-St-Amour
Morges
Givria
Lac de Viremont
Mont Roberi
Lac d'Antre
Villards-d'Héria
St-Lupicin
Le Vernay
Nantey
Morval
Louvenne
Montrevel
La Boissière
Agéa
Vogna
Cernon
La Scia
Écuria
St-Jean-d'Étreux
(Val-d'Épy)
La Rivière
Lancette
Le Mont
Dramelay
Tour
Néglia
Belvre
Bge de Vouglans
Lect
Champandré
Chazelles
Leuye
Senaud
Florentia
St-Julien
Lains
(Val-Suran)
Les Granges-de-Dessia
Sésigna
Arinthod
Menouille
Martigna
Pratz
Coligny
Tarcia
La Balme-d'Épy
Liconnas
Forêt de Coissonnet
Dessia
Soussonne
Chisséria
Le Bourbouillon
Le Saut-Mortier
Vouglans
Grd Châtel
Lavans-lès-St-C.
Orgent
Salavre
Lanéria
Poisoux
Villechantria
(Montlainsia)
Valfin-s-Valouse
St-Hymetière
Cézia
Rupt
Nezan
Chanon
Jeurre
St-Romain
Champied
La Pratz
Marignat
Pirajoux
Le Fay
Bourcia
Broissia
Chapelle St-Alban
Genod
Chemilla
Vescles
Chenilla
Montcusel
Douvres
Vaux-lès-St-Claude
Chassal
Molinges
Larrivoire
Montfollet
Dingier
Verjon
Civria
Montagna-le-Templier
La Boissière
Faverge
Mln de l'Ille
Montcoux
Boutavant
Chancia
Serves
Villemotier
Roissiat
Dancia
Baresia
Villeneuve-lès-Charnod
L'Amont
Charnod
Vosbles
Montgefond
Anchay
Condes
Epercy
Lavancia-Epercy
Rogna
St-Germain
Courmangoux
Chevignat
Pouillat
Mt Myon
Montfleur
Villetan
Lavans-s-Valouse
Thoregna
Dortan
Rhien
Sièges
Moulin-des-Ponts
Le Carrouge
Pressiat
Dalle
Germagnat
Chavagna
Ch d'Oliferne
Cornod
Maissiat
Emondeaux
Vouais
Viry
Le Douvre
Santonna
Villette
Coisia
Bonaz
Sénissiat
Choux
Col de la Serra
Pommier
Lucinge
Mont Nivigne
Lasserra
Ceffia
Burigna
Aromas
Chavuissiat-le-Grd
Arbent
La Tour
Mortevieille
Rosy
(Nivigne-et-Suran)
Ceillat
Cuvergnat
L'Hôpital
Chaléa
Côte Gingea
Turgon
Corcelles
Massiat
Chatonnax
Coiselet
Forêt de Macretet
Désertin
Sous-le-Rosay
St-Étienne-du-Bois
(Val-Revermont)
Treffort-Cuisiat
Corcelles
Marcia
Marsonnas
Thoirette
Moux
Meuillat
Arfontaine
Mons
Bouvent
Marchon
Chavannes-s-Suran
St-Maurice-d'Échazeaux
Courtouphle
Matafelon-Granges
Charmines
Samognat
Oyonnax
La Boissière
Mas-Gaillard
Lyonnières
Plantaglay
Dhuys
Arnans
Abbe de Sélignac
Lavillat
Conflans
Chougeat
Géovreisset
Belleydoux
Les Tupinières
Meillonnas
Corveissiat
Condamine-de-la-Belloire
Bellignat
Le Crêtet
Durlande
Sanciat
Montmerle
Thioles
Petit Corent
Granges
Sonthonnax-la-Montagne
Temple Gallo-romain
Geilles
Le Favillon
Les Mangettes
Le Canton
Bois de Tharlet
Col de France
Simandre-s-Suran
Banchin
Bonbois
Heyriat
Intriat
Crépiat
Sorpiat
Le Voirle
Tignat
Alex
Ablatrix
Lac Genin
Giron
Carronnières de Challes
Jasseron
B. de la Rousse
Ceyssiat
Groissiat
Evron
La Gottete
Apremont
La Pallud
Miribel
Échallon
Drom
Valuisant
Racouse
Darenche
Napt
Pérignat
Izernore
Bussy
Charbillat
Pt Vallon
Bois de Puthod
Bourg-Jasseron
N.-D. des Conches
Col de Curon
Les Combes
Rouges
Les Soudanières
Ramasse
Curfin
Cize
Grd-Corent
Mornay
Béard
Géovreissiat
Martignat
Charix-le-Haut
Plagne
Les Combes
Marnod
La Cragne
St-Just
Treconnas
La Garde
Mont-July
Ceyzériat
La Gare
Cormoranche
Romanèche
Bolozon
Vers
Solomiat
Montréal-la-Cluse
Forêt de Montréal
Les Combes
Molet
Moulin-de-Charix
Charix
La Vouîte
St-Germain-de-Joux
Le Fay
Balvay
Villereversure
Nurieux-Volognat
Col du Berthiand
Montplaisant
Montagnat
Le Noyer
Noblens
Hautecourt-Romanèche
Gorges de l'Ain
Sonthod
Le Mignoble
Le Pont
La Tour
Nantua
Le Burlandier
Les Gallenchons
Châtillon-en-Michaille
Noirefontaine
Revonnas
Rivoire
Bohas
Donjon de Buenc
Serrières-s-Ain
Mens
Peyriat
Giriat
Port
Plau de Chamoise
Le Poizat-Lalleyriat
Pré Jeantet
Les Rippes
Sénissiat
Châtillonnet
Challes
Chapiat
Leyssard
Les Neyrolles
Le Replat
Ardon
Pinel
A 39
A 40
D 1083
D 52
D 470
D 678
D 979
D 936
D 117
D 109
D 27
D 436
D 13
D 1084
D 117
D 3
D 2
D 1

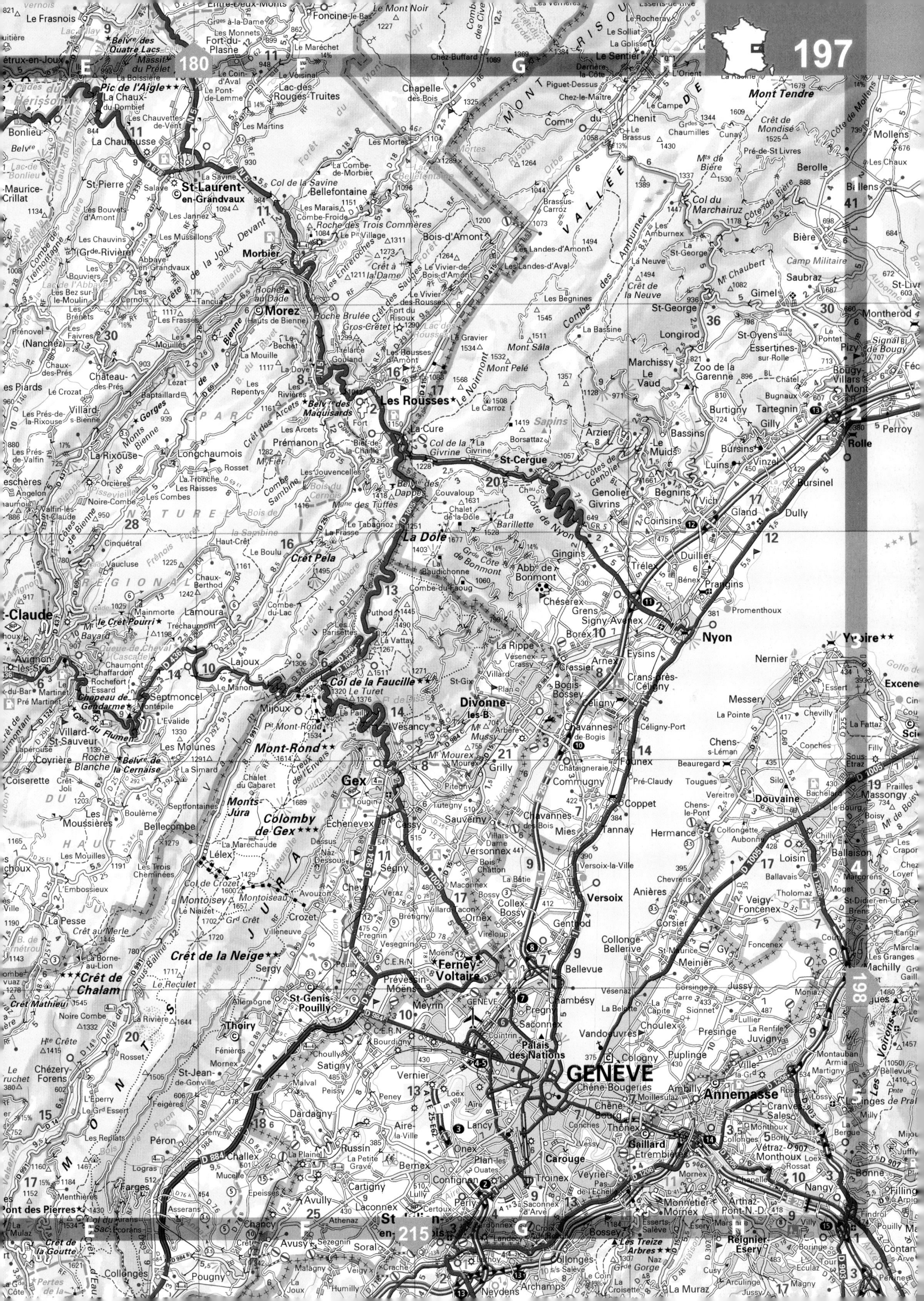
197
180
198
215
E
F
G
H
Pic de l'Aigle
St-Laurent-en-Grandvaux
Morbier
Morez
Les Rousses
Col de la Faucille
La Dôle
St-Cergue
Gex
Divonne-les-B.
Mont-Rond
Colomby de Gex
Crêt de la Neige
Crêt de Chalam
St-Genis-Pouilly
Ferney-Voltaire
GENÈVE
Palais des Nations
Carouge
Annemasse
Nyon
Rolle
Versoix
Coppet
Mont Tendre
Le Sentier
Col du Marchairuz
Col de la Givrine
Crêt Pela
Mont Sâla
Mont Pelé
St-Claude
Septmoncel
Lajoux
Mijoux
Chapeau de Gendarme
Thoiry
Meyrin
Douvaine
Yvoire
Les Voirons
Les Treize Arbres
Reignier-Esery
Cologny
Chêne-Bougeries
Gaillard
Vésenaz
Céligny
Prangins
Gland
Bière
Gimel
Longirod
Marchissy
Arzier
Trélex
Gingins
Chéserex
Borex
Crassier
Mies
Tannay
Lancy
Onex
Bernex
Confignon
Challex
Farges
Collonges
Pougny
Avusy
Soral
Chancy
Dardagny
Russin
Satigny
Vernier
Aire-la-Ville
Collex-Bossy
Genthod
Bellevue
Pregny
Chambésy
Saconnex
Troinex
Veyrier
Thônex
Ambilly
Juvigny
Presinge
Puplinge
Choulex
Jussy
Meinier
Gy
Corsier
Anières
Hermance
Chens-s-Léman
Messery
Nernier
Excenevex
Loisin
Ballaison
Massongy
Cranves-Sales
Monthoux
Vétraz-Monthoux
Nangy
Arthaz-Pont-N.-D.
Monnetier-Mornex
Bossey
Collonges-s/s-Salève
Archamps
Neydens
Cernex
Prévessin-Moëns
Ornex
Ségny
Cessy
Échenevex
Vesancy
Grilly
Sauverny
Versonnex
Chavannes-des-Bois
Chavannes-de-Bogis
Commugny
Founex
Lamoura
Prémanon
Bois-d'Amont
Bellefontaine
Longchaumois
La Rixouse
Les Moussières
Bellecombe
Lélex
La Pesse
Les Molunes
Chézery-Forens
Péron
Rosset
Col de la Savine
Forêt du Risoux
VALLÉE DE JOUX
MONT RISOUX
PARC NATUREL RÉGIONAL DU HAUT JURA
MONTS JURA
Crêt de la Neuve
Combe des Amburnex
Mont Tendre
Mollens
Berolle
Ballens
Saubraz
Montherod
St-George
St-Oyens
Essertines-sur-Rolle
Bursins
Vinzel
Luins
Bursinel
Dully
Begnins
Genolier
Givrins
Coinsins
Vich
Duillier
Signy-Avenex
Eysins
Arnex
Crans-près-Céligny
Bogis-Bossey
Promenthoux
Perroy
Tartegnin
Gilly
Bassins
Le Vaud
Burtigny
Zoo de la Garenne
Camp Militaire
Le Chenit
Le Brassus
Chapelle-des-Bois
Foncine-le-Bas
Fort-du-Plasne
Lac-des-Rouges-Truites
Les Chauvettes-de-Vent
Les Martins
La Chaumusse
Bonlieu
Le Frasnois
St-Pierre
Villard-St-Sauveur
Coyrière
Roche Blanche
Villard-sur-Bienne
Château-des-Prés
Les Piards
Prénovel
Cinquétral
Lézat
Les Bouchoux
Crêt au Merle
Montoisey
Crozet
Sergy
Pouilly
C.E.R.N.
Chevry
Allemogne
Fénières
Mornex
St-Jean-de-Gonville
Logras
Mucelle
Asserans
Pont des Pierres
Menthières
Crêt de la Goutte
Pertes de la Goutte
Le Reculet
Malval
Peissy
Cartigny
Avully
Laconnex
Athenaz
Sezegnin
Malagny
Veigy
Humilly
Crache
Landecy
Bardonnex
Perly
Plan-les-Ouates
Pinchat
Collonges
Rossat
La Muraz
Magny
Cusy
Arculinge
Lullier
Sionnet
Carre
La Capite
Pas de l'Échelle
Étrembières
Bonne
Filling
Contamine-s-Arve
Cusy
Naz
Gorge
Esserts-Salève
Mornex
Borly
Loex
Le Lignon
Mont Chaubert
Mts de Bière
Crêt de Mondisé
Pré-de-St Livres
Côte de Mollens
Signal de Bougy
Bougy-Villars
Mont
Le Noirmont
Roche Brulée
Gros-Crêtet
Crêt à la Dame
Roche des Trois Commères
Belvre des Maquisards
Belvre des Dappes
Côte de Nyon
Côte de Bonmont
Abbe de Bonmont
La Barillette
Chalet de la Dôle
Couvaloup
Combe du Faoug
Puthod
La Vattay
Le Turet
Pt Mont-Rond
Creux de l'Envers
Monts Jura
Chalet du Cabaret
Septfontaines
Col de Crozet
Montoiseau
Grd Crêt
Belvre de la Cernaise
Gorges du Flumen
le Crêt Pourri
Mt Bayard
Queue-de-Cheval (Cascade)
Avignon-lès-St-C.
Chaumont
Chaffardon
Rochefort
Montépile
L'Evalide
La Simard
Boulème
Les Trois Cheminées
La Marechaude
Colomby de Gex
Naz Dessous
Sainte-Croix
Mont Mourex
Mourex
Mt Mussy
Pitegny
Tutegny
Maconnex
Bossy
Véraz
Brétigny
Vesegnin
Pregnin
Moëns
Villard-Tacon
Vireloup
Mont Fier
Rosset
La Fronche
Les Raisses
Combe Sambine
Mne des Tuffes
Le Tabagnoz
La Frasse
Haut-Crêt
Le Boulu
Chaux-Berthod
Combe-du-Lac
Les Parisettes
Trechaumont
Mainmorte
Le Manon
Bief de la Chaille
Les Jouvencelles
Les Arcets
Fort
La Cure
Borsattaz
Sapins
Le Carroz
La Givrine
Les Landes-d'Amont
Les Landes-d'Aval
Le Vivier-de-Bois-d'Amont
Le Vivier-des-Rousses
Fort du Risoux
La Gravier
Les Begnines
La Bassine
Le Muids
Côtes de Genolier
Côte de Bière
Les Amburnex
La Neuve
St-George
Col du Marchairuz
Brassus-Carroz
Les Mortes
Lac des Mortes
Bellefontaine
Les Marais
Combe-Froide
Le Pt Village
Les Entreroches
Roche au Dade
Tancua
Les Cernois
Les Frasses
Les Mouillés
Trélarce
Goulard
Le Bechet
La Savine
Les Jannez
Les Mussillons
Abbaye-en-Grandvaux
Les Bouviers
Les Bez sur-le-Moulin
Lac de l'Abbaye
Les Brenets
Les Fairves
Chaux-des-Prés
Le Crozat
Les Repentys
Les Rivières
Baptaillard
Les Prés-de-la-Rixouse
Les Prés-de-Valfin
Valfin-lès-St-Claude
Noire-Combe
Orcières
Angelon
Le Chauvins
Grde Rivière
Salave
Combe-de-Morbier
Col de la Savine
Piguet-Dessus
Chez-le-Maître
Derrière-la-Côte
L'Orient
La Golisse
Le Solliat
Le Rocheray
Le Campe
Grdes Chaumilles
Cunay
Entre-Deux-Monts
Le Mont Noir
Les Monnets
Le Maréchet
Le Coin-d'Aval
Le Pont-de-Lemme
Le Voisinal
Chez-Buffard
Lac-de-Bonlieu
Lac-Maclu
Belvre des Quatre Lacs
Massif du Prélet
Pétrux-en-Joux
La Boissière
La Chaux-du-Dombief
Cades du Hérisson
St-Maurice-Crillat
Les Bouvets d'Amont
Crête de la Joux Devant
Mts Gorges de Bienne
La Rixouse
Chenit
Forêt du Massacre
Chaîne du Jura

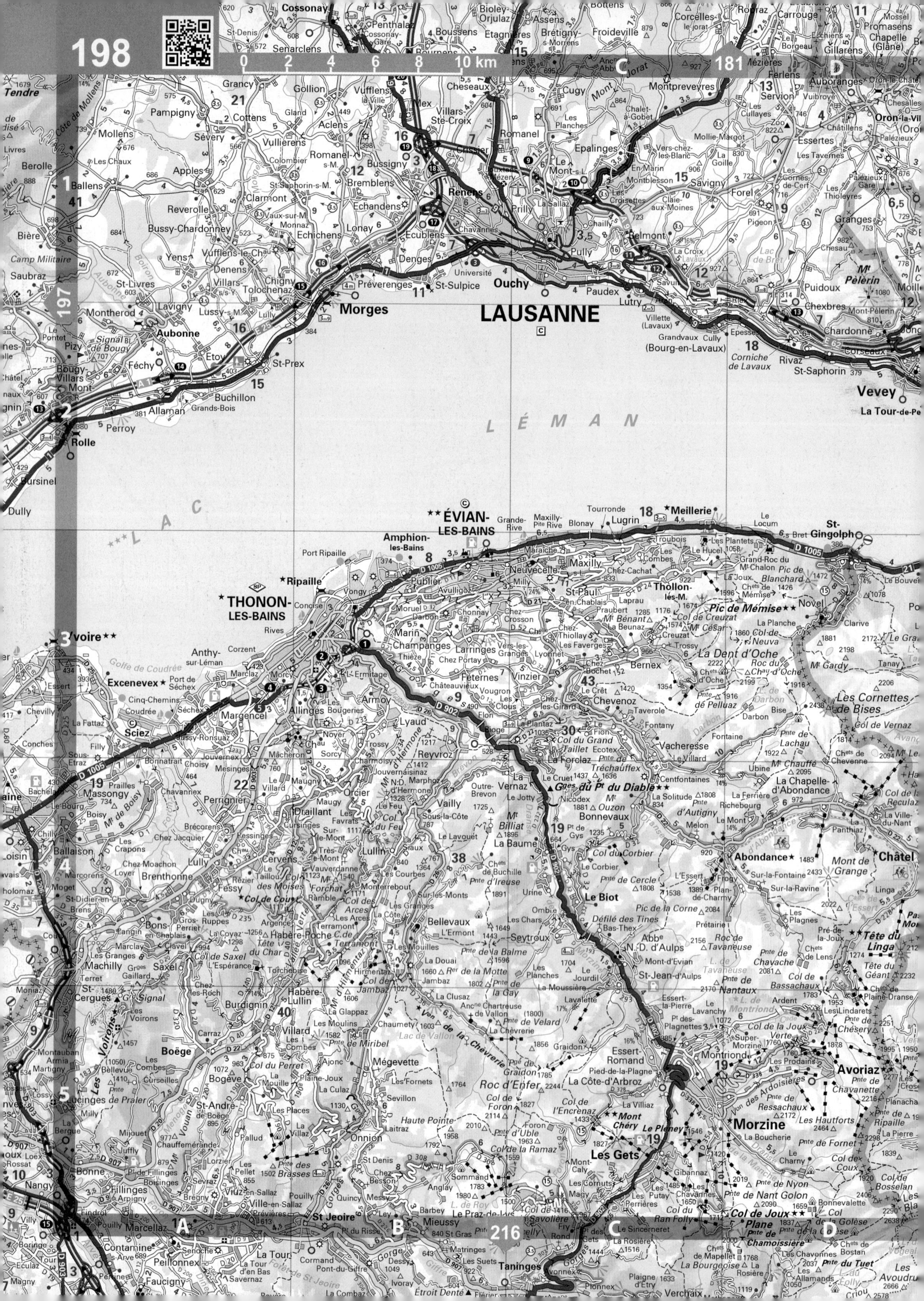
0 2 4 6 8 10 km
181
197
216
A
B
C
D
LAUSANNE
LÉMAN
LAC
ÉVIAN-LES-BAINS
THONON-LES-BAINS
Morges
Ouchy
Pully
Renens
Vevey
Rolle
Aubonne
St-Prex
Cossonay
Cully
Chexbres
St-Saphorin
Corniche de Lavaux
Yvoire
Excenevex
Sciez
Douvaine
Amphion-les-Bains
Publier
Neuvecelle
Maxilly
Lugrin
Meillerie
St-Gingolph
Thollon-les-M.
Pic de Mémise
La Dent d'Oche
Les Cornettes de Bises
Abondance
Châtel
Le Biot
Bellevaux
Lullin
Habère-Lullin
Boëge
Bogève
Mégevette
Onnion
St Jeoire
Les Gets
Morzine
Avoriaz
Montriond
St-Jean-d'Aulps
Col de Joux Plane
Taninges
Mieussy
Gges du Pt du Diable
Roc d'Enfer
Les Voirons
Bons-en-Chablais
Machilly
Allinges
Armoy
Vacheresse
Bernex
Chevenoz
La Chapelle-d'Abondance
Tête du Linga
Fillinges
Marcellaz
Viuz-en-Sallaz
Peillonnex
Faucigny

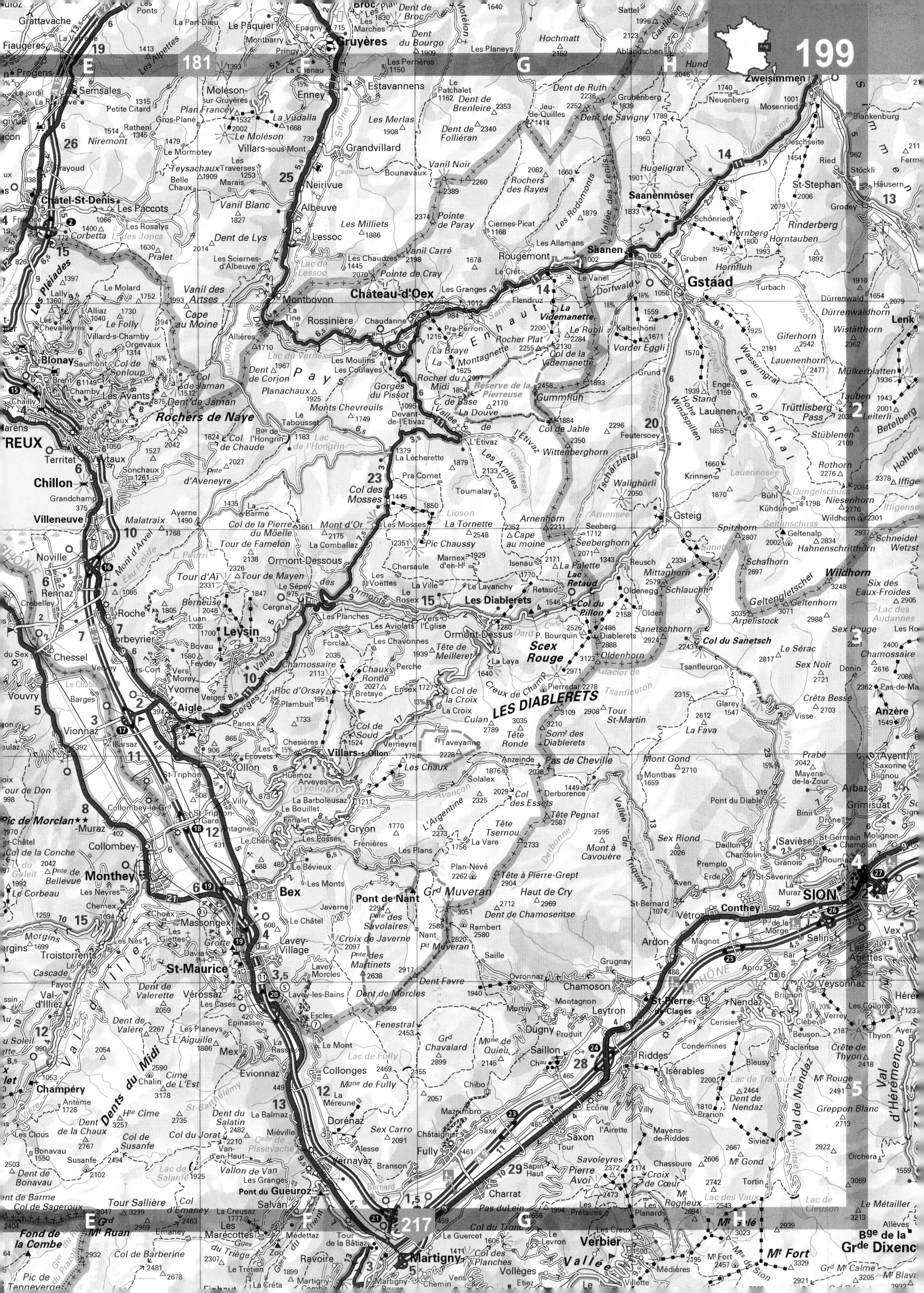
199
181
217
E
F
G
H
Gruyères
Broc
Dent de Broc
Dent du Bourgo
Zweisimmen
Moléson-sur-Gruyères
Le Moléson
Grandvillard
Villars-sous-Mont
Neirivue
Albeuve
Lessoc
Estavannens
Enney
Dent de Ruth
Dent de Savigny
Dent de Brenleire
Dent de Folliéran
Les Merlas
Vanil Noir
Rochers des Rayes
Hugeligrat
Saanenmöser
Schönried
St-Stephan
Rinderberg
Hornberg
Horntauben
Hornfluh
Saanen
Gstaad
Turbach
Dürrenwaldhorn
Lenk
Wistätthorn
Giferhorn
Lauenenhorn
Mülkerblatten
Trüttlisberg Pass
Stüblenen
Rothorn
Niesenhorn
Wildhorn
Iffigenalp
Châtel-St-Denis
Les Paccots
Corbetta
Vanil Blanc
Dent de Lys
Pointe de Paray
Ciernes-Picat
Les Rodomonts
Rougemont
Vanil Carré
Pointe de Cray
Château-d'Oex
Montbovon
Rossinière
Les Pléiades
Blonay
Col de Sonloup
Les Avants
Col de Jaman
Dent de Jaman
Rochers de Naye
Cape au Moine
Vanil des Artses
Pays d'Enhaut
La Videmanette
Rocher Plat
Col de la Videmanette
Rocher du Midi
Réserve de la Pierreuse
Gummfluh
Col de Jable
Lauenen
Lauenental
Wasserngrat
Wittenberghorn
Walighürli
Vallée des Fenils
Tscharzistal
Gsteig
Col de Chaude
Lac de l'Hongrin
Le Tabousset
Monts Chevreuils
Devant-de-l'Etivaz
L'Etivaz
Vallée de l'Etivaz
Les Arpilles
Montreux
Territet
Veytaux
Chillon
Villeneuve
Col des Mosses
La Lécherette
Pra Cornet
Toumalay
Arnenhorn
Seeberghorn
Cape au moine
Col de la Pierre du Moëlle
Mont d'Or
Tour de Famelon
La Tornette
Pic Chaussy
Ormont-Dessous
Tour d'Aï
Tour de Mayen
Leysin
Le Sépey
Les Diablerets
Lac Retaud
Col du Pillon
Oldenegg
Schlauchh
Sanetschhorn
Oldenhorn
Geltenhorn
Arpelistock
Geltengletscher
Wildhorn
Six des Eaux-Froides
Sex Rouge
Col du Sanetsch
Le Sérac
Sex Noir
Chamossaire
Crêta Besse
Anzère
Noville
Rennaz
Roche
Corbeyrier
Chessel
Vouvry
Yvorne
Aigle
Ormont-Dessus
Scex Rouge
Tête de Meilleret
Chaux Ronde
Roc d'Orsay
Col de la Croix
LES DIABLERETS
Tour St-Martin
Sommet des Diablerets
Tête Ronde
Culan
Creux de Champ
Glacier de Tsanfleuron
Tsanfleuron
La Fava
Vionnaz
Illarsaz
Ollon
Chesières
Villars-s-Ollon
Col de Soud
Taveyanne
Les Chaux
Anzeinde
Pas de Cheville
Mont Gond
Prabé
Savièse
Arbaz
Grimisuat
Pic de Morclan
Muraz
Collombey
Monthey
Bex
Gryon
Solalex
Derborence
Col des Essets
Tête Pegnat
L'Argentine
Tête Tsernou
Mont à Cavouère
Vallée de Triquent
Sex Riond
Pont du Diable
Plan-Névé
Tête à Pierre-Grept
Haut de Cry
Grand Muveran
Dent de Chamosentse
Pont de Nant
Pointe des Savolaires
Croix de Javerne
Pointe des Martinets
Petit Muveran
Lavey-Village
Lavey-Morcles
Lavey-les-Bains
Dent de Morcles
Dent Favre
St-Maurice
Massongex
Troistorrents
Morgins
Val d'Illiez
Champéry
Dents du Midi
Cime de l'Est
Dent de Valère
Dent de Valerette
Vérossaz
Mex
Evionnaz
Collonges
Dorénaz
Fenestral
Grand Chavalard
Montagne de Fully
Montagne de Quieu
Sex Carro
Fully
Châtaignier
Saillon
Leytron
Chamoson
St-Pierre-de-Clages
Ardon
Vétroz
Conthey
SION
Salins
Vex
Veysonnaz
Nendaz
Iserables
Riddes
Saxon
Saxé
Charrat
Martigny
Dent de Nendaz
Mont Rouge
Crête de Thyon
Val de Nendaz
Val d'Hérémence
Greppon Blanc
Mont Gond
Savoleyres
Pierre Avoi
Croix de Cœur
Mont Rogneux
Mont Gelé
Mont Fort
Verbier
Vallée
Le Levron
Vollèges
Grande Dixence
Salvan
Pont du Gueuroz
Vernayaz
Les Marécottes
Tour Sallière
Col de Sagerou
Dent de Barme
Dent de Bonavau
Col de Susanfe
Haute Cime
Fond de la Combe
Grand Mont Ruan
Col de Barberine
Pic de Tenneverge
RHÔNE

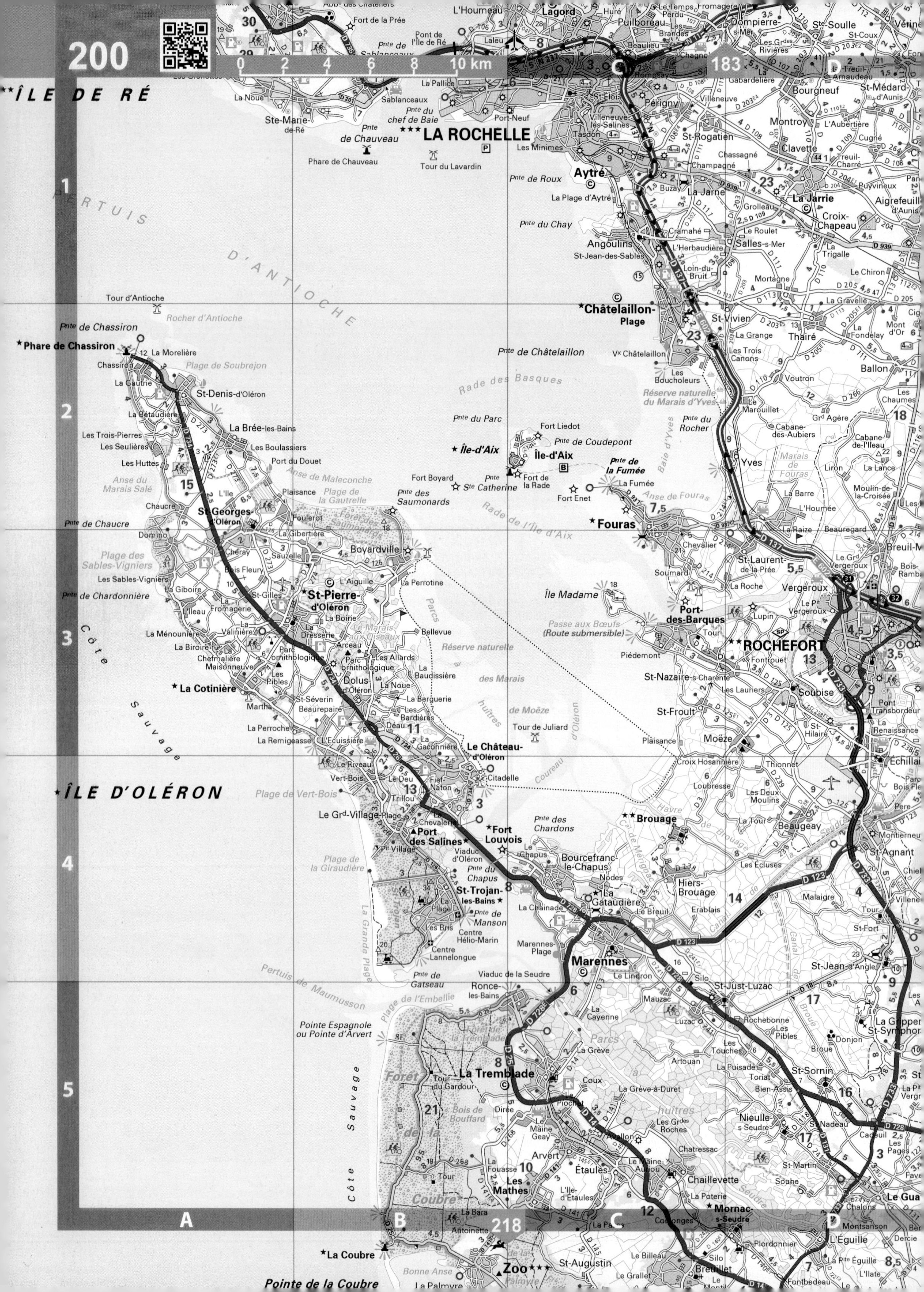200
183
218
0 2 4 6 8 10 km
A
B
C
D
1
2
3
4
5
**ÎLE DE RÉ
PERTUIS D'ANTIOCHE
*ÎLE D'OLÉRON
Côte Sauvage
LA ROCHELLE
L'Houmeau
Lagord
Puilboreau
Dompierre-s-Mer
Périgny
Aytré
Angoulins
Châtelaillon-Plage
Fouras
Île-d'Aix
Fort Boyard
Fort Liedot
Fort Enet
Île Madame
Port-des-Barques
ROCHEFORT
Tonnay-Charente
Soubise
Moëze
Brouage
Hiers-Brouage
Bourcefranc-le-Chapus
Marennes
Marennes-Plage
St-Just-Luzac
La Tremblade
Ronce-les-Bains
Arvert
Étaules
Chaillevette
Mornac-s-Seudre
Les Mathes
La Palmyre
Zoo
La Coubre
Pointe de la Coubre
Phare de Chassiron
Chassiron
St-Denis-d'Oléron
La Brée-les-Bains
St-Georges-d'Oléron
St-Pierre-d'Oléron
Boyardville
Dolus-d'Oléron
Le Château-d'Oléron
St-Trojan-les-Bains
Le Grd-Village-Plage
La Cotinière
Port des Salines
Fort Louvois
Tour d'Antioche
Rocher d'Antioche
Phare de Chauveau
Tour du Lavardin
Pointe Espagnole ou Pointe d'Arvert
Pertuis de Maumusson
Forêt de la Coubre
Rade des Basques
Réserve naturelle du Marais d'Yves
Réserve naturelle des Marais de Moëze
Passe aux Bœufs (Route submersible)
Viaduc d'Oléron
Viaduc de la Seudre
St-Agnant
Échillais
Beaugeay
St-Jean-d'Angle
St-Sornin
Nieulle-s-Seudre
L'Éguille
Le Gua
La Jarrie
Salles-s-Mer
Thairé
Yves
St-Laurent-de-la-Prée
Vergeroux
St-Nazaire-s-Charente
St-Froult
Breuillet
St-Augustin

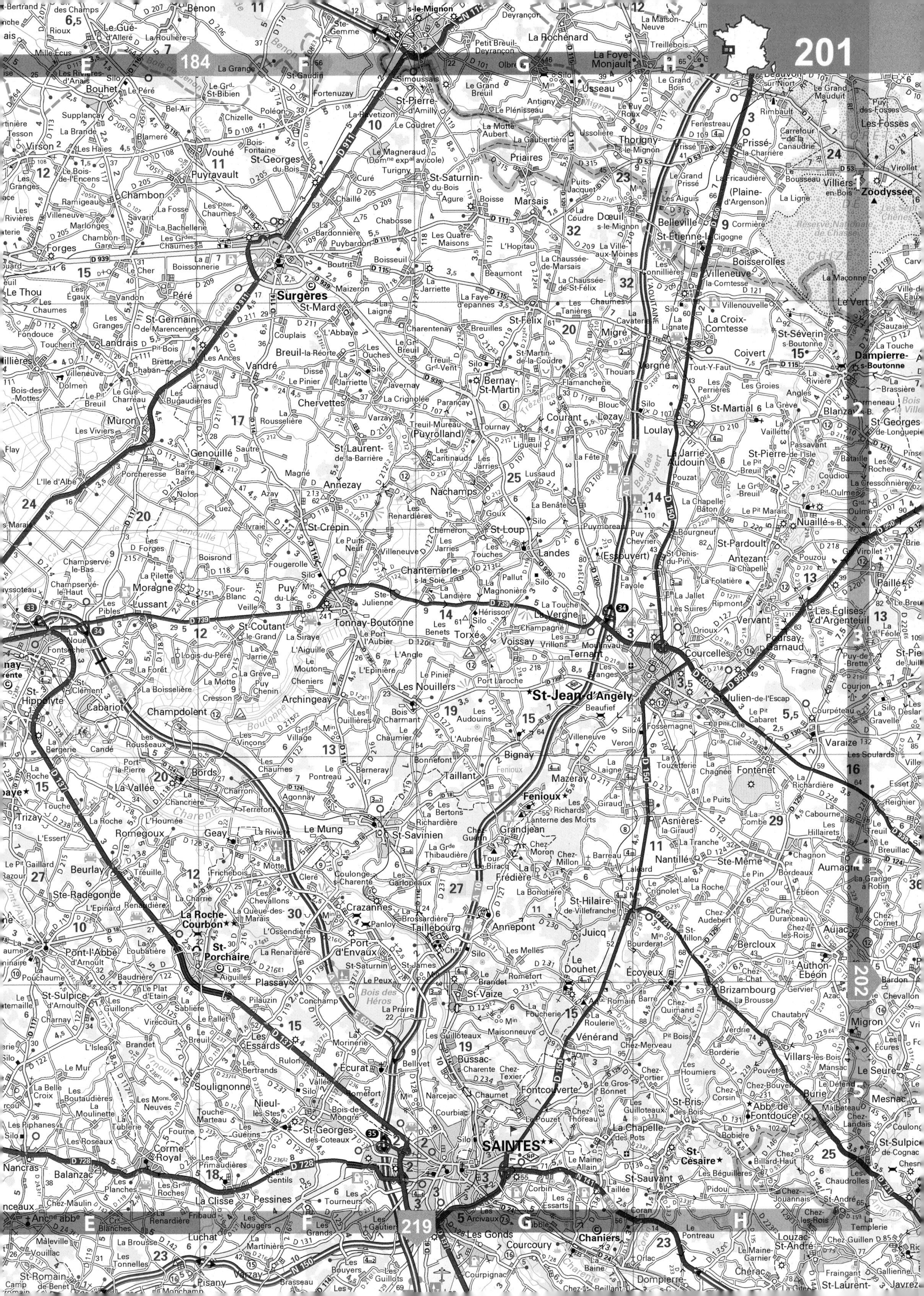
184
219
202
Surgères
St-Jean-d'Angély
SAINTES
Tonnay-Boutonne
St-Savinien
Taillebourg
St-Porchaire
La Roche-Courbon
Pont-l'Abbé-d'Arnoult
Saujon
Beauvoir-sur-Niort
Dampierre-s-Boutonne
Aulnay
Matha
Burie
Chaniers
St-Césaire
Écoyeux
Brizambourg
Aumagne
Fontenet
Varaize
Nuaillé-s-B.
Loulay
Vergné
Migré
Coivert
Lozay
Courant
Landes
St-Loup
Nachamps
Torxé
Voissay
Ternant
Courcelles
Les Nouillers
Archingeay
Champdolent
Bords
La Vallée
Romegoux
Geay
Le Mung
Crazannes
Port-d'Envaux
Annepont
Juicq
Le Douhet
Vénérand
Fontcouverte
St-Vaize
Bussac-s-Charente
Écurat
Nieul-les-Saintes
St-Georges-des-Coteaux
Corme-Royal
Balanzac
Pessines
Les Gonds
Courcoury
Le Thou
Forges
Puyravault
Vouhé
Virson
Chambon
St-Germain-de-Marencennes
Landrais
Vandré
Breuil-la-Réorte
Chervettes
Muron
Genouillé
Annezay
St-Crépin
Puy-du-Lac
Lussant
Moragne
St-Coutant-le-Grand
Chantemerle-s-la-Soie
Bernay-St-Martin
St-Félix
Marsais
Priaires
Usseau
Thorigny-s-le-Mignon
Prissé-la-Charrière
Villiers-en-Bois
Zoodyssée
Belleville
St-Étienne-la-Cigogne
Boisserolles
Villeneuve-la-Comtesse
La Croix-Comtesse
St-Séverin-s-Boutonne
St-Martial
Blanzay-s-B.
St-Georges-de-Longuepie
St-Pierre-de-l'Isle
La Jarrie-Audouin
St-Pardoult
Antezant-la-Chapelle
Les Églises-d'Argenteuil
Poursay-Garnaud
St-Julien-de-l'Escap
Asnières-la-Giraud
Nantillé
Ste-Même
St-Hilaire-de-Villefranche
Authon-Ébéon
Bercloux
Migron
Villars-les-Bois
Mesnac
St-Sulpice-de-Cognac
St-Sauvant
Fenioux
Mazeray
Bignay
Grandjean
Taillant
Ternant
Beurlay
Ste-Radegonde
Trizay
Plassay
Soulignonne
St-Sulpice-d'Arnoult
Les Essards
Rétaud
Luchat
Pisany
Varzay
Nancras
A 10
A 837
E 602
D 939
D 150
D 739
D 911
D 137
D 728

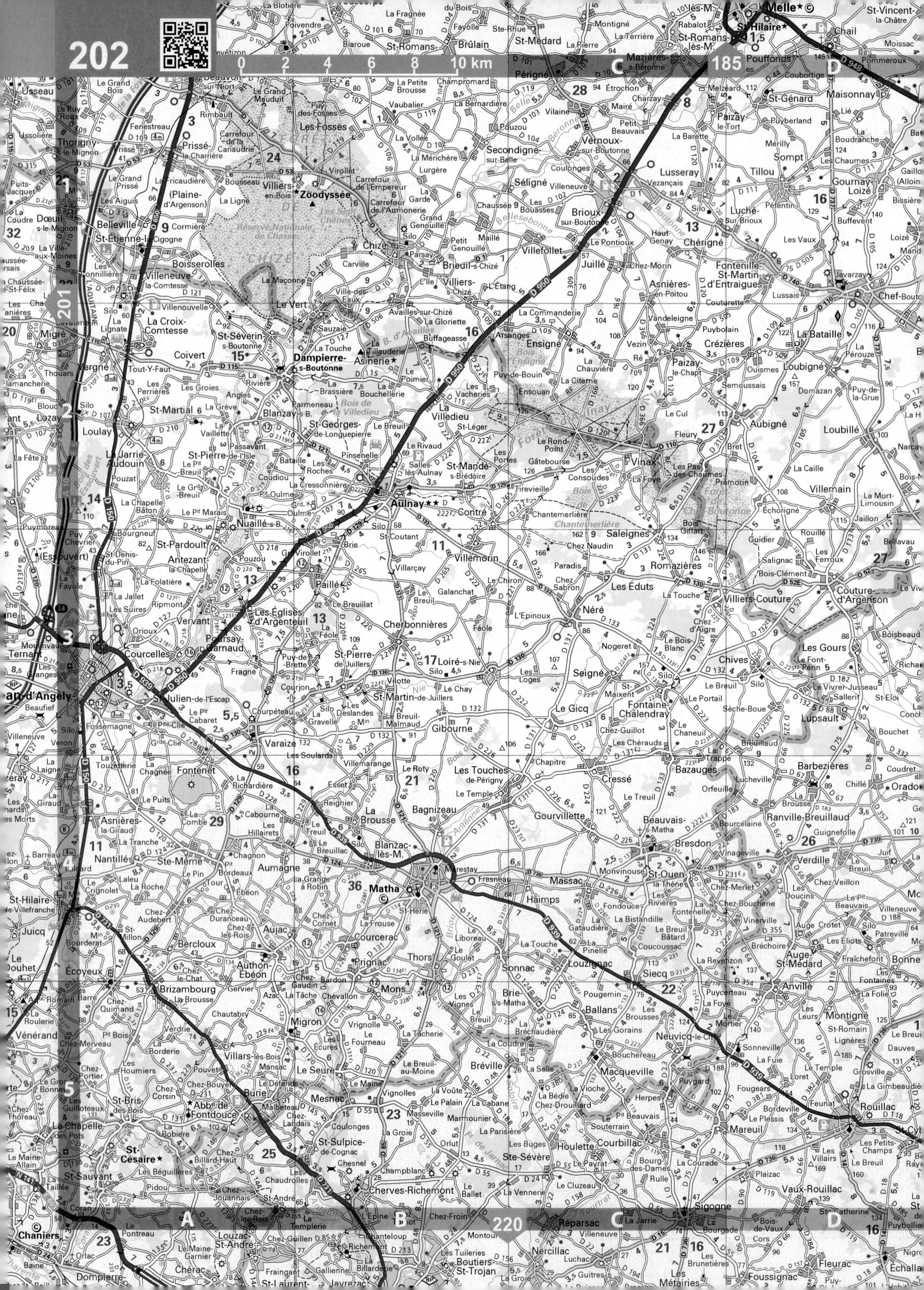
0 2 4 6 8 10 km
185
201
220
Melle
St-Hilaire
Chail
Maisonnay
St-Génard
Périgné
Mazières-s-Béronne
Étrochon
Vernoux-sur-Boutonne
Secondigné-sur-Belle
Séligné
Lusseray
Paizay-le-Tort
Brioux-sur-Boutonne
Villefollet
Chérigné
Luché-sur-Brioux
Sompt
Tillou
Gournay-Loizé
Fontenille-St-Martin-d'Entraigues
Chef-Boutonne
Juillé
Asnières-en-Poitou
Vernoux
Usseau
Thorigny
Prissé-la-Charrière
Beauvoir-sur-Niort
Les Fosses
Villiers-en-Bois
Zoodyssée
Réserve Nationale de Chasse
FORÊT DE CHIZÉ
Chizé
Brieuil-s-Chizé
Villiers-s-Chizé
Belleville
St-Étienne-la-Cigogne
Boisserolles
Villeneuve-la-Comtesse
La Croix-Comtesse
St-Séverin-s-Boutonne
Le Vert
Availles-sur-Chizé
Dampierre-s-Boutonne
Asinerie
Ensigné
Crézières
Paizay-le-Chapt
Loubigné
La Bataille
Aubigné
Loubillé
Vinax
Les Pas-des-Chaumes
Forêt d'Aulnay
Coivert
Vergné
Migré
St-Martial
Blanzay-s-B.
St-Georges-de-Longuepierre
La Villedieu
Loulay
Lozay
La Jarrie-Audouin
St-Pierre-de-l'Isle
Salles-lès-Aulnay
St-Mandé-s-Brédoire
Aulnay
Contré
Nuaillé-s-B.
Villemain
St-Pardoult
Antezant-la-Chapelle
Villemorin
Saleignes
Romazières
Les Éduts
Villiers-Couture
Couture-d'Argenson
Paillé
Les Églises-d'Argenteuil
Cherbonnières
Néré
Vervant
Poursay-Garnaud
Courcelles
St-Pierre-de-Juillers
Loiré-s-Nie
Seigné
Chives
Les Gours
St-Jean-d'Angély
St-Julien-de-l'Escap
St-Martin-de-Juillers
Fontaine-Chalendray
Le Gicq
Gibourne
Varaize
Fontenet
Les Touches-de-Périgny
Cressé
Bazauges
Barbezières
Lupsault
Asnières-la-Giraud
Bagnizeau
Gourvillette
Beauvais-s-Matha
Bresdon
Ranville-Breuillaud
Verdille
Nantillé
Ste-Même
Aumagne
Blanzac-lès-M.
Matha
Massac
St-Ouen
Haimps
Courcerac
Thors
Sonnac
Louzignac
Siecq
Auge-St-Médard
Anville
Bercloux
Authon-Ébéon
Prignac
Mons
Brie-s/s-Matha
Ballans
Neuvicq-le-Château
Montigné
Écoyeux
Brizambourg
Migron
Bréville
Macqueville
Villars-les-Bois
Burie
Mesnac
Vignolles
Sonneville
Rouillac
Abbaye de Fontdouce
Ste-Sévère
Houlette
Courbillac
Mareuil
St-Césaire
St-Sulpice-de-Cognac
Cherves-Richemont
Vaux-Rouillac
Sigogne
Réparsac
Chaniers
Louzac-St-André
Boutiers-St-Trojan
Nercillac
Fleurac
Dompierre
A B C D

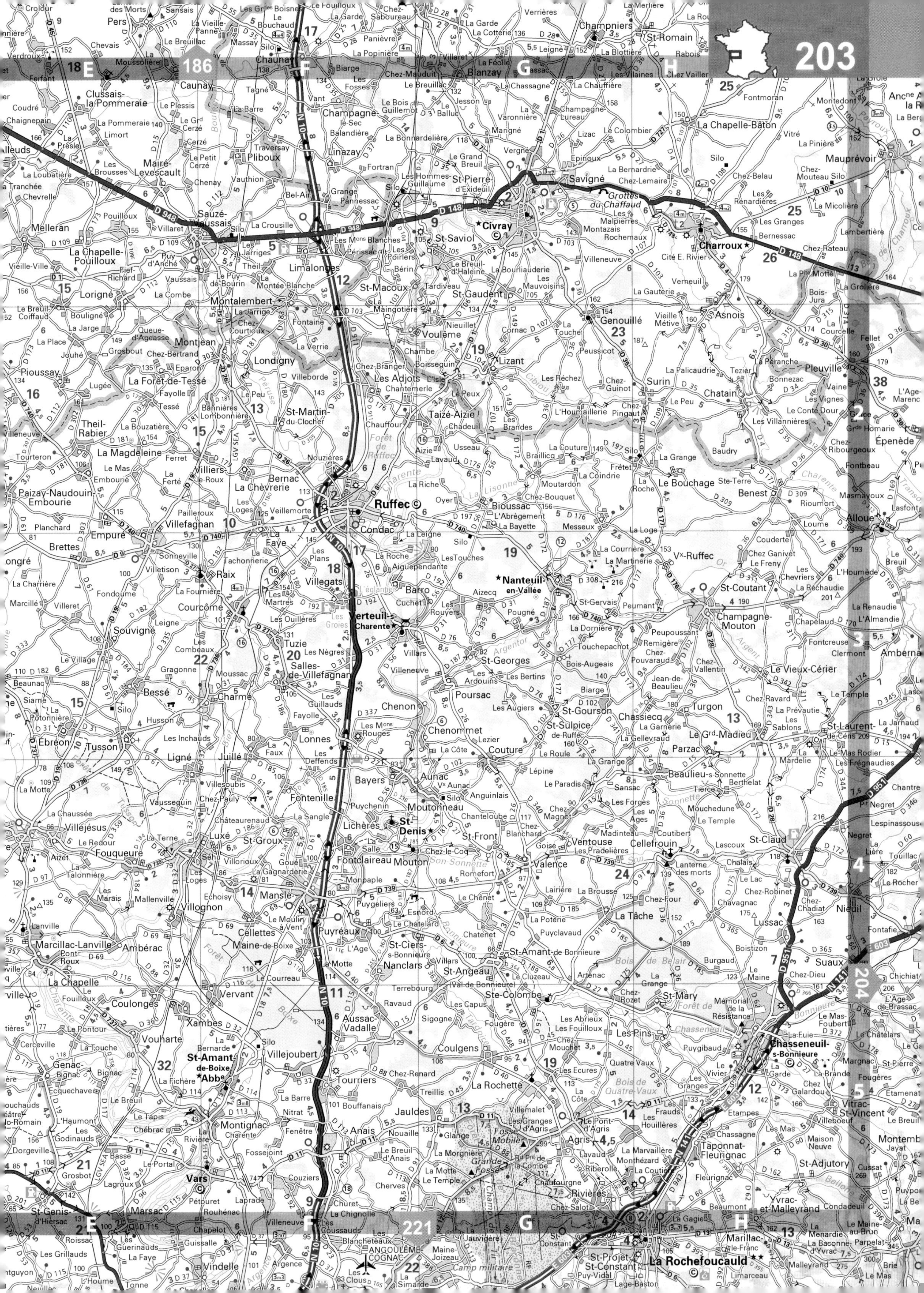
186
204
221
E
F
G
H
Champniers
St-Romain
Chaunay
Blanzay
Champagne-le-Sec
Linazay
Pliboux
Mairé-Levescault
Sauzé-Vaussais
Melleran
La Chapelle-Pouilloux
Limalonges
St-Pierre-d'Exideuil
Civray
Savigné
Grottes du Chaffaud
St-Saviol
Charroux
Mauprévoir
La Chapelle-Bâton
Clussais-la-Pommeraie
Lorigné
Montalembert
St-Macoux
St-Gaudent
Genouillé
Asnois
Montjean
Londigny
Voulême
Lizant
Surin
Chatain
Pleuville
La Forêt-de-Tessé
Les Adjots
Taizé-Aizie
St-Martin-du-Clocher
Theil-Rabier
La Magdeleine
Villiers-le-Roux
Bernac
La Chèvrerie
Paizay-Naudouin-Embourie
Villefagnan
Empuré
Ruffec
Condac
Bioussac
Le Bouchage
Benest
Alloue
Brettes
Raix
Villegats
Barro
Nanteuil-en-Vallée
Vx-Ruffec
St-Coutant
Champagne-Mouton
Courcôme
Verteuil-s-Charente
Souvigné
Tuzie
Salles-de-Villefagnan
St-Georges
Poursac
Le Vieux-Cérier
Bessé
Charmé
Chenon
St-Gourson
Chassiecq
Turgon
Ebréon
Tusson
Lonnes
Chenommet
St-Sulpice-de-Ruffec
Couture
Le Grd-Madieu
Parzac
St-Laurent-de-Céris
Ligné
Juillé
Bayers
Aunac
Beaulieu-s-Sonnette
Fontenille
Moutonneau
Villejésus
Luxé
St-Groux
Lichères
St-Denis
St-Front
Ventouse
Cellefrouin
St-Claud
Fouqueure
Fontclaireau
Mouton
Valence
Mansle
Villognon
Puyréaux
La Tâche
Lussac
Nieuil
Cellettes
Maine-de-Boixe
St-Ciers-s-Bonnieure
Nanclars
St-Amant-de-Bonnieure
St-Angeau
Marcillac-Lanville
Ambérac
La Chapelle
Coulonges
Vervant
Aussac-Vadalle
Ste-Colombe
St-Mary
Suaux
Chasseneuil-s-Bonnieure
Xambes
Vouharte
St-Amant-de-Boixe
Villejoubert
Coulgens
La Rochette
Les Pins
Tourriers
Genac-Bignac
Montignac-Charente
Jauldes
Anais
Agris
Taponnat-Fleurignac
St-Adjutory
Vitrac-St-Vincent
Vars
Rivières
St-Genis-d'Hiersac
Marsac
La Rochefoucauld
St-Projet-St-Constant
Vindelle
ANGOULÊME COGNAC
Camp militaire
Yvrac-et-Malleyrand
Marillac-le-Franc
Forêt de Ruffec
Forêt de Boixe
Bois de Belair
Forêt de Chasseneuil
Bois de Quatre-Vaux
Mémorial de la Résistance
Charente
Lisonne
Argentor
Son-Sonnette
Bonnieure
N 10
N 141
D 948
D 148
D 951
E 603

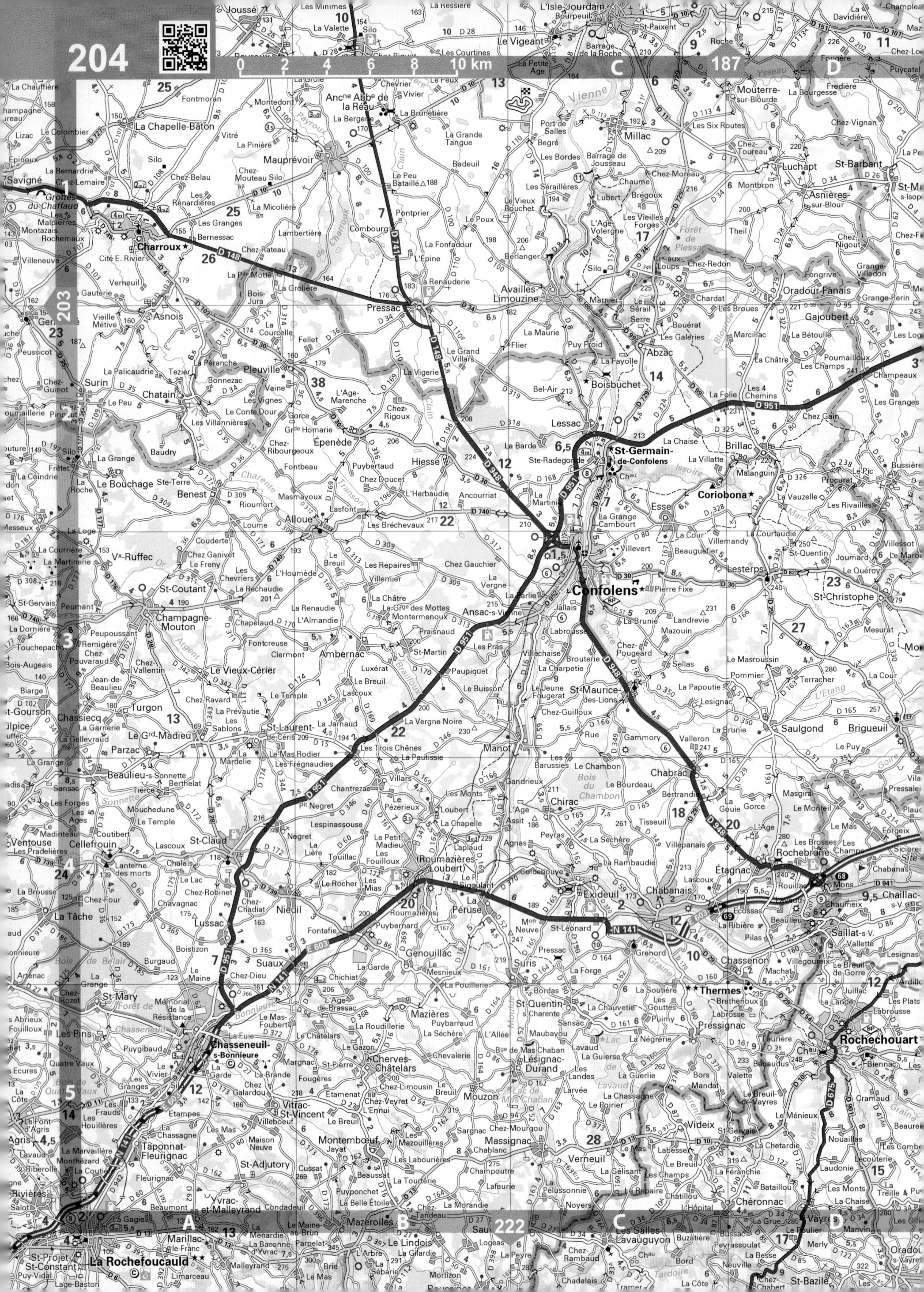
204
0 2 4 6 8 10 km
C
187
D
203
222
A
B
C
D
1
2
3
4
5
Jousse
Les Minimes
La Ressière
L'Isle-Jourdain
Bourpeuil
St-Paixent
Le Vigeant
Barrage de la Roche
La Valette
Silo
Roche
La Davidière
La Petite Age
Fougère
Chez-Lou
Puycatel
La Chauffière
Fontmoran
Montedont
Chevrier
Vivier
Le Peux
Anc^ne Abb^e de la Réau
La Brunetière
Vienne
Port de Salles
Millac
Mouterre-sur-Blourde
La Bourgesse
Fredière
La Colombier
La Chapelle-Bâton
Vitré
La Bergerie
La Pinière
La Grande Tangue
Begré
Les Six Routes
Chez-Vignan
Savigné
Les Bordes
Barrage de Jousseau
Chez-Toureau
Luchapt
St-Barbant
Grottes du Chaffaud
La Bernardrie
Chez-Lemaire
Chez-Belau
Chez-Mouteau Silo
Mauprévoir
Le Peu Bataillé
Badeuil
Chez-Moreau
Montbron
Asnières-sur-Blour
Les Renardières
La Micolière
Les Sérallières
Chaume
Brégoux
Malpierres
Montazais
Rochemeaux
Les Granges
Lambertière
Pontprier
Le Vieux Bouchet
Lubert
Les Vieilles Forges
Theil
Chez-Nigout
Charroux
Bernessac
Combourg
Le Poux
L'Age Volergne
Forêt de Plessac
Villeneuve
Cité E. Rivier
Chez-Rateau
La Fonfadour
Berlanger
Cr^x-aux-Loups
Chez-Redon
Grange-Villedon
Verneuil
Bois de Charroux
La P^te Motte
L'Épine
Silo
Fongrive
La Gauterie
Bois-Jura
La Grolière
La Renauderie
Availles-Limouzine
Marnier
Chardat
Oradour-Fanais
Grange-Perin
Asnois
Pressac
Serail
Serre
Les Broues
Gajoubert
Vieille Métive
La Courcelle
Fellet
La Maurie
Bouérat
Les Galeries
Marcillac
La Bétoulle
Peussicot
La Péranche
Le Grand Villars
Flier
Puy Froid
Abzac
La Châtre
Poumailloux
Les Champs
Surin
La Palicaudrie
Tezier
Pleuville
La Fayolle
Champeaux
Chez-Guinot
Bonnezac
Chatain
Vaine
L'Age-Marenche
La Vigerie
Bel-Air
Boisbuchet
Les 4 Chemins
La Folie
Les Granges
Le Peu
Les Vignes
Le Conte Dour
Chez-Rigoux
Gorce
G^de Homarie
Lessac
Chez Gain
Les Villannières
Épenède
Clain
La Barde
St-Germain-de-Confolens
La Chaise
Brillac
Silo
La Grange
Baudry
Chez-Ribourgeoux
Puybertaud
Hiesse
Ste-Radegonde
La Villatte
Fretet
La Coindrie
Fontbeau
Chez Doucet
Malanguin
Le Pic
La Roche
Le Bouchage
Ste-Terre
Benest
Charente
Masmayoux
L'Herbaudie
Ancourriat
Coriobona
Procurat
Bussière
La Vauzelle
Rioumort
Transon
Lasfont
Les Bréchevaux
La Martinie
Esse
Les Rivailles
Loume
Alloue
La Grange Cambourt
Issoire
La Loge
Couderte
La Cour
Villemandy
La Courtaudie
Villessot
La Courrière
Chez Ganivet
Le Breuil
Chez Gauchier
Villevert
Beaugueffier
St-Quentin
Jourmard
V^x-Ruffec
Le Freny
Les Repaires
Lesterps
Le Quéroy
La Martinerie
St-Coutant
Les Chevriers
L'Houmède
Villemier
La Vergne
Confolens
Pierre Fixe
23
La Réchaudie
La Châtre
La Barlie
St-Christophe
St-Gervais
Peumant
La Renaudie
La G^de des Mottes
Montermenoux
Ansac-s-Vienne
Jallais
La Brunie
Landrevie
Champagne-Mouton
Chapelaud
L'Almandie
Labrousse
Mazouin
La Dornière
Peupoussant
Praisnaud
Mesurat
Remigère
Fontcreuse
Les Pras
Chez-Pougeard
Touchepacho
Chez-Pouvaraud
Clermont
Ambernac
St-Martin
Villechaise
Bois-Augeais
Luxérat
Brouterie
Sellas
Le Masroussin
Chez-Vallentin
Le Vieux-Cérier
Paupiquet
La Charpetie
Pommier
Terracher
La Cour
Biarge
Jean-de-Beaulieu
Le Breuil
Le Buisson
Le Jeune Fougerat
St-Maurice-des-Lions
La Papoutie
St-Gourson
Chez-Ravard
Le Temple
Lascoux
L'Etang
Turgon
La Prévautie
Chez-Guilloux
Lesignac
Chassiecq
Les Sablons
La Vergne Noire
Saulgond
Brigueuil
La Garnerie
Le G^rd-Madieu
St-Laurent-de-Céris
La Jarnaud
Rue
Gammory
Valleron
La Brunie
Le Gellevraud
Le Puy
Parzac
Mardelie
Les Trois Chênes
La Pautissie
Manot
Le Mas Rodier
Les Barussies
Le Chambon
La Grange
Les Frégnaudies
Bois du Chambon
Chabrac
Beaulieu-s-Sonnette
Berthelat
Villars
Gandrieux
Sansac
Tierce
Chantrezac
Les Monts
Le Bourdeau
Bertrandie
Masgiral
Pressalei
Les Forges
Sonnette
P^t Negret
Le Pézerieux
Loubert
Chirac
La Gouie
Gorce
Le Monteil
Les Ages
Mouchedune
Lespinassouse
La Chapelle
L'Age Assit
Tisseuil
L'Age
Le Temple
Le Madinteau
Coutibert
Negret
Le Petit Madieu
Peyras
Les Fouilloux
Agnas
La Sêchère
Villepanais
Les Brosses
Rochebrune
Ventouse
Cellefrouin
St-Claud
Lascoux
La Lière
Touillac
Laplaud
La Rambaudie
Les Pradelières
Lanterne des morts
Chalais
Le Rocher
Les Mias
(Roumazières-Loubert)
Coldebouye
Lascoux
Étagnac
Chabanas
La Brousse
Le Lac
Chez-Robinet
P^t Sigoulant
Exideuil
Chabanais
Rouillac
Mons
Chaillac-s-V.
Chez-Four
Chavagnac
Chez-Chadiat
Nieuil
La Péruse
Écossas
Chaumeix
La Tâche
Roumazières
Lussac
Fontafie
Puybernard
M^on Neuve
St-Léonard
La Ribière
Beaulieu
Saillat-s-V.
Genouillac
Grenord
Chassenon
Pilas
Vallette
Boistizon
Suaux
Pressac
Villegoureix
Burgaud
Bois de Belair
Chez-Dieu
La Garde
Suris
La Forge
Machat
Le Breuil-de-Gorre
Artenac
Le Maine
Chichiat
Le Mesnieux
Les Plats
La Grange
Chez-Rozet
St-Mary
Mémorial de la Résistance
L'Age de-Brassac
La Pouillerie
Bordas
La Soutière
Thermes
Brethenoux
Juillac
La Lande
Les Abrieux
Fouilloux
Forêt de Chasseneuil
Le Mas-Foubert
Mazières
St-Quentin-s-Charente
La Chauvetie
Les Gouttes
Labrosse
Les Pins
La Fuie
Les Châtelars
La Roudillerie
Puybarraud
La Sêchère
L'Allée
Maubayou
Sansac
Puimy
Pressignac
Puygibaud
Chasseneuil-s-Bonnieure
Margnac
St-Pierre
Le Gazon
Chevalerie
B^ge de Mas Chaban
Lavaud
La Négrerie
Rochechouart
Quatre Vaux
Chervès-Châtelars
Lésignac-Durand
La Guierse
Lac
Babaudus
Biennac
Les Ecures
Le Vivier
La Garde
La Brande
Fougères
Les Landes
La Guerlie
Bors
Valette
La Côte
Les Granges
Chez Galardou
Chez-Limousin
Le Breuil
Mouzon
Lac de Mas Chaban
Larvée
Mandat
Le Breuil-de-Vayres
Cramaud
Le Pont-d'Agris
Les Frauds
Les Houillères
Etamenat
Vitrac-St-Vincent
Chez-Veyret
L'Ennui
Le Poirier
La Chassagne
Le Ménieux
Beaurer
Agris
Étampes
Villebœuf
Le Breuil
Sargnac
Chez-Mourgou
Videix
St-Gervais
Nouaillas
La Marvaillère
Monthézard
La Chassagne
Taponnat-Fleurignac
Maison Neuve
Montembœuf
Les Mazouillères
Massignac
Le Mas
Labessette
La Chetardie
Lavaud
Riberolle
La Coutier
Jayat
Les Labourières
Chablanc
Verneuil
Le Breuil
Lecouterie
St-Adjutory
Cussat
Champoutre
La Gélisant
Les Champs
La Féranchie
Laudonie
Les Rivières
Fleurignac
Beaussat
La Tourterie
Lafaurie
La Pelussonnie
Le Repaire
Châtillou
Bataillou
Les Monts
Salot
Beaumont
Yvrac-et-Malleyrand
Puyponchet
La Belle Étoile
Chez-Tandeau
La Morandie
Noyers
L'Hôpital
Chéronnac
La Chaise
La Gagie
Condadeuil
Mazerolles
Le Maine-au-Brun
Parpelat
Sau
Logeas
Les Salles-Lavauguyon
Buzatière
La Grue
Vayres
Le Poulier
Manvin
Marillac-le-Franc
La Menardie
La Baconne d'Yvrac
Le Lindois
Peyrassoulat
Merly
St-Projet-St-Constant
La Rochefoucauld
Le Arbre
La Glardie
La Peyre
Chez-Rambaud
La Besse
Oradour
Puy-Vidal
Malleyrand
Sébarie
Mortizon
Bord
Neuville
Lage-Baston
Limarceau
Le Mas
Chadalais
Tramer
La Côte
Chez-Chabert
St-Bazile
Tardoire

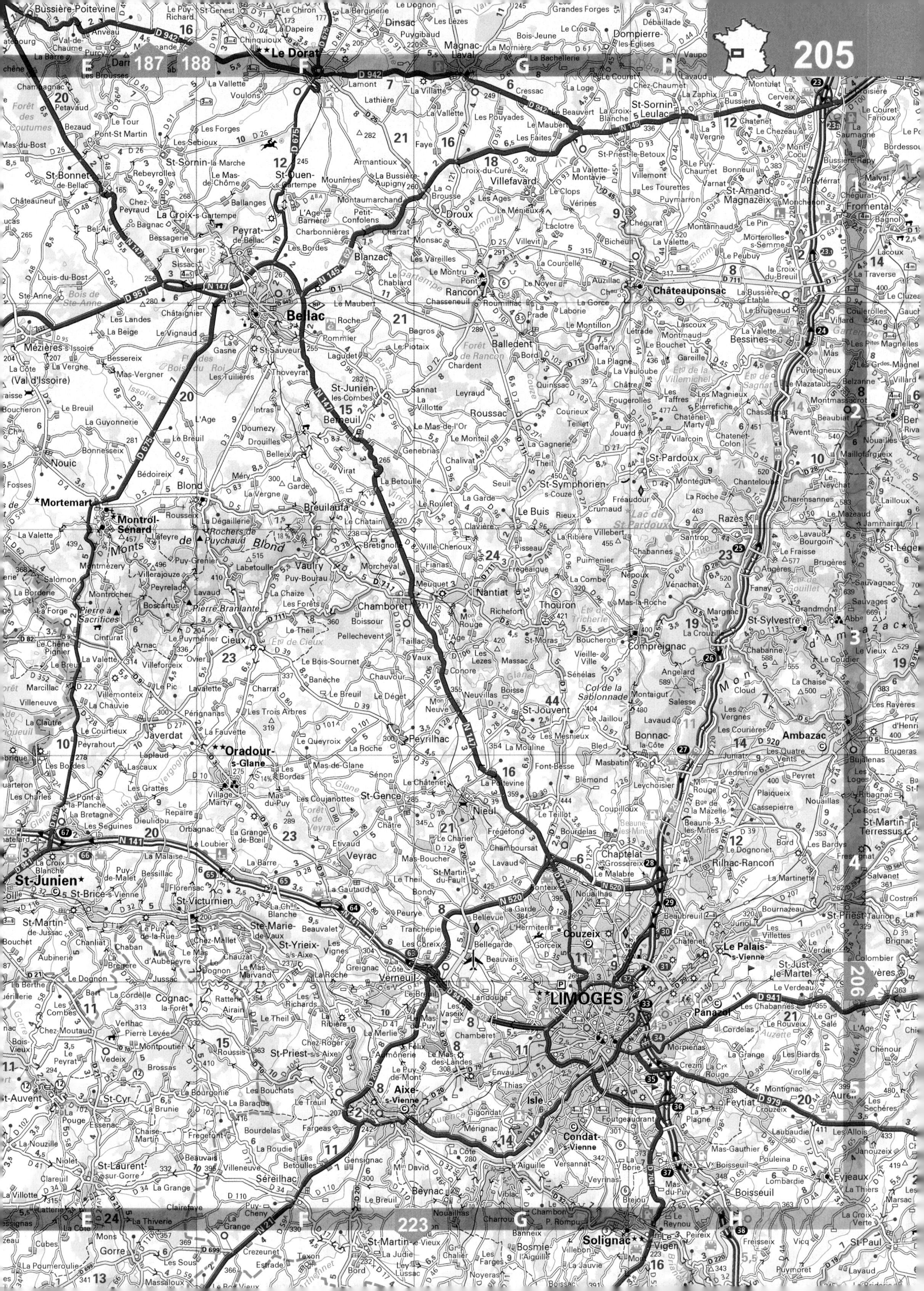

187
188
223
206
E
F
G
H
1
2
3
4
5
Bussière-Poitevine
Le Dorat
Dinsac
Magnac-Laval
Dompierre-les-Eglises
Grandes Forges
St-Sornin-Leulac
St-Sornin-la Marche
St-Bonnet-de-Bellac
St-Ouen-sur-Gartempe
La Croix-s-Gartempe
Peyrat-de-Bellac
Villefavard
Droux
Chégurat
St-Amand-Magnazeix
Fromental
Bellac
Blanzac
Rancon
Châteauponsac
Balledent
Mézières-s-Issoire
Forêt de Rancon
Forêt des Bois du Roi
Bessines-s-G.
Roussac
St-Junien-les-Combes
Berneuil
Nouic
Blond
Mortemart
Montrol-Sénard
Monts de Blond
Rochers de Puychaud
St-Pardoux
St-Symphorien-s-Couze
Lac de St-Pardoux
Razès
Breuilaufa
Vaulry
Chamboret
Nantiat
Thouron
Compreignac
Pierre à Sacrifices
Pierre Branlante
Cieux
Étg de Cieux
St-Sylvestre
Ambazac
Monts d'Ambazac
Col de la Sablonnade
St-Jouvent
Peyrilhac
Javerdat
Oradour-s-Glane
Village Martyr
Bonnac-la-Côte
St-Gence
Nieul
Forêt de Veyrac
Veyrac
Chaptelat
Rilhac-Rancon
Beaune-les-Mines
St-Martin-Terressus
St-Junien
St-Brice-s-Vienne
St-Victurnien
Ste-Marie-de-Vaux
St-Yrieix-s/s-Aixe
Couzeix
Le Palais-s-Vienne
St-Priest-Taurion
Verneuil-s-Vienne
LIMOGES
Panazol
St-Just-le-Martel
Cognac-la-Forêt
St-Priest-s/s-Aixe
Aixe-s-Vienne
Isle
Condat-s-Vienne
Feytiat
St-Auvent
St-Cyr
St-Laurent-sur-Gorre
Séreilhac
Beynac
Solignac
Le Vigen
Boisseuil
Eyjeaux
Gorre
St-Martin-le-Vieux
St-Paul
N 147
N 145
N 141
N 520
N 21
D 942
D 675
D 941
D 979
D 711
A 20
E 9
E 62

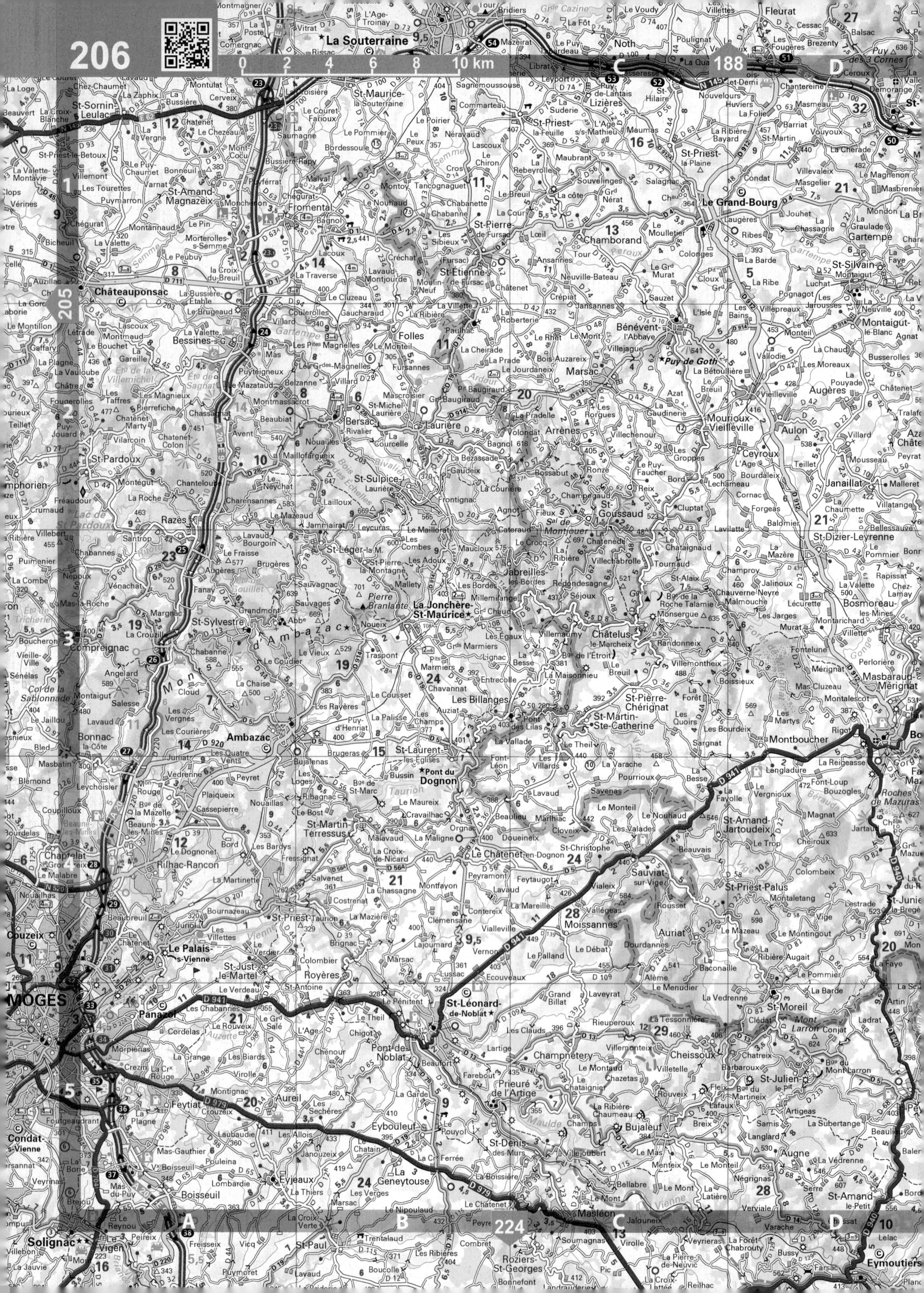

206
0 2 4 6 8 10 km
188
205
224
A
B
C
D
1
2
3
4
5
La Souterraine
St-Maurice-la-Souterraine
Fleurat
Le Grand-Bourg
St-Priest-la-Plaine
St-Priest-la-Feuille
Lizières
Noth
St-Sornin-Leulac
St-Amand-Magnazeix
Fromental
St-Pierre-de-Fursac
St-Étienne-de-Fursac
Chamborand
Châteauponsac
Bessines-s-G.
Folles
Bénévent-l'Abbaye
Puy de Goth
Marsac
Gartempe
St-Silvain-Montaigut
Montaigut-le-Blanc
Augères
Aulon
Laurière
Bersac
Arrènes
Mourioux-Vieilleville
Ceyroux
Janaillat
St-Pardoux
St-Sulpice-Laurière
St-Goussaud
Razès
Lac de St-Pardoux
St-Dizier-Leyrenne
St-Léger-la-M.
Jabreilles-les-Bordes
La Jonchère-St-Maurice
Pierre Branlante
Monts d'Ambazac
St-Sylvestre
Compreignac
Châtelus-le-Marcheix
Bosmoreau-les-Mines
Masbaraud-Mérignat
Ambazac
St-Martin-Ste-Catherine
St-Pierre-Chérignat
Montboucher
Bonnac-la-Côte
St-Laurent-les-Églises
Pont du Dognon
Taurion
St-Martin-Terressus
St-Amand-Jartoudeix
Le Châtenet-en-Dognon
Sauviat-sur-Vige
Rilhac-Rancon
St-Priest-Palus
St-Priest-Taurion
Moissannes
Auriat
Couzeix
Le Palais-s-Vienne
St-Just-le-Martel
Royères
St-Léonard-de-Noblat
St-Moreil
Mont Larron
Panazol
Pont-de-Noblat
Cheissoux
St-Julien-le-Pt
Feytiat
Aureil
Eybouleuf
Prieuré de l'Artige
Bujaleuf
Condat-s-Vienne
Eyjeaux
Geneytouse
St-Denis-des-Murs
Augne
St-Amand-le-Petit
Boisseuil
Masléon
Solignac
Le Vigen
St-Paul
Roziers-St-Georges
Eymoutiers
Vienne
Maulde
A 20
E 9
N 145
D 941
D 979
D 920
D 914

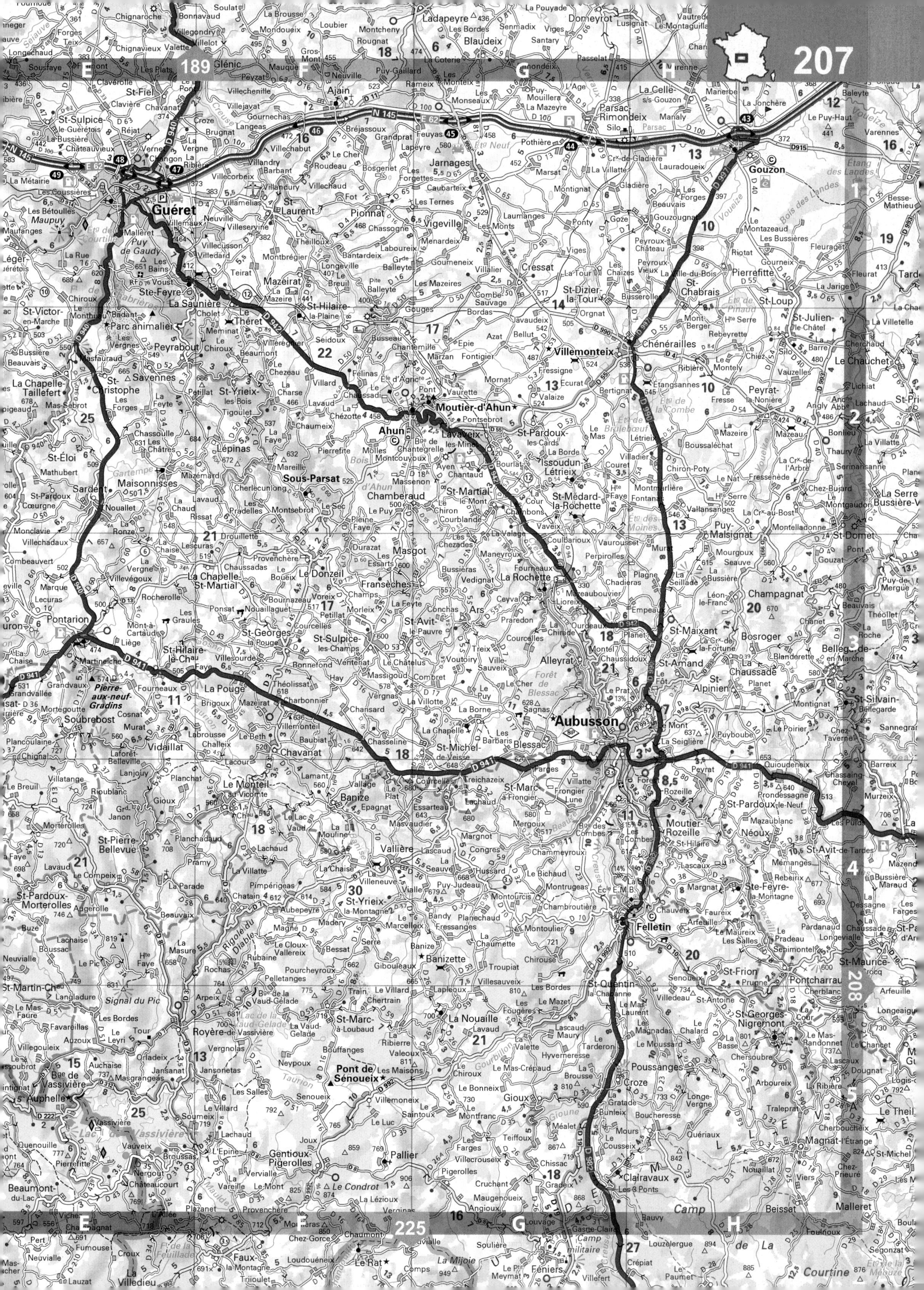

207
189
225
208
E
F
G
H
1
2
3
4
5
N 145
E 62
D 940
D 942
D 941
D 990
D 997
D 982
D 992
Guéret
Ste-Feyre
St-Fiel
Glénic
Ajain
Jarnages
Parsac-Rimondeix
Gouzon
St-Laurent
Pionnat
Vigeville
Cressat
St-Dizier-la-Tour
Chénérailles
Villemonteix
Peyrat-la-Nonière
St-Sulpice-le-Guérétois
La Saunière
Le Théret
Parc animalier
Peyrabout
Savennes
St-Christophe
Lépinas
St-Yrieix-les-Bois
Moutier-d'Ahun
Ahun
Sous-Parsat
Chamberaud
St-Martial-le-Mont
St-Médard-la-Rochette
St-Pardoux-les-Cards
Issoudun-Létrieix
Maisonnisses
Sardent
Pontarion
La Chapelle-Taillefert
St-Éloi
Le Donzeil
Fransèches
La Rochette
Ars
St-Avit-le-Pauvre
St-Sulpice-les-Champs
St-Georges-la-Pouge
St-Hilaire-le-Château
Champagnat
St-Maixant
St-Amand
St-Alpinien
Bellegarde-en-Marche
St-Silvain-Bellegarde
Aubusson
Blessac
Alleyrat
Vidaillat
Soubrebost
Pierre-aux-neuf-Gradins
Chavanat
St-Michel-de-Veisse
St-Marc-à-Frongier
Moutier-Rozeille
Néoux
St-Pardoux-le-Neuf
Felletin
St-Pierre-Bellevue
St-Pardoux-Morterolles
Vallière
St-Yrieix-la-Montagne
Banizette
St-Quentin-la-Chabanne
St-Frion
Pontcharraud
St-Georges-Nigremont
Signal du Pic
Royère-de-Vassivière
St-Marc-à-Loubaud
La Nouaille
Pont de Sénoueix
Gioux
Poussanges
Croze
Magnat-l'Étrange
Auphelle
Lac de Vassivière
Gentioux-Pigerolles
Pallier
Le Condrot
Clairavaux
Beaumont-du-Lac
Faux-la-Montagne
Féniers
Camp militaire
Forêt de Blessac

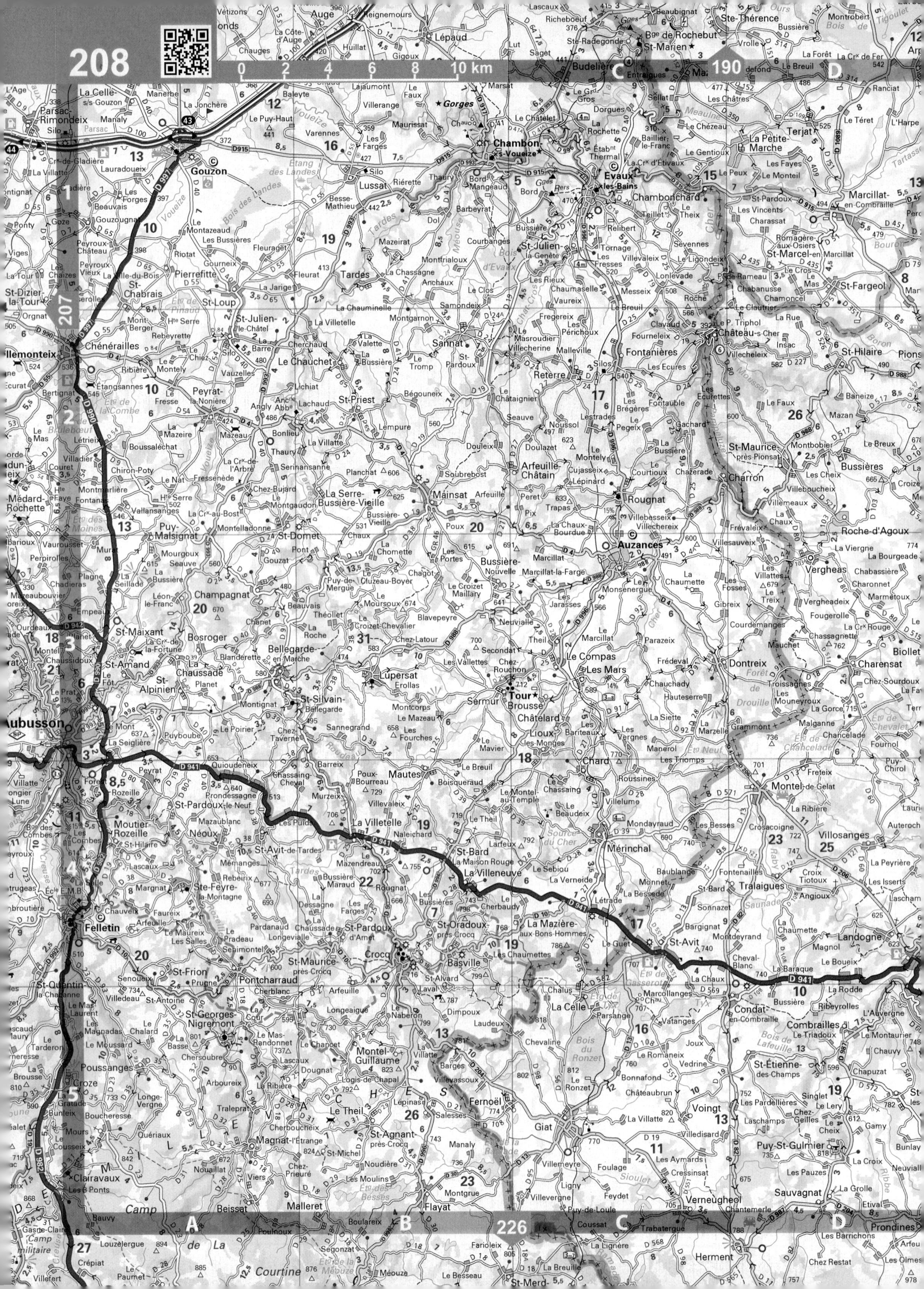

0 2 4 6 8 10 km
190
207
226
A
B
C
D
1
2
3
4
5
Gouzon
Chambon-s-Voueize
Evaux-les-Bains
Chambonchard
Lussat
Tardes
St-Chabrais
Pierrefitte
St-Loup
St-Julien-le-Châtel
Chénérailles
Le Chauchet
Sannat
St-Priest
Peyrat-la-Nonière
Reterre
Fontanières
Château-s-Cher
St-Maurice-près-Pionsat
Bussières
Charron
Arfeuille-Châtain
Rougnat
Mainsat
Auzances
Puy-Malsignat
St-Domet
Champagnat
Bellegarde-en-Marche
Lupersat
St-Silvain-Bellegarde
Bussière-Nouvelle
Le Compas
Les Mars
Tour
Brousse
Châtelard
Lioux-les-Monges
Chard
Dontreix
Charensat
Vergheas
Roche-d'Agoux
St-Maixant
St-Amand
St-Alpinien
Aubusson
Mautes
St-Pardoux-le-Neuf
Moutier-Rozeille
Néoux
St-Avit-de-Tardes
La Villetelle
St-Bard
La Villeneuve
Mérinchal
Montel-de-Gelat
Villosanges
Tralaigues
Ste-Feyre-la-Montagne
Felletin
St-Frion
Pontcharraud
St-Oradoux-près-Crocq
Crocq
Basville
La Mazière-aux-Bons-Hommes
St-Avit
Landogne
Condat-en-Combraille
St-Georges-Nigremont
Montel-Guillaume
La Celle
Combrailles
St-Étienne-des-Champs
Poussanges
St-Quentin-la-Chabanne
Magnat-l'Étrange
St-Agnant-près-Crocq
Giat
Voingt
Puy-St-Gulmier
Clairavaux
Flayat
Verneugheol
Sauvagnat
Prondines
Herment
Courtine
Camp militaire

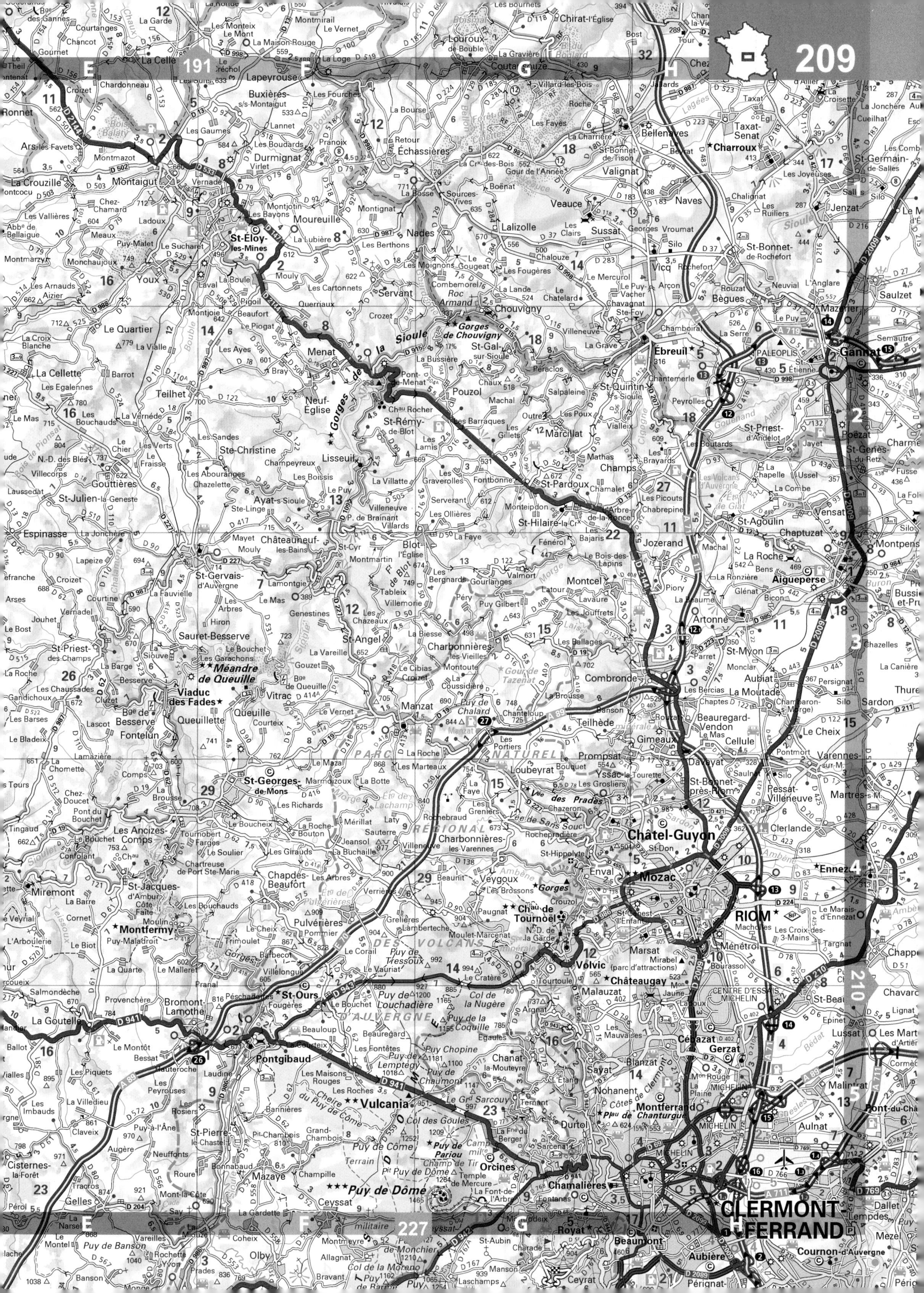
191
210
227
E
F
G
H
Lapeyrouse
Montaigut
St-Eloy-les-Mines
Durmignat
Échassières
Bellenaves
Charroux
St-Germain-de-Salles
Jenzat
Valignat
Naves
Lalizolle
Youx
Servant
Chouvigny
Gorges de Chouvigny
Roc Armand
Vicq
Bègues
Mazerier
Gannat
Ébreuil
Menat
Sioule
Gorges de la Sioule
Pont-de-Menat
Neuf-Église
St-Rémy-de-Blot
Pouzol
Marcillat
Poëzat
St-Genès-du-Retz
Lisseuil
Ste-Christine
Gouttières
St-Julien-la-Geneste
St-Pardoux
Champs
Ayat-s-Sioule
St-Hilaire-la-Cx
Jozerand
Vensat
Montpensier
Châteauneuf-les-Bains
St-Gervais-d'Auvergne
Blot-l'Église
Montcel
Aigueperse
Artonne
St-Myon
Saurert-Besserve
St-Angel
Charbonnières-les-Vieilles
Combronde
Aubiat
Méandre de Queuille
Viaduc des Fades
Queuille
Manzat
Gour de Tazenat
Teilhède
Beauregard-Vendon
Gimeaux
Davayat
Prompsat
Loubeyrat
St-Georges-de-Mons
PARC NATUREL RÉGIONAL DES VOLCANS D'AUVERGNE
St-Bonnet-près-Riom
Châtel-Guyon
Les Ancizes-Comps
Charbonnières-les-Varennes
Mozac
Enval
Ennezat
RIOM
Chapdes-Beaufort
Montfermy
Pulvérières
Chau de Tournoël
Volvic
Châteaugay
Marsat
Ménétrol
St-Ours
Puy de Louchadière
Col de la Nugère
Puy de la Coquille
Bromont-Lamothe
Pontgibaud
Vulcania
Puy Chopine
Puy de Lemptégy
Puy de Chaumont
Cébazat
Gerzat
Blanzat
Sayat
Nohanent
Montferrand
Plau de Chanturgue
Durtol
Puy de Côme
Puy de Pariou
Orcines
Puy de Dôme
Col des Goules
Chamalières
Mazaye
Ceyssat
Royat
Beaumont
Aubière
CLERMONT-FERRAND
Aulnat
Pont-du-Château
Lempdes
Cournon-d'Auvergne
Olby
Gelles
Cisternes-la-Forêt
Miremont
Pont-du-Bouchet
Espinasse
A 71
A 89
A 719
A 711
D 2144
D 941
D 2009

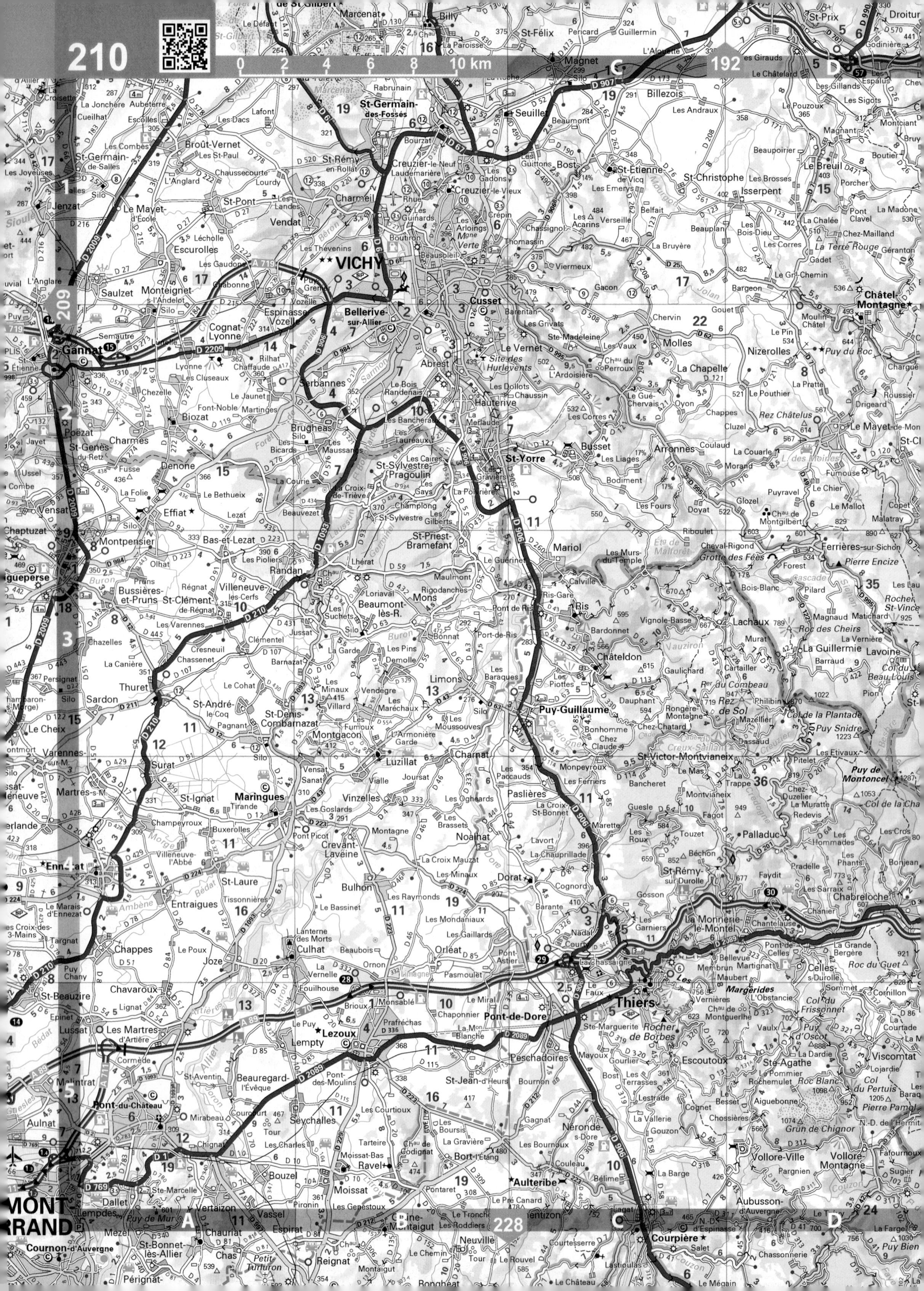
210
0 2 4 6 8 10 km
192
209
228
VICHY
Bellerive-sur-Allier
Cusset
Gannat
St-Germain-des-Fossés
Creuzier-le-Neuf
Creuzier-le-Vieux
Charmeil
Vendat
Espinasse-Vozelle
Cognat-Lyonne
Abrest
Serbannes
Hauterive
St-Yorre
Busset
Le Vernet
Molles
La Chapelle
Arronnes
St-Sylvestre-Pragoulin
Randan
Mariol
Châteldon
Puy-Guillaume
Ris
Limons
Luzillat
Maringues
Thuret
Surat
Effiat
Aigueperse
Ennezat
Lezoux
Thiers
Pont-de-Dore
Peschadoires
Courpière
Pont-du-Château
Billom
Lempdes
Vertaizon
Escurolles
Saulzet
Brugheas
Mons
Culhat
Seychalles
Ravel
Moissat
Vollore-Ville
Châtel-Montagne
Le Mayet-de-Montagne
Ferrières-sur-Sichon
Lachaux
Palladuc
Celles-s-Durolle
Escoutoux
Isserpent
St-Christophe
Billezois
Magnet
Seuillet
Marcenat
Billy
Puy de Montoncel
Bost
Abrest
Chaptuzat
Montpensier
Jenzat
Vensat
St-Priest-Bramefant
Crevant-Laveine
Bulhon
Noalhat
Dorat
Paslières
Orléat
Joze
Chappes
Entraigues
Lussat
Beauregard-l'Évêque
Neuville
St-Bonnet-lès-Allier
Cournon-d'Auvergne
Reignat
St-Rémy-sur-Durolle
La Monnerie-le-Montel
Vollore-Montagne
Aubusson-d'Auvergne
A 719
A 89
E 70
A 71
D 2009
D 906
D 2089
D 1093
D 210
D 907

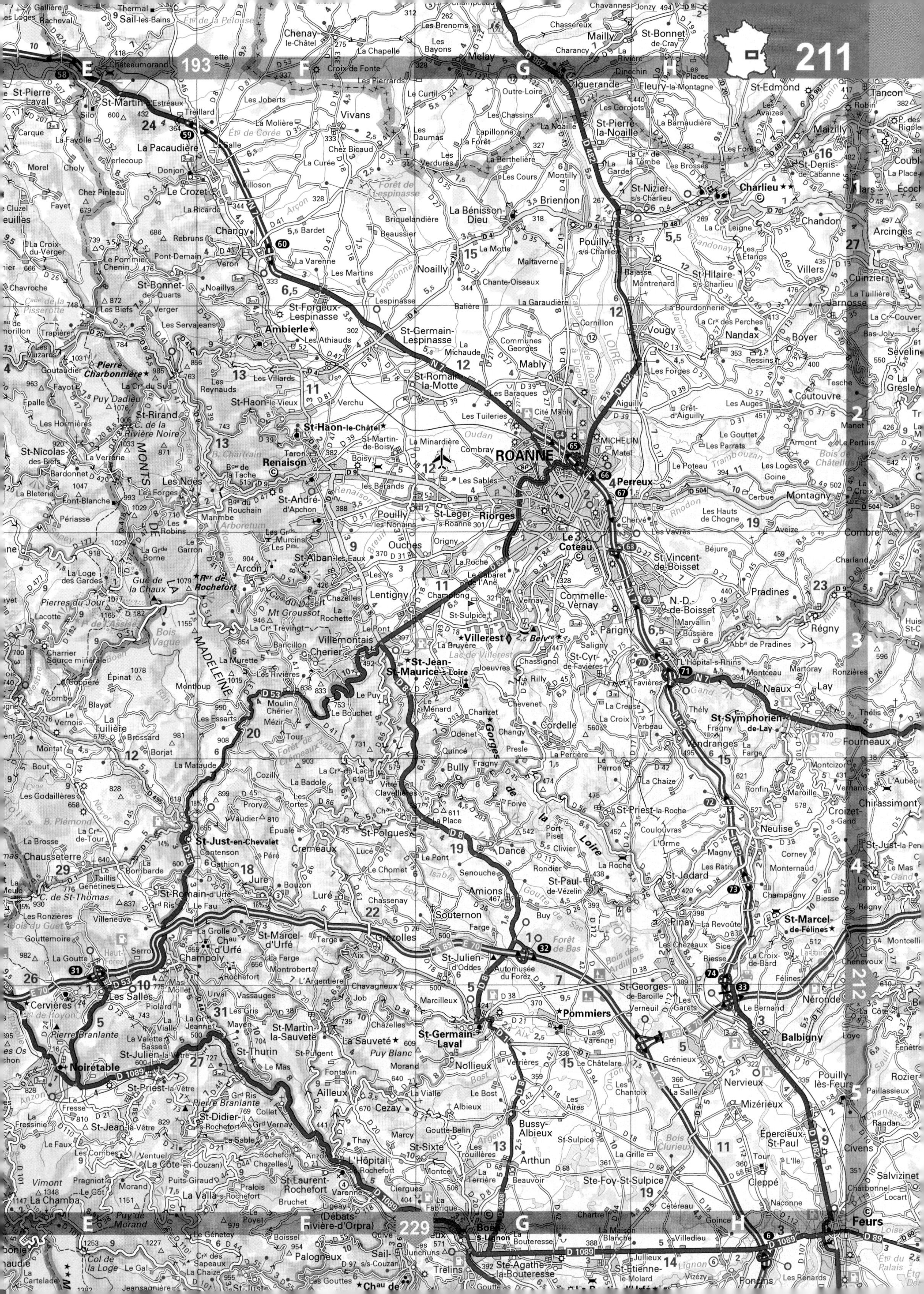
193
E
F
G
H
229
212
ROANNE
Riorges
Le Coteau
Perreux
Mably
Charlieu
Renaison
Ambierle
St-Haon-le-Châtel
St-Just-en-Chevalet
St-Germain-Laval
Noirétable
Balbigny
Feurs
St-Symphorien-de-Lay
St-Marcel-de-Félines
Villerest
Pommiers
Boën
Néronde
Régny
Pouilly-sous-Charlieu
La Pacaudière
Changy
St-Martin-d'Estreaux
Châteaumorand
Iguerande
Marcigny
Vougy
Noailly
St-Romain-la-Motte
St-Germain-Lespinasse
St-Forgeux-Lespinasse
St-Alban-les-Eaux
St-André-d'Apchon
Lentigny
Ouches
Commelle-Vernay
Parigny
L'Hôpital-s-Rhins
St-Cyr-de-Favières
Cordelle
Bully
Dancé
St-Polgues
Cremeaux
Champoly
Cervières
St-Jodard
Pinay
Nervieux
Mizérieux
Épercieux-St-Paul
Cleppé
Ste-Foy-St-Sulpice
Arthun
Bussy-Albieux
Nollieux
L'Hôpital-Rochefort
St-Laurent-Rochefort
St-Didier-s-Rochefort
St-Priest-la-Vêtre
St-Julien-la-Vêtre
MONTS DE LA MADELEINE
Pierre Charbonnière
Gorges de la Loire
Lac de Villerest
Forêt de Lespinasse
Forêt de Bas
Puy de Morand
Sail-les-Bains
Chenay-le-Châtel
Melay
Fleury-la-Montagne
St-Nizier-s/s-Charlieu
St-Hilaire-s/s-Charlieu
Briennon
La Bénisson-Dieu
Neulise
Vendranges
St-Priest-la-Roche
St-Paul-de-Vézelin
Amions
Souternon
Grézolles
St-Marcel-d'Urfé
Chau d'Urfé
St-Romain-d'Urfé
Juré
St-Julien-d'Oddes
St-Martin-la-Sauveté
St-Georges-de-Baroille
Pouilly-lès-Feurs
Boën-s-Lignon
Ste-Agathe-la-Bouteresse
Trelins
Palogneux
Sail-s/s-Couzan
St-Just-en-Chevalet

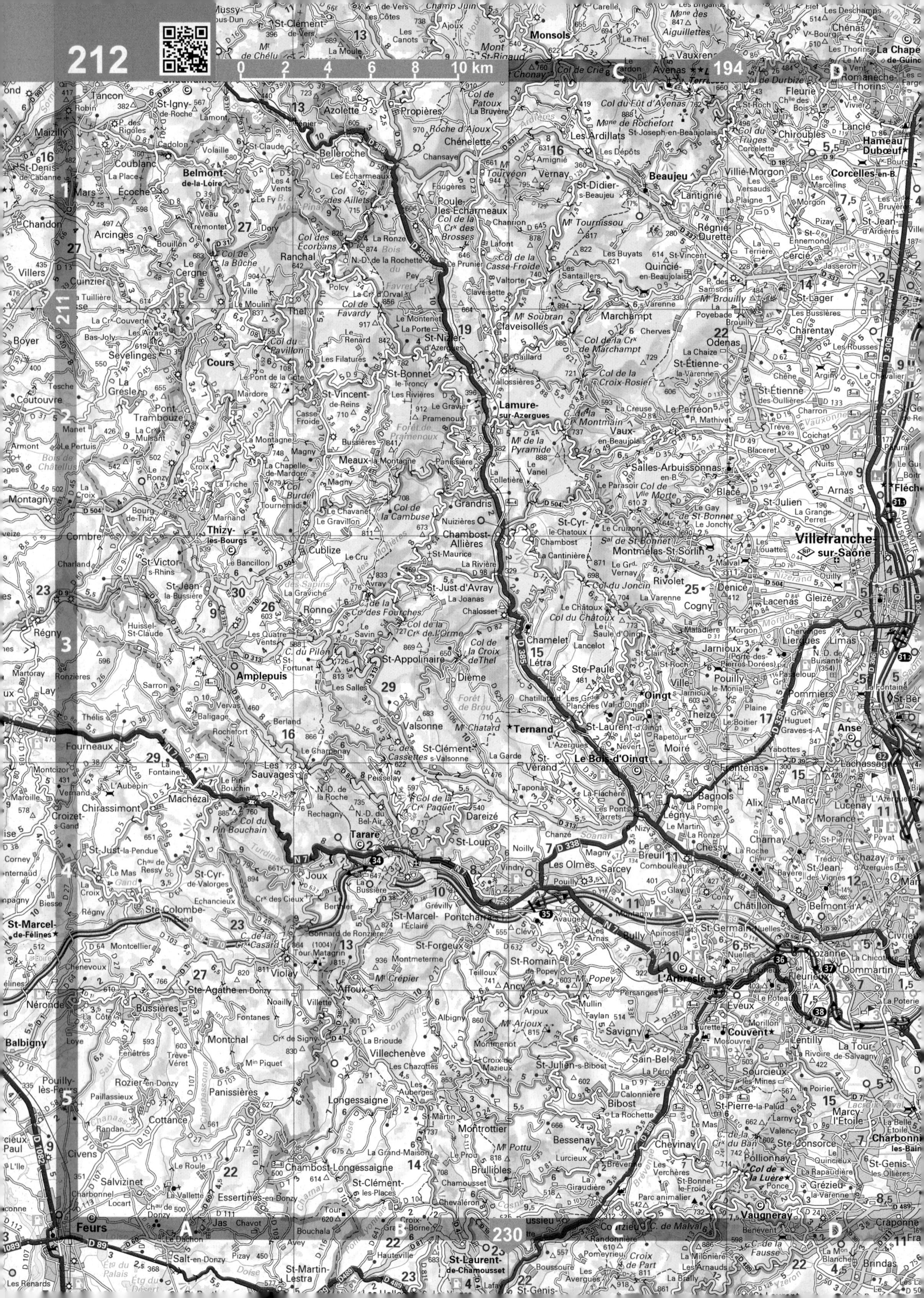
0 2 4 6 8 10 km
194
C
D
211
230
A
B
1
2
3
4
5
Monsols
Beaujeu
Belmont-de-la-Loire
Cours
Thizy-les-Bourgs
Amplepuis
Lamure-sur-Azergues
Villefranche-sur-Saône
Tarare
L'Arbresle
Feurs
Le Bois-d'Oingt
Anse
Ternand
Oingt
Propières
Azolette
Chénelette
Belleroche
Les Ardillats
Vernay
St-Didier-s-Beaujeu
Lantignié
Régnié-Durette
Quincié-en-Beaujolais
Marchampt
Odenas
Charentay
St-Lager
Chiroubles
Fleurie
Villié-Morgon
Corcelles-en-B.
Poule-les-Écharmeaux
Ranchal
Claveisolles
St-Nizier-d'Azergues
St-Bonnet-le-Troncy
St-Vincent-de-Reins
Meaux-la-Montagne
Grandris
Chambost-Allières
Cublize
Ronno
St-Just-d'Avray
St-Appolinaire
Dième
Valsonne
St-Clément-s-Valsonne
Les Sauvages
Machézal
Chirassimont
Joux
St-Marcel-l'Éclairé
Pontcharra
St-Forgeux
Affoux
Violay
Ste-Agathe-en-Donzy
Bussières
Montchal
Panissières
Cottance
Salvizinet
Essertines-en-Donzy
Chambost-Longessaigne
Longessaigne
Villechenève
Montrottier
Brullioles
St-Clément-les-Places
St-Laurent-de-Chamousset
Bessenay
Bibost
St-Julien-s-Bibost
Savigny
Sain-Bel
Éveux
Sourcieux-les-Mines
Chevinay
St-Pierre-la-Palud
Courzieu
Vaugneray
Pollionnay
Grézieu-la-Varenne
Craponne
Brindas
Lozanne
Dommartin
Fleurieux
Lentilly
Chazay-d'Azergues
Marcy
Lucenay
Morance
Charnay
Belmont-d'A.
Châtillon
Chessy
Le Breuil
Légny
Bagnols
Frontenas
Alix
Theizé
Moiré
Ville-s-Jarnioux
Jarnioux
Pommiers
Liergues
Gleizé
Lacenas
Denicé
Cogny
Rivolet
Montmelas-St-Sorlin
Blacé
Salles-Arbuissonnas-en-B.
Vaux-en-Beaujolais
Le Perréon
St-Étienne-des-Oullières
Arnas
St-Julien
Létra
Chamelet
Ste-Paule
Lancelot
St-Laurent-d'Oingt
St-Vérand
Dareizé
St-Loup
Les Olmes
Sarcey
Bully
St-Germain-Nuelles
St-Romain-de-Popey
Ancy
Sevelinges
Coutouvre
Pont-Trambouze
Montagny
Combre
Régny
St-Victor-s-Rhins
St-Jean-la-Bussière
Lay
Fourneaux
St-Just-la-Pendue
St-Cyr-de-Valorges
Ste-Colombe-s-Gand
St-Marcel-de-Félines
Néronde
Balbigny
Pouilly-lès-Feurs
Civens
Mars
Écoche
Coublanc
Arcinges
Le Cergne
Cuinzier
Tancon
St-Igny-de-Roche
Chandon
Villers
Boyer
Maizilly
Col de Crie
Col des Aillets
Col des Écorbans
Col de Favardy
Col du Pavillon
Col de la Cambuse
Col de la Croix Rosier
Col de Marchampt
Col du Joncin
Col du Châtoux
Col du Pin Bouchain
Col de la Croix de Thel
C. des Cassettes
Col de la Crx Paquet
Mt Tourvéon
Mt Tournissou
Mt Brouilly
Mt Soubran
Mt de la Pyramide
Mt Chatard
Mt Crépier
Mt Popey
Mt Arjoux
Mt Pottu
Forêt de Pramenoux
Forêt de Brou
Lac des Sapins
Tour Matagrin
Col de la Luère
Hameau Duboeuf
Couvent
Parc animalier
D 385
D 338
D 306
D 504
D 313
D 89
N 7
A 89
A 6

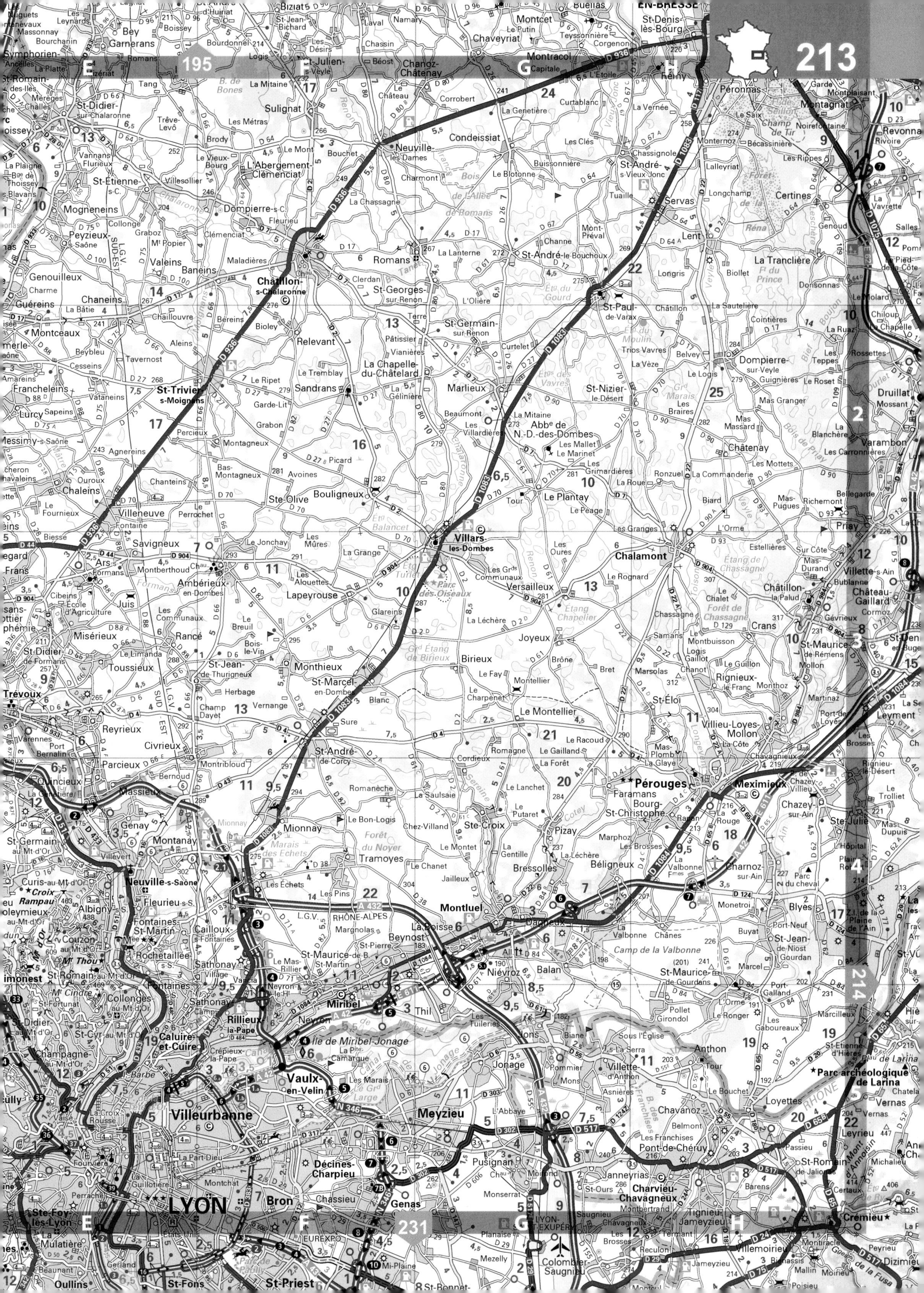

213
195
231
214
E
F
G
H
1
2
3
4
St-Julien-s-Veyle
Chanoz-Châtenay
Montracol
Péronnas
Montagnat
St-Didier-sur-Chalaronne
Sulignat
Condeissiat
Neuville-les-Dames
L'Abergement-Clémenciat
St-André-s-Vieux-Jonc
Servas
Mogneneins
Peyzieux-s-Saône
Dompierre-s-C.
Châtillon-s-Chalaronne
Romans
St-André-le-Bouchoux
Lent
La Tranclière
Genouilleux
Valeins
Baneins
St-Georges-sur-Renon
St-Paul-de-Varax
Guéreins
Chaneins
Montceaux
Relevant
St-Germain-sur-Renon
Dompierre-sur-Veyle
Francheleins
St-Trivier-s-Moignans
Sandrans
La Chapelle-du-Châtelard
Marlieux
St-Nizier-le-Désert
Druillat
Lurcy
Abbe de N.-D.-des-Dombes
Messimy-s-Saône
Châtenay
Varambon
Chaleins
Bouligneux
Ste-Olive
Le Plantay
Villeneuve
Villars-les-Dombes
Chalamont
Priay
Savigneux
Ars
Ambérieux-en-Dombes
Lapeyrouse
Versailleux
Châtillon-la-Palud
Château-Gaillard
Misérieux
Rancé
Joyeux
Crans
St-Didier-de-Formans
Toussieux
St-Jean-de-Thurigneux
Monthieux
Birieux
St-Marcel-en-Dombes
Rignieux-le-Franc
St-Maurice-de-Rémens
Trévoux
St-Éloi
Reyrieux
Civrieux
Le Montellier
Villieu-Loyes-Mollon
Leyment
Parcieux
St-André-de-Corcy
Pérouges
Meximieux
Massieux
Genay
Mionnay
Montanay
Ste-Croix
Pizay
Bourg-St-Christophe
Chazey-sur-Ain
Neuville-s-Saône
Tramoyes
Bressolles
Béligneux
Charnoz-sur-Ain
Montluel
Blyes
Fontaines-St-Martin
Cailloux-s-Fontaines
Rochetaillée-s-S.
Beynost
La Boisse
Dagneux
St-Jean-de-Niost
Sathonay
St-Maurice-de-Gourdans
Miribel
Thil
Nièvroz
Balan
Rillieux-la-Pape
Caluire-et-Cuire
Vaulx-en-Velin
Jonage
Anthon
Villette-d'Anthon
Parc archéologique de Larina
Villeurbanne
Meyzieu
Chavanoz
Loyettes
Pont-de-Chéruy
Décines-Charpieu
Pusignan
Janneyrias
Charvieu-Chavagneux
LYON
Bron
Genas
Tignieu-Jameyzieu
Crémieu
Ste-Foy-lès-Lyon
La Mulatière
Oullins
St-Fons
St-Priest
Colombier-Saugnieu
LYON-ST-EXUPÉRY
Villemoirieu
Dizimieu
Camp de la Valbonne
Île de Miribel-Jonage
Parc des Oiseaux
Forêt du Noyer
Forêt de Chassagne
Champ de Tir

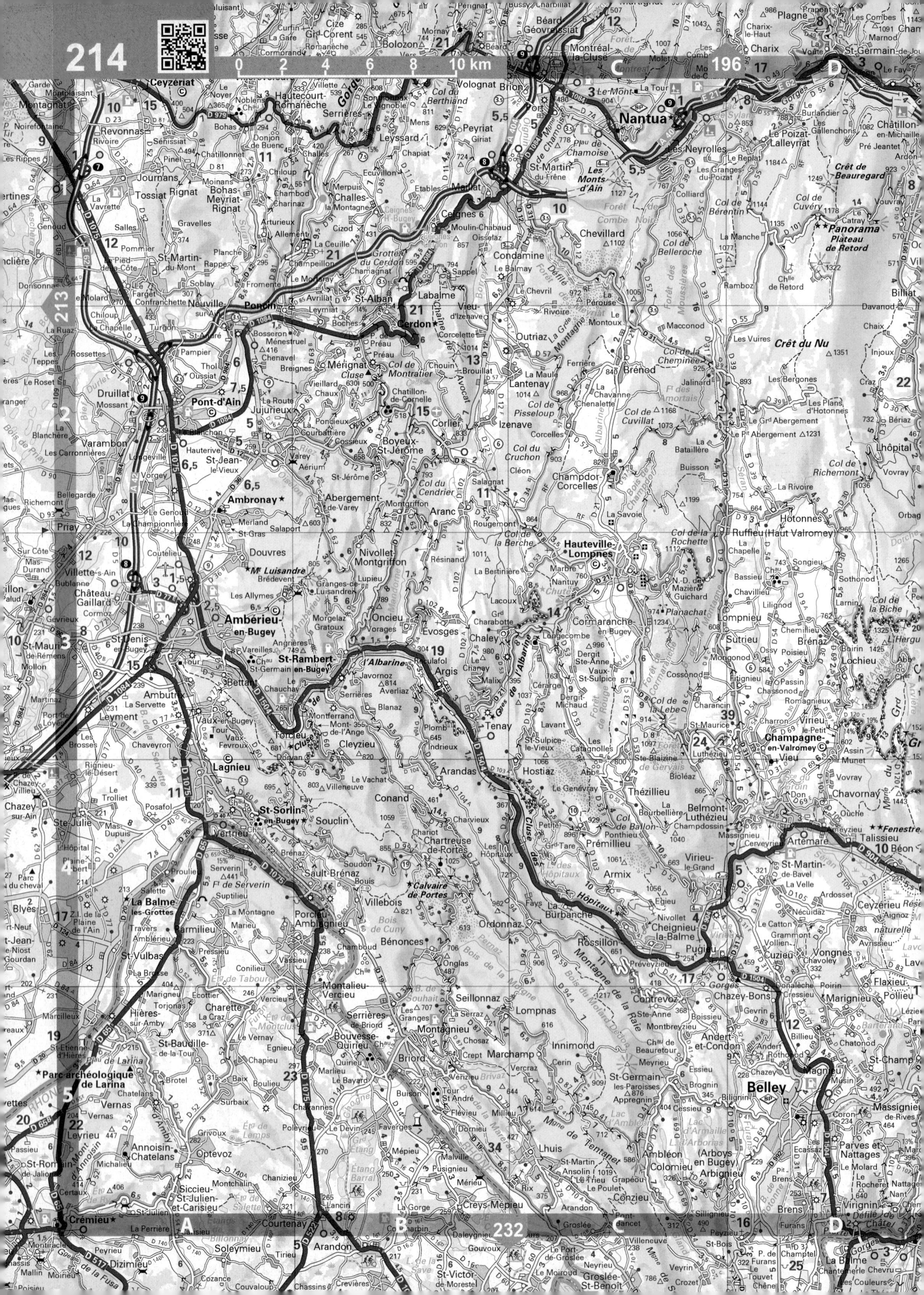
214
0 2 4 6 8 10 km
196
213
232
Ceyzériat
Hautecourt-Romanèche
Nantua
Montréal-la-Cluse
Les Monts d'Ain
Crêt de Beauregard
Panorama Plateau de Retord
Châtillon-en-Michaille
Le Poizat-Lalleyriat
Les Neyrolles
Col de Bérentin
Col de Belleroche
Chevillard
Maillat
Cerdon
St-Alban
Poncin
Neuville-sur-Ain
Pont-d'Ain
Jujurieux
Mérignat
Col de Montratier
Chaine de l'Avocat
Crêt du Nu
Brénod
Col de Cuvillat
Col du Cruchon
Col de Pisseloup
Hotonnes
Ruffieu (Haut Valromey)
Col de Richemont
Col de la Rochette
Champdor-Corcelles
Hauteville-Lompnes
Ambronay
Mt Luisandre
Douvres
Ambérieu-en-Bugey
Château-Gaillard
St-Rambert-en-Bugey
Col de la Berche
Cormaranche-en-Bugey
Champagne-en-Valromey
Col de la Biche
Lagnieu
St-Sorlin-en-Bugey
Souclin
Tenay
Arandas
Cluse des Hôpitaux
Chartreuse de Portes
Calvaire de Portes
Col de Ballon
Artemare
Talissieu
Fenestrez
La Balme-les-Grottes
Villebois
Ordonnaz
Rossillon
Virieu-le-Grand
Montagne de la Raie
Montalieu-Vercieu
Serrières-de-Briord
Lompnas
Innimond
St-Germain-les-Paroisses
Belley
Parc archéologique de Larina
Hières-sur-Amby
Briord
Lhuis
Crémieu
Courtenay
Arandon
Creys-Mépieu
Brens
Virignin
Défilé de Pierre Châtel
Rhône

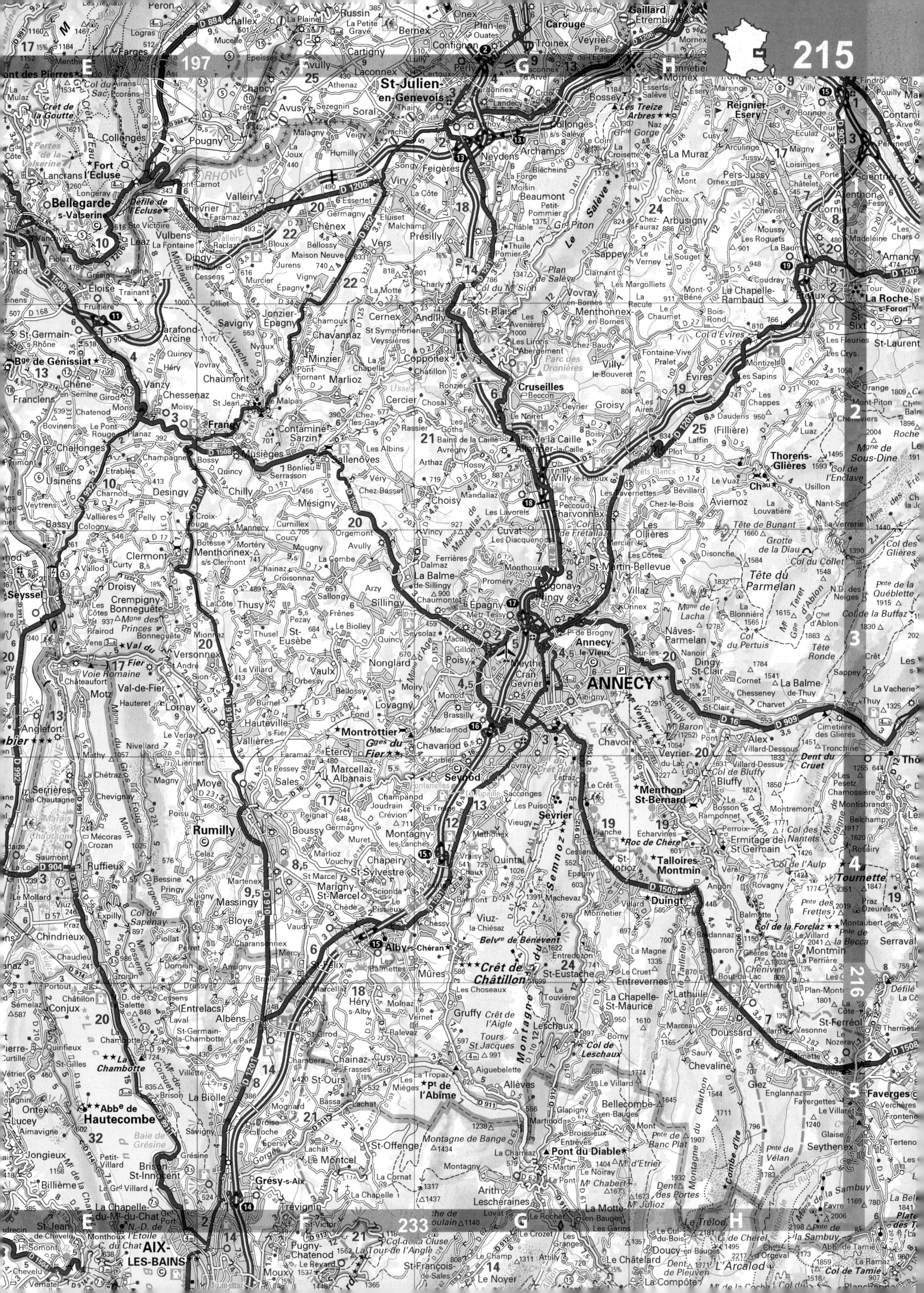
215
197
233
216
E
F
G
H
Bellegarde-s-Valserine
Fort l'Écluse
Défilé de l'Écluse
Collonges
St-Julien-en-Genevois
Carouge
Gaillard
Onex
Confignon
Plan-les-Ouates
Perly
Bernex
Laconnex
Avully
Chancy
Soral
Neydens
Archamps
Collonges-s/s-Salève
Bossey
Les Treize Arbres
Reignier-Esery
Arbusigny
La Muraz
Le Salève
Gd Piton
Plan de Salève
Col du Mt Sion
Beaumont
Présilly
Viry
Valleiry
Chêvrier
Vulbens
Chênex
Vers
Dingy-en-Vuache
Jonzier-Épagny
Savigny
Cernex
Andilly
St-Blaise
Vovray-en-Bornes
Menthonnex-en-Bornes
La Chapelle-Rambaud
La Roche-s-Foron
Amancy
St-Sixt
St-Laurent
Eloise
St-Germain-s-Rhône
Bge de Génissiat
Franclens
Chêne-en-Semine
Vanzy
Chessenaz
Chaumont
Frangy
Minzier
Chavannaz
Copponex
Cruseilles
Parc des Dronières
Villy-le-Bouveret
Groisy
Évires
Pts de la Caille
Allonzier-la-Caille
Thorens-Glières
Usinens
Challonges
Musièges
Sallenôves
Chilly
Désingy
Mésigny
Choisy
Villy-le-Pelloux
Charvonnex
Aviernoz
Tête du Parmelan
Col des Glières
Seyssel
Clermont
Menthonnex-s/s-Clermont
Droisy
Crempigny-Bonneguête
Thusy
Sillingy
La Balme-de-Sillingy
Épagny
Metz-Tessy
Argonay
Pringy
St-Martin-Bellevue
Villaz
Nâves-Parmelan
Dingy-St-Clair
Annecy-le-Vieux
ANNECY
Val du Fier
Versonnex
Val-de-Fier
St-Eusèbe
Vaulx
Nonglard
Poisy
Meythet
Cran-Gevrier
Lovagny
Hauteville-s-Fier
Vallières
Montrottier
Gges du Fier
Chavanod
Seynod
Veyrier-du-Lac
Menthon-St-Bernard
Alex
Thônes
Dent du Cruet
Motz
Serrières-en-Chautagne
Marais de Chautagne
Rumilly
Moye
Sales
Marcellaz-Albanais
Sévrier
Semnoz
Roc de Chère
Talloires-Montmin
La Tournette
Duingt
Col de la Forclaz
Ruffieux
Chindrieux
Massingy
Bloye
Alby-s-Chéran
Crêt de Châtillon
Belvre de Bénévent
St-Eustache
Entrevernes
Montmin
Doussard
Faverges
St-Ferréol
Conjux
Chanaz
La Chambotte
Albens
Gruffy
Allèves
Leschaux
Col de Leschaux
Chevaline
Lathuile
Abbe de Hautecombe
La Biolle
St-Ours
Pt de l'Abîme
Bellecombe-en-Bauges
Pont du Diable
Seythenex
Grésy-s-Aix
Trévignin
Lescheraines
La Motte-en-Bauges
Le Châtelard
Doucy-en-Bauges
Dent de Pleuven
L'Arcalod
AIX-LES-BAINS
Pugny-Chatenod
St-François-de-Sales
Le Noyer
Col de Tamié
Mt de la Sambuy

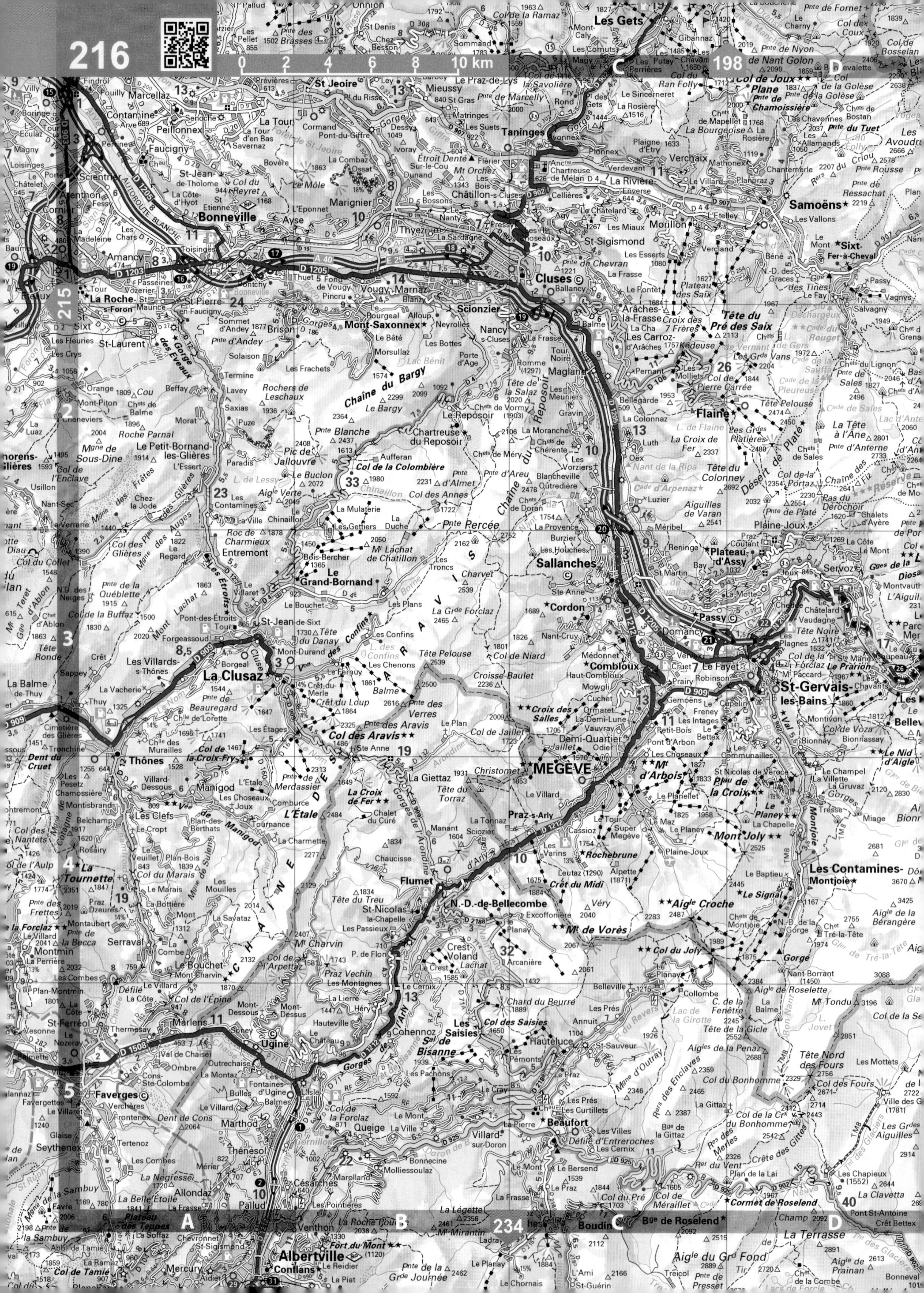

216
0 2 4 6 8 10 km
198
234
215
A
B
C
D
1
2
3
4
5
Les Gets
Taninges
Samoëns
Sixt-Fer-à-Cheval
St Jeoire
Mieussy
Bonneville
Marignier
Cluses
Scionzier
La Roche-sur-Foron
St-Pierre-en-Faucigny
Mont-Saxonnex
Châtillon-sur-Cluses
St-Sigismond
Morillon
Flaine
Arâches-la-Frasse
Les Carroz-d'Arâches
Magland
Le Reposoir
Chartreuse du Reposoir
Chaîne du Bargy
Pic de Jallouvre
Col de la Colombière
Le Grand-Bornand
St-Jean-de-Sixt
La Clusaz
Col des Aravis
Chaîne des Aravis
Thônes
Manigod
Col de la Croix-Fry
L'Étale
La Giettaz
Sallanches
Cordon
Combloux
Passy
Plateau d'Assy
Le Fayet
St-Gervais-les-Bains
Les Contamines-Montjoie
Megève
Mt d'Arbois
Praz-sur-Arly
Flumet
N.-D.-de-Bellecombe
Crest-Voland
Les Saisies
Col des Saisies
Hauteluce
Beaufort
Ugine
Faverges
Albertville
Conflans
Boudin
Bge de Roselend
Cormet de Roselend
Col du Joly
Aigle Croche
Mont Joly
Col de Voza
Col du Bonhomme
Col de la Croix du Bonhomme
Col des Fours
Tête Nord des Fours
Les Chapieux
Désert de Platé
Tête du Pré des Saix
Col de l'Épine
Col de la Forclaz
Col du Marais
La Tournette
Serraval
Marlens
Cohennoz
Gorges de l'Arly
Col des Annes
Pointe Percée
Col de Niard
Crêt du Midi
Rochebrune
Mt de Vorès
Dent du Cruet
Col de Tamié
Fort du Mont
La Terrasse
Aigle du Grand Fond
Col du Pré
Col de Méraillet
Lac de la Girotte
Défilé d'Entreroches
Mt Charvin
Dent de Cons
La Belle Étoile
Plateau des Teppes
Montmin
Seythenex
Thénésol
Queige
Villard-sur-Doron
Les Houches
Servoz
Vaudagne
Le Prarion
Bionnassay
Le Nid d'Aigle
Montjoie
Tête de la Gicle
Aigle de Roselette
Mt Tondu
Col de Joux Plane
Col de Jaillet
Croix des Salles
Demi-Quartier
Les Confins
Col de la Ramaz
Pte des Brasses
Le Môle
Ayse
Thyez
Vougy
Marnaz
Amancy
Faucigny
Peillonnex
Marcellaz
Contamine-sur-Arve
Brison
Entremont
Le Petit-Bornand-les-Glières
Plateau de Glières
Gorge des Éveaux
Col du Reyret
Autoroute Blanche
A 40
E 25
D 1205
D 1203
D 909
D 1212
D 1508
D 902
D 907
D 925
D 218

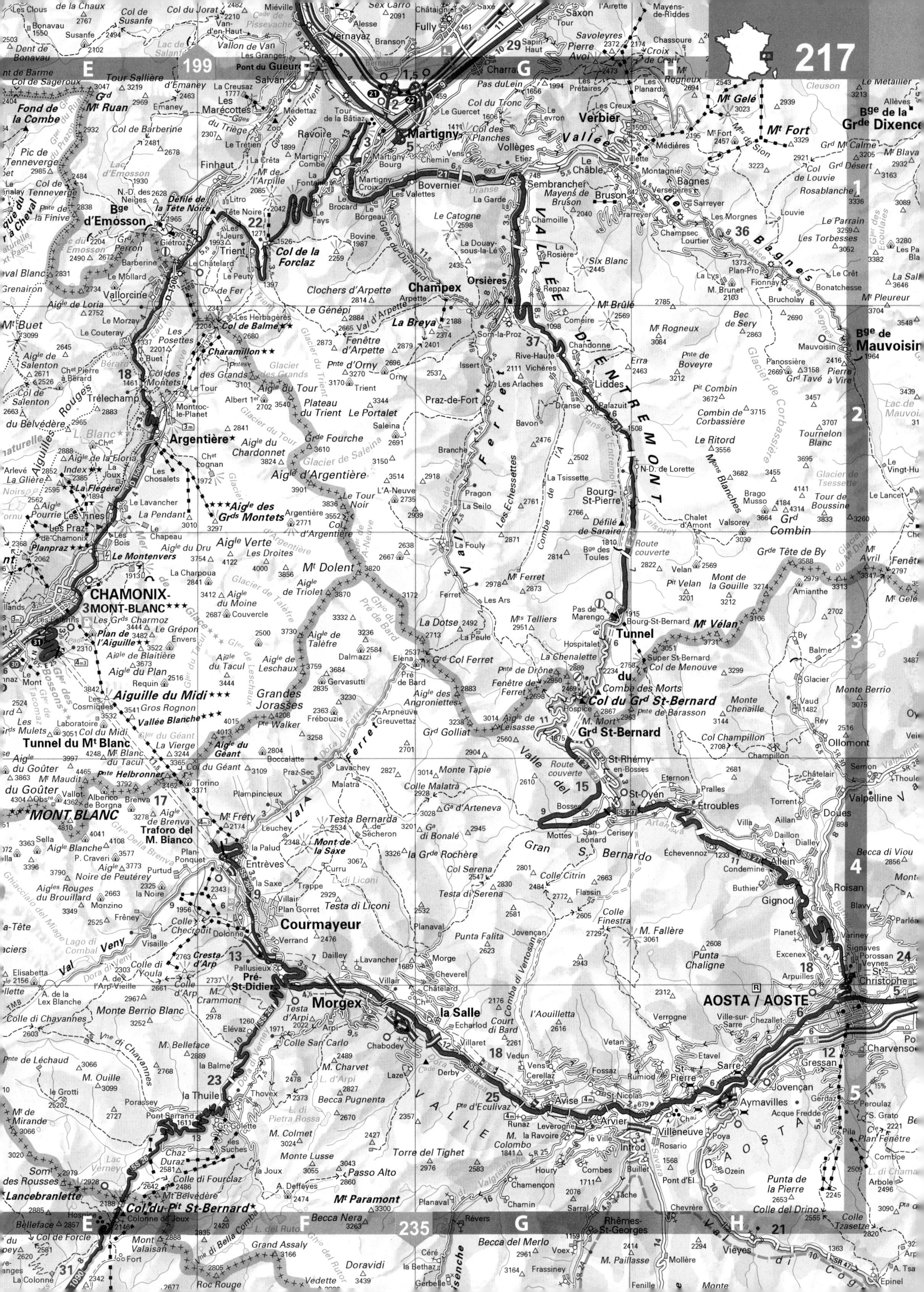
199
235
E
F
G
H
1
2
3
4
5
CHAMONIX-MONT-BLANC
MONT BLANC
Tunnel du Mt Blanc
Traforo del M. Bianco
Aiguille du Midi
Argentière
Vallorcine
Martigny
Verbier
Champex
Orsières
Col de la Forclaz
Col de Balme
Bge d'Emosson
Bge de Mauvoisin
Bge de la Grde Dixence
VALLÉE D'ENTREMONT
Val Ferret
Tunnel
Col du Grd St-Bernard
Grd St-Bernard
Bourg-St-Pierre
Liddes
St-Oyen
Etroubles
Courmayeur
Entrèves
Pré-St-Didier
Morgex
la Salle
la Thuile
Col du Pit St-Bernard
AOSTA / AOSTE
Sarre
Aymavilles
Villeneuve
Arvier
Avise
Grandes Jorasses
Mt Dolent
Grd Combin
Mt Vélan
Valpelline
Gignod
Allein
Rhêmes-St-Georges
Bagnes
Fully
Saxon
Vernayaz
Finhaut
Trient
Salvan
Les Marécottes
Lac de Salanfe
Lac d'Emosson
Col du Gd St-Bernard
Gran S. Bernardo
Dora di Ferret
Val Veny
Valle d'Aosta

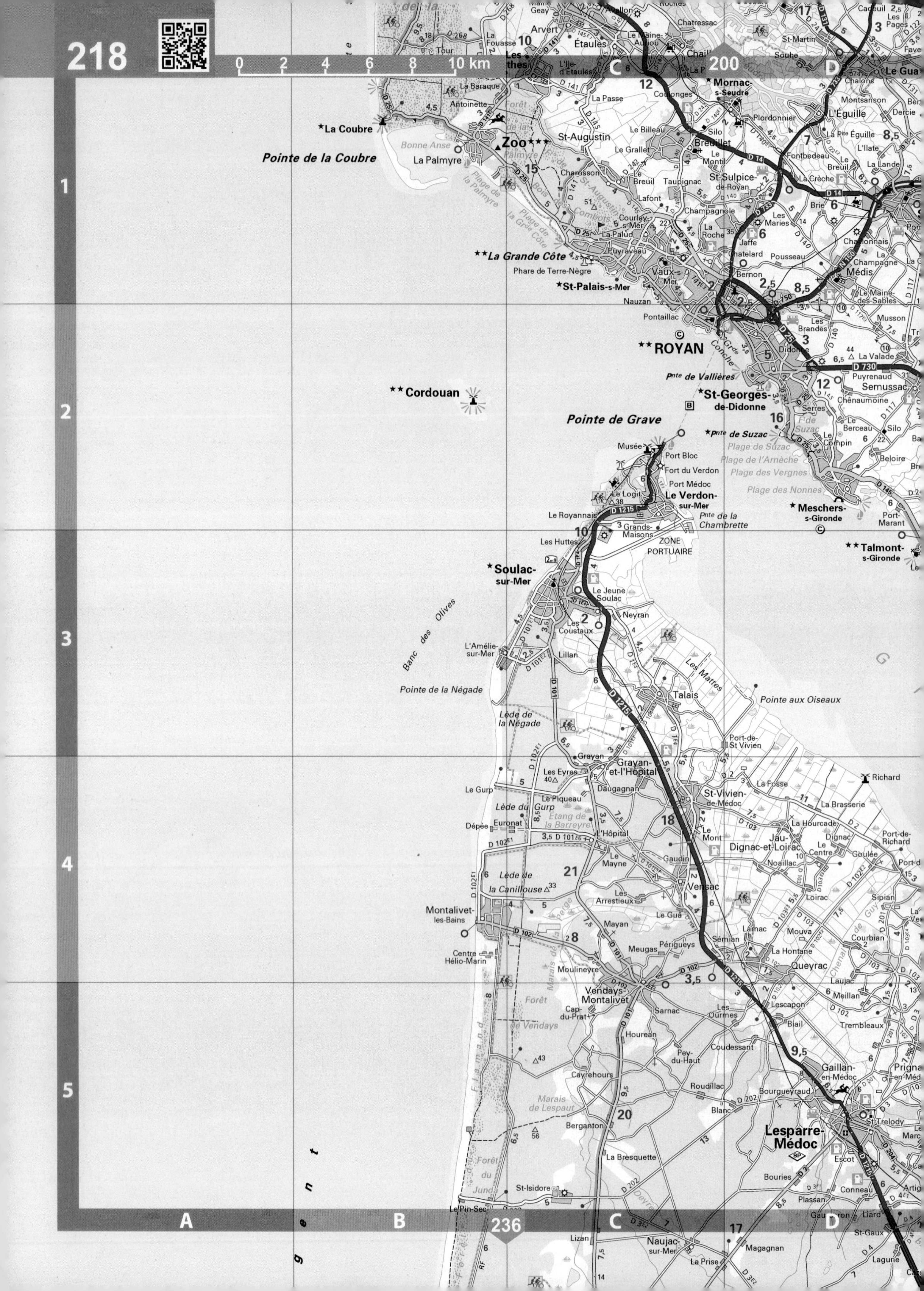

0 2 4 6 8 10 km
200
236
A
B
C
D
1
2
3
4
5
Pointe de la Coubre
La Coubre
Bonne Anse
La Palmyre
Zoo
Plage de la Palmyre
Plage de la Grde Côte
La Grande Côte
Phare de Terre-Nègre
St-Palais-s-Mer
Nauzan
Pontaillac
ROYAN
Grde Conche
Pnte de Vallières
St-Georges-de-Didonne
Pointe de Grave
Pnte de Suzac
Plage de Suzac
Plage de l'Arnèche
Plage des Vergnes
Plage des Nonnes
Meschers-s-Gironde
Talmont-s-Gironde
Cordouan
Musée
Port Bloc
Fort du Verdon
Port Médoc
Le Verdon-sur-Mer
Pnte de la Chambrette
Le Royannais
Grands-Maisons
ZONE PORTUAIRE
Les Huttes
Soulac-sur-Mer
Le Jeune Soulac
Neyran
Les Coustaux
L'Amélie-sur-Mer
Lillan
Banc des Olives
Pointe de la Négade
Lède de la Négade
Les Mattes
Talais
Pointe aux Oiseaux
Port-de-St Vivien
Grayan
Grayan-et-l'Hôpital
Les Eyres
Daugagnan
Le Gurp
Le Piqueau
Lède du Gurp
Étang de la Barreyre
Dépée
Euronat
L'Hôpital
St-Vivien-de-Médoc
Le Mont
La Fosse
La Brasserie
La Hourcade
Jau-Dignac-et-Loirac
Dignac
Le Centre
Goulée
Noaillac
Loirac
Richard
Port-de-Richard
Le Mayne
Gaudin
Lède de la Canillouse
Montalivet-les-Bains
Centre Hélio-Marin
Les Arrestieux
Vensac
Le Guâ
Mayan
Meugas
Périgueys
Sémian
Larnac
Mouva
La Hontane
Queyrac
Courbian
Sipian
Moulineyre
Vendays-Montalivet
Forêt de Vendays
Cap-du-Prat
Sarnac
Les Ourmes
Lescapon
Laujac
Meillan
Biail
Trembleaux
Hourean
Pey-du-Haut
Coudessant
Cayrehours
Roudillac
Marais de Lespaut
Berganton
Blanc
Bourgueyraud
Gaillan-en-Médoc
Lesparre-Médoc
Escot
La Bresquette
Bouries
Conneau
Plassan
Forêt du Junca
St-Isidore
Le Pin-Sec
Lizan
Naujac-sur-Mer
La Prise
Magagnan
Gauderon
Liard
St-Gaux
Lagune
Arvert
Étaules
La Fouasse
Les Mathes
L'Ile-d'Étaules
La Baraque
Antoinette
Forêt de la Coubre
Chaillevette
Chatressac
Le Maine-Aujou
Mornac-s-Seudre
Coulonges
La Passe
St-Augustin
Le Billeau
Le Grallet
Breuillet
Silo
Plordonnier
Charosson
Le Breuil
Taupignac
St-Sulpice-de-Royan
Le Montil
Lafont
Courlay-s-Mer
La Palud
Puyraveau
Champagnole
Vaux-s-Mer
La Roche
Jaffe
Chatelard
Bernon
Pousseau
Les Maries
Médis
Chalonnais
La Champagne
Le Maine-des-Sables
Les Brandes
Didonne
Musson
La Valade
Puyrenaud
Semussac
Chênaumoine
Serres
Le Berceau
Le Compin
Beloire
Silo
Port-Marant
St-Martin
Souhe
Cadeuil
Les Pages
Le Gua
Chalons
Montsanson
L'Éguille
La Pte Éguille
L'Ilate
Dercie
Fontbedeau
Le Breuil
La Lande
La Crèche
Brie
D 25
D 14
D 730
D 1215
D 101
D 102
D 103
D 3
D 202
D 204
D 145
D 140
D 141

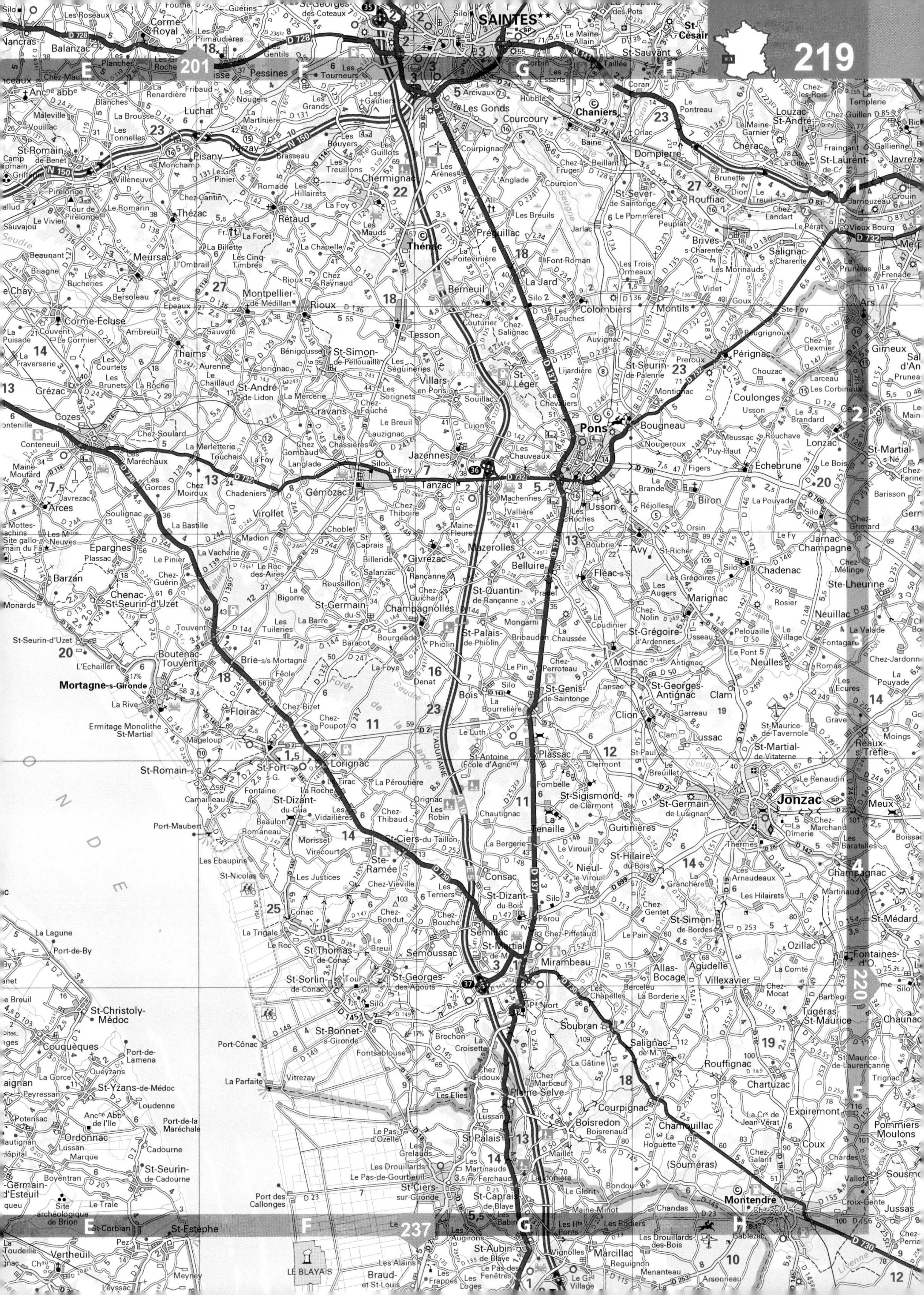
SAINTES
201
Pessines
Corme-Royal
Balanzac
Les Gonds
Courcoury
Chaniers
Dompierre-s-C.
Rouffiac
Chermignac
Pisany
Varzay
Thézac
Rétaud
Thénac
Préguillac
St-Sever-de-Saintonge
Brives-s-Charente
Salignac-s-Charente
Meursac
Montpellier-de-Médillan
Rioux
Tesson
Berneuil
La Jard
Colombiers
Montils
Corme-Écluse
St-Simon-de-Pellouaille
Villars-en-Pons
St-Léger
St-Seurin-de-Palenne
Pérignac
Thaims
St-André-de-Lidon
Grézac
Cravans
Coulonges
Cozes
Pons
Bougneau
Jazennes
Gémozac
Tanzac
Échebrune
Arces
Virollet
Usson
Biron
Mazerolles
Avy
Belluire
Fléac-s-S.
Chadenac
Barzan
Chenac-St-Seurin-d'Uzet
St-Germain-du-S.
Champagnolles
St-Quantin-de-Rançanne
Marignac
St-Palais-de-Phiolin
St-Grégoire-d'Ardennes
Neuilles
Mortagne-s-Gironde
Boutenac-Touvent
Brie-s/s-Mortagne
Floirac
Bois
St-Genis-de-Saintonge
Mosnac
St-Georges-Antignac
Clam
Lorignac
Plassac
Clion
St-Fort-s-G.
St-Dizant-du-Gua
St-Sigismond-de-Clermont
Jonzac
St-Ciers-du-Taillon
Ste-Ramée
Consac
Nieul-le-Virouil
St-Hilaire-du-Bois
Champagnac
St-Dizant-du-Bois
Semillac
St-Thomas-de-Conac
Mirambeau
St-Sorlin-de-Conac
St-Georges-des-Agouts
St-Christoly-Médoc
St-Bonnet-s-Gironde
Soubran
Salignac-de-M.
Rouffignac
St-Yzans-de-Médoc
Pleine-Selve
Courpignac
Chartuzac
Boisredon
Champuillac
Expiremont
St-Palais
St-Ciers-sur-Gironde
St-Caprais-de-Blaye
Montendre
St-Estèphe
St-Corbian
237
St-Aubin-de-Blaye
Marcillac
Braud-et-St-Louis
LE BLAYAIS
220
GIRONDE

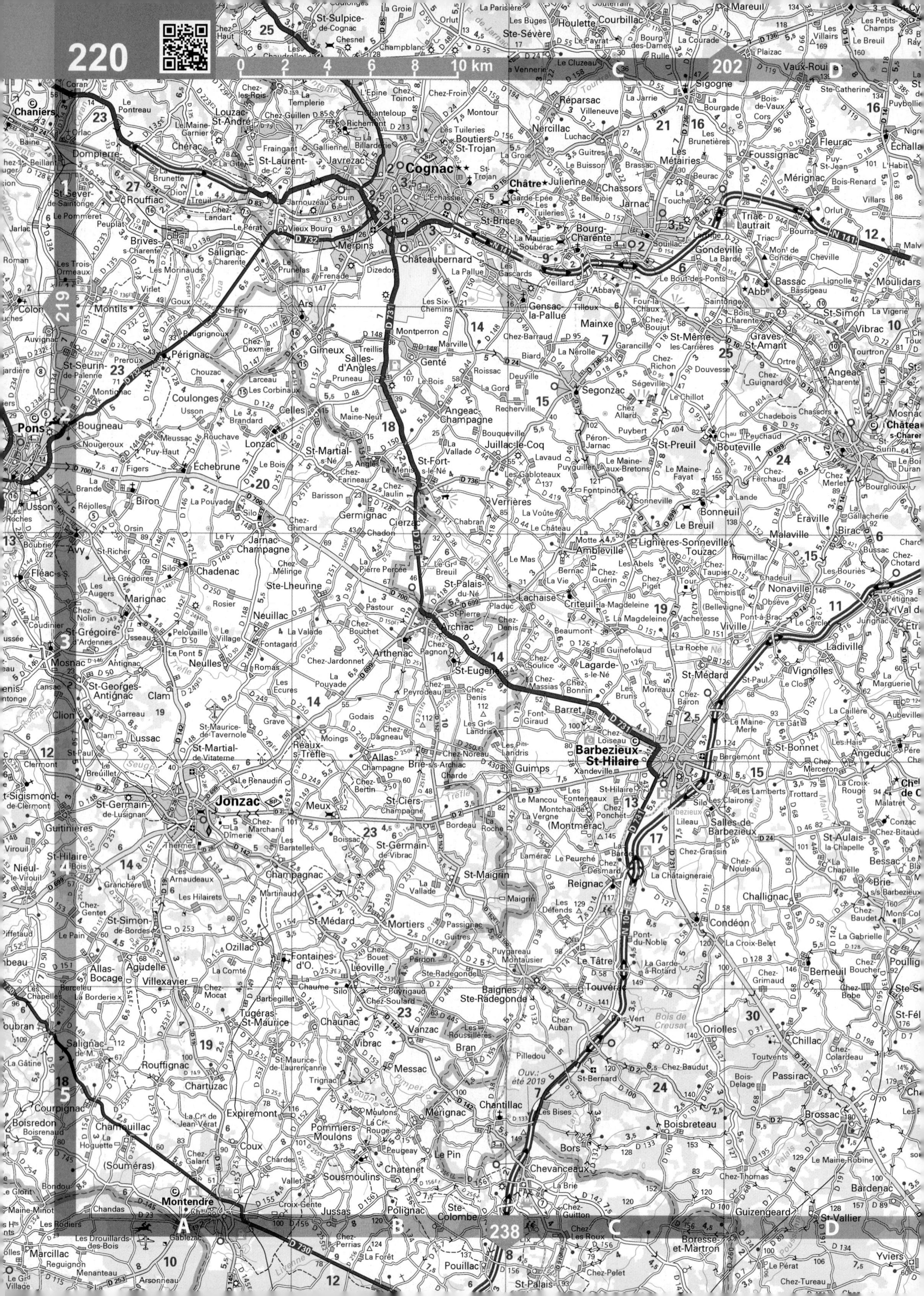
0 2 4 6 8 10 km
202
219
238
A
B
C
D
Cognac
Châteaubernard
Jarnac
Segonzac
Archiac
Barbezieux-St-Hilaire
Jonzac
Pons
Montendre
Chaniers
Dompierre-s-C.
Rouffiac
St-Sever-de-Saintonge
Brives-s-Charente
Salignac-s-Charente
Montils
Colombiers
St-Seurin-de-Palenne
Pérignac
Coulonges
Bougneau
Échebrune
Biron
Usson
Avy
Fléac-s-S.
Marignac
St-Grégoire-d'Ardennes
Mosnac
St-Georges-Antignac
Clam
Lussac
St-Germain-de-Lusignan
Guitinières
St-Hilaire
Nieul-le-Virouil
St-Simon-de-Bordes
Ozillac
Agudelle
Allas-Bocage
Villexavier
Tugéras-St-Maurice
Rouffignac
Chartuzac
Expiremont
Coux
Salignac-de-M.
Courpignac
Boisredon
Chamouillac
(Souméras)
Chaunac
Vibrac
Messac
Vanzac
Bran
Pommiers-Moulons
Sousmoulins
Chatenet
Polignac
Ste-Colombe
Le Pin
Mérignac
Chantillac
Chevanceaux
Bors
Boisbreteau
St-Bernard
Oriolles
Chillac
Passirac
Brossac
Bardenac
Guizengeard
St-Vallier
Baignes-Ste-Radegonde
Touvérac
Le Tâtre
Reignac
Condéon
Challignac
Berneuil
Salles-de-Barbezieux
St-Aulais-la-Chapelle
Guimps
St-Ciers-Champagne
Meux
St-Germain-de-Vibrac
Champagnac
Mortiers
Léoville
Fontaines-d'O.
St-Médard
St-Maigrin
Brie-s/s-Archiac
Allas-Champagne
Réaux-s-Trèfle
Arthenac
St-Eugène
Neulles
Neuillac
Jarnac-Champagne
Chadenac
Ste-Lheurine
St-Palais-du-Né
Lachaise
Criteuil-la-Magdeleine
Ambleville
Lignières-Sonneville
Touzac
Malaville
Nonaville
Viville
Ladiville
Vignolles
St-Bonnet
Angeduc
St-Médard
Lagarde-s-le-Né
Barret
Germignac
Cierzac
St-Fort-s-le-Né
St-Martial-s-Né
Lonzac
Celles
Salles-d'Angles
Gimeux
Genté
Angeac-Champagne
Juillac-le-Coq
Verrières
Gensac-la-Pallue
Mainxe
St-Même-les-Carrières
Graves-St-Amant
Bouteville
St-Preuil
Bonneuil
Éraville
Birac
Châteauneuf-s-Charente
Vibrac
Angeac-Charente
St-Simon
Bassac
Triac-Lautrait
Mérignac
Foussignac
Fleurac
Sigogne
Réparsac
Nercillac
Julienne
Chassors
Bourg-Charente
Louzac-St-André
Chérac
St-Laurent-de-C.
Javrezac
Mareuil
Houlette
Courbillac
St-Sulpice-de-Cognac
Ste-Sévère

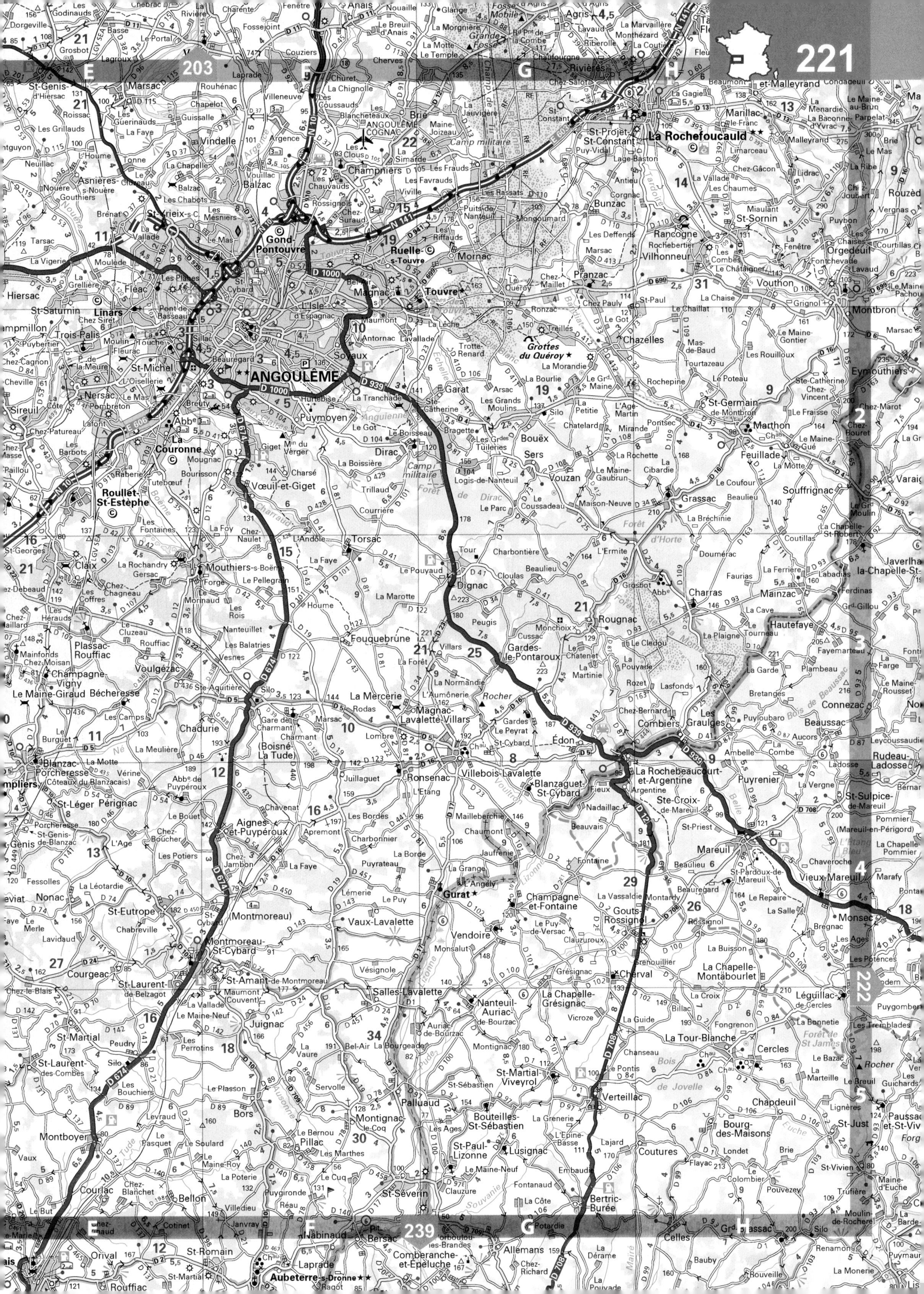
221
203
239
222
E
F
G
H
ANGOULÊME
La Rochefoucauld
Gond-Pontouvre
Ruelle-s-Touvre
Touvre
Magnac
L'Isle-d'Espagnac
Soyaux
St-Yrieix-s-C.
Fléac
Linars
St-Saturnin
Hiersac
St-Genis-d'Hiersac
Marsac
Vindelle
Balzac
Asnières-s-Nouère
Champniers
Brie
ANGOULÊME COGNAC
Camp militaire
Mornac
Bunzac
Pranzac
Rancogne
Vilhonneur
St-Projet-St-Constant
Rivières
Agris
Marillac-le-Franc
St-Sornin
Orgedeuil
Vouthon
Montbron
Eymouthiers
Grottes du Quéroy
Chazelles
St-Germain-de-Montbron
Marthon
Feuillade
Souffrignac
Garat
Ste-Catherine
Puymoyen
La Couronne
St-Michel
Nersac
Sireuil
Trois-Palis
Roullet-St-Estèphe
Mouthiers-s-Boëme
Vœuil-et-Giget
Torsac
Dirac
Bouëx
Sers
Vouzan
Grassac
Charras
Mainzac
Dignac
Rougnac
Hautefaye
Fouquebrune
Villars
Gardes-le-Pontaroux
Claix
Plassac-Rouffiac
Voulgézac
Champagne-Vigny
Le Maine-Giraud
Bécheresse
Chadurie
Blanzac-Porcheresse
Charmant
(Boisné-La Tude)
Magnac-Lavalette-Villars
Villebois-Lavalette
Ronsenac
Blanzaguet-St-Cybard
Édon
La Rochebeaucourt-et-Argentine
Combiers
Les Graulges
Ste-Croix-de-Mareuil
Mareuil
Puyrenier
Vieux-Mareuil
Connezac
Beaussac
Rudeau-Ladosse
St-Sulpice-de-Mareuil
Pérignac
St-Léger
Aignes-et-Puypéroux
Gurat
Champagne-et-Fontaine
Gouts-Rossignol
Vendoire
Nonac
St-Eutrope
(Montmoreau)
Montmoreau-St-Cybard
Vaux-Lavalette
St-Amant-de-Montmoreau
Salles-Lavalette
Nanteuil-Auriac-de-Bourzac
La Chapelle-Grésignac
Cherval
La Chapelle-Montabourlet
Léguillac-de-Cercles
La Tour-Blanche
Cercles
Courgeac
St-Laurent-de-Belzagot
Juignac
St-Martial
St-Laurent-des-Combes
St-Martial-Viveyrol
Verteillac
Chapdeuil
Bourg-des-Maisons
Montboyer
Bors
Montignac-le-Coq
Pillac
Palluaud
Bouteilles-St-Sébastien
St-Paul-Lizonne
Lusignac
Coutures
St-Just
Paussac-et-St-Vivien
Courlac
Bellon
St-Séverin
Bertric-Burée
Nabinaud
Bersac
Comberanche-et-Epeluche
Allemans
Celles
St-Romain
Orival
Aubeterre-s-Dronne
Laprade
Rouffiac
Forêt de Dirac
Forêt d'Horte
Bois de Jovelle
Forêt de St James
Rocher
Monsec
Mouthiers
D 939
D 1000
D 674
D 708
N 10
N 141
E 606
D 12
D 16
D 5
D 699

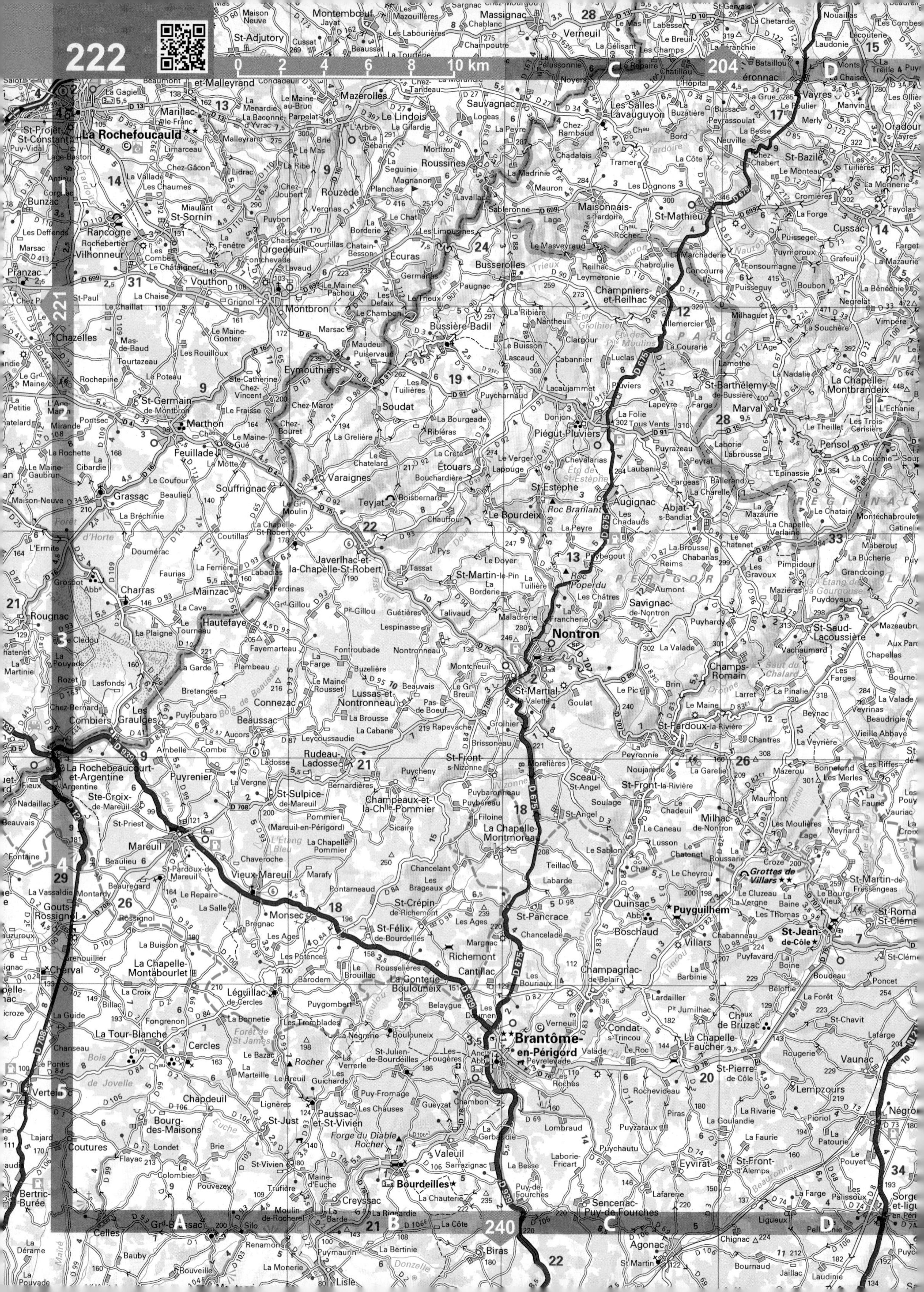
0 2 4 6 8 10 km
204
221
240
A
B
C
D
1
2
3
4
5
La Rochefoucauld
St-Projet-St-Constant
Marillac-le-Franc
Montembœuf
St-Adjutory
Massignac
Verneuil
Mazerolles
Le Lindois
Sauvagnac
Les Salles-Lavauguyon
Vayres
St-Bazile
Oradour
Roussines
Rouzède
Rancogne
Vilhonneur
Bunzac
St-Sornin
Orgedeuil
Écuras
Busserolles
Maisonnais-sur-Tardoire
St-Mathieu
Cussac
Pranzac
Vouthon
Montbron
Champniers-et-Reilhac
Bussière-Badil
Chazelles
Eymouthiers
Soudat
Piégut-Pluviers
St-Barthélemy-de-Bussière
La Chapelle-Montbrandeix
Marval
Pensol
St-Germain-de-Montbron
Marthon
Feuillade
Souffrignac
Varaignes
Étouars
Teyjat
Le Bourdeix
St-Estèphe
Roc Branlant
Augignac
Abjat-s-Bandiat
Grassac
Forêt d'Horte
Charras
Mainzac
Javerlhac-et-la-Chapelle-St-Robert
St-Martin-le-Pin
Roc Poperdu
Savignac-de-Nontron
St-Saud-Lacoussière
Rougnac
Hautefaye
Nontron
Champs-Romain
Saut du Chalard
Lussas-et-Nontronneau
Connezac
Beaussac
St-Martial
St-Pardoux-la-Rivière
Les Graulges
Combiers
La Rochebeaucourt-et-Argentine
Rudeau-Ladosse
St-Front-s-Nizonne
Sceau-St-Angel
St-Front-la-Rivière
Ste-Croix-de-Mareuil
Puyrenier
St-Sulpice-de-Mareuil
Champeaux-et-la-Ch.lle-Pommier
La Chapelle-Montmoreau
Milhac-de-Nontron
Mareuil
Vieux-Mareuil
Grottes de Villars
St-Martin-de-Fressengeas
Gouts-Rossignol
Monsec
St-Crépin-de-Richemont
St-Pancrace
Quinsac
Puyguilhem
Boschaud
Villars
St-Jean-de-Côle
Cherval
La Chapelle-Montabourlet
St-Félix-de-Bourdeilles
Richemont
Cantillac
Champagnac-de-Belair
Léguillac-de-Cercles
La Gonterie-Boulouneix
Condat-s-Trincou
La Chapelle-Faucher
La Tour-Blanche
Cercles
Brantôme-en-Périgord
St-Pierre-de-Côle
Vaunac
Verteillac
Chapdeuil
Bourg-des-Maisons
Paussac-et-St-Vivien
Forge du Diable
Valeuil
Lempzours
Négrondes
St-Just
Coutures
Bourdeilles
Eyvirat
St-Front-d'Alemps
Bertric-Burée
Creyssac
Sencenac-Puy-de-Fourches
Agonac
Sorges-et-Ligueux-en-Périgord
Celles
Grand-Brassac
Biras
Lisle
P E R I G O R D
R É G I O N A L

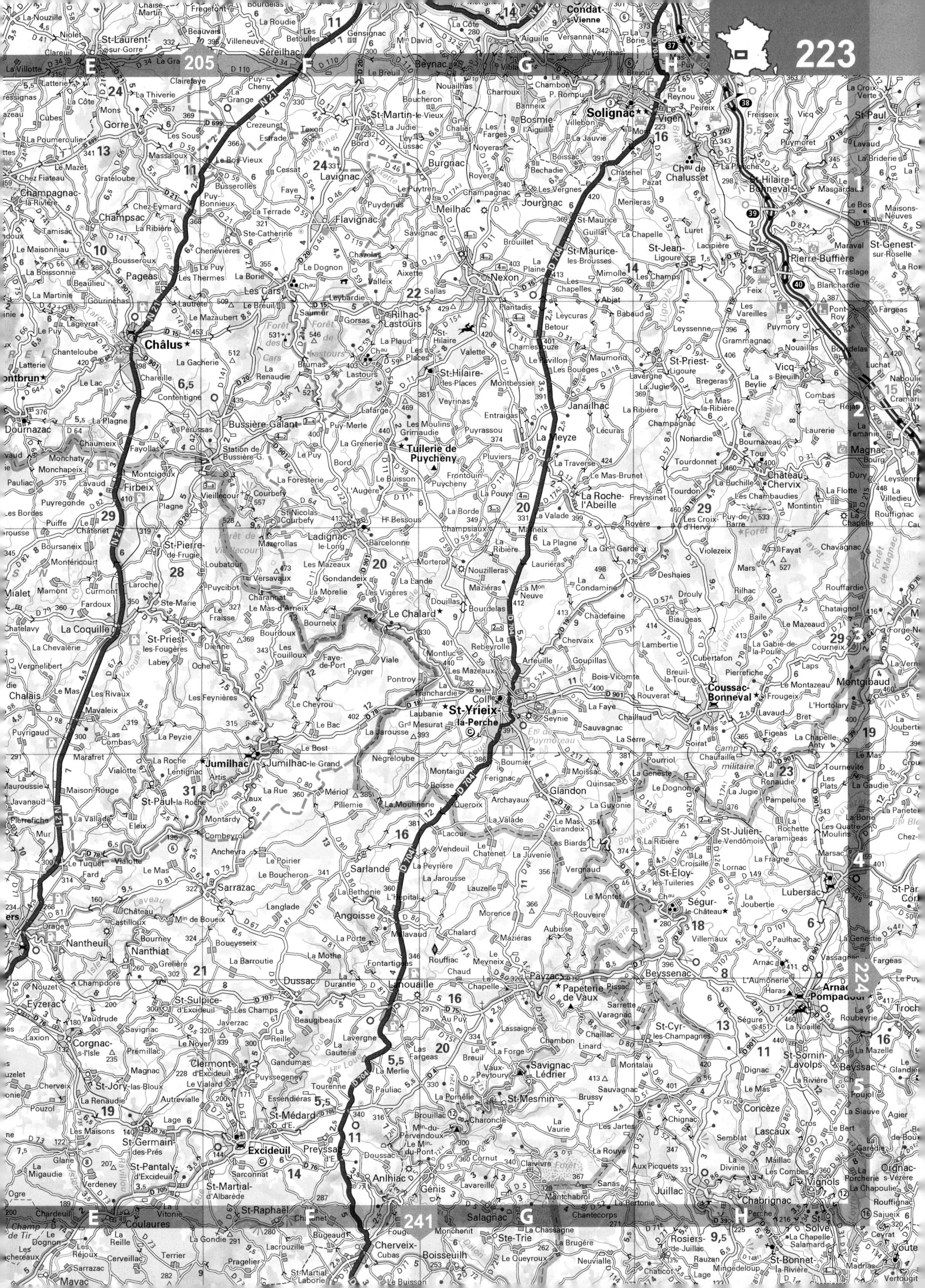

205
224
241
Châlus
Solignac
St-Yrieix-la-Perche
Coussac-Bonneval
Arnac-Pompadour
Excideuil
Jumilhac
Tuilerie de Puycheny
Pierre-Buffière
Nexon
Ségur-le-Château
Lubersac
Payzac
Papeterie de Vaux
Savignac-Lédrier
Le Chalard
La Coquille
Firbeix
Bussière-Galant
Les Cars
Flavignac
Lavignac
Séreilhac
St-Laurent-sur-Gorre
Gorre
Champsac
Pageas
Rilhac-Lastours
St-Hilaire-les-Places
Janailhac
La Meyze
La Roche-l'Abeille
Ladignac-le-Long
St-Priest-Ligoure
Château-Chervix
Magnac-Bourg
St-Hilaire-Bonneval
Vicq-s-Breuilh
Montgibaud
Glandon
Beyssenac
St-Éloy-les-Tuileries
St-Julien-le-Vendômois
Sarlande
Angoisse
Lanouaille
Dussac
Nantheuil
Nanthiat
Corgnac-s-l'Isle
St-Jory-las-Bloux
St-Germain-des-Prés
St-Médard-d'E.
Anlhiac
Génis
Juillac
Chabrignac
Concèze
Lascaux
St-Sornin-Lavolps
Vignols
Coulaures
Salagnac
Ste-Trie
Cherveix-Cubas
Boisseuilh

0 2 4 6 8 10 km

206
223
242

A B C D

1 2 3 4 5

Solignac Le Vigen St-Denis-des-Murs Villejoubert Augne Eymoutiers St-Amand-le-Petit Bellabre Masléon Le Mont Jalouneix Verviale Chassat Lelac Trentalaud St-Paul Le Nipoulaud Peyret Roziers-St-Georges Combret Soumagnas Virolle La Pierre-de-Neuvic Veyrieras La Forêt Chabrouty Bussy Farsac Chau de Chalusset St-Hilaire-Bonneval Puymoret Vicq Boucolle Lecuras Aigueperse Bonnefont Landrauderie Sivergnat Neuvic-Entier Reilhac Parsac Golas Masgardaud Le Bos Maisons-Neuves Luceat Sagnas St-Bonnet-Briance Mazermaud Lajaumont L'Oradour Châteauneuf-la-Forêt Chapoulaudie Ste-Anne-St-Priest St-Jean-Ligoure Pierre-Buffière St-Genest-sur-Roselle La Rongère Siardeix Linards Beaubiac Puy de Vaux Buffangeas Moussanas Bessinières Villemonteix Chez Lissandre Le Theil St-Priest-les-Vergnes Blanchardie Feix Glanges Fargeas Salas Ligonnat Montaigut Augeras Serre Les Vareilles Puymory Pont-Roy Le Theillomas Bourdelas La Chabassière Jumeau-le-Grd Vénouhant Sussac Chammont Domps Lachaud Leyssenne Grammagnac Nouaillas St-Méard Echizadoux Les Quatre Routes Aux-Barres Beauvais Reberol Le Grd-Bouchet Souffrangeas St-Priest-Ligoure Bregeras Vicq-s-Breuilh Luchat Lascaux Javaudoux Villevarlange Martageix Murat Champs Le Pit-Bouchet Maumond Lavergne La Jugie La Beylie Le Mas-la-Ribière Combas Naboulieras Cramarigeas Cholus Amboiras Thenèse Plaisance La Croisille-s-Briance La Vialle Meillac Les Clos La Borderie Le Mazalaigue Janailhac La Ribière Champagnac Nonardie Réjatas Lardimalie Frachet Curzac Barnagaud Peyroux Excidieux Mazaufroid Lécuras Laurerie Le Bournazeau Tour La Tamanie Magnac-Bourg St-Germain-les-Belles St-Vitte-s-Briance Le Mas La Ribière Mt Gargan Forêt Hte St-Gilles-les-Forêts Lestivalerie Chaverivière Tourdonnet Le Monceau Boissière Les Plats Bregeat Chassagnat Rouchoux Surdoux Chapelle Bonnat Le Mas-Brunet Château-Chervix La Buchille Dury Leyssenne La Plagne Le Pont Bellegarde Journiac Le Mazaud La Roche-l'Abeille Freyssinet Tourdon Les Chambaudies Montintin La Flotte La Villedieu Manin La Valette Molou Reneix Chassagnas Chéron-de-l'Étang Ceux Royère Les Croix-d'Hervy Puy-de-Barre La Chapelle Rouffignac Caux Bousselas La Porcherie Mortefond Ciblac Chamberet Noux Forêt de Fayat Violezeix Fayat Chavagnac Le Martoulet Las Bordas Le Mas Lafarge Theil Le Mons La Grde Garde Mars Forêt de Magnac Le Fond-Vergnot Beau-Soleil Cirat Laurière La Nouaille Caud Deshaies La Condamine Rilhac Rouffardie Haute Faye Piquette Le Breuil Sauviat Vergnas Le Genet Droulu Chadefaine Biaugeas Baile Chataignol Meuzac Masseret Les Bertranges Meilhards Lachaud Magoutière Soudaine-Lavinadière Lambertie Le Mazeaud La Gabie-de-la-Poule Forge-Neuve La Maurilla Porte de Corrèze Lamongerie La Faye Vieillemards Bourliateau Arsouze Chingeat Goupillas Cubertafon Courneix Les Landes La Faurie Puy-Razit La Croix Le Chatenet Lapeyre Bois-Vicomte Pierrefiche Laps La Vernine Freygefond La Grenerie Ste-Radegonde Le Genet Breuil-la-Tour Montgibaud Forsac Trix Le Montraire Le Sargueix Rilhac-Treignac Le Rouverat Coussac-Bonneval Frougeix Le Montazeau L'Hortolary Benayes La Bessade Le Rond-Point Mazieras Rivière Affieux La Faye Chaillaud Lavaud Bret La Joubertie Preignant La Courrix Salon-la-Tour La Gare Prats La Tranugie Sauvagnac Le Mas Soirat Figeas La Chapelle-Anty Chamassière Peyrissac La Serre Camp militaire Chaufaille Puy-Maly St-Georges L'Angle Lort Chavagnac Chaleix Rome Pourriol La Genestie Le Mas Crousillac La Bouchotte Le Beau-Soleil Le Chatain Marcilloux Moissac Quinsac Renaudie Tournevite Les Moulins La Roche Le Pin Le Verdier Dursas Merciel Le Dognon Les Plats Corbier La Gaudie La Malonie La Vernouille La Borde La Tuilerie Le Peuch Le Plantadis Vignane La Guyonie La Jugie Pampelune La Paneterie Le Cloux Vernejoux Le Nat Ensergueix Fargeas La Rochette Les Quatre-Moulins La Borie Le Vert Étg Bleu Chez-le-Turc Montfumat Condat-s-Ganaveix Mazière Vernejoux Les Horts Le Lonzac Pommier La Tronche La Ribière St-Julien-le-Vendômois Caramigeas La Rade Chassagne Eyburie Boissy La Fragne Marsac Esparsilliac St-Ybard La Faurie-Bacoup St-Eloy-les-Tuileries Lornac Lubersac St-Pardoux-Corbier St-Martin-Sepert Faugeras Centre de détention Le Cheyroux La Brousse Chaillac Ségur-le-Château La Joubertie La Borde Sadarnac Ste-Eulalie Chaleix La Besse Le Claux Chamboulive Le Coudert Rouveire Villemaux Paulhac La Genestie La Bambinaudie Leguille Baby Uzerche Espartignac Pierrefitte La Rue Puy-Grand Orliac Beyssenac Arnac Vassagnac Fargeas Gd Brugeron Lavaud Maubec Le Plantadis Chalaud Papeterie de Vaux Pissac L'Aumônerie Haras Arnac-Pompadour Le Puy Chiniac La Nauche La Salesse Surget Puy des Fourches Enval La Jante Marliac Sarrette Varagnac St-Cyr-les-Champagnes Ségure La Noaille Roubeyrie Troche La Mégie Le Mas-du-Puy Ceyrat St-Jal Le Chatenet Le Bournazel Linard St-Sornin-Lavolps Dignac Beyssac Puy-Juge Muratet La Mazelle Le Glandier Vigeois Le Pouget Lac de Pontcharal Les Noilhettes Le Mas Marsaleix Étg Neuf Bussières Seilhac Montargis Les Fourches Le Mons Meneyrol Montalau Brussy Le Mas La Rivière Viallevaleix Repaire Espieussas Blanchefort Bellefond Concèze Chignac Poujol Les Fombiardes Vaynas Lornac La Bugenie Brezou Lagraulière Les Ferrières La Brunie Cousin Lascaux Cros Le Bert La Siauve Agier Bois-de-Bourzat La Gardèle Gorges de la Vézère La Barrière Le Bariolet Perpezac-le-Noir Bouilhac La Gare Lavergne Le Treuil Semblat La Rouve Aux Picquets Maillac La Divinie Les Combes Le Monteil Le Theil Maisons-Blanches Les Barrières St-Clément Le Bos Sanas Juillac Vignols Orgnac-s-Vézère Comborn Chatras Moncoulon Cessac Laleu Les Quatre Routes L'Hôpital Alzac Bach Céron Trauje La Pérusse Chabrignac Chau La Bertonie La Porcherie La Chapoulie Rouffignac Estivaux Les Rejeadoux Borderie Chanteix Les Plats Les Pouges Naves Chantecorps Arche St-Solve Sajueix Ceyrat St-Bonnet-l'Enfantier Chauvignac Laborie Tramond Rosiers-de-Juillac La Chapelle-Salamard Voutezac Le Pilou Le Pouget Leyrat Neuvialle Rauzan St-Bonnet-la-Rivière Mingedeloup Chaticot Lage Madrias Vertougit La Roche Sadroc Le Gaulliat St-Pardoux-l'Ortigier Moulzac St-Mexant Chataignier Peyrelevade

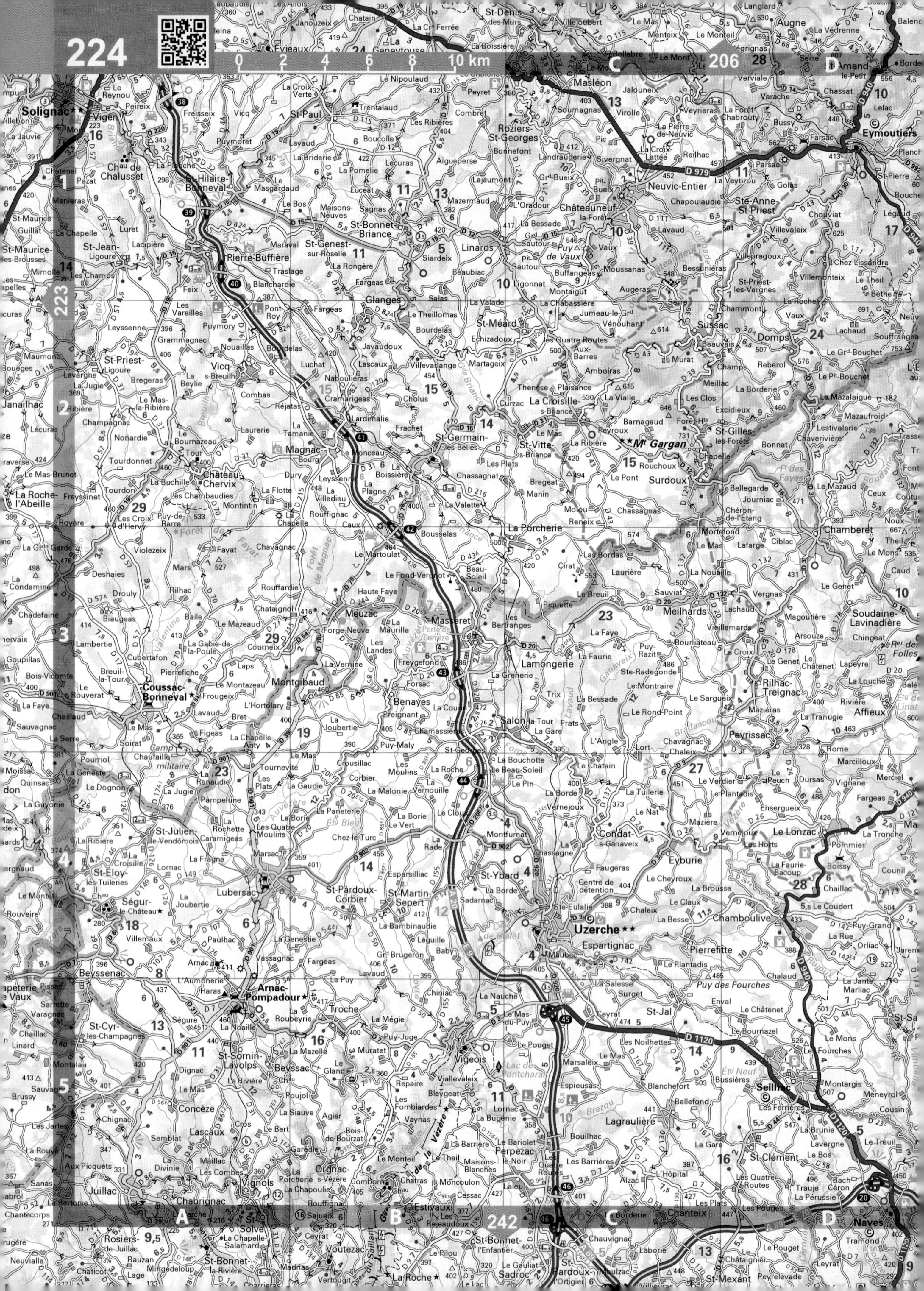

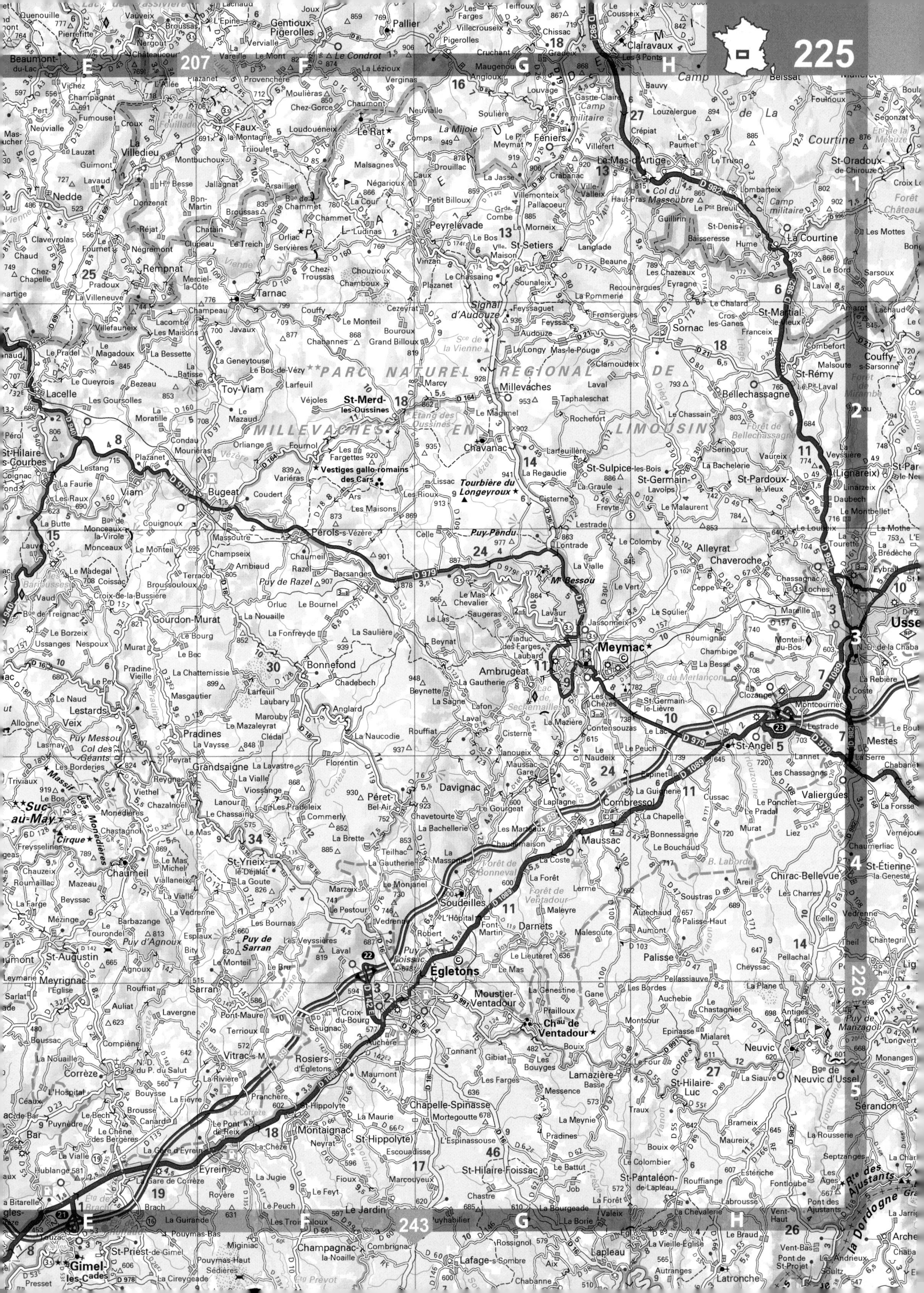

225
207
E
F
G
H
Beaumont-du-Lac
Gentioux-Pigerolles
Pallier
Le Condrot
Clairavaux
Les 3 Ponts
Faux-la-Montagne
La Villedieu
Le Rat
La Mijoie
Féniers
Camp militaire
Le-Mas-d'Artige
Col du Massoubre
La Courtine
Nedde
Peyrelevade
St-Setiers
Tarnac
Rempnat
Signal d'Audouze
Sornac
St-Martial-le-Vieux
Toy-Viam
Lacelle
PARC NATUREL RÉGIONAL DE MILLEVACHES EN LIMOUSIN
St-Merd-les-Oussines
Millevaches
Chavanac
Bellechassagne
St-Rémy
Vestiges gallo-romains des Cars
Tourbière du Longeyroux
St-Sulpice-les-Bois
St-Germain-Lavolps
St-Pardoux-le-Vieux
Bugeat
Viam
Pérols-s-Vézère
Puy Pendu
Mt Bessou
Alleyrat
Chaveroche
Puy de Razel
Gourdon-Murat
Meymac
Ussel
Bonnefond
Ambrugeat
St-Germain-le-Lièvre
St-Angel
Pradines
Grandsaigne
Davignac
Péret-Bel-Air
Combressol
Valiergues
Suc-au-May
Massif des Monédières
Cirque
Chaumeil
St-Yrieix-le-Déjalat
Maussac
Chirac-Bellevue
Soudeilles
Darnets
Puy de Sarran
St-Augustin
Égletons
Moustier-Ventadour
Chau de Ventadour
Palisse
Neuvic
Puy de Manzagol
Meyrignac
Sarran
Rosiers-d'Égletons
Corrèze
Lamazière-Basse
St-Hilaire-Luc
Bge de Neuvic d'Ussel
Chapelle-Spinasse
St-Hippolyte
Sérandon
Eyrein
St-Hilaire-Foissac
St-Pantaléon-de-Lapleau
Rte des Ajustants
la Dordogne
243
Champagnac-la-Noaille
Lapleau
Latronche
Gimel-les-Cascades
St-Priest-de-Gimel
226

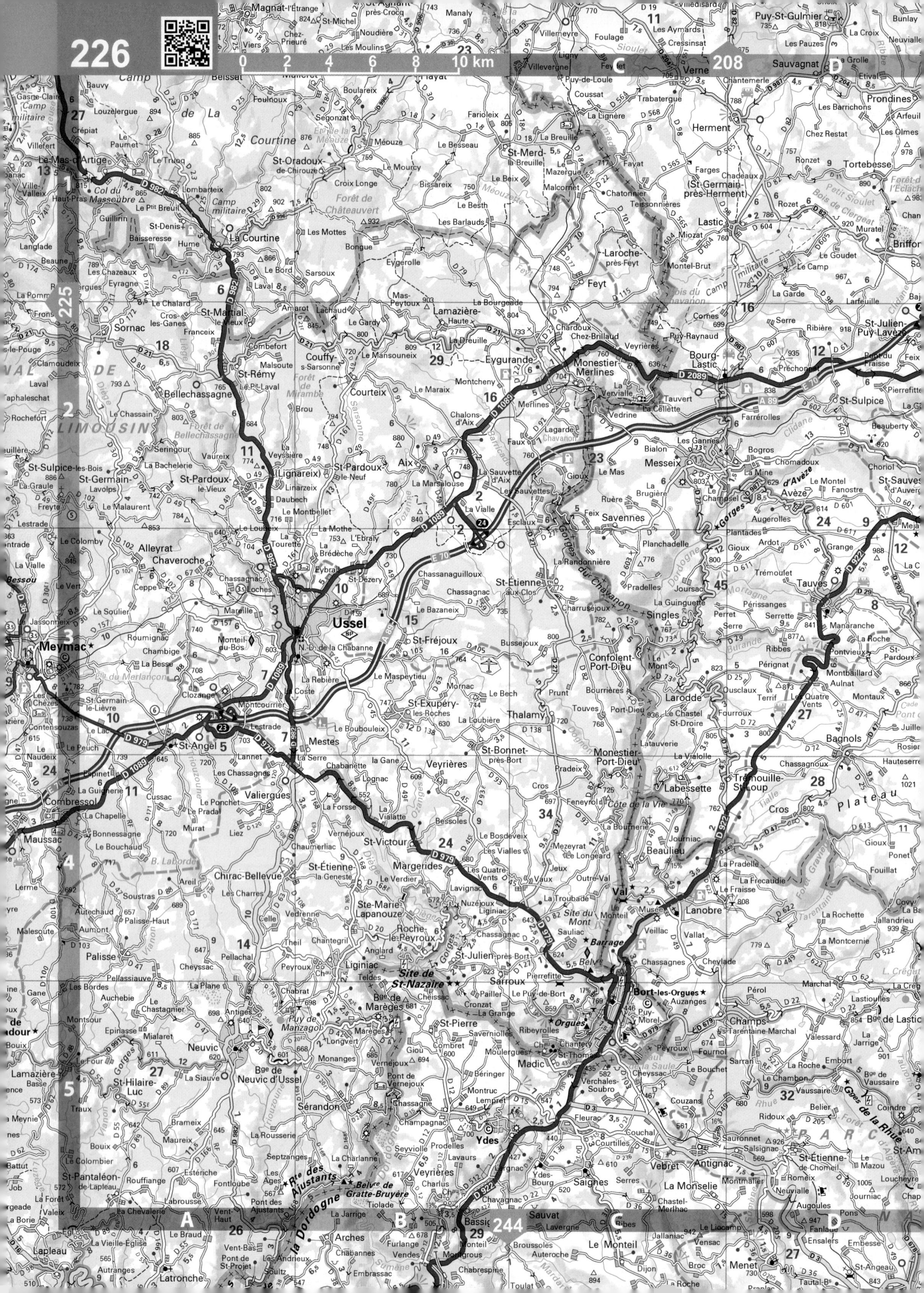
0 2 4 6 8 10 km
208
225
244
A
B
C
D
1
2
3
4
5
Magnat-l'Étrange
Manaly
Villemeyre
Foulage
Les Aymards
Cressinsat
Puy-St-Gulmier
Bunlay
La Croix
Neuvialle
Les Pauzes
Viers
Noudière
Chez-Prieuré
Les Moulins
Ligny
Villevergne
Feyt
Verne
Sauvagnat
La Grolle
Etival
Beissat
Bauvy
Boularaix
Foulnoux
Puy-de-Loule
Coussat
Trabatergue
Chantemerle
Prondines
Camp
de
La
Courtine
Louzelergue
Crépiat
Segonzat
Méouze
Farioleix
La Breuille
La Lignère
Herment
Les Barrichons
Arfeuil
Chez Restat
Les Olmes
Villefert
Le-Mas-d'Artige
Le Paumet
Le Truoq
St-Oradoux-de-Chirouze
Le Mourcy
Le Besseau
St-Merd-la-Breuille
Le Mazergue
Fayat
Farges
Chadeaux
(St-Germain-près-Herment)
Ronzet
Tortebesse
Ville-Valleix
Haut-Pras
Col du Massoubre
Lombarteix
Camp militaire
Croix Longe
Forêt de Châteauvert
Bissareix
Le Beix
Malcornet
Chatonnier
Teissonnières
Rozet
Petit Sioulet
Bois de Clergeat
Guillirin
Le Pt Breuil
St-Denis
Baisseresse
Hume
La Courtine
Les Mottes
Bongue
Le Besth
Les Barlauds
Lastic
Miozat
Muratel
Briffon
Langlade
Beaune
Les Chazeaux
Eyragne
Le Bord
Sarsoux
Eygerolle
Laroche-près-Feyt
Montel-Brut
Le Camp
Le Goudet
Laval
La Pomme
Le Chalard
St-Martial-le-Vieux
Cros-les-Ganes
Amarot
Lachaud
Mas-Peytoux
Lamazière-Haute
La Bourgeade
Feyt
Cornes
La Garde
Larfeuille
St-Julien-Puy-Lavèze
Sornac
Franceix
Combefort
Le Gardy
La Dreuille
Chardoux
Chez-Brillaud
Veyrières
Puy-Raynaud
Serre
Ribière
Clamoudeix
Malsoute
St-Rémy
Couffy-s-Sarsonne
Le Mansouneix
Eygurande
Monestier-Merlines
Bourg-Lastic
Préchonnet
Pont du Fraisse
Feix
DE
LIMOUSIN
Bellechassagne
Le Pt Laval
Forêt de Mirambel
Courteix
Le Maraix
Montcheny
Merlines
La Vervialle
Tauvert
La Cellette
Vedrine
Farrérolles
St-Sulpice
Pierrefitte
Rochefort
Le Chassain
Forêt de Bellechassagne
Brou
Chalons-d'Aix
Lagarde
Beauberty
Seringour
Vaureix
La Veyssière
(Lignareix)
Faux
Bialon
Les Gannes
Bogros
Chomadoux
St-Sulpice-les-Bois
St-Germain-Lavolps
St-Pardoux-le-Vieux
La Bachelerie
St-Pardoux-le-Neuf
Aix
La Sauvette-d'Aix
Gioux
Le Mas
Messeix
La Mine
Le Montel
Fanostre
Choriol
St-Sauves-d'Auvergne
La Graule
Freyte
Le Malaurent
Linarzeix
Daubech
Le Montbellet
La Marsalouse
Les Sauvettes
La Brugière
Ruère
Le Champsel
Avèze
Gorges d'Avèze
Lestrade
La Vialle
Esclaux
Feix
Savennes
Augerolles
Le Colomby
Le Loubeix
La Mothe
L'Ebraly
La Tourette
La Brédèche
Plantades
Ardot
Grange
Alleyrat
Chaveroche
Chassanaguilloux
La Randonnière
Planchadelle
Gioux
Tauves
Bessou
Le Vert
Chassagnac
Loches
Eybrall
St-Dézery
Chassagnac
St-Étienne-aux-Clos
Pradelles
Journsac
Trémoulet
Le Soulier
Mareille
Ussel
Le Bazaneix
Charrusejoux
La Guinguette
Périssanges
Singles
Perret
Serrette
Serre
Manaranche
Jassonneix
Meymac
Roumignac
Monteil-du-Bos
N.-D. de la Chabanne
St-Fréjoux
Bussejoux
Confolent-Port-Dieu
Ribbes
La Roche
Pontvieux
St-Pardoux
Chambige
La Besse
La Rebière
Le Maspeytieu
Le Mont
Pérignat
Montbaillard
Aulnat
Montaux
St-Germain-le-Lièvre
Clozange
La Coste
Mornac
Le Bech
Prunt
Bourrières
Larodde
Ousclaux
Terrif
Les Quatre Vents
Contensouzas
Montcourrier
Lestrade
St-Exupéry-les-Roches
La Loubière
Thalamy
Touves
Port-Dieu
Le Chastel
St-Droire
Fourroux
Bagnols
Le Lac
Le Peuch
Le Boubouleix
Mestes
St-Angel
Le Naudeix
Lannet
Les Chassagnes
Chabanette
la Gane
Lognac
Veyrières
St-Bonnet-près-Bort
Monestier-Port-Dieu
Latauverie
La Vialolle
Chassagnoux
Hauteserre
La Serre
Espinet
La Guignerie
Combressol
Cussac
Le Ponchet
Le Pradal
Valiergues
La Forsse
La Vialatte
Pradeix
Cros
Feneyrol
Côte de la Vie
Labessette
Trémouille-St-Loup
Plateau
Cros
La Chapelle
Bonnessagne
Murat
Liez
Verneioux
Bessoles
Le Bosdeveix
Les Vialles
La Bourherie
Le Longeard
Mezeyrat
Beaulieu
Journiac
Maussac
Le Bouchaud
B. Laborde
Chirac-Bellevue
Areil
St-Étienne-la-Geneste
St-Victour
Margerides
Les Quatre-Vents
Jeux
Vaux
Outre-Val
La Pradelle
La Frecaudie
Le Fraisse
Gioux
Ponet
Fouillat
Lerme
Soustras
Les Charres
Chaumerliac
Le Verdier
Lavignac
Val
Musée
Lanobre
Covy
Autechaud
Palisse-Haut
Ste-Marie-Lapanouze
Nuzéjoux
Liginiac
La Troubade
Le Monteil
Site du Mont
Sauliac
Veillac
Vallat
La Rochette
Jallandrieu
Malesoute
Aumont
Celle
Vedrenne
Roche-le-Peyroux
Chassagnac
La Montcernie
Palisse
Pellachal
Cheyssac
Theil
Chantegril
Angiard
St-Julien-près-Bort
Barrage
Chassagnes
Cheylade
Peyroux
Liginiac
Gorges
Site de St-Nazaire
Sarroux
Pierrefitte
Belvre
Marchal
Les Bordes
Auchebie
Pellassiauve
La Plane
Teldes
Chabrat
Chaussie
Cronzat
Paillier
Le Puy-de-Bort
Bort-les-Orgues
Auzanges
Pérol
Lastioulles
Gane
Le Chastagnier
Antiges
Bge de Marèges
Puy de Manzagol
Marèges
La Grange
Ribeyrolles
Orgues
Puy-Morel
Champs-sur-Tarentaine-Marchal
Bge de Lastic
Montsour
Epinasse
Mialaret
Neuvic
Longvert
St-Pierre
Saverniolles
Chanteix
Chantery
Peyroux
Valessard
La Jarrige
Bouix
Lamazière-Basse
Le Four
Gorges
La Siauve
Bge de Neuvic d'Ussel
Monanges
Giou
Combret
Moulergues
Madic
St-Thomas
Fournol
Sarran
La Roche
Embort
St-Hilaire-Luc
Vernéjoux
Pont de Vernejoux
Béringer
Verchales-Soubro
Cheyssac
Le Bouchet
Le Chambon
Bge de Vaussaire
Vaussaire
Traux
Brameix
Sérandon
Chassagne
Montruc
Lempret
Couzans
Rhue
Ridoux
Belier
Coindre
Meynie
Maureix
Champagnac
Ydes
Fleurac
Couchal
Saulonnet
Gges de la Rhue
La Rousserie
Prodelles
Lavaurs
Courtilles
Salsignac
PARC
St-Étienne-de-Chomeil
Le Mazou
Septzanges
Seyviolle
La Charlanne
Colombier
Estériche
Rte des Ajustants
Veyrières
Charlus
Ydes-Bourg
Saignes
Serres
Vebret
Antignac
Montmallier
Romeix
Louchevre
St-Pantaléon-de-Lapleau
Rouffiange
Fontloube
Belvre de Gratte-Bruyère
Lavergne
Job
La Forêt
Labrousse
Pont des Ajustants
Tiolade
Chavagnac
Chastel-Merlhac
La Monselie
Neuvialle
Augoules
Pons
La Borie
La Chevalerie
Vent-Haut
La Jarrige
Bassig
Sauvat
Ribes
Le Liocamp
Fanlade
Ensalers
Le Braud
La Dordogne
Arches
Furlange
Monteil
Broussoles
Autroche
Le Monteil
Jallaniac
Vensac
Embesse
Lapleau
La Vieille-Église
Vent-Bas
Pont de St-Projet
Les Andrieux
Chabannes
Vendes
Mongrous
Broc
Menet
St-Angeau
Autranges
Latronche
Soultz
Embrassac
Chabrespine
Dijon
La Roche
Toulat

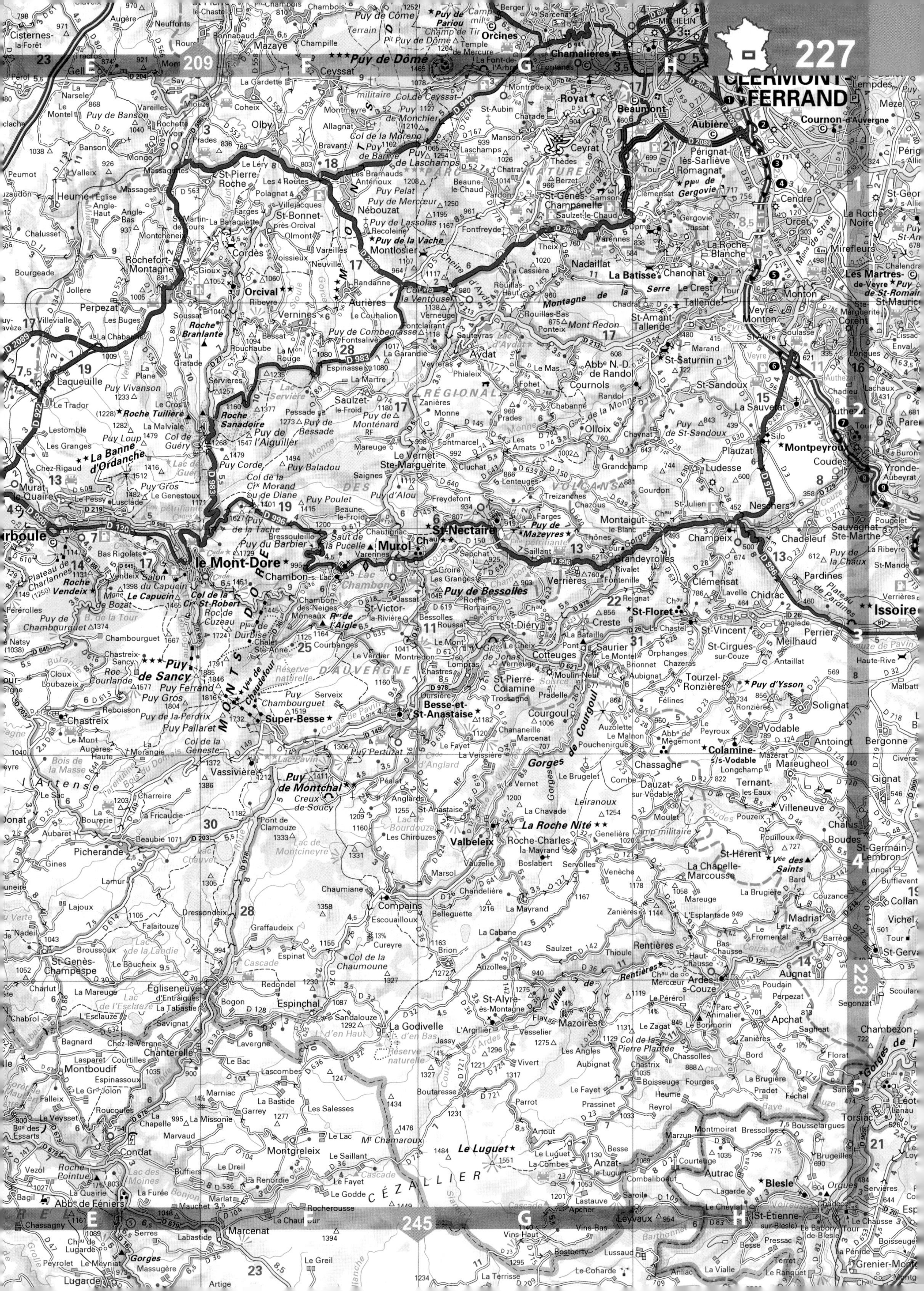
CLERMONT-FERRAND
Puy de Dôme
Chamalières
Royat
Beaumont
Aubière
Cournon-d'Auvergne
Orcines
Ceyssat
Olby
Pérignat-lès-Sarliève
Romagnat
Plat de Gergovie
Le Cendre
Orcet
La Roche-Blanche
Mirefleurs
Les Martres-de-Veyre
Puy de St-Romain
Montlosier
Nébouzat
St-Genès-Champanelle
Rochefort-Montagne
Orcival
Aurières
Vernines
Perpezat
Laqueuille
Roche Tuilière
Roche Sanadoire
Col de Guéry
La Banne d'Ordanche
Murat-le-Quaire
La Bourboule
le Mont-Dore
Puy de Sancy
Col de la Cr^x St-Robert
Super-Besse
Besse-et-St-Anastaise
Murol
St-Nectaire
Saint-Saturnin
St-Amant-Tallende
Aydat
Montagne de la Serre
Mont Redon
La Batisse
Chanonat
Veyre-Monton
Montpeyroux
Coudes
Champeix
Issoire
St-Floret
Puy d'Ysson
Solignat
Vodable
Colamine-s/s-Vodable
Ardes-s-Couze
Lac Pavin
Puy de Montchal
Valbeleix
La Roche Nité
Compains
Col de la Chaumoune
Picherande
Égliseneuve-d'Entraigues
St-Genès-Champespe
Chanterelle
Montboudif
Condat
La Godivelle
Espinchal
Marcenat
Le Luguet
Anzat-le-Luguet
CÉZALLIER
Blesle
Vallée de Rentières
Gorges de Courgoul
Monts Dore
Parc Naturel Régional des Volcans d'Auvergne
Plateau de Charlannes
Roche Vendeix
Puy Gros
Puy Ferrand
Vassivière
Saulzet-le-Froid
Olloix
Ludesse
Plauzat
Neschers
St-Vincent
Meilhaud
Perrier
Gignat
Villeneuve
Mazoires
St-Alyre-ès-Montagne
Apchat
Leyvaux
E
F
G
H
209
245
228
1
2
3
4
5

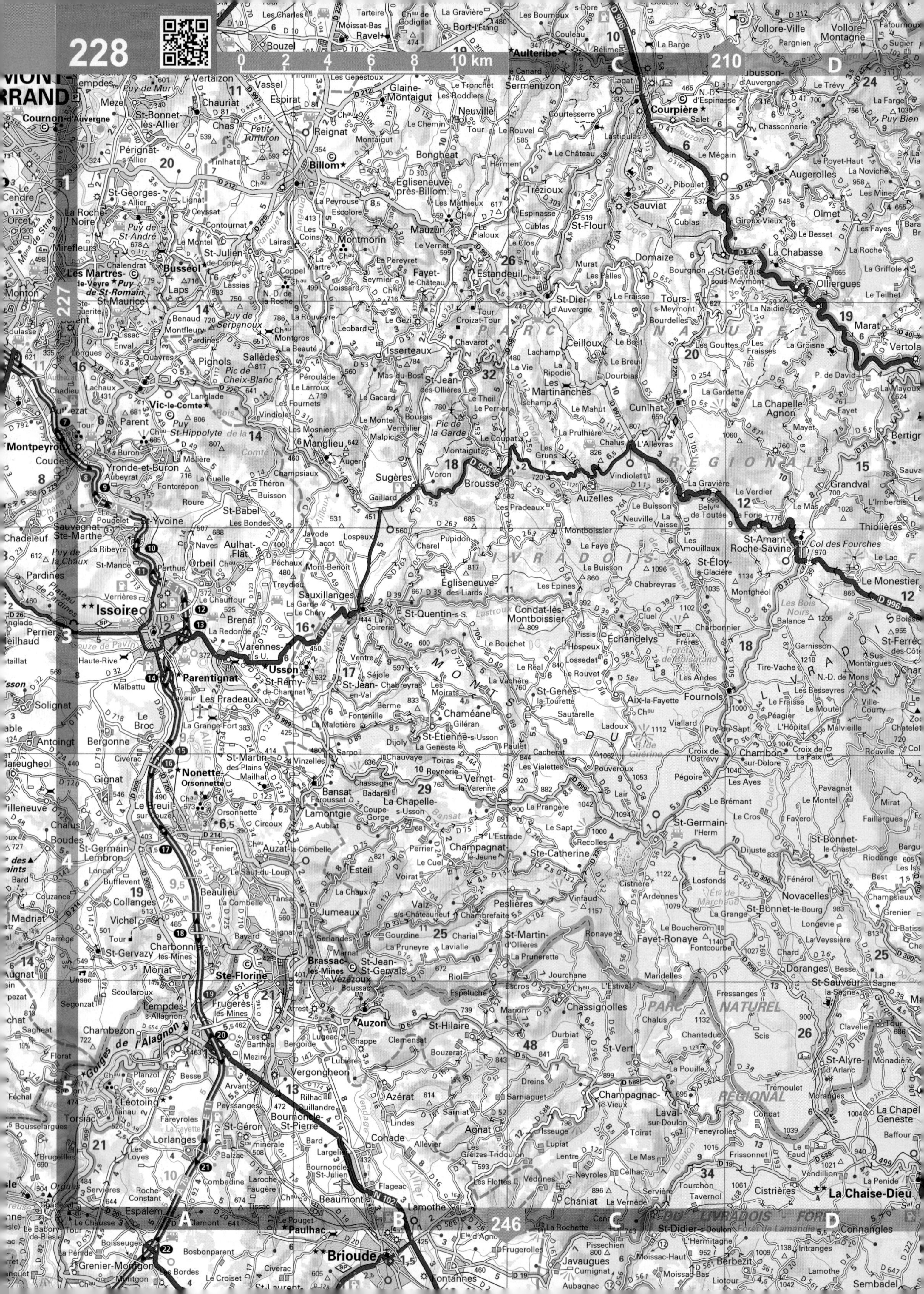

228
0 2 4 6 8 10 km
210
227
246
A
B
C
D
Cournon-d'Auvergne
Billom
Vertaizon
Chauriat
Espirat
Reignat
Glaine-Montaigut
Bongheat
Egliseneuve-près-Billom
Neuville
Sermentizon
Aulteribe
Courpière
Vollore-Ville
Vollore-Montagne
Aubusson-d'Auvergne
St-Bonnet-lès-Allier
Pérignat-s-Allier
St-Georges-s-Allier
La Roche-Noire
Mirefleurs
Les Martres-de-Veyre
Puy de St-Romain
Busséol
Laps
St-Maurice
St-Julien-de-Coppel
Montmorin
Mauzun
Fayet-le-Château
Estandeuil
St-Dier-d'Auvergne
Trézioux
Sauviat
St-Flour
Domaize
St-Gervais-sous-Meymont
Augerolles
Olmet
La Chabasse
Olliergues
Tours-s-Meymont
Ceilloux
Marat
Vertolaye
Isserteaux
Sallèdes
Pignols
Vic-le-Comte
Puy St-Hippolyte
Parent
Manglieu
St-Jean-des-Ollières
Pic de la Garde
Sugères
Brousse
Cunlhat
Auzelles
La Chapelle-Agnon
Grandval
Montpeyroux
Coudes
Yronde-et-Buron
St-Babel
St-Yvoine
Sauvagnat-Ste-Marthe
Aulhat-Flat
Sauxillanges
Égliseneuve-des-Liards
Condat-lès-Montboissier
St-Amant-Roche-Savine
Col des Fourches
St-Éloy-la-Glacière
Le Monestier
Issoire
St-Quentin-s-S.
Échandelys
Varennes-s-U.
Usson
Parentignat
St-Rémy-de-Chargnat
St-Jean-en-Val
Chaméane
St-Genès-la-Tourette
Aix-la-Fayette
Fournols
St-Ferréol-des-Côtes
Le Broc
Solignat
Bergonne
St-Étienne-s-Usson
Nonette-Orsonnette
St-Martin-des-Plains
Bansat
La Chapelle-s-Usson
Vernet-la-Varenne
Chambon-sur-Dolore
Le Breuil-sur-Couze
St-Germain-Lembron
Auzat-la-Combelle
Champagnat-le-Jeune
Ste-Catherine
St-Germain-l'Herm
St-Bonnet-le-Chastel
Collanges
Beaulieu
Jumeaux
Esteil
Valz-s/s-Châteauneuf
Peslières
Novacelles
St-Bonnet-le-Bourg
Charbonnier-les-Mines
St-Gervazy
Ste-Florine
Brassac-les-Mines
St-Jean-St-Gervais
St-Martin-d'Ollières
Fayet-Ronaye
Doranges
St-Sauveur-la-Sagne
Lempdes-s-Allagnon
Frugerès-les-Mines
Auzon
St-Hilaire
Chassignolles
Gorges de l'Alagnon
Léotoing
Vergongheon
Azérat
St-Vert
Champagnac-le-Vieux
Laval-sur-Doulon
St-Alyre-d'Arlanc
Torsiac
Lorlanges
St-Géron
Bournoncle-St-Pierre
Agnat
Cohade
La Chapelle-Geneste
Espalem
Paulhac
Brioude
Lamothe
Chaniat
St-Didier-s-Doulon
La Chaise-Dieu
Connangles
Grenier-Montgon
Berbezit
PARC NATUREL RÉGIONAL DU LIVRADOIS-FOREZ
MONTS DU LIVRADOIS

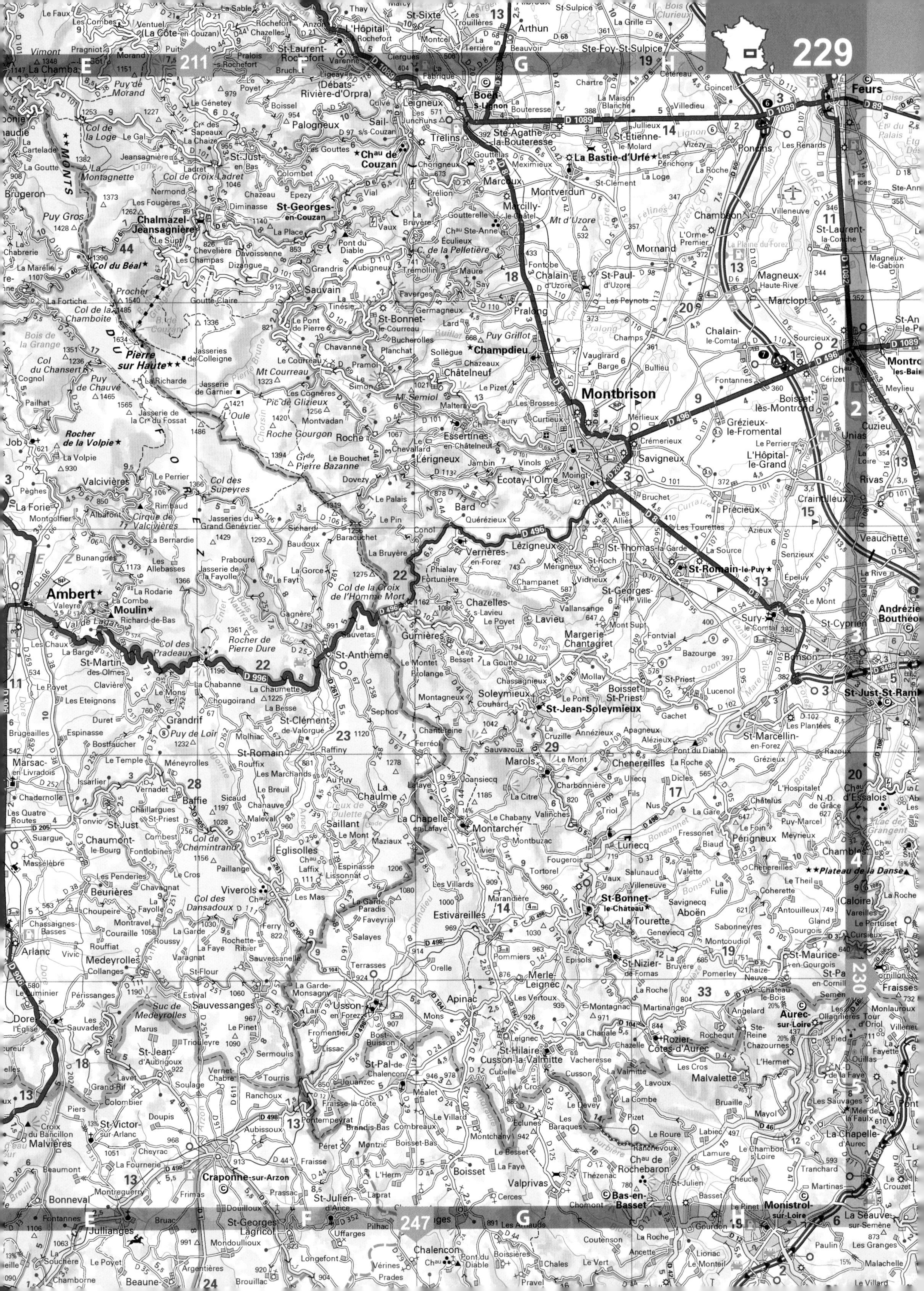
211
E
F
G
H
19
Feurs
Boën-s-Lignon
St-Laurent-Rochefort
L'Hôpital-s-Rochefort
St-Sixte
Arthur
Ste-Foy-St-Sulpice
St-Sulpice
La Chamba
Puy de Morand
Débats-Rivière-d'Orpra
Leigneux
Palogneux
Sail-s/s-Couzan
Trelins
Ste-Agathe-la-Bouteresse
St-Étienne-le-Molard
La Bastie-d'Urfé
Poncins
Chau de Couzan
Col de la Loge
MONTS
La Montagnette
Col de Croix-Ladret
St-Just-en-Bas
Jeansagnière
Brugeron
Puy Gros
Chalmazel-Jeansagnière
St-Georges-en-Couzan
Marcoux
Montverdun
Marcilly-le-Châtel
Mt d'Uzore
Chambéon
St-Laurent-la-Conche
Mornand
Magneux-Haute-Rive
Col du Béal
Prorher
Sauvain
Chalain-d'Uzore
St-Paul-d'Uzore
Marclopt
Col de la Chamboite
Pierre sur Haute
St-Bonnet-le-Courreau
Puy Grillot
Champdieu
Pralong
Chalain-le-Comtal
Châtelneuf
Montbrison
Mt Semiol
Pic de Glizieux
Roche Gourgon
Roche
Essertines-en-Châtelneuf
Lérigneux
Boisset-lès-Montrond
Grézieux-le-Fromental
Savigneux
L'Hôpital-le-Grand
Rocher de la Volpie
Valcivières
Col des Supeyres
Gde Pierre Bazanne
Écotay-l'Olme
Moingt
Bard
Précieux
Craintilleux
Cirque de Valcivières
Jasseries du Grand Genévrier
Verrières-en-Forez
Lézigneux
St-Thomas-la-Garde
St-Romain-le-Puy
Veauchette
Ambert
Moulin
Valeyre
Richard-de-Bas
Val de Lagat
Col des Pradeaux
Rocher de Pierre Dure
Col de la Croix de l'Homme Mort
Chazelles-s-Lavieu
Lavieu
Margerie-Chantagret
St-Georges-Hte-Ville
Sury-le-Comtal
Bonson
Andrézieux-Bouthéon
St-Cyprien
St-Martin-des-Olmes
St-Anthème
Gumières
Soleymieux
St-Jean-Soleymieux
Boisset-St-Priest
St-Just-St-Rambert
Grandrif
Puy de Loir
St-Clément-de-Valorgue
St-Romain
Marols
Chenereilles
St-Marcellin-en-Forez
Marsac-en-Livradois
Baffie
La Chaulme
Saillant
La Chapelle-en-Lafaye
Montarcher
Luriecq
Périgneux
Chambles
Col de Chemintrand
St-Just
Chaumont-le-Bourg
Églisolles
Viverols
Col des Dansadoux
Estivareilles
St-Bonnet-le-Château
Aboën
La Tourette
Plateau de la Danse
Arlanc
Medeyrolles
Usson-en-Forez
Merle-Leignec
St-Nizier-de-Fornas
St-Maurice-en-Gourgois
Apinac
Rozier-Côtes-d'Aurec
Aurec-sur-Loire
Suc de Medeyrolles
Sauvessanges
St-Jean-d'Aubrigoux
St-Pal-de-Chalencon
St-Hilaire-Cusson-la-Valmitte
Malvalette
St-Victor-sur-Arlanc
Craponne-sur-Arzon
Boisset
Valprivas
Chau de Rochebaron
Bas-en-Basset
Monistrol-sur-Loire
Bonneval
St-Georges-Lagricol
St-Julien-d'Ance
Chalencon
247
230
LOIRE

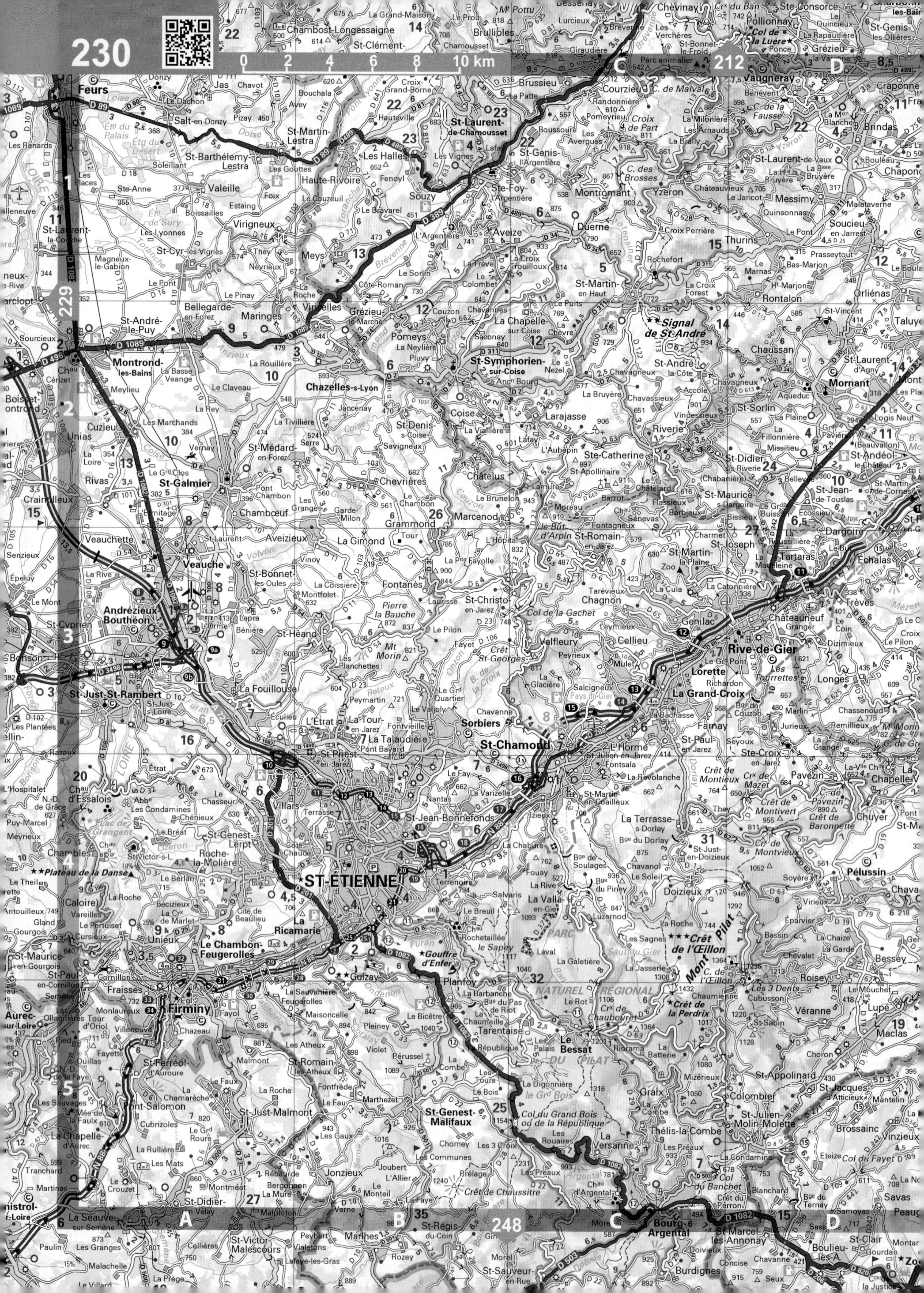

230
0 2 4 6 8 10 km
212
229
248
Feurs
Salt-en-Donzy
St-Barthélemy-Lestra
St-Martin-Lestra
Haute-Rivoire
Les Halles
St-Laurent-de-Chamousset
Ste-Foy-l'Argentière
St-Genis-l'Argentière
Montromant
Yzeron
Vaugneray
Brindas
Craponne
Messimy
Thurins
Duerne
Aveize
Virigneux
Meys
St-Cyr-les-Vignes
St-Laurent-la-Conche
Valeille
Bellegarde-en-Forez
Maringes
Viricelles
Grézieu-le-Marché
St-André-le-Puy
Montrond-les-Bains
Chazelles-s-Lyon
St-Symphorien-sur-Coise
St-Martin-en-Haut
Signal de St-André
Larajasse
Coise
St-Denis-s-Coise
Chevrières
Grammond
Marcenod
St-Médard-en-Forez
St-Galmier
Chambœuf
Aveizieux
Veauche
Andrézieux-Bouthéon
St-Cyprien
St-Just-St-Rambert
St-Bonnet-les-Oules
St-Héand
Fontanès
St-Christo-en-Jarez
Ste-Catherine
St-Sorlin
Mornant
Riverie
St-Didier-s/s-Riverie
St-Maurice-s-Dargoire
Orliénas
Chaussan
St-Laurent-d'Agny
St-Romain-en-Jarez
St-Martin-la-Plaine
St-Joseph
Tartaras
Dargoire
Échalas
Trèves
Châteauneuf
Rive-de-Gier
Lorette
La Grand-Croix
Genilac
Cellieu
Chagnon
Valfleury
Sorbiers
St-Chamond
L'Horme
St-Paul-en-Jarez
Ste-Croix-en-Jarez
Pavezin
Longes
Chuyer
Pélussin
La Fouillouse
L'Etrat
La Tour-en-Jarez
La Talaudière
St-Priest-en-Jarez
Villars
St-Jean-Bonnefonds
ST-ÉTIENNE
La Ricamarie
Le Chambon-Feugerolles
Firminy
Unieux
Roche-la-Molière
St-Genest-Lerpt
Plateau de la Danse
Terrenoire
La Valla-en-Gier
Planfoy
Gouffre d'Enfer
Guizay
Rochetaillée
Tarentaise
Le Bessat
Crêt de l'Œillon
Mont Pilat
Crêt de la Perdrix
Doizieux
La Terrasse-s-Dorlay
St-Appolinard
Colombier
St-Julien-Molin-Molette
Thélis-la-Combe
Véranne
Roisey
Bessey
Maclas
Graix
Col du Grand Bois ou de la République
St-Genest-Malifaux
Marlhes
Jonzieux
St-Régis-du-Coin
Crêt de Chaussitre
Bourg-Argental
St-Marcel-lès-Annonay
St-Sauveur-en-Rue
Burdignes
St-Ferréol-d'Auroure
Pont-Salomon
St-Just-Malmont
La Chapelle-d'Aurec
St-Didier-en-Velay
St-Victor-Malescours
Aurec-sur-Loire
St-Romain-les-Atheux
Parc Naturel Régional du Pilat

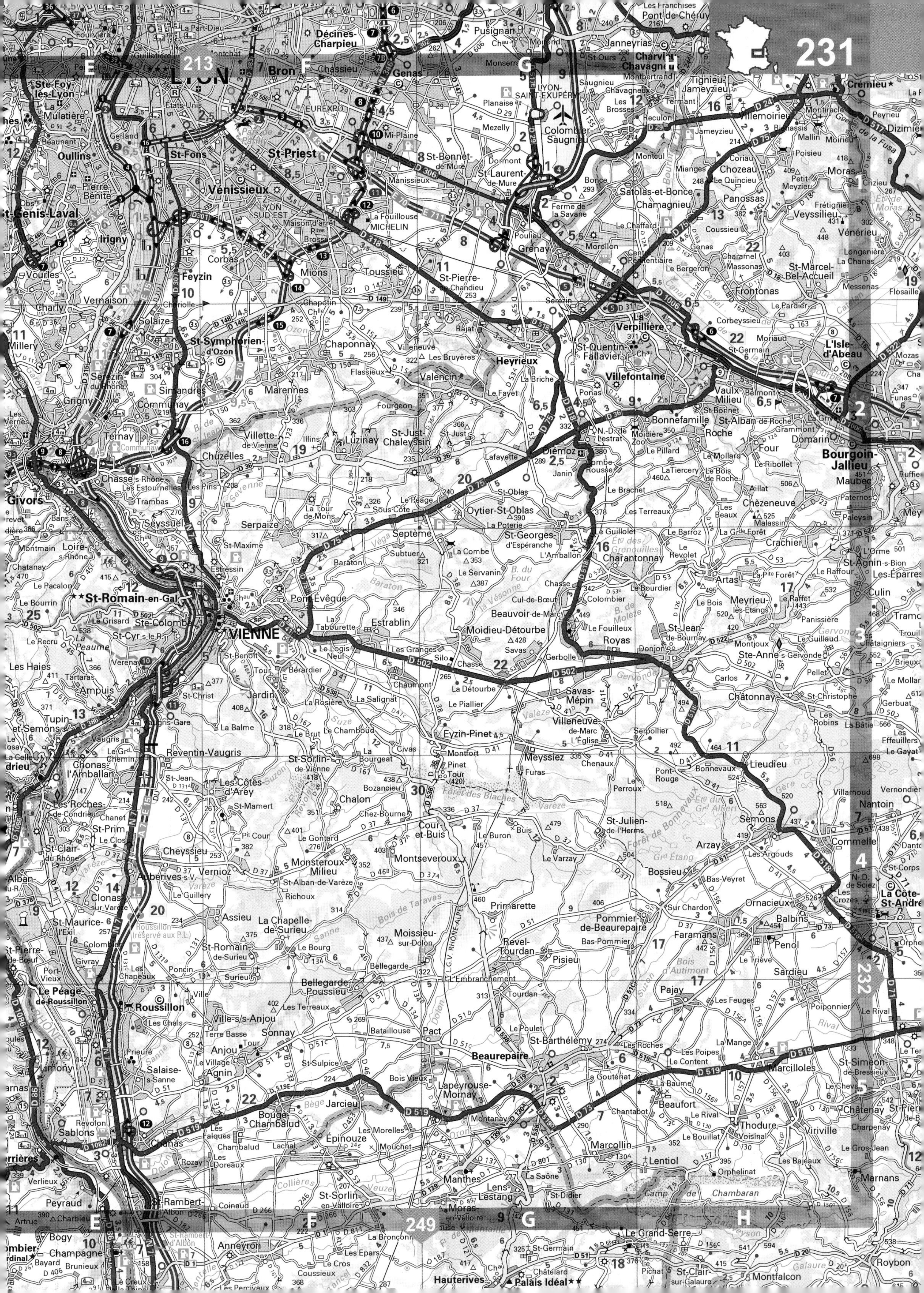
213
249
232
E
F
G
H
LYON
Bron
Décines-Charpieu
Chassieu
Genas
Pusignan
Janneyrias
Pont-de-Chéruy
Charvieu-Chavagneux
Tignieu-Jameyzieu
Crémieu
LYON-SAINT-EXUPÉRY
Colombier-Saugnieu
St-Priest
St-Fons
Vénissieux
Oullins
Ste-Foy-lès-Lyon
La Mulatière
Pierre-Bénite
St-Genis-Laval
Irigny
Feyzin
Corbas
Mions
Toussieu
St-Bonnet-de-Mure
St-Laurent-de-Mure
Satolas-et-Bonce
Chamagnieu
Grenay
St-Pierre-de-Chandieu
Heyrieux
Frontonas
St-Marcel-Bel-Accueil
Vénérieu
La Verpillière
St-Quentin-Fallavier
Villefontaine
L'Isle-d'Abeau
Vaulx-Milieu
Bourgoin-Jallieu
Domarin
St-Alban-de-Roche
Four
Vourles
Vernaison
Charly
Millery
Solaize
St-Symphorien-d'Ozon
Sérézin-du-Rhône
Simandres
Communay
Ternay
Grigny
Givors
Chaponnay
Marennes
Valencin
Villette-de-Vienne
Luzinay
St-Just-Chaleyssin
Chuzelles
Diémoz
Bonnefamille
Oytier-St-Oblas
Serpaize
Septème
St-Georges-d'Espéranche
Charantonnay
Artas
Meyrieu-les-Étangs
Culin
Chasse-sur-Rhône
Seyssuel
Loire-s-Rhône
St-Romain-en-Gal
Ste-Colombe
VIENNE
Pont-Évêque
Estrablin
Moidieu-Détourbe
Beauvoir-de-Marc
Royas
St-Jean-de-Bournay
Ste-Anne-s-Gervonde
Châtonnay
Ampuis
Tupin-et-Semons
Chonas-l'Amballan
Reventin-Vaugris
Jardin
Eyzin-Pinet
Savas-Mépin
Villeneuve-de-Marc
Meyssiez
Lieudieu
Les Côtes-d'Arey
St-Sorlin-de-Vienne
Chalon
Cour-et-Buis
Montseveroux
St-Julien-de-l'Herms
Arzay
Semons
Nantoin
Commelle
Les Roches-de-Condrieu
St-Prim
St-Clair-du-Rhône
Cheyssieu
Vernioz
Auberives-s-V.
Monsteroux-Milieu
Bossieu
Ornacieux
Balbins
La Côte-St-André
Clonas-sur-Varèze
Assieu
La Chapelle-de-Surieu
Moissieu-sur-Dolon
Primarette
Revel-Tourdan
Pommier-de-Beaurepaire
Faramans
Penol
St-Maurice-l'Exil
St-Romain-de-Surieu
Pisieu
Sardieu
Le Péage-de-Roussillon
Roussillon
Bellegarde-Poussieu
Pajay
Ville-s/s-Anjou
Sonnay
Anjou
Agnin
Salaise-s-Sanne
Beaurepaire
St-Barthélemy
Marcilloles
St-Siméon-de-Bressieux
Lapeyrouse-Mornay
Jarcieu
Bougé-Chambalud
Sablons
Chanas
Épinouze
Beaufort
Thodure
Viriville
Châtenay
Manthes
Lens-Lestang
Marcollin
Lentiol
Marnans
Moras-en-Valloire
St-Sorlin-en-Valloire
St-Rambert-d'Albon
Anneyron
Le Grand-Serre
Hauterives
Palais Idéal
Montfalcon
Roybon
Forêt de Chambaran
Forêt de Bonnevaux
Forêt des Blaches
Bois de Taravas
A 43
A 46
A 7
E 15
E 70
D 502
D 519
D 75
D 518
D 1006
LGV RHONE-ALPES

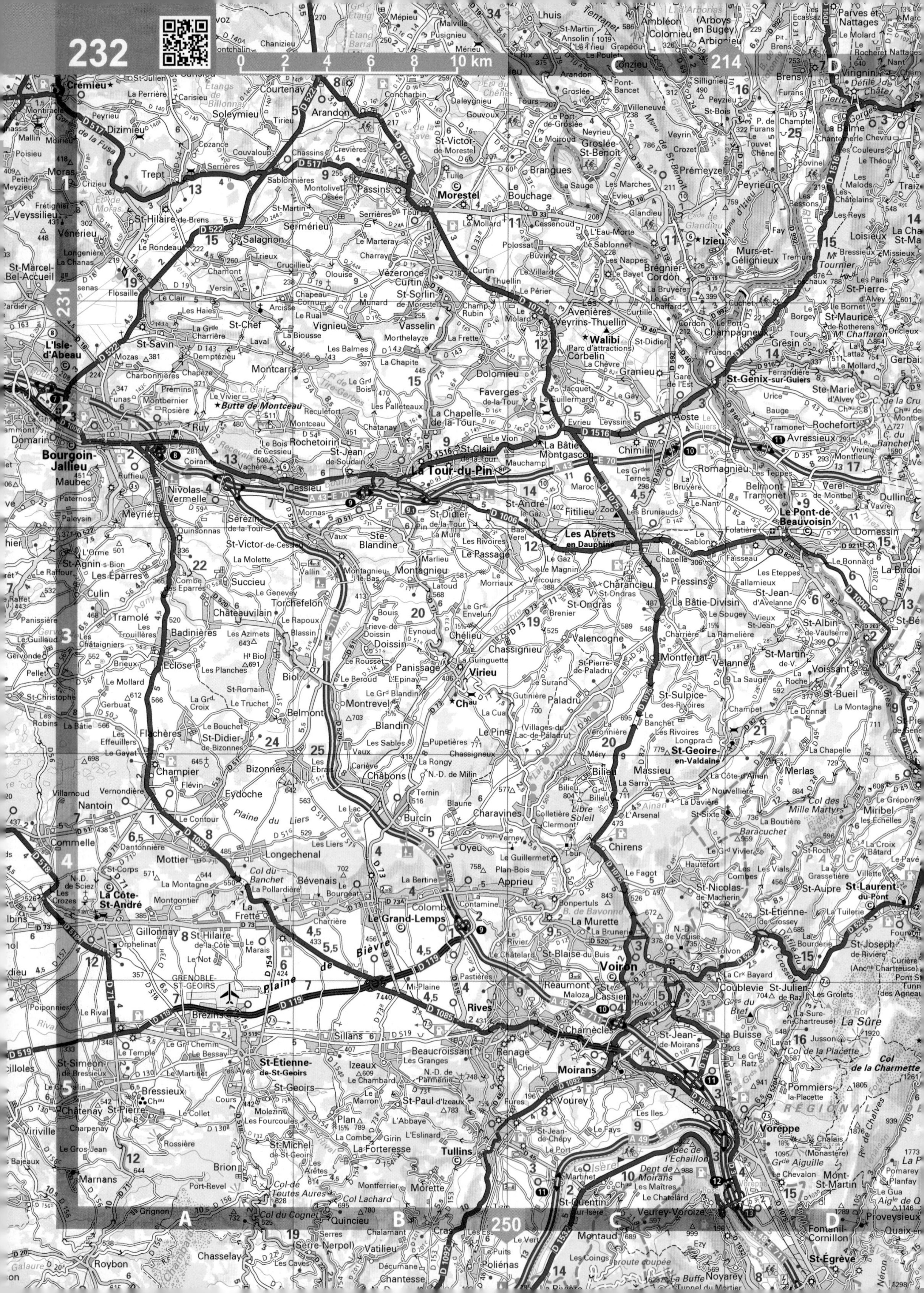
232
0 2 4 6 8 10 km
214
231
250
A
B
C
D
Crémieu
Courtenay
Arandon
Morestel
Passins
Brangues
Le Bouchage
Izieu
Brégnier-Cordon
Les Avenières
Veyrins-Thuellin
Walibi (Parc d'attractions)
St-Genix-sur-Guiers
L'Isle-d'Abeau
Bourgoin-Jallieu
St-Chef
St-Savin
Montcarra
Dolomieu
La Tour-du-Pin
La Bâtie-Montgascon
Chimilin
Le Pont-de-Beauvoisin
Les Abrets en Dauphiné
Virieu
Paladru
Charavines
St-Geoire-en-Valdaine
Voiron
Rives
Le Grand-Lemps
La Côte-St-André
St-Étienne-de-St-Geoirs
Moirans
Tullins
Voreppe
St-Égrève
St-Laurent-du-Pont
Butte de Montceau
Plaine du Liers
Plaine de Bièvre
Lac de Paladru
GRENOBLE-ST-GEOIRS
Col du Banchet
Col de Toutes Aures
Col du Cognet
Col Lachard
Col de la Placette
Col de la Charmette
Bec de l'Échaillon
Dent de Moirans
La Sûre
PARC RÉGIONAL
Col des Mille Martyrs
Défilé de Châtel

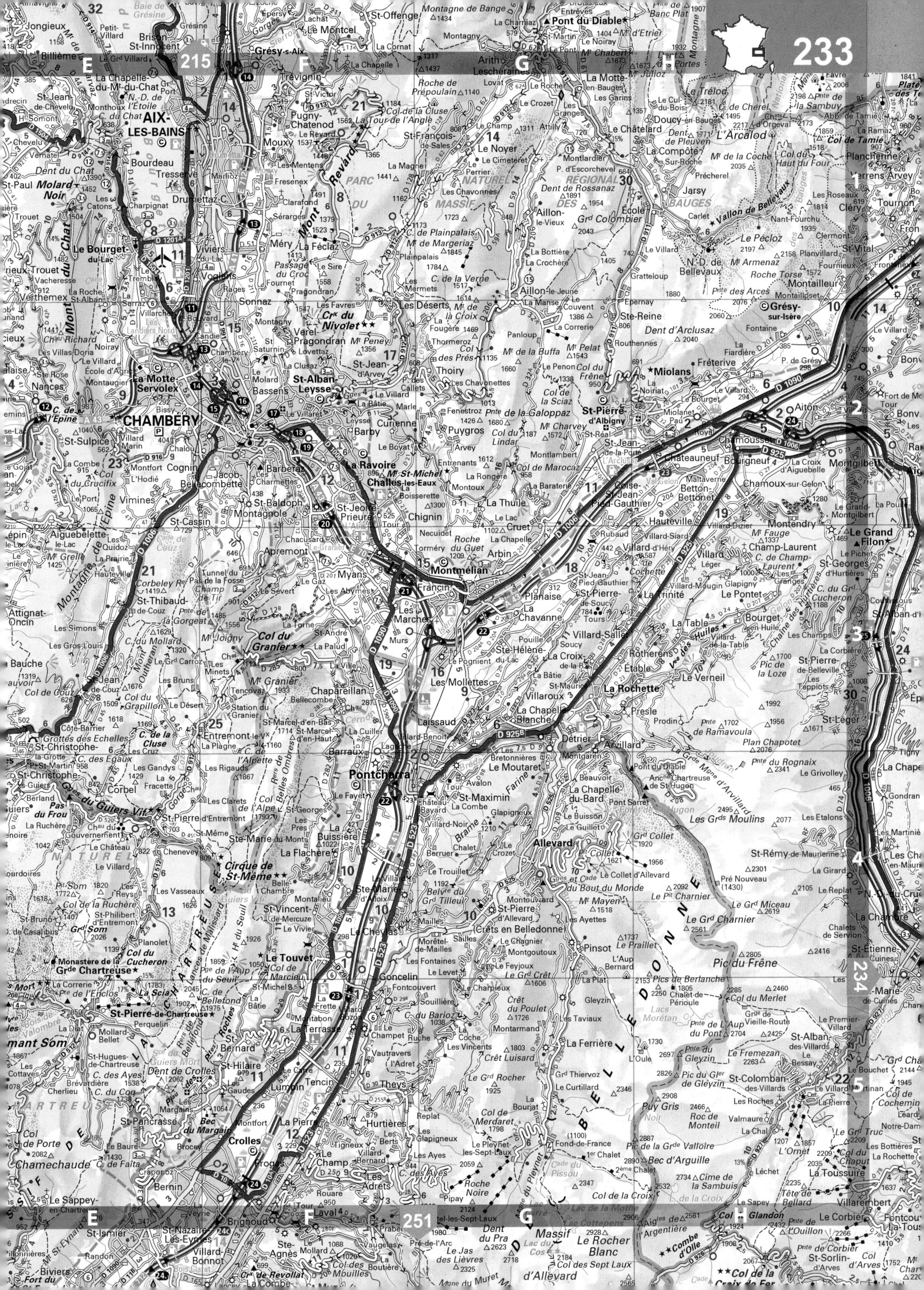

233
215
234
251
E
F
G
H
1
2
3
4
5
AIX-LES-BAINS
Grésy-s-Aix
Lescheraines
Pont du Diable
Le Bourget-du-Lac
CHAMBÉRY
La Motte-Servolex
St-Alban-Leysse
La Ravoire
Challes-les-Eaux
Montmélian
St-Pierre-d'Albigny
Miolans
Grésy-sur-Isère
L'Arcalod
PARC NATUREL RÉGIONAL DU MASSIF DES BAUGES
Mont Revard
Crx du Nivolet
Col du Granier
Mt Granier
Chapareillan
Pontcharra
Allevard
La Rochette
Le Grand Filon
Aiton
Chamousset
Montmélian
Le Touvet
Goncelin
Crolles
Brignoud
St-Ismier
Cirque de St-Même
St-Pierre-de-Chartreuse
Monastère de la Gde Chartreuse
Col du Cucheron
Pas du Frou
Gges du Guiers Vif
St-Christophe
Les Échelles
Aiguebelette-le-Lac
Montagne de l'Épine
Mont du Chat
Dent du Chat
Molard Noir
BELLEDONNE
Pic du Frêne
Col du Glandon
Col de la Croix de Fer
Combe d'Olle
Le Rocher Blanc
Massif d'Allevard
Chamechaude
La Toussuire
St-Colomban-des-Villards
Col de Tamié
Vallon de Bellevaux

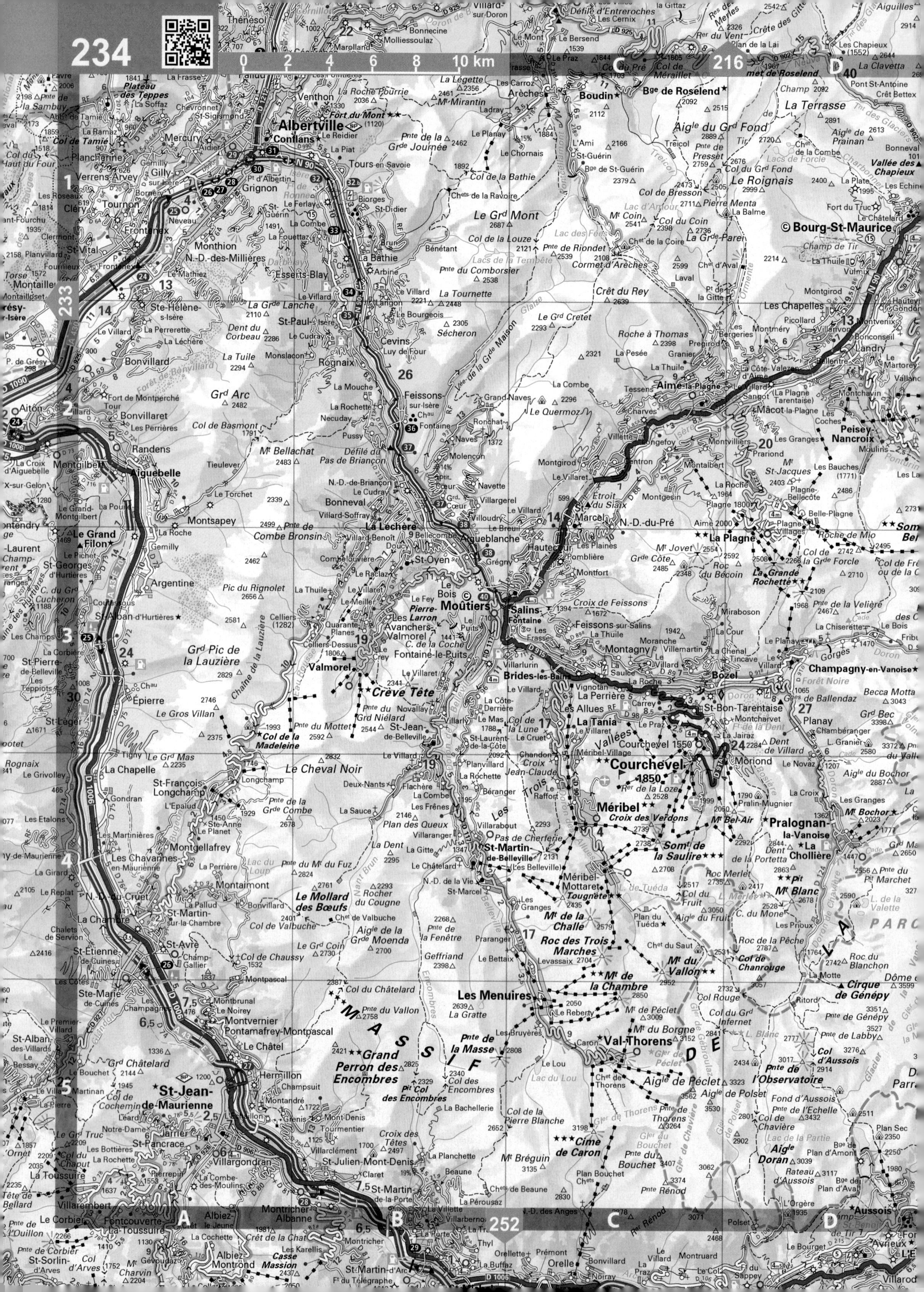
0 2 4 6 8 10 km
216
233
252
A
B
C
D
1
2
3
4
5
Albertville
Conflans
Fort du Mont
Venthon
La Roche Pourrie
Mt Mirantin
Pnte de la Grde Journée
Tours-en-Savoie
Col de la Bathie
Le Grd Mont
Col de la Louze
Pnte de Riondet
Pnte du Comborsier
La Tournette
Sécheron
Arêches
Boudin
Bge de Roselend
Aigle du Grd Fond
Col du Grd Fond
Le Roignais
Col de Bresson
Pierre Menta
Mt Coin
Col du Coin
La Grde Parei
Cormet d'Arêches
Crêt du Rey
Le Grd Cretet
Roche à Thomas
La Pesée
Bourg-St-Maurice
Champ de Tir
La Terrasse
Aigle de Prainan
Vallée des Chapieux
Les Chapieux
Mercury
Gilly-sur-Isère
Grignon
Verrens-Arvey
Cléry
Tournon
Frontenex
St-Vital
Monthion
N.-D.-des-Millières
Esserts-Blay
La Bâthie
Ste-Hélène-s-Isère
La Grde Lanche
St-Paul-s-Isère
Cevins
Rognaix
Feissons-sur-Isère
Bonvillard
Grd Arc
Col de Basmont
Bonvillaret
Randens
Aiguebelle
Montgilbert
Mt Bellachat
Défilé du Pas de Briançon
Bonneval
La Léchère
Aigueblanche
Montsapey
Pnte de Combe Bronsin
Le Grand Filon
Argentine
Pic du Rignolet
St-Alban-d'Hurtières
Celliers
Grd Pic de la Lauzière
Chaîne de la Lauzière
Épierre
Le Gros Villan
Col de la Madeleine
Valmorel
Crève Tête
Pnte du Mottet
Pnte du Grd Niélard
St-Jean-de-Belleville
Moûtiers
Salins-Fontaine
Brides-les-Bains
Les Avanchers-Valmorel
Pierre-Larron
C. de la Coche
Fontaine-le-Puits
Aime-la-Plagne
Mâcot-la-Plagne
Peisey-Nancroix
Mt St-Jacques
La Plagne
Plagne Bellecôte
Roche de Mio
La Grande Rochette
Col de la Grde Forcle
Mt Jovet
Grde Côte
Roc du Becoin
Croix de Feissons
Feissons-sur-Salins
Montagny
Bozel
Champagny-en-Vanoise
St-Bon-Tarentaise
Courchevel 1550
Courchevel 1850
La Tania
Les Allues
Col de la Lune
Croix Jean-Claude
Méribel
Croix des Verdons
Mt Bel-Air
Somt de la Saulire
Pralognan-la-Vanoise
Mt Bochor
Grd Bec
Aigle du Bochor
Planay
La Chollière
Pt Mont Blanc
Le Cheval Noir
St-François-Longchamp
Pnte de la Grde Combe
Montgellafrey
Les Chavannes-en-Maurienne
Pnte du Mt du Fuz
Montaimont
St-Martin-sur-la-Chambre
La Chambre
Le Mollard des Bœufs
Rocher du Cougne
Aigle de la Grde de Moenda
Col de Valbuche
Col de la Fenêtre
Geffriand
Plan des Queux
Pas de Cherferie
St-Martin-de-Belleville
Méribel-Mottaret
Tougnète
Mt de la Challe
Roc des Trois Marches
Mt du Vallon
Mt de la Chambre
Les Menuires
Val-Thorens
Mt de Péclet
Mt du Borgne
Aigle de Péclet
Aigle de Polset
Cime de Caron
Mt Bréguin
Pnte du Bouchet
Pnte Rénod
Col Rouge
Col de Chanrouge
Cirque de Génépy
Col d'Aussois
Pnte de l'Observatoire
Aigle Doran
Aussois
St-Avre
Col du Chaussy
St-Étienne-de-Cuines
Ste-Marie-de-Cuines
Col du Châtelard
Pnte du Vallon
M A S S I F
Pnte de la Masse
Grand Perron des Encombres
Pt Col des Encombres
Col des Encombres
Col de la Pierre Blanche
Montvernier
Pontamafrey-Montpascal
Le Châtel
Hermillon
St-Jean-de-Maurienne
Col de Cochemin
St-Pancrace
Jarrier
Villargondran
La Toussuire
Fontcouverte-la-Toussuire
Villarembert
Croix des Têtes
St-Julien-Mont-Denis
St-Martin-de-la-Porte
Montricher-Albanne
Albiez-le-Jeune
Albiez-Montrond
Crêt de la Chal
Casse Massion
St-Sorlin-d'Arves
Col d'Arves
St-Martin-d'Arc
Orelle
Prémont
Le Bouchet
Col du Mont-Denis
D E
L A
PARC

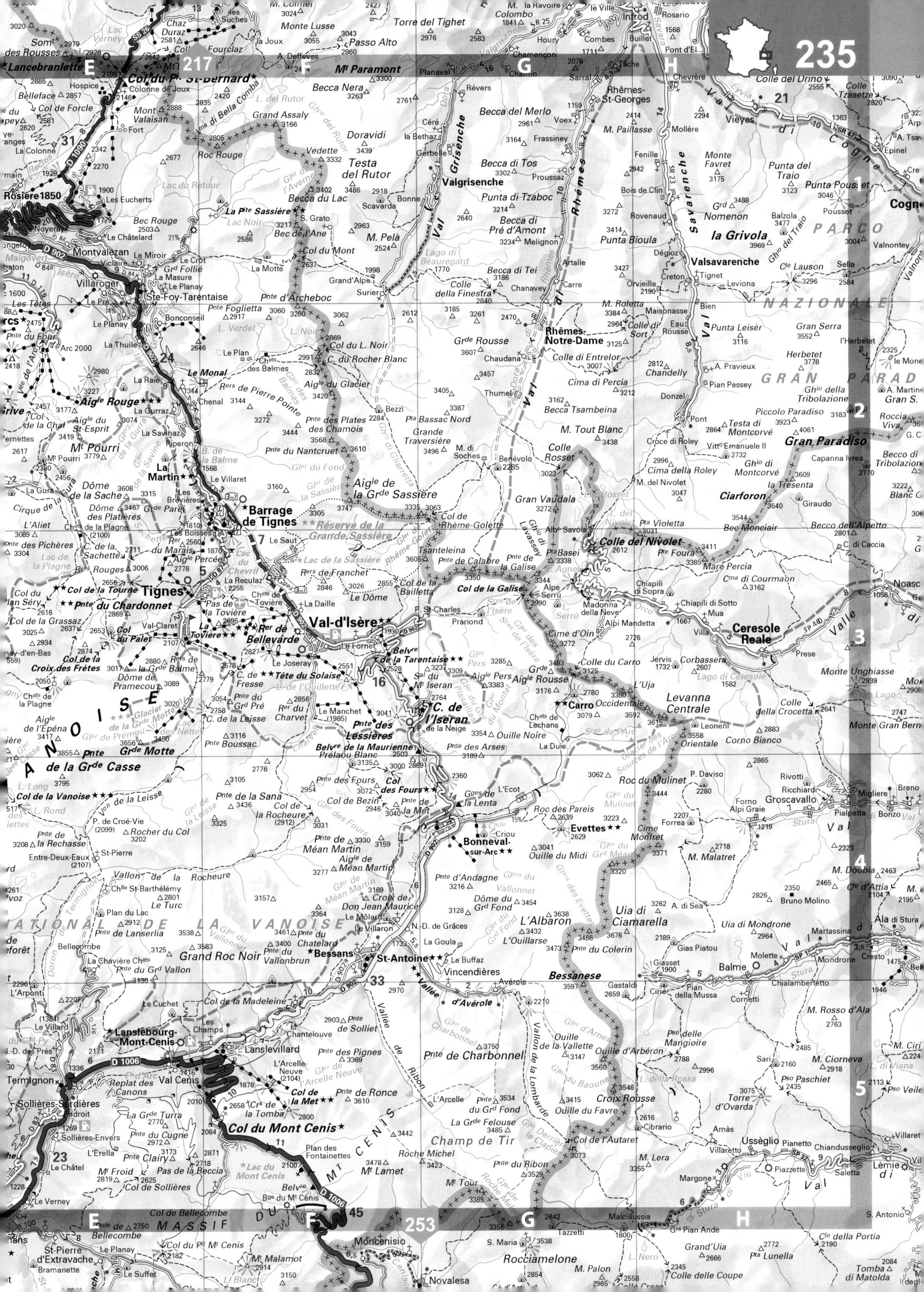

235
217
253
E
F
G
H
1
2
3
4
5
Lancebranlette
Col du Pt St-Bernard
Mt Paramont
Becca Nera
Grand Assaly
Testa del Rutor
Valgrisenche
Val Grisenche
Rhêmes-St-Georges
Becca del Merlo
Becca di Tos
Val di Rhêmes
Savarenche
Monte Favret
Punta del Traio
Punta Pousset
la Grivola
Grd Nomenon
Valsavarenche
PARCO
NAZIONALE
GRAN PARADISO
Gran Paradiso
Rosière 1850
Montvalezan
Villaroger
Ste-Foy-Tarentaise
Becca du Lac
Col du Mont
M. Pelà
Becca di Tei
Colle della Finestra
Pnte d'Archeboc
Rhêmes-Notre-Dame
Grde Rousse
Colle di Entrelor
Cima di Percia
Becca Tsambeina
M. Tout Blanc
Colle Rosset
Gran Vaudala
Aigle Rouge
Mt Pourri
La Martin
Barrage de Tignes
Tignes
Aigle Percée
Lac du Chevril
Aigle de la Grde Sassière
Réserve de la Grande Sassière
Col de Rhême-Golette
Col du L. Noir
C. du Rocher Blanc
Aigle du Glacier
Pnte des Plates des Chamois
Pnte du Nantcruet
Grande Traversière
Pta Bassac Nord
Tsanteleina
Pnte de Calabre
Pnte de la Galise
Col de la Galise
Colle del Nivolet
Pta Violetta
Pte Foura
Mare Percia
Cma di Courmaon
Ceresole Reale
Val-d'Isère
Col de la Tourne
Pnte du Chardonnet
Col du Palet
Col de la Croix des Frètes
Rer de Bellevarde
La Tovière
Tête du Solaise
Belvre de la Tarentaise
Aigle Pers
Aigle Rousse
Cime d'Oin
Colle du Carro
L'Uja
Levanna Centrale
Levanna Occidentale
Carro
Corno Bianco
Monte Unghiasse
Colle della Crocetta
Monte Gran Bern
Dôme de Pramecou
Glacier de la Grde Motte
Grde Motte
Pnte de la Grde Casse
VANOISE
Col de la Vanoise
C. de l'Iseran
Pnte des Lessières
Belvre de la Maurienne
Pnte des Arses
Ouille Noire
Pnte des Fours
Col des Fours
Col de Bezin
Pnte de la Met
Gges de la Lenta
Roc des Pareis
Evettes
Roc du Mulinet
Groscavallo
Forno Alpi Graie
Bonneval-sur-Arc
Ouille du Midi
Cime Monfret
M. Malatret
M. Doubia
Cle d'Attia
Pnte d'Andagne
Dôme du Grd Fond
L'Albaron
L'Ouillarse
Uia di Ciamarella
Pnte du Colerin
Uia di Mondrone
Ala di Stura
Balme
Bessanese
Pnte de Méan Martin
Aigle de Méan Martin
Croix de Don Jean Maurice
N.-D. de Grâces
PARC NATIONAL DE LA VANOISE
Grand Roc Noir
Pnte du Vallonbrun
Bessans
St-Antoine
Vallée d'Avérole
Vincendières
Col de la Madeleine
Lanslebourg-Mont-Cenis
Lanslevillard
Val Cenis
Termignon
Sollières-Sardières
Pnte des Pignes
Pnte de Charbonnel
Vallon de la Lombarde
Ouille de la Vallette
Ouille d'Arbéron
Croix Rousse
Ouille du Favre
Col de la Met
Pnte de Ronce
Col du Mont Cenis
Champ de Tir
Roche Michel
Pnte du Ribon
Col de l'Autaret
Torre d'Ovarda
Usseglio
Lac du Mont Cenis
Mt Lamet
Mt Tour
MASSIF DU MT CENIS
Col de Bellecombe
Col du Pt Mt Cenis
Mt Malamot
Moncenisio
Novalesa
Rocciamelone
M. Palon
Colle delle Coupe
Pta Lunella
Tomba di Matolda
Cle della Portia
Val di Viù

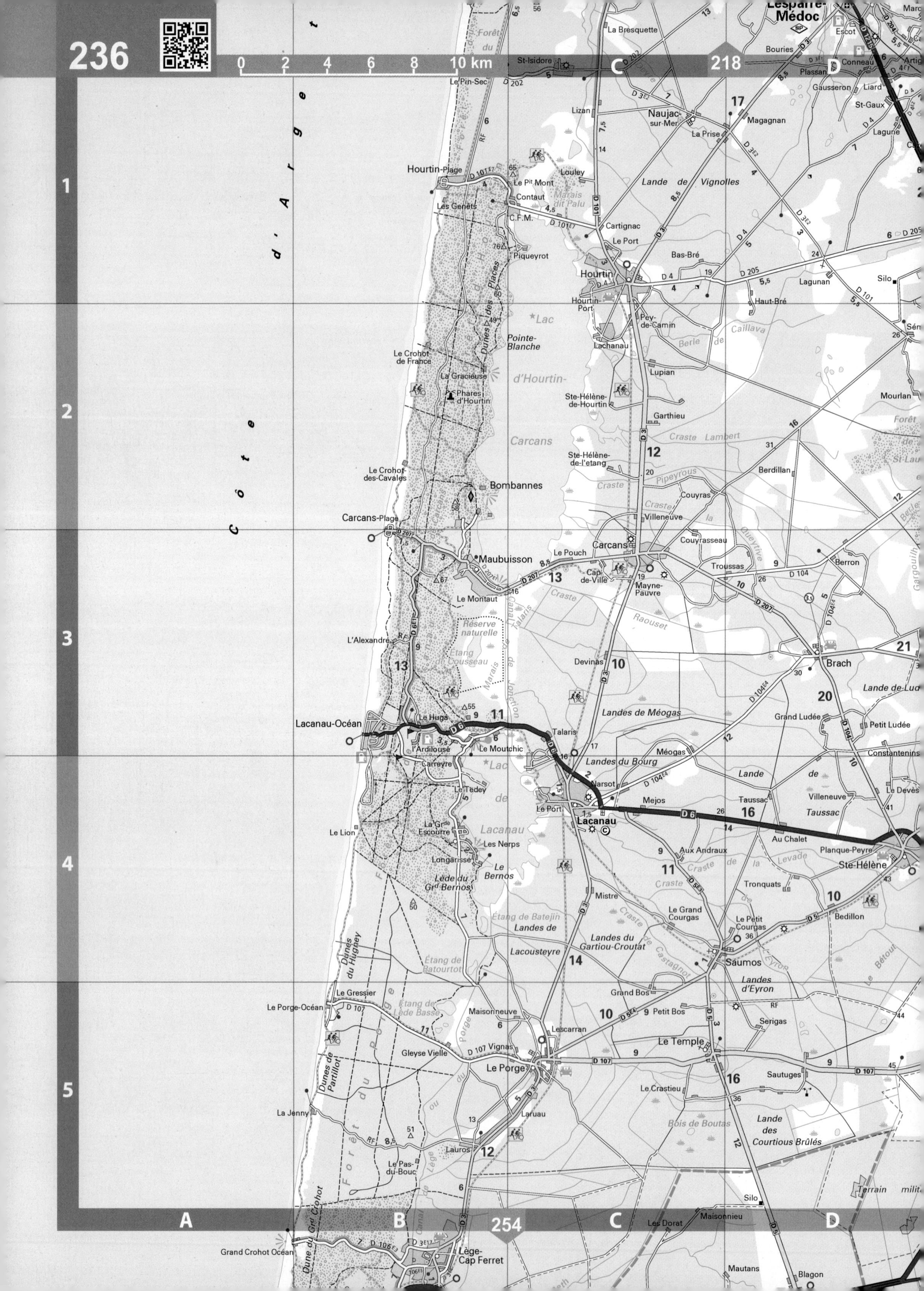
0 2 4 6 8 10 km
218
254
A
B
C
D
1
2
3
4
5
Côte d'Argent
Lesparre-Médoc
Escot
La Bresquette
Bouries
Conneau
St-Isidore
Plassan
Gausseron
Liard
Le Pin-Sec
Lizan
Naujac-sur-Mer
Magagnan
St-Gaux
La Prise
Lagune
Hourtin-Plage
Louley
Le Pt Mont
Contaut
Marais dit Palu
Lande de Vignolles
Les Genêts
C.F.M.
Cartignac
Le Port
Piqueyrot
Bas-Bré
Hourtin
Hourtin-Port
Lagunan
Silo
Haut-Bré
Pey-de-Camin
Lac
Pointe-Blanche
Lachanau
Caillava
Berle de
Le Crohot de France
La Gracieuse
Lupian
d'Hourtin-
Phares d'Hourtin
Ste-Hélène-de-Hourtin
Mourlan
Garthieu
Craste Lambert
Carcans
Ste-Hélène-de-l'etang
Le Crohot-des-Cavales
Bombannes
Berdillan
Pipeyrous
Craste
Couyras
Carcans-Plage
Villeneuve
Couyrasseau
Queytive
Maubuisson
Le Pouch
Carcans
Cap-de-Ville
Mayne-Pauvre
Troussas
Berron
Le Montaut
Raouset
Réserve naturelle
Étang de Cousseau
L'Alexandre
Marais de Talaris
Canal de Jonction
Devinas
Brach
Lande de-Lu
Landes de Méogas
Grand Ludée
Petit Ludée
Lacanau-Océan
Le Huga
Talaris
l'Ardilouse
Le Moutchic
Lac
Carreyre
Méogas
Landes du Bourg
Constantenins
Le Tedey
Narsot
Lande
de
Le Devès
Le Port
Mejos
Lacanau
Villeneuve
Taussac
Taussac
de
Le Lion
La Grde Escourre
Lacanau
Les Nerps
Au Chalet
Planque-Peyre
Longarisse
Le Bernos
Aux Andraux
Craste de la Levade
Ste-Hélène
Lède du Grd Bernos
Tronquats
Mistre
Le Grand Courgas
Bedillon
Étang de Batejin
Landes de
Le Petit Courgas
Dunes du Hugney
Lacousteyre
Landes du Gartiou-Croutat
Castagnot
Saumos
Étang de Batourtot
Landes d'Eyron
Le Gressier
Grand Bos
Le Porge-Océan
Étang de Lède Basse
Maisonneuve
Petit Bos
Serigas
Lescarran
Le Temple
Gleyse Vielle
Vignas
Le Porge
Dunes de Partillot
Sautuges
Le Crastieu
La Jenny
Laruau
Bois de Boutas
Lande des Courtious Brûlés
Lauros
Le Pas-du-Bouc
Forêt du Porge
Terrain milit.
Silo
Les Dorat
Maisonnieu
Grand Crohot Océan
Dune du Grd Crohot
Lège-Cap Ferret
Mautans
Blagon
D 101
D 207
D 6
D 3
D 104
D 107
D 5
D 4
D 205
D 1

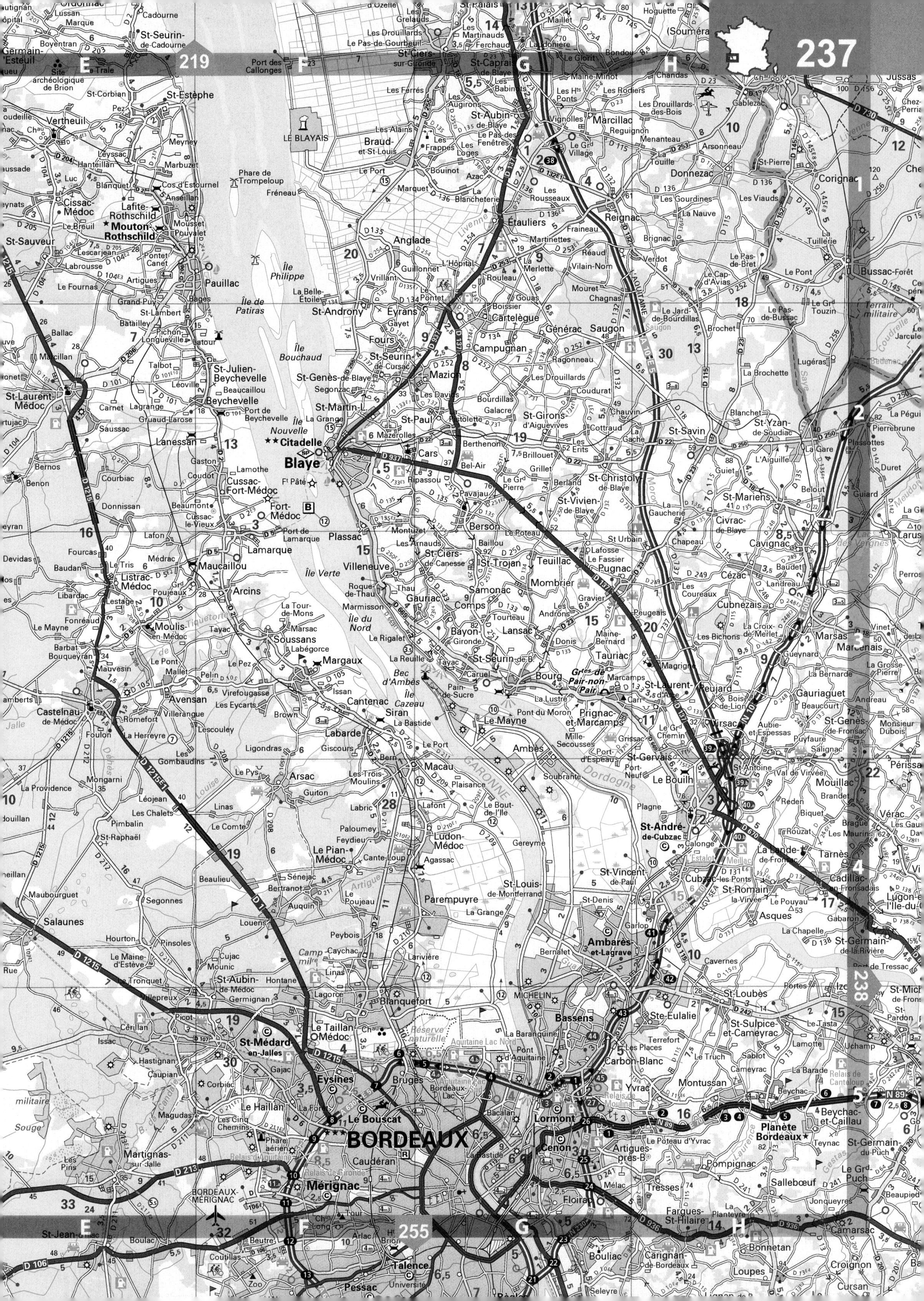
237
219
238
255
E
F
G
H
BORDEAUX
Blaye
Citadelle
Pauillac
Lesparre
St-Estèphe
Vertheuil
Cissac-Médoc
Lafite-Rothschild
Mouton-Rothschild
St-Julien-Beychevelle
Beychevelle
St-Laurent-Médoc
Cussac-Fort-Médoc
Fort-Médoc
Lamarque
Listrac-Médoc
Moulis-en-Médoc
Margaux
Soussans
Arcins
Avensan
Castelnau-de-Médoc
Cantenac
Labarde
Arsac
Macau
Ludon-Médoc
Le Pian-Médoc
Parempuyre
Blanquefort
Le Taillan-Médoc
St-Médard-en-Jalles
St-Aubin-de-Médoc
Eysines
Le Bouscat
Le Haillan
Mérignac
Martignas-sur-Jalle
Caudéran
Talence
Pessac
Bruges
Lormont
Cenon
Floirac
Bassens
Ambarès-et-Lagrave
Carbon-Blanc
Artigues-près-B.
Yvrac
Montussan
Ste-Eulalie
St-Loubès
St-Sulpice-et-Cameyrac
Beychac-et-Caillau
Planète Bordeaux
Pompignac
Tresses
Salleboeuf
Fargues-St-Hilaire
Bouliac
Carignan-de-Bordeaux
Camarsac
St-André-de-Cubzac
Cubzac-les-Ponts
St-Romain-la-Virvée
Asques
Cadillac-en-Fronsadais
Lugon-et-l'Ile-du-Carney
St-Germain-de-la-Rivière
Virsac
St-Gervais
Prignac-et-Marcamps
Bourg
Pair-non-Pair
Tauriac
Pugnac
Lansac
Samonac
Gauriac
Bayon-sur-Gironde
Comps
Teuillac
Mombrier
Cézac
Cubnezais
Marsas
Cavignac
Civrac-de-Blaye
St-Mariens
St-Savin
St-Yzan-de-Soudiac
St-Christoly-de-Blaye
St-Vivien-de-Blaye
St-Girons-d'Aiguevives
Cars
Berson
Plassac
Villeneuve
St-Seurin-de-Cursac
Mazion
St-Genès-de-Blaye
St-Martin-Lacaussade
St-Paul
Cartelègue
Étauliers
Reignac
Marcillac
Donnezac
St-Aubin-de-Blaye
Braud-et-St-Louis
St-Ciers-sur-Gironde
St-Caprais-de-Blaye
Anglade
Eyrans
St-Androny
Générac
Saugon
Campugnan
Le Blayais
Bussac-Forêt
Corignac
Île de Patiras
Île Bouchaud
Île Nouvelle
Île Verte
Île du Nord
Île Cazeau
Bec d'Ambès
Ambès
Gironde
Garonne
Dordogne
Bordeaux-Mérignac
L'Aquitaine
Michelin

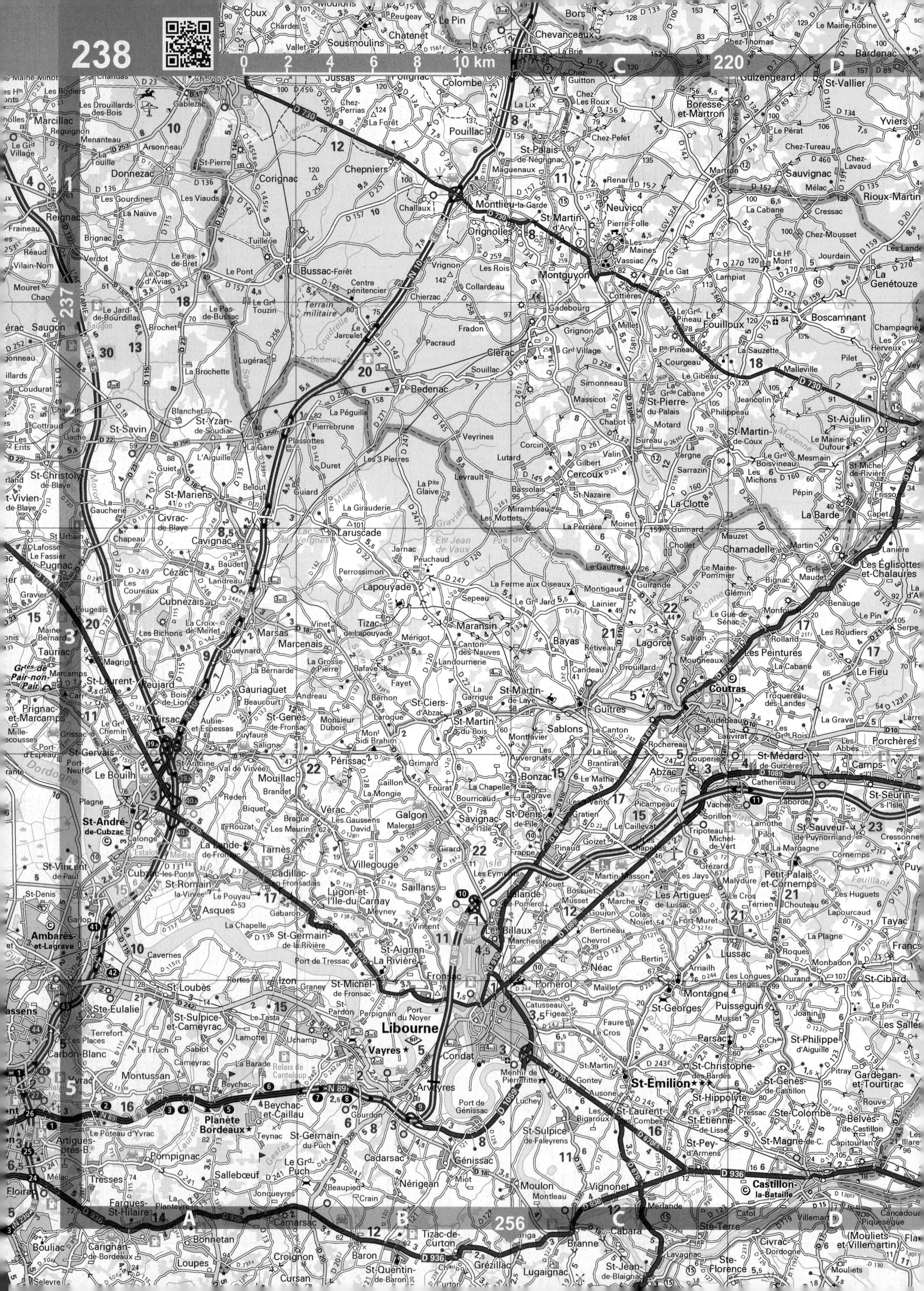
0 2 4 6 8 10 km
220
237
256
A
B
C
D
Coux
Chardes
Sousmoulins
Chatenet
Le Pin
Bors
Chevanceaux
Jussas
Colombe
Bardenac
Guizengeard
St-Vallier
Marcillac
Gablezac
Les Drouillards-des-Bois
Boresse-et-Martron
Chez-Perrias
La Forêt
Pouillac
Chez-Pelet
Yviers
St-Palais-de-Négrignac
Arsonneau
Donnezac
St-Pierre
Corignac
Chepniers
Maguenaux
Martron
Sauvignac
Mélac
Rioux-Martin
Reignac
Montlieu-la-Garde
Neuvicq
Les Gourdines
Les Viauds
Challaux
St-Martin-d'Ary
Pierre-Folle
Cressac
La Nauve
Orignolles
Les Maines
Vassiac
Chez-Mousset
Brignac
La Tuillerie
Le Gat
Verdot
Vrignon
Les Rois
Montguyon
Jourdain
La Genétouze
Le Pas-de-Bret
Le Pont
Bussac-Forêt
Centre pénitencier
Collardeau
Cottières
Lampiat
Le Cap-d'Avias
Le Grd Touzin
Chierzac
Gadebourg
Le Grd Pineau
Le Fouilloux
Boscamnant
Le Jard-de-Bourdillas
Saugon
Pas-de-Bussac
Terrain militaire
Brochet
Le Jarculet
Fradon
Grignon
Millet
Champagne
Pacraud
Clérac
Grd Village
Le Pt Pineau
Courgeau
La Sauzette
Les Herveux
Lugéras
Pilet
La Brochette
Souillac
Simonneau
Le Gibeau
La Grde Cabane
Malleville
Bedenac
Massicot
St-Pierre-du-Palais
Philippeau
Jeancolin
Blanchet
St-Yzan-de-Soudiac
La Péguille
Pierrebrune
Chabot
Motard
St-Martin-de-Coux
St-Aigulin
St-Savin
La Gache
Plassottes
Veyrines
Sureau
La Vergne
Le Maine-Dufour
L'Aiguille
La Gare
Les 3 Pierres
Corcin
Lutard
Gilbert
Valin
Le Grd Boisvineau
Mesmain
Guiet
Duret
Levrault
Cercoux
Sarrazin
Les Michons
St-Michel-de-Rivière
St-Christoly-de-Blaye
Belout
La Pte Glaive
Bassolais
St-Nazaire
St-Vivien-de-Blaye
St-Mariens
Guiard
Mirambeau
La Clotte
Pépin
La Gaucherie
Civrac-de-Blaye
La Girauderie
Les Mottets
Moinet
La Barde
Frissons
Laruscade
La Perrière
Guimard
Mauzet
St Urbain
Chapeau
Cavignac
Étg Jean de Vaux
Chollet
Chamadelle
Martin
Lanière
Lafosse
Le Fassier
Pugnac
Cézac
Baudet
Jarnac
Peuchaud
Le Gautreau
La Guirande
Le Maine-Pommier
Les Églisottes-et-Chalaures
Perrossimon
Landreau
Lapouyade
La Ferme aux Oiseaux
Montigaud
Bignac
Grd Maudet
Gravier
Les Coureaux
Cubnezais
Sepeau
Le Grd Jard
Lainier
Glémin
Benauge
Peugeais
Monfourat
Le Pin
Maine-Bernard
La Croix-de-Merlet
Les Bichons
Marsas
Vinet
Tizac-de-Lapouyade
Maransin
Bayas
Lagorce
Le Gué-de-Sénac
Rolland
Les Roudiers
Tauriac
Marcenais
Mérigot
Canton-des-Nauves
Rétiveau
Sablon
Les Peintures
Serpe
Grtes de Pair-non-Pair
Magrigne
Gueynard
La Grosse-Pierre
Bafave
Landournerie
Candeau
Drouillard
Les Mougneaux
La Cabane
Le Fieu
Marcamps
St-Laurent-d'Arce
Peujard
La Bernarde
Fayet
Coutras
Troquereau-des-Landes
Prignac-et-Marcamps
Gauriaguet
Andreau
Bernon
La Garrigue
St-Martin-de-Laye
Guîtres
Bois-de-Lion
Beaucourt
St-Genès-de-Fronsac
St-Ciers-d'Abzac
Aubie-et-Espessas
Monsieur Dubois
Laroque
St-Martin-du-Bois
Sablons
Le Canton
Audebeau
Lauvirat
Les Grds Bois
La Grave
Mille-écousses
Grissac
Le Grd Chemin
Cubzac
Puyfaure
Salignac
Mont Sidi Brahim
Montfavier
Rochereau
Porchères
Port-d'Espeau
St-Gervais
Port-Neuf
St-Antoine (Val de Virvée)
Périssac
Grimard
Les Auvergnats
La Rue
Brantirat
Couperie
St-Médard-de-Guizières
Camps-sur-l'Isle
Le Bouilh
Dordogne
Mouillac
Caillon
Bonzac
Le Matha
Abzac
Cathérineau
St-Seurin-sur-l'Isle
Brandet
La Mongie
Fourat
La Chapelle
Lagrave
Plagne
Reden
Bourricaud
Les Vents
Picampeau
Vacher
Sorillon
Laborde
St-André-de-Cubzac
Biquet
Vérac
Galgon
Savignac-de-l'Isle
St-Denis-de-Pile
Gratien
Le Caillevat
Tripoteau
Michel-de-Vert
Lamothe
Pilot
St-Sauveur-de-Puynormand
Calonge
Rouzat
Bragué
Les Gaussens
David
Les Maurins
Maleret
Goizet
Cressonne
La Lande-de-Fronsac
Tarnès
Girard
Frappe
Pinaud
Les Chapelles
La Margagne
Cornemps
St-Vincent-de-Paul
Cubzac-les-Ponts
Villegouge
Les Eymeries
Gaubert
Martin-Masson
Grézard
Les Jays
Malvidure
Petit-Palais-et-Cornemps
St-Romain-la-Virvée
Le Pouyau
Cadillac-en-Fronsadais
Saillans
Lalande-de-Pomerol
Nouet
Bossuet
Musset
La Marche
Les Artigues-de-Lussac
Le Cros
Terrien
Chouteau
Les Huguets
St-Denis
Asques
Lugon-et-l'Île-du-Carnay
Meyney
Goujon
Colas
Nouet
Fort-Muret
Lapourcaud
Tayac
Garlop
Gabaron
La Chapelle
St-Germain-de-la-Rivière
Vincent
Les Billaux
Marchesseau
Bertineau
Chevrol
La Plagne
Ambarès-et-Lagrave
Cavernes
St-Aignan
La Rivière
Néac
Bertin
Arriailh
Lussac
Roques
Monbadon
Port de Tressac
Fronsac
Pomerol
Les Longues Règes
Durand
St-Cibard
Portes
Izon
Graney
St-Michel-de-Fronsac
Maillet
Montagne
St-Loubès
Ste-Eulalie
St-Sulpice-et-Cameyrac
Le Tasta
Port du Noyer
St-Pardon
Perpignan
Libourne
Catusseau
Figeac
St-Georges
Puisseguin
Joanin
Le Pin
Les Salles
Faure
Le Cros
Musset
Terrefort
Les Places
Lamotte
Uchamp
Vayres
Condat
Parsac
St-Philippe-d'Aiguille
Carbon-Blanc
Le Truch
Sablot
Cameyrac
La Barade
Relais de Canteloup
Arveyres
Menhir de Pierrefitte
St-Martin
St-Christophe-des-Bardes
Pitray
Gardegan-et-Tourtirac
Yvrac
Montussan
Beychac
Port de Génissac
Gontey
Ausone
St-Émilion
St-Hippolyte
St-Genès-de-Castillon
Rouve
Beychac-et-Caillau
Gourdon
Luchey
Les Bigaroux
St-Laurent-des-Combes
Pressac
Ste-Colombe
Belvès-de-Castillon
Planète Bordeaux
Le Poteau d'Yvrac
Teynac
St-Germain-du-Puch
St-Sulpice-de-Faleyrens
St-Étienne-de-Lisse
Capitourlan
Artigues-près-B
Pompignac
St-Pey-d'Armens
St-Magne-de-C.
Cadarsac
Génissac
Le Grd Puch
Salleboeuf
Tresses
Nérigean
Miot
Moulon
Montleau
Vignonet
Castillon-la-Bataille
Jonqueyres
Beaupied
Crain
Mélac
Floirac
Fargues-St-Hilaire
La Plantey
Camarsac
Merlande
Cafol
Villemart
Cancadous
Piquesègue
Bouliac
Bonnetan
Tizac-de-Curton
Cabara
Ste-Terre
Carignan-de-Bordeaux
Branne
Civrac-de-Dordogne
(Mouliets-et-Villemartin)
Loupes
Croignon
Baron
Grézillac
Lugaignac
St-Jean-de-Blaignac
Lavagnac
Ste-Florence
Mouliets
Selevre
Cursan
St-Quentin-de-Baron
Curton

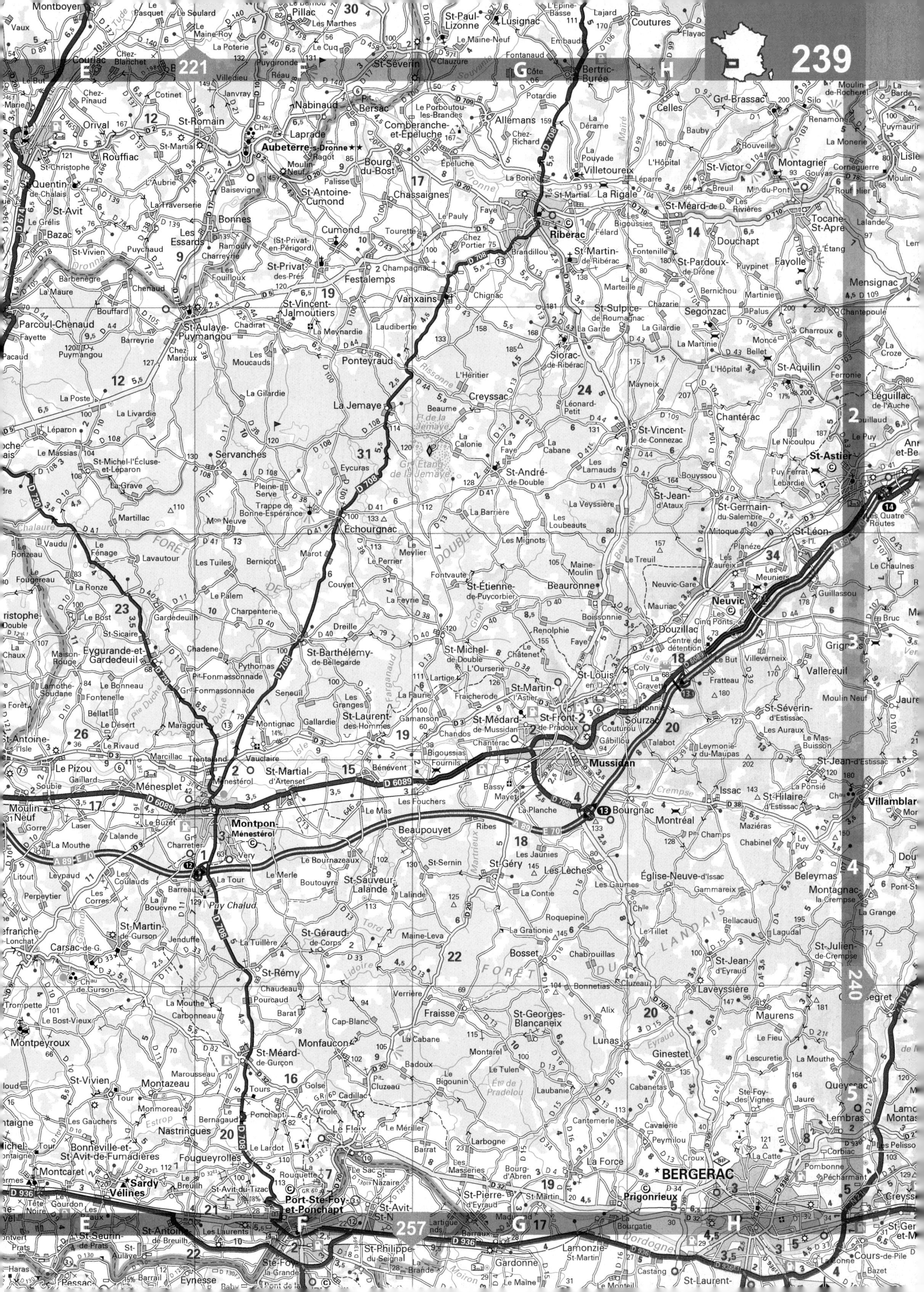
239
221
240
257
E
F
G
H
Montboyer
Pillac
St-Paul-Lizonne
Lusignac
Coutures
Courlac
St-Séverin
Bertric-Burée
Nabinaud
Bersac
Celles
Grd-Brassac
Orival
St-Romain
Comberanche-et-Epeluche
Allemans
Aubeterre-s-Dronne
Laprade
Rouffiac
Bourg-du-Bost
Villetoureix
St-Victor
Montagrier
St-Quentin-de-Chalais
St-Antoine-Cumond
Chassaignes
Ribérac
La Rigale
St-Méard-de-D.
Tocane-St-Apre
St-Avit
Bonnes
Cumond
St-Martin-de-Ribérac
Douchapt
Bazac
Les Essards
St-Privat-des-Prés
Festalemps
St-Pardoux-de-Drône
Fayolle
Vanxains
Mensignac
Parcoul-Chenaud
St-Aulaye-Puymangou
St-Vincent-Jalmoutiers
St-Sulpice-de-Roumagnac
Segonzac
Ponteyraud
Siorac-de-Ribérac
St-Aquilin
La Jemaye
Creyssac
Chantérac
St-Vincent-de-Connezac
Léguillac-de-l'Auche
Servanches
St-André-de-Double
St-Astier
St-Jean-d'Ataux
St-Germain-du-Salembre
Échourgnac
St-Léon-s-l'Isle
St-Étienne-de-Puycorbier
Beauronne
Neuvic
Douzillac
St-Michel-de-Double
St-Barthélemy-de-Bellegarde
Eygurande-et-Gardedeuil
St-Louis-en-l'Isle
St-Martin-l'Astier
St-Laurent-des-Hommes
St-Médard-de-Mussidan
St-Front-de-Pradoux
Sourzac
St-Séverin-d'Estissac
St-Antoine-sur-l'Isle
Le Pizou
Ménesplet
St-Martial-d'Artenset
Mussidan
St-Jean-d'Estissac
Issac
St-Hilaire-d'Estissac
Villamblard
Montpon-Ménestérol
Beaupouyet
Bourgnac
Montréal
St-Sauveur-Lalande
St-Géry
Les Lèches
Église-Neuve-d'Issac
Beleymas
Montagnac-la-Crempse
St-Martin-de-Gurson
St-Géraud-de-Corps
St-Julien-de-Crempse
Carsac-de-G.
St-Rémy
Bosset
St-Jean-d'Eyraud
Laveyssière
Fraisse
St-Georges-Blancaneix
Maurens
Montpeyroux
Monfaucon
Lunas
Ginestet
St-Méard-de-Gurçon
St-Vivien
Montazeau
Le Fleix
Queyssac
Nastringues
Fougueyrolles
La Force
Lembras
Bonneville-et-St-Avit-de-Fumadières
Montcaret
Sardy
Vélines
Port-Ste-Foy-et-Ponchapt
BERGERAC
Prigonrieux
St-Pierre-d'Eyraud
Ste-Foy-la-Grande
Gardonne
Lamonzie-St-Martin
Cours-de-Pile
St-Laurent-
Forêt de la Double
Forêt du Landais
Dronne
Isle
Dordogne
A 89
E 70
D 6089
D 708
D 709
D 936

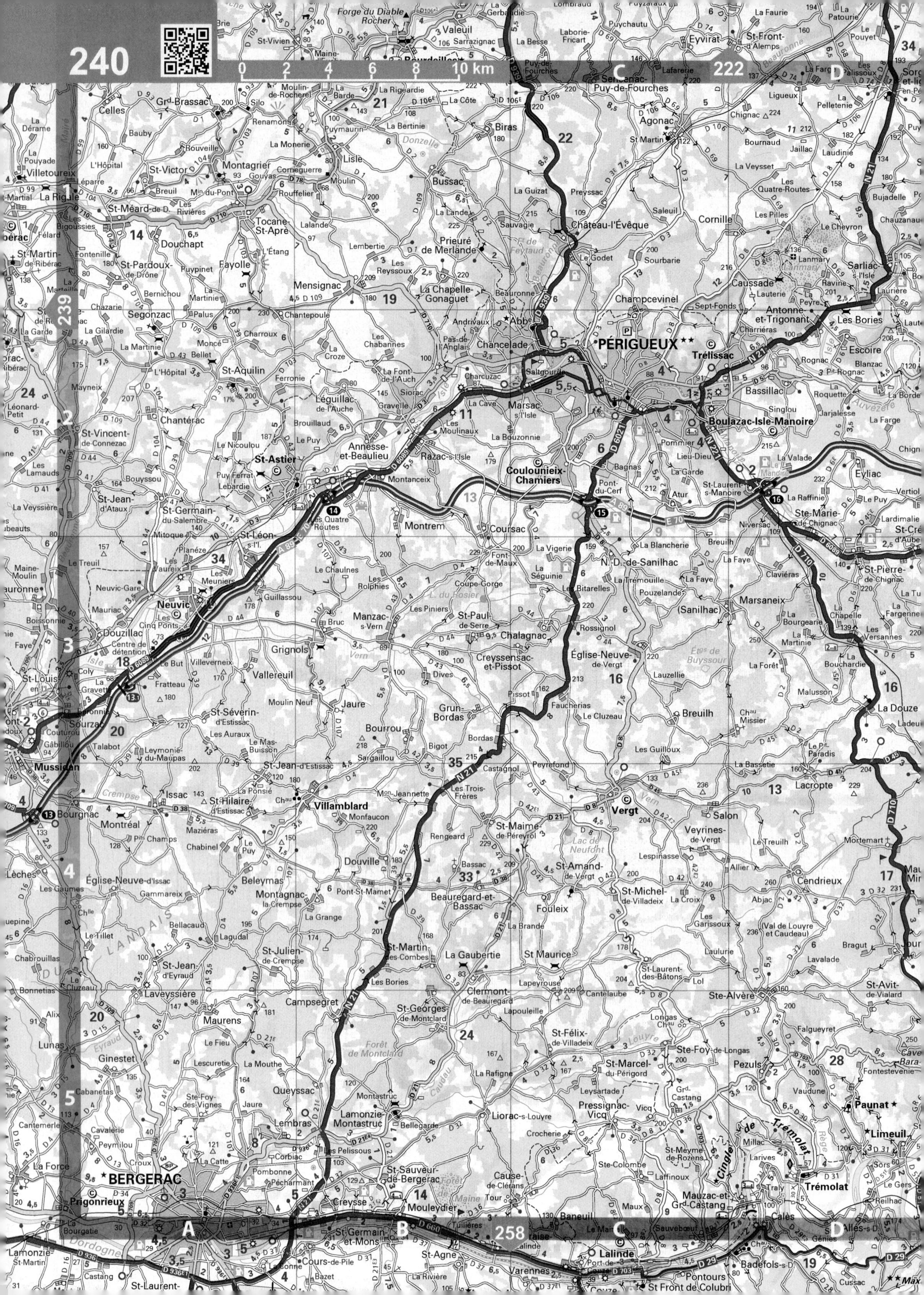
0 2 4 6 8 10 km
222
239
258
A
B
C
D
1
2
3
4
5
PÉRIGUEUX
Trélissac
Boulazac-Isle-Manoire
Coulounieix-Chamiers
Chancelade
Marsac-s/l'Isle
Champcevinel
Château-l'Évêque
Agonac
Sencenac-Puy-de-Fourches
Bourdeilles
Valeuil
Forge du Diable
Brassac
Celles
Montagrier
St-Victor
Tocane-St-Apre
Lisle
Bussac
Biras
Prieuré de Merlande
La Chapelle-Gonaguet
Mensignac
Segonzac
St-Aquilin
Léguillac-de-l'Auche
Annesse-et-Beaulieu
Razac-s-l'Isle
St-Astier
Chantérac
St-Vincent-de-Connezac
Neuvic
St-Germain-du-Salembre
St-Léon-s/l'I.
Douzillac
Sourzac
Mussidan
Bourgnac
Montréal
Issac
St-Hilaire-d'Estissac
Villamblard
St-Jean-d'Estissac
Vallereuil
Grignols
Manzac-s-Vern
St-Paul-de-Serre
Chalagnac
Creyssensac-et-Pissot
Église-Neuve-de-Vergt
Vergt
Salon
Veyrines-de-Vergt
Breuilh
Marsaneix
N.-D.-de-Sanilhac
Coursac
Montrem
Bassillac
Antonne-et-Trigonant
Sarliac-s-l'Isle
Cornille
St-Pierre-de-Chignac
Ste-Marie-de-Chignac
Eyliac
La Douze
Lacropte
Cendrieux
Ste-Alvère
St-Avit-de-Vialard
Paunat
Limeuil
Trémolat
Cingle de Trémolat
Mauzac-et-Grd-Castang
Pressignac-Vicq
Liorac-s-Louyre
St-Félix-de-Villadeix
St-Marcel-du-Périgord
Ste-Foy-de-Longas
Pezuls
St-Michel-de-Villadeix
Fouleix
St-Amand-de-Vergt
St-Maime-de-Péreyrol
Beauregard-et-Bassac
Douville
Clermont-de-Beauregard
St-Georges-de-Montclard
Forêt de Montclard
Campsegret
St-Martin-des-Combes
La Gaubertie
St Maurice
St-Julien-de-Crempse
Beleymas
Montagnac-la-Crempse
Église-Neuve-d'Issac
St-Jean-d'Eyraud
Laveyssière
Maurens
Queyssac
Lamonzie-Montastruc
Lembras
St-Sauveur-de-Bergerac
Creysse
Mouleydier
BERGERAC
Prigonrieux
La Force
Lunas
Ginestet
St-Germain-et-Mons
Lalinde
Baneuil
Calès
Badefols-s-D.
Pontours
Cours-de-Pile
Dordogne
Isle
Vern
Crempse
Louyre
Auvézère
Beauronne
LANDAIS
N21
N221
A89
E70
D6089
D710
D939
D21

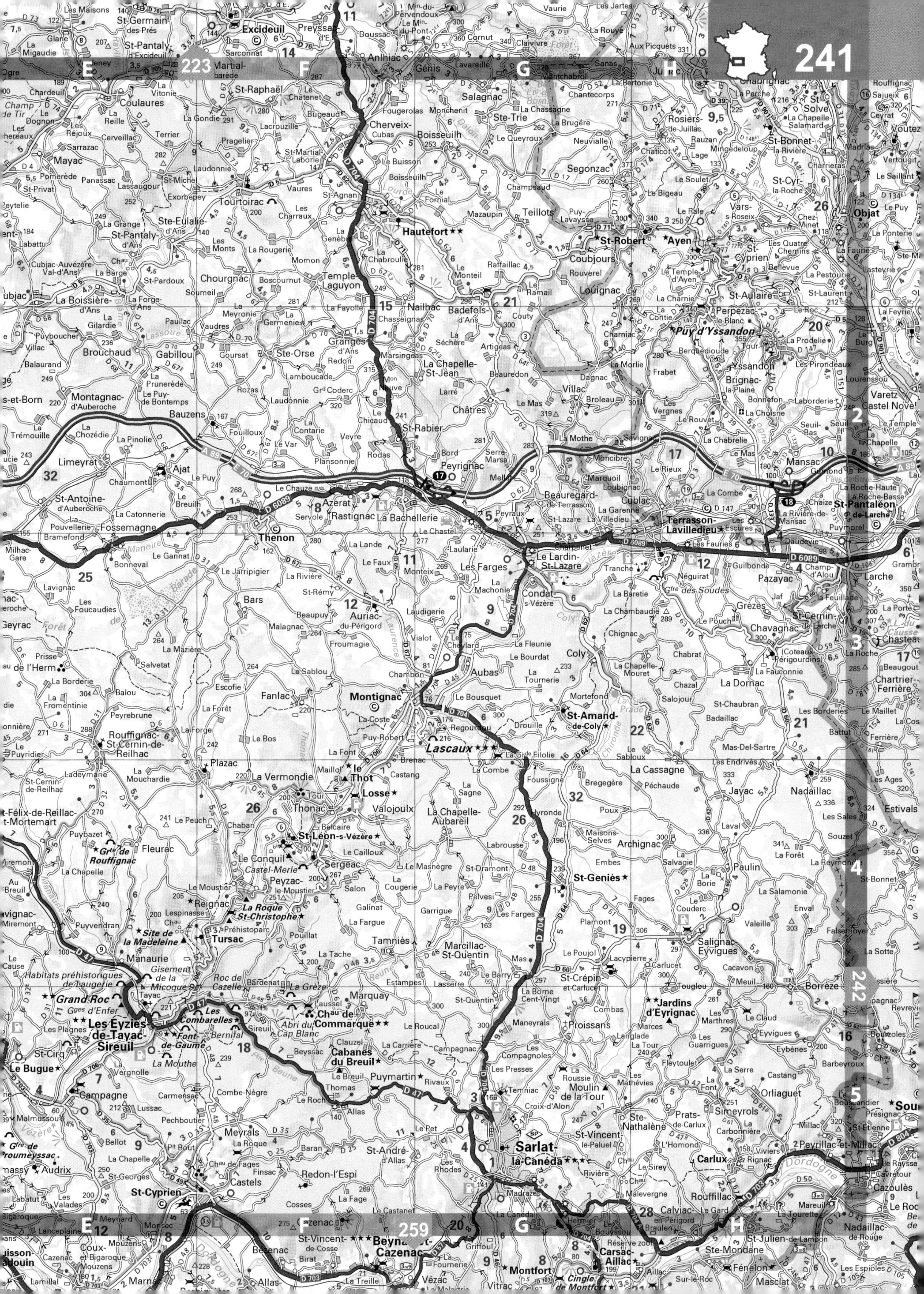

Excideuil · St-Germain-des-Prés · St-Pantaly-d'Excideuil · Martial-barède · St-Raphaël · Cherveix-Cubas · Boisseuilh · Ste-Trie · Salagnac · Rosiers-de-Juillac · St-Bonnet-la-Rivière · St-Cyr-la-Roche · Objat

Hautefort ★★ · St-Robert ★ · Ayen ★ · Coubjours · Segonzac · St-Aulaire · Perpezac · Puy d'Yssandon ★ · Yssandon · Brignac-la-Plaine · Varetz · Castel Novel

Temple-Laguyon · Nailhac · Badefols-d'Ans · Granges-d'Ans · La Chapelle-St-Jean · Villac · Broleau · Les Vergnes · Mansac · La Roche-Haute · La Roche-Basse

Montagnac-d'Auberoche · Bauzens · St-Rabier · Peyrignac · Beauregard-de-Terrasson · St-Pantaléon-de-Larche · Larche

Limeyrat · Ajat · St-Antoine-d'Auberoche · Fossemagne · Thenon · Azerat · Rastignac · La Bachellerie · Le Lardin-St-Lazare · Terrasson-Lavilledieu ★ · Cublac · Pazayac · Champ-d'Alou · St-Cernin-de-Larche · Chavagnac

Bars · Auriac-du-Périgord · Les Farges · Condat-s-Vézère · Coly · La Chapelle-Mouret · La Dornac · Chartrier-Ferrière

Rouffignac-St-Cernin-de-Reilhac · Plazac · Montignac ★ · Lascaux ★★★ · St-Amand-de-Coly ★ · La Cassagne · Jayac · Nadaillac · Estivals

La Vermondie · le Thot · Losse ★ · Thonac · Valojoulx · La Chapelle-Aubareil · St-Geniès ★ · Archignac · Paulin · Salignac-Eyvigues

Grotte de Rouffignac · Fleurac · St-Léon-s-Vézère ★ · Castel-Merle · Peyzac-le-Moustier · Sergeac · St-Dramont · Marcillac-St-Quentin · St-Crépin-et-Carlucet · Jardins d'Eyrignac ★

Site de la Madeleine · Tursac · Manaurie · Reignac · La Roque St-Christophe ★ · Préhistoparc · Tamniès · St-Quentin · La Borne-Cent-Vingt · Proissans

Grand Roc ★ · Gges d'Enfer · Les Eyzies-de-Tayac Sireuil ★★★ · Font-de-Gaume ★ · Les Combarelles ★ · Château de Commarque · Abri du Cap Blanc · Marquay · La Roque St-Cyr · Le Bugue · Cabanes du Breuil ★ · Puymartin · Sarlat-la-Canéda ★★★ · Carlux

Campagne · St-Cyprien · St-André-d'Allas · St-Vincent-le-Paluel · Ste-Nathalène · Calviac-en-Périgord · Peyrillac-et-Millac

Beynac-Cazenac ★★★ · Montfort · Carsac-Aillac · Ste-Mondane · Fénelon · Cingle de Montfort

0 2 4 6 8 10 km

224
241
260

A B C D

1 2 3 4 5

Juillac
Orgnac
Perpezac-le-Noir
St-Clément
Chabrignac
St-Solve
Estivaux
Chanteix
Naves
Segonzac
Rosiers-de-Juillac
St-Bonnet-la-Rivière
Voutezac
St-Bonnet-l'Enfantier
Sadroc
St-Pardoux-l'Ortigier
St-Mexant
TULLE
St-Robert
Ayen
St-Cyr-la-Roche
Vars-s-Roseix
Objat
Allassac
St-Germain-les-Vergnes
Favars
Coubjours
St-Cyprien
Louignac
St-Aulaire
Donzenac
Ste-Féréole
Chameyrat
Perpezac-le-Blanc
Puy d'Yssandon
Yssandon
St-Viance
Cornil
Ussac
Malemort
Varetz
Castel Novel
Aubazine
Dampniat
Mansac
St-Pantaléon-de-Larche
BRIVE-LA-GAILLARDE
Terrasson-Lavilledieu
Cublac
Pazayac
Larche
Cosnac
Albignac
Beynat
Lissac-s-Couze
Noailles
Chasteaux
Chavagnac
Coly
Lanteuil
Turenne
Collonges-la-Rouge
Meyssac
Noailhac
Jugeals-Nazareth
Chartrier-Ferrière
Nespouls
St-Amand-de-Coly
La Cassagne
Jayac
Nadaillac
Estivals
Cressensac
St-Julien-Maumont
Marcillac-la-Croze
Archignac
St-Geniès
Paulin
Gignac
Sarrazac
Cavagnac
Curemonte
Salignac-Eyvigues
Cuzance
Strenquels
Vayrac
Borrèze
Jardins d'Eyrignac
Lachapelle-Auzac
Martel
Bétaille
Carennac
Souillac
Orliaguet
Ste-Nathalène
Prats-de-Carlux
Carlux
Peyrillac-et-Millac
Mayrac
Creysse
Floirac
Rouffillac
Calviac-en-Périgord
Cazoulès
Lanzac
Meyronne
Montvalent
Belvédère de Lanzac
Gouffre de Roque-de-Cor
Gouffre de Padirac
Carsac-Aillac
Pinsac
Lacave
Miers
Padirac

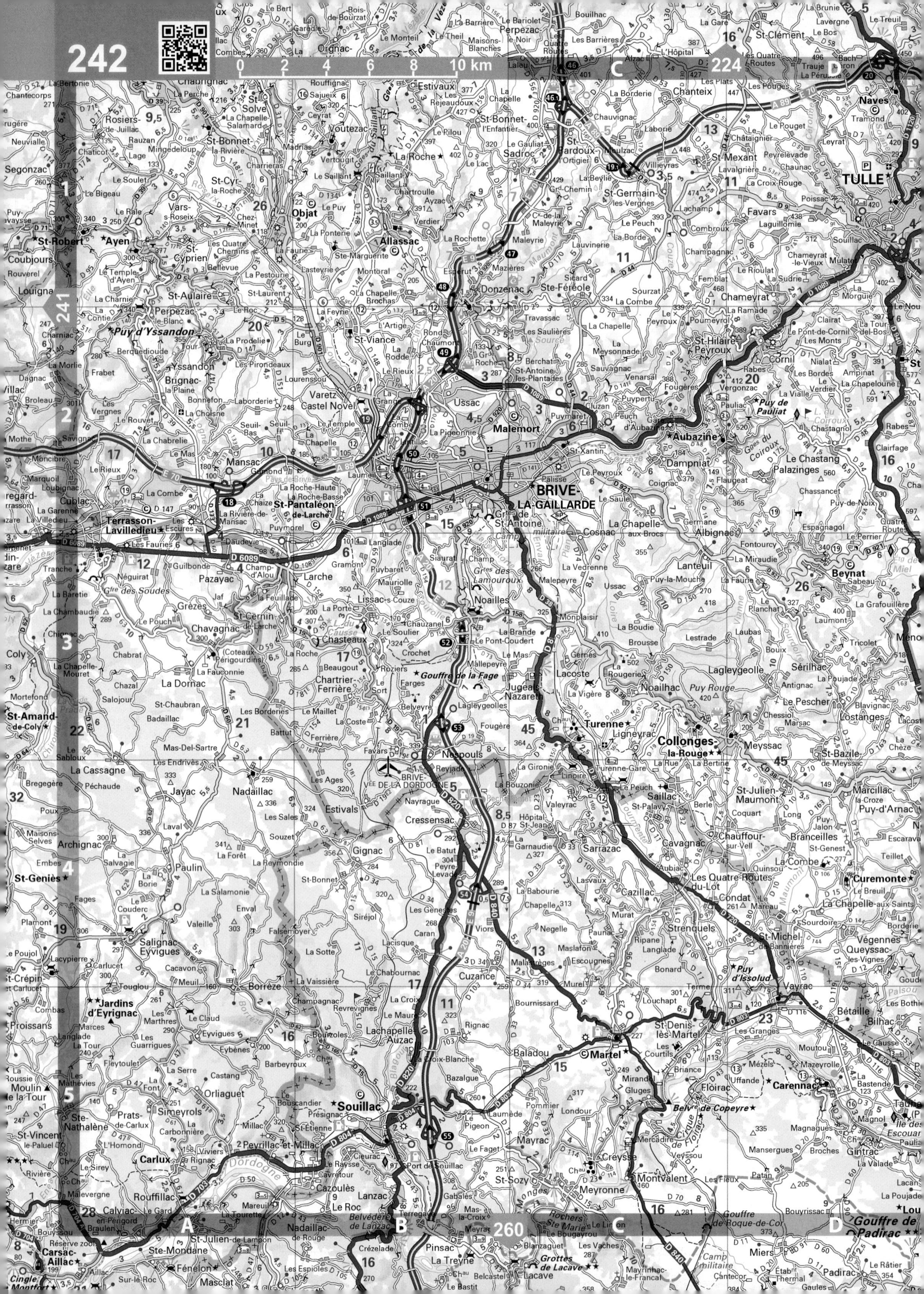

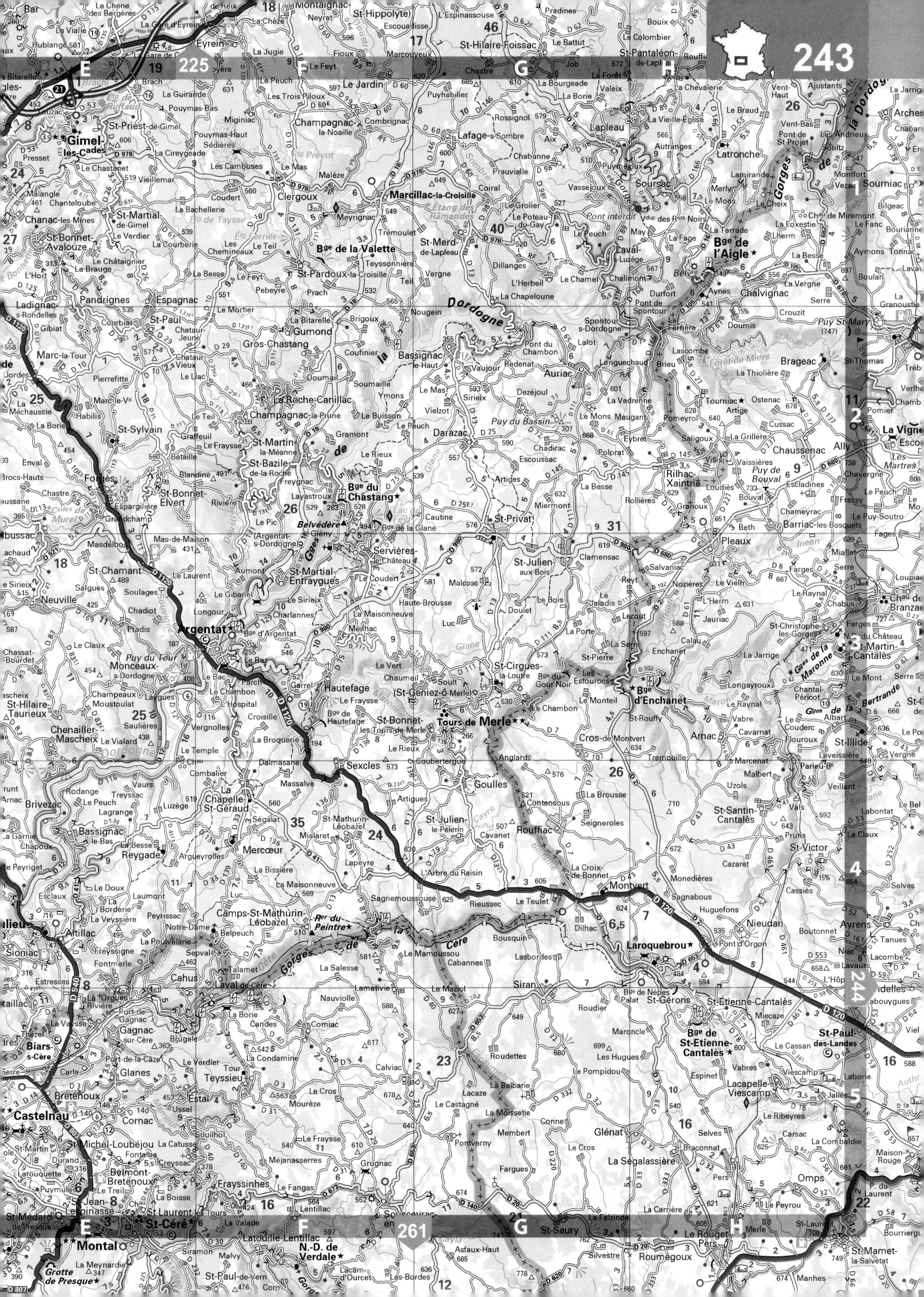
243
225
261
244
E
F
G
H
Argentat
Gimel-les-Cascades
Marcillac-la-Croisille
Bge de la Valette
Bge de l'Aigle
Bge du Chastang
Tours de Merle
Bge d'Enchanet
Laroquebrou
Bge de St-Etienne-Cantalès
Biars-s-Cère
Castelnau
St-Céré
Montal
N.-D. de Verdale
Grotte de Presque
Dordogne
Gorges de la Cère
Gges de la Dordogne
Gges de la Maronne
Pleaux
St-Privat
Clergoux
Lapleau
Soursac
Latronche
Chalvignac
Auriac
Darazac
Servières-le-Château
Rilhac-Xaintrie
St-Julien-aux-Bois
St-Cirgues-la-Loutre
Arnac
Montvert
St-Santin-Cantalès
St-Victor
Nieudan
Glénat
Siran
St-Gérons
St-Etienne-Cantalès
Lacapelle-Viescamp
St-Paul-des-Landes
Sousceyrac
Bretenoux
Cornac
Teyssieu
Camps-St-Mathurin-Léobazel
Mercœur
La Chapelle-St-Géraud
Beaulieu
Altillac
Sioniac
Brivezac
Bassignac-le-Bas
Reygade
Monceaux-s-Dordogne
Forgès
St-Sylvain
St-Chamant
Neuville
Ally
Chaussenac
Barriac-les-Bosquets
St-Martin-Cantalès
St-Illide
Brageac
Puy St-Mary

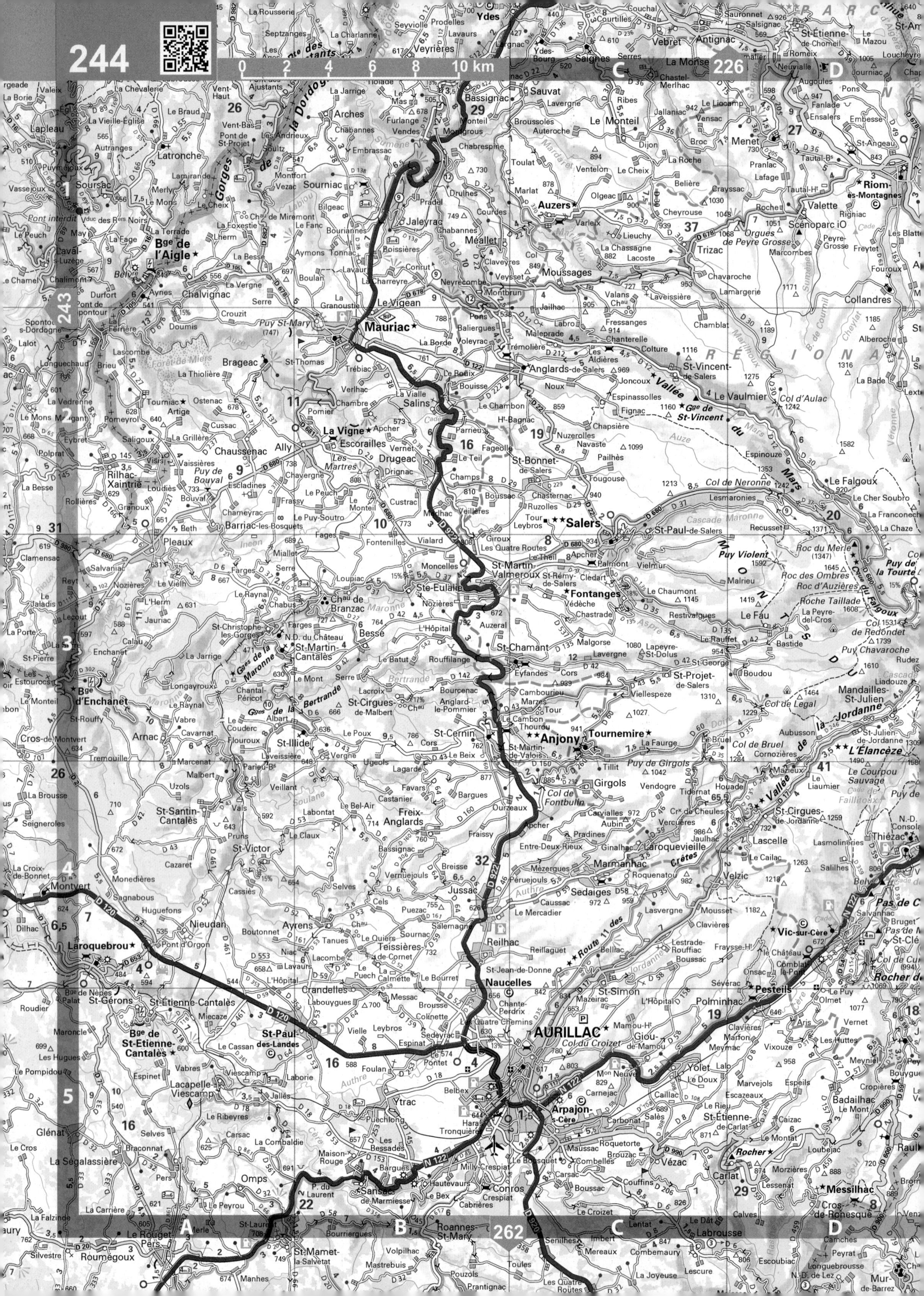
244
0 2 4 6 8 10 km
226
243
262
A
B
C
D
1
2
3
4
5
Mauriac
Salers
AURILLAC
Arpajon-s-Cère
Riom-ès-Montagnes
Anglards-de-Salers
St-Martin-Valmeroux
Fontanges
Anjony
Tournemire
Vic-sur-Cère
Pesteils
Laroquebrou
Pleaux
Ydes
Saignes
Bassignac
Trizac
Moussages
Auzers
Méallet
Le Vigean
Salins
Drugeac
Ally
Brageac
St-Cernin
St-Cirgues-de-Malbert
St-Illide
Arnac
St-Santin-Cantalès
St-Victor
Nieudan
Ayrens
Teissières-de-Cornet
Jussac
Reilhac
Naucelles
Ytrac
Crandelles
St-Paul-des-Landes
St-Étienne-Cantalès
St-Gérons
Lapeleau
Soursac
Latronche
Chalvignac
Rilhac-Xaintrie
Barriac-les-Bosquets
Le Falgoux
Le Vaulmier
St-Vincent-de-Salers
St-Paul-de-Salers
St-Projet-de-Salers
Mandailles-St-Julien
St-Cirgues-de-Jordanne
Lascelle
Thiézac
Polminhac
Yolet
Giou-de-Mamou
Carlat
Vézac
St-Étienne-de-Carlat
Roannes-St-Mary
Sansac-de-Marmiesse
Omps
Collandres
Valette
Menet
Le Monteil
Sauvat
Vebret
Antignac
Gorges de la Dordogne
Bge de l'Aigle
Bge d'Enchanet
Bge de St-Etienne-Cantalès
Vallée du Mars
Vallée de la Jordanne
Route des Crêtes
Col de Néronne
Puy Violent
Puy Mary
L'Élancèze
Col d'Aulac
Col de Legal
Col de Bruel
Col de Fontbulin
Monts du Cantal
Parc Régional
Forêt de Miers
Gges de la Maronne
Gges de la Bertrande
Orgues de Peyre Grosse
Rocher de Carlat
Messilhac

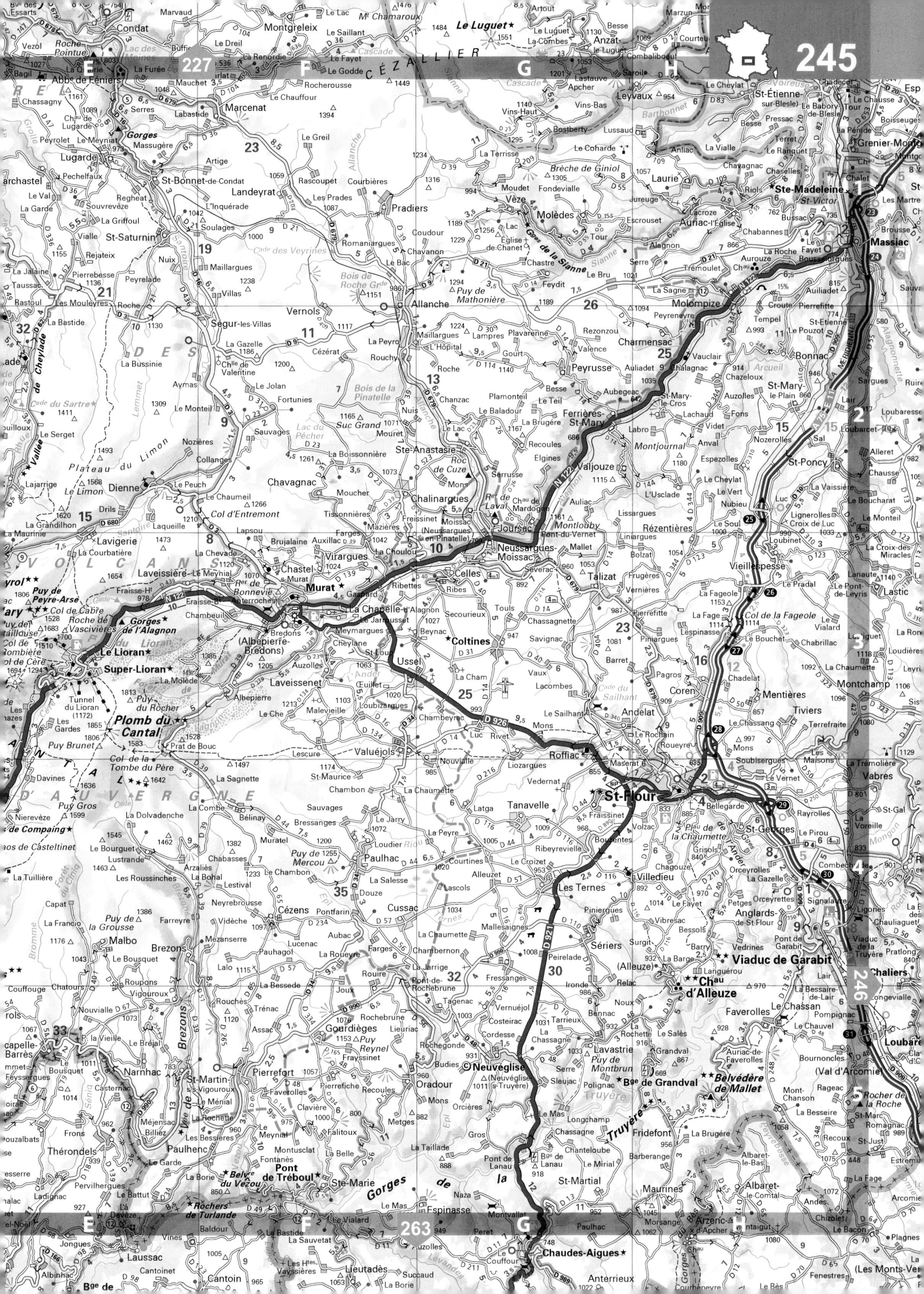

245
227
246
263
E
F
G
H
1
2
3
4
5
CÉZALLIER
VOLCANS
D'AUVERGNE
Condat
Montgreleix
Le Luguet
Anzat-le-Luguet
Marcenat
Abb. de Féniers
Lugarde
St-Bonnet-de-Condat
Landeyrat
Pradiers
Allanche
St-Saturnin
Ségur-les-Villas
Vernols
Molèdes
Vèze
Leyvaux
St-Étienne-sur-Blesle
Ste-Madeleine
Massiac
Molompize
Charmensac
Peyrusse
Ferrières-St-Mary
Valjouze
Bonnac
Grenier-Montgon
Dienne
Chavagnac
Ste-Anastasie
Chalinargues
Joursac
Neussargues-Moissac
Talizat
Vieillespesse
Lastic
Murat
Laveissière
Le Lioran
Super-Lioran
Plomb du Cantal
Puy Brunet
Bredons
Celles
Coltines
Ussel
Laveissenet
Andelat
Coren
Roffiac
St-Flour
Tanavelle
Villedieu
Les Ternes
Paulhac
Cézens
Cussac
Brezons
Malbo
Narnhac
Pierrefort
Neuvéglise
Oradour
Sériers
Anglards-de-St-Flour
Viaduc de Garabit
Chau d'Alleuze
Faverolles
Lavastrie
Bge de Grandval
Belvédère de Mallet
Fridefont
Thérondels
Paulhenc
Pont de Tréboul
Ste-Marie
Gorges de la Truyère
Chaudes-Aigues
Espinasse
Maurines
Arzenc-d'Apcher
Lieutadès
Laussac
Cantoin
Anterrieux
Gorges de l'Alagnon
Col de Cabre
Puy de Peyre-Arse
Col d'Entremont
Plateau du Limon
Col de la Fageole
St-Georges
St-Poncy
Vabres
Montchamp
Tiviers
Mentières
Loubaresse

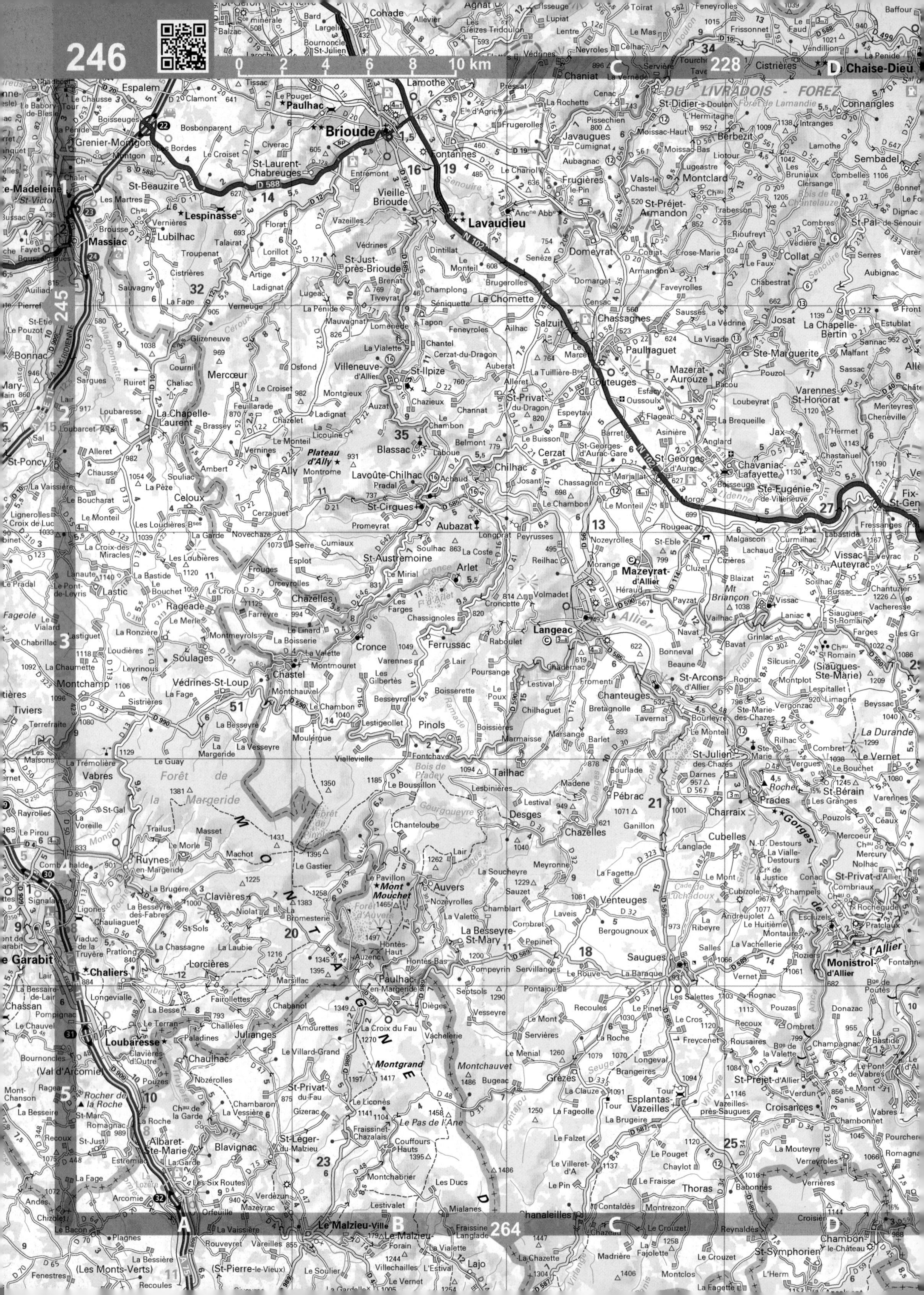

0 2 4 6 8 10 km
C
228
D
La Chaise-Dieu
DU LIVRADOIS - FOREZ
Forêt de Lamandie
Brioude
Paulhac
Lamothe
Fontannes
Lavaudieu
Vieille-Brioude
St-Laurent-Chabreuges
Espalem
Grenier-Montgon
Bosbonparent
St-Beauzire
Lespinasse
Massiac
Lubilhac
St-Just-près-Brioude
Domeyrat
St-Didier-s-Doulon
Javaugues
Frugières-le-Pin
St-Préjet-Armandon
Vals-le-Chastel
Montclard
Berbezit
Connangles
Sembadel
St-Pal-de-Senouire
Collat
Josat
La Chapelle-Bertin
Ste-Marguerite
Varennes-St-Honorat
Mazerat-Aurouze
Paulhaguet
Salzuit
Chassagnes
Couteuges
La Chomette
St-Ilpize
Villeneuve-d'Allier
Lomenède
Chazieux
Blassac
Plateau d'Ally
Ally
Mercœur
La Chapelle-Laurent
Lavoûte-Chilhac
Chilhac
Cerzat
St-Privat-du-Dragon
St-Georges-d'Aurac
Chavaniac-Lafayette
Ste-Eugénie-de-Villeneuve
St-Cirgues
Aubazat
St-Austremoine
Arlet
Mazeyrat-d'Allier
Langeac
Allier
Vissac-Auteyrac
Siaugues-St-Romain
(Siaugues-Ste-Marie)
St-Arcons-d'Allier
Chanteuges
Cronce
Ferrussac
Chastel
Pinols
Tailhac
Lastic
Rageade
Chazelles
Soulages
Vèdrines-St-Loup
Montchamp
Tiviers
Vabres
Forêt de la Margeride
MONTAGNE
Ruynes-en-Margeride
Clavières
Mont Mouchet
Auvers
La Besseyre-St-Mary
Desges
Pébrac
Charraix
Prades
Gorges
St-Julien-des-Chazes
Cubelles
Venteuges
Saugues
Monistrol-d'Allier
l'Allier
St-Privat-d'Allier
Garabit
Chaliers
Loubaresse
(Val d'Arcomie)
Rocher de la Roche
Albaret-Ste-Marie
Blavignac
Lorcières
Chaulhac
Julianges
Paulhac-en-Margeride
Montgrand
St-Privat-du-Fau
St-Léger-du-Malzieu
Le Pas de l'Âne
Grèzes
Esplantas-Vazeilles
St-Préjet-d'Allier
Croisances
Thoras
Chanaleilles
Le Malzieu-Ville
A
B
264
C
D
Chambon-le-Château
St-Symphorien
(Les Monts-Verts)
(St-Pierre-le-Vieux)
Lajo
245
1
2
3
4
5

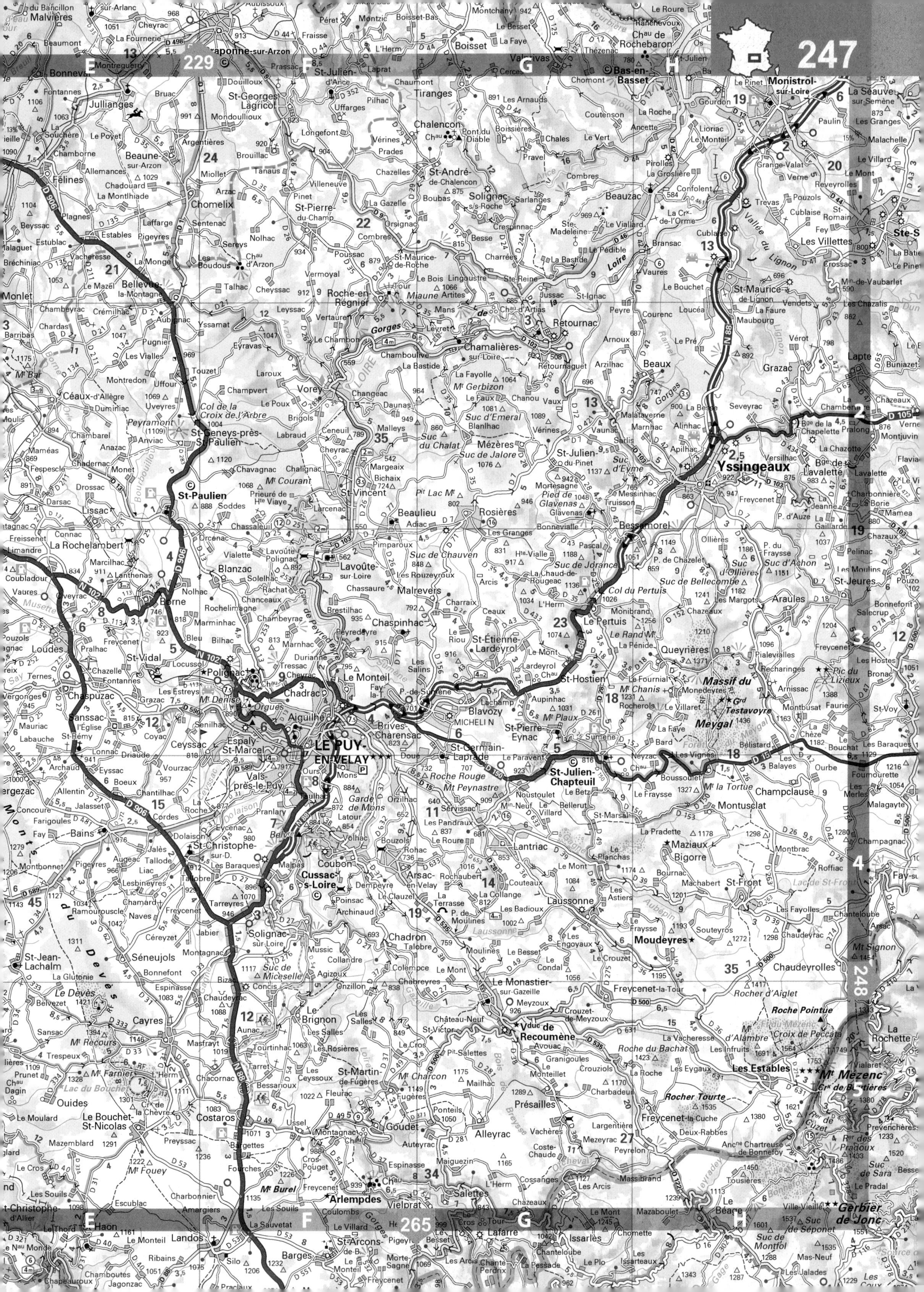

247
229
248
265
E
F
G
H
LE PUY-EN-VELAY
Yssingeaux
Monistrol-sur-Loire
Bas-en-Basset
St-Paulien
Retournac
Craponne-sur-Arzon
Chalencon
Vorey
Lavoûte-sur-Loire
Le Monastier-sur-Gazeille
Cussac-s-Loire
St-Julien-Chapteuil
Allègre
Polignac
Espaly-St-Marcel
Vals-près-le-Puy
Aiguilhe
Brives-Charensac
Chadrac
Solignac-sur-Loire
Costaros
Le Bouchet-St-Nicolas
Landos
Arlempdes
Goudet
Présailles
Les Estables
Mt Mézenc
Gerbier de Jonc
Massif du Meygal
Moudeyres
Laussonne
Tence
Araules
Queyrières
St-Jeures
Fay-s-Lignon
Chaspinhac
Blavozy
Rosières
Beaulieu
St-Vincent
Borne
Loudes
St-Vidal
Ceyssac
Bellevue-la-Montagne
Chomelix
Beaune-sur-Arzon
Roche-en-Régnier
Chamalières-sur-Loire
Gorges de la Loire
Suc de Chauven
Malrevers
St-Hostien
St-Pierre-Eynac
Lantriac
Le Pertuis
Beaux
Beauzac
Mézères
St-Germain-Laprade
Montusclat
Champclause
Freycenet-la-Tour
Freycenet-la-Cuche
Chaudeyrolles
Issarlès
Lafarre
St-Arcons-de-B.
Barges
Le Brignon
St-Martin-de-Fugères
Alleyrac
Salettes
Vielprat
N 88
N 102
D 906
D 589
D 535
D 500
D 15
D 103
D 105

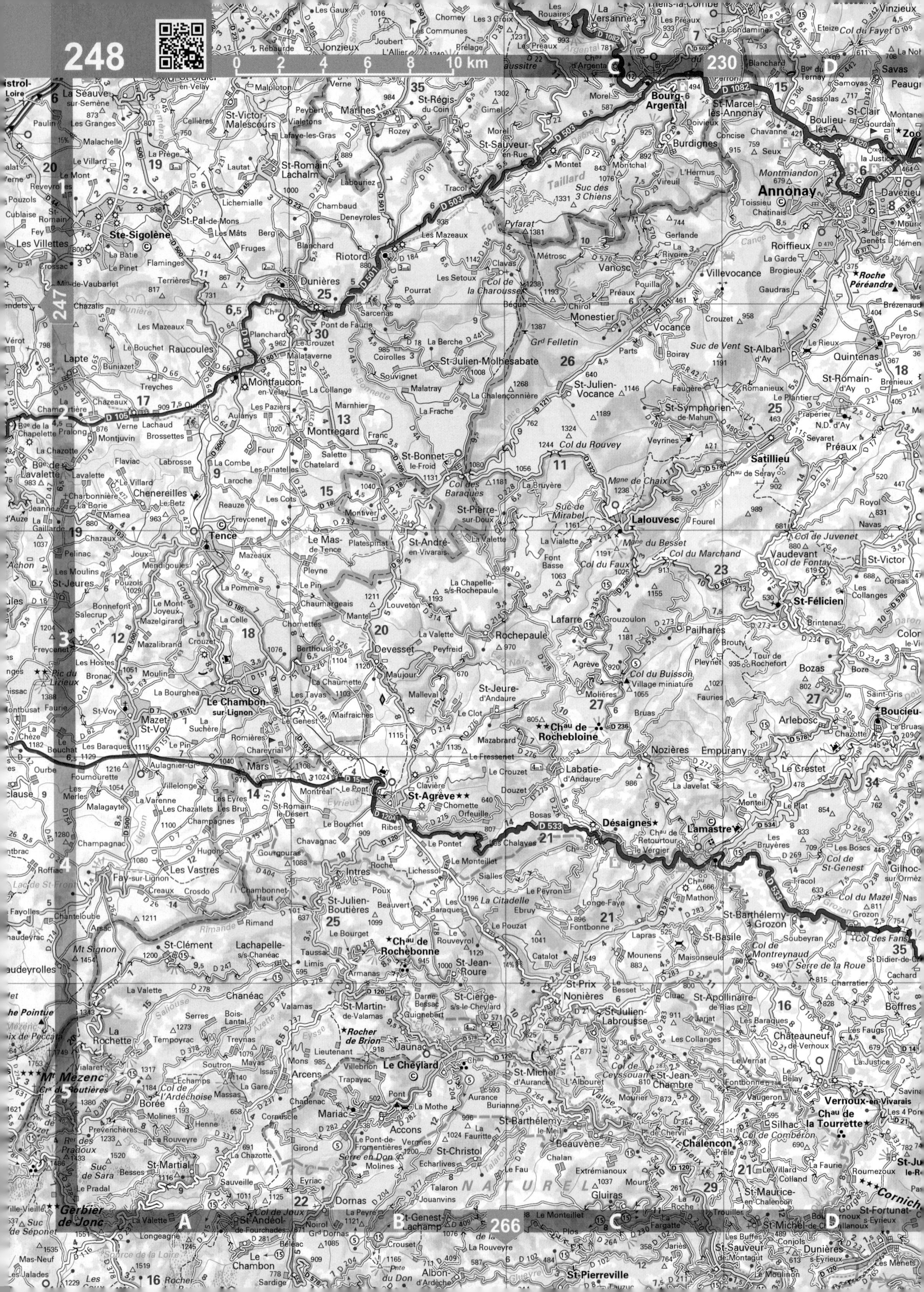
0 2 4 6 8 10 km
230
247
266
A
B
C
D
1
2
3
4
5
Bourg-Argental
St-Marcel-lès-Annonay
Annonay
Boulieu-lès-A.
Davézieux
Roiffieux
Villevocance
Vanosc
Monestier
Vocance
St-Julien-Vocance
Quintenas
St-Alban-d'Ay
St-Romain-d'Ay
St-Symphorien-de-Mahun
Satillieu
Préaux
Lalouvesc
Col du Rouvey
Mgne de Chaix
Suc de Mirabel
Mgne du Besset
Col du Marchand
Col du Faux
Vaudevant
Col de Juvenet
Col de Fontay
St-Victor
St-Félicien
Pailharès
Lafarre
Col du Buisson
Village miniature
Bozas
Boucieu-le-Roi
Arlebosc
Nozières
Empurany
Le Crestet
Lamastre
Désaignes
Chau de Rochebloine
Labatie-d'Andaure
St-Agrève
Rochepaule
Devesset
St-Jeure-d'Andaure
St-Bonnet-le-Froid
Col des Baraques
St-Pierre-sur-Doux
St-André-en-Vivarais
La Chapelle-s/s-Rochepaule
St-Julien-Molhesabate
Montregard
Montfaucon-en-Velay
Raucoules
Dunières
Riotord
Col de la Charousse
Grd Felletin
Marlhes
St-Régis-du-Coin
St-Sauveur-en-Rue
Suc des 3 Chiens
Jonzieux
St-Victor-Malescours
St-Romain-Lachalm
St-Didier-en-Velay
La Séauve-sur-Semène
Ste-Sigolène
St-Pal-de-Mons
Les Villettes
Tence
Chenereilles
Le Mas-de-Tence
Le Chambon-sur-Lignon
Mazet-St-Voy
Mars
St-Jeures
Pic du Lizieux
Fay-sur-Lignon
Les Vastres
St-Clément
Lachapelle-s/s-Chanéac
Chanéac
St-Julien-Boutières
Chau de Rochebonne
St-Martin-de-Valamas
Rocher de Brion
Le Cheylard
St-Cierge-s/s-le-Cheylard
St-Jean-Roure
St-Prix
Nonières
St-Julien-Labrousse
St-Apollinaire-de-Rias
Châteauneuf-de-Vernoux
Vernoux-en-Vivarais
Chau de la Tourrette
Silhac
Chalencon
St-Jean-Chambre
St-Michel-d'Aurance
Col de Ceyssoulan
Mariac
Accons
St-Barthélemy-le-Meil
Beauvène
St-Christol
Dornas
Mt Mezenc
Crx de Boutières
Col de l'Ardéchoise
Borée
St-Martial
Gerbier de Jonc
Col de Joux
St-Andéol-de-Fourchades
St-Genest-Lachamp
St-Pierreville
St-Maurice-en-Chalencon
St-Michel-de-Chabrillanoux
St-Sauveur-de-Montagut
Dunières
St-Fortunat-s-Eyrieux
Corniche
St-Barthélemy-Grozon
St-Basile
Col de Montreynaud
Col du Mazel
Col des Fans
Col de St-Genest
Gilhoc-sur-Ormèze
St-Didier-de-Crussol
Boffres
Roche Péréandre
PARC NATUREL
Mt Signon
Suc de Sara
Les Estables
Le Chambon
D 1082
D 503
D 121
D 578A
D 532
D 533
D 120
D 15
D 105
D 500
D 501
D 578

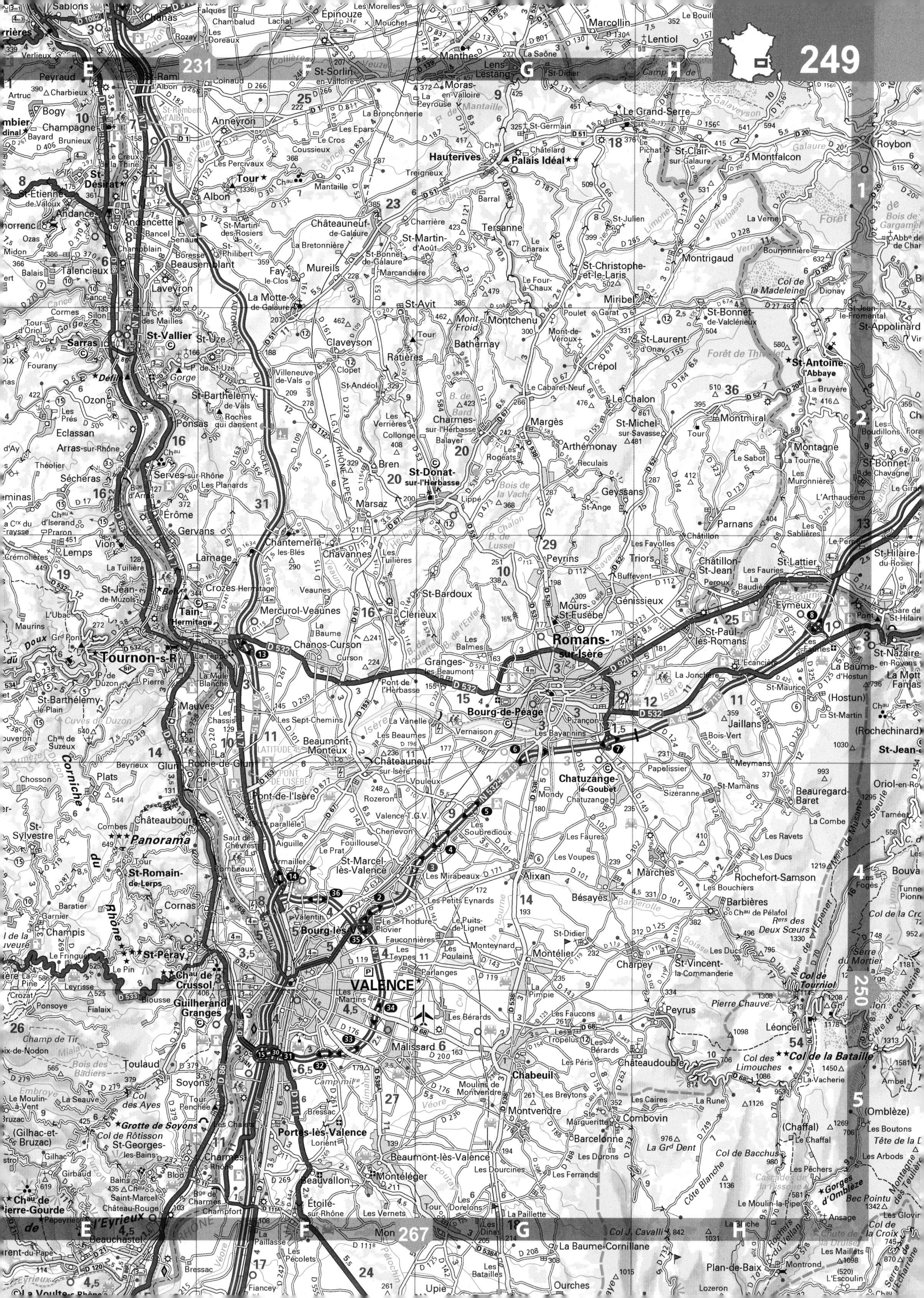

249
231
267
250
E
F
G
H
1
2
3
4
5
Sablons
Chanas
Épinouze
Marcollin
Lentiol
Peyraud
St-Rambert-d'Albon
St-Sorlin-en-Valloire
Moras-en-Valloire
Manthes
Lens-Lestang
Le Grand-Serre
Roybon
Bogy
Champagne
Anneyron
Hauterives
Palais Idéal
St-Clair-sur-Galaure
Montfalcon
St-Désirat
Tour
Albon
Andance
Andancette
Châteauneuf-de-Galaure
St-Martin-d'Août
Tersanne
St-Julien
Talencieux
Beausemblant
Mureils
Fay-le-Clos
St-Christophe-et-le-Laris
Montrigaud
Laveyron
La Motte-de-Galaure
St-Avit
Montchenu
Miribel
Col de la Madeleine
Sarras
St-Vallier
St-Uze
Claveyson
Ratières
Bathernay
St-Laurent-d'Onay
St-Bonnet-de-Valclérieux
St-Appolinard
Crépol
Forêt de Thivolet
St-Antoine-l'Abbaye
Ozon
St-Barthélemy-de-Vals
Ponsas
Charmes-sur-l'Herbasse
Margès
Le Chalon
St-Michel-sur-Savasse
Montmiral
Arras-sur-Rhône
Arthémonay
Montagne
Sécheras
Serves-sur-Rhône
St-Donat-sur-l'Herbasse
Bren
Geyssans
Érôme
Marsaz
Parnans
Gervans
Chantemerle-les-Blés
Chavannes
Peyrins
Triors
Châtillon-St-Jean
St-Lattier
Lemps
Vion
Larnage
St-Bardoux
Mours-St-Eusèbe
Génissieux
Eymeux
St-Jean-de-Muzols
Crozes-Hermitage
Tain-l'Hermitage
Mercurol-Veaunes
Clérieux
Tournon-s-R
Chanos-Curson
Romans-sur-Isère
St-Paul-lès-Romans
St-Nazaire-en-Royans
Granges-les-Beaumont
Bourg-de-Péage
Mauves
Jaillans
Beaumont-Monteux
Châteauneuf-sur-Isère
Chatuzange-le-Goubet
Plats
Glun
Pont-de-l'Isère
Beauregard-Baret
Oriol-en-Royans
Châteaubourg
Panorama
Valence T.G.V.
St-Romain-de-Lerps
St-Marcel-lès-Valence
Alixan
Marches
Rochefort-Samson
Cornas
Bésayes
Barbières
Champis
Bourg-lès-Valence
Montélier
Charpey
St-Vincent-la-Commanderie
St-Péray
Ch^au de Crussol
VALENCE
Col de Tourniol
Guilherand-Granges
Peyrus
Léoncel
Col de la Bataille
Malissard
Châteaudouble
Toulaud
Soyons
Chabeuil
Montvendre
Combovin
Grotte de Soyons
Portes-lès-Valence
St-Georges-les-Bains
Barcelonne
Beaumont-lès-Valence
Charmes-s-Rhône
Montéléger
Beauvallon
Étoile-sur-Rhône
Ch^au de Pierre-Gourde
Gorges d'Omblèze
Beauchastel
La Baume-Cornillane
Plan-de-Baix
La Voulte-s-Rhône
Upie
Ourches

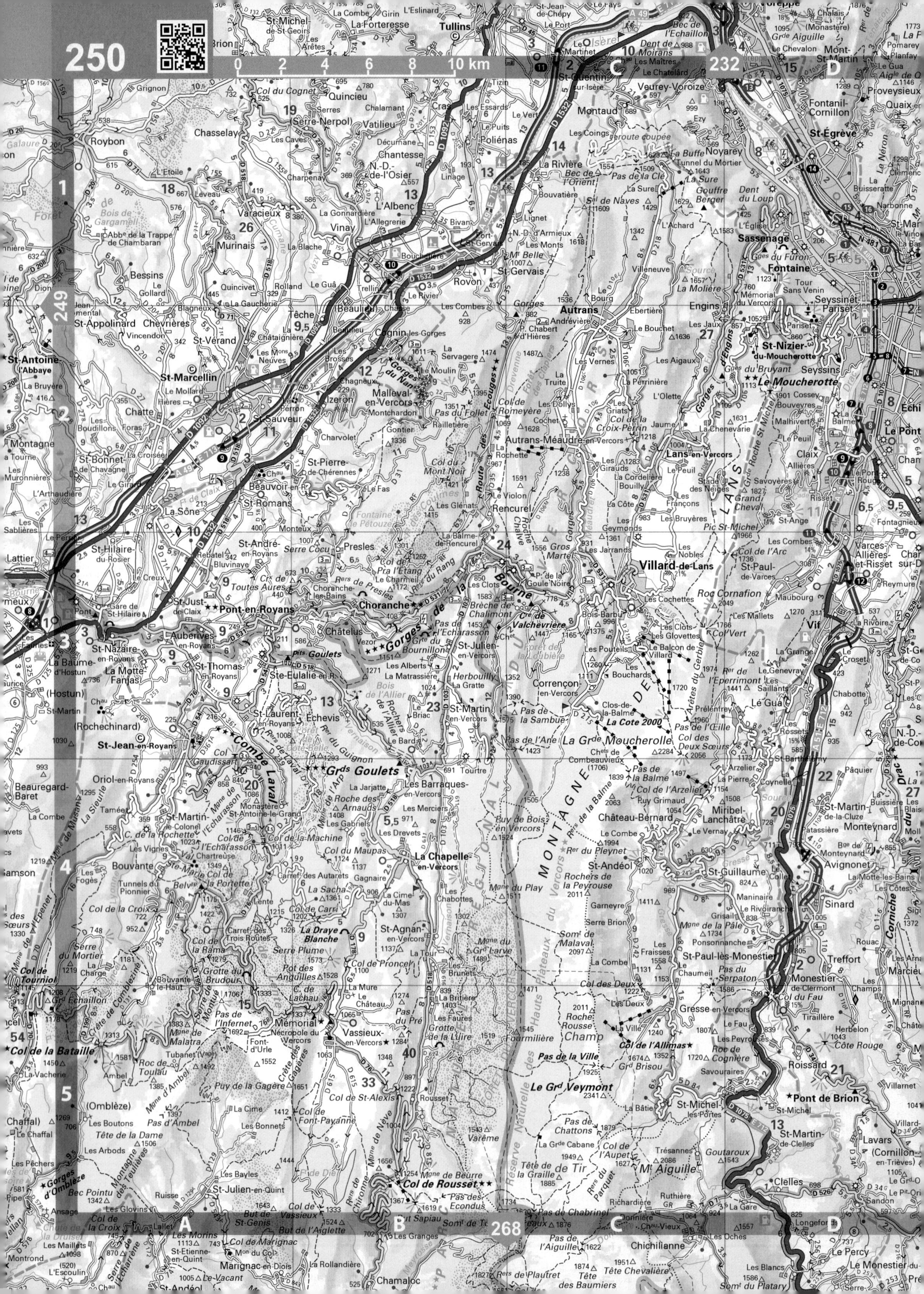
0 2 4 6 8 10 km
232
249
268
A
B
C
D
1
2
3
4
5
Tullins
St-Égrève
Sassenage
Fontaine
Seyssinet-Pariset
St-Nizier-du-Moucherotte
Le Moucherotte
St-Marcellin
Vinay
Poliénas
St-Quentin-sur-Isère
Voreppe
Autrans
Autrans-Méaudre-en-Vercors
Lans-en-Vercors
Villard-de-Lans
Corrençon-en-Vercors
Pont-en-Royans
St-Jean-en-Royans
Choranche
Gorges de la Bourne
Grds Goulets
Combe Laval
La Chapelle-en-Vercors
Vassieux-en-Vercors
Col de Rousset
Col de la Bataille
La Grde Moucherolle
Le Grd Veymont
Mt Aiguille
Gresse-en-Vercors
Monestier-de-Clermont
Vif
Clelles
Chichilianne
Chamaloc
Marignac-en-Diois
St-Julien-en-Quint
Roybon
St-Antoine-l'Abbaye
MONTAGNE DE LANS

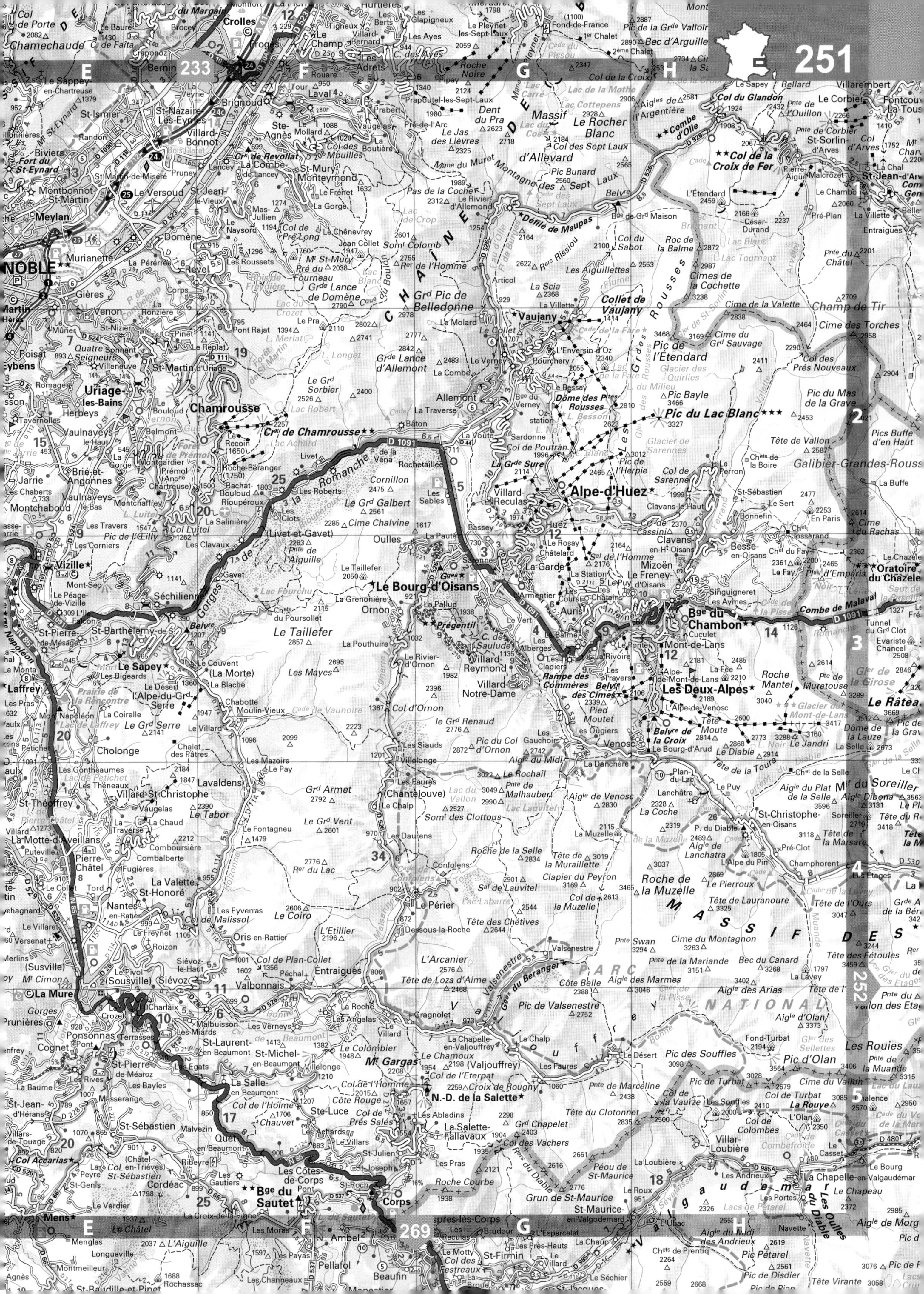

251
233
269
252
E
F
G
H
1
2
3
4
5
Crolles
Chamechaude
Meylan
Murianette
Gières
Eybens
Uriage-les-Bains
Chamrousse
Cr^{re} de Chamrousse
Vizille
Séchilienne
Laffrey
Le Sapey
La Mure
Mens
Corps
B^{ge} du Sautet
Valbonnais
Le Périer
Entraigues
Le Bourg-d'Oisans
Alpe-d'Huez
Vaujany
Collet de Vaujany
Allemont
Massif d'Allevard
Le Rocher Blanc
Col du Glandon
Col de la Croix de Fer
St-Sorlin-d'Arves
Combe d'Olle
Défilé de Maupas
Pic de l'Étendard
Pic du Lac Blanc
Dôme des P^{tes} Rousses
B^{ge} du Chambon
Combe de Malaval
Les Deux-Alpes
Mont-de-Lans
Venosc
St-Christophe-en-Oisans
Roche de la Muzelle
MASSIF DES
PARC NATIONAL
Valgaudemar
Valjouffrey
N.-D. de la Salette
Mt Gargas
Le Taillefer
Le G^{rd} Serre
Gorges de la Romanche
Grand Pic de Belledonne
CHAÎNE DE BELLEDONNE
Oratoire du Chazelet
Le Râteau
Galibier-Grandes-Rousses
Cime de la Valette
Champ de Tir
Cime des Torches
Pic d'Olan
Les Rouies
Col de Turbat
La Chapelle-en-Valgaudémar
St-Firmin
Pellafol
Beaufin
Ambel
Cordéac
Col Accarias
St-Sébastien
Ponsonnas
Pierre-Châtel
La Motte-d'Aveillans
St-Théoffrey
Lavaldens
Oris-en-Rattier
Col d'Ornon
Ornon
Villard-Reymond
Villard-Notre-Dame
Rampe des Commères
Auris
La Garde
Huez
Oz
Villard-Reculas
Livet
Rioupéroux
Vaulnaveys
Brié-et-Angonnes
Jarrie
Revel
Domène
St-Martin-d'Uriage
St-Nazaire-les-Eymes
St-Ismier
Biviers
Montbonnot-St-Martin
Villard-Bonnot
Brignoud
Laval
Les Adrets
Le Champ
Froges
Bernin

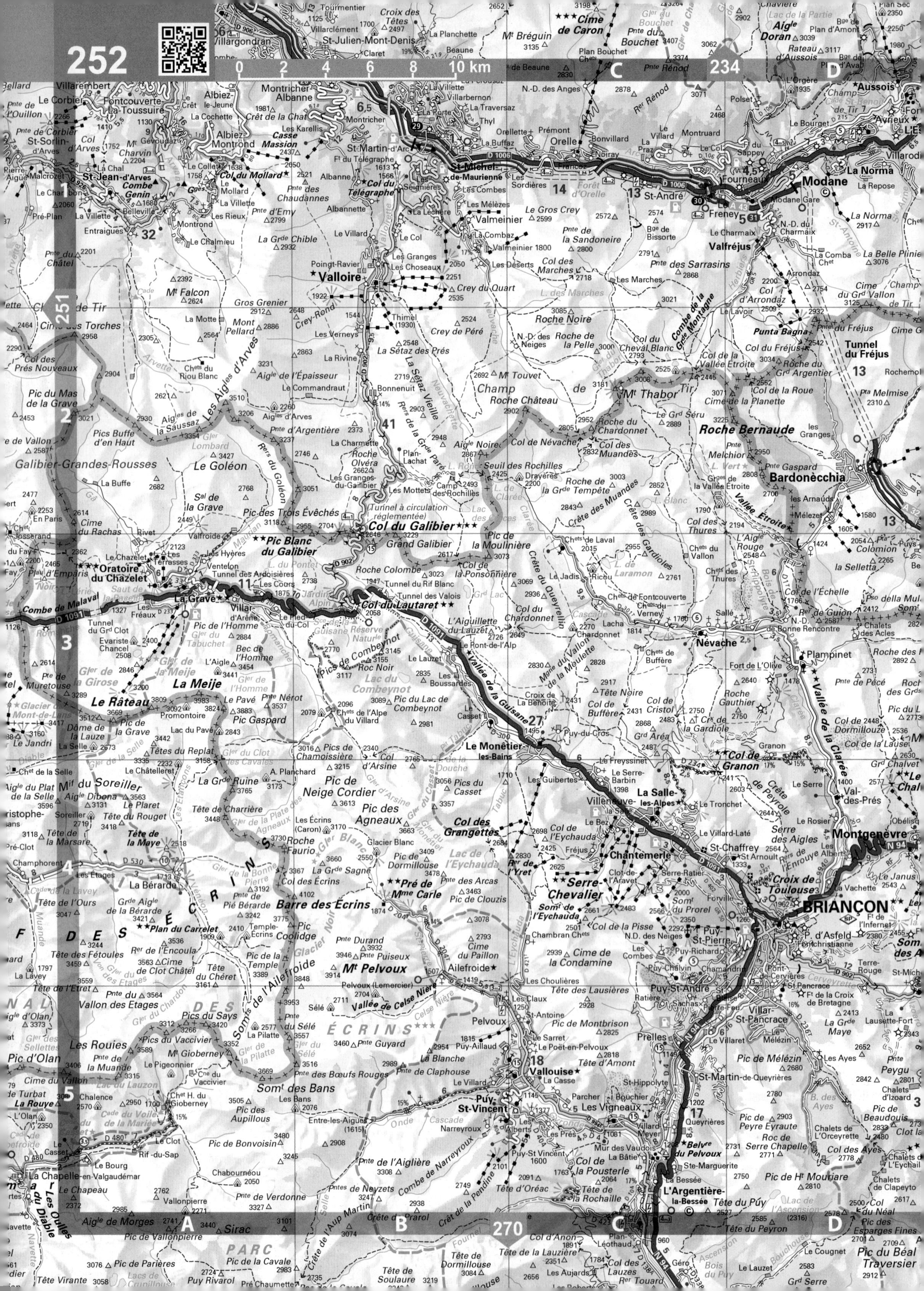
252
234
251
270
0 2 4 6 8 10 km
A
B
C
D
1
2
3
4
5
Villargondran
Tourmentier
Croix des Têtes
Villarclément
St-Julien-Mont-Denis
La Planchette
Mt Bréguin
Cime de Caron
Plan du Bouchet
Aigle Doran
Plan d'Amont
Villarembert
Le Corbier
Fontcouverte-La-Toussuire
Albiez-le-Jeune
Montricher-Albanne
Albiez-Montrond
Casse Massion
Col d'Arves
St-Sorlin-d'Arves
Mt Charvin
St-Jean-d'Arves
Col du Mollard
Combe Genin
Col du Télégraphe
St-Martin-d'Arc
St-Michel-de-Maurienne
Orelle
Prémont
N.-D. des Anges
Fourneaux
Modane
Aussois
La Norma
St-André
Freney
Valmeinier
Le Gros Crey
Pte de la Sandoneire
Valfréjus
Pte des Sarrasins
Valloire
Poingt-Ravier
Crey du Quart
Les Choseaux
Les Granges
La Grde Chible
Mt Falcon
Gros Grenier
Mont Pellard
Crey-Rond
Thimel
Crey de Péré
Roche Noire
Roche de la Pelle
Col du Cheval Blanc
Combe de la Grde Montagne
Col du Fréjus
Tunnel du Fréjus
Punta Bagna
Roche du Grd Argentier
Col de la Roue
Cime de la Planette
Roche Bernaude
Bardonècchia
Cime des Torches
Col des Prés Nouveaux
Pic du Mas de la Grave
Les Aigles d'Arves
Aigle de l'Épaisseur
La Sétaz des Prés
La Sétaz Vieille
Mt Touvet
Champ de Tir
Mt Thabor
Roche Château
Col de Névache
Roche du Chardonnet
Col des Muandes
Le Grd Séru
Galibier-Grandes-Rousses
Le Goléon
Aigles de la Saussaz
Pics Buffe d'en Haut
Roche Olvéra
Les Granges du Galibier
Plan-Lachat
Seuil des Rochilles
Camp des Rochilles
Roche de la Grde Tempête
Crête des Muandes
Crête des Gardioles
Vallée Étroite
Pic des Trois Évêchés
Col du Galibier
Pic Blanc du Galibier
Grand Galibier
Oratoire du Chazelet
La Grave
Villar-d'Arêne
Combe de Malaval
Col du Lautaret
Pic de la Moulinière
Col de la Ponsonnière
Crête du Queyrellin
Tunnel du Rif Blanc
Tunnel des Valois
Roche Colombe
Col de l'Échelle
Névache
Plampinet
Vallée de la Clarée
Pic de l'Homme
Bec de l'Homme
Pics de Combeynot
Roc Noir
Lac du Combeynot
Vallée de la Guisane
La Meije
Le Râteau
Pic Gaspard
Le Monêtier-les-Bains
Col de Buffère
Col de Cristol
Col de Granon
Crête de Peyrole
Pics de Chamoissière
Col d'Arsine
Pic de Neige Cordier
Pic des Agneaux
Col des Grangettes
La Salle-les-Alpes
Villeneuve
Chantemerle
Serre Chevalier
Montgenèvre
Briançon
Mif du Soreiller
Aigle Dibona
La Grde Ruine
Tête de Charrière
Roche Faurio
Tête de la Maye
La Bérarde
Pré de Mme Carle
Barre des Écrins
Plan du Carrelet
Pic Coolidge
Mt Pelvoux
Ailefroide
Les Choulières
Cime de la Condamine
Puy-St-Pierre
Puy-St-André
Villar-St-Pancrace
Sommets de l'Ailefroide
Vallée de Celse Niere
Écrins
Pelvoux
Pics du Says
Les Rouies
Pic d'Olan
Pic Gioberney
Vallouise
Puy-St-Vincent
Les Vigneaux
St-Martin-de-Queyrières
Prelles
Pic de Mélézin
Somt des Bans
Pic des Aupillous
Pic de Bonvoisin
La Chapelle-en-Valgaudémar
Pte de l'Aiglière
Col de la Pousterle
Tête d'Oréac
L'Argentière-la-Bessée
Tête du Puy
Pic de Ht Moutiare
Pic du Béal Traversier
Aigle de Morges
Sirac
Crête de Prarol
Pic de Vallonpierre
Pic de la Cavale
Puy Rivarol
Tête de Soulaure
Col d'Anon

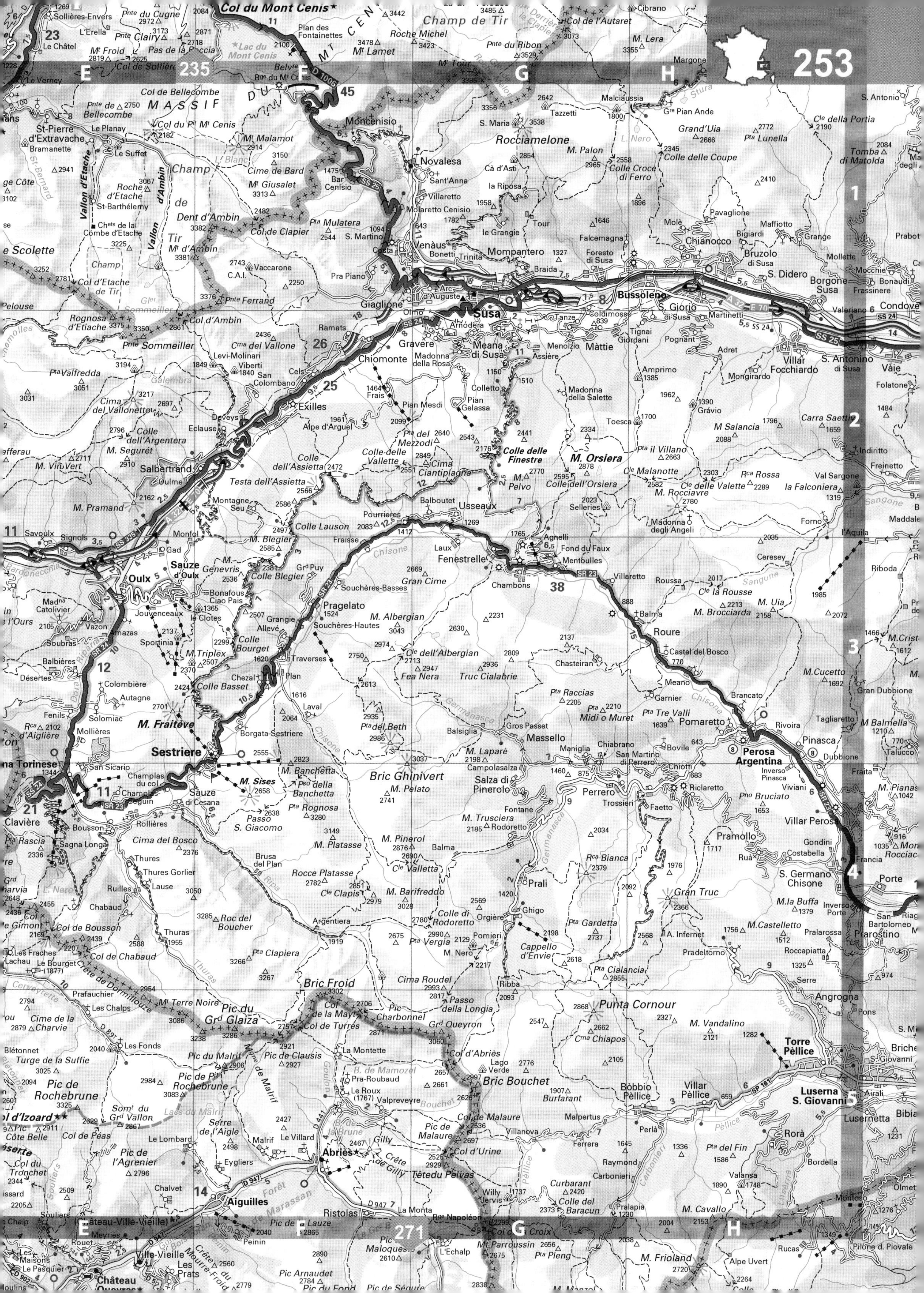

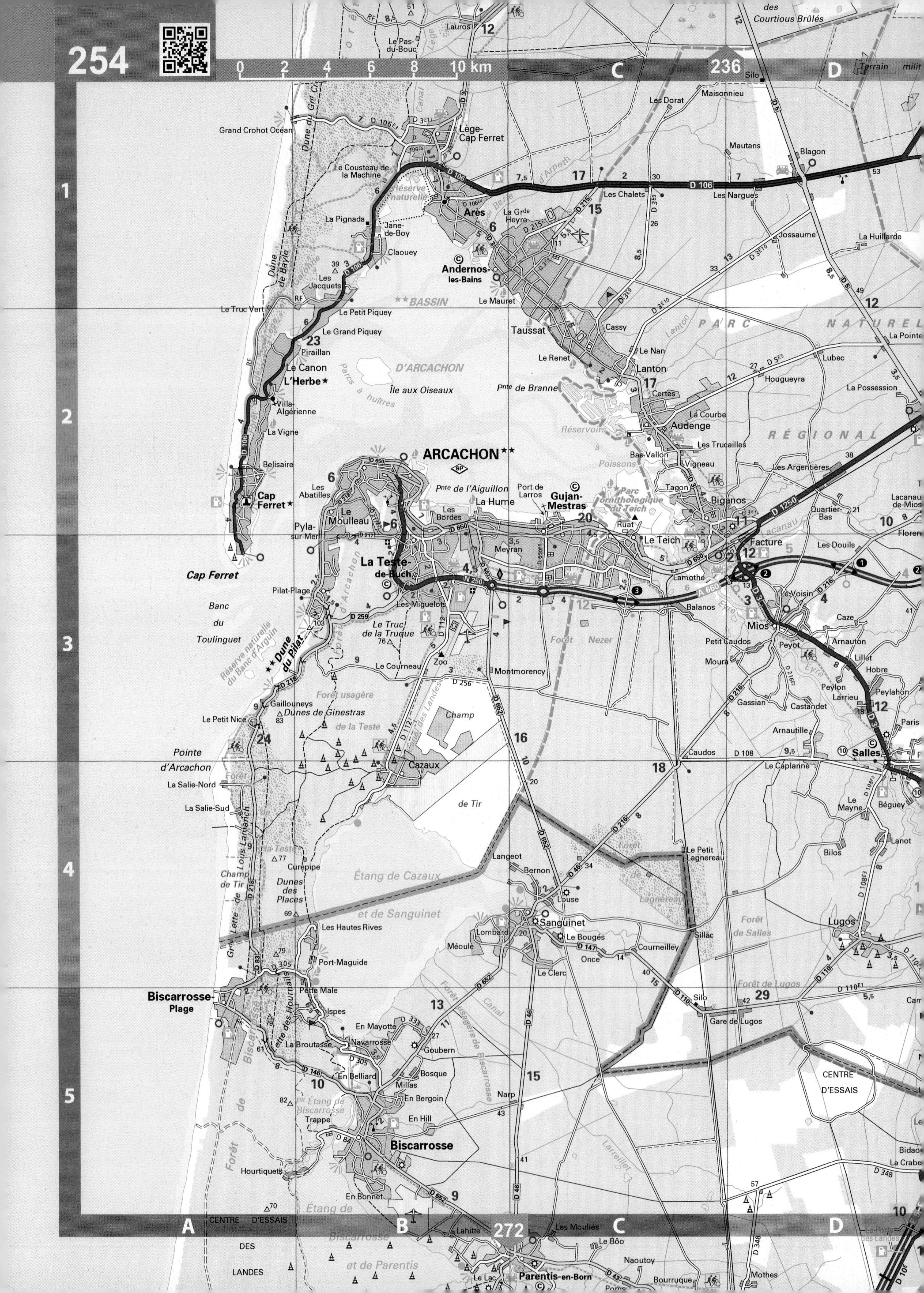
0 2 4 6 8 10 km
236
272
Lège-Cap Ferret
Arès
Andernos-les-Bains
BASSIN D'ARCACHON
Île aux Oiseaux
Parcs à huîtres
ARCACHON
Cap Ferret
Le Canon
L'Herbe
Pyla-sur-Mer
La Teste-de-Buch
Gujan-Mestras
Le Teich
Biganos
Audenge
Lanton
Taussat
Dune du Pilat
Banc du Toulinguet
Pointe d'Arcachon
Cazaux
Champ de Tir
Étang de Cazaux et de Sanguinet
Sanguinet
Biscarrosse-Plage
Biscarrosse
Étang de Biscarrosse et de Parentis
Parentis-en-Born
Mios
Salles
Lugos
PARC NATUREL RÉGIONAL
Forêt de Salles
Forêt de Lugos
CENTRE D'ESSAIS
CENTRE D'ESSAIS DES LANDES
Réserve naturelle du Banc d'Arguin
Parc ornithologique du Teich
D 106
D 650
N 250
A 660
D 1250
D 652
D 216
D 3
D 5
D 46
D 218
D 112

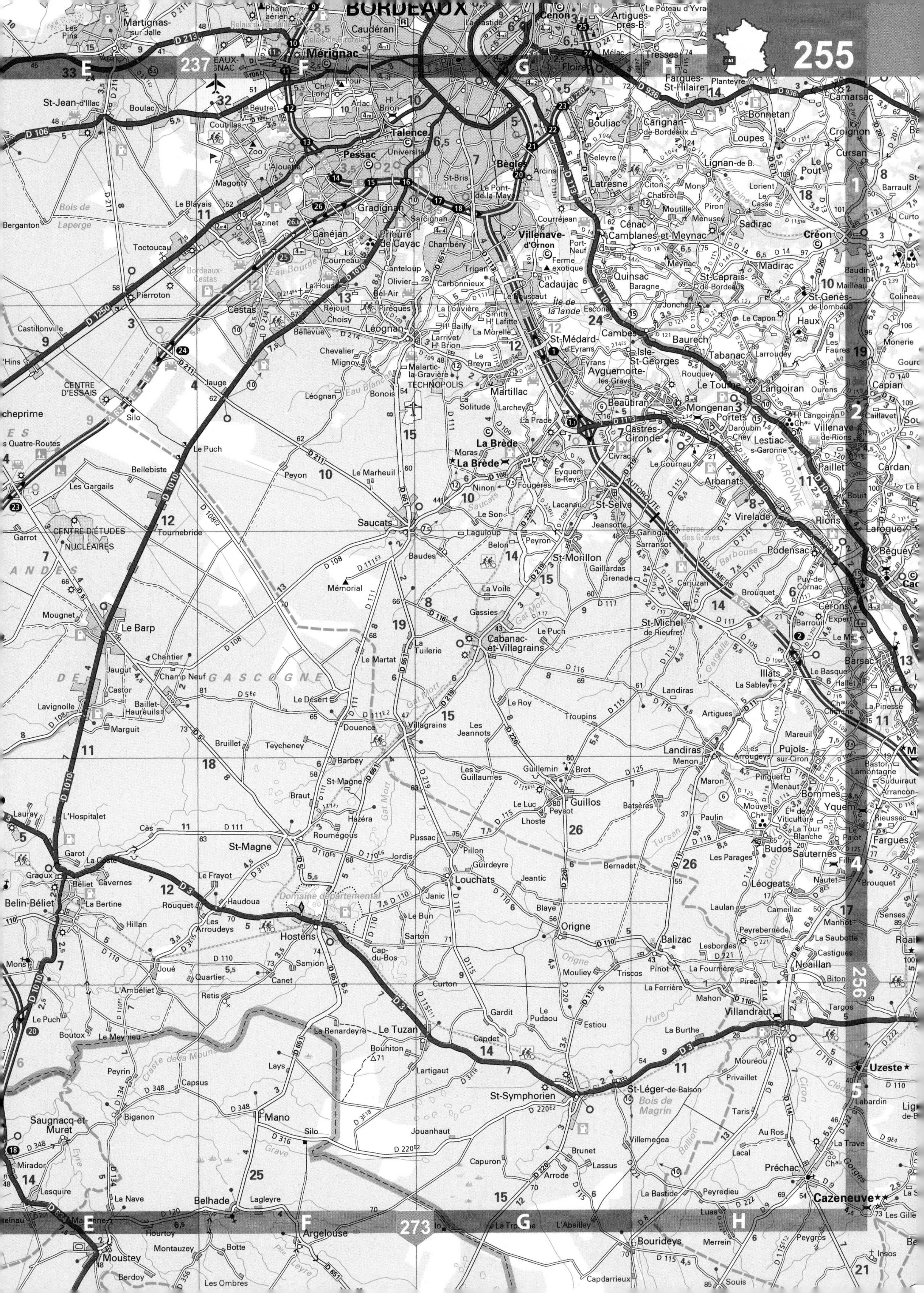
255
237
256
273
BORDEAUX
Mérignac
Caudéran
Martignas-sur-Jalle
Les Pins
Cenon
Artigues-près-B
Floirac
Tresses
Mélac
Fargues-St-Hilaire
Camarsac
Bonnetan
Croignon
Cursan
Carignan-de-Bordeaux
Bouliac
Loupes
Lignan-de-B.
Le Pout
St-Jean-d'Illac
Boulac
Beutre
Coutillas
Zoo
Talence
Pessac
Université
Bègles
Arcins
Latresne
Cénac
Camblanes-et-Meynac
Sadirac
Créon
Lorient
Le Casse
Barrault
L'Alouette
Magonty
Le Blayais
Gazinet
Gradignan
Sarcignan
Le Pont-de-la-Maye
St-Bris
Bergeron
Bois de Laperge
Toctoucau
Canéjan
Prieuré de Cayac
Chambéry
Villenave-d'Ornon
Courréjean
Port-Neuf
Ferme exotique
Quinsac
Baragne
Madirac
St-Caprais-de-Bordeaux
Meynac
Baudin
Maillau
St-Genès-de-Lombaud
Pierroton
Cestas
Réjouit
Choisy
Bellevue
Léognan
La House
Canteloup
Olivier
Bel-Air
Pirèques
Trigan
Carbonnieux
Cadaujac
Île de la lande
Esconac
Le Bouscaut
La Louvière
Smith Ht Lafitte
Ht Bailly
La Morelle
Larrivet-Ht Brion
Chevalier
Mignoy
Malartic-la-Gravière
TECHNOPOLIS
Le Breyra
Martillac
St-Médard-d'Eyrans
Eyrans
Ayguemorte-les-Graves
Cambes
Isle-St-Georges
Baurech
Tabanac
Le Capon
Haux
Les Faures
Monerie
Castillonville
Hins
CENTRE D'ESSAIS
Silo
Jauge
Léognan
Bonois
La Solitude
Larchey
La Prade
Beautiran
Mongenan
Portets
Le Tourne
Langoiran
Capian
Villenave-de-Rions
Lestiac-s-Garonne
Daroubin
Chey
St-Ourens
Les Quatre-Routes
Le Puch
La Brède
Moras
Castres-Gironde
Civrac
Eyquem-le-Reys
Fougères
Ninon
Bellebiste
Les Gargails
Peyon
Le Marheuil
Le Courneau
Arbanats
Paillet
Cardan
Saucats
Le Son
Lacanau
St-Selve
Jeansotte
Virelade
Rions
Laroque
Garrot
CENTRE D'ÉTUDES NUCLÉAIRES
Tournebride
Laguloup
Belon
Peyron
St-Morillon
Garinga
Sarransot
Terres des Graves
Podensac
Béguey
Baudes
Mémorial
Gaillardas
Grenade
Carjuzan
Brouquet
Puy-de-Cornac
Cérons
Mougnet
Le Barp
La Voile
Gassies
Cabanac-et-Villagrains
Le Puch
St-Michel-de-Rieufret
Barsac
Chantier
Champ Neuf
GASCOGNE
Jaugut
Castor
Baillet-Haureuils
Le Martat
La Tuilerie
Le Désert
Illats
La Sableyre
Le Basque
Lavignolle
Marguit
Douence
Villagrains
Le Roy
Les Jeannots
Troupins
Landiras
Artigues
La Pinesse
Bruillet
Teycheney
Barbey
St-Magne
Les Guillaumes
Guillemin
Brot
Menon
Les Arrougeys
Pujols-sur-Ciron
Mareuil
Pinguet
Bastor
Lamontagne
Suduiraut
Lauray
L'Hospitalet
Braut
Hazéra
Roumégous
Peysot
Lhoste
Guillos
Le Luc
Batsères
Maron
Menaut
Bommes
Yquem
Mouyet
Paulin
Cès
Pussac
Pillon
Jordis
Guirdeyre
Budos
Sauternes
Fargues
Garot
La Coste
Graoux
Béliet
Cavernes
Belin-Béliet
La Bertine
Le Frayot
Rouquet
Haudoua
Louchats
Jeantic
Bernadet
Les Parages
Léogeats
Brouquet
Domaine départemental
Janic
Blaye
Laulan
Cameillac
Manhot
Hillan
Les Arroudeys
Hostens
Le Bun
Sarton
Origne
Balizac
Peyrebernède
La Saubotte
Senses
Mons
Joué
Quartier
Samion
Canet
Cap-du-Bos
Mouliey
Triscos
Pinot
La Fournière
Castigues
Noaillan
Biton
L'Ambéliet
Retis
Curton
La Ferrière
Pirec
Le Puch
Gardit
Le Pudau
Estiou
Mahon
Villandraut
Targos
Boutox
Le Meynieu
La Renardeyre
Le Tuzan
Bouhiton
Capdet
La Burthe
Peyrin
Lays
Artigaut
Mouréou
Privaillet
Uzeste
Capsus
St-Symphorien
St-Léger-de-Balson
Bois de Magrin
Labardin
Biganon
Mano
Taris
Saugnacq-et-Muret
Silo
Jouanhaut
Au Ros
La Trave
Mirador
Villemegea
Lassus
Brunet
Lacal
Capuron
Arrode
Préchac
Lesquire
La Nave
Belhade
Lagleyre
La Bastide
Peyredieu
Cazeneuve
Les Gilles
Mano
Hourtoy
Argelouse
La Trouche
L'Abeilley
Luas
Bourideys
Merrein
Peygros
Moustey
Montauzey
Botte
Insos
Berdoy
Les Ombres
Capdarrieux
Souis

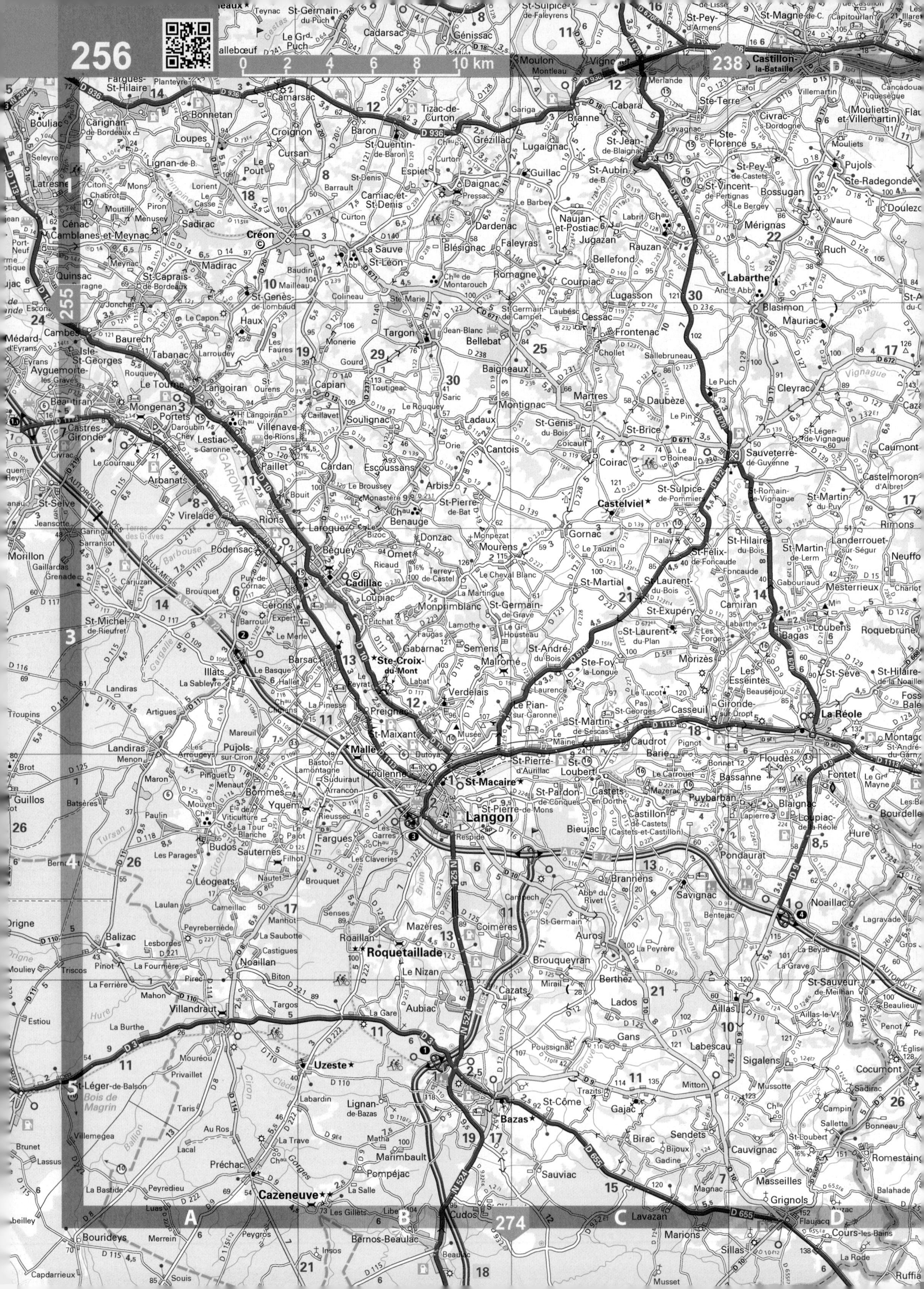

0 2 4 6 8 10 km
255
238
274
A
B
C
D
1
2
3
4
5
Fargues-St-Hilaire
Bouliac
Carignan-de-Bordeaux
Bonnetan
Loupes
Camarsac
Croignon
Cursan
Baron
St-Quentin-de-Baron
Tizac-de-Curton
Grézillac
Lugaignac
Branne
Cabara
Vignonet
Moulon
Castillon-la-Bataille
St-Magne-de-C.
St-Pey-d'Armens
Ste-Terre
Lavagnac
St-Jean-de-Blaignac
Ste-Florence
Civrac-s-Dordogne
(Mouliets-et-Villemartin)
Pujols
Ste-Radegonde
St-Pey-de-Castets
St-Vincent-de-Pertignas
Bossugan
Mérignas
Doulezon
Latresne
Lignan-de-B.
Le Pout
Sadirac
Créon
Espiet
Daignac
Camiac-et-St-Denis
La Sauve
St-Léon
Guillac
St-Aubin-de-B.
Naujan-et-Postiac
Jugazan
Rauzan
Bellefond
Labarthe
Ruch
Blasimon
Mauriac
Cénac
Camblanes-et-Meynac
Quinsac
Madirac
St-Caprais-de-Bordeaux
St-Genès-de-Lombaud
Haux
Dardenac
Blésignac
Faleyras
Romagne
Courpiac
Lugasson
Cessac
Frontenac
Targon
Jean-Blanc
Bellebat
Baigneaux
Martres
Daubèze
Le Puch
Cleyrac
Cambes
Baurech
Isle-St-Georges
Tabanac
Ayguemorte-les-Graves
Le Tourne
Langoiran
Capian
Beautiran
Mongenan
Portets
Castres-Gironde
Villenave-de-Rions
Soulignac
Montignac
Ladaux
St-Genis-du-Bois
St-Brice
Sauveterre-de-Guyenne
Caumont
Lestiac-s-Garonne
Paillet
Cardan
Escoussans
Arbis
Cantois
Coirac
Arbanats
Virelade
Rions
Laroque
St-Pierre-de-Bat
Castelviel
St-Sulpice-de-Pommiers
St-Romain-de-Vignague
St-Martin-du-Puy
Castelmoron-d'Albret
Rimons
St-Selve
Podensac
Béguey
Omet
Cadillac
Donzac
Mourens
Gornac
Palay
St-Hilaire-du-Bois
St-Félix-de-Foncaude
St-Martin-de-Lerm
Landerrouet-sur-Ségur
Neuffons
Morillon
Cérons
Loupiac
Monprimblanc
St-Germain-de-Grave
St-Martial
St-Laurent-du-Bois
Camiran
Mesterrieux
St-Michel-de-Rieufret
Illats
Barsac
Ste-Croix-du-Mont
Gabarnac
Semens
Malromé
St-André-du-Bois
Ste-Foy-la-Longue
St-Laurent-du-Plan
St-Exupéry
Morizès
Bagas
Loubens
Roquebrune
Landiras
Preignac
Verdelais
Le Pian-sur-Garonne
St-Martin-de-Sescas
Caudrot
Casseuil
Gironde-sur-Dropt
La Réole
St-Hilaire-de-la-Noaille
Pujols-sur-Ciron
St-Maixant
Malle
Toulenne
St-Pierre-d'Aurillac
St-Macaire
St-Loubert
Barie
Floudès
Fontet
Montagoudin
Guillos
Budos
Bommes
Yquem
Sauternes
Fargues
Langon
St-Pardon-de-Conques
Castets-en-Dorthe
Castillon-de-Castets
Bieujac
Puybarban
Bassanne
Blaignac
Loupiac-de-la-Réole
Hure
Bourdelles
Léogeats
Pondaurat
Savignac
Brannens
Noaillac
Balizac
Noaillan
Roaillan
Roquetaillade
Mazères
Coimères
Auros
Brouqueyran
Berthez
Lados
Aillas
St-Sauveur-de-Meilhan
Villandraut
Uzeste
Aubiac
Cazats
Gans
Labescau
Sigalens
Cocumont
St-Léger-de-Balson
Lignan-de-Bazas
Bazas
St-Côme
Gajac
Mitton
Birac
Sendets
Cauvignac
Romestaing
Préchac
Marimbault
Pompéjac
Sauviac
Cazeneuve
Cudos
Lavazan
Masseilles
Grignols
Flaujacq
Cours-les-Bains
Bourideys
Bernos-Beaulac
Marions
Sillas
Ruffiac
GARONNE
AUTOROUTE DES DEUX MERS
Bois de Magrin

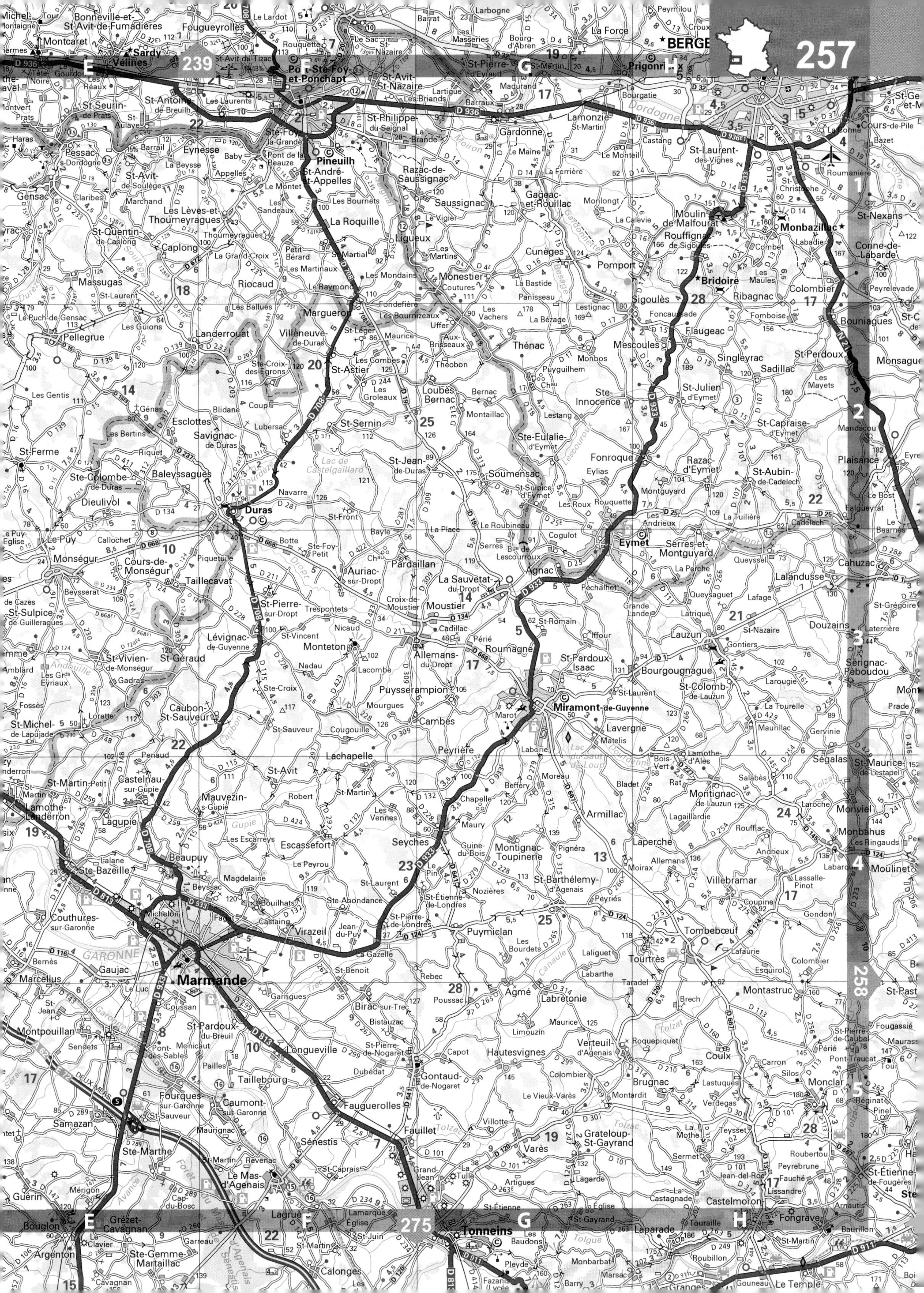
257
239
258
275
Ste-Foy-la-Grande
Port-Ste-Foy-et-Ponchapt
Pineuilh
Vélines
Sardy
Montcaret
Bonneville-et-St-Avit-de-Fumadières
Fougueyrolles
St-Avit-St-Nazaire
Prigonrieux
Bergerac
La Force
Gardonne
Lamonzie-St-Martin
St-Laurent-des-Vignes
Moulin de Malfourat
Monbazillac
Rouffignac-de-Sigoulès
Pomport
Bridoire
Sigoulès
Ribagnac
Colombier
Bouniagues
Pessac-s-Dordogne
Gensac
Eynesse
St-Avit-de-Soulège
Les Lèves-et-Thoumeyragues
St-Quentin-de-Caplong
Caplong
Massugas
Riocaud
Margueron
La Roquille
Ligueux
Saussignac
Razac-de-Saussignac
Gageac-et-Rouillac
Cunèges
Monestier
Thénac
Mescoules
Flaugeac
Singleyrac
Sadillac
St-Perdoux
Pellegrue
Landerrouat
Villeneuve-de-Duras
St-Astier
Loubès-Bernac
Ste-Innocence
St-Julien-d'Eymet
Esclottes
Savignac-de-Duras
Baleyssagues
Ste-Colombe-de-Duras
Dieulivol
St-Ferme
St-Sernin
St-Jean-de-Duras
Soumensac
Ste-Eulalie-d'Eymet
Fonroque
Razac-d'Eymet
St-Aubin-de-Cadelech
Plaisance
Duras
Eymet
Serres-et-Montguyard
Le Puy
Monségur
Cours-de-Monségur
Taillecavat
Auriac-sur-Dropt
Pardaillan
La Sauvetat-du-Dropt
Moustier
Agnac
Cahuzac
Lalandusse
St-Sulpice-de-Guilleragues
Lévignac-de-Guyenne
St-Pierre-sur-Dropt
Monteton
Allemans-du-Dropt
Roumagne
St-Pardoux-Isaac
Lauzun
Bourgougnague
Douzains
St-Vivien-de-Monségur
St-Géraud
Puysserampion
Miramont-de-Guyenne
St-Colomb-de-Lauzun
Sérignac-Péboudou
Caubon-St-Sauveur
Cambes
Lavergne
St-Michel-de-Lapujade
Lachapelle
Peyrière
Ségalas
St-Maurice-de-Lestapel
Castelnau-sur-Gupie
St-Martin-Petit
Mauvezin-s-Gupie
St-Avit
Armillac
Montignac-de-Lauzun
Monviel
Lamothe-Landerron
Lagupie
Escassefort
Seyches
Laperche
Monbahus
Ste-Bazeille
Beaupuy
Montignac-Toupinerie
St-Barthélemy-d'Agenais
Villebramar
Moulinet
Couthures-sur-Garonne
Virazeil
Puymiclan
Tombebœuf
Marmande
Gaujac
Birac-sur-Trec
Agmé
Labretonie
Tourtrès
Montastruc
Montpouillan
St-Pardoux-du-Breuil
Longueville
Hautesvignes
Verteuil-d'Agenais
Coulx
Taillebourg
Gontaud-de-Nogaret
Brugnac
Monclar
Fourques-sur-Garonne
Caumont-sur-Garonne
Fauguerolles
Samazan
Fauillet
Villotte
Varès
Grateloup-St-Gayrand
Ste-Marthe
Sénestis
Le Mas-d'Agenais
Castelmoron
Fongrave
Bouglon
Grézet-Cavagnan
Lagruère
Tonneins
Argenton
Ste-Gemme-Martaillac
Calonges
Laparade
Dordogne
Garonne
Dropt
Lac de Castelgaillard
Lac du Saut du Loup
D 936
D 708
D 933
D 668
D 813
D 124
N 21
A 62 E 72

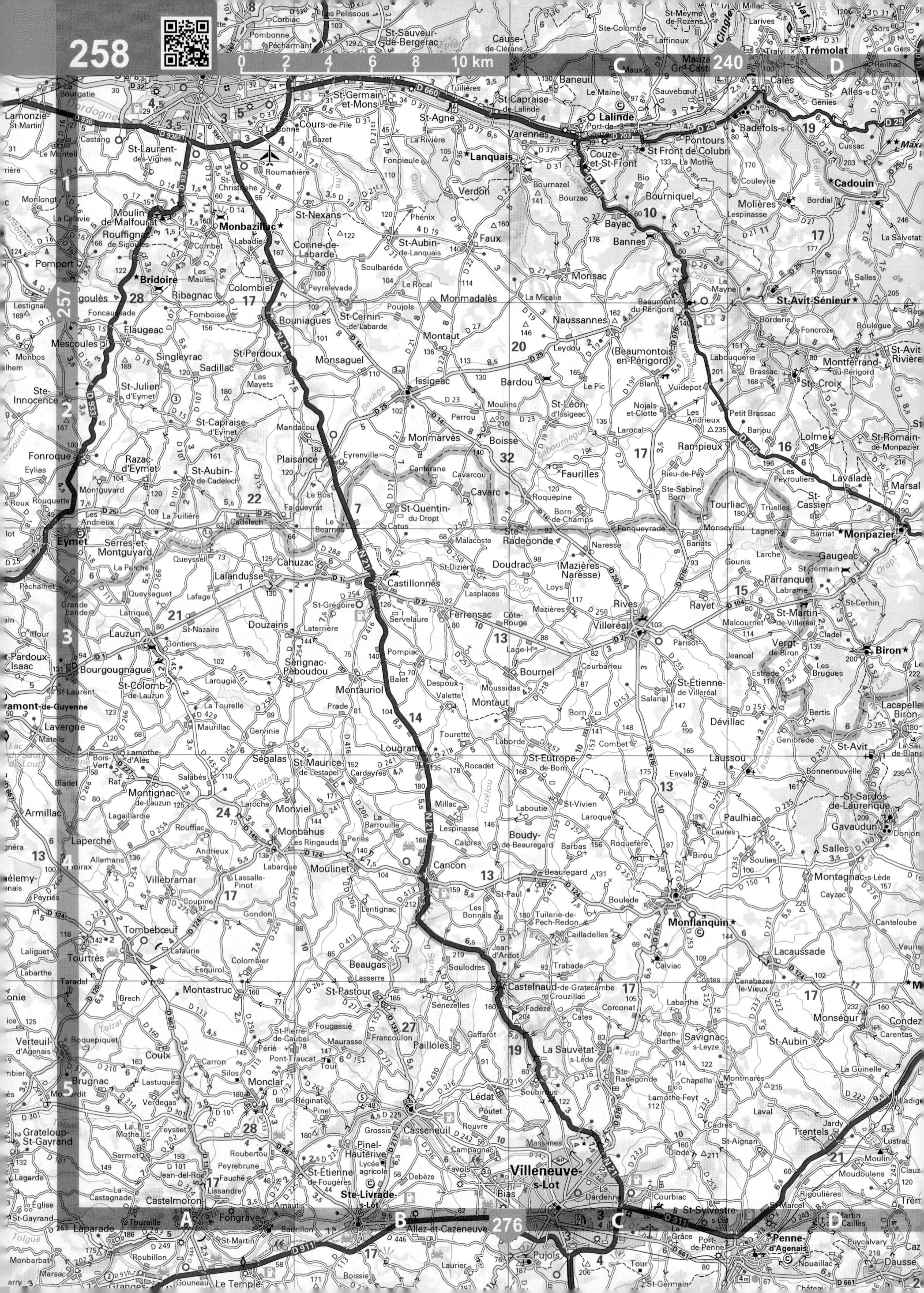

258
0 2 4 6 8 10 km
C
240
D
A
B
276
C
D
257
1
2
3
4
5
Bergerac
Pombonne
Pécharmant
St-Sauveur-de-Bergerac
Cause-de-Clérans
Ste-Colombe
Laffinoux
St-Meyme-de-Rozens
Mauzac
Grd-Castang
Trémolat
Larives
Traly
Le Gers
Reilhac
Calès
Alles-s-D.
St-Génies
La Bourgatie
Dordogne
Lamonzie-St-Martin
Castang
St-Laurent-des-Vignes
Le Monteil
St-Germain-et-Mons
Cours-de-Pile
Bazet
St-Capraise-de-Lalinde
Tuilières
Baneuil
Le Maine
Sauvebœuf
Lalinde
Port-de-Couze
Badefols-s-D.
Cussac
Varennes
St-Agne
La Rivière
Lanquais
Couze-et-St-Front
St Front de Colubri
Pontours
La Mothe
Roumanière
St-Christophe
Fonpieule
Verdon
Bournazel
Bourzac
Bourniquel
Couleyrie
Molières
Bordial
Cadouin
Monlongt
Moulin de Malfourat
Monbazillac
St-Nexans
Phénix
Faux
Bayac
Bannes
Lespinasse
La Salvetat
La Calevie
Rouffignac-de-Sigoulès
Combet
Labadie
Conne-de-Labarde
St-Aubin-de-Lanquais
Pomport
Bridoire
Les Maules
Soulbaréde
Peyrelevade
Le Rocal
Monsac
Le Mayne
Salles
Peyssou
Ribagnac
Colombier
Monmadalès
La Micalie
Beaumont-du-Périgord
St-Avit-Sénieur
Sigoulès
Lestignac
Foncaussade
Fomboise
Bouniagues
St-Cernin-de-Labarde
Poujols
Naussannes
Borderie
Foncroze
Boulègue
Flaugeac
Montaut
Leydou
Mescoules
Monbos
Singleyrac
Sadillac
St-Perdoux
Monsaguel
Issigeac
Bardou
(Beaumontois-en-Périgord)
Labouquerie
Brassac
Montferrand-du-Périgord
Ste-Croix
Ste-Innocence
St-Julien-d'Eymet
Les Mayets
Le Pic
Blanc
Vuidepot
Nojals-et-Clotte
Petit Brassac
Lolme
St-Romain-de-Monpazier
Mandacou
Moulins
Perrou
St-Léon-d'Issigeac
Les Andrieux
Barjou
St-Capraise-d'Eymet
Monmarvès
Boisse
Larocal
Rampieux
Fonroque
Razac-d'Eymet
Plaisance
Eyrenville
Cantérane
Cavarcou
Faurilles
Rieu-de-Pey
Les Peyrouliers
Lavalade
Eylias
St-Aubin-de-Cadelech
Cavarc
Roquepine
Ste-Sabine-Born
Marsal
Montguyard
Le Bost
Born-de-Champs
Tourliac
Truelles
St-Cassien
Rouquette
St-Quentin-du-Dropt
Les Andrieux
La Tuilière
Cadelech
Falgueyrat
Le Bearnès
Catus
Fonqueyrade
Monsevrou
Lagnel
Eymet
Serres-et-Montguyard
Malacoste
Ste-Radegonde
Naresse
Bariats
Barriat
Monpazier
Queyssel
Cahuzac
Larche
Gaugeac
La Perche
Lalandusse
Castillonnès
St-Dizier
Doudrac
(Mazières-Naresse)
Gounis
St Germain
Péchalhet
Queysaguet
Lafage
Lasplaces
Loys
Parranquet
Labrame
Grande Lande
St-Grégoire
Ferrensac
Rives
Rayet
St-Cernin
Latrique
Servelaure
Mazières
Côte-Rouge
Villeréal
Malcournet
St-Martin-de-Villeréal
Iffour
Lauzun
St-Nazaire
Douzains
Laterrière
Lage-Hte
Parisot
Cladel
Gontiers
Pompiac
Vergt-de-Biron
Biron
Pardoux-Isaac
Bourgougnague
Sérignac-Péboudou
Courbarieu
Jeancel
Bournel
Estrade
Les Brugues
St-Laurent
St-Colomb-de-Lauzun
Larougie
Balet
Despoux
Montauriol
Valette
Moussidas
Montaut
St-Étienne-de-Villeréal
Salarial
Lacapelle-Biron
Ramont-de-Guyenne
La Tourelle
Prade
Born
Dévillac
Bertis
Lavergne
Maurillac
Gervinie
Tourette
Combet
Genibrede
Matelis
Lamothe-d'Ales
Ségalas
Lougratte
Laborde
St-Avit
Bois-Vert
St-Maurice-de-Lestapel
Cardayres
Rocadet
St-Eutrope-de-Born
Laussou
Envals
Bonnenouvelle
Bladet
Rat
Salabès
Montignac-de-Lauzun
Laroche
Monviel
Millac
Laboutie
St-Vivien
Piis
Paulhiac
St-Sardos-de-Laurenque
Gavaudun
Armillac
Lagaillardie
La Barrouille
Lespinasse
Laroque
Donjon
Laperche
Rouffiac
Monbahus
Les Ringauds
Calpres
Boudy-de-Beauregard
Barbas
Roquefère
Laures
Salles
Allemans
Andrieux
Labarque
Moulinet
Cancon
Birou
Soulies
Montagnac-s-Lède
Villebramar
Lassalle-Pinot
St-Paul
Beauregard
Cayzac
Peyriès
Coupine
Gondon
Lentignac
Les Bonnals
Tuilerie-de-Pech-Redon
Boulede
Monflanquin
Canteloube
Tombebœuf
Lafaurie
Cailladelles
Lacaussade
Vauris
Laliguet
Tourtrès
Esquirol
Colombier
Beaugas
Jean-d'Ardot
Trabade
Calviac
Labarthe
Lasserre
Soulodres
Costes
Canabazes-le-Vieux
Taradel
Montastruc
St-Pastour
Castelnaud-de-Gratecambe
Crouzillac
Monségur
Condez
Brech
Senezelles
Corconat
Labarthe
Fadèze
Cates
Savignac-s-Leyze
Jean-Barthe
Verteuil-d'Agenais
Roquepiquet
St-Pierre-de-Caubel
Périé
Fougassié
Francoulon
Maurasse
Pailloles
Gaffarot
La Sauvetat-s-Lède
St-Aubin
Carentas
Coulx
Carron
Silos
Pont-Traucat
Tour
Ste-Radegonde
Chapelle
La Guinelle
Brugnac
Lastuques
Monclar
Réginat
Pinel
Soubirous
Lamothe-Feyt
Montmarès
Verdegas
Lédat
Poutet
Laval
Grateloup-St-Gayrand
Teysset
La Mothe
Grossis
Casseneuil
Rouvre
Cadres
Trentels
Jardy
Sermet
Roubertou
Pinel-Hauterive
Campagnac
Massanes
Diodé
St-Aignan
Lustrac
Moulin
Moudoulens
Lagarde
Peyrebrune
Jean-del-Rol
Fauché
Lissandre
Lycée agricole
Debèze
St-Étienne-de-Fougères
Favols
Villeneuve-s-Lot
Bias
Dardenne
Rigoulières
La Castagnade
Castelmoron
Ste-Livrade-s-Lot
Arnautis
Courbiac
St-Sylvestre-s-Lot
St-Marcel
St-Martin-Cailles
Église
St-Gayrand
Laparade
Tourailles
Fongrave
Baurillon
Allez-et-Cazeneuve
La Grâce
Port-de-Penne
Penne-d'Agenais
Puycalvary
Tolgue
St-Martin
Pujols
Nouaillac
Dausse
Roubillon
Monbarbat
Marsac
Gouneau
Le Temple
Boissie
Laurier
Tour
St-Germain
Château
N 21
D 660
D 933
D 936
D 703
D 29
D 25
D 14
D 1
D 2
D 104
D 124
D 676
D 911
D 667
D 661
Dropt
Conne
Couze
Banège
Lède
Tolzat
Lot

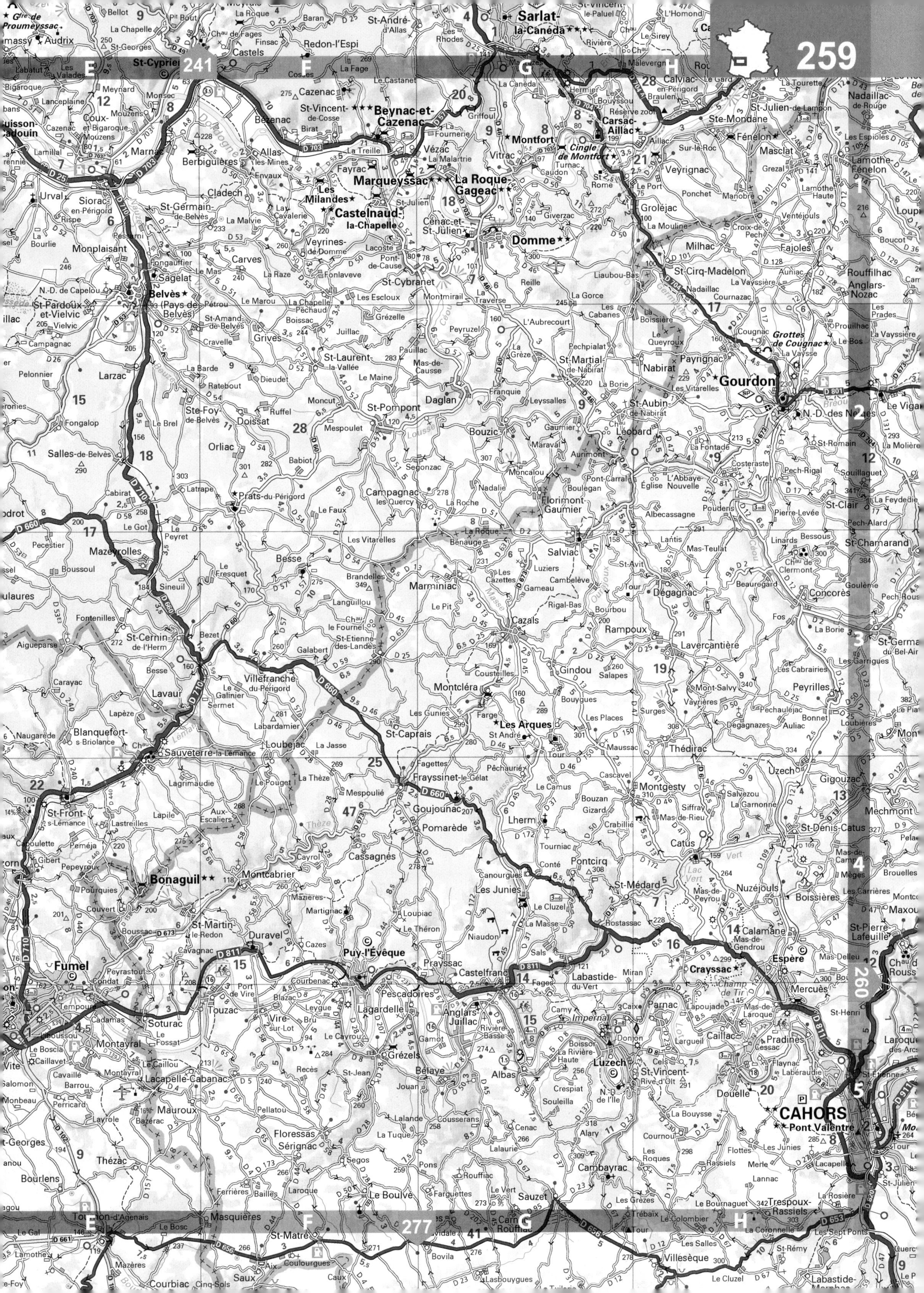

259
241
260
277
E
F
G
H
Sarlat-la-Canéda
Beynac-et-Cazenac
St-Vincent-de-Cosse
Cazenac
St-Cyprien
Castels
Redon-l'Espi
St-André-d'Allas
Calviac-en-Périgord
Carsac-Aillac
Cingle de Montfort
Montfort
Vitrac
Vézac
Marqueyssac
La Roque-Gageac
Les Milandes
Castelnaud-la-Chapelle
Cénac-et-St-Julien
Domme
Allas-les-Mines
Berbiguières
Marnac
Siorac-en-Périgord
Urval
Cladech
St-Germain-de-Belvès
Monplaisant
Sagelat
Belvès (Pays de Belvès)
St-Pardoux-et-Vielvic
Carves
Veyrines-de-Domme
St-Cybranet
Grézelle
Grives
St-Laurent-la-Vallée
Mas-de-Causse
Daglan
St-Pompont
Larzac
Doissat
Orliac
Ste-Foy-de-Belvès
Salles-de-Belvès
Prats-du-Périgord
Campagnac-lès-Quercy
Bouzic
Florimont-Gaumier
St-Martial-de-Nabirat
Nabirat
Payrignac
Gourdon
Grottes de Cougnac
Grolejac
Veyrignac
Fénelon
Ste-Mondane
St-Julien-de-Lampon
Nadaillac-de-Rouge
Lamothe-Fénelon
Masclat
Milhac
Fajoles
St-Cirq-Madelon
Rouffilhac
Anglars-Nozac
St-Aubin-de-Nabirat
Léobard
Le Vigan
N.-D. des Neiges
Mazeyrolles
Besse
Salviac
Marminiac
Dégagnac
Cazals
Concorès
St-Chamarand
St-Clair
St-Cernin-de-l'Herm
Villefranche-du-Périgord
Lavaur
Blanquefort-s-Briolance
Sauveterre-la-Lémance
Loubejac
St-Caprais
Les Arques
Montcléra
Gindou
Rampoux
Lavercantière
Peyrilles
Frayssinet-le-Gélat
Goujounac
Pomarède
Cassagnes
Lherm
Thédirac
Montgesty
Catus
Uzech
Gigouzac
Mechmont
St-Denis-Catus
St-Front-s-Lémance
Bonaguil
Montcabrier
St-Martin-le-Redon
Duravel
Puy-l'Évêque
Prayssac
Castelfranc
Les Junies
St-Médard
Nuzéjouls
Calamane
Crayssac
Espère
Mercuès
Fumel
Soturac
Touzac
Vire-sur-Lot
Lagardelle
Pescadoires
Anglars-Juillac
Labastide-du-Vert
Parnac
Caillac
Pradines
Luzech
Albas
Bélaye
Grézels
Montayral
Lacapelle-Cabanac
Mauroux
Thézac
Floressas
Sérignac
Cambayrac
Douelle
CAHORS
Pont Valentré
Trespoux-Rassiels
Tournon-d'Agenais
Masquières
St-Matré
Le Boulvé
Sauzet
Villesèque
Courbiac
Saux
Dordogne
Lot

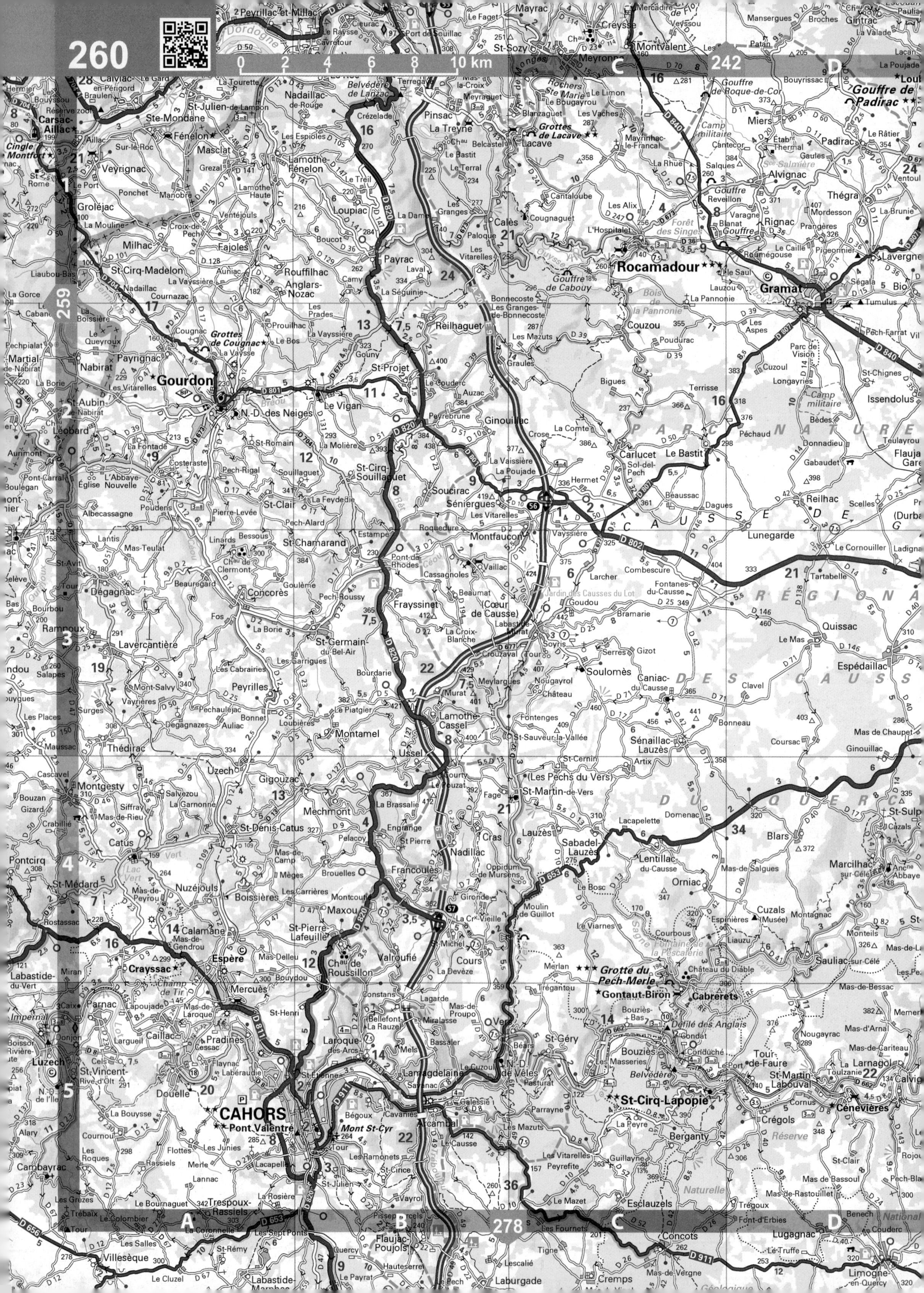
0 2 4 6 8 10 km
242
259
278
A
B
C
D
1
2
3
4
5
Peyrillac-et-Millac
Dordogne
Cieurac
Le Raysse
Cavretour
Port de Souillac
Le Faget
Mayrac
Creysse
St-Sozy
Meyronne
Montvalent
Mercadire
Veyssou
Mansergues
Broches
Gintrac
La Valade
Paulia
La Poujade
Calviac-en-Périgord
Le Gard
Braulen
Carsac-Aillac
Aillac
Cingle de Montfort
La Tourette
Nadaillac-de-Rouge
Belvédère de Lanzac
Terregaye
Mas-la-Croix
Meyraguet
Rochers Ste Marie
Le Limon
Le Bougayrou
Les Vaches
Blanzaguet
Gouffre de Roque-de-Cor
Bouyrissac
Gouffre de Padirac
Loubressac
St-Julien-de-Lampon
Ste-Mondane
Fénelon
Masclat
Crézelade
Pinsac
La Treyne
Belcastel
Grottes de Lacave
Lacave
Mayrinhac-le-Francal
Camp militaire
Miers
Padirac
Le Râtier
Étabt Thermal
Cantecor
Veyrignac
Sur-le-Roc
Grezal
Les Espioles
Lamothe-Fénelon
Le Bastit
Le Terral
Gaules
La Rhue
Salques
Alvignac
Ventoul
St-Rome
Le Port
Ponchet
Manobre
Lamothe-Haute
Le Treil
Cantaloube
Gouffre Reveillon
Thégra
Groléjac
La Mouline
Ventéjouls
Croix-de-Pech
Loupiac
La Dame
Les Granges
Calès
Les Alix
Cougnaguet
Forêt des Singes
Varagne
Rignac
Mordesson
La Brunie
Milhac
Fajoles
Boucot
Paloque
Les Vitarelles
L'Hospitalet
Blanat
Gouffre
Prangères
Le Caille
Pigeonnier
Lavergne
St-Cirq-Madelon
Auniac
Rouffilhac
Payrac
Laval
Rocamadour
Le Saul
Roumégouse
Liaubou-Bas
Nadaillac
La Vayssière
Cournazac
Anglars-Nozac
Camy
La Séguinie
Gouffre de Cabouy
Lauzou
Gramat
Ségala
Bio
La Gorce
Cabanac
La Boissière
Les Prades
Bonnecoste
Les Granges-de-Bonnecoste
Bois de la Pannonie
La Pannonie
Tumulus
Cougnac
Grottes de Cougnac
Prouilhac
Le Bos
La Vayssière
Reilhaguet
Couzou
Les Aspes
Pech-Farrat
Pechpialat
Le Queyroux
La Vaysse
Gouny
Les Mazuts
Poudurac
Parc de Vision
Martial-de-Nabirat
Nabirat
Payrignac
Gourdon
St-Projet
Graules
Cuzoul
Longayries
St-Chignes
La Borie
Les Vitarelles
Le Vigan
Le Couderc
Auzac
Bigues
Terrisse
Camp militaire
Issendolus
St-Aubin-de-Nabirat
N.-D. des Neiges
Peyrebrune
Ginouillac
Bèdes
Léobard
St-Romain
La Molière
La Comte
Crose
Parc Naturel Régional des Causses du Quercy
Péchaud
Donnadieu
Teulayrou
Aurimont
La Fontade
Costeraste
Pech-Rigal
St-Cirq-Souillaguet
La Vaissière
La Poujade
Carlucet
Sol-del-Pech
Le Bastit
Gabaudet
Flaujac-Gare
Pont-Carral
Boulegan
L'Abbaye-Nouvelle
Église
Souillaguet
Soucirac
Hermet
Reilhac
Poudens
St-Clair
La Feydedie
Sénierques
Beaussac
Dagues
Scelles
Albecassagne
Pierre-Levée
Pech-Alard
Les Vitarelles
Vayssière
Causse de Gramat
Lantis
Bessous
Mas-Teulat
Linards
St-Chamarand
Estampe
Roquedure
Montfaucon
Lunegarde
Le Cornouiller
Ladignac
St-Avit
Ch. de Clermont
Pont-de-Rhodes
Vaillac
Larcher
Combescure
Tartabelle
Bas
Beauregard
Cassagnoles
Jardin des Causses du Lot
Fontanes-du-Causse
Dégagnac
Concorès
Goulème
Pech-Roussy
Frayssinet
Beaumat (Cœur de Causse)
Goudou
Bramarie
Bourbou
Fos
La Borie
Labastide-Murat
Ramoux
Lavercantière
St-Germain-du-Bel-Air
La Croix-Blanche
Soyris
Serres
Gizot
Le Mas
Quissac
Salapes
Les Cabrairies
Les Garrigues
Crouzaval
Tour
Soulomès
Espédaillac
Mont-Salvy
Peyrilles
Bourdarie
Meylargues
Nougayrol
Caniac-du-Causse
Clavel
Vayrières
Château
Les Places
Surges
Pechauléjac
Le Piatgier
Murat
Fontenges
Bonneau
Dégagnazes
Bonnet
Auliac
Loubières
Lamothe-Cassel
St-Sauveur-la-Vallée
Sénaillac-Lauzès
Mas de Chaupet
Maussac
Thédirac
Montamel
Ussel
Artix
Coursac
Ginouillac
Uzech
Gigouzac
Gourty
St-Cernin
(Les Pechs du Vers)
Cascavel
Montgesty
Salvezou
Le Pouzat
Fage
St-Martin-de-Vers
Bouzan
Gizard
Siffray
La Garnonne
Mechmont
La Brassalie
Domenac
St-Sulpice
Mas-de-Rieu
Crabillié
St-Denis-Catus
Engrange
St Pierre
Cras
Lacapelette
Cazals
Catus
Pelacoy
Lauzès
Sabadel-Lauzès
Blars
Pontcirq
Lac Vert
Vert
Mas-de-Camp
Nadillac
Lentillac-du-Causse
Mas-de-Salgues
Marcilhac-sur-Célé
St-Médard
Nuzéjouls
Mèges
Brouelles
Francoulès
Oppidum de Mursens
Orniac
Mas-de-Peyrou
Les Carrières
Le Bosc
Boissières
Montcouf
Maxou
Gironde
Moulin de Guillot
Cuzals (Musée)
Espinières
Rostassac
Calamane
Mas-de-Gendrou
St-Pierre-Lafeuille
La Cr. Vieille
Le Viarnes
Montagnac
Courbous
Monteils
Mas-de-La...
Labastide-du-Vert
Miran
Crayssac
Espère
Mas-Delleu
Ch.au de Roussillon
Valroufié
St-Michel
Cours
Sagne
Fontaine de la Pescalerie
Liauzu
Sauliac-sur-Célé
Merlan
Grotte du Pech-Merle
Château du Diable
Champ de Tir
Boudou
La Devèze
Mas-de-Bessac
Parnac
Lapoujade
Mas-de-Laroque
Mercuès
Constans
Tréganto
Gontaut-Biron
Cabrerets
Imperial
Caix
Donjon
Caillac
St-Henri
Bellefont-La Rauze
Lagarde
Miralasse
Mas-de-Proupo
Vers
Bouziès-Bas
Défilé des Anglais
Nougayrac
Mas-d'Arnal
Largueil
Pradines
Laroque-des-Arcs
Mels
Bassaler
Béars
St-Géry
Gondat
Bouziès
Conduché
Mas-de-Cariteau
Boissor
Rivière-Haute
Luzech
Cessac
Flaynac
Laberaudie
St-Vincent-Rive-d'Olt
Cels
Douelle
St-Etienne
Lamagdelaine
Savanac
Le Cuzoul
N.-D. de Vêles
Pasturat
Les Masseries
Belvédère
Le Port
Tour-de-Faure
St-Martin-Labouval
La Toulzanie
Larnagol
Calvignac
La Bouysse
CAHORS
Pont Valentré
Mont St-Cyr
Bégoux
Cavaniès
Arcambal
Galessie
Parrayne
St-Cirq-Lapopie
Cornus
Crégols
Cénevières
Alary
Cournou
Les Roques
Flottes
Les Junies
Tour
Les Ramonets
Le Causse
Les Mazuts
La Peyre
Berganty
Réserve
Cambayrac
Rassiels
Merle
Lacapelle
St-Cirice
Les Vitarelles
Peyrefite
Guillayne
St-Clair
Rojoux
Lannac
St-Julien
Vayrol
Naturelle
Mas de Bassoul
Mas-de-Rastouillet
Pech-Blanc
Les Grèzes
Le Bournaguet
Trespoux-Rassiels
La Rosière
Le Mazet
Esclauzels
Trégoux
Trébaix
Le Colombier
La Coronnelle
Les Sept Ponts
Pissepeyres
Flaujac-Poujols
Les Fournets
Font-d'Erbies
Benech
Couderc
Tour
Les Salles
St-Rémy
Concots
Lugagnac
Le Truffe
Villesèque
Quercy
Tigne
Lescalié
Labastide-Marnhac
Hauteserre
Le Payrat
Le Pech
Laburgade
Cremps
Mas-de-Vergne
Limogne-en-Quercy
Le Cluzel
D 820
D 801
D 802
D 840
D 653
D 911
D 811
D 656
D 677
D 704
A 20
E 9

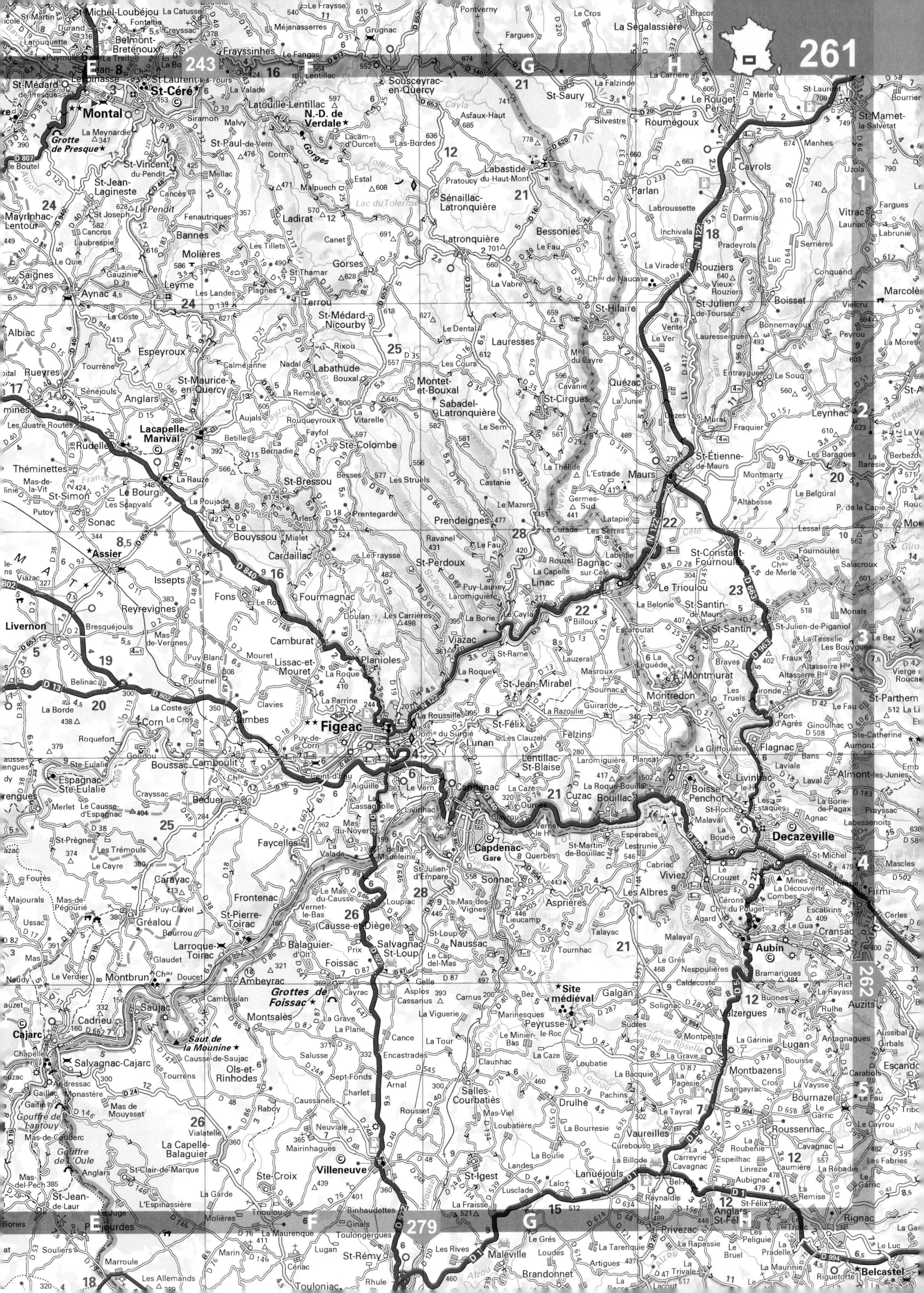
243
E
F
G
H
St-Céré
Montal
Grotte de Presque
Sousceyrac-en-Quercy
N.-D. de Verdale
Gorges
St-Saury
Roumégoux
Le Rouget-Pers
St-Mamet-la-Salvetat
Cayrols
Labastide-du-Haut-Mont
Sénaillac-Latronquière
Latronquière
Parlan
Bessonies
Lac du Tolerme
Ladirat
Gorses
Molières
Leyme
Aynac
Terrou
St-Médard-Nicourby
Rouziers
St-Julien-de-Toursac
St-Hilaire
Boisset
Lauresses
Espeyroux
St-Maurice-en-Quercy
Labathude
Montet-et-Bouxal
Sabadel-Latronquière
St-Cirgues
Quézac
Leynhac
Lacapelle-Marival
Rudelle
Théminettes
Ste-Colombe
St-Bressou
Maurs
St-Étienne-de-Maurs
St-Simon
Le Bourg
Sonac
Assier
Le Bouyssou
Cardaillac
Prendeignes
St-Perdoux
Issepts
Fons
Fourmagnac
Bagnac-sur-Célé
Linac
St-Constant-Fournoulès
Livernon
Reyrevignes
Camburat
Lissac-et-Mouret
Planioles
Viazac
St-Santin
Montmurat
St-Jean-Mirabel
Montredon
Cambes
Corn
Figeac
St-Félix
Lunan
Felzins
Flagnac
Espagnac-Ste-Eulalie
Boussac
Camboulit
Capdenac
Cuzac
Bouillac
Livinhac-le-Haut
Boisse-Penchot
Decazeville
Béduer
Faycelles
Capdenac-Gare
Viviez
Firmi
Carayac
Frontenac
St-Pierre-Toirac
Sonnac
Asprières
Les Albres
Aubin
Cransac
Grèalou
Larroque-Toirac
Balaguier-d'Olt
Salvagnac-St-Loup
Naussac
Foissac
Montbrun
Ambeyrac
Grottes de Foissac
Site médiéval
Galgan
Peyrusse-le-Roc
Valzergues
Auzits
Saujac
Cajarc
Cadrieu
Montsalès
Saut de la Mounine
Salvagnac-Cajarc
Ols-et-Rinhodes
Lugan
Montbazens
Salles-Courbatiès
Drulhe
Vaureilles
Bournazel
Roussennac
Gouffre de Lantouy
La Capelle-Balaguier
Villeneuve
St-Igest
Lanuéjouls
Ste-Croix
St-Jean-de-Laur
Privezac
Anglars-St-Félix
Rignac
Maleville
Belcastel
St-Rémy
Toulonjac
Brandonnet
262
279

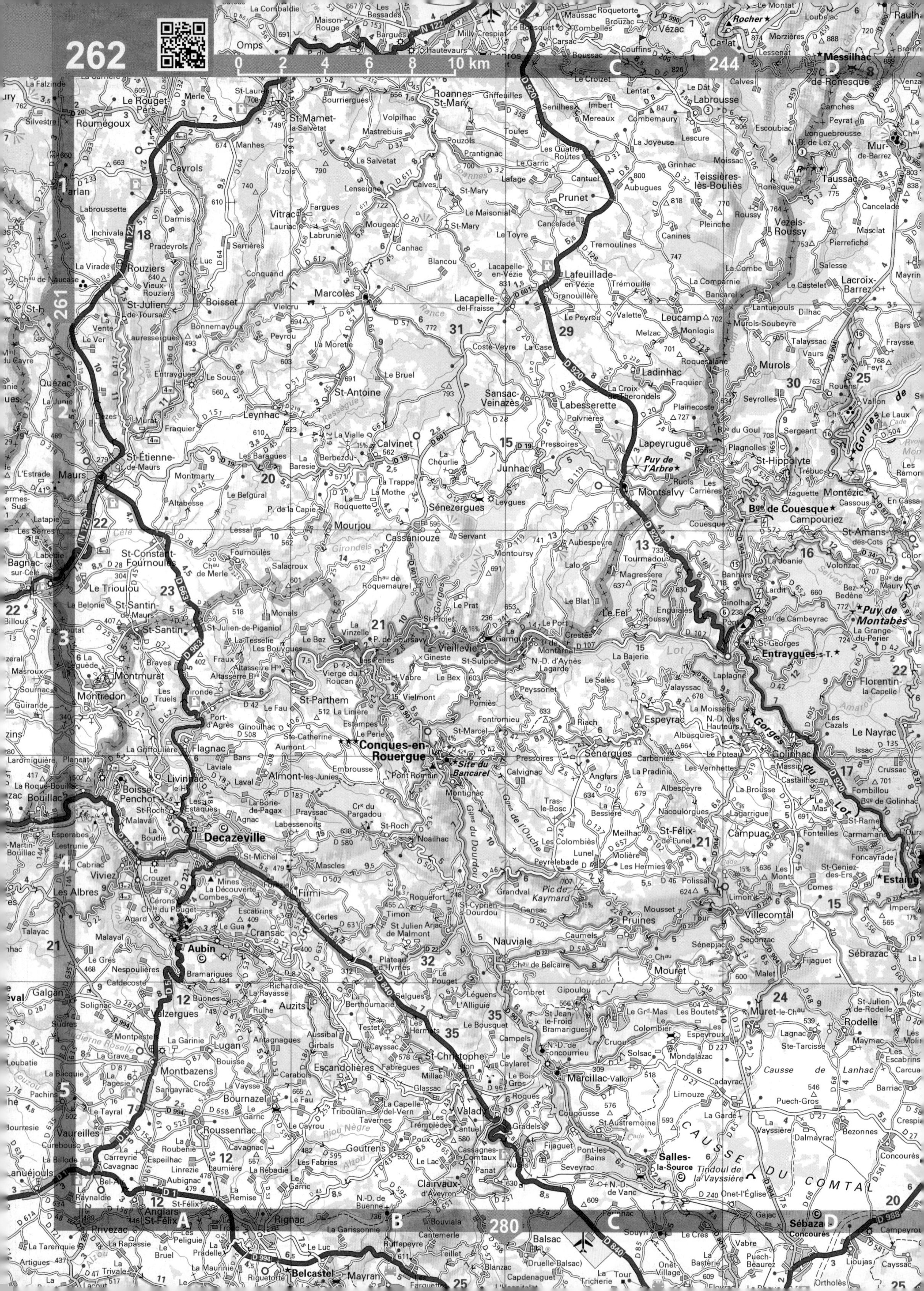
262
0 2 4 6 8 10 km
244
280
261
A
B
C
D
Maurs
Decazeville
Aubin
Conques-en-Rouergue
Site du Bancarel
Entraygues-s-T.
Montsalvy
Puy de l'Arbre
Marcolès
Calvinet
Sénezergues
Cassaniouze
Vieillevie
St-Parthem
Flagnac
Livinhac-le-Ht
Firmi
Cransac
Montbazens
Rignac
Marcillac-Vallon
Salles-la-Source
Clairvaux-d'Aveyron
Valady
Nauviale
Pruines
Villecomtal
Golinhac
Espeyrac
Sénergues
St-Félix-de-Lunel
Campuac
Estaing
Sébrazac
Rodelle
Muret-le-Chau
Causse de Lanhac
CAUSSE DU COMTAL
Sébazac-Concourès
Balsac
Belcastel
Mayran
Lacroix-Barrez
Mur-de-Barrez
Messilhac
Vézac
Carlat
Labrousse
Prunet
Lafeuillade-en-Vézie
Leucamp
Ladinhac
Lapeyrugue
St-Hippolyte
Bge de Couesque
Puy de Montabès
Gorges de la Truyère
Gorges du Lot
Roannes-St-Mary
St-Mamet-la-Salvetat
Le Rouget-Pers
Cayrols
Boisset
St-Étienne-de-Maurs
St-Constant-Fournoulès
St-Santin
Montmurat
Montredon
Bagnac-sur-Célé
Vitrac
Leynhac
St-Antoine
Sansac-Veinazès
Junhac
Labesserette
Murols
Vezels-Roussy
Taussac
Montézic
St-Amans-des-Cots
Florentin-la-Capelle
Le Nayrac
Lugan
Auzits
Bournazel
Goutrens
Roussennac
Vaureilles
Anglars-St-Félix
Privezac
Valzergues
Galgan
Les Albres
Viviez
Boisse-Penchot
Bouillac
N 122
D 920
D 840
D 963
D 601
D 994
D 988
D 1

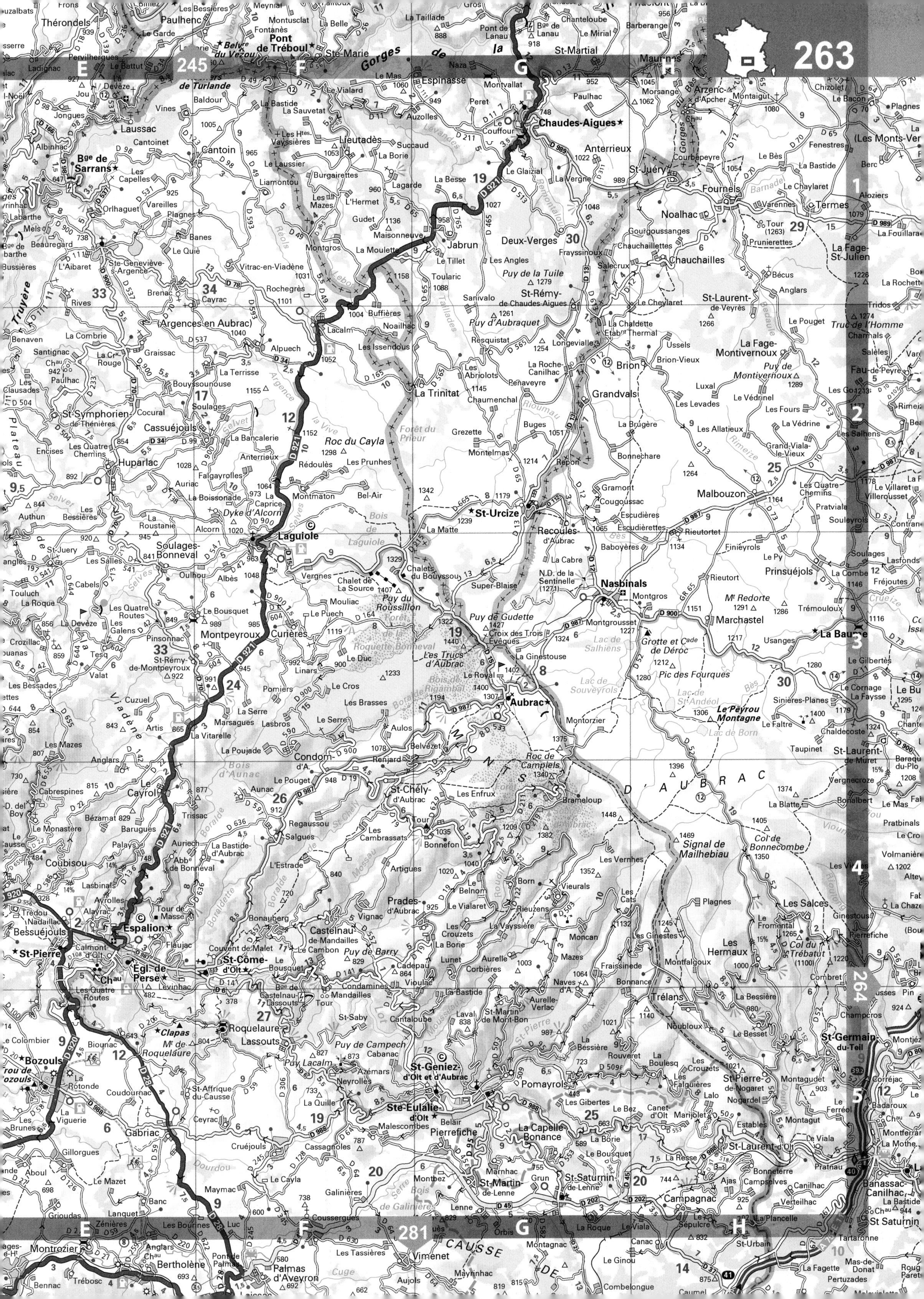
245
264
281
Gorges de la Truyère
Chaudes-Aigues
Pont de Tréboul
Lieutadès
St-Urcize
Laguiole
Nasbinals
Aubrac
Espalion
St-Côme-d'Olt
St-Geniez-d'Olt et d'Aubrac
Ste-Eulalie-d'Olt
St-Laurent-d'Olt
St-Germain-du-Teil
Banassac-Canilhac
Bozouls
Montpeyroux
Soulages-Bonneval
Huparlac
Cassuéjouls
La Trinitat
Roc du Cayla
Puy de Gudette
Les Trucs d'Aubrac
Signal de Mailhebiau
Col de Bonnecombe
Monts d'Aubrac
Prinsuéjols
Marchastel
Malbouzon
Fournels
Termes
Brion
Grandvals
Recoules-d'Aubrac
La Capelle-Bonance
Pierrefiche
Prades-d'Aubrac
Condom-d'Aubrac
St-Chély-d'Aubrac
Roquelaure
Palmas d'Aveyron
Bertholène
Causse de Sévérac
Campagnac
St-Saturnin-de-Lenne

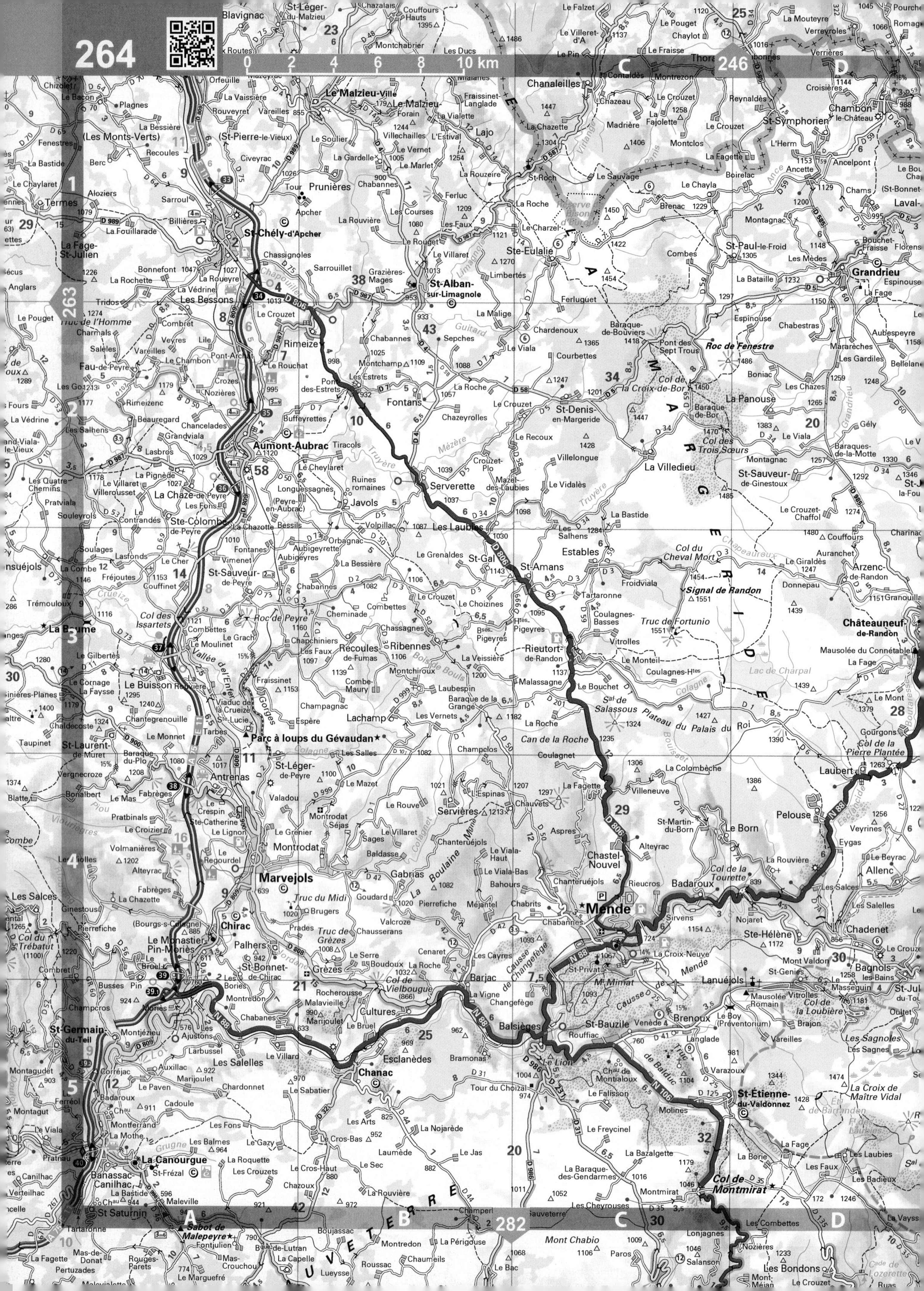
0 2 4 6 8 10 km
246
263
282
C
D
A
B
1
2
3
4
5
Le Malzieu-Ville
Le Malzieu-Forain
St-Chély-d'Apcher
St-Alban-sur-Limagnole
Aumont-Aubrac
Marvejols
Mende
Chirac
Le Monastier-Pin-Moriès
La Canourgue
Chanac
Grandrieu
Châteauneuf-de-Randon
St-Étienne-du-Valdonnez
Chanaleilles
Chambon-le-Château
St-Symphorien
Les Bessons
Rimeize
Fontans
Serverette
Javols
Les Laubies
St-Gal
St-Amans
Rieutort-de-Randon
Estables
St-Denis-en-Margeride
La Villedieu
St-Sauveur-de-Ginestoux
La Panouse
Arzenc-de-Randon
Laubert
Pelouse
Allenc
Badaroux
Chastel-Nouvel
Balsièges
Barjac
Lanuéjols
Bagnols-les-Bains
Chadenet
Ste-Hélène
Brenoux
St-Bauzile
Montrodat
Antrenas
St-Léger-de-Peyre
Lachamp
Servières
Recoules-de-Fumas
Ribennes
Le Buisson
St-Laurent-de-Muret
Ste-Colombe-de-Peyre
La Chaze-de-Peyre
St-Sauveur-de-Peyre
Prunières
Fau-de-Peyre
Lajo
Ste-Eulalie
Termes
La Fage-St-Julien
St-Germain-du-Teil
Banassac-Canilhac
St Saturnin
Les Salelles
Grèzes
St-Bonnet-de-Chirac
Palhers
Esclanèdes
Cultures
Col de Montmirat
Sabot de Malepeyre
Parc à loups du Gévaudan
Roc de Peyre
Roc de Fenestre
Signal de Randon
Truc de Fortunio
Truc de l'Homme
Truc du Midi
Truc de Grèzes
Col des Issartets
Col de la Croix-de-Bor
Col des Trois Sœurs
Col du Cheval Mort
Col de la Pierre Plantée
Col de la Tourette
Col de Vielbougue
Col de la Loubière
Col du Trébatut
Plateau du Palais du Roi
Lac de Charpal
Causse de Changefège
Causse de Mende
Mt Mimat
Vallée de l'Enfer
Gorges de la Crueize
M A R G E R I D E
S A U V E T E R R E
Truyère
Colagne
Lot
Chapeauroux
Mont Chabio
Réserve Bison d'Europe
D 806
N 88
N 106
D 809
D 987
D 989
A 75
E 11

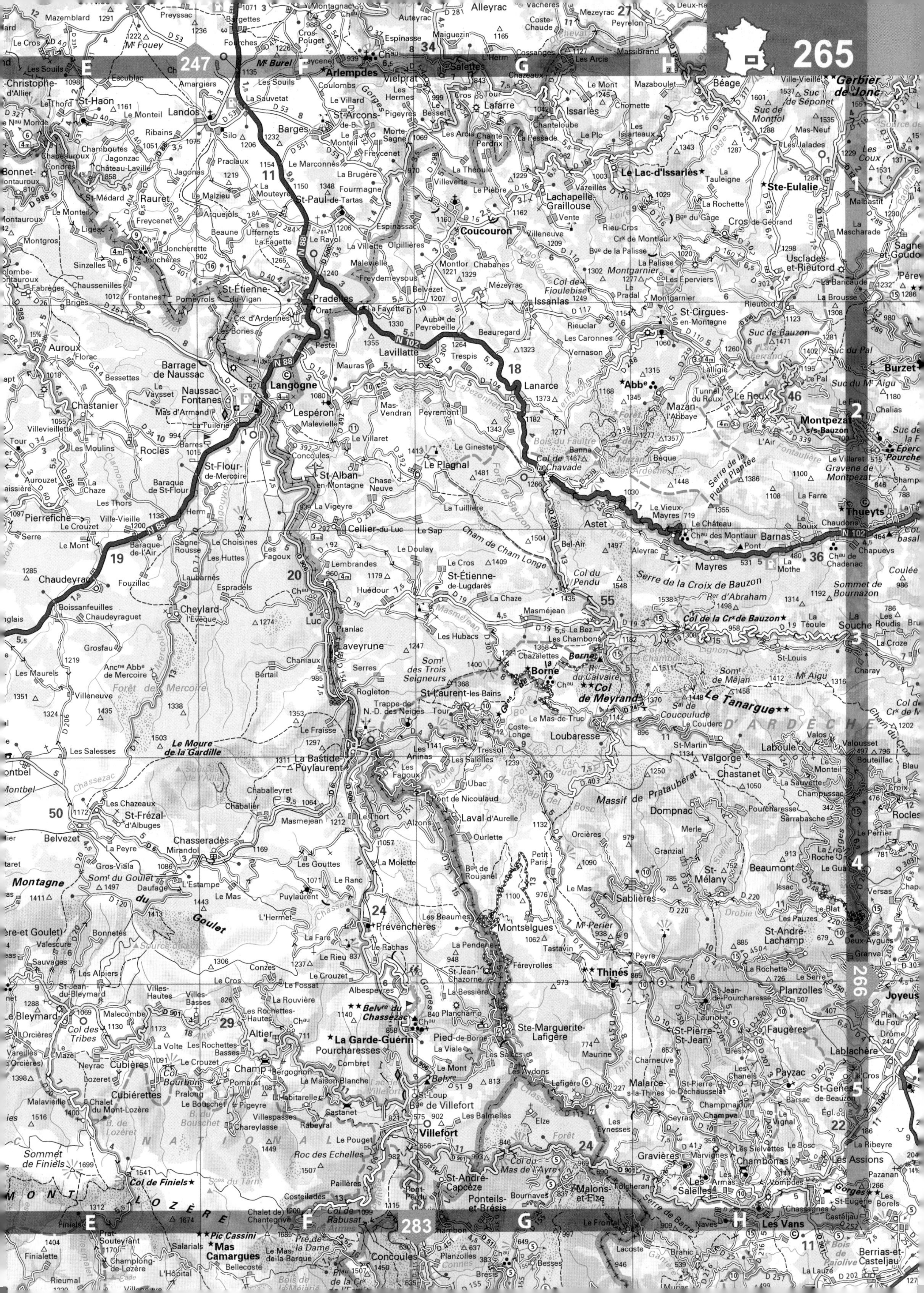
265
247
283
266
E
F
G
H
1
2
3
4
5
Arlempdes
Landos
St-Haon
Barges
St-Arcons-de-B.
Lafarre
Issarlès
Le Lac-d'Issarlès
Ste-Eulalie
Gerbier de Jonc
Suc de Montfol
Suc de Sépoulet
Rauret
St-Paul-de-Tartas
Coucouron
Lachapelle-Graillouse
Cros-de-Géorand
Usclades-et-Rieutord
Montgarnier
Col de Fioulebise
Issanlas
St-Étienne-du-Vigan
Pradelles
Aubge de Peyrebeille
St-Cirgues-en-Montagne
Suc de Bauzon
Suc du Pal
Burzet
Barrage de Naussac
Langogne
Naussac-Fontanes
Auroux
Lavillatte
Lanarce
Abbe
Mazan-l'Abbaye
Montpezat s/s-Bauzon
Suc du Mt Aigu
Lespéron
Le Plagnal
Col de la Chavade
St-Alban-en-Montagne
Rocles
St-Flour-de-Mercoire
Pierrefiche
Chastanier
Astet
Le Vieux-Mayres
Mayres
Barnas
Thueyts
Cellier-du-Luc
Cham de Cham Longe
Serre de la Croix de Bauzon
Col du Pendu
Chaudeyrac
Cheylard-l'Évêque
Luc
Laveyrune
St-Étienne-de-Lugdarès
Col de la Crx de Bauzon
Borne
Col de Meyrand
Somt des Trois Seigneurs
St-Laurent-les-Bains
Loubaresse
Le Tanargue
D'ARDÈCHE
Forêt de Mercoire
Le Moure de la Gardille
La Bastide-Puylaurent
Valgorge
Laboule
Massif de Prataubérat
Laval-d'Aurelle
Dompnac
St-Frézal-d'Albuges
Belvezet
Chasseradès
Montagne du Goulet
Prévenchères
Montselgues
Sablières
St-Mélany
Beaumont
St-André-Lachamp
Thines
Le Bleymard
Altier
Col des Tribes
La Garde-Guérin
Belvre du Chassezac
Ste-Marguerite-Lafigère
Faugères
Planzolles
Joyeuse
Cubières
Cubiérettes
Pourcharesses
Villefort
Payzac
St-Genest-de-Beauzon
Lablachère
Sommet de Finiels
Col de Finiels
Roc des Echelles
St-André-Capcèze
Col du Mas de l'Ayre
Malons-et-Elze
Gravières
Chambonas
Les Salelles
Les Assions
MONT LOZÈRE
Pic Cassini
Mas Camargues
Col de Rabusat
Ponteils-et-Brésis
Concoules
Les Vans
Berrias-et-Casteljau
N 88
N 102

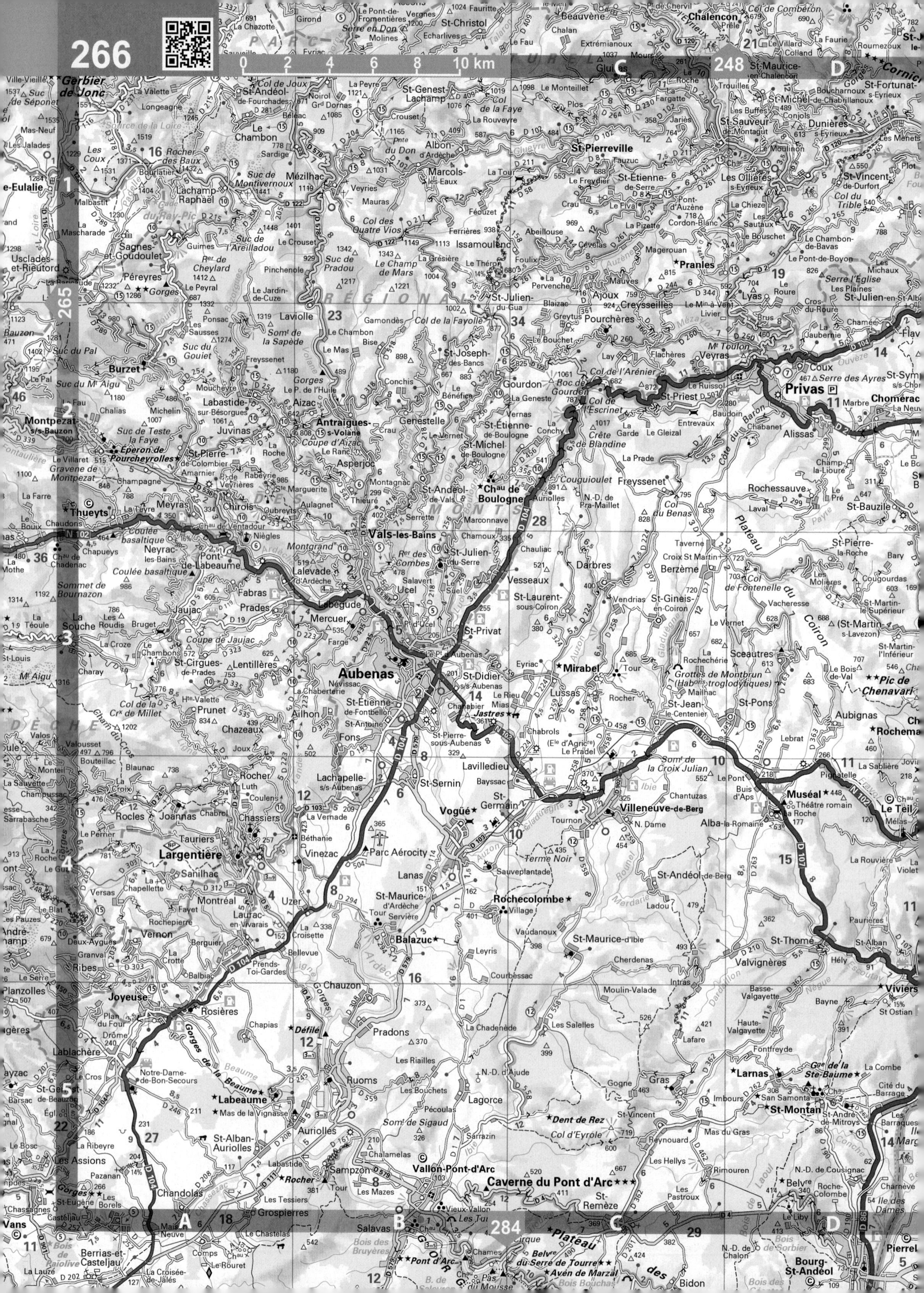

266
0 2 4 6 8 10 km
248
265
284
A
B
C
D
1
2
3
4
5
Gerbier de Jonc
St-Andéol-de-Fourchades
Le Chambon
St-Genest-Lachamp
Albon-d'Ardèche
St-Pierreville
St-Sauveur-de-Montagut
St-Michel-de-Chabrillanoux
Dunières-s-Eyrieux
Mézilhac
Lachamp-Raphaël
Marcols-les-Eaux
Les Ollières-s-Eyrieux
St-Vincent-de-Durfort
Usclades-et-Rieutord
Sagnes-et-Goudoulet
Péreyres
Issamoulenc
Pranles
St-Julien-du-Gua
Ajoux
Creysseilles
Lyas
Pourchères
Laviolle
Burzet
Col de la Fayolle
St-Joseph-des-Bancs
Gourdon
Col de l'Escrinet
Veyras
Coux
Privas
Chomérac
St-Priest
Alissas
Montpezat-s/s-Bauzon
Labastide-sur-Bésorgues
Antraigues-s-Volane
Genestelle
St-Étienne-de-Boulogne
St-Michel-de-Boulogne
Juvinas
Aizac
Asperjoc
St-Pierre-de-Colombier
Thueyts
Meyras
Chirols
Vals-les-Bains
St-Andéol-de-Vals
Chau de Boulogne
Freyssenet
Rochessauve
St-Bauzile
Neyrac-les-Bains
Pont-de-Labeaume
Lalevade-d'Ardèche
St-Julien-du-Serre
Vesseaux
Darbres
Berzème
Fabras
Prades
Jaujac
Labégude
Ucel
St-Privat
St-Laurent-sous-Coiron
St-Gineis-en-Coiron
Mercuer
Aubenas
St-Didier-s-Aubenas
Mirabel
Sceautres
Lussas
St-Jean-le-Centenier
St-Pons
Aubignas
St-Cirgues-de-Prades
Lentillères
Prunet
St-Étienne-de-Fontbellon
Ailhon
Chazeaux
Jastres
St-Pierre-sous-Aubenas
Lavilledieu
Villeneuve-de-Berg
Fons
St-Sernin
Lachapelle-s/s-Aubenas
Vogüé
St-Germain
Alba-la-Romaine
Muséal
Le Teil
Rocher
Joannas
Chassiers
Largentière
Vinezac
Parc Aérocity
Lanas
Rochecolombe
St-Andéol-de-Berg
Uzer
Montréal
Laurac-en-Vivarais
Sanilhac
St-Maurice-d'Ardèche
Balazuc
St-Maurice-d'Ibie
St-Thomé
Valvignères
Vernon
Joyeuse
Rosières
Chauzon
Pradons
Viviers
Labeaume
Ruoms
Lagorce
Gras
Larnas
St-Montan
Auriolles
St-Alban-Auriolles
Vallon-Pont-d'Arc
Caverne du Pont d'Arc
St-Remèze
Chandolas
Grospierres
Salavas
Vans
Berrias-et-Casteljau
Bidon
Bourg-St-Andéol
Pierrel
Plateau du Coiron
Gorges de l'Ardèche

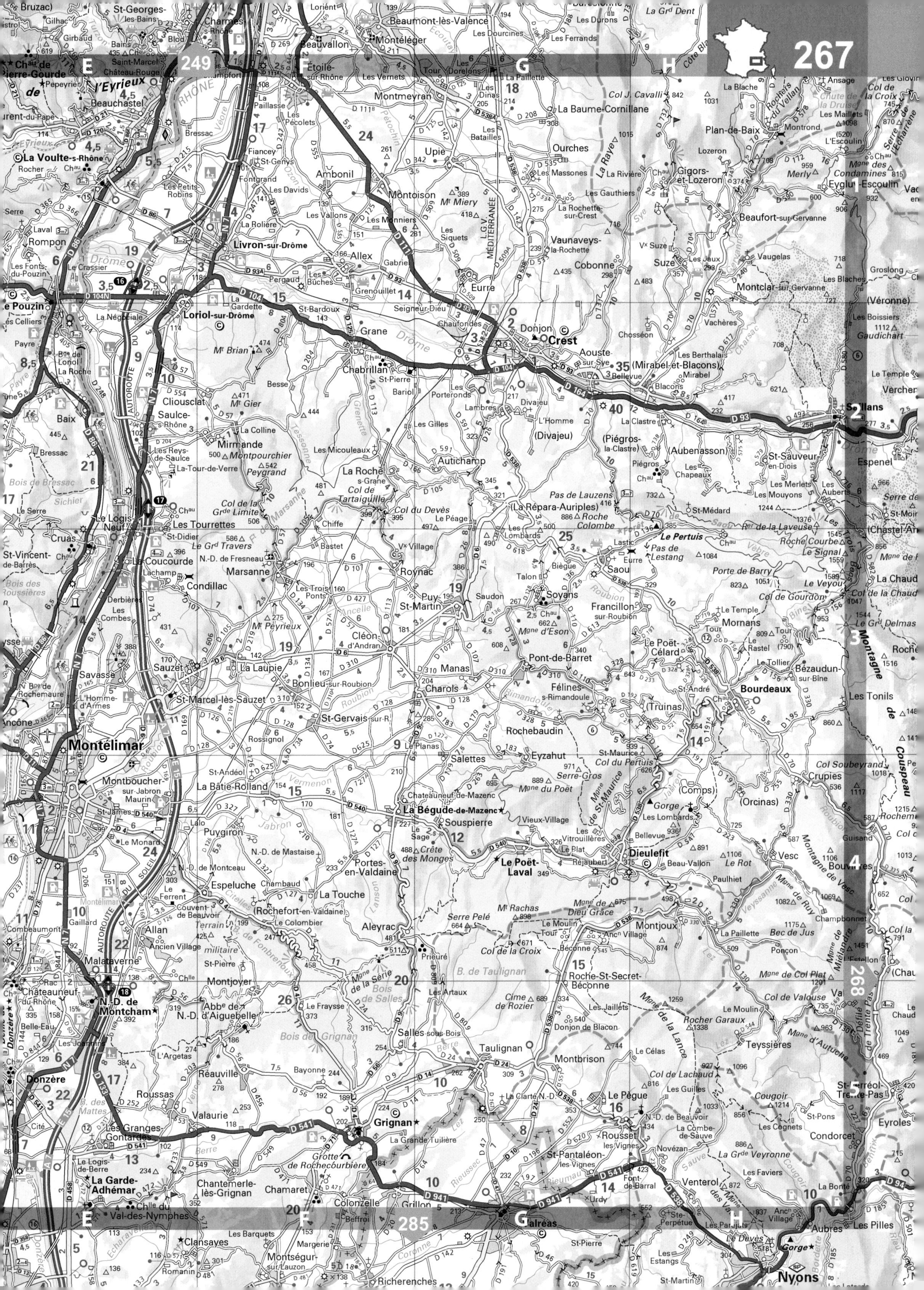
267
249
268
285
E
F
G
H
St-Georges-les-Bains
Charmes-s-Rhône
Beaumont-lès-Valence
Montéléger
Beauvallon
Étoile-sur-Rhône
Les Vernets
Montmeyran
La Paillette
Les Dinas
La Baume-Cornillane
Ourches
Col J. Cavalli
Plan-de-Baix
Montrond
L'Escoulin
Lozeron
Gigors-et-Lozeron
Eygluy-Escoulin
Beaufort-sur-Gervanne
Vaugelas
Suze
Montclar-sur-Gervanne
Beauchastel
La Voulte-s-Rhône
Rompon
Le Pouzin
Les Petits Robins
Ambonil
Montoison
Upie
Mt Miery
Vaunaveys-la-Rochette
La Rochette-sur-Crest
Cobonne
Livron-sur-Drôme
Allex
Eurre
Grenouillet
Loriol-sur-Drôme
La Gardette
St-Bardoux
Grane
Seigneur-Dieu
Chaufondes
Donjon
Crest
Aouste-sur-Sye
Mirabel-et-Blacons
Vachères
Chosséon
Blacons
Chabrillan
Bariol
Divajeu
Lambres
Saillans
La Clastre
Piégros-la-Clastre
Aubenasson
St-Sauveur-en-Diois
Espenel
Mt Brian
Mt Gier
Cliousclat
Saulce-s-Rhône
Baix
Mirmande
Montpourchier
Peygrand
Les Reys-de-Saulce
La-Tour-de-Verre
Autichamp
La Roche-s-Grane
Col de Tartaiguille
Col du Devès
Le Péage
La Répara-Auriples
Pas de Lauzens
Roche Colombe
St-Médard
Le Pertuis
Pas de Lestang
Roche Courbe
Le Signal
Bois de Bressac
Col de la Gde Limite
Les Tourrettes
Le Logis-Neuf
Cruas
St-Vincent-de-Barrès
Chiffe
Bastet
V^x Village
Roynac
Saou
Biègue
Soyans
Talon
Le Grd Travers
N.-D. de Fresneau
La Coucourde
Marsanne
Condillac
Les Trois Ponts
Puy-St-Martin
Francillon-sur-Roubion
Mornans
Le Poët-Célard
Porte de Barry
Le Veyou
Col de Gourdon
Mt Peyrieux
Cléon-d'Andran
Mgne d'Eson
Pont-de-Barret
Bezaudun-sur-Bîne
Bourdeaux
Montagne de Couspeau
Savasse
Sauzet
La Laupie
Bonlieu-sur-Roubion
Manas
Charols
Félines-s-Rimandoule
Truinas
Les Tonils
St-Marcel-lès-Sauzet
St-Gervais-sur-R.
Rochebaudin
Montélimar
Rossignol
Le Planas
Salettes
Eyzahut
Col du Pertuis
Serre-Gros
Mgne du Poët
Comps
Orcinas
Crupies
Col Soubeyrand
Montboucher-sur-Jabron
St-Andéol
La Bâtie-Rolland
Chateauneuf-de-Mazenc
La Bégude-de-Mazenc
Souspierre
Vieux-Village
Gorge
Les Lombards
Puygiron
N.-D. de Mastaise
Crête des Monges
Le Poët-Laval
Dieulefit
Beau-Vallon
Vesc
Bouvières
N.-D. de Montceau
Espeluche
Portes-en-Valdaine
La Touche
Rochefort-en-Valdaine
Mt Rachas
Mgne de Dieu Grâce
Montjoux
Mgne de Vesc
Bec de Jus
Allan
Aleyrac
Serre Pelé
Col de la Croix
Béconne
B. de Taulignan
Roche-St-Secret-Béconne
Mgne de Col Plat
Malataverne
Montjoyer
Mgne de la Serre
Bois de Salles
Les Artaux
Cime de Rozier
Col de Valouse
Châteauneuf-du-Rhône
N.D. de Montcham
Abbe de N.-D. d'Aiguebelle
Le Frayssé
Salles-sous-Bois
Donjon de Blacon
Rocher Garaux
Mgne d'Autuche
Teyssières
Bois de Grignan
Taulignan
Montbrison
Mgne de la Lance
Donzère
Réauville
Bayonne
Roussas
Col de Lachaud
Le Pègue
Cougoir
St-Ferréol-Trente-Pas
Valaurie
Grignan
Rousset-les-Vignes
N.-D. de Beauvoir
La Combe-de-Sauve
St-Pons
Les Granges-Gontardes
La Grande Tuilière
Grotte de Rochecourbière
St-Pantaléon-les-Vignes
Novézan
Le Grde Veyronne
Condorcet
Eyroles
La Garde-Adhémar
Chantemerle-lès-Grignan
Chamaret
Colonzelle
Grillon
Font-de-Barral
Venterol
Les Faviers
La Bonté
Chlle du Val-des-Nymphes
Valréas
Ste-Perpétue
Les Pendants
Aubres
Les Pilles
Clansayes
Les Barquets
Margerie
Montségur-sur-Lauzon
Richerenches
St-Pierre
Le Devès
Les Estangs
Nyons
AUTOROUTE DU SOLEIL
LGV MÉDITERRANÉE
Drôme
Roubion
Jabron
Lez
RHÔNE

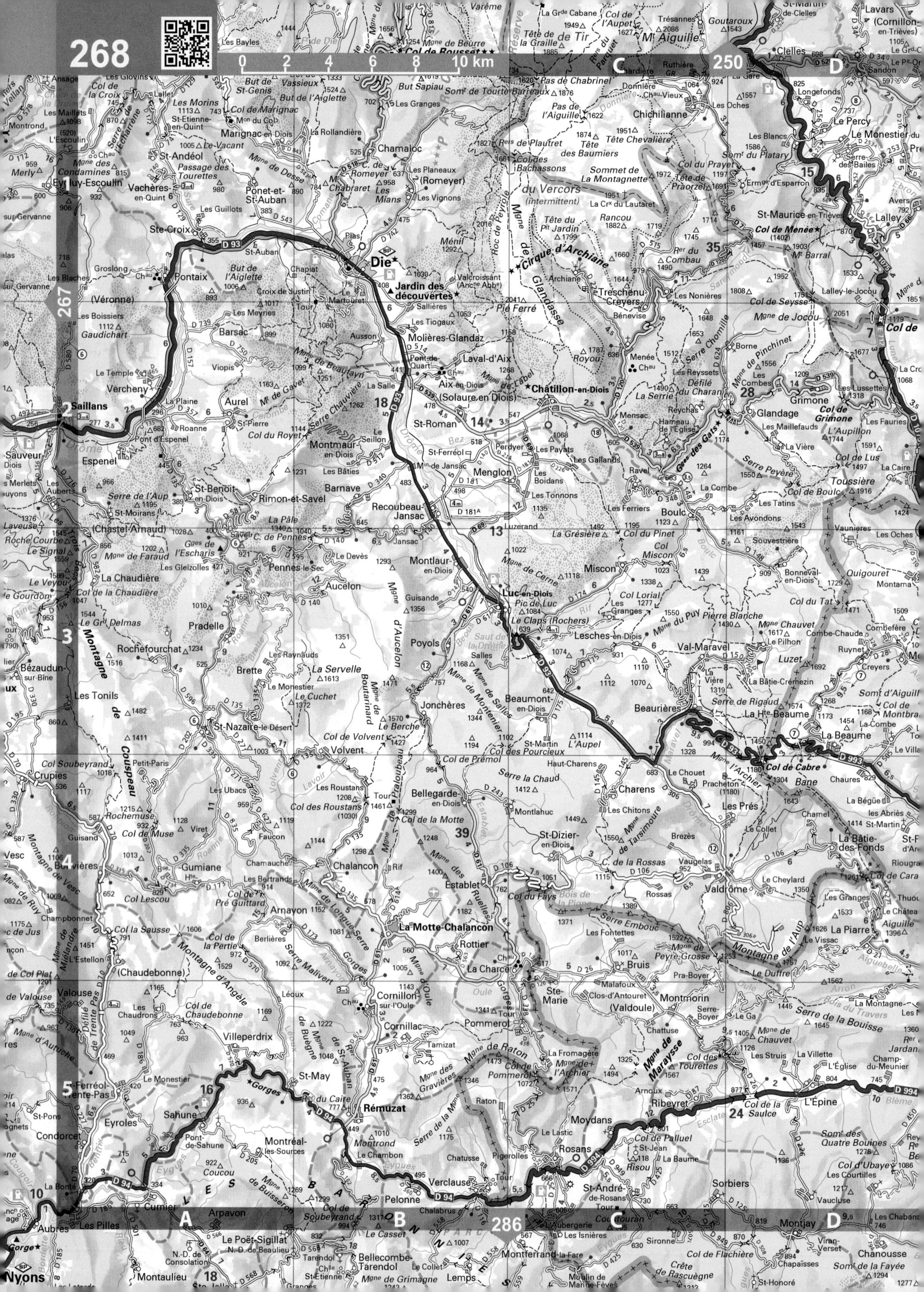
0 2 4 6 8 10 km
C
250
D
267
286
A
B
C
D
1
2
3
4
5
Die
Jardin des découvertes
Col de Rousset
Mt Aiguille
Col de l'Aupet
Tête de la Graille
Pas de Chabrinel
Chichilianne
Clelles
Lavars
Le Percy
Le Monestier-du-Percy
St-Maurice-en-Trièves
Col de Menée
Lalley
Mt Barral
Col de Seysse
Mgne de Jocou
Col de Grimone
Grimone
Glandage
Défilé du Charan
Gges des Gats
Serre Chomille
Mgne de Pinchinet
Cirque d'Archiane
Archiane
Treschenu-Creyers
Bénevise
Menée
Mgne de Glandasse
Pié Ferré
Châtillon-en-Diois
Laval-d'Aix
Aix-en-Diois
(Solaure en Diois)
Molières-Glandaz
Sommet de La Montagnette
Tête Chevalière
Tête des Baumiers
Col du Prayet
Col des Bachassons
du Vercors
(intermittent)
Rancou
Tête du Pt Jardin
Chamaloc
Romeyer
Marignac-en-Diois
Col de Marignac
St-Étienne-en-Quint
Vachères-en-Quint
Ponet-et-St-Auban
Ste-Croix
Pontaix
St-Andéol
Barsac
Vercheny
Saillans
Aurel
St-Roman
Montmaur-en-Diois
Barnave
Recoubeau-Jansac
Menglon
Boulc
Col du Pinet
Col de Miscon
Miscon
Luc-en-Diois
Pic de Luc
Le Claps (Rochers)
Saut de la Drôme
Lesches-en-Diois
Col Lorial
Mgne du Puy
Pierre Blanche
Col de Boulc
Toussière
Col de Lus
Bonneval-en-Diois
Quigouret
Col du Tat
Val-Maravel
Luzet
Col Chauvet
Beaurières
La Hte-Beaume
La Beaume
Col de Cabre
Serre de Rigaud
Beaumont-en-Diois
L'Aupel
Col des Pourcieux
Poyols
Montlaur-en-Diois
Mgne d'Aucelon
Aucelon
Pennes-le-Sec
Mgne de Faraud
Gges de l'Escharis
La Chaudière
Col de la Chaudière
Pradelle
Rochefourchat
Montagne de Couspeau
Brette
La Servelle
Le Cuchet
St-Nazaire-le-Désert
Volvent
Col de Volvent
Le Berche
Col de Prémol
Jonchères
Bellegarde-en-Diois
Col de la Motte
Charens
Les Prés
St-Dizier-en-Diois
Mgne de Tarsimoure
Valdrôme
La Bâtie-des-Fonds
Col de Cara
Aiguille
Col du Fays
Serre Embouc
Mgne de Peyre-Grosse
Montagne de l'Aup
Bruis
Ste-Marie
Montmorin
(Valdoule)
Serre de la Bouisse
Mgne de Chauvet
Col des Tourettes
Mgne de Maraysse
Col de Pommerol
Pommerol
Mgne de Raton
Mgne des Gravières
La Motte-Chalancon
Rottier
La Charce
Gorges
Establet
Chalancon
Arnayon
Gumiane
Col Lescou
Col de Pré Guittard
Col de Muse
Rochemuse
Col Soubeyrand
Crupies
Bouvières
Col de la Sausse
Col de la Pertie
Montagne d'Angèle
Col de Chaudebonne
(Chaudebonne)
Valouse
Défilé de Trente Pas
Villeperdrix
Cornillon-sur-l'Oule
Cornillac
Mgne de Buègne
St-May
Rémuzat
Gorges
Sahune
Eyroles
Condorcet
St-Ferréol-Trente-Pas
Montréal-les-Sources
Verclause
Pelonne
Rosans
Moydans
Ribeyret
St-André-de-Rosans
Col de Palluel
L'Épine
Col de la Saulce
Som de Quatre Bouines
Sorbiers
Montjay
Chanousse
Curnier
Arpavon
Aubres
Les Pilles
Le Poët-Sigillat
Bellecombe-Tarendol
Montferrand-la-Fare
Col de Flachière
Crête de Rascuègne
Montaulieu
Nyons
LES BARONNIES
D 93
D 94
D 994
D 993
D 539
D 61

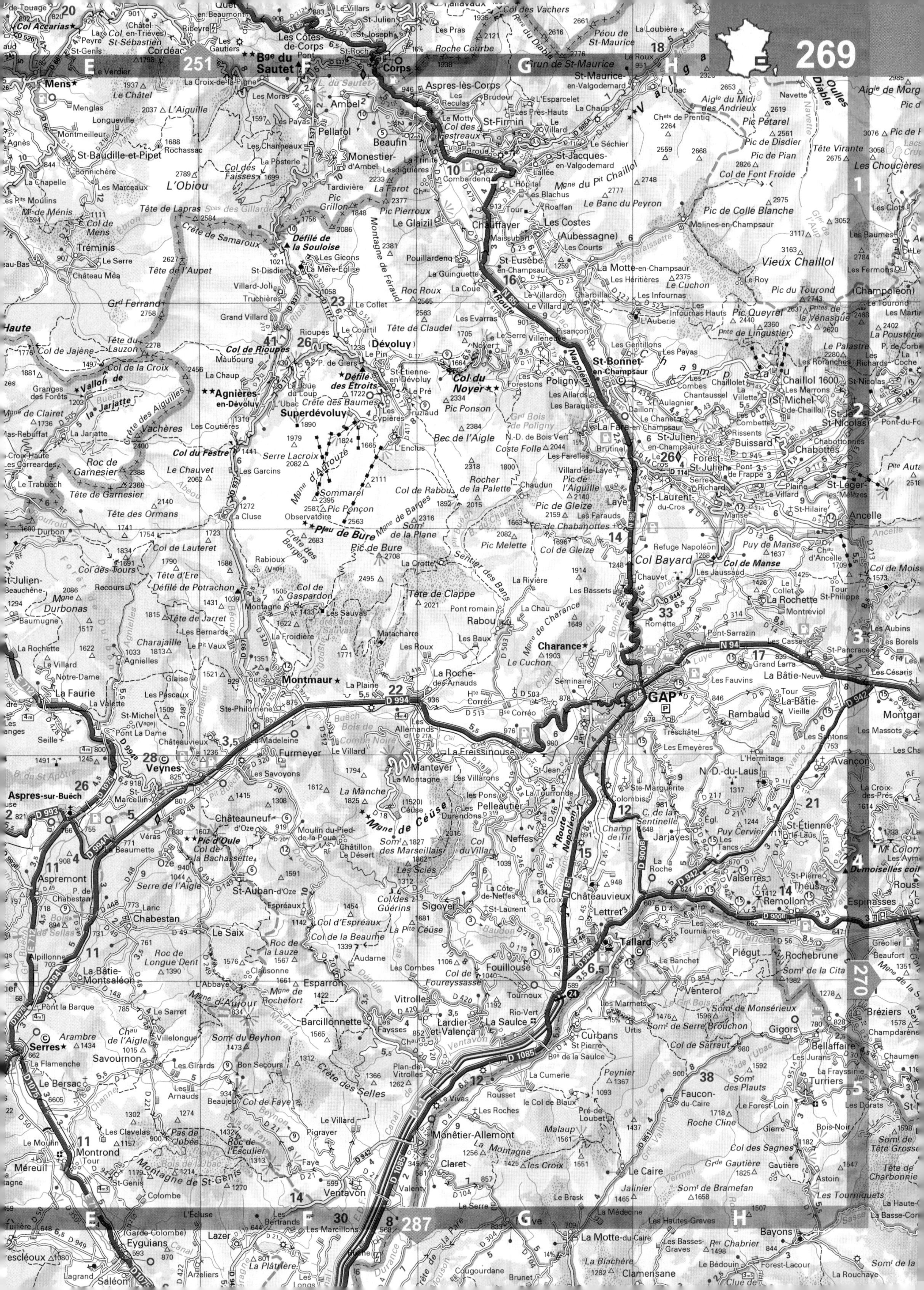

E
F
G
H
251
270
287
1
2
3
4
5
Mens
Bge du Sautet
Corps
Les Côtes-de-Corps
Aspres-lès-Corps
St-Firmin
St-Maurice-en-Valgodemard
St-Jacques-en-Valgodemard
Col Accarias
Cordéac
Col de St-Sébastien
St-Baudille-et-Pipet
L'Obiou
Ambel
Pellafol
Beaufin
Monestier-d'Ambel
Le Glaizil
Chauffayer
Les Costes
St-Eusèbe-en-Champsaur
La Motte-en-Champsaur
Vieux Chaillol
Pic de Colle Blanche
Pic Pétarel
Tréminis
Défilé de la Souloise
St-Disdier
Grd Ferrand
Col de Rioupes
Dévoluy
Col du Noyer
Agnières-en-Dévoluy
Superdévoluy
Défilé des Étroits
St-Étienne-en-Dévoluy
Pic Ponson
Bec de l'Aigle
St-Bonnet-en-Champsaur
Poligny
Chaillol 1600
St-Michel-de-Chaillol
Col du Festre
Vallon de la Jarjatte
Crête des Aiguilles
Roc de Garnesier
Tête de Garnesier
Tête des Ormans
Sommarel
Pic Ponçon
Plau de Bure
Pic de Bure
Pic de Gleize
Col de Gleize
Pic Melette
Col Bayard
Laye
St-Laurent-du-Cros
Forest-St-Julien
Buissard
Chabottes
St-Léger-les-Mélezes
Ancelle
Col de Manse
La Rochette
Tête de Clappe
Col de Gaspardon
Défilé de Potrachon
Rabou
Charance
GAP
Montmaur
La Faurie
Veynes
Aspres-sur-Buëch
Furmeyer
Manteyer
La Freissinouse
La Bâtie-Neuve
Rambaud
N.-D.-du-Laus
Avançon
Mgne de Céüse
Pic d'Oule
Châteauneuf-d'Oze
Pelleautier
Neffes
Jarjayes
Valserres
Théus
Remollon
Espinasses
Aspremont
Chabestan
Oze
St-Auban-d'Oze
Sigoyer
Châteauvieux
Lettret
Tallard
Piégut
Rochebrune
Le Saix
Esparron
Vitrolles
Barcillonnette
La Bâtie-Montsaléon
Serres
Savournon
La Saulce
Curbans
Venterol
Gigors
Bellaffaire
Turriers
Faucon-du-Caire
Le Bersac
Montrond
Ventavon
Monêtier-Allemont
Claret
Le Caire
Jalinier
Mereuil
Eyguians
Lazer
La Motte-du-Caire
Clamensane
Bayons
Saléon
D 994
D 1075
D 1085
D 942
N 85
N 94

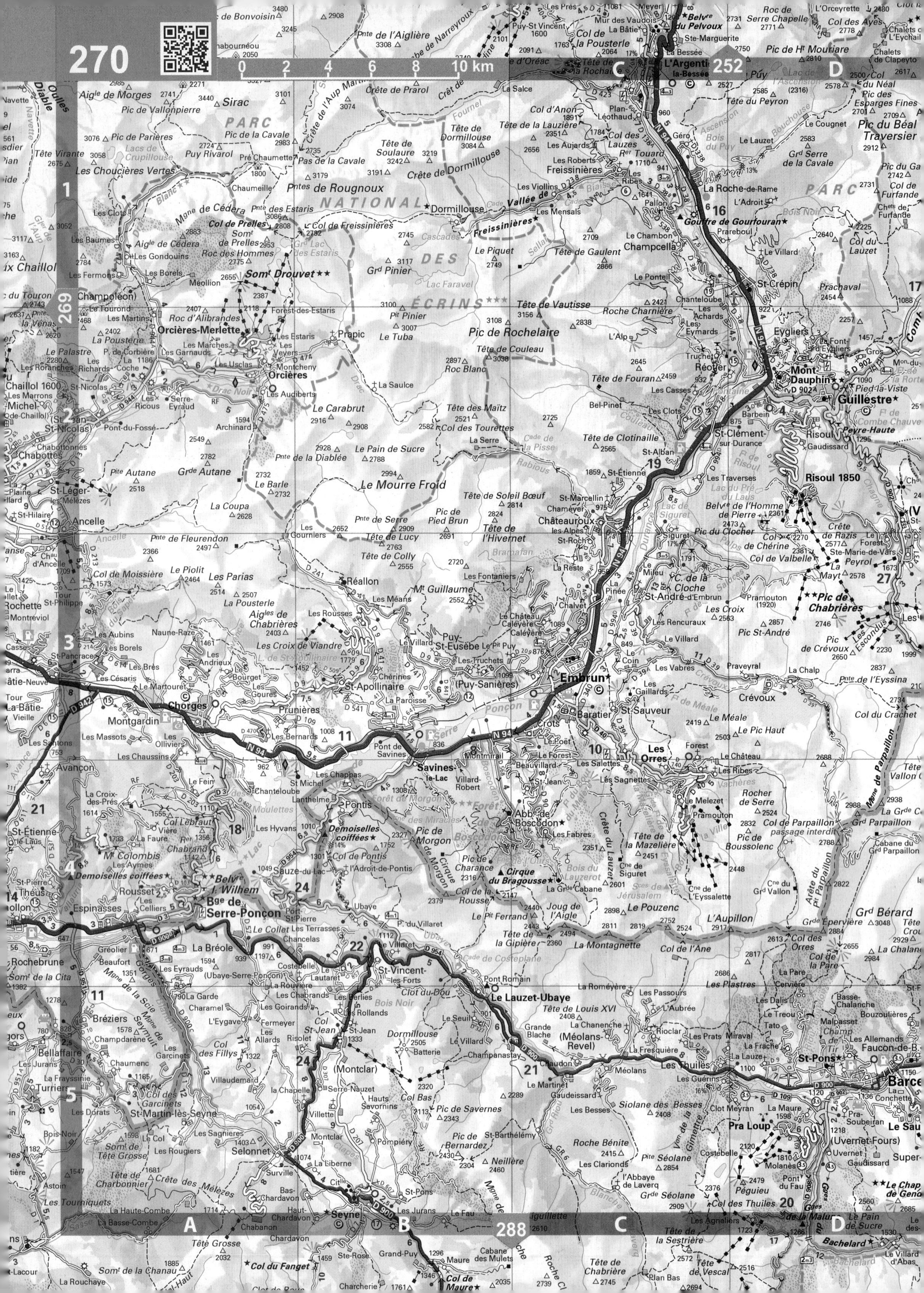

270
0 2 4 6 8 10 km
A
B
C
D
1
2
3
4
5
252
269
288
PARC NATIONAL DES ÉCRINS
L'Argentière-la-Bessée
Belvre du Pelvoux
Ste-Marguerite
La Bessée
Mur des Vaudois
La Bâtie
Puy-St Vincent
Col de la Pousterle
Roc de Serre Chapelle
L'Orceyrette
Col des Ayes
Pic de Ht Mouriare
Chalets de Clapeyto
Crête de Prarol
La Salce
Col d'Anon
Tête de la Lauzière
Plan-Léothaud
Tête de Dormillouse
Tête de Soulaure
Crête de Dormillouse
Les Aujards
Col des Lauzes
Rer Touard
Freissinières
Les Ribes
Pallon
La Roche-de-Rame
Gouffre de Gourfouran
Prareboul
Tête du Peyron
Col du Néal
Pic des Esparges Fines
Pic du Béal Traversier
Le Cougnet
Le Lauzet
Grd Serre de la Cavale
Col de Furfande
L'Adroit
Aigle de Morges
Pic de Vallonpierre
Sirac
Pic de la Cavale
Pic de Parières
Tête Virante
Puy Rivarol
Pré Chaumette
Pas de la Cavale
Les Choucières Vertes
Chaumeille
Pntes de Rougnoux
Dormillouse
Vallée de Freissinières
Les Viollins
Les Mensals
Mgne de Cédera
Pnte des Estaris
Col de Prelles
Somt de Prelles
Roc des Hommes
Col de Freissinières
Aigle de Cédera
Les Gondouins
Le Piquet
Tête de Gaulent
Le Chambon
Champcella
Le Villard
Col du Lauzet
Chaillol
Les Fermons
Les Borels
Méollion
Somt Drouvet
Grd Pinier
Lac Faravel
Le Ponteil
St-Crépin
Prachaval
Champoléon
Le Tourond
Les Martins
Roc d'Alibrandes
Forest-des-Estaris
Pt Pinier
Tête de Vautisse
Roche Charnière
Chanteloube
Les Achards
Les Eymards
Eygliers
Orcières-Merlette
La Pousterle
Les Estaris
Prapic
Le Tuba
Pic de Rochelaire
Tête de Couleau
L'Alp
Mont-Dauphin
Guillestre
Le Palastre
Les Marches
Les Garnauds
Les Veyers
Montcheny
Orcières
Les Usclas
Coche
Les Richards
Roc Blanc
La Saulce
Tête de Fouran
Réotier
Truchet
Pied-la-Viste
Chaillol 1600
St-Nicolas
Les Audiberts
Drac Noir
Les Ricous
Serre-Eyraud
Archinard
Le Carabrut
Tête des Maïtz
Col des Tourettes
Bel-Pinet
Les Clots
Les Casses
Barbein
Risoul
Peyre-Haute
Pont-du-Fossé
Chabottes
Pnte de la Diablée
Le Pain de Sucre
La Serre
Tête de Clotinaille
St-Clément-sur-Durance
St-Alban
Gaudissard
Pte Autane
Grde Autane
Le Barle
Le Mourre Froid
St-Étienne
Les Traverses
Risoul 1850
St-Léger-les-Mélèzes
La Coupa
Tête de Soleil Bœuf
Pic de Pied Brun
Tête de l'Hivernet
St-Marcellin
Chaméyer
Châteauroux-les-Alpes
St-Roch
Lac de Siguret
Belvre de l'Homme de Pierre
Crête de Razis
Ancelle
St-Hilaire
Pnte de Fleurendon
Les Gourniers
Pnte de Serre
Tête de Lucy
Tête de Colly
Bramafan
Siguret
Pic du Clocher
Col de Chérine
Col de Valbelle
Ste-Marie-de-Vars
Peyrol
Chau d'Ancelle
Col de Moissière
Le Piolit
Les Parias
Réallon
Les Fontaniers
La Reste
Mt Guillaume
Le Mileu
C. de la Cloche
St-André-d'Embrun
La Mayt
Pic de Chabrières
Les Méans
La Pinée
Chalvet
Pramouton
Les Croix
Tour St-Philippe
Montreviol
La Pousterle
Aigles de Chabrières
Les Rousses
Le Château
Caléyère
Les Rencuraux
Pic St-André
Pic de Crévoux
Les Escondus
Les Aubins
Les Borels
Naune-Raze
Les Croix de Viandre
Le Villard
Puy-St-Eusèbe
Le Pt Puy
Les Truchets
(Puy-Sanières)
Embrun
Le Coin
Les Vabres
Praveyral
La Chalp
Pnte de l'Eyssina
St-Pancrace
Les Andrieux
Les Brès
Les Césaris
Bourget
Les Goures
Chérines
St-Apollinaire
La Paroisse
Baratier
St-Sauveur
Les Gaillards
Crévoux
Col du Crachet
La Bâtie-Neuve
Le Martouret
Chorges
Montgardin
Prunières
Serre-Ponçon
Le Méale
Le Pic Haut
Crots
Les Santons
Les Massots
Les Olliviers
Les Bernards
Pont de Savines
Savines-le-Lac
Le Poët
Le Forest
Les Salettes
Les Orres
Forest
Le Château
Les Chaussins
Avançon
Montmirail
Beauvillard
Les Sagnettes
Les Ribes
Vallon
Le Fein
Les Chappas
St Michel
Chanteloube
Lanthelme
Pontis
Villard-Robert
Forêt de Morgon
Forêt de Boscodon
St-Jean
Le Melezet
Rocher de Serre
Col de Parpaillon
Mgne de Parpaillon
La Croix-des-Prés
Col Lebraut
Vière
La Faure
Chabrand
Les Hyvans
Demoiselles coiffées
Pic de Morgon
Abbe de Boscodon
Les Fabres
Crête du Lauzet
Tête de la Mazelière
Pic de Boussolenc
Col de Parpaillon passage interdit
La Grde Cabane
Grd Parpaillon
St-Étienne-le-Laus
Mt Colombis
Col de Pontis
L'Adroit-de-Pontis
Pic de Charance
Cirque de Morgon
Cirque du Bragousse
Cne de Siguret
Bois du Lauzerot
Cne de L'Eyssalette
Cne du Grd Vallon
Arête du Pt Parpaillon
Cabane du Grd Parpaillon
St-Pierre
Théus
Rousset
Belvre J. Wilhem
Sauze-du-Lac
Col de la Rousse
Scès de Jérusalem
Espinasses
Bge de Serre-Ponçon
Les Celliers
Ubaye
Port-St-Pierre
Joug de l'Aigle
Le Pt Ferrand
Le Pouzenc
L'Aupillon
Grd Bérard
Grde Épervière
Le Collet
Les Terrasses
Chancelas
P. du Villaret
Tête de la Gipière
La Montagnette
Col de l'Ane
Col des Orres
Col de la Pare
La Chalan
Rochebrune
Gréolier
Beaufort
La Bréole
Le Villaret
Cade de Costeplane
Somt de la Cita
Les Eyrauds
(Ubaye-Serre-Ponçon)
Costebelle
Lautaret
St-Vincent-les-Forts
Pont Romain
La Pare
Cervière
Les Plastres
Mgne de la Scie
Mgne de Serymuit
La Rouvière
Les Chabrands
Clot du Dou
Le Lauzet-Ubaye
La Roméyère
Les Passours
Les Dalis
Basse-Chalanche
Bouzoulières
La Garde
Charamel
Les Goirands
Les Berlies
Les Rollands
Bois Noir
Le Seuil
Tête de Louis XVI
La Chanenche
(Méolans-Revel)
L'Aubrée
Le Treou
Tato
Bréziers
Champdarène
L'Eygave
Fermeyer
Les Allards
Col St-Jean
Risolet
Dormillouse
Le Villard
Grande Blache
Rioclar
Les Prats
Miraval
Malpasset
Champ de Tir
Les Allemands
Faucon-de-Barcelonnette
Bellaffaire
Les Jurans
Les Garcinets
Col des Fillys
Batterie
Champanastay
Chaudon
La Fresquière
La Frache
La Lauze
St-Pons
Barcelonnette
Turriers
La Frayssinie
Chaumenc
Villaudemard
(Montclar)
Le Martinet
Méolans
Les Thuiles
Les Guérins
Clot Meyran
La Maure
La Conchette
Les Dorats
Col des Garcinets
St-Martin-lès-Seyne
La Chapelle
Serre-Nauzet
Hauts Savornins
Col Bas
Pic de Savernes
Gaudeissard
Siolane des Besses
Les Besses
Pra Loup
Pra-Soubeiran
Le Sauze
(Uvernet-Fours)
Uvernet
Gaudissard
Super-Sauze
Bois-Noir
Somt de Tête Grosse
Le Col
Les Sagnières
Les Rougiers
Selonnet
Villette
Montclar
Pompiéry
Pic de Bernardez
St-Barthélémy
Roche Bénite
Pte Séolane
Costebelle
Molanès
Pont du Fau
Tête de Charbonnier
Crête des Mélèzes
Surville
La Liberne
Neillère
Les Clarionds
Péguieu
Astoin
Les Tourniquets
Bas-Chardavon
Citre
St-Pons
Mgne de la Blanche
l'Abbaye de Laverq
Col des Thuiles
Le Chapeau de Gendarme
La Haute-Combe
Haut-Chardavon
Seyne
Les Jurans
Le Fau
Gr. de Séolane
Les Agneliers
Gges de la Malune
La Basse-Combe
Chabanon
Chardavon
Tête Grosse
Tête de la Sestrière
Bachelard
Somt de la Chanau
Col du Fanget
Ste-Rose
Grand-Puy
Maure
Cabane des Mulets
Tête de Chabrière
Tête de Vescal
Plan Bas
La Rouchaye
Charcherie
Col de Maure
Le Pain de Sucre
Le Villard d'Abas

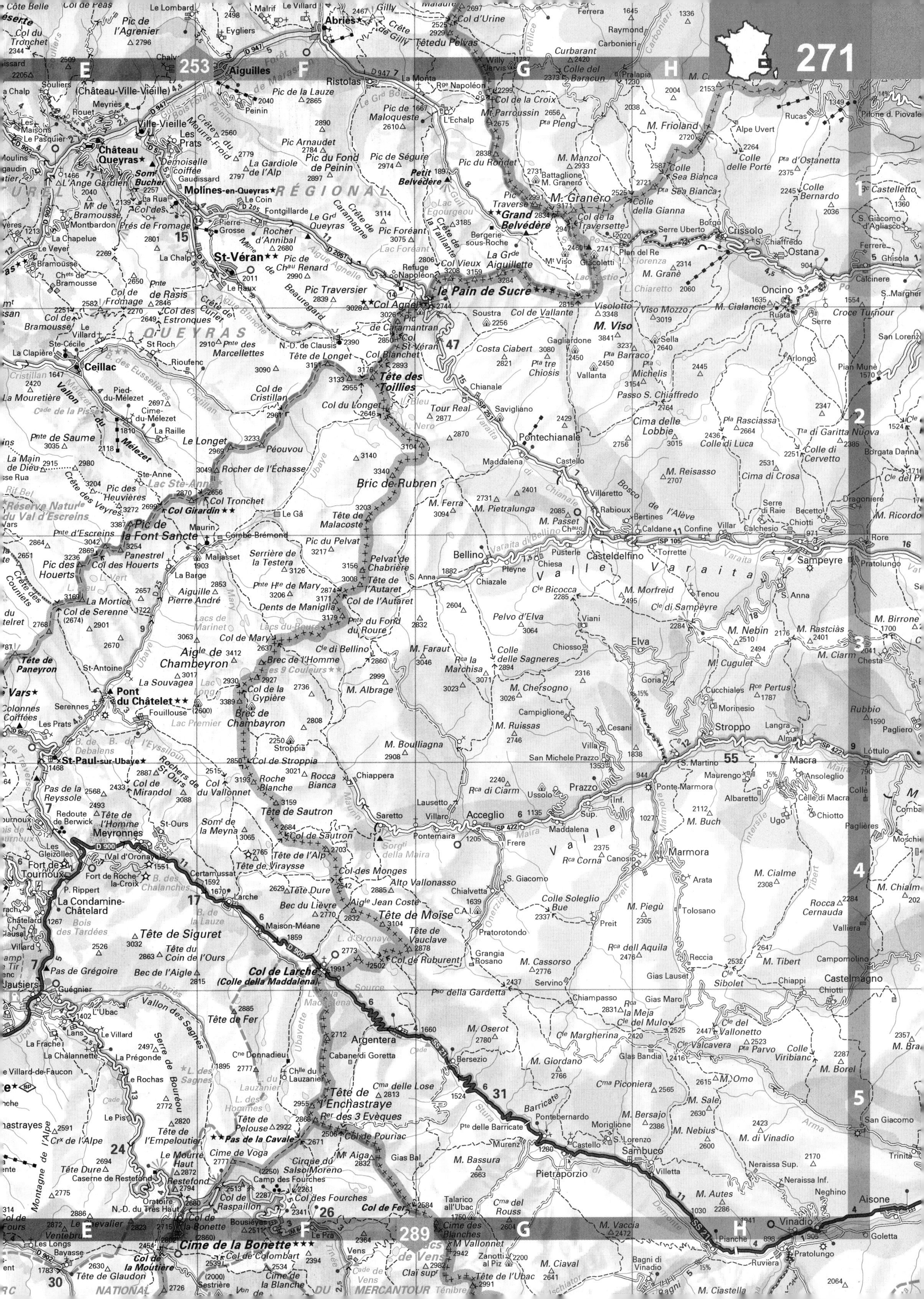

271
E
F
G
H
253
289
1
2
3
4
5
Abriès
Aiguilles
Ristolas
Château-Ville-Vieille
Ville-Vieille
Château Queyras
Molines-en-Queyras
St-Véran
RÉGIONAL
QUEYRAS
Ceillac
Col Agnel
le Pain de Sucre
Grand Belvédère
Petit Belvédère
M. Granero
M. Viso
M. Frioland
Crissolo
Ostana
Oncino
Pontechianale
Casteldelfino
Sampeyre
Bellino
Valle Varaita
Elva
Stroppo
Macra
Acceglio
Prazzo
Valle Maira
Marmora
Castelmagno
Col de Larche
(Colle della Maddalena)
Meyronnes
La Condamine-Châtelard
Jausiers
Pont du Châtelet
St-Paul-sur-Ubaye
Maljasset
Maurin
Aigle de Chambeyron
Brec de Chambayron
Bric de Rubren
Tête des Toillies
Pic de la Font Sancte
Col Girardin
Tête de Moïse
Tête de l'Enchastraye
Argentera
Bersezio
Pietraporzio
Sambuco
Vinadio
Aisone
Pontebernardo
Col de la Bonette
Cime de la Bonette
Restefond
Pas de la Cavale
Col de Fer
Lacs de Vens
Tête de Siguret
Tête de Fer
Col de Mary
Col de Sautron
Col de Stroppia
Col du Longet
Col Blanchet
Col Vieux
Col de la Traversette
Fort de Tournoux
NATIONAL DU MERCANTOUR

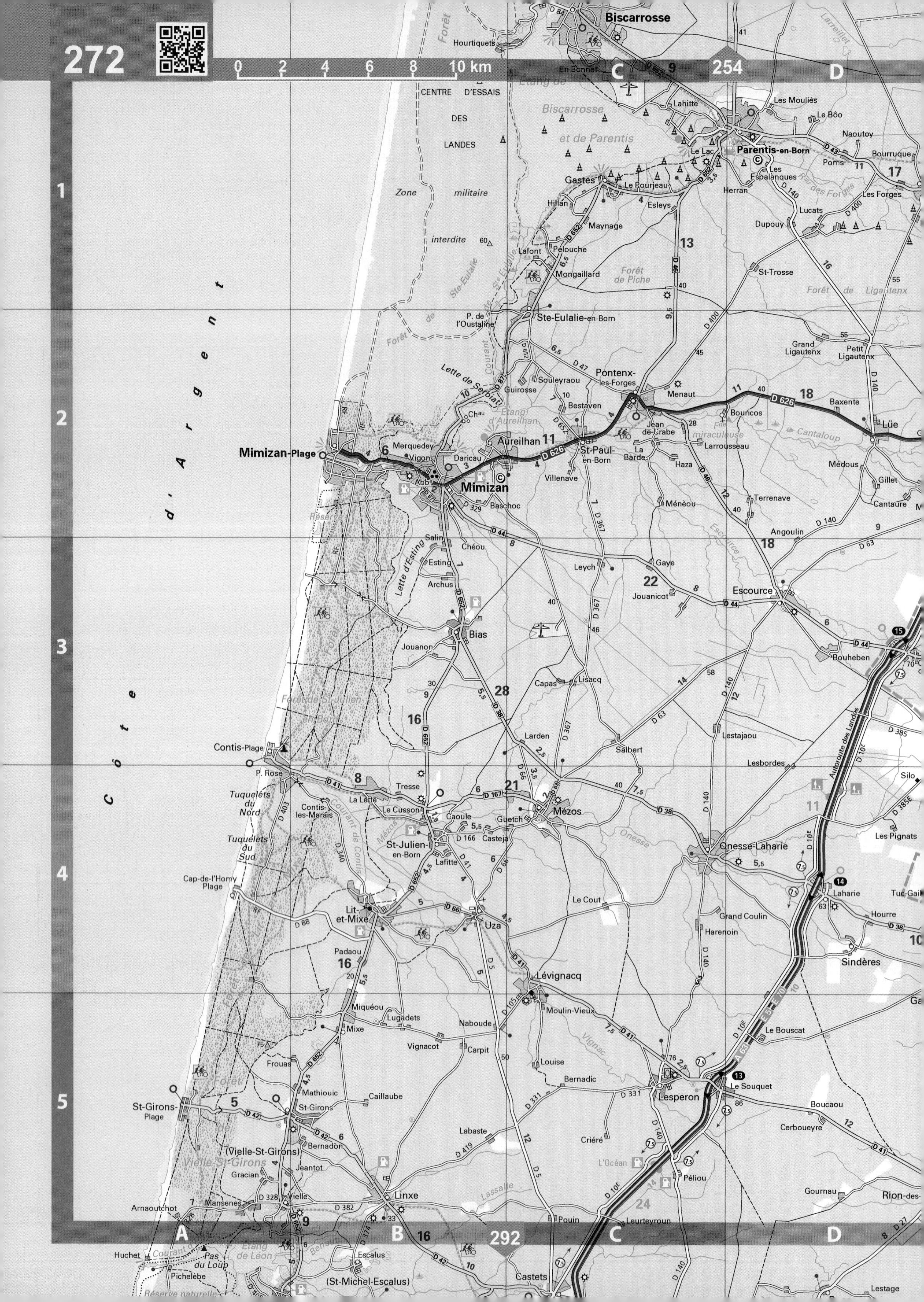
0 2 4 6 8 10 km
254
292
A
B
C
D
1
2
3
4
5
Biscarrosse
Hourtiquets
En Bonnet
Étang de Biscarrosse et de Parentis
CENTRE D'ESSAIS DES LANDES
Zone militaire interdite
Lahitte
Les Mouliès
Le Bôo
Naoutoy
Parentis-en-Born
Le Lac
Bourruque
Poms
Les Espalanques
Herran
Les Forges
Gastes
Le Pourjeau
Hillan
Esleys
Lucats
Dupouy
Maynage
Lafont
Pélouche
Mongaillard
Forêt de Piche
St-Trosse
Forêt de Ligautenx
Forêt de Ste-Eulalie
Ste-Eulalie-en-Born
P. de l'Oustaline
Grand Ligautenx
Petit Ligautenx
Lette de Serbat
Souleyraou
Pontenx-les-Forges
Guirosse
Menaut
Bestaven
Baxente
Bouricos
Lüe
Étang d'Aureilhan
Aureilhan
St-Paul-en-Born
Jean de-Crabe
F^{ne} miraculeuse
Cantaloup
Larrousseau
Mimizan-Plage
Merquedey
Vigon
Daricau
Abbé
Mimizan
Villenave
La Barde
Haza
Médous
Gillet
Baschoc
Ménéou
Terrenave
Cantaure
Côte d'Argent
Salin
Chéou
Esting
Archus
Lette d'Esting
Leych
Gaye
Angoulin
Escource
Jouanicot
Bias
Jouanon
Bouheben
Capas
Lisacq
Forêt de St-Julien-en-Born
Larden
Salbert
Lestajaou
Contis-Plage
P. Rose
Lesbordes
Autoroute des Landes
Silo
Tuquelets du Nord
Tuquelets du Sud
Tresse
La Lette
Le Cusson
Caoule
Guetch
Mézos
Contis-les-Marais
Courant de Contis
St-Julien-en-Born
Casteja
Onesse
Onesse-Laharie
Les Pignats
Lafitte
Cap-de-l'Homy Plage
Lit-et-Mixe
Uza
Le Cout
Grand Coulin
Laharie
Tuc-Gail
Harenoin
Hourre
Padaou
Sindères
Lévignacq
Miquéou
Lugadets
Mixe
Naboude
Moulin-Vieux
Vignacot
Carpit
Le Bouscat
Frouas
Louise
Vignac
Bernadic
Mathiouic
Caillaube
Le Souquet
St-Girons-Plage
St-Girons
Lesperon
Boucaou
Labaste
Cerboueyre
(Vielle-St-Girons)
Bernadon
Criéré
Vielle-St-Girons
Gracian
Jeantot
L'Océan
Péliou
Gournau
Arnaoutchot
Mansenes
Vielle
Linxe
Lassalle
Rion-des-
Pouin
Leurteyroun
Huchet
Courant d'Huchet
Pas du Loup
Étang de Léon
Escalus
(St-Michel-Escalus)
Pichelèbe
Castets
Lestage
Réserve naturelle
D 652
D 626
D 44
D 41
D 38
D 42
D 46
D 47
D 63
D 140
D 400
D 367
D 167
D 166
D 66
D 88
D 403
D 340
D 331
D 419
D 382
D 328
D 374
D 105
D 10E
D 385
D 43
A 63
E 5 E 70

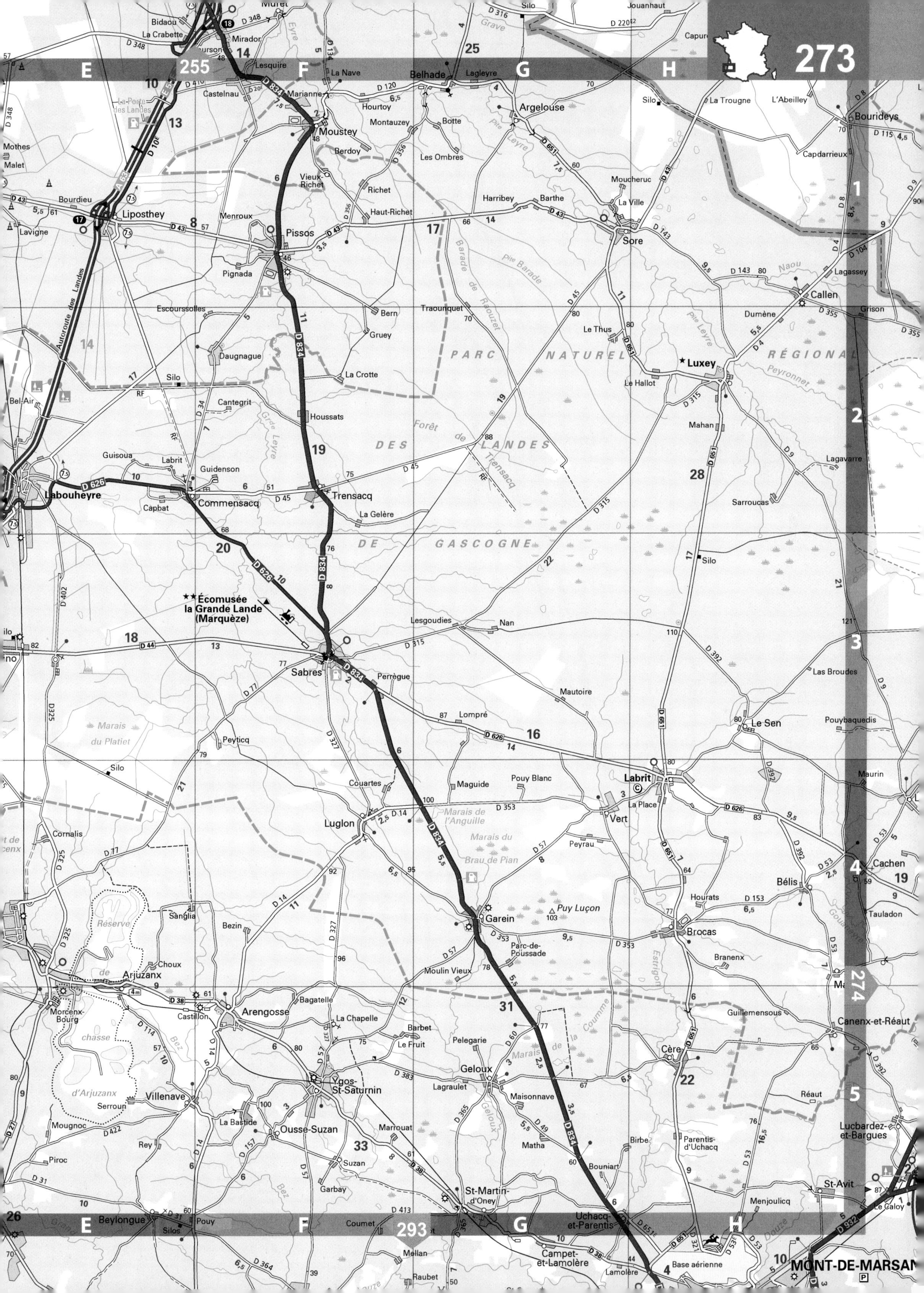
273
255
274
293
E
F
G
H
1
2
3
4
5
Bidaou
La Crabette
Mirador
Lesquire
La Nave
Belhade
Lagleyre
Silo
Jouanhaut
Capuré
Castelnau
Marianne
Hourtoy
Argelouse
La Trougne
L'Abeilley
Bourideys
Moustey
Montauzey
Botte
Berdoy
Les Ombres
Capdarrieux
Mothes
Malet
Vieux-Richet
Richet
Moucheruc
Bourdieu
Liposthey
Haut-Richet
Harribey
Barthe
La Ville
Lavigne
Menroux
Pissos
Sore
Pignada
Lagassey
Callen
Escourssolles
Bern
Traounquet
Le Thus
Dumène
Grison
Gruey
Autoroute des Landes
Daugnague
PARC NATUREL RÉGIONAL
Luxey
La Crotte
Le Hallot
Peyronnet
Bel-Air
Cantegrit
Houssats
Mahan
Forêt de LANDES
DES
Lagavarre
Guisoua
Labrit
Guidenson
Trensacq
Labouheyre
Commensacq
Capbat
La Gelère
Sarroucas
DE GASCOGNE
Écomusée la Grande Lande (Marquèze)
Lesgoudies
Nan
Sabres
Perrègue
Las Broudes
Mautoire
Lompré
Le Sen
Pouybaquedis
Marais du Platiet
Peyticq
Maguide
Pouy Blanc
Labrit
Maurin
Couartes
Luglon
Marais de l'Anguille
Vert
La Place
Cornalis
Marais du Brau de Pian
Peyrau
Cachen
Bélis
Puy Luçon
Hourats
Tauladon
Sanglia
Garein
Réserve
Bezin
Parc-de-Poussade
Brocas
Choux
Arjuzanx
Moulin Vieux
Branenx
Morcenx-Bourg
Castillon
Arengosse
Bagatelle
La Chapelle
Guillemensous
Canenx-et-Réaut
chasse
Barbet
Le Fruit
Pelegarie
Cère
Geloux
Villenave
Ygos-St-Saturnin
Lagraulet
Maisonnave
Réaut
d'Arjuzanx
Serroun
La Bastide
Ousse-Suzan
Marrouat
Matha
Birbe
Parentis-d'Uchacq
Lucbardez-et-Bargues
Mougnoc
Rey
Piroc
Suzan
Bouniart
Garbay
St-Martin-d'Oney
Menjoulicq
St-Avit
Le Caloy
Beylongue
Pouy
Silos
Coumet
Uchacq-et-Parentis
Mellan
Campet-et-Lamolère
Lamolère
Base aérienne
MONT-DE-MARSAN
Raubet
D 834
D 626
D 43
D 651
D 315
D 44
D 353
D 327
D 392
D 38
A 63

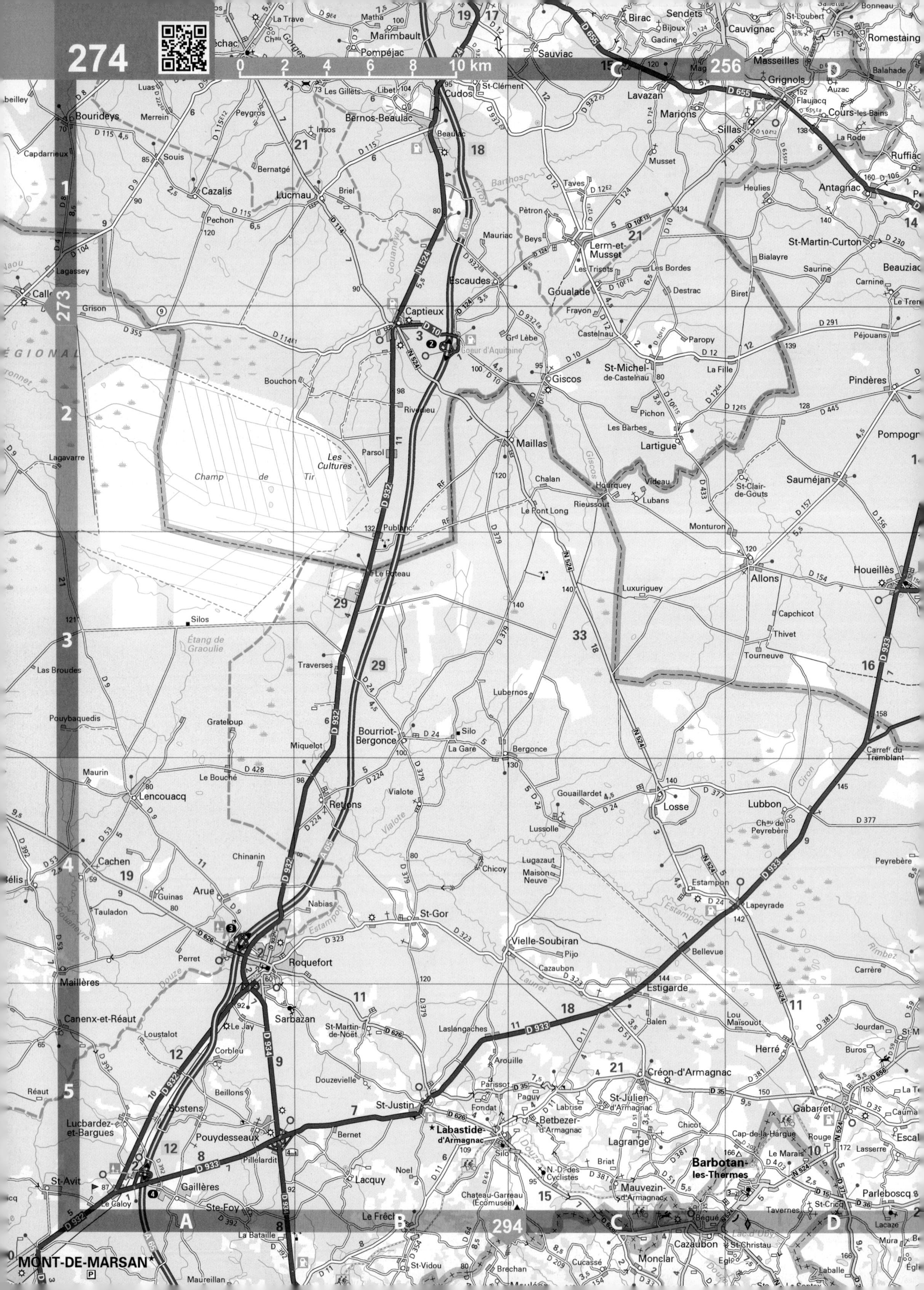
0 2 4 6 8 10 km
La Trave
Matha
Marimbault
Pompéjac
Birac
Sendets
Bijoux
Gadine
Cauvignac
St-Loubert
Bonneau
Romestaing
Sauviac
256
Masseilles
Grignols
Balahade
Luas
Les Gillets
Libet
Cudos
St-Clément
Lavazan
Marions
Flaujacq
Auzac
Cours-les-Bains
Bourideys
Merrein
Peygros
Insos
Bernos-Beaulac
Beaulac
Sillas
Musset
La Rode
Ruffiac
Capdarrieux
Souis
Bernatgé
Cazalis
Lucmau
Briel
Taves
Heulies
Antagnac
Pechon
Pètron
Mauriac
Beys
Lerm-et-Musset
Les Trisots
Les Bordes
St-Martin-Curton
Bialayre
Saurine
Beauziac
Lagassey
Escaudes
Goualade
Destrac
Biret
Carnine
Grison
273
Captieux
Frayon
Castelnau
Paropy
Péjouans
Grd Lèbe
Goeur d'Aquitaine
Giscos
St-Michel-de-Castelnau
La Fille
Bouchon
Rivesieu
Pichon
Pindères
Les Barbes
Maillas
Lartigue
Pompogr
Lagavarre
Parsol
Les Cultures
Champ de Tir
Chalan
Hourquey
Videau
Lubans
St-Clair-de-Gouts
Sauméjan
Rieussout
Le Pont Long
Publanc
Monturon
Le Poteau
Allons
Houeillès
Luxuriguey
Capchicot
Silos
Étang de Graoulie
Thivet
Tourneuve
Las Broudes
Traverses
Lubernos
Pouybaquedis
Grateloup
Bourriot-Bergonce
Silo
Miquelot
La Gare
Bergonce
Carref du Tremblant
Maurin
Le Bouché
Lencouacq
Retjons
Vialote
Gouaillardet
Losse
Lubbon
Chau de Peyrebère
Lussolle
Chinanin
Lugazaut
Maison Neuve
Peyrebère
Cachen
Arue
Chicoy
Estampon
Guinas
Tauladon
Nabias
St-Gor
Lapeyrade
Perret
Roquefort
Vielle-Soubiran
Pijo
Bellevue
Maillères
Cazaubon
Estigarde
Carrère
Sarbazan
Canenx-et-Réaut
Le Jay
St-Martin-de-Noët
Laslangaches
Balen
Lou Maisouot
Jourdan
Loustalot
Corbleu
Arouille
Herré
Buros
Douzevielle
Créon-d'Armagnac
Réaut
Beillons
Parisson
Paguy
St-Julien-d'Armagnac
Gabarret
Bostens
St-Justin
Fondat
Labrise
Lucbardez-et-Bargues
Pouydesseaux
Bernet
Labastide-d'Armagnac
Betbezer-d'Armagnac
Chicot
Cap-de-la-Hargue
Rouge
Lagrange
Le Marais
Lasserre
Pillelardit
Silo
Briat
Barbotan-les-Thermes
St-Avit
Noel
Lacquy
N.-D. des Cyclistes
Mauvezin-d'Armagnac
Parleboscq
Gaillères
Le Caloy
Ste-Foy
Chateau-Garreau (Écomusée)
Tavernes
St-Cricq
Le Frêche
294
Bégué
Lacaze
La Bataille
Monclar
Cazaubon
St-Christau
Mura
MONT-DE-MARSAN
Maureillan
St-Vidou
Brechan
Cucassé
Labaille

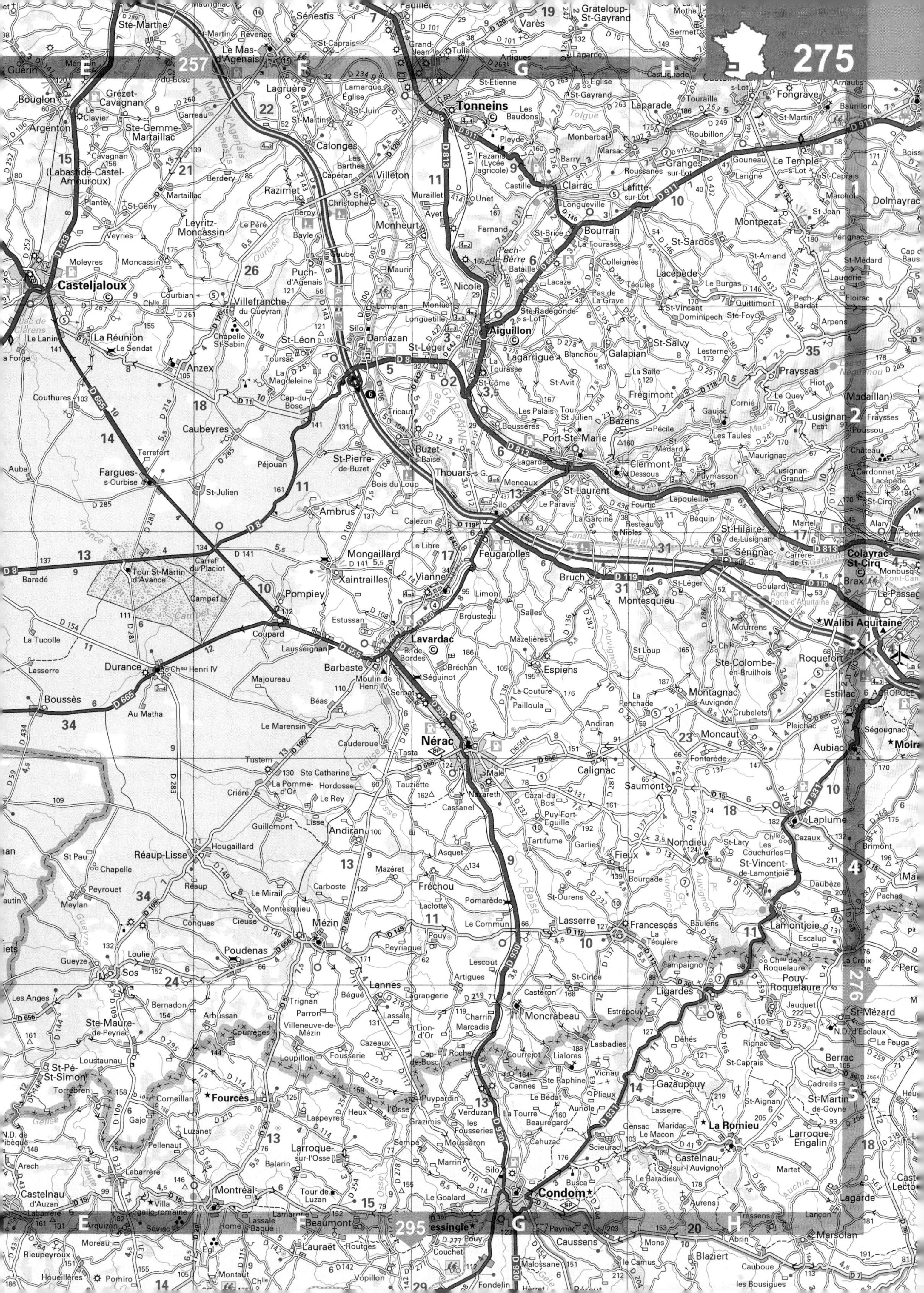
257
295
276
Ste-Marthe
Sénestis
Varès
Grateloup-St-Gayrand
Le Mas-d'Agenais
Guérin
Bouglon
Grézet-Cavagnan
Argenton
Ste-Gemme-Martaillac
Lagruère
Tonneins
Fongrave
Laparade
Calonges
Villeton
Razimet
St-Christophe
(Labastide-Castel-Amouroux)
Leyritz-Moncassin
Monheurt
Clairac
Granges-sur-Lot
Le Temple-s-Lot
Lafitte-sur-Lot
Dolmayrac
Bourran
Montpezat
St-Sardos
Casteljaloux
Puch-d'Agenais
Nicole
Lacépède
Villefranche-du-Queyran
Aiguillon
Damazan
St-Léon
St-Léger
Lagarrigue
Galapian
St-Salvy
Prayssas
La Réunion
Anzex
Frégimont
Lusignan-Petit
Caubeyres
Buzet-s-Baïse
Port-Ste-Marie
Clermont-Dessous
St-Pierre-de-Buzet
Thouars-s-G.
St-Laurent
Fargues-s-Ourbise
Ambrus
St-Hilaire-de-Lusignan
Colayrac-St-Cirq
Feugarolles
Sérignac-sur-G.
Mongaillard
Xaintrailles
Vianne
Bruch
Montesquieu
Pompiey
Lavardac
Walibi Aquitaine
Barbaste
Roquefort
Espiens
Durance
Boussès
Montagnac-s-Auvignon
Estillac
Moncaut
Nérac
Aubiac
Calignac
Saumont
Laplume
Andiran
Réaup-Lisse
Nomdieu
Fieux
Fréchou
Mézin
Lasserre
Francescas
Lamontjoie
Poudenas
Sos
Lannes
Ligardes
Pouy-Roquelaure
Moncrabeau
St-Mézard
Fourcès
Gazaupouy
La Romieu
Larroque-Engalin
Castelnau-sur-l'Auvignon
Condom
Montréal
Castelnau-d'Auzan
Beaumont
Lectoure
Lagarde
Caussens
Blaziert
Marsolan

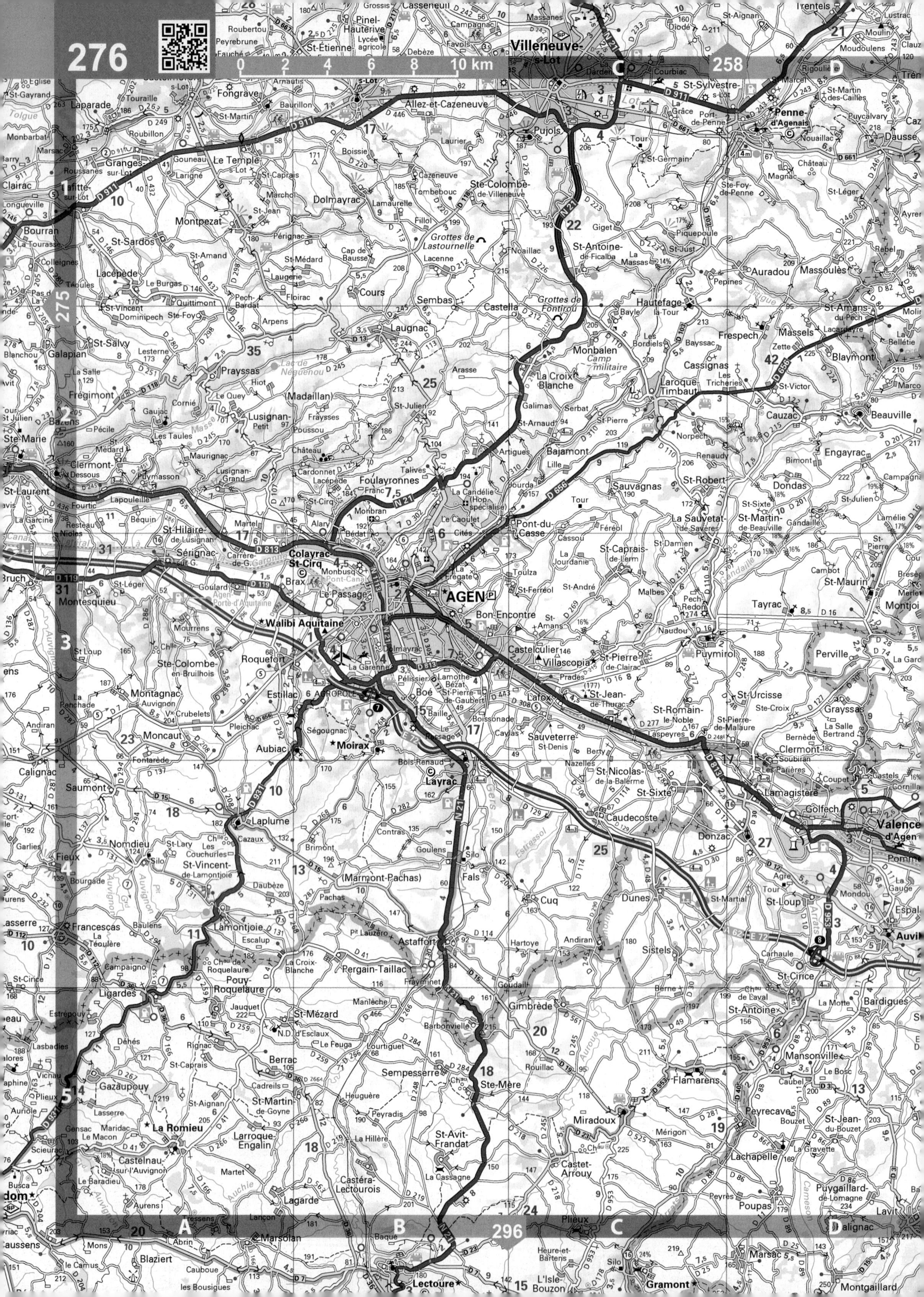
0 2 4 6 8 10 km
258
296
275
Villeneuve-s-Lot
St-Sylvestre-s-Lot
Penne-d'Agenais
Pujols
Allez-et-Cazeneuve
Fongrave
Laparade
Granges-sur-Lot
Le Temple-s-Lot
Lafitte-sur-Lot
Clairac
Bourran
Montpezat
St-Sardos
Lacépède
Dolmayrac
Ste-Colombe-de-Villeneuve
Grottes de Lastournelle
Cours
Sembas
Castella
Grottes de Fontirou
Laugnac
Prayssas
Lac de Néguenou
Madaillan
Lusignan-Petit
Monbalen
Camp militaire
La Croix Blanche
Laroque-Timbaut
Hautefage-la-Tour
St-Antoine-de-Ficalba
Auradou
Massoulès
Frespech
Massels
Cassignas
Cauzac
Beauville
Engayrac
Dondas
Sauvagnas
St-Robert
Bajamont
Foulayronnes
Clermont-Dessous
St-Laurent
Port-Ste-Marie
Galapian
Frégimont
Bazens
St-Hilaire-de-Lusignan
Sérignac-sur-G.
Colayrac-St-Cirq
Brax
Le Passage
Walibi Aquitaine
AGEN
Bon-Encontre
Pont-du-Casse
St-Caprais-de-Lerm
La Sauvetat-de-Savères
St-Martin-de-Beauville
Tayrac
St-Maurin
Puymirol
Castelculier
Villascopia
St-Pierre-de-Clairac
Lafox
St-Jean-de-Thurac
Sauveterre-St-Denis
St-Romain-le-Noble
St-Urcisse
Grayssas
Perville
Clermont-Soubiran
Lamagistère
Golfech
Valence-d'Agen
Montesquieu
Roquefort
Ste-Colombe-en-Bruilhois
Estillac
Agropole
Boé
Layrac
Moirax
Aubiac
Montagnac-s-Auvignon
Moncaut
Laplume
Calignac
Saumont
Nomdieu
St-Vincent-de-Lamontjoie
Fieux
Lamontjoie
Francescas
Astaffort
Pergain-Taillac
Cuq
Fals
St-Nicolas-de-la-Balerme
St-Sixte
Caudecoste
Donzac
Dunes
Sistels
St-Cirice
St-Loup
Gimbrède
St-Antoine
Flamarens
Miradoux
Peyrecave
Mansonville
Lachapelle
Castet-Arrouy
Poupas
Puygaillard-de-Lomagne
Ligardes
Pouy-Roquelaure
St-Mézard
Berrac
Sempesserre
Ste-Mère
St-Avit-Frandat
Gazaupouy
La Romieu
Castelnau-sur-l'Auvignon
Larroque-Engalin
St-Martin-de-Goyne
Castéra-Lectourois
Lagarde
Marsolan
Lectoure
Plieux
Gramont
Lavit
Dalignac
Montgaillard
Condom
A B C D
A 62
E 72
N 21
D 813
D 911
D 656
Garonne
Gers
Auvignon

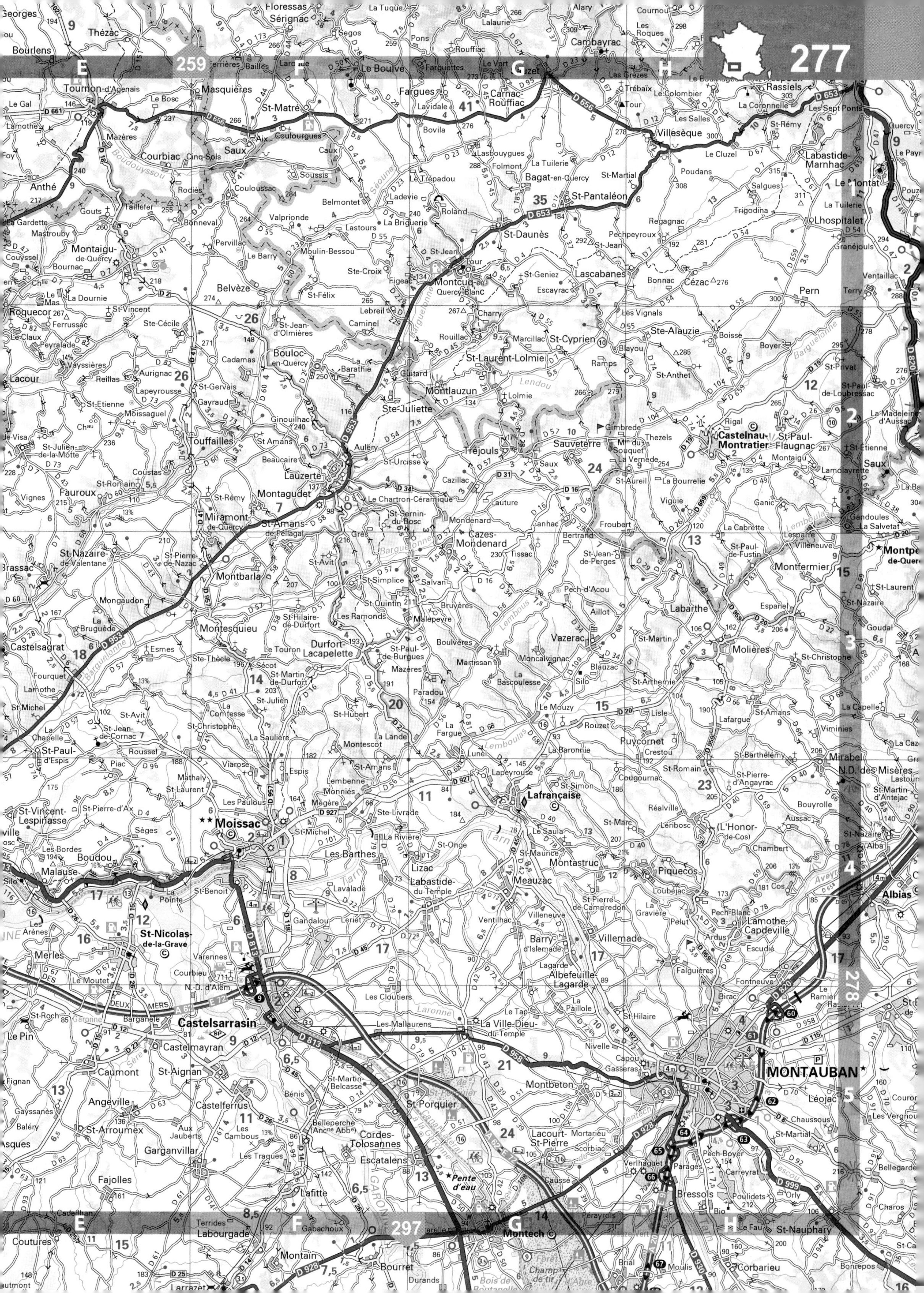
259
278
297
E
F
G
H
Tournon-d'Agenais
Masquières
Le Boulvé
Fargues
Lauzet
Carnac-Rouffiac
Cambayrac
Rassiels
Villesèque
Courbiac
Saux
Couloussac
St-Matré
Bovila
Lasbouygues
Bagat-en-Quercy
St-Pantaléon
Labastide-Marnhac
Le Montat
Lhospitalet
Anthé
Montaigu-de-Quercy
Belvèze
Valprionde
Belmontet
Moulin-Bessou
Montcuq-en-Quercy-Blanc
St-Daunès
Lascabanes
Cézac
Pern
Roquecor
St-Vincent
Lacour
St-Jean-d'Olmières
Bouloc-en-Quercy
Montlauzun
St-Laurent-Lolmie
St-Cyprien
Ste-Alauzie
Ste-Juliette
Touffailles
Lauzerte
Tréjouls
Sauveterre
Castelnau-Montratier
St-Paul-Flaugnac
Fauroux
Montagudet
Miramont-de-Quercy
St-Amans-de-Pellagal
Cazes-Mondenard
St-Nazaire-de-Valentane
St-Pierre-de-Nazac
Montbarla
Labarthe
Montfermier
Castelsagrat
Montesquieu
Durfort-Lacapelette
Vazerac
Molières
Puycornet
Lafrançaise
St-Vincent-Lespinasse
Moissac
Les Barthes
Lizac
Labastide-du-Temple
Meauzac
Montastruc
Piquecos
Lamothe-Capdeville
Albias
Malause
St-Nicolas-de-la-Grave
Castelsarrasin
Castelmayran
St-Aignan
Barry-d'Islemade
Villemade
Albefeuille-Lagarde
La Ville-Dieu-du-Temple
Montbeton
MONTAUBAN
Léojac
Caumont
Angeville
Castelferrus
St-Porquier
Lacourt-St-Pierre
St-Arroumex
Garganvillar
Cordes-Tolosannes
Escatalens
Fajolles
Lafitte
Bressols
Labourgade
Montech
St-Nauphary
Montain
Bourret
Corbarieu

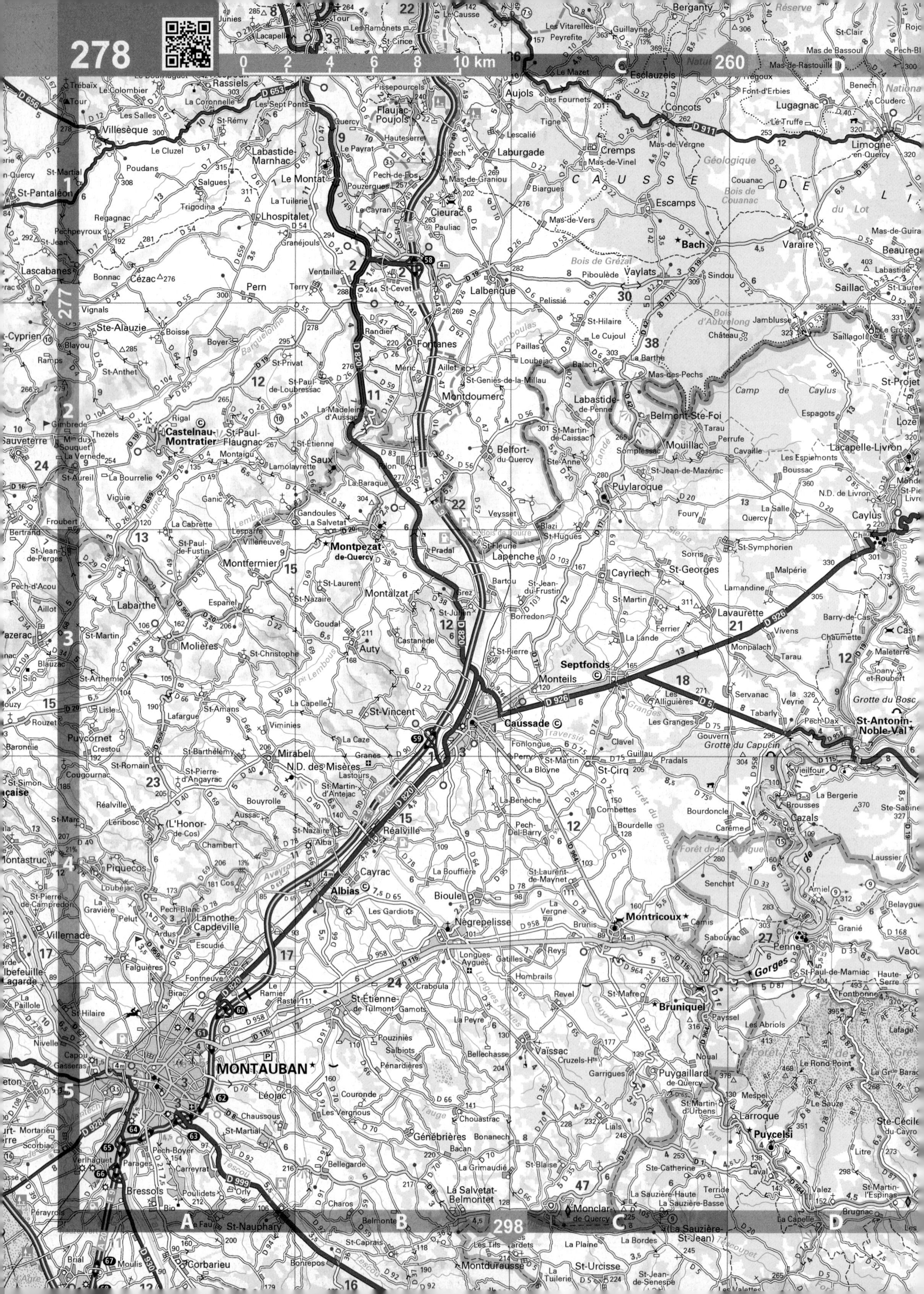
278
0 2 4 6 8 10 km
260
277
298
A
B
C
D
1
2
3
4
5
Rassiels
Villesèque
St-Pantaléon
Lascabanes
Labastide-Marnhac
Le Montat
Lhospitalet
Flaujac-Poujols
Aujols
Esclauzels
Concots
Lugagnac
Limogne-en-Quercy
Cremps
Laburgade
Escamps
Cieurac
Bach
Vaylats
Lalbenque
Cézac
Pern
Fontanes
Montdoumerc
Labastide-de-Penne
Belmont-Ste-Foi
Mouillac
Puylaroque
Belfort-du-Quercy
Castelnau-Montratier
St-Paul-Flaugnac
Saux
Montpezat-de-Quercy
Lapenche
Cayriech
St-Georges
Caylus
Lavaurette
Septfonds
Monteils
Caussade
Montalzat
Molières
Mirabel
N.D. des Misères
Réalville
Albias
Cayrac
Nègrepelisse
Montricoux
Bruniquel
Penne
Puycelsi
Vaïssac
MONTAUBAN
Léojac
Bressols
St-Nauphary
Monclar-de-Quercy
La Salvetat-Belmontet
Génébrières
Puygaillard-de-Quercy
Lamothe-Capdeville
Piquecos
St-Antonin-Noble-Val
Camp de Caylus
Lacapelle-Livron
Saillac
Varaire
Bois de Grézal
Bois d'Aubrelong
Forêt de la Garrigue
Gorges
Grotte du Capucin
Grotte du Bosc
CAUSSE DE
A 20
D 820
D 926
D 911
D 958
D 115
D 999
D 653
Corbarieu
Montdurausse
St-Urcisse

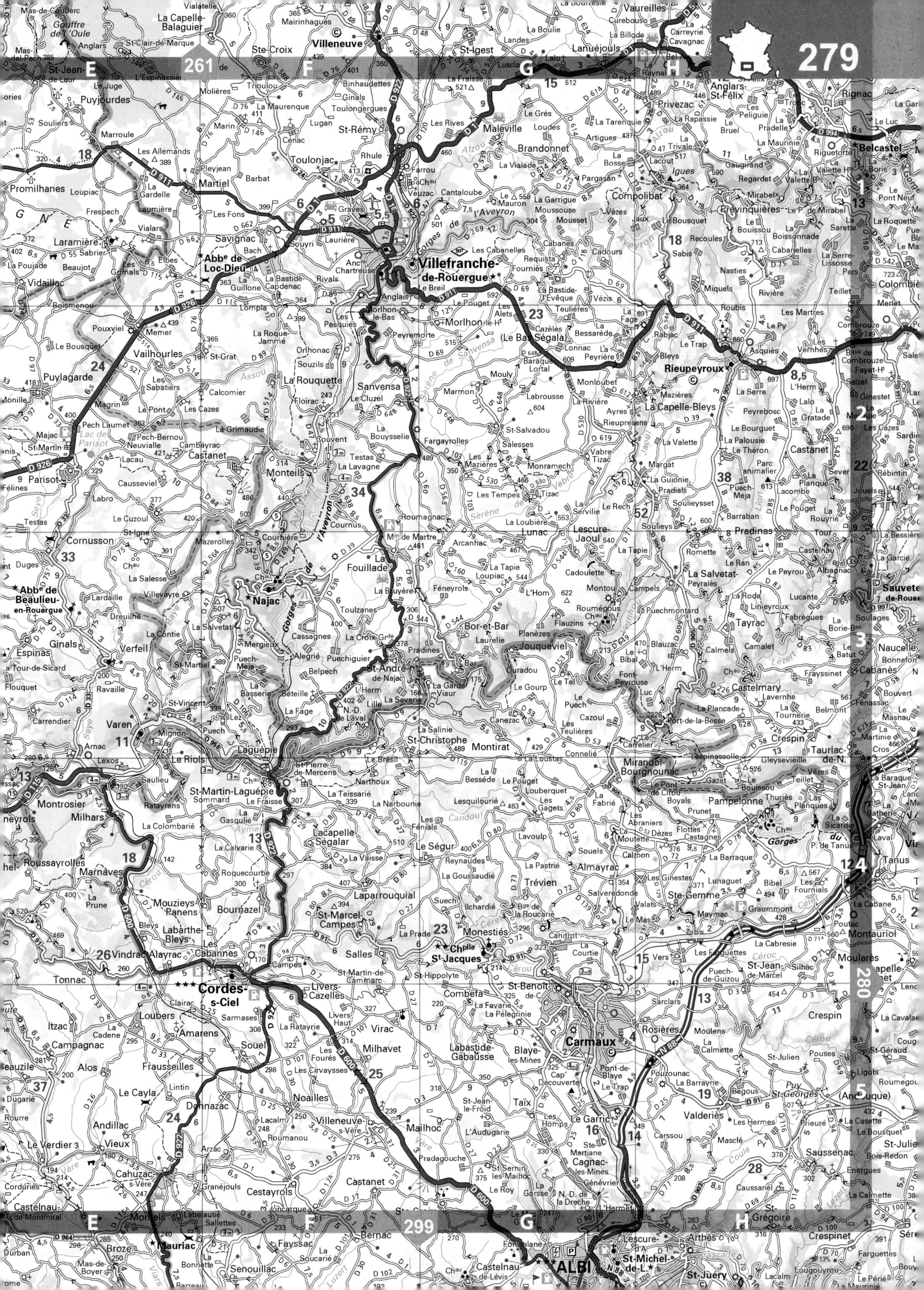

279
261
299
280
E
F
G
H
Mas-de-Couderc
Gouffre de l'Oule
La Capelle-Balaguier
St-Clair-de-Marque
Anglars
Mas-del-Pech
St-Jean-de-Laur
L'Espinassière
Ste-Croix
Villeneuve
Marinhagues
Vaureilles
Curebouso
La Billode
Carreyrie
Cavagnac
Lanuéjouls
Landes
La Boulie
St-Igest
Lusclade
Lalo
La Fraisse
Puyjourdes
Le Juge
Souliers
Marroule
Molières
Trioulou
Binhaudettes
Ginals
La Maurenque
Toulongergues
Lugan
Cénac
St-Rémy
Les Rives
Maleville
Le Grès
Loudes
La Tarenquie
Brandonnet
Artigues
Privezac
Anglars-St-Félix
La Rapassie
Le Bruel
Les Peliguie
Pradelle
Rignac
Belcastel
Le Luc
Les Allemands
Promilhanes
Loupiac
La Gardelle
Martiel
Pleyjean
Barbat
Toulonjac
Rhule
Farrou
Veuzac
Cantaloube
La Vialade
Pargasan
La Garrigue
Moussouse
Mousset
Compolibat
Vèzes
Igues
Lacout
La Trivale
Gaugirand
Regardet
La Maurinie
Riguetorte
La Valette
Mirabel
Prévinquières
Frespech
Lumière
Les Fons
Graves
Mauron
Gorges de l'Aveyron
Laramière
Vialars
Savignac
Souyri
Laurière
Le Bousquet
Recoules
Le Bouissou
La Boissonnade
Sarrette
La Poujade
Sabrier
Beaujot
Grimals
Elbes
Abbe de Loc-Dieu
Bach
Anc. Chartreuse
Rivals
La Bastide-Capdenac
La Guillone
Villefranche-de-Rouergue
Les Cabanelles
Cabanes
Requista
Fourniès
Cadours
La Bastide-l'Évêque
Sabis
Nasties
Miquels
Cabanelles
La Serre-Lissosse
Pers
Colombiès
Vidaillac
Lompla
Anglais
Le Breil
Le Pouget
Morlhon-le-Bas
Les Alets
Vézis
Teulières
Roubis
Rivière
Teillet
Boismenou
Pouxviel
Memer
La Roque-Jammé
Les Pesquiès
Peyremorte
Morlhon-le-Ht
(Le Bas Ségala)
Cazèles
Bessarède
Lonnac
La Peyrière
La Fage
Rabjac
Le Trap
Asquiès
Le Py
Les Martres
Combrouze
Les Vernhes
Le Bousquet
Vailhourles
St-Grat
Orlhonac
Souzils
Baraque Lortal
Mouly
Monloubet
Bleys
Rieupeyroux
Mazières
La Serre
L'Herm
Fayet-Ht
Puylagarde
Les Sabatiers
Calcomier
La Rouquette
Sanvensa
Le Cluzel
Floirac
Marmon
Labrousse
La Rivière
Ayres
Rieupresens
La Capelle-Bleys
Peyrebosc
Lalo
La Gratade
Magrin
Le Pont
Les Cazes
La Grimaudie
Pech Laumet
Lac de Parisot
Pech-Bernou
Neuvialle
Cambayrac
Castanet
Couvent
La Bouysselie
Fargayrolles
St-Salvadou
Salesses
Vabre-Tizac
La Valette
Le Bourguet
La Palousie
Le Théron
Parc animalier
Castanet
Majac
St-Martin
Lacau
Testas
La Lavagne
Monteils
Les Mazières
Monramech
Margat
La Guionie
Pradials
Puech-Meja
Lacombe
La Planque
Sever
Rébintin
Parisot
Félines
Causseviel
Labro
Les Tempes
Tizac
Le Rech
Soulieysset
Le Pouget
La Rouyrie
Testas
Le Cuzoul
Roumagnac
Servilie
Lescure-Jaoul
Lunac
La Loubière
Soulieys
Barraban
Pradinas
Tour
La Bessière
Cornusson
St-Igne
Mazerolles
Courbière
Mn de Martre
Arcanhac
La Tapie
Romette
Castelnau
La Garcie
Duges
La Salesse
Loupiac
Fouillade
Fényrols
Cadoulette
Montou
Campels
La Salvetat-Peyralès
Albagnac
Le Peyrou
Sauveterre-de-Rouergue
Abbe de Beaulieu-en-Rouergue
Lardaille
Villevayre
Najac
Gorges de l'Aveyron
La Bruyère
L'Hom
Rouméguous
Puechmontard
La Rode
Linieyroux
Fabrègues
Lucante
Soulages
Dreuilhe
La Salvetat
Toulzanes
Flauzins
Tayrac
La Borie-B.
La Contie
Mergieux
Cassagnes
La Croix Grde
Bor-et-Bar
Laurelie
Planèzes
Jouqueviel
Blauzac
Calmels
Camalet
Naucelle
Espinas
Ginals
Verfeil
St-Martial
Puech-Meja
Alegrié
Puechiguier
Pradines
Bar
Ouradou
Le Bibal
L'Herm
Batut
Bonnefon
Cabanès
La Tour-de-Sicard
Belpech
St-André-de-Najac
Le Gourp
Le Tel
Font-Peyrouse
Luc
Castelmary
Frayssinet
Flouquet
Ravaille
St-Vincent
Basserie
Béteille
La Garde-Viaur
La Sevene
Lavernhe
Bouvert
Carrendier
Puech
Lez
La Fage
L'Herm
N.-D. de Laval
Lille
Canezac
Cazoul
Les Teulières
La Plancade
Port-de-la-Besse
La Tournerie
Belmont
Fenassac
Varen
Arnac
Mignon
Laguépie
La Salinie
St-Christophe
Montirat
Connelié
Le Carrelier
Crespin
Tauriac-de-N.
Lexos
Le Riols
St-Pierre-de-Mercens
Le Brésil
La Loustas
Mirandol-Bourgnounac
L'Espinassolle
Gleysevieille
Vèzes
Teillet
La Baraque St-Jean
Montrosier
Saulieu
St-Martin-Laguépie
Sommard
Narthoux
La Teissarié
La Besséde
Le Pouget
Louberquet
Lesquilourié
Les Gagets
La Fabrié
Le Pont de Cirou
Gazel
Le Bouissou
Boyals
Pampelonne
Thuriès
Les Planques
Milhars
Rayrayrens
Le Fraisse
La Narbounie
Les Abraniers
Prunet
La Sicardie
La Batherie
La Colombarié
Gasquié
Lacapelle-Ségalar
Les Fénials
Candour
Lavoulp
La Moutette
Dèzes
Flottes
Castagnes
Gorges du Viaur
P. de Tanus
Roussayrolles
La Calvarie
Le Ségur
Reynaudes
Souels
Calmon
Almayrac
La Barraque
Tanus
Marnaves
Roquecourbe
La Vaisse
La Goussaudié
La Pastrié
Les Ginestes
Bibel
Les Fournials
La Prune
Mouzieys-Panens
Bournazel
Laparrouquial
Trévien
Salveredonde
Lunaguet
Ste-Gemme
Valats
Le Mas
Maymac
Graummont
La Cabane
Poutac
Suech
Ilchardié
Bge de la Roucarié
St-Marcel-Campes
Bleys
Labarthe-Bleys
Les Cabannes
La Prade
Monestiés
Canitrot
La Courtie
Montauriol
La Cabresie
Moulares
Vindrac-Alayrac
Salles
Chplle St Jacques
Les Farguettes
Vers
Puech-de-Guizou
St-Jean-de-Marcel
Silhac
Tonnac
Cordes-s-Ciel
Campes
St-Martin-de-Cammarc
St-Hippolyte
St-Benoît-de-C.
Livers-Cazelles
Combefa
La Favarié
La Pélegrinie
Sarclars
Crespin
La Cavalarié
Loubers
Clairac
Sarmasses
Livers-Haut
Virac
La Ratayrie
Carmaux
Rosières
Moulens
La Calmette
Itzac
La Cadene
Amarens
Souel
Milhavet
Labastide-Gabausse
Blaye-les-Mines
Campagnac
Frausseilles
Les Fourés
Les Cirvaysses
Pont-de-Blaye
Pouzounac
St-Julien
Pousses
St-Géraud
Alos
Cap' Découverte
Le Trap
La Barrayrie
Puy St-Georges
Ligots
Roumegoux
Lintin
Le Cayla
Noailles
St-Jean-le-Froid
Taïx
Begous
Valderiès
(Andouque)
Donnazac
Lacalm
Villeneuve-s-Vère
Mailhoc
Les Homps
Le Garric
Carssou
Les Hermes
Prieuré
La Casette
Le Bousquet
St-Julien
Andillac
Roumanou
L'Audugarié
Ste-Martiane
Masclé
Saussenac
Bois-Redon
Le Verdier
Vieux
Arzac
Pradagouche
Cagnac-les-Mines
Energues
Cahuzac-s-Vère
Granéjouls
Castanet
St-Sernin-les-Mailhoc
Génévrier
Caussanel
La Calmette
Cordurìes
Cestayrols
Le Roy
Gorsse
N.-D. de la Drèche
L'Hermet
St-Grégoire
Castelnau-de-Montmiral
Montels
Sallettes
Lincarque
Lescure-d'A.
Arthès
Crespinet
Mauriac
Broze
Fayssac
Bernac
Fonlabour
Albi
St-Michel-de-L.
St-Juéry
Farguettes
Mas-de-Boyer
Bonnette
La Soucarié
Senouillac
Castelnau-de-Lévis
Lacalm
Durban
Sère
Bouy

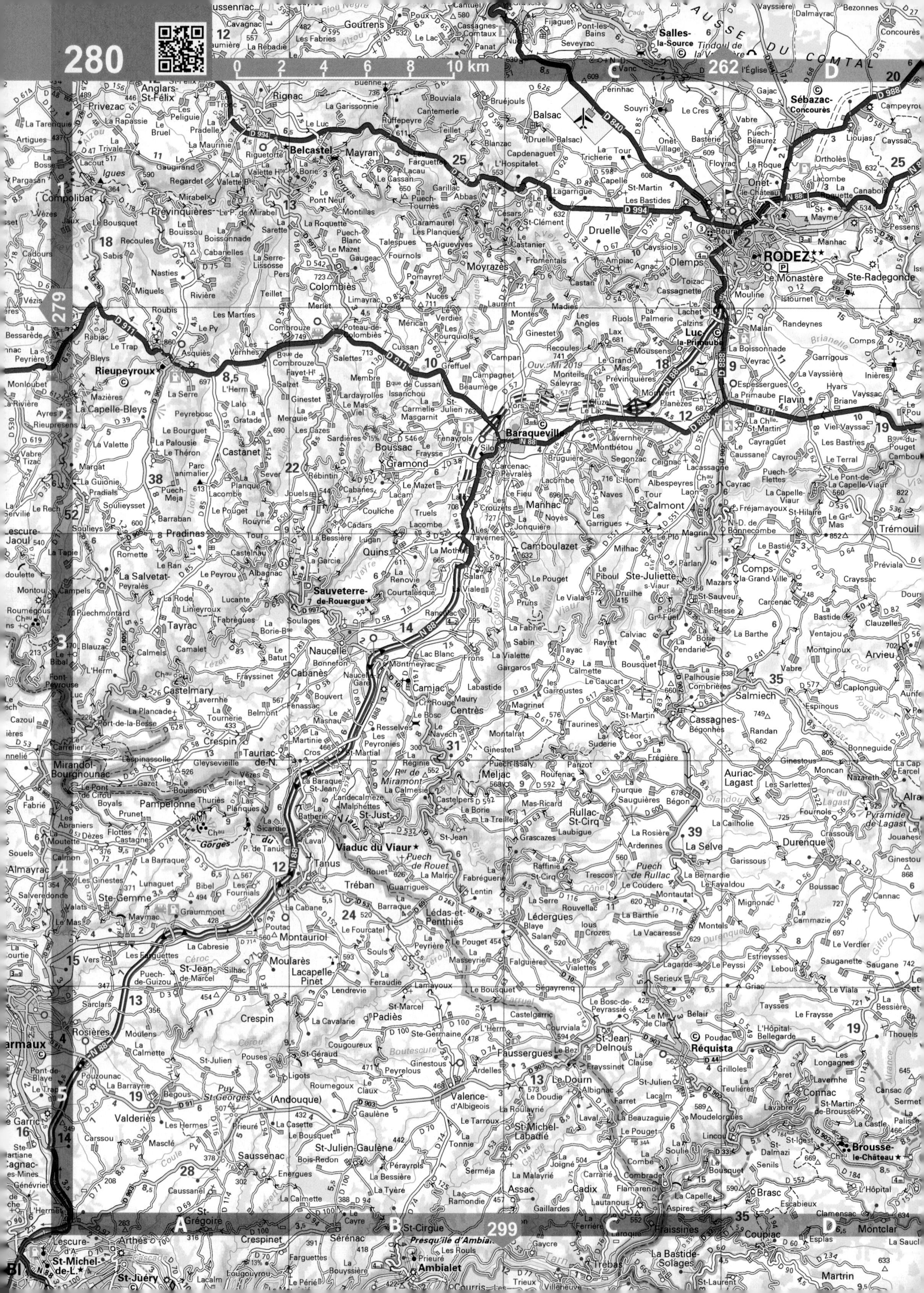
0 2 4 6 8 10 km
262
279
299
Salles-la-Source
Sébazac-Concourès
RODEZ
Le Monastère
Onet-le-Château
Olemps
Luc la-Primaube
Baraqueville
Rieupeyroux
Belcastel
Rignac
Colombiès
Moyrazès
Druelle
Balsac
Calmont
Flavin
Sauveterre-de-Rouergue
Naucelle
Camjac
Ste-Juliette-s-Viaur
Cassagnes-Bégonhès
Salmiech
Arvieu
Durenque
Auriac-Lagast
Pyramide de Lagast
Viaduc du Viaur
Tanus
Pampelonne
Mirandol-Bourgnounac
Carmaux
Valence-d'Albigeois
Réquista
Connac
Brousse-le-Château
Coupiac
Montclar
Ambialet
Presqu'île d'Ambialet
St-Juéry
Lescure-d'Albigeois
Arthès
St-Michel-de-L.
Trébas
La Bastide-Solages
Faussergues
Lédergues
Ledas-et-Penthiès
Montauriol
Crespin
Padiès
Rullac-St-Cirq
Meljac
Castelmary
Tayrac
Pradinas
La Salvetat-Peyralès
Gramond
Boussac
Quins
Centrès
Camboulazet
Manhac
Ste-Radegonde
Lioujas
D 911
D 994
D 888
N 88
D 903
D 902
D 840
D 988

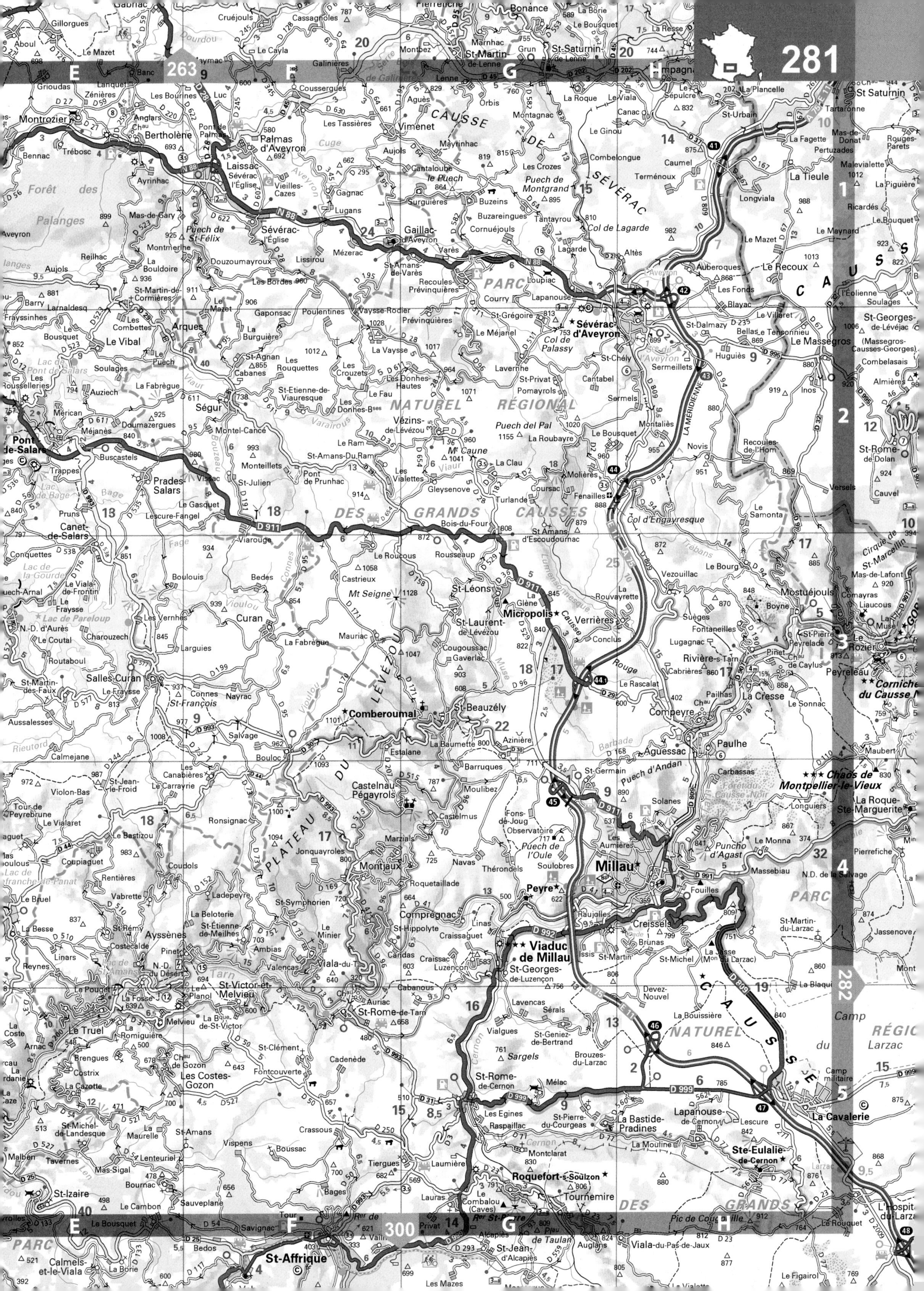

263
300
282
E
F
G
H
1
2
3
4
5
Gabriac
Gillorgues
Cruéjouls
Cassagnoles
Pierrefiche
Bonance
La Borie
Le Bousquet
La Resse
Aboul
Le Mazet
Le Cayla
Montbez
Marnhac
St-Martin-de-Lenne
Grun
St-Saturnin-de-Lenne
Campagnac
Banc
Galinières
Lenne
Grioudas
Lanquet
Zénières
Les Bourines
Luc
Coussergues
Agués
Orbis
La Roque
Le Viala
Sépulcre
La Plancelle
St Saturnin
Montrozier
Anglars
Bertholène
Pont de Palmas
Palmas d'Aveyron
Les Tassières
Vimenet
CAUSSE DE SÉVÉRAC
Montagnac
Canac
St-Urbain
Tartaronne
Mas-de-Donat
Rouges-Parets
Bennac
Trébosc
Laissac
Sévérac-l'Église
Vieilles-Cazes
Cuge
Aujols
Mayrinhac
Le Ginou
Combelongue
Caumel
La Fagette
Pertuzades
Forêt des Palanges
Ayrinhac
Cantaloube
le Puech
Les Crozes
Puech de Montgrand
Terménoux
La Tieule
Malevialette
La Piguière
Gagnac
Surguières
Buzeins
Longviala
Ricardés
Mas-de-Gary
Lugans
Buzareingues
Tantayrou
Le Bouquet
Puech de St-Félix
Sévérac-l'Église
Gaillac-d'Aveyron
Cornuéjouls
Col de Lagarde
Le Mazet
Le Maynard
Montmerlhe
Mézerac
Lissirou
Varès
Lagarde
Altès
Reilhac
Aujols
La Bouldoire
Douzoumayroux
St-Amans-de-Varès
Loupiac
Aubéroques
Le Recoux
CAUSSE
Les Bordes
Recoules-Prévinquières
PARC
Les Fonds
St-Martin-de-Cormières
Courry
Lapanouse
Blayac
L'Éolienne
Soulages
Barry
Larnaldesq
Le Mazet
Gaponsac
Poulentines
Vayssé-Rodier
St-Grégoire
Sévérac-d'Aveyron
Le Villaret
St-Georges-de-Lévéjac
Frayssinhes
Les Combettes
Arques
Prévinquières
Le Méjanel
Col de Palassy
St-Dalmazy
Bellas
Le Tensonnieu
Le Massegros
Le Bousquet
Le Vibal
La Burguière
(Massegros-Causses-Gorges)
Lac de Pont de Salars
Soulages
St-Agnan
Cabanes
Les Rouquettes
Les Crouzets
La Vaysse
St-Chély
Sermeillets
Huguiès
Combelasais
Les Rousselleries
Le Puech
Les Donhes-Hautes
Lavernhe
Cantabel
Almières
Auziech
La Fabrègue
St-Etienne-de-Viauresque
Le Fau
St-Privat
Pomayrols
Inos
Mérican
Ségur
Les Donhes-Basses
NATUREL RÉGIONAL
Sermels
Méjanès
Doumazergues
Montel-Cancé
Vézins-de-Lévézou
Puech del Pal
Montaliès
LA MÉRIDIENNE
Pont-de-Salars
Buscastels
Le Ram
Mt Caune
La Roubayre
Le Bousquet
Recoules-de-l'Hom
St-Rome-de-Dolan
St-Amans-Du-Ram
La Clau
Novis
Trappes
Prades-Salars
Monteillets
Pont de Prunhac
Les Vialettes
Molières
Lac de Bage
Bage
St-Julien
Gleysenove
Coursac
Fenailles
Cauvel
Versels
Pruns
Le Gasquet
Turlande
Col d'Engayresque
Le Samonta
Canet-de-Salars
Lescure-Fangel
DES GRANDS CAUSSES
Bois-du-Four
St-Amans-d'Escoudournac
Viarouge
Rousseaup
Le Roucous
Conquettes
Fage
Trébans
Cirque de St-Marcellin
Lac de la Gourde
Boulouis
Bedes
Castrieux
Lumensonesque
Vezouillac
Le Bourg
Mas-de-Lafont
Comayras
Liaucous
Mostuéjouls
Boyne
Connes
Mt Seigne
St-Léons
La Glène
Micropolis
Rouvayrette
Le Viala-de-Frontin
Le Frayssé
Lac de Pareloup
Viouloulou
Les Vernhes
Curan
St-Laurent-de-Lévézou
Verrières
Suèges
Fontaneilles
La Muse
Le Rozier
N.-D. d'Aurès
Le Coutal
Charouzech
Mauriac
La Fabrègue
Conclus
Lugagnac
St-Pierre
Peyrelade
Larguies
Cougoussac
Gaverlac
Rivière-s-Tarn
Cabrières
Pinet
Chau de Caylus
Routaboul
Salles-Curan
Rouge
Le Rascalat
Peyreleau
Corniche du Causse
St-Martin-des-Faux
Le Frayssé
Connes
Nayrac
St-François
Comberoumal
St-Beauzély
Compeyre
Pailhas
La Cresse
Le Sonnac
Aussalesses
Salvage
La Baumette
Azinière
Paulhe
Aguessac
Rieutord
Bouloc
Estalane
Barbade
Maubert
Calmejane
Barruques
St-Germain
Puech d'Andan
Carbassas
Chaos de Montpellier-le-Vieux
St-Jean-le-Froid
Les Canabières
Le Carrayrie
Castelnau-Pégayrols
Moulibez
Forêt du Causse Noir
Violon-Bas
La Roque-Ste-Marguerite
Tour de Peyrebrune
Le Vialaret
Ronsignac
PLATEAU DU LÉVÉZOU
Castelmus
Fons-de-Joug
Solanes
Longuiers
Observatoire
Puech de l'Oule
Les Aumières
Puncho d'Agast
Le Monna
Pierrefiche
Le Bastizou
Jonquayroles
Marzials
Coupiaguet
Montjaux
Navas
Thérondels
Soulobres
Millau
Massebiau
N.D. de la Salvage
Lac de Villefranche-de-Panat
Rentières
Coudols
Roquetaillade
Peyre
Fouilles
PARC
Le Bruel
Vabrette
Ladepeyre
St-Symphorien
Comprégnac
Raujolles
Creissels
St-Martin-du-Larzac
La Besse
St-Rémy
La Beloterie
St-Étienne-de-Meilhes
Le Minier
St-Hippolyte
Linas
Craissaguet
Viaduc de Millau
Brunas
La Jasse
Jassenove
Ayssènes
Costecalde
Ambias
Candas
Issis
Linars
Pinet
Valencas
Viala-du-Tarn
Craissac
Luzençon
St-Martin
St-Michel
Mont du Larzac
Reynes
N.-D. du Désert
St-Georges-de-Luzençon
Mont
Lac de St-Amans
Tarn
St-Victor-et-Melvieu
Devez-Nouvel
La Blaquière
Le Pouget
La Fosse
Le Planol
Melvieu
Auriac
Cabanous
St-Rome-de-Tarn
Lavencas
Sérals
Camp
RÉGIO
Larzac
La Boussière
Le Truel
La Romiguière
La Bque-de-St-Victor
Vialgues
St-Geniez-de-Bertrand
NATUREL
CAUSSE
Arnac
Brengues
Chau de Gozon
St-Clément
Cadenède
Sargels
Brouzes-du-Larzac
du
Costrix
Les Costes-Gozon
Fontcouverte
St-Rome-de-Cernon
Mélac
Camp militaire
La Cazotte
Les Egines
Raspaillac
St-Pierre-du-Courgeas
La Bastide-Pradines
Lapanouse-de-Cernon
Lescure
La Cavalerie
St-Michel-de-Landesque
La Maurelle
St-Amans
Crassous
Cernon
La Mouline
Malben
Tavernes
Lenteuriel
Vispens
Boussac
Tiergues
Laumière
Montclarat
Ste-Eulalie-de-Cernon
Mas-Sigal
Bournac
Bages
Roquefort-s-Soulzon
Tournemire
Le Combalou (Caves)
L'Hospitalet-du-Larzac
St-Izaire
Le Cambon
Sauveplane
Lauras
DES
GRANDS
Le Bousquet
Savignac
Tour
Rer de St-Pierre
Pic de Cougouille
Le Rouquet
PARC
Calmels-et-le-Viala
Bedos
St-Affrique
Vailhauzy
Privat
Alcapiès
St-Jean-d'Alcapiès
de Taulan
Auglans
Viala-du-Pas-de-Jaux
La Borie
Les Mazes
Le Figairol

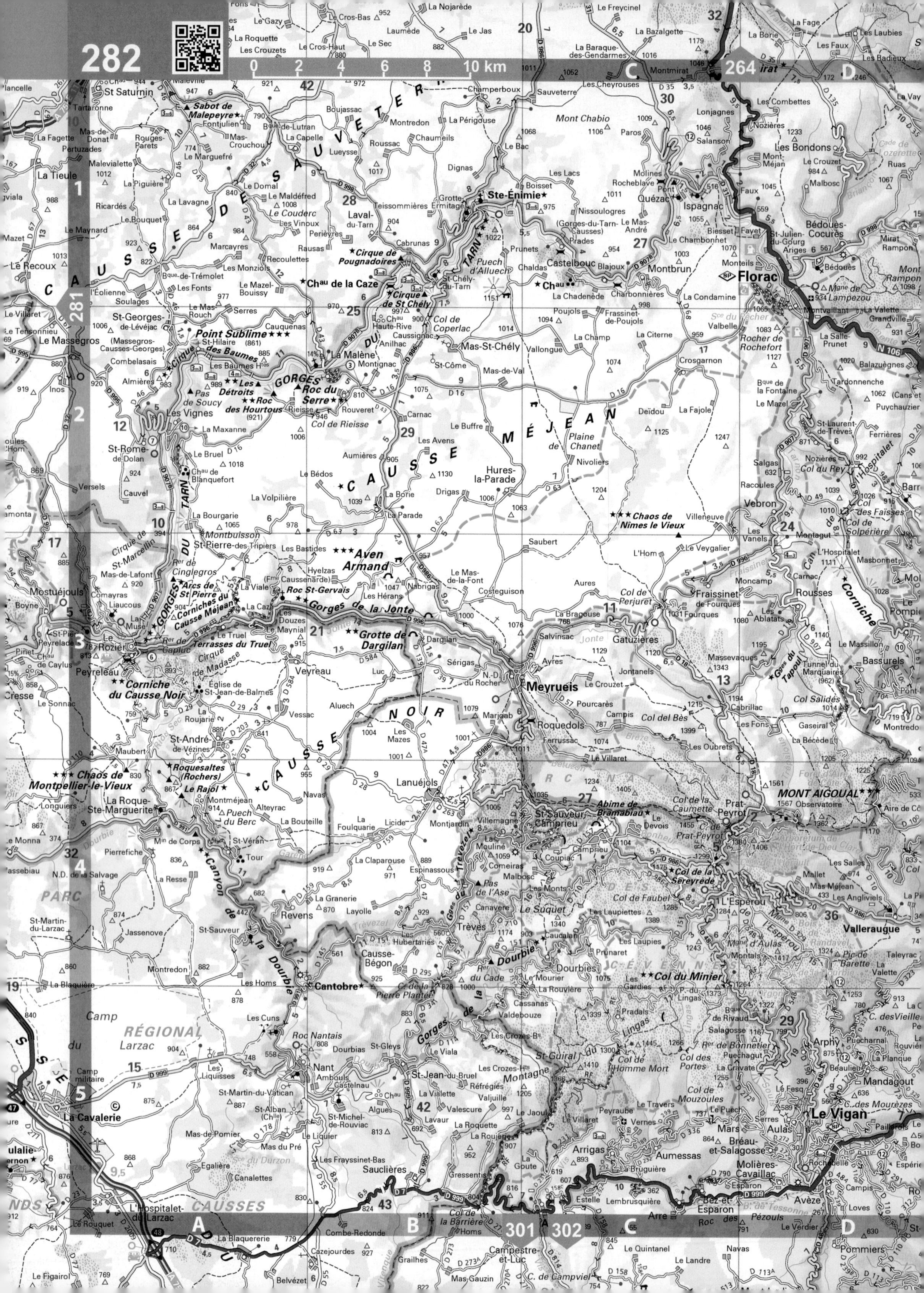
0 2 4 6 8 10 km
281
264
301
302
A
B
C
D
1
2
3
4
5
CAUSSE DE SAUVETERRE
CAUSSE MÉJEAN
CAUSSE NOIR
St Saturnin
Sabot de Malepeyre
La Fagette
Mas-de-Donat
Peyruzades
Malevialette
La Tieule
Ricardés
Le Bouquet
Le Maynard
Le Recoux
Le Villaret
Le Massegros
Combelasais
Almières
Inos
St-Georges-de-Lévéjac
Point Sublime
Cirque des Baumes
Les Baumes Hautes
Les Détroits
Pas de Soucy
Roc des Hourtous
Les Vignes
La Maxanne
St-Rome-de-Dolan
Le Bruel
Chau de Blanquefort
Cauvel
Versels
La Bourgarie
Montbuisson
St-Pierre-des-Tripiers
Cirque de St-Marcellin
Rer de Cinglegros
Mas-de-Lafont
Arcs de St Pierre
Corniches du Causse Méjean
Mostuéjouls
Comayras
Liaucous
Boyne
GORGES DU TARN
Le Rozier
Peyreleau
Capluc
Terrasses du Truel
Le Truel
Cirque de Madasse
Corniche du Causse Noir
Église de St-Jean-de-Balmes
La Roujarie
St-André-de-Vézines
Maubert
Chaos de Montpellier-le-Vieux
Roquesaltes (Rochers)
Le Rajol
Montméjean
Puech du Berc
La Roque-Ste-Marguerite
Longuiers
Min de Corps
St-Véran
Tour
Pierrefiche
N.D. de la Salvage
La Resse
Canyon de la Dourbie
St-Martin-du-Larzac
Jassenove
St-Sauveur
Montredon
La Blaquière
Les Homs
Cantobre
Camp du RÉGIONAL Larzac
Les Cuns
Roc Nantais
Nant
Dourbias
St-Gleys
Les Liquisses
Camp militaire
La Cavalerie
St-Martin-du-Vatican
St-Alban
Mas-de-Pomier
Mas du Pré
Egalière
Canalettes
Sce du Durzon
L'Hospitalet-du-Larzac
Le Rouquet
La Blaquerie
Combe-Redonde
Cazejourdes
Belvézet
Le Figairol
CAUSSES
PARC
Ste-Énimie
Boisset
Nissoulogres
Prades
Castelbouc
Chaldas
Puech d'Alluech
Prunets
Chau de la Caze
Cirque de Pougnadoires
Cirque de St Chély
St-Chély-du-Tarn
La Malène
Roc du Serre
Montignac
Col de Rieisse
Rouveret
Carnac
Col de Coperlac
Mas-St-Chély
St-Côme
Mas-de-Val
Laval-du-Tarn
Le Couderc
Les Vinoux
Périèyres
Rausas
Recoulettes
Cabrunas
Teissommières
Montredon
Roussac
Chaumeils
Lueysse
La Capelle
Boujassac
Champerboux
Sauveterre
Mont Chabio
Paros
Le Bac
Dignas
Les Lacs
Molines
Rocheblave
Quézac
Ispagnac
Montbrun
Charbonnières
La Chadenède
Blajoux
Poujols
Frassinet-de-Poujols
La Champ
La Citerne
Vallongue
Crosgarnon
Montmirat
Les Cheyrouses
Lonjagnes
Salanson
Florac
Bédouès-Cocurès
Les Bondons
Mont-Méjan
Rocher de Rochefort
La Salle-Prunet
Montvaillant
Balazuègnes
La Condamine
Valbelle
Le Mazel
St-Laurent-de-Trèves
Nozières
Col du Rey
Salgas
Racoules
Vebron
Les Vanels
Montagut
Col de Solpérière
Deïdou
La Fajole
Plaine de Chanet
Nivoliers
Hures-la-Parade
Drigas
La Parade
La Borie
Le Bédos
Aumières
Les Avens
Le Buffre
La Volpilière
Chaos de Nîmes le Vieux
Villeneuve
Saubert
L'Hom
Le Veygalier
Aven Armand
Les Bastides
Hyelzas
Roc St-Gervais
La Viale
Nabrigas
Le Mas-de-la-Font
Costeguison
Aures
Col de Perjuret
Fraissinet-de-Fourques
Fourques
Gorges de la Jonte
Grotte de Dargilan
Dargilan
Sérigas
Meyrueis
La Bragouse
Gatuzières
Salvinsac
Ayres
Jontanels
Le Crouzet
Roquedols
Pourcarès
Campis
Col del Bès
Les Oubrets
Massevaques
Cabrillac
Les Fons
Veyreau
Luc
Vessac
Aluech
Les Mazes
Lanuéjols
Navas
Alteyrac
La Bouteille
La Foulquarie
Licide
Montjardin
La Claparouse
Espinassous
Revens
La Granerie
Layolle
Trèves
Causse-Bégon
Les Hubertaries
Corniche
Rousses
Carnac
Moncamp
Mont Aigoual
Observatoire
Tunnel du Marquaires
Col Salidès
Gaseiral
La Bécède
Bassurels
Le Massillon
Prat-Peyrot
Abîme de Bramabiau
St-Sauveur-Camprieu
Le Devois
Col de Prat-Peyrot
Col de la Sereyrède
L'Espérou
Col de Faubel
Le Suquet
Pas de l'Ase
Canayère
Malbosc
Les Monts
Coupiac
Villemagne
La Mouline
Comeiras
Valleraugue
Dourbies
Le Mourier
Col du Minier
Dourbie
La Rouvière
Cassanas
Valdebouze
Gorges de la Dourbie
Les Laupies
Prunaret
Les Gardies
Pradals
Gorges du Lingas
Col de l'Homme Mort
Col des Portes
Rer de Bonnetier
Salagosse
St-Guiral
Montagne du Lingas
Col de Mouzoules
Le Viala
St-Jean-du-Bruel
La Vialette
Les Crozes-Hts
Réfrégiés
Valjuille
Valescure
Algues
St-Michel-de-Rouviac
Lavaur
La Roquette
Le Liquier
Les Frayssinet-Bas
Sauclières
Gressentis
Le Jaoul
Le Villaret
Peyraube
Vernes
Arrigas
Aumessas
Bréau-et-Salagosse
Mars
Aulas
Molières-Cavaillac
Le Vigan
Arphy
Mandagout
Beaulieu
Esparon
Bez-et-Esparon
Avèze
Arre
Estelle
Lembrusquière
La Bruguière
Col de la Barrière
Homs
Campestre-et-Luc
Le Quintanel
Le Landre
Navas
Pommiers
Mas-Gauzin
C. de Campviel
Grailhes
Le Verdier
B. de Tessonne
Col de la Pierre Plantée
Cresse
Le Sonnac
Le Monna
St-Pierre
Peyrelade
Chau de Caylus
La Muse

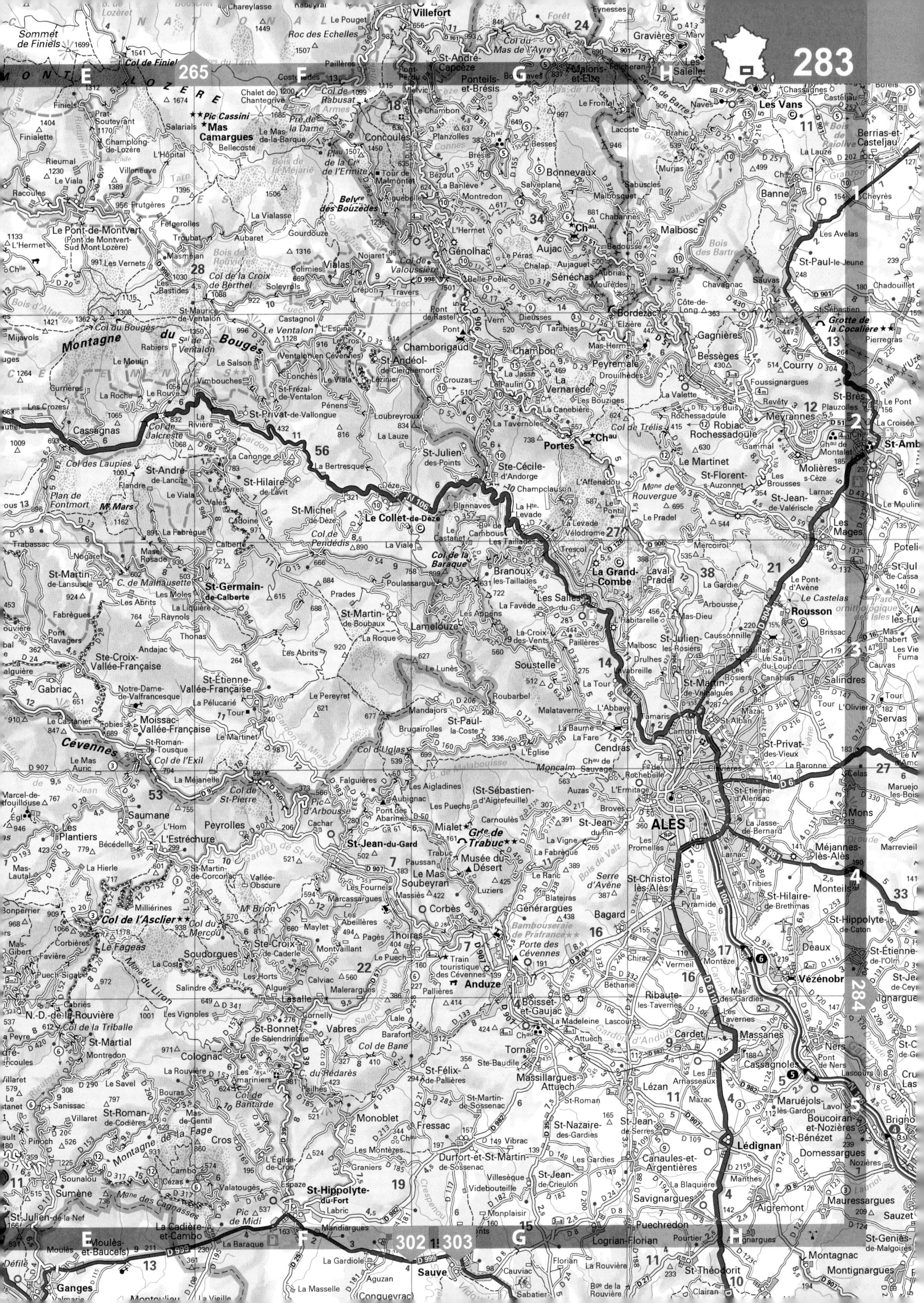

283
265
284
302
303
E
F
G
H
1
2
3
4
5
Villefort
Les Vans
Génolhac
Vialas
Le Pont-de-Montvert
Chamborigaud
Bessèges
St-Ambroix
Le Collet-de-Dèze
La Grand-Combe
St-Germain-de-Calberte
Ste-Croix-Vallée-Française
St-Étienne-Vallée-Française
Rousson
Alès
St-Jean-du-Gard
Anduze
Lasalle
St-Hippolyte-du-Fort
Sauve
Ganges
Lédignan
Vézénobres
Montagne du Bougès
Col de Jalcreste
Col de l'Asclier
Col de la Baraque
Cévennes
Mont Lozère
Pic Cassini
Mas Camargues
Sommet de Finiels
Portes
Robiac-Rochessadoule
Molières-s-Cèze
St-Christol-lès-Alès
Cendras
St-Martin-de-Valgalgues
Mialet
Grotte de Trabuc
Musée du Désert
Bambouseraie de Préfrance
Train touristique des Cévennes
Grotte de la Cocalière
Saumane
Les Plantiers
Peyrolles
Sumène
Quissac

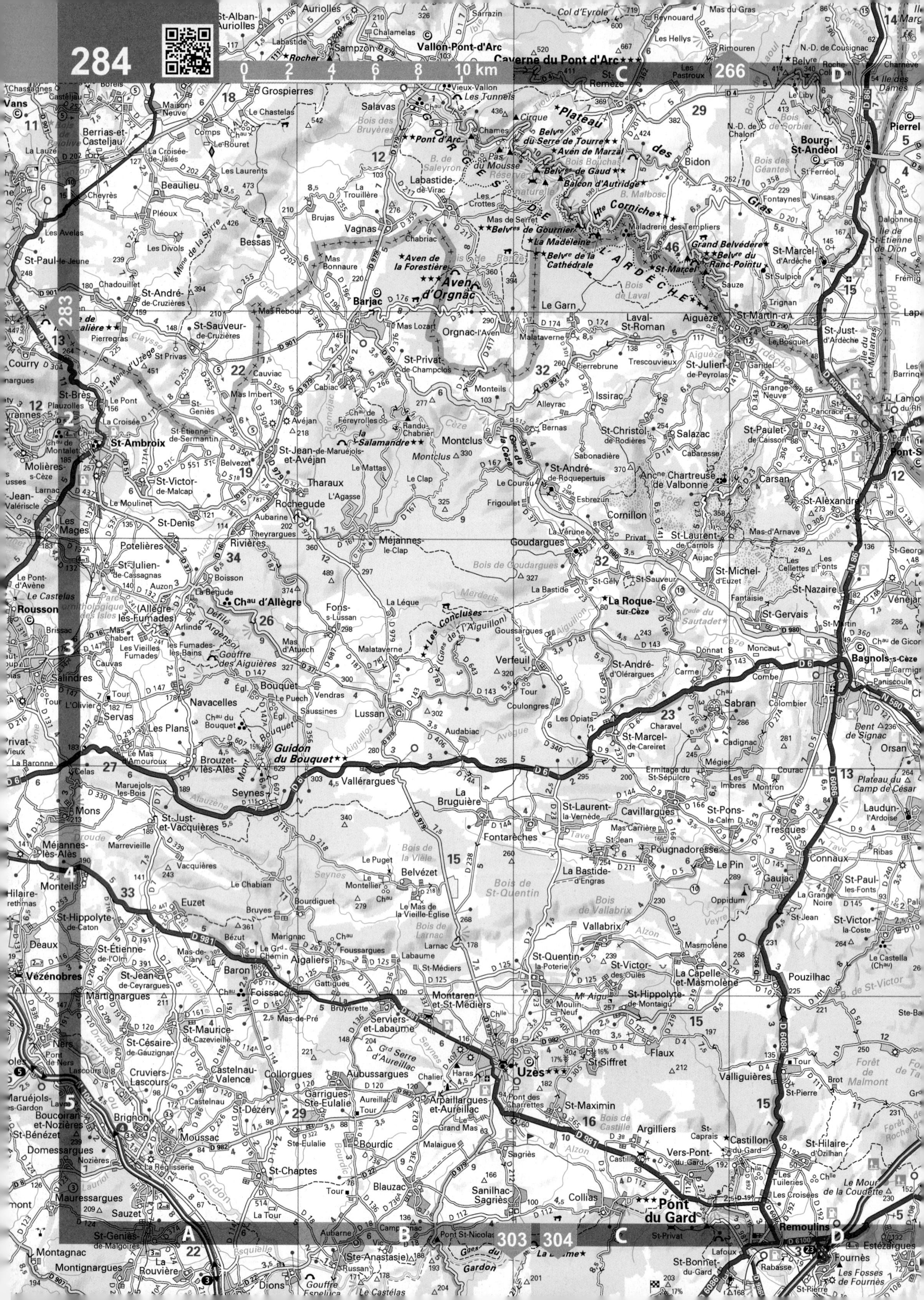

284
0 2 4 6 8 10 km
266
283
303
304
C
D
A
B
St-Alban-Auriolles
Auriolles
Sampzon
Vallon-Pont-d'Arc
Caverne du Pont d'Arc
Col d'Eyrole
Reynouard
Mas du Gras
Les Hellys
Rimouren
N.-D. de Cousignac
Les Pastroux
St-Remèze
Bourg-St-Andéol
Pierrel
Grospierres
Salavas
Vieux-Vallon
Les Tunnels
Vans
Berrias-et-Casteljau
Le Chastelas
Comps
Le Rouret
Plateau des Gras
Cirque
Belvre du Serre de Tourre
Aven de Marzal
Pont d'Arc
Chames
GORGES DE L'ARDÈCHE
Belvre de Gaud
Balcon d'Autridge
Bidon
St-Ferréol
Labastide-de-Virac
Beaulieu
Les Laurents
La Croisée-de-Jalès
Les Crottes
Hte Corniche
Maladrerie des Templiers
Grand Belvédère
Belvre du Ranc-Pointu
St-Marcel-d'Ardèche
Fontaynes
Vinsas
Île de St-Étienne de Dion
Chabriac
Vagnas
Bessas
Mas de Serret
Belvres de Gournier
La Madeleine
Belvre de la Cathédrale
Aven de la Forestière
Aven d'Orgnac
St-Marcel
St-Paul-le-Jeune
Chadouillet
St-André-de-Cruzières
Barjac
Le Garn
Bois de Laval
Sauze
Trignan
St-Martin-d'A.
Aiguèze
Laval-St-Roman
Orgnac-l'Aven
Mas Lozart
Mas Reboul
St-Sauveur-de-Cruzières
Malataverne
St-Just-d'Ardèche
Le Bosquet
RHÔNE
Courry
St Privas
Pierregras
St-Privat-de-Champclos
Pierrebrune
Trescouvieux
St-Julien-de-Peyrolas
Garidel
Issirac
Grange-Neuve
Lamotte-du-Rhône
Pancrace
St-Brès
Plauzolles
Le Pont
La Croisée
Cauviac
Mas Imbert
St-Geniès
Cabiac
Montclus
Monteils
Alleyrac
Bernas
Avéjan
Chau de Féreyrolles
Randu-Chabrier
la Salamandre
St-Christol-de-Rodières
Salazac
St-Paulet-de-Caisson
St-Ambroix
St-Étienne-de-Sermentin
St-Jean-de-Maruéjols-et-Avéjan
Sabonadière
Cabaresse
Pont-St-Esprit
Molières-s-Cèze
Belvezet
St-Victor-de-Malcap
Le Mattas
Tharaux
Le Clap
St-André-de-Roquepertuis
Anc.ne Chartreuse de Valbonne
Carsan
Larnac
Rochegude
L'Agasse
Le Courau
Frigoulet
Esbrezun
Le Moulinet
St-Alexandre
Les Mages
St-Denis
Aubarine
Theyrargues
Rivières
Méjannes-le-Clap
Goudargues
Cornillon
Privat
St-Laurent-de-Carnols
Aujac
Mas-d'Arnave
Potelières
St-Julien-de-Cassagnas
Auzon
Boisson
La Bégude
Chau d'Allègre
Bois de Goudargues
La Bastide
St-Gély
St-Sauveur
St-Michel-d'Euzet
Les Cellettes
Les Fonts
St-Nazaire
Le Pont-d'Avène
Le Castelas
Rousson
Allègre-les-Fumades
Arlinde
Défilé d'Argensol
Fons-s-Lussan
La Léque
Les Concluses
Gges de l'Aiguillon
La Roque-sur-Cèze
Fantaisie
Cade du Sautadet
St-Gervais
Brissac
Mas Chabert
Les Vieilles Fumades
Les Fumades-les-Bains
Gouffre des Aiguières
Mas d'Atuech
Malataverne
Goussargues
Donnat
Moncaut
Bagnols-s-Cèze
Salindres
Cauvas
Bouquet
Le Puech
Vendras
Verfeuil
St-André-d'Olérargues
Carme
Combe
Panisccoule
Tour
L'Olivier
Navacelles
Chau du Bouquet
Saussines
Lussan
Coulongres
Sabran
Colombier
Servas
Les Plans
Mont Bouquet
Audabiac
Les Opiats
St-Marcel-de-Careiret
Charavel
Cadignac
Dent de Signac
Orsan
Guidon du Bouquet
La Baronne
Celas
Mas d'Amouroux
Brouzet-lès-Alès
Vallérargues
Mégier
Ermitage de St-Sépulcre
Courac
Montron
Plateau du Camp de César
Maruejols-les-Bois
Seynes
Les Imbres
Mons
La Bruguière
St-Laurent-la-Vernède
Cavillargues
St-Pons-la-Calm
Tresques
Laudun-l'Ardoise
St-Just-et-Vacquières
Fontarèches
Mas Carrière
St-Jean
Méjannes-lès-Alès
Marrevieille
Bois de la Vièle
Le Puget
Belvézet
Pougnadoresse
Ribas
Connaux
Monteils
Vacquières
Le Montellier
La Bastide-d'Engras
Le Pin
Gaujac
St-Paul-les-Fonts
Hilaire-rethmas
Le Chabian
Bois de St-Quentin
Oppidum
La Grange Noire
Euzet
Bourdiguet
Le Mas de la Vieille-Église
Bois de Vallabrix
St-Hippolyte-de-Caton
Bruyes
Bois de Larnac
Vallabrix
St-Jean
St-Victor-la-Coste
Deaux
Bézut
Marignac
Foussargues
Masmolène
St-Étienne-de-l'Olm
Mas-de-Clary
Le Grd Chemin
Aigaliers
Labaume
Larnac
St-Quentin-la-Poterie
St-Victor-des-Oules
La Capelle-et-Masmolène
Pouzilhac
Le Castella (Chau)
Vézénobres
St-Jean-de-Ceyrargues
Baron
Gattigues
St-Médiers
Mt Aigu
B. de St-Victor
Martignargues
Foissac
Montaren-et-St-Médiers
Moulin Neuf
St-Hippolyte-de-Montaigu
Mas-de-Pré
La Bruyerette
Serviers-et-Labaume
St-Maurice-de-Cazevieille
St-Césaire-de-Gauzignan
Grd Serre d'Aureillac
Haras
Uzès
St-Siffret
Flaux
Tour
Valliguières
Forêt de Malmont
Ners
Cruviers-Lascours
Castelnau-Valence
Collorgues
Aubussargues
Chalier
Arpaillargues-et-Aureillac
Brot
St-Pierre
Maruéjols-lès-Gardon
Boucoiran-et-Nozières
St-Bénézet
Castelnau
Brignon
Garrigues-Ste-Eulalie
Aureillac
Pont des Charrettes
St-Maximin
Bois de Castille
Argilliers
St-Caprais
Castillon-du-Gard
St-Hilaire-d'Ozilhan
Forêt Rochefort
Domessargues
Moussac
St-Dézéry
Ste-Eulalie
Bourdic
Malaigue
Grand Mas
Sagriès
Castille
Vers-Pont-du-Gard
La Réglisserie
St-Chaptes
Blauzac
Sanilhac-Sagriès
Collias
Les Tuileries
Les Croisées
Le Moure de la Coudette
Mauressargues
Sauzet
La Tour
Pont du Gard
St-Geniès-de-Malgoires
Aubarne
Campagnac
Pont St-Nicolas
Gges du Gardon
La Baume
St-Privat
Remoulins
Estézargues
Fournès
Les Fosses de Fournès
Montagnac
Montignargues
La Rouvière
(Ste-Anastasie)
Russan
Dions
Gouffre des Espélugues
Le Castélas
Lafoux
St-Bonnet-du-Gard
Rabasse
St-Pierre

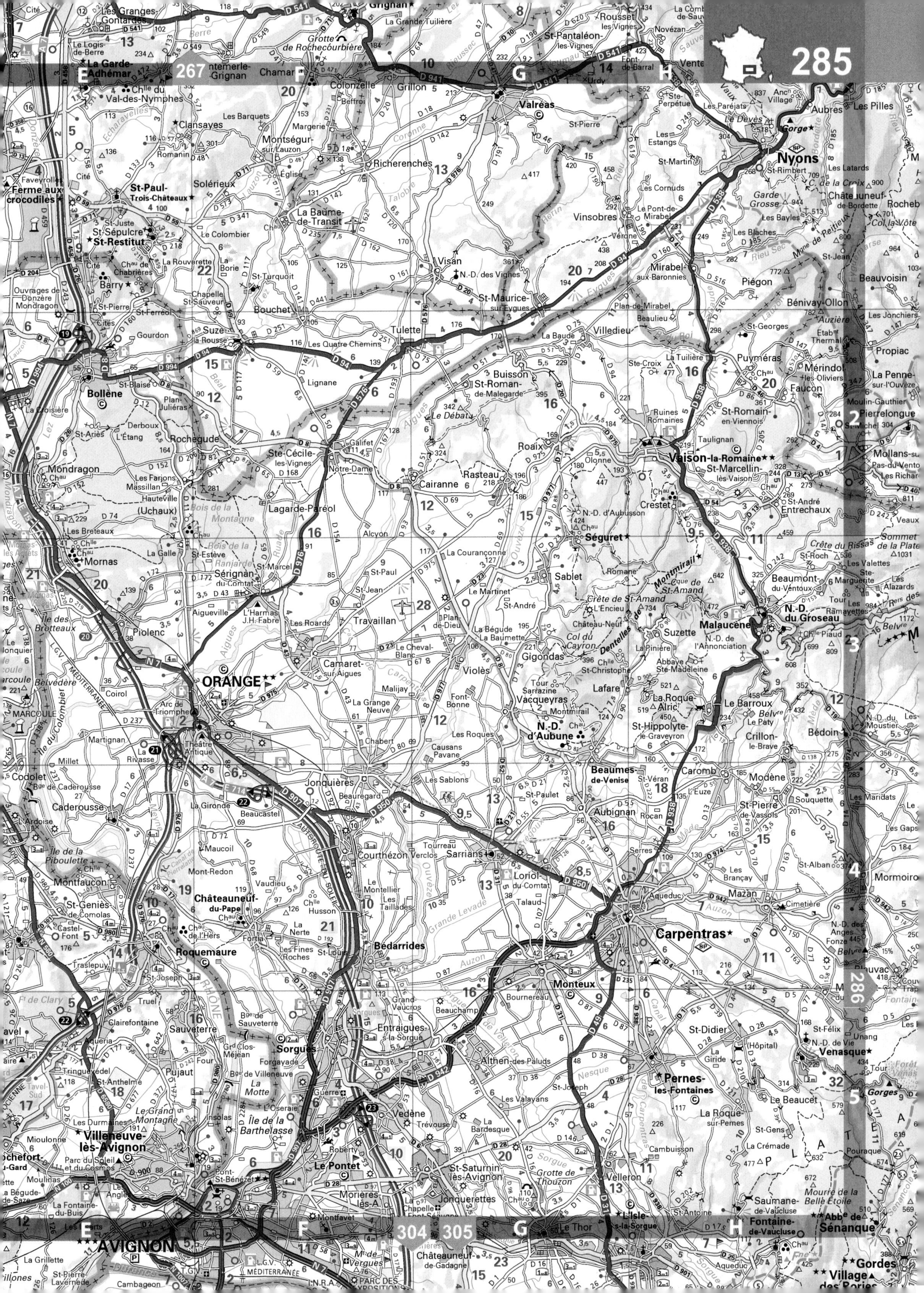
267
304
305
286
E
F
G
H
Les Granges-Gontardes
Grignan
La Grande Tuilière
Grotte de Rochecourbière
La Garde-Adhémar
Chamaret
Colonzelle
Grillon
Valréas
Rousset-les-Vignes
St-Pantaléon-les-Vignes
Novézan
Font-de-Barral
Urdy
Vaux
Aubres
Les Pilles
Chlle du Val-des-Nymphes
Clansayes
Les Barquets
Montségur-sur-Lauzon
Margerie
Richerenches
St-Pierre
Ste-Perpétue
Les Parèjats
Le Devès
Anc. Village
Gorge
Nyons
St-Rimbert
Les Estangs
St-Martin
Les Latards
Garde Grosse
Châteauneuf-de-Bordette
Les Bayles
Col la Vôte
Romanin
Fayevrolles
Ferme aux crocodiles
Solérieux
Église
St-Paul-Trois-Châteaux
La Baume-de-Transit
Vinsobres
Le Pont-de-Mirabel
Les Cornuds
Les Blaches
St-Juste
St-Sépulcre
St-Restitut
Le Colombier
Visan
N.-D. des Vignes
Mirabel-aux-Baronnies
Piégon
Beauvoisin
La Rouverette
La Borie
Chau de Chabrières
Barry
St-Turquoit
Chapelle St-Sauveur
Bouchet
St-Maurice-sur-Eygues
Plan-de-Mirabel
Beaulieu
Bénivay-Ollon
Ouvrages de Donzère Mondragon
St-Pierre
St-Ferréol
Gourdon
Suze-la-Rousse
Les Quatre Chemins
Tulette
La Baude
Villedieu
St-Georges
Propiac
Les Jonchiers
Bollène
St-Blaise
Plan-Juliéras
Lignane
Buisson
St-Roman-de-Malegarde
Ste-Croix
La Tuilière
Puyméras
Mérindol-les-Oliviers
La Penne-sur-l'Ouvèze
Faucon
Moulin-Gauthier
Pierrelongue
La Croisière
St-Ariès
Derboux
L'Étang
Rochegude
Le Débat
Ruines Romaines
St-Romain-en-Viennois
Taulignan
St-Michel
Mollans-sur-Ouvèze
Pas-du-Vento
Les Richards
Mondragon
Les Farjons
Massillan
Hauteville
(Uchaux)
Bois de la Montagne
Ste-Cécile-les-Vignes
Galifet
Notre-Dame
Cairanne
Rasteau
Roaix
Olonne
Vaison-la-Romaine
St-Marcellin-lès-Vaison
Crestet
Entrechaux
St-André
Veaux
Lagarde-Paréol
Alcyon
N.-D. d'Aubusson
Séguret
Les Breteaux
La Galle
St-Estève
Bois de la Ranjarde
Sérignan-du-Comtat
St-Marcel
La Courançonne
Sablet
Romane
Cque de St-Amand
Crête du Rissas
Sommet de la Plate
St-Roch
Les Valettes
Ste-Marguerite
Les Alazards
Mornas
Beaumont-du-Ventoux
St-Paul
St-Jean
Le Martinet
St-André
Crête de St-Amand
Dentelles de Montmirail
Montmirail
L'Encieu
Château-Neuf
Col du Cayron
N.-D. du Groseau
Malaucène
N.-D. de l'Annonciation
Chlle Piaud
Les Ramayettes
Belvre
Île des Brotteaux
Piolenc
Aigueville
L'Harmas J.-H. Fabre
Les Roards
Travaillan
Plan-de-Dieu
La Bégude
La Baumette
Gigondas
Suzette
La Pinière
Abbaye Ste-Madeleine
Chlle St-Christophe
Le Cheval-Blanc
Camaret-sur-Aigues
Violès
Tour Sarrazine
Vacqueyras
Lafare
La Roque-Alric
Le Barroux
Belvédère
Coirol
Marcoule
ORANGE
Arc de Triomphe
Théâtre Antique
Malijay
La Grange Neuve
Font-Bonne
N.-D. d'Aubune
St-Hippolyte-le-Graveyron
Le Paty
Crillon-le-Brave
Bédoin
N.-D. du Moustier
Martignan
Millet
Codolet
Rivasse
Chabert
Causans
Pavane
Les Roques
Caromb
Modène
Bgr de Caderousse
Caderousse
La Gironde
Beaucastel
Jonquières
Beauregard
Les Sablons
St-Paulet
Beaumes-de-Venise
St-Véran
L'Euze
Aubignan
Rocan
St-Pierre-de-Vassols
Souquette
Les Maridats
Les Gaps
L'Ardoise
Île de la Piboulette
Maucoil
Mont-Redon
Courthézon
Verclos
Tourreau
Sarrians
Loriol-du-Comtat
Serres
Les Brançay
St-Alban
Mormoiron
Montfaucon
Châteauneuf-du-Pape
Vaudieu
Le Montellier
Les Taillades
Chlle Husson
Grande Levade
Talaud
Mazan
Aqueduc
Cimetière
St-Geniès-de-Comolas
Castel-Font
Chau de l'Hers
Forte
La Nerte
Bédarrides
Carpentras
N.-D. des Anges
Fonze
Roquemaure
Les Fines Roches
St-Louis
Traslepuy
St-Joseph
Monteux
Flassan
Pt de Clary
Truel
Clairefontaine
Sauveterre
Bgr de Sauveterre
Grand-Vaucros
Beauchamp
Bournereau
Causans
St-Félix
Unang
Aqueria
Grd Clos-Méjean
Sorgues
Entraigues-sur-la-Sorgue
St-Didier
(Hôpital)
N.-D. de Vie
Venasque
Trinquevedel
St-Anthelme
Pujaut
Four
Forgayade
Bgr de Villeneuve
Althen-des-Paluds
La Giride
Pernes-les-Fontaines
Tavel-Sud
La Motte
L'Oseraie
Guerre
St-Joseph
Les Valayans
Le Beaucet
Gorges
Le Grand Montagne
Île de la Barthelasse
Vedène
Trévouse
La Bardesque
La Roque-sur-Pernes
St-Gens
Les Durmaines
Villeneuve-lès-Avignon
Mioulonne
Roberty
Le Pontet
St-Saturnin-lès-Avignon
Cambuisson
La Crémade
Pouraque
Parc du Soleil et du Cosmos
Rochefort-du-Gard
Moulinas
Pont-St-Bénézet
Morières-lès-A.
Grotte de Thouzon
Velleron
Saumane-de-Vaucluse
Mourre de la Belle Étoile
La Bégude-de-Saze
La Fontaine-du-Buis
Anglès
La Chapelle
Fort-Ségune
Jonquerettes
L'Isle-sur-la-Sorgue
St-Antoine
Fontaine-de-Vaucluse
Abbe de Sénanque
AVIGNON
Les Arts
Montfavet
Le Thor
La Grillette
St-Pierre-Lavernède
Cambageon
Mt de Vergues
L.G.V. MÉDITERRANÉE
I.N.R.A.
PARC DES EXPOSITIONS
Châteauneuf-de-Gadagne
Aqueduc
Gordes
Village des Bories
Rhône
Lez
Aigues
Ouvèze
Sorgue
Nesque
Auzon
Eygues
Canal de Carpentras
AUTOROUTE DU SOLEIL
A 7
A 9
N 7
D 541
D 941
D 94
D 976
D 938
D 950
D 942
D 907
D 975
D 8
D 994
L.G.V. MÉDITERRANÉE
P L A T E A U

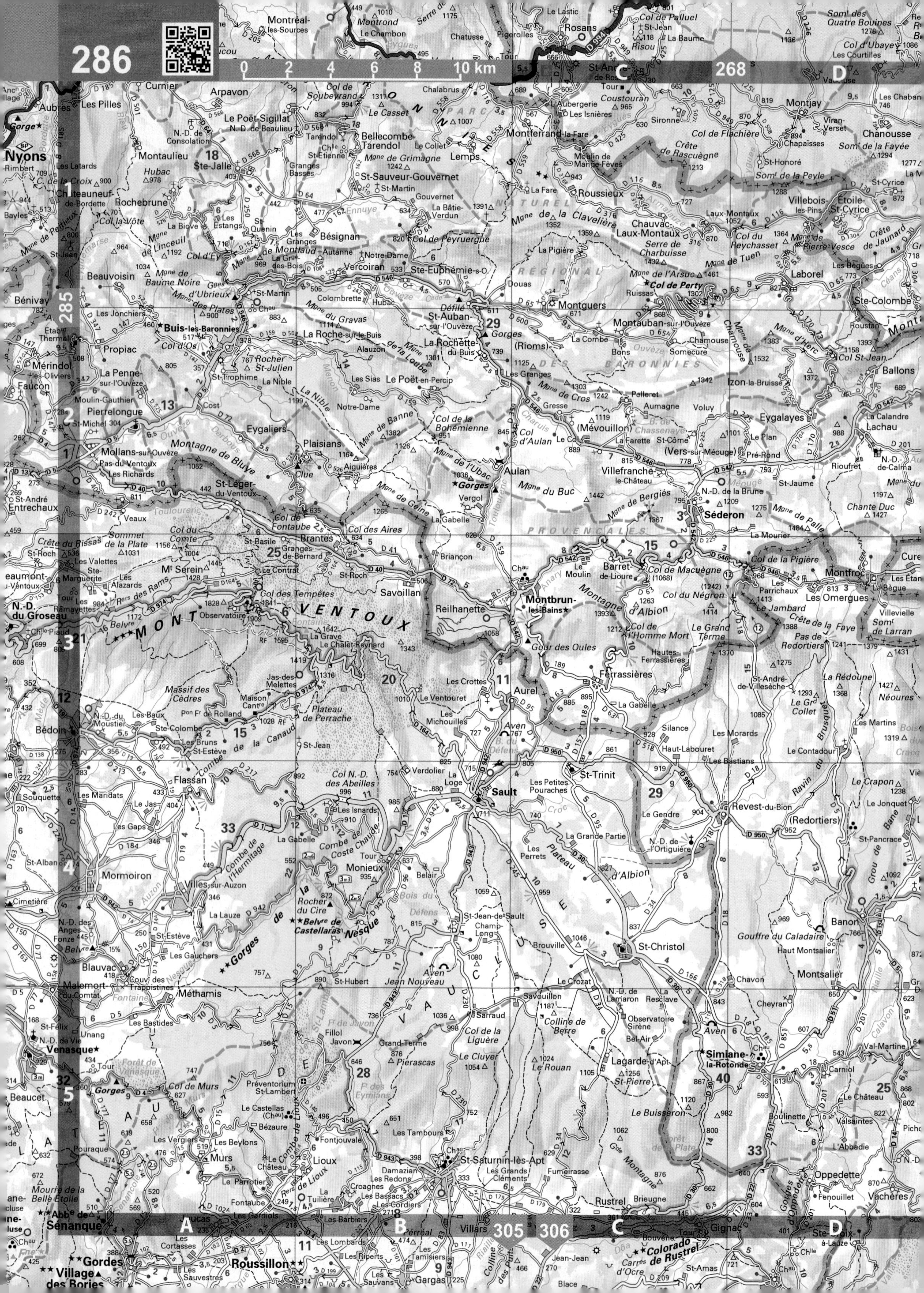

286
0 2 4 6 8 10 km
268
285
305
306
Nyons
Montréal-les-Sources
Rosans
Montjay
Chanousse
Curnier
Arpavon
Aubres
Les Pilles
Le Poët-Sigillat
Bellecombe-Tarendol
Lemps
Montferrand-la-Fare
Ste-Jalle
St-Sauveur-Gouvernet
Montaulieu
Rochebrune
Roussieux
Villebois-les-Pins
Étoile-St-Cyrice
Châteauneuf-de-Bordette
Bésignan
Chauvac-Laux-Montaux
Vercoiran
Ste-Euphémie-s-O.
Beauvoisin
Laborel
Bénivay
Montguers
Ste-Colombe
Buis-les-Baronnies
St-Auban-sur-l'Ouvèze
Montauban-sur-l'Ouvèze
Propiac
La Roche-sur-le-Buis
La Rochette-du-Buis
Mérindol-les-Oliviers
Ballons
Faucon
La Penne-sur-l'Ouvèze
Le Poët-en-Percip
Izon-la-Bruisse
Pierrelongue
Eygaliers
Eygalayes
Lachau
Plaisians
Mollans-sur-Ouvèze
Aulan
Villefranche-le-Château
St-Léger-du-Ventoux
Entrechaux
Séderon
Brantes
Montbrun-les-Bains
Barret-de-Lioure
Montfroc
Savoillan
Reilhanette
Les Omergues
N.-D. du Groseau
MONT VENTOUX
Mt Serein
Montagne d'Albion
Aurel
Ferrassières
Bédoin
Flassan
Sault
St-Trinit
Revest-du-Bion
Mormoiron
Monieux
Villes-sur-Auzon
St-Christol
Banon
Blauvac
Malemort-du-Comtat
Méthamis
Montsalier
Venasque
Simiane-la-Rotonde
Lagarde-d'Apt
Beaucet
Murs
Lioux
St-Saturnin-lès-Apt
Rustrel
Oppedette
Vachères
Gordes
Roussillon
Villars
Gignac
Gargas
Abbaye de Sénanque
Village des Bories
Colorado de Rustrel
PARC NATUREL RÉGIONAL DES BARONNIES PROVENÇALES
PLATEAU DE VAUCLUSE

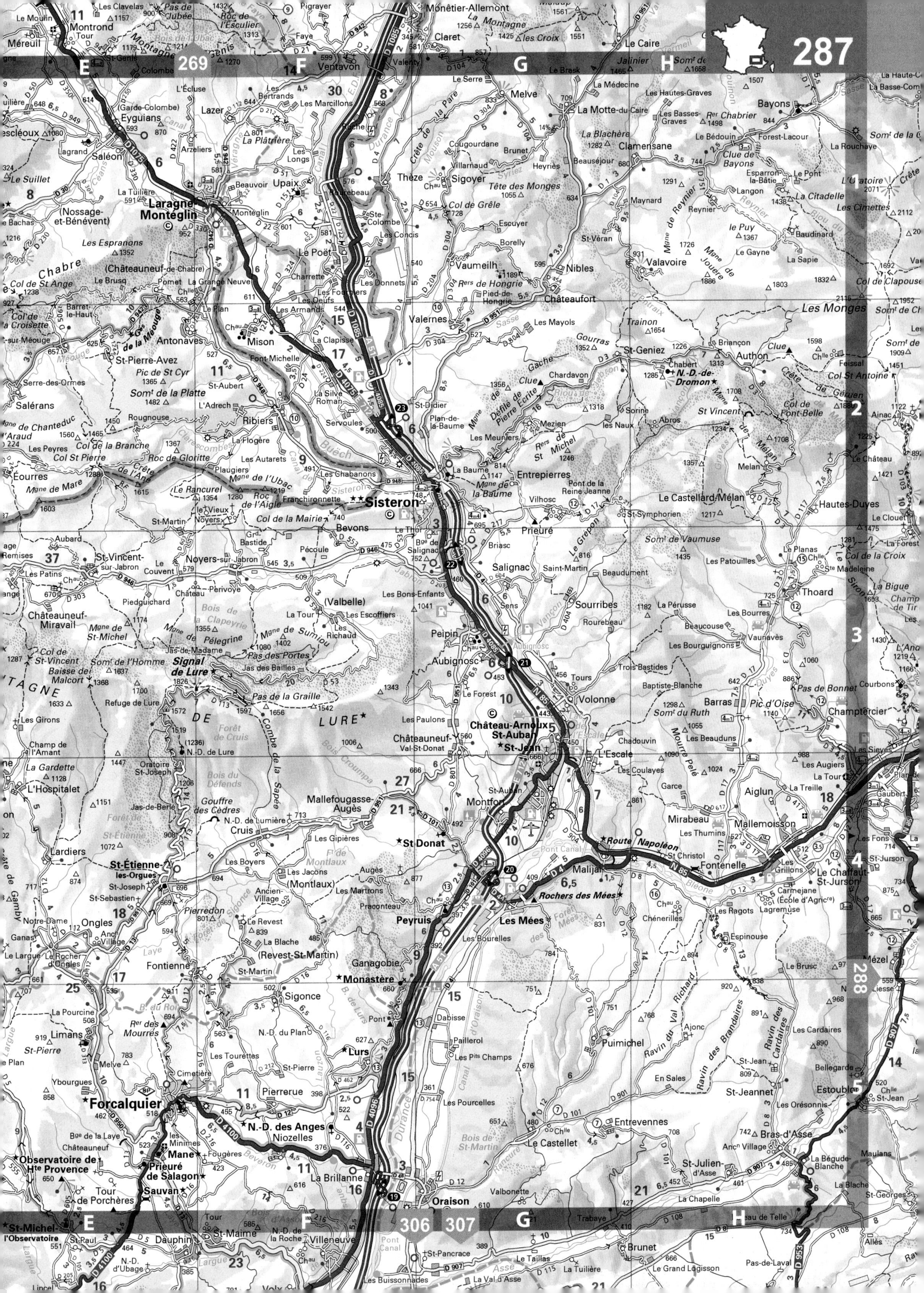

287
269
E
F
G
H
Montrond
Mereuil
Ventavon
Monêtier-Allemont
Claret
Le Caire
Melve
La Motte-du-Caire
Bayons
Eyguians
Lazer
Saléon
Upaix
Thèze
Sigoyer
Clamensane
Laragne-Montéglin
Le Poët
Vaumeilh
Nibles
Valavoire
Châteaufort
Valernes
Mison
Antonaves
St-Pierre-Avez
St-Geniez
Authon
N.-D.-de-Dromon
Salérans
Ribiers
Sisteron
Entrepierres
Le Castellard-Mélan
Hautes-Duyes
Bevons
Salignac
St-Vincent-sur-Jabron
Noyers-sur-Jabron
Thoard
Châteauneuf-Miravail
Peipin
Sourribes
Signal de Lure
Aubignosc
Volonne
Barras
Champtercier
Châteaux-Arnoux St-Auban
St-Jean
L'Escale
Châteauneuf-Val-St-Donat
Mallefougasse-Augès
Montfort
L'Hospitalet
Cruis
St Donat
Aiglun
Mirabeau
Mallemoisson
Route Napoléon
Malijai
Fontenelle
Le Chaffaut-St-Jurson
St-Étienne-les-Orgues
Rochers des Mées
Les Mées
Peyruis
Ongles
Mézel
288
Monastère
Ganagobie
Sigonce
Limans
Lurs
Puimichel
Forcalquier
Pierrerue
St-Jeannet
Estoublon
Entrevennes
Le Castellet
N.-D. des Anges
Niozelles
Mane
Observatoire de Hte Provence
Prieuré de Salagon
La Brillanne
St-Julien-d'Asse
Bras-d'Asse
Sauvan
Oraison
306
307
St-Michel-l'Observatoire
Dauphin
St-Maime
Villeneuve
Brunet

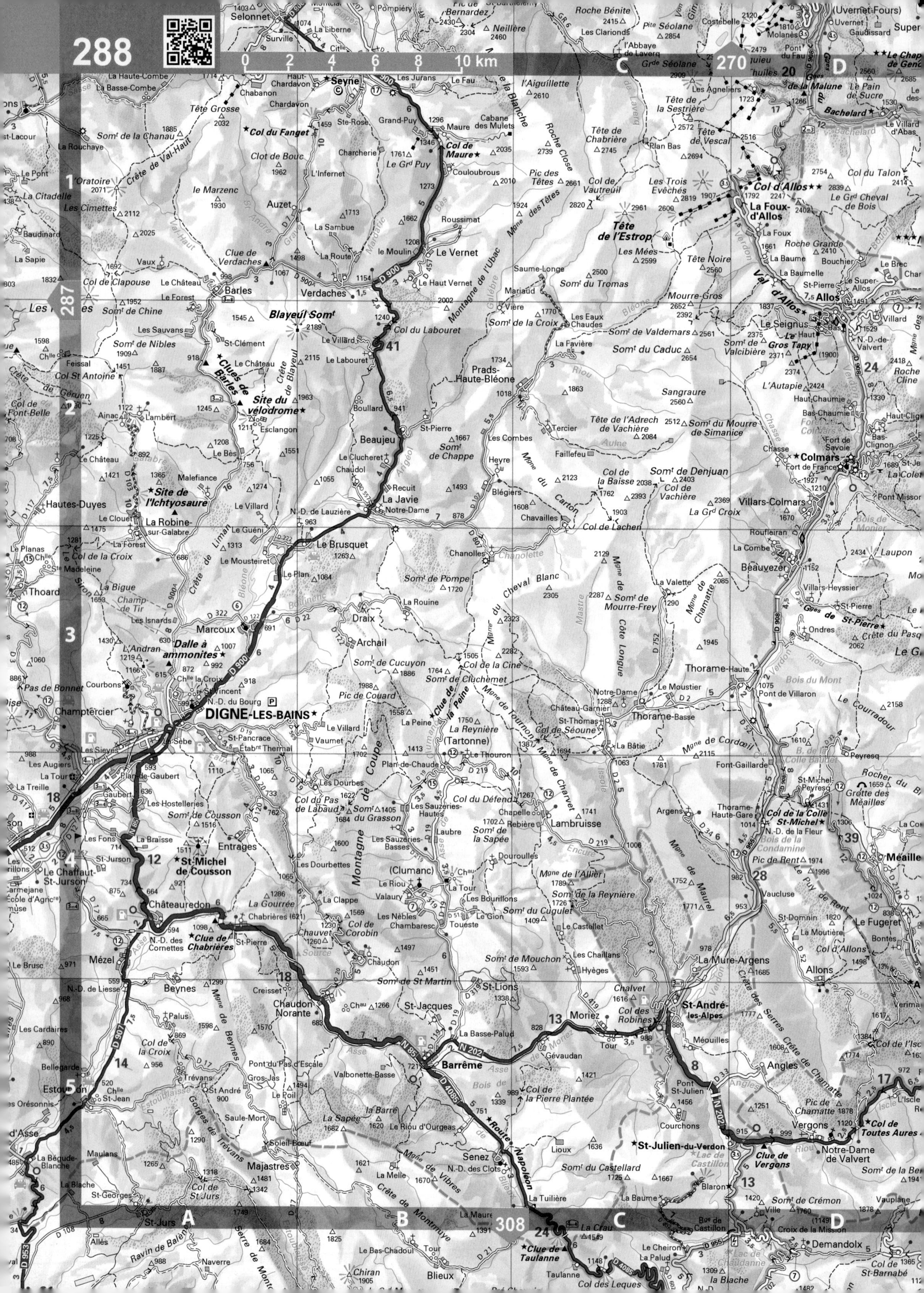
0 2 4 6 8 10 km
270
287
308
A
B
C
D
1
2
3
4
5
Selonnet
Seyne
Pompiéry
Pic de Bernardez
Neillère
Roche Bénite
Pte Séolane
Les Clarionds
l'Abbaye de Laverq
Grde Séolane
Costebelle
Uvernet
Molanès
Pont du Fau
(Uvernet-Fours)
Gaudissard
Super
La Liberne
Surville
La Haute-Combe
La Basse-Combe
Chabanon
Haut-Chardavon
Chardavon
Les Jurans
Le Fau
l'Aiguillette
Les Agneliers
Gges de la Malune
Le Pain de Sucre
Bachelard
Le Villard d'Abas
Tête Grosse
Somt de la Chanau
Col du Fanget
Ste-Rose
Grand-Puy
Maure
Cabane des Mulets
Tête de la Sestrière
Tête de Vescal
Tête de Chabrière
Roche Close
Plan Bas
Crête de Val-Haut
La Rouchaye
Clot de Bouc
Charcherie
Le Grd Puy
Col de Maure
Couloubrous
Pic des Têtes
Col de Vautreuil
Les Trois Evêchés
Col d'Allos
La Foux-d'Allos
Col du Talon
Le Grd Cheval de Bois
Oratoire
La Citadelle
Les Cimettes
le Marzenc
Auzet
L'Infernet
La Sambue
Roussimat
Mgne des Têtes
Tête de l'Estrop
Les Mées
La Foux
Roche Grande
Bouchier
Baudinard
La Sapie
Vaux
Clue de Verdaches
La Route
le Moulin
Le Vernet
Le Haut Vernet
Saume-Longe
Somt du Tromas
Tête Noire
La Baume
La Baumelle
Le Brec
St-Pierre
Le Super-Allos
Allos
Col de Clapouse
Le Château
Barles
Verdaches
Montagne de l'Ubac
Mariaud
Viere
Mourre-Gros
Val d'Allos
Les Forest
Somt de Chine
Blayeul Somt
Col du Labouret
Somt de la Croix
Les Eaux Chaudes
Somt de Valdemars
Le Seignus
Villard
Les Sauvans
Somt de Nibles
St-Clément
Le Villard
Le Labouret
La Favière
Somt du Caduc
Somt de Valcibière
Le Gros Tapy
N.-D.-de-Valvert
Chlle
Feissal
Col St Antoine
Crête de Géruen
Crête de Font-Belle
Clues de Barles
Le Château
Crête de Blayeul
Prads-Haute-Bléone
Sangraure
L'Autapie
Roche Cline
Ainac
Lambert
Site du vélodrome
Esclangon
Boullard
St-Pierre
Beaujeu
Tête de l'Adrech de Vachière
Somt du Mourre de Simanice
Haut-Chaumie
Bas-Chaumie
Tercier
Les Combes
Somt de Chappe
Aulne
Faillefeu
Chasse
Colmars
Fort de Savoie
Fort de France
Le Bès
Le Château
Malefiance
Le Clucheret
Chaudol
Heyre
Mgne du Carton
Col de la Baisse
Somt de Denjuan
Col de Vachière
Site de l'Ichtyosaure
Hautes-Duyes
La Robine-sur-Galabre
Le Villard
Recuit
La Javie
Notre-Dame
N.-D. de Lauzière
Blégiers
Chavailles
La Grd Croix
Villars-Colmars
Pont Missor
Le Clouet
La Forest
Le Guéni
Col de Lachen
Roufleiran
La Combe
Laupon
Beauvezer
Les Planas
Col de la Croix
Ste Madeleine
Thoard
Crête de Liman
Le Mousteiret
Le Brusquet
Chanolles
Chanolette
Mgne de Mourre-Frey
Mgne de Chamatte
La Valette
La Bigue
Champ de Tir
Les Isnards
Marcoux
Le Plan
Somt de Pompe
Mgne du Cheval Blanc
Somt de Mourre-Frey
Villars-Heyssier
Gges de St-Pierre
Ondres
Crête du Pasq
L'Andran
Dalle à ammonites
Draix
La Rouine
Archail
Somt de Cucuyon
Col de la Cine
Somt de Cluchemet
Côte Longue
Thorame-Haute
Bois du Mont
Pas de Bonnet
Courbons
Chlle la Croix
St-Vincent
N.-D. du Bourg
DIGNE-LES-BAINS
Champtercier
Pic de Couard
Clue de la Peine
Mgne de Tournon
Château-Garnier
Notre-Dame
Le Moustier
Thorame-Basse
Pont de Villaron
Le Courradour
Les Sieyes
La Sèbe
St-Pancrace
Etabnt Thermal
Vaumet
La Peine
La Reynière
(Tartonne)
St-Thomas
Col de Séoune
La Bâtie
Mgne de Cordœil
Peyresq
Les Augiers
La Tour
La Treille
Plan-de-Gaubert
Gaubert
Les Hostelleries
Plan-de-Chaude
Le Thouron
Mgne de Charvet
Font-Gaillarde
Colle Baudet
St-Michel-Peyresq
Grotte des Méailles
Somt de Cousson
Col du Pas de Labaud
Somt du Grasson
Les Dourbes
Les Sauzeries-Hautes
Col du Défend
Chapelle
Rebière
Lambruisse
Argens
Thorame-Haute-Gare
Col de la Colle St-Michel
N.-D. de la Fleur
Méailles
Les Fons
La Braïsse
Entrages
St-Jurson
St-Michel de Cousson
Laubre
Somt de la Sapée
Les Sauzeries-Basses
Montagne de Coupe
Douroulles
Encure
Mgne de Maurel
Bois de la Condamine
Pic de Rent
Le Chaffaut-St-Jurson
Les Dourbettes
(Clumanc)
Le Riou
La Tour
Valaury
Mgne de l'Allier
Somt de la Reynière
Vaucluse
Le Puy de Rent
Châteauredon
La Gourrée
La Clappe
Les Nèbles
Chambaresc
Toueste
Somt du Cugulet
Le Castellet
St-Domnin
Le Fugeret
La Moutière
Bontes
Col d'Allons
N.-D. des Cornettes
Clue de Chabrières
Chabrières (621)
St-Pierre
Chauvet
Col de Corobin
Le Gion
Mézel
Le Brusc
Chaudon
Somt de Mouchon
Les Chaillans
Hyèges
La Mure-Argens
Allons
N.-D. de Liesse
Beynes
Creisset
Chaudon-Norante
Somt de St Martin
St-Lions
St-Jacques
Chalvet
Col des Robines
St-André-les-Alpes
Crête des Serres
Mgne de Beynes
Palus
Les Cardaires
Col de la Croix
Moriez
La Basse-Palud
Tour
Méouilles
Crête de Chamatte
Col de l'Iscle
Bellegarde
Trévans
Pont du Pas d'Escale
Gros-Jas
Barrême
Gévaudan
Angles
Estoublon
St-Jean
St André
Valbonette-Basse
Le Poil
Bois de Asse
Col de la Pierre Plantée
Pont St-Julien
Les Orésonnis
Saule-Mort
La Barre
La Sapée
Le Riou d'Ourgeas
Route Napoléon
Courchons
Pic de Chamatte
Vergons
Col de Toutes Aures
L'Iscle
d'Asse
Gorges de Trévans
Soleil-Bœuf
St-Julien-du-Verdon
Lac de Castillon
Clue de Vergons
Notre-Dame de Valvert
La Bégude-Blanche
Maulans
Majastres
Senez
N.-D. des Clots
Lioux
Somt du Castellard
Somt de la Be
La Blache
St-Georges
Col de St Jurs
La Melle
Mgne de Vibres
Crête de Montmuye
La Tuilière
La Baume
Blaron
Somt de Crémon
Ville
Croix de la Mission
Vauplane
St-Jurs
La Maure
Bge de Castillon
Demandolx
Allès
Ravin de Balène
Serre de Mont
Le Bas-Chadoul
Tour
Clue de Taulanne
La Clau
Le Cheiron
La Palud
Lac de Chaudanne
Condamine
Col de St-Barnabé
Naverre
Chiran
Blieux
Taulanne
Col des Leques
La Blache

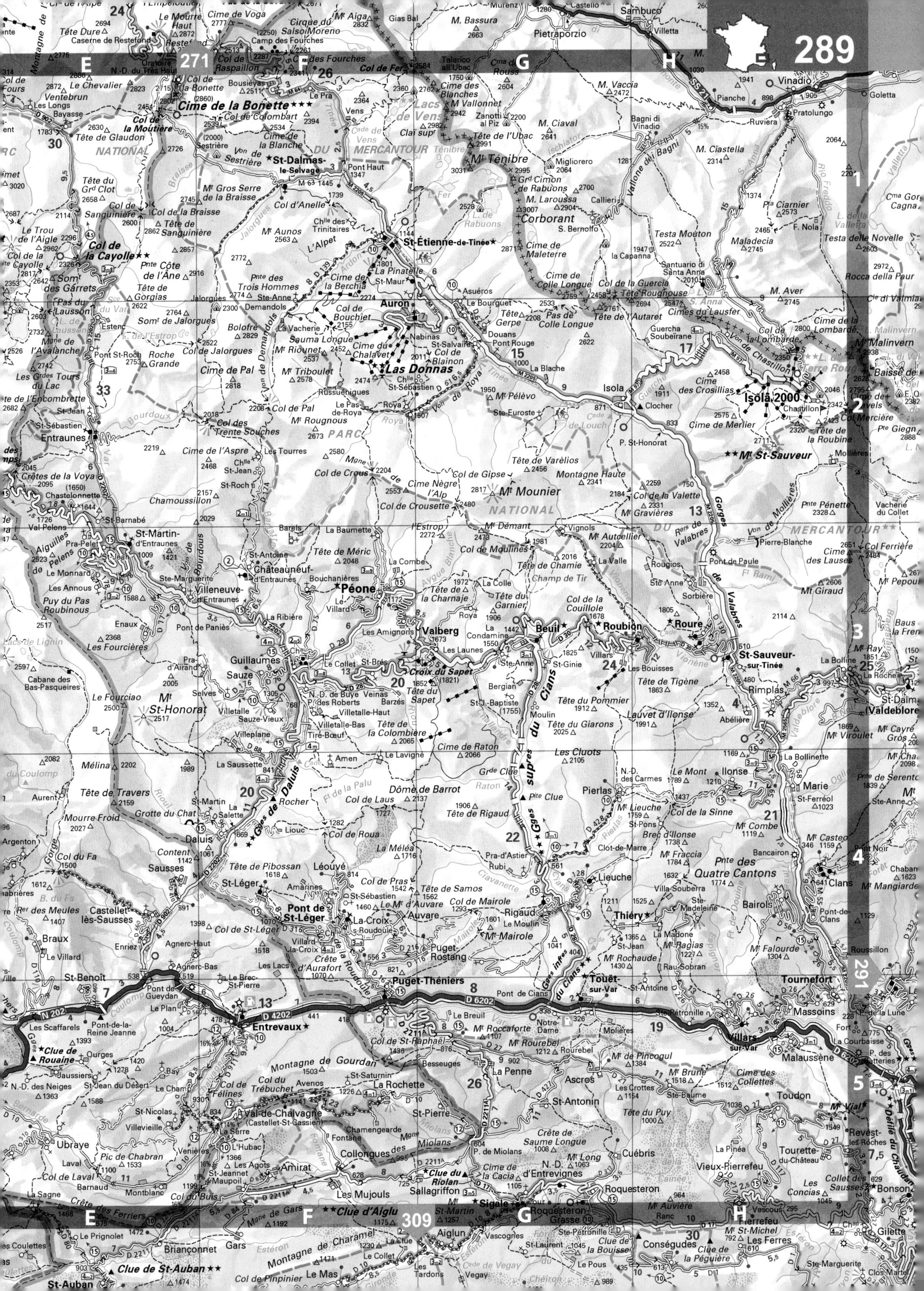
271
E
F
G
H
1
2
3
4
5
291
309
Cime de la Bonette
Col de la Bonette
Col de la Moutière
Col de Raspaillon
Col des Fourches
Col de Colombart
Cime de Voga
Cirque du Salso Moreno
Camp des Fourches
Tête Dure
Caserne de Restefond
Le Chevalier
Ventebrun
Les Longs
Bayasse
Tête de Glaudon
Sestrière
Cime de la Blanche
St-Dalmas-le-Selvage
Pont Haut
Mt Gros Serre de la Braisse
Col de la Braisse
Tête de Sanguinière
Col de Sanguinière
Tête du Grd Clot
Col d'Anelle
Chlle des Trinitaires
Mt Aunos
L'Alpet
St-Étienne-de-Tinée
La Pinatelle
St-Maur
Tête de la Berchia
Auron
Col de Bouchiet
La Vacherie
Sauma Longue
Mt Riounet
Cime du Chalavet
Nabinas
St-Salvaire
Col de Blainon
Las Donnas
Mt Triboulet
Russuenigues
Chlle St-Sébastien
Le Pas-de-Roya
Roya
Col de Pal
Mt Rougnous
Cime de Pal
Col de Jalorgues
Somt de Jalorgues
Bolofré
Roche Grande
Demandols
Ste-Anne
Pnte des Trois Hommes
Tête de Gorgias
Pnte Côte de l'Âne
Col de la Cayolle
Le Trou de l'Aigle
Somt des Garrets
Pas du Lausson
Estenc
Mgne de l'Avalanche
Pont St-Roch
Les Grdes Tours du Lac
Tête de l'Encombrette
St-Jean
St-Sébastien
Entraunes
Col des Trente Souches
Cime de l'Aspre
Les Tourres
Chlle St-Jean
St-Roch
Chamoussillon
Crêtes de la Voya
Castelonnette
St-Barnabé
Val-Pelens
Aiguilles de Pelens
Pra-Pelet
Le Monnard
Les Annous
Puy du Pas Roubinous
St-Martin-d'Entraunes
Ste-Marguerite
Villeneuve-d'Entraunes
St-Antoine
Châteauneuf-d'Entraunes
Enaux
Pont de Paniès
La Ribière
Les Fourcières
Lacs de Lignin
Cabane des Bas-Pasqueires
Pra-d'Airand
Guillaumes
Sauze
Selves
Le Fourciao
Mt St-Honorat
Villetalle
Sauze-Vieux
Villeplane
La Saussette
Mélina
Tête de Travers
Aurent
Mourre Froid
Argenton
Col du Fa
Content
Sausses
Daluis
Grotte du Chat
St-Martin
La Salette
Ggés de Daluis
Rocher
Castellet-lès-Sausses
Braux
Le Villard
Enriez
St-Léger
Col de St-Léger
Agnerc-Haut
Agnerc-Bas
Pont de St-Léger
Léouvé
Amarines
St-Benoît
Pont de Gueydan
Le Plan
Les Scaffarels
Pont-de-la-Reine Jeanne
Clue de Rouaine
Ourges
Jaussiers
N.-D. des Neiges
St-Jean du Désert
Entrevaux
Le Brec
St-Pierre
Les Lacs
Puget-Théniers
Puget-Rostang
Crête d'Aurafort
La Croix-s-Roudoule
Auvare
Mt d'Auvare
Col de Pras
Tête de Samos
Col de Mairole
Mt Mairole
Rigaud
Le Moulin
Col de Roua
La Méléa
Col de Laus
Dôme de Barrot
Tête de Rigaud
Pra-d'Astier
Rubi
Lieuche
Thiéry
Touët-sur-Var
St-Antoine
Gges infres du Cians
Gges supres du Cians
Grde Clue
Pte Clue
Cime de Raton
Tête de la Colombière
St-J.-Baptiste
Moulin
Bergian
Tête du Sapet
Croix du Sapet
Valberg
Les Amignons
Péone
Le Villard
Bouchanières
La Combe
Tête de Méric
Barels
La Baumette
Col de Crousette
Cime Nègre de l'Alp
Col de Crous
Mgne de Crous
Mt Mounier
Col de Gipse
Tête de Varèlios
Montagne Haute
Mt Démant
Col de Moulinès
Tête de Chamie
Champ de Tir
Tête du Garnier
La Condamine
Beuil
Roubion
Col de la Couillole
Villars
Les Bouisses
Tête de Tigène
Tête du Pommier
Tête du Giarons
Lauvet d'Ilonse
Les Cluots
Pierlas
Mt Lieuche
Col de la Sinne
Brec d'Ilonse
Clot-de-Marre
Mt Fraccia
Pnte des Quatre Cantons
Bairols
La Madone
Mt Ragias
Mt Rochaude
Rau Sobran
Tournefort
Massoins
Villars-sur-Var
Malaussène
Ilonse
Marie
Mt Combe
Bancairon
Clans
Mt Falourde
Roussillon
Rimplas
St-Sauveur-sur-Tinée
Roure
Vignols
Mt Autcellier
Rougios
Pont de Paule
Sorbière
Ste Anne
Gorges de Valabres
Col de la Valette
Mt Gravières
Tête de la Roubine
Mt St-Sauveur
Isola
Isola 2000
Chastillon
Cime des Crosillias
Cime de Merlier
Clocher
P. St-Honorat
Ste-Euroste
Mt Pélévo
La Blache
Douans
Pont Rouge
Le Bourguet
Asuéros
Tête Gerpe
Pas de Colle Longue
Col de la Guercia
Tête Rougnouse
Tête de l'Autaret
Cimes du Lausfer
Guercha Soubeirane
Col de la Lombarde
Cime de la Lombarde
Mt Malinvern
Baisse de
Cime de Colle Longue
Cime de Maleterre
Corborant
M. Laroussa
Grd Cimon de Rabuons
Migliorero
Mt Ténibre
Tête de l'Ubac
Lacs de Vens
Vens
Le Pra
Mt Aiga
Gias Bal
M. Bassura
Pietraporzio
Sambuco
Villetta
Vinadio
Pianche
Pratolungo
Ruviera
Goletta
M. Vaccia
M. Ciaval
Bagni di Vinadio
Vallone dei Bagni
M. Ciastella
Testa Mouton
Maladecia
Testa delle Novelle
Rocca della Paur
M. Aver
Santuario di Santa Anna
la Capanna
Callieri
S. Bernolfo
Pnte Pénette
Vacherie du Collet
Col Ferrière
Cime des Lauses
Mt Giraud
Pierre-Blanche
Mt Pepoul
La Bolline
La Roche
St-Dalmas (Valdeblore)
Mt Cayré Gros
Mt Viroulet
La Bollinette
Mt Castel
Mt Mangiarde
St-Ferréol
Pont-de-Clans
Col de la Cacia
Mt Long
N.-D. d'Entrevignes
Roquesteron
Roquesteron-Grasse
Cuébris
Vieux-Pierrefeu
La Pinéa
Tourette-du-Château
Revest-les-Roches
Défilé du Chaudan
Toudon
Mt Vial
Cime des Collettes
Ste-Baume
Les Crottes
Mt de Pincogul
Mt Brune
Tête du Puy
Crête de Saume Longue
St-Antonin
Ascros
La Penne
Mt Rourebel
Mt Roccaforte
Col de St-Raphaël
Notre-Dame
Le Breuil
Pont de Cians
Ste-Pétronille
Besseuges
Montagne de Gourdan
La Rochette
St-Saturnin
Avenos
Col du Trébuchet
Col de Félines
Le Champ
St-Nicolas
Villevieille
Val-de-Chalvagne (Castellet-St-Cassien)
La Serre
L'Hubac
Venières
St-Jeannet
Maupoil
Les Agots
Amirat
Collongues
Chamengearde
Fontane
Mgne des Miolans
P. de Miolans
Clue du Riolan
Sallagriffon
Les Mujouls
Pic de Chabran
Ubraye
Laval
Col de Laval
Barnaud
Montblanc
Col du Buis
La Sagne
Crête des Ferriers
Mgne de Gars
Clue d'Aiglu
Mt St-Martin
Sigale
Aiglu
Vascognes
Le Prignolet
Briançonnet
Gars
Montagne de Charamel
Le Collet
La Clue
Clue de St-Auban
St-Auban
Col de Pinpinier
Le Mas
Les Tardons
Cade de Vegay
Ste-Pétronille
St-Laurent
Clue de la Bouisse
Le Pous
Conségudes
Clue de la Péguière
Mt Auvière
Ranc
Pierrefeu
St-Michel
Les Ferres
Collet des Sausses
Bonson
Les Concias
Gilette
Ste-Marguerite
Clos Martel
PARC NATIONAL DU MERCANTOUR

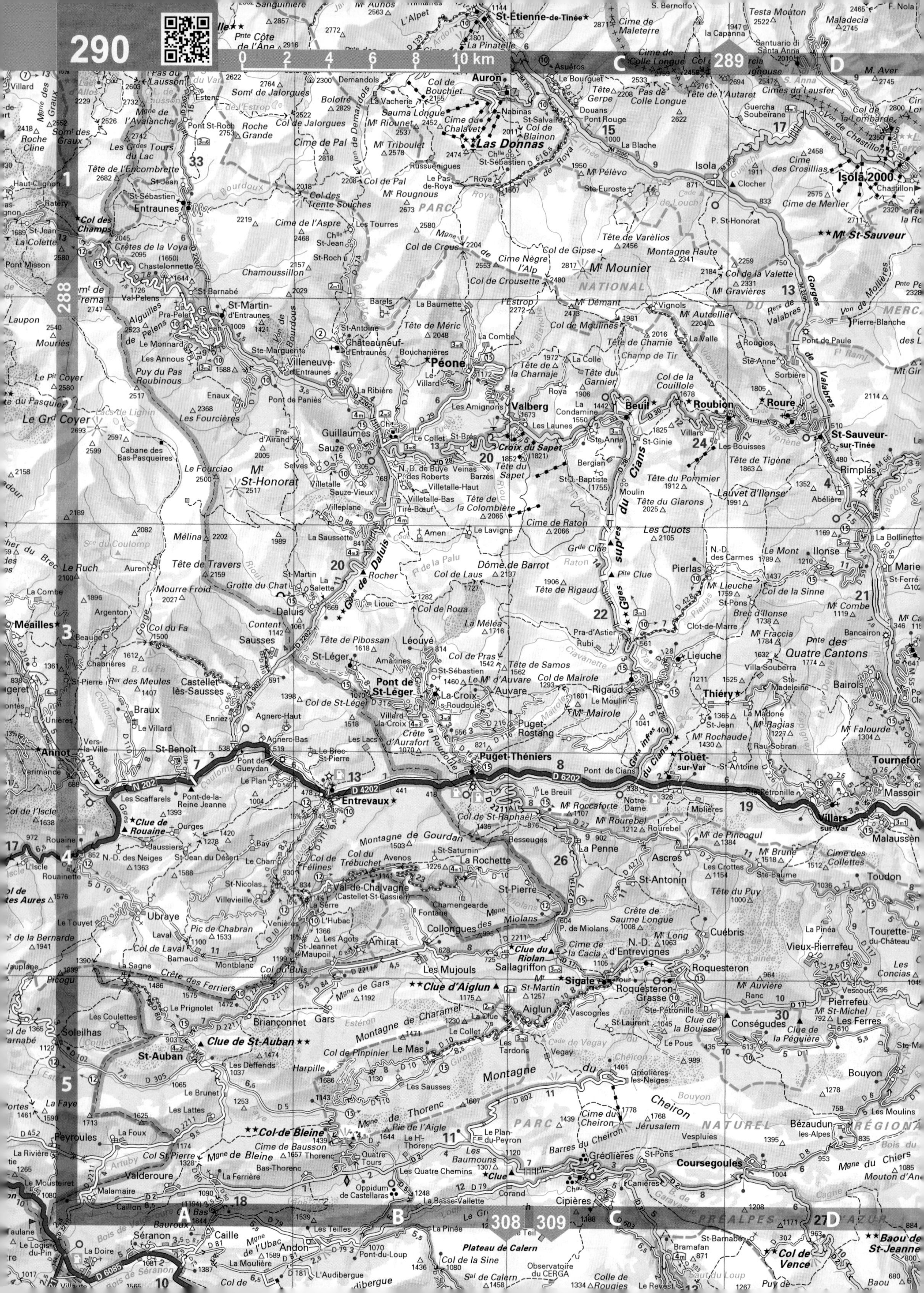
0 2 4 6 8 10 km
289
288
308
309
St-Étienne-de-Tinée
Auron
Las Donnas
Isola
Isola 2000
Mt St-Sauveur
Mt Mounier
Entraunes
Col des Champs
St-Martin-d'Entraunes
Châteauneuf-d'Entraunes
Villeneuve-d'Entraunes
Péone
Valberg
Beuil
Roubion
Roure
St-Sauveur-sur-Tinée
Croix du Sapet
Guillaumes
Sauze
Mt St-Honorat
Le Grd Coyer
Gges de Daluis
Daluis
Gorges du Cians
Rimplas
Ilonse
Pierlas
Lieuche
Thiéry
Méailles
Sausses
Castellet lès-Sausses
St-Léger
Pont de St-Léger
La Croix-s-Roudoule
Auvare
Puget-Rostang
Rigaud
Annot
St-Benoît
Clue de Rouaine
Entrevaux
Puget-Théniers
Touët-sur-Var
Villars-sur-Var
Massoins
Tournefort
Malaussène
Montagne de Gourdan
La Rochette
La Penne
Ascros
Toudon
Ubraye
Val-de-Chalvagne
Amirat
Collongues
Clue du Riolan
Sigale
Roquesteron
Clue d'Aiglun
Aiglun
Soleilhas
Briançonnet
St-Auban
Clue de St-Auban
Conségudes
Les Ferres
Bouyon
Col de Bleine
Thorenc
Valderoure
Gréolières
Coursegoules
Bézaudun-les-Alpes
Cipières
Séranon
Caille
Andon
Plateau de Calern
Col de Vence
Baou de St-Jeanne
Montagne du Cheiron
PARC NATUREL RÉGIONAL
PRÉALPES D'AZUR
PARC NATIONAL DU MERCANTOUR
N 202
D 6202
D 4202
D 2202
D 6085

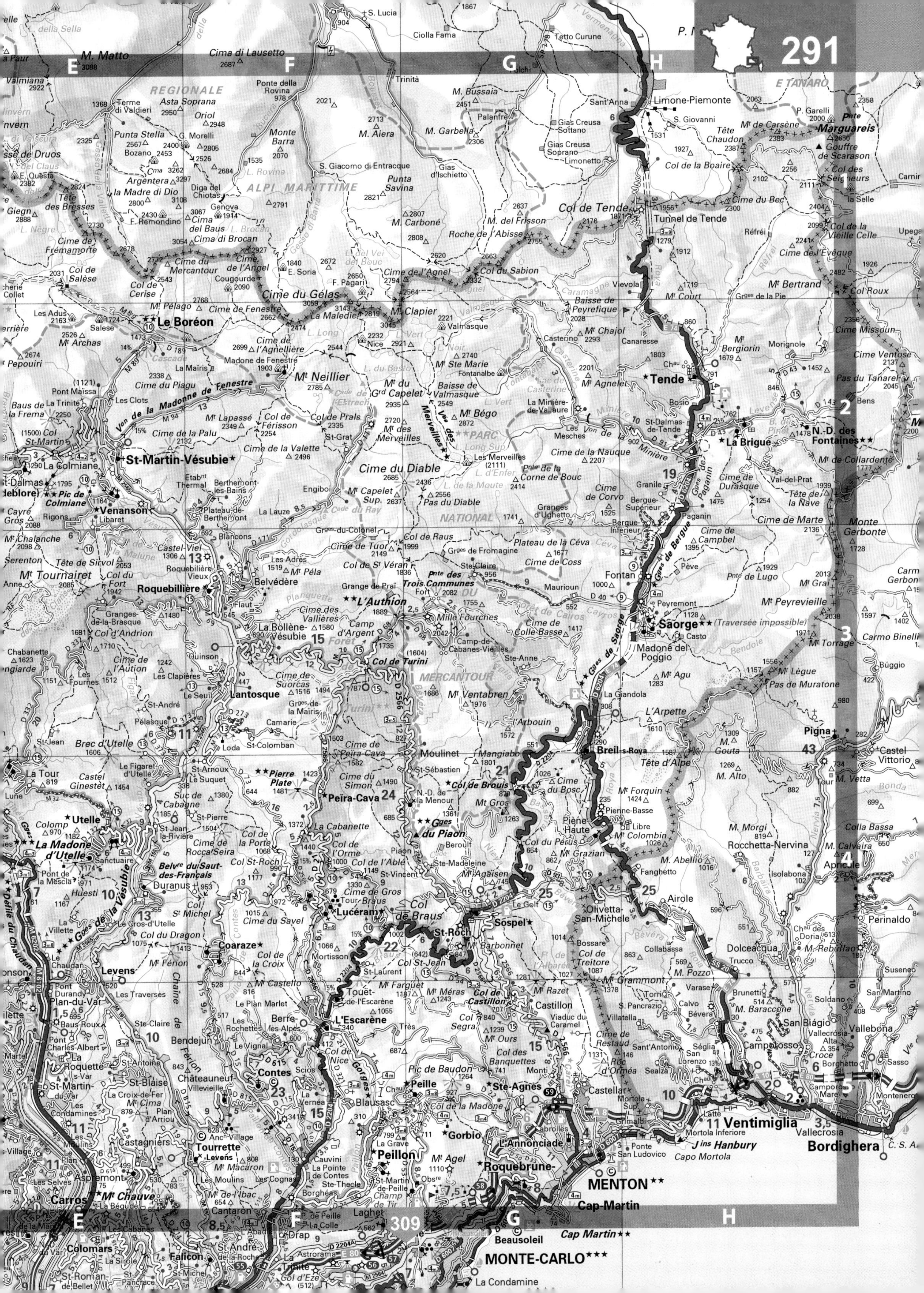
E
F
G
H
P. I
E TANARO
M. Matto
Cima di Lausetto
S. Lucia
Ciolla Fama
Tetto Curune
Trinità
Limone-Piemonte
Sant'Anna
S. Giovanni
REGIONALE
ALPI MARITTIME
Terme di Valdieri
Asta Soprana
Punta Stella
Argentera
Cima del Baus
Cima di Brocan
Monte Barra
M. Aiera
M. Bussaia
M. Garbella
Palanfrè
Gias Creusa Sottano
Gias Creusa Soprano
Limonetto
Tête Chaudon
Mt de Carsène
Pte Marguareis
Gouffre de Scarason
Col de la Boaire
Col des Seigneurs
Cime du Bec
La Selle
Col de Tende
Tunnel de Tende
Col de la Vieille Celle
Réfréi
Cime de l'Évêque
Cime de Frémamorte
Col de Salèse
Col de Cerise
Cime du Mercantour
Cime de l'Angel
Cougourde
Cime du Gélas
La Maledie
Mt Clapier
Cime de l'Agnel
Col du Sabion
M. del Frisson
Roche de l'Abisse
Viévola
Mt Court
Mt Bertrand
Col Roux
Baisse de Peyrefique
Le Boréon
Mt Pélago
Cime de Fenestre
Salèse
Mt Archas
Cime de l'Agnellière
Madone de Fenestre
Mt Neillier
Valmasque
Mt Ste Marie
Fontanalbe
Casterino
Mt Chajol
Canaresse
Mt Bergiorin
Morignole
Cime Missoun
Cime Ventose
Pas du Tanarel
Tende
Mt Agnelet
Lac de Casterine
Cime du Piagu
Pont Maïssa
Les Clots
Von de la Madonne de Fenestre
Mt du Grd Capelet
Baisse de Valmasque
Mt Bégo
Vallée des Merveilles
La Minière-de-Vallaure
St-Dalmas-de-Tende
La Brigue
N.-D. des Fontaines
Mt Lapassé
Col de Férisson
Col de Prals
Mt des Merveilles
PARC
Les Merveilles
Les Mesches
Cime de la Nauque
Mt de Collardente
Cime de la Palu
Cime de la Valette
Cime du Diable
Pas du Diable
Pte de la Corne de Bouc
St-Martin-Vésubie
La Colmiane
Pic de Colmiane
Venanson
Berthemont-les-Bains
Plateau de Berthemont
Mt Capelet Sup.
NATIONAL
Granile
Berghe Supérieur
Cime de Durasque
Val-del-Prat
Tête de la Nave
Cime de Marte
Monte Gerbonte
Paganin
Gges de Paganin
Granges d'Ughetto
Cime de Corvo
Bergue Inférieur
Mt Chalanche
Tête de Siruol
Castel-Viel
Roquebillière
Belvédère
Mt Tournairet
Col du Fort
Col de Raus
Cime de Tuor
Col de St Véran
Grange de Praï
Pte des Trois Communes
L'Authion
Mille Fourches
Plateau de la Céva
Cime de Coss
Fontan
Gges de Bergue
Mt Gral
Mt Peyrevieille
Pte de Lugo
Cime de Campbel
Pève
Maurioun
Peyremont
Saorge
(Traversée impossible)
Madone del Poggio
Casto
Mt Torrage
Carmo Binelli
Granges-de-la-Brasque
Col d'Andrion
La Bollène-Vésubie
Cime des Vallières
Camp d'Argent
Col de Turini
Camp-de-Cabanes-Vieilles
Cime de Colle Basse
Ste-Anne
Gges de Saorge
Mt Agu
Mt Lègue
Pas de Muratone
Cime de l'Aution
Les Fournes
Les Clapières
Lantosque
Cime de Suorcas
Forêt de Turini
MERCANTOUR
Mt Ventabren
La Giandola
L'Arpette
L'Arbouin
Breil-s-Roya
Tête d'Alpe
M. Gouta
M. Alto
Pigna
Castel Vittorio
M. Vetta
St-Colomban
Loda
Camarie
Moulinet
Mangiabo
Cime du Bosc
Mt Forquin
Pienne-Basse
Brec d'Utelle
Le Figaret d'Utelle
Castel Ginestet
St-Arnoux
Pierre Plate
Cime de Peïra-Cava
Cime du Simon
Peïra-Cava
St-Sébastien
Col de Brouis
N.-D. de la Menour
Mt Gros
Gges du Piaon
Piène-Haute
Libre
Mt Colombin
M. Morgi
Rocchetta-Nervina
M. Calvaira
Colla Bassa
Utelle
La Madone d'Utelle
Suc de Cabagne
St-Jean-la-Rivière
Cime de Rocca Seira
Col de la Porte
La Cabanette
Col de l'Orme
Col de l'Ablé
Berouli
Ste-Madeleine
Mt Agaisen
Col du Pérus
Mt Grazian
Fanghetto
M. Abellio
Isolabona
Apricale
Belvre du Saut-des-Français
Duranus
Col St-Roch
Cime de Gros Tour-Braus
St-Vincent
Col de Braus
Sospel
Le Golf
Olivetta-San-Michele
Airole
Perinaldo
Gges de la Vésubie
Défilé du Chaudan
Cime du Savel
Col St Michel
Lucéram
Col du Dragon
Le Gros-d'Utelle
La Villette
St-Roch
Mt Barbonnet
Bossare
Col de Treitore
Collabassa
Dolceacqua
Mt Rebuffao
Coaraze
Mt Férion
Col de la Croix
Mortisson
Col St-Jean
St-Laurent
Mt Grammont
M. Pozzo
Trucco
Le Chaudan
Levens
Chaîne de Férion
Mt Castello
Touët-de-l'Escarène
Mt Farguet
Mt Méras
Col de Castillon
Mt Razet
Castillon
Viaduc du Caramel
Torri
Calvo
Bévera
Brunetti
M. Baraccone
Soldano
San Martino
Plan-du-Var
Pont Durandy
Les Traverses
Le Plan Marlet
L'Escarène
Berre-les-Alpes
Col Segra
Mt Ours
Cime de Restaud
S. Pancrazio
Villatella
San Biagio
Vallebona
Vallecrosia Alta
Baus-Roux
Pont Charles-Albert
La Roquette-s-Var
St-Antoine
St-Blaise
Bendejun
Les Rochettes
Le Vignal
Col de Nice
Gorges du Paillon
Pic de Baudon
Col des Banquettes
Roc d'Orméa
Sant'Antonio
Séglia
San Lorenzo
Camporosso
Croce
Borghetto
Sasso
St-Martin-du-Var
La Croix-de-Fer
Mt Cima
Châteauneuf-Villevieille
Plan d'Arriou
Contes
Scios
La Vernéa
Blausasc
Peille
Col de la Madone
Ste-Agnès
Monti
Castellar
Seálza
Mortola Sup.
Grimaldi
Ventimiglia
Vallecrosia
Camporosso Mare
Montenero
Bordighera
C. S. A.
Les Condamines
Castagniers
Anchr-Village
Tourrette-Levens
Mt Macaron
Les Moulins
Les Cognas
La Grave
Peillon
Gorbio
Mt Agel
L'Annonciade
Roquebrune-
Ponte San Ludovico
Mortola Inferiore
Jins Hanbury
Capo Mortola
Latte
MENTON
Aspremont
Les Selves
Carros
Mt Chauve
La Bégude
Mt de l'Ibac
Cantaron
Cauvini
La Pointe de Contes
Ste-Thecle
St-Martin-de-Peille
Borghéas
Champ de Tir
Obsre
Cap-Martin
Laghet
La Colle
Drap
Cap Martin
Colomars
Falicon
St-André-de-la-Roche
St-Michel
St-Roman-de-Bellet
La Trinité
Astrorama
Col d'Èze
Beausoleil
MONTE-CARLO
La Condamine
309
1
2
3
4
5

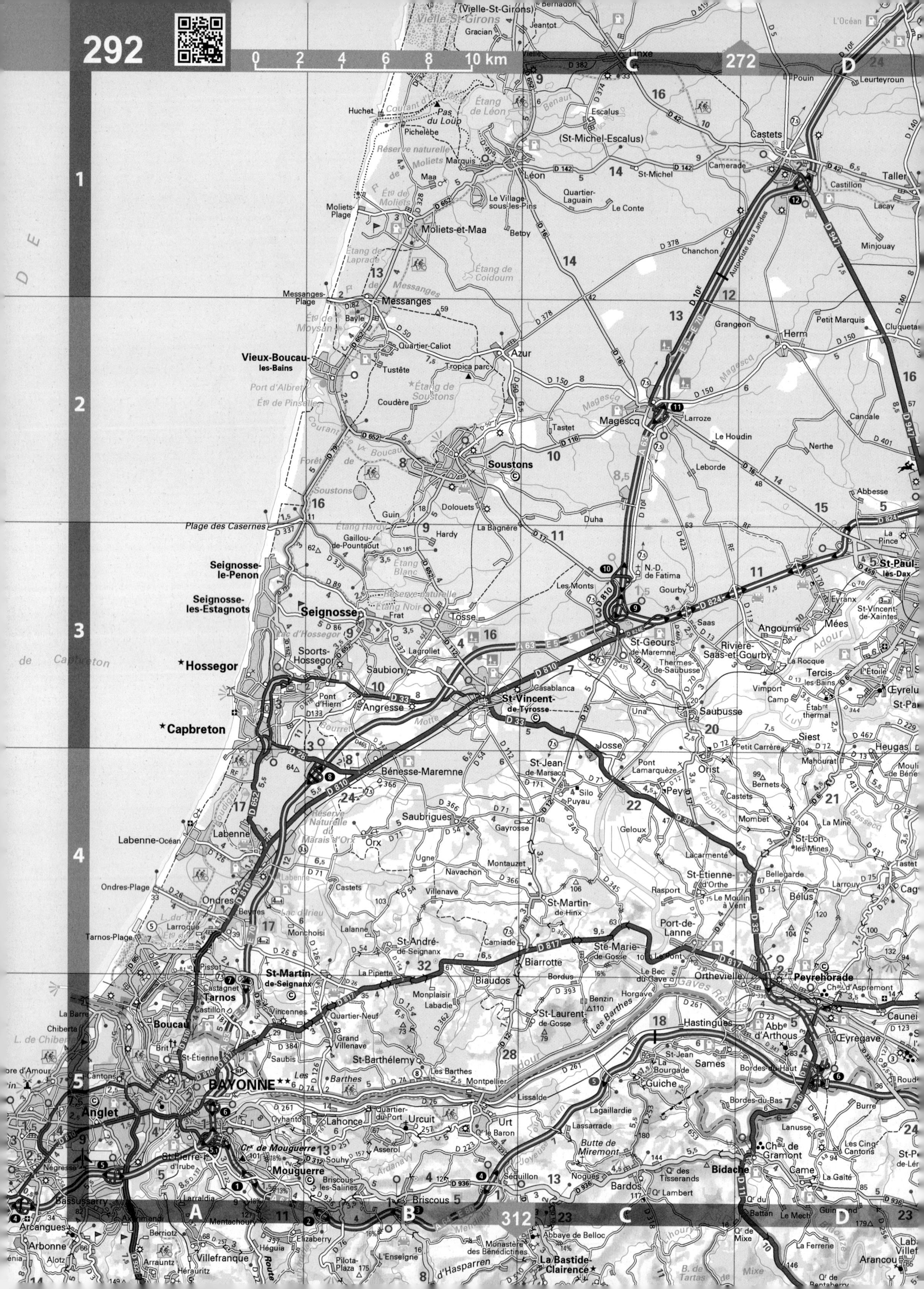

0 2 4 6 8 10 km
272
C
D
1
2
3
4
5
A
B
312
(Vielle-St-Girons)
Vielle-St-Girons
Gracian
Jeantot
Vielle
Linxe
L'Océan
Pouin
Leurteyroun
Huchet
Pas du Loup
Étang de Léon
Escalus
(St-Michel-Escalus)
Castets
Pichelèbe
Réserve naturelle
Moliets
Marquis
Léon
St-Michel
Camerade
Taller
Castillon
Maa
Moliets-Plage
Moliets-et-Maa
Le Village-sous-les-Pins
Quartier-Laguain
Le Conte
Lacay
Betoy
Minjouay
Chanchon
Autoroute des Landes
Étang de Laprade
Étang de Coidoum
Messanges-Plage
Messanges
Bayle
Étg de Moysan
Grangeon
Petit Marquis
Herm
Cluquetan
Quartier-Caliot
Vieux-Boucau-les-Bains
Tustête
Azur
Tropica parc
Étang de Soustons
Port d'Albret
Étg de Pinsolle
Coudère
Magescq
Tastet
Larroze
Le Houdin
Candale
Nerthe
Courant
Soustons
Leborde
Forêt de Soustons
Abbesse
Dolouets
Guin
Duha
Plage des Casernes
Étang Hardy
Gaillou-de-Pountaout
Hardy
La Bagnère
Étang Blanc
N.-D. de Fatima
La Pince
St-Paul-lès-Dax
Seignosse-le-Penon
Seignosse-les-Estagnots
Réserve naturelle
Étang Noir
Les Monts
Gourby
Eyranx
St-Vincent-de-Xaintes
Seignosse
Frat
Tosse
Saas
Angoume
Mées
Lac d'Hossegor
Sorts-Hossegor
Lagrollet
St-Geours-de-Maremne
Rivière-Saas-et-Gourby
Adour
Hossegor
Saubion
Thermes-de-Saubusse
La Rocque
Tercis-les-Bains
L'Étoile
Œyreluy
Casablanca
St-Vincent-de-Tyrosse
Pont d'Hiern
Angresse
Una
Vimport
Camp
Établt thermal
St-Pandelon
Capbreton
Bourret
Motte
Saubusse
Luy
Josse
Petit Carrère
Siest
Heugas
Bénesse-Maremne
St-Jean-de-Marsacq
Pont Lamarquèze
Orist
Mahourat
Bernets
Silo
Puyau
Pey
Castets
Labenne
Réserve Naturelle du Marais d'Orx
Saubrigues
Labenne-Océan
Orx
Gayrosse
Geloux
Mombet
La Mine
St-Lon-les-Mines
Ugne
Navachon
Montauzet
Lacarmenté
Bellegarde
Ondres-Plage
Castets
Villenave
St-Étienne-d'Orthe
Rasport
Le Moulin à Vent
Larrouy
Bélus
Ondres
St-Martin-de-Hinx
Lac d'Irieu
Monchoisi
Lalanne
Port-de-Lanne
Tarnos-Plage
Larroque
Étg de Garros
St-André-de-Seignanx
Camiade
Ste-Marie-de-Gosse
Biarrotte
Le Bec du Gave
Orthevielle
Peyrehorade
Pissot
Castagnet
Tarnos
St-Martin-de-Seignanx
La Pipette
Biaudos
Bordus
Chau d'Aspremont
Castillon
Vincennes
Quartier-Neuf
Monplaisir
Labadie
Benzin
Horgave
Gaves Réunis
Caunei
La Barre
Chiberta
L. de Chiberta
Boucau
Grand Villeneuve
St-Laurent-de-Gosse
Les Barthes
Hastingues
Abbe d'Arthous
Œyregave
Brit
St-Étienne
Saubis
St-Barthélemy
St-Jean
La Bourgade
Sames
Cantons
Les Barthes
Montpellier
Bordes-du-Haut
BAYONNE
Anglet
Lissalde
Guiche
Quartier-du-Port
Oyhanto
Lahonce
Urcuit
Lagaillardie
Bordes-du-Bas
Burre
Urt
Qr le Baron
Lassarrade
Lanusse
Cr de Mouguerre
Asserol
Butte de Miremont
Chau de Gramont
Les Cinq-Cantons
St-Pierre-d'Irube
Souhy
Mouguerre
Négresse
Briscous-les-Salines
Séquillon
Nogues
Qr des Tisserands
Bidache
Came
La Gaîté
Ardanavy
Bardos
Qr Lambert
Bassussarry
Larraldia
Briscous
Qr du Battan
Le Mech
Guinand
Arcangues
Mentachoury
Berriotz
Elizaberry
Monastère des Bénédictines
Abbaye de Belloc
Qr de Mixe
La Ferrerie
Arbonne
Héguia
Villefranque
Pilota-Plaza
L'Enseigne
La Bastide-Clairence
Arancou
Alotz
Arrauntz
Hérauritz
d'Hasparren
Mixe

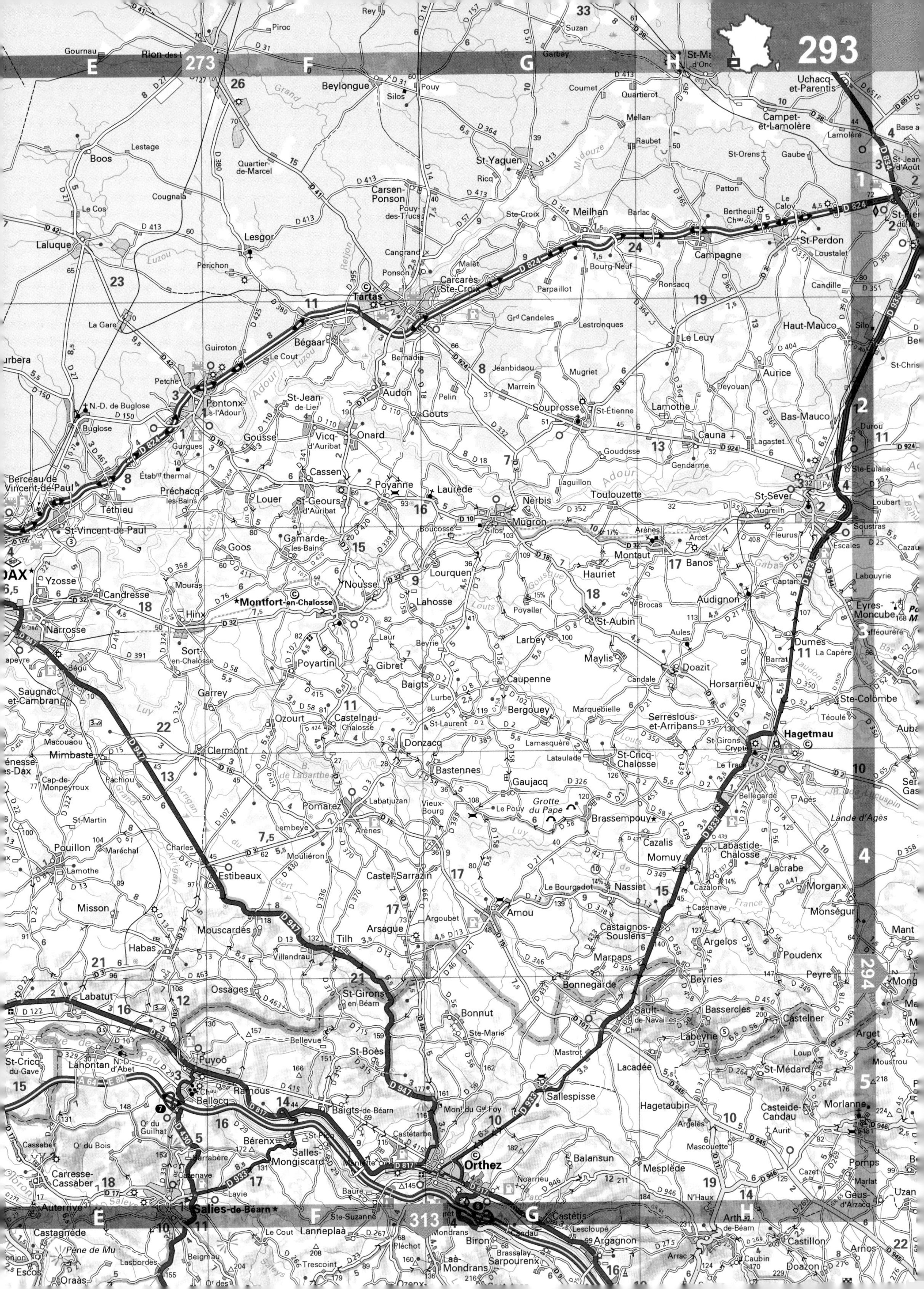
293
273
313
294
E
F
G
H
Rey
Piroc
Suzan
Garbay
St-Maur-d'Oney
Gournau
Rion-des-Landes
Beylongue
Silos
Pouy
Coumet
Quartierot
Mellan
Raubet
Uchacq-et-Parentis
Campet-et-Lamolère
Lamolère
Base a
St-Jean-d'Août
Boos
Lestage
Quartier-de-Marcel
St-Yaguen
Ricq
Midouze
St-Orens
Gaube
Patton
Cougnala
Carsen-Ponson
Pouy-des-Trucs
Le Cos
Ste-Croix
Meilhan
Barlac
Bertheuil
Le Caloy
St-Pierre-du-Mont
Laluque
Lesgor
Luzou
Cangrand
Campagne
St-Perdon
Loustalet
Perichon
Malet
Ponson
Bourg-Neuf
Ronsacq
Tartas
Carcarès-Ste-Croix
Parpaillot
Candille
La Gare
Grd Candeles
Lestronques
Haut-Mauco
Guiroton
Bégaar
Le Leuy
Le Cout
Bernadia
Jeanbidaou
Mugriet
Aurice
urbera
Petche
Marrein
Deyouan
Pontonx-s-l'Adour
Audon
Pelin
Souprosse
St-Étienne
Lamothe
N.-D. de Buglose
St-Jean-de-Lier
Gouts
Bas-Mauco
Buglose
Gousse
Vicq-d'Auribat
Onard
Cauna
Lagastet
Durou
Gurgues
Goudosse
Gendarme
Ste-Eulalie
Berceau de Vincent-de-Paul
Étabnt thermal
Cassen
Laurède
Laguillon
Toulouzette
Préchacq-les-Bains
Poyanne
Nerbis
St-Sever
Téthieu
Louer
St-Geours-d'Auribat
Mugron
Augreilh
Loubart
St-Vincent-de-Paul
Boucosse
Silos
Arènes
Arcet
Fleurus
Soustras
Gamarde-les-Bains
Escales
Goos
Montaut
Banos
DAX
Lourquen
Hauriet
Labouyrie
Yzosse
Mouras
Nousse
Captan
Candresse
Montfort-en-Chalosse
Lahosse
Poyaller
Brocas
Audignon
Eyres-Moncube
Hinx
Narrosse
St-Aubin
Dumes
Laur
Larbey
Aules
Beyrie
Maylis
La Capère
Sort-en-Chalosse
Poyartin
Gibret
Doazit
Barrat
Bégu
Caupenne
Candale
Horsarrieu
Saugnac-et-Cambran
Garrey
Baigts
Lurbe
Bergouey
Marquebielle
Ste-Colombe
Luy
Ozourt
Castelnau-Chalosse
St-Laurent
Serreslous-et-Arribans
Téoulé
Macouaou
Donzacq
Lamasquère
St-Girons
Crypte
Hagetmau
Mimbaste
Clermont
Lataulade
St-Cricq-Chalosse
Pachiou
B. de Labarthe
Bastennes
Le Trace
Cap-de-Monpeyroux
Gaujacq
Grotte du Pape
Bellegarde
Agès
Le Pouy
Brassempouy
Lande d'Agès
St-Martin
Labatjuzan
Vieux-Bourg
Pomarez
Lembeye
Arènes
Cazalis
Labastide-Chalosse
Pouillon
Maréchal
Charles
Momuy
Lamothe
Mouliéron
Lacrabe
Estibeaux
Castel-Sarrazin
Nassiet
Le Bourgadot
Cazalon
Morganx
Misson
Amou
Casenave
Monségur
Argoubet
Arsague
Mouscardès
Castaignos-Souslens
Argelos
Habas
Tilh
Villandrau
Marpaps
Poudenx
Peyre
Labatut
Ossages
St-Girons-en-Béarn
Bonnegarde
Beyries
Bonnut
Basssercles
Castelner
Sault-de-Navailles
Arget
Ste-Marie
Bellevue
Labeyrie
St-Cricq-du-Gave
Lahontan
N.-D. d'Abet
St-Boès
Mastrot
Loup
Puyoô
Lacadée
St-Médard
Moustrou
Ramous
Sallespisse
Bellocq
Baigts-de-Béarn
Hagetaubin
Casteide-Candau
Morlanne
Qr du Guilhat
Monr du Gl Foy
Argelès
Aurit
Cassaber
Qr du Bois
Castétarbe
Mascouette
Bérenx
Salles-Mongiscard
Orthez
Balansun
Sarrabère
Mesplède
Pomps
Carresse-Cassaber
Noarrieu
Cazet
Marlat
Uzan
Lavie
Baure
N'Haux
Géus-d'Arzacq
Auterrive
Salies-de-Béarn
Ste-Suzanne
Lanneplaa
Castétis
Arthez-de-Béarn
Castagnède
Le Cout
Mondrans
Biron
Lescloupé
Argagnon
Castillon
Pene de Mu
Plèchot
Brassalay
Caubin
Arnos
Trescoint
Laà-Mondrans
Sarpourenx
Arrac
Doazon
Beigmau
Lasbordes
Escos
Oraàs
D 824
D 947
D 933
D 834
D 817
A 64-E 80

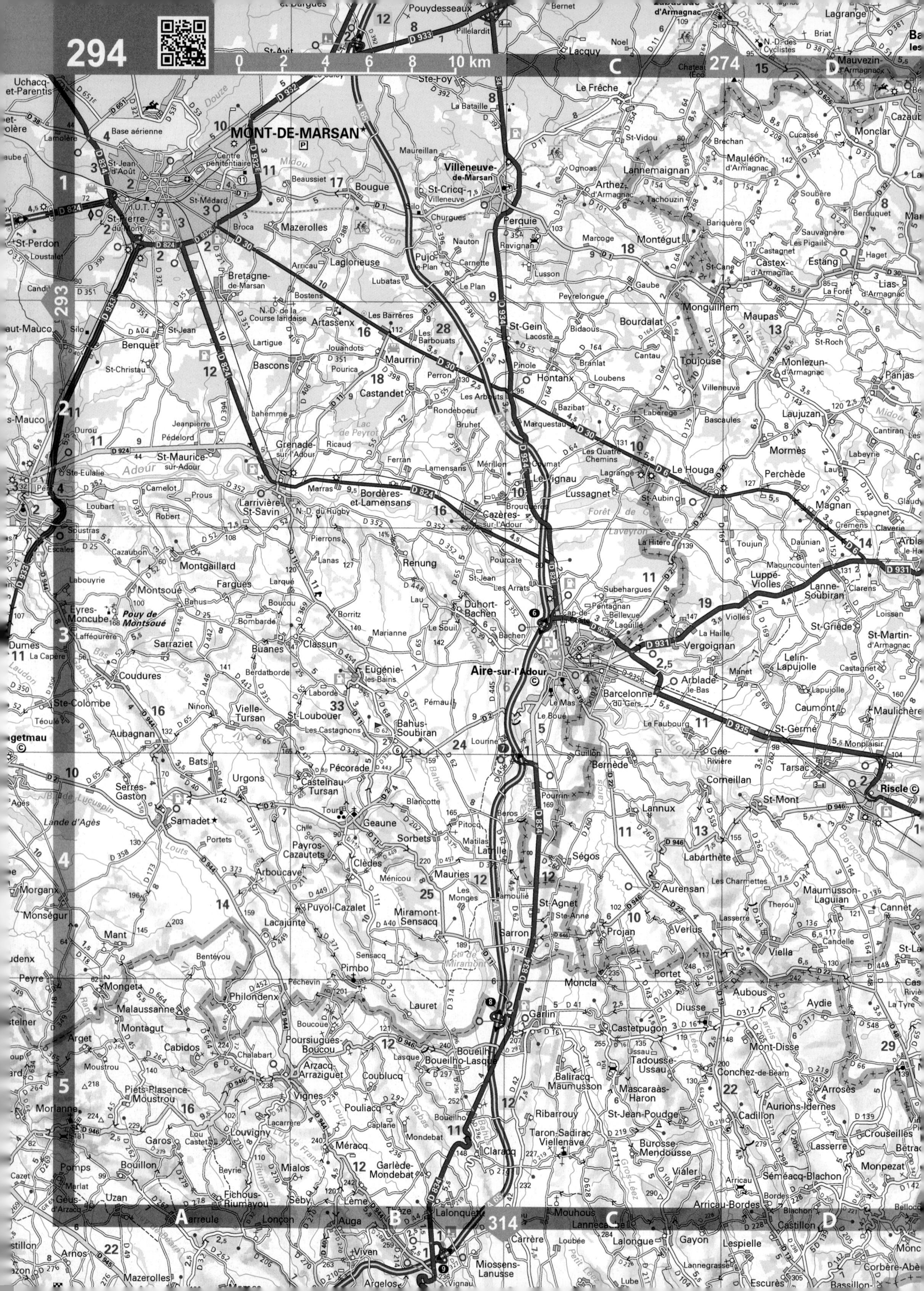
0 2 4 6 8 10 km
MONT-DE-MARSAN
St-Pierre-du-Mont
St-Jean-d'Août
St-Médard
Uchacq-et-Parentis
Lamolère
Base aérienne
St-Perdon
Bretagne-de-Marsan
Benquet
Bascons
Artassenx
Laglorieuse
Mazerolles
Bougue
Beaussiet
Villeneuve-de-Marsan
St-Cricq-Villeneuve
Perquie
Pujo-le-Plan
St-Gein
Hontanx
Castandet
Maurrin
Grenade-sur-l'Adour
St-Maurice-sur-Adour
Larrivière-St-Savin
Bordères-et-Lamensans
Cazères-sur-l'Adour
Le Vignau
Lussagnet
Le Houga
Renung
Duhort-Bachen
Aire-sur-l'Adour
Barcelonne-du-Gers
Montgaillard
Fargues
Montsoué
Eyres-Moncube
Pouy de Montsoué
Sarraziet
Buanes
Classun
Eugénie-les-Bains
Coudures
Vielle-Tursan
St-Loubouer
Bahus-Soubiran
Aubagnan
Bats
Urgons
Serres-Gaston
Samadet
Pécorade
Castelnau-Tursan
Geaune
Sorbets
Payros-Cazautets
Clèdes
Arboucave
Mauries
Miramont-Sensacq
Puyol-Cazalet
Lacajunte
Pimbo
Lauret
Philondenx
Monget
Malaussanne
Montagut
Cabidos
Poursiugues-Boucoue
Arzacq-Arraziguet
Coublucq
Boueilh-Boueilho-Lasque
Vignes
Pouliacq
Piets-Plasence-Moustrou
Morlanne
Louvigny
Garos
Méracq
Garlède-Mondebat
Mialos
Bouillon
Fichous-Riumayou
Pomps
Uzan
Sèby
Lème
Auga
Lalonquette
Claracq
Larreule
Lonçon
Viven
Argelos
Miossens-Lanusse
Mazerolles
Arnos
Garlin
Moncla
Ségos
St-Agnet
Sarron
Latrille
Projan
Aurensan
Verlus
Portet
Diusse
Castetpugon
Tadousse-Ussau
Mascaraàs-Haron
Balirac-Maumusson
Ribarrouy
St-Jean-Poudge
Taron-Sadirac-Viellenave
Burosse-Mendousse
Vialer
Lannecaube
Lalongue
Gayon
Lespielle
Arricau-Bordes
Cadillon
Conchez-de-Béarn
Aurions-Idernes
Mont-Disse
Aubous
Aydie
Viella
Arrosès
Crouseilles
Lasserre
Monpezat
Séméacq-Blachon
Castillon
Maumusson-Laguian
Labarthète
Corneillan
St-Mont
Riscle
Lannux
Bernède
Tarsac
St-Germé
Caumont
Arblade-le-Bas
Vergoignan
Lelin-Lapujolle
St-Griède
Lanne-Soubiran
Luppé-Violles
Magnan
Perchède
Mormès
Laujuzan
Monlezun-d'Armagnac
Panjas
Maupas
Toujouse
Monguilhem
Castex-d'Armagnac
Estang
Mauléon-d'Armagnac
Lannemaignan
Montégut
Bourdalat
Arthez-d'Armagnac
Le Frêche
Lacquy
Mauvezin-d'Armagnac
Cazaubon
Monclar
Lias-d'Armagnac
St-Aubin
Subehargues
Lagrange
Forêt de Gelat
Adour
Midou
Lac de Peyrot
293
274
314
A B C D
1 2 3 4 5

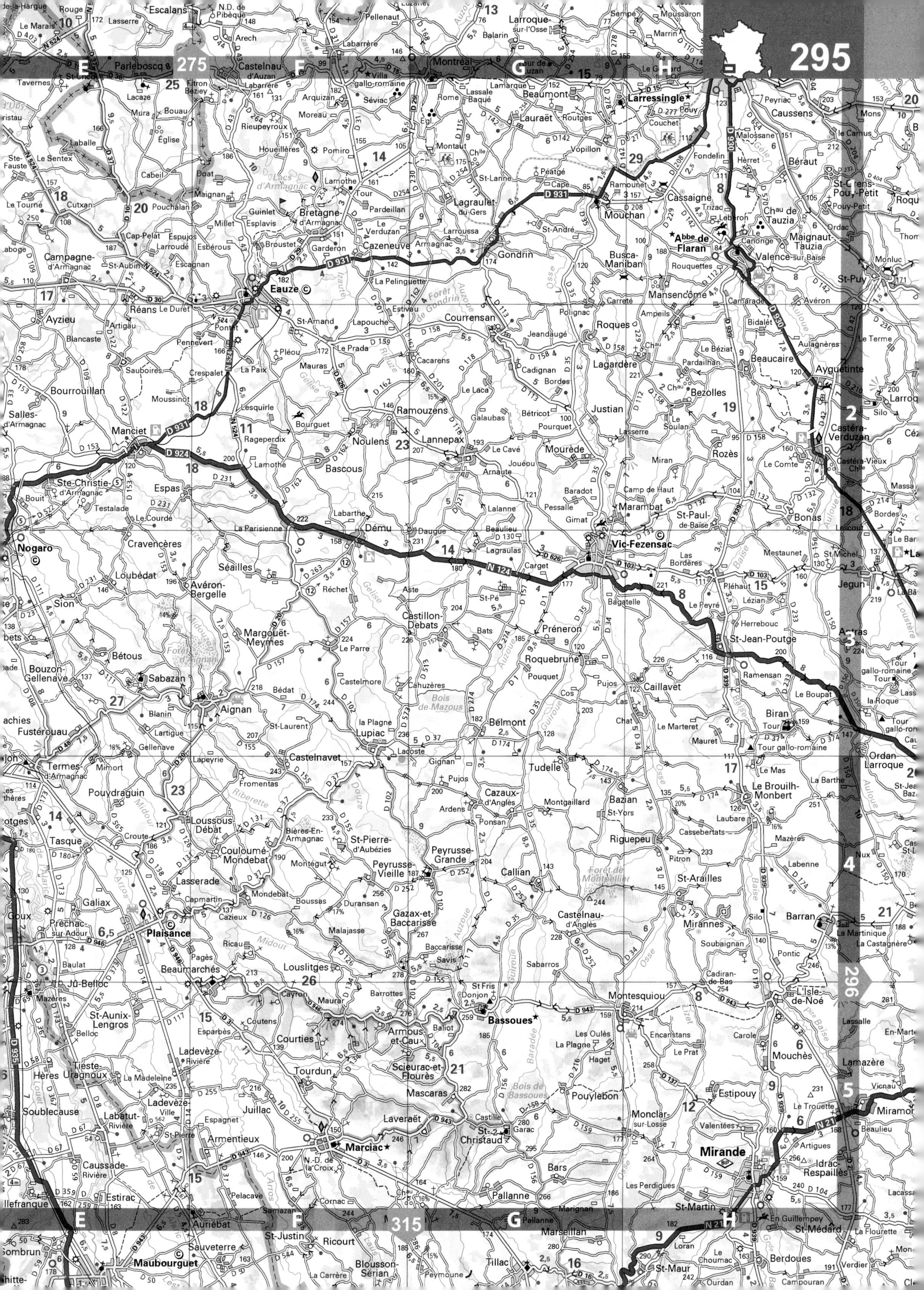

295
275
296
315
E
F
G
H
Escalans
N.D. de Pibèque
Rouge
Le Marais
Lasserre
Arech
Pellenaut
Labarrère
Larroque-sur-l'Osse
Balarin
Sempé
Moussaron
Marrin
Parleboscq
Castelnau-d'Auzan
Montréal
Tour de Luzan
Le Grand
Tavernes
St-Cricq
Lacaze
Fitron
Béziey
Labarrère
Villa gallo-romaine
Séviac
Arquizan
Rome
Lassale
Baqué
Lamarque
Beaumont
Larressingle
Pouy
Couchet
Peyriac
Caussens
Mons
Mura
Bouau
Moreau
Rieupeyroux
Lauraët
Routges
Houeillères
Pomiro
Égl.
Montaut
Vopillon
Fondelin
Malossane
Le Camus
Laballe
Ste-Fauste
Le Sentex
Cabeil
Doat
Lacs d'Armagnac
Lamothe
Tour
St-Lanne
Peatgé
Cape
Ramounet
Herret
Béraut
Maignan
Pouchalan
Cutxan
Le Tourné
Guinlet
Esplavis
Bretagne-d'Armagnac
Pardeillan
Le Verduzan
Lagraulet-du-Gers
Mouchan
Cassaigne
Trizac
Leberon
Chau de Tauzia
St-Crens-Pouy-Petit
Pouy-Petit
Millet
Cap-Pelat
Espujos
Larroudé
Esbérous
Broustet
Garderon
Cazeneuve
Armagnac
Larroussa
Gondrin
St-André
Busca-Maniban
Abbe de Flaran
Canonge
Valence-sur-Baïse
Maignaut-Tauzia
Ordac
Laboge
Campagne-d'Armagnac
St-Aubin
Escagnan
Eauze
La Pelinguette
Forêt de Gondrin
Rouquettes
Mansencôme
Camarade
Monluc
St-Puy
Avéron
Réans
Le Duret
Pontet
St-Amand
Estivau
Lapouche
Courrensan
Carreté
Polignac
Jeandaugé
Ampeils
Bidalet
Roques
Aulagnères
Le Terme
Ayzieu
Artigau
Blancaste
Pennevert
Pléou
Le Prada
Mauras
Cacarens
Cadignan
Bordes
Lagardère
Le Béziat
Pardailhan
Beaucaire
Ayguetinte
Sauboires
Crespalet
La Paix
Moussinot
Le Laca
Bezolles
Bourrouillan
Salles-d'Armagnac
Lesquirle
Bourguet
Ramouzens
Galaubas
Bétricot
Pourquet
Justian
Le Soulan
Castéra-Verduzan
Silo
Manciet
Rageperdix
Noulens
Lannepax
Lasserre
Rozès
Le Cavé
Mourède
Joueou
Miran
Le Comte
Castéra-Vieux
Ste-Christie-d'Armagnac
Espas
Lamothe
Bascous
Arnaute
Baradot
Camp de Haut
Massa
Bouit
Testalade
Le Courdé
Lalanne
Pessalle
Marambat
St-Paul-de-Baïse
Bonas
Bordes
Gimat
La Parisienne
Labarthe
Dému
Daugue
Beaulieu
Lagraulas
Vic-Fezensac
Nogaro
Cravencères
Carget
Las Bordères
Mestaunet
St-Michel
Loubédat
Séailles
Réchet
Aste
Bagatelle
Pléhaut
Lézian
Jegun
Sion
Avéron-Bergelle
St-Pé
Le Peyré
Herrebouc
Castillon-Debats
Bats
Préneron
St-Jean-Poutge
Margouët-Meymes
Le Parre
Roquebrune
Forêt d'Aignan
Bétous
Bouzon-Gellenave
Sabazan
Castelmore
Cahuzères
Pouquet
Pujos
Caillavet
Ramensan
Le Boupat
Bois de Mazous
Bédat
Blanin
Aignan
Lartigue
Fustérouau
Gellenave
Laurent
la Plagne
Lupiac
Belmont
Cos
Las
Chat
Le Marteret
Biran
Tour
Mauret
Tour gallo-romaine
Lapeyrie
Termes-d'Armagnac
Mimort
Castelnavet
Lacoste
Gignan
Tudelle
Ordan-Larroque
Fromentas
Pujos
Bazian
Le Mas
Le Brouilh-Monbert
La Barthe
Pouydraguin
Ribérette
Ardens
Cazaux-d'Anglès
Montgaillard
St-Yors
Laubare
Tasque
Loussous-Débat
Bières-En-Armagnac
St-Pierre-d'Aubézies
Ponsan
Riguepeu
Cassebertats
Mazères
Croute
Couloumé-Mondebat
Peyrusse-Grande
Pitron
Labenne
Nux
Montégut
Peyrusse-Vieille
Callian
Forêt de Montpellier
St-Arailles
Lasserade
Capmartin
Mondebat
Boussas
Duransan
Galiax
Cazieux
Gazax-et-Baccarisse
Castelnau-d'Anglès
Mirannes
Barran
Préchac-sur-Adour
Plaisance
Malajasse
Silo
La Martinique
Soubaignan
Pontic
La Castagnère
Ricau
Baccarisse
Savis
Sabarros
Cadiran-de-Bas
Baulat
Pagès
Beaumarchés
Louslitges
L'Isle-de-Noé
Jû-Belloc
Cayron
Maurar
Barrottes
St Fris
Donjon
Bassoues
Montesquiou
Mazères
St-Aunix-Lengros
Coutens
Armous-et-Cau
Baliot
Encanstans
Lassalle
Belloc
Esparbès
Courties
Les Oulès
Carole
En-Marte
La Plagne
Le Prat
Mouchès
Ladevèze-Rivière
Haget
Lamazère
Tieste-Uragnoux
Hères
La Madeleine
Tourdun
Scieurac-et-Flourès
Estipouy
Vicnau
Bois de Bassoues
Pouylebon
Soublecause
Labatut-Rivière
Ladevèze-Ville
Juillac
Mascaras
Le Trouette
Miramont
Castille
Espagnet
Laveraët
St-Christaud
Garac
Monclar-sur-Losse
Valentées
Beaulieu
St-Pierre
Armentieux
Marciac
Artigues
Caussade-Rivière
N.-D. de la Croix
Bars
Mirande
Idrac-Respaillès
Estirac
Pelacave
Cornac
Pallanne
Les Perdigues
Lacassa
Villefranque
Samazan
Marignan
St-Martin
Auriébat
Pellanne
Marseillan
En Guillempey
St-Médard
Sombrun
St-Justin
Ricourt
La Flourette
Sauveterre
Loran
Le Choumac
Maubourguet
Blousson-Sérian
Tillac
St-Maur
Berdoues
Verdier
La Carrère
Peymoune
Ourdan
Campouran
D 931
N 524
D 924
N 124
N 21
D 930
D 943
D 935
D 626

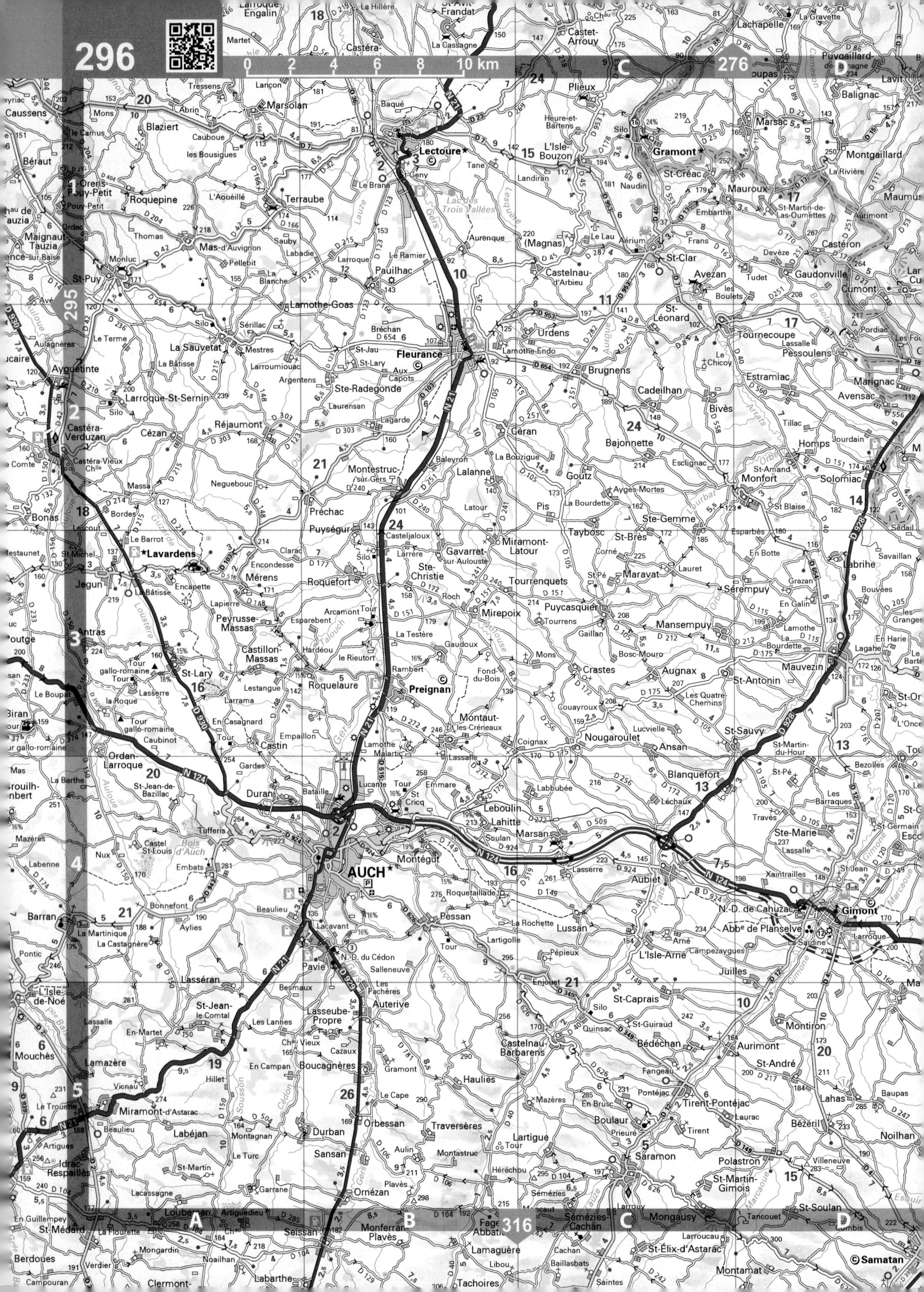

0 2 4 6 8 10 km
276
295
316
Lectoure
Gramont
Fleurance
AUCH
Preignan
Lavardens
Gimont
Samatan
Mauvezin
Marsolan
Terraube
Roquepine
Mas-d'Auvignon
Pauilhac
Lamothe-Goas
La Sauvetat
Larroque-St-Sernin
Réjaumont
Cézan
Castéra-Verduzan
Ayguetinte
St-Puy
Montestruc-sur-Gers
Préchac
Puységur
Jegun
Mérens
Roquefort
Peyrusse-Massas
Castillon-Massas
Roquelaure
St-Lary
Antras
Ordan-Larroque
Duran
Castin
Montaut-les-Créneaux
Leboulin
Montégut
Pessan
Lussan
Aubiet
Marsan
Nougaroulet
Ansan
Blanquefort
St-Sauvy
Augnax
Crastes
Mirepoix
Tourrenquets
Puycasquier
Mansempuy
Gavarret-sur-Aulouste
Ste-Christie
Miramont-Latour
Lalanne
Céran
Brugnens
Urdens
Cadeilhan
Bajonnette
Goutz
Pis
Tayhosc
St-Brès
Ste-Gemme
Maravat
Sérempuy
Monfort
Solomiac
Homps
Avensac
Marignac
Estramiac
Tournecoupe
Pessoulens
St-Léonard
St-Clar
Avezan
Castelnau-d'Arbieu
Plieux
L'Isle-Bouzon
Castet-Arrouy
St-Créac
Mauroux
Montgaillard
Balignac
Gaudonville
Castéron
Cumont
Labrihe
St-Antonin
Ste-Marie
Juilles
L'Isle-Arné
St-Caprais
Montiron
Aurimont
Bédéchan
St-André
Lahas
Bézéril
Noilhan
Tirent-Pontéjac
Boulaur
Saramon
Polastron
St-Martin-Gimois
St-Soulan
Castelnau-Barbarens
Haulies
Auterive
Lasseube-Propre
Boucagnères
Pavie
Lasséran
St-Jean-le-Comtal
Lamazère
Miramont-d'Astarac
Labéjan
Orbessan
Durban
Sansan
Traversères
Lartigue
Ornézan
Seissan
Monferran-Plavès
Lamaguère
Tachoires
Sémézies-Cachan
Mongausy
St-Élix-d'Astarac
Montamat
Clermont-
Idrac-Respaillès
Mouchès
L'Isle-de-Noé
Barran
Bonnefont
Embats
Nux
Mazères
Montesquiou
St-Médard
Berdoues
Loubersan
N 21
N 124
D 930
D 928
A
B
C
D
1
2
3
4
5
6

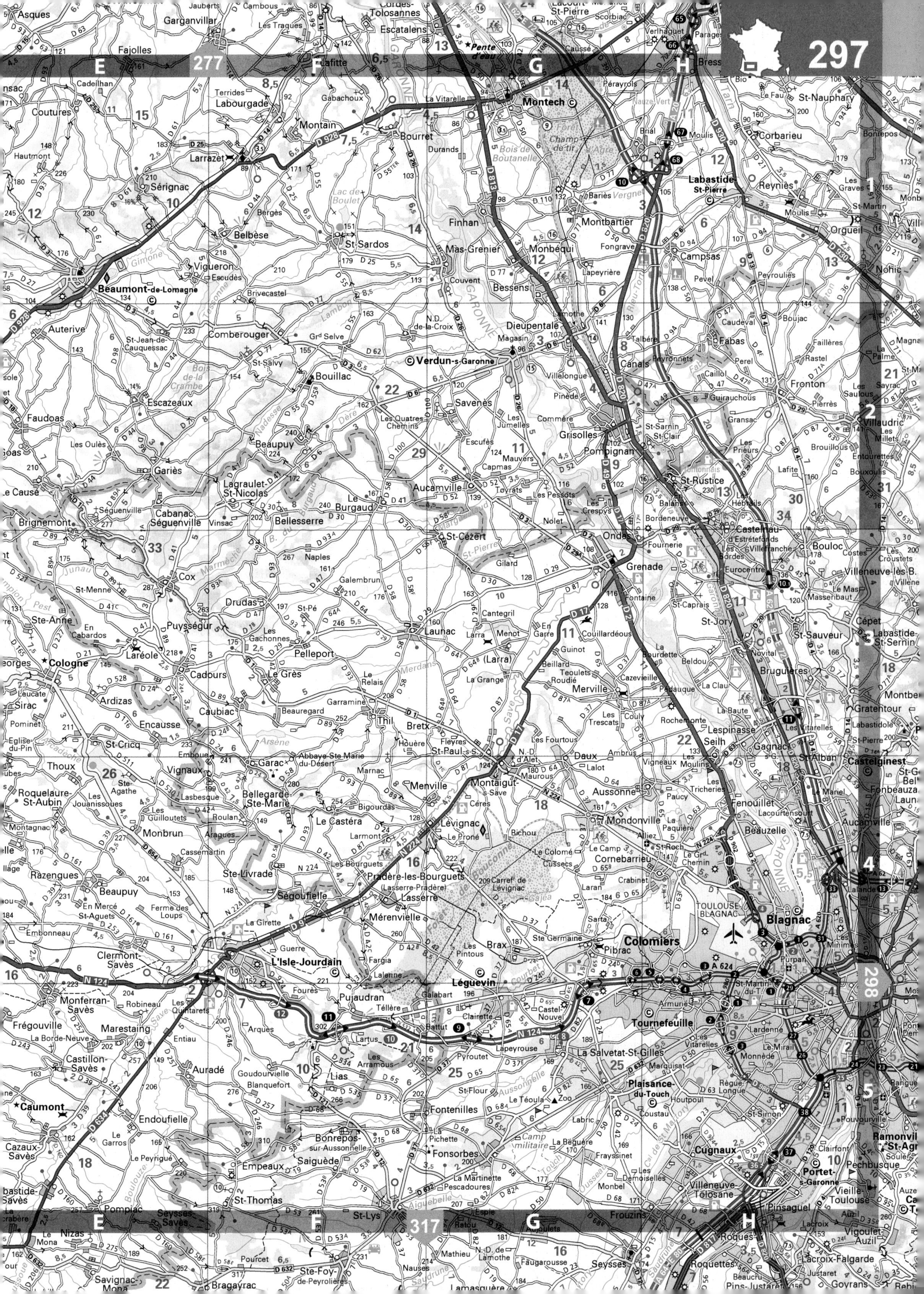

277
E
F
G
H
Asques
Garganvillar
Jauberts
Cambous
Cordes-Tolosannes
Escatalens
Lacourt-St-Pierre
Scorbiac
Verlhaguet
Parages
Fajolles
Lafitte
Pente d'eau
Bressols
Cadeilhan
Terrides
Labourgade
Gabachoux
La Vitarelle
Montech
Pérayrols
Coutures
Montain
Bourret
Durands
Bois de Boutanelle
Champ de tir d'Agre
Brial
Moulis
Corbarieu
St-Nauphary
Larrazet
Sérignac
Hautmont
Lac de Boulet
Finhan
Bariès
Vergnet
Labastide-St-Pierre
Reyniès
Orgueil
Montbartier
Belbèse
Bergès
St-Sardos
Mas-Grenier
Monbéqui
Fongrave
Campsas
Vigueron
Escudès
Gimone
Beaumont-de-Lomagne
Brivecastel
Couvent
Bessens
Lapeyrière
Pevel
Peyroulies
Nohic
Auterive
St-Jean-de-Cauquessac
Comberouger
Grd Selve
N.D. de-la-Croix
Dieupentale
Lamothe
Caudeval
Boujac
Fabas
Faillères
Rastel
St-Salvy
Bois de la Crambe
Bouillac
Verdun-s-Garonne
Magasin
Villelongue
Canals
Talbère
Peyronnets
Perel
Caillol
Fronton
Escazeaux
Savenès
Les Quatre Chemins
Les Jumelles
Pinède
Guirauchous
Faudoas
Les Oulès
Beaupuy
Escufès
Commère
Grisolles
St-Sarnin
St-Clair
Gransac
Villaudric
Les Prieurs
Brouillous
Gariès
Mauvers
Capmas
Toyrats
Pompignan
Lafite
Lagraulet-St-Nicolas
Le Cause
Aucamville
Les Pessots
Les Crespys
St-Rustice
Balanès
Les Hébrails
Brignemont
Séguenville
Cabanac-Séguenville
Vinsac
Bellesserre
Le Burgaud
Nolet
Bordeneuve
Castelnau-d'Estrétefonds
Villefranche
Bouloc
St-Cézert
Ondes
Fournerie
Les Bordes
Eurocentre
Villeneuve-lès-B.
Cox
Naples
Gilard
Grenade
St-Menne
Galembrun
Fontaine
Le Mas
Masseribaut
Ste-Anne
En Cabardos
Drudas
St-Pé
Cantegril
St-Caprais
St-Jory
Cépet
Labastide-St-Sernin
Puysségur
Les Gachonnes
Launac
Larra
Menot
En Garre
Couillardéous
Cologne
Laréole
Pelleport
Guinot
Novital
St-Sauveur
Cadours
Le Grès
Le Relais
Beillard
Teoulets
Roudié
La Grange
Cazevieille
Beldou
La Bourdette
Bruguières
Ardizas
Merville
Pédauque
La Clau
Laucate
Sirac
Encausse
Caubiac
Garramine
Beauregard
Thil
Bretx
Couly
Les Trescats
Rochemonte
La Baute
Lespinasse
Les Vitarelles
Gratentour
Labastidole
St-Cricq
Arsène
Pominet
Eglise-du-Pin
Emboue
Houère
Fleyres
St-Paul-s-S.
Les Fourtous
Seilh
Gagnac
St-Alban
Castelginest
Thoux
Garac
Abbaye Ste Marie du Désert
N.D. d'Alet
Daux
Ambrus
Lalot
Vigneaux
Les Moulins
Vignaux
Roquelaure-St-Aubin
Ste-Agathe
Les Jouanissoues
Bellegarde-Ste-Marie
Marnac
Menville
Montaigut-s-Save
Maurous
Aussonne
Les Tricheries
Fenouillet
Lacourtensourt
Fonbeauzard
Aucamville
Montagnac
Les Guilloutets
Roulan
Aragues
Bigourdas
Le Castéra
Larmont
Lévignac
Le Prone
Bichou
Mondonville
Alliez
La Paquière
Beauzelle
Monbrun
Cassemartin
Les Bourguets
Le Colomé
Cussecs
Le Camp
St-Roch
Cornebarrieu
Le Grd Chemin
Razengues
Ste-Livrade
Pradère-les-Bourguets
Lasserre-Pradère
Lasserre
Carreft de Lévignac
Forêt de Bouconne
Crabinet
Laran
Beaupuy
En Mercé
St-Aguets
Ferme des Loups
Ségoufielle
Mérenvielle
Toulouse-Blagnac
Blagnac
Lalande
Embonneau
La Girette
Sarta
Ste Germaine
Colomiers
Brax
Les Minimes
Clermont-Savès
Guerre
L'Isle-Jourdain
Fargia
Les Pintous
Pibrac
Purpan
Lalenne
Léguevin
Fourès
Pujaudran
Galabart
Clairette
Castelnouvel
St-Martin-du-T.
Armurié
Monferran-Savès
Robineau
Les Quintarets
Tellère
Battut
Tournefeuille
Frégouville
Marestaing
Arques
Lartus
Lapeyrouse
Lardenne
Les Vitarelles
Le Mirail
La Borde-Neuve
Entiau
Monnède
Castillon-Savès
Pyroutet
La Salvetat-St-Gilles
Marquisat
Les Arramous
Auradé
Goudourvielle
Blanquefort
Lias
Plaisance-du-Touch
Régue Longue
Caumont
St-Flour
Le Téoula
Zoo
Hourpoul
Coustau
St-Simon
Pouvourville
Endoufielle
Fontenilles
Labric
Le Garros
Bonrepos-sur-Aussonnelle
Camp militaire
La Béguère
Frayssinet
Cugnaux
Clairfont
Ramonville-St-Agne
Cazaux-Savès
Le Peyrigué
Saiguède
Fonsorbes
La Pichette
Portet-s-Garonne
Pechbusque
Empeaux
Les Demoiselles
Labastide-Savès
Pompiac
St-Thomas
La Martinette
Pescadoures
Monbel
Villeneuve-Tolosane
Vieille-Toulouse
Seysses-Savès
St-Lys
Esple
Frouzins
Pinsaguel
Nizas
Le Mona
Ratou
Aujoulets
Roques
Vigoulet-Auzil
N.D. de Lamothe
Faugarousse
Seysses
Roquettes
Lacroix-Falgarde
Savignac-Mona
Bragayrac
Ste-Foy-de-Peyrolières
Pourcet
Mathieu
Nauses
Lamasquère
Pins-Justaret
Goyrans
Justaret
317
298

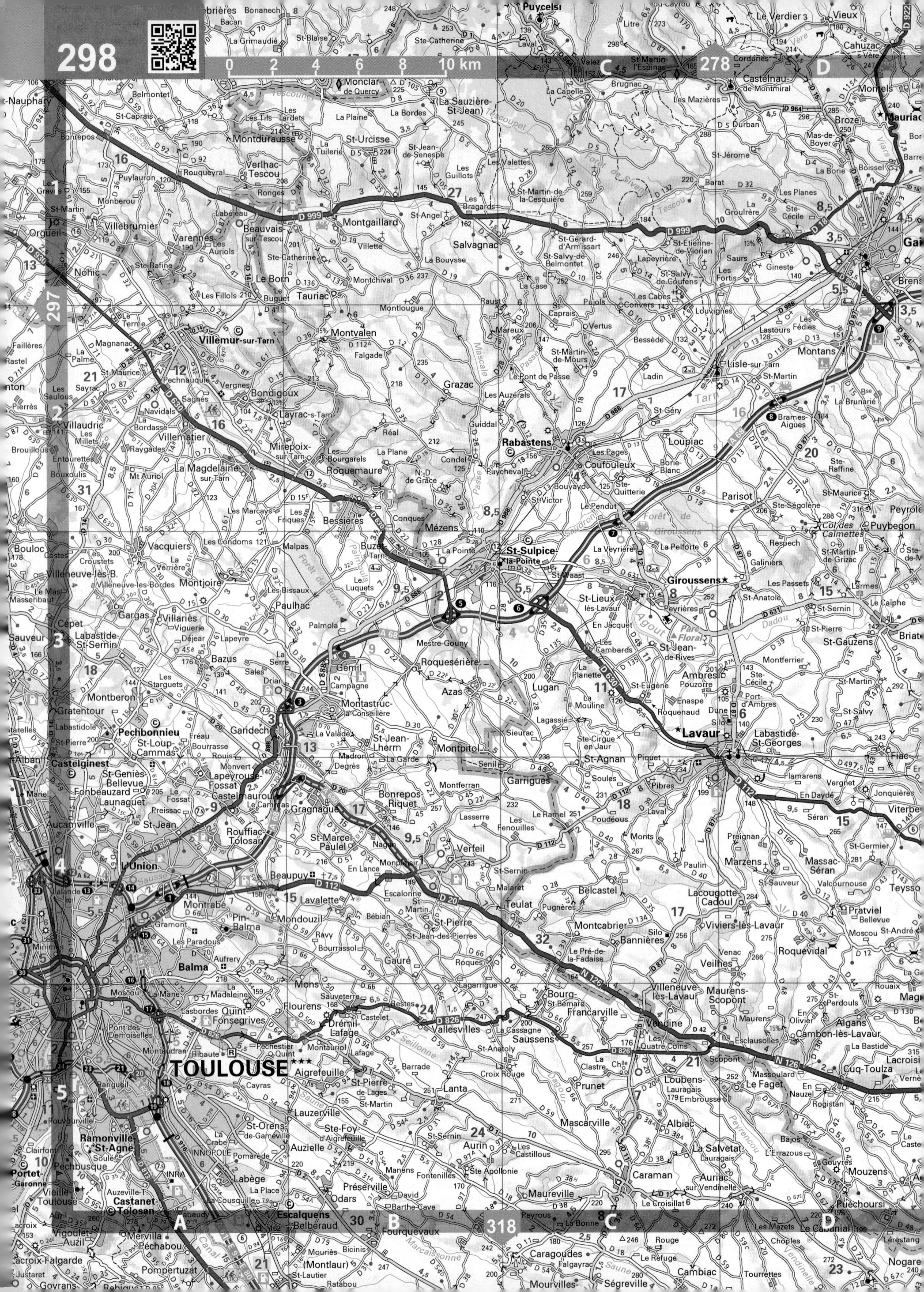

298
0 2 4 6 8 10 km
278
297
318
A
B
C
D
1
2
3
4
5
Puycelsi
Bonanech
Bacan
La Grimaudié
St-Blaise
Ste-Catherine
Laval
Valez
St-Martin-l'Espinas
Litre
Le Verdier
Vieux
Cahuzac-s-Vère
Cordurès
Castelnau-de-Montmiral
Monclar-de-Quercy
La Sauzière-St-Jean
La Capelle
Brugnac
Les Mazières
Montels
Mauriac
Broze
Mas-de-Boyer
Belmontet
St-Nauphary
St-Caprais
Les Tils
Les Tardets
La Plaine
La Bordes
Tescoupet
Durban
Bonrepos
Montdurausse
La Tuilerie
St-Urcisse
St-Jean-de-Senespe
Les Valettes
St-Jérome
Verlhac-Tescou
Rouqueyral
Puylauron
Ronges
Les Guillots
St-Martin-de-la-Cesquière
Barat
La Borie
Boissel
Monberou
Les Bragards
Les Planes
La Groulrère
Ste-Cécile
Forêt de Sivens
St-Martin
Orgueil
Villebrumier
Labéjeau
Montgaillard
St-Angel
Varennes
Beauvais-sur-Tescou
Les Auriols
Villette
Salvagnac
St-Gérard-d'Armissart
St-Salvy-de-Belmontet
St-Etienne-de-Vionan
Lapeyrière
St-Salvy-de-Coufens
Saurs
Gineste
Les Fortis
Nohic
Ste-Rafine
Ste-Catherine
La Bouysse
Le Born
Le Buguet
Tauriac
Montchival
Les Fillols
La Case
Raust
Pujols
Les Cabes
Convers
Louvignes
Brens
Le Terme
Montlougue
St-Caprais
Villemur-sur-Tarn
Montvalen
Mareux
Vertus
Lastours
Les Fédies
Faillères
Magnanac
La Palme
Falgade
Bessède
Montans
Rastel
St-Maurice
Sayrac
Pechnauquié
Vergnes
Grazac
St-Martin-de-Mours
Le Pont de Passe
Ladin
Lisle-sur-Tarn
Les Saulous
Sagnes
Bondigoux
Les Auzérals
St-Géry
Brames-Aigues
La Brunarié
Pierres
Navidals
Layrac-s-Tarn
Réal
Guiddal
Villaudric
La Bordasse
Les Millets
Villematier
Rabastens
Loupiac
Brouillous
Entourettes
Raygades
Mirepoix-sur-Tarn
Les Bourgarels
La Plane
Condel
Les Pages
Borie-Blanc
Ste-Raffine
Bouxoulis
Mt Auriol
La Magdelaine-sur-Tarn
Roquemaure
N.-D. de Grâce
Puycheval
Coufouleux
Bouyayo
Ste-Quitterie
Parisot
St-Victor
Le Pendut
St-Maurice
Ste-Ségolène
Peyrole
Les Marcays
Les Friques
Bessières
Conques
Forêt de Giroussens
Col des Calmettes
Puybegon
Mézens
Bouloc
Costes
Les Croustets
Vacquiers
Les Condoms
Malpas
Buzet-s-Tarn
La Pointe
St-Sulpice-la-Pointe
La Veyrière
La Pelforte
Respech
St-Martin-de-Grizac
Villeneuve-lès-B.
La Verrière
Galiniers
Les Passets
Larmes
Le Mas
Villeneuve-les-Bordes
Montjoire
Les Bissaux
Forêt de Buzet
Le Luquets
St-Waast
Giroussens
Masseribaut
Paulhac
St-Lieux-lès-Lavaur
Peyrières
St-Anatole
Le Caiphe
Cépet
Gargas
Villariès
St-Sernin
Sauveur
Labastide-St-Sernin
Viguerie
Déjear
Lapeyre
Palmola
En Jacquet
Parc Floral
St-Pierre
Briate
Mestre-Gouny
Les Cambards
St-Jean-de-Rives
St-Gauzens
Bazus
La Serre
Gémil
Roqueserière
Montferrier
Les Starguets
Sales
Drian
Campagne
Azas
Lugan
La Planette
Ambres
Pouzorre
Ste-Cécile
St-Martin
Montberon
Montastruc-la-Conseillère
St-Eugène
Enaspe
Port-d'Ambres
St-Salvy
Gratentour
Labastidole
Pechbonnieu
Fréau
Garidech
La Valade
St-Jean-Lherm
Sieurac
La Mouline
Lagassié
Roquenaud
Dune
Silo
Lavaur
Labastide-St-Georges
St-Pierre
St-Loup-Cammas
Bourrasse
Madron
Montpitol
Ste-Cirque-en Jaur
Fiac
St-Alban
Castelginest
Monvert
Lapeyrouse-Fossat
Degrès
La Garde
Senil
St-Agnan
Piquet
St-Geniès-Bellevue
Castelmaurou
Garrigues
Flamarens
Vergnet
Jonquières
Le Mariel
Fonbeauzard
Launaguet
Le Fossat
Le Cammas
Gragnague
Bonrepos-Riquet
Montferran
Soules
Pibres
En Daydé
Viterbe
Aucamville
Preissac
Rouffiac-Tolosan
Lasserre
Les Fenouillies
Le Ramel
Poudéous
Laval
Séran
St-Jean
St-Marcel-Paulel
Nagin
Verfeil
Monts
Preignan
St-Germier
Massac-Séran
L'Union
Lalande
Beaupuy
En Lance
Monplaisir
St-Sernin
Malaret
Paulin
Marzens
St-Sauveur
Valcournouse
Teysso
Montrabé
Lavalette
Escalonne
St-Martin
Teulat
Belcastel
Pugnères
Lacougotte-Cadoul
Pratviel
Bellevue
Pin-Balma
Gramont
Mondouzil
Bébian
St-Pierre
Montcabrier
Bannières
Viviers-lès-Lavaur
Moscou
St-André
Les Minimes
Les Paradous
Ravy
Bourrassol
St-Jean-des-Pierres
Gauré
Roques
Le Pré-de-la-Fadaise
Venac
Veilhes
Roquevidal
Balma
Aufrery
Mons
Lagarrigue
Villeneuve-lès-Lavaur
Maurens-Scopont
Ruaux
St-Perdouls
Mag
La Madeleine
Moscou
La Mane
Sauveterre
Restes
Bourg-St-Bernard
Francarville
Maurens
En Olivier
Algans
Cambon-lès-Lavaur
Lasbordes
Quint-Fonsegrives
Flourens
Castelet
Dremil-Lafage
Vallesvilles
La Cassagne
Saussens
Vendine
Esclausolles
La Bastide
Pont des Demoiselles
Montaudran
Ribaute
Pechestier
Quint
Montauriol
Lafage
St-Anatoly
Seillonne
Les Quatre Coins
Scopont
Cuq-Toulza
Lacroisi
Vernè
TOULOUSE
Aigrefeuille
Barrade
La Clastre
Massoulard
Le Faget
En Nauzel
Rogistan
Rangueil
Cayras
St-Pierre-de-Lages
St-Martin
Lanta
Croix Rouge
Prunet
Loubens-Lauragais
Embrousse
Pouvourville
Lauzerville
Ramonville-St-Agne
La Crabe
St-Orens-de-Gameville
Ste-Foy-d'Aigrefeuille
Mascarville
Albiac
Bajos
Le Caste
Soulé
Clairfont
Pomarède
INNOPOLE
Auzielle
St-Sernin
Aurin
Les Castillous
La Salvetat-Lauragais
L'Errazous
Portet-Garonne
Pechbusque
INRA
Labège
Manens
Fontenilles
Ste Apollonie
Caraman
Auriac-sur-Vendinelle
Gouyres
Mouzens
Vieille-Toulouse
Auzeville-T.
La Place
La Cousquille
Préserville
David
Odars
Barthe-Cave
Maureville
Le Croisillat
Puéchoursi
Castanet-Tolosan
Labaudy
Escalquens
Belbéraud
Fourquevaux
Peyrous
La Bonne
Les Mazets
Le Cabanial
Auzil
Vigoulet-Auzil
Lacroix
Merville
Péchabou
Mouriès
Bicinis
Caragoudes
Rouge
Choples
Lérestang
Lacroix-Falgarde
Le Refuge
Falgayrac
Cambiac
Nogare
Pompertuzat
(Montlaur)
St-Lautier
Ratabou
Mourvilles-
Ségreville
Tourrettes
Justaret
Goyrans
Canal
Marcaissonne
Saune
Vendinelle
Peyrencou
Tarn
Agout
Dadou
Girou
Tescou
Vère
Mascale
Passe
D 999
D 630
D 888
D 988
D 964
D 112
D 20
D 826
D 2
N 126
A 68
A 62
A 61

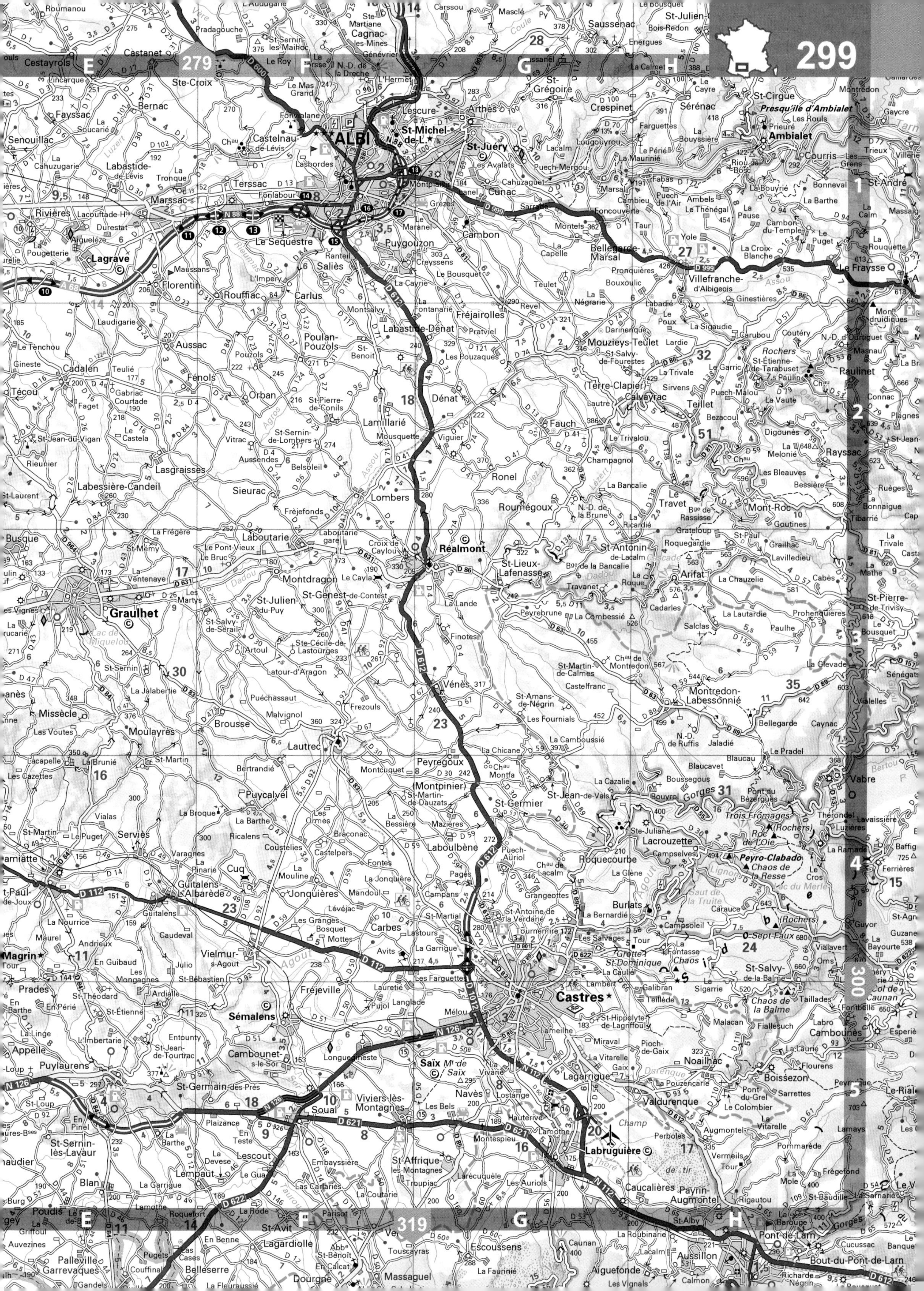
299
279
319
300
E
F
G
H
1
2
3
4
5
ALBI
St-Michel-de-L.
St-Juéry
Lescure-d'A.
Arthès
Cagnac-les-Mines
Castelnau-de-Lévis
Terssac
Marssac-s-T.
Rivières
Lagrave
Florentin
Le Séquestre
Puygouzon
Saliès
Cambon
Cunac
Rouffiac
Carlus
Labastide-de-Lévis
Fayssac
Bernac
Senouillac
Ste-Croix
Castanet
Cestayrols
Ambialet
Villefranche-d'Albigeois
Bellegarde-Marsal
Le Fraysse
Crespinet
Sérénac
St-Grégoire
Saussenac
Fréjairolles
Labastide-Dénat
Poulan-Pouzols
Mouzieys-Teulet
Dénat
Lamillarié
Cadalen
Aussac
Fénols
Orban
Lasgraisses
Labessière-Candeil
Sieurac
Lombers
Ronel
Roumégoux
Laboutarie
Réalmont
St-Lieux-Lafenasse
St-Antonin-de-Lacalm
Arifat
Teillet
Mont-Roc
Graulhet
Montdragon
St-Julien-du-Puy
St-Genest-de-Contest
Montredon-Labessonnié
Rayssac
Paulinet
Brousse
Moulayrès
Missècle
Lautrec
Vénès
Peyregoux
St-Jean-de-Vals
St-Germier
Vabre
Puycalvel
Serviès
Cuq
Guitalens-L'Albarède
Jonquières
Carbes
Laboulbène
Roquecourbe
Lacrouzette
Burlats
Vielmur-s-Agout
Fréjeville
Sémalens
Castres
Saïx
Cambounet-s-le-Sor
St-Germain-des-Prés
Soual
Viviers-lès-Montagnes
Navès
Lagarrigue
Noailhac
Boissezon
Valdurenque
Labruguière
Puylaurens
St-Sernin-lès-Lavaur
Lescout
Lempaut
Blan
St-Affrique-les-Montagnes
Caucalières
Payrin-Augmontel
Aussillon
Pont-de-Larn
Bout-du-Pont-de-Larn
Lagardiolle
Escoussens
Aiguefonde
Massaguel
Dourgne
Palleville
Garrevaques
Belleserre
Presqu'île d'Ambialet
Rochers St-Étienne-de-Tarabuset
Trois Fromages (Rochers)
Peyro-Clabado
Chaos de la Resse
Chaos de la Balme
Sept-Faux
Gorges
Saut de la Truite
Lac de Miguelou
Montagne Noire
N 88
N 126
N 112
D 612
D 999
D 631
D 112
D 621
D 622
A 68

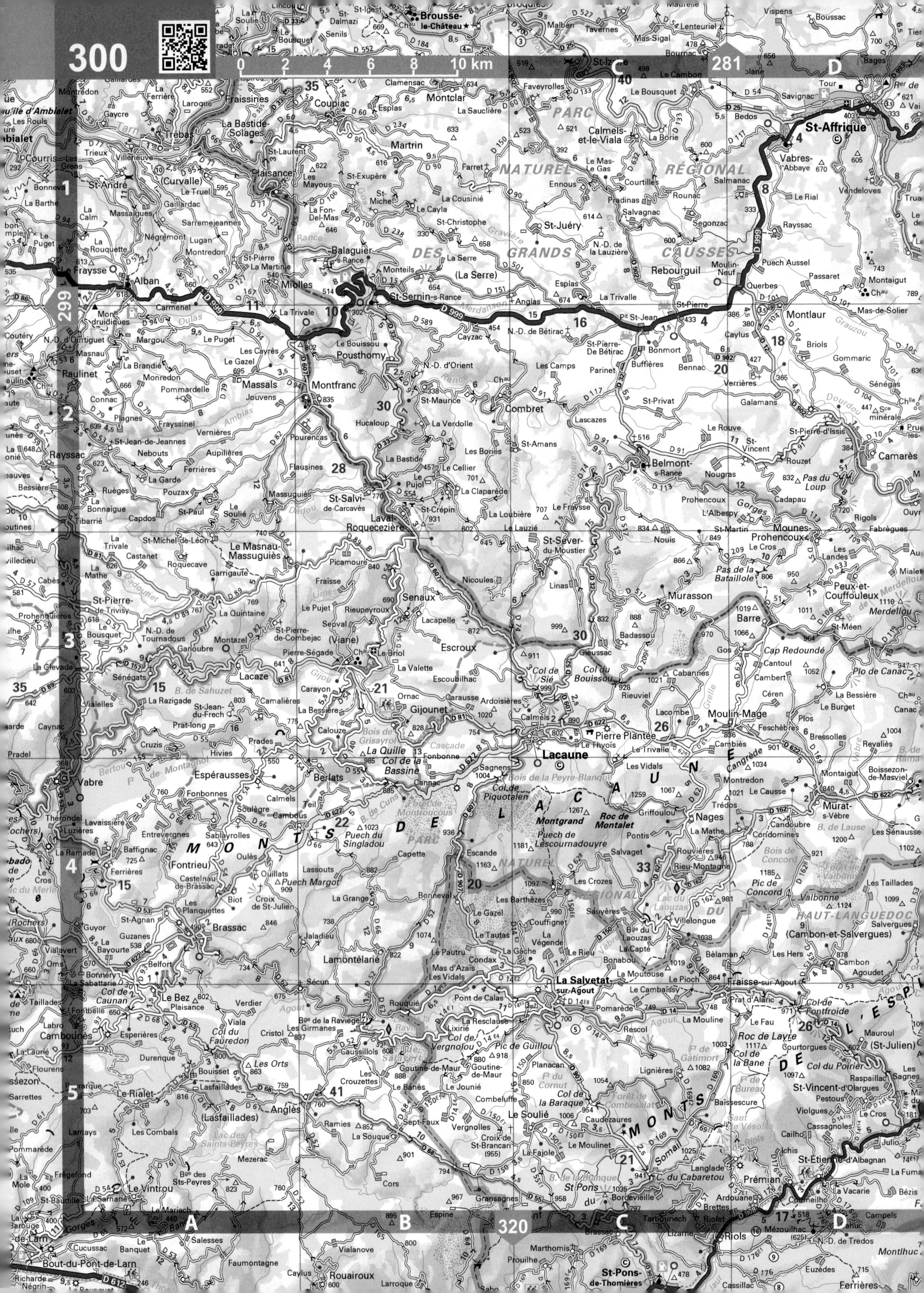
0 2 4 6 8 10 km
281
C
D
Brousse-le-Château
St-Izaire
Vispens
Boussac
Tavernes
Malben
Lenteuriel
Mas-Sigal
Bournac
Le Cambon
Bages
Clamensac
Coupiac
Montclar
Fraissines
La Bastide-Solages
Trébas
Villeneuve
Plaisance
St-André
(Curvalle)
Martrin
St-Exupère
Les Mayous
Faveyrolles
Le Bousquet
Calmels-et-le-Viala
PARC
NATUREL
RÉGIONAL
DES
GRANDS
CAUSSES
St-Affrique
Vabres-l'Abbaye
Savignac
Tour
Bedos
La Borie
Courtilles
Pradinas
Salvagnac
Rounac
Salmanac
Segonzac
St-Juéry
Rebourguil
Moulin-Neuf
Querbes
Puech Aussel
Rayssac
Montaigut
Passaret
Vendeloves
Le Rial
Farret
Ennous
La Saulière
La Cousinié
Le Cayla
St-Christophe
La Fon-Del-Mas
Balaguier-s-Rance
Monteils
La Serre
(La Serre)
Esplas
La Trivalle
Anglas
St-Sernin-s-Rance
Miolles
Alban
Le Fraysse
La Martinie
St-Pierre
Lugan
Montredon
Négremont
Sarremejeannes
Massalgues
Gaillardac
Le Truel
La Rouquette
Le Puget
La Calm
La Barthe
Bonneval
Courris
Trieux
Les Grens
Les Rouls
Ambialet
Gaycre
Laroque
La Ferrière
Montredon
299
Carmenel
La Trivale
Mont druidiques
N.-D. d'Ourtiguet
Coutéry
Margou
Le Puget
Les Cayrès
Le Gazel
La Brandié
Monredon
Pommardelle
Masnau
Raulinet
Massals
Jouvens
Connac
Plagnes
Frayssinel
Vernières
St-Jean-de-Jeannes
Nebouts
Aupilières
Rayssac
La Garde
Ferrières
Pouzax
Ruèges
Bessière
La Bonnaigue
Tibarrié
Capdos
St-Paul
Le Soulié
Pousthomy
Le Bouissou
Montfranc
Hucaloup
Pourencas
Flausines
Massuguiès
St-Salvi-de-Carcavès
Laval-Roquecezière
Cayzac
N.-D. d'Orient
St-Maurice
La Verdolle
La Bastide
Le Cellier
Le Pujol
La Claparède
St-Crépin
Les Bories
Combret
St-Amans
La Loubière
Le Lauzié
Le Fraysse
N.-D. de Bétirac
St-Pierre-De Bétirac
Les Camps
Parinet
Buffières
Bonmort
Bennac
Verrières
Lascazes
St-Privat
Le Rouve
St-Vincent
Belmont-s-Rance
Nougras
Prohencoux
L'Albespy
Gorges
Rance
St-Martin
Nouis
Montlaur
Caylus
Briols
Gommaric
Sénégas
Galamans
St-Pierre-d'Issis
Rouzet
Pas du Loup
Cadapau
Camarès
Rigols
Fabrègues
Mounes-Prohencoux
Le Cros
Les Landes
Pas de la Bataillole
Peux-et-Couffouleux
Merdellou
Barre
St-Méen
Cap Redoundé
Cantoul
Cambert
Plo de Canac
Céren
La Bessière
Le Burget
Canac
Murasson
Badassou
Gieussac
Col du Bouissou
Col de Sié
Rieuviel
Cabanes
Gos
Lacombe
Moulin-Mage
Feschèbres
Bressolles
Revaliès
Cambiès
St-Sever-du-Moustier
Linas
Nicoules
St-Michel-de-Léon
Le Masnau-Massuguiès
La Trivale
Castanet
Roquecave
Garrigaute
Picamoure
Fraïsse
La Mathe
St-Pierre-de-Trivisy
Prohenquières
Le Bousquet
N.-D. de Tournadous
La Quintaine
Montazel
Ganoubre
Senaux
Le Pujet
Rieupeyroux
Sepval
(Viane)
St-Pierre-de-Combejac
Pierre-Ségade
Le Briol
La Valette
Lacapelle
Escroux
Escoubilhac
La Glevade
Sénégats
Lacaze
B. de Sahuzet
La Razigade
St-Jean-du-Frech
Camalières
Carayon
La Bessière
Ornac
Gijounet
Carausse
Ardoisières
Calmels
Pierre Plantée
Le Thyoïs
Le Trivalle
Lacaune
Les Vidals
Cangrade
Montredon
Le Causse
Montaigut
Boissezon-de-Masviel
Murat-s-Vèbre
Vialelles
Caynac
Prat-long
Calouze
Bois de Grisayrol
La Quille
Col de la Bassine
Fonbonne
Cascade
Sagnens
Bois de la Peyre-Blanque
Col de Piquotalen
Cruzis
Hivies
Prades
Espérausses
Berlats
Pradel
Vabre
Fonbonnes
Calmels
Soulègre
Teil
Cambous
Cannac
Forêt de Montroucous
Puech du Singladou
PARC
NATUREL
RÉGIONAL
DU
HAUT-LANGUEDOC
MONTS
DE
LACAUNE
Montgrand
Puech de Lescournadouyre
Roc de Montalet
Griffoulou
Nages
Trédos
Candoubre
Condomines
B. de Lause
Les Sénausse
La Mathe
Pontis
Salvaget
Rouvières
Rieu-Montagne
Bois de Concord
Pic de Concord
Forêt de Valbonne
Valbonne
Les Taillades
(Cambon-et-Salvergues)
Théroudel
Lavaissière
Luzières
Entrevergnes
Sablayrolles
La Ramade
Baffignac
Ferrières
(Fontrieu)
Oulès
Castelnau-de-Brassac
Ouillats
Puech Margot
Lassouts
Capette
Escande
Les Crozes
Les Barthèzes
Le Gazel
Le Tautas
Couffignet
La Végende
Sauvères
Lac du Laouzas
Villelongue
Biot
Croix de St-Julien
Les Planquettes
St-Agnan
Brassac
Guyor
Guzanes
La Bayourte
Jaladieu
La Grange
Bonneval
Lamontélarié
Le Pautru
Condax
La Gâche
Le Rieu
Bonabou
La Capté
Bélaman
Les Hers
Cambon
Agoudet
297
Vialavert
Oms
Bonnery
Belfort
Le Sabattarie
Sécun
Mas d'Azaïs
Les Vidals
La Moutouse
Le Pioch
Fraisse-sur-Agout
La Salvetat-sur-Agout
Le Cambaissy
Prat d'Alaric
Col de Fontfroide
Taillades
Caunan
Le Bez
Plaisance
Verdier
Rouquié
Pont de Calas
Pomarède
La Mouline
Le Fau
Fontbelle
Cambounès
Espérières
Viala
Col du Fauredon
Cristol
Bge de la Raviège
Les Girmanes
Lixirié
La Resclause
Col de Vergnolou
Pic de Guillou
Rescol
Roc de Layre
Courtorgues
Mauroul
(St-Julien)
Col du Poirier
Durenque
Bousseet
Les Orts
Caussillols
Goutine-de-Maur
Planacan
Lignières
Ft de Gatimort
Col de la Bane
Ft de Bureau
Raspaillac
St-Vincent-d'Olargues
Florens
Le Rialet
Lasfaillades
(Lasfaillades)
Anglès
Les Crouzettes
Le Banès
Le Jounié
Combeluffe
Le Soulié
Ft du Cornut
Col de la Baraque
Forêt de Combesalat
Caudezaures
MONTS
Baissescure
Pestous
Viols
Cassagnoles
Le Cros
Sarrettes
Les Combals
Lac des Saints-Peyres
Ramies
La Souque
Sept-Faux
Vergnolles
Croix de St-Brancari
Le Moulinet
La Fajole
Somail
Saut de Vésoles
Cailho
Ichis
St-Étienne-d'Albagnan
Julio
Pommarède
Mezerac
Fregefond
Bge des Sts-Peyres
Le Vintrou
Cors
B. de la Blanque
St Pons
Bordevieille
C. du Cabaretou
Langlade
Prémian
La Vacarie
Bézis
St-Baudille
La Sarnarié
Le Mariech
Gransagnes
Espine
Ardouane
Riols
Brettes
Courneilho
Gorges
A
B
320
C
D
Salesses
Le Banquet
Cucussac
Vialanove
Rouairoux
Faumontagne
Marthomis
Prouilhe
Tarbouriech
Lizarne
Mézouilhac
N.-D. de Tredos
Campels
Montlhuc
Bout-du-Pont-de-Larn
Richarde
Négrin
Caylus
Larroque
St-Pons-de-Thomières
Euzèdes
Ferrières
Cassillac

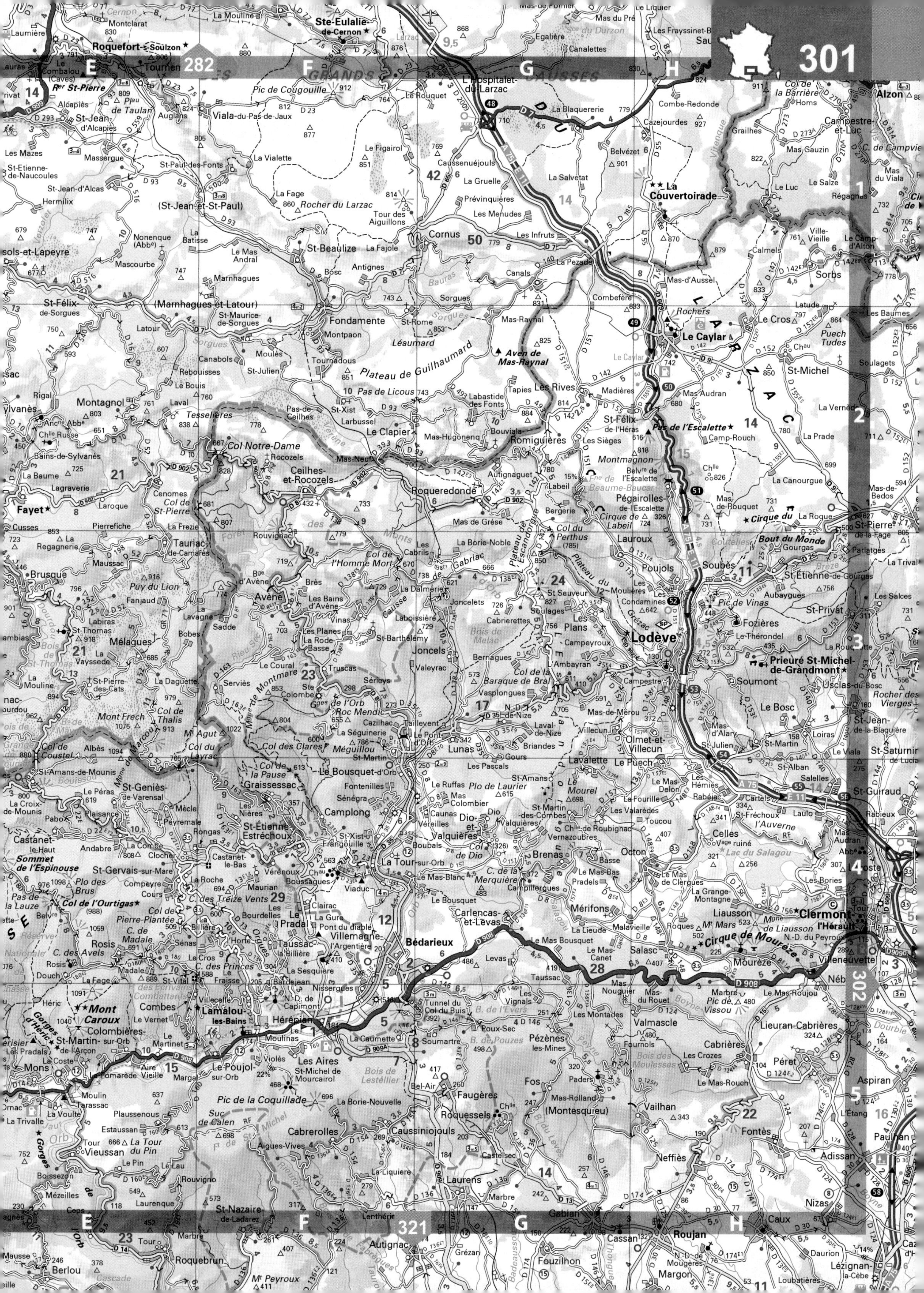
Roquefort-s-Soulzon
Ste-Eulalie-de-Cernon
L'Hospitalet-du-Larzac
GRANDS CAUSSES
CAUSSE DU LARZAC
Alzon
Pic de Cougouille
Viala-du-Pas-de-Jaux
St-Jean-d'Alcapiès
La Couvertoirade
Cornus
St-Beaulize
Fondamente
St-Félix-de-Sorgues
Le Caylar
Plateau de Guilhaumard
Aven de Mas-Raynal
Montagnol
Les Rives
St-Félix-de-l'Héras
Pas de l'Escalette
Romiguières
Le Clapier
Col Notre-Dame
Ceilhes-et-Rocozels
Roqueredonde
Pégairolles-de-l'Escalette
Cirque du Bout du Monde
St-Pierre-de-la-Fage
Fayet
Tauriac-de-Camarès
Brusque
Col de l'Homme Mort
Avène
Lauroux
Poujols
Soubès
St-Étienne-de-Gourgas
Mélagues
Joncels
Lodève
Prieuré St-Michel-de-Grandmont
Soumont
Le Bosc
Lunas
Olmet-et-Villecun
St-Jean-de-la-Blaquière
Le Bousquet-d'Orb
Graissessac
St-Geniès-de-Varensal
St-Étienne-Estréchoux
Camplong
Dio-et-Valquières
Octon
Lac du Salagou
St-Gervais-sur-Mare
La Tour-sur-Orb
Brenas
Clermont-l'Hérault
Col des Treize Vents
Mérifons
Cirque de Mourèze
Mourèze
Salasc
Villeneuvette
Bédarieux
Carlencas-et-Levas
Lamalou-les-Bains
Hérépian
Mont Caroux
Gorges d'Héric
Colombières-sur-Orb
Mons
Le Poujol-sur-Orb
Les Aires
Pic de la Coquillade
Faugères
Roquessels
Vailhan
Fontès
Neffiès
Caussiniojouls
Cabrerolles
Laurens
St-Nazaire-de-Ladarez
Gabian
Roujan
Caux
Nizas
Paulhan
Aspiran
Péret
Cabrières
Autignac
Roquebrun
Berlou
Margon
Lézignan-la-Cèbe
282
302
321
E F G H
1 2 3 4 5

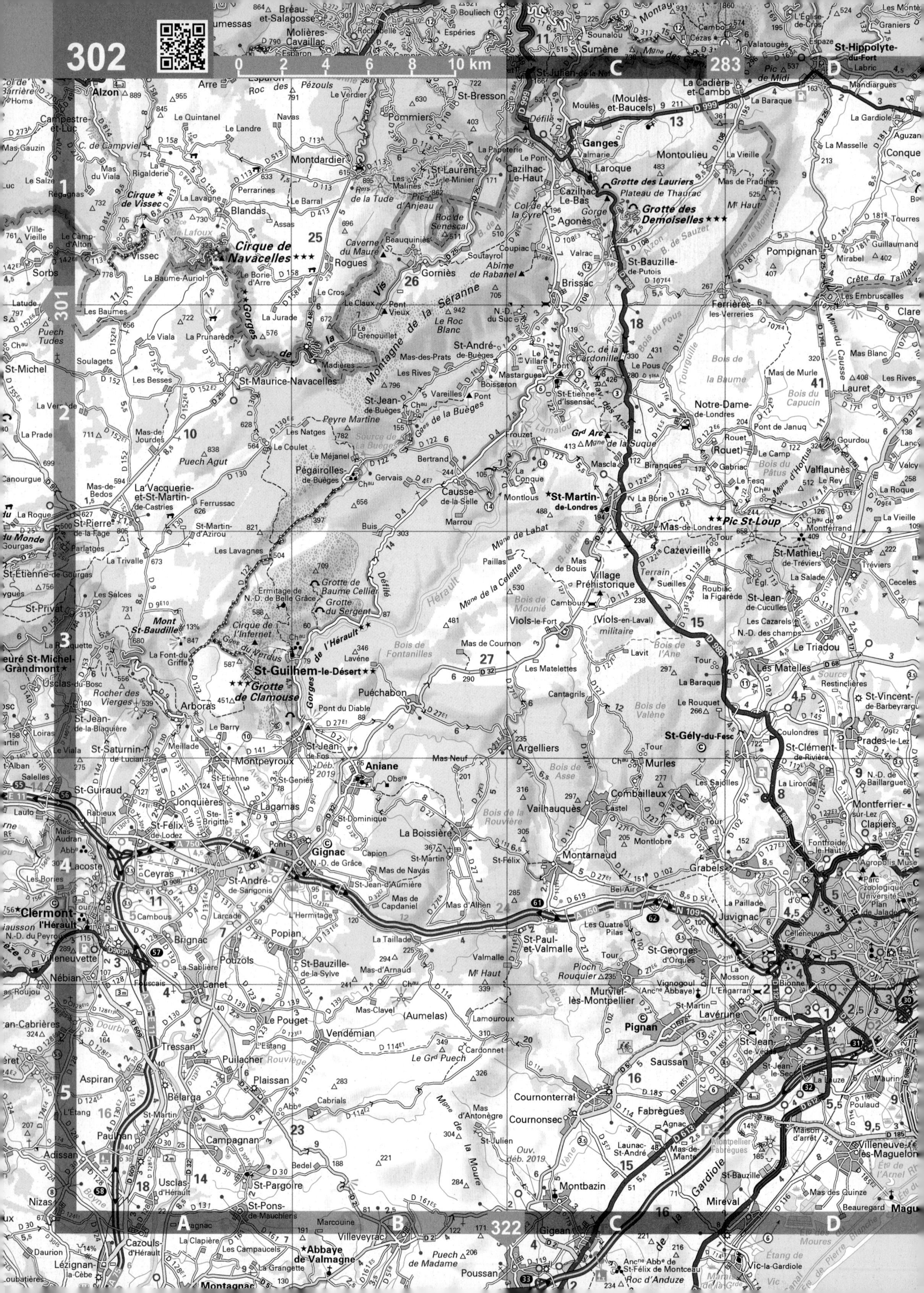
302
0 2 4 6 8 10 km
283
322
301
Alzon
Campestre-et-Luc
Cirque de Vissec
Vissec
Cirque de Navacelles
Gorges de la Vis
Montdardier
St-Laurent-le-Minier
Pic d'Anjeau
Roc de Sénescal
Rogues
Gorniès
Montagne de la Séranne
Le Roc Blanc
St-Bresson
Pommiers
Sumène
St-Julien-de-la-Nef
Ganges
Laroque
Cazilhac-Le-Haut
Cazilhac-Le-Bas
Grotte des Lauriers
Plateau de Thaurac
Grotte des Demoiselles
Agonès
St-Bauzille-de-Putois
Brissac
Abîme de Rabanel
Moulès-et-Baucels
Montoulieu
La Cadière-et-Cambo
St-Hippolyte-du-Fort
Pic de Midi
Pompignan
Ferrières-les-Verreries
Crête de Taillade
St-Maurice-Navacelles
St-Michel
Soulagets
Les Besses
Puech Agut
La Vacquerie-et-St-Martin-de-Castries
St-Pierre-de-la-Fage
St-Privat
Mont St-Baudille
St-André-de-Buèges
St-Jean-de-Buèges
Gorges de la Buèges
Pégairolles-de-Buèges
Causse-de-la-Selle
St-Étienne-d'Issensac
C. de la Cardonille
Frouzet
Grd Arc
Mgne de la Suque
St-Martin-de-Londres
Notre-Dame-de-Londres
Mas-de-Londres
Pic St-Loup
Valflaunès
Lauret
Bois du Capucin
Mgne d'Hortus
Cazevieille
St-Mathieu-de-Tréviers
Tréviers
Village Préhistorique
Viols-le-Fort
Viols-en-Laval
Grotte de Baume Cellier
Grotte du Sergent
Cirque de l'Infernet
St-Guilhem-le-Désert
Grotte de Clamouse
Gorges de l'Hérault
Puéchabon
Pont du Diable
Arboras
St-Jean-de-Fos
Aniane
Montpeyroux
St-Saturnin-de-Lucian
Jonquières
St-Guiraud
St-Félix-de-Lodez
Gignac
Lagamas
La Boissière
Argelliers
Vailhauquès
Montarnaud
St-Gély-du-Fesc
Murles
Combaillaux
Les Matelles
St-Clément-de-Rivière
Prades-le-Lez
Montferrier-sur-Lez
Clapiers
Grabels
Juvignac
Celleneuve
Clermont-l'Hérault
Ceyras
St-André-de-Sangonis
Brignac
Popian
Pouzols
Canet
St-Bauzille-de-la-Sylve
Le Pouget
Vendémian
St-Paul-et-Valmalle
St-Georges-d'Orques
Murviel-lès-Montpellier
Pignan
Lavérune
Saussan
Fabrègues
Cournonterral
Cournonsec
Tressan
Puilacher
Plaissan
Aspiran
Bélarga
Campagnan
Paulhan
Usclas-d'Hérault
St-Pargoire
St-Pons-de-Mauchiens
Villeveyrac
Abbaye de Valmagne
Montbazin
Gigean
Poussan
Mireval
Vic-la-Gardiole
Villeneuve-lès-Maguelone
Montagne de la Gardiole
Montagnac
Cazouls-d'Hérault
Lézignan-la-Cèbe
Nizas
Adissan
Nébian
Villeneuvette
Lacoste
A 750
A 75
A 9
E 11
N 109
D 986
D 999

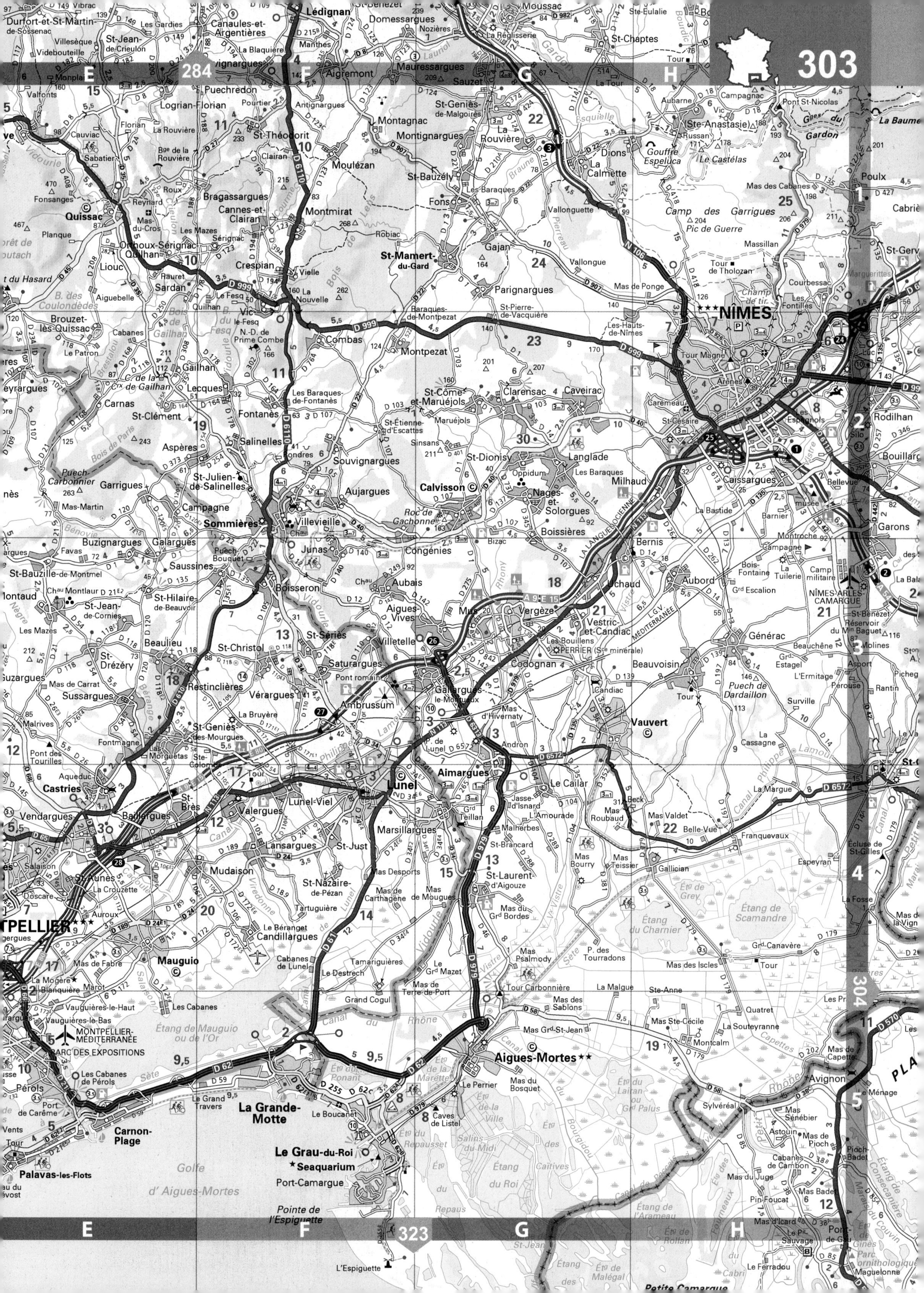

303
284
323
304
E
F
G
H
Lédignan
Durfort-et-St-Martin-de-Sossenac
Canaules-et-Argentières
St-Jean-de-Crieulon
Domessargues
Moussac
St-Chaptes
Aigremont
Mauressargues
Sauzet
Puechredon
Logrian-Florian
St-Théodorit
Montagnac
Montignargues
St-Geniès-de-Malgoirès
La Rouvière
Dions
La Calmette
Gouffre Espeluca
Le Castélas
Quissac
Moulézan
St-Bauzély
Fons
Bragassargues
Cannes-et-Clairan
Montmirat
Camp des Garrigues
Pic de Guerre
Orthoux-Sérignac-Quilhan
Liouc
Crespian
St-Mamert-du-Gard
Gajan
Vallongue
Sardan
Vic-le-Fesq
La Nouvelle
Parignargues
Brouzet-lès-Quissac
Combas
Montpezat
NÎMES
Tour Magne
Arènes
Carnas
Lecques
Clarensac
Caveirac
St-Côme-et-Maruéjols
St-Clément
Fontanès
Salinelles
Aspères
Souvignargues
St-Dionisy
Langlade
Milhaud
Caissargues
Rodilhan
St-Julien-de-Salinelles
Garrigues
Aujargues
Calvisson
Nages-et-Solorgues
Campagne
Sommières
Villevieille
Boissières
Bernis
Garons
Buzignargues
Galargues
Junas
Congénies
Saussines
Aubais
Uchaud
Aubord
Nîmes-Arles-Camargue
St-Jean-de-Cornies
St-Hilaire-de-Beauvoir
Boisseron
Aigues-Vives
Mus
Vergèze
Vestric-et-Candiac
Générac
Beaulieu
St-Christol
St-Sériès
Villetelle
Codognan
Beauvoisin
St-Drézéry
Saturargues
Sussargues
Restinclières
Vérargues
Ambrussum
Gallargues-le-Montueux
Vauvert
St-Geniès-des-Mourgues
Castries
Lunel
Aimargues
Le Cailar
Vendargues
Baillargues
St-Brès
Valergues
Lunel-Viel
Marsillargues
Franquevaux
Gallician
Mudaison
Lansargues
St-Just
St-Laurent-d'Aigouze
Étang de Scamandre
Étang du Charnier
MONTPELLIER
Mauguio
Candillargues
Tour Carbonnière
Étang de Mauguio ou de l'Or
MONTPELLIER-MÉDITERRANÉE
PARC DES EXPOSITIONS
Aigues-Mortes
Pérols
La Grande-Motte
Carnon-Plage
Le Grau-du-Roi
Seaquarium
Port-Camargue
Palavas-les-Flots
Golfe d'Aigues-Mortes
Pointe de l'Espiguette
L'Espiguette
Sylvéréal
Avignon
Petite Camargue

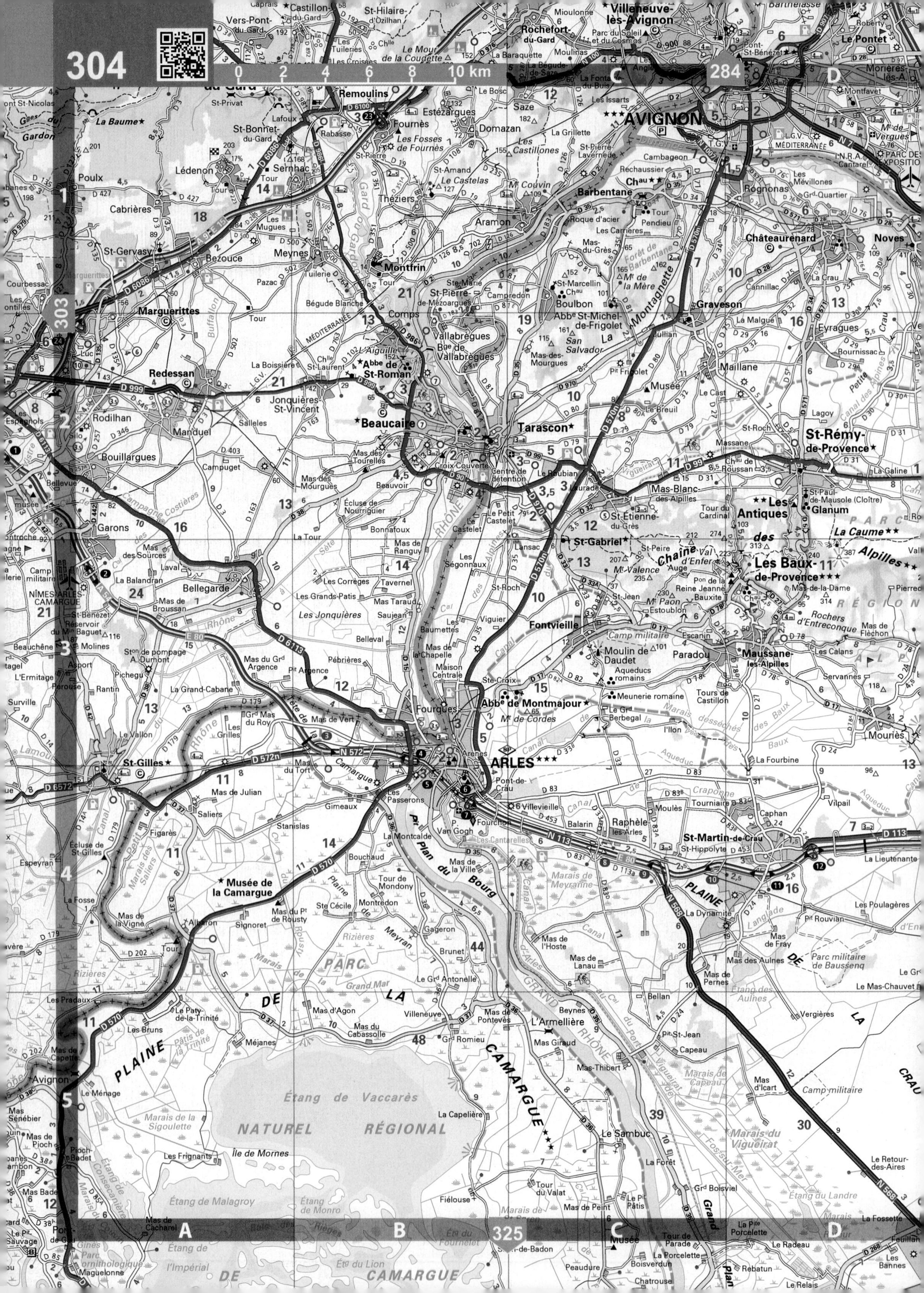
304
0 2 4 6 8 10 km
284
303
325
A
B
C
D
1
2
3
4
5
Villeneuve-lès-Avignon
Rochefort-du-Gard
Le Pontet
Remoulins
AVIGNON
Fournès
Estézargues
Domazan
Saze
St-Bonnet-du-Gard
Lédenon
Sernhac
Poulx
Cabrières
Théziers
Aramon
Barbentane
Rognonas
Châteaurenard
Noves
St-Gervasy
Bezouce
Meynes
Montfrin
Marguerittes
Comps
Vallabrègues
Boulbon
St-Michel-de-Frigolet
Graveson
Eyragues
Maillane
Redessan
Jonquières-St-Vincent
Abbe de St-Roman
Beaucaire
Tarascon
St-Rémy-de-Provence
Rodilhan
Manduel
Bouillargues
Garons
Bellegarde
Mas-Blanc-des-Alpilles
St-Étienne-du-Grès
St-Gabriel
Les Antiques
Glanum
Les Baux-de-Provence
Chaîne des Alpilles
Fontvieille
Moulin de Daudet
Paradou
Maussane-les-Alpilles
Mouriès
Abbe de Montmajour
Fourques
ARLES
St-Gilles
Raphèle-lès-Arles
St-Martin-de-Crau
Musée de la Camargue
PLAINE DE LA CRAU
PARC NATUREL RÉGIONAL DE LA CAMARGUE
Étang de Vaccarès
Le Sambuc
Mas-Thibert
NÎMES-ARLES-CAMARGUE
Grand Rhône
Petit Rhône
Camp militaire
Marais du Vigueirat
Étang de Malagroy
Île de Mornes
Méjanes
Albaron
Salin-de-Badon
Tour du Valat
Villeneuve
Gageron

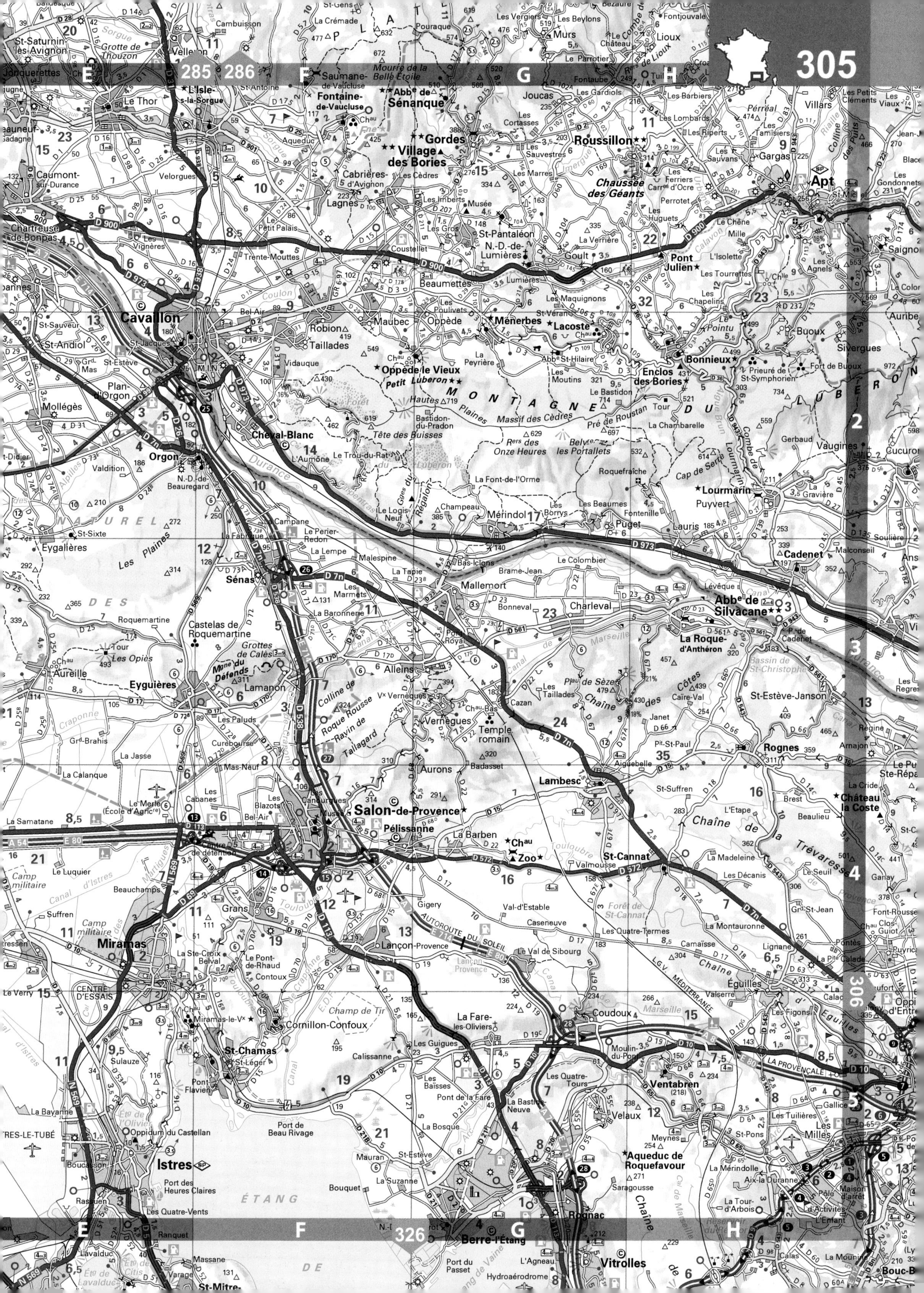
285
286
E
F
G
H
St-Saturnin-lès-Avignon
Jonquerettes
Grotte de Thouzon
Velleron
Cambuisson
La Crémade
Murs
Les Beylons
Lioux
Le Parrotier
Fontaine-de-Vaucluse
Saumane-de-Vaucluse
Abbe de Sénanque
L'Isle-sur-la-Sorgue
Le Thor
Joucas
Les Gardiols
Les Barbiers
Villars
Perréal
Gordes
Village des Bories
Roussillon
Cabrières-d'Avignon
Les Cortasses
Les Sauvestres
Gargas
Apt
Caumont-sur-Durance
Velorgues
Lagnes
Chaussée des Géants
St-Pantaléon
N.-D.-de-Lumières
Goult
Pont Julien
Chartreuse de Bonpas
Les Vignères
Trente-Mouttes
Coustellet
Beaumettes
Les Maquignons
Saignon
Cavaillon
St-Sauveur
St-Andiol
Robion
Taillades
Maubec
Oppède
Ménerbes
Lacoste
Bonnieux
Buoux
Sivergues
Oppède-le Vieux
Petit Luberon
Enclos des Bories
Fort de Buoux
Plan-d'Orgon
Mollégès
Orgon
Cheval-Blanc
MONTAGNE DU LUBERON
Massif des Cèdres
Pré de Roustan
Tête des Buisses
Hautes Plaines
Bastidon-du-Pradon
Rers des Onze Heures
Belvedère les Portallets
Vaugines
Cucuron
Lourmarin
Puyvert
Cap de Serre
Roquefraîche
N.-D.-de-Beauregard
Valdition
Durance
Mérindol
Les Borrys
Puget
Lauris
Cadenet
Eygalières
St-Sixte
Les Plaines
Sénas
La Campane
Le Perier-Redon
La Lempe
Malespine
La Tapie
Bas-Iclons
Mallemort
Brame-Jean
Le Colombier
Charleval
Abbe de Silvacane
La Roque-d'Anthéron
Roquemartine
Castelas de Roquemartine
Les Opiès
Aureille
Eyguières
Grottes de Calès
Lamanon
Alleins
Vernègues
Temple romain
Cazan
Chaîne des Côtes
Plau de Sèze
St-Estève-Janson
Rognes
Bassin de St-Christophe
Regine
La Calanque
Mas-Neuf
Curebourse
Aurons
Badasset
Lambesc
Aiguebelle
St-Suffren
Chaîne de la Trévaresse
Château la Coste
Les Cabanes
Le Merle (École d'Aire)
Salon-de-Provence
Pélissanne
La Barben
Chau
Zoo
St-Cannat
Valmousse
La Samatane
A 54
E 80
Le Luquier
Camp militaire
Beauchamps
Grans
Gigery
Val-d'Estable
Caseneuve
Forêt de St-Cannat
Les Quatre-Termes
La Montauronne
Miramas
Suffren
Lançon-Provence
AUTOROUTE DU SOLEIL
Le Val de Sibourg
Camaïsse
Chaîne
Lignane
Éguilles
Le Verry
CENTRE D'ESSAIS
La Ste-Croix Belval
Le Pont-de-Rhaud
Contoux
Cornillon-Confoux
Champ de Tir
La Fare-les-Oliviers
Coudoux
Les Figons
306
St-Chamas
Miramas-le-Vx
Sulauze
Pont Flavien
Calissanne
Les Guigues
Moulin-du-Pont
Ventabren
LA PROVENÇALE
Les Baïsses
Pont de la Fare
La Bastide-Neuve
Les Quatre-Tours
Velaux
Les Tuilières
Les Milles
St-Pons
La Bayanne
Étg de l'Olivier
Oppidum du Castellan
Port de Beau Rivage
La Bosque
Istres
Boucasson
Port des Heures Claires
Les Quatre-Vents
ÉTANG DE
Mauran
St-Estève
La Suzanne
Bouquet
Aqueduc de Roquefavour
Saragousse
Aix-la Duranne
La Mérindolle
La Tour-d'Arbois
Rognac
Berre-l'Étang
326
Vitrolles
L'Agneau
Hydroaérodrome
Port du Passet
Ranquet
Lavalduc
Massane
St-Mitre
Calas
La Mounine
Bouc-Bel-Air

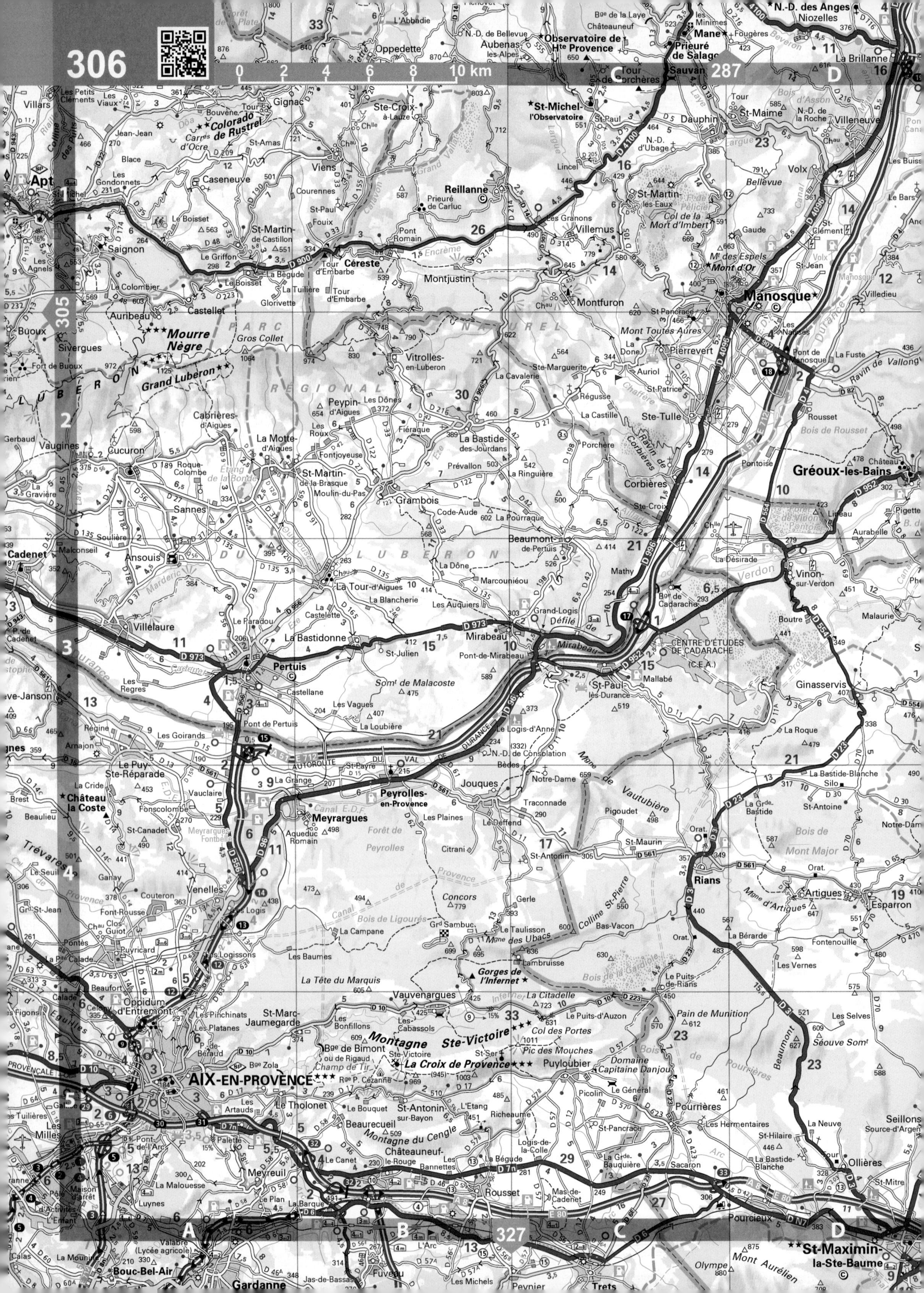

0 2 4 6 8 10 km
287
305
327
A
B
C
D
Apt
Saignon
Céreste
Reillanne
Viens
Oppedette
Gignac
Caseneuve
St-Martin-de-Castillon
Colorado de Rustrel
Mourre Nègre
Grand Luberon
PARC NATUREL RÉGIONAL DU LUBERON
LUBERON
Auribeau
Castellet
Sivergues
Buoux
Montjustin
Montfuron
Manosque
Mane
Prieuré de Salagon
Observatoire de Hte Provence
St-Michel-l'Observatoire
Dauphin
St-Maime
Villeneuve
Volx
St-Martin-les-Eaux
Col de la Mort d'Imbert
Mont d'Or
Pierrevert
Ste-Tulle
Corbières
Gréoux-les-Bains
Vinon-sur-Verdon
Vitrolles-en-Luberon
Peypin-d'Aigues
Cabrières-d'Aigues
La Motte-d'Aigues
Cucuron
Vaugines
St-Martin-de-la-Brasque
Grambois
La Bastide-des-Jourdans
Beaumont-de-Pertuis
Mirabeau
La Tour-d'Aigues
Ansouis
Cadenet
Villelaure
Pertuis
La Bastidonne
Jouques
Peyrolles-en-Provence
Meyrargues
Le Puy-Ste-Réparade
Château la Coste
Venelles
St-Paul-lès-Durance
CENTRE D'ÉTUDES DE CADARACHE (C.E.A.)
Ginasservis
Rians
Artigues
Esparron
Vauvenargues
Gorges de l'Infernet
Montagne Ste-Victoire
La Croix de Provence
Puyloubier
Pourrières
AIX-EN-PROVENCE
Le Tholonet
Beaurecueil
Châteauneuf-le-Rouge
Meyreuil
Gardanne
Bouc-Bel-Air
Fuveau
Rousset
Trets
Peynier
Ollières
St-Maximin-la-Ste-Baume
Mont Aurélien
Durance
Verdon

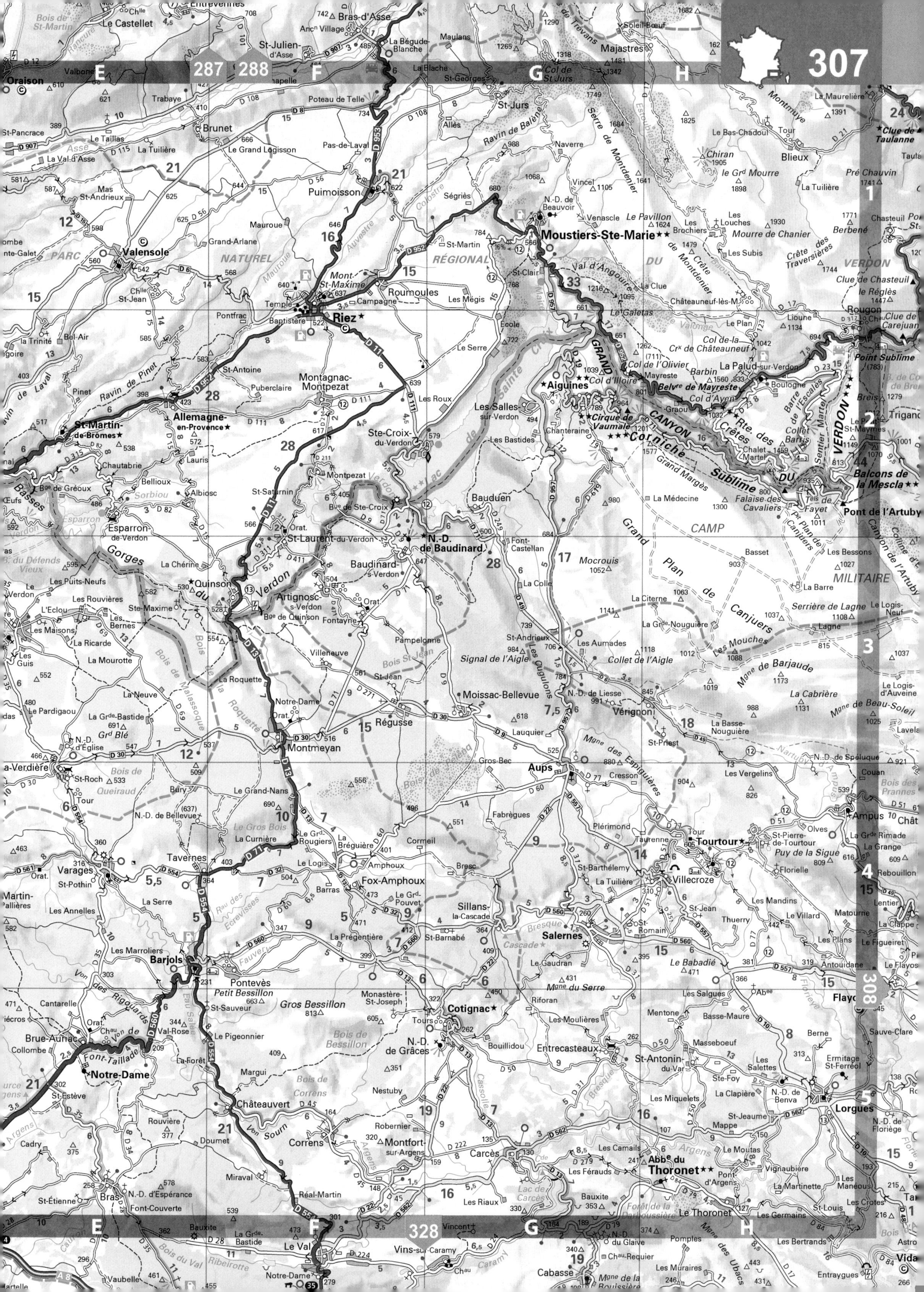
287
288
Oraison
Bras-d'Asse
St-Julien-d'Asse
La Bégude-Blanche
Col de St Jurs
Majastres
St-Jurs
Brunet
Le Grand Logisson
Pas-de-Laval
Puimoisson
Ségriès
N.-D. de Beauvoir
Moustiers-Ste-Marie
Valensole
PARC
NATUREL
RÉGIONAL
DU
VERDON
Mont-St-Maxime
Roumoules
Riez
Montagnac-Montpezat
Allemagne-en-Provence
St-Martin-de-Brômes
Ste-Croix-du-Verdon
Les Salles-sur-Verdon
Aiguines
GRAND CANYON
Corniche Sublime
Point Sublime
La Palud-sur-Verdon
Rougon
Clue de Taulanne
Blieux
Balcons de la Mescla
Pont de l'Artuby
Lac de Sainte-Croix
Bauduen
N.-D. de Baudinard
Baudinard-s-Verdon
St-Laurent-du-Verdon
Quinson
Gorges du Verdon
Esparron-de-Verdon
Artignosc-s-Verdon
CAMP
Grand Plan de Canjuers
MILITAIRE
Moissac-Bellevue
Régusse
Montmeyan
Aups
Vérignon
Tavernes
Varages
Barjols
Tourtour
Villecroze
Salernes
Sillans-la-Cascade
Fox-Amphoux
Cotignac
Entrecasteaux
St-Antonin-du-Var
Lorgues
Flayosc
Ampus
Pontevès
Brue-Auriac
Notre-Dame
Châteauvert
Correns
Montfort-sur-Argens
Carcès
Abbaye du Thoronet
Le Thoronet
Bras
Le Val
Vins-sur-Caramy
Cabasse
Vidauban
328
308

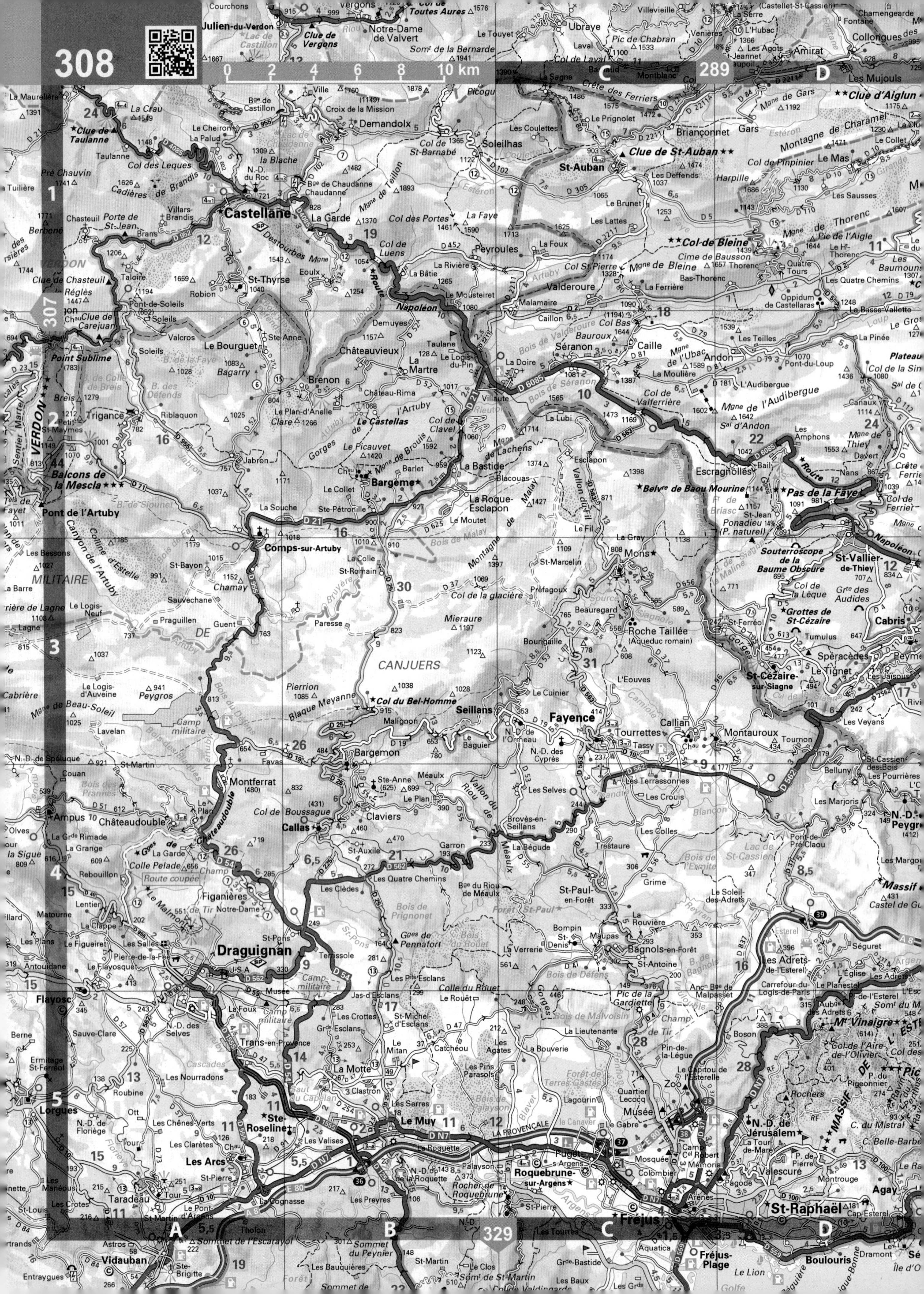
0 2 4 6 8 10 km
289
307
329
A
B
C
D
1
2
3
4
5
Castellane
Clue de Taulanne
Col des Leques
Cadières de Brandis
N.-D. du Roc
Demandolx
Col de St-Barnabé
Soleilhas
St-Auban
Clue de St-Auban
Briançonnet
Gars
Clue d'Aiglun
Montagne de Charamel
Col de Pinpinier
Le Mas
Col de Bleine
Mgne de Thorenc
Thorenc
Les Quatre Chemins
Oppidum de Castellaras
Ubraye
Pic de Chabran
Col de Laval
Crête des Ferriers
Clue de Vergons
Col de Toutes Aures
Notre-Dame de Valvert
Julien-du-Verdon
Amirat
Collongues
Les Mujouls
La Garde
Col de Luens
Col des Portes
La Faye
Peyroules
Valderoure
Col St-Pierre
Mgne de Bleine
Destourbes
St-Thyrse
Route Napoléon
Porte de St-Jean
Chasteuil
Clue de Chasteuil
Clue de Carejuan
Point Sublime
Pont-de-Soleils
VERDON
Trigance
Balcons de la Mescla
Pont de l'Artuby
Le Bourguet
Bagarry
Brenon
Châteauvieux
La Martre
Le Castellas
Col de Clavel
Gorges de l'Artuby
Bargème
La Bastide
La Roque-Esclapon
Séranon
Caille
Andon
Col de Valferrière
Mgne de l'Audibergue
Escragnolles
Belvre de Baou Mourine
Pas de la Faye
Col de Ferrier
St-Vallier-de-Thiey
Souterroscope de la Baume Obscure
Comps-sur-Artuby
Canyon de l'Artuby
MILITAIRE
Chamay
Montagne de Malay
Col de la glacière
Mieraure
Mons
Roche Taillée (Aqueduc romain)
Grottes de St-Cézaire
St-Cézaire-sur-Siagne
Spéracèdes
Le Tignet
Cabris
CANJUERS
Col du Bel-Homme
Seillans
Fayence
Tourrettes
Callian
Montauroux
Bargemon
Montferrat
Col de Boussague
Callas
Claviers
Ampus
Châteaudouble
Ggés de Châteaudouble
Figanières
Draguignan
Flayosc
Lorgues
Gges de Pennafort
Bagnols-en-Forêt
St-Paul-en-Forêt
Les Adrets-de-l'Esterel
Mt Vinaigre
MASSIF DE L'ESTEREL
Trans-en-Provence
La Motte
Le Muy
Ste-Roseline
Les Arcs
Taradeau
Vidauban
Roquebrune-sur-Argens
Rocher de Roquebrune
Puget
Fréjus
Fréjus-Plage
St-Raphaël
Agay
Boulouris
N.-D. de Jérusalem
Valescure
LA PROVENÇALE
Sommet de l'Escarayol
Sommet du Peynier
Lac de St-Cassien
Col du Rouet
Pic de la Gardiette

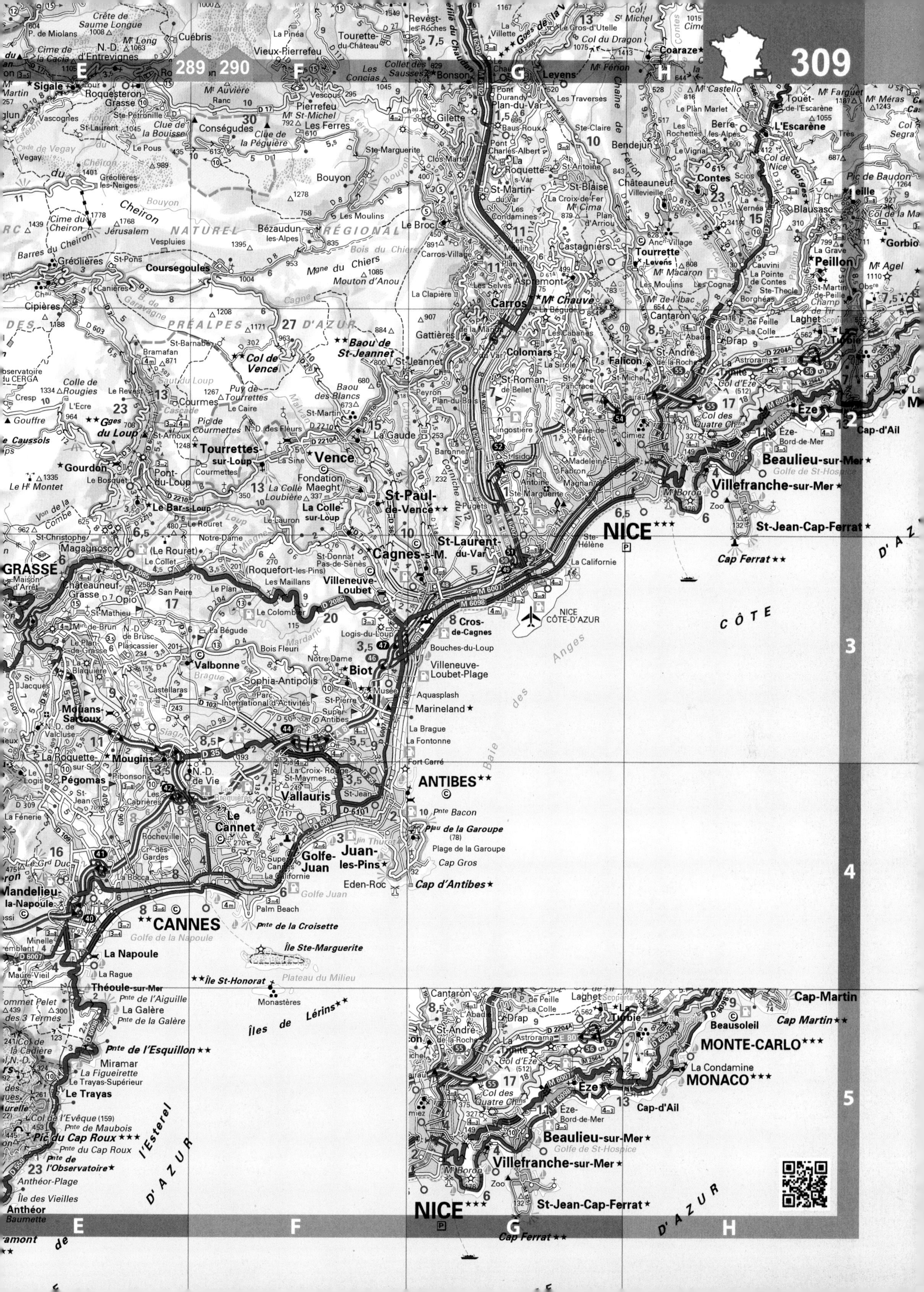
289 290
E
F
G
H
Crête de Saume Longue
Cuébris
Vieux-Pierrefeu
Tourette-du-Château
Revest-les-Roches
Bonson
Levens
Coaraze
Sigale
Roquesteron-Grasse
Conségudes
Pierrefeu
Les Ferres
Gilette
Plan-du-Var
Touët-de-l'Escarène
L'Escarène
Bendejun
Berre-les-Alpes
Contes
Châteauneuf-Villevieille
Bouyon
Le Broc
St-Martin-du-Var
La Roquette
St-Blaise
Castagniers
Tourrette-Levens
Blausasc
Peillon
Gorbio
Cipières
Gréolières
Coursegoules
Bézaudun-les-Alpes
Carros
Aspremont
Colomars
Falicon
St-André-de-la-Roche
Cantaron
Drap
La Turbie
Baou de St-Jeannet
St-Jeannet
Gattières
Col de Vence
Gges du Loup
Tourrettes-sur-Loup
Vence
La Gaude
St-Paul-de-Vence
Cagnes-s-M.
St-Laurent-du-Var
Èze
Cap-d'Ail
Beaulieu-sur-Mer
Villefranche-sur-Mer
St-Jean-Cap-Ferrat
Cap Ferrat
NICE
Gourdon
Pont-du-Loup
Le Bar-s-Loup
La Colle-sur-Loup
GRASSE
Châteauneuf-Grasse
Opio
Roquefort-les-Pins
Villeneuve-Loubet
Cros-de-Cagnes
NICE CÔTE-D'AZUR
Valbonne
Biot
Sophia-Antipolis
Villeneuve-Loubet-Plage
Marineland
Mouans-Sartoux
Mougins
Pégomas
Vallauris
ANTIBES
Le Cannet
Golfe-Juan
Juan-les-Pins
Cap d'Antibes
Pnte de la Garoupe
Mandelieu-la-Napoule
CANNES
Golfe de la Napoule
Pnte de la Croisette
Île Ste-Marguerite
Île St-Honorat
Îles de Lérins
La Napoule
Théoule-sur-Mer
Pnte de l'Esquillon
Miramar
Le Trayas
Pic du Cap Roux
l'Esterel
Anthéor-Plage
Anthéor
CÔTE D'AZUR
Baie des Anges
Cap-Martin
Cap Martin
Beausoleil
MONTE-CARLO
MONACO
La Condamine
3
4
5

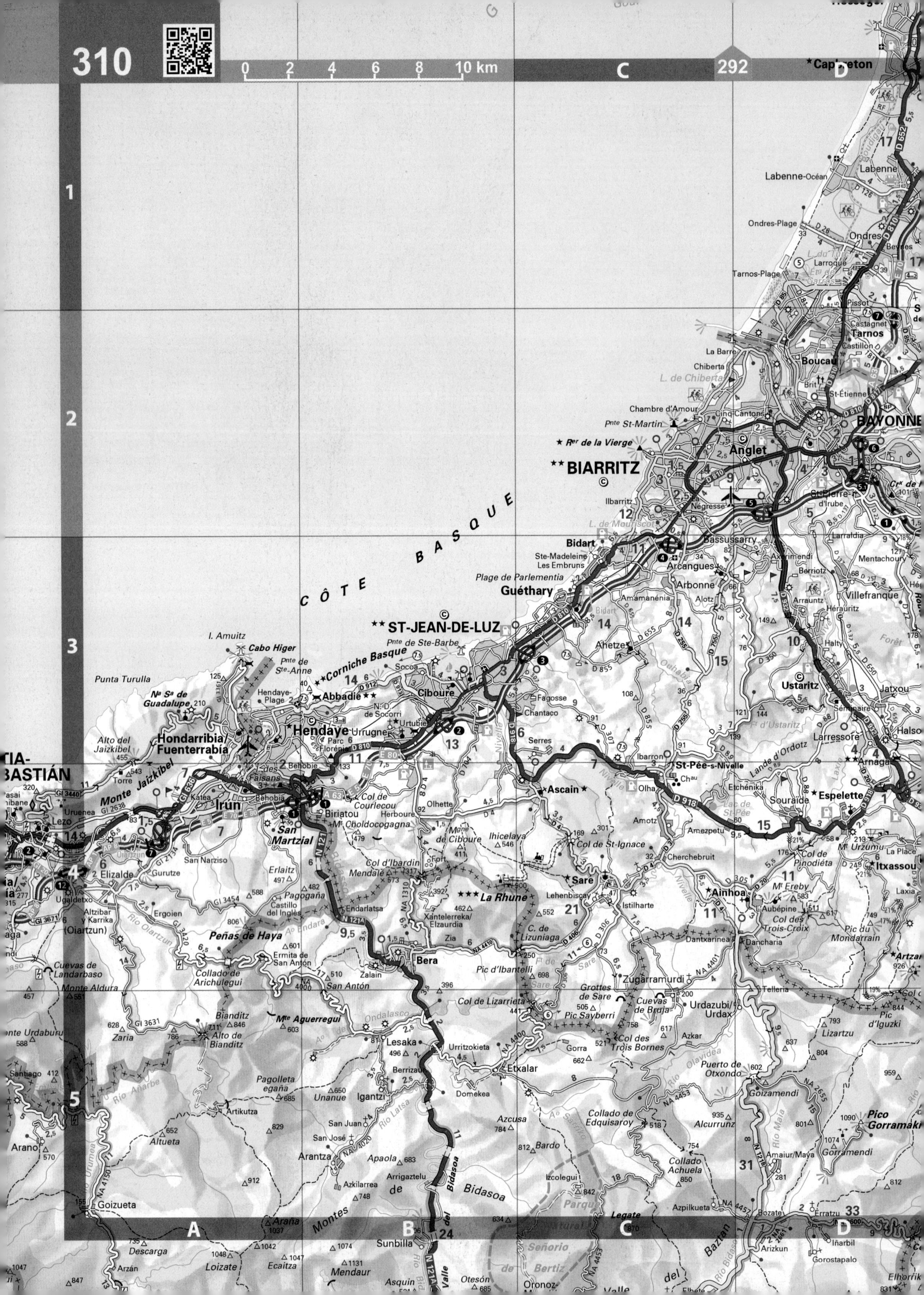
0 2 4 6 8 10 km
C
292
D
1
2
3
4
5
A
B
C
D
Capbreton
Labenne-Océan
Labenne
Ondres-Plage
Ondres
Tarnos-Plage
Tarnos
Boucau
BAYONNE
Anglet
BIARRITZ
Bidart
Guéthary
ST-JEAN-DE-LUZ
CÔTE BASQUE
Ciboure
Hendaye
Hondarribia/ Fuenterrabía
Irun
Urrugne
Biriatou
Ascain
Sare
La Rhune
Bera
Lesaka
Etxalar
St-Pée-s-Nivelle
Ustaritz
Espelette
Ainhoa
Itxassou
Cabo Higer
Corniche Basque
Abbadie
Peñas de Haya
Monte Jaizkibel
Col d'Ibardin
Col de St-Ignace
Col de Lizarrieta
Zugarramurdi
Urdazubi/ Urdax
Arcangues
Arbonne
Ahetze
Villefranque
Larressore
Cambo
Goizueta
Arantza
Igantzi
Sunbilla
Bidasoa
Montes de Bidasoa
Puerto de Otxondo
Pico Gorramakil
Bozate
Arizkun
Errazu

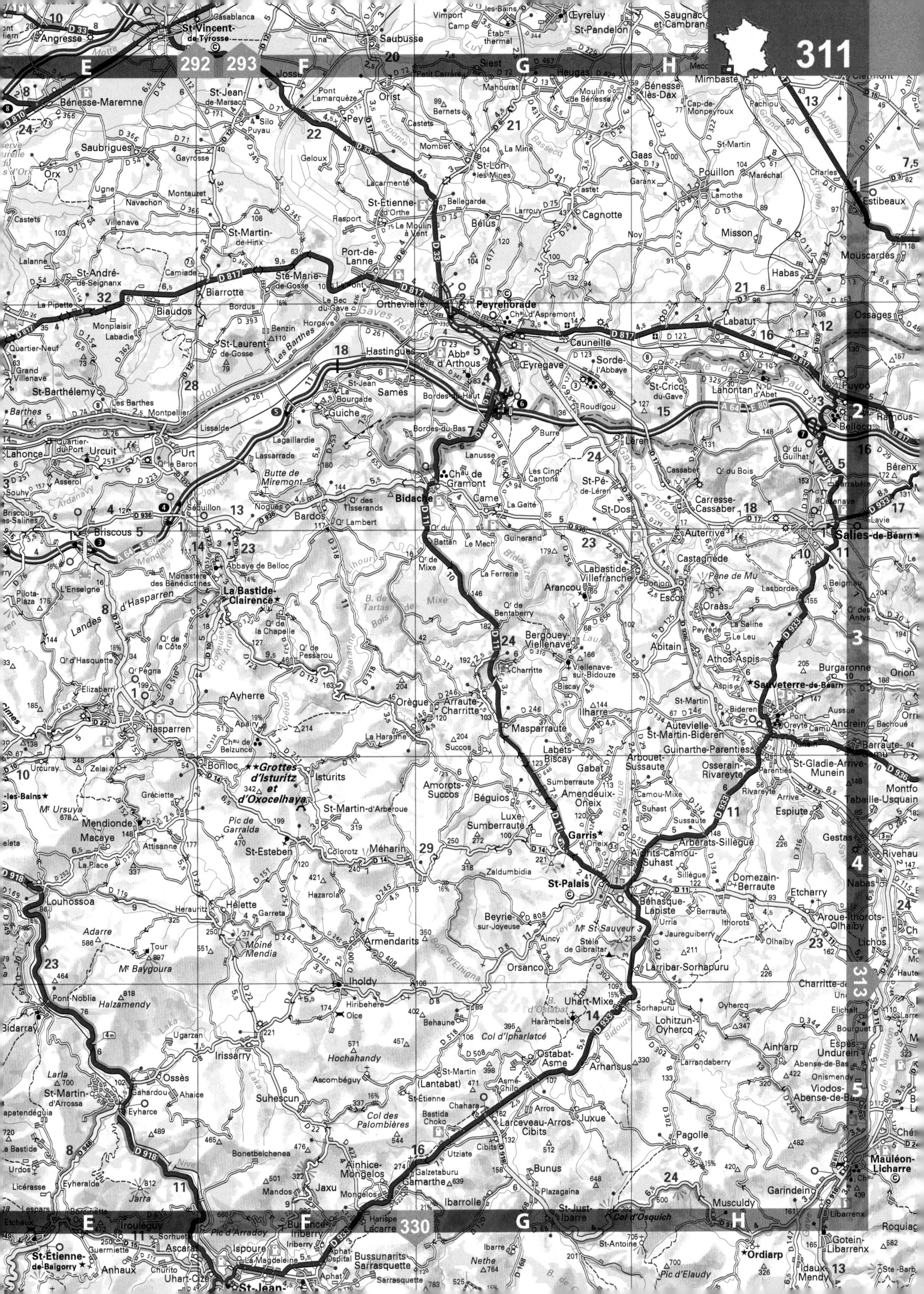
292
293
313
330
Angresse
St-Vincent-de-Tyrosse
Saubusse
Siest
Heugas
Œyreluy
St-Pandelon
Saugnac-et-Cambran
Mimbaste
Bénesse-Maremne
St-Jean-de-Marsacq
Pey
Orist
Bénesse-lès-Dax
Cap-de-Monpeyroux
Saubrigues
Orx
St-Lon-les-Mines
Gaas
Pouillon
Estibeaux
St-Étienne-d'Orthe
Bélus
Cagnotte
Misson
Mouscardès
St-Martin-de-Hinx
Port-de-Lanne
St-André-de-Seignanx
Ste-Marie-de-Gosse
Biarrotte
Biaudos
Orthevielle
Peyrehorade
Habas
Ossages
Labatut
St-Laurent-de-Gosse
Hastingues
Abbe d'Arthous
Cauneille
Sorde-l'Abbaye
Œyregave
St-Cricq-du-Gave
Lahontan
Puyoô
St-Barthélemy
Sames
Guiche
Bordes-du-Haut
Bellocq
Ramous
Urt
Urcuit
Lahonce
Butte de Miremont
Chau de Gramont
Bidache
Came
Léren
St-Pé-de-Léren
St-Dos
Carresse-Cassaber
Bérenx
Salies-de-Béarn
Briscous
Bardos
Auterrive
Castagnède
Abbaye de Belloc
La Bastide-Clairence
Labastide-Villefranche
Arancou
Escos
Oraàs
Bergouey-Viellenave
Abitain
Athos-Aspis
Sauveterre-de-Béarn
Burgaronne
Orion
Ayherre
Hasparren
Orègue
Arraute-Charritte
Masparraute
Ilharre
Autevielle-St-Martin-Bideren
Andrein
Bonloc
Grottes d'Isturitz et d'Oxocelhaya
Isturits
Amorots-Succos
Béguios
Labets-Biscay
Gabat
Arbouet-Sussaute
Osserain-Rivareyte
Guinarthe-Parenties
St-Gladie-Arrive-Munein
Barraute
Mendionde
Macaye
St-Martin-d'Arberoue
Luxe-Sumberraute
Amendeuix-Oneix
Garris
Méharin
St-Esteben
St-Palais
Aïcirits-Camou-Suhast
Arbérats-Sillègue
Espiute
Gestas
Rivehaute
Louhossoa
Hélette
Armendarits
Beyrie-sur-Joyeuse
Béhasque-Lapiste
Domezain-Berraute
Etcharry
Aroue-Ithorots-Olhaïby
Lichos
Mt Baygoura
Iholdy
Orsanco
Larribar-Sorhapuru
Uhart-Mixe
Lohitzun-Oyhercq
Charritte-de-Bas
Pont-Noblia
Bidarray
Irissarry
Col d'Ipharlatcé
Ostabat-Asme
Arhansus
Ainharp
Undurein
Espès-Undurein
St-Martin-d'Arrossa
Ossès
Suhescun
(Lantabat)
Larceveau-Arros-Cibits
Juxue
Viodos-Abense-de-Bas
Col des Palombières
Pagolle
Mauléon-Licharre
Ainhice-Mongelos
Jaxu
Gamarthe
Bunus
Ibarrolle
Garindein
Musculdy
St-Just-Ibarre
Col d'Osquich
Irouléguy
Bussunarits-Sarrasquette
Lacarre
Ascarat
St-Étienne-de-Baïgorry
Anhaux
Ispoure
Ordiarp
Gotein-Libarrenx
Idaux-Mendy
St-Jean-

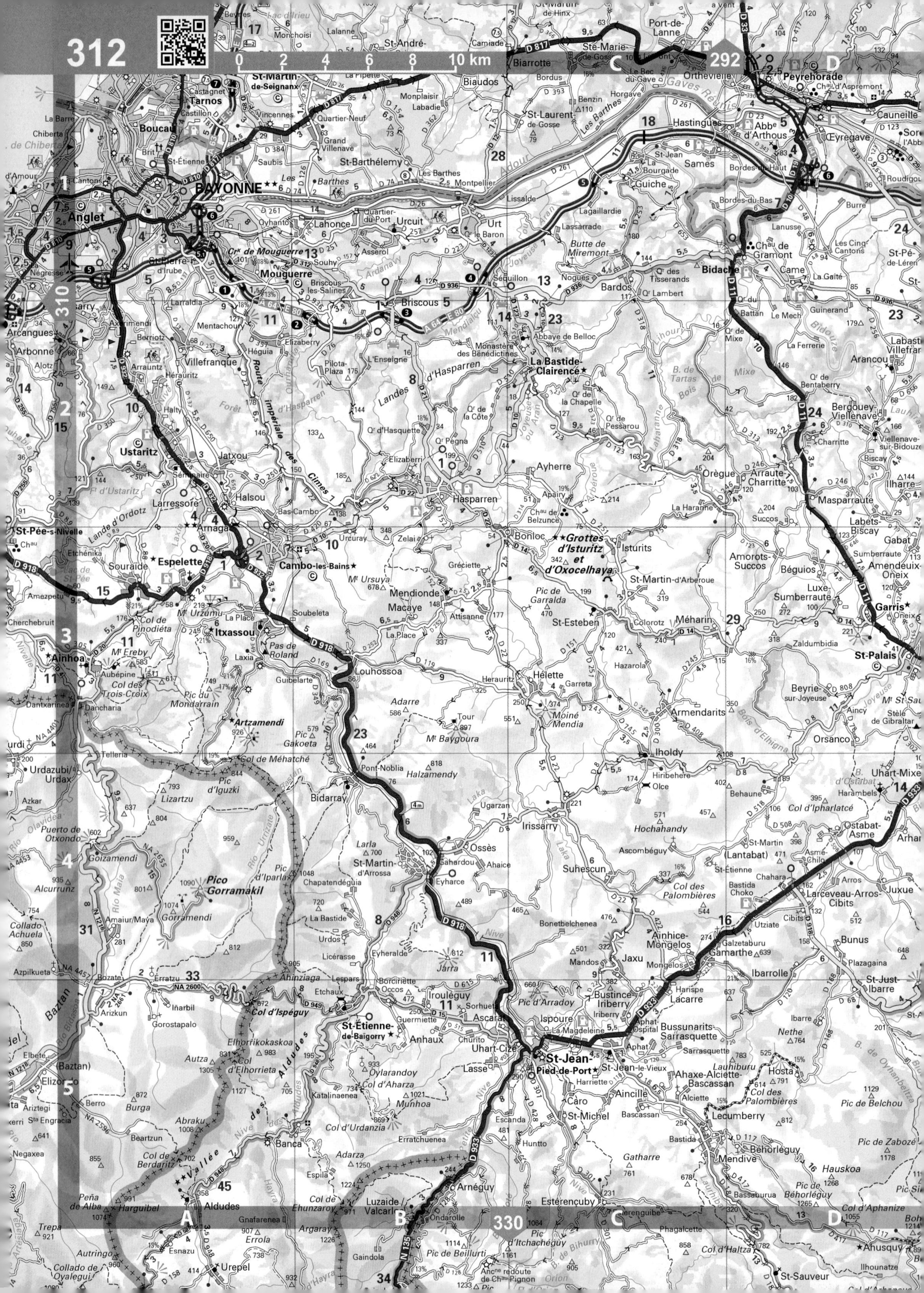
0 2 4 6 8 10 km
292
310
330
A
B
C
D
1
2
3
4
5
BAYONNE
Anglet
Boucau
Tarnos
St-Martin-de-Seignanx
Biarrotte
Biaudos
Ste-Marie-de-Gosse
Port-de-Lanne
Orthevielle
Peyrehorade
St-Laurent-de-Gosse
Hastingues
Cauneille
Œyregave
Abbe d'Arthous
Sames
Guiche
Bordes-du-Haut
Bordes-du-Bas
Adour
Gaves Réunis
St-Barthélemy
Urcuit
Urt
Lahonce
Mouguerre
Cr de Mouguerre
Briscous
Bardos
Bidache
Chau de Gramont
Came
St-Pierre-d'Irube
Villefranque
Arcangues
Arbonne
Ustaritz
Jatxou
Halsou
Larressore
Hasparren
Ayherre
La Bastide-Clairence
Cambo-les-Bains
Espelette
Souraïde
Itxassou
Ainhoa
St-Pée-s-Nivelle
Dancharia
Mt Ursuya
Mendionde
Macaye
Louhossoa
Bonloc
Isturits
Grottes d'Isturitz et d'Oxocelhaya
St-Martin-d'Arberoue
St-Esteben
Méharin
Hélette
Armendarits
Iholdy
Orègue
Arraute-Charritte
Bergouey-Viellenave
Masparraute
Labets-Biscay
Béguios
Luxe-Sumberraute
Amorots-Succos
Garris
St-Palais
Orsanco
Uhart-Mixe
Ostabat-Asme
Larceveau-Arros-Cibits
Juxue
Bunus
Ibarrolle
St-Just-Ibarre
Gamarthe
Lacarre
Bussunarits-Sarrasquette
Ahaxe-Alciette-Bascassan
Aincille
Lecumberry
Mendive
Béhorléguy
St-Jean-Pied-de-Port
St-Jean-le-Vieux
Ispoure
Uhart-Cize
Lasse
Caro
St-Michel
Estérençuby
Arnéguy
Luzaide Valcarlos
Banca
Aldudes
Urepel
St-Étienne-de-Baïgorry
Anhaux
Irouléguy
Ascarat
Ossès
Irissarry
Suhescun
Jaxu
Bidarray
Pont-Noblia
St-Martin-d'Arrossa
Mt Baygoura
Artzamendi
Pico Gorramakil
Col de Méhatché
Col d'Ispéguy
Vallée des Aldudes
Urdazubi/Urdax
Elizondo
Baztan
Arizkun
Erratzu
Col d'Arradoy
Col des Palombières
Hochahandy
Pic de Belchou
Pic de Zabozé
Pic de Béhorléguy
Col d'Aphanize
Ahusquy
St-Sauveur
Pic de Beillurti
Col d'Haltza
Forêt d'Hasparren
Route impériale des Cimes
Landes d'Hasparren
Joyeuse
Bidouze
Nive
Nive des Aldudes
Laka
Lihoury
Bois de Mixe
Rio Bidasoa
D 918
D 932
D 933
D 936
D 817
A 64
A 63
N 135

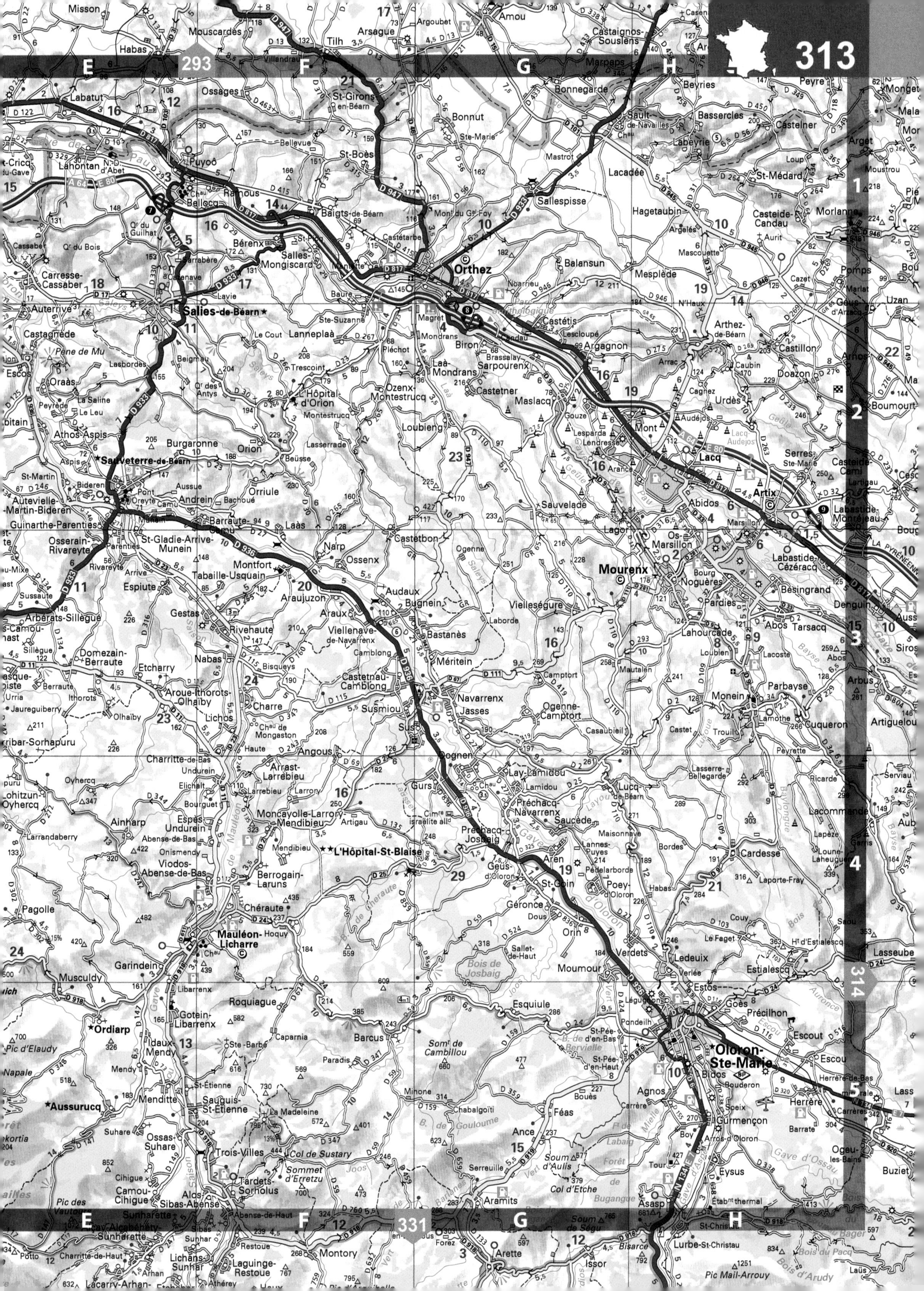
313
293
314
331
E
F
G
H
1
2
3
4
5
Misson
Mouscardès
Habas
Tilh
Arsague
Argoubet
Amou
Castaignos-Souslens
Marpaps
Bonnegarde
Beyries
Peyre
Labatut
Ossages
St-Girons-en-Béarn
Bonnut
Ste-Marie
Sault-de-Navailles
Bassercles
Castelner
Labeyrie
Lahontan
Puyoô
Bellevue
St-Boès
Mastrot
Loup
St-Médard
Lacadée
Arget
Morlanne
Ramous
Bellocq
Baigts-de-Béarn
Mont du Gal Foy
Sallespisse
Hagetaubin
Casteide-Candau
Aurit
Argelès
Mascouette
Bérenx
Salles-Mongiscard
Castétarbe
Orthez
Balansun
Mesplède
Pomps
Carresse-Cassaber
Cassaber
Baure
Noarrieu
Cazet
Géus-d'Arzacq
Uzan
Salies-de-Béarn
Lavie
Auterrive
Ste-Suzanne
Magret
Castétis
Lescloupé
Arthez-de-Béarn
Castagnède
Le Cout
Lanneplaà
Mondrans
Biron
Argagnon
Castillon
Pene de Mu
Lasbordes
Plèchot
Laà-Mondrans
Sarpourenx
Arrac
Caubin
Doazon
Escos
Oraàs
Trescoint
L'Hôpital-d'Orion
Ozenx-Montestrucq
Castetner
Maslacq
Cagnez
Urdès
Boumourt
La Saline
Peyrède
Le Leu
Montestrucq
Loubieng
Gouze
Lesparda
Lendresse
Mont
Audéjos
Lacq
Athos-Aspis
Burgaronne
Orion
Lasserrade
Beüsse
Sauveterre-de-Béarn
Serres-Ste-Marie
Casteide-Cami
St-Martin
Aussue
Bideren
Pont
Oreyte
Orriule
Andrein
Arance
Artix
Lartigau
Autevielle-St-Martin-Bideren
Guinarthe-Parenties
Barraute-Camu
Laàs
Sauvelade
Abidos
Labastide-Monréjeau
Osserain-Rivareyte
St-Gladie-Arrive-Munein
Castetbon
Lagor
Os-Marsillon
Narp
Ossenx
Ogenne
Mourenx
Bourg
Noguères
Labastide-Cézéracq
Montfort
Tabaille-Usquain
Audaux
Bugnein
Pardies
Bésingrand
Espiute
Arbérats-Sillègue
Araujuzon
Araux
Vielleségure
Laborde
Denguin
Gestas
Rivehaute
Viellenave-de-Navarrenx
Bastanès
Lahourcade
Abos
Tarsacq
Domezain-Berraute
Etcharry
Nabas
Bisqueys
Camblong
Méritein
Sillègue
Berraute
Aroue-Ithorots-Olhaïby
Charre
Castetnau-Camblong
Navarrenx
Jasses
Camptort
Ogenne-Camptort
Monein
Parbayse
Arbus
Ithorots
Olhaïby
Lichos
Susmiou
Casaubieil
Lamothe
Cuqueron
Artiguelouve
Jaureguiberry
Sus
Castet
Trouilh
Mongaston
Haute
Angous
Dognen
Peyrette
Charritte-de-Bas
Undurein
Arrast-Larrebieu
Larrebieu
Gurs
Lay-Lamidou
Lamidou
Lucq-de-Béarn
Serviau
Ricarde
Lohitzun-Oyhercq
Oyhercq
Bourguet
Espès-Undurein
Moncayolle-Larrory-Mendibieu
Artigau
Préchacq-Navarrenx
Saucède
Lacommande
Ainharp
Abense-de-Bas
Onismendy
Mendibieu
Préchacq-Josbaig
Maisonnave
Lannes-Puyes
Bordes
Lapèze
Larrandaberry
Viodos-Abense-de-Bas
Berrogain-Laruns
L'Hôpital-St-Blaise
Géus-d'Oloron
Aren
Pédelarborde
Poey-d'Oloron
Cardesse
Loune-Laheuguère
Pagolle
Habas
Laporte-Fray
Chéraute
Hoquy
St-Goin
Géronce
Dous
Orin
Couy
Le Faget
Mauléon-Licharre
Sallet-de-Haut
Bois de Josbaig
Ledeuix
Verlée
Estialescq
Lasseube
Garindein
Moumour
Verdets
Musculdy
Libarrenx
Roquiague
Esquiule
Estos
Goès
Précilhon
Escout
Ordiarp
Gotein-Libarrenx
Barcus
St-Pée-d'en-Bas
Pondeilh
Oloron-Ste-Marie
Pic d'Elaudy
Idaux-Mendy
Ste-Barbe
Caparnia
Somt de Cambillou
Paradis
St-Pée-d'en-Haut
Bidos
Escou
Napale
Mendy
Bouderon
Herrère-de-Bas
Herrère
Mendite
St-Étienne
Sauguis-St-Étienne
Minone
Chabalgoïti
Bouès
Féas
Agnos
Carrère
Gurmençon
Aussurucq
La Madeleine
B. de Gouloume
Soeix
Barrate
Ogeu-les-Bains
Suhare
Ossas-Suhare
Ance
Boy
Arros-d'Oloron
Col de Sustary
Trois-Villes
Sommet d'Erretzu
Soum d'Aulis
Forêt de Labaig
Tour
Eysus
Gave d'Ossau
Buziet
Cihigue
Camou-Cihigue
Tardets-Sorholus
Serreuille
Col d'Etche
Forêt de Bugangue
Alos
Sibas-Abense
Aramits
Asasp
Étabnt thermal
Pic des Vautours
Sunharette
Abense-de-Haut
Soum de Ségu
St-Christau
Sibas
Sunhar
Lichans-Sunhar
Laguinge-Restoue
Montory
Forêt
Arette
Bisarce
Issor
Lurbe-St-Christau
Bois du Pacq
Bois d'Arudy
Pic Mail-Arrouy
Potto
Charritte-de-Haut
Arhan
Lacarry-Arhan-
Athérey
Laùs
Gave de Pau
Saleys
Gave d'Oloron
Saison
Laà
Baylongue
Bayse
Auronce
Escou
Vert
Joos
LA PYRÉNÉENNE
A 64
E 80
E 7
D 817
D 947
D 933
D 936
D 9
D 918
N 134

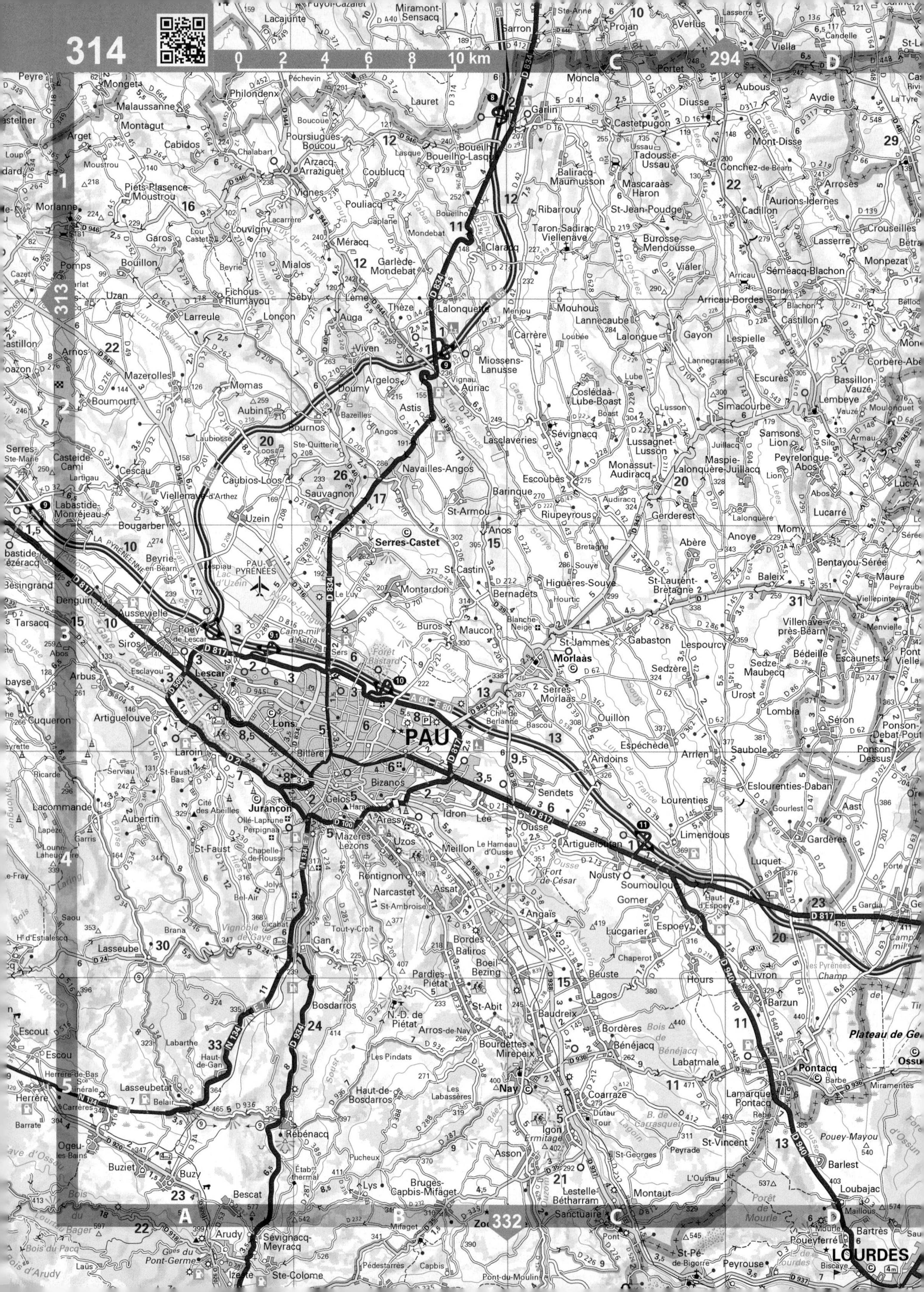

314
0 2 4 6 8 10 km
294
313
332
A
B
C
D
1
2
3
4
5
PAU
Lescar
Lons
Billère
Jurançon
Gelos
Bizanos
Morlaàs
Nay
Pontacq
LOURDES
Garlin
Thèze
Serres-Castet
Sauvagnon
Montardon
Buros
Idron
Lée
Ousse
Sendets
Andoins
Soumoulou
Espoey
Livron
Barzun
Hours
Coarraze
Igon
Asson
Mirepeix
Bordères
Bénéjacq
Rébénacq
Sévignacq-Meyracq
Arudy
Buzy
Lasseube
Gan
Bosdarros
Artiguelouve
Laroin
Poey-de-Lescar
Siros
Denguin
Aussevielle
Arbus
Uzein
Momas
Mazerolles
Viven
Auriac
Astis
Doumy
Argelos
Navailles-Angos
Miossens-Lanusse
Lalonquette
Claracq
Boueilh-Boueilho-Lasque
Arzacq-Arraziguet
Morlanne
Louvigny
Séby
Auga
Higuères-Souye
Sévignacq
Saubole
Lourenties
Limendous
Gardères
Luquet
PAU-PYRÉNÉES
Plateau de Ger
Sanctuaire
A 64 - E 80
A 65
D 817
D 834
D 943
D 940
D 936
D 938
N 134
E 7

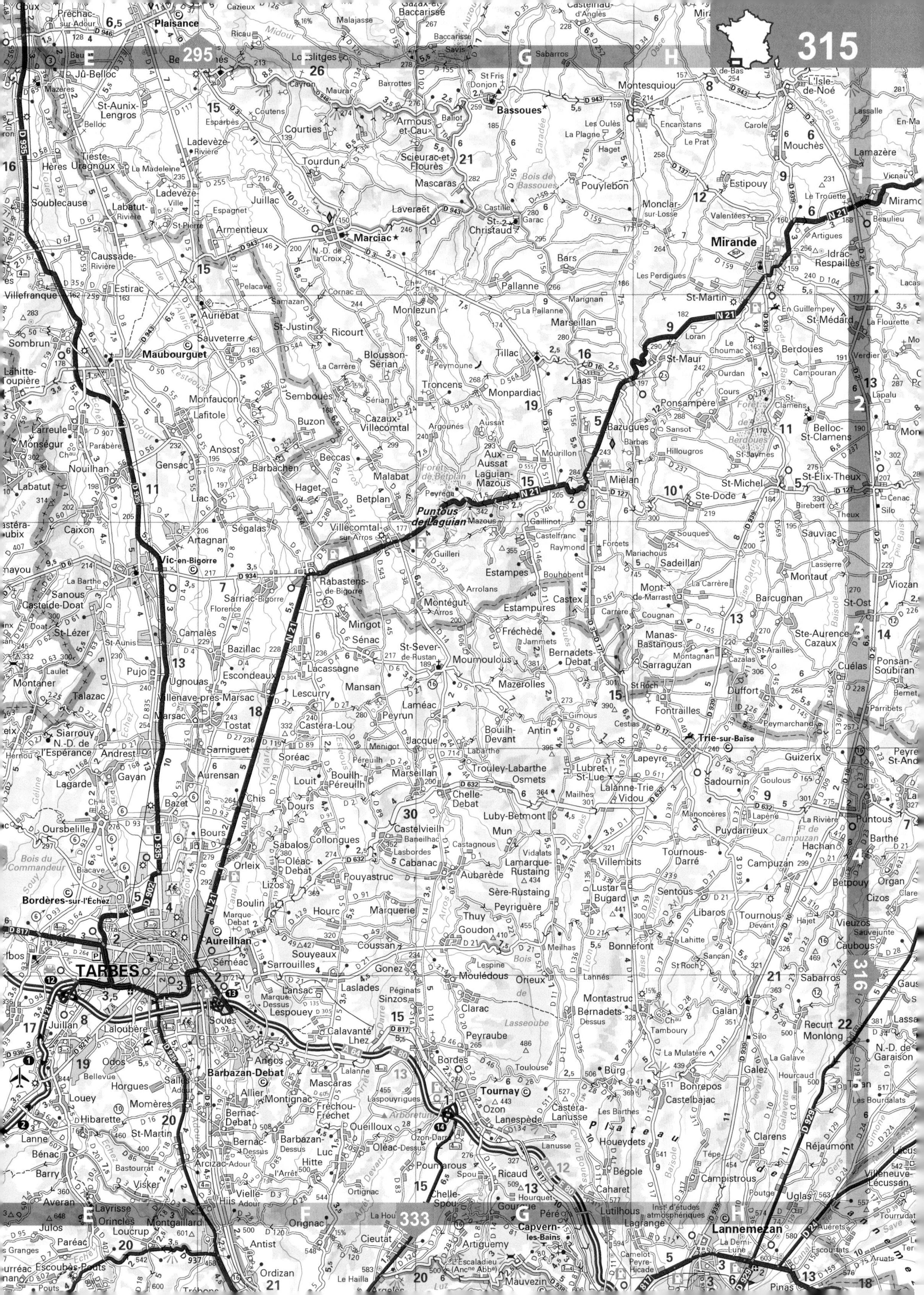
315
Plaisance
Préchac-sur-Adour
Marciac
Bassoues
Montesquiou
Mirande
L'Isle-de-Noé
Mouchès
Estipouy
Pouylebon
Monclar-sur-Losse
Tourdun
Scieurac-et-Flourès
Mascaras
Laveraët
Castillon
St-Christaud
Juillac
Armentieux
Ladevèze-Rivière
Ladevèze-Ville
Tieste-Uragnoux
Heres
Soublecause
Labatut-Rivière
Caussade-Rivière
Estirac
Villefranque
Sombrun
Maubourguet
Sauveterre
Auriébat
St-Justin
Ricourt
Monlezun
Blousson-Sérian
Tillac
Laas
St-Maur
Loran
Berdoues
Ponsampère
Bazugues
Miélan
Ste-Dode
St-Michel
St-Élix-Theux
Bellocq-St-Clamens
Sadeillan
Montaut
Barcugnan
Manas-Bastanous
Sarraguzan
Duffort
Fontrailles
Trie-sur-Baïse
Sadournin
Puntous
Monpardiac
Troncens
Sembouès
Monfaucon
Lafitole
Ansost
Gensac
Liac
Ségalas
Artagnan
Vic-en-Bigorre
Rabastens-de-Bigorre
Villecomtal-sur-Arros
Cazaux-Villecomtal
Beccas
Malabat
Betplan
Aux-Aussat
Laguian-Mazous
Puntous de Laguian
Estampes
Montégut-Arros
Estampures
Fréchède
Bernadets-Debat
Mingot
Sénac
St-Sever-de-Rustan
Moumoulous
Mazerolles
Antin
Bouilh-Devant
Lubret-St-Luc
Lapeyre
Osmets
Trouley-Labarthe
Marseillan
Chelle-Debat
Luby-Betmont
Mun
Castelvieilh
Collongues
Oléac-Debat
Cabanac
Pouyastruc
Aubarède
Lamarque-Rustaing
Sère-Rustaing
Peyriguère
Thuy
Goudon
Lustar
Bugard
Libaros
Bonnefont
Tournous-Devant
Campuzan
Tournous-Darré
Puydarrieux
Sentous
Galan
Recurt
Monlong
Sabarros
Bordes
Tournay
Ozon
Lanespède
Houeydets
Castelbajac
Bonrepos
Burg
Campistrous
Clarens
Réjaumont
Lannemezan
Capvern-les-Bains
Tarbes
Aureilhan
Séméac
Soues
Juillan
Laloubère
Odos
Horgues
Barbazan-Debat
Salles-Adour
Momères
Louey
Hibarette
Allier
Montignac
Bernac-Debat
Bernac-Dessus
Vielle-Adour
Hiis
Orincles
Layrisse
Loucrup
Montgaillard
Averan
Julos
Paréac
Bordères-sur-l'Échez
Orleix
Chis
Bours
Bazet
Aurensan
Gayan
Lagarde
Oursbelille
Andrest
Sarniguet
Tostat
Marsac
Villenave-près-Marsac
Escondeaux
Ugnouas
Bazillac
Camalès
Pujo
Talazac
Siarrouy
Montaner
St-Lézer
Sanous
Caixon
Nouilhan
Larreule
Monségur
Soréac
Louit
Bouilh-Péreuilh
Dours
Sabalos
Lizos
Boulin
Hourc
Marquerie
Coussan
Souyeaux
Sarrouilles
Gonez
Laslades
Lansac
Sinzos
Lespouey
Calavanté
Lhez
Angos
Mascaras
Fréchou-Fréchet
Oueilloux
Barbazan-Dessus
Oléac-Dessus
Luc
Hitte
Poumarous
Chelle-Spou
Ricaud
Orieux
Mouledous
Clarac
Peyraube
Montastruc
Bernadets-Dessus
Lutilhous
Lagrange
Artiguemy
Cieutat
Orignac
Antist
Ordizan
Mauvezin
E
F
G
H
295
333
316

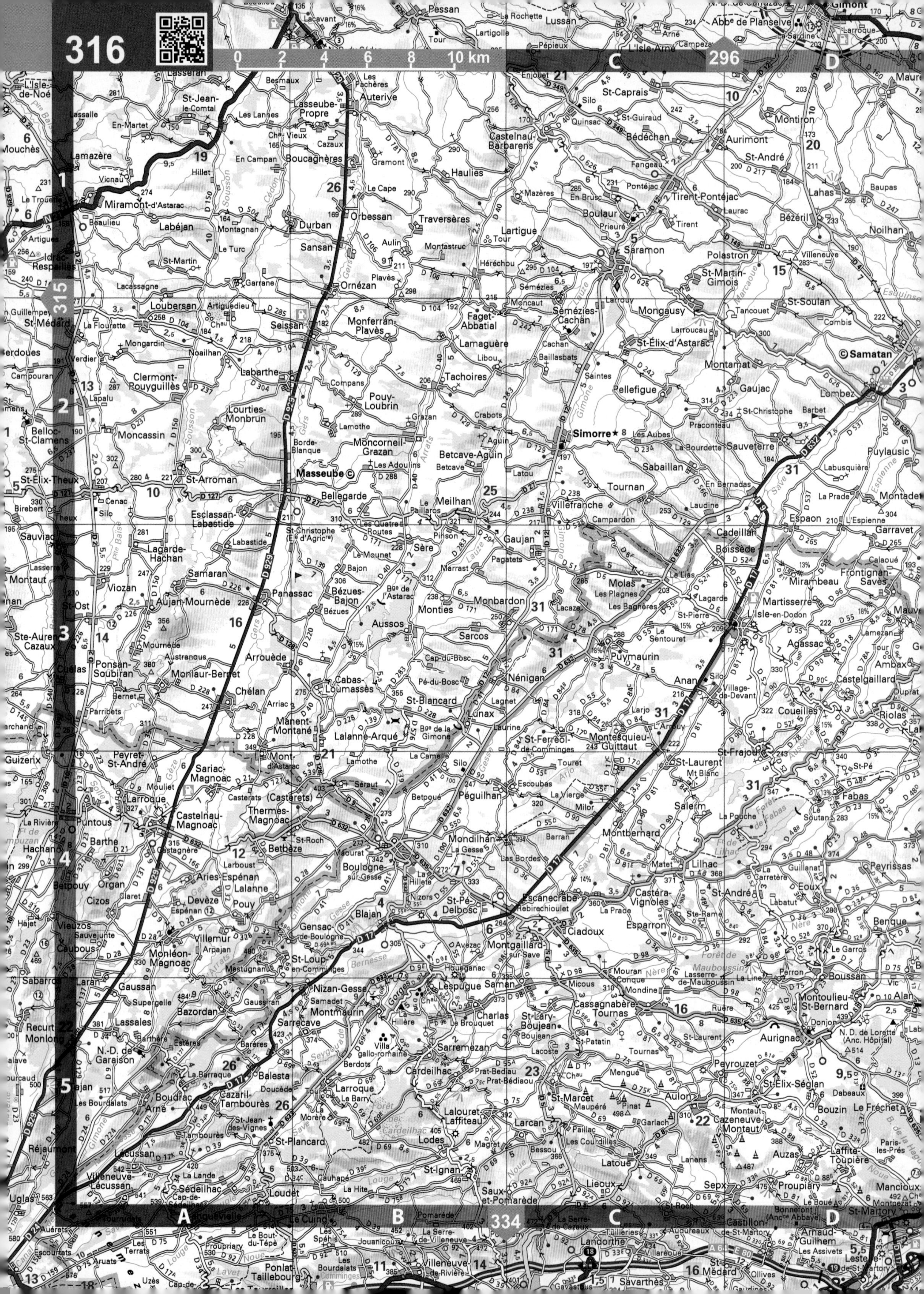

316
0 2 4 6 8 10 km
296
315
334
A
B
C
D
1
2
3
4
5
Pessan
Lussan
Gimont
Abbe de Planselve
L'Isle-Arné
Lasseran
L'Isle-de-Noé
St-Jean-le-Comtal
Besmaux
Les Pachères
Auterive
Lasseube-Propre
Lassalle
En-Martet
Les Lannes
Chau Vieux
Cazaux
Mouchès
Lamazère
Boucagnères
En Campan
Hillet
Gramont
Haulies
Castelnau-Barbarens
St-Caprais
Silo
Quinsac
St-Guiraud
Bédéchan
Aurimont
Montiron
St-André
Miramont-d'Astarac
Vicnau
Le Trouette
Beaulieu
Artigues
Idrac-Respaillès
Labéjan
Montagnan
Le Turc
St-Martin
Durban
Sansan
Orbessan
Le Cape
Traversères
Aulin
Montastruc
Lartigue
Tour
Mazères
En Brusc
Boulaur
Prieuré
Pontéjac
Tirent-Pontéjac
Tirent
Laurac
Lahas
Baupas
Bézéril
Noilhan
Saramon
Polastron
Villeneuve
Héréchou
Sémézies
Plavès
Ornézan
Garrane
Lacassagne
St-Martin-Gimois
St-Soulan
Tancouet
Combis
Mongausy
Larrouy
Larroucau
Sémézies-Cachan
Moncaut
Faget-Abbatial
Monferran-Plavès
Seissan
Loubersan
Artiguedieu
Guillempey
St-Médard
La Flourette
Mongardin
Noailhan
Berdoues
Verdier
Campouran
Clermont-Pouyguillès
Labarthe
Compans
Lamaguère
Libou
Cachan
Baillasbats
St-Élix-d'Astarac
Montamat
Samatan
Lombez
Tachoires
Saintes
Pellefigue
Gaujac
St-Christophe
Barbet
Lapalu
Lourties-Monbrun
Pouy-Loubrin
Lamothe
Grazan
Crabots
Praconteau
Moncassin
Bordes-Blanque
Moncorneil-Grazan
Aguin
Simorre
Les Aubes
La Bourdette
Sauveterre
Puylausic
Belloc-St-Clamens
Betcave-Aguin
Betcave
Latou
Sabaillan
Labusquière
St-Élix-Theux
St-Arroman
Masseube
Les Adoulins
Tournan
En Bernadas
Birebert
Cenac
Silo
Theux
Bellegarde
Meilhan
Le Paillaros
Villefranche
Laudine
La Prade
Montadet
Esclassan-Labastide
Les Quatre Routes
St-Christophe
Campardon
Espaon
L'Espiennne
Sauviac
Labastide
Lagarde-Hachan
Sère
Pinson
Gaujan
Pagatets
Cadeillan
Boissède
Garravet
Le Mounet
Bajon
Marrast
Calaoué
Frontignan-Savès
Montaut
Samaran
Viozan
Bézues-Bajon
Bézues
Bgde de l'Astarac
Monbardon
Molas
Les Plagnes
Les Bagnères
Le Lias
Lagarde
Mirambeau
Martisserre
L'Isle-en-Dodon
St-Ost
Aujan-Mournède
Panassac
Monties
Lacaze
St-Pierre
Mauvezin
Ste-Aurence-Cazaux
Mournède
Aussos
Sarcos
Le Sentouret
Agassac
Lamezan
Ambax
Ponsan-Soubiran
Austrancous
Arrouède
Cap-du-Bosc
Puymaurin
Village-de-Devant
Castelgaillard
Monlaur-Bernet
Cabas-Loumassès
Pé-du-Bosc
Nénigan
Anan
Cuélas
Bernet
Chélan
Arriac
St-Blancard
Lunax
Lagnet
Larjo
Parribets
Manent-Montané
Lalanne-Arqué
Bgde de la Gimone
Laurine
Montesquieu-Guittaut
L'Arrouy
Coueilles
Duprat
Riolas
Guizerix
Peyret-St-André
Mont-d'Astarac
Lamothe
La Camelle
St-Ferréol-de-Comminges
Touret
St-Laurent
Mt Blanc
St-Frajou
St-Pé
Sariac-Magnoac
Mouliet
Séraut
Casterets
Betpoué
Péguilhan
Escoubas
La Vierge
Milor
Salerm
Fabas
Le Soutan
Larroque
Castelnau-Magnoac
Thermes-Magnoac
Montbernard
La Pouche
Forêt de Fabas
La Rivière
Puntous
Barthe
Hachan
Castagnère
St-Roch
Betbèze
Maourat
Mondilhan
La Gesse
Barran
Las Bordes
Lilhac
Organ
Aries-Espénan
Labroust
Boulogne-sur-Gesse
La Hillete
Matet
La Carretère
Guillanat
Peyrissas
Betpouy
Cizos
Lalanne
Devèze
Pouy
Espénan
Castéra-Vignoles
St-André
Labatut
Eoux
Hajet
Vieuzos
Sauvejunte
Caubous
Nizors
Blajan
St-Pé-Delbosc
Escanecrabe
Rebirechioulet
La Prade
Ste-Rame
Esparron
Benque
Gensac-de-Boulogne
Villemur
Arpajan
Ciadoux
Montgaillard-sur-Save
Avezac
Monléon-Magnoac
Mestugnan
St-Loup-en-Comminges
Bernesse
Houeganac
Forêt de Mauboussin
Le Garros
Sabarros
Laran
Gaussan
Supergelle
Gaussiran
Nizan-Gesse
Samadet
Lespugue
Saman
Micous
Mouran
Conque
Mondine
Lasserre-de-Mauboussin
La Line
Perron
Boussan
Montoulieu-St-Bernard
Alan
Recurt
Monlong
Bazordan
Lassales
Montmaurin
Sarrecave
La Hillère
Villa gallo-romaine
Le Brouquet
Charlas
St-Lary-Boujean
Boujean
Cassagnabère-Tournas
St-Patatin
Tournas
Ruère
St-Laurent
Aurignac
Donjon
N.D. de Lorette (Anc. Hôpital)
N.D. de Garaison
Barthère
Estères
Barères
Balesta
Berdots
Sarremezan
Prat-Bediau
Prat-Bédiaou
Cardeilhac
Lacoste
Mengué
Peyrouzet
St-Élix-Séglan
Dabeaux
La Barraque
Boudrac
Cazaril-Tambourès
Les Bourdalats
Arné
Doucède
Larroque
Le Barry
St-Marcet
Maupéré
Pinat
Garlach
Aulon
Montaut
Cazeneuve-Montaut
Bouzin
Le Fréchet
Tambourès
St-Jean-des-Vignes
Lalouret-Laffiteau
Larcan
Paillac
Les Courdilles
Forêt de Cardeilhac
Réjaumont
Lécussan
St-Plancard
Lodes
Magret
Bessou
Latoue
Lanens
Auzas
Laffite-Toupière
Paris-les-Prés
La Lande
Cauhapé
St-Ignan
Villeneuve-Lécussan
Uglas
Sédeilhac
Cap-de-Sédeilhac
Loudet
La Hite
Saux-et-Pomarède
Lieoux
Sepx
Proupiary
Le Boué
Manciouix
Montpezat
Tourrucats
Lannemezan
Auérets
Escourtats
Les Terrats
Le Bout-du-Tépé
Proupiary
Aruats
Uzès
Cap-de-
Ponlat-Taillebourg
Les Bourdalats
Les Spéhis
Le Cuing
Pomarède
Jouanicou
La Serre-de-Villeneuve
Villeneuve-de-Rivière
La Serre-de-Cazaux
Landorthe
Villeroux
Les Tuileries
Audureaux
Castillon-de-St-Martory
Bonneton (Anc. Abbaye)
St-Martory
Arnaud-Guilhem
Les Assivets
Lestelle-de-St-Martory
Savarthès
St-Médard
Ollives
Gavastous
Canal
Gimone
Gers
Arrats
Lauze
Save
Gesse
Sousson
Cédon
Baïse
Louge
Noue
Nère
Seygouade
Aussoue
Marcaoue
Espienne
Esquinson
Lavet
N 21
D 929
D 632
D 17
D 635
D 12
D 27
D 127
D 349
D 626
D 104
D 150
D 9
A 64
E 80

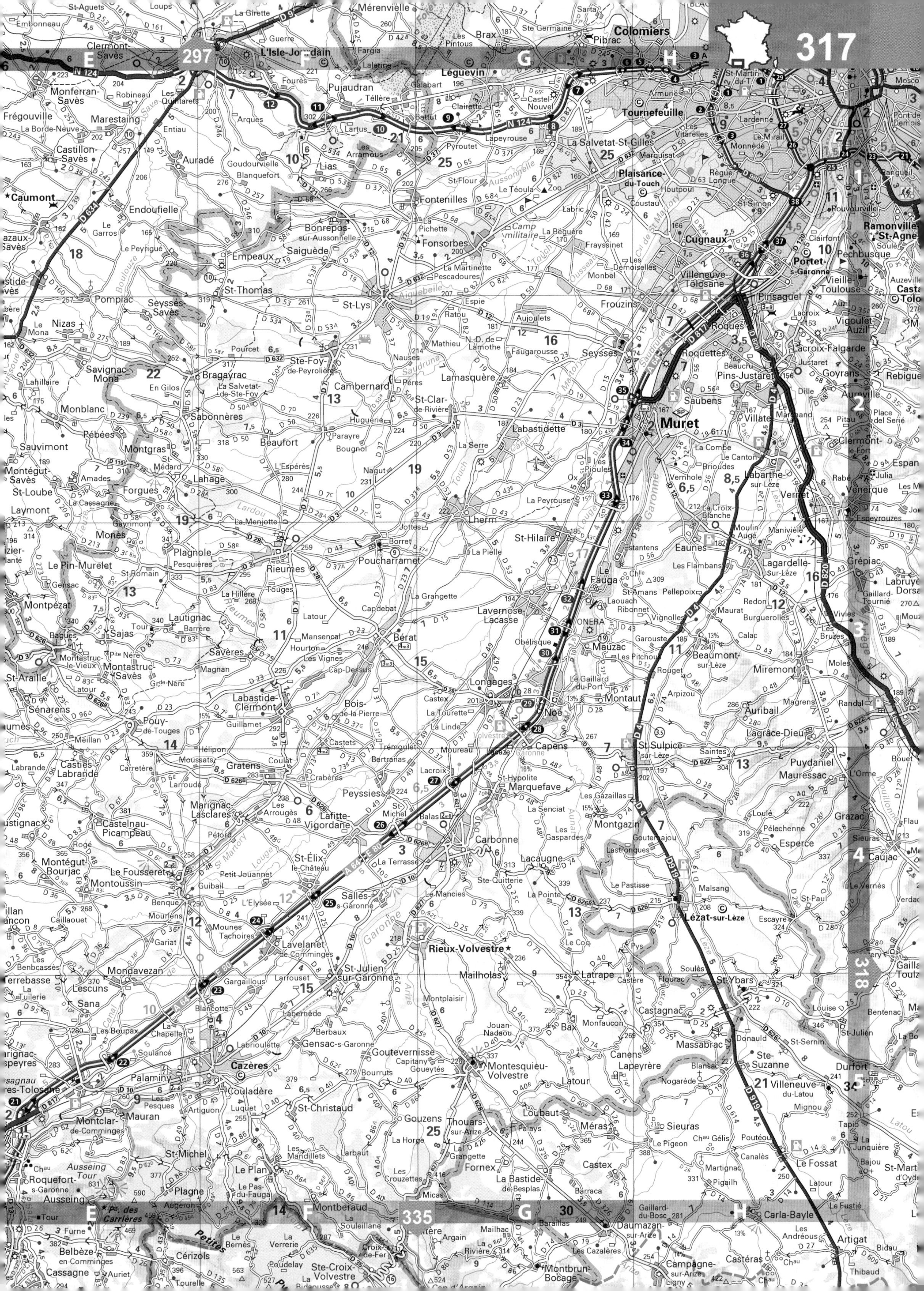

317
297
335
318
L'Isle-Jourdain
Colomiers
Pibrac
Léguevin
Tournefeuille
Pujaudran
Clermont-Savès
Monferran-Savès
Frégouville
Marestaing
Castillon-Savès
Caumont
Endoufielle
Auradé
Lias
Fontenilles
La Salvetat-St-Gilles
Plaisance-du-Touch
Cugnaux
Villeneuve-Tolosane
Portet-s-Garonne
Ramonville-St-Agne
Pechbusque
Vieille-Toulouse
Bonrepos-sur-Aussonnelle
Saiguède
Fonsorbes
Empeaux
St-Thomas
Pompiac
Seysses-Savès
St-Lys
Frouzins
Pinsaguel
Roques
Seysses
Nizas
Savignac-Mona
Bragayrac
Ste-Foy-de-Peyrolières
Cambernard
Lamasquère
Roquettes
Pins-Justaret
Lacroix-Falgarde
Goyrans
Vigoulet-Auzil
Aureville
Monblanc
Sabonnères
Beaufort
St-Clar-de-Rivière
Labastidette
Muret
Saubens
Villate
Clermont-le-Fort
Pébées
Sauvimont
Montgras
Lahage
Forgues
Montégut-Savès
St-Loube
Laymont
Monès
Plagnole
Rieumes
Poucharramet
Lherm
St-Hilaire
Eaunes
Labarthe-sur-Lèze
Vernet
Venerque
Le Pin-Murelet
Montpézat
Lautignac
Sajas
Savères
Bérat
Lavernose-Lacasse
Le Fauga
Lagardelle-sur-Lèze
Grépiac
Labruyère-Dorsa
Montastruc-Savès
St-Araille
Sénarens
Labastide-Clermont
Longages
Mauzac
Beaumont-sur-Lèze
Miremont
Pouy-de-Touges
Noé
Montaut
Auribail
Lagrâce-Dieu
Casties-Labrande
Gratens
Capens
St-Sulpice-sur-Lèze
Puydaniel
Mauressac
Peyssies
Marquefave
Marignac-Lasclares
Lafitte-Vigordane
Castelnau-Picampeau
Montgazin
Carbonne
St-Élix-le-Château
Lacaugne
Montégut-Bourjac
Le Fousseret
Montoussin
Salles-s-Garonne
Lézat-sur-Lèze
Grazac
Esperce
Caujac
Lavelanet-de-Comminges
Rieux-Volvestre
Mondavezan
St-Julien-sur-Garonne
Mailholas
Latrape
St-Ybars
Lescuns
Sana
Castagnac
Bax
Massabrac
Ste-Suzanne
Durfort
Gensac-s-Garonne
Gouteverisse
Montesquieu-Volvestre
Canens
Lapeyrère
Latour
Cazères
Palaminy
Couladère
Mauran
St-Christaud
Villeneuve-du-Latou
Montclar-de-Comminges
Gouzens
Thouars-sur-Arize
Loubaut
Méras
Sieuras
Castex
St-Michel
Fornex
Le Fossat
Roquefort-s-Garonne
Ausseing
Plagne
Le Plan
La Bastide-de-Besplas
Montberaud
Carla-Bayle
Daumazan-sur-Arize
Artigat
Belbèze-en-Comminges
Cassagne
Cérizols
Ste-Croix-Volvestre
Montbrun-Bocage
Campagne-sur-Arize
Castéras
A 64
E 80
N 124
D 820
D 817
D 919
D 632
D 634
D 4

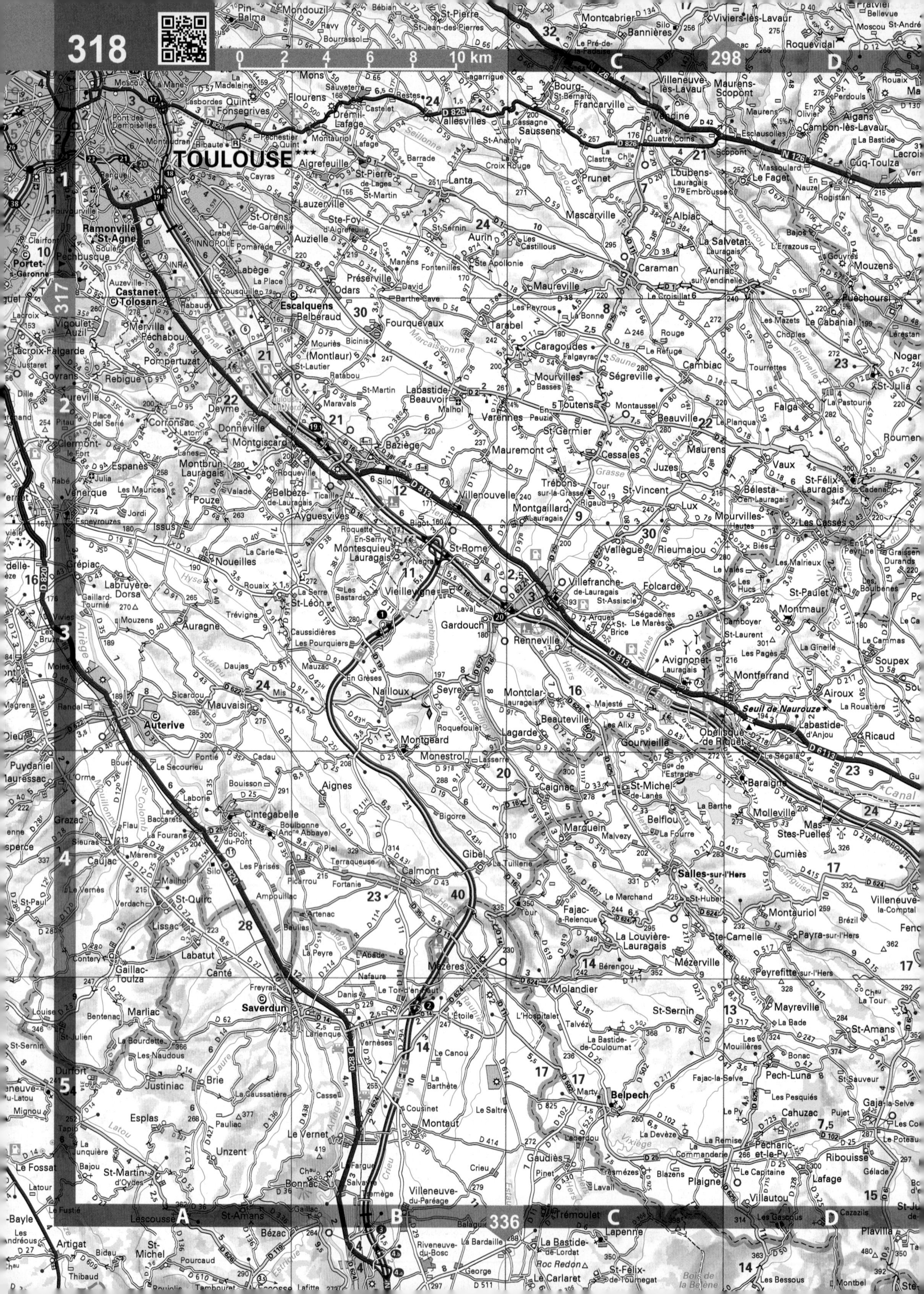
318
0 2 4 6 8 10 km
298
317
336
TOULOUSE
Pin-Balma
Mondouzil
St-Pierre
St-Jean-des-Pierres
Bourrassol
Montcabrier
Bannières
Viviers-lès-Lavaur
Roquevidal
Mons
Flourens
Sauveterre
Castelet
Drémil-Lafage
Vallesvilles
Bourg-St-Bernard
Francarville
Villeneuve-lès-Lavaur
Maurens-Scopont
Vendine
Aigans
Cambon-lès-Lavaur
Fonsegrives
Quint
Montauriol
La Cassagne
Saussens
St-Anatoly
Aigrefeuille
St-Pierre-de-Lages
Lanta
Prunet
Loubens-Lauragais
Le Faget
Cuq-Toulza
Ramonville-St-Agne
Lauzerville
Ste-Foy-d'Aigrefeuille
St-Orens-de-Gameville
Auzielle
Aurin
Mascarville
Albiac
La Salvetat-Lauragais
Caraman
Auriac-sur-Vendinelle
Mouzens
Portet-s-Garonne
Pechbusque
Labège
Escalquens
Préserville
Odars
Maureville
Le Cabanial
Puéchoursi
Castanet-Tolosan
Belberaud
Fourquevaux
Tarabel
Vigoulet-Auzil
Lacroix-Falgarde
Mervilla
Péchabou
Pompertuzat
Caragoudes
Ségreville
Cambiac
Goyrans
Rebigue
Mourvilles-Basses
Aureville
Deyme
Labastide-Beauvoir
Varennes
Toutens
Beauville
Falga
St-Julia
Corronsac
Donneville
Montgiscard
Baziège
Mauremont
St-Germier
Cessales
Maurens
Vaux
Clermont-le-Fort
Espanès
Montbrun-Lauragais
Roqueville
Silo
Villenouvelle
Trébons-sur-la-Grasse
Juzes
St-Félix-Lauragais
Venerque
Pouze
Belbèze-de-Lauragais
Ayguesvives
St-Vincent
Lux
Bélesta-en-Lauragais
Mourvilles-Hautes
Les Cassés
Issus
Montgaillard-Lauragais
Noueilles
Montesquieu-Lauragais
St-Rome
Vallègue
Rieumajou
Grépiac
Labruyère-Dorsa
St-Léon
Vieillevigne
Villefranche-de-Lauragais
Folcarde
St-Paulet
Montmaur
Auragne
Caussidières
Gardouch
Renneville
Avignonet-Lauragais
Montferrand
Soupex
Airoux
Mauvaisin
Nailloux
Seyre
Montclar-Lauragais
Beauteville
Seuil de Naurouze
Labastide-d'Anjou
Ricaud
Auterive
Montgeard
Lagarde
Gourvieille
Obélisque de Riquet
Monestrol
Caignac
St-Michel-de-Lanès
Baraigne
Aignes
Molleville
Mas-Stes-Puelles
Cintegabelle
Marquein
Belflou
Cumiès
Calmont
Gibel
Salles-sur-l'Hers
St-Quirc
Lissac
Fajac-la-Relenque
La Louvière-Lauragais
Ste-Camelle
Montauriol
Payra-sur-l'Hers
Villeneuve-la-Comptal
Labatut
Canté
Gaillac-Toulza
Mézerville
Mézères
Peyrefitte-sur-l'Hers
Saverdun
Marliac
Molandier
St-Sernin
Mayreville
St-Amans
Justiniac
Brie
Pech-Luna
Belpech
Esplas
Unzent
Le Vernet
Montaut
Cahuzac
Gaja-la-Selve
Pécharic-et-le-Py
Ribouisse
Lafage
St-Martin-d'Oydes
Bonnac
Villeneuve-du-Paréage
Gaudiès
Plaigne
Villautou
Lescousse
St-Amans
Bézac
Lapenne
La Bastide-de-Lordat
St-Félix-de-Tournegat
Plavilla
St-Michel
Artigat
Le Carlaret
Roc Redon
Canal du Midi
A 61
A 66
E 9
E 80
N 126
D 813
D 820
D 6113
D 624
D 625

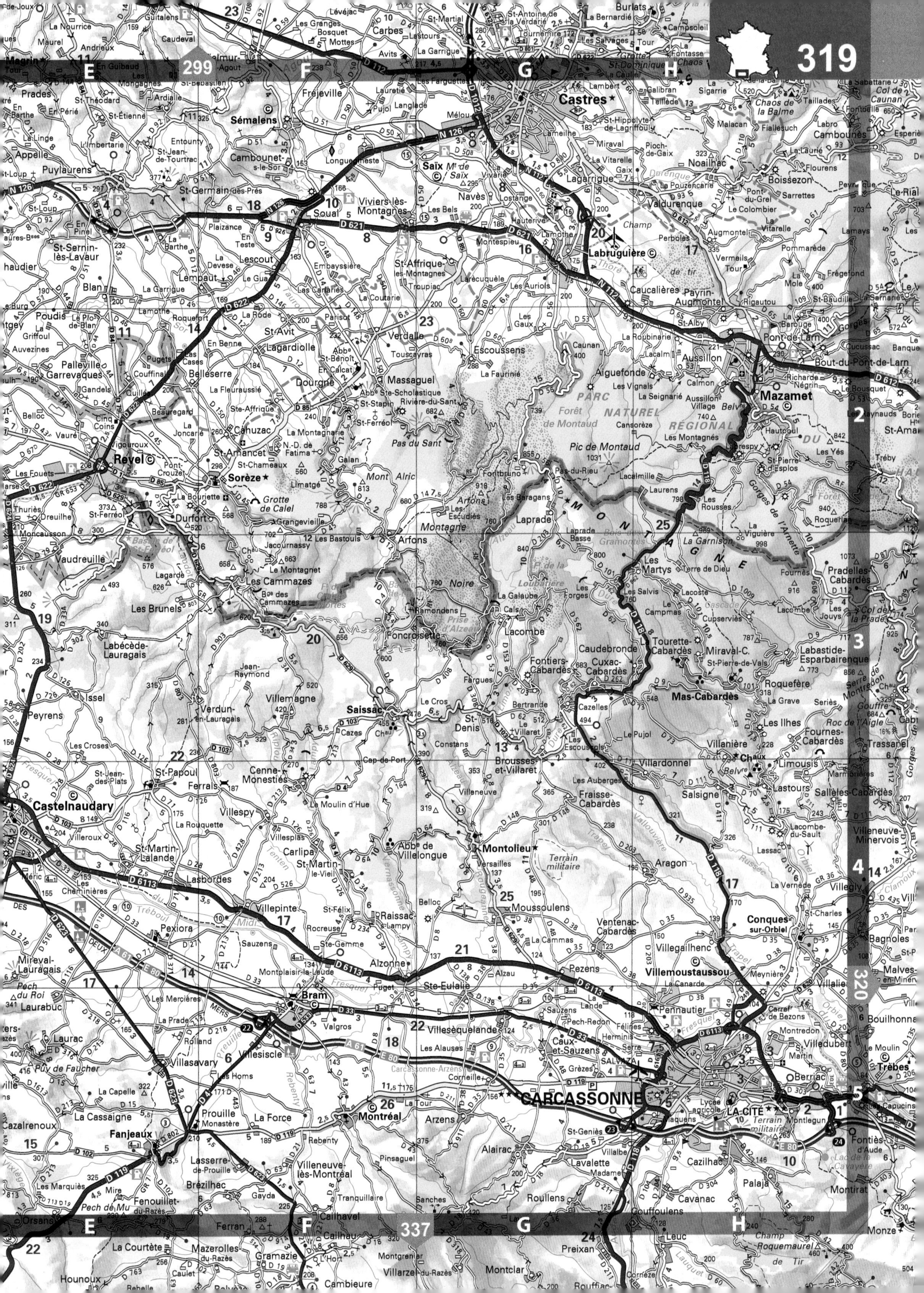
319
299
337
320
E
F
G
H
1
2
3
4
5
Castres
Mazamet
Labruguière
Revel
Sorèze
Castelnaudary
Carcassonne
La Cité
Saissac
Montolieu
Bram
Fanjeaux
Montréal
Trèbes
Conques-sur-Orbiel
Villemoustaussou
Mas-Cabardès
Puylaurens
Sémalens
Soual
Saïx
Dourgne
Massaguel
Arfons
Montagne Noire
Parc Naturel Régional
Pic de Montaud
Forêt de Montaud
Aussillon
Pont-de-Larn
Aiguefonde
Cuxac-Cabardès
Villepinte
Alzonne
Pezens
Pennautier
Villasavary
Prouille
Villeneuve-lès-Montréal
Arzens
Alairac
Cazilhac
Palaja
Cavanac
Preixan
Chaux
Limousis
Lastours
Salsigne
Villardonnel
Aragon
Moussoulens
Lasbordes
St-Papoul
Labécède-Lauragais
Les Cammazes
Durfort
St-Ferréol
Vaudreuille
Issel
Peyrens
Mireval-Lauragais
Laurabuc
Laurac
La Cassaigne
Brézilhac
Lasserre-de-Prouille
Rouffiac
Montclar
Couffoulens
Roullens
Leuc

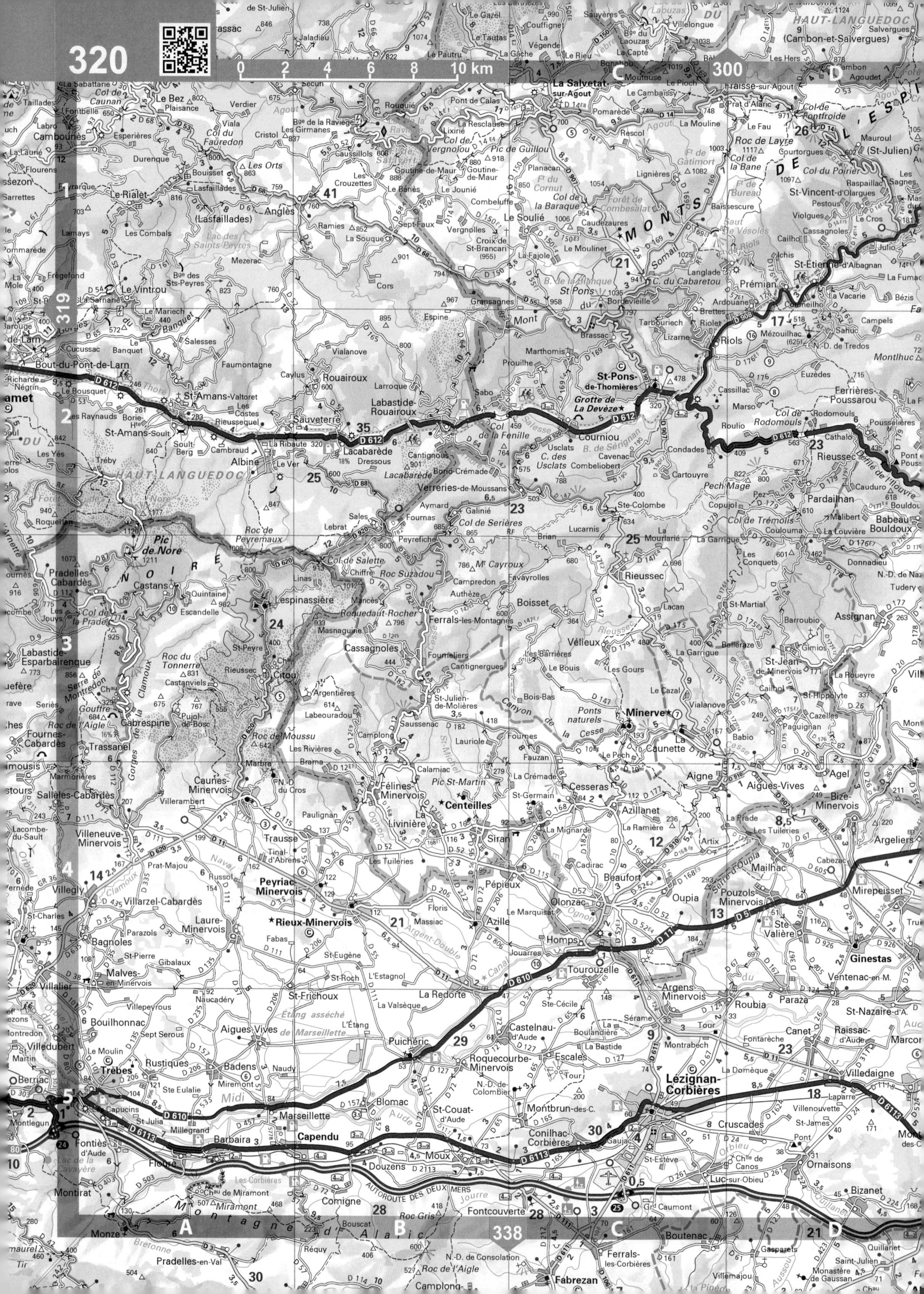
320
0 2 4 6 8 10 km
300
C
D
HAUT-LANGUEDOC
La Salvetat-sur-Agout
Salvergues
(Cambon-et-Salvergues)
Villelongue
Fraisse-sur-Agout
Col de Fontfroide
Rouquié
Pont de Calas
Le Bez
Plaisance
Cambounès
Esperières
Col de Caunan
Verdier
Viala
Col du Fauredon
Cristol
Les Girmanes
Caussillols
Col de Vergnolou
Pic de Guillou
Goutine-de-Maur
Durenque
Les Orts
Bouisset
Lasfaillades
Le Rialet
(Lasfaillades)
Anglès
Les Crouzettes
Le Banes
Le Jounié
Combeluffe
Le Soulié
Col de la Baraque
Forêt de Combesalat
MONTS
DE
L'ESPINOUSE
Roc de Layre
Col de la Bane
Col du Poirier
St-Vincent-d'Olargues
Mauroul
(St-Julien)
Raspaillac
Pestous
Violgues
Cassagnoles
Le Cros
Julio
Lac des Saints-Peyres
Les Combals
Ramies
La Souque
Sept-Faux
Vergnolles
Croix de St-Brancari
Mezerac
Le Moulinet
Caudezaures
La Fajole
Somail
Saut de Vésoles
St-Étienne-d'Albagnan
Prémian
C. du Cabaretou
St Pons
Bordevieille
Le Vintrou
Frégefond
Le Mariech
Banquet
Cors
Gransagnes
Espine
Mont
Tarbouriech
Riolet
Brettes
Riols
Mézouilhac
N.-D. de Tredos
Campels
Sahuc
La Vacarie
Bézis
Montlhuc
Cucussac
Bout-du-Pont-de-Larn
Salesses
Faumontagne
Vialanove
Marthomis
Prouilhe
Brassac
Lizarne
Euzèdes
Ferrières-Poussarou
Richarde
Négrin
Le Bousquet
St-Amans-Valtoret
Caylus
Rouairoux
Larroque
Labastide-Rouairoux
Sabo
St-Pons-de-Thomières
Grotte de La Devèze
Cassillac
Marso
Col de Rodomouls
Rodomouls
Pousselières
Les Raynauds
Les Costes
Rieussequel
Sauveterre
Col de la Fenille
Courniou
Roulio
St-Amans-Soult
Soult-Berg
Cambraud
La Ribaute
Lacabarède
Dressous
Cantignous
Usclats
C. des Usclats
B. de Sérignan
Cavenac
Combeliobert
Condades
Cathalo
Rieussec
Les Yés
Tréby
Albine
Le Ver
HAUT LANGUEDOC
Lacabarède
Borio-Crémade
Verreries-de-Moussans
Cartouyre
Pech Mage
Cauduro
Pardailhan
Roquerlan
Aymard
Fournas
Galinié
Col de Serières
Ste-Colombe
Copujol
Col de Trémolis
Malibert
Babeau-Bouldoux
Lebrat
Sales
Peyrefiche
Lucarnis
Brian
La Mourlarié
La Garrigue
Coulouma
La Louvière
Pic de Nore
NOIRE
Roc de Peyremaux
Col de Salette
Chiffre
Roc Suzadou
Mt Cayroux
Campredon
Favayrolles
Rieussec
Les Conquets
Donnadieu
N.-D. de Nazareth
Tudery
Pradelles-Cabardès
Castans
Quintaine
Escandelle
Linas
Lespinassière
Mancès
Authèze
Boisset
Lacan
St-Martial
Barroubio
Assignan
Col de la Prade
Les Jouys
Roquedaut-Rocher
Masnaguine
Ferrals-les-Montagnes
Labastide-Esparbairenque
St-Peyre
Cassagnoles
Fourneliers
Cantignergues
Vélieux
Les Barrières
Le Bouis
Les Gours
Bellaraze
La Garrigue
Gimios
St-Jean-de-Minervois
La Roueyre
Roc du Tonnerre
Castanviels
Rieussec
Citou
Serre de Montredon
Clamoux
Argentières
Labeouradou
St-Julien-de-Molières
Le Cazal
Caihol
St-Hippolyte
Cazelles
Paguignan
Gouffre
Roc de l'Aigle
Cabrespine
Pujol-de-Bosc
Roc de Moussu
Saussenac
Canyon de la Cesse
Bois-Bas
Ponts naturels
Minerve
Vialanove
Fournes-Cabardès
Trassanel
Les Rivières
Camplong
Lauriole
Fournes
Fauzan
La Caunette
Babio
Brama
Calamiac
Pic St-Martin
La Crémade
Le Pech
Aigne
Agel
Aigues-Vives
Bize-Minervois
Marmorières
Sallèles-Cabardès
Caunes-Minervois
Marbre
N.-D. du Cros
Félines-Minervois
Centeilles
St-Germain
Cesseras
Azillanet
La Ramière
La Prade
Les Tuileries
Argeliers
Villerambert
Paulignan
La Livinière
Siran
La Mignarde
Artix
Villeneuve-Minervois
Trausse
Tinal-d'Abrens
Les Tuileries
Cadirac
Beaufort
Mailhac
Cabezac
Mirepeisset
Prat-Majou
Russol
Villegly
Peyriac-Minervois
Pépieux
Olonzac
Oupia
Pouzols-Minervois
Villarzel-Cabardès
Laure-Minervois
Rieux-Minervois
Massiac
Floris
Azille
Le Marquisat
Ste-Valière
St-Charles
Bagnoles
Parazols
Fabas
St-Eugène
Homps
Jouarres
Ginestas
Ventenac-en-M.
St-Pierre
Gibalaux
St-Roch
L'Estagnol
Tourouzelle
Malves-en-Minervois
Villalier
Villepeyrous
Naucadéry
St-Frichoux
La Valsèque
La Redorte
Ste-Cécile
Argens-Minervois
Roubia
Paraza
St-Nazaire-d'A.
Bouilhonnac
Sept Serous
Aigues-Vives
Étang asséché de Marseillette
L'Étang
Sérame
Castelnau-d'Aude
La Boulandière
Tour
Fontarèche
Canet
Raissac-d'Aude
Marcorignan
Villedubert
Le Moulin
Rustiques
Badens
Naudy
Puichéric
La Bastide
Montrabech
Berriac
Trèbes
Miremont
Roquecourbe-Minervois
Escales
La Domèque
Lézignan-Corbières
Villedaigne
Ste Eulalie
Midi
Blomac
N.-D. de Colombier
Montbrun-des-C.
Laparre
Villenouvette
Montlegun
Les Capucins
St Julia
Millegrand
Marseillette
St-Couat-d'Aude
Cruscades
St-James
Fontiès-d'Aude
Barbaira
Capendu
Conilhac-Corbières
Gaujac
Pont
Floure
Moux
Douzens
St-Estève
Ch. de Canos
Ornaisons
Lac de la Cavayère
Les Corbières
Luc-sur-Orbieu
Montirat
Ch. de Miramont
AUTOROUTE DES DEUX MERS
Bizanet
Comigne
Fontcouverte
Gd Caumont
Miramont
Montagne d'Alaric
Monze
Bouscat
Roc Gris
338
Boutenac
Quillanet
A
B
C
D
Bretonne
Réquy
N.-D. de Consolation
Ferrals-les-Corbières
Gasparets
Saint-Julien
Pradelles-en-Val
Roc de l'Aigle
Monastère de Gaussan
Camplong
Fabrezan
Villemajou
Villar
Tir

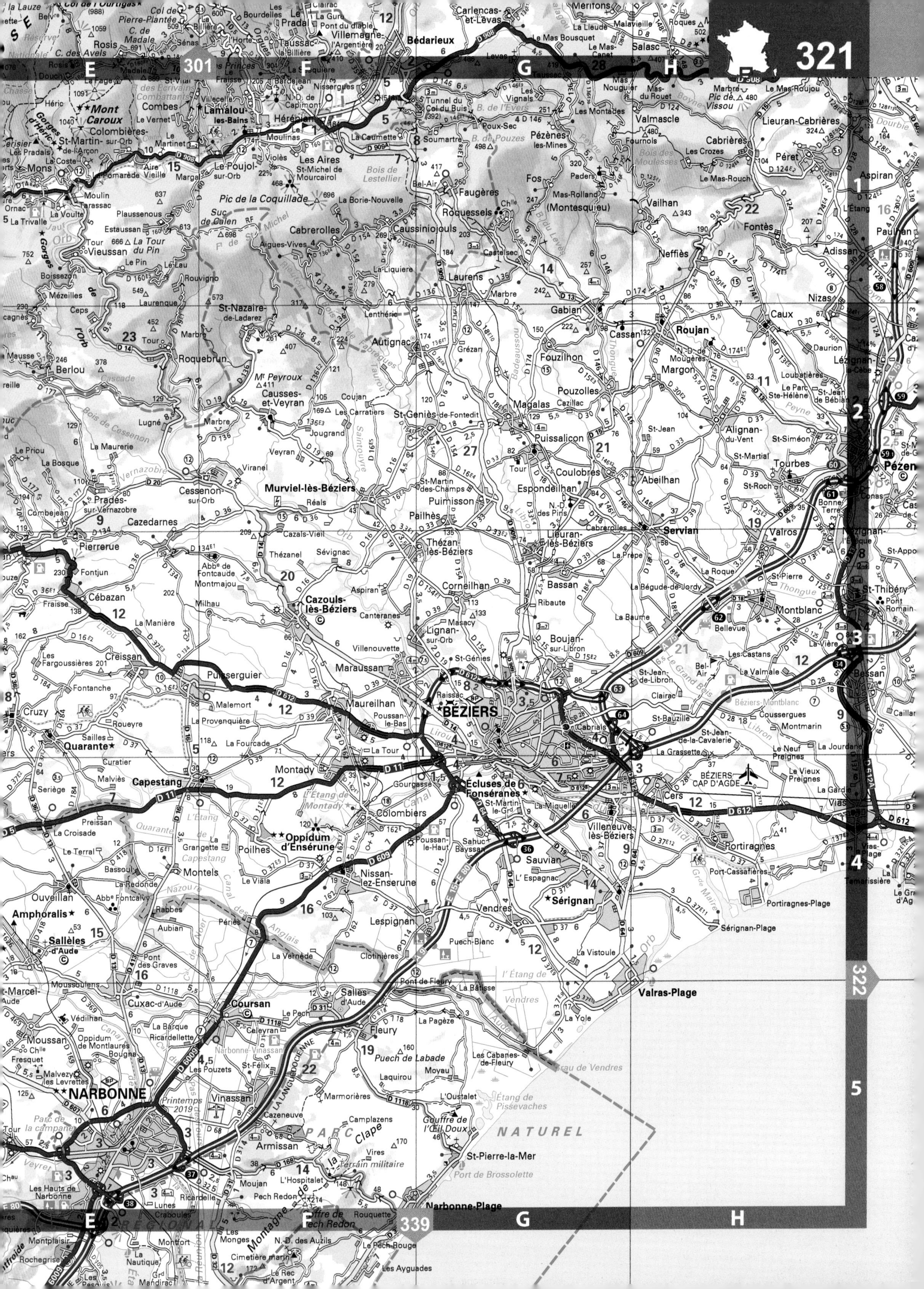
321
301
322
339
E
F
G
H
1
2
3
4
5
Bédarieux
Carlencas-et-Levas
Le Mas Bousquet
Le Mas-Canet
Salasc
Villemagne-l'Argentière
Le Pradal
Taussac-la-Billière
Rosis
Col de Pierre-Plantée
C. de Madale
C. des Avels
Lamalou-les-Bains
Combes
Mont Caroux
Colombières-sur-Orb
St-Martin-de-l'Arçon
Hérépian
Tunnel du Col du Buis
La Caumette
Soumartre
B. de Pouzes
Poux-Sec
Pézènes-les-Mines
Les Montades
Valmascle
Mas-du Rouet
Pic de Vissou
Lieuran-Cabrières
Cabrières
Péret
Aspiran
Les Crozes
Le Mas-Rouch
Fontès
Paulhan
Adissan
Nizas
Caux
Lézignan-la-Cèbe
Mons
Le Poujol-sur-Orb
Les Aires
St-Michel de Mourcairol
Bois de Lestellier
Bel-Air
Faugères
Fos
Mas-Rolland (Montesquieu)
Vailhan
Pic de la Coquillade
Suc de Calen
La Borie-Nouvelle
Roquessels
Caussiniojouls
Cabrerolles
Aigues-Vives
La Liquière
Castelsec
Neffiès
Moulin Tarassac
Plaussenous
Estaussan
La Tour du Pin
Vieussan
Gorges de l'Orb
Boissezon
Mézeilles
Rouvignou
Laurenque
St-Nazaire-de-Ladarez
Laurens
Gabian
Cassan
Roujan
Margon
N.-D. de Mougères
Fouzilhon
Pouzolles
Autignac
Lenthéric
Grézan
Roquebrun
Berlou
Mt Peyroux
Causses-et-Veyran
Coujan
Les Carratiers
St-Geniès-de-Fontedit
Magalas
Cazillac
Puissalicon
Alignan-du-Vent
St-Jean
St-Siméon
Tourbes
Pézenas
St-Martial
St-Roch
Conas
Bois de Cessenon
Lugné
Jougrand
Veyran
Viranel
Murviel-lès-Béziers
Réals
Cessenon-sur-Orb
Prades-sur-Vernazobre
Cazedarnes
Pierrerue
Cazals-Vieil
Thézanel
Sévignac
St-Martin-des-Champs
Puimisson
Pailhès
Thézan-lès-Béziers
Tour
Coulobres
Abeilhan
Espondeilhan
N.-D. des Pins
Servian
Lieuran-lès-Béziers
Cabrerolles
La Prèpe
Valros
Fontjun
Cébazan
Abb.e de Fontcaude
Montmajou
Milhau
Cazouls-lès-Béziers
Aspiran
Canteranes
Corneilhan
Bassan
Ribaute
La Roque
La Bégude-de-Jordy
St-Pierre
Montblanc
St-Thibéry
Bellevue
La Baume
Fraisse
La Manière
Masacy
Lignan-sur-Orb
Villenouvette
Boujan-sur-Libron
Les Castans
La Vière
Bessan
Les Fargoussières
Creissan
Puisserguier
Maraussan
St-Géniès
St-Jean-de-Libron
Bel-Air
La Valmale
Fontanche
Cruzy
Roueyre
Quarante
Malemort
La Provenquière
Maureilhan
Poussan-le-Bas
Raissac
BÉZIERS
Cabrials
Clairac
St-Bauzille
Béziers-Montblanc
Coussergues
Montmarin
St-Jean-de-la-Cavalerie
Le Neuf Preignes
La Jourdane
La Fourcade
Curatier
Malviès
Capestang
Montady
La Tour
Gourgasse
Écluses de Fonséranes
La Grassette
BÉZIERS CAP D'AGDE
Cers
Le Vieux Preignes
La Garde
Vias
L'Étang de Montady
Colombiers
Oppidum d'Ensérune
St-Martin-le-Grd
La Miquelle
Villeneuve-lès-Béziers
Portiragnes
Sérignan
Preissan
La Croisade
Le Terral
Bassou
La Grangette
Poilhes
Montels
Le Viala
Sahuc
Bayssan
Sauvian
L'Espagnac
Poussan-le-Haut
Nissan-lez-Enserune
Port-Cassafières
Portiragnes-Plage
Sérignan-Plage
Ouveillan
La Redonde
Abb.e Fontcalvy
Amphoralis
Sallèles-d'Aude
Rabbes
Aubian
Périès
Lespignan
Vendres
Puech-Blanc
La Vistoule
La Vernède
Clotinières
Pont des Graves
Moussoulens
Cuxac-d'Aude
Coursan
Salles-d'Aude
Pont de Fleury
La Batisse
L'Étang de Vendres
Valras-Plage
La Yole
Védilhan
La Barque
Ricardelle
Celeyran
Le Pech
Fleury
La Pagèze
Moussan
Oppidum de Montlaurès
Bougna
Fresquet
Malvezy
Les Levrettes
NARBONNE
Narbonne-Vinassan
Les Pouzets
St-Félix
Puech de Labade
Moyau
Laquirou
Grau de Vendres
Marmorières
L'Oustalet
Étang de Pissevaches
Gouffre de l'Œil Doux
Vinassan
Printemps 2019
Parc de la campane
Cazeneuve
Camplazens
La Clape
NATUREL
PARC
Armissan
Vires
Terrain militaire
St-Pierre-la-Mer
Port de Brossolette
Les Hauts de Narbonne
L'Hospitalet
Moujan
Pech Redon
Gouffre de Pech Redon
Ricardelle
Lunes
Craboules
Narbonne-Plage
RÉGIONAL
Montagne de la Clape
Montplaisir
Rochegrise
Les Monges
Montfort
N.-D. des Auzils
Le Pech-Rouge
Cimetière marin
Le Rec d'Argent
Les Ayguades
La Nautique
Grd Mandirac

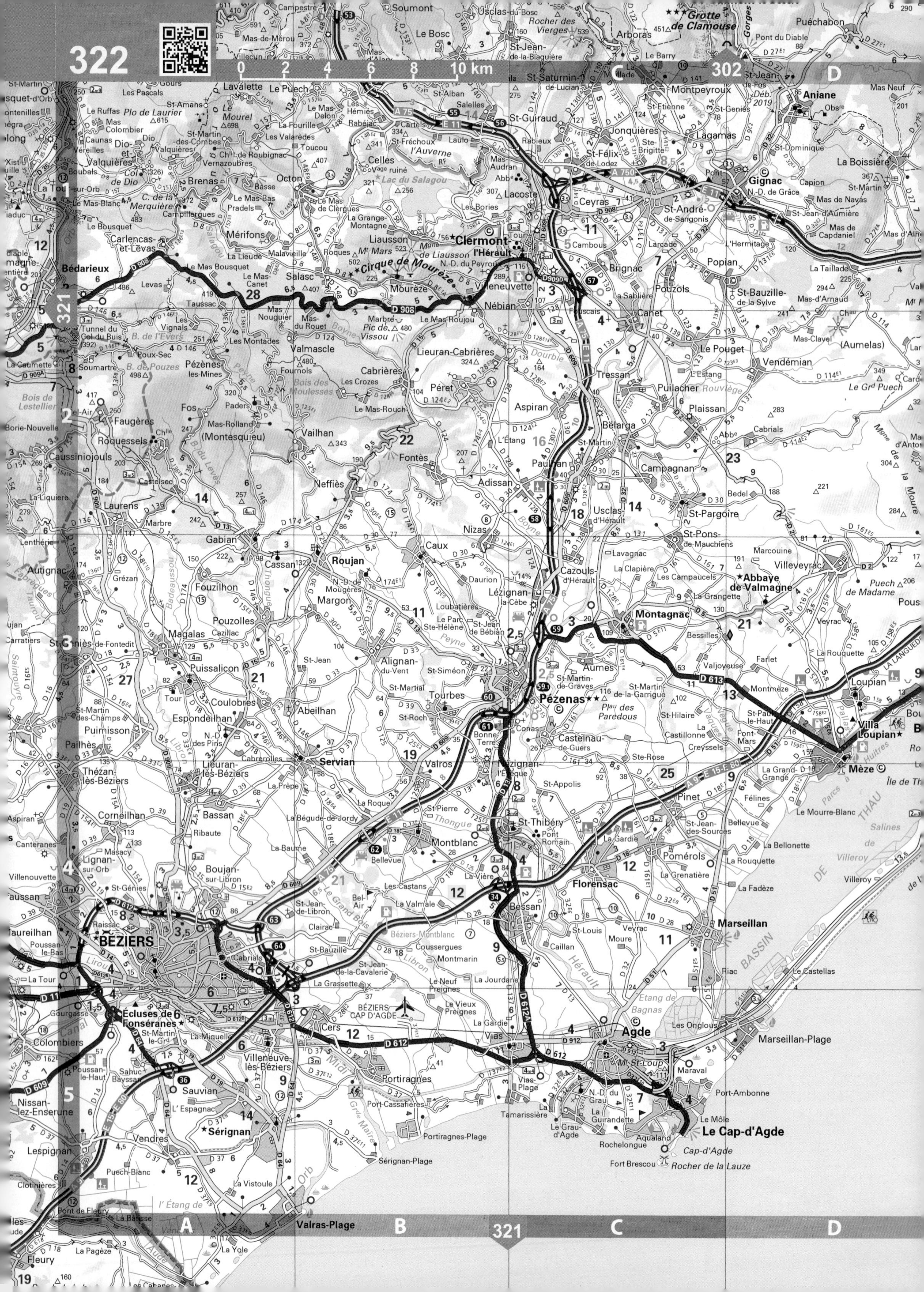

322
0 2 4 6 8 10 km
302
321
A
B
C
D
Grotte de Clamouse
Puéchabon
Pont du Diable
Aniane
Gignac
N.-D. de Grâce
St-Jean-de-Fos
Montpeyroux
Arboras
St-Jean-de-la-Blaquière
Usclas-du-Bosc
Rocher des Vierges
Soumont
Le Bosc
Campestre
Mas-de-Mérou
St-Saturnin-de-Lucian
St-Guiraud
Jonquières
Lagamas
St-Félix-de-Lodez
Ceyras
St-André-de-Sangonis
Clermont-l'Hérault
Lac du Salagou
Celles
Octon
Lavalette
Le Puech
Brenas
Mérifons
Carlencas-et-Levas
Bédarieux
Cirque de Mourèze
Mourèze
Salasc
Villeneuvette
Nébian
Canet
Brignac
Popian
Pouzols
St-Bauzille-de-la-Sylve
La Boissière
Vendémian
Le Pouget
Tressan
Plaissan
Puilacher
Bélarga
Aspiran
Paulhan
Campagnan
St-Pargoire
Lieuran-Cabrières
Cabrières
Péret
Valmascle
Pic de Vissou
Faugères
Pézènes-les-Mines
Fos
Roquessels
Vailhan
Neffiès
Fontès
Adissan
Usclas-d'Hérault
Nizas
Caux
Roujan
Gabian
Cassan
Laurens
Autignac
Fouzilhon
Pouzolles
Margon
Magalas
Lézignan-la-Cèbe
Cazouls-d'Hérault
St-Pons-de-Mauchiens
Abbaye de Valmagne
Villeveyrac
Montagnac
Pézenas
Alignan-du-Vent
Tourbes
Puissalicon
Espondeilhan
Coulobres
Abeilhan
Servian
Valros
Castelnau-de-Guers
Nézignan-l'Évêque
St-Thibéry
Montblanc
Bassan
Lieuran-lès-Béziers
Corneilhan
Thézan-lès-Béziers
Puimisson
Pailhès
Lignan-sur-Orb
Boujan-sur-Libron
BÉZIERS
Écluses de Fonséranes
Colombiers
Villeneuve-lès-Béziers
Cers
Sauvian
Sérignan
Vendres
Lespignan
Portiragnes
Portiragnes-Plage
Sérignan-Plage
Valras-Plage
Vias
Vias-Plage
Agde
Le Cap-d'Agde
Le Grau-d'Agde
Rochelongue
Marseillan
Marseillan-Plage
Florensac
Bessan
Pomérols
Pinet
Mèze
Loupian
Villa Loupian
BÉZIERS CAP D'AGDE
BASSIN DE THAU
Étang de Bagnas
Fort Brescou
Rocher de la Lauze
Cap-d'Agde
Fleury
Nissan-lez-Enserune
A 75
E 11
A 750
A 9 - E 15 - E 80
D 908
D 612
D 613
D 609

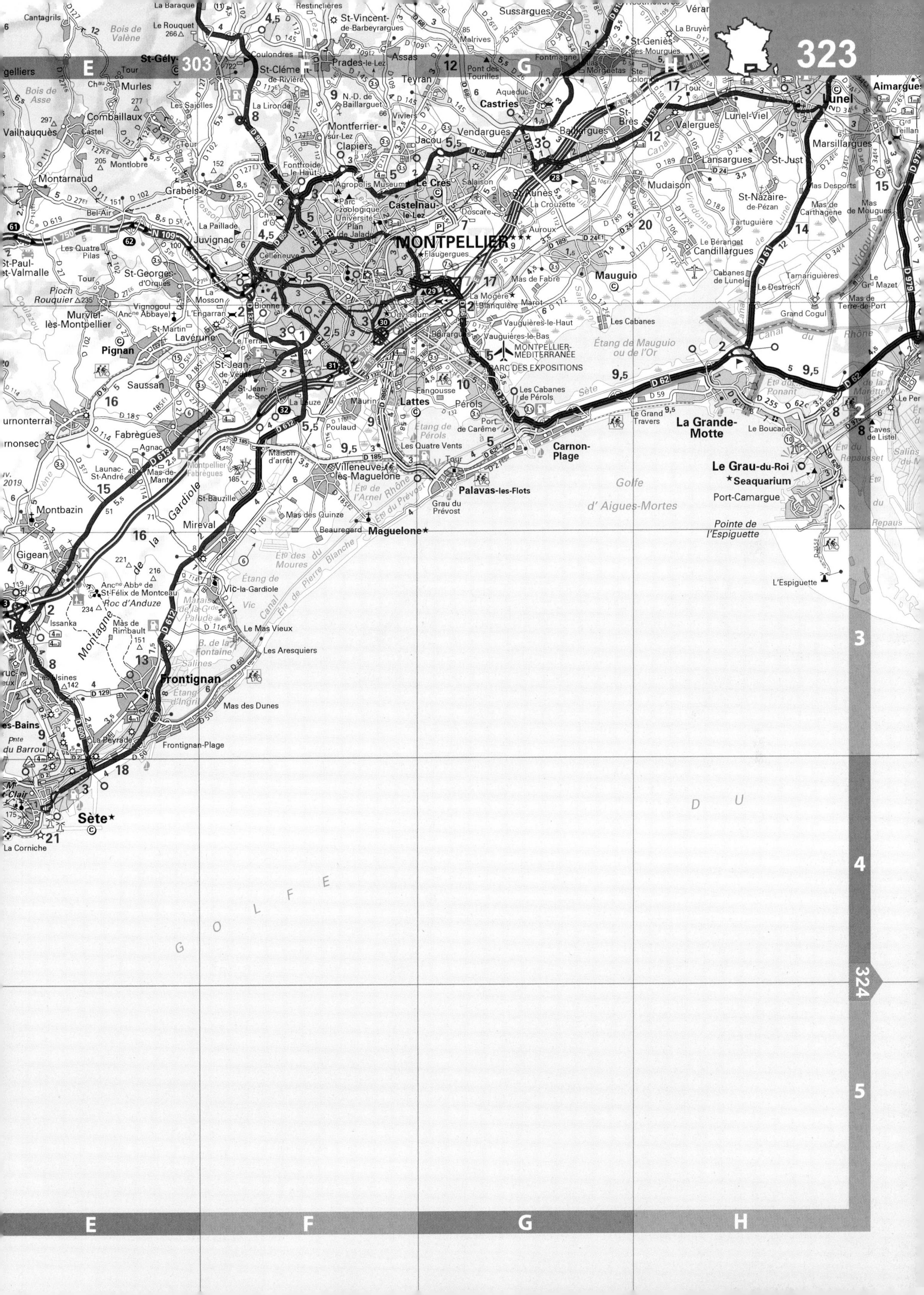
MONTPELLIER
Sète
Frontignan
Lunel
La Grande-Motte
Le Grau-du-Roi
Palavas-les-Flots
Carnon-Plage
Lattes
Pérols
Mauguio
Castries
Castelnau-le-Lez
Le Crès
Vendargues
Juvignac
Pignan
Fabrègues
Gigean
Mireval
Vic-la-Gardiole
Villeneuve-lès-Maguelone
Maguelone
Montbazin
Lansargues
Marsillargues
Candillargues
Mudaison
Baillargues
St-Aunès
Golfe d' Aigues-Mortes
Étang de Mauguio ou de l'Or
MONTPELLIER-MÉDITERRANÉE
PARC DES EXPOSITIONS
Pointe de l'Espiguette
Port-Camargue
Seaquarium
GOLFE DU
E
F
G
H
303
324

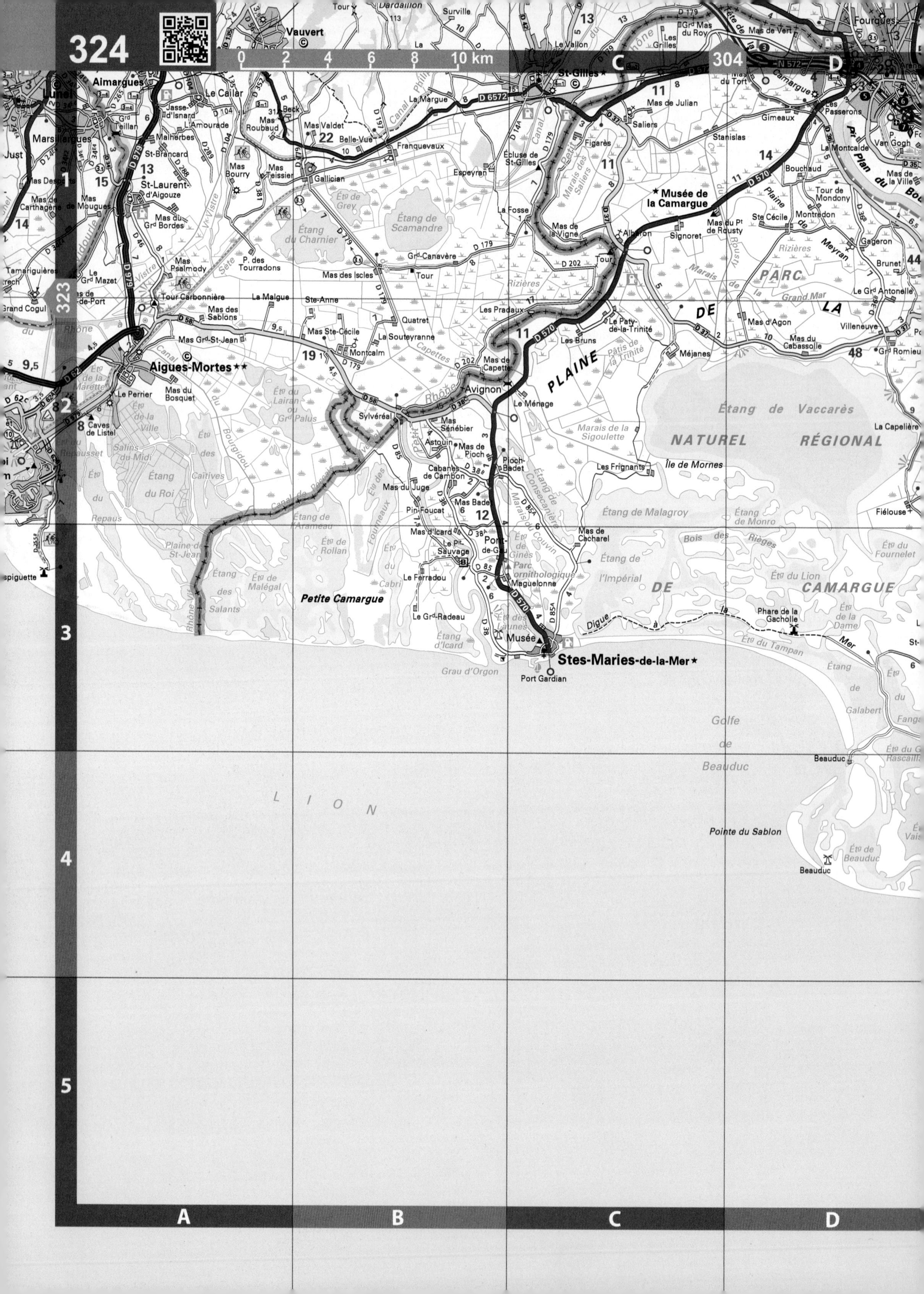

0 2 4 6 8 10 km
Vauvert
St-Gilles
Fourques
Aimargues
Le Cailar
Marsillargues
St-Laurent-d'Aigouze
Gallician
Franquevaux
Étang de Scamandre
Étang du Charnier
Musée de la Camargue
Albaron
Aigues-Mortes
Sylvéréal
Avignon
PLAINE
PARC NATUREL RÉGIONAL DE LA CAMARGUE
Étang de Vaccarès
Méjanes
Villeneuve
Petite Camargue
Stes-Maries-de-la-Mer
Port Gardian
Grau d'Orgon
Golfe de Beauduc
Pointe du Sablon
Beauduc
Phare de la Gacholle
L I O N
Étang du Roi
Le Grau-du-Roi
Espiguette
Grand Cogul
Tour Carbonnière
Salin-de-Giraud
A
B
C
D
1
2
3
4
5
323
304

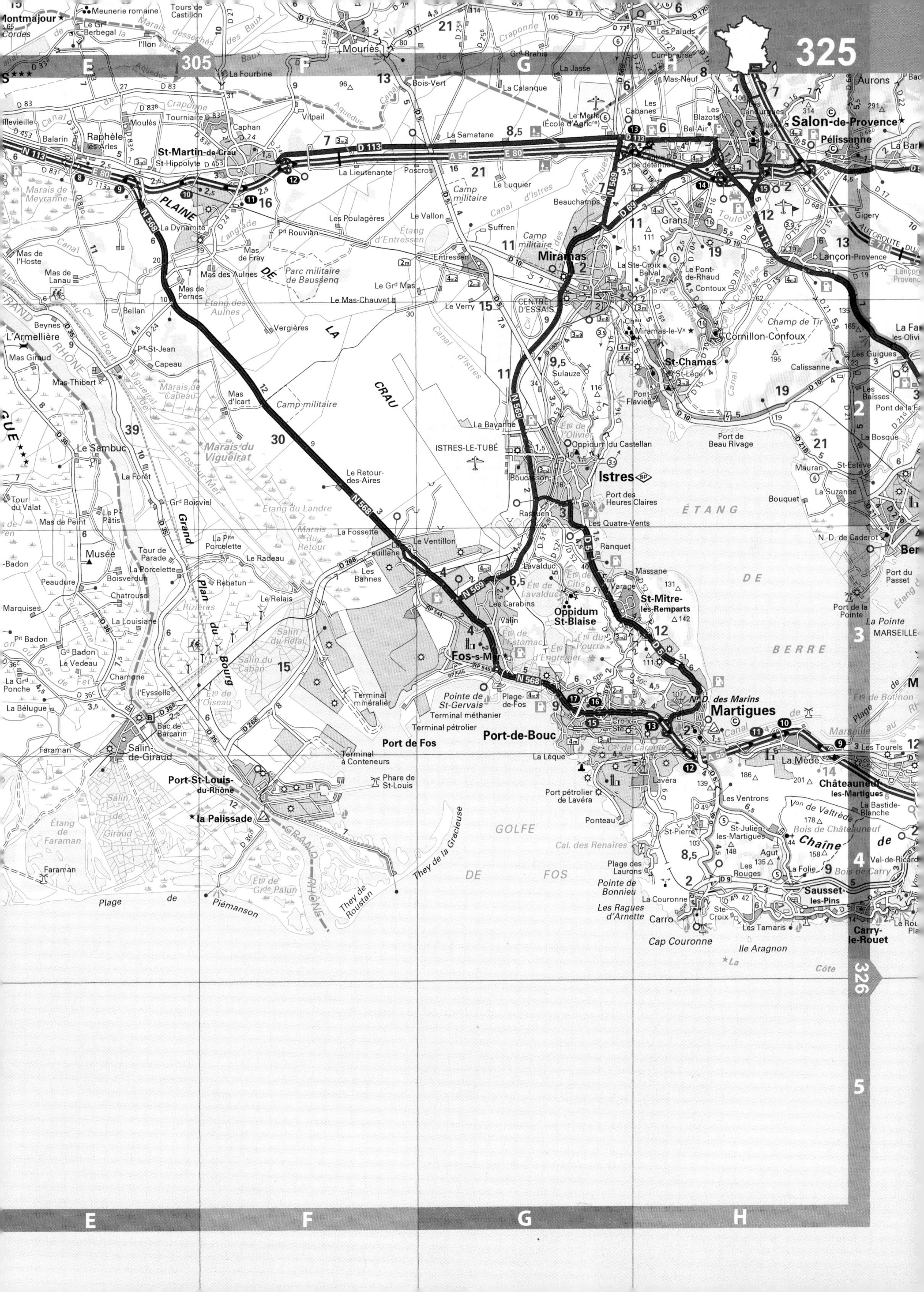
Montmajour
Meunerie romaine
Tours de Castillon
Le Grd Berbegal
Marais desséchés des Baux
Mouriès
305
La Fourbine
Bois-Vert
Craponne
Grd Brahis
La Jasse
La Calanque
Curebourse
Mas-Neuf
Les Paluds
Aurons
Salon-de-Provence
Pélissanne
La Barben
Moulès
Tourniaire
Caphan
Vilpail
Raphèle-lès-Arles
Balarin
St-Martin-de-Crau
St-Hippolyte
La Samatane
Le Merle (École d'Agricre)
Cabanes
Les Blazots
Bel-Air
La Lieutenante
Poscros
Le Luquier
Camp militaire
Centre de détention
Canal d'Istres
Beauchamps
Grans
Gigery
Lançon-Provence
Marais de Meyranne
PLAINE
La Dynamite
Les Poulagères
Le Vallon
Pt Rouvian
Suffren
Étang d'Entressen
Entressen
Camp militaire
Miramas
La Ste-Croix
Belval
Le Pont-de-Rhaud
Contoux
Mas de l'Hoste
Mas de Fray
Mas des Aulnes
DE
Parc militaire de Bausseng
Le Grd Mas
Le Mas-Chauvet
Mas de Lanau
Mas de Pernes
Étang des Aulnes
Bellan
Le Verry
CENTRE D'ESSAIS
Champ de Tir
Cornillon-Confoux
Miramas-le-Vx
La Fare-les-Oliviers
Beynes
L'Armellière
Pt St-Jean
Vergières
LA
Capeau
Mas Giraud
GRAND RHÔNE
Mas-Thibert
Marais de Capeau
Mas d'Icart
CRAU
Camp militaire
Sulauze
St-Chamas
St-Léger
Pont-Flavien
Les Guigues
Calissanne
Les Baïsses
Pont de la Fare
Le Bosquet
La Bayanne
Étg de l'Olivier
Oppidum du Castellan
Port de Beau Rivage
Le Sambuc
Marais du Vigueirat
ISTRES-LE-TUBÉ
Istres
Boucasson
Port des Heures Claires
Mauran
St-Estève
La Suzanne
La Forêt
Le Retour-des-Aires
Tour du Valat
Mas de Peint
Le Pt Pâtis
Grd Boisviel
Étang du Landre
Rassuen
Les Quatre-Vents
ÉTANG
Bouquet
N.-D. de Caderot
Berre
Musée
Tour de Parade
La Pte Porcelette
La Porcelette
Le Radeau
La Fossette
Le Ventillon
Feuillane
Marais du Retour
Ranquet
Badon
Peaudure
Boisverdun
Rebatun
Les Bannes
Lavalduc
Massane
Port du Passet
DE
Chatrouse
Le Relais
Étg de Lavalduc
Étg de Citis
Varage
Les Carabins
St-Mitre-les-Remparts
Oppidum St-Blaise
Port de la Pointe
Marquises
La Louisiane
Rizières
Valin
La Pointe
MARSEILLE
Pt Badon
Salin du Relai
Étg de l'Estomac
Étg du Pourra
Étg d'Engrenier
BERRE
Grd Badon
Le Vedeau
Salin du Caban
Fos-s-Mer
La Grd Ponche
Chamone
Étg de Bolmon
L'Eysselle
Pointe de St-Gervais
Plage-de-Fos
N.-D. des Marins
Martigues
Terminal minéralier
Terminal méthanier
Croix-Ste
Plage
La Bélugue
Bac de Barcarin
Terminal pétrolier
Port-de-Bouc
Canal de Caronte
Marseille
Les Tourels
Faraman
Salin-de-Giraud
Port de Fos
Terminal à Conteneurs
La Lèque
La Mède
Châteauneuf-les-Martigues
Port-St-Louis-du-Rhône
Phare de St-Louis
Lavéra
Port pétrolier de Lavéra
Les Ventrons
Von de Valtrède
La Bastide-Blanche
la Palissade
They de la Gracieuse
Salin de Giraud
GOLFE
St-Pierre
St-Julien-les-Martigues
Bois de Châteauneuf
Chaîne de l'Estaque
Étang de Faraman
Ponteau
Cal. des Renaïres
Agut
Val-de-Ricard
Faraman
Étg de Grde Palun
GRAND RHÔNE
DE
FOS
Plage des Laurons
Pointe de Bonnieu
Les Rouges
La Folie
Bois de Carry
Sausset-les-Pins
Plage
de
Piémanson
They de Roustan
Les Ragues d'Arnette
La Couronne
Carro
Ste Croix
Les Tamaris
Carry-le-Rouet
Le Rouet Plage
Cap Couronne
Ile Aragnon
Côte
326
E F G H
1 2 3 4 5

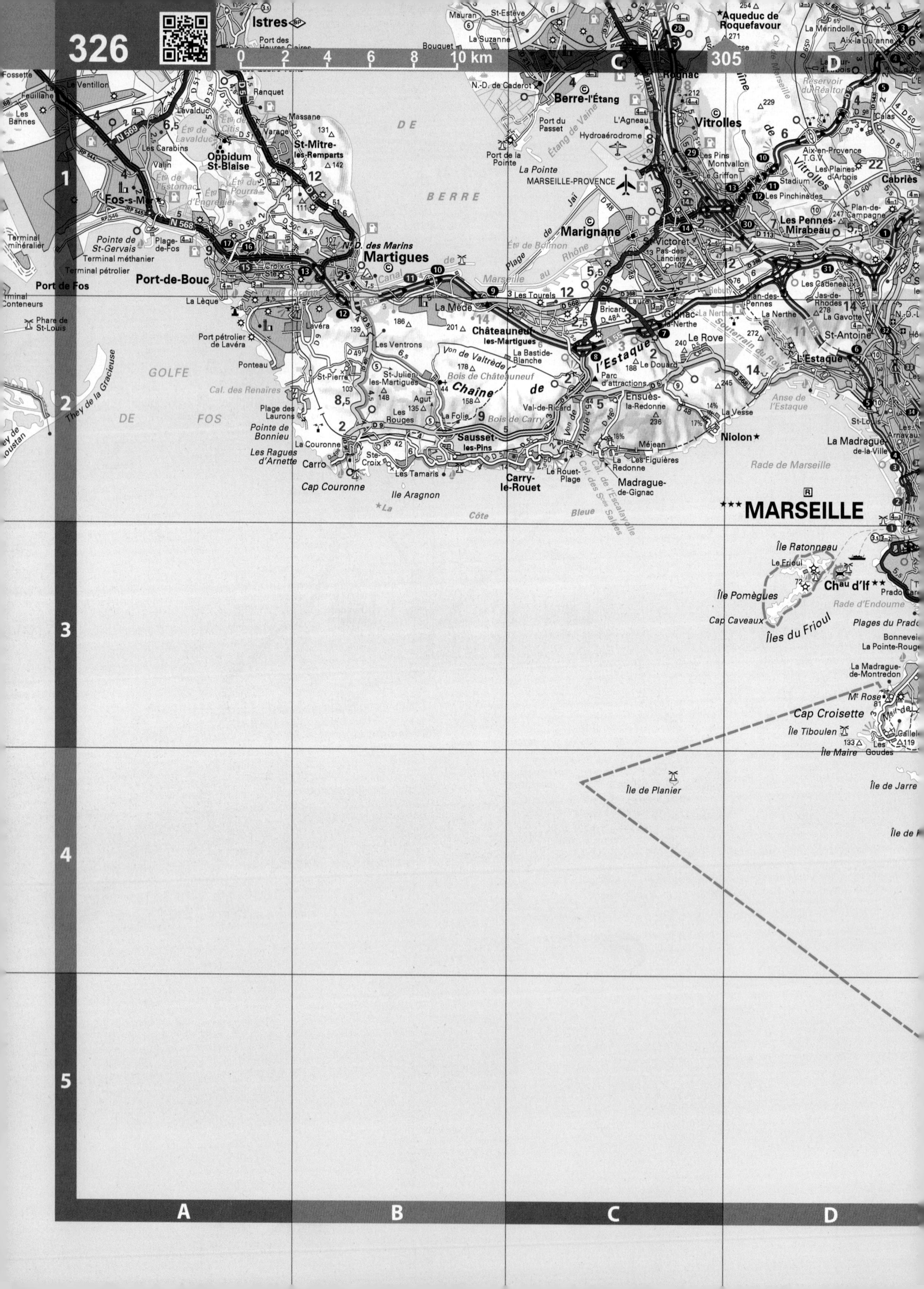
Istres
Martigues
Port-de-Bouc
Fos-s-Mer
St-Mitre-les-Remparts
Oppidum St-Blaise
Berre-l'Étang
Vitrolles
Marignane
MARSEILLE-PROVENCE
Châteauneuf-les-Martigues
Sausset-les-Pins
Carry-le-Rouet
Ensuès-la-Redonne
Le Rove
Gignac-la-Nerthe
Les Pennes-Mirabeau
Cabriès
Aqueduc de Roquefavour
Chaîne de l'Estaque
GOLFE DE FOS
DE BERRE
Cap Couronne
Carro
Niolon
Rade de Marseille
MARSEILLE
Île Ratonneau
Île Pomègues
Îles du Frioul
Chau d'If
Cap Croisette
Île de Planier
Île Tiboulen
Île Maire
Les Goudes
Île de Jarre
0 2 4 6 8 10 km
305
A B C D
1 2 3 4 5

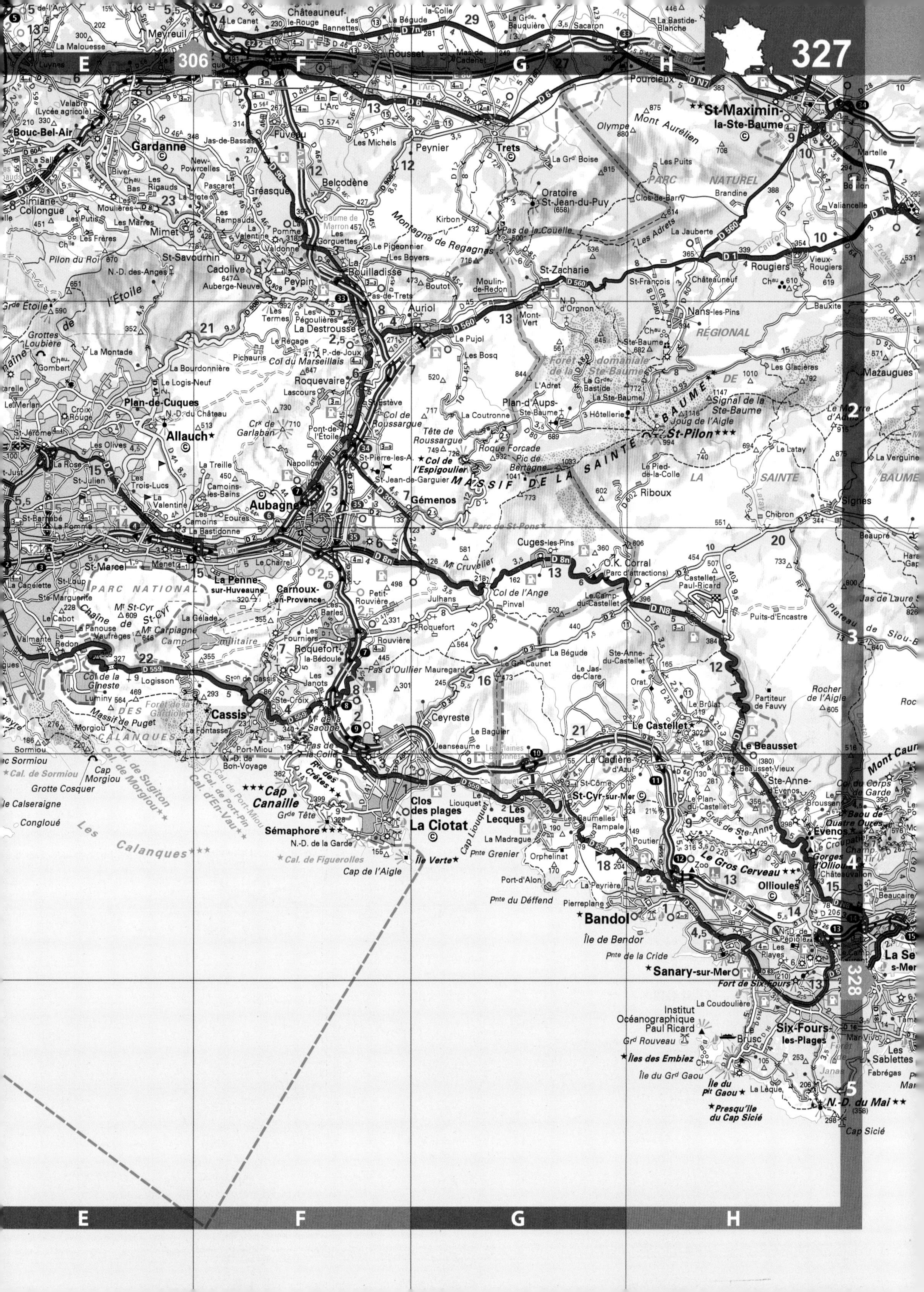
E
F
G
H
306
328
St-Maximin-la-Ste-Baume
Mont Aurélien
Olympe
Trets
Peynier
Fuveau
Gardanne
Bouc-Bel-Air
Meyreuil
Châteauneuf-le-Rouge
Rousset
Pourcieux
Gréasque
Belcodène
Mimet
Simiane-Collongue
Cadolive
St-Savournin
Peypin
La Bouilladisse
La Destrousse
Auriol
Roquevaire
Oratoire St-Jean-du-Puy
Montagne de Regagnas
St-Zacharie
Nans-les-Pins
PARC NATUREL RÉGIONAL DE LA SAINTE BAUME
Rougiers
Mazaugues
Plan-d'Aups-Ste-Baume
St-Pilon
Signal de la Ste-Baume
MASSIF DE LA SAINTE BAUME
Allauch
Plan-de-Cuques
Aubagne
Gémenos
Col de l'Espigoulier
Riboux
Signes
Cuges-les-Pins
O.K. Corral (Parc d'attractions)
Circuit Paul-Ricard
Le Camp-du-Castellet
La Penne-sur-Huveaune
Carnoux-en-Provence
Roquefort-la-Bédoule
Ceyreste
Cassis
PARC NATIONAL DES CALANQUES
Chaîne de St-Cyr
Col de la Gineste
Massif de Puget
Cap Canaille
Sémaphore
La Ciotat
Île Verte
Cap de l'Aigle
Les Lecques
St-Cyr-sur-Mer
La Cadière-d'Azur
Le Castellet
Le Beausset
Le Gros Cerveau
Ollioules
Évenos
Bandol
Île de Bendor
Sanary-sur-Mer
Six-Fours-les-Plages
Institut Océanographique Paul Ricard
Îles des Embiez
N.-D. du Mai
Presqu'île du Cap Sicié
Cap Sicié
Les Calanques
Cal. de Sormiou
Cal. de Morgiou
Cal. de Sugiton
Cal. d'En-Vau
Cal. de Port-Pin
Cal. de Port-Miou
Grotte Cosquer
A 50
A 52
A 8
D 560
D 559
D N8

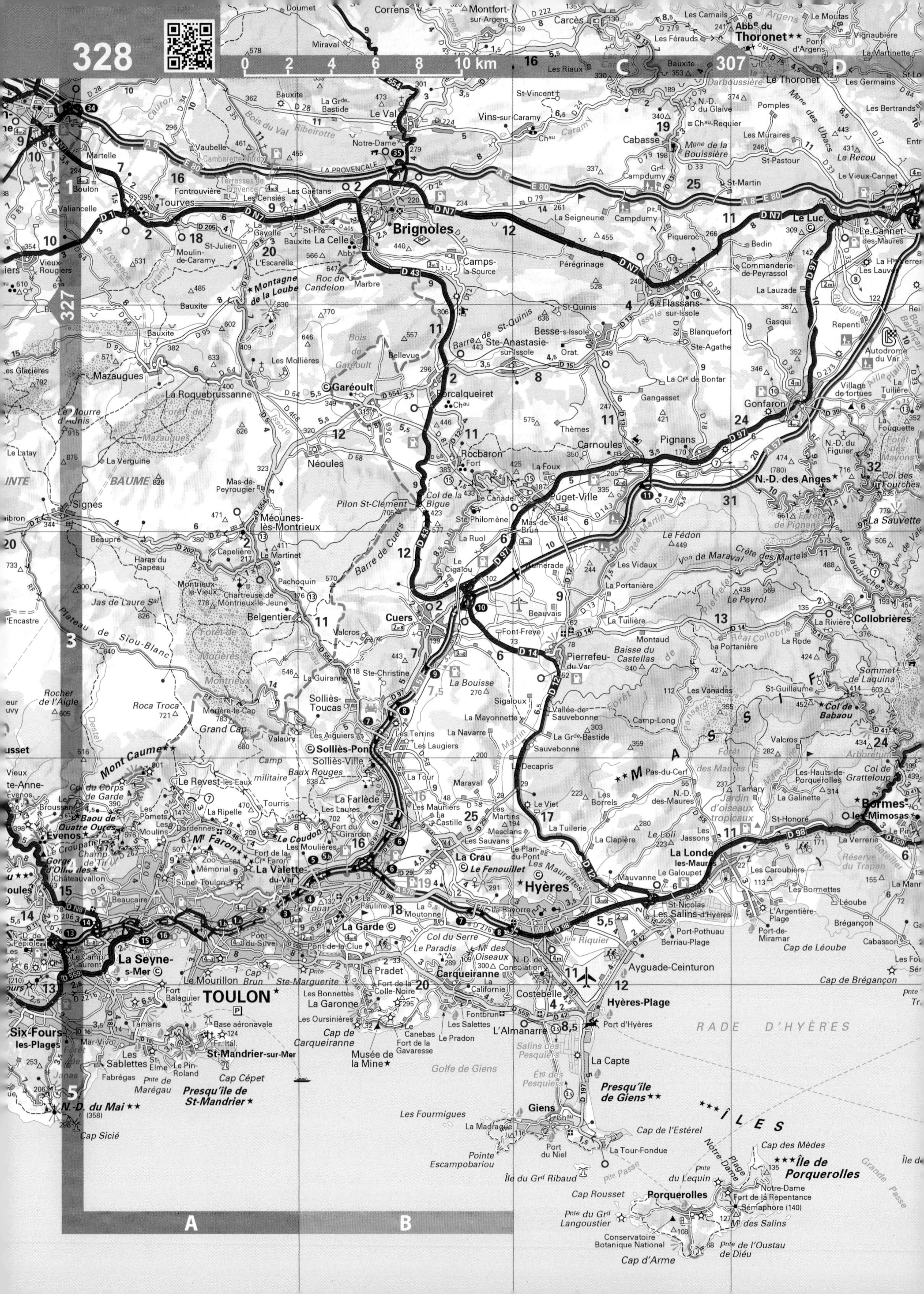
0 2 4 6 8 10 km
307
327
A
B
C
D
Doumet
Correns
Montfort-sur-Argens
Carcès
Les Camails
Abbe du Thoronet
Le Thoronet
Les Féraults
Vignaubière
La Martinette
Miraval
Les Riaux
Bauxite
Darbousssière
Les Germains
Les Bertrands
St-Vincent
N.-D. du Glaive
Pomples
Bauxite
La Grde-Bastide
Le Val
Vins-sur-Caramy
Chau-Requier
Cabasse
Mgne de la Bouissière
Les Muraires
St-Pastour
Le Recou
Bois du Val
Vaubelle
Cambarette Nord
Notre-Dame
Martelle
Boulon
Valiancelle
Tourves
Fontrouvière
Terrasses de Provence
Les Censiés
Les Gaëtans
LA PROVENÇALE
A 8
E 80
Campdumy
St-Martin
Le Vieux-Cannet
Brignoles
La Seigneurie
Piqueroc
Le Luc
Le Cannet-des-Maures
La Gayolle
St-Pré
La Celle
Abbe
St-Julien
Moulin-de-Caramy
L'Escarelle
Vieux-Rougiers
Bedin
Commanderie-de-Peyrassol
La Hte-Verrerie
Les Lauves
Péréginage
Camps-la-Source
Roc de Candelon
Marbre
Montagne de la Loube
Bauxite
Flassans-sur-Issole
La Lauzade
St-Quinis
Barre de St-Quinis
Besse-s-Issole
Ste-Anastasie-sur-Issole
Blanquefort
Ste-Agathe
Gasqui
Repenti
Autodrome du Var
Bois de Garéoult
Bellevue
Les Mollières
Les Glacières
Mazaugues
La Roquebrussanne
Garéoult
Forcalqueiret
Orat.
La Crx de Bontar
Gangasset
Village de tortues
Gonfaron
Le Mourre d'Agnis
Forêt de Mazaugues
Néoules
Rocbaron
Thèmes
Carnoules
Pignans
N.-D. du Figuier
Le Latay
La Verguine
BAUME
Mas-de-Peyrougier
Fort
La Foux
N.-D. des Anges
Col des Fourches
Signes
Méounes-lès-Montrieux
Pilon St-Clément
Col de la Bigue
Le Canadel
Puget-Ville
Ste-Philomène
Mas-de-Brun
Forêt de Pignans
La Sauvette
Beaupré
Capelière
Le Martinet
Haras du Gapeau
Barre de Cuers
Le Ruol
Le Cigalou
Aumerade
Le Fédon
Von de Maraval
Crête des Martels
Les Vidaux
Jas de Laure
Montrieux-le-Vieux
Chartreuse de Montrieux-le-Jeune
Pachoquin
La Portanière
Le Peyrol
L'Encastre
Plateau de Siou-Blanc
Belgentier
Cuers
Beauvais
La Tuilière
Collobrières
La Rivière
Valcros
Forêt de Morières
Montrieux
Font-Freye
Montaud
Baisse du Castellas
La Portanière
La Rode
Ste-Christine
La Guiranne
La Bouisse
Pierrefeu-du-Var
Sommet de Laquina
Rocher de l'Aigle
Roca Troca
Morière-le-Cap
Grand Cap
Solliès-Toucas
Sigaloux
Vallée-des-Sauvebonne
Les Vanades
St-Guillaume
Col de Babaou
Camp-Long
La Mayonnette
La Navarre
La Grde-Bastide
Les Aiguiers
Valaury
Les Terrins
Les Laugiers
Solliès-Pont
Solliès-Ville
Sauvebonne
Valcros
MASSIF
Arboretum
Mont Caume
Camp militaire
Baux Rouges
Decapris
Pas-du-Cerf
Forêt des Maures
Col de Gratteloup
Le Revest-les-Eaux
La Tour
Maraval
Les Borrels
N.-D. des Maures
Tamary
Les-Hauts-de-Porquerolles
La Galinette
Col du Corps de Garde
Broussan
Les Pomets
Tourris
La Ripelle
La Farlède
Les Laures
Les Mauniers
La Castille
Les Martins
Mesclans
Le Viet
La Tuilerie
Jardin d'oiseaux tropicaux
Bormes-les-Mimosas
Baou de Quatre Oures
Dardennes
Les Moulins
Évenos
Le Croupatier
Gorges d'Ollioules
Champ de Tir
Mt Faron
Le Coudon
Fort du Girardon
Les Moulières
Les Sauvans
Le Plan-du-Pont
La Clapière
Le Loli
Les Jassons
St-Honoré
La Verrerie
Châteauvallon
Mémorial
Fort de la Crx Faron
Super-Toulon
La Valette-du-Var
La Crau
Le Fenouillet
Hyères
Les Maurettes
La Londe-les-Maures
Le Galoupet
Mauvanne
Les Caroubiers
Réserve du Trapan
Beaucaire
Pauline
Le Loua
La Moutonne
La Bayorre
St-Nicolas
Les Salins-d'Hyères
Les Bormettes
Léoube
L'Argentière-Plage
Brégançon
La Seyne-s-Mer
La Garde
Pont-du-Suve
Pont-de-la-Clue
Col du Serre
Le Paradis
Mt des Oiseaux
N.-D. de Consolation
Jns Riquier
Port-Pothuau
Berriau-Plage
Port-de-Miramar
Cap de Léoube
Cabasson
Le Camp Laurent
N.-D. de Pépiole
Le Mourillon
Cap Brun
Ste-Marguerite
Le Pradet
Carqueiranne
Ayguade-Ceinturon
Cap de Brégançon
TOULON
Fort Balaguier
Fort de la Colle-Noire
La Garonne
La Californie
Costebelle
Hyères-Plage
Six-Fours-les-Plages
Tamaris
Base aéronavale
Fr. Ital.
St-Mandrier-sur-Mer
Les Oursinières
Les Bonnettes
Cap de Carqueiranne
Le Canebas
Fort de la Gavaresse
Les Salettes
Le Pradon
Fontbrun
L'Almanarre
Port d'Hyères
RADE D'HYÈRES
Mar-Vivo
Les Sablettes
St-Elme
Le Pin-Roland
Fabrégas
Pnte de Marégau
Cap Cépet
Presqu'île de St-Mandrier
Musée de la Mine
Golfe de Giens
Salins des Pesquiers
La Capte
Étg des Pesquiers
Presqu'île de Giens
N.-D. du Mai
Cap Sicié
Les Fourmigues
Giens
La Madrague
Chau
ÎLES
Cap de l'Estérel
Notre-Dame
Port du Niel
La Tour-Fondue
Pointe Escampobariou
Île du Grd Ribaud
Pte Passe
Cap des Mèdes
Île de Porquerolles
Pnte du Lequin
Plage Notre-Dame
Fort de la Repentance
Sémaphore (140)
Cap Rousset
Porquerolles
Pnte du Grd Langoustier
Mt des Salins
Conservatoire Botanique National
Pnte de l'Oustau de Diéu
Cap d'Arme
Grande Passe

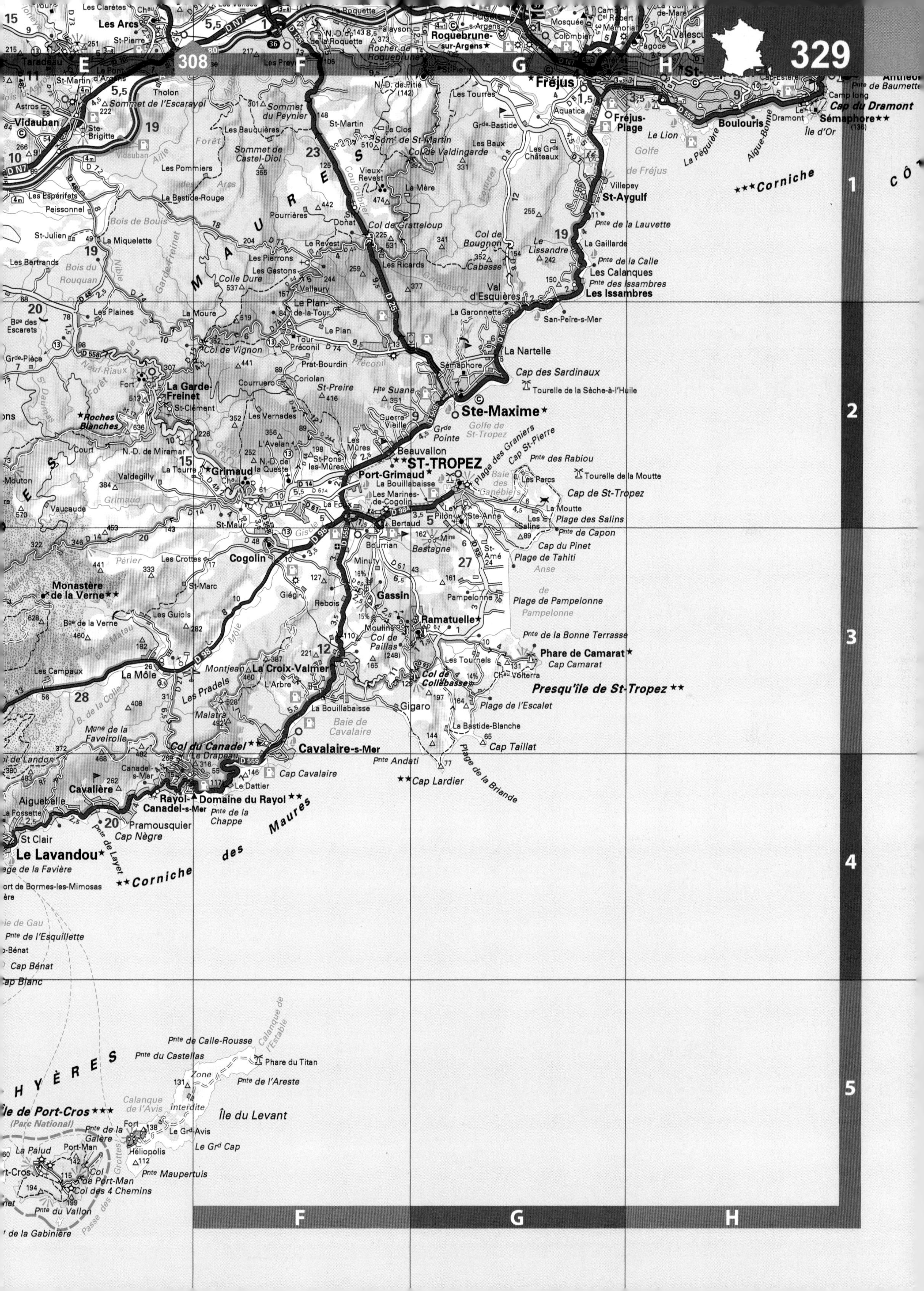

329
308
E
F
G
H
1
2
3
4
5
Les Arcs
Taradeau
Vidauban
St-Martin
Astros
Ste-Brigitte
Tholon
Sommet de l'Escarayol
Sommet du Peynier
Sommet de Castel-Diol
Les Bauquières
Forêt des Arcs
Les Pommiers
La Bastide-Rouge
Les Espérifets
Peissonnel
Bois de Bouis
St-Julien
La Miquelette
Les Bertrands
Bois du Rouquan
M A U R E S
Les Pierrons
Les Gastons
Colle Dure
Vallaury
Le Revest
Pourrières
St-Donat
Col de Gratteloup
Les Ricards
Le Plan-de-la-Tour
Le Plan
La Moure
Les Plaines
Bge des Escarets
Grde-Pièce
Col de Vignon
Tour Préconil
Prat-Bourdin
Coriolan
St-Preire
Hte Suane
Courruero
La Garde-Freinet
Fort
St-Clément
Roches Blanches
Les Vernades
L'Avelan
Guerre Vieille
Grde Pointe
N.-D. de Miramar
La Tourre
Grimaud
Valdegilly
N.-D. de la Queste
St-Pons-les-Mûres
Les Mûres
Beauvallon
ST-TROPEZ
Port-Grimaud
La Bouillabaisse
Les Marines-de-Cogolin
Bertaud
Pilon
Ste-Anne
Les Salins
Vaucaude
St-Maur
Cogolin
Les Crottes
Périer
St-Marc
Monastère de la Verne
Bgedela Verne
Les Guiols
Bois Matau
Giégi
Rebois
Minuty
Bourrian
Gassin
Ramatuelle
Moulins
Col de Paillas
Montjean
La Croix-Valmer
L'Arbre
La Môle
Les Campaux
Les Pradels
Malatra
Mgne de la Faveirolle
Col du Canadel
Le Drapeau
Canadel-s-Mer
Cavalière
Aiguebelle
La Fossette
Rayol-Canadel-s-Mer
Domaine du Rayol
Pnte de la Chappe
Le Dattier
Cap Cavalaire
Cavalaire-s-Mer
Baie de Cavalaire
La Bouillabaisse
Gigaro
Pnte Andati
Cap Lardier
Plage de la Briande
Pramousquier
Cap Nègre
St Clair
Le Lavandou
Pnte de Layet
Corniche des Maures
Plage de la Favière
Port de Bormes-les-Mimosas
Pnte de l'Esquillette
Cap Bénat
Cap Blanc
Roquebrune-sur-Argens
Rocher de Roquebrune
N.-D. de la Roquette
Palayson
N.-D. de Pitié
St-Martin
Le Clos
Somt de St-Martin
Col de Valdingarde
Vieux-Revest
La Mère
Les Tourres
Grde-Bastide
Les Baux
Les Grds Châteaux
Col de Bougnon
Cabasse
Val d'Esquières
Le Lissandre
Fréjus
Aquatica
Fréjus-Plage
Le Lion
Golfe de Fréjus
Villepey
St-Aygulf
Pnte de la Lauvette
La Gaillarde
Pnte de la Calle
Les Calanques
Pnte des Issambres
Les Issambres
San-Peïre-s-Mer
La Garonnette
La Nartelle
Sémaphore
Cap des Sardinaux
Tourelle de la Sèche-à-l'Huile
Ste-Maxime
Golfe de St-Tropez
Plage des Graniers
Cap St-Pierre
Baie des Canébiers
Pnte des Rabiou
Tourelle de la Moutte
Les Parcs
Cap de St-Tropez
La Moutte
Plage des Salins
Pnte de Capon
Cap du Pinet
Plage de Tahiti
Anse de Pampelonne
Plage de Pampelonne
Mins Bestagne
St-Amé
Pampelonne
Pnte de la Bonne Terrasse
Phare de Camarat
Cap Camarat
Les Tournels
Chau Volterra
Col de Collebasse
Presqu'île de St-Tropez
Plage de l'Escalet
La Bastide-Blanche
Cap Taillat
Boulouris
Dramont
Cap du Dramont
Sémaphore
Île d'Or
Pnte de Baumette
Camp long
La Péguière
Aigue-Bonne
Corniche
Pnte de Calle-Rousse
Calanque de l'Estable
Pnte du Castellas
Phare du Titan
Zone interdite
Pnte de l'Areste
Île du Levant
Calanque de l'Avis
Le Grd Avis
Le Grd Cap
Héliopolis
Pnte Maupertuis
H Y È R E S
Île de Port-Cros
(Parc National)
Pnte de la Galère
La Palud
Port-Man
Col de Port-Man
Col des 4 Chemins
Pnte du Vallon
Passe des Grottes

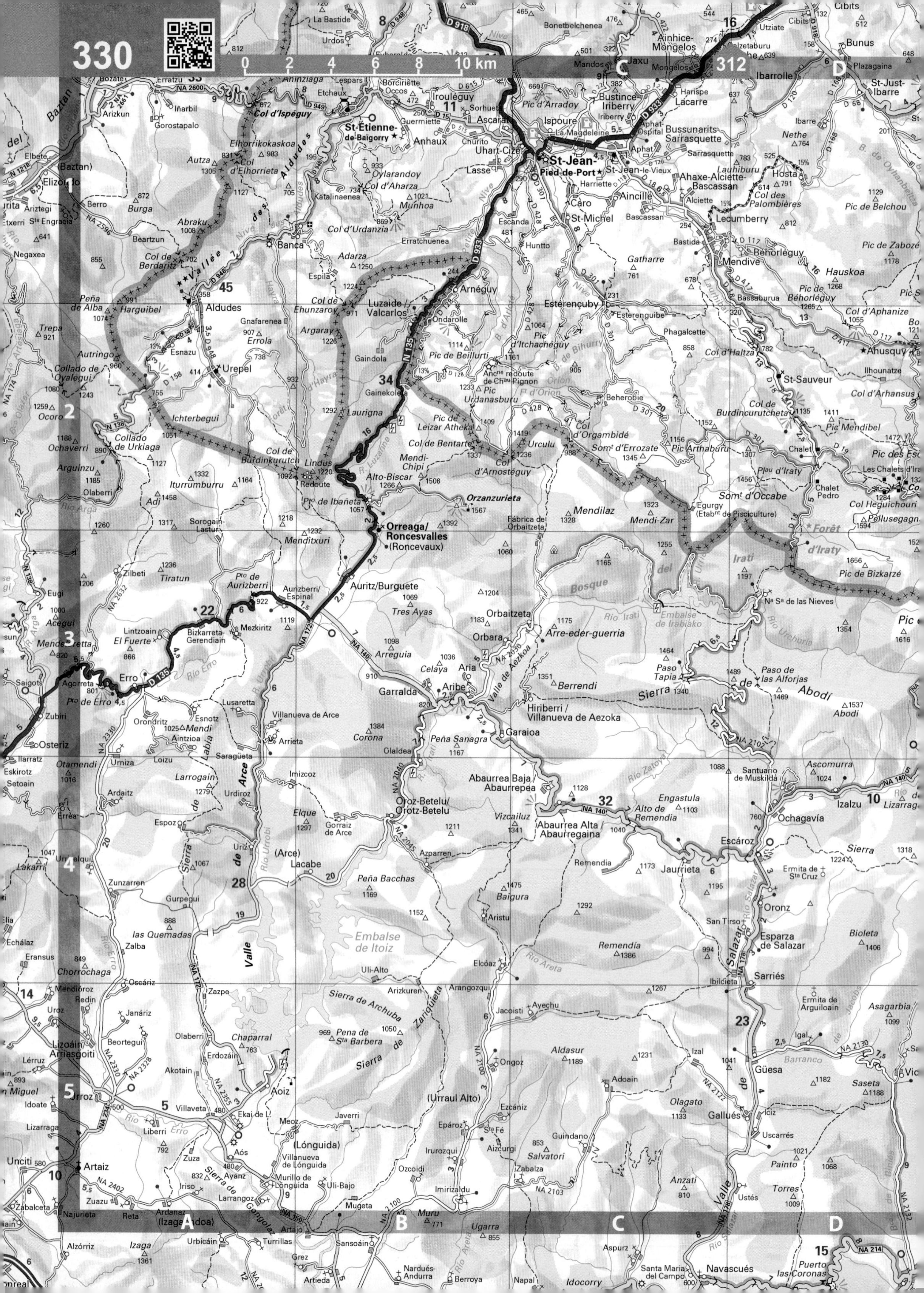

0 2 4 6 8 10 km
312
La Bastide
Urdos
Col d'Ispéguy
St-Étienne-de-Baïgorry
Irouléguy
Ascarat
Anhaux
Bonetbelchenea
Aïnhice-Mongelos
Jaxu
Mongelos
Bunus
Ibarrolle
St-Just-Ibarre
Pic d'Arradoy
Bustince-Iriberry
Lacarre
Ispoure
La Magdeleine
Bussunarits-Sarrasquette
Uhart-Cize
St-Jean-Pied-de-Port
St-Jean-le-Vieux
Ahaxe-Alciette-Bascassan
Lasse
Caro
St-Michel
Aincille
Lecumberry
Hosta
Col des Palombières
Pic de Belchou
Arizkun
Gorostapalo
Elizondo
Baztan
Elhorrikaskoa
Col d'Elhorrieta
Autza
Oylarandoy
Col d'Aharza
Katalinaenea
Munhoa
Burga
Abraku
Col d'Urdanzia
Erratchuenea
Banca
Vallée des Aldudes
Col de Berdaritz
Adarza
Huntto
Gatharre
Mendive
Béhorléguy
Pic de Zabozé
Hauskoa
Peña de Alba
Harguibel
Aldudes
Col de Ehunzaroy
Luzaide / Valcarlos
Arnéguy
Ondarolle
Estérençuby
Pic de Béhorléguy
Col d'Aphanize
Trepa
Gnafarenea
Errola
Argaray
Pic d'Itchachéguy
Col d'Haltza
Ahusquy
Collado de Oyalegui
Autringo
Urepel
Esnazu
Gaindola
Pic de Beillurti
St-Sauveur
Gainekoleta
Pic Urdanasburu
Beherobie
Col de Burdincurutcheta
Col d'Arhansus
Ocoro
Ichterbegui
Laurigna
Pic de Leizar Atheka
Col de Bentarte
Urculu
Col d'Orgambidé
Somt d'Errozate
Pic Arthaburu
Pic Mendibel
Chalet
Pic des Escaliers
Collado de Urkiaga
Ochaverri
Col de Burdinkurutch
Lindus
Redoute
Alto-Biscar
Mendi-Chipi
Col d'Arnostéguy
Plau d'Iraty
Arguinzu
Olaberri
Iturrumburru
Adi
Pto de Ibañeta
Orzanzurieta
Somt d'Occabe
Chalet Pedro
Col Heguichouri
Pellusegagn
Río Arga
Sorogain-Lastur
Orreaga / Roncesvalles
(Roncevaux)
Mendilaz
Mendi-Zar
Egurgy
Fábrica de Orbaitzeta
Menditxuri
Forêt d'Iraty
Zilbeti
Tiratun
Pto de Aurizberri
Auritz/Burguete
Bosque del Irati
Pic de Bizkarzé
Eugi
Aurizberri/Espinal
Tres Ayas
Orbaitzeta
Nª Sª de las Nieves
Acegui
Bizkarreta-Gerendiain
Mezkiritz
Orbara
Embalse de Irabiako
Río Irati
Río Urchuria
Linztoain
El Fuerte
Arreguia
Arre-eder-guerria
Mendeberetta
Celaya
Aria
Aribe
Paso Tapia
Paso de las Alforjas
Agorreta
Erro
Pto de Erro
Río Erro
Saigots
Garralda
Berrendi
Sierra de Abodi
Abodi
Zubiri
Lusaretta
Esnotz
Villanueva de Arce
Hiriberri / Villanueva de Aezoka
Garaioa
Osteriz
Orondritz
Mendi
Aintzioa
Arrieta
Corona
Peña Sanagra
Ilarratz
Eskirotz
Setoain
Otamendi
Urniza
Loizu
Saragüeta
Larrogain
Imizcoz
Abaurrea Baja / Abaurrepea
Santuario de Muskildá
Ascomurra
Ardaitz
Urdiroz
Elque
Oroz-Betelu / Orotz-Betelu
Engastula
Alto de Remendia
Izalzu
Ochagavía
Erréa
Espoz
Gorraiz de Arce
Vizcailuz
Abaurrea Alta / Abaurregaina
Escároz
Lakarri
Urdelqui
Uriz
(Arce)
Lacabe
Azparren
Remendia
Jaurrieta
Sierra
Ermita de Sta Cruz
Sierra de Labia
Valle de Arce
Zunzarren
Gurpegui
Peña Bacchas
Baigura
Oronz
Echálaz
las Quemadas
Embalse de Itoiz
Aristu
San Tirso
Bioleta
Zalba
Esparza de Salazar
Eransus
Chorrochaga
Valle
Uli-Alto
Remendía
Río Areta
Elcóaz
Sarriés
Ibilcieta
Oscáriz
Mendióroz
Redin
Zazpe
Sierra de Archuba
Arizkuren
Arangozqui
Ermita de Arguiloain
Uroz
Janáriz
Jacoisti
Ayechu
Asagarbia
Lizoáin / Arriasgoiti
Beortegui
Olaberri
Chaparral
Pena de Sta Barbera
Sierra de Zariquieta
Aldasur
Izal
Igal
Barranco
Lérruz
Erdozáin
Ongoz
Adoain
Güesa
Saseta
San Miguel
Urroz
Akotain
Aoiz
(Urraul Alto)
Olagato
Idoate
Villaveta
Ekai de L.
Ezcániz
Gallués
Iciz
Lizarraga
Liberri
Meoz
Javerri
Epároz
Sta Fé
Guindano
Uscarrés
Unciti
Artaiz
Zuza
Aós
(Lónguida)
Aizcurgi
Salvatori
Villanueva de Lónguida
Ozcoidi
Irurozqui
Painto
Ayanz
Murillo de Lónguida
Uli-Bajo
Iriso
Imirizaldu
Izabalza
Anzatí
Torres
Zabalceta
Zuazu
Larrangoz
Sierra de Gongolaz
Ustés
Najurieta
Reta
Ardanaz (Izagaondoa)
Mugeta
Muru
Ugarra
Alzórriz
Urbicáin
Turrillas
Sansoáin
Izaga
Aspurz
Puerto las Coronas
Grez
Santa María del Campo
Navascués
Artieda
Nardués-Andurra
Berroya
Napal
Idocorry
N 135
N 138
NA 140
NA 172
NA 2102
NA 2130
NA 214
D 933
D 918

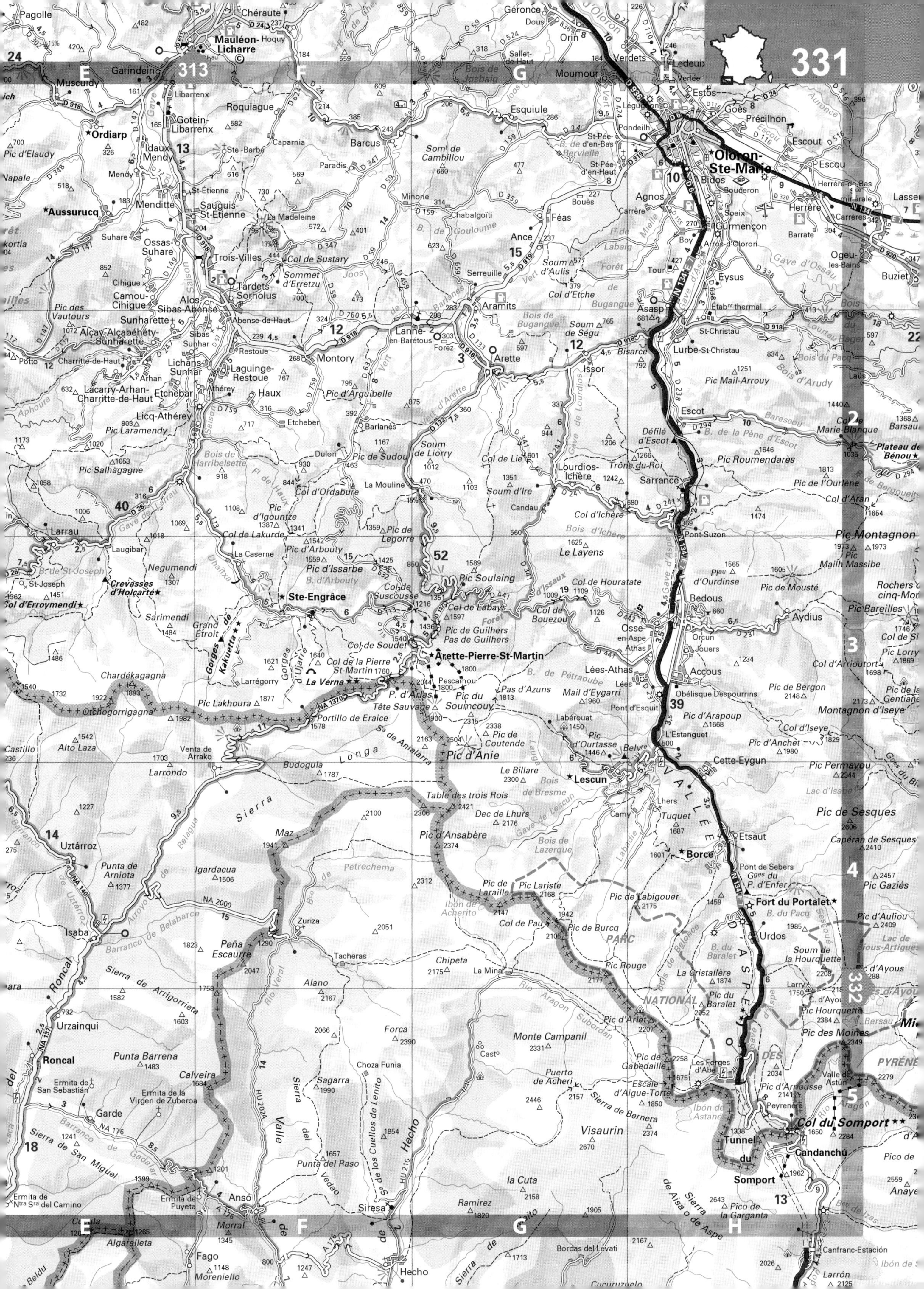

331
313
332
E
F
G
H
Mauléon-Licharre
Chéraute
Géronce
Orin
Verdets
Ledeuix
Moumour
Garindein
Musculdy
Libarrenx
Roquiague
Gotein-Libarrenx
Ordiarp
Idaux-Mendy
Pic d'Elaudy
Esquiule
Barcus
Somt de Cambillou
Estos
Goès
Précilhon
Escout
Oloron-Ste-Marie
Bidos
Agnos
Escou
Herrère
Ogeu-les-Bains
Buziet
Gurmençon
Eysus
Aussurucq
Menditte
Sauguis-St-Étienne
La Madeleine
Chabalgoïti
Féas
Ance
Ossas-Suhare
Trois-Villes
Col de Sustary
Sommet d'Erretzu
Tardets-Sorholus
Soum d'Aulis
Col d'Etche
Serreuille
Aramits
Asasp
Camou-Cihigue
Alos
Sibas-Abense
Pic des Vautours
Sunharette
Alçay-Alçabéhéty-Sunharette
Lanne-en-Barétous
Soum de Ségu
Lurbe-St-Christau
Montory
Arette
Issor
Bisarce
Pic Mail-Arrouy
Lichans-Sunhar
Laguinge-Restoue
Haux
Lacarry-Arhan-Charritte-de-Haut
Etchebar
Licq-Athérey
Pic d'Arguibelle
Pic Laramendy
Escot
Col de Marie-Blanque
Plateau de Bénou
Défilé d'Escot
Pic Salhagagne
Soum de Liorry
Pic de Sudou
Col de Lie
Lourdios-Ichère
Trône du Roi
Sarrance
Pic Roumendarès
Pic de l'Ourlène
Col d'Aran
Col d'Ordaburé
Soum d'Ire
Col d'Ichère
Larrau
Pic d'Igountze
Col de Lakurde
Pic de Legorre
Pont-Suzon
Pic Montagnon
Pic d'Arbouty
Le Layens
Pic Mailh Massibe
Crevasses d'Holcarté
Pic d'Issarbe
Pic Soulaing
Pld d'Ourdinse
Pic de Mousté
Ste-Engrâce
Col de Suscousse
Col de Houratate
Bedous
Aydius
Col d'Erroymendi
Col de Labays
Col de Bouezou
Pic Bareilles
Gorges de Kakuetta
Pic de Guilhers
Pas de Guilhers
Osse-en-Aspe
Col de Soudet
Arette-Pierre-St-Martin
Lées-Athas
Accous
Col d'Arrioutort
Col de la Pierre St-Martin
La Verna
Pescamou
Pas d'Azuns
Mail d'Eygarri
Obélisque Despourrins
Pic de Bergon
Chardékagagna
Otchogorrigagna
Pic Lakhoura
P. d'Arlas
Pic du Soumcouy
Tête Sauvage
Portillo de Eraice
Pic d'Arapoup
Montagnon d'Iseye
Col d'Iseye
Pic de Coutende
Pic d'Ourtasse
L'Estanguet
Pic d'Anchet
Alto Laza
Venta de Arrako
Sa de Anialarra
Pic d'Anie
Belvre
Cette-Eygun
Pic Permayou
Larrondo
Budogula
Longa
Le Billare
Lescun
Bois de Bresme
Table des trois Rois
Dec de Lhurs
Lhers
Camy
Tuquet
Pic de Sesques
Sierra
Pic d'Ansabère
Capéran de Sesques
Uztárroz
Maz
Bois de Lazerque
Etsaut
Borce
Punta de Arniota
Igardacua
Petrechema
Pont de Sebers
Gges du P. d'Enfer
Pic Gaziés
Pic de Laraille
Pic Lariste
Ibón de Acherito
Pic de Labigouer
Fort du Portalet
Pic d'Aulliou
Col de Pau
Pic de Burcq
PARC
Urdos
Isaba
Zuriza
Lac de Bious-Artigues
Soum de la Hourquette
Peña Escaurre
Tacheras
Chipeta
La Mina
Pic Rouge
Pic d'Ayous
Sierra de Arrigorrieta
Alano
La Cristallère
NATIONAL
Pic du Baralet
Pic Hourquette
Urzainqui
Rio Veral
Pic d'Arlet
Pic des Moines
Force
Monte Campanil
Roncal
Punta Barrena
Calveira
Choza Funia
Pic de Gabedaille
Les Forges d'Abel
Ermita de San Sebastián
Sagarra
Puerto de Acheri
Escale d'Aigue-Torte
Pic d'Arnousse
Valle de Astún
Ermita de la Virgen de Zuberoa
Garde
Sierra de Bernera
Ibón de Astanès
Peyrenère
Col du Somport
Visaurin
Tunnel du Somport
Candanchú
Sierra de San Miguel
Punta del Raso
Valle
Hecho
Somport
Ermita de Ntra Sra del Camino
Ermita de Puyeta
Ansó
la Cuta
Sierra de Aisa o de Aspe
Pico de la Garganta
Anayet
Ramirez
Siresa
Algaralleta
Morral
Fago
Moreniello
Hecho
Bordas del Levati
Canfranc-Estación
Larrón

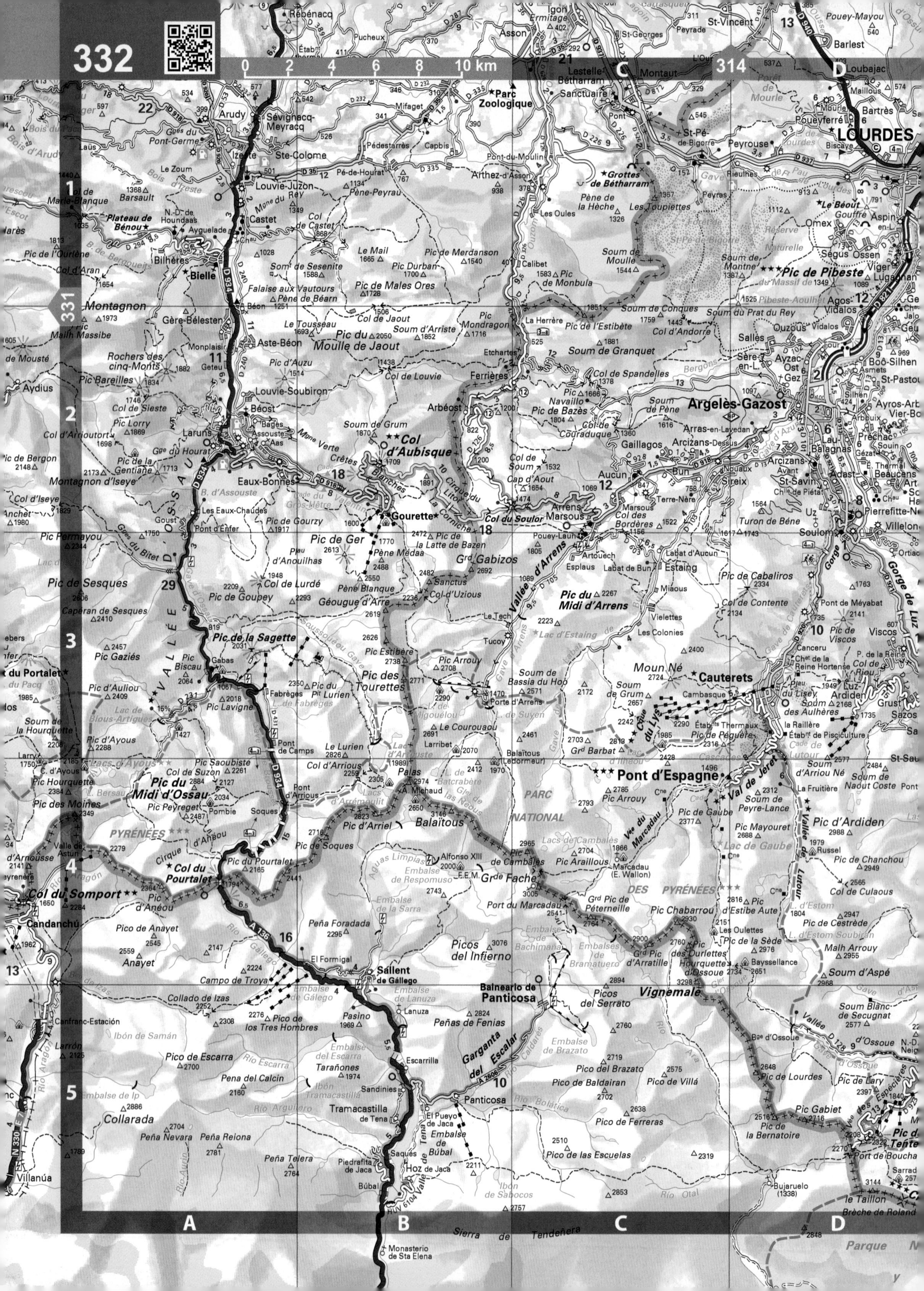
0 2 4 6 8 10 km
314
331
A
B
C
D
1
2
3
4
5
LOURDES
Argelès-Gazost
Cauterets
Pont d'Espagne
Col d'Aubisque
Col du Soulor
Col du Pourtalet
Col du Somport
Pic de Pibeste
Grottes de Bétharram
Parc Zoologique
Pic du Midi d'Ossau
Pic de la Sagette
Pic des Tourettes
Pic du Midi d'Arrens
Vallée d'Arrens
Vallée d'Ossau
Vallée de Lutour
Val de Jéret
Gorge de Luz
Balaïtous
Vignemale
Gourette
Laruns
Eaux-Bonnes
Arudy
Bielle
Louvie-Juzon
Sévignacq-Meyracq
Ste-Colome
Castet
Bilhères
Aste-Béon
Louvie-Soubiron
Béost
Gabas
Arrens-Marsous
Aucun
Lestelle-Bétharram
St-Pé-de-Bigorre
Peyrouse
Asson
Igon
Rébénacq
Montaut
Aspin-en-Lavedan
Agos-Vidalos
Ayzac-Ost
Pierrefitte-Nestalas
Luz-Ardiden
Estaing
Arbéost
Ferrières
Montagnon
Pic de Ger
Grd Gabizos
Pic du Moulle de Jaout
Pic Arrouy
Pic d'Arriel
Pic de Sesques
Pic d'Ardiden
Pic Chabarrou
Pic de Cambalès
Grde Fache
Picos del Infierno
Balneario de Panticosa
Panticosa
Sallent de Gállego
El Formigal
Candanchú
Canfranc-Estación
Villanúa
Escarrilla
Tramacastilla de Tena
Piedrafita de Jaca
Búbal
Monasterio de Sta Elena
Collarada
Anayet
Pico de Escarra
Sierra de Tendeñera
Garganta del Escalar
Bujaruelo
Brèche de Roland
le Taillon
PARC NATIONAL DES PYRÉNÉES
PYRÉNÉES
Parque

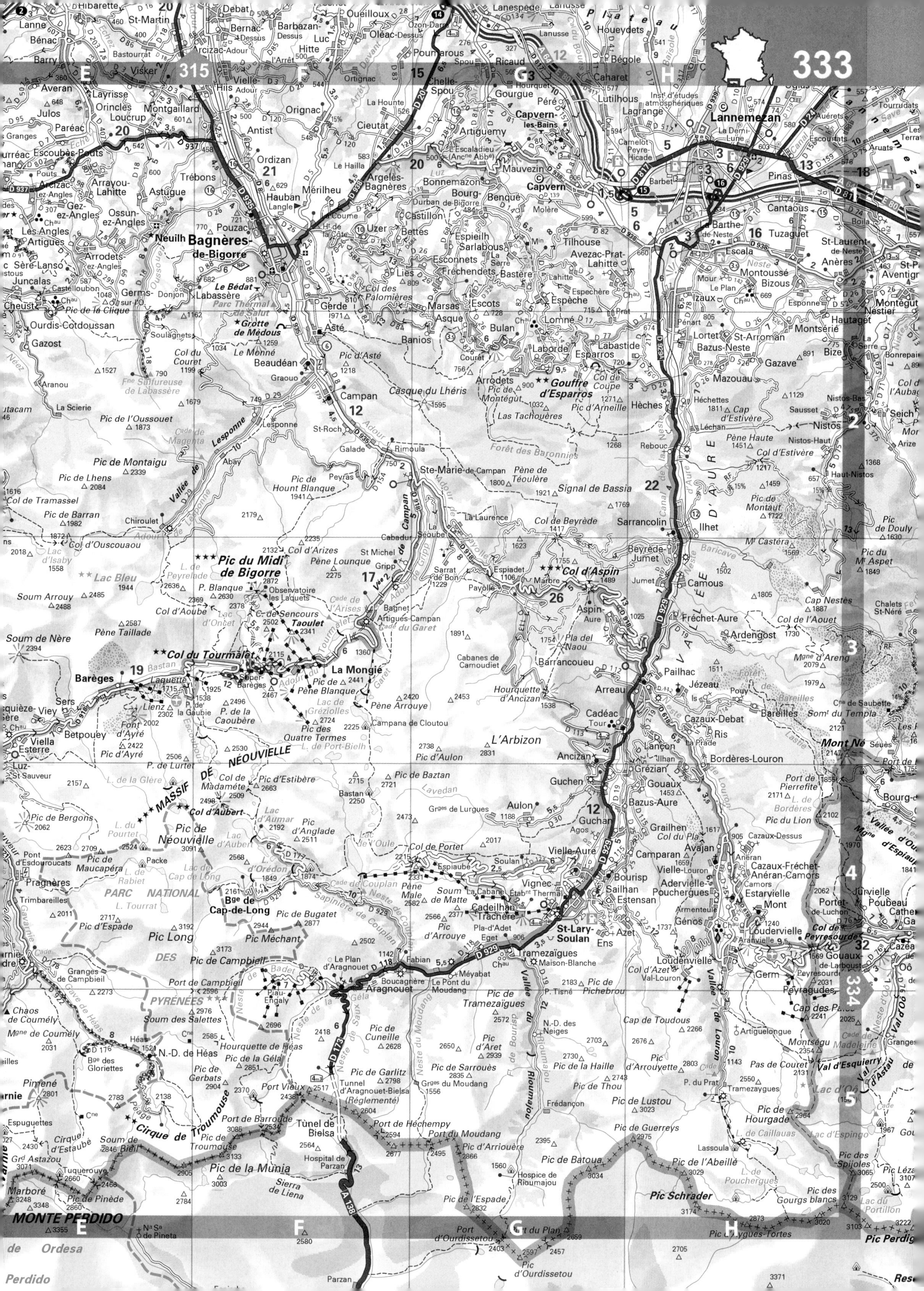
315
334
E
F
G
H
Bagnères-de-Bigorre
Lannemezan
Capvern-les-Bains
Capvern
Campan
Ste-Marie-de-Campan
Pic du Midi de Bigorre
Col du Tourmalet
La Mongie
Barèges
Col d'Aspin
Arreau
Sarrancolin
St-Lary-Soulan
Vielle-Aure
Aragnouet
Luz-St-Sauveur
Gavarnie
Cirque de Troumouse
N.-D. de Héas
Massif de Néouvielle
Pic de Néouvielle
Parc National des Pyrénées
Pic Long
Lac d'Orédon
Col d'Aubert
L'Arbizon
Vallée d'Aure
Vallée du Louron
Loudenvielle
Col de Peyresourde
Peyragudes
Tunnel d'Aragnouet-Bielsa (Réglementé)
Túnel de Bielsa
Hospital de Parzan
Parzan
Pic de la Munia
Pic Schrader
Pic des Gourgs blancs
Monte Perdido
Grotte de Médous
Gouffre d'Esparros
Signal de Bassia
Forêt des Baronnies
Casque du Lhéris
Pic de Montaigu
Lac Bleu
Vallée de Lesponne
Piau-Engaly
Pic de Campbieil
Pic Méchant
Col de Portet
Col d'Azet
Col du Couret
Pic de Bergons
Pic de Maucapéra
Pic d'Espade
Soum de Matte
Pic de Batoua
Pic de Lustou
Pic de Guerreys
Port de Campbieil
Port Vieux
Port de Barroude
Port de Héchempy
Port du Moudang
Port d'Ourdissetou
Sierra de Liena
Mont Né
Lac d'Oô
Pic des Spijoles
Pic Perdiguère

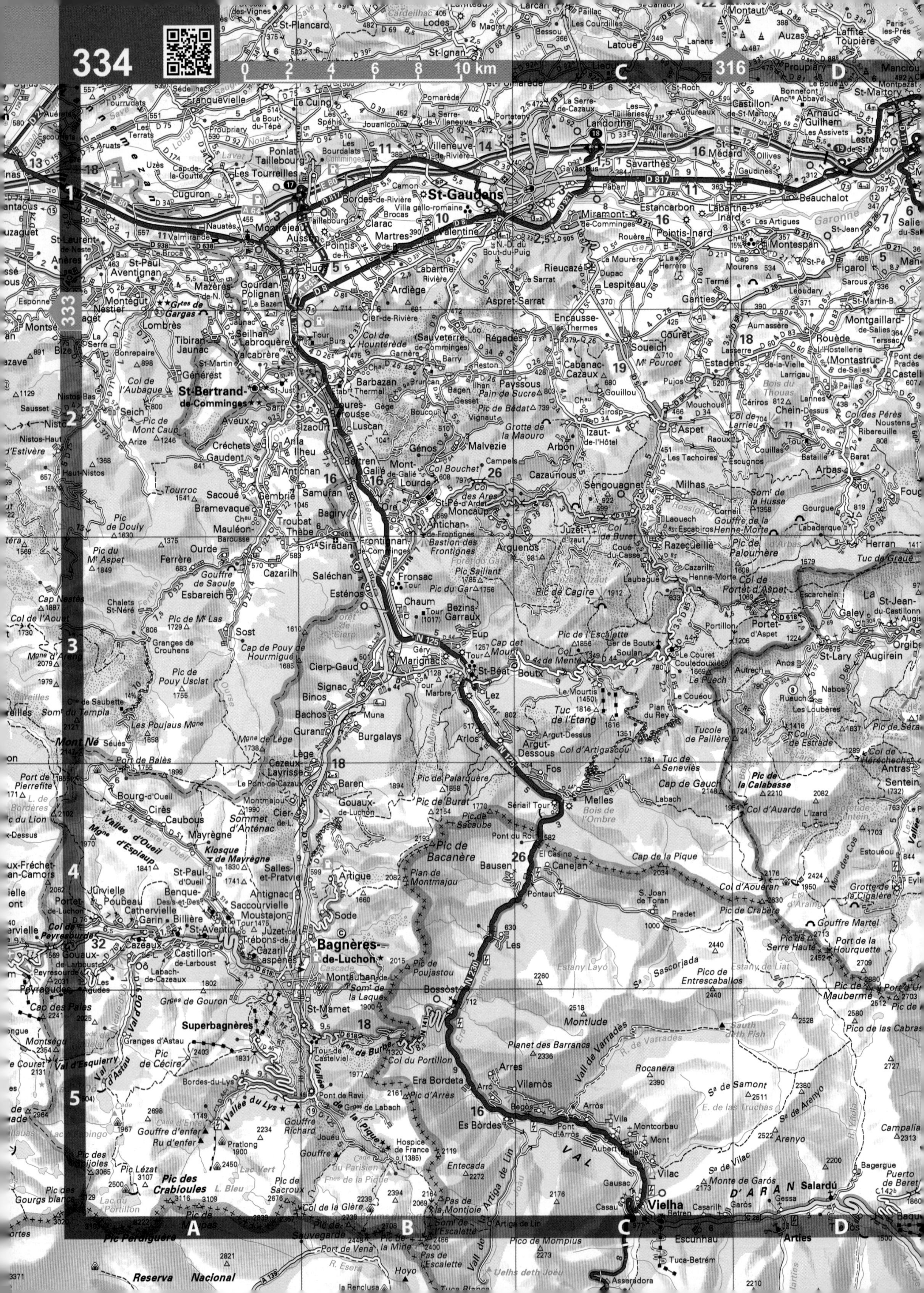
0 2 4 6 8 10 km
316
333
A
B
C
D
1
2
3
4
5
St-Plancard
Lodes
St-Ignan
Latoue
Montaut
Auzas
Laffite-Toupière
Proupiary
Mancioux
St-Martory
Franquevielle
Le Cuing
Pomarède
La Serre-de-Cazaux
Landorthe
St-Roch
Castillon-de-St-Martory
Arnaud-Guilhem
Lestelle-de-St-Martory
Villeneuve-de-Rivière
Ponlat-Taillebourg
Les Tourreilles
Cuguron
St-Gaudens
Savarthès
St-Médard
Gavastous
Estancarbon
Labarthe-Inard
Beauchalot
Bordes-de-Rivière
Villa gallo-romaine
Clarac
Montréjeau
Ausson
Valentine
Miramont-de-Comminges
Pointis-Inard
Montespan
St-Laurent-de-Neste
Anères
St-Paul
Aventignan
Martres-de-R.
Pointis-de-R.
Huos
Labarthe-Rivière
Rieucazé
Lespiteau
Figarol
Montégut
Nestier
Grtes de Gargas
Gourdan-Polignan
Mazères-de-N.
Ardiège
Aspret-Sarrat
Ganties
Lombrès
Tibiran-Jaunac
Seilhan
Labroquère
Valcabrère
Cier-de-Rivière
Col de Hountérède
(Sauveterre-de-Comminges)
Régades
Encausse-les-Thermes
Soueich
Couret
Montgaillard-de-Salies
Rouède
Bize
Générest
St-Martin
St-Bertrand-de-Comminges
Col de l'Aubague
Barbazan
Payssous
Pain de Sucre
Cabanac-Cazaux
Mt Pourcet
Estadens
Pujos
Aspet
Pic de Bédat
Grotte de la Maouro
Izaut-de-l'Hôtel
Chein-Dessus
Col de Larrieu
Col des Pères
Seich
Pic de Mont Caup
Aveux
Izaourt
Luscan
Loures-Barousse
Créchets
Gaudent
Anla
Ilheu
Génos
Malvezie
Arbon
Antichan
Bertren
Galié
Mont-de-Galié
Lourde
Col Bouchet
Cazaunous
Sengouagnet
Milhas
Arbas
Sacoué
Gembrie
Samuran
St-Pé-d'Ardet
Col des Ares
Moncaup
Bramevaque
Mauléon-Barousse
Troubat
Thèbe
Bagiry
Ore
Antichan-de-Frontignes
Juzet-d'Izaut
Col de Buret
Pic de Douly
Frontignan-de-Comminges
Siradan
Bastion des Frontignes
Arguenos
Razecueillé
Pic de Paloumère
Herran
Pic du Mt Aspet
Ourde
Ferrère
Cazarilh
Saléchan
Fronsac
Pic Saillant
Pic du Gar
Pic de Cagire
Col de Portet d'Aspet
Gouffre de Saoule
Esbareich
Chalets St-Néré
Cap Nestès
Col de l'Aoust
Pic de Mt Las
Esténos
Chaum
Bezins-Garraux
Eup
Sost
Granges de Crouhens
Cap de Pouy de Hourmigué
Forêt de Cierp
Pic de l'Escalette
Portet-d'Aspet
Galey
St-Jean-du-Castillonnais
Cierp-Gaud
Géry
Marignac
St-Béat
Col de Menté
Boutx
Le Couret
Couledoux
St-Lary
Augirein
Orgibet
Pic de Pouy Usclat
Signac
Binos
Lez
Le Mourtis
Le Puech
Tuc de l'Étang
Plan du Rey
Bachos
Guran
Burgalays
Arlos
Argut-Dessus
Col d'Artigascou
Tucole de Paillère
Col de Estrade
Pic de Serre
Les Poujaus Mgne
Mgne de Lège
Mont Né
Sèues
Port de Balès
Lège
Cazaux-Layrisse
Baren
Fos
Tuc de Senevies
Cap de Gauch
Pic de la Calabasse
Antras
Sentein
Port de Pierrefite
Bourg-d'Oueil
Cirès
Caubous
Le Pont-de-Cazaux
Pic de Palarquère
Gouaux-de-Luchon
Pic de Burat
Sérial Tour
Melles
Bois de l'Ombre
Labach
Col d'Auarde
Vallée d'Oueil
Mgne d'Espiaup
Mayrègne
Kiosque de Mayrègne
Sommet d'Anténac
Pic de Sacaube
Pic de Bacanère
Pont du Roi
El Casino
Canejan
Bausen
Cap de la Pique
Col d'Aouéran
St-Paul-d'Oueil
Salles-et-Pratviel
Artigue
Plan de Montmajou
Pontaut
S. Joan de Toran
Pic de Crabère
Grotte de la Cigalère
Jurvielle
Poubeau
Benque-Dessus-et-Dessous
Antignac
Saccourvielle
Moustajon
Portet-de-Luchon
Cathervielle
Garin
Billière
St-Aventin
Juzet-de-Luchon
Trébons-de-Luchon
Sode
Pradet
Gouffre Martel
Col de Peyresourde
Cazeaux
Castillon-de-Larboust
Gouaux-de-Larboust
Cazaril-Laspènes
Bagnères-de-Luchon
Pic de Poujastou
Les
Estany Layó
Sa Sascorjada
Pico de Entrescaballos
Estany de Liat
Pic de Serre Haute
Port de la Hourquette
Peyresourde
Oô
Labach-de-Cazaux
Montauban-de-L.
Somt de la Laque
Bossòst
Pic de Mauberme
Port d'Urets
Peyragudes
Cap des Pales
Grges de Gouron
St-Mamet
Montlude
Sauth deth Pish
Pico de las Cabras
Superbagnères
Montségu
Granges d'Astau
Val d'Oô
Tour de Castelviel
Col du Portillon
Planet des Barrancs
R. de Varradès
Vall de Varradès
Pic de Cécire
Val d'Esquierry
Val d'Astau
Bordes-du-Lys
Vallée de la Pique
Era Bordeta
Arres
Vilamòs
Rocanera
Sa de Samont
Vallée du Lys
Pont de Ravi
Grges de Labach
Pic d'Arrès
Arró
Begós
Arròs
Vila
E. de las Truchas
Sa de Arenyo
Gouffre d'Enfer
Ru d'enfer
Gouffre Richard
Joueu
Hospice de France
Es Bòrdes
Pont d'Arròs
Montcorbau
Mont
Arenyo
Campalias
Pratlong
Lac Vert
Entecada
Val d'Aran
Aubert
Betlan
Vilac
Bagergue
Puerto de Beret
Pic Lézat
Pic des Crabioules
L. Bleu
Pic de Sacroux
Fnes de la Pique
Gausac
Sa de Vilac
Monte de Garós
Salardú
Lac du Portillon
Col de la Glère
Pas de la Montjoie
Artiga de Lin
Vielha
Casarilh
Garòs
Gessa
Pic de Sauvegarde
Pic de la Mine
Somt de l'Escalette
Pas de l'Escalette
Pico de Mompius
Betren
Escunhau
Artíes
Pic Pérdiguère
Port de Vena
Hoyo
Uelhs deth Joeu
Tuca-Betrém
Reserva Nacional
la Renclusa
Vall de Artiga de Lin
R. Joeu
R. Esera

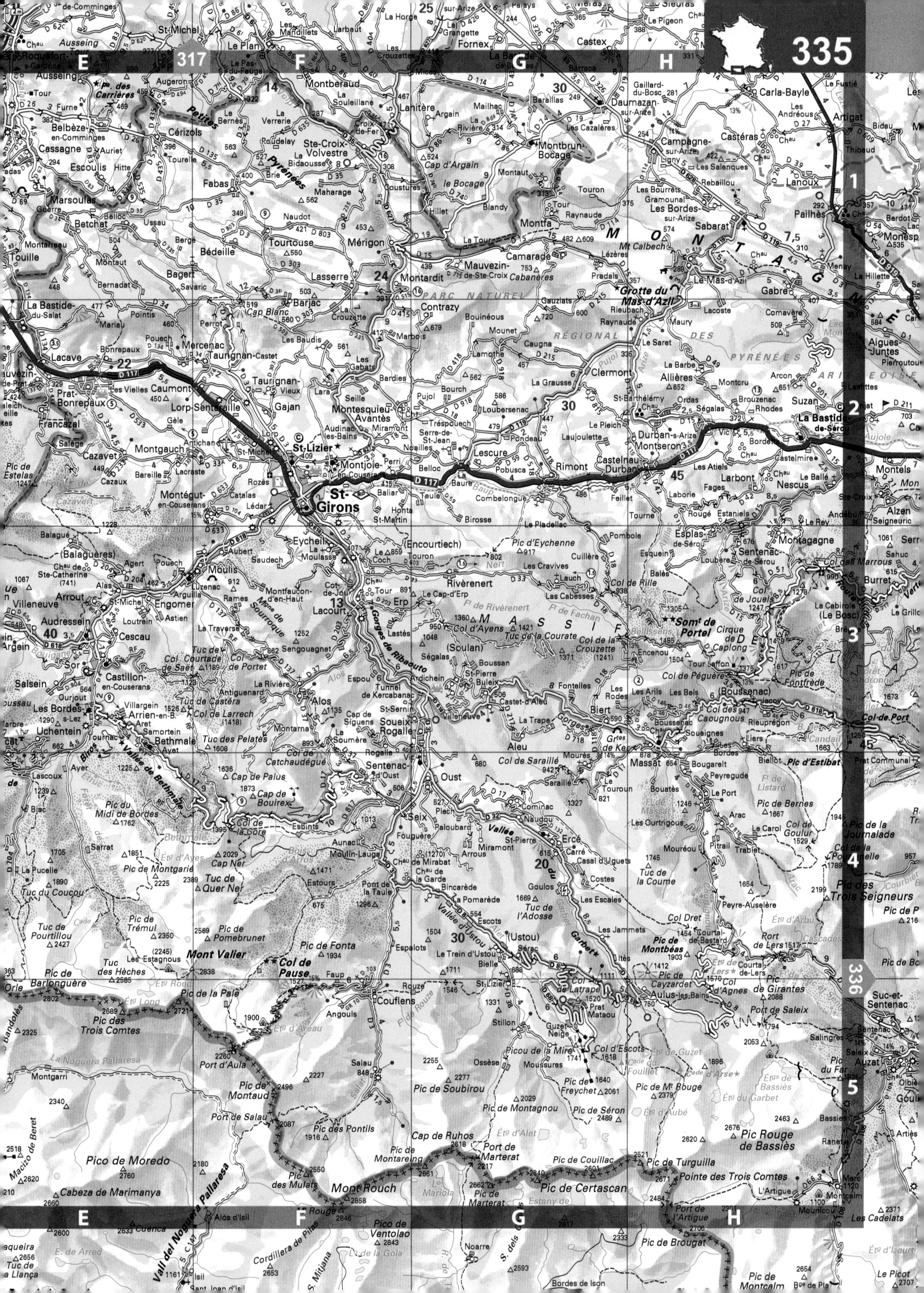

335
317
336
E
F
G
H
1
2
3
4
5
St-Michel
Le Plan
Fornex
Castex
Roquefort-s-Garonne
Ausseing
Montberaud
La Bastide-de-Besplas
Daumazan-sur-Arize
Carla-Bayle
Artigat
Belbèze-en-Comminges
Cérizols
Ste-Croix-Volvestre
Montbrun-Bocage
Campagne-sur-Arize
Castéras
Cassagne
Escoulis
Fabas
Cap d'Argain
Lanoux
Pailhès
Marsoulas
Betchat
Bédeille
Tourtouse
Mérigon
Sabarat
Les Bordes-sur-Arize
Montfa
Camarade
Le Mas-d'Azil
Grotte du Mas-d'Azil
Mauvezin-de-Ste-Croix
Montardit
Touille
Bagert
Lasserre
Barjac
Contrazy
Gabre
La Bastide-du-Salat
Mercenac
Taurignan-Castet
Clermont
Aigues-Juntes
Lacave
Prat-Bonrepaux
Caumont
Lorp-Sentaraille
Gajan
Montesquieu-Avantès
Allières
Suzan
La Bastide-de-Sérou
Francazal
Montgauch
St-Lizier
Montjoie-en-Couserans
Lescure
Rimont
Castelnau-Durban
Durban-s-Arize
Montseron
Larbont
Nescus
Montels
Cazavet
Montégut-en-Couserans
St-Girons
Esplas-de-Sérou
Montagagne
Eycheil
Moulis
Rivèrenert
Sentenac-de-Sérou
Burret
Audressein
Engomer
Lacourt
Erp
Col de Rille
Som^t de Portel
Castillon-en-Couserans
Cescau
Alos
Gorges de Ribaouto
Massif
Col de la Crouzette
Tour Laffon
Col de Péguère
Biert
Col des Caougnous
Col de Port
Les Bordes-s-Lez
Uchentein
Arrien-en-B.
Bethmale
Soueix-Rogalle
Aleu
Massat
Le Port
Vallée de Bethmale
Sentenac-d'Oust
Oust
Seix
Ercé
Pic de Montgarié
Cap Ner
Tuc de Quer Ner
Pic de Trémul
Pic de Fonta
Mont Valier
Col de Pause
Couflens
Aulus-les-Bains
Col de Latrape
Pic de Girantes
Port de Saleix
Suc-et-Sentenac
Pic des Trois Seigneurs
Pic de Barlonguère
Pic des Trois Comtes
Port d'Aula
Pic de Montaud
Port de Salau
Salau
Pic de Soubirou
Col d'Escots
Pic de Freychet
Pic Rouge de Bassiès
Auzat
Pico de Moredo
Cabeza de Marimanya
Mont Rouch
Pic de Certascan
Pic de Couillac
Pointe des Trois Comtes
Pic de Turguilla
Port de l'Artigue
Pic de Brougat
Pico de Ventolao
Cordillera de Pilas
Vall del Noguera Pallaresa
Alòs d'Isil
Montgarri
Pic de Montcalm
Les Cadelats
Parc Naturel Régional des Pyrénées Ariégeoises

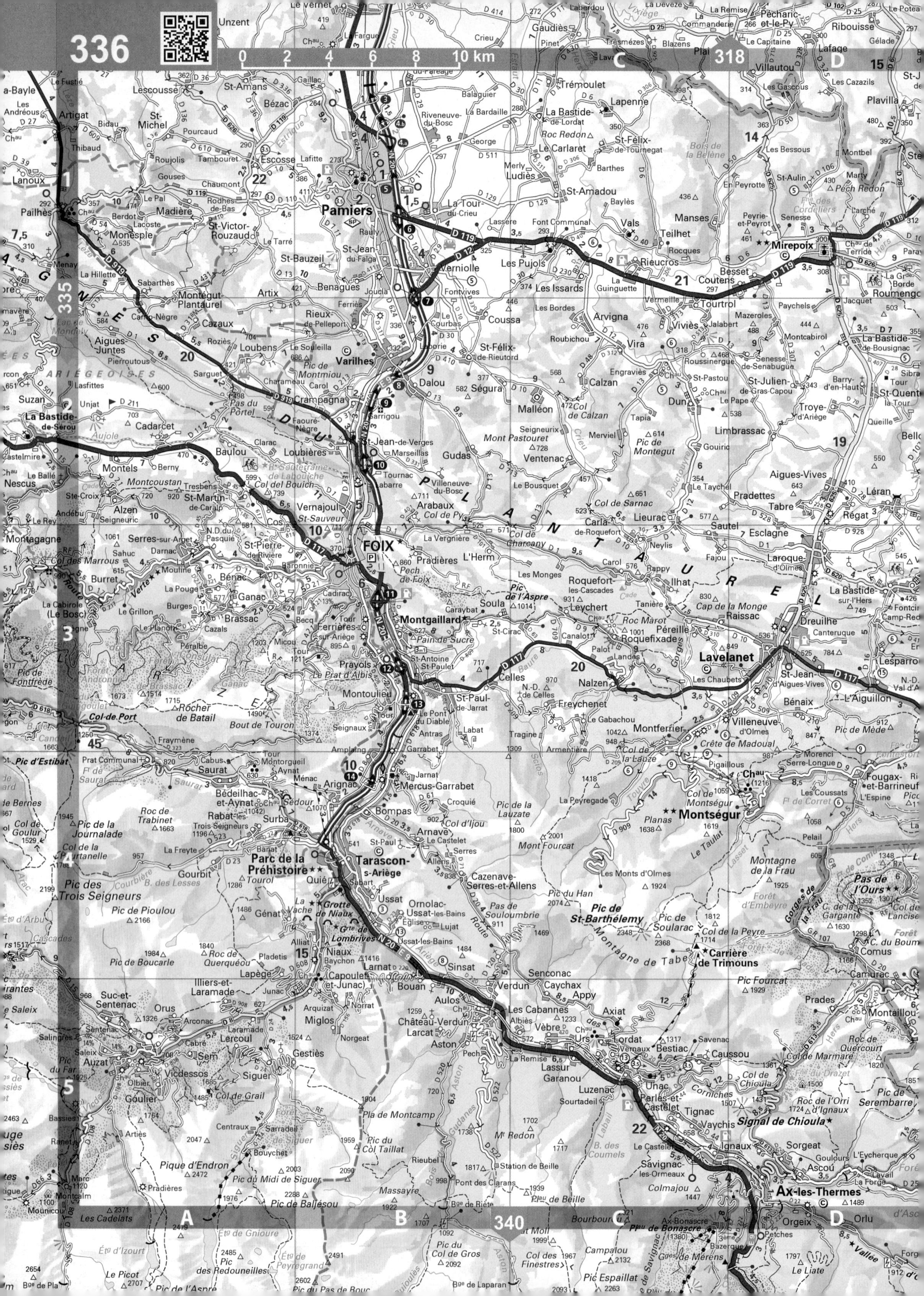
0 2 4 6 8 10 km
318
335
340
A
B
C
D
1
2
3
4
5
Pamiers
Varilhes
FOIX
Montgaillard
Tarascon-s-Ariège
Parc de la Préhistoire
Lavelanet
Mirepoix
Montségur
Ax-les-Thermes
La Bastide-de-Sérou
Saverdun
Unzent
Gaudiès
Pécharic-et-le-Py
Ribouisse
Lescousse
St-Amans
Bézac
Trémoulet
Lapenne
La Bastide-de-Lordat
St-Félix-de-Tournegat
Artigat
St-Michel
Escosse
Le Carlaret
Ludiès
St-Amadou
Manses
Pailhès
Madière
Monesple
St-Victor-Rouzaud
La Tour-du-Crieu
Vals
Teilhet
St-Jean-du-Falga
St-Bauzeil
Benagues
Vernolle
Les Pujols
Rieucros
Coutens
Les Issards
Montégut-Plantaurel
Cazaux
Artix
Rieux-de-Pelleport
Coussa
Arvigna
Tourtrol
Viviès
Aigues-Juntes
Loubens
Dalou
Ségura
Malléon
Calzan
Vira
Dun
St-Julien-de-Gras-Capou
Suzan
Crampagna
Cadarcet
St-Jean-de-Verges
Loubières
Gudas
Limbrassac
Troye-d'Ariège
Baulou
Montels
Nescus
Alzen
St-Martin-de-Caralp
Vernajoul
Arabaux
Ventenac
Pradettes
Tabre
Aigues-Vives
Léran
Régat
Serres-sur-Arget
St-Pierre-de-Rivière
Pradières
L'Herm
Carla-de-Roquefort
Lieurac
Sautel
Esclagne
Laroque-d'Olmes
Burret
Bénac
Ganac
Brassac
Soula
Roquefort-les-Cascades
Leychert
Ilhat
Raissac
Dreuilhe
Ferrières-sur-Ariège
Prayols
Montoulieu
St-Paul-de-Jarrat
Celles
Nalzen
Freychenet
Montferrier
Villeneuve-d'Olmes
Bénaix
Col de Port
Saurat
Bédeilhac-et-Aynat
Arignac
Mercus-Garrabet
Surba
Bompas
Arnave
Gourbit
Quié
Ussat
Ornolac-Ussat-les-Bains
Pic des Trois Seigneurs
Niaux
Larnat
Sinsat
Verdun
Senconac
Caychax
Appy
Carrière de Trimouns
Suc-et-Sentenac
Orus
Lapège
Illiers-et-Laramade
Bouan
Aulos
Les Cabannes
Axiat
Lordat
Château-Verdun
Miglos
Vèbre
Urs
Bestiac
Caussou
Auzat
Vicdessos
Sem
Siguier
Goulier
Lassur
Garanou
Luzenac
Unac
Perles-et-Castelet
Tignac
Vaychis
Ignaux
Sorgeat
Ascou
Orgeix
Orlu
Signal de Chioula
Pic de St-Barthélemy
Pic du Midi de Siguer
Pic de Baljésou
Montaillou
Prades
Camurac
Comus
Fougax-et-Barrineuf
Lesparrou
L'Aiguillon
PLANTAUREL
ARIÉGEOISES
ARIZE

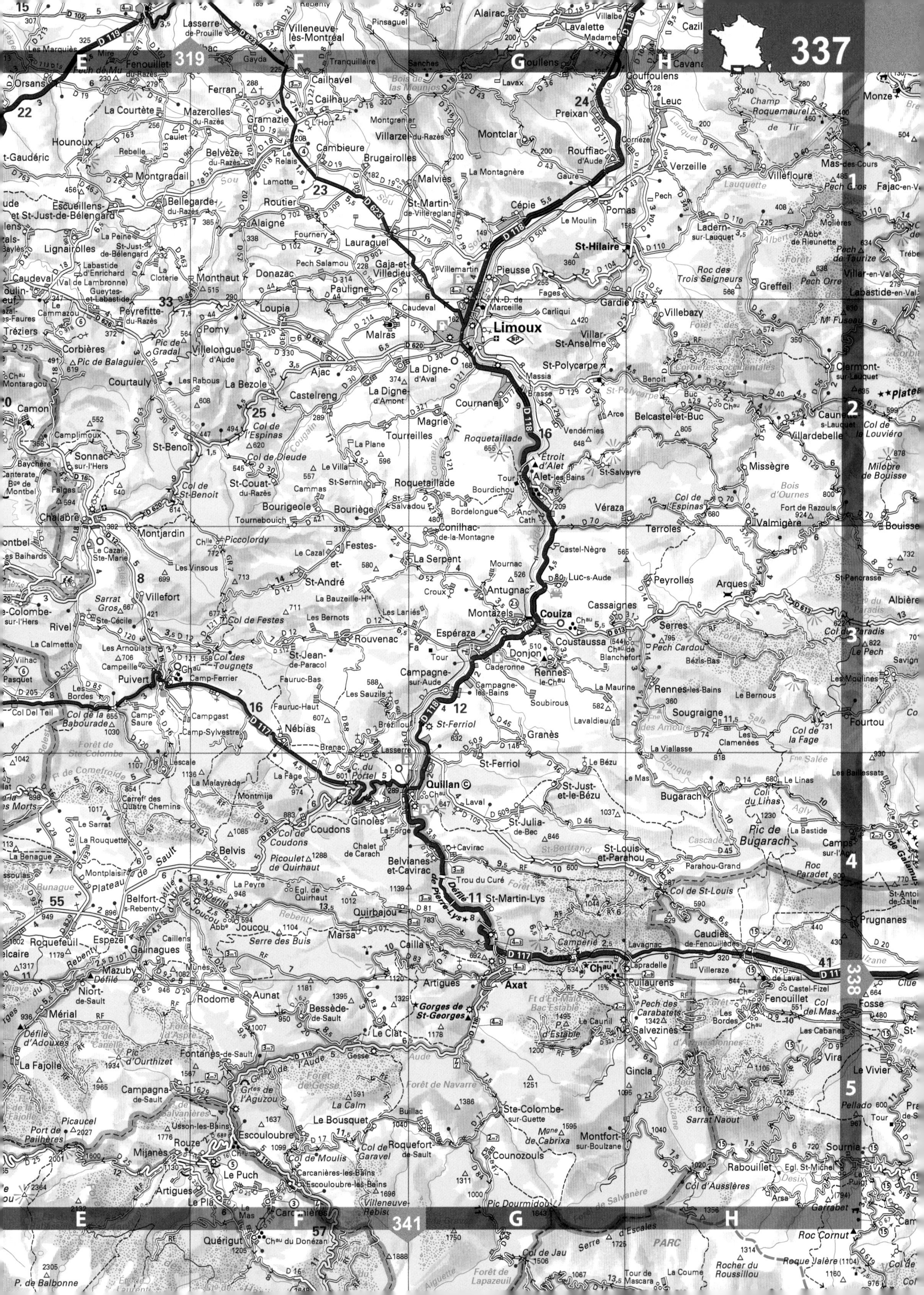
337
319
341
338
E
F
G
H
1
2
3
4
5
Limoux
Quillan
Couiza
Axat
St-Hilaire
Chalabre
Puivert
Lasserre-de-Prouille
Villeneuve-lès-Montréal
Alairac
Lavalette
Cailhavel
Cailhau
Fenouillet-du-Razès
Orsans
Ferran
La Courtète
Mazerolles-du-Razès
Gramazie
Cambieure
Brugairolles
Villarzel-du-Razès
Montclar
Preixan
Rouffiac-d'Aude
Leuc
Verzeille
Couffoulens
Hounoux
Belvèze-du-Razès
Montgradail
Escueillens-et-St-Just-de-Bélengard
Bellegarde-du-Razès
Alaigne
Routier
Malviès
St-Martin-de-Villereglan
Cépie
Pomas
Ladern-sur-Lauquet
Villefloure
Lignairolles
Lauraguel
Gaja-et-Villedieu
Pieusse
Monthaut
Donazac
Pauligne
Caudeval
Peyrefitte-du-Razès
Loupia
Pomy
Malras
Villelongue-d'Aude
Corbières
Courtauly
La Bezole
Ajac
La Digne-d'Aval
La Digne-d'Amont
Castelreng
Cournanel
Magrie
Tourreilles
Villar-St-Anselme
St-Polycarpe
Belcastel-et-Buc
Villebazy
Greffeil
Camon
Sonnac-sur-l'Hers
St-Benoît
Col de l'Espinas
Col de Dieude
St-Couat-du-Razès
Bourigeole
Bouriège
Roquetaillade
Alet-les-Bains
Véraza
Terroles
Missègre
Valmigère
Montjardin
Conilhac-de-la-Montagne
Festes-et-St-André
La Serpent
Antugnac
Luc-s-Aude
Peyrolles
Arques
Villefort
Rivel
Montazels
Espéraza
Rouvenac
Cassaignes
Serres
Coustaussa
Donjon
Rennes-le-Château
Rennes-les-Bains
Sougraigne
St-Jean-de-Paracol
Campagne-sur-Aude
Nébias
St-Ferriol
Granès
Bugarach
Pic de Bugarach
St-Just-et-le-Bézu
St-Julia-de-Bec
St-Louis-et-Parahou
Ginoles
Coudons
Belvis
Belvianes-et-Cavirac
Quirbajou
St-Martin-Lys
Défilé de Pierre-Lys
Joucou
Marsa
Cailla
Galinagues
Espezel
Roquefeuil
Mazuby
Rodome
Aunat
Bessède-de-Sault
Gorges de St-Georges
Puilaurens
Lapradelle
Caudiès-de-Fenouillèdes
Fenouillet
Salvezines
Gincla
Fontanès-de-Sault
Campagna-de-Sault
Escouloubre
Le Bousquet
Roquefort-de-Sault
Ste-Colombe-sur-Guette
Counozouls
Montfort-sur-Boulzane
Sournia
Rabouillet
Mijanès
Rouze
Le Puch
Artigues
Quérigut
Col de Jau
Forêt de Navarre
Plateau de Sault
Pic de Dourmidou

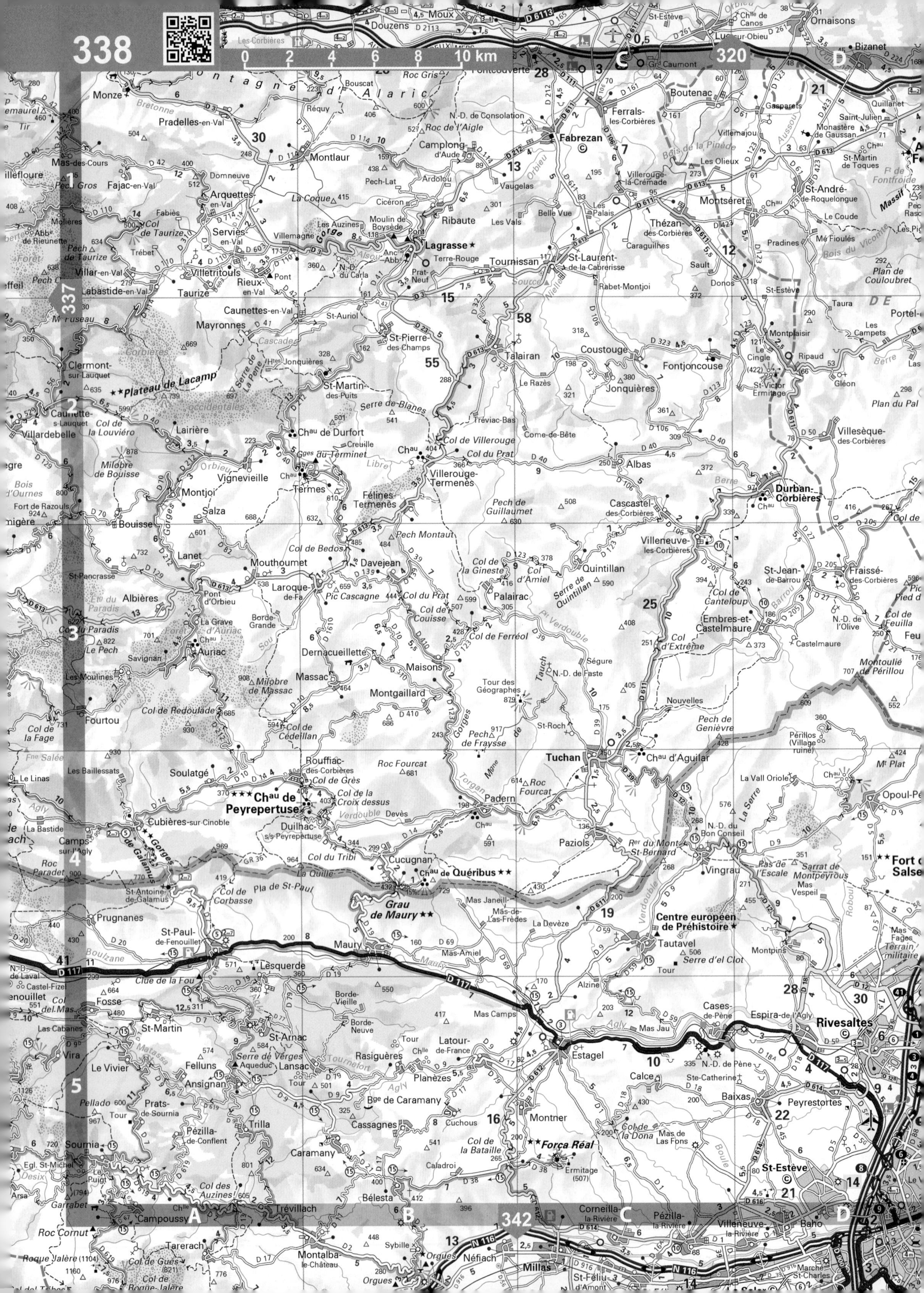
0 2 4 6 8 10 km
320
337
342
Douzens
Moux
Ornaisons
Bizanet
Les Corbières
Montagne d'Alaric
Roc Gris
Fontcouverte
Monze
Pradelles-en-Val
Réquy
N.-D. de Consolation
Roc de l'Aigle
Fabrezan
Ferrals-les-Corbières
Boutenac
Gasparets
Saint-Julien
Monastère de Gaussan
Montlaur
Camplong-d'Aude
Villemajou
Mas-des-Cours
Fajac-en-Val
Domneuve
Pech-Lat
Ardolou
Vaugelas
Les Olieux
St-Martin de Toques
Arquettes-en-Val
La Coque
Cicéron
Villerouge-la-Crémade
Montséret
St-André-de-Roquelongue
Col de Taurize
Serviès-en-Val
Moulin de Boysède
Ribaute
Les Vals
Belle Vue
Les Palais
Thézan-des-Corbières
Le Coude
Pech de Taurize
Villemagne
Lagrasse
Caraguilhes
Pradines
Villar-en-Val
Villetritouls
Rieux-en-Val
N.-D. du Carla
Terre-Rouge
Tournissan
St-Laurent-de-la-Cabrerisse
Sault
Plan de Couloubret
Labastide-en-Val
Taurize
Pont
Prat-Neuf
Rabet-Montjoi
Donos
St-Estève
Caunettes-en-Val
St-Auriol
Mayronnes
Cascade
St-Pierre-des-Champs
Talairan
Coustouge
Fontjoncouse
Montplaisir
Ripaud
Clermont-sur-Lauquet
Jonquières
Le Cingle
St-Victor Ermitage
Gléon
Plateau de Lacamp
St-Martin-des-Puits
Le Razès
Serre de Blanes
Plan du Pal
Caunette-s-Lauquet
Col de la Louviéro
Villardebelle
Lairière
Chau de Durfort
Tréviac-Bas
Come-de-Bête
Villesèque-des-Corbières
Col de Villerouge
Col du Prat
Milobre de Bouisse
Vignevieille
Termes
Villerouge-Termenès
Albas
Durban-Corbières
Montjoi
Félines-Termenès
Pech de Guillaumet
Cascastel-des-Corbières
Fort de Razouls
Salza
Bouisse
Pech Montaut
Villeneuve-les-Corbières
Lanet
Col de Bedos
Davejean
Col de la Gineste
Col d'Amiel
Quintillan
St-Jean-de-Barrou
Fraissé-des-Corbières
Mouthoumet
Serre de Quintillan
Albières
Laroque-de-Fa
Pic Cascagne
Col du Prat
Palairac
Col de Canteloup
Pont d'Orbieu
Col de Couisse
Embres-et-Castelmaure
N.-D. de l'Olive
Col de Feuilla
Col du Paradis
La Grave d'Auriac
Borde-Grande
Col de Ferréol
Col d'Extrême
Castelmaure
Le Pech
Auriac
Savignan
Dernacueillette
Ségure
Les Moulines
Maisons
N.-D. de Faste
Montoulié de Périllou
Massac
Milobre de Massac
Tour des Géographes
Montgaillard
Nouvelles
Col de Redoulade
Fourtou
Col de la Fage
Col de Cédeillan
Pech de Fraysse
St-Roch
Pech de Genièvre
Périllos (Village ruiné)
Roc Fourcat
Tuchan
Chau d'Aguilar
Mt Plat
Le Linas
Les Baillessats
Soulatgé
Rouffiac-des-Corbières
Col de Grès
Col de la Croix dessus
La Vall Oriole
Opoul-Périllos
Chau de Peyrepertuse
Padern
Cubières-sur-Cinoble
Duilhac-s/s-Peyrepertuse
Devès
Paziols
N.-D. du Bon Conseil
La Bastide
Camps-sur-l'Agly
Gorges de Galamus
Col du Tribi
Cucugnan
Rer du Mont St-Bernard
Vingrau
Pas de l'Escale
Sarrat de Montpeyroux
Fort de Salses
Roc Paradet
La Quille
Chau de Quéribus
Mas Vespeil
St-Antoine-de-Galamus
Col de Corbasse
Pla de St-Paul
Grau de Maury
Mas Janeill
Mas-de-Las-Frèdes
La Devèze
Centre européen de Préhistoire
Prugnanes
Tautavel
Mas Fages
Terrain militaire
St-Paul-de-Fenouillet
Maury
Mas-Amiel
Serre d'el Clot
Montpins
Boulzane
Lesquerde
Clue de la Fou
Castel-Fizel
Fenouillet
Col del Mas
Fosse
Borde-Vieille
Alzine
Cases-de-Pène
Espira-de-l'Agly
Rivesaltes
Las Cabanes
St-Martin
Mas Camps
Borde-Neuve
Mas Jau
St-Arnac
Vira
Le Vivier
Serre de Verges
Aqueduc
Latour-de-France
Estagel
N.-D. de Pène
Felluns
Ansignan
Lansac
Rasiguères
Tournefort
Ste-Catherine
Calce
Prats-de-Sournia
Planèzes
Baixas
Peyrestortes
Pellado
Bge de Caramany
Montner
Pézilla-de-Conflent
Trilla
Cassagnes
Cuchous
Col de la Dona
Mas de Las Fons
Sournia
Caramany
Col de la Bataille
Força Réal
Ermitage (507)
St-Estève
Egl. St-Michel
Caladroi
Garrabet
Col des Auzines
Bélesta
Arsa
Campoussy
Trévillach
Corneilla-la-Rivière
Pézilla-la-Rivière
Villeneuve-la-Rivière
Baho
Roc Cornut
Tarerach
Sybille
Orgues
Néfiach
Millas
Roque Jalère (1104)
Col de Gues
Col de Roque-Jalère
Montalba-le-Château
St-Féliu-d'Amont
Marché St-Charles
D 117
D 613
D 611
D 612
N 116
D 6113

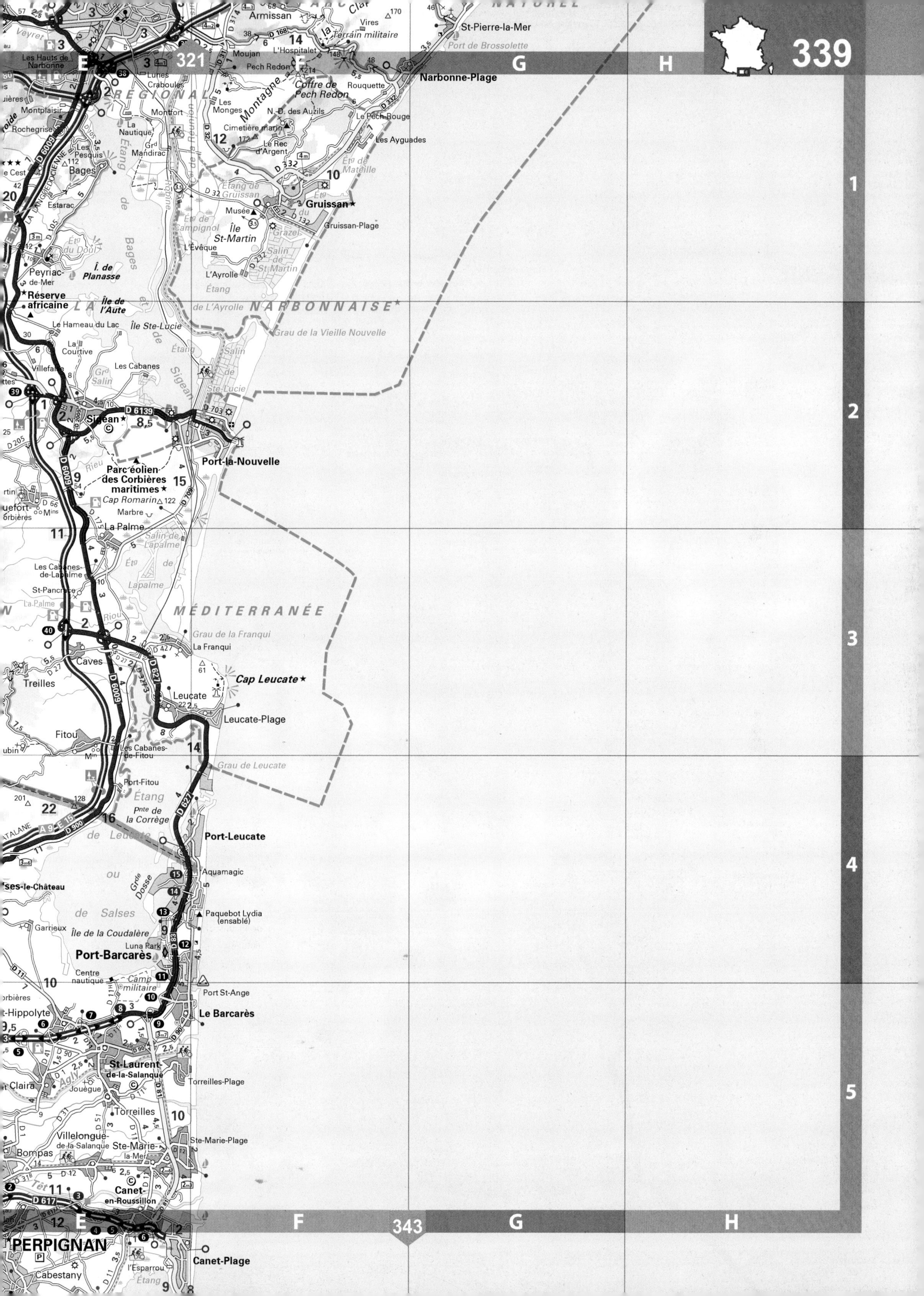
321
343
E
F
G
H
1
2
3
4
5
Armissan
Vires
Terrain militaire
St-Pierre-la-Mer
Port de Brossolette
Narbonne-Plage
Les Hauts de Narbonne
Moujan
L'Hospitalet
Pech Redon
Lunes
Craboules
Coffre de Pech Redon
Rouquette
Montagne de la Clape
Les Monges
N.-D. des Auzils
Le Pech-Rouge
Les Ayguades
Montplaisir
Rochegrise
Montfort
La Nautique
Cimetière marin
Le Rec d'Argent
Grd Mandirac
Les Pesquis
Bages
Étg de Mateille
Étang de Gruissan
Gruissan
Gruissan-Plage
Musée
Estarac
Étg de Campignol
Île St-Martin
L'Évêque
Salin de St-Martin
Grazel
Étg du Doul
Peyriac-de-Mer
Î. de Planasse
L'Ayrolle
Étang de L'Ayrolle
Réserve africaine
Île de l'Aute
NARBONNAISE
Grau de la Vieille Nouvelle
Le Hameau du Lac
Île Ste-Lucie
La Courtive
Villefalse
Les Cabanes
Grd Salin
Étang de Sigean
Salin de Ste-Lucie
Sigean
Port-la-Nouvelle
Parc éolien des Corbières maritimes
Cap Romarin
Marbre
La Palme
Salin de Lapalme
Étg de Lapalme
Les Cabanes-de-Lapalme
St-Pancrace
MÉDITERRANÉE
Grau de la Franqui
La Franqui
Caves
Treilles
Cap Leucate
Leucate
Leucate-Plage
Fitou
Les Cabanes-de-Fitou
Grau de Leucate
Port-Fitou
Pnte de la Corrège
Étang de Leucate ou de Salses
Port-Leucate
Aquamagic
Grde Dosse
Paquebot Lydia (ensablé)
Garrieux
Île de la Coudalère
Luna Park
Port-Barcarès
Centre nautique
Camp militaire
Port St-Ange
Le Barcarès
St-Laurent-de-la-Salanque
Torreilles-Plage
Jouègue
Claira
Torreilles
Villelongue-de-la-Salanque
Ste-Marie-la-Mer
Ste-Marie-Plage
Bompas
Canet-en-Roussillon
PERPIGNAN
Canet-Plage
Cabestany
l'Esparrou
Étang
Agly
Têt
Riou
A 9 - E 15
D 6009
D 6139
D 627
D 332
D 617
D 900

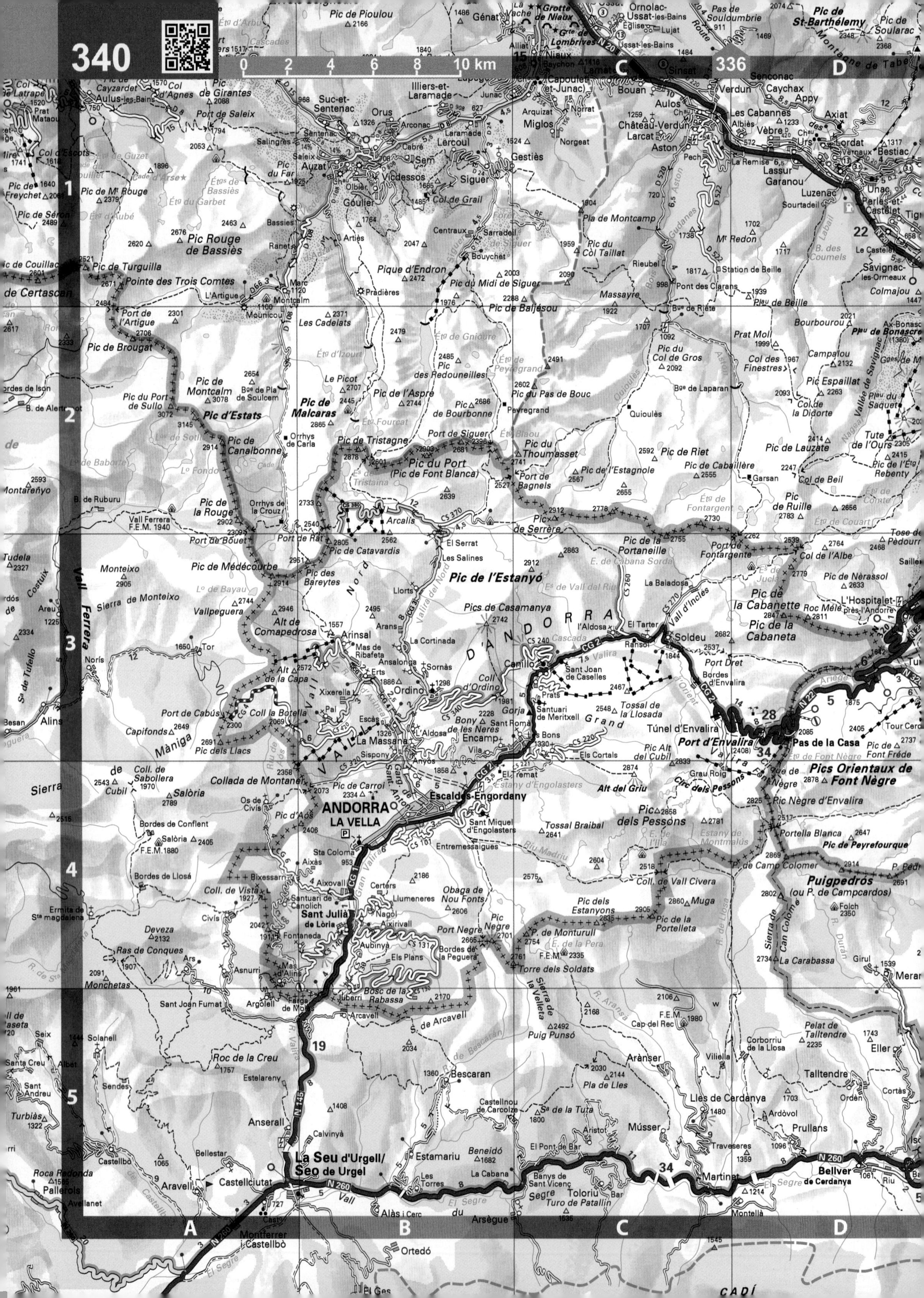

340
0 2 4 6 8 10 km
336
A
B
C
D
1
2
3
4
5
ANDORRA LA VELLA
Escaldes-Engordany
Sant Julià de Lòria
La Seu d'Urgell/ Seo de Urgel
Pic d'Estats
Pic de Montcalm
Pic de Médécourbe
Alt de Comapedrosa
Pic de l'Estanyó
Pics de Casamanya
D'ANDORRA
Pic du Port (Pic de Font Blanca)
Pic de Tristagne
Port d'Envalira
Pas de la Casa
Túnel d'Envalira
Pics Orientaux de Font Nègre
Pic Nègre d'Envalira
Pic de Peyrefourque
Puigpedrós (ou P. de Campcardos)
Pic dels Pessons
Pic de la Cabaneta
Pic de la Cabanette
L'Hospitalet-près-l'Andorre
Soldeu
El Tarter
Canillo
Encamp
Ordino
La Massana
Arinsal
Pal
Erts
Sispony
Anyós
Santa Coloma
Aixovall
Nagol
Aubinyà
Fontaneda
Bixessarri
Llumeneres
Certers
Juberri
Grau Roig
Vall Ferrera
Alins
Tor
Norís
Areu
Montferrer i Castellbò
Castellciutat
Aravell
Estamariu
Bescaran
Arànser
Lles de Cerdanya
Martinet
Bellver de Cerdanya
Prullans
Músser
Aristot
El Pont de Bar
Toloriu
Arsèque
Ortedó
CADÍ
Auzat
Vicdessos
Goulier
Siguer
Gestiès
Miglos
Aulos
Verdun
Les Cabannes
Château-Verdun
Larcat
Aston
Luzenac
Unac
Lordat
Axiat
Pic de St-Barthélemy
Pic de Soularac
Montagne de Tabe
Grotte de Niaux
Grotte de Lombrives
Niaux
Capoulet et-Junac
Ornolac-Ussat-les-Bains
Ussat-les-Bains
Pic de Turguilla
Pointe des Trois Comtes
Pic Rouge de Bassiès
Pic de Malcaras
Pic du Midi de Siguer
Pic de Baljésou
Pique d'Endron
Port de Siguer
Pic de Serrère
Port de Fontargente
Col de l'Albe
Pic de la Portaneille
Port de Bagnels
Pic du Thoumasset
Pic de Riet
Pic de Lauzate
Pic Espaillat
Col des Finestres
Pla de Montcamp
Pic du Col Taillat
Mt Redon
Station de Beille
Plateau de Beille
Plateau de Bonascre
Aulus-les-Bains
Col d'Agnes
Pic de Girantes
Port de Saleix
Col de Latrape
Col d'Escots
Pic de Fréychet
Pic de Séron
Pic de Mt Rouge
Pic de Certascan
Port de l'Artigue
Pic de Brougat
Pic du Port de Sullo
Pic de Canalbonne
Pic de la Rouge
Port de Bouet
Port de Rat
Pic de Catavardis
Arcalís
El Serrat
Les Salines
Llorts
Arans
La Cortinada
Ansalonga
Sornàs
Coll d'Ordino
Sant Joan de Caselles
Prats
Santuari de Meritxell
Tossal de la Llosada
Coll de la Botella
Port de Cabús
Collada de Montaner
Pic de Carroi
Pic d'Alt del Griu
Estany d'Engolasters
Sant Miquel d'Engolasters
Entremessaigues
Tossal Braibal
Obaga de Nou Fonts
Port Negre
Pic Negre
Bordes de la Peguera
Torre dels Soldats
Pic dels Estanyons
Pic de la Portelleta
Coll. de Vall Civera
P. de Camp Colomer
Portella Blanca
Monturull
Sierra de la Velleta
Puig Punsó
Bosc de la Rabassa
Sierra de Arcavell
Roc de la Creu
Sierra de Costuix
Sierra de Monteixo
Monteixo
Salòria
Bordes de Conflent
Bordes de Llosà
Coll. de Vista
Ermita de Sta magdalena
Deveza
Ras de Conques
Monchetas
Sant Joan Fumat
Argolell
Civís
Asnurri
Os de Civís
Seix
Solanell
Santa Creu
Albet
Sant Andreu
Turbiàs
Sendes
Anserall
Calvinyà
Bellestar
Roca Redonda
Pallerols
Avellanet
Castellbò
Les Torres
La Cabana
Beneidó
Banys de Sant Vicenç
Turo de Patallin
Castellnou de Carcolze
Pla de Lles
Cap del Rec
Viliella
Corborriu de la Llosa
Pelat de Talltendre
Talltendre
Eller
Ordèn
Cortàs
Ardòvol
Traveseres
Montellà
Riu
Girul
Merangues
La Carabassa
Sierra de Can Colomé
Folch
N 260
N 145
N 22
N 20
CG 2
CG 1
CG 3
19
34

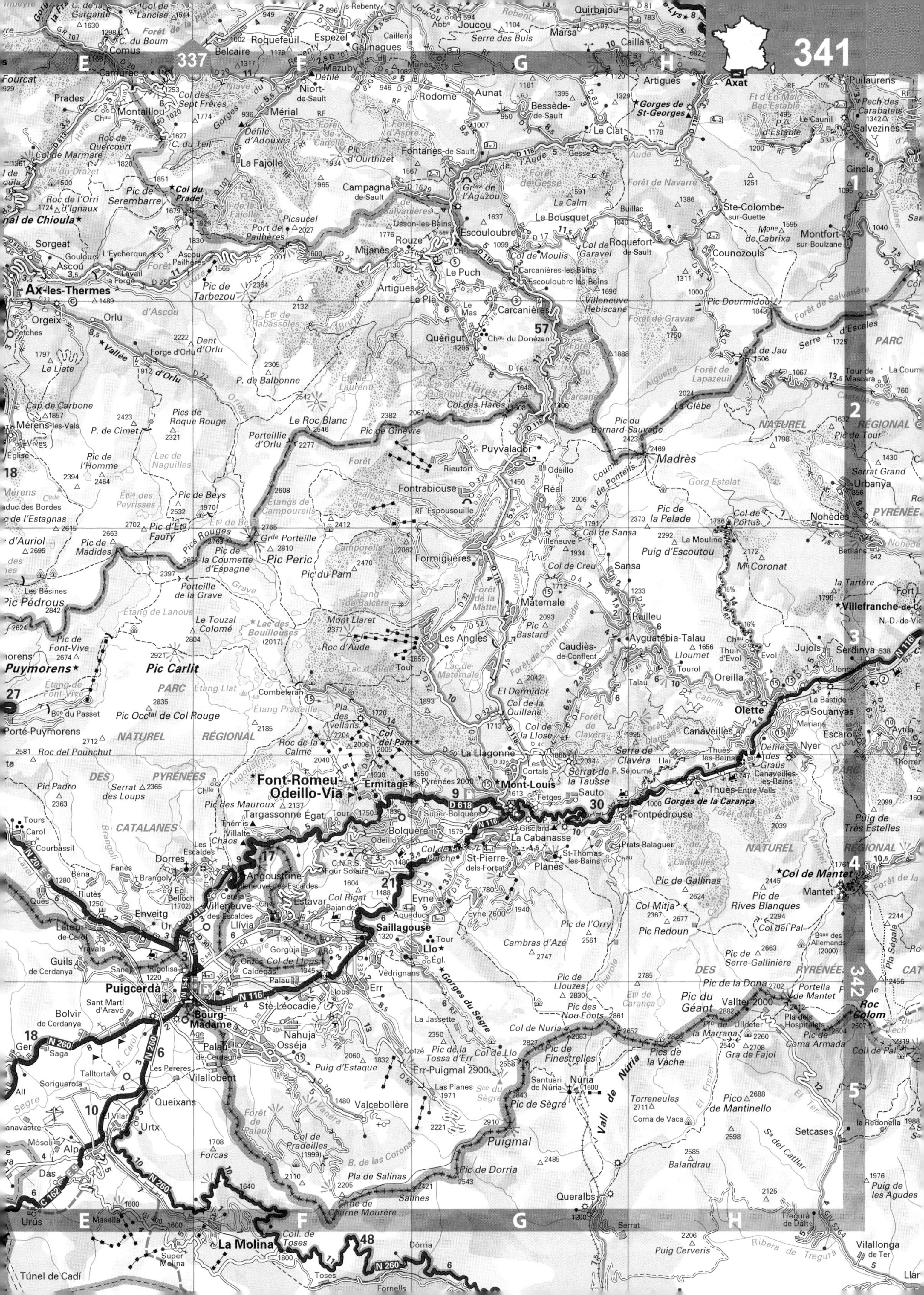

Map — grid references E F G H, rows 1–5

Gorge de Garganté • Col de Lancise 1544 • la Plaine • s-Rebenty • Joucou • Quirbajou • D 81 • Lys
Forêt du Boum • C. du Teil • Comus • Roquefeuil • Espezel • Galinagues • Caillens • Serre des Buis • Marsa • Caillà
Prades • Belcaire • Mazuby • Niort-de-Sault • Rodome • Aunat • Bessède-de-Sault • Le Clat • Artigues • Gorges de St-Georges • Ft d'En Malo • Puilaurens
Montaillou • Col des Sept Frères • Mérial • Défilé • Défilé d'Adouxes • Pic d'Ourthizet • Campagna-de-Sault • Gesse • Forêt de Gesse • Le Bousquet • Salvezines • Pech des Carabatets • d'Établé
Roc de Quercourt • Col de Marmare • La Fajolle • Port de Pailhères • Usson-les-Bains • Escouloubre • Col de Moulis • Col de Garavel • Roquefort-de-Sault • Counozouls • Gincla
Col du Pradel • Ascou-Pailhères • Mijanès • Rouze • Le Puch • Carcanières-les-Bains • Villeneuve-Rebiscane • Col de Jau • Ste-Colombe-sur-Guette
Ax-les-Thermes • Orgeix • Orlu • Pic de Tarbezou • Artigues • Le Plà • Le Mas • Carcanières • Col de Jau J506 • Tour de Mascara
Le Liate • Vallée d'Orlu • Forge d'Orlu • Dent d'Orlu • Quérigut • Château du Donézan • 57 • Forêt de Lapazeuil • La Glèbe
Cap de Carbone • P. de Balbonne • Le Roc Blanc • Pic de Ginèvre • Puyvalador • Madrès • Pic du Bernard-Sauvage • RÉGIONAL
Mérens-les-Vals • Pics de Roque Rouge • Porteillie d'Orlu • Rieutort • Odeillo • Réal • Pic de la Pelade • Col de Portus • Nohèdes • PYRÉNÉE
Pic de l'Homme • Lac de Naguilles • Fontrabiouse • RF Espousouille • Col de Sansa • Puig d'Escoutou • Mt Coronat • la Tartère
Pic de Beys • Étangs de Campoureils • Gde Porteille • Camporells • Formiguères • Col de Creu • Sansa • Railleu • Ayguatébia-Talau • Villefranche-de-C
Pic d'Etg Faury • Pic de la Coumette d'Espagne • Pic Peric • Pic du Pam • Les Angles • Pic Bastard • Thuir d'Évol • Évol • Jujols • Serdinya
Pic Pédrous • Porteille de la Grave • Le Touzal Colomé • Lac des Bouillouses • Roc d'Aude • Lac d'Aude • Caudiès-de-Conflent • Oreilla • Olette • Souanyas
Pic de Font-Vive • Étang de Lanous • Mont Llaret • Lac de Matemale • El Dormidor • Lloumet • Tourol • Talau • Canaveilles • Escaro • Nyer
Puymorens • Pic Carlit • Étang Llat • Combelerán • Étang Pradeille • Pla des Avellans • Col de la Quillane • Col de la Llose • Serre de Clavéra • Défilé des Graüs • Puig de Très Estelles
Porté-Puymorens • Roc del Pounchut • Pic Occidental de Col Rouge • Roc de la Calme • Col del Pam • La Llagonne • Pyrénées 2000 • Mont-Louis • Gorges de la Carança
Tours Carol • Courbassil • Font-Romeu-Odeillo-Via • Ermitage • Sauto • Fetges • Fontpédrouse • Forêt d'en-Entrevalls
Béna • Targasonne • Égat • Bolquère • Super-Bolquère • La Cabanasse • Prats-Balaguer • Pic de Gallinas • Col de Mantet • Mantet
Latour-de-Carol • Dorres • Angoustrine • Villeneuve-des-Escaldes • Col de la Perche • St-Pierre-dels-Forcats • Planès • Col Mitja • Pic de Rives Blanques • Pic Redoun
Enveitg • Ur • Villeneuve-des-Escaldes • Llívia • Estavar • Col Rigat • Eyne • Eyne 2600 • Pic de l'Orry • Col del Pal
Guils de Cerdanya • Bourg-Madame • Saillagouse • Aqueduc • Bajande • Llo • Cambras d'Azé • Pic de Serre-Gallinière • Portella de Mantet • Roc Colom
Puigcerdà • Hix • Ste-Léocadie • Err • Gorges du Sègre • Pic de Llouzes • Étg de Carança • Pic de la Dona • Vallter 2000
Bolvir de Cerdanya • Sant Martí d'Aravó • Caldégas • Palau • Llous • La Jassette • Pic de Nou Fonts • Pic du Géant • Pla dels Hospitalets • Ulldeter • Pic de Coma Armada
Ger • Saga • Nahuja • Osséja • Cotzé • Pic de la Tossa d'Err • Col de Llo • Col de Nuria • Pic de Finestrelles • Pics de la Vache • Gra de Fajol • Coll de Pal
Les Pereres • Vilallobent • Puig d'Estaque • Err-Puigmal 2900 • Las Planes • Santuari de Núria • Núria • Torreneules • Pico de Mantinello • la Redonella
Talltorta • Urtx • Valcebollère • Pic de Sègre • Puigmal • Vall de Núria • Coma de Vaca • Setcases
Alp • I Vilar • Forcas • Col de Pradeilles • Pla de Salinas • Pic de Dorria • Queralbs • Balandrau • Sa. del Catllar • Puig de les Agudes
Das • Soriguerola • Masella • Coll de Toses • Cime de Courne Mourère • Salines • Serrat • Puig de Dalt
Urús • Túnel de Cadí • La Molina • Super Molina • Dòrria • Fornells • Puig Cerveris • Ribera de Tregurà • Tregurà de Dalt • Vilallonga de Ter

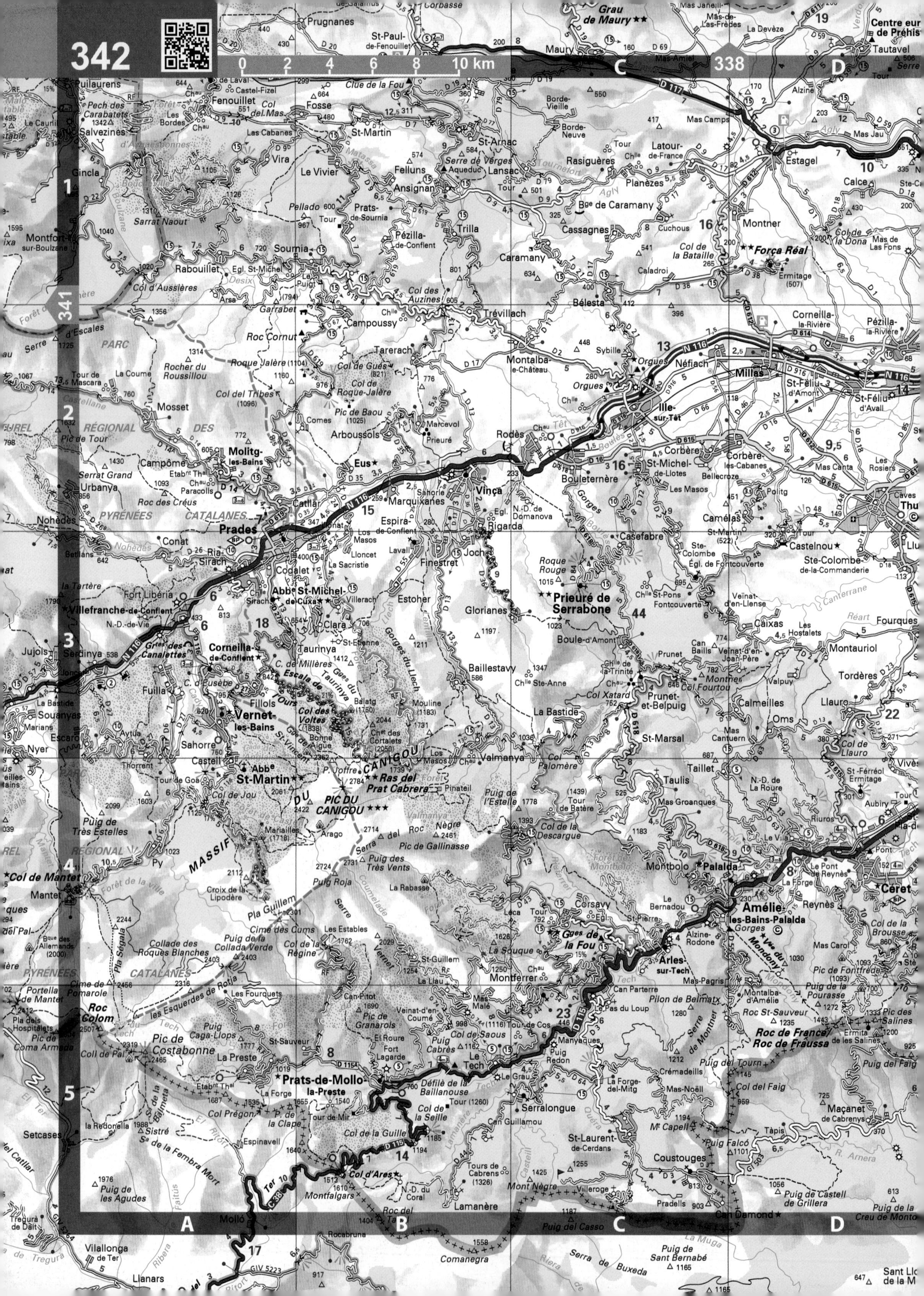
0 2 4 6 8 10 km
338
341
C
D
A
B
Prugnanes
St-Paul-de-Fenouillet
Grau de Maury
Maury
Mas-Amiel
Centre eur de Préhisto
Tautavel
D 117
Puilaurens
Fenouillet
Castel-Fizel
Clue de la Fou
Fosse
St-Martin
St-Arnac
Borde-Vieille
Borde-Neuve
Mas Camps
Latour-de-France
Estagel
Alzine
Mas Jau
Pech des Carabatets
Salvezines
Les Bordes
Col del Mas
Las Cabanes
Vira
Le Vivier
Felluns
Ansignan
Serre de Vergès
Aqueduc
Lansac
Rasiguères
Planèzes
Tournefort
Agly
Gincla
Sarrat Naout
Montfort-sur-Boulzane
Pellado
Prats-de-Sournia
Pézilla-de-Conflent
Trilla
Bge de Caramany
Cassagnes
Cuchous
Montner
Col de la Dona
Mas de Las Fons
Calce
Soumia
Rabouillet
Egl. St-Michel
Desix
Col d'Aussières
Arsa
Le Puigt
Garrabet
Col des Auzines
Caramany
Col de la Bataille
Força Réal
Ermitage (507)
Caladroi
Bélesta
Trévillach
Campoussy
Roc Cornut
Tarerach
Serre d'Escales
PARC
Rocher du Roussillou
Roque Jalère (1104)
Col de Gués (821)
Col de Roque-Jalère
Montalba-le-Château
Sybille
Orgues
Néfiach
Millas
Corneilla-la-Rivière
Pézilla-la-Rivière
N 116
St-Féliu-d'Amont
St-Féliu-d'Avall
Tour de Mascara
La Coume
Castellane
Col del Tribes (1096)
Pic de Baou (1025)
Marcevol
Prieuré
Comes
Arboussols
Rodès
Ille-sur-Têt
Têt
Mosset
RÉGIONAL
DES
Pic de Tour
Molitg-les-Bains
Campôme
Serrat Grand
Urbanya
Paracolls
Roc des Créus
Eus
Marquixanes
Vinça
Bouleternère
St-Michel-de-Llotes
Corbère
Corbère-les-Cabanes
Bellecroze
Mas Canta
Les Rosiers
Les Masos
Poltg
Thuir
Nohèdes
PYRÉNÉES
CATALANES
Catllar
Prades
Conat
Ria-Sirach
Espira-de-Conflent
Los Masos
Rigarda
N.-D. de Domanova
Casefabre
Camélas
St-Martin (522)
Castelnou
Ste-Colombe-de-la-Commanderie
Betllans
Codalet
Llonce
La Sacristie
Lavall
Joch
Finestret
Roque Rouge
Ste-Colombe
Égl. de Fontcouverte
La Tartère
Fort Libéria
Villefranche-de-Conflent
N.-D.-de-Vie
Abb St-Michel-de-Cuxa
Villerach
Estoher
Glorianes
Prieuré de Serrabone
Chlle St-Pons
Fontcouverte
Veïnat-d'en-Llense
Canterrane
Réart
Fourques
Caixas
Les Hostalets
Jujols
Serdinya
Gges des Canalettes
Corneilla-de-Conflent
Taurinya
Clara
St-Étienne
Gorges du Llech
Baillestavy
Boule-d'Amont
Can Baills
Veïnat-d'en-Joan-Père
Montauriol
Tordères
Joncet
La Bastide
Souanyes
Marians
Escaro
Nyer
Fuilla
C. d'Eusèbe
Escala de l'Ours
Gges du Taurinya
C. de Millères
Fillols
Vernet-les-Bains
Aytua
Col des Voltes (1838)
Balatg (1760)
Mouline (1183)
Chlle Ste-Anne
Chlle de la Trinité
Col Xatard
Prunet
Prunet-et-Belpuig
Montner
Col Fourtou
Valpuy
Calmeilles
Llauro
Oms
Sahorre
Chet des Cortalets (2050)
Bonne Aigue
La Bastide
St-Marsal
Mas Cantuern
Col de Llauro
Castell
Thorrent
Tour de Goa
Abbe St-Martin
Col de Jou
P. Joffre
Ras del Prat Cabrera
CANIGOU
Los Masos
Valmanya
Col Palomère
Taulis
Taillet
N.-D. de La Roure
St-Ferréol Ermitage
Pinateil
Puig de l'Estelle
Tour de Batère
Mas Groanques
Aubiry
Puig de Très Estelles
PIC DU CANIGOU
Mariailles (1718)
Arago
Serra del Roc
Nègre
Col de la Descargue
Riuros
Le Vila
RÉGIONAL
MASSIF
Py
Pic de Gallinasse
Puig des Très Vents
Forêt de Montbolo
Montbolo
Palalda
Le Pont de Reynès
Pont
Céret
Col de Mantet
Mantet
Croix de la Lipodère
Puig Roja
La Rabasse
Corsavy
Le Bernadou
La Forge
Amélie-les-Bains-Palalda
Reynès
Pla Guillem
Cime des Cums
Les Estables
Col de la Régine
Gges de la Fou
La Souque
Arles-sur-Tech
Alzine-Rodone
Gorges
Vee du Mondony
Col de la Brousse
Mas Carol
Collade des Roques Blanches
Puig de la Collada Verde
Bque des Allemands (2000)
St-Guillem
La Llau
Montferrer
Mas-Pagris
Pic de Fontfrède (1093)
PYRÉNÉES
CATALANES
Pla Segala
Cime de Pomarole
Portella de Mantet
Les Fourquets
Les Esquerdes de Rotja
Can Pitot
Pic de Granarols
Veïnat-d'en-Coumé
Mas Malé
Can Parterre
Pilon de Belmatx
Montalba-d'Amélie
Puig de la Pourasse
Roc St-Sauveur
Pic des Salines
Roc Colom
Pla dels Hospitalets
Pic de Coma Armada
Puig Caga-Llops
Tech
St-Sauveur
El Roure
Fort Lagarde
Puig Cabrès
Col de Saous
Tour de Cos
Le Pas du Loup
Manyaques
Roc de France
Roc de Frausa
Ermita de les Salines
Coll de Pal
Pic de Costabonne
La Preste
Prats-de-Mollo-la-Preste
Le Tech
Le Grau
Puig Redon
Crémadeills
Puig del Tourn
Puig del Faig
Etabnt Thal
La Forge
Défilé de la Baillanouse
Tour (1260)
Col de la Seille
Serralongue
La Forge-del-Mitg
Mas-Noëll
Col del Faig
Maçanet de Cabrenys
Col Prégon
Col de la Clape
Tour-de-Mir
Can Guillamou
Mt Capell
Tàpis
Setcases
la Redonella
Sistré
Sa de la Balmeta
Sa de la Fembra Mort
Espinavell
Col de la Guille
St-Laurent-de-Cerdans
Coustouges
Puig Falcó
R. Arnera
Ter
Col d'Ares
Montfalgars
N.-D. du Coral
Tours de Cabrens (1326)
Mont Nègre
Villeroge
Pradells
Puig de Castell de Grillera
Puig de les Agudes
Roc del Tal
Lamanère
Can Damond
Puig de la Creu de Monto
Tregurà de Dalt
Molló
Rocabruna
Puig del Casso
La Muga
Vilallonga de Ter
Ribera
Comanegra
Serra de Buxeda
Puig de Sant Bernabé
Llanars
GIV 5223
Sant Llo de la M

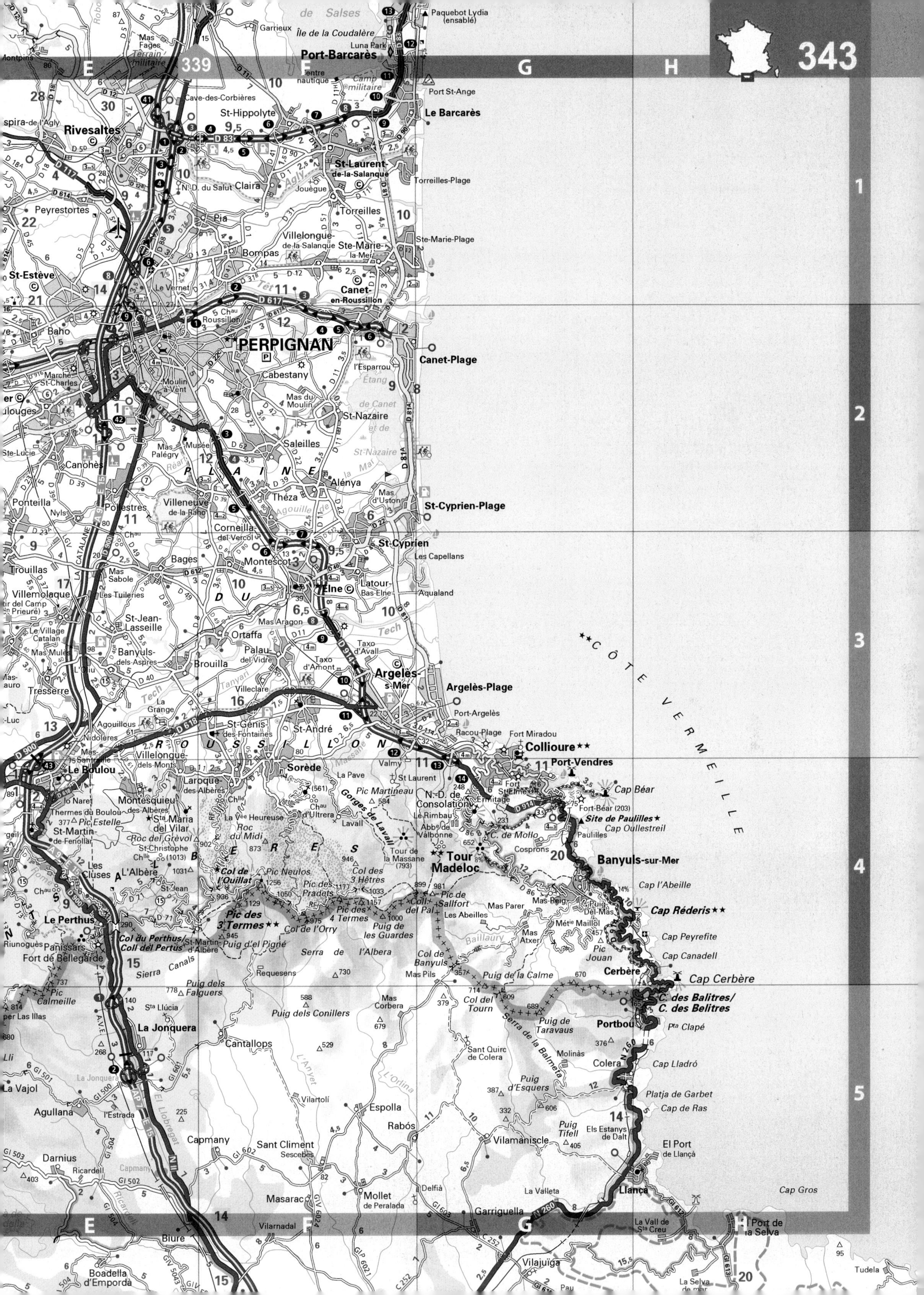

Paquebot Lydia (ensablé)
de Salses
Île de la Coudalère
Garrieux
Luna Park
Port-Barcarès
Mas Fages
Terrain militaire
Centre nautique
Camp militaire
Port St-Ange
Le Barcarès
Cave-des-Corbières
St-Hippolyte
Rivesaltes
St-Laurent-de-la-Salanque
Torreilles-Plage
N.-D. du Salut
Claira
Jouègue
Agly
Peyrestortes
Torreilles
Pia
Villelongue-de-la-Salanque
Ste-Marie-la-Mer
Ste-Marie-Plage
Bompas
St-Estève
Le Vernet
Têt
Canet-en-Roussillon
Chau Roussillon
Baho
PERPIGNAN
Canet-Plage
Marche St-Charles
Cabestany
l'Esparrou
Étang de Canet et de St-Nazaire
Moulin à Vent
Mas du Moulin
St-Nazaire
Saleilles
Ste-Lucie
Mas Palégry
Musée
Canohès
P L A I N E
Alénya
Ponteilla
Pollestres
Villeneuve-de-la-Raho
Mas d'Uston
St-Cyprien-Plage
Théza
Nyls
Corneilla-del-Vercol
St-Cyprien
Les Capellans
Trouillas
Bages
Mas Sabole
Montescot
Villemolaque
Les Tuileries
D U
Elne
Latour-Bas-Elne
Aqualand
St-Jean-Lasseille
Mas Aragon
Le Village Catalan
Ortaffa
Tech
Mas Muleé
Banyuls-dels-Aspres
Palau-del-Vidre
Taxo d'Avall
Taxo d'Amont
Brouilla
L'Oliu
Argelès-s-Mer
Argelès-Plage
★★ CÔTE VERMEILLE
Tresserre
Villeclare
Port-Argelès
La Grange
Agouillous
Nidolères
St-Genis-des-Fontaines
St-André
Racou-Plage
Fort Miradou
Collioure ★★
R O U S S I L L O N
Mas-Santraille
Le Boulou
Villelongue-dels-Monts
Sorède
La Pave
Valmy
St Laurent
Port-Vendres
Laroque-des-Albères
Pic Martineau
Gorges de Lavall
N.-D. de Consolation
Ermitage
Fort St-Elme
Cap Béar
Fort-Béar (203)
Site de Paulilles ★
Cap Oullestreil
Paulilles
Chau d'Ultrera
Thermes du Boulou
Montesquieu-des-Albères
Pic Estelle
Sta Maria del Vilar
La Vée Heureuse
Roc du Midi
Lavall
Le Rimbau
Abbe de Valbonne
C. de Mollo
St-Martin-de-Fenollar
Roc del Grèvol
St-Christophe
B E R E S
Tour de la Massane
★★ Tour Madeloc
Cosprons
Banyuls-sur-Mer
Les Cluses
L'Albère
Col de l'Ouillat
Pic Neulos
Col des 3 Hêtres
Pic des Pradats
Cap l'Abeille
St Jean
Col de Sallfort
Col del Pal
Mas Parer
Mas Reig
Puig Del Mas
Le Perthus
Pic des 3 Termes ★★
Pic des 4 Termes
Les Abeilles
Méte Maillol
Cap Rédéris ★★
Col de l'Orry
Puig de les Guardes
Mas Atxer
Col du Perthus/ Coll del Pertús
Puig d'el Pigné
Cap Peyrefite
Panissars
St-Martin-de-St Albère
Serra de l'Albera
Bailaury
Pic Jouan
Cap Canadell
Fort de Bellegarde
Col de Banyuls
Cerbère
Sierra Canals
Requesens
Mas Pils
Puig de la Calme
Cap Cerbère
Puig dels Falguers
C. des Balitres/ C. des Belitres
Pic Calmeille
Col del Tourn
Puig de Taravaus
Portbou
Pta Clapé
Sta Llúcia
Puig dels Conillers
Mas Corbera
Serra de la Balmeta
La Jonquera
Cantallops
Sant Quirc de Colera
Molinàs
Colera
Cap Lladró
L'Anyet
L'Ordina
Puig d'Esquers
La Vajol
Platja de Garbet
Vilartolí
Cap de Ras
Agullana
l'Estrada
El Llobregat
Espolla
Rabós
Puig Tifell
Els Estanys de Dalt
Capmany
Sant Climent Sescebes
Vilamaniscle
El Port de Llançà
Darnius
Ricardell
Mollet de Peralada
Delfià
La Valleta
Llançà
Cap Gros
Masarac
Garriguella
La Vall de Sta Creu
Port de la Selva
Vilarnadal
Biure
Vilajuïga
Tudela
Boadella d'Empordà
La Selva de mar
Pau
E F G H
1 2 3 4 5

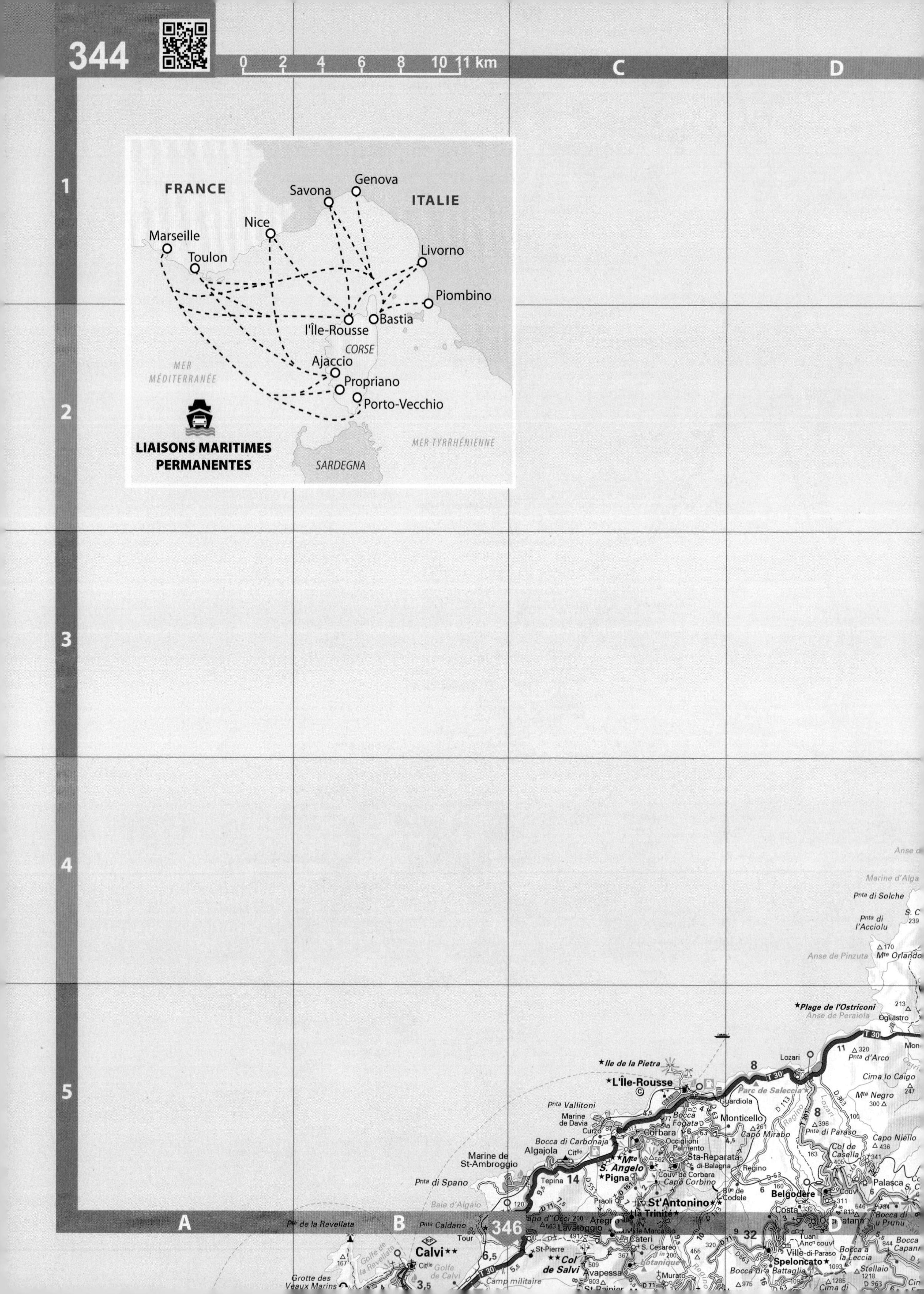

0 2 4 6 8 10 11 km

C   D

FRANCE ITALIE

Savona   Genova
Nice
Marseille   Livorno
Toulon
Piombino
l'Île-Rousse   Bastia
CORSE
Ajaccio
Propriano
Porto-Vecchio
MER MÉDITERRANÉE
MER TYRRHÉNIENNE
SARDEGNA

LIAISONS MARITIMES PERMANENTES

1

2

3

4

Anse di

Marine d'Alga

Pnta di Solche

Pnta di l'Acciolu   S. C
239

Anse de Pinzuta   Mte Orlando

★Plage de l'Ostriconi   213
Anse de Peraiola   Ogliastro

T 30
★Ile de la Pietra   11   △320   Mon
Lozari   Pnta d'Arco
8   T 30   Cima lo Caigo
★L'Île-Rousse   247
5   Parc de Saleccia ★   Mte Negro
Pnta Vallitoni   Guardiola   300△   8   100
Marine   Bocca   Lozari   Pnta di Paraso
de Davia   Fogata   Monticello   Capo Niellu
Curzo   Corbara   Capó Mirabo   Col de   △436
Bocca di Carbonaja   Palmento   Casella
Algajola   Cit^{lle}   Sta-Reparata   163   △341
Marine de   di-Balagna   Regino   Palasca
St-Ambroggio   M^{te}   Couv de Corbara   Capó Corbino
S. Angelo   Bocca   160
Pnta di Spano   Pigna   Belgodere   △311
Tepina   14   B^{ce} de   Costa   330   813
Praoli   Codole   32   Bocca di
Baie d'Algaio   St Antonino   u Prunu
Cap^o d'Occi 200   la Trinité ★   Tuani   Ancⁿ couv^t
120   Aregno   Ville-di-Paraso   844 Bocca a
B   Lavatoggio   S. Cesareo   455   Speloncato ★   la Leccia
A   Pnta Caldano   C   Muratu   1093 △
346   32
Tour   Ville-Marcasso   Bocca di Battaglia   Stellaio
1218
Calvi ★★   St-Pierre   Avapessa   1286
6,5   D 71   △ 963   Cima di
3,5   Col   T 30   803
Grotte des   de Salvi   Camp militaire   D 963
Veaux Marins   St Rainier

Golfe de la Revellata
P^{te} de la Revellata   167
Cit^{lle}   Golfe
de Calvi

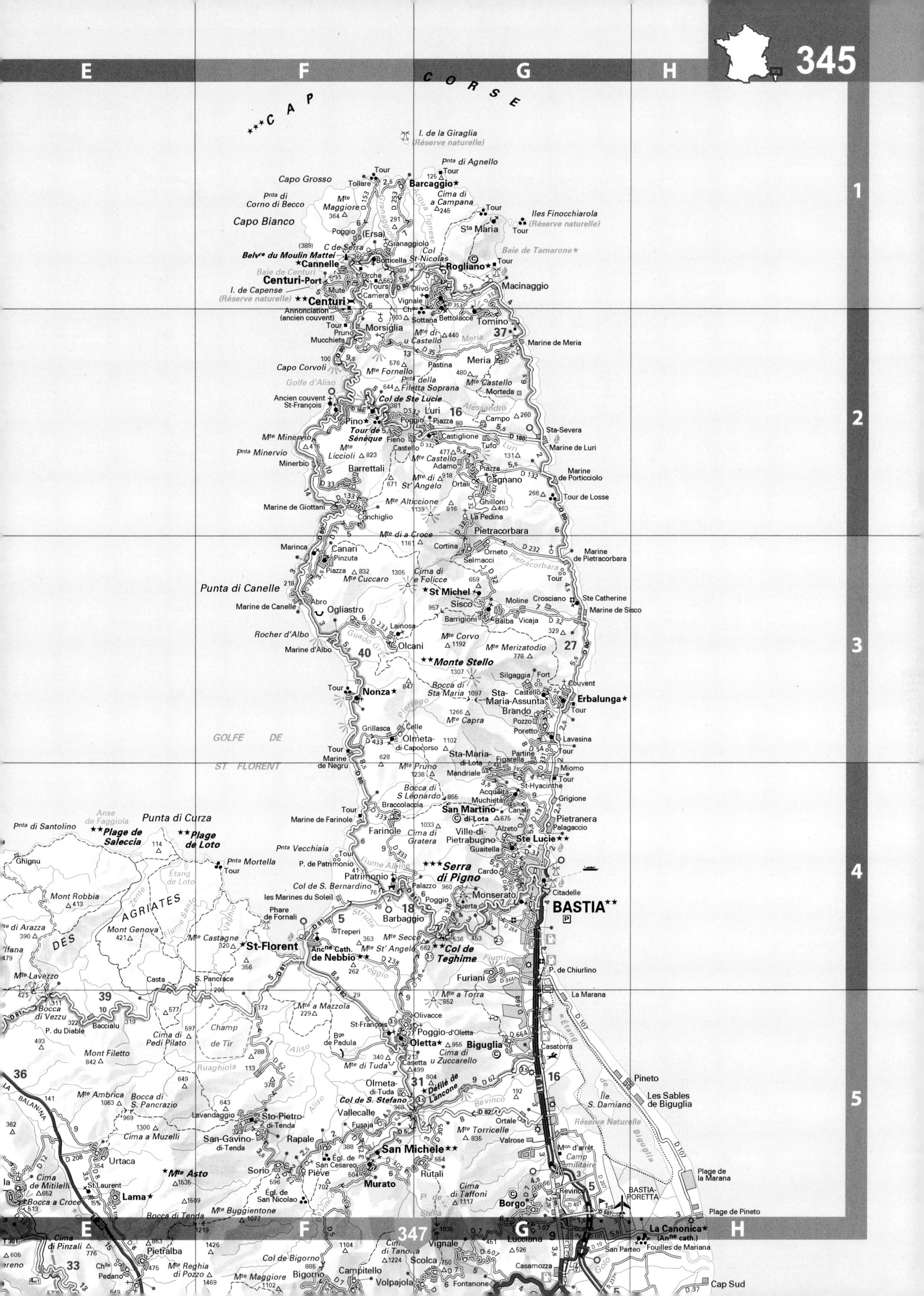
E
F
G
H
CAP CORSE
I. de la Giraglia (Réserve naturelle)
Barcaggio
Capo Grosso
Capo Bianco
Iles Finocchiarola (Réserve naturelle)
Sta Maria
Baie de Tamarone
Rogliano
Macinaggio
Cannelle
Centuri-Port
Centuri
I. de Capense (Réserve naturelle)
Tomino
Morsiglia
Marine de Meria
Meria
Capo Corvoli
Golfe d'Aliso
Col de Ste Lucie
Pino
Tour de Sénèque
Luri
Sta-Severa
Marine de Luri
Minerbio
Barrettali
Cagnano
Marine de Porticciolo
Tour de Losse
Marine de Giottani
Conchiglio
Pietracorbara
Marine de Pietracorbara
Canari
Punta di Canelle
Marine de Canelle
Ogliastro
St Michel
Sisco
Ste Catherine
Marine de Sisco
Rocher d'Albo
Marine d'Albo
Olcani
Monte Stello
Nonza
Erbalunga
Sta-Maria-Assunta
Brando
Lavasina
GOLFE DE ST FLORENT
Olmeta-di-Capocorso
Marine de Negru
Miomo
Marine de Farinole
Farinole
San Martino-di-Lota
Pietranera
Ste Lucie
Punta di Curza
Plage de Saleccia
Plage de Loto
Patrimonio
Serra di Pigno
Col de S. Bernardino
Monserato
BASTIA
Barbaggio
DES AGRIATES
St-Florent
Anc.ne Cath. de Nebbio
Col de Teghime
Furiani
P. de Chiurlino
La Marana
Poggio-d'Oletta
Oletta
Biguglia
Olmeta-di-Tuda
Défilé de Lancone
Col de S. Stefano
Pineto
Les Sables de Biguglia
Île S. Damiano
Réserve Naturelle
Vallecalle
Sto-Pietro-di-Tenda
San-Gavino-di-Tenda
Rapale
San Michele
Murato
Rutali
Borgo
Plage de la Marana
BASTIA-PORETTA
Plage de Pineto
La Canonica
Lucciana
San Parteo
Fouilles de Mariana
Urtaca
Lama
Mte Asto
Pietralba
Vignale
Scolca
Campitello
Volpajola
Bigorno
Casamozza
Cap Sud
347
1
2
3
4
5

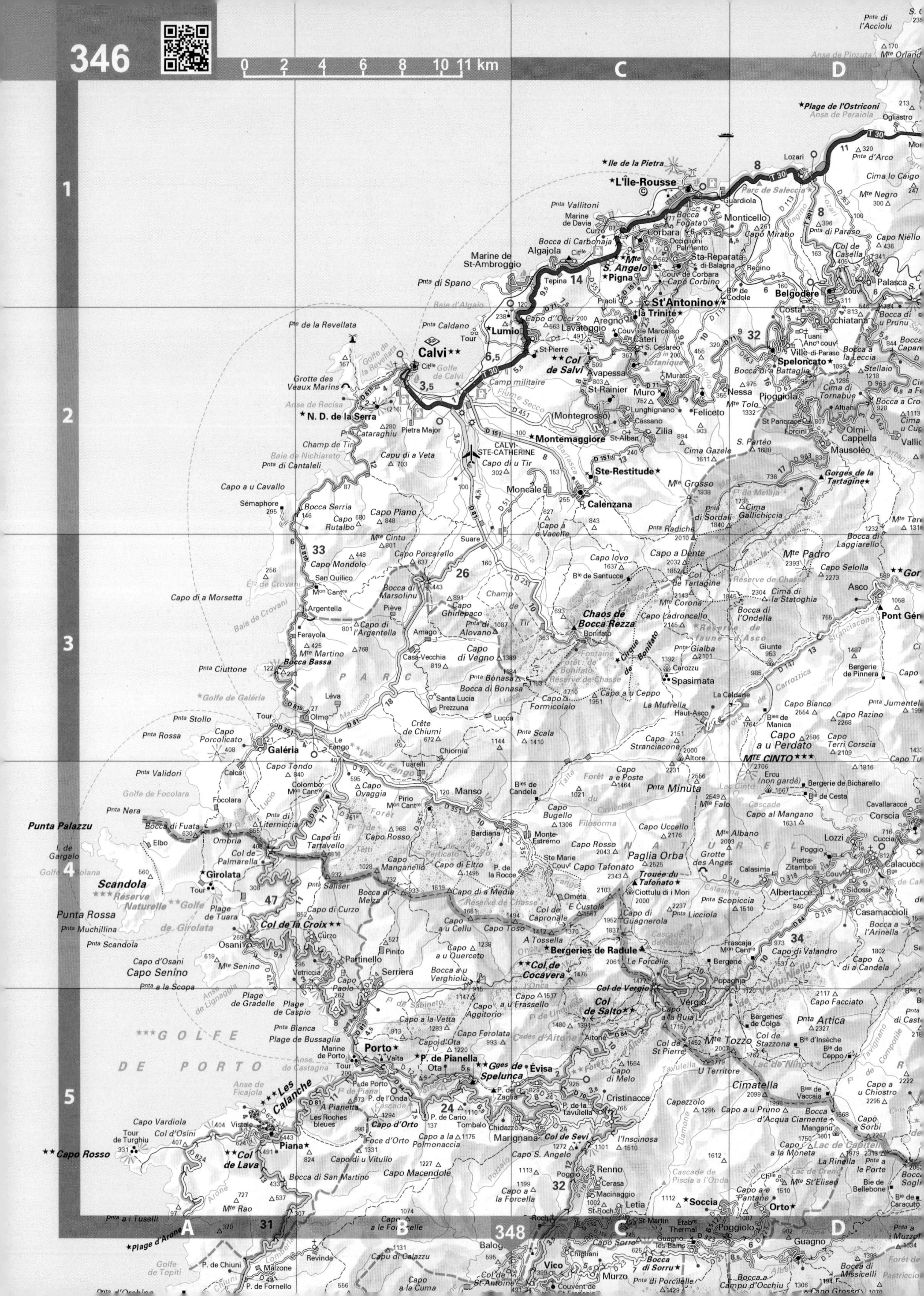
0 2 4 6 8 10 11 km
C
D
A
B
348
1
2
3
4
5
Plage de l'Ostriconi
Anse de Peraiola
Ogliastro
Lozari
Ile de la Pietra
L'Île-Rousse
Parc de Saleccia
Pnta Vallitoni
Marine de Davia
Guardiola
Monticello
Corbara
Occiglioni
Palmento
Sta-Reparata-di-Balagna
Bocca di Carbonaja
Algajola
Marine de St-Ambroggio
Mte S. Angelo
Pigna
Capo Corbino
Regino
Belgodère
Palasca
Pnta di Spano
Tepina
St Antonino
Bgie de Codole
Baie d'Algaio
Lumio
Lavatoggio
Aregno
la Trinité
Cateri
Costa
Occhiatana
Pte de la Revellata
Pnta Caldano
Calvi
Golfe de Calvi
Golfe de la Revellata
Col de Salvi
Avapessa
Speloncato
Ville-di-Paraso
Grotte des Veaux Marins
Anse de Recisa
N. D. de la Serra
Camp militaire
Fiume Secco
St-Rainier
Muro
Nessa
Pioggiola
Feliceto
Mte Tolo
Pnta Cataraghiu
Pietra Major
(Montegrosso)
Lunghignano
Cassano
Zilia
St-Alban
Champ de Tir
Baie de Nichiareto
Pnta di Cantaleli
Capu di a Veta
CALVI-STE-CATHERINE
Capo di u Tir
Montemaggiore
Cima Gazele
S. Partéo
Mausoléo
Gorges de la Tartagine
Ste-Restitude
Capo a u Cavallo
Sémaphore
Bocca Serria
Capo Rutalbo
Capo Piano
Moncale
Calenzana
Mte Grosso
Cima Gallichiccia
Pnta di Sordali
Capo a e Vaccile
Pnta Radiche
Mte Cintu
Suare
Capo Porcarello
Capo Mondolo
San Quilico
Capo Iovo
Capo a Dente
Bie de Santucce
Col de Tartagine
Mte Padro
Capo Selolla
Asco
Étg de Crovani
Capo di a Morsetta
Baie de Crovani
Bocca di Marsolinu
Argentella
Pieve
Capo Ghinepaco
Chaos de Bocca Rezza
Mte Corona
Cima di la Statoghia
Capo Ladroncello
Bocca di l'Ondella
Pont Génois
Ferayola
Mte Martino
Capo di l'Argentella
Amago
Pnta di Alovano
Capo di Vegno
Bonifato
Réserve de faune d'Asco
Pnta Ciuttone
Bocca Bassa
Casa-Vecchia
Forêt de Bonifato
Cirque de Bonifato
Pnta Gialba
Carozzu
Spasimata
Giunte
Bergerie de Pinnera
Golfe de Galéria
Léva
Pnta Bonasa
Bocca di Bonasa
Santa Lucia
Prezzuna
Capo Formicolaio
Capo a u Ceppo
La Mufrella
La Caldane
Haut-Asco
Capo Bianco
Capo Razino
Olmo
Lucca
Pnta Stollo
Tour
Crête de Chiumi
Pnta Scala
Capo Stranciacone
Bies de Manica
Capo a u Perdato
Capo Terri Corscia
Pnta Rossa
Capo Porcolicato
Galéria
Le Fango
Chiornia
Altore
Mte CINTO
Val du Fango
Pnta Validori
Calca
Capo Tondo
Colombo
Tuarelli
Capo e Poste
Pnta Minuta
Ercu (non gardé)
Bergerie de Bicharello
Golfe de Focolara
Capo Ovaggia
Pirio
Manso
Bies de Candela
Mte Falo
Bie de Cesta
Pnta Nera
Focolara
Capo Bugello
Filosorma
Capo al Mangano
Cavallaracce
Corscia
Punta Palazzu
Bocca di Fuata
Pnta di Literniccia
Capo di Tartavello
Capo Rosso
Bardiana
Monte-Estremo
Capo Uccello
Mte Albano
Lozzi
Elbo
Ombria
I. de Gargalo
Col de Palmarella
Capo Manganello
Capo di Eltro
Capo Rosso
Paglia Orba
Grotte des Anges
Poggio
Pietra-Zitamboli
Golfe de Solana
Girolata
Pnta Saliser
Ste Marie
Capo Tafonato
Trouée du Tafonato
Calasima
Calacuccia
Scandola
Réserve Naturelle
Golfe de Girolata
Bocca di Melza
Capo di a Media
Réserve de Chasse
Ométa
E Custole
Ciottulu di i Mori
Pnta Scopiccia
Albertacce
Sidossi
Casamaccioli
Punta Rossa
Pnta Muchillina
Plage de Tuara
Capo di Curzo
Col de la Croix
Capo a u Cellu
Capo Toso
Col de Capronale
Capo di Guagnerola
Pnta Licciola
Bocca a l'Arinella
Pnta Scandola
Osani
Curzo
A Tossella
Bergeries de Radule
Cascade de Radule
Frascaja
Capo di Valandro
Capo d'Osani
Capo Senino
Mte Senino
Pinito
Partinello
Capo a u Querceto
Col de Cocàvera
Le Forcelle
Bergerie
Capo di a Candela
Pnta a la Scopa
Vetriccia
Serriera
Bocca a u Verghiolu
Col de Vergio
Popaghja
Forêt de Valdu-Niellu
Anse de Lignaggia
Plage de Gradelle
Plage de Caspio
Capo Paolo
Capo Aggiorio
Capo a u Frassello
Col de Salto
Vergio
Capo a la Ruia
Bergeries de Colga
Pnta Artica
Capo Facciato
Pnta Bianca
Plage de Bussaglia
Capo a la Vetta
Capo Ferolata
Cades d'Aitone
Col de Stazzona
Bie d'Insèche
Bie de Ceppo
GOLFE DE PORTO
Marine de Porto
Porto
Capo d'Ota
Vaïta
P. de Pianella
Aïtone
Col de St Pierre
Mte Tozzo
Lac de Nino
Anse de Castagna
Ota
Gges de Spelunca
Évisa
Forêt d'Aïtone
Capo di Melo
U Territore
Anse de Ficajola
Les Calanche
P. de Porto
P. de l'Onda
Zaglia
Cristinacce
Cimatella
Capo a u Chiostro
Capo Vardiola
Vistale
A Pianetta
Les Roches bleues
Capo d'Orto
P. de Cario
Tombalo
P. de la Tavulella
Capezzolo
Capo a u Pruno
Bocca d'Acqua Ciarnente
Bies de Vaccaia
Tour de Turghiu
Col d'Osini
Piana
Foce d'Orto
Capo a la Polmonaccia
Chidazzo
Marignana
Col de Sevi
l'Inscinosa
Manganu
Capo a Sorbi
Capo Rosso
Col de Lava
Capo di u Vitullo
Capo S. Angelo
Capo a la Moneta
Lac de Capitello
La Rinella
Pnta a le Porte
Bocca di San Martino
Capo Macendole
Renno
Cascade de Piscia a l'Onda
Chille
Lac de Creno
Mte St'Elisèo
Bie de Bellebone
Mte Rao
Poggio
Cerasa
Macinaggio
Capo a la Forcella
Letia
Soccia
Capo a e Pantane
Orto
Bie de Caracuto
Pnta a i Tuselli
Plage d'Arone
Capo a le Forcelle
St-Roch
St-Martin
Étabt Thermal
Guagno-les-Bains
Poggiolo
Guagno
Golfe de Topiti
P. de Chiuni
Malzone
P. de Fornello
Revinda
Capu di Calazzu
Capo a la Cuma
Balogna
Col de St-Antoine
Vico
Couvent de
Chigliani
Capo Sorru
Bocca di Sorru
Murzo
Pnta di Porcilelle
Bocca a Campu d'Occhiu
Bocca di Missicelli
Pnta di l'Acciolu
Anse de Pinzuta
Mte Orlando
Pnta d'Arco
Cima lo Caigo
Mte Negro
Pnta di Paraso
Capo Niello
Col de Casella
Bocca di u Prunu
Bocca a la Leccia
Stellaio
Cima di Tornabue
Bocca a Croce
Altiani
Olmi-Cappella
Forcini
St Pancrace
Bocca di Laggiarello
Mte Terello
Pnta Jumentello
Capo Tu
Cima a u Cugnolo
Vallica

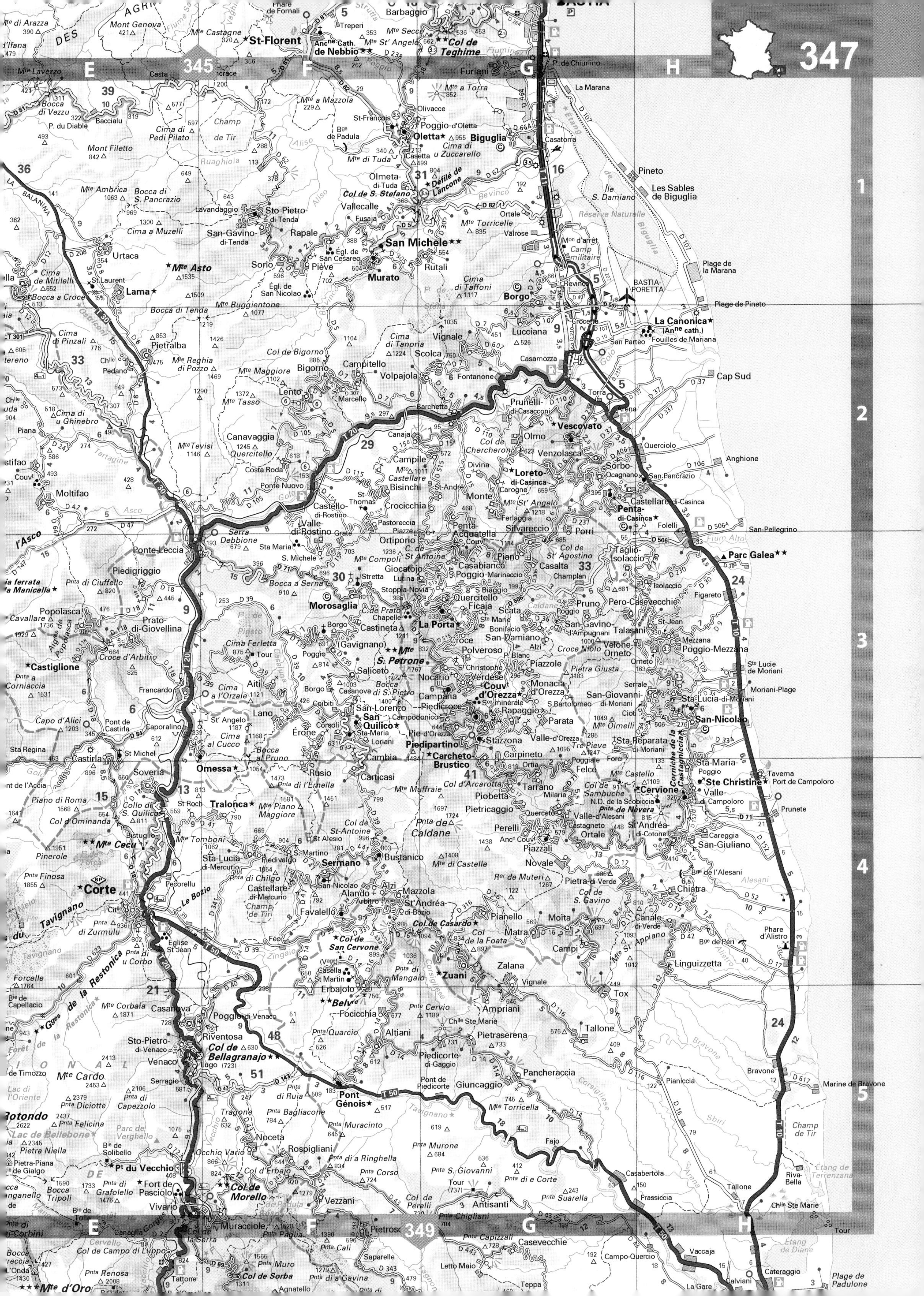
347
345
349
E
F
G
H
1
2
3
4
5
St-Florent
Ancne Cath. de Nebbio
Col de Teghime
Barbaggio
Furiani
P. de Chiurlino
La Marana
Oletta
Biguglia
Poggio-d'Oletta
Olmeta-di-Tuda
Défilé de Lancone
Col de S. Stefano
Vallecalle
Sto-Pietro-di-Tenda
San-Gavino-di-Tenda
Rapale
San Michele
Murato
Rutali
Pieve
Sorio
Urtaca
Mte Asto
Lama
Pineto
Les Sables de Biguglia
Île S. Damiano
Réserve Naturelle
Étang de Biguglia
Plage de la Marana
Bastia-Poretta
Plage de Pineto
La Canonica (Ancne cath.)
Fouilles de Mariana
Borgo
Lucciana
Vignale
Scolca
Casamozza
Cap Sud
Pietralba
Bigorno
Campitello
Volpajola
Lento
Canavaggia
Prunelli-di-Casacconi
Vescovato
Venzolasca
Querciolo
Anghione
Sorbo-Ocagnano
San Pancrazio
Loreto-di-Casinca
Penta-di-Casinca
Castellare-di-Casinca
Folelli
San-Pellegrino
Parc Galea
Moltifao
Ponte Nuovo
Ponte-Leccia
Piedigriggio
Castello-di-Rostino
Valle-di-Rostino
Morosaglia
La Porta
Ficaja
Scata
Pruno
Pero-Casevecchie
Talasani
Taglio-Isolaccio
Popolasca
Prato-di-Giovellina
Castiglione
Omessa
Tralonca
Soveria
Corte
Mte Cecu
Piedicroce
Couvt d'Orezza
Stazzona
Carcheto-Brustico
Piedipartino
Valle-d'Orezza
San-Giovanni-di-Moriani
San-Nicolao
Sta-Lucia-di-Moriani
Moriani-Plage
Poggio-Mezzana
Cervione
Ste Christine
Valle-di-Campoloro
Prunete
Taverna
Port de Campoloro
San-Giuliano
Chiatra
Linguizzetta
Phare d'Alistro
Bravone
Marine de Bravone
Tallone
Riva-Bella
Chlle Ste Marie
Sermano
Bustanico
Alando
Mazzola
Favalello
Col de Casardo
Zuani
Pianello
Matra
Moïta
Campi
Tox
Zalana
Ampriani
Pietraserena
Piedicorte-di-Gaggio
Giuncaggio
Pancheraccia
Altiani
Erbajolo
Focicchia
Riventosa
Col de Bellagranajo
Venaco
Pont Génois
Casanova
Rospigliani
Noceta
Vezzani
Vivario
Pt du Vecchio
Col de Morello
Antisanti
Casabertola
Casevecchie
Vaccaja
Calviani
Cateraggio
Plage de Padulone
Col de Sorba
Mte d'Oro
Tattone
Ghisoni
Canaglia
Gorges de la Restonica
Mte Cardo
Rotondo
Lac de Bellebone
Col de Campo di Luppo
Mte d'Oro

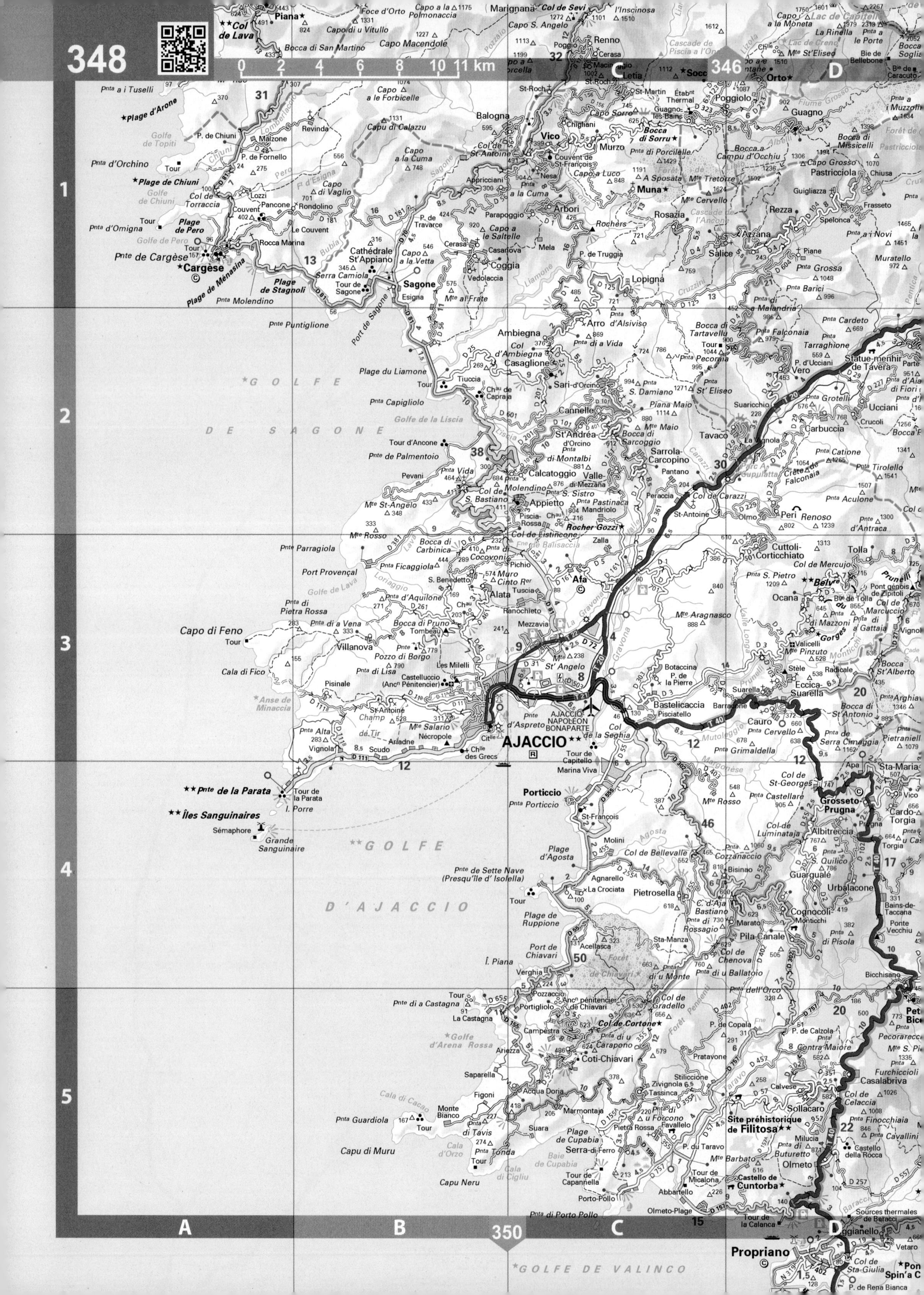
348
0 2 4 6 8 10 11 km
346
350
A
B
C
D
1
2
3
4
5
Piana
Col de Lava
Col de Sevi
Marignana
Renno
Letia
Soccia
Orto
Poggiolo
Guagno
Vico
Balogna
Col de St-Antoine
Murzo
Bocca di Sorru
Muna
Arbori
Rosazia
Azzana
Salice
Rezza
Pastricciola
Lopigna
Arro
Ambiegna
Casaglione
Sari-d'Orcino
Cannelle
St-Andréa-d'Orcino
Sarrola-Carcopino
Calcatoggio
Appietto
Tavaco
Vero
Ucciani
Carbuccia
Peri
Tolla
Cuttoli-Corticchiato
Afa
Alata
Villanova
Bastelicaccia
Ocana
Eccica-Suarella
Cauro
Col de Carazzi
Col de Mercujo
Bocca di St Antonio
Col de St-Georges
Grosseto-Prugna
Albitreccia
Guarguale
Urbalacone
Cognocoli-Monticchi
Pila-Canale
Pietrosella
Coti-Chiavari
Col de Cortone
Serra-di-Ferro
Olmeto
Casalabriva
Sollacaro
Site préhistorique de Filitosa
Castello de Cuntorba
Propriano
Olmeto-Plage
Cargèse
Plage de Chiuni
Plage d'Arone
Plage de Pero
Plage de Ménasina
Plage de Stagnoli
Sagone
Cathédrale St'Appiano
Coggia
Tiuccia
Plage du Liamone
GOLFE DE SAGONE
Golfe de la Liscia
Capo di Feno
AJACCIO
AJACCIO NAPOLÉON BONAPARTE
Pnte de la Parata
Îles Sanguinaires
GOLFE D'AJACCIO
Porticcio
Plage d'Agosta
Plage de Ruppione
Golfe d'Arena Rossa
Capu di Muru
Capu Neru
Plage de Cupabia
GOLFE DE VALINCO
Sta-Maria-Siché
Statue-menhir de Tavera
Pont génois de Zipitoli
Forêt de Chiavari
Bocca di Tartavellu
Col de Listincone
Rocher Gozzi
Muro Cinto Rer
Mte Aragnasco
Mte Rosso
Mte St-Angelo
Mte Salario
Capo a la Cuma
Capo di Vaglio
Capo Sorro
Campu d'Occhiu
Capo Grosso
Pnta Grossa
Pnta Cardeto
Pnta Tirolello
Pnte de Sette Nave (Presqu'île d'Isolella)
Col de Bellevalle
Col de Gradello
Col de Luminataja
Tour de la Parata
Tour de Capitello
Marina Viva
Pnte d'Orchino
Pnte de Cargèse
Pnta Molendino
Port de Sagone
Pnte Puntiglione
Port Provençal
Golfe de Lava
Anse de Minaccia
Cala di Fico
Pnte de Palmentoio
Tour d'Ancone
Pnta Capigliolo
Pnta Guardiola
Monte Bianco
Pnte di a Castagna
Pnta di Porto Pollo
Porto-Pollo
Tour de Capannella
Tour de la Calanca
Sources thermales de Baracci
Col de Sta-Giulia

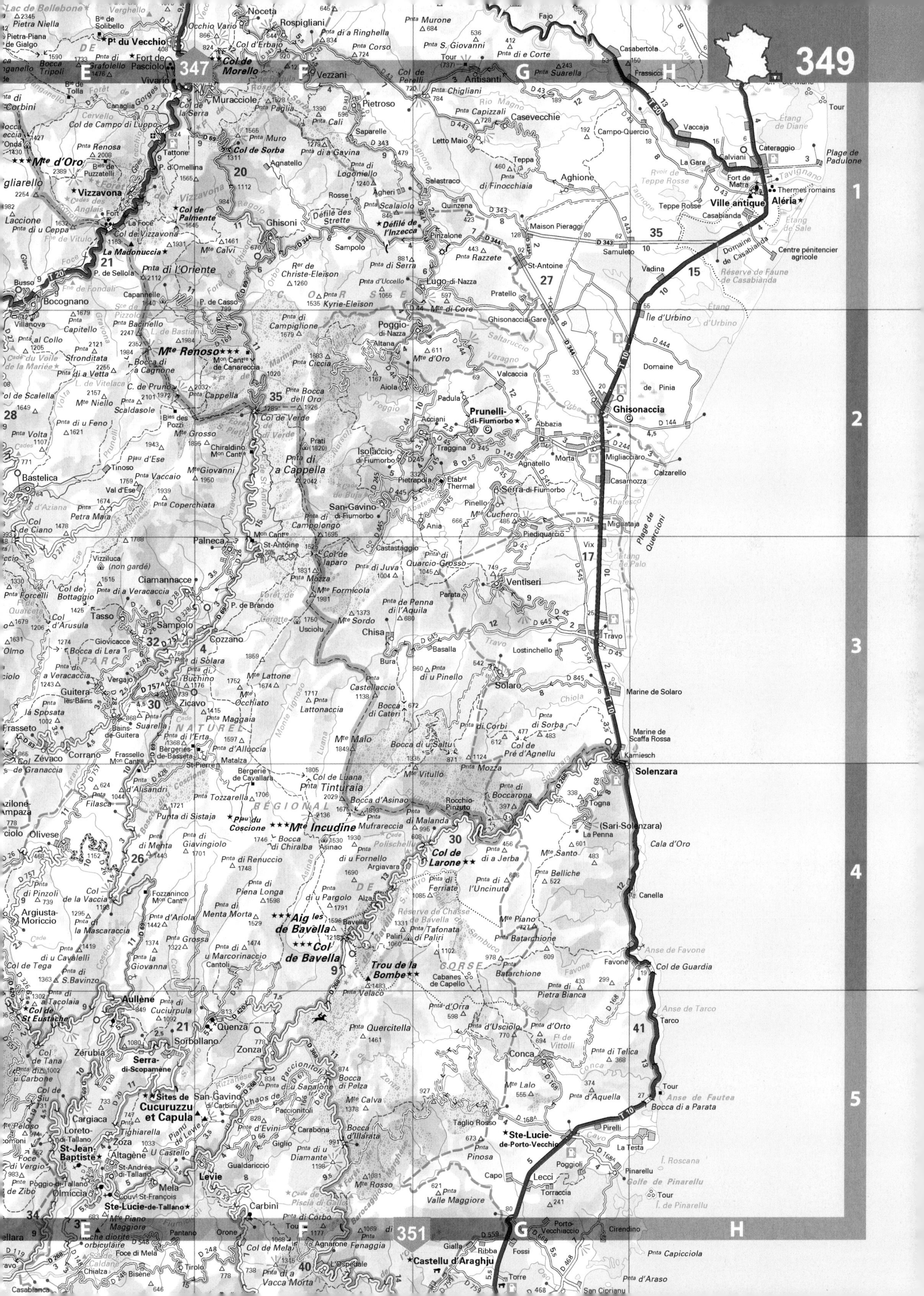

349
347
351
E
F
G
H
1
2
3
4
5
Pt du Vecchio
Vivario
Col de Morello
Vezzani
Antisanti
Casabertola
Fajo
Noceta
Rospigliani
Muracciole
Pietroso
Casevecchie
Campo-Quercio
Vaccaja
Cateraggio
Plage de Padulone
Col de Sorba
Mte d'Oro
Vizzavona
Tattone
Col de Palmente
Col de Vizzavona
La Madonuccia
Ghisoni
Défilé de l'Inzecca
Aghione
Fort de Matra
Ville antique
Aléria
Thermes romains
Teppe Rosse
Casabianda
Domaine de Casabianda
Centre pénitencier agricole
Réserve de Faune de Casabianda
Étang de Diane
Étang de Sale
Étang d'Urbino
Île d'Urbino
Pinzalone
Samuleto
St-Antoine
Vadina
Lugo-di-Nazza
Pratello
Bocognano
Mte Renoso
Col de Verde
Poggio-di-Nazza
Ghisonaccia-Gare
Domaine de Pinia
Ghisonaccia
Prunelli-di-Fiumorbo
Abbazia
Migliacciaro
Calzarello
Casamozza
Isolaccio-di-Fiumorbo
Pietrapola
Etabnt Thermal
Serra-di-Fiumorbo
Bastelica
San-Gavino-di-Fiumorbo
Ania
Miggiataja
Plage de Quercioni
Palneca
Ciamannacce
Vix
Étang de Palo
Ventiseri
Tasso
Sampolo
Cozzano
Chisa
Travo
Guitera-les-Bains
Zicavo
Marine de Solaro
Solaro
Frasseto
Zévaco
Corrano
Marine de Scaffa Rossa
Solenzara
Col de Luana
Pnta Tinturaia
Bocca d'Asinao
Mte Incudine
Tozzarella
Plau du Coscione
Olivese
Togna
(Sari-Solenzara)
Cala d'Oro
La Penna
Col de Larone
Aig les de Bavella
Col de Bavella
Trou de la Bombe
Canella
Anse de Favone
Favone
Col de Guardia
Aullène
Col de St Eustache
Quenza
Zonza
Serra-di-Scopamene
Conca
Anse de Tarco
Tarco
Tour
Anse de Fautea
Bocca di a Parata
Sites de Cucuruzzu et Capula
San-Gavino-di-Carbini
St-Jean-Baptiste
Levie
Ste-Lucie-de-Porto-Vecchio
Pirelli
La Testa
Lecci
Pinarellu
Golfe de Pinarellu
Ste-Lucie-de-Tallano
Carbini
Orone
Pantano
Porto-Vecchiaccio
Cirendinu
Castellu d'Araghju
Col de Mela
Pnta Capicciola
Pnta d'Araso
Torre
San Ciprianu

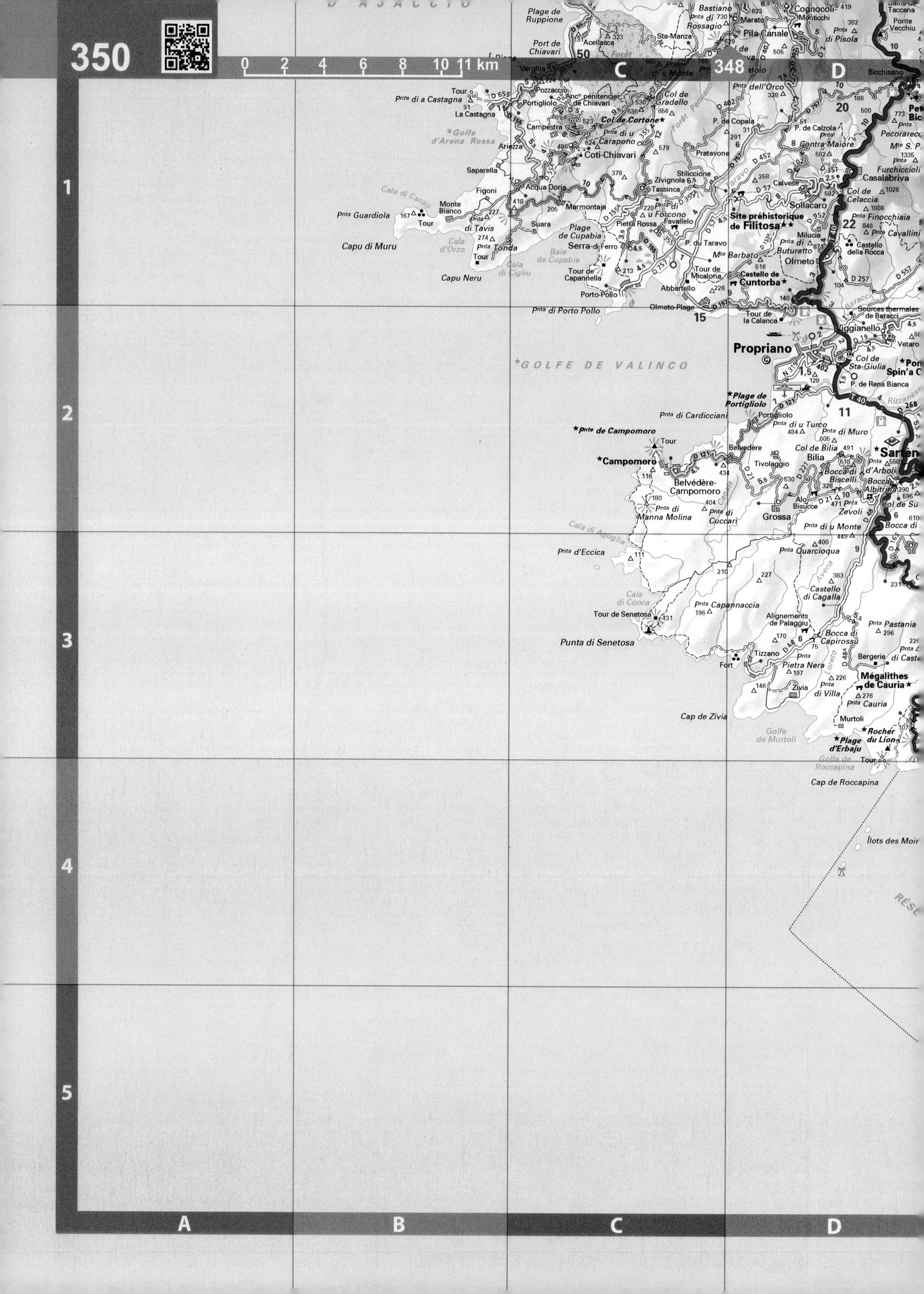
0 2 4 6 8 10 11 km
348
A
B
C
D
1
2
3
4
5
Propriano
GOLFE DE VALINCO
Capu di Muru
Capu Neru
Pnta di Porto Pollo
Coti-Chiavari
Site préhistorique de Filitosa
Castello de Cuntorba
Olmeto
Sollacaro
Campomoro
Belvédère-Campomoro
Grossa
Punta di Senetosa
Cap de Zivia
Cap de Roccapina
Mégalithes de Cauria
Rocher du Lion
Golfe de Murtoli
Îlots des Moines

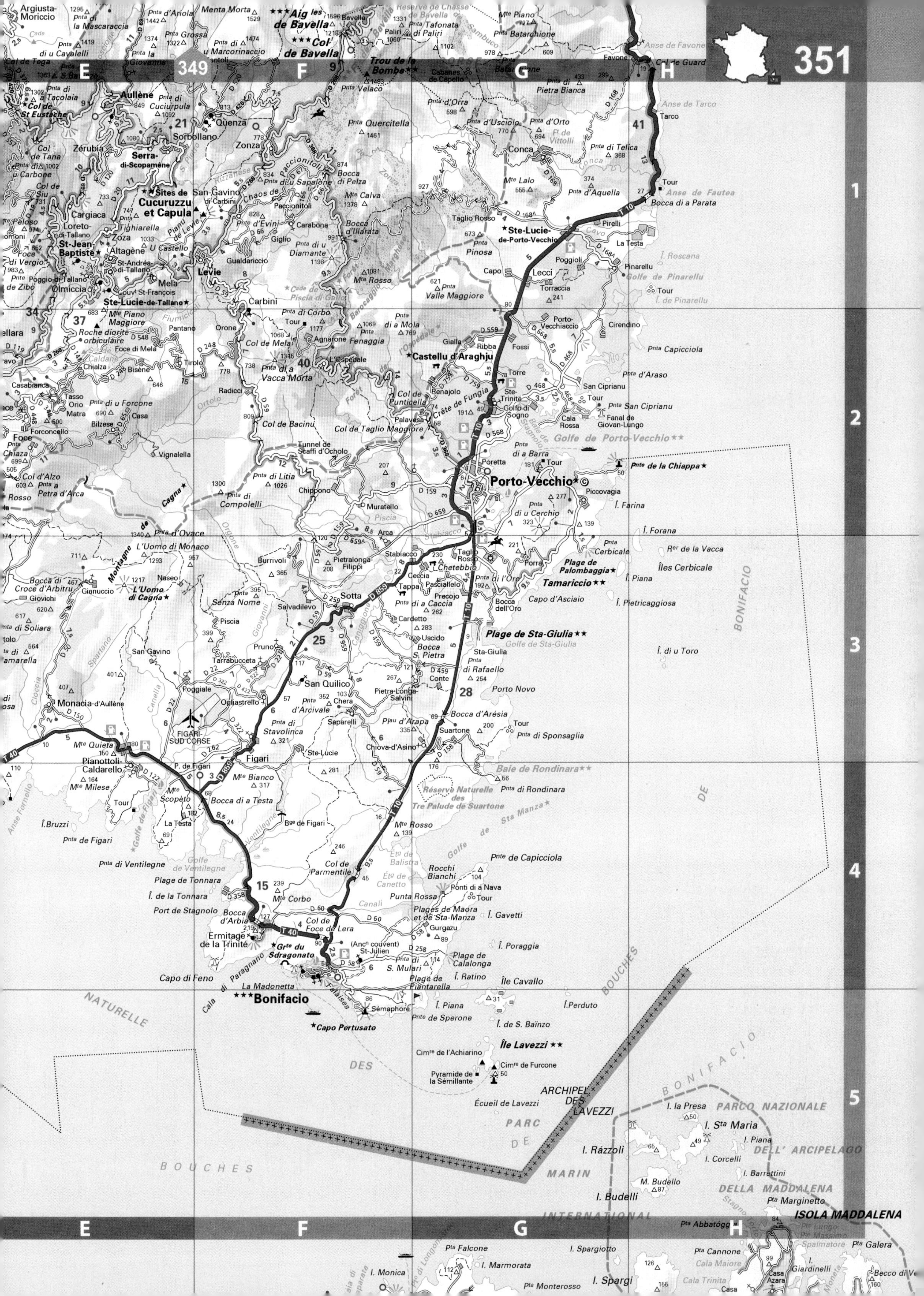
E
F
G
H
349
1
2
3
4
5
Argiusta-Moriccio
Aig les de Bavella
Col de Bavella
Trou de la Bombe
Menta Morta
Pnta Tafonata di Paliri
Mte Piano
Pnta Batarchione
Anse de Favone
Favone
Col de Guard
Col de Tega
Aullène
Col de St Eustache
Pnta di Cuciurpula
Quenza
Zonza
Sorbollano
Zérubia
Serra-di-Scopamène
Col de Tana
Col de Siu
Sites de Cucuruzzu et Capula
San-Gavino di Carbini
Chaos de Paccionitoli
Pnta Quercitella
Bocca di Pelza
Mte Calva
Carbona
Bocca d'Illarata
Giglio
Pnta di u Diamante
Mte Rosso
Pnta d'Orra
Pnta d'Usciolo
Pnta d'Orto
Conca
Pnta di Pietra Bianca
Anse de Tarco
Tarco
Pnta di Tellica
Tour
Anse de Fautea
Bocca di a Parata
Mte Lalo
Pnta d'Aquella
Taglio Rosso
Ste-Lucie-de-Porto-Vecchio
Pinosa
Pirelli
La Testa
Poggioli
Pinarellu
Golfe de Pinarellu
Î. Roscana
Î. de Pinarellu
Lecci
Torraccia
Capo
Valle Maggiore
Cargiaca
Loreto-di-Tallano
St-Jean-Baptiste
Zoza
Altagène
U Castello
Levie
Gualdariccio
Mela
Olmiccia
Ste-Lucie-de-Tallano
Carbini
Pnta di Corbo
Cade de Piscia di Gallo
Roche diorite orbiculaire
Mte Piano Maggiore
Pantano
Orone
Foce di Mela
Col de Mela
Agnarone
Pnta di a Mola
Fenaggia
L'Ospedale
Castellu d'Araghju
Gialla
Ribba
Fossi
Porto-Vecchiaccio
Cirendino
Pnta Capicciola
Pnta d'Araso
San Ciprianu
Pnta San Ciprianu
Fanal de Giovan-Lungo
Tirolo
Chialza
Bisène
Casabianca
Pnta di Vacca Morta
Col de Punticella
Crête de Fungia
Renajolo
Torre
Ste-Trinité
Golfo di Sogno
Cala Rossa
Golfe de Porto-Vecchio
Radicci
Tasso
Orio
Matra
Pnta di u Forcone
Casa
Bilzese
Forconcello
Col de Bacinu
Col de Taglio Maggiore
Palavesa
Foce
Chiaza
Vignalella
Tunnel de Scaffi d'Ocholo
Poretta
Pnta di a Barra
Pnte de la Chiappa
Porto-Vecchio
Piccovagia
Î. Farina
Col d'Alzo
Pnta a Petra d'Arca
Pnta di Litia
Chippono
Pnta di Compolelli
Cagna
Muratello
Piscia
Pnta di u Cerchio
Î. Forana
Arca
Stabiacco
Pnta d'Ovace
L'Uomo di Monaco
Montagne de Cagna
Burrivoli
Pietralonga-Filippi
Taglio Rosso
Chetebbio
Pnta Cerbicale
Rer de la Vacca
Plage de Palombaggia
Îles Cerbicale
Î. Piana
Tamariccio
Bocca di Croce d'Arbitru
Gianuccio
L'Uomo di Cagna
Naseo
Giovichi
Pnta Senza Nome
Salvadilevo
Sotta
Tappa
Ceccia
Pascialello
Pnta di l'Oro
Bocca dell'Oro
Capo d'Asciaio
Î. Pietricaggiosa
Pnta di Soliara
Piscia
Pnta di a Caccia
Precojo
Cardetto
Plage de Sta-Giulia
Golfe de Sta-Giulia
Uscido
Bocca S. Pietra
Sta-Giulia
Pnta di Rafaello
Î. di u Toro
San Gavino
Tarrabucceta
Pruno
San Quilico
Conte
Pietra-Longa-Salvini
Porto Novo
Monacia-d'Aullène
Poggiale
Ogliastrello
Pnta d'Arcivale
Chera
Saparelli
Plau d'Arapa
Bocca d'Arésia
Suartone
Tour
Pnta di Sponsaglia
FIGARI-SUD CORSE
Pnta di Stavolinca
Chiova-d'Asino
Mte Quieta
Pianottoli-Caldarello
Mte Milese
P. de Figari
Figari
Ste-Lucie
Baie de Rondinara
Pnta di Rondinara
Réserve Naturelle des Tre Palude de Suartone
Mte Bianco
Mte Scopeto
Bocca di a Testa
La Testa
Tour
Golfe de Figari
Î. Bruzzi
Pnta de Figari
Anse Fornello
Bgie de Figari
Golfe de Sta Manza
Mte Rosso
Pnte de Capicciola
Pnta di Ventilegne
Golfe de Ventilegne
Col de Parmentile
Étg de Balistra
Étg de Canetto
Rocchi Bianchi
Ponti di a Nava
Plage de Tonnara
Î. de la Tonnara
Port de Stagnolo
Mte Corbo
Punta Rossa
Tour
Plages de Maora et de Sta-Manza
Î. Gavetti
Bocca d'Arbia
Col de Foce de Lera
Gurgazu
Ermitage de la Trinité
Grte du Sdragonato
(Ancn couvent) St-Julien
Pnta di S. Mulari
Plage de Calalonga
Î. Poraggia
Î. Ratino
Capo di Feno
Cala di Paragnano
La Madonetta
Bonifacio
Plage de Piantarella
Île Cavallo
Î. Piana
Î. Perduto
Sémaphore
Pnte de Sperone
Î. de S. Baïnzo
Capo Pertusato
NATURELLE
Cimre de l'Achiarino
Île Lavezzi
Cimre de Furcone
Pyramide de la Sémillante
DES
ARCHIPEL DES LAVEZZI
Écueil de Lavezzi
BOUCHES DE BONIFACIO
PARC DE MARIN INTERNATIONAL
BOUCHES
Î. la Presa
PARCO NAZIONALE DELL' ARCIPELAGO DELLA MADDALENA
I. Sta Maria
I. Piana
I. Ràzzoli
I. Corcelli
I. Barrettini
M. Budello
I. Budelli
Pta Marginetto
ISOLA MADDALENA
Pta Abbatóggia
Stagno Torto
Pta Falcone
I. Spargiotto
Pta Cannone
Cala Maiore
Pta Galera
I. Monica
I. Marmorata
I. Giardinelli
Cala Trinita
Pta Monterosso
I. Spargi
Casa Azara
Becco di Vela
T 10
T 40

FRANCE DÉPARTEMENTALE ET ADMINISTRATIVE

01 Ain
02 Aisne
03 Allier
04 Alpes-de-Haute-Provence
05 Hautes-Alpes
06 Alpes-Maritimes
07 Ardèche
08 Ardennes
09 Ariège
10 Aube
11 Aude
12 Aveyron
13 Bouches-du-Rhône
14 Calvados
15 Cantal
16 Charente
17 Charente-Maritime
18 Cher
19 Corrèze
2A Corse-du-Sud
2B Haute-Corse
21 Côte-d'Or
22 Côtes-d'Armor
23 Creuse
24 Dordogne
25 Doubs
26 Drôme
27 Eure
28 Eure-et-Loir
29 Finistère
30 Gard
31 Haute-Garonne
32 Gers
33 Gironde
34 Hérault
35 Ille-et-Vilaine
36 Indre
37 Indre-et-Loire
38 Isère
39 Jura
40 Landes
41 Loir-et-Cher
42 Loire
43 Haute-Loire
44 Loire-Atlantique
45 Loiret
46 Lot
47 Lot-et-Garonne

48 Lozère
49 Maine-et-Loire
50 Manche
51 Marne
52 Haute-Marne
53 Mayenne
54 Meurthe-et-Moselle
55 Meuse
56 Morbihan
57 Moselle
58 Nièvre
59 Nord
60 Oise
61 Orne
62 Pas-de-Calais
63 Puy-de-Dôme

64 Pyrénées-Atlantiques
65 Hautes-Pyrénées
66 Pyrénées-Orientales
67 Bas-Rhin
68 Haut-Rhin
69 Rhône
70 Haute-Saône
71 Saône-et-Loire
72 Sarthe
73 Savoie
74 Haute-Savoie
75 Ville de Paris
76 Seine-Maritime
77 Seine-et-Marne
78 Yvelines
79 Deux-Sèvres

80 Somme
81 Tarn
82 Tarn-et-Garonne
83 Var
84 Vaucluse
85 Vendée
86 Vienne
87 Haute-Vienne
88 Vosges
89 Yonne
90 Territoire-de-Belfort
91 Essonne
92 Hauts-de-Seine
93 Seine-Saint-Denis
94 Val-de-Marne
95 Val-d'Oise

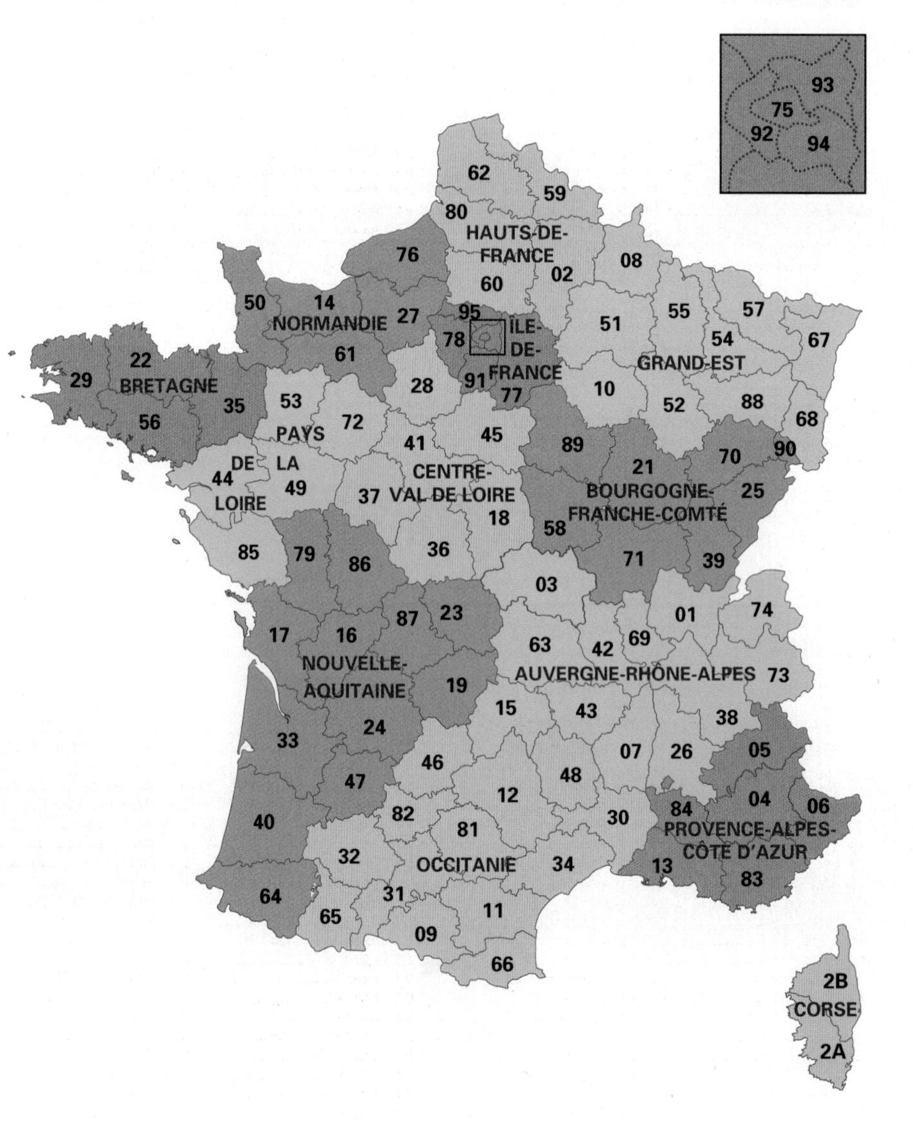

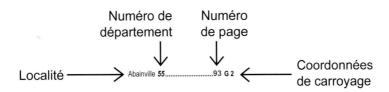

Numéro de département → · Numéro de page →

Localité ⟶ Abainville 55 .... 93 G 2 ⟵ Coordonnées de carroyage

A

Aast 64 .... 314 D 4
Abainville 55 .... 93 G 2
Abancourt 59 .... 14 B 3
Abancourt 60 .... 21 G 4
Abaucourt 54 .... 65 H 3
Abaucourt-lès-Souppleville 55 .... 44 C 5
Abbans-Dessous 25 .... 161 H 5
Abbans-Dessus 25 .... 161 H 5
Abbaretz 44 .... 126 D 5
Abbécourt 02 .... 24 A 5
Abbecourt 60 .... 38 A 3
Abbenans 25 .... 141 H 5
Abbeville 80 .... 11 G 3
Abbéville-la-Rivière 91 .... 87 F 5
Abbéville-lès-Conflans 54 .... 45 E 5
Abbeville-Saint-Lucien 60 .... 38 B 1
Abbévillers 25 .... 142 C 5
Abeilhan 34 .... 321 G 2
Abelcourt 70 .... 141 F 2
L'Aber-Wrac'h 29 .... 70 C 4
Abère 64 .... 314 C 3
L'Abergement-Clémenciat 01 .... 213 F 1
L'Abergement-de-Cuisery 71 .... 195 F 1
L'Abergement-de-Varey 01 .... 214 B 2
Abergement-la-Ronce 39 .... 178 D 1
Abergement-le-Grand 39 .... 179 F 2
Abergement-le-Petit 39 .... 179 F 2
Abergement-lès-Thésy 39 .... 179 H 2
Abergement-Saint-Jean 39 .... 178 D 3
L'Abergement-Sainte-Colombe 71 .... 178 A 4
Abidos 64 .... 313 H 2
Abilly 37 .... 169 H 2
Abîme Pont de l' 74 .... 215 G 5
Abitain 64 .... 311 H 3
Abjat-sur-Bandiat 24 .... 222 C 2
Ablain-Saint-Nazaire 62 .... 8 A 5
Ablaincourt-Pressoir 80 .... 23 F 2
Ablainzevelle 62 .... 13 G 4
Ablancourt 51 .... 62 C 3
Ableiges 95 .... 57 H 1
Les Ableuvenettes 88 .... 118 D 2
Ablis 78 .... 86 D 3
Ablon 14 .... 34 D 2
Ablon-sur-Seine 94 .... 58 C 5
Aboën 42 .... 229 H 4
Aboncourt 54 .... 94 C 4
Aboncourt 57 .... 46 B 4
Aboncourt-Gesincourt 70 .... 140 D 3
Aboncourt-sur-Seille 57 .... 66 B 4
Abondance 74 .... 198 C 4
Abondant 28 .... 56 D 4
Abos 64 .... 313 H 3
Abreschviller 57 .... 96 C 1
Abrest 03 .... 210 B 2
Les Abrets en Dauphiné 38 .... 232 C 3
Abriès 05 .... 253 F 5
Abscon 59 .... 14 C 2
L'Absie 79 .... 167 F 5
Abzac 16 .... 204 C 2
Abzac 33 .... 238 C 4
Accarias Col 38 .... 251 E 5
Accia Pont de l' 2B .... 347 E 4
Accolans 25 .... 141 H 5
Accolay 89 .... 136 C 4
Accons 07 .... 248 B 5
Accous 64 .... 331 H 3
Achain 57 .... 66 D 3
Achen 57 .... 67 H 1
Achenheim 67 .... 97 G 1
Achères 18 .... 155 F 4
Achères 78 .... 58 A 2
Achères-la-Forêt 77 .... 88 A 5
Achery 02 .... 24 B 4
Acheux-en-Amiénois 80 .... 13 E 5
Acheux-en-Vimeu 80 .... 11 F 4
Acheville 62 .... 8 C 5
Achey 70 .... 140 A 5
Achicourt 62 .... 13 G 2
Achiet-le-Grand 62 .... 13 G 4

Achiet-le-Petit 62 .... 13 G 4
Achun 58 .... 157 G 5
Achy 60 .... 21 H 5
Acigné 35 .... 104 C 3
Aclou 27 .... 35 G 5
Acon 27 .... 56 B 4
Acq 62 .... 13 F 2
Acqueville 14 .... 53 G 2
Acqueville 50 .... 28 D 3
Acquigny 27 .... 36 B 5
Acquin 62 .... 3 E 5
Acy 02 .... 40 C 3
Acy-en-Multien 60 .... 39 G 5
Acy-Romance 08 .... 42 A 1
Adaincourt 57 .... 66 C 2
Adainville 78 .... 57 F 5
Adam-lès-Passavant 25 .... 162 C 3
Adam-lès-Vercel 25 .... 162 C 4
Adamswiller 67 .... 67 H 3
Adast 65 .... 332 D 2
Adé 65 .... 314 D 5
Adelange 57 .... 66 D 2
Adelans-et-le-Val-de-Bithaine 70 .... 141 G 3
Adervielle 65 .... 333 H 4
Adilly 79 .... 168 A 5
Adinfer 62 .... 13 F 3
Adissan 34 .... 302 A 5
Les Adjots 16 .... 203 F 2
Adon 45 .... 134 D 3
Les Adrets 38 .... 233 F 5
Les Adrets-de-l'Esterel 83 .... 308 D 4
Adriers 86 .... 187 F 5
Aérocity Parc 07 .... 266 B 4
Afa 2A .... 348 C 3
Affieux 19 .... 224 D 3
Affléville 54 .... 45 E 4
Affoux 69 .... 212 B 4
Affracourt 54 .... 94 D 3
Affringues 62 .... 7 E 2
Agassac 31 .... 316 D 3
Agay 83 .... 329 H 1
Agde 34 .... 322 C 5
Agel 34 .... 320 D 4
Agen 47 .... 276 B 3
Agen-d'Aveyron 12 .... 280 D 1
Agencourt 21 .... 160 A 5
Agenville 80 .... 12 B 4
Agenvillers 80 .... 11 H 2
Les Ageux 60 .... 39 E 3
Ageville 52 .... 117 F 3
Agey 21 .... 159 G 3
Aghione 2B .... 349 G 1
Agincourt 54 .... 65 H 5
Agmé 47 .... 257 G 3
Agnac 47 .... 257 G 3
Agnat 43 .... 228 B 5
Agneaux 50 .... 32 A 5
Agnetz 60 .... 38 C 2
Agnez-lès-Duisans 62 .... 13 F 2
Agnicourt-et-Séchelles 02 .... 25 F 3
Agnières 62 .... 8 A 5
Agnières 80 .... 21 H 4
Agnières-en-Dévoluy 05 .... 269 F 2
Agnin 38 .... 231 F 5
Agnos 64 .... 331 H 1
Agny 62 .... 13 G 3
Agon-Coutainville 50 .... 31 F 5
Agonac 24 .... 240 C 1
Agonès 34 .... 302 C 1
Agonges 03 .... 191 H 1
Agonnay 17 .... 201 F 4
Agos-Vidalos 65 .... 332 D 2
Agris 16 .... 203 G 5
Agudelle 17 .... 219 H 4
Les Agudes 31 .... 333 H 4
Aguessac 12 .... 281 H 3
Aguilar Château d' 11 .... 338 C 3
Aguilcourt 02 .... 41 G 2
Aguts 81 .... 298 D 5
Agy 14 .... 32 D 3
Ahaxe-Alciette-Bascassan 64 .... 330 C 1
Ahetze 64 .... 310 C 3
Ahéville 88 .... 94 D 5

Ahuillé 53 .... 105 H 4
Ahun 23 .... 207 F 2
Ahusquy 64 .... 330 D 2
Ahuy 21 .... 160 A 2
Aibes 59 .... 15 H 3
Aibre 25 .... 142 B 4
Aïcirits 64 .... 311 G 4
Aiffres 79 .... 185 E 4
Aigaliers 30 .... 284 B 4
L'Aigle 61 .... 55 F 4
Aigle Barrage de l' 19 .... 243 H 1
Aiglemont 08 .... 26 D 3
Aiglepierre 39 .... 179 G 2
Aigleville 27 .... 56 D 1
Aiglun 04 .... 287 H 4
Aiglun 06 .... 309 E 1
Aignan 32 .... 295 F 3
Aignay-le-Duc 21 .... 138 C 4
Aigne 34 .... 320 C 4
Aigné 72 .... 107 G 4
Aignerville 14 .... 32 C 3
Aignes 31 .... 318 B 4
Aignes-et-Puypéroux 16 .... 221 F 4
Aigneville 80 .... 11 F 4
Aigny 51 .... 61 H 1
Aigonnay 79 .... 185 F 4
Aigoual Mont 48 .... 282 D 4
Aigre 16 .... 203 E 4
Aigrefeuille 31 .... 298 B 5
Aigrefeuille-d'Aunis 17 .... 200 D 1
Aigrefeuille-sur-Maine 44 .... 147 H 5
Aigremont 30 .... 283 H 5
Aigremont 52 .... 118 A 4
Aigremont 78 .... 57 H 3
Aigremont 89 .... 136 D 4
Aiguebelette-le-Lac 73 .... 233 E 2
Aiguebelle 73 .... 234 A 2
Aiguebelle 83 .... 329 E 4
Aigueblanche 73 .... 234 B 3
Aiguefonde 81 .... 319 H 2
Aigueperse 63 .... 209 H 3
Aigueperse 69 .... 194 B 5
Aigues-Juntes 09 .... 336 A 2
Aigues-Mortes 30 .... 303 G 5
Aigues-Vives 09 .... 336 D 2
Aigues-Vives 11 .... 320 A 5
Aigues-Vives 30 .... 303 G 3
Aigues-Vives 34 .... 320 D 4
Aiguèze 30 .... 284 C 2
Aiguilhe 43 .... 247 F 3
Aiguilles 05 .... 253 F 5
L'Aiguillon 09 .... 336 D 3
Aiguillon 47 .... 275 G 2
L'Aiguillon-sur-Mer 85 .... 183 E 4
L'Aiguillon-sur-Vie 85 .... 165 E 5
Aiguines 83 .... 307 G 2
Ailefroide 05 .... 252 B 4
Ailhon 07 .... 266 B 3
Aillant-sur-Milleron 45 .... 135 E 3
Aillant-sur-Tholon 89 .... 135 H 2
Aillas 33 .... 256 D 5
Ailleux 42 .... 211 F 5
Aillevans 70 .... 141 G 4
Ailleville 10 .... 116 A 2
Aillevillers-et-Lyaumont 70 .... 119 F 5
Aillianville 52 .... 93 G 4
Aillières-Beauvoir 72 .... 84 A 4
Aillon-le-Jeune 73 .... 233 G 1
Aillon-le-Vieux 73 .... 233 G 1
Ailloncourt 70 .... 141 G 3
Ailly 27 .... 36 C 5
Ailly-le-Haut-Clocher 80 .... 11 H 4
Ailly-sur-Meuse 55 .... 64 C 4
Ailly-sur-Noye 80 .... 22 C 3
Ailly-sur-Somme 80 .... 22 B 1
Aimargues 30 .... 303 G 3
Aime-la-Plagne 73 .... 234 C 2
Ain Source de l' 39 .... 180 A 4
Ainac 04 .... 288 A 2
Ainay-le-Château 03 .... 173 G 5
Ainay-le-Vieil 18 .... 173 F 5
Aincille 64 .... 330 C 1
Aincourt 95 .... 57 G 1
Aincreville 55 .... 43 G 2

Aingeray 54 .... 65 G 5
Aingeville 88 .... 118 A 2
Aingoulaincourt 52 .... 93 F 3
Ainharp 64 .... 311 H 5
Ainhice-Mongelos 64 .... 311 F 5
Ainhoa 64 .... 310 D 4
Ainvelle 70 .... 141 F 2
Ainvelle 88 .... 118 B 4
Airaines 80 .... 11 H 5
Airan 14 .... 34 A 5
Aire 08 .... 41 H 1
Aire-sur-la-Lys 62 .... 7 G 2
Aire-sur-l'Adour 40 .... 294 C 3
Airel 50 .... 32 B 4
Les Aires 34 .... 301 F 5
Airion 60 .... 38 C 2
Airon-Notre-Dame 62 .... 6 B 5
Airon-Saint-Vaast 62 .... 6 B 5
Airoux 11 .... 318 D 3
Airvault 79 .... 168 B 3
Aiserey 21 .... 160 B 5
Aisey-et-Richecourt 70 .... 118 C 5
Aisey-sur-Seine 21 .... 138 B 3
Aisne 85 .... 183 G 3
Aisonville-et-Bernoville 02 .... 24 C 1
Aïssey 25 .... 162 C 3
Aisy-sous-Thil 21 .... 158 C 2
Aisy-sur-Armançon 89 .... 137 G 4
Aiti 2B .... 347 F 3
Aiton 73 .... 233 H 2
Aix 19 .... 226 B 2
Aix 59 .... 9 E 4
Aix Île d' 17 .... 200 C 2
Les Aix-d'Angillon 18 .... 155 G 5
Aix-en-Diois 26 .... 268 B 2
Aix-en-Ergny 62 .... 6 D 3
Aix-en-Issart 62 .... 6 C 4
Aix-en-Othe 10 .... 114 B 2
Aix-en-Provence 13 .... 306 A 5
Aix-la-Fayette 63 .... 228 C 3
Aix-les-Bains 73 .... 233 F 1
Aix-Noulette 62 .... 8 A 5
Aixe-sur-Vienne 87 .... 205 F 5
Aizac 07 .... 266 B 2
Aizanville 52 .... 116 C 3
Aize 36 .... 171 H 1
Aizecourt-le-Bas 80 .... 23 H 1
Aizecourt-le-Haut 80 .... 23 G 1
Aizecq 16 .... 203 G 3
Aizelles 02 .... 41 E 1
Aizenay 85 .... 165 G 4
Aizier 27 .... 35 F 2
Aizy-Jouy 02 .... 40 C 2
Ajac 11 .... 337 F 2
Ajaccio 2A .... 348 B 3
Ajain 23 .... 207 F 1
Ajat 24 .... 241 E 2
Ajoncourt 57 .... 66 B 4
Ajou 27 .... 55 G 2
Ajoux 07 .... 266 C 1
Alaigne 11 .... 337 F 1
Alaincourt 02 .... 24 B 3
Alaincourt 70 .... 118 D 5
Alaincourt-la-Côte 57 .... 66 B 3
Alairac 11 .... 319 G 5
Alaise 25 .... 179 H 1
Alan 31 .... 316 D 5
Alando 2B .... 347 F 4
Alata 2A .... 348 B 3
Alba-la-Romaine 07 .... 266 D 4
Alban 81 .... 300 A 1
Albaret-le-Comtal 48 .... 245 H 5
Albaret-Sainte-Marie 48 .... 246 A 5
Albarine Gorges de l' 01 .... 214 C 3
L'Albaron 13 .... 304 A 4
Albas 11 .... 338 C 2
Albas 46 .... 259 G 5
Albé 67 .... 97 E 4
Albefeuille-Lagarde 82 .... 277 G 5
Albens 73 .... 215 F 5
Albepierre-Bredons 15 .... 245 F 3
L'Albère 66 .... 343 E 4
Albert 80 .... 13 F 5
Albert-Louppe Pont 29 .... 75 F 2

Albertacce 2B .... 346 D 4
Albertville 73 .... 234 A 1
Albestroff 57 .... 67 F 2
Albi 81 .... 299 F 1
Albiac 31 .... 298 C 5
Albiac 46 .... 261 E 2
Albias 82 .... 278 B 4
Albières 11 .... 338 A 3
Albiès 09 .... 336 C 5
Albiez-le-Jeune 73 .... 252 A 1
Albiez-le-Vieux 73 .... 252 A 1
Albignac 19 .... 242 D 2
Albigny 74 .... 215 G 3
Albigny-sur-Saône 69 .... 213 E 4
Albine 81 .... 320 A 2
Albiosc 04 .... 307 E 2
Albitreccia 2A .... 348 D 4
Albon 26 .... 249 E 1
Albon-d'Ardèche 07 .... 266 C 1
Alboussière 07 .... 249 E 4
Les Albres 12 .... 261 G 4
Albussac 19 .... 243 E 3
Alby-sur-Chéran 74 .... 215 F 4
Alçay-Alçabéhéty-Sunharette 64 .... 331 E 2
Aldudes 64 .... 330 A 1
Alembon 62 .... 2 D 5
Alençon 61 .... 83 G 4
Alénya 66 .... 343 F 2
Aléria 2B .... 349 H 1
Alès 30 .... 283 H 4
Alet-les-Bains 11 .... 337 G 2
Alette 62 .... 6 C 4
Aleu 09 .... 335 G 3
Alex 74 .... 215 H 3
Alexain 53 .... 106 A 2
Aleyrac 26 .... 267 F 4
Alfortville 94 .... 58 C 4
Algajola 2B .... 344 C 5
Algans 81 .... 298 D 5
Algolsheim 68 .... 121 G 3
Algrange 57 .... 45 G 3
Alièze 39 .... 196 C 1
Alignan-du-Vent 34 .... 321 H 2
Alincourt 08 .... 42 A 2
Alincourt 60 .... 37 G 4
Alincthun 62 .... 2 C 5
Alise-Sainte-Reine 21 .... 159 E 1
Alissas 07 .... 266 D 2
Alix 69 .... 212 D 4
Alixan 26 .... 249 G 4
Alizay 27 .... 36 B 3
Allain 54 .... 94 B 2
Allaines 80 .... 23 G 1
Allaines-Mervilliers 28 .... 110 D 2
Allainville 28 .... 56 C 5
Allainville 78 .... 86 D 4
Allainville-en-Beauce 45 .... 111 F 2
Allaire 56 .... 125 G 4
Allamont 54 .... 65 E 1
Allamps 54 .... 94 A 2
Allan 26 .... 267 E 4
Allanche 15 .... 245 F 1
Alland'Huy-et-Sausseuil 08 .... 42 C 1
Allarmont 88 .... 96 B 2
Allas-Bocage 17 .... 219 H 4
Allas-Champagne 17 .... 220 B 3
Allas-les-Mines 24 .... 259 F 1
Allassac 19 .... 242 B 1
Allauch 13 .... 327 E 2
Allègre 43 .... 247 E 2
Allègre Château d' 30 .... 284 A 3
Allègre-les-Fumades 30 .... 284 A 3
Alleins 13 .... 305 G 3
Allemagne-en-Provence 04 .... 307 E 2
Allemanche-Launay-et-Soyer 51 .... 90 B 2
Allemans 24 .... 239 G 1
Allemans-du-Dropt 47 .... 257 G 3
Allemant 02 .... 40 C 1
Allemant 51 .... 61 E 4
Allemond 38 .... 251 G 2
Allenay 80 .... 11 E 3
Allenc 48 .... 264 D 4

Allenjoie 25 .... 142 C 4
Allennes-les-Marais 59 .... 8 C 4
Allenwiller 67 .... 68 B 5
Allerey 21 .... 159 E 5
Allerey-sur-Saône 71 .... 178 A 3
Alleriot 71 .... 178 A 4
Allery 80 .... 11 H 5
Alles-sur-Dordogne 24 .... 258 D 1
Les Alleuds 49 .... 149 H 3
Les Alleuds 79 .... 203 E 1
Les Alleux 08 .... 42 D 1
Alleuze 15 .... 245 H 4
Allevard 38 .... 233 G 4
Allèves 74 .... 215 G 5
Allex 26 .... 267 F 1
Alleyrac 43 .... 247 G 5
Alleyras 43 .... 246 D 5
Alleyrat 19 .... 225 H 3
Alleyrat 23 .... 207 G 3
Allez-et-Cazeneuve 47 .... 276 B 1
Alliancelles 51 .... 63 E 3
Alliat 09 .... 336 B 4
Allibaudières 10 .... 91 E 2
Allichamps 52 .... 92 C 2
Allier 65 .... 315 F 5
Allières 09 .... 335 H 2
Les Alliés 25 .... 180 D 2
Alligny-Cosne 58 .... 156 B 2
Alligny-en-Morvan 58 .... 158 C 4
Allimas Col de l' 38 .... 250 C 5
Allineuc 22 .... 78 A 5
Allinges 74 .... 198 B 3
Allogny 18 .... 155 E 4
Allondans 25 .... 142 B 4
Allondaz 73 .... 216 A 5
Allondrelle-la-Malmaison 54 .... 44 C 1
Allonne 60 .... 38 A 2
Allonne 79 .... 185 E 1
Allonnes 28 .... 86 C 5
Allonnes 49 .... 150 C 3
Allonnes 72 .... 107 G 5
Allons 04 .... 288 D 4
Allons 47 .... 274 D 3
Allonville 80 .... 22 C 1
Allonzier-la-Caille 74 .... 215 G 2
Allos 04 .... 288 D 2
Allos Col d' 04 .... 288 D 1
Allouagne 62 .... 7 H 4
Alloue 16 .... 204 B 2
Allouis 18 .... 154 D 5
Allouville-Bellefosse 76 .... 19 G 5
Les Allues 73 .... 234 C 3
Les Alluets-le-Roi 78 .... 57 H 3
Alluy 58 .... 175 G 1
Alluyes 28 .... 109 H 2
Ally 15 .... 244 B 2
Ally 43 .... 246 A 2
Almayrac 81 .... 279 G 4
Almenêches 61 .... 54 B 5
Almont-les-Junies 12 .... 261 H 4
Alos 09 .... 335 F 3
Alos 81 .... 279 E 5
Alos-Sibas-Abense 64 .... 331 F 1
Alouettes Mont des 85 .... 166 C 2
Aloxe-Corton 21 .... 177 H 1
Alpe-d'Huez 38 .... 251 G 2
Alpuech 12 .... 263 F 2
Alquines 62 .... 2 D 5
Alrance 12 .... 281 E 4
Alsting 57 .... 47 G 5
Altagène 2A .... 349 G 5
Alteckendorf 67 .... 68 C 4
Altenach 68 .... 143 E 3
Altenbach 68 .... 120 C 5
Altenheim 67 .... 68 B 4
Altenstadt 67 .... 69 F 1
Althen-des-Paluds 84 .... 285 G 1
Altiani 2B .... 347 F 5
Altier 48 .... 265 F 5
Altillac 19 .... 243 E 4
Altkirch 68 .... 143 F 3
Altorf 67 .... 97 F 2
Altrippe 57 .... 67 F 1
Altviller 57 .... 67 E 1
Altwiller 67 .... 67 G 2

Aluze 71 .... 177 G3
Alvignac 46 .... 260 D1
Alvimare 76 .... 19 F5
Alzen 09 .... 336 A2
Alzi 2B 347 F4
Alzing 57 .... 46 C4
Alzon 30 .... 282 C5
Alzonne 11 .... 319 F4
Amage 70 .... 141 H2
Amagne 08 .... 42 B1
Amagney 25 .... 162 B3
Amailloux 79 .... 168 A4
Amance 10 .... 91 H5
Amance 54 .... 66 B5
Amance 70 .... 141 E2
Amancey 25 .... 180 A1
Amancy 74 .... 216 A1
Amange 39 .... 161 E4
Amanlis 35 .... 104 C4
Amanty 55 .... 93 H2
Amanvillers 57 .... 45 G5
Amanzé 71 .... 193 H4
Amareins 01 .... 213 E2
Amarens 81 .... 279 E5
Amathay-Vésigneux 25 .... 180 B1
Amayé-sur-Orne 14 .... 33 F5
Amayé-sur-Seulles 14 .... 32 D5
Amazy 58 .... 157 F3
Ambacourt 88 .... 94 D4
Ambarès-et-Lagrave 33 .... 237 G4
Ambax 31 .... 316 D3
Ambazac 87 .... 205 H3
Ambel 38 .... 269 F1
Ambenay 27 .... 55 G3
Ambérac 16 .... 203 E4
Ambérieu-en-Bugey 01 .... 214 A3
Ambérieux-d'Azergues 69 .... 212 D3
Ambérieux-en-Dombes 01 .... 213 F3
Ambernac 16 .... 204 B3
Amberre 86 .... 168 D4
Ambert 63 .... 229 E3
Ambès 33 .... 237 G3
Ambeyrac 12 .... 261 F4
Ambialet 81 .... 299 H1
Ambiegna 2A 348 C2
Ambierle 42 .... 211 F2
Ambiévillers 70 .... 118 D4
Ambillou 37 .... 151 F2
Ambillou-Château 49 .... 149 H4
Ambilly 74 .... 197 H5
Amblaincourt 55 .... 63 H2
Amblainville 60 .... 38 A4
Amblans-et-Velotte 70 .... 141 G3
Ambleny 02 .... 40 A2
Ambléon 01 .... 214 C5
Ambleteuse 62 .... 2 B4
Ambleville 16 .... 220 C3
Ambleville 95 .... 37 F5
Amblie 14 .... 33 F3
Amblimont 08 .... 27 F4
Ambloy 41 .... 131 F4
Ambly-Fleury 08 .... 42 B1
Ambly-sur-Meuse 55 .... 64 B2
Amboise 37 .... 152 C2
Ambon 56 .... 124 D4
Ambonil 26 .... 267 F1
Ambonnay 51 .... 61 H1
Ambonville 52 .... 92 D5
Ambourville 76 .... 35 H1
Ambrault 36 .... 172 B4
Ambres 81 .... 298 D3
Ambricourt 62 .... 7 F4
Ambrief 02 .... 40 B3
Ambrières 51 .... 63 E5
Ambrières-les-Vallées 53 .... 82 B4
Ambrines 62 .... 13 E2
Ambronay 01 .... 214 A2
Ambrugeat 19 .... 225 G3
Ambrumesnil 76 .... 20 A2
Ambrus 47 .... 275 F2
Ambutrix 01 .... 214 A3
Amécourt 27 .... 37 F2
Amel-sur-l'Étang 55 .... 44 D4
Amelécourt 57 .... 66 C4
Amélie-les-Bains-Palalda 66 .... 342 C4
L'Amélie-sur-Mer 33 .... 218 C3
Amendeuix-Oneix 64 .... 311 G4
Amenoncourt 54 .... 96 A1
Amenucourt 95 .... 37 F5
Ames 62 .... 7 G3
Amettes 62 .... 7 G4
Ameugny 71 .... 194 D2
Ameuvelle 88 .... 118 C5
Amfreville 14 .... 33 H3
Amfreville 50 .... 29 G5
Amfreville-Saint-Amand 27 .... 35 H4
Amfreville-la-Mi-Voie 76 .... 36 B2
Amfreville-les-Champs 27 .... 36 C3
Amfreville-les-Champs 76 .... 19 H4
Amfreville-sous-les-Monts 27 .... 36 C3
Amfreville-sur-Iton 27 .... 36 B5
Amfroipret 59 .... 15 F2
Amiens 80 .... 22 B2
Amifontaine 02 .... 41 F1
Amigny 50 .... 32 A4
Amigny-Rouy 02 .... 24 B5
Amillis 77 .... 60 A4
Amilly 28 .... 86 A4
Amilly 45 .... 112 C5
Amions 42 .... 211 G4
Amirat 06 .... 289 F5
Ammerschwihr 68 .... 121 E2
Ammertzwiller 68 .... 143 E2
Ammeville 14 .... 54 B2
Amné 72 .... 107 F4
Amnéville 57 .... 45 G4
Amoncourt 70 .... 141 E3
Amondans 25 .... 162 A5
Amont-et-Effreney 70 .... 119 G5
Amorots-Succos 64 .... 311 G4
Amou 40 .... 293 G4
Amphion-les-Bains 74 .... 198 B3
Ampiac 12 .... 280 C1
Ampilly-le-Sec 21 .... 138 A3
Ampilly-les-Bordes 21 .... 138 B5
Amplepuis 69 .... 212 A3
Amplier 62 .... 12 D4
Ampoigné 53 .... 128 A2
Amponville 77 .... 112 A2
Ampriani 2B 347 G5
Ampuis 69 .... 231 E3
Ampus 83 .... 307 H4
Amuré 79 .... 184 C5
Amy 60 .... 23 F4
Anais 16 .... 203 F5
Anais 17 .... 183 H5
Anan 31 .... 316 C3
Ance 64 .... 331 G1
Anceaumeville 76 .... 20 B5
Anceins 61 .... 55 E3
Ancelle 05 .... 269 H2
Ancemont 55 .... 64 B1
Ancenis 44 .... 148 B2
Ancerville 55 .... 63 G5
Ancerville 57 .... 66 B1
Ancerviller 54 .... 96 A2
Ancey 21 .... 159 H3
Anchamps 08 .... 26 D1
Anché 37 .... 151 E5
Anché 86 .... 186 B4
Anchenoncourt-et-Chazel 70 .... 141 E2
Ancienville 02 .... 40 A4
Ancier 70 .... 161 F1
Ancinnes 72 .... 83 H4
Ancizan 65 .... 333 G3
Les Ancizes-Comps 63 .... 209 E4
Ancône 26 .... 267 E3
Ancourt 76 .... 10 B5
Ancourteville-sur-Héricourt 76 .... 19 G4
Ancretiéville-Saint-Victor 76 .... 20 A4
Ancretteville-sur-Mer 76 .... 19 F3
Ancteville 50 .... 31 G5
Anctoville 14 .... 33 E5
Anctoville-sur-Boscq 50 .... 51 F3
Ancy 69 .... 212 C5
Ancy-Dornot 57 .... 65 G1
Ancy-le-Franc 89 .... 137 F3
Ancy-le-Libre 89 .... 137 F3
Andaine *Bec d'* 50 .... 51 F4
Andainville 80 .... 21 G2
Andance 07 .... 249 E1
Andancette 26 .... 249 E1
Andard 49 .... 149 H1
Andé 27 .... 36 C4
Andechy 80 .... 23 E4
Andel 22 .... 78 D3
Andelain 02 .... 24 B4
Andelaroche 03 .... 193 E5
Andelarre 70 .... 141 E5
Andelarrot 70 .... 141 E5
Andelat 15 .... 245 G3
Andelnans 90 .... 142 C3
Andelot 52 .... 117 F2
Andelot-en-Montagne 39 .... 179 H3
Andelot-lès-Saint-Amour 39 .... 196 A3
Andelu 78 .... 57 G3
Les Andelys 27 .... 36 D4
Andernay 55 .... 63 F4
Andernos-les-Bains 33 .... 254 C1
Anderny 54 .... 45 F3
Andert-et-Condon 01 .... 214 D5
Andevanne 08 .... 43 G2
Andeville 60 .... 38 A4
Andigné 49 .... 128 A4
Andillac 81 .... 279 E5
Andilly 17 .... 183 G5
Andilly 54 .... 65 F5
Andilly 74 .... 215 G2
Andilly 95 .... 58 B2
Andilly-en-Bassigny 52 .... 117 H5
Andiran 47 .... 275 F4
Andlau 67 .... 97 E3
Andoins 64 .... 314 C4
Andolsheim 68 .... 121 F3
Andon 06 .... 308 D2
Andonville 45 .... 111 E2
Andornay 70 .... 142 A3
Andouillé 53 .... 106 A2
Andouillé-Neuville 35 .... 80 C5
Andouque 81 .... 280 B5
Andrein 64 .... 311 H3
Andres 62 .... 2 D4
Andrest 65 .... 315 E3
Andrésy 78 .... 58 A2
Andrezé 49 .... 148 D4
Andrezel 77 .... 88 C2
Andrézieux-Bouthéon 42 .... 230 A3
Andryes 89 .... 157 E1
Anduze 30 .... 283 G4
Anéran-Camors 65 .... 333 H4
Anères 65 .... 333 H1
Anet 28 .... 56 D3
Anetz 44 .... 148 C2
Angaïs 64 .... 314 C4
Angé 41 .... 152 D3
Angeac-Champagne 16 .... 220 B2
Angeac-Charente 16 .... 220 D2
Angecourt 08 .... 27 F4
Angeduc 16 .... 220 D3
Angely 89 .... 137 E5
Angeot 90 .... 142 D2
Angers 49 .... 149 G1
Angerville 14 .... 34 A4
Angerville 91 .... 87 E5
Angerville-Bailleul 76 .... 19 E4
Angerville-la-Campagne 27 .... 56 B2
Angerville-la-Martel 76 .... 19 F3
Angerville-l'Orcher 76 .... 18 D5
Angervilliers 91 .... 87 F2
Angeville 82 .... 277 E5
Angevillers 57 .... 45 G3
Angey 50 .... 51 G4
Angicourt 60 .... 38 D3
Angiens 76 .... 19 H2
Angirey 70 .... 161 G1
Angivillers 60 .... 38 D1
Anglade 33 .... 237 F1
Anglards-de-Saint-Flour 15 .... 245 H4
Anglards-de-Salers 15 .... 244 C2
Anglars 46 .... 261 E2
Anglars-Juillac 46 .... 259 G5
Anglars-Nozac 46 .... 259 H1
Anglars-Saint-Félix 12 .... 261 H5
Anglefort 01 .... 215 E3
Anglemont 88 .... 95 H4
Angles 04 .... 288 D5
Les Angles 30 .... 285 E5
Les Angles 65 .... 333 E1
Les Angles 66 .... 341 G3
Anglès 81 .... 300 B5
Angles 85 .... 182 D3
Les Angles-sur-Corrèze 19 .... 243 E1
Angles-sur-l'Anglin 86 .... 170 B5
Anglesqueville-la-Bras-Long 76 .... 19 H3
Anglesqueville-l'Esneval 76 .... 18 D4
Anglet 64 .... 292 A5
Angliers 17 .... 183 G5
Angliers 86 .... 168 D2
Anglure 51 .... 90 C2
Anglure-sous-Dun 71 .... 194 A5
Anglus 52 .... 92 B4
Angluzelles-et-Courcelles 51 .... 61 F5
Angoisse 24 .... 223 F4
Angomont 54 .... 96 B2
Angos 65 .... 315 F5
Angoulême 16 .... 221 F2
Angoulins 17 .... 200 C1
Angoumé 40 .... 292 D3
Angous 64 .... 313 F4
Angoustrine 66 .... 341 F4
Angoville 14 .... 53 G2
Angoville-au-Plain 50 .... 32 A2
Angoville-en-Saire 50 .... 29 G2
Angoville-sur-Ay 50 .... 31 F3
Angres 62 .... 8 B5
Angresse 40 .... 292 B3
Angrie 49 .... 127 H5
Anguilcourt-le-Sart 02 .... 24 C4
Angviller-lès-Bisping 57 .... 67 F4
Angy 60 .... 38 C3
Anhaux 64 .... 330 B1
Anhiers 59 .... 9 E5
Aniane 34 .... 302 B4
Aniche 59 .... 14 B2
Anisy 14 .... 33 G3
Anizy-le-Château 02 .... 40 C1
Anjeux 70 .... 119 E5
Anjony *Château d'* 15 .... 244 C3
Anjou 38 .... 231 F5
Anjouin 36 .... 154 A5
Anjoutey 90 .... 142 C2
Anla 65 .... 334 A2
Anlezy 58 .... 175 F2
Anlhiac 24 .... 223 F5
Annay 58 .... 156 A1
Annay 62 .... 8 C4
Annay-la-Côte 89 .... 157 H1
Annay-sur-Serein 89 .... 137 E4
Annebault 14 .... 34 B3
Annebecq 14 .... 52 B2
Annecy 74 .... 215 G3
Annecy-le-Vieux 74 .... 215 G3
Annelles 08 .... 42 B2
Annemasse 74 .... 197 H5
Annéot 89 .... 157 H1
Annepont 17 .... 201 G4
Annequin 62 .... 8 B4
Annesse-et-Beaulieu 24 .... 240 B2
Annet-sur-Marne 77 .... 59 F2
Anneux 59 .... 14 A4
Anneville-en-Saire 50 .... 29 H3
Annéville-la-Prairie 52 .... 116 D2
Anneville-sur-Mer 50 .... 31 F5
Anneville-sur-Scie 76 .... 20 B2
Anneville-sur-Seine 76 .... 35 H1
Anneyron 26 .... 249 F1
Annezay 17 .... 201 F2
Annezin 62 .... 8 A4
Annœullin 59 .... 8 C4
Annoire 39 .... 178 C2
Annois 02 .... 24 A4
Annoisin-Chatelans 38 .... 214 A5
Annoix 18 .... 173 F2
Annonay 07 .... 248 D1
Annonville 52 .... 93 E4
Annot 04 .... 289 E5
Annouville-Vilmesnil 76 .... 19 E4
Annoux 89 .... 137 F5
Annoville 50 .... 51 F1
Anor 59 .... 15 H5
Anos 64 .... 314 B3
Anost 71 .... 176 B1
Anould 88 .... 120 B2
Anoux 54 .... 45 E4
Anoye 64 .... 314 D3
Anquetierville 76 .... 35 F1
Anrosey 52 .... 140 B2
Ansac-sur-Vienne 16 .... 204 C3
Ansacq 60 .... 38 C3
Ansan 32 .... 296 C3
Ansauville 54 .... 65 E4
Ansauvillers 60 .... 22 C5
Anse 69 .... 212 D3
Anserville 60 .... 38 B4
Ansignan 66 .... 338 A5
Ansigny 73 .... 215 F4
Ansost 65 .... 315 F2
Ansouis 84 .... 306 A3
Anstaing 59 .... 9 E3
Antagnac 47 .... 274 D1
Anterrieux 15 .... 263 G1
Anteuil 25 .... 163 E2
Antezant 17 .... 201 H3
Anthé 47 .... 277 E1
Anthelupt 54 .... 95 F1
Anthenay 51 .... 41 E5
Antheny 08 .... 26 A2
Anthéor 83 .... 309 E5
Antheuil 21 .... 159 G5
Antheuil-Portes 60 .... 39 F1
Anthien 58 .... 157 G3
Anthon 38 .... 213 H5
Anthy-sur-Léman 74 .... 198 A3
Antibes 06 .... 309 F4
Antibes *Cap d'* 06 .... 309 F4
Antichan 65 .... 334 A2
Antichan-de-Frontignes 31 .... 334 B2
Antignac 15 .... 226 C5
Antignac 17 .... 219 H3
Antignac 31 .... 334 A4
Antigny 85 .... 184 B1
Antigny 86 .... 187 F2
Antigny-la-Ville 21 .... 159 F5
Antilly 57 .... 45 H5
Antilly 60 .... 39 G5
Antin 65 .... 315 G3
Les Antiques 13 .... 304 D2
Antisanti 2B 347 G5
Antist 65 .... 333 F1
Antogny le Tillac 37 .... 169 G2
Antoigné 49 .... 168 B1
Antoigny 61 .... 82 D3
Antoingt 63 .... 227 H3
Antonaves 05 .... 287 E2
Antonne-et-Trigonant 24 .... 240 D2
Antony 92 .... 58 B4
Antorpe 25 .... 161 G4
Antraigues-sur-Volane 07 .... 266 B2
Antrain 35 .... 80 C3
Antran 86 .... 169 G3
Antras 09 .... 334 D4
Antras 32 .... 296 A3
Antrenas 48 .... 264 A4
Antugnac 11 .... 337 G3
Antully 71 .... 177 E3
Anvéville 76 .... 19 G4
Anville 16 .... 202 D5
Anvin 62 .... 7 F4
Any-Martin-Rieux 02 .... 25 H2
Anzat-le-Luguet 63 .... 227 G5
Anzeling 57 .... 46 C4
Anzême 23 .... 189 F5
Anzex 47 .... 275 E2
Anzin 59 .... 9 G5
Anzin-Saint-Aubin 62 .... 13 G2
Anzy-le-Duc 71 .... 193 G4
Aoste 38 .... 232 C2
Aougny 51 .... 41 E4
Aouste 08 .... 26 A3
Aouste-sur-Sye 26 .... 267 G2
Aouze 88 .... 94 B4
Apach 57 .... 46 B2
Apchat 63 .... 227 H5
Apchon 15 .... 245 E1
Apinac 42 .... 229 G5
Apothicairerie *Grotte de l'* 56 .... 144 B3
Appelle 81 .... 299 E5
Appenai-sous-Bellême 61 .... 84 C5
Appenans 25 .... 142 A5
Appenwihr 68 .... 121 F3
Appeville 50 .... 31 H2
Appeville-Annebault 27 .... 35 F3
Appietto 2A 348 C2
Appilly 60 .... 23 H5
Appoigny 89 .... 136 B2
Apprieu 38 .... 232 C4
Appy 09 .... 336 C5
Apremont 01 .... 196 C5
Apremont 08 .... 43 F3
Apremont 60 .... 38 D4
Apremont 70 .... 161 E2
Apremont 73 .... 233 F3
Apremont 85 .... 165 F4
Apremont-la-Forêt 55 .... 64 D4
Apremont-sur-Allier 18 .... 174 B3
Aprey 52 .... 139 F3
Apt 84 .... 305 H1
Arabaux 09 .... 336 B2
Arâches 74 .... 216 C2
Araghju *Castellu d'* 2A 351 G2
Aragnouet 65 .... 333 F4
Aragon 11 .... 319 H4
Aramits 64 .... 331 G1
Aramon 30 .... 304 C1
Aranc 01 .... 214 B2
Arance 64 .... 313 H2
Arancou 64 .... 311 G3
Arandas 01 .... 214 B4
Arandon 38 .... 232 B1
Araujuzon 64 .... 313 F3
Araules 43 .... 247 H3
Araux 64 .... 313 F3
Aravis *Col des* 74 .... 216 B4
Arbanats 33 .... 255 H2
Arbas 31 .... 334 D2
Arbecey 70 .... 140 D3
Arbellara 2A 351 E2
Arbent 01 .... 196 D4
Arbéost 65 .... 332 B2
Arbérats-Sillègue 64 .... 311 H4
Arbignieu 01 .... 214 D5
Arbigny 01 .... 195 F2
Arbigny-sous-Varennes 52 .... 140 A2
Arbin 73 .... 233 G3
Arbis 33 .... 256 B2
Arblade-le-Bas 32 .... 294 C3
Arblade-le-Haut 32 .... 294 D3
Arbois 39 .... 179 G2
Arbois *Mont d'* 74 .... 216 C4
Arbon 31 .... 334 C2
Arbonne 64 .... 310 C3
Arbonne-la-Forêt 77 .... 88 A4
Arboras 34 .... 302 A3
Arbori 2A 348 C1
Arbot 52 .... 139 E2
Arbouans 25 .... 142 B4
Arboucave 40 .... 294 A4
Arbouet-Sussaute 64 .... 311 H4
Arbourse 58 .... 156 C4
Arboussols 66 .... 342 B2
L'Arbresle 69 .... 212 C4
L'Arbret 62 .... 13 E3
Arbrissel 35 .... 105 E5
Arbus 64 .... 314 A3
Arbusigny 74 .... 215 H1
Arc 1800 73 .... 234 D2
Arc-en-Barrois 52 .... 116 D5
Arc-et-Senans 25 .... 179 G1
Arc-lès-Gray 70 .... 161 E1
Arc-sous-Cicon 25 .... 162 C5
Arc-sous-Montenot 25 .... 180 A2
Arc-sur-Tille 21 .... 160 B3
Arcachon 33 .... 254 B2
Arçais 79 .... 184 B4
Arcambal 46 .... 260 B5
Arcangues 64 .... 310 C3
Arçay 18 .... 173 E2
Arçay 86 .... 168 C2
Arceau 21 .... 160 B2
Arcenant 21 .... 159 H5
Arcens 07 .... 248 A5
Arces 17 .... 219 E2
Arces 89 .... 114 A4
Arcey 21 .... 159 H3
Arcey 25 .... 142 A4
Archail 04 .... 288 B3
Archamps 74 .... 215 G1
Archelange 39 .... 161 E5
Archéodrome 21 .... 177 H2
Arches 15 .... 244 B1
Arches 88 .... 119 G3
Archettes 88 .... 119 G2
Archiac 17 .... 220 B3
Archiane *Cirque d'* 26 .... 268 C1
Archignac 24 .... 241 H4
Archignat 03 .... 190 B4
Archigny 86 .... 169 H5
Archingeay 17 .... 201 F3
Archon 02 .... 25 H3
Arcier 25 .... 162 A3
Arcine 74 .... 215 E1
Arcinges 42 .... 212 A1
Arcins 33 .... 237 F3
Arcis-le-Ponsart 51 .... 41 E4
Arcis-sur-Aube 10 .... 91 E3
Arcizac-Adour 65 .... 315 E5
Arcizac-ez-Angles 65 .... 333 E1
Arcizans-Avant 65 .... 332 D2
Arcizans-Dessus 65 .... 332 C2
Arcomie 48 .... 246 A5
Arcomps 18 .... 173 E5
Arçon 25 .... 180 C2
Arcon 42 .... 211 F3
Arconcey 21 .... 159 E4
Arçonnay 72 .... 83 G4
Arconsat 63 .... 210 D4
Arconville 10 .... 116 A3
L'Arcouest *Pointe de* 22 .... 73 F2
Les Arcs 73 .... 234 D1
Les Arcs 83 .... 308 A5
Arcueil 94 .... 58 C4
Arcy-Sainte-Restitue 02 .... 40 C4
Arcy-sur-Cure 89 .... 136 C5
Ardelles 28 .... 85 G3
Ardelu 28 .... 87 E5
Ardenais 18 .... 190 B1
Ardenay-sur-Mérize 72 .... 108 A5
Ardengost 65 .... 333 H3
Ardenne *Abbaye d'* 14 .... 33 G4
Ardentes 36 .... 172 A5
Ardes-sur-Couze 63 .... 227 H5
Ardeuil-et-Montfauxelles 08 .... 42 D3
Ardevon 50 .... 51 G5
Ardiège 31 .... 334 B1
Les Ardillats 69 .... 212 C1
Ardilleux 79 .... 202 D2
Ardillières 17 .... 201 E2
Ardin 79 .... 184 C2
Ardizas 32 .... 297 E3
L'Ardoise 30 .... 285 E4
Ardoix 07 .... 249 E2
Ardon 39 .... 179 H4
Ardon 45 .... 133 E3
Ardouval 76 .... 20 C3
Ardres 62 .... 2 D4
Arèches 73 .... 234 C1

Aregno 2B 346 C 2
Areines 41 131 G 3
Aren 64 313 G 4
Arenberg 59 9 G 5
Arengosse 40 273 F 5
Arenthon 74 216 A 1
Arès 33 254 B 1
Ares Col d' 66 342 B 5
Ares Col des 31 334 B 2
Aresches 39 179 H 2
Aressy 64 314 B 5
Arette 64 331 G 2
Arette-Pierre-Saint-Martin 64 331 G 3
Arfeuille-Châtain 23 208 B 2
Arfeuilles 03 210 D 1
Arfons 81 319 F 3
Argagnon 64 313 G 2
Arganchy 14 32 D 4
Argançon 10 116 A 2
Argancy 57 45 H 5
Argein 09 335 E 3
Argelès 65 333 F 1
Argelès-Gazost 65 332 D 2
Argelès-Plage 66 343 G 3
Argelès-sur-Mer 66 343 F 3
Argeliers 11 320 D 4
Argelliers 34 302 C 3
Argelos 40 293 H 4
Argelos 64 314 B 2
Argelouse 40 273 G 1
Argences 14 33 H 5
Argens 04 288 C 4
Argens-Minervois 11 320 C 5
Argent-sur-Sauldre 18 155 F 1
Argentan 61 54 A 4
Argentat 19 243 F 3
Argentenay 89 137 F 3
Argenteuil 95 58 B 2
Argenteuil-sur-Armançon 89 137 F 3
Argentière 74 217 E 2
L'Argentière-la-Bessée 05 252 C 5
Argentières 77 59 G 5
Argentine 73 234 A 3
Argentolles 52 116 C 2
Argenton 29 70 A 5
Argenton 47 275 E 1
Argenton-l'Église 79 168 A 1
Argenton-les-Vallées 79 167 H 2
Argenton-Notre-Dame 53 128 C 3
Argenton-sur-Creuse 36 188 C 1
Argentré 53 106 B 3
Argentré-du-Plessis 35 105 F 3
Argenvières 18 156 B 5
Argenvilliers 28 109 F 2
Argers 51 63 E 1
Arget 64 294 A 5
Argiésans 90 142 B 3
Argillières 70 140 B 4
Argilliers 30 284 C 5
Argilly 21 178 A 1
Argis 01 214 B 3
Argiusta-Moriccio 2A 349 E 4
Argœuves 80 22 B 1
Argol 29 75 F 4
Argonay 74 215 G 3
Argouges 50 80 D 2
Argoules 80 11 G 1
Argueil 76 37 E 1
Arguel 25 162 A 4
Arguel 80 21 G 2
Arguenos 31 334 C 3
Argut-Dessous 31 334 B 3
Argut-Dessus 31 334 C 3
Argy 36 171 F 2
Arhansus 64 311 G 5
Aries-Espénan 65 316 A 4
Arifat 81 299 H 3
Arignac 09 336 B 4
Arinthod 39 196 C 3
Arith 73 215 G 5
Arjuzanx 40 273 E 5
Arlanc 63 229 E 4
Arlay 39 179 E 4
Arlebosc 07 248 D 3
Arlempdes 43 247 F 5
Arles 13 304 B 4
Arles-sur-Tech 66 342 C 4
Arlet 43 246 B 3
Arleuf 58 176 B 1
Arleux 59 14 A 2
Arleux-en-Gohelle 62 8 C 5
Arlos 31 334 B 3
Armaillé 49 127 G 3
Armancourt 60 39 F 2
Armancourt 80 23 E 4
Armaucourt 54 66 B 4
Armbouts-Cappel 59 3 G 3
Armeau 89 113 G 4
Armendarits 64 311 F 4
Armenonville-les-Gâtineaux 28 86 C 3
Armenteule 65 333 H 4
Armentières 59 8 C 2
Armentières-en-Brie 77 59 H 2
Armentières-sur-Avre 27 55 G 5
Armentières-sur-Ourcq 02 40 B 5
Armentieux 32 295 F 5
Armes 58 157 F 2
Armillac 47 257 G 4
Armissan 11 321 F 5
Armistice Clairière de l' 60 39 G 2
Armix 01 214 C 4
Armous-et-Cau 32 295 F 5
Armoy 74 198 B 3
Arnac 15 243 H 3
Arnac-la-Poste 87 188 B 5
Arnac-Pompadour 19 223 H 5
Arnac-sur-Dourdou 12 301 E 3
Arnage 72 107 H 5
Arnancourt 52 92 C 4
Arnas 69 212 D 2
Arnaud-Guilhem 31 334 D 1
Arnave 09 336 B 4
Arnaville 54 65 G 2
Arnay-le-Duc 21 159 E 5
Arnay-sous-Vitteaux 21 159 E 2
Arnayon 26 268 A 4
Arné 65 316 A 5
Arnéguy 64 330 B 1
Arnèke 59 3 G 4
Arnicourt 08 26 A 5
Arnières-sur-Iton 27 56 B 2
Arnoncourt-sur-Apance 52 118 A 4
Arnos 64 313 H 2
Arnouville-lès-Gonesse 95 58 C 2
Arnouville-lès-Mantes 78 57 F 3
Aroffe 88 94 B 4
Aromas 39 196 B 4
Aron 53 82 B 5
Arone Plage d' 2A 348 A 1
Aroue 64 311 H 4
Aroz 70 140 D 4
Arpaillargues-et-Aureillac 30 284 B 5
Arpajon 91 87 G 2
Arpajon-sur-Cère 15 244 C 5
Arpavon 26 286 A 1
Arpenans 70 141 G 4
Arpenaz Cascade d' 74 216 C 2
Arpheuilles 18 173 F 4
Arpheuilles 36 171 E 3
Arpheuilles-Saint-Priest 03 190 D 5
Arphy 30 282 D 5
Arquenay 53 106 B 4
Arques 11 337 H 3
Arques 12 281 E 2
Les Arques 46 259 G 3
Arques 62 3 G 5
Arques-la-Bataille 76 20 B 2
Arquettes-en-Val 11 338 A 1
Arquèves 80 13 E 5
Arquian 58 156 B 1
Arrabloy 45 134 D 4
Arracourt 54 66 D 5
Arradon 56 124 B 4
Arraincourt 57 66 C 2
Arrancourt 91 87 F 5
Arrancy 02 41 E 1
Arrancy-sur-Crusne 55 44 D 2
Arrans 21 137 H 4
Arras 62 13 G 2
Arras-en-Lavedan 65 332 D 2
Arras-sur-Rhône 07 249 E 2
Arrast-Larrebieu 64 313 F 4
Arraute-Charritte 64 311 G 3
Arraye-et-Han 54 66 B 4
Arrayou-Lahitte 65 333 E 1
Arre 30 282 C 5
Arreau 65 333 H 3
Arrelles 10 115 F 4
Arrembécourt 10 91 H 2
Arrènes 23 206 C 2
Arrens Porte d' 65 332 B 3
Arrens-Marsous 65 332 C 2
Arrentès-de-Corcieux 88 120 A 2
Arrentières 10 92 B 5
Arrest 80 11 F 3
Arreux 08 26 C 2
Arriance 57 66 C 2
Arricau-Bordes 64 314 D 2
Arrien 64 314 C 4
Arrien-en-Bethmale 09 335 E 3
Arrigas 30 282 C 5
Arrigny 51 92 A 2
Arro 2A 348 C 2
Arrodets 65 333 G 2
Arrodets-ez-Angles 65 333 E 1
Arromanches-les-Bains 14 33 E 2
Arronnes 03 210 C 2
Arronville 95 38 A 5
Arros-de-Nay 64 314 B 5
Arros-d'Oloron 64 331 H 1
Arrosès 64 294 D 5
Arrou 28 109 G 3
Arrouède 32 316 B 3
Arrout 09 335 E 3
Arry 57 65 G 2
Arry 80 11 F 1
Ars 16 220 B 2
Ars 23 207 G 3
Ars-en-Ré 17 182 C 5
Ars-Laquenexy 57 65 H 1
Ars-les-Favets 63 209 E 1
Ars-sur-Formans 01 213 E 3
Ars-sur-Moselle 57 65 G 1
Arsac 33 237 F 4
Arsac-en-Velay 43 247 F 4
Arsague 40 293 F 4
Arsans 70 161 F 2
L'Arsenal 42 211 G 2
Arsonval 10 92 A 5
Arsure-Arsurette 39 180 A 4
Les Arsures 39 179 G 2
Arsy 60 39 E 2
Art-sur-Meurthe 54 95 E 1
Artagnan 65 315 E 3
Artaise-le-Vivier 08 27 E 5
Artaix 71 193 G 5
Artalens-Souin 65 332 D 2
Artannes-sur-Indre 37 151 H 4
Artannes-sur-Thouet 49 150 B 4
Artas 38 231 H 3
Artassenx 40 294 B 2
Artemare 01 214 D 4
Artemps 02 24 A 3
Artenay 45 110 D 4
Arthaz-Pont-Notre-Dame 74 197 H 5
Arthel 58 157 E 4
Arthémonay 26 249 G 2
Arthenac 17 220 B 3
Arthenas 39 196 B 1
Arthès 81 299 G 1
Arthez-d'Armagnac 40 294 C 1
Arthez-d'Asson 64 332 C 1
Arthez-de-Béarn 64 313 H 2
Arthezé 72 129 F 3
Arthies 95 57 G 1
Arthon 36 171 H 5
Arthon-en-Retz 44 146 D 5
Arthonnay 89 115 F 5
Arthous Abbaye d' 40 292 D 5
Arthun 42 211 G 5
Artigat 09 335 H 1
Artige Prieuré de l' 87 206 B 5
Artignosc-sur-Verdon 83 307 F 3
Artigue 31 334 B 4
Artiguedieu 32 316 A 2
Artigueloutan 64 314 C 4
Artiguelouve 64 314 A 3
Artiguemy 65 333 G 1
Artigues 09 337 E 5
Artigues 11 337 G 4
Artigues 65 333 E 1
Artigues 83 306 D 4
Artigues-Campan 65 333 F 3
Les Artigues-de-Lussac 33 238 C 4
Artigues-près-Bordeaux 33 237 G 5
Artins 41 131 E 3
Artix 09 336 A 2
Artix 46 260 C 4
Artix 64 313 H 2
Artolsheim 67 97 G 5
Artonges 02 60 D 2
Artonne 63 209 H 3
Artres 59 14 D 2
Artuby Pont de l' 83 307 H 2
Artzenheim 68 121 F 2
Arudy 64 332 A 1
Arue 40 274 A 4
Arvant 43 228 A 5
Arvert 17 200 C 5
Arveyres 33 238 B 5
Arvieu 12 280 D 3
Arvieux 05 271 E 1
Arvigna 09 336 C 2
Arvillard 73 233 G 3
Arville 41 109 E 4
Arville 77 112 A 3
Arvillers 80 23 E 3
Arx 40 275 E 4
Arzacq-Arraziguet 64 294 A 5
Arzal 56 125 E 5
Arzano 29 101 E 4
Arzay 38 231 H 4
L'Arzelier Col de 38 250 C 4
Arzembouy 58 157 E 4
Arzenc-d'Apcher 48 263 H 1
Arzenc-de-Randon 48 264 D 3
Arzens 11 319 G 5
Arzillières-Neuville 51 62 C 5
Arzon 56 124 A 4
Arzviller 57 67 H 5
Asasp 64 331 H 1
Ascain 64 310 C 4
Ascarat 64 330 B 1
Aschbach 67 69 F 2
Aschères-le-Marché 45 111 E 3
Asclier Col de l' 30 283 E 4
Asco 2B 346 D 3
Asco Gorges de l' 2B 347 E 3
Ascou 09 336 D 5
Ascou-Pailhérès 09 337 E 5
Ascoux 45 111 G 3
Ascros 06 289 G 5
Asfeld 08 41 H 1
Aslonnes 86 186 B 3
Asnan 58 157 F 3
Asnans 39 178 D 2
Asnelles 14 33 F 2
Asnières 27 35 E 4
Asnières Ancienne Abbaye d' 49 150 B 5
Asnières-en-Bessin 14 32 C 2
Asnières-en-Montagne 21 137 G 4
Asnières-en-Poitou 79 202 C 1
Asnières-la-Giraud 17 201 H 4
Asnières-les-Bourges 18 155 E 5
Asnières-lès-Dijon 21 160 A 2
Asnières-sous-Bois 89 157 G 1
Asnières-sur-Blour 86 204 D 1
Asnières-sur-Nouère 16 221 E 1
Asnières-sur-Oise 95 38 C 5
Asnières-sur-Saône 01 195 E 3
Asnières-sur-Seine 92 58 B 3
Asnières-sur-Vègre 72 129 F 2
Asnois 58 157 F 2
Asnois 86 203 H 2
Aspach 57 67 G 5
Aspach 68 143 F 3
Aspach-le-Bas 68 143 E 1
Aspach-Michelbach 68 143 E 1
Aspères 30 303 E 2
Asperjoc 07 266 B 2
Aspet 31 334 C 2
Aspin Col d' 65 333 G 3
Aspin-Aure 65 333 G 3
Aspin-en-Lavedan 65 332 D 1
Aspiran 34 302 A 5
Aspremont 05 269 E 4
Aspremont 06 291 E 5
Les Aspres 61 55 F 5
Aspres-lès-Corps 05 269 G 1
Aspres-sur-Buëch 05 269 E 4
Aspret-Sarrat 31 334 C 1
Asprières 12 261 G 4
Asque 65 333 G 2
Asques 33 237 H 4
Asques 82 277 E 5
Asquins 89 157 G 1
Assac 81 280 C 5
Assainvillers 80 23 E 5
Assais 79 168 B 4
Assas 34 302 D 3
Assat 64 314 B 4
Assay 37 169 E 1
Assé-le-Bérenger 53 106 D 3
Assé-le-Boisne 72 83 F 5
Assé-le-Riboul 72 107 G 2
Assenay 10 115 E 3
Assencières 10 91 F 5
Assenoncourt 57 67 F 4
Assérac 44 145 H 3
Assevent 59 15 H 2
Assevillers 80 23 F 2
Assier 46 261 E 3
Assieu 38 231 F 4
Assignan 34 320 D 3
Assigny 18 155 H 2
Assigny 76 10 C 5
Les Assions 07 265 H 5
Assis-sur-Serre 02 24 D 4
Asson 64 314 C 5
Asswiller 67 68 A 3
Assy 14 53 H 1
Astaffort 47 276 B 4
Astaillac 19 243 E 5
Asté 65 333 F 2
Aste-Béon 64 332 A 2
Astérix Parc 60 38 D 5
Astet 07 265 G 2
Astillé 53 105 H 5
Astis 64 314 B 2
Astoin 04 269 H 5
Aston 09 336 B 5
Astugue 65 333 E 1
Athée 21 160 D 4
Athée 53 105 G 5
Athée-sur-Cher 37 152 B 3
Athesans 70 141 H 4
Athie 21 137 G 5
Athie 89 158 A 1
Athienville 54 66 C 5
Athies 62 13 G 2
Athies 80 23 G 2
Athies-sous-Laon 02 24 D 5
Athis 51 61 H 1
Athis-Mons 91 58 C 5
Athis-Val de Rouvre 61 53 F 3
Athos-Aspis 64 311 H 3
Athose 25 162 C 5
Attainville 95 58 C 1
Attancourt 52 92 C 3
Les Attaques 62 2 D 3
Attenschwiller 68 143 G 3
Attiches 59 8 D 4
Attichy 60 39 H 2
Attignat 01 195 H 4
Attignat-Oncin 73 233 E 3
Attignéville 88 94 A 4
Attigny 08 42 C 1
Attigny 88 118 C 3
Attilloncourt 57 66 B 4
Attilly 02 24 A 2
Attin 62 6 C 4
Atton 54 65 G 3
Attray 45 111 F 3
Attricourt 70 160 D 1
Atur 24 240 C 2
Aubagnan 40 294 A 3
Aubagne 13 327 F 2
Aubaine 21 159 G 5
Aubais 30 303 F 3
Aubarède 65 315 G 4
Aubas 24 241 G 3
Aubazat 43 246 B 2
Aubazines 19 242 D 2
Aube 57 66 B 2
Aube 61 55 F 4
Aubéguimont 76 21 F 3
Aubenas 07 266 B 3
Aubenas-les-Alpes 04 287 E 5
Aubenasson 26 267 H 2
Aubencheul-au-Bac 59 14 B 3
Aubencheul-aux-Bois 02 14 B 5
Aubenton 02 25 H 2
Aubepierre 77 88 D 2
Aubepierre-sur-Aube 52 116 C 5
L'Aubépin 39 196 A 3
Auberchicourt 59 14 B 2
Aubercourt 80 22 D 2
Aubergenville 78 57 G 2
Aubérive 51 42 B 4
Auberive 52 139 E 3
Auberives-en-Royans 38 250 A 3
Auberives-sur-Varèze 38 231 E 4
Aubermesnil-aux-Érables 76 21 E 2
Aubermesnil-Beaumais 76 20 B 2
Aubers 59 8 B 3
Aubertans 70 162 B 1
Aubertin 64 314 A 4
Auberville 14 34 B 3
Auberville-la-Campagne 76 19 F 5
Auberville-la-Manuel 76 19 F 2
Auberville-la-Renault 76 19 E 4
Aubervilliers 93 58 C 3
Aubeterre 10 91 E 4
Aubeterre-sur-Dronne 16 239 F 1
Aubeville 16 220 D 3
Aubevoye 27 36 C 5
Aubiac 33 256 B 5
Aubiac 47 276 B 3
Aubiat 63 209 H 3
Aubie-et-Espessas 33 237 H 3
Aubière 63 227 H 1
Les Aubiers 79 167 F 2
Aubiet 32 296 C 4
Aubignan 84 285 G 4
Aubignas 07 266 D 3
Aubigné 35 80 B 5
Aubigné 79 202 D 2
Aubigné-Racan 72 130 A 4
Aubigné-sur-Layon 49 149 H 4
Aubigney 70 161 E 3
Aubignosc 04 287 G 3
Aubigny 03 174 C 5
Aubigny 14 53 H 2
Aubigny 79 168 B 4
Aubigny 80 23 H 3
Aubigny-au-Bac 59 14 B 2
Aubigny-aux-Kaisnes 02 23 H 3
Aubigny-en-Artois 62 13 F 2
Aubigny-en-Laonnois 02 41 E 1
Aubigny-en-Plaine 21 160 B 5
Aubigny-la-Ronce 21 177 F 2
Aubigny-les Clouzeaux 85 182 D 1
Aubigny-les-Pothées 08 26 B 3
Aubigny-lès-Sombernon 21 159 F 3
Aubigny-sur-Nère 18 155 E 1
Aubilly 51 41 F 4
Aubin 12 261 H 4
Aubin 64 314 A 2
Aubin-Saint-Vaast 62 6 D 5
Aubinges 18 155 G 4
Aubisque Col d' 64 332 B 2
Auboncourt-Vauzelles 08 26 B 5
Aubonne 25 180 C 1
Aubord 30 303 H 3
Auboué 54 45 F 5
Aubous 64 294 D 5
Aubrac 12 263 G 3
Aubres 26 285 H 1
Aubréville 55 43 G 5
Aubrives 08 17 E 4
Aubrometz 62 12 C 2
Aubry-du-Hainaut 59 9 G 5
Aubry-en-Exmes 61 54 B 4
Aubry-le-Panthou 61 54 C 3
Aubure 68 96 D 5
Aubussargues 30 284 B 5
Aubusson 23 207 G 3
Aubusson 61 53 F 4
Aubusson-d'Auvergne 63 228 D 1
Aubvillers 80 22 D 4
Auby 59 8 D 5
Aucaleuc 22 79 G 4
Aucamville 31 297 H 4
Aucamville 82 297 G 2
Aucazein 09 335 E 3
Aucelon 26 268 B 3
Aucey-la-Plaine 50 80 D 2
Auch 32 296 B 4
Auchel 62 7 H 4
Auchonvillers 80 13 F 5
Auchy-au-Bois 62 7 G 3
Auchy-la-Montagne 60 22 A 5
Auchy-lès-Hesdin 62 7 E 5
Auchy-les-Mines 62 8 B 4
Auchy-lez-Orchies 59 9 E 4
Aucun 65 332 C 2
Audaux 64 313 F 3
Audéjos 64 313 H 2
Audelange 39 161 E 5
Audeloncourt 52 117 G 3
Audembert 62 2 B 4
Audencourt 59 14 D 4
Audenge 33 254 C 2
Auderville 50 28 C 2
Audes 03 190 C 3
Audeux 25 161 G 3
Audeville 45 111 G 2
Audierne 29 99 E 2
Audignicourt 02 40 A 1
Audignies 59 15 F 2
Audignon 40 293 H 3
Audigny 02 24 D 2
Audincourt 25 142 C 5
Audincthun 62 7 E 3
Audinghen 62 2 B 4
Audon 40 293 F 2
Audouville-la-Hubert 50 29 H 5
Audrehem 62 2 D 5
Audressein 09 335 E 3
Audresselles 62 2 A 4
Audrieu 14 33 E 4
Audrix 24 241 E 5
Audruicq 62 3 E 4
Audun-le-Roman 54 45 F 3
Audun-le-Tiche 57 45 F 2
Auenheim 67 69 F 3
Auffargis 78 57 G 5
Auffay 76 20 B 4
Aufferville 77 112 B 2
Auffreville-Brasseuil 78 57 F 2
Auflance 08 27 H 4
Auga 64 314 B 2
Augan 56 103 E 5
Auge 08 26 A 2
Auge 23 190 B 5
Augé 79 185 F 3

A B C D E F G H I J K L M N O P Q R S T U V W X Y Z

Auge-Saint-Médard 16 202 D 4
Augea 39 196 A 1
Auger-Saint-Vincent 60 39 F 4
Augerans 39 179 E 1
Augères 23 206 D 2
Augerolles 63 228 D 1
Augers-en-Brie 77 60 B 5
Augerville-la-Rivière 45 111 H 2
Augès 04 287 F 4
Augeville 52 93 F 4
Augicourt 70 140 C 3
Augignac 24 222 C 2
Augirein 09 334 D 3
Augisey 39 196 B 1
Augnat 63 227 H 4
Augnax 32 296 C 3
Augne 87 206 D 5
Augny 57 65 G 1
Auguaise 61 55 F 5
Augy 02 40 C 3
Augy 89 136 B 3
Augy-sur-Aubois 18 174 A 4
Aujac 17 201 H 4
Aujac 30 283 G 1
Aujan-Mournède 32 316 A 3
Aujargues 30 303 F 2
Aujeurres 52 139 F 3
Aujols 46 278 B 1
Aulac Col d' 15 244 D 2
Aulan 26 286 B 2
Aulas 30 282 D 5
Aulhat-Flat 63 228 A 3
Aulhat-Saint-Privat 63 228 A 3
Aullène 2A 349 E 5
Aulnat 63 209 H 5
Aulnay 10 91 G 3
Aulnay 17 202 B 2
Aulnay 86 168 D 3
Aulnay-aux-Planches 51 61 G 3
Aulnay-la-Rivière 45 111 H 3
Aulnay-l'Aître 51 62 C 3
Aulnay-sous-Bois 93 58 D 2
Aulnay-sur-Iton 27 56 A 2
Aulnay-sur-Marne 51 61 H 1
Aulnay-sur-Mauldre 78 57 G 2
Les Aulneaux 72 84 A 4
Aulnizeux 51 61 F 3
Aulnois 88 94 A 5
Aulnois-en-Perthois 55 63 G 5
Aulnois-sous-Laon 02 24 D 5
Aulnois-sous-Vertuzey 55 64 D 5
Aulnois-sur-Seille 57 66 B 3
Aulnoy 77 59 H 3
Aulnoy-lez-Valenciennes 59 14 D 2
Aulnoy-sur-Aube 52 139 E 2
Aulnoye-Aymeries 59 15 F 3
Aulon 23 206 D 2
Aulon 31 316 C 5
Aulon 65 333 G 4
Aulos 09 336 B 5
Ault 80 10 D 3
Aulteribe Château d' 63 210 C 5
Aulus-les-Bains 09 335 H 5
Aulx-lès-Cromary 70 162 A 2
Aumagne 17 201 H 4
Aumale 76 21 G 3
Aumâtre 80 11 G 5
Aumelas 34 302 B 4
Auménancourt 51 41 G 2
Aumerval 62 7 G 4
Aumes 34 322 C 3
Aumessas 30 282 C 5
Aumetz 57 45 F 2
Aumeville-Lestre 50 29 G 4
Aumont 39 179 F 2
Aumont 80 21 H 2
Aumont-Aubrac 48 264 A 2
Aumont-en-Halatte 60 38 D 4
Aumontzey 88 120 A 2
Aumur 39 178 D 1
Aunac 16 203 F 4
Aunat 11 337 F 5
Aunay-en-Bazois 58 157 G 5
Aunay-les-Bois 61 84 A 2
Aunay-sous-Auneau 28 86 D 4
Aunay-sous-Crécy 28 56 C 5
Aunay-sur-Odon 14 53 E 1
Auneau-Bleury-Saint-Symphorien 28 86 D 4
Auneuil 60 37 H 2
Aunou-le-Faucon 61 54 B 4
Aunou-sur-Orne 61 83 H 2
Auppegard 76 20 A 2
Aups 83 307 G 4
Auquainville 14 54 C 1
Auquemesnil 76 10 D 5
Auradé 32 297 E 5
Auradou 47 276 D 1
Auragne 31 318 A 3
Auray 56 124 A 3
Aure 08 42 C 3
Aurec-sur-Loire 43 229 H 5
Aureil 87 205 H 5
Aureilhan 40 272 B 2
Aureilhan 65 315 F 4
Aureille 13 305 E 3
Aurel 26 268 A 2
Aurel 84 286 B 3
Aurelle-Verlac 12 263 G 5
Aurensan 32 294 C 4
Aurensan 65 315 E 4
Aureville 31 318 A 2
Auriac 11 338 A 3
Auriac 19 243 G 2
Auriac 64 314 B 2
Auriac-de-Bourzac 24 221 F 5
Auriac-du-Périgord 24 241 F 3
Auriac-Lagast 12 280 D 4
Auriac-l'Église 15 245 H 1
Auriac-sur-Dropt 47 257 F 3
Auriac-sur-Vendinelle 31 298 D 5
Auriat 23 206 C 4
Auribail 31 317 H 3
Auribeau 84 306 A 1
Auribeau-sur-Siagne 06 309 E 4
Aurice 40 293 H 2
Auriébat 65 315 F 2
Aurières 63 227 F 1
Aurignac 31 316 D 5
Aurillac 15 244 C 5
Aurimont 32 296 C 5
Aurin 31 298 B 5
Auriol 13 327 F 2
Auriolles 07 266 B 5
Auriolles 33 257 E 2
Aurions-Idernes 64 294 D 5
Auris 38 251 G 3
Auron 06 289 F 2
Aurons 13 305 F 4
Auros 33 256 C 4
Aurouër 03 174 D 5
Auroux 48 265 E 2
Aussac 81 299 E 2
Aussac-Vadalle 16 203 F 5
Ausseing 31 335 E 1
Aussevielle 64 314 A 3
Aussillon 81 319 H 2
Aussois 73 252 D 1
Ausson 31 334 B 1
Aussonce 08 42 A 3
Aussonne 31 297 H 4
Aussos 32 316 B 3
Aussurucq 64 331 E 1
Autainville 41 132 B 2
Autechaux 25 162 C 2
Autechaux-Roide 25 142 C 5
Les Autels 02 25 H 3
Les Autels-Saint-Bazile 14 54 B 2
Les Autels-Villevillon 28 109 F 3
Auterive 31 318 A 3
Auterive 32 296 B 5
Auterive 82 297 E 2
Auterrive 64 311 H 3
Autet 70 140 B 5
Auteuil 60 38 A 3
Auteuil 78 57 G 3
Autevielle-Saint-Martin-Bideren 64 311 H 3
Authe 08 43 E 1
Autheuil 28 109 H 5
Autheuil 61 84 C 2
Autheuil-Authouillet 27 36 C 5
Autheuil-en-Valois 60 39 H 5
Autheux 80 12 C 4
Authevernes 27 37 F 4
Authezat 63 227 H 2
Authie 14 33 G 4
Authie 80 13 E 4
Authieule 80 12 D 4
Les Authieux 27 56 C 3
Les Authieux-du-Puits 61 54 D 5
Les Authieux-Papion 14 54 B 1
Authieux-Ratiéville 76 20 B 5
Les Authieux-sur-Calonne 14 34 D 3
Les Authieux-sur-le-Port-Saint-Ouen 76 36 B 3
Authiou 58 157 E 4
Authoison 70 162 A 1
Authon 04 287 H 2
Authon 17 201 H 4
Authon 41 131 F 5
Authon-du-Perche 28 109 E 2
Authon-la-Plaine 91 87 E 4
Authou 27 35 G 4
Authuille 80 13 F 5
Authume 39 161 E 5
Authumes 71 178 C 3
Autichamp 26 267 G 2
Autignac 34 321 G 2
Autigny 76 19 H 3
Autigny-la-Tour 88 94 A 4
Autigny-le-Grand 52 92 D 3
Autigny-le-Petit 52 92 D 3
Autingues 62 2 D 4
Autoire 46 261 E 1
Autoreille 70 161 G 2
Autouillet 78 57 G 3
Autrac 43 227 H 5
Autrans 38 250 C 2
Autrans-Méaudre-en-Vercors 38 250 C 2
Autrèche 37 152 C 1
Autrechêne 90 142 C 3
Autrêches 60 39 H 2
Autrecourt-et-Pourron 08 27 F 4
Autrécourt-sur-Aire 55 63 G 1
Autremencourt 02 25 E 4
Autrepierre 54 96 A 1
Autreppes 02 25 F 1
Autretot 76 19 G 4
Autreville 02 24 A 5
Autreville 88 94 B 3
Autréville-Saint-Lambert 55 27 G 5
Autreville-sur-la-Renne 52 116 C 3
Autreville-sur-Moselle 54 65 G 4
Autrey 54 94 D 2
Autrey 88 95 H 5
Autrey-le-Vay 70 141 G 5
Autrey-lès-Cerre 70 141 G 4
Autrey-lès-Gray 70 161 E 1
Autricourt 21 116 A 4
Autruche 08 43 E 1
Autruy-sur-Juine 45 111 F 2
Autry 08 43 E 3
Autry-Issards 03 191 H 2
Autry-le-Châtel 45 134 C 5
Autun 71 176 D 2
Auty 82 278 B 3
Auvare 06 289 F 4
Auve 51 62 D 1
Auvernaux 91 88 A 3
Auvers 43 246 B 4
Auvers 50 31 H 3
Auvers-le-Hamon 72 106 D 5
Auvers-Saint-Georges 91 87 G 3
Auvers-sous-Montfaucon 72 107 F 4
Auvers-sur-Oise 95 58 B 1
Auverse 49 150 D 1
Auvet-et-la-Chapelotte 70 161 E 1
Auvillar 82 276 D 4
Auvillars 14 34 B 4
Auvillars-sur-Saône 21 178 B 1
Auvillers-les-Forges 08 26 A 2
Auvilliers 76 21 E 3
Auvilliers-en-Gâtinais 45 112 A 5
Aux-Aussat 32 315 G 2
Aux Marais 60 38 A 2
Auxais 50 31 H 4
Auxange 39 161 F 4
Auxant 21 159 F 5
Auxelles-Bas 90 142 B 2
Auxelles-Haut 90 142 B 2
Auxerre 89 136 B 3
Auxey-Duresses 21 177 G 2
Auxi-le-Château 62 12 B 3
Auxillac 48 264 A 5
Auxon 10 114 D 3
Auxon 70 141 E 4
Auxon-Dessous 25 161 H 3
Auxon-Dessus 25 161 H 3
Auxonne 21 160 D 4
Auxy 45 112 A 3
Auxy 71 176 D 2
Auzainvilliers 88 118 B 2
Auzances 23 208 C 3
Auzas 31 316 D 5
Auzat 09 336 A 5
Auzat-la-Combelle 63 228 A 4
Auzay 85 183 H 3
Auzebosc 76 19 G 5
Auzécourt 55 63 F 3
Auzelles 63 228 C 2
Auzers 15 244 C 1
Auzet 04 288 B 1
Auzéville-en-Argonne 55 43 G 5
Auzeville-Tolosane 31 298 A 5
Auzielle 31 298 B 5
Auzits 12 262 B 5
Auzon 43 228 B 5
Auzouer-en-Touraine 37 152 B 1
Auzouville-Auberbosc 76 19 F 5
Auzouville-l'Esneval 76 19 H 4
Auzouville-sur-Ry 76 36 C 2
Auzouville-sur-Saâne 76 20 A 3
Availles-en-Châtellerault 86 169 G 4
Availles-Limouzine 86 204 C 1
Availles-sur-Chizé 79 202 B 1
Availles-sur-Seiche 35 105 E 5
Availles-Thouarsais 79 168 B 3
Avajan 65 333 H 4
Avallon 89 158 A 1
Les Avanchers-Valmorel 73 234 B 3
Avançon 05 269 H 4
Avançon 08 42 A 1
Avanne 25 161 H 4
Avant-lès-Marcilly 10 90 A 4
Avant-lès-Ramerupt 10 91 F 4
Avanton 86 169 E 5
Avapessa 2B 346 C 2
Avaray 41 132 C 4
Avaugour Chapelle d' 22 77 G 2
Avaux 08 41 G 1
Aveize 69 230 B 1
Aveizieux 42 230 B 3
Avelanges 21 139 E 5
Avelesges 80 11 H 5
Avelin 59 8 D 3
Aveluy 80 13 F 5
Aven Armand 48 282 B 3
Avenas 69 212 C 1
Avenay 14 33 F 5
Avenay-Val-d'Or 51 61 G 1
Avène 34 301 F 3
Aveney 25 161 H 4
Avenheim 67 68 C 5
Les Avenières Veyrins-Thuellin 38 232 C 1
Avensac 32 296 D 2
Avensan 33 237 E 3
Aventignan 65 334 A 1
Averan 65 315 E 5
Averdoingt 62 12 D 2
Averdon 41 132 A 4
Avermes 03 192 A 1
Avernes 95 57 G 1
Avernes-Saint-Gourgon 61 54 D 2
Avernes-sous-Exmes 61 54 C 4
Avéron-Bergelle 32 295 E 3
Averton 53 83 E 5
Avesnelles 59 15 G 4
Avesnes 62 6 D 3
Avesnes-Chaussoy 80 21 G 2
Avesnes-en-Bray 76 37 F 1
Avesnes-en-Saosnois 72 108 A 2
Avesnes-en-Val 76 10 D 5
Avesnes-le-Comte 62 13 E 2
Avesnes-le-Sec 59 14 C 3
Avesnes-les-Aubert 59 14 C 3
Avesnes-lès-Bapaume 62 13 G 4
Avesnes-sur-Helpe 59 15 G 4
Avessac 44 125 H 4
Avessé 72 106 D 5
Aveux 65 334 A 2
Avezac-Prat 65 333 G 1
Avezan 32 296 C 1
Avèze 30 282 D 5
Avèze 63 226 D 2
Avezé 72 108 C 2
Aviernoz 74 215 H 2
Avignon 84 285 F 5
Avignon-lès-Saint-Claude 39 197 E 3
Avignonet 38 250 D 4
Avignonet-Lauragais 31 318 C 3
Avillers 54 44 D 3
Avillers 88 94 D 5
Avillers-Sainte-Croix 55 64 D 2
Avilley 25 162 B 1
Avilly-Saint-Léonard 60 38 D 4
Avion 62 8 B 5
Avioth 55 44 B 1
Aviré 49 128 A 4
Avirey-Lingey 10 115 F 4
Aviron 27 56 B 1
Avize 51 61 G 2
Avocourt 55 43 G 4
Avoine 37 150 D 4
Avoine 61 54 A 5
Avoise 72 129 F 2
Avolsheim 67 97 F 1
Avon 77 88 C 4
Avon 79 185 H 3
Avon-la-Pèze 10 90 B 4
Avon-les-Roches 37 151 F 5
Avondance 62 7 E 4
Avord 18 173 G 1
Avoriaz 74 198 D 5
Avosnes 21 159 F 2
Avot 21 139 E 5
Avoudrey 25 162 D 4
Avrainville 52 92 D 2
Avrainville 54 65 F 5
Avrainville 88 94 D 4
Avrainville 91 87 G 2
Avranches 50 51 H 4
Avranville 88 93 G 4
Avrechy 60 38 C 2
Avrecourt 52 117 H 5
Avrée 58 175 H 4
Avregny 74 215 G 2
Avremesnil 76 20 A 2
Avressieux 73 232 D 2
Avreuil 10 114 D 4
Avricourt 54 96 A 1
Avricourt 57 96 A 1
Avricourt 60 23 G 4
Avrieux 73 252 D 1
Avrigney 70 161 G 3
Avrigny 60 39 E 2
Avril 54 45 F 4
Avril-sur-Loire 58 175 E 4
Avrillé 49 149 G 1
Avrillé 85 182 C 2
Avrillé-les-Ponceaux 37 151 E 2
Avrilly 03 193 F 4
Avrilly 27 56 B 2
Avrilly 61 82 B 2
Avroult 62 7 E 2
Avy 17 219 G 3
Awoingt 59 14 B 4
Ax-les-Thermes 09 336 D 5
Axat 11 337 G 4
Axiat 09 336 C 5
Ay-Champagne 51 61 G 1
Ay-sur-Moselle 57 45 H 4
Ayat-sur-Sioule 63 209 F 2
Aydat 63 227 G 2
Aydie 64 294 D 5
Aydius 64 331 H 3
Aydoilles 88 119 G 2
Ayen 19 241 H 1
Ayencourt 80 22 D 5
Ayette 62 13 G 3
Ayguade-Ceinturon 83 328 C 4
Ayguatébia-Talau 66 341 H 3
Ayguemorte-les-Graves 33 255 G 2
Ayguesvives 31 318 B 2
Ayguetinte 32 295 H 2
Ayherre 64 311 F 3
Ayn 73 232 D 2
Aynac 46 261 E 1
Les Aynans 70 141 H 4
Ayrens 15 244 B 4
Ayron 86 168 C 5
Ayros-Arbouix 65 332 D 2
Ayse 74 216 A 1
Ayssènes 12 281 E 4
Aytré 17 200 C 1
Les Ayvelles 08 26 D 3
Ayzac-Ost 65 332 D 2
Ayzieu 32 295 E 2
Azannes-et-Soumazannes 55 44 C 4
Azans 39 161 E 5
Azas 31 298 B 3
Azat-Châtenet 23 206 D 2
Azat-le-Ris 87 187 H 4
Azay-le-Brûlé 79 185 F 3
Azay-le-Ferron 36 170 C 3
Azay-le-Rideau 37 151 G 4
Azay-sur-Cher 37 152 A 3
Azay-sur-Indre 37 152 B 4
Azay-sur-Thouet 79 185 E 1
Azé 41 131 G 2
Azé 53 128 B 2
Azé 71 194 D 3
Azelot 54 94 D 1
Azerables 23 188 C 4
Azerailles 54 95 H 2
Azerat 24 241 F 2
Azérat 43 228 B 5
Azereix 65 315 E 5
Azet 65 333 G 4
Azeville 50 29 G 5
Azillanet 34 320 C 4
Azille 11 320 B 4
Azilone-Ampaza 2A 349 E 4
Azincourt 62 7 E 4
Azolette 69 212 B 1
Azoudange 57 67 F 5
Azur 40 292 B 2
Azy 18 155 H 5
Azy-le-Vif 58 174 D 4
Azy-sur-Marne 02 60 B 2
Azzana 2A 348 D 1

B

Baâlon 55 43 H 1
Baâlons 08 26 D 5
Babaou Col de 83 328 D 3
Babeau-Bouldoux 34 320 D 2
Babœuf 60 23 H 5
Le Babory-de-Blesle 43 245 H 1
Baby 77 89 G 4
Baccarat 54 95 H 3
Baccon 45 132 C 2
Bach 46 278 C 1
Bachant 59 15 G 3
Bachas 31 316 D 4
La Bachellerie 24 241 F 2
Bachivillers 60 37 H 3
Bachos 31 334 B 3
Bachy 59 9 E 3
Bacilly 50 51 G 4
Le Bacon 48 264 A 1
Baconnes 51 42 A 5
La Baconnière 53 105 H 2
Bacouël 60 22 C 5
Bacouel-sur-Selle 80 22 B 2
Bacourt 57 66 C 3
Bacquepuis 27 36 A 5
Bacqueville 27 36 D 3
Bacqueville-en-Caux 76 20 A 3
Badailhac 15 244 D 5
Badaroux 48 264 C 4
Badecon-le-Pin 36 188 D 2
Badefols-d'Ans 24 241 G 1
Badefols-sur-Dordogne 24 258 D 1
Baden 56 124 A 4
Badens 11 320 A 5
Badevel 25 142 C 4
Badinières 38 232 A 3
Badménil-aux-Bois 88 95 G 5
Badonviller 54 96 A 2
Badonvilliers 55 93 H 2
Baerendorf 67 67 H 3
Baerenthal 57 68 C 2
La Baffe 88 119 G 2
Baffie 63 229 E 4
Bagard 30 283 G 4
Bagargui Col 64 330 D 2
Bagas 33 256 D 3
Bagat-en-Quercy 46 277 G 1
Bagatelle Parc de 62 6 B 5
Bâgé-la-Ville 01 195 F 4
Bâgé-le-Châtel 01 195 F 4
Bagert 09 335 F 1
Bages 11 339 E 1
Bages 66 343 E 3
Bagiry 31 334 B 2
Bagnac-sur-célé 46 261 G 3
Bagneaux 89 114 A 2
Bagneaux-sur-Loing 77 112 B 2
Bagnères-de-Bigorre 65 333 F 1
Bagnères-de-Luchon 31 334 A 4
Bagneux 02 40 B 1
Bagneux 03 191 H 1
Bagneux 36 153 H 5
Bagneux 49 150 B 4
Bagneux 51 90 C 2
Bagneux 54 94 B 2
Bagneux 79 168 A 1
Bagneux 92 58 B 4
Bagneux-la-Fosse 10 115 F 5
Bagnizeau 17 202 B 4
Bagnoles 11 320 A 4
Bagnoles-de-l'Orne 61 82 C 2
Bagnolet 93 58 C 3
Bagnols 63 226 D 3
Bagnols 69 212 C 4
Bagnols-en-Forêt 83 308 C 4
Bagnols-les-Bains 48 264 D 4
Bagnols-sur-Cèze 30 284 D 3
Bagnot 21 178 B 1
Baguer-Morvan 35 80 A 2
Baguer-Pican 35 80 B 2
Baho 66 343 E 2
Bahus-Soubiran 40 294 B 3
Baigneaux 28 110 D 3
Baigneaux 33 256 C 2
Baigneaux 41 132 A 3
Baignes 70 141 E 5
Baignes-Sainte-Radegonde 16 220 C 4
Baigneux-les-Juifs 21 138 B 5
Baignolet 28 110 B 3

Baigts 40 ... 293 G 3
Baigts-de-Béarn 64 ... 293 F 5
Baillargues 34 ... 303 E 4
Baillé 35 ... 80 D 4
Bailleau-le-Pin 28 ... 85 H 5
Bailleau-l'Évêque 28 ... 86 A 3
Bailleau-sous-Gallardon 28 ... 86 C 3
Baillestavy 66 ... 342 B 3
Baillet-en-France 95 ... 58 B 1
Bailleul 59 ... 4 B 5
Bailleul 61 ... 54 B 4
Le Bailleul 72 ... 129 F 3
Bailleul 80 ... 11 G 4
Bailleul *Château de* 76 ... 19 E 4
Bailleul-aux-Cornailles 62 ... 7 G 5
Bailleul-la-Vallée 27 ... 35 E 4
Bailleul-le-Soc 60 ... 38 D 2
Bailleul-lès-Pernes 62 ... 7 G 4
Bailleul-Neuville 76 ... 20 D 3
Bailleul-Sir-Berthoult 62 ... 13 G 2
Bailleul-sur-Thérain 60 ... 38 B 2
Bailleulmont 62 ... 13 F 3
Bailleulval 62 ... 13 F 3
Bailleval 60 ... 38 D 3
Baillolet 76 ... 20 D 3
Baillou 41 ... 109 E 5
Bailly 60 ... 39 G 1
Bailly 78 ... 58 A 3
Bailly-aux-Forges 52 ... 92 C 3
Bailly-Carrois 77 ... 89 E 2
Bailly-en-Rivière 76 ... 10 D 5
Bailly-le-Franc 10 ... 92 A 3
Bailly-Romainvilliers 77 ... 59 F 3
Bain-de-Bretagne 35 ... 126 C 2
Baincthun 62 ... 6 B 2
Bainghen 62 ... 2 D 5
Bains 43 ... 247 E 4
Bains-de-Guitera 2A ... 349 E 3
Bains-les-Bains 88 ... 119 E 4
Bains-sur-Oust 35 ... 125 H 3
Bainville-aux-Miroirs 54 ... 95 E 3
Bainville-aux-Saules 88 ... 118 D 2
Bainville-sur-Madon 54 ... 94 C 2
Bairols 06 ... 289 H 4
Bais 35 ... 105 E 4
Bais 53 ... 106 D 2
Baisieux 59 ... 9 E 3
Baissey 52 ... 139 G 3
Baives 59 ... 16 A 5
Baix 07 ... 267 E 2
Baixas 66 ... 338 D 5
Baizieux 80 ... 22 D 1
Le Baizil 51 ... 61 E 2
Bajamont 47 ... 276 C 2
Bajonnette 32 ... 296 C 2
Bajus 62 ... 7 H 5
Balacet 09 ... 335 E 4
Baladou 46 ... 242 C 5
Balagny-sur-Thérain 60 ... 38 C 3
Balaguères 09 ... 335 E 3
Balaguier d'Olt 12 ... 261 F 4
Balaguier-sur-Rance 12 ... 300 B 1
Balaine *Arboretum de* 03 ... 174 D 5
Balaiseaux 39 ... 179 E 2
Balaives-et-Butz 08 ... 26 D 4
Balan 01 ... 213 G 4
Balan 08 ... 27 F 4
Balanod 39 ... 196 A 2
Balansun 64 ... 293 G 5
Balanzac 17 ... 201 E 5
Balaruc-le-Vieux 34 ... 323 E 3
Balaruc-les-Bains 34 ... 323 E 3
Balâtre 80 ... 23 G 4
Balazé 35 ... 105 E 2
Balazuc 07 ... 266 B 4
Balbigny 42 ... 211 H 5
Balbins 38 ... 231 H 4
Balbronn 67 ... 97 E 1
Balcon de Merlet
Parc du 74 ... 216 D 3
Baldenheim 67 ... 97 F 5
Baldersheim 68 ... 143 G 1
La Baleine 50 ... 51 H 2
Baleines *Phare des* 17 ... 182 C 4
Baleix 64 ... 314 D 3
Balesmes 37 ... 169 H 2
Balesmes-sur-Marne 52 ... 139 G 2
Balesta 31 ... 316 A 5
Baleyssagues 47 ... 257 E 2
Balgau 68 ... 121 G 4
Balham 08 ... 41 H 1
Balignac 82 ... 296 D 1
Balignicourt 10 ... 91 G 3
Bâlines 27 ... 56 A 4
Balinghem 62 ... 2 D 4
Baliracq-Maumusson 64 ... 294 C 5
Baliros 64 ... 314 B 4
Balizac 33 ... 255 H 4
Balizy 91 ... 58 C 5
Ballainvilliers 91 ... 58 B 5
Ballaison 74 ... 197 H 4
Ballan-Miré 37 ... 151 H 3
Ballancourt-sur-Essonne 91 ... 87 H 3
Ballans 17 ... 202 C 5
Ballay 08 ... 42 D 2
Balledent 87 ... 205 G 2
Ballée 53 ... 106 C 5
Balleray 58 ... 174 D 1
Balleroy-sur-Drôme 14 ... 32 D 4
Ballersdorf 68 ... 143 E 3
Balléville 88 ... 94 B 4
Ballon 17 ... 200 D 2
Ballon de Servance 70 ... 142 B 1
Ballon-Saint Mars 72 ... 107 H 3
Ballons 26 ... 286 D 2
Ballore 71 ... 194 A 2
Ballots 53 ... 105 F 5
Balloy 77 ... 89 F 4
Balma 31 ... 298 A 4
La Balme 73 ... 232 D 1
La Balme-de-Sillingy 74 ... 215 F 3
La Balme-de-Thuy 74 ... 215 H 3
La Balme-d'Épy 39 ... 196 A 3
La Balme-les-Grottes 38 ... 214 A 4
Balmont 74 ... 215 G 4
Balnot-la-Grange 10 ... 115 F 5
Balnot-sur-Laignes 10 ... 115 G 4
Balogna 2A ... 348 C 1
Balot 21 ... 137 H 3
Balsac 12 ... 280 C 1
Balschwiller 68 ... 143 E 2
Balsièges 48 ... 264 C 5
Baltzenheim 68 ... 121 G 2
Balzac 16 ... 221 F 1
Bambecque 59 ... 3 H 3
Bambiderstroff 57 ... 66 D 1
Ban-de-Laveline 88 ... 96 C 5
Ban-de-Sapt 88 ... 96 B 4
Le Ban-Saint-Martin 57 ... 45 H 5
Ban-sur-Meurthe-Clefcy 88 ... 120 B 2
Banassac-Canilhac 48 ... 264 A 5
Banat 09 ... 336 A 4
Banca 64 ... 330 A 1
Bancarel *Site du* 12 ... 262 B 4
Bancigny 02 ... 25 G 3
Bancourt 62 ... 13 H 4
Bandol 83 ... 327 H 4
Baneins 01 ... 213 F 1
Baneuil 24 ... 258 C 1
Bangor 56 ... 144 B 4
Banhars 12 ... 262 D 3
Banios 65 ... 333 G 2
Banize 23 ... 207 F 4
Bannalec 29 ... 100 C 4
Bannans 25 ... 180 B 2
Bannay 18 ... 156 A 3
Bannay 51 ... 61 E 3
Bannay 57 ... 46 C 5
Banne 07 ... 283 H 1
Bannegon 18 ... 173 H 4
Bannes 46 ... 261 E 1
Bannes 51 ... 61 F 4
Bannes 52 ... 117 G 5
Bannes 53 ... 106 D 5
Banneville-la-Campagne 14 ... 33 H 4
Bannières 81 ... 298 C 4
Bannoncourt 55 ... 64 C 3
Bannost 77 ... 60 A 5
Banogne-Recouvrance 08 ... 25 H 5
Banon 04 ... 286 D 4
Banos 40 ... 293 H 3
Bans 39 ... 179 E 2
Bansat 63 ... 228 B 4
Bantanges 71 ... 195 G 1
Banteux 59 ... 14 B 5
Banthelu 95 ... 37 G 5
Bantheville 55 ... 43 G 2
Bantigny 59 ... 14 B 3
Bantouzelle 59 ... 14 B 5
Bantzenheim 68 ... 121 F 5
Banvillars 90 ... 142 B 3
Banville 14 ... 33 F 3
Banvou 61 ... 53 E 5
Banyuls-dels-Aspres 66 ... 343 E 3
Banyuls-sur-Mer 66 ... 343 G 4
Baon 89 ... 137 F 2
Baons-le-Comte 76 ... 19 G 4
Baou de 4 Oures 83 ... 328 A 4
Bapaume 62 ... 13 G 4
Bapeaume-lès-Rouen 76 ... 36 A 1
Bar 19 ... 225 E 5
Bar-le-Duc 55 ... 63 H 4
Bar-lès-Buzancy 08 ... 43 F 1
Bar-sur-Aube 10 ... 116 A 2
Le Bar-sur-Loup 06 ... 309 E 2
Bar-sur-Seine 10 ... 115 G 3
Baracé 49 ... 128 D 4
Baracuchet *Col de* 63 ... 229 F 3
Baraffles 62 ... 7 H 5
Baraigne 11 ... 318 D 4
Baraize 36 ... 188 D 2
Baralle 62 ... 14 A 3
Baraqueville 12 ... 280 B 2
Barastre 62 ... 13 H 5
Baratier 05 ... 270 C 3
Barbachen 65 ... 315 F 2
Barbaggio 2B ... 345 G 4
Barbaira 11 ... 320 A 5
Barbaise 08 ... 26 C 4
Barbas 54 ... 96 A 1
Barbaste 47 ... 275 F 3
Barbâtre 85 ... 164 B 2
Barbazan 31 ... 334 B 2
Barbazan-Debat 65 ... 315 F 5
Barbazan-Dessus 65 ... 315 F 5
Barbechat 44 ... 148 A 3
La Barben 13 ... 305 G 4
Barbentane 13 ... 304 C 1
Barberaz 73 ... 233 F 2
Barberey-aux-Moines 10 ... 90 D 5
Barberey-Saint-Sulpice 10 ... 90 D 5
Barberier 03 ... 192 A 5
Barbery 14 ... 53 G 1
Barbery 60 ... 39 E 4
Barbeville 14 ... 32 D 3
Barbey 77 ... 89 E 5
Barbey-Seroux 88 ... 120 A 2
Barbezières 16 ... 202 D 4
Barbezieux 16 ... 220 C 4
Barbières 26 ... 249 H 4
Barbirey-sur-Ouche 21 ... 159 G 4
Barbizon 77 ... 88 B 4
Barbonne-Fayel 51 ... 61 E 5
Barbonval 02 ... 40 D 2
Barbonville 54 ... 95 E 2
Barbotan-les-Thermes 32 ... 274 D 5
Le Barboux 25 ... 163 F 5
Barbuise 10 ... 90 A 2
Barby 08 ... 42 A 1
Barby 73 ... 233 F 2
Barc 27 ... 55 H 1
Barcaggio 2B ... 345 F 1
Le Barcarès 66 ... 339 E 5
Barcelonne 26 ... 249 G 5
Barcelonne-du-Gers 32 ... 294 C 3
Barcelonnette 04 ... 270 D 5
Barchain 57 ... 67 G 5
Barchetta 2B ... 347 G 2
Barcillonnette 05 ... 269 F 5
Barcugnan 32 ... 315 H 3
Barcus 64 ... 331 F 1
Barcy 77 ... 59 G 1
Bard 42 ... 229 G 2
Bard-le-Régulier 21 ... 158 D 5
Bard-lès-Époisses 21 ... 158 C 1
Bard-lès-Pesmes 70 ... 161 F 3
La Barde 17 ... 238 D 2
Bardenac 16 ... 220 D 5
Bardiana 2B ... 346 B 4
Bardigues 82 ... 276 D 5
Le Bardon 45 ... 132 D 2
Bardos 64 ... 292 C 5
Bardou 24 ... 258 C 2
Bardouville 76 ... 35 H 2
Barèges 65 ... 333 E 3
Bareilles 65 ... 333 H 3
Barembach 67 ... 96 D 2
Baren 31 ... 334 B 4
Barentin 76 ... 20 A 5
Barenton 50 ... 81 H 2
Barenton-Bugny 02 ... 24 D 4
Barenton-Cel 02 ... 24 D 4
Barenton-sur-Serre 02 ... 24 D 4
Barésia-sur-l'Ain 39 ... 196 D 1
Barfleur 50 ... 29 H 2
Barfleur *Pointe de* 50 ... 29 H 2
Bargème 83 ... 308 B 2
Bargemon 83 ... 308 B 3
Barges 21 ... 160 A 4
Barges 43 ... 265 F 1
Barges 70 ... 140 C 2
Bargny 60 ... 39 G 5
Barie 33 ... 256 C 4
Les Barils 27 ... 55 H 4
Barinque 64 ... 314 C 2
Barisey-au-Plain 54 ... 94 B 2
Barisey-la-Côte 54 ... 94 B 2
Barisis 02 ... 24 B 5
Barizey 71 ... 177 G 4
Barjac 09 ... 335 F 1
Barjac 30 ... 284 B 2
Barjac 48 ... 264 B 4
Barjols 83 ... 307 E 4
Barjon 21 ... 138 D 5
Barjouville 28 ... 86 A 4
Barles 04 ... 288 A 1
Barlest 65 ... 314 D 5
Barleux 80 ... 23 G 2
Barlieu 18 ... 155 G 1
Barlin 62 ... 8 A 4
Barly 62 ... 13 E 3
Barly 80 ... 12 C 3
Barmainville 28 ... 111 E 2
Barnas 07 ... 265 H 3
Barnave 26 ... 268 B 2
Barnay 71 ... 176 D 1
Barnenez *Tumulus de* 29 ... 71 H 3
Barneville-Carteret 50 ... 31 E 2
Barneville-la-Bertran 14 ... 34 C 2
Barneville-sur-Seine 27 ... 35 H 2
La Baroche-Gondouin 53 ... 82 C 3
La Baroche-sous-Lucé 61 ... 82 B 2
Les Baroches 54 ... 45 F 4
Baromesnil 76 ... 10 D 5
Baron 30 ... 284 A 4
Baron 33 ... 256 B 1
Baron 60 ... 39 F 5
Baron 71 ... 194 A 2
Baron-sur-Odon 14 ... 33 F 5
Baronville 57 ... 66 D 2
Barou-en-Auge 14 ... 54 A 2
Baroville 10 ... 116 A 2
Le Barp 33 ... 255 E 3
La Barque 13 ... 306 B 5
Barquet 27 ... 55 H 1
Barr 67 ... 97 F 3
Barracone 2A ... 348 D 3
Barrais-Bussolles 03 ... 192 D 5
Barran 32 ... 295 H 4
Barrancoueu 65 ... 333 G 3
Les Barraques-
en-Vercors 26 ... 250 B 4
Barras 04 ... 287 H 3
Barraute-Camu 64 ... 313 F 2
Barraux 38 ... 233 F 4
La Barre 39 ... 161 F 5
La Barre 70 ... 162 B 2
Barre 81 ... 300 D 3
La Barre-de-Monts 85 ... 164 C 2
La Barre-de-Semilly 50 ... 32 B 5
Barre-des-Cévennes 48 ... 282 D 2
La Barre-en-Ouche 27 ... 55 F 2
Barrême 04 ... 288 B 5
Barret 16 ... 220 C 3
Barret-de-Lioure 26 ... 286 C 3
Barret-sur-Méouge 05 ... 287 E 2
Barretaine 39 ... 179 F 3
Barrettali 2B ... 345 F 2
Barriac-les-Bosquets 15 ... 243 H 2
Barricourt 08 ... 43 F 1
Barro 16 ... 203 F 3
Barrou 37 ... 170 A 3
Le Barroux 84 ... 285 H 3
Barry 65 ... 315 E 5
Barry 84 ... 285 E 1
Barry-d'Islemade 82 ... 277 G 4
Bars 24 ... 241 F 3
Bars 32 ... 295 G 5
Barsac 26 ... 268 A 2
Barsac 33 ... 256 B 3
Barsanges 19 ... 225 F 3
Barst 57 ... 67 F 1
Bart 25 ... 142 B 4
Bartenheim 68 ... 143 G 3
Barthe 65 ... 316 A 4
Barthe *Barrage de la* 12 ... 263 E 1
La Barthe-de-Neste 65 ... 333 H 1
Bartherans 25 ... 179 H 1
Les Barthes 82 ... 277 F 4
Bartrès 65 ... 332 D 1
Barville 27 ... 35 E 5
Barville 61 ... 84 A 3
Barville 76 ... 19 G 3
Barville 88 ... 94 A 4
Barville-en-Gâtinais 45 ... 111 H 3
Barzan 17 ... 219 E 3
Barzun 64 ... 314 D 5
Barzy-en-Thiérache 02 ... 15 F 5
Barzy-sur-Marne 02 ... 60 D 1
Bas-en-Basset 43 ... 229 H 5
Bas-et-Lezat 63 ... 210 A 3
Bas-Lieu 59 ... 15 G 4
Bas-Mauco 40 ... 293 H 2
Bas-Rupts 88 ... 120 B 3
Bascons 40 ... 294 B 2
Bascous 32 ... 295 F 2
Baslieux 54 ... 45 E 2
Baslieux-lès-Fismes 51 ... 41 E 3
Baslieux-
sous-Châtillon 51 ... 41 E 5
Basly 14 ... 33 G 3
Bassac 16 ... 220 D 1
Bassan 34 ... 321 G 3
Bassanne 33 ... 256 C 4
Basse-Goulaine 44 ... 147 H 4
Basse-Ham 57 ... 45 H 3
Basse-Indre 44 ... 147 F 4
Basse-Rentgen 57 ... 45 H 2
Basse-sur-le-Rupt 88 ... 120 A 4
La Basse-Vaivre 70 ... 118 D 5
La Bassée 59 ... 8 B 3
Bassemberg 67 ... 96 D 4
Basseneville 14 ... 34 A 4
Bassens 33 ... 237 G 5
Bassens 73 ... 233 F 2
Bassercles 40 ... 293 H 5
Basses 86 ... 168 D 1
Basseux 62 ... 13 F 3
Bassevelle 77 ... 60 B 2
Bassignac 15 ... 244 B 1
Bassignac-le-Bas 19 ... 243 E 4
Bassignac-le-Haut 19 ... 243 G 2
Bassigney 70 ... 141 F 2
Bassillac 24 ... 240 D 2
Bassillon-Vauzé 64 ... 314 D 2
Bassing 57 ... 67 F 3
Bassoles-Aulers 02 ... 40 B 1
Bassoncourt 52 ... 117 H 3
Bassou 89 ... 114 A 5
Bassoues 32 ... 295 G 5
Bassu 51 ... 62 D 3
Bassuet 51 ... 62 D 4
Bassurels 48 ... 282 D 3
Bassussarry 64 ... 310 D 3
Bassy 74 ... 215 E 3
Bastanès 64 ... 313 G 3
Bastelica 2A ... 349 E 2
Bastelicaccia 2A ... 348 C 3
Bastennes 40 ... 293 G 4
Bastia 2B ... 345 G 4
La Bastide 66 ... 342 C 3
La Bastide 83 ... 308 B 2
La Bastide-Clairence 64 ... 311 F 3
La Bastide-de-Besplas 09 ... 317 G 5
La Bastide-
de-Bousignac 09 ... 336 D 2
La Bastide
de Couloumat 11 ... 318 C 5
La Bastide-de-Lordat 09 ... 336 C 1
La Bastide-de-Sérou 09 ... 335 H 2
La Bastide-d'Engras 30 ... 284 C 4
La Bastide-
des-Jourdans 84 ... 306 B 2
La Bastide-du-Salat 09 ... 335 E 2
La Bastide-l'Évêque 12 ... 279 G 1
La Bastide-Pradines 12 ... 281 G 5
La Bastide-Puylaurent 48 ... 265 F 3
La Bastide-Solages 12 ... 300 A 1
La Bastide-sur-l'Hers 09 ... 336 D 3
La Bastidonne 13 ... 327 F 3
La Bastidonne 84 ... 306 B 3
La Bastie-d'Urfé
Château de 42 ... 229 G 1
Le Bastit 46 ... 260 C 2
Basville 23 ... 208 B 4
La Bataille 79 ... 202 D 2
Bataille *Col de la* 26 ... 250 A 5
La Batarelle 13 ... 327 E 2
Bataville 57 ... 67 F 5
Bathelémont 54 ... 66 D 5
Bathernay 26 ... 249 G 2
La Bâthie 73 ... 234 B 1
La Bâtie-Crémezin 26 ... 268 D 3
La Bâtie-des-Fonds 26 ... 268 D 4
La Bâtie-Divisin 38 ... 232 C 3
La Bâtie-Montgascon 38 ... 232 C 2
La Bâtie-Montsaléon 05 ... 269 E 5
La Bâtie-Neuve 05 ... 269 H 3
La Bâtie-Rolland 26 ... 267 F 4
La Bâtie-Vieille 05 ... 269 H 3
Les Bâties 70 ... 161 G 1
Batilly 54 ... 45 F 5
Batilly 61 ... 53 H 4
Batilly-en-Gâtinais 45 ... 111 H 4
Batilly-en-Puisaye 45 ... 135 E 5
Bats 40 ... 294 A 4
Batsère 65 ... 333 G 1
Battenans-les-Mines 25 ... 162 B 1
Battenans-Varin 25 ... 163 F 3
Battenheim 68 ... 121 E 5
Battexey 88 ... 94 D 4
Battigny 54 ... 94 C 3
Battrans 70 ... 161 F 2
Batz *Île de* 29 ... 71 G 3
Batz-sur-Mer 44 ... 145 G 5
Batzendorf 67 ... 68 D 4
Baubigny 21 ... 177 G 2
Baubigny 50 ... 28 D 5
La Bauche 73 ... 233 E 3
Baud 56 ... 101 H 5
Baudement 51 ... 90 B 2
Baudemont 71 ... 194 A 5
Baudignan 40 ... 274 D 4
Baudignécourt 55 ... 93 G 2
Baudinard-sur-Verdon 83 ... 307 F 3
Baudoncourt 70 ... 141 G 2
Baudonvilliers 55 ... 63 F 5
Baudre 50 ... 32 B 5
Baudrecourt 52 ... 92 C 4
Baudrecourt 57 ... 66 C 2
Baudreix 64 ... 314 C 5
Baudrémont 55 ... 64 B 4
Baudres 36 ... 171 G 1
Baudreville 28 ... 87 E 5
Baudreville 50 ... 31 F 2
Baudricourt 88 ... 94 C 5
Baudrières 71 ... 178 A 5
Bauduen 83 ... 307 G 2
Baugé-en-Anjou 49 ... 129 F 5
Baugy 18 ... 173 H 1
Baugy 60 ... 39 F 1
Baugy 71 ... 193 G 5
Baulay 70 ... 140 D 2
La Baule 44 ... 145 H 5
Baule 45 ... 132 D 3
La Baule-Escoublac 44 ... 145 H 5
Baulme-la-Roche 21 ... 159 G 3
Baulne 91 ... 87 H 3
Baulne-en-Brie 02 ... 60 D 2
Baulny 55 ... 43 F 3
Baulon 35 ... 103 H 4
Baulou 09 ... 336 A 2
La Baume 74 ... 198 C 4
Baume *Cirque de* 39 ... 179 F 5
La Baume-Cornillane 26 ... 267 G 1
La Baume-de-Transit 26 ... 285 F 1
La Baume-d'Hostun 26 ... 249 H 3
Baume-les-Dames 25 ... 162 C 2
Baume-les-Messieurs 39 ... 179 F 5
Bauné 49 ... 150 A 1
Baupte 50 ... 31 H 3
Bauquay 14 ... 53 E 1
Baurech 33 ... 255 H 2
La Baussaine 35 ... 79 H 5
Bauvin 59 ... 8 C 4
Les Baux-de-Breteuil 27 ... 55 H 3
Les Baux-de-Provence 13 ... 304 D 3
Les Baux-Sainte-Croix 27 ... 56 B 2
Bauzemont 54 ... 66 D 5
Bauzy 41 ... 153 G 1
Bavans 25 ... 142 B 5
Bavay 59 ... 15 F 2
Bavelincourt 80 ... 22 D 1
Bavella *Col de* 2A ... 349 F 4
Bavent 14 ... 33 H 4
Baverans 39 ... 161 E 5
Bavilliers 90 ... 142 C 3
Bavinchove 59 ... 3 H 5
Bavincourt 62 ... 13 E 3
Bax 31 ... 317 G 5
Bay 08 ... 26 A 3
Bay 70 ... 161 F 3
Bay-sur-Aube 52 ... 139 E 2
Bayac 24 ... 258 C 1
Bayard *Château de* 38 ... 233 G 4
Bayard *Col* 05 ... 269 G 3
Bayas 33 ... 238 C 3
Baye 29 ... 100 C 5
Baye 51 ... 61 E 3
Bayecourt 88 ... 95 G 5
Bayel 10 ... 116 B 2
Bayencourt 80 ... 13 E 4
Bayenghem-
lès-Éperlecques 62 ... 3 E 4
Bayenghem-
lès-Seninghem 62 ... 7 E 2
Bayers 16 ... 203 F 4
Bayet 03 ... 192 A 5
Bayeux 14 ... 33 E 3
Bayon 54 ... 95 E 3
Bayon-sur-Gironde 33 ... 237 G 3
Bayonne 64 ... 292 A 5
Bayons 04 ... 287 H 1
Bayonville 08 ... 43 F 2
Bayonville-sur-Mad 54 ... 65 G 2
Bayonvillers 80 ... 23 E 2
Bazac 16 ... 239 E 1
Bazaiges 36 ... 188 D 2
Bazailles 54 ... 45 E 3
Bazainville 78 ... 57 F 4
Bazancourt 51 ... 41 H 2
Bazancourt 60 ... 21 F 5

Bazarnes *89* 136 C 4
Bazas *33* 256 B 5
Bazauges *17* 202 C 4
Bazegney *88* 95 E 5
Bazeilles *08* 27 F 4
Bazeilles-sur-Othain *55* 44 B 2
Bazelat *23* 188 D 4
Bazemont *78* 57 G 2
Bazens *47* 275 G 2
Bazentin *80* 13 G 5
Bazenville *14* 33 E 3
Bazet *65* 315 E 4
La Bazeuge *87* 187 H 5
Bazian *32* 295 G 4
Bazicourt *60* 39 E 3
Baziège *31* 318 B 2
Bazien *88* 95 H 3
Bazillac *65* 315 F 3
Bazincourt-sur-Epte *27* 37 G 3
Bazincourt-sur-Saulx *55* 63 G 5
Bazinghen *62* 2 B 4
Bazinval *76* 11 E 5
La Bazoche-Gouet *28* 109 F 3
Bazoches *58* 157 H 3
Bazoches-au-Houlme *61* 53 H 3
Bazoches-en-Dunois *28* 110 B 4
Bazoches-lès-Bray *77* 89 F 4
Bazoches-les-Gallerandes *45* 111 F 3
Bazoches-les-Hautes *28* 110 D 3
Bazoches-sur-Guyonne *78* 57 G 4
Bazoches-sur-Hoëne *61* 84 B 2
Bazoches-sur-le Betz *45* 113 E 3
Bazoches-sur-Vesles *02* 40 D 3
La Bazoge *50* 52 B 5
La Bazoge *72* 107 G 3
La Bazoge-Montpinçon *53* 82 B 5
Bazoges-en-Paillers *85* 166 B 2
Bazoges-en-Pareds *85* 166 D 5
Bazoilles-et-Ménil *88* 94 D 5
Bazoilles-sur-Meuse *88* 93 H 5
Bazolles *58* 157 F 5
Bazoncourt *57* 66 B 1
Bazonville *54* 45 F 3
La Bazoque *14* 32 C 4
La Bazoque *61* 53 E 3
Bazoques *27* 35 F 5
Bazordan *65* 316 A 5
La Bazouge-de-Chemeré *53* 106 C 4
La Bazouge-des-Alleux *53* 106 B 2
La Bazouge-du-Désert *35* 81 F 3
Bazougers *53* 106 B 4
Bazouges *53* 128 B 2
Bazouges-la-Pérouse *35* 80 C 3
Bazouges-sous-Hédé *35* 80 A 4
Bazouges-sur-le-Loir *72* 129 F 4
Bazuel *59* 15 E 4
Bazugues *32* 315 H 2
Bazus *31* 298 A 3
Bazus-Aure *65* 333 G 4
Bazus-Neste *65* 333 H 2
Le Béage *07* 265 H 1
Béal *Col du 63* 229 E 1
Béalcourt *80* 12 C 3
Béalencourt *62* 7 E 5
Béard *58* 174 D 3
Béard-Géovreissiat *01* 196 C 5
Beaubec-la-Rosière *76* 21 E 4
Beaubery *71* 194 B 3
Beaubray *27* 55 H 2
Beaucaire *30* 304 B 2
Beaucaire *32* 295 H 2
Beaucamps-le-Jeune *80* 21 G 3
Beaucamps-le-Vieux *80* 21 G 2
Beaucamps-Ligny *59* 8 C 3
Beaucé *35* 81 F 4
Beaucens *65* 332 D 2
Le Beaucet *84* 285 H 5
Beauchalot *31* 334 D 1
Beauchamp *95* 58 B 1
Beauchamps *50* 51 H 3
Beauchamps *80* 11 E 4
Beauchamps-sur-Huillard *45* 112 A 5
Beaucharmoy *52* 118 A 5
Beauchastel *07* 267 E 1
Beauche *28* 56 A 5
Beauchemin *52* 117 E 5
Beauchêne *41* 109 F 5
Beauchêne *61* 52 D 5
Beauchery-Saint-Martin *77* 89 H 2
Beauclair *55* 43 G 1
Beaucoudray *50* 52 A 1
Beaucourt *90* 142 C 4
Beaucourt-en-Santerre *80* 23 E 3
Beaucourt-sur-l'Ancre *80* 13 F 5
Beaucourt-sur-l'Hallue *80* 22 D 1
Beaucouzé *49* 149 F 1
Beaucroissant *38* 232 B 5
Beaudéan *65* 333 F 2
Beaudéduit *60* 22 A 4
Beaudignies *59* 15 E 3
Beaudricourt *62* 12 D 3
Beaufai *61* 55 E 4
Beaufay *72* 108 A 3
Beauficel *50* 52 B 4
Beauficel-en-Lyons *27* 37 E 2
Beaufin *38* 269 F 1
Beaufort *31* 317 F 2
Beaufort *34* 320 C 4
Beaufort *38* 231 H 5
Beaufort *39* 196 B 1
Beaufort *59* 15 G 3
Beaufort *73* 216 C 5
Beaufort-Blavincourt *62* 13 E 2
Beaufort-en-Argonne *55* 43 G 1
Beaufort-en-Anjou *49* 150 A 2
Beaufort-en-Santerre *80* 23 E 3
Beaufort-sur-Gervanne *26* 267 H 1
Beaufou *85* 165 G 3
Beaufour *14* 34 B 4
Beaufremont *88* 94 A 5
Beaugas *47* 258 B 4
Beaugeay *17* 200 D 4
Beaugency *45* 132 C 3
Beaugies-sous-Bois *60* 23 H 4
Beaujeu *04* 288 B 2
Beaujeu *69* 212 C 1
Beaujeu-Saint-Vallier-et-Pierrejux *70* 161 F 1
Beaulac *33* 274 B 1
Beaulandais *61* 82 B 2
Beaulencourt *62* 13 H 5
Beaulieu *07* 284 A 1
Beaulieu *08* 26 A 1
Beaulieu *14* 52 D 2
Beaulieu *15* 226 C 4
Beaulieu *21* 138 C 3
Beaulieu *25* 142 C 5
Beaulieu *34* 303 E 3
Beaulieu *36* 188 B 4
Beaulieu *38* 250 B 1
Beaulieu *43* 247 F 3
Beaulieu *58* 157 F 4
Beaulieu *61* 55 G 5
Beaulieu *63* 228 A 4
Beaulieu-en-Argonne *55* 63 G 1
Beaulieu-en-Rouergue *Abbaye de 82* 279 E 3
Beaulieu-les-Fontaines *60* 23 G 4
Beaulieu-lès-Loches *37* 152 C 5
Beaulieu-sous-Bressuire *79* 167 G 3
Beaulieu-sous-la-Roche *85* 165 G 5
Beaulieu-sous-Parthenay *79* 185 F 1
Beaulieu-sur-Dordogne *19* 243 E 4
Beaulieu-sur-Layon *49* 149 G 3
Beaulieu-sur-Loire *45* 155 H 1
Beaulieu-sur-Mer *06* 309 H 2
Beaulieu-sur-Oudon *53* 105 G 4
Beaulieu-sur-Sonnette *16* 203 H 4
Beaulon *03* 192 D 1
Beaumais *14* 54 A 2
Beaumarchés *32* 295 F 5
Beaumat *46* 260 B 3
Beaumé *02* 25 H 2
La Beaume *05* 268 D 3
Beauménil *88* 119 H 2
Beaumerie-Saint-Martin *62* 6 C 4
Beaumes-de-Venise *84* 285 G 3
Beaumesnil *14* 52 B 2
Beaumesnil *27* 55 G 1
Beaumettes *84* 305 G 1
Beaumetz *80* 12 B 4
Beaumetz-lès-Aire *62* 7 F 3
Beaumetz-lès-Cambrai *62* 13 H 4
Beaumetz-lès-Loges *62* 13 F 3
Beaumont *07* 265 H 4
Beaumont *19* 225 E 4
Beaumont *32* 295 G 1
Beaumont *43* 246 B 1
Beaumont *54* 65 E 4
Beaumont *63* 227 G 1
Beaumont *74* 215 G 1
Beaumont *86* 169 F 5
Beaumont *89* 136 B 2
Beaumont-de-Lomagne *82* 297 E 1
Beaumont-de-Pertuis *84* 306 C 3
Beaumont-du-Gâtinais *77* 112 A 3
Beaumont-du-Lac *87* 207 E 5
Beaumont-du-Périgord *24* 258 C 2
Beaumont-du-Ventoux *84* 285 H 3
Beaumont-en-Argonne *08* 27 F 5
Beaumont-en-Auge *14* 34 C 3
Beaumont-en-Beine *02* 23 H 4
Beaumont-en-Cambrésis *59* 14 D 4
Beaumont-en-Diois *26* 268 C 3
Beaumont-en-Verdunois *55* 44 B 4
Beaumont-en-Véron *37* 150 D 4
Beaumont-Hague *50* 28 D 2
Beaumont-Hamel *80* 13 F 5
Beaumont-la-Ferrière *58* 156 C 5
Beaumont-la-Ronce *37* 130 D 5
Beaumont-le-Hareng *76* 20 C 4
Beaumont-le-Roger *27* 55 G 1
Beaumont-les-Autels *28* 109 F 2
Beaumont-les-Nonains *60* 37 H 3
Beaumont-lès-Randan *63* 210 B 3
Beaumont-lès-Valence *26* 249 F 5
Beaumont-Monteux *26* 249 F 4
Beaumont-Pied-de-Bœuf *53* 106 C 5
Beaumont-Pied-de-Bœuf *72* 130 B 3
Beaumont-Sardolles *58* 175 E 3
Beaumont-sur-Dême *72* 130 C 4
Beaumont-sur-Grosne *71* 177 H 5
Beaumont-sur-Lèze *31* 317 H 3
Beaumont-sur-Oise *95* 38 B 5
Beaumont-sur-Sarthe *72* 107 G 2
Beaumont-sur-Vesle *51* 41 H 4
Beaumont-sur-Vingeanne *21* 160 D 1
Beaumont-Village *37* 152 D 5
Beaumontel *27* 35 G 5
Beaumotte-lès-Montbozon *70* 162 B 1
Beaumotte-lès-Pin *70* 161 G 3
Beaunay *51* 61 F 3
Beaune *21* 177 H 1
Beaune *73* 234 B 5
Beaune-d'Allier *03* 191 F 5
Beaune-la-Rolande *45* 111 H 4
Beaune-le-Chaud *63* 227 G 1
Beaune-le-Froid *63* 227 F 2
Beaune-les-Mines *87* 205 H 4
Beaune-sur-Arzon *43* 247 E 1
Beaunotte *21* 138 C 4
Beaupont *01* 195 H 3
Beauport *Abbaye de 22* 73 F 3
Beaupouyet *24* 239 F 4
Beaupréau-en-Mauges *49* 148 D 4
Beaupuy *31* 298 A 4
Beaupuy *32* 297 E 4
Beaupuy *47* 257 E 4
Beaupuy *82* 297 F 2
Beauquesne *80* 12 D 5
Beaurain *59* 14 D 3
Beaurains *62* 13 G 2
Beaurains-lès-Noyon *60* 23 G 5
Beaurainville *62* 6 D 5
Beaurecueil *13* 306 B 5
Beauregard *01* 212 D 3
Beauregard *46* 278 D 1
Beauregard-Baret *26* 249 H 4
Beauregard-de-Terrasson *24* 241 G 2
Beauregard-et-Bassac *24* 240 B 4
Beauregard-l'Évêque *63* 210 A 5
Beauregard-Vendon *63* 209 H 3
Beaurepaire *38* 231 G 5
Beaurepaire *60* 38 D 3
Beaurepaire *76* 18 C 4
Beaurepaire *85* 166 C 2
Beaurepaire-en-Bresse *71* 178 D 5
Beaurepaire-sur-Sambre *59* 15 F 5
Beaurevoir *02* 14 C 5
Beaurières *26* 268 C 3
Beaurieux *02* 41 E 2
Beaurieux *59* 16 A 3
Beauronne *24* 239 G 3
Beausemblant *26* 249 E 1
Beausoleil *06* 309 H 5
Beaussac *24* 221 H 3
Beaussais-Vitré *79* 185 G 4
Beaussault *76* 21 E 4
Beausse *49* 148 D 3
Le Beausset *83* 327 H 3
Beauteville *31* 318 C 3
Beautheil *77* 59 H 4
Beautiran *33* 255 H 2
Beautor *02* 24 B 4
Beautot *76* 20 A 4
Beauvain *61* 82 D 2
Beauvais *60* 38 A 2
Beauvais-sur-Matha *17* 202 C 4
Beauvais-sur-Tescou *81* 298 B 1
Beauval *80* 12 D 4
Beauval-en-Caux *76* 20 A 3
Beauvallon *26* 249 F 5
Beauvallon *83* 329 F 2
Beauvau *49* 129 E 5
Beauvène *07* 248 C 5
Beauvernois *71* 178 D 3
Beauvezer *04* 288 D 3
Beauville *31* 318 C 2
Beauville *47* 276 D 2
Beauvilliers *28* 86 C 5
Beauvilliers *41* 132 A 2
Beauvilliers *89* 158 B 2
Beauvoir *50* 51 F 5
Beauvoir *60* 22 C 5
Beauvoir *77* 88 D 2
Beauvoir *89* 135 H 3
Beauvoir *Château de 03* 192 D 3
Beauvoir-de-Marc *38* 231 G 3
Beauvoir-en-Lyons *76* 37 E 1
Beauvoir-en-Royans *38* 250 A 2
Beauvoir-sur-Mer *85* 164 C 2
Beauvoir-sur-Niort *79* 201 H 1
Beauvoir-sur-Sarce *10* 115 F 5
Beauvoir-Wavans *62* 12 C 3
Beauvois *62* 7 F 5
Beauvois-en-Cambrésis *59* 14 C 4
Beauvois-en-Vermandois *02* 23 H 2
Beauvoisin *26* 286 A 1
Beauvoisin *30* 303 H 3
Beauvoisin *39* 178 D 2
Beaux *43* 247 H 2
Beauzac *43* 247 H 1
Beauzée-sur-Aire *55* 63 H 2
Beauzelle *31* 297 H 4
Beauziac *47* 274 D 1
Bébing *57* 67 G 5
Beblenheim *68* 121 E 2
Bec-de-Mortagne *76* 19 E 4
Le Bec-Hellouin *27* 35 G 4
Le Bec-Thomas *27* 36 A 4
Beccas *32* 315 F 2
Béceleuf *79* 184 D 2
Béchamps *54* 45 E 5
Bécherel *35* 103 H 1
Bécheresse *16* 221 E 3
Béchy *57* 66 B 2
Bécon-les-Granits *49* 149 E 1
Béconne *26* 267 G 4
Bécordel-Bécourt *80* 23 E 1
Bécourt *62* 6 D 2
Becquigny *02* 14 D 5
Becquigny *80* 23 E 4
Bédarieux *34* 301 F 4
Bédarrides *84* 285 F 4
Beddes *18* 190 A 1
Bédéchan *32* 296 C 5
Bédée *35* 103 H 2
Bédeilhac-et-Aynat *09* 336 A 4
Bédeille *09* 335 F 1
Bédeille *64* 314 D 3
Bedenac *17* 238 B 2
Bédoin *84* 286 A 3
Bédouès *48* 282 D 1
Bédouès-Cocurès *48* 282 D 1
Bedous *64* 331 H 3
Béduer *46* 261 F 4
Beffes *18* 174 B 1
Beffia *39* 196 B 2
Beffu-et-le-Morthomme *08* 43 E 2
Beg-Meil *29* 99 H 4
Bégaar *40* 293 F 2
Bégadan *33* 218 D 5
Béganne *56* 125 F 4
Bégard *22* 72 D 4
Bègles *33* 255 G 1
Begnécourt *88* 118 D 2
Bégole *65* 315 G 5
Bégrolles-en-Mauges *49* 148 D 5
La Bégude-de-Mazenc *26* 267 F 4
Bègues *03* 209 H 1
Béguey *33* 256 B 3
Béguios *64* 311 G 4
Béhagnies *62* 13 G 4
Béhasque-Lapiste *64* 311 H 4
Béhen *80* 11 G 4
Béhencourt *80* 22 D 1
Béhéricourt *60* 23 H 5
Behlenheim *67* 68 D 5
Béhobie *64* 310 A 4
Behonne *55* 63 H 3
Béhorléguy *64* 330 D 1
Béhoust *78* 57 F 3
Behren-lès-Forbach *57* 47 F 5
Béhuard *49* 149 F 2
Beignon *56* 103 F 4
Beillé *72* 108 B 4
Beine *89* 136 C 3
Beine-Nauroy *51* 41 H 4
Beinheim *67* 69 G 3
Beire-le-Châtel *21* 160 B 2
Beire-le-Fort *21* 160 C 4
Beissat *23* 207 H 5
Bel-Air *49* 127 H 3
Bel-Homme *Col du 83* 308 B 3
Bélâbre *36* 188 A 2
Belan-sur-Ource *21* 116 A 5
Bélarga *34* 302 A 5
Bélaye *46* 259 G 5
Belberaud *31* 318 B 2
Belbèse *82* 297 F 1
Belbeuf *76* 36 B 2
Belbèze-de-Lauragais *31* 318 A 2
Belbèze-en-Comminges *31* 335 E 1
Belcaire *11* 337 E 4
Belcastel *12* 280 B 1
Belcastel *81* 298 C 4
Belcastel *Château de 46* 260 B 1
Belcastel-et-Buc *11* 337 H 2
Belcodène *13* 327 F 1
Bélesta *09* 336 D 3
Bélesta *66* 338 B 5
Bélesta-en-Lauragais *31* 318 D 2
Beleymas *24* 239 H 4
Belfahy *70* 142 B 1
Belfays *25* 163 G 3
Belflou *11* 318 C 4
Belfonds *61* 83 G 2
Belfort *90* 142 C 3
Belfort-du-Quercy *46* 278 B 2
Belfort-sur-Rebenty *11* 337 E 4
Belgeard *53* 82 B 5
Belgentier *83* 328 B 3
Belgodère *2B* 344 D 5
Belhade *40* 273 G 1
Belhomert-Guéhouville *28* 85 F 3
Le Bélieu *25* 163 E 5
Béligneux *01* 213 G 4
Belin-Béliet *33* 255 E 4
Bélis *40* 273 H 4
Bellac *87* 205 F 2
Bellaffaire *04* 269 H 5
Bellagranajo *Col de 2B* 347 F 5
Bellaing *59* 9 G 5
Bellancourt *80* 11 H 3
Bellange *57* 66 D 3
Bellavilliers *61* 84 B 4
Le Bellay-en-Vexin *95* 37 G 5
Belle-Église *60* 38 B 4
Belle-et-Houllefort *62* 2 C 5
Belle-Ile *56* 144 B 4
Belle-Isle-en-Terre *22* 72 C 5
Belleau *02* 60 B 1
Belleau *54* 65 H 4
Bellebat *33* 256 B 2
Bellebrune *62* 2 C 5
Bellechassagne *19* 225 H 2
Bellechaume *89* 114 A 4
Bellecombe *39* 197 E 4
Bellecombe *73* 234 B 3
Bellecombe-en-Bauges *73* 215 G 5
Bellecombe-Tarendol *26* 286 B 1
Bellefond *21* 160 A 2
Bellefond *33* 256 C 1
Bellefonds *86* 186 D 1
Bellefontaine *39* 197 F 1
Bellefontaine *50* 52 B 5
Bellefontaine *88* 119 F 4
Bellefontaine *95* 38 D 5
Bellefosse *67* 96 D 3
Bellegarde *30* 304 A 3
Bellegarde *32* 316 B 2
Bellegarde *45* 111 H 5
Bellegarde-du-Razès *11* 337 E 1
Bellegarde-en-Diois *26* 268 B 4
Bellegarde-en-Forez *42* 230 A 2
Bellegarde-en-Marche *23* 207 H 3
Bellegarde-Marsal *81* 299 G 1
Bellegarde-Poussieu *38* 231 F 5
Bellegarde-Sainte-Marie *31* 297 F 4
Bellegarde-sur-Valserine *01* 215 E 1
Belleherbe *25* 163 E 3
Bellemagny *68* 142 D 2
Bellême *61* 84 C 4
Bellenaves *03* 209 G 1
Bellencombre *76* 20 C 4
Belleneuve *21* 160 C 2
Bellenglise *02* 24 A 1
Bellengreville *14* 33 H 5
Bellengreville *76* 10 C 5
Bellenod-sur-Seine *21* 138 B 4
Bellenot-sous-Pouilly *21* 159 E 3
Bellentre *73* 234 D 2
Belleray *55* 64 B 1
Bellerive-sur-Allier *03* 210 B 2
Belleroche *42* 212 B 1
Belleserre *81* 319 E 2
Bellesserre *31* 297 F 2
Belleu *02* 40 B 3
Belleuse *80* 22 A 4
Bellevaux *74* 198 B 4
Bellevesvre *71* 178 D 3
Belleville-sur-Vie *85* 165 H 4
Belleville *54* 65 G 4
Belleville *69* 212 D 1
Belleville *79* 201 H 1
Belleville-en-Caux *76* 20 A 4
Belleville-sur-Bar *08* 43 E 1
Belleville-sur-Loire *18* 156 A 1
Belleville-sur-Mer *76* 10 B 5
Belleville-sur-Meuse *55* 44 B 5
Belleville-sur-Vie *85* 165 H 4
Bellevue *44* 147 H 3
Bellevue *Grotte de 46* 260 D 4
Bellevue-Coëtquidan *56* 103 F 4
Bellevue-la-Montagne *43* 247 E 1
Belley *01* 214 D 5
Belley *10* 91 E 5
Belleydoux *01* 196 D 5
Bellicourt *02* 24 A 1
La Bellière *61* 54 A 5
La Bellière *76* 21 E 5
Bellignat *01* 196 C 5
Belligné *44* 148 C 1
Bellignies *59* 15 F 2
La Belliole *89* 113 E 3
Belloc *09* 336 D 2
Belloc-Saint-Clamens *32* 315 H 2
Bellocq *64* 293 E 5
Bellon *16* 221 E 5
Bellonne *62* 14 A 2
Bellot *77* 60 B 3
Bellou *14* 54 C 2
Bellou-en-Houlme *61* 53 F 5
Bellou-le-Trichard *61* 108 B 2
Bellou-sur-Huisne *61* 84 D 4
Belloy *60* 37 H 1
Belloy-en-France *95* 58 C 1
Belloy-en-Santerre *80* 23 F 2
Belloy-Saint-Léonard *80* 11 H 5
Belloy-sur-Somme *80* 22 A 1
Belluire *17* 219 G 3
Belmesnil *76* 20 A 3
Belmont *25* 162 C 4
Belmont *32* 295 G 3
Belmont *38* 232 A 3
Belmont *39* 179 E 1
Belmont *52* 140 A 3
Belmont *67* 96 D 3
Belmont *70* 141 H 2
Belmont-Bretenoux *46* 243 E 5
Belmont-d'Azergues *69* 212 D 4
Belmont-de-la-Loire *42* 212 A 1
Belmont-lès-Darney *88* 118 C 3
Belmont-Luthézieu *01* 214 D 4
Belmont-Sainte-Foi *46* 278 C 2
Belmont-sur-Buttant *88* 96 A 5
Belmont-sur-Rance *12* 300 C 2
Belmont-sur-Vair *88* 94 B 5
Belmont-Tramonet *73* 232 D 2
Belmontet *46* 277 F 1
Belon *29* 100 C 5
Belonchamp *70* 142 A 1
Belpech *11* 318 C 5
Belrain *55* 64 B 4
Belrupt *88* 118 D 3
Belrupt-en-Verdunois *55* 64 B 1
Bélus *40* 292 D 4
Belval *08* 26 C 3
Belval *50* 51 H 1
Belval *88* 96 C 3
Belval-Bois-des-Dames *08* 43 F 1
Belval-en-Argonne *51* 63 F 2
Belval-sous-Châtillon *51* 41 F 5
Belvédère *06* 291 F 3
Belvédère-Campomoro *2A* 350 C 2
Belverne *70* 142 A 3
Belvès *24* 259 E 1
Belvès-de-Castillon *33* 238 D 5
Belvèze *82* 277 F 1
Belvèze-du-Razès *11* 337 F 1
Belvézet *30* 284 B 4
Belvezet *48* 265 E 4
Belvianes-et-Cavirac *11* 337 G 4
Belvis *11* 337 F 4
Belvoir *25* 163 E 2
Belz *56* 123 G 3
Bémécourt *27* 55 H 3
Bénac *09* 336 A 3
Bénac *65* 315 E 5
Benagues *09* 336 B 1

Benais 37 ... 151 E 3
Bénaix 09 ... 336 D 3
Bénaménil 54 ... 95 H 2
Bénarville 76 ... 19 E 4
Benassay 86 ... 185 H 1
La Benâte 17 ... 201 G 2
La Bénate 44 ... 165 G 2
Benauge *Château de* 33 ... 256 B 2
Benay 02 ... 24 B 3
Benayes 19 ... 224 B 3
Bendejun 06 ... 291 F 5
Bendor *Île de* 83 ... 327 H 4
Bendorf 68 ... 143 F 4
Bénéjacq 64 ... 314 C 5
Benerville-sur-Mer 14 ... 34 B 2
Bénesse-lès-Dax 40 ... 293 E 4
Bénesse-Maremne 40 ... 292 B 4
Benest 16 ... 203 H 2
Bénestroff 57 ... 67 E 3
Bénesville 76 ... 19 H 3
Benet 85 ... 184 C 3
Beneuvre 21 ... 138 D 4
Bénévent-l'Abbaye 23 ... 206 C 2
Beney-en-Woëvre 55 ... 65 E 2
Benfeld 67 ... 97 G 3
Bengy-sur-Craon 18 ... 173 H 2
Bénifontaine 62 ... 8 B 4
Béning-lès-Saint-Avold 57 ... 47 F 5
La Bénisson-Dieu 42 ... 211 G 1
Bénivay-Ollon 26 ... 285 H 1
Bennecourt 78 ... 57 E 1
Bennetot 76 ... 19 F 4
Benney 54 ... 94 D 2
Bennwihr 68 ... 121 E 2
Bénodet 29 ... 99 H 4
Benoisey 21 ... 137 H 5
Benoîtville 50 ... 28 D 4
Benon 17 ... 183 H 5
Bénonces 01 ... 214 B 4
Bénouville 14 ... 33 H 4
Bénouville 76 ... 18 D 3
Benque 31 ... 316 D 4
Benqué 65 ... 333 G 1
Benque-Dessous-
et-Dessus 31 ... 334 A 4
Benquet 40 ... 294 A 2
Bentayou-Sérée 64 ... 314 D 3
Bény 01 ... 195 H 4
Le Bény-Bocage 14 ... 52 C 2
Bény-sur-Mer 14 ... 33 G 3
Béon 01 ... 214 D 4
Béon 89 ... 113 G 5
Béost 64 ... 332 A 2
La Bérarde 38 ... 252 A 4
Bérat 31 ... 317 F 3
Béraut 32 ... 295 H 1
Berbérust-Lias 65 ... 332 D 1
Berbezit 43 ... 246 D 1
Berbiguières 24 ... 259 F 1
Berc 48 ... 264 A 1
Bercenay-en-Othe 10 ... 114 C 2
Bercenay-le-Hayer 10 ... 90 A 5
Berche 25 ... 142 B 5
Berchères-la-Maingot 28 ... 86 A 3
Berchères-les-Pierres 28 ... 86 B 4
Berchères-sur-Vesgre 28 ... 57 E 3
Berck-Plage 62 ... 6 A 5
Berck-sur-Mer 62 ... 6 A 5
Bercloux 17 ... 201 H 4
Berd'Huis 61 ... 84 D 5
Berdoues 32 ... 315 H 2
Bérelles 59 ... 15 H 3
Bérengeville-la-Campagne 27 ... 36 A 5
Berentzwiller 68 ... 143 G 3
Bérenx 64 ... 293 F 5
Béréziat 01 ... 195 G 3
Berfay 72 ... 108 D 5
Berg 67 ... 67 H 3
Berg-sur-Moselle 57 ... 46 B 2
Berganty 46 ... 260 C 5
Bergbieten 67 ... 97 F 1
Bergerac 24 ... 257 H 1
Bergères 10 ... 116 A 2
Bergères-lès-Vertus 51 ... 61 G 3
Bergères-sous-Montmirail 51 ... 60 D 3
Bergesserin 71 ... 194 C 3
Bergheim 68 ... 97 E 5
Bergholtz 68 ... 120 D 4
Bergholtzzell 68 ... 120 D 4
Bergicourt 80 ... 22 A 3
Bergnicourt 08 ... 42 A 2
Bergonne 63 ... 228 A 3
Bergouey 40 ... 293 G 3
Bergouey 64 ... 311 G 3
La Bergue 74 ... 197 H 5
Bergueneuse 62 ... 7 F 4
Bergues 59 ... 3 G 3
Bergues-sur-Sambre 02 ... 15 F 5
Berguette 62 ... 7 H 3
Berhet 22 ... 72 D 3
Bérig-Vintrange 57 ... 67 E 2
Bérigny 50 ... 32 C 4
Berjou 61 ... 53 F 3
Berlaimont 59 ... 15 F 3
Berlancourt 02 ... 25 E 3
Berlancourt 60 ... 23 H 4
Berlats 81 ... 300 B 4
Berlencourt-le-Cauroy 62 ... 12 D 2
Berles-au-Bois 62 ... 13 F 3
Berles-Monchel 62 ... 13 E 2
La Berlière 08 ... 27 E 5
Berling 57 ... 68 A 4
Berlise 02 ... 25 H 4
Berlou 34 ... 321 E 2
Bermerain 59 ... 14 D 3
Berméricourt 51 ... 41 G 2
Bermeries 59 ... 15 F 2
Bermering 57 ... 67 E 2
Bermesnil 80 ... 21 F 2
Bermicourt 62 ... 7 F 5
Bermont 90 ... 142 C 3
Bermonville 76 ... 19 F 4
Bernac 16 ... 203 F 2
Bernac 81 ... 299 E 1
Bernac-Debat 65 ... 315 F 5
Bernac-Dessus 65 ... 315 F 5
Bernadets 64 ... 314 B 3
Bernadets-Debat 65 ... 315 G 3
Bernadets-Dessus 65 ... 315 G 5
Le Bernard 85 ... 182 C 2
La Bernardière 85 ... 166 A 1
Bernardswiller 67 ... 97 F 2
Bernardvillé 67 ... 97 E 3
Bernâtre 80 ... 12 B 3
Bernaville 80 ... 12 C 4
Bernay 17 ... 201 G 2
Bernay 27 ... 35 F 5
Bernay 72 ... 107 F 4
Bernay-en-Brie 77 ... 59 G 5
Bernay-en-Ponthieu 80 ... 11 F 1
Berné 56 ... 101 E 3
Bernécourt 54 ... 65 E 4
Bernède 32 ... 294 C 4
La Bernerie-en-Retz 44 ... 146 D 5
Bernes 80 ... 23 H 1
Bernes-sur-Oise 95 ... 38 B 5
Bernesq 14 ... 32 C 3
Berneuil 16 ... 220 D 4
Berneuil 17 ... 219 G 1
Berneuil 80 ... 12 C 4
Berneuil 87 ... 205 F 2
Berneuil-en-Bray 60 ... 38 A 3
Berneuil-sur-Aisne 60 ... 39 H 2
Berneval-le-Grand 76 ... 10 B 5
Berneville 62 ... 13 F 2
Bernex 74 ... 198 C 3
Bernienville 27 ... 56 A 1
Bernières 76 ... 19 E 4
Bernières-d'Ailly 14 ... 54 A 2
Bernières-le-Patry 14 ... 52 D 3
Bernières-sur-Mer 14 ... 33 G 3
Bernières-sur-Seine 27 ... 36 C 4
Bernieulles 62 ... 6 C 3
Bernin 38 ... 233 E 5
Bernis 30 ... 303 G 3
Bernolsheim 67 ... 68 D 4
Bernon 10 ... 114 D 5
Bernos-Beaulac 33 ... 274 B 1
Bernot 02 ... 24 C 2
Bernouil 89 ... 136 D 2
Bernouville 27 ... 37 F 3
Bernwiller 68 ... 143 E 2
Berny-en-Santerre 80 ... 23 F 2
Berny-Rivière 02 ... 40 A 2
Bérou-la-Mulotière 28 ... 56 A 4
Berrac 32 ... 275 H 5
Berre-les-Alpes 06 ... 291 F 5
Berre-l'Étang 13 ... 326 C 1
Berriac 11 ... 319 H 5
Berrias-et-Casteljau 07 ... 284 A 1
Berric 56 ... 124 D 4
Berrie 86 ... 168 B 1
Berrien 29 ... 76 C 2
Berrieux 02 ... 41 F 1
Berrogain-Laruns 64 ... 313 F 4
Berru 51 ... 41 H 3
Berrwiller 68 ... 120 D 5
Berry-au-Bac 02 ... 41 F 2
Berry-Bouy 18 ... 172 D 1
Le Bersac 05 ... 269 E 5
Bersac-sur-Rivalier 87 ... 206 B 2
Bersaillin 39 ... 179 F 3
Bersée 59 ... 8 D 4
Bersillies 59 ... 15 H 2
Berson 33 ... 237 G 2
Berstett 67 ... 68 D 5
Berstheim 67 ... 68 D 4
Bert 03 ... 192 D 4
Bertangles 80 ... 22 B 1
Bertaucourt-Epourdon 02 ... 24 B 5
Berteaucourt-les-Dames 80 ... 12 B 5
Berteaucourt-lès-Thennes 80 ... 22 D 3
Bertheauville 76 ... 19 F 3
Berthecourt 60 ... 38 B 3
Berthegon 86 ... 169 E 3
Berthelange 25 ... 161 G 4
Berthelming 57 ... 67 G 4
Berthen 59 ... 4 A 5
Berthenay 37 ... 151 G 3
Berthenicourt 02 ... 24 B 3
Berthenonville 27 ... 37 F 5
La Berthenoux 36 ... 189 H 1
Berthez 33 ... 256 C 4
Bertholène 12 ... 281 E 1
Berthouville 27 ... 35 F 4
Bertignat 63 ... 228 D 2
Bertignolles 10 ... 115 H 3
Bertincourt 62 ... 13 H 4
Bertoncourt 08 ... 26 B 5
Bertrambois 54 ... 96 B 1
Bertrancourt 80 ... 13 E 4
Bertrange 57 ... 45 H 3
Bertre 81 ... 298 D 5
Bertren 65 ... 334 B 2
Bertreville 76 ... 19 F 3
Bertreville-Saint-Ouen 76 ... 20 A 3
Bertric-Burée 24 ... 221 G 5
Bertrichamps 54 ... 96 A 3
Bertricourt 02 ... 41 G 2
Bertrimont 76 ... 20 A 4
Bertrimoutier 88 ... 96 C 5
Bertry 59 ... 14 D 4
Béru 89 ... 136 D 3
Béruges 86 ... 186 A 1
Bérulle 10 ... 114 B 3
Bérus 72 ... 83 G 4
Berven 29 ... 71 F 4
Berville 14 ... 54 B 1
Berville 76 ... 19 H 4
Berville 95 ... 38 A 4
Berville-en-Roumois 27 ... 35 H 3
Berville-la-Campagne 27 ... 55 H 1
Berville-sur-Mer 27 ... 34 D 2
Berville-sur-Seine 76 ... 35 H 1
Berviller-en-Moselle 57 ... 46 D 4
Berzé-la-Ville 71 ... 194 D 4
Berzé-le-Châtel 71 ... 194 D 3
Berzème 07 ... 266 C 3
Berzieux 51 ... 43 E 4
Berzy-le-Sec 02 ... 40 B 3
La Besace 08 ... 27 F 5
Besain 39 ... 179 G 4
Besançon 25 ... 162 A 3
Bésayes 26 ... 249 G 4
Bescat 64 ... 314 A 5
Bésignan 26 ... 286 B 1
Bésingrand 64 ... 313 H 3
Beslé 44 ... 126 A 3
La Beslière 50 ... 51 G 3
Beslon 50 ... 52 A 3
Besmé 02 ... 40 A 1
Besmont 02 ... 25 H 2
Besnans 70 ... 162 B 1
Besné 44 ... 146 C 1
Besneville 50 ... 31 F 2
Besny-et-Loizy 02 ... 24 D 5
Bessac 16 ... 220 D 4
Bessais-le-Fromental 18 ... 173 H 5
Bessamorel 43 ... 247 H 3
Bessan 34 ... 322 C 4
Bessancourt 95 ... 58 B 1
Bessans 73 ... 235 F 4
Bessas 07 ... 284 A 1
Le Bessat 42 ... 230 C 5
Bessay 85 ... 183 F 1
Bessay-sur-Allier 03 ... 192 B 3
Besse 15 ... 244 B 3
Bessé 16 ... 203 E 3
La Besse 19 ... 243 G 2
Besse 24 ... 259 E 3
Besse-en-Chandesse 63 ... 227 F 3
Besse-en-Oisans 38 ... 251 H 3
Bessé-sur-Braye 72 ... 131 E 2
Besse-sur-Issole 83 ... 328 C 2
Bessède-de-Sault 11 ... 337 F 5
Bességes 30 ... 283 H 2
Bessenay 69 ... 212 C 5
Bessens 82 ... 297 G 1
Besset 09 ... 336 D 1
Bessey 42 ... 230 D 4
Bessey-en-Chaume 21 ... 177 G 1
Bessey-la-Cour 21 ... 159 F 5
Bessey-lès-Cîteaux 21 ... 160 B 5
La Besseyre-Saint-Mary 43 ... 246 B 4
Bessières 31 ... 298 B 2
Bessines 79 ... 184 D 4
Bessines-sur-Gartempe 87 ... 205 H 2
Bessins 38 ... 250 A 1
Besson 03 ... 192 A 3
Bessoncourt 90 ... 142 C 3
Bessonies 46 ... 261 G 1
Les Bessons 48 ... 264 A 2
Bessuéjouls 12 ... 263 E 4
Bessy 10 ... 90 D 2
Bessy-sur-Cure 89 ... 136 C 5
Bestiac 09 ... 336 C 5
Bétaille 46 ... 242 D 5
Betaucourt 70 ... 140 D 2
Betbèze 65 ... 316 A 5
Betbezer-d'Armagnac 40 ... 274 C 5
Betcave-Aguin 32 ... 316 B 2
Betchat 09 ... 335 E 1
Bétête 23 ... 189 H 4
Béthancourt-en-Valois 60 ... 39 G 3
Béthancourt-en-Vaux 02 ... 24 A 5
Bétharram *Grottes de* 64 ... 332 C 1
Béthelainville 55 ... 43 H 4
Béthemont-la-Forêt 95 ... 58 B 1
Béthencourt 59 ... 14 D 4
Béthencourt-sur-Mer 80 ... 11 E 4
Béthencourt-sur-Somme 80 ... 23 G 3
Bétheniville 51 ... 42 B 3
Bétheny 51 ... 41 G 3
Béthincourt 55 ... 43 H 3
Béthines 86 ... 187 G 2
Béthisy-Saint-Martin 60 ... 39 F 3
Béthisy-Saint-Pierre 60 ... 39 F 3
Bethmale 09 ... 335 E 3
Bethon 51 ... 90 A 2
Béthon 72 ... 83 G 4
Bethoncourt 25 ... 142 B 4
Béthonsart 62 ... 7 H 5
Béthonvilliers 28 ... 109 E 2
Bethonvilliers 90 ... 142 C 2
Béthune 62 ... 8 A 4
Bétignicourt 10 ... 91 G 4
Beton-Bazoches 77 ... 60 A 5
Betoncourt-lès-Brotte 70 ... 141 G 3
Betoncourt-
les-Ménétriers 70 ... 140 C 4
Betoncourt-
Saint-Pancras 70 ... 118 D 5
Betoncourt-sur-Mance 70 ... 140 B 2
Bétous 32 ... 295 E 3
Betplan 32 ... 315 F 2
Betpouey 65 ... 333 E 3
Betpouy 65 ... 315 H 4
Bétracq 64 ... 294 D 5
Betschdorf 67 ... 69 F 2
Bettaincourt-sur-Rognon 52 ... 93 E 5
Bettainvillers 54 ... 45 F 4
Bettancourt-la-Ferrée 52 ... 63 F 5
Bettancourt-la-Longue 51 ... 63 E 3
Bettange 57 ... 46 C 4
Bettant 01 ... 214 A 3
Bettborn 57 ... 67 G 4
Bettegney-Saint-Brice 88 ... 95 E 5
Bettelainville 57 ... 46 B 4
Bettembos 80 ... 21 G 3
Bettencourt-Rivière 80 ... 11 H 4
Bettencourt-Saint-Ouen 80 ... 12 B 5
Bettendorf 68 ... 143 F 3
Bettes 65 ... 333 F 1
Betteville 76 ... 19 H 5
Bettignies 59 ... 15 G 2
Betting 57 ... 47 E 5
Bettlach 68 ... 143 G 4
Betton 35 ... 104 B 2
Betton-Bettonet 73 ... 233 H 2
Bettoncourt 88 ... 94 D 4
Bettoncourt-le-Haut 52 ... 93 F 4
Bettrechies 59 ... 15 F 2
Bettviller 57 ... 68 A 1
Bettwiller 67 ... 67 H 3
Betz 60 ... 39 G 5
Betz-le-Château 37 ... 170 B 2
Beugin 62 ... 7 H 5
Beugnâtre 62 ... 13 H 4
Beugneux 02 ... 40 C 4
Beugnies 59 ... 15 H 4
Le Beugnon 79 ... 184 D 1
Beugnon 89 ... 114 C 4
Beugny 62 ... 13 H 4
Beuil 06 ... 289 G 3
Le Beulay 88 ... 96 C 4
Beulotte-Saint-Laurent 70 ... 119 H 5
Beure 25 ... 162 A 4
Beurey 10 ... 115 H 2
Beurey-Bauguay 21 ... 159 E 4
Beurey-sur-Saulx 55 ... 63 G 4
Beurières 63 ... 229 E 4
Beurizot 21 ... 159 E 3
Beurlay 17 ... 201 E 4
Beurville 52 ... 92 B 5
Beussent 62 ... 6 C 3
Beuste 64 ... 314 C 5
Beutal 25 ... 142 A 5
Beutin 62 ... 6 B 4
Beuvardes 02 ... 40 C 5
Beuveille 54 ... 44 D 2
Beuvezin 54 ... 94 C 4
Beuvillers 14 ... 34 C 5
Beuvillers 54 ... 45 F 3
Beuvrages 59 ... 9 G 5
Beuvraignes 80 ... 23 F 4
Beuvray *Mont* 71 ... 176 B 3
Beuvrequen 62 ... 2 B 5
Beuvreuil 76 ... 37 F 1
Beuvrigny 50 ... 52 B 1
Beuvron 58 ... 157 E 3
Beuvron-en-Auge 14 ... 34 A 4
Beuvry 62 ... 8 A 4
Beuvry-la-Forêt 59 ... 9 E 4
Beux 57 ... 66 B 2
Beuxes 86 ... 168 D 1
Beuzec-Cap-Sizun 29 ... 99 E 2
Beuzeville 27 ... 34 D 3
Beuzeville-au-Plain 50 ... 29 G 5
Beuzeville-la-Bastille 50 ... 31 H 2
Beuzeville-la-Grenier 76 ... 19 E 5
Beuzeville-la-Guérard 76 ... 19 F 4
Beuzevillette 76 ... 19 F 5
Bévenais 38 ... 232 B 4
Beveuge 70 ... 141 H 5
Béville-le-Comte 28 ... 86 C 4
Bévillers 59 ... 14 C 4
Bevons 04 ... 287 F 3
Bévy 21 ... 159 H 5
Bey 01 ... 195 E 5
Bey 71 ... 178 A 3
Bey-sur-Seille 54 ... 66 B 4
Beychac-et-Caillau 33 ... 237 H 5
Beychevelle 33 ... 237 F 2
Beylongue 40 ... 293 F 1
Beynac 87 ... 205 G 5
Beynac-et-Cazenac 24 ... 259 F 1
Beynat 19 ... 242 D 3
Beynes 04 ... 288 A 5
Beynes 78 ... 57 G 3
Beynost 01 ... 213 F 4
Beyrède *Col de* 65 ... 333 G 2
Beyrède-Jumet 65 ... 333 H 3
Beyren-lès-Sierck 57 ... 45 H 2
Beyrie-en-Béarn 64 ... 314 A 3
Beyrie-sur-Joyeuse 64 ... 311 G 4
Beyries 40 ... 293 H 4
Beyssac 19 ... 223 H 5
Beyssac *Château de* 24 ... 241 F 5
Beyssenac 19 ... 223 G 4
Le Bez 81 ... 300 A 5
Bez-et-Esparon 30 ... 282 C 5
Bézac 09 ... 336 B 1
Bezalles 77 ... 60 A 5
Bézancourt 76 ... 37 F 2
Bezange-la-Grande 54 ... 66 C 5
Bezange-la-Petite 57 ... 66 D 5
Bezannes 51 ... 41 G 4
Les Bézards 45 ... 134 D 3
Bézaudun-les-Alpes 06 ... 309 F 1
Bézaudun-sur-Bîne 26 ... 267 H 3
Bezaumont 54 ... 65 G 4
Bèze 21 ... 160 C 1
Bézenac 24 ... 259 F 1
Bézenet 03 ... 191 F 4
Bézéril 32 ... 296 D 5
Béziers 34 ... 321 G 3
Bezinghem 62 ... 6 C 3
Bezins-Garraux 31 ... 334 B 3
La Bezole 11 ... 337 F 2
Bezolles 32 ... 295 H 2
Bezons 95 ... 58 B 2
Bezonvaux 55 ... 44 C 5
Bezouce 30 ... 304 A 1
Bézouotte 21 ... 160 C 2
Bézu-la-Forêt 27 ... 37 F 2
Bézu-le-Guéry 02 ... 60 A 1
Bézu-Saint-Éloi 27 ... 37 F 3
Bézu-Saint-Germain 02 ... 40 C 5
Bézues-Bajon 32 ... 316 B 3
Biache-Saint-Vaast 62 ... 13 H 2
Biaches 80 ... 23 G 1
Bians-les-Usiers 25 ... 180 C 2
Biard 86 ... 186 B 1
Les Biards 50 ... 81 F 2
Biarne 39 ... 160 D 5
Biarre 80 ... 23 G 4
Biarritz 64 ... 310 C 2
Biarritz-Bayonne-Anglet
Aéroport de 64 ... 310 C 2
Biarrotte 40 ... 292 C 4
Biars-sur-Cère 46 ... 243 E 5
Bias 40 ... 272 B 3
Bias 47 ... 258 B 5
Biaudos 40 ... 292 B 4
Bibiche 57 ... 46 C 3
Biblisheim 67 ... 69 E 2
Bibost 69 ... 212 C 5
Bichancourt 02 ... 24 A 5
Biches 58 ... 175 G 2
Bickenholtz 57 ... 67 H 4
Bicqueley 54 ... 94 B 1
Bidache 64 ... 292 D 5
Bidarray 64 ... 311 E 5
Bidart 64 ... 310 C 3
Bidestroff 57 ... 67 E 3
Biding 57 ... 67 E 1
Bidon 07 ... 284 C 1
Bidos 64 ... 331 H 1
Biécourt 88 ... 94 C 4
Biederthal 68 ... 143 G 4
Bief 25 ... 163 F 2
Bief-des-Maisons 39 ... 180 A 4
Bief-du-Fourg 39 ... 180 B 3
Biefmorin 39 ... 179 E 2
Biefvillers-lès-Bapaume 62 ... 13 G 4
Bielle 64 ... 332 A 1
Bielsa *Tunnel de* 65 ... 333 F 5
Bienassis *Château de* 22 ... 78 D 2
Biencourt 80 ... 11 F 5
Biencourt-sur-Orge 55 ... 93 F 2
Bienville 60 ... 39 F 2
Bienville-la-Petite 54 ... 95 F 1
Bienvillers-au-Bois 62 ... 13 F 3
Biermes 08 ... 42 B 1
Biermont 60 ... 23 F 5
Bierné 53 ... 128 C 2
Bierne 59 ... 3 G 3
Biernes 52 ... 92 C 5
Bierre-lès-Semur 21 ... 158 D 2
Bierry-
les-Belles-Fontaines 89 ... 137 G 5
Biert 09 ... 335 G 3
Bierville 76 ... 36 C 1
Biesheim 68 ... 121 F 3
Biesles 52 ... 117 F 3
Bietlenheim 67 ... 69 E 4
Bieujac 33 ... 256 C 4
Bieuxy 02 ... 40 A 2
Bieuzy 56 ... 101 G 4
Bieuzy-Lanvaux 56 ... 124 A 2
Biéville 50 ... 32 C 5
Biéville-Beuville 14 ... 33 G 4
Biéville-en-Auge 14 ... 34 A 5
Biéville-Quétiéville 14 ... 34 A 5
Biéville-sur-Orne 14 ... 33 G 4
Bièvres 02 ... 41 E 1
Bièvres 08 ... 27 H 5
Bièvres 91 ... 58 B 4
Biffontaine 88 ... 96 A 5
Biganos 33 ... 254 C 2
Bignac 16 ... 203 E 5
Bignan 56 ... 102 B 5
Bignay 17 ... 201 G 3
La Bigne 14 ... 52 D 1
Bignicourt 08 ... 42 B 2
Bignicourt-sur-Marne 51 ... 62 C 5
Bignicourt-sur-Saulx 51 ... 63 E 4
Le Bignon 44 ... 147 H 5
Le Bignon-du-Maine 53 ... 106 B 5
Le Bignon-Mirabeau 45 ... 112 D 3
Bignoux 86 ... 186 C 1
Bigny 18 ... 173 E 4
Bigorno 2B ... 347 F 2
La Bigottière 53 ... 105 H 2
Biguglia 2B ... 345 G 5
Bihucourt 62 ... 13 G 4
Bilazais 79 ... 168 B 2
Bile *Pointe du* 56 ... 145 G 3
Bilhères 64 ... 332 A 1
Bilia 2A ... 350 D 2
Bilieu 38 ... 232 C 4
Billac 19 ... 242 D 5
Billancelles 28 ... 85 G 3
Billancourt 80 ... 23 G 3
Les Billanges 87 ... 206 C 3
Billaude *Cascade de la* 39 ... 179 H 5
Les Billaux 33 ... 238 B 4
Billé 35 ... 81 E 5
Billecul 39 ... 180 A 4
Billère 64 ... 314 B 3
Billey 21 ... 160 D 5
Billezois 03 ... 210 C 1

Billiat 01 ... 214 D2
Billième 73 ... 215 E5
Billière 31 ... 334 A4
Billiers 56 ... 124 D5
Billio 56 ... 102 C5
Billom 63 ... 228 B1
Billy 03 ... 192 B5
Billy 14 ... 33 H5
Billy 41 ... 153 G3
Billy-Berclau 62 ... 8 C4
Billy-Chevannes 58 ... 175 E2
Billy-le-Grand 51 ... 42 A5
Billy-lès-Chanceaux 21 ... 138 C5
Billy-Montigny 62 ... 8 C5
Billy-sous-les-Côtes 55 ... 64 D2
Billy-sous-Mangiennes 55 ... 44 C3
Billy-sur-Aisne 02 ... 40 B3
Billy-sur-Oisy 58 ... 157 E1
Billy-sur-Ourcq 02 ... 40 B4
Biltzheim 68 ... 121 E4
Bilwisheim 67 ... 68 D4
Bimont 62 ... 6 D3
Binarville 51 ... 43 E4
Binas 41 ... 132 B2
Bindernheim 67 ... 97 G4
Binges 21 ... 160 C3
Binic 22 ... 73 H5
Bining 57 ... 68 A1
Biniville 50 ... 29 F5
Binos 31 ... 334 B3
Binson-et-Orquigny 51 ... 41 E5
Bio 46 ... 260 D1
Biol 38 ... 232 B3
La Biolle 73 ... 215 F5
Biollet 63 ... 208 D3
Bion 50 ... 52 C5
Bioncourt 57 ... 66 B4
Bionville 54 ... 96 B2
Bionville-sur-Nied 57 ... 66 C1
Biot 06 ... 309 F3
Le Biot 74 ... 198 C4
Bioule 82 ... 278 B4
Bioussac 16 ... 203 G2
Biozat 03 ... 210 A2
Birac 16 ... 220 D2
Birac 33 ... 256 C5
Birac-sur-Trec 47 ... 257 F5
Biran 32 ... 295 H3
Biras 24 ... 240 B1
Biriatou 64 ... 310 B4
Birieux 01 ... 213 G3
Birkenwald 67 ... 68 B5
Birlenbach 67 ... 69 E1
Biron 17 ... 219 H2
Biron 24 ... 258 D3
Biron 64 ... 313 G2
Bisanne Signal de 73 ... 216 B5
Biscarrosse 40 ... 254 B5
Biscarrosse-Plage 40 ... 254 A5
Bischheim 67 ... 97 H1
Bischholtz 67 ... 68 C3
Bischoffsheim 67 ... 97 F2
Bischtroff-sur-Sarre 67 ... 67 G3
Bischwihr 68 ... 121 F2
Bischwiller 67 ... 69 E4
Bisel 68 ... 143 E4
Bisinao 2A ... 348 D4
Bisinchi 2B ... 347 F2
Bislée 55 ... 64 C4
Bisping 57 ... 67 F4
Bissert 67 ... 67 G2
Bisseuil 51 ... 61 H1
Bissey-la-Côte 21 ... 116 A5
Bissey-la-Pierre 21 ... 137 H2
Bissey-sous-Cruchaud 71 ... 177 G5
Bissezeele 59 ... 3 G3
Bissières 14 ... 34 A5
Bissy-la-Mâconnaise 71 ... 195 E2
Bissy-sous-Uxelles 71 ... 194 D1
Bissy-sur-Fley 71 ... 177 F5
Bisten-en-Lorraine 57 ... 46 D5
Bistroff 57 ... 67 E2
Bitche 57 ... 68 B1
Bitry 58 ... 156 B1
Bitry 60 ... 39 H2
Bitschhoffen 67 ... 68 D3
Bitschwiller-lès-Thann 68 ... 142 D1
Biver 13 ... 327 E1
Bivès 32 ... 296 C2
Biviers 38 ... 251 E1
Biville 50 ... 28 D3
Biville-la-Baignarde 76 ... 20 A3
Biville-la-Rivière 76 ... 20 A3
Biville-sur-Mer 76 ... 10 C5
Bivilliers 61 ... 84 C2
Bizanet 11 ... 320 D5
Bizanos 64 ... 314 B4
Bize 52 ... 140 A2
Bize 65 ... 334 A2
Bize-Minervois 11 ... 320 D4
Bizeneuille 03 ... 191 E3
Le Bizet 59 ... 8 C2
Biziat 01 ... 195 F5
Bizonnes 38 ... 232 B4
Le Bizot 25 ... 163 F4
Les Bizots 71 ... 176 D4
Bizou 61 ... 84 D3
Bizous 65 ... 333 H1
Blacé 69 ... 212 D2
Blaceret 69 ... 212 D2
Blacourt 60 ... 37 G1
Blacqueville 76 ... 19 H5
Blacy 51 ... 62 C4
Blacy 89 ... 137 F5
Blaesheim 67 ... 97 G2
Blagnac 31 ... 297 H4
Blagny 08 ... 27 G4
Blagny-sur-Vingeanne 21 ... 160 D2
Blaignac 33 ... 256 D4
Blaignan 33 ... 219 E5
Blain 44 ... 147 F1
Blaincourt-lès-Précy 60 ... 38 C4
Blaincourt-sur-Aube 10 ... 91 G4
Blainville-Crevon 76 ... 36 C1
Blainville-sur-l'Eau 54 ... 95 F2
Blainville-sur-Mer 50 ... 31 F5
Blainville-sur-Orne 14 ... 33 H4
Blairville 62 ... 13 F3
Blaise 08 ... 42 D2
Blaise 52 ... 92 C5
Blaise-sous-Arzillières 51 ... 62 C5
Blaison-Saint-Sulpice 49 ... 149 H2
Blaisy 52 ... 116 D2
Blaisy-Bas 21 ... 159 G2
Blaisy-Haut 21 ... 159 G3
Blajan 31 ... 316 B4
Blajoux 48 ... 282 C1
Blamont 25 ... 163 G2
Blâmont 54 ... 96 A1
Blan 81 ... 299 E5
Le Blanc 36 ... 187 H1
Blanc Lac 68 ... 120 C2
Le Blanc-Mesnil 93 ... 58 D2
Blanc-Misseron 59 ... 9 H5
Blanc-Nez Cap 62 ... 2 B3
Blancafort 18 ... 155 F1
Blancey 21 ... 159 E3
Blancfossé 60 ... 22 B4
Blanche-Église 57 ... 67 E4
Blanchefontaine 25 ... 163 F3
Blanchefosse 08 ... 25 H3
Blancherupt 67 ... 96 D3
Blancheville 52 ... 117 E2
Blandainville 28 ... 85 H5
Blandas 30 ... 302 A1
Blandin 38 ... 232 B3
Blandouet 53 ... 106 D4
Blandy 77 ... 88 C2
Blandy 91 ... 87 G5
Blangermont 62 ... 12 C2
Blangerval 62 ... 12 C2
Blangy-le-Château 14 ... 34 D4
Blangy-sous-Poix 80 ... 21 H3
Blangy-sur-Bresle 76 ... 11 F5
Blangy-sur-Ternoise 62 ... 7 F5
Blangy-Tronville 80 ... 22 C2
Blannay 89 ... 157 H1
Blanot 21 ... 158 C5
Blanot 71 ... 194 D2
Blanquefort 32 ... 296 C4
Blanquefort 33 ... 237 F5
Blanquefort-sur-Briolance 47 ... 259 E3
Blanzac 16 ... 221 E3
Blanzac 43 ... 247 F3
Blanzac 87 ... 205 F1
Blanzac-lès-Matha 17 ... 202 B4
Blanzaguet-Saint-Cybard 16 ... 221 G4
Blanzat 63 ... 209 G5
Blanzay 86 ... 186 B5
Blanzay-sur-Boutonne 17 ... 201 H2
Blanzée 55 ... 44 C5
Blanzy 71 ... 176 D5
Blanzy-la-Salonnaise 08 ... 41 H1
Blanzy-lès-Fismes 02 ... 40 D3
Blargies 60 ... 21 G4
Blarians 25 ... 162 B2
Blaringhem 59 ... 7 G2
Blars 46 ... 260 D4
Blaru 78 ... 56 D1
Blasimon 33 ... 256 D2
Blaslay 86 ... 169 E5
Blassac 43 ... 246 B2
Blaudeix 23 ... 189 H5
Blausasc 06 ... 291 F5
Blauvac 84 ... 286 A4
Blauzac 30 ... 284 B5
Blavignac 48 ... 246 A5
Blavozy 43 ... 247 G3
Blay 14 ... 32 D3
Blaye 33 ... 237 F2
Blaye-les-Mines 81 ... 279 G5
Blaymont 47 ... 276 D2
Blaziert 32 ... 296 A1
Blécourt 52 ... 92 D4
Blécourt 59 ... 14 B3
Blégiers 04 ... 288 B2
Bleigny-le-Carreau 89 ... 136 C2
Bleine Col de 06 ... 308 D1
Blémerey 54 ... 95 H1
Blémerey 88 ... 94 C4
Blendecques 62 ... 3 F5
Bléneau 89 ... 135 E4
Blennes 77 ... 113 E2
Blénod-lès-Pont-à-Mousson 54 ... 65 G3
Blénod-lès-Toul 54 ... 94 B1
Bléquin 62 ... 6 D2
Blérancourt 02 ... 40 A1
Blercourt 55 ... 43 H5
Bléré 37 ... 152 C3
Blériot-Plage 62 ... 2 C3
Bléruais 35 ... 103 G3
Blésignac 33 ... 256 B1
Blesle 43 ... 227 H5
Blesme 51 ... 63 E4
Blesmes 02 ... 60 C1
Blessac 23 ... 207 G3
Blessonville 52 ... 116 D4
Blessy 62 ... 7 G3
Blet 18 ... 173 H3
Bletterans 39 ... 179 E4
Bleurville 88 ... 118 C3
Bleury-Saint-Symphorien 28 ... 86 C3
Blevaincourt 88 ... 118 A3
Blèves 72 ... 84 A3
Blévy 28 ... 85 G2
Le Bleymard 48 ... 265 E5
Blicourt 60 ... 22 A5
Blienschwiller 67 ... 97 E4
Blies-Ébersing 57 ... 47 H5
Blies-Guersviller 57 ... 47 G5
Bliesbruck 57 ... 47 H5
Blieux 04 ... 307 H1
Blignicourt 10 ... 91 H3
Bligny 10 ... 116 A3
Bligny 51 ... 41 F4
Bligny-en-Othe 89 ... 114 A4
Bligny-le-Sec 21 ... 159 G2
Bligny-lès-Beaune 21 ... 177 H2
Bligny-sur-Ouche 21 ... 159 F5
Blincourt 60 ... 39 E2
Blingel 62 ... 7 E5
Blis-et-Born 24 ... 241 E2
Blismes 58 ... 157 H5
Blodelsheim 68 ... 121 G5
Blois 41 ... 132 A5
Blois-sur-Seille 39 ... 179 F4
Blomac 11 ... 320 B5
Blomard 03 ... 191 G5
Blombay 08 ... 26 B2
Blond 87 ... 205 F2
Blondefontaine 70 ... 118 B5
Blonville-sur-Mer 14 ... 34 B3
Blosseville 76 ... 19 H2
Blosville 50 ... 31 H2
Blot-l'Église 63 ... 209 G2
Blotzheim 68 ... 143 G3
Blou 49 ... 150 C2
Blousson-Sérian 32 ... 315 F2
La Bloutière 50 ... 52 A2
Bloye 74 ... 215 F4
Bluffy 74 ... 215 H4
Blumeray 52 ... 92 B4
Blussangeaux 25 ... 142 A5
Blussans 25 ... 142 A5
Blye 39 ... 179 F5
Blyes 01 ... 213 H4
Le Bô 14 ... 53 F2
Bobigny 93 ... 58 D3
Bobital 22 ... 79 G4
Le Bocasse 76 ... 20 B5
La Bocca 06 ... 309 E4
Bocca Bassa Col de 2B ... 346 A3
Bocca di Vezzu 2B ... 345 E5
Bocé 49 ... 150 C1
Bocognano 2A ... 349 E2
Bocquegney 88 ... 119 E2
Bocquencé 61 ... 55 E3
Le Bodéo 22 ... 78 A5
Bodilis 29 ... 71 F5
Boé 47 ... 276 B3
Boëcé 61 ... 84 B3
Boëge 74 ... 198 A5
Boeil-Bezing 64 ... 314 C4
Le Boël 35 ... 104 A4
Boën-sur-Lignon 42 ... 229 G1
Bœrsch 67 ... 97 E2
Boeschepe 59 ... 4 A5
Boëseghem 59 ... 7 G2
Bœsenbiesen 67 ... 97 G5
Boësse 79 ... 167 G2
Boëssé-le-Sec 72 ... 108 C3
Boësses 45 ... 112 A3
Bœurs-en-Othe 89 ... 114 B3
Boffles 62 ... 12 C3
Boffres 07 ... 248 D5
Bogève 74 ... 198 A5
Bogny-sur-Meuse 08 ... 26 D2
Bogros 63 ... 226 D2
Bogy 07 ... 249 E1
Bohain-en-Vermandois 02 ... 24 C1
Bohal 56 ... 125 E2
La Bohalle 49 ... 149 H2
Bohars 29 ... 75 E2
Bohas 01 ... 214 A1
Boigneville 91 ... 87 H5
Boigny-sur-Bionne 45 ... 111 E5
Boinville-en-Mantois 78 ... 57 F2
Boinville-en-Woëvre 55 ... 44 D5
Boinville-le-Gaillard 78 ... 86 D3
Boinvilliers 78 ... 57 F2
Boiry-Becquerelle 62 ... 13 G3
Boiry-Notre-Dame 62 ... 13 H2
Boiry-Saint-Martin 62 ... 13 G3
Boiry-Sainte-Rictrude 62 ... 13 G3
Bois 17 ... 219 G3
Le Bois 73 ... 234 B3
Bois-Anzeray 27 ... 55 G2
Bois-Arnault 27 ... 55 G4
Bois-Aubry Abbaye de 37 ... 169 G2
Bois-Bernard 62 ... 8 C5
Bois-Chenu Basilique du 88 ... 93 H3
Bois-Chevalier Château de 44 ... 165 G2
Bois-Colombes 92 ... 58 B3
Bois-d'Amont 39 ... 197 G1
Bois-d'Arcy 78 ... 58 A4
Bois-d'Arcy 89 ... 157 G1
Bois-de-Céné 85 ... 165 E2
Bois-de-Champ 88 ... 96 A5
Bois-de-Gand 39 ... 179 E3
Bois-de-la-Chaize 85 ... 164 B1
Bois-de-la-Pierre 31 ... 317 F3
Bois-d'Ennebourg 76 ... 36 C2
Le Bois-d'Oingt 69 ... 212 C4
Bois Dousset Château du 86 ... 186 D1
Bois-du-Four 12 ... 281 G2
Bois-Grenier 59 ... 8 C2
Bois-Guilbert 76 ... 20 D5
Bois-Guillaume-Bihorel 76 ... 36 B1
Le Bois-Hellain 27 ... 35 E3
Bois-Héroult 76 ... 20 D5
Bois-Herpin 91 ... 87 G5
Bois-Himont 76 ... 19 G5
Bois-Jérôme-Saint-Ouen 27 ... 37 E5
Bois-la-Ville 25 ... 162 C2
Bois-le-Roi 27 ... 56 C3
Bois-le-Roi 77 ... 88 B3
Bois-lès-Pargny 02 ... 24 D3
Bois-l'Évêque 76 ... 36 C2
Bois Noirs 42 ... 210 D4
Bois-Normand-près-Lyre 27 ... 55 G3
Le Bois-Plage-en-Ré 17 ... 182 D5
Le Bois-Robert 76 ... 20 B2
Bois-Sainte-Marie 71 ... 194 A4
Bois-Sir-Amé Château de 18 ... 173 F3
Bois-Thibault Château de 53 ... 82 C3
Boisbergues 80 ... 12 C4
Boisbreteau 16 ... 220 C5
Boiscommun 45 ... 111 H4
Boisdinghem 62 ... 3 E5
Boisdon 77 ... 60 A5
Boisemont 27 ... 37 E3
Boisemont 95 ... 57 H1
Boisgasson 28 ... 109 G4
Boisgervilly 35 ... 103 G2
Boisjean 62 ... 6 C5
Le Boisle 80 ... 11 H1
Boisleux-au-Mont 62 ... 13 G3
Boisleux-Saint-Marc 62 ... 13 G3
Boismé 79 ... 167 H4
Boismont 54 ... 44 D3
Boismont 80 ... 11 F3
Boismorand 45 ... 134 D3
Boisney 27 ... 35 F5
Boisrault 80 ... 21 G2
Boisredon 17 ... 219 G5
Boisroger 50 ... 31 F5
Boissay 76 ... 36 D1
La Boisse 01 ... 213 G4
Boisse 24 ... 258 B2
Boisse-Penchot 12 ... 261 H4
Boisseau 41 ... 132 A3
Boisseaux 45 ... 111 E2
Boissède 31 ... 316 C3
Boissei-la-Lande 61 ... 54 B5
Boisserolles 79 ... 201 H1
Boisseron 34 ... 303 F3
Les Boisses 73 ... 235 F2
Boisset 15 ... 261 H1
Boisset 34 ... 320 C3
Boisset 43 ... 229 G5
Boisset-et-Gaujac 30 ... 283 G5
Boisset-lès-Montrond 42 ... 229 H2
Boisset-les-Prévanches 27 ... 56 C2
Boisset-Saint-Priest 42 ... 229 H3
Boissets 78 ... 57 E3
Boissettes 77 ... 88 B3
Boisseuil 87 ... 205 H5
Boisseuilh 24 ... 241 G1
Boissey 01 ... 195 F3
Boissey 14 ... 54 B1
Boissey-le-Châtel 27 ... 35 G3
Boissezon 81 ... 299 H5
Boissia 39 ... 196 D1
La Boissière 14 ... 34 C5
La Boissière 27 ... 56 D2
La Boissière 34 ... 302 B4
La Boissière 39 ... 196 B3
La Boissière 53 ... 127 H3
La Boissière Ancienne Abbaye 49 ... 129 H5
La Boissière-d'Ans 24 ... 241 E1
La Boissière-de-Montaigu 85 ... 166 B2
La Boissière-des-Landes 85 ... 182 D1
La Boissière-du-Doré 44 ... 148 B4
La Boissière-École 78 ... 57 F5
La Boissière-en-Gâtine 79 ... 185 E1
La Boissière-sur-Èvre 49 ... 148 C3
Boissières 30 ... 303 G2
Boissières 46 ... 259 H4
Boissise-la-Bertrand 77 ... 88 B3
Boissise-le-Roi 77 ... 88 A3
Boissy-aux-Cailles 77 ... 88 A5
Boissy-en-Drouais 28 ... 56 C5
Boissy-Fresnoy 60 ... 39 G5
Boissy-la-Rivière 91 ... 87 F5
Boissy-l'Aillerie 95 ... 57 H1
Boissy-Lamberville 27 ... 35 F5
Boissy-le-Bois 60 ... 37 H4
Boissy-le-Châtel 77 ... 60 A4
Boissy-le-Cutté 91 ... 87 G3
Boissy-le-Repos 51 ... 60 D3
Boissy-le-Sec 91 ... 87 F3
Boissy-lès-Perche 28 ... 55 H5
Boissy-Mauvoisin 78 ... 57 E2
Boissy-Saint-Léger 94 ... 58 D4
Boissy-sans-Avoir 78 ... 57 G4
Boissy-sous-Saint-Yon 91 ... 87 G3
Boissy-sur-Damville 27 ... 56 B3
Boistrudan 35 ... 104 D4
Boisville-la-Saint-Père 28 ... 86 C5
Boisyvon 50 ... 52 A3
Boitron 61 ... 83 H2
Boitron 77 ... 60 B3
Bolandoz 25 ... 180 A1
Bolazec 29 ... 76 D2
Bolbec 76 ... 19 E5
Bollène 84 ... 285 E2
La Bollène-Vésubie 06 ... 291 F3
Bolleville 50 ... 31 F3
Bolleville 76 ... 19 F5
Bollezeele 59 ... 3 G4
La Bolline 06 ... 289 H3
Bollwiller 68 ... 121 E5
Bologne 52 ... 117 E2
Bolozon 01 ... 196 B5
Bolquère 66 ... 341 G4
Bolsenheim 67 ... 97 G3
Bombannes 33 ... 236 B2
Bombon 77 ... 88 D2
Bommes 33 ... 255 H4
Bommiers 36 ... 172 B4
Bompas 09 ... 336 B4
Bompas 66 ... 339 E5
Bomy 62 ... 7 F3
Bon-Encontre 47 ... 276 B3
Bona 58 ... 175 E1
Bonac-Irazein 09 ... 335 E4
Bonaguil Château de 47 ... 259 E4
Bonas 32 ... 295 H2
Bonascre Plateau de 09 ... 340 D2
Bonboillon 70 ... 161 F3
Boncé 28 ... 86 B5
Bonchamp-lès-Laval 53 ... 106 A3
Boncourt 02 ... 25 F5
Boncourt 27 ... 56 C1
Boncourt 28 ... 56 D3
Boncourt 54 ... 45 E5
Boncourt-le-Bois 21 ... 160 A5
Boncourt-sur-Meuse 55 ... 64 C4
Bondaroy 45 ... 111 G3
Bondeval 25 ... 142 C5
Bondigoux 31 ... 298 A2
Les Bondons 48 ... 282 D1
Bondoufle 91 ... 87 H2
Bondues 59 ... 8 D2
Bondy 93 ... 58 D3
Bonen 22 ... 77 F5
Bonette Cime de la 04 ... 289 E1
Bongheat 63 ... 228 B1
Le Bonhomme 68 ... 120 C2
Bonhomme Col du 88 ... 120 C2
Bonifacio 2A ... 351 F4
Bonifato Cirque de 2B ... 346 C3
Bonlier 60 ... 38 A1
Bonlieu 39 ... 197 E1
Bonlieu-sur-Roubion 26 ... 267 F3
Bonloc 64 ... 311 E4
Bonnac 09 ... 318 B5
Bonnac 15 ... 245 H2
Bonnac-la-Côte 87 ... 205 H4
Bonnal 25 ... 141 G5
Bonnard 89 ... 114 A5
Bonnat 23 ... 189 F4
Bonnatrait 74 ... 198 A3
Bonnaud 39 ... 196 A1
Bonnay 25 ... 162 A2
Bonnay 71 ... 194 C2
Bonnay 80 ... 22 D1
Bonne 74 ... 197 H5
Bonne-Fontaine 57 ... 68 A4
Bonne-Fontaine Château de 35 ... 80 C3
Bonnebosq 14 ... 34 B4
Bonnecourt 52 ... 117 G5
Bonnée 45 ... 134 A3
Bonnefamille 38 ... 231 H2
Bonnefoi 61 ... 55 F5
Bonnefond 19 ... 225 F3
Bonnefont 65 ... 315 H4
Bonnefontaine 39 ... 179 G4
Bonnefontaine Ancienne Abbaye de 08 ... 25 H3
Bonnegarde 40 ... 293 G4
Bonneil 02 ... 60 B1
Bonnelles 78 ... 87 E2
Bonnemain 35 ... 80 A3
Bonnemaison 14 ... 53 E1
Bonnemazon 65 ... 333 G1
Bonnencontre 21 ... 178 B1
Bonnes 16 ... 239 F1
Bonnes 86 ... 186 D1
Bonnesvalyn 02 ... 40 B5
Bonnet 55 ... 93 G2
Bonnétable 72 ... 108 B3
Bonnétage 25 ... 163 F4
Bonnetan 33 ... 255 H1
Bonneuil 16 ... 220 C2
Bonneuil 36 ... 188 A4
Bonneuil-en-France 95 ... 58 C2
Bonneuil-en-Valois 60 ... 39 G3
Bonneuil-les-Eaux 60 ... 22 B4
Bonneuil-Matours 86 ... 169 G5
Bonneuil-sur-Marne 94 ... 58 D4
Bonneval 28 ... 110 A3
Bonneval 43 ... 247 E1
Bonneval 73 ... 234 B2
Bonneval-en-Diois 26 ... 268 D3
Bonneval-sur-Arc 73 ... 235 G4
Bonnevaux 25 ... 180 B3
Bonnevaux 30 ... 283 G1
Bonnevaux 74 ... 198 C4
Bonnevaux-le-Prieuré 25 ... 162 B5
Bonneveau 41 ... 131 E3
Bonnevent-Velloreille 70 ... 161 H2
Bonneville 16 ... 202 D4
La Bonneville 50 ... 31 G2
Bonneville 74 ... 216 A1
Bonneville 80 ... 12 C5
Bonneville-Aptot 27 ... 35 G4
Bonneville-et-Saint-Avit-de-Fumadières 24 ... 239 E5
Bonneville-la-Louvet 14 ... 34 D3
La Bonneville-sur-Iton 27 ... 56 A2

A
B
C
D
E
F
G
H
I
J
K
L
M
N
O
P
Q
R
S
T
U
V
W
X
Y
Z

Bonneville-sur-Touques 14.....34 C 3
Bonnières 60.....37 H 1
Bonnières 62.....12 C 3
Bonnières-sur-Seine 78.....57 E 1
Bonnieux 84.....305 H 2
Bonningues-lès-Ardres 62.....2 D 5
Bonningues-lès-Calais 62.....2 C 4
Bonnœil 14.....53 G 2
Bonnœuvre 44.....127 F 5
Bonnut 64.....293 G 5
Bonny-sur-Loire 45.....156 A 1
Le Bono 56.....124 A 3
Bonrepos 65.....315 H 5
Bonrepos-Riquet 31.....298 B 4
Bonrepos-sur-Aussonnelle 31.....297 F 5
Bons-en-Chablais 74.....198 A 4
Bons-Tassilly 14.....53 H 2
Bonsecours 76.....36 B 2
Bonsmoulins 61.....55 E 5
Bonson 06.....291 E 4
Bonson 42.....229 H 3
Bonvillard 73.....234 A 2
Bonvillaret 73.....234 A 2
Bonviller 54.....95 F 1
Bonvillers 60.....22 C 5
Bonvillet 88.....118 C 3
Bonvouloir Tour de 61.....82 C 2
Bony 02.....24 A 1
Bonzac 33.....238 C 4
Bonzée-en-Woëvre 55.....64 D 1
Boô-Silhen 65.....332 D 2
Boofzheim 67.....97 G 4
Boos 40.....293 E 1
Boos 76.....36 B 2
Bootzheim 67.....97 G 5
Boqueho 22.....78 A 3
Boquen Abbaye de 22.....78 D 5
Bor-et-Bar 12.....279 G 3
Boran-sur-Oise 60.....38 C 5
Borce 64.....331 H 4
Borcq-sur-Airvault 79.....168 B 3
Bord-Saint-Georges 23.....190 A 5
Bordeaux 33.....237 G 5
Bordeaux-en-Gâtinais 45.....112 A 4
Bordeaux-Mérignac Aéroport de 33.....237 F 5
Bordeaux-Saint-Clair 76.....18 D 4
Bordères 64.....314 C 5
Bordères-et-Lamensans 40.....294 B 2
Bordères-Louron 65.....333 H 3
Bordères-sur-l'Échez 65.....315 E 4
Les Bordes 36.....172 B 2
Les Bordes 45.....134 A 3
Bordes 64.....314 B 5
Bordes 65.....315 G 5
Les Bordes 71.....178 A 3
Les Bordes 89.....113 H 4
Les Bordes-Aumont 10.....115 E 2
Bordes-de-Rivière 31.....334 B 1
Les Bordes-sur-Arize 09.....335 H 1
Les Bordes-sur-Lez 09.....335 E 3
Bordezac 30.....283 H 2
Bords 17.....201 E 4
Borée 07.....248 A 5
Le Boréon 06.....291 E 2
Boresse-et-Martron 17.....238 D 1
Borest 60.....39 E 5
Borey 70.....141 G 4
Borgo 2B.....347 G 2
Bormes-les-Mimosas 83.....328 D 4
Le Born 31.....298 A 1
Le Born 48.....264 C 4
Born-de-Champs 24.....258 C 2
Bornambusc 76.....18 D 4
Bornay 39.....196 B 1
Borne 07.....265 G 3
La Borne 18.....155 G 4
Borne 43.....247 E 3
Bornel 60.....38 B 4
Borny 57.....65 H 1
Boron 90.....142 D 4
Borre 59.....3 H 5
Borrèze 24.....241 H 5
Bors 16.....220 C 5
Bors 16.....221 F 5
Bort-les-Orgues 19.....226 C 5
Bort-l'Étang 63.....210 B 5
Borville 54.....95 F 3
Le Bosc 09.....336 A 3
Le Bosc 34.....301 H 3
Bosc-Bénard-Commin 27.....35 H 3
Bosc-Bérenger 76.....20 C 4
Bosc-Bordel 76.....20 D 5
Bosc-Édeline 76.....20 D 5
Le Bosc du Theil 27.....35 H 4
Bosc-Guérard-Saint-Adrien 76.....20 B 5
Bosc-Hyons 76.....37 F 2
Bosc-le-Hard 76.....20 B 5
Bosc-Mesnil 76.....20 D 4
Le Bosc-Morel 27.....55 F 1
Le Bosc-Renoult 61.....54 D 2
Bosc-Renoult-en-Ouche 27.....55 G 2
Bosc-Renoult-en-Roumois 27.....35 G 3
Le Bosc-Roger-en-Roumois 27.....35 H 3
Bosc-Roger-sur-Buchy 76.....20 D 5
Boscamnant 17.....238 D 2
Boscherville 27.....35 H 3
Boscodon Abbaye de 05.....270 C 4
Bosdarros 64.....314 B 5
Bosgouet 27.....35 H 2
Bosguérard-de-Marcouville 27.....35 H 3
Bosjean 71.....178 D 4
Bosmie-l'Aiguille 87.....223 G 1
Bosmont-sur-Serre 02.....25 F 3
Bosmoreau-les-Mines 23.....206 D 3
Bosnormand 27.....35 H 3
Le Bosquel 80.....22 B 3
Bosquentin 27.....37 E 2
Bosrobert 27.....35 G 4
Bosroger 23.....207 H 3
Bossancourt 10.....92 A 5
Bossay-sur-Claise 37.....170 B 4
La Bosse 25.....163 E 4
La Bosse 41.....132 A 2
La Bosse 72.....108 B 3
La Bosse-de-Bretagne 35.....104 B 5
Bossée 37.....152 A 5
Bosselshausen 67.....68 C 3
Bossendorf 67.....68 C 4
Bosserville 54.....94 D 1
Bosset 24.....239 G 4
Bosseval-et-Briancourt 08.....27 E 3
Bossey 74.....215 G 1
Bossieu 38.....231 H 4
Les Bossons 74.....217 E 3
Bossugan 33.....256 D 1
Bossus-lès-Rumigny 08.....26 A 2
Bost 03.....210 C 1
Bostens 40.....274 A 5
Bostz Château du 03.....192 A 3
Bosville 76.....19 G 3
Botans 90.....142 C 3
Botforn 29.....99 G 4
Botmeur 29.....76 A 3
Botsorhel 29.....72 B 5
Les Bottereaux 27.....55 F 3
Botticella 2B.....345 F 1
Botz-en-Mauges 49.....148 D 3
Bou 45.....133 G 2
Bouafle 78.....57 H 2
Bouafles 27.....36 D 4
Bouan 09.....336 B 5
Bouaye 44.....147 F 4
Boubers-lès-Hesmond 62.....6 D 4
Boubers-sur-Canche 62.....12 C 2
Boubiers 60.....37 G 4
Bouc-Bel-Air 13.....327 E 1
Boucagnères 32.....296 B 5
Boucard Château de 18.....155 G 3
Boucau 64.....292 A 5
Boucé 03.....192 C 4
Boucé 61.....54 A 5
Boucey 50.....80 C 2
Le Bouchage 16.....203 H 2
Le Bouchage 38.....232 C 1
Bouchain 59.....14 C 2
Bouchamps-lès-Craon 53.....127 H 2
Le Bouchaud 03.....193 F 4
Le Bouchaud 39.....179 F 3
Bouchavesnes-Bergen 80.....23 G 1
Bouchemaine 49.....149 G 2
Boucheporn 57.....46 D 5
Bouchet 26.....285 F 2
Le Bouchet-Mont-Charvin 74.....216 A 4
Bouchet Château du 36.....170 D 5
Bouchet Lac du 43.....247 E 5
Le Bouchet-Saint-Nicolas 43.....247 E 5
Bouchevilliers 27.....37 F 2
Bouchoir 80.....23 E 3
Les Boucholeurs 17.....200 C 2
Bouchon 80.....12 B 5
Le Bouchon-sur-Saulx 55.....63 H 5
Les Bouchoux 39.....197 E 4
Bouchy-Saint-Genest 51.....60 C 5
Boucieu-le-Roi 07.....248 D 3
Bouclans 25.....162 B 3
Boucoiran-et-Nozières 30.....284 A 5
Bouconville 08.....42 D 3
Bouconville-sur-Madt 55.....65 E 4
Bouconville-Vauclair 02.....41 E 1
Bouconvillers 60.....37 H 5
Boucq 54.....65 E 5
Boudes 63.....227 H 4
Boudeville 76.....19 H 3
Boudin 73.....234 C 1
Boudou 82.....277 E 4
Boudrac 31.....316 A 5
Boudreville 21.....116 B 5
Boudy-de-Beauregard 47.....258 B 4
Boué 02.....15 F 5
Bouée 44.....147 E 2
Boueilh-Boueilho-Lasque 64.....294 B 5
Bouelles 76.....21 E 4
Bouër 72.....108 C 4
Bouère 53.....128 D 2
Bouessay 53.....128 D 2
Bouesse 36.....189 E 1
Bouëx 16.....221 G 2
La Bouëxière 35.....104 D 2
Bouffémont 95.....58 B 1
Boufféré 85.....166 A 2
Bouffignereux 02.....41 F 2
Boufflers 80.....11 H 2
Bouffry 41.....109 F 5
Bougainville 80.....22 A 2
Bougarber 64.....314 A 2
Bougé-Chambalud 38.....231 F 5
Bouges-le-Château 36.....171 H 1
Bougey 70.....140 C 3
Bougival 78.....58 A 3
Bouglainval 28.....86 B 2
Bougligny 77.....112 B 2
Bouglon 47.....275 E 1
Bougneau 17.....219 G 2
Bougnon 70.....141 E 3
Bougon 79.....185 G 4
Bougue 40.....294 B 1
Bouguenais 44.....147 G 4
Bougy 14.....33 F 5
Bougy-lez-Neuville 45.....111 E 4
Bouhans 71.....178 C 4
Bouhans-et-Feurg 70.....161 E 1
Bouhans-lès-Lure 70.....141 G 3
Bouhans-lès-Montbozon 70.....162 B 1
Bouhet 17.....201 E 1
Bouhey 21.....159 F 4
Bouhy 58.....156 C 1
Bouilh Château du 33.....237 H 4
Bouilh-Devant 65.....315 G 3
Bouilh-Péreuilh 65.....315 F 4
Bouilhonnac 11.....320 A 5
Bouillac 12.....261 G 4
Bouillac 24.....259 E 2
Bouillac 82.....297 F 2
La Bouilladisse 13.....327 F 1
Bouillancourt-en-Séry 80.....11 F 5
Bouillancourt-la-Bataille 80.....22 D 4
Bouillancy 60.....39 G 5
Bouilland 21.....159 G 5
Bouillargues 30.....304 A 2
La Bouille 76.....36 A 3
Bouillé-Courdault 85.....184 B 3
Bouillé-Loretz 79.....168 A 1
Bouillé-Ménard 49.....127 H 3
Bouillé-Saint-Paul 79.....167 H 1
La Bouillie 22.....79 E 2
Le Bouillon 61.....83 G 2
Bouillon 64.....294 A 5
Bouillonville 54.....65 E 3
Bouillouses Lac des 66.....341 F 3
Bouilly 10.....114 D 2
Bouilly 51.....41 F 4
Bouilly 89.....114 B 5
Bouilly-en-Gâtinais 45.....111 G 4
Bouin 62.....6 D 5
Bouin 79.....203 E 2
Bouin 85.....164 D 1
Bouin-Plumoison 62.....6 D 5
Bouisse 11.....338 A 2
Boulx 21.....138 A 2
Boujailles 25.....180 A 2
Boujan-sur-Libron 34.....321 G 3
Boujeons 25.....180 B 4
Boulages 10.....90 C 2
Boulaincourt 88.....94 C 4
Boulancourt 77.....111 H 2
Boulange 57.....45 F 3
Boulaur 32.....296 C 5
Le Boulay 37.....131 F 5
Le Boulay 88.....119 H 2
Boulay-les-Barres 45.....110 D 5
Boulay-les-Ifs 53.....83 E 4
Le Boulay-Morin 27.....56 B 1
Boulay-Moselle 57.....46 C 5
La Boulaye 71.....176 B 5
Boulazac-Isle-Manoire 24.....240 C 2
Boulbon 13.....304 C 1
Boulc 26.....268 C 2
Boule d'Amont 66.....342 C 3
Bouleternère 66.....342 C 2
Bouleurs 77.....59 G 3
Bouleuse 51.....41 F 4
Bouliac 33.....255 G 1
Boulieu-lès-Annonay 07.....248 D 1
Bouligneux 01.....213 F 2
Bouligney 70.....119 E 5
Bouligny 55.....45 E 4
Boulin 65.....315 F 4
Boullarre 60.....39 H 5
Le Boullay-les-Deux-Églises 28.....85 H 2
Boullay-les-Troux 91.....58 A 5
Le Boullay-Mivoye 28.....56 D 5
Le Boullay-Thierry 28.....86 A 2
Boulleret 18.....156 A 2
Boulleville 27.....35 E 2
Bouloc 31.....297 H 3
Bouloc-en-Quercy 82.....277 F 2
Boulogne 85.....166 A 3
Boulogne Château de 07.....266 B 2
Boulogne-Billancourt 92.....58 B 3
Boulogne-la-Grasse 60.....23 E 5
Boulogne-sur-Gesse 31.....316 B 4
Boulogne-sur-Helpe 59.....15 G 4
Boulogne-sur-Mer 62.....2 B 5
Bouloire 72.....108 B 5
Boulon 14.....53 G 1
Boulot 70.....161 H 2
Le Boulou 66.....343 E 4
Boulouris 83.....329 H 1
La Boulouze 50.....52 A 5
Boult 70.....161 H 2
Boult-aux-Bois 08.....43 E 1
Boult-sur-Suippe 51.....41 H 2
Le Boulvé 46.....259 F 5
Boulzicourt 08.....26 D 4
Boumois Château de 49.....150 B 3
Boumourt 64.....314 A 2
Bouniagues 24.....257 H 2
Le Boupère 85.....166 D 4
Bouquehault 62.....2 D 4
Bouquelon 27.....35 E 2
Bouquemaison 80.....12 D 3
Bouquemont 55.....64 C 2
Bouquet 30.....284 A 3
Bouquetot 27.....35 G 2
Bouqueval 95.....58 C 1
Bouranton 10.....91 E 5
Bouray-sur-Juine 91.....87 G 3
Bourbach-le-Bas 68.....142 D 1
Bourbach-le-Haut 68.....142 D 1
La Bourbansais Château de 35.....79 H 4
Bourberain 21.....160 C 1
Bourbévelle 70.....118 C 5
Bourbon-Lancy 71.....193 E 1
Bourbon-l'Archambault 03.....191 G 1
Bourbonne-les-Bains 52.....118 A 5
La Bourboule 63.....227 E 2
Bourbourg 59.....3 F 3
Bourbriac 22.....77 G 2
Bourcefranc-le-Chapus 17.....200 C 4
Bourcia 39.....196 A 4
Bourcq 08.....42 C 2
Bourdainville 76.....20 A 4
Bourdalat 40.....294 C 2
Bourdeau 73.....233 E 1
Bourdeaux 26.....267 H 3
Bourdeilles 24.....222 B 5
Le Bourdeix 24.....222 B 2
Bourdelles 33.....256 D 4
Bourdenay 10.....90 A 5
Le Bourdet 79.....184 C 5
Bourdettes 64.....314 B 5
Bourdic 30.....284 B 5
La Bourdinière-Saint-Loup 28.....86 A 5
Bourdon 80.....22 A 1
Bourdonnay 57.....67 E 5
Bourdonné 78.....57 F 4
Bourdons-sur-Rognon 52.....117 F 2
Bourecq 62.....7 G 3
Bouresches 02.....60 B 1
Bouresse 86.....186 D 4
Bouret-sur-Canche 62.....12 D 2
Boureuilles 55.....43 F 4
Bourg 33.....237 G 3
Le Bourg 46.....261 E 2
Bourg 52.....139 G 3
Bourg-Achard 27.....35 H 3
Bourg-Archambault 86.....187 G 4
Bourg-Argental 42.....248 C 1
Bourg-Beaudouin 27.....36 C 2
Bourg-Blanc 29.....70 C 5
Bourg-Bruche 67.....96 C 4
Bourg-Charente 16.....220 C 1
Le Bourg-d'Arud 38.....251 H 3
Bourg-de-Bigorre 65.....333 G 1
Bourg-de-Péage 26.....249 G 3
Bourg-de-Sirod 39.....179 H 4
Bourg-de-Thizy 69.....212 A 2
Bourg-de-Visa 82.....277 E 2
Bourg-des-Comptes 35.....104 A 5
Bourg-des-Maisons 24.....221 H 5
Le Bourg-d'Hem 23.....189 F 5
Le Bourg-d'Iré 49.....127 H 4
Le Bourg-d'Oisans 38.....251 G 3
Bourg-d'Oueil 31.....334 A 4
Bourg-du-Bost 24.....239 F 1
Le Bourg-Dun 76.....19 H 2
Bourg-en-Bresse 01.....195 H 5
Bourg-et-Comin 02.....40 D 2
Bourg-Fidèle 08.....26 C 1
Bourg-la-Reine 92.....58 C 4
Bourg-Lastic 63.....226 C 2
Bourg-le-Comte 71.....193 F 4
Bourg-le-Roi 72.....83 G 5
Bourg-lès-Valence 26.....249 F 4
Bourg-l'Évêque 49.....127 H 3
Bourg-Madame 66.....341 F 5
Bourg-Saint-Andéol 07.....284 D 1
Bourg-Saint-Bernard 31.....298 C 5
Bourg-Saint-Christophe 01.....213 H 4
Le Bourg-Saint-Léonard 61.....54 B 4
Bourg-Saint-Maurice 73.....234 D 1
Bourg-Sainte-Marie 52.....117 H 2
Bourg-sous-Châtelet 90.....142 C 2
Bourgaltroff 57.....67 E 3
Bourganeuf 23.....206 D 3
Bourgbarré 35.....104 B 4
Bourgeauville 14.....34 B 3
Bourges 18.....173 E 1
Le Bourget 93.....58 C 2
Le Bourget-du-Lac 73.....233 E 1
Bourget-en-Huile 73.....233 H 3
Bourgheim 67.....97 F 3
Bourghelles 59.....9 E 3
Bourgnac 24.....239 G 4
Bourgneuf 17.....183 G 5
Bourgneuf 73.....233 H 2
Bourgneuf-en-Mauges 49.....149 E 3
Bourgneuf-en-Retz 44.....146 D 5
Le Bourgneuf-la-Forêt 53.....105 G 2
Bourgogne 51.....41 G 3
Bourgoin-Jallieu 38.....232 A 2
Bourgon 53.....105 F 2
La Bourgonce 88.....96 A 4
La Bourgonnière Chapelle de 49.....148 C 2
Bourgougnague 47.....257 G 3
Bourguébus 14.....33 H 5
Bourgueil 37.....150 D 3
Bourguenolles 50.....51 H 3
Le Bourguet 83.....308 A 2
Bourguignon 25.....142 B 5
Bourguignon-lès-Conflans 70.....141 E 2
Bourguignon-lès-la-Charité 70.....161 H 1
Bourguignon-lès-Morey 70.....140 B 3
Bourguignon-sous-Coucy 02.....24 A 5
Bourguignon-sous-Montbavin 02.....40 C 1
Bourguignons 10.....115 G 3
Bourgvilain 71.....194 C 4
Bourideys 33.....273 H 1
Bouriège 11.....337 F 2
Bourigeole 11.....337 F 2
Bourisp 65.....333 G 4
Bourlens 47.....259 E 5
Bourlon 62.....14 A 3
Bourmont 52.....117 H 2
Bournainville-Faverolles 27.....35 E 5
Bournan 37.....170 A 1
Bournand 86.....168 D 1
Bournazel 12.....261 H 5
Bournazel 81.....279 F 4
Bourneau 85.....184 B 1
Bournel 47.....258 C 3
Bourneville-Sainte-Croix 27.....35 F 2
Bournezeau 85.....166 B 5
Bourniquel 24.....258 C 1
Bournois 25.....141 H 5
Bournoncle-Saint-Pierre 43.....228 A 5
Bournoncles 15.....245 H 5
Bournonville 62.....6 C 2
Bournos 64.....314 B 2
Bourogne 90.....142 C 4
Bourran 47.....275 G 1
Bourré 41.....152 D 3
Bourréac 65.....333 E 1
Bourret 82.....297 F 1
Bourriot-Bergonce 40.....274 B 3
Bourron-Marlotte 77.....88 B 5
Bourrou 24.....240 B 3
Bourrouillan 32.....295 E 2
Bours 62.....7 G 4
Bours 65.....315 E 4
Boursault 51.....61 F 1
Boursay 41.....109 F 4
Bourscheid 57.....67 H 4
Bourseul 22.....79 F 3
Bourseville 80.....11 E 3
Boursières 70.....141 E 4
Boursies 59.....14 A 4
Boursin 62.....2 C 5
Boursonne 60.....39 H 4
Bourth 27.....55 G 4
Bourthes 62.....6 D 3
Bourtzwiller 68.....143 F 1
Bourville 76.....19 H 3
Boury-en-Vexin 60.....37 F 4
Bousbach 57.....47 F 5
Bousbecque 59.....4 D 5
Le Bouscat 33.....237 G 5
Bousies 59.....15 E 4
Bousignies 59.....9 F 5
Bousignies-sur-Roc 59.....16 A 2
Le Bousquet 11.....337 F 5
Le Bousquet-d'Orb 34.....301 F 3
Boussac 12.....280 B 2
Boussac 23.....190 A 4
La Boussac 35.....80 B 2
Boussac 46.....261 E 3
Boussac-Bourg 23.....190 A 4
Boussais 79.....168 A 3
Boussan 31.....316 D 4
Boussay 37.....170 B 3
Boussay 44.....166 B 1
Bousse 57.....45 H 4
Bousse 72.....129 G 3
Bousselange 21.....178 C 2
Boussenac 09.....335 H 3
Boussenois 21.....139 F 4
Boussens 31.....317 E 5
Bousseraucourt 70.....118 C 5
Boussès 47.....275 E 3
Bousseviller 57.....48 C 5
Boussey 21.....159 E 2
Boussicourt 80.....22 D 4
Boussières 25.....161 H 4
Boussières-en-Cambrésis 59.....14 C 4
Boussières-sur-Sambre 59.....15 G 3
Boussois 59.....15 H 2
Boussy 74.....215 F 4
Boussy-Saint-Antoine 91.....58 D 5
Boust 57.....45 H 2
Boustroff 57.....66 D 2
Le Bout-d'Oye 62.....3 E 2
Bout-du-Lac 74.....215 H 4
Bout du Monde Cirque du 21.....177 F 2
Bout-du-Pont-de-Larn 81.....319 H 2
Boutancourt 08.....26 D 4
Boutavent 60.....21 G 4
La Bouteille 02.....25 G 2
Bouteilles-Saint-Sébastien 24.....221 G 5
Boutenac 11.....338 C 1
Boutenac-Touvent 17.....219 F 3
Boutencourt 60.....37 G 3
Boutervilliers 91.....87 F 4
Bouteville 16.....220 C 2
Bouthéon 42.....230 A 3
Boutiers-Saint-Trojan 16.....220 B 1
Boutigny 77.....59 G 2
Boutigny-sur-Essonne 91.....87 H 4
Boutigny-sur-Opton 28.....57 E 4
Bouttencourt 80.....11 F 5
Boutteville 50.....32 A 2
Boutx 31.....334 C 3
Bouvaincourt-sur-Bresle 80.....11 E 4
Bouvancourt 51.....41 F 3
Bouvante 26.....250 A 4
Bouvante-le-Haut 26.....250 A 5
Bouvelinghem 62.....3 E 5
Bouvellemont 08.....26 D 5
Bouvent 01.....196 C 4
Bouverans 25.....180 B 3
Bouvesse-Quirieu 38.....214 B 5

Bouvières 26 ... 268 A 4
Bouvignies 59 ... 9 E 5
Bouvigny-Boyeffles 62 ... 8 A 5
Bouville 28 ... 110 A 2
Bouville 76 ... 19 H 5
Bouville 91 ... 87 G 4
Bouvincourt-en-Vermandois 80 ... 23 H 2
Bouvines 59 ... 9 E 3
Bouvresse 60 ... 21 G 4
Bouvron 44 ... 147 E 1
Bouvron 54 ... 65 F 5
Boux-sous-Salmaise 21 ... 159 F 1
Bouxières-aux-Bois 88 ... 95 E 5
Bouxières-aux-Chênes 54 ... 66 B 4
Bouxières-aux-Dames 54 ... 65 H 5
Bouxières-sous-Froidmont 54 ... 65 G 2
Bouxurulles 88 ... 95 E 4
Bouxwiller 67 ... 68 B 3
Bouxwiller 68 ... 143 F 4
Bouy 51 ... 42 A 5
Bouy-Luxembourg 10 ... 91 F 4
Bouy-sur-Orvin 10 ... 89 H 4
Bouyon 06 ... 309 F 1
Le Bouyssou 46 ... 261 F 2
Bouzais 18 ... 173 F 5
Bouzancourt 52 ... 92 C 5
Bouzanville 54 ... 94 D 4
Bouze-lès-Beaune 21 ... 177 G 1
Bouzèdes *Belvédère des 30* ... 283 F 1
Bouzel 63 ... 210 A 5
Bouzemont 88 ... 95 E 5
Bouzeron 71 ... 177 G 3
Bouzic 24 ... 259 G 2
Bouziès 46 ... 260 C 5
Bouzigues 34 ... 322 D 3
Bouzillé 49 ... 148 C 2
Bouzin 31 ... 316 D 5
Bouzincourt 80 ... 13 F 5
Bouzon-Gellenave 32 ... 295 E 3
Bouzonville 57 ... 46 C 4
Bouzonville-aux-Bois 45 ... 111 G 4
Bouzonville-en-Beauce 45 ... 111 G 2
Bouzy 51 ... 61 H 1
Bouzy-la-Forêt 45 ... 134 A 2
Bovée-sur-Barboure 55 ... 93 G 1
Bovel 35 ... 103 H 4
Bovelles 80 ... 22 A 2
Boves 80 ... 22 C 2
Boviolles 55 ... 93 F 1
Boyardville 17 ... 200 B 3
Boyaval 62 ... 7 G 4
Boyelles 62 ... 13 G 3
Boyer 42 ... 211 H 2
Boyer 71 ... 195 E 1
Boyeux-Saint-Jérôme 01 ... 214 B 2
Boynes 45 ... 111 H 3
Boz 01 ... 195 F 3
Bozas 07 ... 248 D 3
Bozel 73 ... 234 C 3
Bozouls 12 ... 263 E 5
Brabant-en-Argonne 55 ... 43 G 5
Brabant-le-Roi 55 ... 63 F 3
Brabant-sur-Meuse 55 ... 43 H 3
Brach 33 ... 236 D 3
Brachay 52 ... 92 D 4
Braches 80 ... 22 D 3
Brachy 76 ... 20 A 2
Bracieux 41 ... 153 G 1
Bracon 39 ... 179 H 2
Bracquemont 76 ... 10 B 5
Bracquetuit 76 ... 20 B 4
Bradiancourt 76 ... 20 D 4
Braffais 50 ... 51 H 4
Bragassargues 30 ... 303 F 1
Bragayrac 31 ... 317 E 2
Brageac 15 ... 243 H 2
Bragelogne 10 ... 115 F 5
Bragny-sur-Saône 71 ... 178 A 2
La Brague 06 ... 309 F 3
Brahic 07 ... 283 H 1
Braillans 25 ... 162 A 3
Brailly-Cornehotte 80 ... 11 H 2
Brain 21 ... 159 E 1
Brain-sur-Allonnes 49 ... 150 D 3
Brain-sur-l'Authion 49 ... 149 H 2
Brain-sur-Longuenée 49 ... 128 A 5
Brain-sur-Vilaine 35 ... 126 A 3
Brainans 39 ... 179 F 3
Braine 02 ... 40 C 3
Brains 44 ... 147 F 4
Brains-sur-Gée 72 ... 107 F 4
Brains-sur-les-Marches 53 ... 105 E 5
Brainville 50 ... 31 G 5
Brainville 54 ... 65 E 1
Brainville-sur-Meuse 52 ... 117 H 2
Braisnes-sur-Aronde 60 ... 39 F 1
Braize 03 ... 173 G 5
Bralleville 54 ... 94 D 4
Bram 11 ... 319 F 5
Bramabiau *Abîme du 30* ... 282 C 4
Bramans 73 ... 253 E 1
Brametot 76 ... 19 H 3
Bramevaque 65 ... 334 A 2
Bran 17 ... 220 B 5
Branceilles 19 ... 242 D 4
Branches 89 ... 136 A 2
Brancion 71 ... 195 E 2
Brancourt-en-Laonnois 02 ... 40 C 1
Brancourt-le-Grand 02 ... 24 B 1
Brandérion 56 ... 123 G 2
Brandeville 55 ... 43 H 2
Brandivy 56 ... 124 A 3
Brando 2B ... 345 G 3
Brandon 71 ... 194 C 4
Brandonnet 12 ... 279 G 1
Brandonvillers 51 ... 91 H 2
Branféré *Parc zoologique de 56* ... 125 E 4
Branges 02 ... 40 C 4
Branges 71 ... 178 B 5
Brangues 38 ... 232 C 1
Brannay 89 ... 113 F 2
Branne 25 ... 162 D 2
Branne 33 ... 256 C 1
Brannens 33 ... 256 C 4
Branoux-les-Taillades 30 ... 283 G 3
Brans 39 ... 161 E 4
Bransat 03 ... 192 A 4
Branscourt 51 ... 41 F 3
Bransles 77 ... 112 C 3
Brantes 84 ... 286 B 3
Brantigny 88 ... 95 E 4
Brantôme-en-Périgord 24 ... 222 C 5
Branville 14 ... 34 B 3
Branville-Hague 50 ... 28 D 3
Braquis 55 ... 44 D 5
Bras 83 ... 307 E 5
Bras-d'Asse 04 ... 287 H 5
Bras-sur-Meuse 55 ... 44 B 5
Brasc 12 ... 280 D 5
Brasles 02 ... 60 C 1
Braslou 37 ... 169 F 2
Brasparts 29 ... 76 A 3
Brassac 09 ... 336 A 3
Brassac 81 ... 300 A 4
Brassac 82 ... 277 E 3
Brassac-les-Mines 63 ... 228 A 4
Brasseitte 55 ... 64 C 4
Brassempouy 40 ... 293 G 4
Brasseuse 60 ... 39 E 4
Brassy 58 ... 158 A 4
Brassy 80 ... 22 A 3
Bratte 54 ... 65 H 4
Braucourt 52 ... 92 B 2
Braud-et-Saint-Louis 33 ... 237 F 1
Braus *Col de 06* ... 291 F 4
Brauvilliers 55 ... 92 D 2
Braux 04 ... 289 E 4
Braux 08 ... 26 D 2
Braux 10 ... 91 H 3
Braux 21 ... 159 E 2
Braux-le-Châtel 52 ... 116 C 3
Braux-Saint-Remy 51 ... 63 E 1
Braux-Sainte-Cohière 51 ... 43 E 5
Bravone 2B ... 347 H 5
Brax 31 ... 297 G 4
Brax 47 ... 275 H 3
Bray 27 ... 35 H 5
Bray 71 ... 194 D 2
Bray-Dunes 59 ... 3 H 1
Bray-en-Val 45 ... 134 A 3
Bray-et-Lû 95 ... 37 F 5
Bray-la-Campagne 14 ... 33 H 5
Bray-lès-Mareuil 80 ... 11 G 4
Bray-Saint-Christophe 02 ... 24 A 3
Bray-sur-Seine 77 ... 89 F 4
Bray-sur-Somme 80 ... 23 E 1
Braye 02 ... 40 B 2
Braye-en-Laonnois 02 ... 40 D 2
Braye-en-Thiérache 02 ... 25 F 3
Braye-sous-Faye 37 ... 169 F 2
Braye-sur-Maulne 37 ... 130 A 5
Brazey-en-Morvan 21 ... 158 D 5
Brazey-en-Plaine 21 ... 160 C 5
Bréal-sous-Montfort 35 ... 103 H 3
Bréal-sous-Vitré 35 ... 105 F 3
Bréançon 95 ... 37 H 5
Bréau 77 ... 88 D 2
Bréau-et-Salagosse 30 ... 282 D 5
Bréauté 76 ... 19 E 4
Bréban 51 ... 91 G 2
Brebières 62 ... 14 A 2
Brebotte 90 ... 142 D 3
Brécé 35 ... 104 C 3
Brecé 53 ... 82 A 4
Brécey 50 ... 52 A 4
Brech 56 ... 124 A 2
Brechainville 88 ... 93 G 4
Bréchamps 28 ... 57 E 5
Bréchaumont 68 ... 142 D 2
Brèche au Diable 14 ... 53 H 2
Brèches 37 ... 130 B 5
Breconchaux 25 ... 162 B 2
Brectouville 50 ... 52 B 1
Brécy 02 ... 40 C 5
Brécy 18 ... 155 G 5
Brécy-Brières 08 ... 42 D 3
La Brède 33 ... 255 G 2
Brée 53 ... 106 B 3
La Brée-les-Bains 17 ... 200 A 2
Bréel 61 ... 53 G 3
Brégnier-Cordon 01 ... 232 C 1
Brégy 60 ... 59 G 1
Bréhain 57 ... 66 D 3
Bréhain-la-Ville 54 ... 45 E 2
Bréhal 50 ... 51 G 2
Bréhan 56 ... 102 B 3
Bréhand 22 ... 78 C 4
Bréhat *Ile de 22* ... 73 G 2
Bréhec-en-Plouha 22 ... 73 G 3
Bréhémont 37 ... 151 F 3
Bréhéville 55 ... 43 H 2
Breidenbach 57 ... 48 C 5
Breil 49 ... 150 D 1
Le Breil-sur-Mérize 72 ... 108 B 4
Breil-sur-Roya 06 ... 291 G 3
La Breille-les-Pins 49 ... 150 D 3
Breilly 80 ... 22 B 1
Breistroff-la-Grande 57 ... 45 H 2
Breitenau 67 ... 96 D 4
Breitenbach 67 ... 96 D 4
Breitenbach-Haut-Rhin 68 ... 120 C 3
Brélès 29 ... 70 B 5
Brélidy 22 ... 73 E 4
Brem-sur-Mer 85 ... 165 E 5
Bréménil 54 ... 96 B 2
Brêmes 62 ... 2 D 4
Bremmelbach 67 ... 69 E 1
Brémoncourt 54 ... 95 E 3
Bremondans 25 ... 162 C 3
Brémontier-Merval 76 ... 37 E 1
Brémoy 14 ... 52 D 1
Brémur-et-Vaurois 21 ... 138 B 3
Bren 26 ... 249 F 2
Brenac 11 ... 337 F 3
Brenas 34 ... 301 G 4
Brenat 63 ... 228 A 3
Brénaz 01 ... 214 D 3
Brenelle 02 ... 40 C 2
Brengues 46 ... 261 E 4
Brennes 52 ... 139 G 3
Brennilis 29 ... 76 B 3
Brénod 01 ... 214 C 2
Brenon 83 ... 308 B 2
Brenouille 60 ... 38 D 3
Brenoux 48 ... 264 C 5
Brens 01 ... 214 D 5
Brens 81 ... 298 D 1
Brenthonne 74 ... 198 A 4
Breny 02 ... 40 B 4
La Bréole 04 ... 270 A 4
Brères 25 ... 179 G 1
Bréry 39 ... 179 E 4
Bresdon 17 ... 202 C 4
Les Bréseux 25 ... 163 G 3
Bresilley 70 ... 161 F 3
Bresle 80 ... 22 D 1
Bresles 60 ... 38 B 2
Bresnay 03 ... 192 A 3
Bresolettes 61 ... 84 C 2
La Bresse 88 ... 120 B 4
Bresse-sur-Grosne 71 ... 194 D 1
Bressey-sur-Tille 21 ... 160 B 3
Bressieux 38 ... 232 A 5
Bressolles 01 ... 213 G 4
Bressolles 03 ... 192 A 2
Bressols 82 ... 277 H 5
Bresson 38 ... 251 E 2
Bressoncourt 52 ... 93 F 3
Bressuire 79 ... 167 G 3
Brest 29 ... 75 E 2
Brestot 27 ... 35 G 3
Bretagne 36 ... 171 H 2
Bretagne 90 ... 142 D 3
Bretagne-d'Armagnac 32 ... 295 F 1
Bretagne-de-Marsan 40 ... 294 A 1
Bretagnolles 27 ... 56 D 2
Breteau 45 ... 135 E 4
Breteil 35 ... 103 H 2
Bretenière 21 ... 160 B 4
La Bretenière 25 ... 162 B 2
La Bretenière 39 ... 161 F 5
Bretenières 39 ... 179 E 2
Bretenoux 46 ... 243 E 5
Breteuil 60 ... 22 B 5
Breteuil *Château de 78* ... 57 H 5
Breteuil-sur-Iton 27 ... 55 H 3
Brethel 61 ... 55 F 5
Brethenay 52 ... 117 E 3
Le Brethon 03 ... 191 E 2
Bretigney 25 ... 142 A 5
Bretigney-Notre-Dame 25 ... 162 C 3
Bretignolles 79 ... 167 F 3
Brétignolles *Château de 37* ... 151 E 5
Brétignolles-le-Moulin 53 ... 82 C 3
Bretignolles-sur-Mer 85 ... 165 E 5
Bretigny 21 ... 160 B 2
Brétigny 27 ... 35 G 4
Brétigny 60 ... 23 H 5
Brétigny-sur-Orge 91 ... 87 G 2
Bretoncelles 61 ... 85 E 4
La Bretonnière-La Claye 85 ... 183 E 2
Bretonvillers 25 ... 163 E 4
Brette 26 ... 268 A 3
Brette-les-Pins 72 ... 108 A 5
Bretten 68 ... 142 D 2
Brettes 16 ... 203 E 3
Bretteville 50 ... 29 F 3
Bretteville-du-Grand-Caux 76 ... 19 E 4
Bretteville-le-Rabet 14 ... 53 H 1
Bretteville-l'Orgueilleuse 14 ... 33 F 4
Bretteville-Saint-Laurent 76 ... 19 H 3
Bretteville-sur-Ay 50 ... 31 F 3
Bretteville-sur-Dives 14 ... 54 A 1
Bretteville-sur-Laize 14 ... 53 G 1
Bretteville-sur-Odon 14 ... 33 G 4
Brettnach 57 ... 46 C 4
Bretx 31 ... 297 G 3
Breuches 70 ... 141 G 2
Breuchotte 70 ... 141 H 2
Breugnon 58 ... 157 E 2
Le Breuil 03 ... 210 D 1
Breuil 51 ... 41 E 3
Le Breuil 51 ... 60 D 2
Le Breuil 69 ... 212 C 4
Le Breuil 71 ... 177 E 4
Breuil 80 ... 23 G 3
Breuil-Barret 85 ... 167 F 5
Le Breuil-Bernard 79 ... 167 G 5
Breuil-Bois-Robert 78 ... 57 F 2
Breuil-Chaussée 79 ... 167 G 3
Le Breuil-en-Auge 14 ... 34 C 4
Le Breuil-en-Bessin 14 ... 32 C 3
Breuil-la-Réorte 17 ... 201 F 2
Breuil-le-Sec 60 ... 38 D 2
Breuil-le-Vert 60 ... 38 C 3
Breuil-Magné 17 ... 200 D 3
Breuil-Mingot *Château du 86* ... 186 C 1
Le Breuil-sous-Argenton 79 ... 167 H 2
Le Breuil-sur-Couze 63 ... 228 A 4
Breuil-sur-Marne 52 ... 92 D 3
Breuilaufa 87 ... 205 F 2
Breuilh 24 ... 240 C 3
Breuillet 17 ... 218 C 1
Breuillet 91 ... 87 G 2
Breuilpont 27 ... 56 D 2
Breurey-lès-Faverney 70 ... 141 E 3
Breuschwickersheim 67 ... 97 G 1
Breuvannes 52 ... 117 H 3
Breuvery-sur-Coole 51 ... 62 A 3
Breuville 50 ... 29 E 4
Breux 55 ... 44 B 1
Breux-Jouy 91 ... 87 G 2
Breux-sur-Avre 27 ... 56 B 4
Brévainville 41 ... 109 H 5
Bréval 78 ... 57 E 2
Brévands 50 ... 32 A 2
Brevans 39 ... 161 E 5
Le Brévedent 14 ... 34 D 4
Brèves 58 ... 157 F 2
Les Bréviaires 78 ... 57 G 5
Bréviandes 10 ... 115 E 2
La Brévière 14 ... 54 C 2
Bréville 14 ... 33 H 4
Bréville 16 ... 202 C 5
Bréville-sur-Mer 50 ... 51 F 2
Brévillers 62 ... 11 H 1
Brévillers 80 ... 12 D 3
Brevilliers 70 ... 142 B 3
Brévilly 08 ... 27 G 4
Brévonnes 10 ... 91 G 5
Bréxent-Énocq 62 ... 6 B 4
Brey-et-Maison-du-Bois 25 ... 180 C 4
Brézal *Moulin de 29* ... 71 F 5
Brézé 49 ... 150 C 5
Brézellec *Pointe de 29* ... 98 D 2
Bréziers 05 ... 270 A 5
Brézilhac 11 ... 319 F 5
Brézins 38 ... 232 A 5
Brézolles 28 ... 56 A 5
Brezons 15 ... 245 E 4
Le Brézouard 68 ... 96 C 5
Briançon 05 ... 252 D 4
Briançonnet 06 ... 308 C 1
Brianny 21 ... 158 D 2
Briant 71 ... 193 H 4
Briantes 36 ... 189 G 2
Briare 45 ... 134 D 5
Briarres-sur-Essonne 45 ... 111 H 2
Brias 62 ... 7 G 5
Briastre 59 ... 14 D 4
Briatexte 81 ... 298 D 3
Briaucourt 52 ... 117 E 2
Briaucourt 70 ... 141 F 2
Bricon 52 ... 116 C 4
Briconville 28 ... 86 A 3
Bricot-la-Ville 51 ... 60 D 5
Bricquebec-en-Cotentin 50 ... 29 E 5
Bricquebosq 50 ... 28 D 4
Bricqueville 14 ... 32 C 3
Bricqueville-la-Blouette 50 ... 51 G 1
Bricqueville-sur-Mer 50 ... 51 F 2
Bricy 45 ... 110 D 5
Brides-les-Bains 73 ... 234 C 3
La Bridoire 73 ... 232 D 3
Bridoire *Château de 24* ... 257 H 1
Bridoré 37 ... 170 C 1
Brie 02 ... 24 C 5
Brie 09 ... 318 A 5
Brie 16 ... 221 F 1
Brie 35 ... 104 C 5
Brie 79 ... 168 C 2
Brie 80 ... 23 G 2
Brie-Comte-Robert 77 ... 59 E 5
Brié-et-Angonnes 38 ... 251 E 2
Brie-sous-Archiac 17 ... 220 B 3
Brie-sous-Barbezieux 16 ... 220 D 4
Brie-sous-Chalais 16 ... 220 D 5
Brie-sous-Matha 17 ... 202 C 5
Brie-sous-Mortagne 17 ... 219 F 3
Briec 29 ... 100 A 2
Briel-sur-Barse 10 ... 115 G 2
Brielles 35 ... 105 F 4
Brienne 71 ... 195 F 1
Brienne-la-Vieille 10 ... 91 H 4
Brienne-le-Château 10 ... 91 H 4
Brienne-sur-Aisne 08 ... 41 G 2
Briennon 42 ... 211 G 1
Brienon-sur-Armançon 89 ... 114 A 5
Brières-les-Scellés 91 ... 87 F 4
Brieuil-sur-Chizé 79 ... 202 B 1
Brieulles-sur-Bar 08 ... 43 E 1
Brieulles-sur-Meuse 55 ... 43 G 2
Brieux 61 ... 54 A 3
Briey 54 ... 45 F 4
Briffons 63 ... 226 D 1
Brignac 34 ... 302 A 4
Brignac 56 ... 103 E 2
Brignac 87 ... 206 B 4
Brignac-la-Plaine 19 ... 241 H 2
Brignais 69 ... 231 E 1
Brignancourt 95 ... 37 H 5
Brigné 49 ... 149 H 4
Brignemont 31 ... 297 E 3
Brignogan-Plages 29 ... 71 E 3
Brignoles 83 ... 328 B 1
Brignon 30 ... 284 A 5
Le Brignon 43 ... 247 F 5
Brignoud 38 ... 251 F 1
La Brigue 06 ... 291 H 2
Brigueil-le-Chantre 86 ... 187 H 3
Brigueuil 16 ... 204 D 3
Briis-sous-Forges 91 ... 87 F 2
Brillac 16 ... 204 D 2
La Brillanne 04 ... 287 F 5
Brillecourt 10 ... 91 G 3
Brillevast 50 ... 29 G 3
Brillon 59 ... 9 F 5
Brillon-en-Barrois 55 ... 63 G 4
Brimeux 62 ... 6 C 4
Brimont 51 ... 41 G 3
Brin-sur-Seille 54 ... 66 B 4
Brinay 18 ... 154 C 5
Brinay 58 ... 175 G 2
Brinckheim 68 ... 143 G 3
Brindas 69 ... 230 D 1
Bringolo 22 ... 73 F 5
Brinon-sur-Beuvron 58 ... 157 E 4
Brinon-sur-Sauldre 18 ... 154 D 1
Briod 39 ... 179 F 5
Briollay 49 ... 128 C 5
Brion 01 ... 214 C 1
Brion 36 ... 171 H 2
Brion 38 ... 232 A 5
Brion 48 ... 263 H 2
Brion 49 ... 150 B 2
Brion 71 ... 176 C 3
Brion 86 ... 186 C 4
Brion 89 ... 113 H 5
Brion *Pont de 38* ... 250 D 5
Brion-près-Thouet 79 ... 168 B 1
Brion-sur-Ource 21 ... 116 A 5
La Brionne 23 ... 206 D 1
Brionne 27 ... 35 G 4
Briord 01 ... 214 B 5
Briosne-lès-Sables 72 ... 108 A 3
Briot 60 ... 21 H 4
Briou 41 ... 132 B 3
Brioude 43 ... 246 B 1
Brioux-sur-Boutonne 79 ... 202 C 1
Briouze 61 ... 53 G 5
Briquemesnil-Floxicourt 80 ... 22 A 2
Briquenay 08 ... 43 E 2
Briscous 64 ... 292 B 5
Brison 73 ... 215 E 5
Brison-Saint-Innocent 73 ... 215 E 5
Brissac 34 ... 302 C 1
Brissac *Château de 49* ... 149 H 3
Brissac-Quincé 49 ... 149 H 3
Brissarthe 49 ... 128 D 4
Brissay-Choigny 02 ... 24 B 3
Brissy-Hamégicourt 02 ... 24 B 3
Brive-la-Gaillarde 19 ... 242 B 2
Brives 36 ... 172 B 4
Brives-Charensac 43 ... 247 F 3
Brives-sur-Charente 17 ... 219 H 1
Brivezac 19 ... 243 E 4
Brix 50 ... 29 E 4
Brixey-aux-Chanoines 55 ... 94 A 3
Brizambourg 17 ... 201 H 5
Brizay 37 ... 169 F 1
Brizeaux 55 ... 63 G 1
Brizon 74 ... 216 B 2
Le Broc 06 ... 291 E 5
Broc 49 ... 129 H 5
Le Broc 63 ... 228 A 3
Brocas 40 ... 273 H 4
Brochon 21 ... 160 A 4
Brocottes 14 ... 34 A 4
Brocourt 80 ... 21 G 2
Brocourt-en-Argonne 55 ... 43 G 5
Broglie 27 ... 55 F 1
Brognard 25 ... 142 C 4
Brognon 08 ... 26 A 1
Brognon 21 ... 160 B 2
Broin 21 ... 178 B 1
Broindon 21 ... 160 A 4
Broissia 39 ... 196 B 3
Brombos 60 ... 21 G 4
Bromeilles 45 ... 112 A 3
Brommat 12 ... 262 D 1
Bromont-Lamothe 63 ... 209 E 5
Bron 69 ... 231 F 1
Broncourt 52 ... 140 B 3
Bronvaux 57 ... 45 G 5
Broons 22 ... 79 F 5
Broons-sur-Vilaine 35 ... 104 D 3
La Broque 67 ... 96 D 2
Broquiers 60 ... 21 G 4
Broquiès 12 ... 281 E 5
Brossac 16 ... 220 D 5
Brossainc 07 ... 230 D 5
Brossay 49 ... 150 A 5
La Brosse-Montceaux 77 ... 89 E 5
Brosses 89 ... 157 G 1
Brosville 27 ... 36 B 5
Brotonne *Pont de 76* ... 35 G 1
Brotte-lès-Luxeuil 70 ... 141 G 3
Brotte-lès-Ray 70 ... 140 B 5
Brottes 52 ... 117 E 3
Brou 01 ... 195 H 5
Brou 28 ... 109 G 2
Brou-sur-Chantereine 77 ... 59 E 3
Brouage 17 ... 200 C 4
Brouains 50 ... 52 B 4
Broualan 35 ... 80 B 3
Brouay 14 ... 33 F 4
Brouchaud 24 ... 241 E 2
Brouchy 80 ... 23 H 4
Brouck 57 ... 46 C 5
Brouckerque 59 ... 3 F 3
Brouderdorff 57 ... 67 H 5
Broué 28 ... 57 E 4
Brouennes 55 ... 27 H 5
Le Brouilh-Monbert 32 ... 295 H 4
Brouilla 66 ... 343 E 3

Brouillet 51 ... 41 E 4
Brouis Col de 06 ... 291 G 4
Brouqueyran 33 ... 256 C 4
La Brousse 17 ... 202 B 4
Brousse 23 ... 208 C 3
Brousse 63 ... 228 B 2
Brousse 81 ... 299 F 3
Brousse-le-Château 12 ... 280 D 5
Brousses-et-Villaret 11 ... 319 G 3
Brousseval 52 ... 92 C 3
Broussey-en-Blois 55 ... 93 G 1
Broussey-en-Woëvre 55 ... 64 D 4
Broussy-le-Grand 51 ... 61 F 4
Broussy-le-Petit 51 ... 61 F 4
Broût-Vernet 03 ... 210 A 1
Brouthières 52 ... 93 F 4
Brouvelieures 88 ... 95 H 5
Brouville 54 ... 95 H 2
Brouviller 57 ... 67 H 4
Brouy 91 ... 87 G 5
Brouzet-lès-Alès 30 ... 284 A 3
Brouzet-lès-Quissac 30 ... 303 E 2
Les Brouzils 85 ... 166 A 2
Brovès 83 ... 308 B 3
Broxeele 59 ... 3 G 4
Broye 71 ... 176 D 3
Broye-les-Loups-et-Verfontaine 70 ... 160 D 1
Broye-lès-Pesmes 70 ... 161 E 3
Broyes 51 ... 61 E 4
Broyes 60 ... 22 D 5
Broze 81 ... 298 D 1
Brû 88 ... 95 H 4
Bruailles 71 ... 195 H 1
Bruay-la-Buissière 62 ... 7 H 4
Bruay-sur-l'Escaut 59 ... 9 G 5
Bruc-sur-Aff 35 ... 125 H 2
Brucamps 80 ... 12 B 5
Bruch 47 ... 275 G 3
Brucheville 50 ... 32 A 2
Brucourt 14 ... 34 A 4
Brue-Auriac 83 ... 307 E 5
Bruebach 68 ... 143 F 2
Brueil-en-Vexin 78 ... 57 G 1
Bruère-Allichamps 18 ... 173 E 4
La Bruère-sur-Loir 72 ... 130 B 4
La Bruffière 85 ... 166 B 1
Brugairolles 11 ... 337 F 1
Le Brugeron 63 ... 228 D 1
Bruges 33 ... 237 F 5
Bruges 64 ... 332 B 1
Brugheas 03 ... 210 B 2
Brugnac 47 ... 257 H 5
Brugnens 32 ... 296 C 2
Brugny-Vaudancourt 51 ... 61 F 1
La Bruguière 30 ... 284 B 4
Bruguières 31 ... 297 H 3
Bruille-lez-Marchiennes 59 ... 9 E 5
Bruille-Saint-Amand 59 ... 9 G 4
Bruis 05 ... 268 C 4
Brûlain 79 ... 185 E 5
Les Brulais 35 ... 103 G 5
Brulange 57 ... 66 D 2
La Brûlatte 53 ... 105 G 3
Bruley 54 ... 65 F 5
Brullemail 61 ... 54 D 5
Brullioles 69 ... 212 C 5
Brûlon 72 ... 107 E 5
Brumath 67 ... 68 D 4
Brumetz 02 ... 40 A 5
Brunehamel 02 ... 25 H 3
Brunelles 28 ... 85 E 5
Les Brunels 11 ... 319 E 3
Brunembert 62 ... 2 D 5
Brunémont 59 ... 14 A 2
Brunet 04 ... 307 E 1
Bruniquel 82 ... 278 C 5
Brunissard 05 ... 253 E 5
Brunoy 91 ... 58 D 5
Brunstatt-Didenheim 68 ... 143 F 2
Brunville 76 ... 10 C 5
Brunvillers-la-Motte 60 ... 22 D 5
Le Brusc 83 ... 327 H 5
Brusque 12 ... 301 E 3
Le Brusquet 04 ... 288 B 3
Brussey 70 ... 161 G 3
Brussieu 69 ... 230 C 1
Brusson 51 ... 62 D 4
Brusvily 22 ... 79 G 4
Brutelles 80 ... 11 E 3
Bruville 54 ... 65 F 1
Brux 86 ... 186 A 5
La Bruyère 70 ... 141 H 2
Bruyères 88 ... 95 H 5
Bruyères-et-Montbérault 02 ... 40 D 1
Bruyères-le-Châtel 91 ... 87 G 2
Bruyères-sur-Fère 02 ... 40 C 4
Bruyères-sur-Oise 95 ... 38 C 5
Bruys 02 ... 40 D 3
Bruz 35 ... 104 A 4
Bry 59 ... 15 E 2
Bry-sur-Marne 94 ... 58 D 3
Bû 28 ... 57 E 4
Le Bû-sur-Rouvres 14 ... 53 H 1
Buais-les-Monts 50 ... 81 G 2
Buanes 40 ... 294 A 3
Bubertré 61 ... 84 C 2
Bubry 56 ... 101 G 4
Buc 78 ... 58 A 4
Buc 90 ... 142 B 3
Bucamps 60 ... 38 C 1
Bucéels 14 ... 33 E 4
Bucey-en-Othe 10 ... 114 C 2
Bucey-lès-Gy 70 ... 161 G 2
Bucey-lès-Traves 70 ... 140 D 4
Buchelay 78 ... 57 F 2
Buchères 10 ... 115 E 2
Buchey 52 ... 92 C 5
Buchy 57 ... 66 B 2
Buchy 76 ... 20 D 5
Bucilly 02 ... 25 G 2
Bucquoy 62 ... 13 F 4
Bucy-le-Long 02 ... 40 B 2
Bucy-le-Roi 45 ... 111 E 4
Bucy-lès-Cerny 02 ... 24 C 5
Bucy-lès-Pierrepont 02 ... 25 F 4
Bucy-Saint-Liphard 45 ... 110 C 5
Budelière 23 ... 190 C 5
Buding 57 ... 46 B 3
Budling 57 ... 46 B 3
Budos 33 ... 255 H 4
Bué 18 ... 155 H 3
Bueil 27 ... 56 D 2
Bueil-en-Touraine 37 ... 130 C 5
Buellas 01 ... 195 G 5
Le Buet 74 ... 217 E 2
Buethwiller 68 ... 143 E 2
Buffard 25 ... 179 G 1
Buffières 71 ... 194 C 3
Buffignécourt 70 ... 140 D 2
Buffon 21 ... 137 G 4
Bugarach 11 ... 337 H 4
Bugard 65 ... 315 G 5
Bugeat 19 ... 225 F 2
Bugnein 64 ... 313 F 3
Bugnicourt 59 ... 14 B 2
Bugnières 52 ... 116 D 5
Bugny 25 ... 180 C 1
Le Bugue 24 ... 241 E 5
Buhl 67 ... 69 F 2
Buhl 68 ... 120 D 4
Buhl-Lorraine 57 ... 67 H 5
Buhy 95 ... 37 F 4
Buicourt 60 ... 37 G 1
Buigny-l'Abbé 80 ... 11 H 3
Buigny-lès-Gamaches 80 ... 11 E 4
Buigny-Saint-Maclou 80 ... 11 G 3
Buire 02 ... 25 G 1
Buire-au-Bois 62 ... 12 B 3
Buire-Courcelles 80 ... 23 H 1
Buire-le-Sec 62 ... 6 C 5
Buire-sur-l'Ancre 80 ... 23 E 1
Buironfosse 02 ... 25 E 1
Le Buis 87 ... 205 G 2
Buis-les-Baronnies 26 ... 286 A 2
Buis-sur-Damville 27 ... 56 B 3
Buissard 05 ... 269 H 2
La Buisse 38 ... 232 C 5
La Buissière 38 ... 233 F 4
Le Buisson 48 ... 264 A 3
Le Buisson 51 ... 62 D 4
Buisson 84 ... 285 G 2
Le Buisson-de-Cadouin 24 ... 258 D 1
Buissoncourt 54 ... 66 B 5
Buissy 62 ... 14 A 3
Bujaleuf 87 ... 206 C 5
Bulainville 55 ... 63 H 1
Bulan 65 ... 333 G 2
Bulat-Pestivien 22 ... 77 F 2
Bulcy 58 ... 156 B 4
Buléon 56 ... 102 B 4
Bulgnéville 88 ... 118 B 2
Bulhon 63 ... 210 B 4
Bullainville 28 ... 110 B 3
Bulle 25 ... 180 B 2
Bullecourt 62 ... 13 H 3
Bulles 60 ... 38 C 1
Bulligny 54 ... 94 B 2
Bullion 78 ... 87 E 2
Bullou 28 ... 109 H 2
Bully 14 ... 33 G 5
Bully 42 ... 211 G 4
Bully 69 ... 212 C 4
Bully 76 ... 20 D 3
Bully-les-Mines 62 ... 8 A 4
Bulson 08 ... 27 E 4
Bult 88 ... 95 G 5
Bun 65 ... 332 C 2
Buncey 21 ... 138 A 2
Buneville 62 ... 12 D 2
Buno-Bonnevaux 91 ... 87 H 5
Bunodière Hêtre de la 76 ... 37 E 1
Bunus 64 ... 311 G 5
Bunzac 16 ... 221 G 1
Buoux 84 ... 305 H 2
Burbach 67 ... 67 H 3
La Burbanche 01 ... 214 C 4
Burbure 62 ... 7 H 3
Burcin 38 ... 232 B 4
Burcy 14 ... 52 D 3
Burcy 77 ... 112 A 2
Burdignes 42 ... 248 C 1
Burdignin 74 ... 198 A 5
Bure 55 ... 93 F 3
Bure 57 ... 45 F 2
Buré 61 ... 84 A 3
Bure-les-Templiers 21 ... 138 D 3
Burelles 02 ... 25 F 3
Bures 54 ... 66 D 5
Bures 61 ... 84 A 2
Bures-en-Bray 76 ... 20 C 3
Bures-les-Monts 14 ... 52 C 2
Bures-sur-Dives 14 ... 33 H 4
Bures-sur-Yvette 91 ... 58 A 5
Le Buret 53 ... 106 B 5
Burey 27 ... 56 A 2
Burey-en-Vaux 55 ... 93 H 2
Burey-la-Côte 55 ... 94 A 3
Burg 65 ... 315 G 5
Burgalays 31 ... 334 B 3
Burgaronne 64 ... 311 H 3
Le Burgaud 31 ... 297 F 2
Burgille 25 ... 161 G 3
Burgnac 87 ... 223 G 1
Burgy 71 ... 195 E 3
Burie 17 ... 201 H 5
Buriville 54 ... 95 H 2
Burlats 81 ... 299 H 4
Burlioncourt 57 ... 66 D 3
Burnand 71 ... 194 C 1
Burnevillers 25 ... 163 H 2
Burnhaupt-le-Bas 68 ... 143 E 2
Burnhaupt-le-Haut 68 ... 143 E 2
Buron 63 ... 228 A 2
Buros 64 ... 314 B 3
Burosse-Mendousse 64 ... 294 C 5
Burret 09 ... 336 A 3
Bursard 61 ... 83 H 3
Burthecourt-aux-Chênes 54 ... 95 E 1
Burtoncourt 57 ... 46 B 4
Bury 60 ... 38 C 3
Burzet 07 ... 266 A 2
Burzy 71 ... 194 C 1
Bus 62 ... 13 H 5
Bus-la-Mésière 80 ... 23 E 4
Bus-lès-Artois 80 ... 13 E 4
Bus-Saint-Rémy 27 ... 37 F 5
Busca-Maniban Château de 32 ... 295 G 1
Buschwiller 68 ... 143 H 3
Busigny 59 ... 14 D 5
Busloup 41 ... 131 H 2
Busnes 62 ... 7 H 3
Busque 81 ... 299 E 3
Bussac 24 ... 240 B 1
Bussac-Forêt 17 ... 237 H 1
Bussac-sur-Charente 17 ... 201 G 5
Bussaglia Plage de 2A ... 346 B 5
Bussang 88 ... 120 B 5
Bussang Col de 88 ... 120 B 5
Le Busseau 79 ... 184 C 1
Busseau-sur-Creuse 23 ... 207 F 2
Busseaut 21 ... 138 B 3
Busséol 63 ... 228 A 1
Busserolles 24 ... 222 C 1
Busserotte-et-Montenaille 21 ... 139 E 4
Busset 03 ... 210 C 2
Bussiares 02 ... 60 A 1
La Bussière 45 ... 134 D 4
La Bussière 86 ... 187 F 1
Bussière-Badil 24 ... 222 B 2
Bussière-Boffy 87 ... 204 D 2
Bussière-Dunoise 23 ... 189 E 5
Bussière-Galant 87 ... 223 F 2
Bussière-Nouvelle 23 ... 208 B 3
Bussière-Poitevine 87 ... 187 G 5
Bussière-Saint-Georges 23 ... 189 H 3
La Bussière-sur-Ouche 21 ... 159 G 4
Bussières 21 ... 138 D 4
Bussières 42 ... 212 A 5
Bussières 63 ... 208 D 2
Bussières 70 ... 161 H 2
Bussières 71 ... 194 D 4
Bussières 77 ... 60 A 2
Bussières 89 ... 158 B 2
Bussières-et-Pruns 63 ... 210 A 3
Busson 52 ... 93 F 5
Bussu 80 ... 23 G 1
Bussunarits-Sarrasquette 64 ... 330 C 1
Bussurel 70 ... 142 B 4
Bussus-Bussuel 80 ... 11 H 3
Bussy 18 ... 173 G 3
Bussy 60 ... 23 G 5
Bussy-Albieux 42 ... 211 G 5
Bussy-en-Othe 89 ... 114 A 4
Bussy-la-Côte 55 ... 63 G 3
Bussy-la-Pesle 21 ... 159 G 2
Bussy-la-Pesle 58 ... 157 E 4
Bussy-le-Château 51 ... 62 C 1
Bussy-le-Grand 21 ... 138 A 5
Bussy-le-Repos 51 ... 63 E 2
Bussy-le-Repos 89 ... 113 F 4
Bussy-lès-Daours 80 ... 22 C 1
Bussy-lès-Poix 80 ... 21 H 2
Bussy-Lettrée 51 ... 62 A 4
Bussy-Rabutin Château de 21 ... 138 A 5
Bussy-Saint-Georges 77 ... 59 E 3
Bussy-Saint-Martin 77 ... 59 E 3
Bust 67 ... 68 A 3
Bustanico 2B ... 347 F 4
Bustince-Iriberry 64 ... 330 C 1
Buswiller 67 ... 68 C 3
Busy 25 ... 161 H 4
Butgnéville 55 ... 64 D 1
Buthiers 70 ... 162 A 2
Buthiers 77 ... 111 H 2
Butot 76 ... 20 A 5
Butot-Vénesville 76 ... 19 F 2
Butry-sur-Oise 95 ... 58 B 1
Butteaux 89 ... 114 C 5
Butten 67 ... 68 A 2
Buverchy 80 ... 23 G 3
Buvilly 39 ... 179 F 3
La Buxerette 36 ... 189 F 2
Buxerolles 21 ... 138 D 3
Buxerolles 86 ... 186 C 1
Buxerulles 55 ... 64 D 3
Buxeuil 10 ... 115 G 4
Buxeuil 36 ... 153 H 5
Buxeuil 86 ... 169 H 2
Buxières-d'Aillac 36 ... 189 E 1
Buxières-lès-Clefmont 52 ... 117 G 3
Buxières-les-Mines 03 ... 191 G 3
Buxières-lès-Villiers 52 ... 116 D 3
Buxières-sous-les-Côtes 55 ... 64 D 3
Buxières-sous-Montaigut 63 ... 209 F 1
Buxières-sur-Arce 10 ... 115 H 3
Buxy 71 ... 177 G 5
Buysscheure 59 ... 3 G 4
Buzan 09 ... 335 E 3
Buzançais 36 ... 171 F 3
Buzancy 02 ... 40 B 3
Buzancy 08 ... 43 F 2
Buzeins 12 ... 281 G 1
Buzet-sur-Baïse 47 ... 275 F 2
Buzet-sur-Tarn 31 ... 298 B 3
Buziet 64 ... 314 A 5
Buzignargues 34 ... 303 E 3
Buzon 65 ... 315 F 2
Buzy 55 ... 44 D 5
Buzy 64 ... 314 A 5
By 25 ... 179 H 1
Byans-sur-Doubs 25 ... 161 G 5

C

Cabanac 65 ... 315 G 4
Cabanac-Cazaux 31 ... 334 C 2
Cabanac-et-Villagrains 33 ... 255 G 3
Cabanac-Séguenville 31 ... 297 E 2
La Cabanasse 66 ... 341 G 4
Cabanès 12 ... 279 H 3
Cabanès 81 ... 299 E 3
Les Cabanes-de-Fitou 11 ... 339 E 3
Le Cabanial 31 ... 318 D 2
Les Cabannes 09 ... 336 B 5
Cabannes 13 ... 305 E 1
Les Cabannes 81 ... 279 F 4
Cabara 33 ... 256 C 1
Cabariot 17 ... 201 E 3
Cabas-Loumassès 32 ... 316 B 3
Cabasse 83 ... 328 C 1
Cabasson 83 ... 328 D 4
Le Cabellou 29 ... 100 A 4
Cabestany 66 ... 343 F 2
Cabidos 64 ... 294 A 5
Cabourg 14 ... 34 A 3
Cabre Col de 05 ... 268 D 4
Cabrerets 46 ... 260 C 5
Cabrerolles 34 ... 301 F 5
Cabrespine 11 ... 320 A 3
Cabrières 30 ... 304 A 1
Cabrières 34 ... 301 H 5
Cabrières-d'Aigues 84 ... 306 A 2
Cabrières-d'Avignon 84 ... 305 F 1
Cabriès 13 ... 326 D 1
Cabris 06 ... 308 D 3
Cachan 94 ... 58 C 4
Cachen 40 ... 274 A 4
Cachy 80 ... 22 D 2
Cadalen 81 ... 299 E 2
Cadarache Barrage de 13 ... 306 C 3
Cadarcet 09 ... 336 A 2
Cadarsac 33 ... 238 B 5
Cadaujac 33 ... 255 G 1
Cadéac 65 ... 333 G 3
Cadeilhan 32 ... 296 C 2
Cadeilhan-Trachère 65 ... 333 G 4
Cadeillan 32 ... 316 D 2
Cademène 25 ... 162 A 5
Caden 56 ... 125 F 4
Les Cadeneaux 13 ... 326 D 1
Cadenet 84 ... 305 H 3
Caderousse 84 ... 285 E 4
La Cadière-d'Azur 83 ... 327 H 4
La Cadière-et-Cambo 30 ... 302 D 1
Cadillac 33 ... 256 B 3
Cadillac-en-Fronsadais 33 ... 237 H 4
Cadillon 64 ... 294 D 5
Cadix 81 ... 280 C 5
Cadolive 13 ... 327 F 1
Cadouin 24 ... 258 D 1
Cadours 31 ... 297 E 3
Cadrieu 46 ... 261 E 5
Caen 14 ... 33 G 4
Caëstre 59 ... 4 A 5
Caffiers 62 ... 2 C 4
Cagnac-les-Mines 81 ... 279 G 5
Cagnano 2B ... 345 G 2
Cagnes-sur-Mer 06 ... 309 G 3
Cagnicourt 62 ... 13 H 3
Cagnoncles 59 ... 14 C 3
Cagnotte 40 ... 292 D 4
Cagny 14 ... 33 H 5
Cagny 80 ... 22 C 2
Cahagnes 14 ... 32 D 5
Cahagnolles 14 ... 32 D 4
Cahaignes 27 ... 37 E 4
Cahan 61 ... 53 F 3
Caharet 65 ... 315 G 5
Cahon 80 ... 11 F 3
Cahors 46 ... 260 B 5
Cahus 46 ... 243 E 5
Cahuzac 11 ... 318 D 5
Cahuzac 47 ... 258 B 3
Cahuzac 81 ... 319 F 2
Cahuzac-sur-Adour 32 ... 295 E 4
Cahuzac-sur-Vère 81 ... 279 E 5
Caignac 31 ... 318 C 4
Le Cailar 30 ... 303 G 4
Cailhau 11 ... 337 F 1
Cailhavel 11 ... 319 F 5
Cailla 11 ... 337 G 4
Caillac 46 ... 259 H 5
Caillavet 32 ... 295 H 3
Caille 06 ... 308 C 2
Caille Ponts de la 74 ... 215 G 2
La Caillère 85 ... 183 H 1
Cailleville 76 ... 19 G 2
Caillouël-Crépigny 02 ... 23 H 5
Caillouet-Orgeville 27 ... 56 C 1
Cailloux-sur-Fontaines 69 ... 213 E 4
Cailly 76 ... 20 C 5
Cailly-sur-Eure 27 ... 36 C 5
La Caine 14 ... 53 F 1
Cairanne 84 ... 285 F 2
Le Caire 04 ... 269 G 5
Cairon 14 ... 33 F 4
Caisnes 60 ... 39 H 1
Caissargues 30 ... 303 H 2
Caix 80 ... 23 E 2
Caixas 66 ... 342 D 3
Caixon 65 ... 315 E 2
Cajarc 46 ... 261 E 5
Cala Rossa 2A ... 351 G 2
Calacuccia 2B ... 346 D 4
Calais 62 ... 2 C 3
Calamane 46 ... 259 H 4
Calan 56 ... 101 E 5
Calanhel 22 ... 77 E 2
Calas 13 ... 326 D 1
Calavanté 65 ... 315 F 5
Calcatoggio 2A ... 348 C 2
Calce 66 ... 338 C 5
Caldégas 66 ... 341 F 4
Calenzana 2B ... 346 C 2
Calès 24 ... 258 D 1
Calès 46 ... 260 B 1
Calignac 47 ... 275 G 4
Caligny 61 ... 53 E 3
Callac 22 ... 77 E 3
Callac 56 ... 124 D 2
Callas 83 ... 308 B 4
Callen 40 ... 273 H 1
Callengeville 76 ... 21 E 2
Calleville 27 ... 35 G 4
Calleville-les-Deux-Églises 76 ... 20 A 4
Callian 32 ... 295 G 4
Callian 83 ... 308 C 3
Calmeilles 66 ... 342 D 3
Calmels-et-le-Viala 12 ... 300 C 1
La Calmette 30 ... 303 G 1
Calmont 12 ... 280 C 2
Calmont 31 ... 318 B 4
Calmoutier 70 ... 141 F 4
Caloire 42 ... 230 A 4
Calonges 47 ... 275 F 1
Calonne-Ricouart 62 ... 7 H 4
Calonne-sur-la-Lys 62 ... 8 A 3
Calorguen 22 ... 79 G 4
La Calotterie 62 ... 6 B 4
Caluire-et-Cuire 69 ... 213 E 5
Calvaire des Dunes 50 ... 28 D 3
Calvi 2B ... 346 B 2
Calviac 46 ... 243 F 5
Calviac-en-Périgord 24 ... 259 H 1
Calvignac 46 ... 260 D 5
Calvinet 15 ... 262 B 2
Calvisson 30 ... 303 G 2
Calzan 09 ... 336 C 2
Camalès 65 ... 315 E 3
Camarade 09 ... 335 G 1
Camarès 12 ... 300 D 2
Camaret-sur-Aigues 84 ... 285 F 3
Camaret-sur-Mer 29 ... 74 D 3
Camarsac 33 ... 255 H 1
Cambayrac 46 ... 259 G 5
La Cambe 14 ... 32 B 2
Cambernard 31 ... 317 F 2
Cambernon 50 ... 31 H 5
Cambes 33 ... 255 H 2
Cambes 46 ... 261 F 3
Cambes 47 ... 257 F 3
Cambes-en-Plaine 14 ... 33 G 4
Cambia 2B ... 347 F 4
Cambiac 31 ... 318 C 2
Cambieure 11 ... 337 F 1
Camblain-Châtelain 62 ... 7 H 4
Camblain-l'Abbé 62 ... 8 A 5
Camblanes-et-Meynac 33 ... 255 G 1
Cambligneul 62 ... 8 A 5
Cambo-les-Bains 64 ... 310 D 4
Cambon 81 ... 299 G 1
Cambon-et-Salvergues 34 ... 300 D 4
Cambon-lès-Lavaur 81 ... 298 D 5
Camboulazet 12 ... 280 C 3
Camboulit 46 ... 261 F 4
Cambounès 81 ... 300 A 5
Cambounet-sur-le-Sor 81 ... 299 F 5
Le Cambout 22 ... 102 C 3
Cambrai 59 ... 14 B 3
Cambremer 14 ... 34 B 5
Cambrin 62 ... 8 B 4
Cambron 80 ... 11 G 3
Cambronne-lès-Clermont 60 ... 38 C 3
Cambronne-lès-Ribécourt 60 ... 39 G 1
Camburat 46 ... 261 F 3
Came 64 ... 292 D 5
Camélas 66 ... 342 D 2
Camelin 02 ... 40 A 1
Camembert 61 ... 54 C 3
Cametours 50 ... 31 H 5
Camiac-et-Saint-Denis 33 ... 256 B 1
Camiers 62 ... 6 B 3
Camiran 33 ... 256 D 3
Camjac 12 ... 280 B 3
Camlez 22 ... 72 D 3
Les Cammazes 81 ... 319 F 3
Camoël 56 ... 125 E 5
Camon 09 ... 337 E 2
Camon 80 ... 22 C 2
Camors 56 ... 101 H 5
Camou-Cihigue 64 ... 331 E 1
Camou-Mixe-Suhast 64 ... 311 H 4
Camous 65 ... 333 H 3
Le Camp-du-Castellet 83 ... 327 G 3
Campagna-de-Sault 11 ... 337 E 5

Campagnac 12 ..... 263 H 5
Campagnac 81 ..... 279 E 5
Campagnac-les-Quercy 24 . 259 G 2
Campagnan 34 ..... 302 A 5
Campagne 24 ..... 241 E 5
Campagne 34 ..... 303 E 2
Campagne 40 ..... 293 H 1
Campagne 60 ..... 23 G 4
Campagne-d'Armagnac 32 . 295 E 1
Campagne-lès-Boulonnais 62 .. 6 D 3
Campagne-lès-Guînes 62 ..... 2 D 4
Campagne-lès-Hesdin 62 ..... 6 C 5
Campagne-lès-Wardrecques 62 ..... 3 G 5
Campagne-sur-Arize 09 ..... 335 H 1
Campagne-sur-Aude 11 ..... 337 G 3
Campagnolles 14 ..... 52 C 2
Campan 65 ..... 333 F 2
Campana 2B ..... 347 G 3
Campandré-Valcongrain 14 ..... 53 E 1
Camparan 65 ..... 333 G 4
Campbon 44 ..... 146 D 1
Campeaux 14 ..... 52 C 2
Campeaux 60 ..... 21 G 5
Campel 35 ..... 103 G 5
Campénéac 56 ..... 103 E 4
Campes 81 ..... 279 F 4
Campestre-et-Luc 30 ..... 301 H 1
Campet-et-Lamolère 40 ..... 293 H 1
Camphin-en-Carembault 59 ..... 8 C 4
Camphin-en-Pévèle 59 ..... 9 E 3
Campi 2B ..... 347 G 4
Campigneulles-les-Grandes 62 ..... 6 B 5
Campigneulles-les-Petites 62 ... 6 B 4
Campigny 14 ..... 32 D 3
Campigny 27 ..... 35 F 3
Campile 2B ..... 347 G 2
Campistrous 65 ..... 315 H 5
Campitello 2B ..... 347 F 2
Camplong 34 ..... 301 F 4
Camplong-d'Aude 11 ..... 338 B 1
Campneuseville 76 ..... 21 F 2
Campo 2A ..... 348 D 3
Campoloro *Port de* 2B ..... 347 H 4
Campôme 66 ..... 342 A 2
Campouriez 12 ..... 262 D 2
Campoussy 66 ..... 342 B 2
Campremy 60 ..... 22 C 5
Camprond 50 ..... 31 H 5
Camps 19 ..... 243 F 4
Camps-en-Amiénois 80 ..... 21 H 2
Camps-la-Source 83 ..... 328 B 1
Camps-sur-l'Agly 11 ..... 338 A 4
Camps-sur-l'Isle 33 ..... 238 D 4
Campsas 82 ..... 297 H 1
Campsegret 24 ..... 240 B 5
Campuac 12 ..... 262 D 4
Campugnan 33 ..... 237 G 2
Campuzan 65 ..... 315 H 4
Camurac 11 ..... 336 D 5
Can Parterre 66 ..... 342 C 4
Canadel *Col du* 83 ..... 329 E 4
Canadel-sur-Mer 83 ..... 329 E 4
Canaille *Cap* 13 ..... 327 F 4
Canale-di-Verde 2B ..... 347 H 4
Canals 82 ..... 297 G 2
Canaples 80 ..... 12 C 5
Canappeville 27 ..... 36 B 5
Canapville 14 ..... 34 C 3
Canapville 61 ..... 54 D 2
Canari 2B ..... 345 F 2
Canaules-et-Argentières 30 ..... 283 H 5
Canavaggia 2B ..... 347 F 2
Canaveilles 66 ..... 341 H 3
Cancale 35 ..... 50 D 4
Canchy 14 ..... 32 C 2
Canchy 80 ..... 11 G 2
Cancon 47 ..... 258 B 4
Candas 80 ..... 12 C 4
Candé 49 ..... 127 G 5
Candé-sur-Beuvron 41 ..... 153 E 1
Candes-Saint-Martin 37 ..... 150 D 4
Candillargues 34 ..... 303 F 4
Candor 60 ..... 23 G 5
Candresse 40 ..... 293 E 3
Canehan 76 ..... 10 D 5
Canéjan 33 ..... 255 F 1
Canens 31 ..... 317 H 5
Canenx-et-Réaut 40 ..... 273 H 5
Canet 11 ..... 320 D 5
Canet 34 ..... 302 A 5
Canet-de-Salars 12 ..... 281 E 3
Canet-en-Roussillon 66 ..... 343 F 2
Canet-Plage 66 ..... 343 F 2
Canettemont 62 ..... 12 D 2
Cangey 37 ..... 152 C 2
Caniac-du-Causse 46 ..... 260 C 3
Canigou *Pic du* 66 ..... 342 B 3
Canihuel 22 ..... 77 G 4
Canilhac 48 ..... 263 H 5
Canisy 50 ..... 32 A 5
Canlers 62 ..... 7 E 4
Canly 60 ..... 39 E 2
Cannectancourt 60 ..... 23 G 5
Cannelle 2A ..... 348 C 2
Cannelle 2B ..... 345 F 1
Cannes 06 ..... 309 F 4
Cannes-Écluse 77 ..... 89 E 5
Cannes-et-Clairan 30 ..... 303 F 1
Cannessières 80 ..... 11 G 5
Le Cannet 06 ..... 309 F 4
Cannet 32 ..... 294 D 4
Le Cannet-des-Maures 83 ... 328 D 1
Canny-sur-Matz 60 ..... 23 F 5
Canny-sur-Thérain 60 ..... 21 F 5
Canohès 66 ..... 343 E 2
Canon 14 ..... 34 A 5
Le Canon 33 ..... 254 B 2
La Canonica 2B ..... 347 H 2
La Canonica *Ancienne Cathédrale de* 2B ..... 347 H 2
La Canourgue 48 ..... 264 A 5
Canouville 76 ..... 19 F 2
Cantaing-sur-Escaut 59 ..... 14 B 4
Cantaous 65 ..... 333 H 1
Cantaron 06 ..... 309 H 2
Canté 09 ..... 318 A 4
Cantebonne 54 ..... 45 F 2
Canteleu 76 ..... 36 A 2
Canteleux 62 ..... 12 D 3
Canteloup 14 ..... 34 A 5
Canteloup 50 ..... 29 G 3
Cantenac 33 ..... 237 F 3
Cantenay-Épinard 49 ..... 128 C 5
Cantiers 27 ..... 37 E 4
Cantigny 80 ..... 22 D 4
Cantillac 24 ..... 222 B 4
Cantin 59 ..... 14 A 2
Cantobre 12 ..... 282 B 5
Cantoin 12 ..... 263 F 1
Cantois 33 ..... 256 B 2
Canville-la-Rocque 50 ..... 31 F 2
Canville-les-Deux-Églises 76 . 19 H 3
Cany-Barville 76 ..... 19 F 3
Caorches-Saint-Nicolas 27 ..... 35 F 5
Caouënnec-Lanvézéac 22 ..... 72 D 3
Caours 80 ..... 11 G 3
Cap Corse 2B ..... 345 G 1
Cap-Coz 29 ..... 100 A 4
Le Cap-d'Agde 34 ..... 322 C 5
Cap-d'Ail 06 ..... 309 H 5
Cap-de-l'Homy-Plage 40 ..... 272 A 4
Cap-de-Long *Barrage de* 65 ..... 333 F 4
Cap Ferrat 06 ..... 309 H 2
Cap-Ferret 33 ..... 254 A 3
Cap-Martin 06 ..... 309 H 5
Cap Sizun *Réserve du* 29 ..... 98 D 2
Capbis 64 ..... 332 B 1
Capbreton 40 ..... 292 A 3
Capdenac 46 ..... 261 G 4
Capdenac-Gare 12 ..... 261 G 4
Capdrot 24 ..... 259 E 2
La Capelle 02 ..... 25 F 1
La Capelle 48 ..... 282 B 1
Capelle 59 ..... 14 D 3
La Capelle-Balaguier 12 ..... 261 F 5
La Capelle-Bleys 12 ..... 279 H 2
La Capelle-Bonance 12 ..... 263 G 5
La Capelle-et-Masmolène 30 ..... 284 C 4
Capelle-Fermont 62 ..... 13 F 2
La Capelle-lès-Boulogne 62 ..... 2 B 5
Capelle-les-Grands 27 ..... 55 E 1
Capelle-lès-Hesdin 62 ..... 11 H 1
Capendu 11 ..... 320 B 5
Capens 31 ..... 317 G 3
Capestang 34 ..... 321 E 4
Capian 33 ..... 256 B 2
Capinghem 59 ..... 8 C 2
Caplong 33 ..... 257 E 1
Capoulet-et-Junac 09 ..... 336 B 5
Cappel 57 ..... 67 F 1
Cappelle-Brouck 59 ..... 3 F 3
Cappelle-en-Pévèle 59 ..... 9 E 4
Cappelle-la-Grande 59 ..... 3 G 2
Cappy 80 ..... 23 F 1
La Capte 83 ..... 328 C 5
Captieux 33 ..... 274 B 2
Capula *Castello de* 2A ..... 349 F 5
Capvern 65 ..... 333 G 1
Capvern-les-Bains 65 ..... 333 G 1
Carabès *Col de* 05 ..... 268 D 4
Caradeuc *Château de* 35 ..... 103 H 1
Caragoudes 31 ..... 318 C 2
Caraman 31 ..... 298 C 5
Caramany 66 ..... 338 B 5
Carantec 29 ..... 71 H 3
Carantilly 50 ..... 32 A 5
Carayac 46 ..... 261 E 4
Carbay 49 ..... 127 F 3
Carbes 81 ..... 299 F 4
Carbini 2A ..... 351 F 2
Carbon-Blanc 33 ..... 237 G 5
Carbonne 31 ..... 317 G 4
Carbuccia 2A ..... 348 D 2
Carcagny 14 ..... 33 E 4
Carcanières 09 ..... 337 F 5
Carcans 33 ..... 236 C 3
Carcans-Plage 33 ..... 236 B 2
Carcarès-Sainte-Croix 40 ..... 293 G 1
Carcassonne 11 ..... 319 H 5
Carcen-Ponson 40 ..... 293 F 1
Carcès 83 ..... 307 G 5
Carcheto-Brustico 2B ..... 347 G 3
Cardaillac 46 ..... 261 F 3
Cardan 33 ..... 255 H 2
Cardeilhac 31 ..... 316 B 5
Cardesse 64 ..... 313 H 4
Cardet 30 ..... 283 H 5
Cardo-Torgia 2A ..... 348 D 4
Cardonnette 80 ..... 22 C 1
Le Cardonnois 80 ..... 22 D 5
Cardonville 14 ..... 32 B 2
Cardroc 35 ..... 103 H 1
Careil 44 ..... 145 H 4
Carelles 53 ..... 81 H 4
Carency 62 ..... 8 A 5
Carennac 46 ..... 242 D 5
Carentan 50 ..... 32 A 3
Carentoir 56 ..... 125 G 2
Cargèse 2A ..... 348 A 1
Cargiaca 2A ..... 349 E 5
Carhaix-Plouguer 29 ..... 76 D 4
Carignan 08 ..... 27 G 4
Carignan-de-Bordeaux 33 ..... 255 G 1
Carisey 89 ..... 114 C 5
Carla-Bayle 09 ..... 335 H 1
Carla-de-Roquefort 09 ..... 336 C 3
Le Carlaret 09 ..... 336 C 1
Carlat 15 ..... 244 D 5
Carlencas-et-Levas 34 ..... 301 G 4
Carlepont 60 ..... 39 H 1
Carling 57 ..... 47 E 5
Carlipa 11 ..... 319 F 4
Carlucet 24 ..... 241 H 4
Carlucet 46 ..... 260 C 2
Carlus 81 ..... 299 F 1
Carlux 24 ..... 241 H 5
Carly 62 ..... 6 B 2
Carmaux 81 ..... 279 G 5
Carnac 56 ..... 123 H 4
Carnac-Plage 56 ..... 123 H 4
Carnac-Rouffiac 46 ..... 277 G 1
Carnas 30 ..... 303 E 2
La Carneille 61 ..... 53 F 4
Carnet 50 ..... 80 D 2
Carnetin 77 ..... 59 E 3
Carneville 50 ..... 29 F 2
Carnières 59 ..... 14 C 4
Carnin 59 ..... 8 C 4
Carniol 04 ..... 286 D 5
Carnoët 22 ..... 76 D 3
Carnon-Plage 34 ..... 303 E 5
Carnoules 83 ..... 328 C 2
Carnoux-en-Provence 13 ..... 327 F 3
Carnoy 80 ..... 23 F 1
Caro 56 ..... 103 E 5
Caro 64 ..... 330 C 1
Carolles 50 ..... 51 F 4
Caromb 84 ..... 285 H 4
Carpentras 84 ..... 285 G 4
Carpineto 2B ..... 347 G 4
Carpiquet 14 ..... 33 F 4
Carquebut 50 ..... 31 H 2
Carquefou 44 ..... 147 H 3
Carqueiranne 83 ..... 328 B 5
La Carquois 22 ..... 79 E 1
Carrépuis 80 ..... 23 F 4
Carrère 64 ..... 314 C 2
Carresse 64 ..... 293 E 5
Carri *Col de* 26 ..... 250 B 4
Carrières-sous-Bois 78 ..... 58 A 2
Carrières-sous-Poissy 78 ..... 58 A 2
Carrières-sur-Seine 78 ..... 58 B 3
Carro 13 ..... 325 H 4
Carros 06 ..... 309 G 2
Carrouges 61 ..... 83 E 2
Les Carroz-d'Arâches 74 ..... 216 C 2
Carry-le-Rouet 13 ..... 326 C 2
Cars 33 ..... 237 F 2
Les Cars 87 ..... 223 F 1
Les Cars *Ruines gallo-romaines* 19 ..... 225 F 2
Carsac-Aillac 24 ..... 259 G 1
Carsac-de-Gurson 24 ..... 239 E 4
Carsan 30 ..... 284 D 2
Carsix 27 ..... 35 G 5
Carspach 68 ..... 143 E 3
Cartelègue 33 ..... 237 G 2
Carteret 50 ..... 31 E 2
Carticasi 2B ..... 347 F 4
Cartignies 59 ..... 15 G 4
Cartigny 80 ..... 23 H 1
Cartigny-l'Épinay 14 ..... 32 B 3
Carves 24 ..... 259 F 1
Carville 14 ..... 52 C 2
Carville-la-Folletière 76 ..... 19 H 5
Carville-Pot-de-Fer 76 ..... 19 G 3
Carvin 62 ..... 8 C 4
Cas *Château de* 82 ..... 278 D 3
Casabianca 2B ..... 347 G 3
Casaglione 2A ..... 348 C 2
Casalabriva 2A ..... 348 D 5
Casalta 2B ..... 347 G 3
Casamaccioli 2B ..... 346 D 4
Casamozza 2B ..... 347 G 2
Casanova 2B ..... 347 E 5
Casardo *Col de* 2B ..... 347 F 4
Casatorra 2B ..... 345 G 5
Cascastel-des-Corbières 11 ..... 338 C 2
Casefabre 66 ..... 342 C 3
Caseneuve 84 ..... 306 A 1
Cases-de-Pène 66 ..... 338 C 5
Casevecchie 2B ..... 349 G 1
Cassaber 64 ..... 293 E 5
Cassagnabère-Tournas 31 .. 316 C 5
Cassagnas 48 ..... 283 E 2
La Cassagne 24 ..... 241 H 3
Cassagne 31 ..... 335 E 1
Cassagnes 46 ..... 259 F 4
Cassagnes 66 ..... 338 B 5
Cassagnes-Bégonhès 12 ..... 280 C 3
Cassagnoles 30 ..... 283 H 5
Cassagnoles 34 ..... 320 B 3
La Cassaigne 11 ..... 319 E 5
Cassaigne 32 ..... 295 H 1
Cassaignes 11 ..... 337 G 3
Cassaniouze 15 ..... 262 B 2
Cassano 2B ..... 346 C 2
Cassel 59 ..... 3 H 5
Cassen 40 ..... 293 F 2
Casseneuil 47 ..... 258 B 5
Les Cassés 11 ..... 318 D 3
Casset *Cascade du* 05 ..... 252 A 5
Casseuil 33 ..... 256 C 3
Cassignas 47 ..... 276 C 2
La Cassine 08 ..... 27 E 5
Cassis 13 ..... 327 F 3
Casson 44 ..... 147 G 2
Cassuéjouls 12 ..... 263 F 2
Cast 29 ..... 75 H 5
Castagnac 31 ..... 317 H 5
Castagnède 31 ..... 335 E 2
Castagnède 64 ..... 311 H 3
Castagniers 06 ..... 291 E 5
Castaignos-Souslens 40 ..... 293 H 4
Castandet 40 ..... 294 B 2
Castanet 12 ..... 279 H 2
Castanet 81 ..... 279 F 5
Castanet 82 ..... 279 F 2
Castanet-le-Haut 34 ..... 301 E 4
Castanet-Tolosan 31 ..... 318 A 2
Castans 11 ..... 320 A 3
Casteide-Cami 64 ..... 314 A 2
Casteide-Candau 64 ..... 293 H 5
Casteide-Doat 64 ..... 315 E 3
Casteil 66 ..... 342 A 4
Castel-Sarrazin 40 ..... 293 F 4
Castel Vendon *Rocher du* 50 ..... 28 D 2
Castelbajac 65 ..... 315 H 5
Castelbiague 31 ..... 334 D 2
Castelbouc *Château de* 48 .. 282 C 1
Castelculier 47 ..... 276 C 3
Le Castelet 09 ..... 336 C 5
Castelferrus 82 ..... 277 F 5
Castelfranc 46 ..... 259 G 5
Castelgaillard 31 ..... 316 D 3
Castelginest 31 ..... 297 H 4
Casteljaloux 47 ..... 275 E 1
Casteljau 07 ..... 284 A 1
Castella 47 ..... 276 C 2
Castellane 04 ..... 308 A 1
Castellar 06 ..... 291 G 5
Le Castellard-Mélan 04 ..... 287 H 2
Castellare-di-Casinca 2B ... 347 G 2
Castellare-di-Mercurio 2B ... 347 F 4
Le Castellet 04 ..... 287 G 5
Le Castellet 83 ..... 327 H 3
Castellet 84 ..... 306 A 1
Castellet-les-Sausses 04 ..... 289 E 4
Castelli *Pointe du* 44 ..... 145 G 4
Castello 2B ..... 345 F 2
Castello-di-Rostino 2B ..... 347 F 3
Castelmary 12 ..... 279 H 3
Castelmaurou 31 ..... 298 A 4
Castelmayran 82 ..... 277 E 5
Castelmoron-d'Albret 33 ..... 256 D 2
Castelmoron-sur-Lot 47 ..... 275 H 1
Castelnau-Barbarens 32 ..... 296 C 5
Castelnau-Bretenoux *Château de* 46 ..... 243 E 5
Castelnau-Chalosse 40 ..... 293 F 3
Castelnau-d'Anglès 32 ..... 295 G 4
Castelnau-d'Arbieu 32 ..... 296 C 1
Castelnau-d'Aude 11 ..... 320 B 5
Castelnau-d'Auzan-Labarrère 32 ..... 275 E 5
Castelnau-de-Brassac 81 ..... 300 A 4
Castelnau-de-Guers 34 ..... 322 C 3
Castelnau-de-Lévis 81 ..... 299 F 1
Castelnau-de-Mandailles 12 ..... 263 F 4
Castelnau-de-Médoc 33 ..... 237 E 3
Castelnau-de-Montmiral 81 ..... 298 D 1
Castelnau-d'Estrétefonds 31 ..... 297 H 3
Castelnau-Durban 09 ..... 335 H 2
Castelnau-le-Lez 34 ..... 302 D 4
Castelnau-Magnoac 65 ..... 316 A 4
Castelnau-Montratier 46 ..... 277 H 2
Castelnau-Pégayrols 12 ..... 281 F 4
Castelnau-Picampeau 31 ..... 317 E 4
Castelnau-Rivière-Basse 65 ..... 295 E 5
Castelnau-sur-Gupie 47 ..... 257 E 4
Castelnau-sur-l'Auvignon 32 ..... 275 H 5
Castelnau-Tursan 40 ..... 294 B 4
Castelnau-Valence 30 ..... 284 A 5
Castelnaud-de-Gratecambe 47 ..... 258 C 4
Castelnaud-la-Chapelle 24 .. 259 F 1
Castelnaudary 11 ..... 319 E 4
Castelnavet 32 ..... 295 F 4
Castelner 40 ..... 293 H 5
Castelnou 66 ..... 342 D 3
Castelpers 12 ..... 280 B 4
Castelreng 11 ..... 337 F 2
Castels 24 ..... 241 F 5
Castelsagrat 82 ..... 277 E 3
Castelsarrasin 82 ..... 277 F 5
Castelvieilh 65 ..... 315 F 4
Castelviel 33 ..... 256 C 2
Castennec *Site de* 56 ..... 101 H 4
Le Castéra 31 ..... 297 F 4
Castéra-Bouzet 82 ..... 276 D 5
Castéra-Lanusse 65 ..... 315 G 5
Castéra-Lectourois 32 ..... 276 B 5
Castéra-Lou 65 ..... 315 F 3
Castéra-Loubix 64 ..... 314 D 3
Castéra-Verduzan 32 ..... 295 H 2
Castéra-Vignoles 31 ..... 316 C 4
Castéras 09 ..... 335 H 1
Casterets 65 ..... 316 B 4
Castéron 32 ..... 296 D 1
Castet 64 ..... 332 A 1
Castet-Arrouy 32 ..... 276 C 5
Castetbon 64 ..... 313 F 2
Castétis 64 ..... 313 G 2
Castetnau-Camblong 64 ..... 313 F 3
Castetner 64 ..... 313 G 2
Castetpugon 64 ..... 294 C 5
Castets 40 ..... 292 D 1
Castets-en-Dorthe 33 ..... 256 C 4
Castex 09 ..... 317 G 5
Castex 32 ..... 315 G 3
Castex-d'Armagnac 32 ..... 294 D 1
Casties-Labrande 31 ..... 317 E 4
Castifao 2B ..... 347 E 2
Castiglione 2B ..... 347 E 3
Castillon 06 ..... 291 G 5
Castillon 14 ..... 32 D 4
Castillon 64 ..... 313 H 2
Castillon 64 ..... 314 D 2
Castillon 65 ..... 333 F 1
Castillon *Barrage de* 04 ..... 308 B 1
Castillon *Col de* 06 ..... 291 G 5
Castillon-de-Castets 33 ..... 256 C 4
Castillon-de-Larboust 31 ..... 334 A 4
Castillon-de-Saint-Martory 31 ..... 334 D 1
Castillon-Debats 32 ..... 295 G 3
Castillon-du-Gard 30 ..... 284 D 5
Castillon-en-Auge 14 ..... 54 B 1
Castillon-en-Couserans 09 .. 335 E 3
Castillon-la-Bataille 33 ..... 238 D 5
Castillon-Massas 32 ..... 296 A 3
Castillon-Savès 32 ..... 297 E 5
Castillonnès 47 ..... 258 B 3
Castilly 14 ..... 32 B 3
Castin 32 ..... 296 A 3
Castineta 2B ..... 347 F 3
Castirla 2B ..... 347 E 4
Castres 02 ..... 24 A 3
Castres 81 ..... 299 G 5
Castres-Gironde 33 ..... 255 H 2
Castries 34 ..... 303 E 4
Le Cateau-Cambrésis 59 ..... 14 D 4
Le Catelet 02 ..... 14 B 5
Le Catelier 76 ..... 20 B 3
Catenay 76 ..... 36 C 1
Catenoy 60 ..... 38 D 2
Cateri 2B ..... 346 C 2
Cathervielle 31 ..... 334 A 4
Catheux 60 ..... 22 A 4
Catigny 60 ..... 23 G 4
Catillon-Fumechon 60 ..... 38 C 1
Catillon-sur-Sambre 59 ..... 15 E 5
Catllar 66 ..... 342 A 2
Les Catons 73 ..... 233 E 1
Catonvielle 32 ..... 297 E 4
Cattenières 59 ..... 14 C 4
Cattenom 57 ..... 45 H 2
Catteville 50 ..... 31 F 2
Catus 46 ..... 259 H 4
Catz 50 ..... 32 A 3
Caubeyres 47 ..... 275 F 2
Caubiac 31 ..... 297 F 3
Caubios-Loos 64 ..... 314 B 2
Caubon-Saint-Sauveur 47 ... 257 F 3
Caubous 31 ..... 334 A 4
Caubous 65 ..... 316 A 4
Caucalières 81 ..... 299 H 5
La Cauchie 62 ..... 13 F 3
Cauchy-à-la-Tour 62 ..... 7 H 4
Caucourt 62 ..... 7 H 5
Caudan 56 ..... 101 E 5
Caudebec-en-Caux 76 ..... 35 G 1
Caudebec-lès-Elbeuf 76 ..... 36 A 3
Caudebronde 11 ..... 319 H 3
Caudecoste 47 ..... 276 C 4
Caudéran 33 ..... 237 F 5
Caudeval 11 ..... 337 E 1
Caudiès-de-Conflent 66 ..... 341 G 3
Caudiès-de-Fenouillèdes 66 ..... 337 H 4
Caudon-de-Vitrac 24 ..... 259 G 1
Caudos 33 ..... 254 C 3
Caudrot 33 ..... 256 C 3
Caudry 59 ..... 14 C 4
Cauffry 60 ..... 38 D 3
Caugé 27 ..... 56 A 1
Caujac 31 ..... 318 A 4
Caulaincourt 02 ..... 23 H 2
Le Caule-Sainte-Beuve 76 ..... 21 E 3
Caulières 80 ..... 21 G 3
Caullery 59 ..... 14 C 4
Caulnes 22 ..... 103 F 1
La Caume *Panorama de* 13 ..... 304 D 3
Caumont 02 ..... 24 A 5
Caumont 09 ..... 335 F 2
Caumont 27 ..... 35 H 2
Caumont 32 ..... 294 D 3
Caumont 33 ..... 256 D 2
Caumont 62 ..... 12 B 2
Caumont 82 ..... 277 E 5
Caumont *Château de* 32 ..... 297 E 5
Caumont-l'Éventé 14 ..... 32 D 5
Caumont-sur-Durance 84 ..... 305 E 1
Caumont-sur-Garonne 47 ..... 257 F 5
Caumont-sur-Orne 14 ..... 53 F 2
Cauna 40 ..... 293 H 2
Caunay 79 ..... 185 H 5
Cauneille 40 ..... 292 D 5
Caunes-Minervois 11 ..... 320 A 4
La Caunette 34 ..... 320 C 3
Caunette-sur-Lauquet 11 ..... 337 H 2
Caunettes-en-Val 11 ..... 338 B 2
Caupenne 40 ..... 293 G 3
Caupenne-d'Armagnac 32 .. 294 D 2
La Caure 51 ..... 61 E 2
Caurel 22 ..... 77 H 5
Caurel 51 ..... 41 H 3

Cauria *Mégalithes de* 2A 350 D 3
Cauro 2A 348 D 3
Cauroir 59 14 C 3
Cauroy 08 42 B 3
Cauroy-lès-Hermonville 51 41 F 3
Le Causé 82 297 E 2
Cause-de-Clérans 24 240 C 5
Caussade 82 278 B 3
Caussade-Rivière 65 295 E 5
Causse-Bégon 30 282 B 4
Causse-de-la-Selle 34 302 B 2
Causse Noir *Corniche du* 12 282 A 3
Caussens 32 295 H 1
Causses-et-Veyran 34 321 F 2
Caussidières 31 318 B 3
Caussiniojouls 34 301 F 5
Caussols 06 309 E 2
Caussou 09 336 C 5
Cauterets 65 332 D 3
Cauverville-en-Roumois 27 35 F 3
Cauvicourt 14 53 H 1
Cauvignac 33 256 C 5
Cauvigny 60 38 B 3
Cauville 14 53 E 2
Cauville-sur-Mer 76 18 C 5
La Cauvinière *Haras* 14 54 D 1
Caux 34 321 H 2
Caux-et-Sauzens 11 319 G 5
Cauzac 47 276 D 2
Cavagnac 46 242 C 4
Cavaillon 84 305 F 2
Cavalaire-sur-Mer 83 329 F 3
La Cavalerie 12 281 H 5
Cavalière 83 329 E 4
Cavaliers *Falaise des* 83 307 H 2
Cavan 22 72 D 4
Cavanac 11 319 H 5
Cavarc 47 258 B 2
Caveirac 30 303 G 2
Caves 11 339 E 3
Cavignac 33 237 H 3
Cavigny 50 32 B 4
Cavillargues 30 284 C 4
Cavillon 80 22 A 1
Cavron-Saint-Martin 62 6 D 5
Caychax 09 336 C 5
Cayeux-en-Santerre 80 23 E 2
Cayeux-sur-Mer 80 11 E 2
Le Cayla *Musée* 81 279 E 5
Le Caylar 34 301 H 2
Caylus 82 278 D 3
La Cayolle *Col de* 06 289 E 1
Cayrac 82 278 B 4
Cayres 43 247 E 5
Cayriech 82 278 C 3
Le Cayrol 12 263 E 4
Cayrols 15 261 H 1
Cazac 31 316 D 3
Cazalis 33 274 A 1
Cazalis 40 293 H 4
Cazalrenoux 11 319 E 5
Cazals 46 259 G 3
Cazals 82 278 D 4
Cazals-des-Baylès 09 337 E 1
Cazaril-Laspènes 31 334 A 4
Cazaril-Tambourès 31 316 A 5
Cazarilh 65 334 A 3
Cazats 33 256 B 5
Cazaubon 32 294 D 1
Cazaugitat 33 256 D 2
Cazaunous 31 334 C 2
Cazaux 09 336 A 2
Cazaux 33 254 B 4
Cazaux-d'Anglès 32 295 G 4
Cazaux-Debat 65 333 H 3
Cazaux-Fréchet 65 333 H 4
Cazaux-Layrisse 31 334 B 4
Cazaux-Savès 32 297 E 5
Cazaux-Villecomtal 32 315 F 2
Cazavet 09 335 E 2
La Caze *Château de* 48 282 B 1
Cazeaux-de-Larboust 31 334 A 4
Cazedarnes 34 321 E 3
Cazenave-Serres-et-Allens 09 336 B 4
Cazeneuve 32 295 F 1
Cazeneuve-Montaut 31 316 D 5
Cazères 31 317 F 5
Cazères-sur-l'Adour 40 294 B 2
Cazes-Mondenard 82 277 G 3
Cazevieille 34 302 C 3
Cazideroque 47 277 E 1
Cazilhac 11 319 H 5
Cazilhac 34 302 C 1
Cazilhac *Château de* 34 301 F 3
Cazillac 46 242 C 4
Cazoulès 24 242 B 5
Cazouls-d'Hérault 34 322 C 3
Cazouls-lès-Béziers 34 321 F 3
Ceaucé 61 82 B 3
Ceaulmont 36 188 D 2
Céaux 50 51 G 5
Céaux-d'Allègre 43 247 E 2
Ceaux-en-Couhé 86 186 B 4
Ceaux-en-Loudun 86 169 E 1
Cébazan 34 321 E 3
Cébazat 63 209 H 5
Ceccia *Site préhistorique* 2A 351 G 3
Ceffia 39 196 B 4
Ceffonds 52 92 B 3
Ceignac 12 280 C 2
Ceignes 01 214 B 1
Ceilhes-et-Rocozels 34 301 F 2
Ceillac 05 271 E 2
Ceilloux 63 228 C 2
Ceintrey 54 94 D 2
La Celette 18 190 C 1
La Celle 03 191 E 5
La Celle 18 173 F 4
Cellé 41 131 E 2
La Celle 63 208 C 5
La Celle 83 328 B 1
La Celle-Condé 18 172 D 4
La Celle-Dunoise 23 189 E 4
La Celle-en-Morvan 71 176 C 2
La Celle-Guenand 37 170 B 2
La Celle-les-Bordes 78 87 E 2
Celle-Lévescault 86 186 A 3
La Celle-Saint-Avant 37 169 H 1
La Celle-Saint-Cloud 78 58 A 3
La Celle-Saint-Cyr 89 113 G 5
La Celle-sous-Chantemerle 51 90 B 2
La Celle-sous-Gouzon 23 207 H 1
La Celle-sous-Montmirail 02 60 C 3
La Celle-sur-Loire 58 156 A 2
La Celle-sur-Morin 77 59 G 4
La Celle-sur-Nièvre 58 156 C 4
La Celle-sur-Seine 77 88 C 4
Cellefrouin 16 203 H 4
Celles 09 336 B 3
Celles 15 245 G 3
Celles 17 220 B 2
Celles 24 239 H 1
Celles 34 301 H 4
Celles-en-Bassigny 52 117 H 5
Celles-lès-Condé 02 60 D 1
Celles-sur-Aisne 02 40 C 2
Celles-sur-Belle 79 185 F 5
Celles-sur-Durolle 63 210 D 4
Celles-sur-Ource 10 115 G 4
Celles-sur-Plaine 88 96 B 3
La Cellette 23 189 G 3
La Cellette 63 209 E 2
Cellettes 16 203 F 4
Cellettes 41 153 F 1
Le Cellier 44 148 A 3
Cellier-du-Luc 07 265 F 2
Celliers 73 234 B 3
Cellieu 42 230 C 3
Cellule 63 209 H 3
Celon 36 188 C 2
Celony 13 306 A 5
Celoux 15 246 A 2
Celsoy 52 139 H 2
Cély 77 88 A 4
Cemboing 70 140 C 2
Cempuis 60 21 H 4
Cénac 33 255 H 1
Cénac-et-Saint-Julien 24 259 G 1
Cenans 70 162 B 1
Cendras 30 283 H 3
Le Cendre 63 227 H 1
Cendrecourt 70 140 D 2
Cendrey 25 162 B 2
Cendrieux 24 240 D 4
Cénevières 46 260 D 5
Cenne-Monestiés 11 319 F 4
Cenomes 12 301 E 2
Cenon 33 237 G 5
Cenon-sur-Vienne 86 169 G 4
Censeau 39 180 A 3
Censerey 21 158 D 4
Censy 89 137 F 4
Les Cent-Acres 76 20 B 3
Centeilles *Chapelle de* 34 320 B 4
Centrès 12 280 B 3
Centuri 2B 345 F 1
Centuri-Port 2B 345 F 1
Cenves 69 194 D 5
Cépet 31 297 H 3
Cépie 11 337 G 1
Cepoy 45 112 C 4
Céran 32 296 B 2
Cérans-Foulletourte 72 129 H 2
Cerbère 66 343 H 4
Cerbois 18 172 C 1
Cercié 69 212 D 1
Cercier 74 215 F 2
Cercles 24 221 H 5
Cercottes 45 110 D 5
Cercoux 17 238 C 2
Le Cercueil 61 83 G 2
Cercy-la-Tour 58 175 G 3
Cerdon 01 214 B 2
Cerdon 45 134 A 5
Cerdon *Grottes du* 01 214 B 1
Cère 40 273 H 5
Céré-la-Ronde 37 152 D 4
Cerelles 37 151 H 1
Cérences 50 51 G 2
Céreste 04 306 B 1
Céret 66 342 D 4
Cerfontaine 59 15 H 2
Le Cergne 42 212 A 1
Cergy 95 58 A 1
Cergy-Pontoise *Ville nouvelle* 95 58 A 1
Cérilly 03 191 E 1
Cérilly 21 138 A 2
Cérilly 89 114 A 3
Cerisé 61 83 G 4
Cerisières 52 92 D 5
Cerisiers 89 113 H 3
Cerisy 80 23 E 2
Cerisy-Belle-Étoile 61 53 E 3
Cerisy-Buleux 80 11 F 5
Cerisy-la-Forêt 50 32 C 4
Cerisy-la-Salle 50 51 H 1
Cerizay 79 167 F 3
Cérizols 09 335 E 1
Cerizy 02 24 B 3
La Cerlangue 76 35 E 1
La Cerleau 08 26 A 2
Cernans 39 179 H 2
Cernay 14 54 D 1
Cernay 28 85 H 4
Cernay 68 143 E 1
Cernay 86 169 E 3
Cernay-en-Dormois 51 42 D 4
Cernay-la-Ville 78 57 H 5
Cernay-l'Église 25 163 G 3
Cernay-lès-Reims 51 41 H 4
Cerneux 77 60 B 5
Cernex 74 215 F 2
Cerniébaud 39 180 B 4
Cernion 08 26 B 3
Cernon 39 196 C 3
Cernon 51 62 A 3
Cernoy 60 38 D 2
Cernoy-en-Berry 45 155 G 1
Cernusson 49 149 G 4
Cerny 91 87 H 3
Cerny-en-Laonnois 02 40 D 2
Cerny-lès-Bucy 02 24 D 5
Céron 71 193 F 5
Cérons 33 256 B 3
Cerqueux 14 54 D 1
Les Cerqueux 49 167 F 1
Les Cerqueux-sous-Passavant 49 149 G 5
Cerre-lès-Noroy 70 141 G 4
Cers 34 321 H 4
Cersay 79 167 H 1
Cerseuil 02 40 C 3
Cersot 71 177 F 5
Certémery 39 179 G 2
Certilleux 88 94 A 5
Certines 01 213 H 1
Cervens 74 198 A 4
Cervières 05 252 D 5
Cervières 42 211 E 5
Cerville 54 66 B 5
Cervione 2B 347 H 4
Cervon 58 157 G 4
Cerzat 43 246 C 2
Cesancey 39 196 B 1
Césarches 73 216 A 5
Césarville-Dossainville 45 111 G 2
Cescau 09 335 E 3
Cescau 64 314 A 2
Cesny-aux-Vignes 14 34 A 5
Cesny-Bois-Halbout 14 53 G 1
Cessac 33 256 C 2
Cessales 31 318 C 2
Cesse 55 43 G 1
Cesseins 01 213 E 2
Cessenon-sur-Orb 34 321 F 2
Cessens 73 215 E 5
Cesseras 34 320 C 4
Cesset 03 192 A 5
Cesseville 27 36 A 4
Cessey 25 161 H 5
Cessey-sur-Tille 21 160 C 3
Cessières 02 24 C 5
Cessieu 38 232 A 2
Cesson 22 78 B 3
Cesson 77 88 B 2
Cesson-Sévigné 35 104 B 3
Cessoy-en-Montois 77 89 F 3
Cessy 01 197 F 4
Cessy-les-Bois 58 156 C 3
Cestas 33 255 F 1
Cestayrols 81 279 F 5
Ceton 61 108 D 2
Cette-Eygun 64 331 H 4
Céüze 05 269 F 4
Cevins 73 234 B 2
Ceyras 34 302 A 4
Ceyrat 63 227 G 1
Ceyreste 13 327 G 3
Ceyroux 23 206 D 2
Ceyssac 43 247 F 4
Ceyssat 63 227 F 1
Ceyzériat 01 214 A 1
Ceyzérieu 01 214 D 4
Cézac 33 237 H 3
Cézac 46 277 H 1
Cezais 85 184 B 1
Cézan 32 296 A 2
Cezay 42 211 F 5
Cézens 15 245 F 4
Cézia 39 196 C 3
Cézy 89 113 G 5
Chaalis *Abbaye de* 60 39 E 5
Chabanais 16 204 C 4
La Chabanne 03 211 E 3
La Chabasse *Église de* 63 228 D 1
Chabestan 05 269 E 4
Chabeuil 26 249 G 5
Chablis 89 136 D 3
Chabons 38 232 B 4
La Chabossière 44 147 F 4
La Chabotterie *Château de* 85 165 H 2
Chabottes 05 269 H 2
Chabournay 86 169 E 5
Chabrac 16 204 C 4
Chabreloche 63 210 D 4
Chabrières 04 288 A 4
Chabrignac 19 223 H 5
Chabrillan 26 267 F 2
Chabris 36 153 H 4
Chacé 49 150 B 4
Chacenay 10 115 H 3
Chacrise 02 40 B 3
Chadeleuf 63 227 H 3
Chadenac 17 219 H 3
Chadenet 48 264 D 4
Chadrac 43 247 F 3
Chadron 43 247 F 4
Chadurie 16 221 F 3
Le Chaffal 26 249 H 5
Le Chaffaut-Saint-Jurson 04 287 H 4
Chaffois 25 180 C 2
Chagey 70 142 B 3
Chagnolet 17 183 F 5
Chagnon 42 230 C 3
Chagny 08 26 D 5
Chagny 71 177 G 2
Chahaignes 72 130 C 3
Chahains 61 83 F 2
Chaignay 21 160 A 1
Chaignes 27 56 D 1
Chail 79 185 G 5
Chaillac 36 188 B 3
Chaillac-sur-Vienne 87 204 D 4
Chailland 53 105 H 2
Chaillé-les-Marais 85 183 G 3
Chaillé-sous-les-Ormeaux 85 182 D 1
Chailles 41 153 E 1
Chaillevette 17 200 C 5
Chaillevois 02 40 C 1
Chailley 89 114 B 4
Chaillol 05 269 H 2
Chaillon 55 64 D 3
Chailloué 61 54 C 5
Chailly-en-Bière 77 88 B 4
Chailly-en-Brie 77 60 A 4
Chailly-en-Gâtinais 45 112 A 5
Chailly-lès-Ennery 57 45 H 5
Chailly-sur-Armançon 21 159 E 4
Chainaz-les-Frasses 74 215 F 5
Chaînée-des-Coupis 39 178 D 2
Chaingy 45 133 E 2
Chaintré 71 194 D 5
Chaintreaux 77 112 C 2
Chaintrix-Bierges 51 61 H 3
La Chaise 10 92 A 4
La Chaise-Baudouin 50 51 H 4
La Chaise-Dieu 43 228 D 5
Chaise-Dieu-du-Theil 27 55 G 4
Chaix 85 183 H 3
La Chaize-Giraud 85 165 E 5
La Chaize-le-Vicomte 85 166 A 5
Chalabre 11 337 E 3
Chalagnac 24 240 C 3
Chalain *Lac de* 39 179 G 5
Chalain-d'Uzore 42 229 G 1
Chalain-le-Comtal 42 229 H 2
Chalaines 55 93 H 1
Chalais 16 239 E 1
Chalais 24 223 E 3
Chalais 36 188 A 2
Chalais 86 168 D 2
Chalam *Crêt de* 01 197 E 5
Chalamont 01 213 H 3
Chalampé 68 121 G 5
Chalancey 52 139 F 4
Chalancon 26 268 B 4
Chalandray 86 168 C 5
Chalandrey 50 52 A 5
Chalandry 02 24 D 4
Chalandry-Elaire 08 26 D 3
Le Chalange 61 84 A 2
Le Chalard 87 223 F 3
Chalautre-la-Grande 77 89 H 3
Chalautre-la-Petite 77 89 G 3
Chalautre-la-Reposte 77 89 E 3
Chalaux 58 158 A 3
La Chaldette 48 263 G 2
Chaleins 01 213 E 2
Chalencon 07 248 C 5
Chalencon *Château de* 43 247 G 1
Les Chalesmes 39 180 A 5
Châlette-sur-Loing 45 112 C 5
Chalette-sur-Voire 10 91 G 4
Chaley 01 214 B 3
Chalèze 25 162 A 3
Chalezeule 25 162 A 3
Chaliers 15 246 A 4
Chalifert 77 59 F 3
Chaligny 54 94 C 1
Chalinargues 15 245 F 2
Chalindrey 52 139 H 2
Chalivoy-Milon 18 173 H 3
Challain-la-Potherie 49 127 G 4
Challans 85 165 E 3
Challement 58 157 F 3
Challerange 08 42 D 3
Challes 72 108 A 5
Challes-la-Montagne 01 214 B 1
Challes-les-Eaux 73 233 F 2
Challet 28 86 A 2
Challex 01 197 F 5
Challignac 16 220 D 4
Challonges 74 215 E 2
Challuy 58 174 C 2
Chalmaison 77 89 G 3
Chalmazel-Jeansagnière 42 229 F 1
Chalmessin 52 139 E 4
Chalmoux 71 193 E 1
Chalo-Saint-Mars 91 87 F 4
Le Chalon 26 249 G 2
Chalon 38 231 F 4
Chalon-sur-Saône 71 177 H 4
Chalonnes-sous-le-Lude 49 129 H 5
Chalonnes-sur-Loire 49 149 E 2
Chalons 17 200 D 5
Châlons-du-Maine 53 106 B 2
Châlons-en-Champagne 51 62 B 2
Châlons-sur-Vesle 51 41 F 3
Châlonvillars 70 142 B 3
Chalou-Moulineux 91 87 E 4
La Chalp 05 271 E 1
Chaltrait 51 61 F 2
Chalus 63 228 A 4
Châlus 87 223 E 2
Chalusset *Château de* 87 223 H 1
Chalvignac 15 243 H 1
Chalvraines 52 117 G 2
Chamadelle 33 238 D 3
Chamagne 88 95 E 3
Chamagnieu 38 231 H 1
Chamalières 63 209 G 5
Chamalières-sur-Loire 43 247 G 2
Chamaloc 26 268 B 1
Chamant 60 39 E 4
Chamarande 91 87 G 3
Chamarandes 52 117 E 3
Chamaret 26 267 F 5
La Chamba 42 229 E 1
Chambain 21 138 D 3
Chambeire 21 160 C 3
Chambellay 49 128 B 4
Chambéon 42 229 H 1
Chambérat 03 190 B 3
Chamberaud 23 207 F 2
Chamberet 19 224 D 3
Chambéria 39 196 B 2
Chambéry 73 233 F 2
Chambéry-le-Vieux 73 233 F 2
Chambeugle 89 135 F 2
Chambezon 43 228 A 5
Chambilly 71 193 G 5
Chamblac 27 55 F 2
Chamblanc 21 178 B 1
Chamblay 39 179 F 1
Chambles 42 230 A 4
Chamblet 03 191 E 4
Chambley-Bussières 54 65 F 1
Chambly 60 38 B 5
Chambœuf 21 159 H 4
Chambœuf 42 230 A 2
Chambois 61 54 B 4
Chambolle-Musigny 21 160 A 4
Le Chambon 07 266 A 1
Chambon 17 201 E 1
Chambon 18 173 E 4
Chambon 30 283 G 2
Chambon 37 170 A 3
Chambon *Barrage du* 38 251 H 3
Chambon *Lac* 63 227 F 3
Chambon *Lac de* 36 188 D 3
Le Chambon-Feugerolles 42 230 A 4
Chambon-la-Forêt 45 111 G 4
Chambon-le-Château 48 264 D 1
Chambon-Sainte-Croix 23 189 E 4
Chambon-sur-Cisse 41 152 D 1
Chambon-sur-Dolore 63 228 D 3
Chambon-sur-Lac 63 227 F 3
Le Chambon-sur-Lignon 43 248 A 3
Chambon-sur-Voueize 23 208 B 1
Chambonas 07 265 H 5
Chambonchard 23 208 C 1
La Chambonie 42 229 E 1
Chamborand 23 206 C 1
Chambord 27 55 F 3
Chambord 41 132 C 5
Chamboret 87 205 F 3
Chamborigaud 30 283 G 2
Chambornay-lès-Bellevaux 70 162 A 2
Chambornay-lès-Pin 70 161 H 2
Chambors 60 37 G 4
Chambost-Allières 69 212 B 3
Chambost-Longessaigne 69 212 B 5
La Chambotte 73 215 E 5
Chamboulive 19 224 D 4
Chambourcy 78 58 A 3
Chambourg-sur-Indre 37 152 B 5
Chambray 27 56 A 3
Chambray 27 56 C 1
Chambray-lès-Tours 37 151 H 3
La Chambre 73 234 A 4
Chambrecy 51 41 F 4
Les Chambres 50 51 G 4
Chambretaud 85 166 D 2
Chambrey 57 66 C 4
Chambroncourt 52 93 F 4
Chambroutet 79 167 G 3
Chambry 02 24 D 5
Chambry 77 59 G 2
Chaméane 63 228 B 3
Chamelet 69 212 C 3
Chameroy 52 139 F 2
Chamery 51 41 G 5
Chamesey 25 163 E 3
Chamesol 25 163 G 2
Chamesson 21 138 A 3
Chameyrat 19 242 D 1
Chamigny 77 60 A 2
Chamilly 71 177 G 3
Chammes 53 106 C 4
Chamole 39 179 G 3
Chamonix-Mont-Blanc 74 217 E 3
Chamouillac 17 219 H 5
Chamouille 02 40 D 1
Chamouilley 52 92 D 2
Chamousset 73 233 H 2
Chamoux 89 157 G 2

Chamoux-sur-Gelon 73 ..... 233 H 2
Chamoy 10 ..... 114 D 3
Champ de Bataille
Château du 27 ..... 35 H 5
Le Champ-de-la-Pierre 61 ..... 83 E 2
Champ-d'Oiseau 21 ..... 137 H 5
Champ-Dolent 27 ..... 56 A 2
Champ-Dolent *Menhir de* 35 ..... 80 B 2
Champ-du-Boult 14 ..... 52 B 3
Champ du Feu 67 ..... 96 D 3
Champ-Haut 61 ..... 54 D 4
Champ-Laurent 73 ..... 233 H 3
Champ-le-Duc 88 ..... 119 H 2
Le Champ-près-Froges 38 ..... 233 F 5
Le Champ-Saint-Père 85 ..... 182 D 2
Champ-sur-Barse 10 ..... 115 G 2
Champ-sur-Drac 38 ..... 250 D 3
Le Champ-sur-Layon 49 ..... 149 G 3
Champagnac 15 ..... 226 B 5
Champagnac 17 ..... 219 H 4
Champagnac-de-Belair 24 ..... 222 C 5
Champagnac-la-Noaille 19 ..... 243 F 1
Champagnac-la-Prune 19 ..... 243 F 2
Champagnac-la-Rivière 87 ..... 223 E 1
Champagnac-le-Vieux 43 ..... 228 C 5
Champagnat 23 ..... 207 H 3
Champagnat 71 ..... 196 A 2
Champagnat-le-Jeune 63 ..... 228 B 4
Champagne 07 ..... 249 E 1
Champagne 17 ..... 201 E 4
Champagne 28 ..... 57 E 4
Champagné 72 ..... 108 A 4
Champagne-
au-Mont-d'Or 69 ..... 213 E 5
Champagne-
en-Valromey 01 ..... 214 D 3
Champagne-
et-Fontaine 24 ..... 221 G 4
Champagné-le-Sec 86 ..... 203 F 1
Champagné-les-Marais 85 ..... 183 F 3
Champagne-Mouton 16 ..... 203 H 3
Champagné-
Saint-Hilaire 86 ..... 186 B 4
Champagne-sur-Loue 39 ..... 179 G 1
Champagne-sur-Oise 95 ..... 38 B 5
Champagne-sur-Seine 77 ..... 88 C 4
Champagne-
sur-Vingeanne 21 ..... 160 D 1
Champagne-Vigny 16 ..... 221 E 3
Champagneux 73 ..... 232 D 2
Champagney 25 ..... 161 H 3
Champagney 39 ..... 161 E 3
Champagney 70 ..... 142 A 2
Champagnier 38 ..... 250 D 2
Champagnole 39 ..... 179 H 4
Champagnolles 17 ..... 219 G 3
Champagny 21 ..... 159 G 1
Champagny 39 ..... 179 H 2
Champagny-
en-Vanoise 73 ..... 234 D 3
Champagny-
sous-Uxelles 71 ..... 194 D 1
Champallement 58 ..... 157 E 4
Champanges 74 ..... 198 B 3
Champaubert 51 ..... 61 E 3
Champcella 05 ..... 270 C 1
Champcenest 77 ..... 60 B 5
Champcerie 61 ..... 53 H 4
Champcervon 50 ..... 51 G 3
Champcevinel 24 ..... 240 C 2
Champcevrais 89 ..... 135 E 4
Champcey 50 ..... 51 G 4
Champclause 43 ..... 247 H 4
Champcourt 52 ..... 92 C 5
Champcueil 91 ..... 88 A 3
Champdeniers-
Saint-Denis 79 ..... 185 E 2
Champdeuil 77 ..... 88 C 2
Champdieu 42 ..... 229 G 2
Champdivers 39 ..... 178 D 1
Champdolent 17 ..... 201 E 3
Champdor-Corcelles 01 ..... 214 C 2
Champdôtre 21 ..... 160 C 4
Champdray 88 ..... 120 A 2
Champeau-en-Morvan 21 ..... 158 B 4
Champeaux 35 ..... 105 E 2
Champeaux 50 ..... 51 F 4
Les Champeaux 61 ..... 54 C 3
Champeaux 77 ..... 88 C 2
Champeaux 79 ..... 185 E 2
Champeaux-et-la-Chapelle-
Pommier 24 ..... 222 B 4
Champeaux-sur-Sarthe 61 ..... 84 B 2
Champeix 63 ..... 227 H 2
Champenard 27 ..... 36 C 5
La Champenoise 36 ..... 172 A 2
Champenoux 54 ..... 66 B 5
Champéon 53 ..... 82 C 4
Champétières 63 ..... 228 D 3
Champey 70 ..... 142 A 3
Champey-sur-Moselle 54 ..... 65 G 2
Champfleur 72 ..... 83 G 4
Champfleury 10 ..... 90 D 2
Champfleury 51 ..... 41 G 4
Champforgeuil 71 ..... 177 H 3
Champfrémont 53 ..... 83 F 4
Champfromier 01 ..... 197 E 5
Champgenéteux 53 ..... 82 D 5
Champguyon 51 ..... 60 D 4
Champhol 28 ..... 86 B 3
Champien 80 ..... 23 F 4
Champier 38 ..... 232 A 4
Champigné 49 ..... 128 C 4
Champignelles 89 ..... 135 F 3
Champigneul-
Champagne 51 ..... 61 H 2
Champigneul-sur-Vence 08 ..... 26 C 4
Champigneulle 08 ..... 43 F 2
Champigneulles 54 ..... 65 H 5
Champigneulles-
en-Bassigny 52 ..... 117 H 3
Champignol-
lez-Mondeville 10 ..... 116 A 3
Champignolles 21 ..... 177 F 1
Champignolles 27 ..... 55 G 2
Champigny 51 ..... 41 G 3
Champigny 89 ..... 89 F 5
Champigny-en-Beauce 41 ..... 132 A 4
Champigny-la-Futelaye 27 ..... 56 C 3
Champigny-le-Sec 86 ..... 168 D 5
Champigny-lès-Langres 52 ..... 117 F 5
Champigny-
sous-Varennes 52 ..... 140 A 2
Champigny-sur-Aube 10 ..... 91 E 2
Champigny-sur-Marne 94 ..... 58 D 4
Champigny-sur-Veude 37 ..... 169 E 1
Champillet 36 ..... 189 H 2
Champillon 51 ..... 61 G 1
Champis 07 ..... 249 E 4
Champlan 91 ..... 58 B 5
Champlat-et-Boujacourt 51 ..... 41 F 5
Champlay 89 ..... 113 H 5
Champlecy 71 ..... 193 H 3
Champlemy 58 ..... 156 D 4
Champlieu 71 ..... 194 D 1
Champlieu *Ruines*
gallo-romaines de 60 ..... 39 F 3
Champlin 08 ..... 26 A 2
Champlin 58 ..... 157 E 4
Champlitte-et-le-Prélot 70 ..... 140 A 4
Champlitte-la-Ville 70 ..... 140 A 5
Champlive 25 ..... 162 B 3
Champlon 55 ..... 64 D 1
Champlost 89 ..... 114 B 4
Champmillon 16 ..... 221 E 2
Champmotteux 91 ..... 87 H 5
Champnétery 87 ..... 206 C 5
Champneuville 55 ..... 44 B 5
Champniers 16 ..... 221 F 1
Champniers 86 ..... 186 B 5
Champniers-et-Reilhac 24 ..... 222 C 1
Champoléon 05 ..... 270 A 1
Champoly 42 ..... 211 E 4
Champosoult 61 ..... 54 C 3
Champougny 55 ..... 94 A 2
Champoulet 45 ..... 135 E 4
Champoux 25 ..... 162 A 2
Champrenault 21 ..... 159 F 2
Champrepus 50 ..... 51 H 3
Champrond 72 ..... 108 D 4
Champrond-en-Gâtine 28 ..... 85 F 4
Champrond-en-Perchet 28 ..... 85 E 5
Champrosay 91 ..... 58 C 5
Champrougier 39 ..... 179 E 3
Champs 02 ..... 40 A 1
Champs 61 ..... 84 C 2
Champs 63 ..... 209 H 2
Champs *Col des* 06 ..... 289 E 2
Les Champs-de-Losque 50 ..... 32 A 4
Les Champs-Géraux 22 ..... 79 H 4
Champs-Romain 24 ..... 222 D 3
Champs-sur-Marne 77 ..... 59 E 3
Champs-sur-Tarentaine 15 ..... 226 C 5
Champs-sur-Yonne 89 ..... 136 B 4
Champsac 87 ..... 223 E 1
Champsanglard 23 ..... 189 F 5
Champsecret 61 ..... 82 B 2
Champseru 28 ..... 86 C 3
Champsevraine 52 ..... 140 A 3
Champtercier 04 ..... 287 H 3
Champtocé-sur-Loire 49 ..... 149 E 2
Champtoceaux 49 ..... 148 B 2
Champtonnay 70 ..... 161 F 2
Champvallon 89 ..... 113 G 5
Champvans 39 ..... 160 D 5
Champvans 70 ..... 161 E 2
Champvans-les-Baume 25 ..... 162 C 2
Champvans-les-Moulins 25 ..... 161 H 3
Champvert 58 ..... 175 F 3
Champvoisy 51 ..... 40 D 5
Champvoux 58 ..... 156 B 5
Chamrousse 38 ..... 251 F 2
Chamvres 89 ..... 113 G 5
Chanac 48 ..... 264 B 5
Chanac-les-Mines 19 ..... 243 E 1
Chanaleilles 43 ..... 264 C 1
Chanas 38 ..... 231 E 5
Chanat-la-Mouteyre 63 ..... 209 G 5
Chanay 01 ..... 214 D 2
Chanaz 73 ..... 215 E 4
Chançay 37 ..... 152 B 2
Chancé 35 ..... 104 D 4
Chanceaux 21 ..... 159 G 1
Chanceaux-
près-Loches 37 ..... 152 B 5
Chanceaux-
sur-Choisille 37 ..... 151 H 1
Chancelade 24 ..... 240 C 2
Chancenay 52 ..... 63 F 5
Chancey 70 ..... 161 F 3
Chancia 39 ..... 196 C 4
Chandai 61 ..... 55 G 4
Chandolas 07 ..... 284 A 1
Chandon 42 ..... 211 H 1
Chanéac 07 ..... 248 A 5
Chaneins 01 ..... 213 E 2
Chânes 71 ..... 194 D 5
Le Change 24 ..... 240 D 2
Changé 53 ..... 105 H 3
Change 71 ..... 177 F 2
Changé 72 ..... 107 H 5
Changey 52 ..... 117 F 5
Changis-sur-Marne 77 ..... 59 H 2
Changy 42 ..... 211 F 1
Changy 51 ..... 62 D 4
Changy-Tourny 71 ..... 193 H 3
Chaniat 43 ..... 228 C 5
Chaniaux 48 ..... 265 F 3
Chaniers 17 ..... 219 G 1
Channay 21 ..... 137 H 2
Channay-sur-Lathan 37 ..... 151 E 1
Channes 10 ..... 115 F 5
Chanonat 63 ..... 227 H 1
Chanos-Curson 26 ..... 249 F 3
Chanousse 05 ..... 286 D 1
Chanoy 52 ..... 117 F 5
Chanoz-Châtenay 01 ..... 213 F 1
Chanteau 45 ..... 111 E 5
Chantecoq 45 ..... 112 D 4
Chantecorps 79 ..... 185 G 2
Chanteheux 54 ..... 95 G 1
Chanteix 19 ..... 242 C 1
Chantelle 03 ..... 191 H 5
Chanteloup 27 ..... 56 A 3
Chanteloup 35 ..... 104 B 4
Chanteloup 50 ..... 51 G 2
Chanteloup 79 ..... 167 G 4
Chanteloup *Pagode de* 37 ..... 152 B 2
Chanteloup-en-Brie 77 ..... 59 F 3
Chanteloup-les-Bois 49 ..... 149 F 5
Chanteloup-les-Vignes 78 ..... 57 H 2
Chantelouve 38 ..... 251 F 4
Chantemerle 05 ..... 252 C 4
Chantemerle 51 ..... 90 A 2
Chantemerle-les-Blés 26 ..... 249 F 2
Chantemerle-
lès-Grignan 26 ..... 267 F 5
Chantemerle-
sur-la-Soie 17 ..... 201 G 3
Chantemesle 95 ..... 57 F 1
Chantenay-Saint-Imbert 58 ..... 174 C 5
Chantenay-Villedieu 72 ..... 107 E 5
Chantepie 35 ..... 104 B 3
Chantérac 24 ..... 239 H 2
Chanterelle 15 ..... 227 E 5
Chantes 70 ..... 140 D 4
Chantesse 38 ..... 250 B 1
Chanteuges 43 ..... 246 C 3
Chantillac 16 ..... 220 B 5
Chantilly 60 ..... 38 D 4
Chantôme 36 ..... 188 D 3
Chantonnay 85 ..... 166 C 5
Chantraine 88 ..... 119 F 2
Chantraines 52 ..... 117 E 2
Chantrans 25 ..... 180 B 1
Chantrigné 53 ..... 82 B 4
Chanturgue *Plateau de* 63 ..... 209 H 5
Chanu 61 ..... 53 E 4
Chanville 57 ..... 66 C 1
Chanzeaux 49 ..... 149 F 3
Chaon 41 ..... 133 H 5
Chaouilley 54 ..... 94 C 3
Chaource 10 ..... 115 E 4
Chaourse 02 ..... 25 G 4
Chapaize 71 ..... 194 D 1
Chapareillan 38 ..... 233 F 3
Chaparon 74 ..... 215 H 4
Chapdes-Beaufort 63 ..... 209 F 4
Chapdeuil 24 ..... 221 H 5
Chapeau 03 ..... 192 C 2
Chapeauroux 48 ..... 265 E 1
Chapeiry 74 ..... 215 F 4
Chapelaine 51 ..... 91 H 2
La Chapelaude 03 ..... 190 C 3
La Chapelle 03 ..... 210 C 2
La Chapelle 08 ..... 27 F 3
La Chapelle 16 ..... 203 E 4
La Chapelle 19 ..... 225 H 4
La Chapelle 73 ..... 234 A 4
La Chapelle-Achard 85 ..... 182 B 1
La Chapelle-Agnon 63 ..... 228 D 2
La Chapelle-Anthenaise 53 ..... 106 A 3
La Chapelle-au-Mans 71 ..... 193 F 1
La Chapelle-au-Moine 61 ..... 53 E 4
La Chapelle-au-Riboul 53 ..... 82 C 5
La Chapelle-Aubareil 24 ..... 241 G 4
La Chapelle-aux-Bois 88 ..... 119 F 4
La Chapelle-aux-Brocs 19 ..... 242 C 2
La Chapelle-
aux-Chasses 03 ..... 175 F 5
La Chapelle-aux-Choux 72 ..... 130 A 5
La Chapelle-
aux-Filtzméens 35 ..... 80 A 4
La Chapelle-aux-Lys 85 ..... 184 C 1
La Chapelle-aux-Naux 37 ..... 151 F 3
La Chapelle-aux-Saints 19 ..... 242 D 4
La Chapelle-Baloue 23 ..... 188 D 4
La Chapelle-Basse-Mer 44 ..... 148 A 3
La Chapelle-Bâton 17 ..... 201 H 2
La Chapelle-Bâton 79 ..... 185 E 2
La Chapelle-Bâton 86 ..... 203 H 1
La Chapelle-Bayvel 27 ..... 35 E 3
La Chapelle-Bertin 43 ..... 246 D 2
La Chapelle-Bertrand 79 ..... 185 G 1
La Chapelle-Biche 61 ..... 53 E 4
La Chapelle-Blanche 22 ..... 103 G 1
La Chapelle-Blanche 73 ..... 233 G 3
La Chapelle-Blanche-
Saint-Martin 37 ..... 170 A 1
La Chapelle-Bouëxic 35 ..... 103 H 5
La Chapelle-Caro 56 ..... 102 D 5
La Chapelle-Cécelin 50 ..... 52 A 3
La Chapelle-Chaussée 35 ..... 80 A 5
La Chapelle-Craonnaise 53 ..... 105 G 5
La Chapelle-
d'Abondance 74 ..... 198 D 4
La Chapelle-d'Alagnon 15 ..... 245 F 3
La Chapelle-d'Aligné 72 ..... 129 E 3
La Chapelle-d'Andaine 61 ..... 82 C 2
La Chapelle-d'Angillon 18 ..... 155 E 3
La Chapelle-d'Armentières 59 ..... 8 C 2
La Chapelle-d'Aunainville 28 ..... 86 D 4
La Chapelle-d'Aurec 43 ..... 229 H 5
La Chapelle-de-Bragny 71 ..... 194 D 1
La Chapelle-de-Brain 35 ..... 126 A 3
La Chapelle-
de-Guinchay 71 ..... 194 D 5
La Chapelle-de-la-Tour 38 ..... 232 B 2
La Chapelle-
de-Mardore 69 ..... 212 A 2
La Chapelle-de-Surieu 38 ..... 231 F 4
Chapelle-des-Bois 25 ..... 197 G 1
La Chapelle-
des-Fougeretz 35 ..... 104 A 2
La Chapelle-des-Marais 44 ..... 146 B 1
La Chapelle-des-Pots 17 ..... 201 G 5
La Chapelle-
devant-Bruyères 88 ..... 120 A 2
Chapelle-d'Huin 25 ..... 180 B 2
La Chapelle-du-Bard 38 ..... 233 G 4
La Chapelle-du-Bois 72 ..... 108 C 2
La Chapelle-
du-Bois-des-Faulx 27 ..... 36 B 5
La Chapelle-du-Bourgay 76 ..... 20 B 2
La Chapelle-
du-Châtelard 01 ..... 213 G 2
La Chapelle-du-Chêne 85 ..... 129 E 2
La Chapelle-du-Fest 50 ..... 32 C 5
La Chapelle-du-Genêt 49 ..... 148 C 4
La Chapelle-
du-Lou-du-Lac 35 ..... 103 H 1
La Chapelle-
du-Mont-de-France 71 ..... 194 C 3
La Chapelle-
du-Mont-du-Chat 73 ..... 233 E 1
La Chapelle-du-Noyer 28 ..... 109 H 4
La Chapelle-en-Juger 50 ..... 32 A 5
La Chapelle-en-Lafaye 42 ..... 229 G 4
La Chapelle-en-Serval 60 ..... 38 D 5
La Chapelle-
en-Valgaudémar 05 ..... 251 H 5
La Chapelle-en-Vercors 26 ..... 250 B 4
La Chapelle-en-Vexin 95 ..... 37 F 5
La Chapelle-Enchérie 41 ..... 131 H 3
La Chapelle-Engerbold 14 ..... 53 E 2
La Chapelle-Erbrée 35 ..... 105 F 3
La Chapelle-Faucher 24 ..... 222 C 5
La Chapelle-Felcourt 51 ..... 62 D 1
La Chapelle-Forainvilliers 28 ..... 57 E 5
La Chapelle-Fortin 28 ..... 55 H 5
La Chapelle-Gaceline 56 ..... 125 G 2
La Chapelle-Gaudin 79 ..... 167 H 2
La Chapelle-Gaugain 72 ..... 130 D 3
La Chapelle-Gauthier 27 ..... 55 E 2
La Chapelle-Gauthier 77 ..... 88 D 3
La Chapelle-Geneste 43 ..... 228 D 5
La Chapelle-Glain 44 ..... 127 F 4
La Chapelle-Gonaguet 24 ..... 240 B 1
La Chapelle-Grésignac 24 ..... 221 G 4
Chapelle-Guillaume 28 ..... 109 E 3
La Chapelle-Hareng 27 ..... 35 E 5
La Chapelle-Haute-Grue 14 ..... 54 C 2
La Chapelle-Hermier 85 ..... 165 F 5
La Chapelle-Heulin 44 ..... 148 A 4
La Chapelle-Hugon 18 ..... 174 A 3
La Chapelle-Hullin 49 ..... 127 G 3
La Chapelle-Huon 72 ..... 131 E 2
La Chapelle-Iger 77 ..... 59 H 5
La Chapelle-Janson 35 ..... 81 F 4
La Chapelle-la-Reine 77 ..... 88 A 5
La Chapelle-Largeau 79 ..... 167 E 2
La Chapelle-Lasson 51 ..... 90 C 2
La Chapelle-Launay 44 ..... 146 D 2
La Chapelle-Laurent 15 ..... 246 A 2
La Chapelle-lès-Luxeuil 70 ..... 141 G 2
La Chapelle-Marcousse 63 ..... 227 H 4
La Chapelle-
Montabourlet 24 ..... 221 H 4
La Chapelle-
Montbrandeix 87 ..... 222 D 2
La Chapelle-Monthodon 02 ..... 60 D 1
La Chapelle-Montligeon 61 ..... 84 C 3
La Chapelle-Montlinard 18 ..... 156 B 5
La Chapelle-Montmartin 41 ..... 153 H 4
La Chapelle-
Montmoreau 24 ..... 222 B 4
La Chapelle-Montreuil 86 ..... 186 A 2
Chapelle-Morthemer 86 ..... 186 D 2
La Chapelle-Moulière 86 ..... 186 D 1
La Chapelle-Moutils 77 ..... 60 B 4
La Chapelle-Naude 71 ..... 195 H 1
La Chapelle-Neuve 22 ..... 77 E 2
La Chapelle-Neuve 56 ..... 101 H 5
La Chapelle-Onzerain 45 ..... 110 B 4
La Chapelle-Orthemale 36 ..... 171 F 4
La Chapelle-Palluau 85 ..... 165 G 3
La Chapelle-Péchaud 24 ..... 259 F 1
La Chapelle-Pouilloux 79 ..... 203 E 1
La Chapelle-près-Sées 61 ..... 83 H 2
La Chapelle-Rablais 77 ..... 88 D 3
La Chapelle-Rainsouin 53 ..... 106 B 3
La Chapelle-Rambaud 74 ..... 215 H 1
La Chapelle-Réanville 27 ..... 36 D 5
La Chapelle-Rousselin 49 ..... 149 E 4
Chapelle-Royale 28 ..... 109 F 3
La Chapelle-Saint-André 58 ..... 156 D 2
La Chapelle-
Saint-Aubert 35 ..... 81 E 5
La Chapelle-
Saint-Aubin 72 ..... 107 G 4
La Chapelle-
Saint-Étienne 79 ..... 167 F 5
La Chapelle-
Saint-Florent 49 ..... 148 C 3
La Chapelle-Saint-Fray 72 ..... 107 G 3
La Chapelle-
Saint-Géraud 19 ..... 243 F 4
La Chapelle-Saint-Jean 24 ..... 241 G 2
La Chapelle-Saint-Laud 49 ..... 129 E 5
La Chapelle-
Saint-Laurent 79 ..... 167 G 4
La Chapelle-
Saint-Laurian 36 ..... 172 A 1
La Chapelle-Saint-Luc 10 ..... 90 D 5
La Chapelle-
Saint-Martial 23 ..... 207 F 3
La Chapelle-
Saint-Martin 73 ..... 232 D 1
La Chapelle-Saint-Martin-
en-Plaine 41 ..... 132 B 4
La Chapelle-
Saint-Maurice 74 ..... 215 G 5
La Chapelle-
Saint-Mesmin 45 ..... 133 E 2
La Chapelle-Saint-Ouen 76 ..... 36 D 1
La Chapelle-
Saint-Quillain 70 ..... 161 G 1
La Chapelle-
Saint-Rémy 72 ..... 108 B 3
La Chapelle-
Saint-Sauveur 44 ..... 148 D 1
La Chapelle-
Saint-Sauveur 71 ..... 178 C 3
La Chapelle-
Saint-Sépulcre 45 ..... 112 D 4
La Chapelle-Saint-Sulpice 77 ..... 89 F 3
La Chapelle-Saint-Ursin 18 ..... 173 E 1
La Chapelle-Souëf 61 ..... 84 C 5
La Chapelle-
sous-Brancion 71 ..... 195 E 2
La Chapelle-sous-Dun 71 ..... 194 A 5
La Chapelle-sous-Orbais 51 ..... 61 E 2
La Chapelle-
sous-Uchon 71 ..... 176 C 3
Chapelle-Spinasse 19 ..... 225 F 5
La Chapelle-
sur-Aveyron 45 ..... 135 E 2
La Chapelle-sur-Chézy 02 ..... 60 B 2
La Chapelle-sur-Coise 69 ..... 230 C 2
La Chapelle-sur-Crécy 77 ..... 59 G 3
La Chapelle-sur-Dun 76 ..... 19 H 2
La Chapelle-sur-Erdre 44 ..... 147 G 3
La Chapelle-
sur-Furieuse 39 ..... 179 G 1
La Chapelle-sur-Loire 37 ..... 151 E 4
La Chapelle-sur-Oreuse 89 ..... 89 G 5
La Chapelle-sur-Oudon 49 ..... 128 A 4
La Chapelle-sur-Usson 63 ..... 228 B 4
La Chapelle-sur-Vire 50 ..... 52 B 1
La Chapelle-Taillefert 23 ..... 207 E 2
La Chapelle-Thècle 71 ..... 195 G 1
La Chapelle-Thémer 85 ..... 183 G 1
La Chapelle-Thireuil 79 ..... 184 D 1
La Chapelle-Thouarault 35 ..... 103 H 2
La Chapelle-Urée 50 ..... 52 A 5
Chapelle-Vallon 10 ..... 90 D 4
La Chapelle-
Vaupelteigne 89 ..... 136 C 2
La Chapelle-
Vendômoise 41 ..... 131 H 4
La Chapelle-
Vicomtesse 41 ..... 109 F 5
La Chapelle-Viel 61 ..... 55 F 5
La Chapelle-Villars 42 ..... 230 D 3
Chapelle-Viviers 86 ..... 187 E 2
Chapelle-Voland 39 ..... 178 D 4
La Chapelle-Yvon 14 ..... 54 D 1
Les Chapelles 53 ..... 82 D 3
Les Chapelles 73 ..... 234 D 2
Les Chapelles-Bourbon 77 ..... 59 F 4
Chapelon 45 ..... 112 B 4
La Chapelotte 18 ..... 155 G 3
Chapet 78 ..... 57 H 2
Les Chapieux 73 ..... 216 D 5
Chapois 39 ..... 179 H 3
Chaponnay 69 ..... 231 F 2
Chaponost 69 ..... 230 D 1
Chaponost *Arches de* 69 ..... 231 E 1
Chappes 03 ..... 191 F 4
Chappes 08 ..... 26 A 5
Chappes 10 ..... 115 F 3
Chappes 63 ..... 210 A 4
Chaptelat 87 ..... 205 G 4
Chaptuzat 63 ..... 209 H 3
Charade 63 ..... 227 G 1
Charancieu 38 ..... 232 C 3
Charancin 01 ..... 214 C 3
Charantonnay 38 ..... 231 G 3
Charavines 38 ..... 232 C 4
Charbogne 08 ..... 42 C 1
Charbonnat 71 ..... 176 B 4
Charbonnier-les-Mines 63 ..... 228 A 4
Charbonnières 28 ..... 109 E 2
Charbonnières 71 ..... 195 E 3
Charbonnières-
les-Bains 69 ..... 212 D 5
Charbonnières-
les-Sapins 25 ..... 162 B 4
Charbonnières-
les-Varennes 63 ..... 209 G 4
Charbonnières-
les-Vieilles 63 ..... 209 G 3
Charbuy 89 ..... 136 A 3
La Charce 26 ..... 268 C 4
Charcé-Saint-Ellier-
sur-Aubance 49 ..... 149 H 3
Charcenne 70 ..... 161 G 2
Charchigné 53 ..... 82 C 4
Charchilla 39 ..... 196 D 2
Charcier 39 ..... 179 G 5
Chard 23 ..... 208 C 4
Chardeny 08 ..... 42 C 2

Chardes 17 219 H5
Chardogne 55 63 G3
Chardonnay 71 195 E2
Chareil-Cintrat 03 192 A5
Charencey 21 159 F2
Charency 39 180 A4
Charency-Vezin 54 44 C2
Charens 26 268 C4
Charensat 63 208 D3
Charentay 69 212 D2
Charentenay 70 140 C5
Charentenay 89 136 B5
Charentilly 37 151 H1
Charenton 58 156 B4
Charenton-du-Cher 18 173 G5
Charenton-le-Pont 94 58 C4
Charentonnay 18 156 A5
Charette 38 214 A5
Charette-Varennes 71 178 C2
Charey 54 65 F2
Charézier 39 196 D1
Chargé 37 152 C2
Chargey-lès-Gray 70 161 E1
Chargey-lès-Port 70 140 D3
Chariez 70 141 E4
Charigny 21 158 D2
La Charité-sur-Loire 58 156 B5
Charix 01 196 D5
Charlas 31 316 B5
Charleval 13 305 G3
Charleval 27 36 D2
Charleville 51 61 E4
Charleville-Mézières 08 26 D3
Charleville-sous-Bois 57 46 B5
Charlieu 42 211 H1
Charly 18 173 H3
Charly 69 231 E2
Charly-Oradour 57 45 H5
Charly-sur-Marne 02 60 B2
Charmant 16 221 F3
Charmauvillers 25 163 G3
Charmé 16 203 F3
La Charme 39 179 E3
Le Charme 45 135 F3
La Charmée 71 177 G5
Charmeil 03 210 B1
Le Charmel 02 40 D5
Charmensac 15 245 H2
Charmentray 77 59 F2
Charmes 02 24 B4
Charmes 03 210 A2
Charmes 21 160 C2
Charmes 52 117 F5
Charmes 88 95 E4
Charmes-en-l'Angle 52 92 D4
Charmes-la-Côte 54 94 A1
Charmes-la-Grande 52 92 C4
Charmes-Saint-Valbert 70 140 B3
Charmes-sur-l'Herbasse 26 249 G2
Charmes-sur-Rhône 07 249 E5
Charmette *Col de la* 38 232 D5
Les Charmettes 73 233 F2
Charmoille 25 163 F3
Charmoille 70 141 E4
Charmoilles 52 117 F5
Charmois 54 95 F2
Charmois 90 142 C3
Charmois-devant-Bruyères 88 119 G2
Charmois-l'Orgueilleux 88 119 E3
Charmont 51 63 E3
Charmont 95 37 G5
Charmont-en-Beauce 45 111 F2
Charmont-sous-Barbuise 10 91 E4
Les Charmontois 51 63 F2
Charmoy 10 90 A4
Charmoy 52 140 A2
Charmoy 71 176 D4
Charmoy 89 113 H5
Charnas 07 231 E5
Charnat 63 210 B3
Charnay 25 161 H5
Charnay 69 212 D4
Charnay-lès-Chalon 71 178 B2
Charnay-lès-Mâcon 71 195 E4
Charnècles 38 232 C5
Charnizay 37 170 B3
Charnod 39 196 B4
Charnois 08 17 F4
Charnoz-sur-Ain 01 213 H4
Charny 21 159 E3
Charny 77 59 F2
Charny-Orée-de-Puisaye 89 135 F2
Charny-le-Bachot 10 90 D2
Charny-sur-Meuse 55 44 B5
Charolles 71 194 A3
Charols 26 267 G3
Charonville 28 109 H2
Chârost 18 172 C2
Charousse 74 216 C3
Charpentry 55 43 F3
Charpey 26 249 G4
Charpont 28 56 D5
Charquemont 25 163 G3
Charrais 86 168 D5
Charraix 43 246 C4
Charras 16 221 H3
Charray 28 109 H5
Charre 64 313 F3
Charrecey 71 177 F3
Charrey-sur-Saône 21 160 B5
Charrey-sur-Seine 21 115 H5
Charrin 58 175 F4
Charritte-de-Bas 64 313 F3
Charron 17 183 F4
Charron 23 208 C2
Charroux 03 209 H1
Charroux 86 203 H1
Chars 95 37 H5
Charsonville 45 110 B5
Chartainvilliers 28 86 B3
Chartèves 02 60 C1
La Chartre-sur-le-Loir 72 130 C4
Chartrené 49 150 B1
Chartres 28 86 A4
Chartres-de-Bretagne 35 104 B3
Chartrettes 77 88 B3
Chartrier-Ferrière 19 242 B3
Chartronges 77 60 B4
Chartuzac 17 219 H5
Charvieu-Chavagneux 38 213 H5
Charvonnex 74 215 G2
Chas 63 228 A1
Chaserey 10 115 E5
Chasnais 85 183 E2
Chasnans 25 162 C5
Chasnay 58 156 C4
Chasné-sur-Illet 35 80 C5
Chaspinhac 43 247 F3
Chaspuzac 43 247 E3
La Chassagne 39 179 E3
Chassagne 63 227 H4
Chassagne-Montrachet 21 177 G2
Chassagne-Saint-Denis 25 162 A5
Chassagnes 07 265 H5
Chassagnes 43 246 C2
Chassagny 69 230 D2
Chassaignes 24 239 F1
Chassal 39 196 D3
Chassant 28 85 F5
Chassé 72 83 H4
Chasse-sur-Rhône 38 231 E2
Chasseguey 50 52 B5
Chasselas 71 194 D5
Chasselay 38 250 A1
Chasselay 69 213 E4
Chassemy 02 40 C2
Chassenard 03 193 F3
Chasseneuil 36 188 C1
Chasseneuil-du-Poitou 86 186 C1
Chasseneuil-sur-Bonnieure 16 203 H5
Chassenon 16 204 D4
Chasseradès 48 265 F4
Chassey 21 159 E1
Chassey-Beaupré 55 93 G3
Chassey-le-Camp 71 177 G3
Chassey-lès-Montbozon 70 141 G5
Chassey-lès-Scey 70 140 D4
Chassezac *Belvédère du* 48 265 F5
Chassiecq 16 203 H3
Chassiers 07 266 A4
Chassieu 69 213 F5
Chassignelles 89 137 G3
Chassignieu 38 232 B3
Chassignolles 36 189 G2
Chassignolles 43 228 C5
Chassigny 52 139 H3
Chassigny-sous-Dun 71 194 A5
Chassillé 72 107 E4
Chassiron *Phare de* 17 200 A2
Chassors 16 220 C1
Chassy 18 174 A1
Chassy 71 193 G1
Chassy 89 135 H2
Le Chastang 19 242 D2
Chastang *Barrage du* 19 243 F2
Chastanier 48 265 E2
Chasteaux 19 242 B3
Chastel 43 246 B3
Chastel-Arnaud 26 268 A2
Chastel-Nouvel 48 264 C4
Chastel-sur-Murat 15 245 F3
Chastellux-sur-Cure 89 157 H2
Chastenay 89 136 A4
Chasteuil 04 308 A1
Chastreix 63 227 E3
La Châtaigneraie 85 167 E5
Chatain 86 203 H2
Châtaincourt 28 56 C5
Châtas 88 96 C4
Château 71 194 C3
Château-Arnoux-Saint-Auban 04 287 G3
Château-Bas 13 305 G3
Château-Bernard 38 250 C4
Château-Bréhain 57 66 C3
Château-Chalon 39 179 F4
Château-Chervix 87 223 H2
Château-Chinon 58 176 A1
Le Château-d'Almenêches 61 54 B5
Château-des-Prés 39 197 E2
Le Château-d'Oléron 17 200 B4
Château-d'Olonne 85 182 A1
Château-du-Loir 72 130 B4
Château-Farine 25 161 H4
Château-Gaillard 01 214 A3
Château Gaillard 27 36 D4
Château-Gaillard 28 111 E3
Château-Garnier 86 186 C5
Château-Gombert 13 327 E2
Château-Gontier 53 128 B2
Château-Guibert 85 183 E1
Château-Guillaume 36 188 A3
Château-la-Vallière 37 151 F1
Château-l'Abbaye 59 9 G4
Château-Lambert 70 120 A5
Château-Landon 77 112 B3
Château-Larcher 86 186 B3
Château-l'Évêque 24 240 C1
Château-l'Hermitage 72 130 A3
Château-Porcien 08 42 A1
Château-Queyras 05 271 E1
Château-Regnault 08 26 D2
Château-Renard 45 112 D5
Château-Renault 37 131 F5
Château-Rouge 57 46 D4
Château-Salins 57 66 C4
Château-sur-Allier 03 174 B4
Château-sur-Cher 63 208 C2
Château-sur-Epte 27 37 F4
Château-Thébaud 44 147 H5
Château-Thierry 02 60 C1
Château-Verdun 09 336 B5
Château-Ville-Vieille 05 271 E1
Château-Voué 57 66 D3
Châteaubernard 16 220 B1
Châteaubleau 77 89 E2
Châteaubourg 07 249 E4
Châteaubourg 35 104 D3
Châteaubriant 44 127 E3
Châteaudouble 26 249 G5
Châteaudouble 83 308 A4
Châteaudun 28 109 H4
Châteaufort 04 287 G1
Châteaufort 78 58 A5
Châteaugay 63 209 H5
Châteaugiron 35 104 C3
Châteaulin 29 75 H5
Châteaumeillant 18 190 A2
Châteauneuf 21 159 F4
Châteauneuf 39 161 F4
Châteauneuf 42 230 D3
Châteauneuf 71 194 A5
Châteauneuf 73 233 H2
Châteauneuf 85 164 D2
Châteauneuf-de-Bordette 26 285 H1
Châteauneuf-de-Chabre 05 287 F1
Châteauneuf-de-Gadagne 84 305 E1
Châteauneuf-de-Galaure 26 249 F1
Châteauneuf-de-Randon 48 264 D3
Châteauneuf-de-Vernoux 07 248 D5
Châteauneuf-d'Entraunes 06 289 F3
Châteauneuf-d'Ille-et-Vilaine 35 79 H3
Châteauneuf-d'Oze 05 269 F4
Châteauneuf-du-Faou 29 76 B5
Châteauneuf-du-Pape 84 285 F4
Châteauneuf-du-Rhône 26 267 E4
Châteauneuf-en-Thymerais 28 85 H2
Châteauneuf-Grasse 06 309 E3
Châteauneuf-la-Forêt 87 224 C1
Châteauneuf-le-Rouge 13 306 B5
Châteauneuf-les-Bains 63 209 F3
Châteauneuf-les-Martigues 13 326 C2
Châteauneuf-lès-Moustiers 04 307 H1
Châteauneuf-Miravail 04 287 E3
Châteauneuf-sur-Charente 16 220 D2
Châteauneuf-sur-Cher 18 173 E3
Châteauneuf-sur-Isère 26 249 F4
Châteauneuf-sur-Loire 45 133 H2
Châteauneuf-sur-Sarthe 49 128 D4
Châteauneuf-Val-de-Bargis 58 156 C4
Châteauneuf-Val-Saint-Donat 04 287 G3
Châteauneuf-Villevieille 06 291 F5
Châteauponsac 87 205 H1
Châteauredon 04 288 A4
Châteaurenard 13 304 D1
Châteaurenaud 71 178 C5
Châteauroux 36 171 H4
Châteauroux-les-Alpes 05 270 C2
Châteauvert 83 307 F5
Châteauvieux 05 269 G4
Châteauvieux 41 153 E4
Châteauvieux 83 308 B2
Châteauvieux-les-Fossés 25 162 B5
Châteauvilain 38 232 A3
Châteauvillain 52 116 C4
Le Châtel 73 234 A5
Châtel 74 198 D4
Châtel-Censoir 89 157 F1
Chatel-Chéhéry 08 43 F3
Châtel-de-Joux 39 196 D2
Châtel-de-Neuvre 03 192 A3
Châtel-Gérard 89 137 F5
Châtel-Guyon 63 209 G4
Châtel-Montagne 03 210 D2
Châtel-Moron 71 177 F4
Châtel-Saint-Germain 57 65 G1
Châtel-sur-Moselle 88 95 F4
Châtelaillon-Plage 17 200 C2
Châtelain 53 128 C2
La Châtelaine 39 179 G3
Châtelais 49 127 H3
Châtelard 23 208 C3
Châtelard 38 251 G3
Le Châtelard 73 233 G1
Châtelaudren 22 73 G5
Chatelay 39 179 F1
Châtelblanc 25 180 B5
Châteldon 63 210 C3
Le Châtelet 18 190 A1
Châtelet *Pont du* 04 271 E3
Le Châtelet-en-Brie 77 88 C3
Le Châtelet-sur-Retourne 08 42 A2
Le Châtelet-sur-Sormonne 08 26 B2
Les Châtelets 28 56 A5
Le Chateley 39 179 E3
Le Châtelier 51 63 F2
Châtellenot 21 159 E4
Châtellerault 86 169 G4
Le Châtellier 35 81 E3
Le Châtellier 61 53 E5
Les Châtelliers-Châteaumur 85 167 E3
Les Châtelliers-Notre-Dame 28 85 G5
Châtelneuf 39 179 H5
Châtelneuf 42 229 G2
Châteloy 03 191 E2
Châtelperron 03 192 D3
Châtelraould-Saint-Louvent 51 62 C5
Châtelus 03 211 E1
Châtelus 38 250 B3
Châtelus 42 230 B2
Châtelus-le-Marcheix 23 206 C3
Châtelus-Malvaleix 23 189 G5
Châtenay 01 213 H2
Châtenay 28 86 D5
Châtenay 38 231 H5
Châtenay 71 194 A5
Châtenay-en-France 95 58 D1
Chatenay-Mâcheron 52 139 H2
Châtenay-Malabry 92 58 B4
Châtenay-sur-Seine 77 89 E4
Chatenay-Vaudin 52 139 H2
Chatenet 17 220 B5
Le Châtenet-en-Dognon 87 206 B4
Châteney 70 141 G3
Châtenois 39 161 E5
Châtenois 67 97 E4
Châtenois 70 141 G3
Châtenois 88 94 B5
Châtenois-les-Forges 90 142 C4
Châtenoy 45 134 A2
Châtenoy 77 112 B2
Châtenoy-en-Bresse 71 177 H4
Châtenoy-le-Royal 71 177 H4
Châtignac 16 220 D5
Chatignonville 91 87 E3
Châtillon 03 191 H3
Châtillon 39 179 G5
Châtillon 69 212 D4
Châtillon 86 186 A4
Châtillon 92 58 B4
Châtillon *Crêt de* 74 215 G4
Châtillon-Coligny 45 135 E3
Châtillon-en-Bazois 58 175 G1
Châtillon-en-Diois 26 268 C2
Châtillon-en-Dunois 28 109 G3
Châtillon-en-Michaille 01 214 D1
Châtillon-en-Vendelais 35 105 F2
Châtillon-Guyotte 25 162 B2
Châtillon-la-Borde 77 88 C3
Châtillon-la-Palud 01 213 H3
Châtillon-le-Duc 25 161 H3
Châtillon-le-Roi 45 111 F3
Châtillon-lès-Sons 02 24 D3
Châtillon-Saint-Jean 26 249 H3
Châtillon-sous-les-Côtes 55 44 C5
Châtillon-sur-Bar 08 43 E1
Châtillon-sur-Broué 51 92 A2
Châtillon-sur-Chalaronne 01 213 F1
Châtillon-sur-Cher 41 153 F4
Châtillon-sur-Cluses 74 216 C1
Châtillon-sur-Colmont 53 82 A5
Châtillon-sur-Indre 36 170 D2
Châtillon-sur-Lison 25 161 H5
Châtillon-sur-Loire 45 134 D5
Châtillon-sur-Marne 51 41 E5
Châtillon-sur-Morin 51 60 D5
Châtillon-sur-Oise 02 24 C3
Châtillon-sur-Saône 88 118 B5
Châtillon-sur-Seine 21 138 A2
Châtillon-sur-Thouet 79 168 A5
Châtin 58 175 H1
Chatoillenot 52 139 G4
Châtonnay 38 231 H3
Chatonnay 39 196 B3
Chatonrupt 52 92 D3
Chatou 78 58 A3
La Châtre 36 189 G1
La Châtre-Langlin 36 188 B3
Châtres 10 90 C3
Châtres 24 241 G2
Châtres 77 59 F5
Châtres-la-Forêt 53 106 C3
Châtres-sur-Cher 41 154 A4
Châtrices 51 63 F1
Chattancourt 55 43 H4
Chatte 38 250 A2
Chatuzange-le-Goubet 26 249 G4
Chaucenne 25 161 H3
Chauchailles 48 263 H1
Chauché 85 166 A3
Le Chauchet 23 208 B2
Chauchigny 10 90 D4
Chauconin 77 59 F2
Chauconin-Neufmontiers 77 59 F2
Chaucre 17 200 A2
Chaudanne *Barrage de* 04 308 B1
Chaudardes 02 41 E2
Chaudebonne 26 268 A4
Chaudefonds-sur-Layon 49 149 F3
Chaudefontaine 25 162 B2
Chaudefontaine 51 43 E5
Chaudenay 52 139 H2
Chaudenay 71 177 G2
Chaudenay-la-Ville 21 159 F5
Chaudenay-le-Château 21 159 F5
Chaudeney-sur-Moselle 54 94 B1
Chaudes-Aigues 15 263 G1
Chaudeyrac 48 265 E3
Chaudeyrolles 43 247 H4
La Chaudière 26 268 A3
Chaudière *Col de la* 26 267 H3
Chaudon 28 57 E5
Chaudon-Norante 04 288 B5
Chaudrey 10 91 F3
Chaudron-en-Mauges 49 148 D3
Chaudun 02 40 B3
Chauffailles 71 194 A5
Chauffayer 05 269 G1
Chauffecourt 88 94 D4
Chauffour-lès-Bailly 10 115 G2
Chauffour-lès-Étréchy 91 87 F3
Chauffour-sur-Vell 19 242 C4
Chauffours 28 85 H4
Chauffourt 52 117 G5
Chauffry 77 60 A4
Chaufour-lès-Bonnières 78 56 D1
Chaufour-Notre-Dame 72 107 G4
Chaugey 21 178 C1
Chaulgnes 58 156 C5
Chaulhac 48 246 A5
Chaulieu 50 52 C4
La Chaulme 63 229 F4
Chaulnes 80 23 F2
Chaum 31 334 B3
Chaumard 58 158 A5
La Chaume 21 138 C2
La Chaume 85 182 A1
Chaume-et-Courchamp 21 139 G5
Chaume-lès-Baigneux 21 138 B5
Chaumeil 19 225 E4
Chaumercenne 70 161 F3
Chaumeré 35 104 D4
Chaumergy 39 179 E3
Chaumes-en-Brie 77 59 F5
Chaumesnil 10 91 H4
Chaumont 18 173 H4
Chaumont 39 197 E3
Chaumont 52 117 E3
Chaumont 61 54 D3
Chaumont 74 215 F2
Chaumont 89 89 E5
Chaumont *Château de* 71 194 B2
Chaumont-d'Anjou 49 129 E5
Chaumont-devant-Damvillers 55 44 B4
Chaumont-en-Vexin 60 37 G4
Chaumont-la-Ville 52 117 H3
Chaumont-le-Bois 21 115 H5
Chaumont-le-Bourg 63 229 E4
Chaumont-Porcien 08 26 A4
Chaumont-sur-Aire 55 63 H2
Chaumont-sur-Loire 41 152 D1
Chaumont-sur-Tharonne 41 133 F5
Chaumontel 95 38 C5
Chaumot 58 157 G4
Chaumot 89 113 F4
Chaumousey 88 119 E2
Chaumoux-Marcilly 18 155 H5
Chaumussay 37 170 A3
La Chaumusse 39 197 E1
Chaumuzy 51 41 F5
Chaunac 17 220 B5
Chaunay 86 186 A5
Chauny 02 24 A5
Chauray 79 185 E4
Chauriat 63 228 A1
Chausey *Îles* 50 50 D2
La Chaussade 23 207 H3
La Chaussaire 49 148 B4
Chaussan 69 230 D2
La Chaussée 76 20 B2
La Chaussée 86 168 D3
La Chaussée-d'Ivry 28 56 D3
La Chaussée-Saint-Victor 41 132 A5
La Chaussée-sur-Marne 51 62 C3
La Chaussée-Tirancourt 80 22 A1
Chaussenac 15 243 H2
Chaussenans 39 179 G3
Chausseterre 42 211 E4
Chaussin 39 178 D2
Chaussoy-Epagny 80 22 C3
Chaussy 45 111 E3
Chaussy 95 37 F5
Le Chautay 18 174 B2
Chauvac 26 286 C1
Chauvé 44 146 D4
Chauve d'Aspremont *Mont* 06 291 E5
Chauvency-le-Château 55 27 H5
Chauvency-Saint-Hubert 55 27 H5
Chauvigné 35 80 D4
Chauvigny 86 187 E1
Chauvigny-du-Perche 41 109 F5
Chauvincourt 27 37 F3
Chauvirey-le-Châtel 70 140 B2
Chauvirey-le-Vieil 70 140 B3
Chauvoncourt 55 64 C3
Chauvry 95 58 B1
Chaux 21 159 H5
La Chaux 25 180 D1
La Chaux 61 83 E2
La Chaux 71 178 C3

A B C D E F G H I J K L M N O P Q R S T U V W X Y Z

Chaux 90 ... 142 B 2
Chaux-Champagny 39 ... 179 H 2
Chaux-des-Crotenay 39 ... 180 A 5
Chaux-des-Prés 39 ... 197 E 2
La Chaux-du-Dombief 39 ... 197 E 1
La Chaux-en-Bresse 39 ... 179 E 3
Chaux-la-Lotière 70 ... 161 H 2
Chaux-lès-Clerval 25 ... 162 D 2
Chaux-lès-Passavant 25 ... 162 C 3
Chaux-lès-Port 70 ... 140 D 3
Chaux-Neuve 25 ... 180 B 5
Chauzon 07 ... 266 B 5
Chavagnac 15 ... 245 F 2
Chavagnac 24 ... 241 H 3
Chavagne 35 ... 104 A 3
Chavagnes 49 ... 149 H 3
Chavagnes-en-Paillers 85 ... 166 A 2
Chavagnes-les-Redoux 85 ... 166 D 4
Chavagneux-
Montbertand 38 ... 231 H 1
Chavaignes 49 ... 150 C 1
Chavanac 19 ... 225 G 2
Chavanat 23 ... 207 F 3
Chavanatte 90 ... 142 D 3
Chavanay 42 ... 231 E 4
Chavanges 10 ... 91 H 3
Chavaniac-Lafayette 43 ... 246 D 2
Chavannaz 74 ... 215 F 2
Chavanne 39 ... 179 E 5
Chavanne 70 ... 142 A 4
La Chavanne 73 ... 233 G 3
Chavannes 18 ... 173 E 3
Chavannes 26 ... 249 F 3
Les Chavannes-
en-Maurienne 73 ... 234 A 4
Chavannes-les-Grands 90 ... 142 D 3
Chavannes-sur-l'Étang 68 ... 142 D 3
Chavannes-
sur-Reyssouze 01 ... 195 F 3
Chavannes-sur-Suran 01 ... 196 B 5
Chavanod 74 ... 215 F 4
Chavanoz 38 ... 213 H 5
Les Chavants 74 ... 216 D 3
Chavaroux 63 ... 210 A 5
La Chavatte 80 ... 23 F 3
Chaveignes 37 ... 169 F 1
Chavelot 88 ... 95 F 5
Chavenat 16 ... 221 F 4
Chavenay 78 ... 57 H 3
Chavençon 60 ... 37 H 4
Chavenon 03 ... 191 F 3
Chavéria 39 ... 196 C 2
Chaveroche 19 ... 225 H 3
Chaveyriat 01 ... 195 G 5
Chavignol 18 ... 155 H 3
Chavignon 02 ... 40 C 1
Chavigny 02 ... 40 B 2
Chavigny 54 ... 94 D 1
Chavigny Château de 37 ... 150 D 5
Chavigny-Bailleul 27 ... 56 B 3
Chaville 92 ... 58 B 4
Chavin 36 ... 188 D 2
Chavoire 74 ... 215 G 3
Chavonne 02 ... 40 D 2
Chavornay 01 ... 214 D 4
Chavot-Courcourt 51 ... 61 F 1
Chavoy 50 ... 51 H 4
Chavroches 03 ... 192 C 4
Le Chay 17 ... 219 E 1
Chay 25 ... 179 G 1
Chazay-d'Azergues 69 ... 212 D 4
La Chaze-de-Peyre 48 ... 264 A 2
Chazé-Henry 49 ... 127 G 3
Chazé-sur-Argos 49 ... 127 H 4
Chazeaux 07 ... 266 A 3
Le Chazelet 05 ... 252 A 3
Chazelet 36 ... 188 C 2
Chazelles 15 ... 246 B 3
Chazelles 16 ... 221 G 2
Chazelles 39 ... 196 A 3
Chazelles 43 ... 246 C 4
Chazelles-sur-Albe 54 ... 96 A 1
Chazelles-sur-Lavieu 42 ... 229 G 3
Chazelles-sur-Lyon 42 ... 230 B 2
Chazelot 25 ... 162 C 1
Chazemais 03 ... 190 C 3
Chazeuil 21 ... 139 G 5
Chazeuil 58 ... 157 E 4
Chazey-Bons 01 ... 214 D 5
Chazey-sur-Ain 01 ... 213 H 4
Chazilly 21 ... 159 F 5
Chazot 25 ... 163 E 2
Chazoy 25 ... 161 G 3
La Chebuette 44 ... 147 H 3
Chécy 45 ... 133 F 2
Chedde 74 ... 216 D 3
Chédigny 37 ... 152 C 4
Chef-Boutonne 79 ... 202 D 1
Chef-du-Pont 50 ... 31 H 2
Chef-Haut 88 ... 94 C 4
Cheffes 49 ... 128 C 5
Cheffois 85 ... 167 E 5
Cheffreville-Tonnencourt 14 ... 54 C 1
Le Chefresne 50 ... 52 A 2
Chéhéry 08 ... 27 E 4
Cheignieu-la-Balme 01 ... 214 C 4
Cheillé 37 ... 151 F 4
Cheilly-lès-Maranges 71 ... 177 F 3
Chein-Dessus 31 ... 334 D 2
Cheissoux 87 ... 206 C 5
Le Cheix 63 ... 209 H 3
Le Cheix 63 ... 227 G 3
Cheix-en-Retz 44 ... 147 E 4
Chélan 32 ... 316 A 3
Chelers 62 ... 7 H 5
Chélieu 38 ... 232 B 3
Chelle-Debat 65 ... 315 G 4
Chelle-Spou 65 ... 333 G 1
Chelles 60 ... 39 H 3
Chelles 77 ... 59 E 3
Chelun 35 ... 127 F 2
Chemaudin 25 ... 161 H 4
Chemault 45 ... 111 H 4
Chemazé 53 ... 128 A 3
Chemellier 49 ... 149 H 3
Chemenot 39 ... 179 E 3
Chéméré 44 ... 146 D 5
Chémeré-le-Roi 53 ... 106 C 5
Chémery 41 ... 153 F 3
Chémery 57 ... 66 D 2
Chémery-Chéhéry 08 ... 27 E 5
Chémery-les-Deux 57 ... 46 C 3
Chemilla 39 ... 196 C 3
Chemillé-en-Anjou 49 ... 149 F 4
Chemillé-sur-Dême 37 ... 130 D 4
Chemillé-sur-Indrois 37 ... 152 D 5
Chemilli 61 ... 84 B 4
Chemilly 03 ... 192 A 2
Chemilly 70 ... 140 D 4
Chemilly-sur-Serein 89 ... 136 D 3
Chemilly-sur-Yonne 89 ... 136 B 2
Chemin 39 ... 178 C 2
Le Chemin 51 ... 63 F 1
Chemin-d'Aisey 21 ... 138 A 3
Cheminas 07 ... 249 E 2
Cheminon 51 ... 63 F 4
Cheminot 57 ... 65 H 2
Chemiré-en-Charnie 72 ... 107 E 4
Chemiré-le-Gaudin 72 ... 107 F 5
Chemiré-sur-Sarthe 49 ... 128 D 3
Chemy 59 ... 8 C 4
Chenac-Saint-Seurin-
d'Uzet 17 ... 219 E 3
Chenailler-Mascheix 19 ... 243 E 3
La Chenalotte 25 ... 163 F 5
Chénas 69 ... 194 D 5
Chenaud 24 ... 239 E 1
Chenay 51 ... 41 F 3
Chenay 72 ... 83 H 3
Chenay 79 ... 185 G 4
Chenay-le-Châtel 71 ... 193 F 5
Le Chêne 10 ... 91 E 2
Chêne-Arnoult 89 ... 135 F 2
Chêne-Bernard 39 ... 179 E 2
Chêne-Chenu 28 ... 85 H 2
Chêne-en-Semine 74 ... 215 E 2
Chêne-Sec 39 ... 178 D 3
Chenebier 70 ... 142 B 3
Chenecey-Buillon 25 ... 161 H 5
Cheneché 86 ... 169 E 4
Chênedollé 14 ... 52 D 3
Chênedouit 61 ... 53 G 4
Chênehutte-
les-Tuffeaux 49 ... 150 B 3
Chénelette 69 ... 212 B 1
Chénérailles 23 ... 207 H 2
Chenereilles 42 ... 229 G 4
Chenereilles 43 ... 248 A 2
Chénerilles 04 ... 287 H 4
Chenevelles 86 ... 169 H 5
Chenevières 54 ... 95 G 2
Chenevrey-et-Morogne 70 ... 161 F 3
Chênex 74 ... 215 F 1
Cheney 89 ... 137 E 2
Chenicourt 54 ... 66 B 3
Chenières 54 ... 45 E 2
Chéniers 23 ... 189 F 4
Cheniers 51 ... 62 A 3
Chenillé-Champteussé 49 ... 128 B 4
Chenillé-Changé 49 ... 128 B 4
Cheniménil 88 ... 119 G 2
Chennebrun 27 ... 55 G 5
Chennegy 10 ... 114 C 2
Chennevières 55 ... 93 F 1
Chennevières-
lès-Louvres 95 ... 58 D 1
Chennevières-sur-Marne 94 ... 58 D 4
Chenois 57 ... 66 C 2
Chenoise 77 ... 89 F 2
Chenommet 16 ... 203 G 3
Chenon 16 ... 203 G 3
Chenonceau
Château de 37 ... 152 C 3
Chenonceaux 37 ... 152 C 3
Chenou 77 ... 112 B 3
Chenôve 21 ... 160 A 3
Chenôves 71 ... 177 G 5
Chens-sur-Léman 74 ... 197 H 4
Chenu 72 ... 130 B 5
Cheny 89 ... 114 A 5
Chepniers 17 ... 238 B 1
Chepoix 60 ... 22 C 5
La Cheppe 51 ... 62 C 1
Cheppes-la-Prairie 51 ... 62 B 3
Cheppy 55 ... 43 G 4
Cheptainville 91 ... 87 G 3
Chepy 51 ... 62 B 3
Chépy 80 ... 11 F 4
Chérac 17 ... 219 H 1
Chérancé 53 ... 127 H 2
Chérancé 72 ... 83 H 5
Chéraute 64 ... 313 F 4
Chéray 17 ... 200 A 3
Cherbonnières 17 ... 202 B 3
Cherbourg-en-Cotentin 50 ... 29 E 3
Chérence 95 ... 57 F 1
Chérencé-le-Héron 50 ... 52 A 3
Chérencé-le-Roussel 50 ... 52 B 4
Chéreng 59 ... 9 E 3
Les Chères 69 ... 212 D 4
Chérêt 02 ... 40 D 1
Chériennes 62 ... 12 B 2
Cherier 42 ... 211 F 3
Chérigné 79 ... 202 C 1
Les Chéris 50 ... 51 H 5
Chérisay 72 ... 83 G 5
Chérisey 57 ... 65 H 2
Cherisy 28 ... 56 D 4
Chérisy 62 ... 13 H 3
Chérizet 71 ... 194 C 2
Chermignac 17 ... 219 F 1
Chermisey 88 ... 93 H 4
Chermizy-Ailles 02 ... 41 E 1
Chéronnac 87 ... 204 D 5
Chéronvilliers 27 ... 55 G 4
Chéroy 89 ... 113 E 2
Cherré 49 ... 128 C 4
Cherré 72 ... 108 C 3
Cherreau 72 ... 108 C 2
Cherrueix 35 ... 51 E 5
Cherval 24 ... 221 G 4
Cherveix-Cubas 24 ... 241 F 1
Cherves 86 ... 168 C 5
Cherves-Châtelars 16 ... 204 B 5
Cherves-de-Cognac 16 ... 202 B 5
Chervettes 17 ... 201 F 2
Cherveux 79 ... 185 E 3
Chervey 10 ... 115 H 3
Cherville 51 ... 61 H 1
Chervinges 69 ... 212 D 3
Chéry 18 ... 154 C 5
Chéry-Chartreuve 02 ... 40 D 4
Chéry-lès-Pouilly 02 ... 24 D 4
Chéry-lès-Rozoy 02 ... 25 G 3
Chesley 10 ... 115 E 5
Le Chesnay 78 ... 58 A 3
Le Chesne 08 ... 42 D 1
Le Chesne 27 ... 56 A 3
Chesnel 16 ... 202 B 5
Chesnois-Auboncourt 08 ... 26 C 5
Chesny 57 ... 65 H 1
Chessenaz 74 ... 215 E 2
Chessy 69 ... 212 C 4
Chessy 77 ... 59 F 3
Chessy-les-Prés 10 ... 114 C 4
Chéu 89 ... 114 B 5
Cheuge 21 ... 160 D 2
Cheust 65 ... 333 E 1
Cheux 14 ... 33 F 4
Chevagnes 03 ... 192 C 1
Chevagny-
les-Chevrières 71 ... 194 D 4
Chevagny-sur-Guye 71 ... 194 B 2
Chevaigné 35 ... 104 B 2
Chevaigné-du-Maine 53 ... 82 D 4
Le Chevain 72 ... 83 G 4
Cheval-Blanc 84 ... 305 F 2
La Chevalerie 17 ... 200 B 4
Chevaline 74 ... 215 H 5
La Chevallerais 44 ... 147 G 1
Le Chevalon 38 ... 232 D 5
Chevanceaux 17 ... 220 C 5
Chevannay 21 ... 159 F 2
Chevannes 21 ... 159 H 5
Chevannes 45 ... 112 D 3
Chevannes 89 ... 136 A 3
Chevannes 91 ... 88 A 3
Chevannes-Changy 58 ... 157 E 4
Chevennes 02 ... 25 E 2
Chevenon 58 ... 174 D 3
Chevenoz 74 ... 198 C 3
Cheverny 41 ... 153 F 1
Cheveuges 08 ... 27 E 4
Chevières 08 ... 43 E 3
Chevigney 70 ... 161 E 3
Chevigney-lès-Vercel 25 ... 162 C 4
Chevigney-sur-l'Ognon 25 ... 161 G 3
Chevigny 39 ... 161 E 4
Chevigny-en-Valière 21 ... 178 A 2
Chevigny-
Saint-Sauveur 21 ... 160 B 3
Chevillard 01 ... 214 C 1
Chevillé 72 ... 107 E 5
Chevillon 52 ... 92 D 2
Chevillon 89 ... 135 G 2
Chevillon-sur-Huillard 45 ... 112 B 5
La Chevillotte 25 ... 162 B 4
Chevilly 45 ... 110 D 4
Chevilly-Larue 94 ... 58 C 4
Chevinay 69 ... 212 C 5
Chevincourt 60 ... 39 F 1
Cheviré-le-Rouge 49 ... 129 F 5
Chevrainvilliers 77 ... 112 B 2
Chèvre Cap de la 29 ... 75 E 5
Chevreaux 39 ... 196 A 2
Chevregny 02 ... 40 D 1
Chèvremont 90 ... 142 C 3
La Chèvrerie 16 ... 203 F 2
Chèvrerie Vallon de la 74 ... 198 B 5
Chevresis-les-Dames 02 ... 24 C 3
Chevresis-Monceau 02 ... 24 D 3
Chevreuse 78 ... 58 A 5
Chèvreville 50 ... 52 B 5
Chèvreville 60 ... 39 G 5
Chevrier 74 ... 215 E 1
Chevrières 38 ... 250 A 2
Chevrières 42 ... 230 B 2
Chevrières 60 ... 39 E 3
Chevroches 58 ... 157 F 2
La Chevrolière 44 ... 147 G 5
Chevrotaine 39 ... 179 H 5
Chevroux 01 ... 195 F 3
Chevroz 25 ... 161 H 2
Chevru 77 ... 60 A 4
Chevry 01 ... 197 F 4
Chevry 39 ... 196 D 3
Chevry 50 ... 52 A 1
Chevry-Cossigny 77 ... 59 E 5
Chevry-en-Sereine 77 ... 112 D 2
Chevry-sous-le-Bignon 45 ... 112 D 3
Chey 79 ... 185 G 4
Cheylade 15 ... 245 E 2
Le Cheylard 07 ... 248 B 5
Cheylard-l'Évêque 48 ... 265 E 3
Le Cheylas 38 ... 233 F 4
Cheyssieu 38 ... 231 E 4
Chezal-Benoît 18 ... 172 C 4
La Chèze 22 ... 102 C 2
Chèze 65 ... 332 D 3
Chézeaux 52 ... 140 B 2
Chezelle 03 ... 191 H 5
Chezelles 36 ... 171 G 3
Chezelles 37 ... 169 F 1
Chézeneuve 38 ... 231 H 2
Chézery-Forens 01 ... 197 E 5
Chézy 03 ... 192 B 1
Chézy-en-Orxois 02 ... 40 A 5
Chézy-sur-Marne 02 ... 60 B 2
Chiappa Pointe de la 2A ... 351 G 2
Chiatra 2B ... 347 H 4
Chiché 79 ... 167 H 4
Chicheboville 14 ... 33 H 5
Chichée 89 ... 136 D 3
Chichery 89 ... 136 B 2
Chichey 51 ... 61 E 5
Chichilianne 38 ... 268 C 1
Chicourt 57 ... 66 C 3
Chiddes 58 ... 176 A 3
Chiddes 71 ... 194 B 3
Chidrac 63 ... 227 H 3
Chierry 02 ... 60 C 1
Chieulles 57 ... 45 H 5
Chigné 49 ... 129 H 5
Chignin 73 ... 233 F 2
La Chignolle 16 ... 203 F 5
Chigny 02 ... 25 E 1
Chigny-les-Roses 51 ... 41 G 5
Chigy 89 ... 113 H 2
Chilhac 43 ... 246 B 2
Chillac 16 ... 220 D 5
Chille 39 ... 179 E 5
Chilleurs-aux-Bois 45 ... 111 F 4
Le Chillou 79 ... 168 B 4
Chilly 08 ... 26 B 2
Chilly 74 ... 215 F 2
Chilly 80 ... 23 F 3
Chilly-le-Vignoble 39 ... 179 E 5
Chilly-Mazarin 91 ... 58 C 5
Chilly-sur-Salins 39 ... 179 H 2
Chimilin 38 ... 232 C 2
Le Chinaillon 74 ... 216 B 2
Chindrieux 73 ... 215 E 4
Chinon 37 ... 151 E 5
Chinon Centre de production
nucléaire 37 ... 150 D 4
Chioula Col de 09 ... 336 D 5
Chipilly 80 ... 23 E 1
Chirac 16 ... 204 C 4
Chirac 48 ... 264 A 4
Chirac-Bellevue 19 ... 226 B 4
Chirassimont 42 ... 212 A 4
Chirat-l'Église 03 ... 191 G 5
Chiré-en-Montreuil 86 ... 186 A 1
Chirens 38 ... 232 C 4
Chirmont 80 ... 22 C 4
Chirols 07 ... 266 A 2
Chiroubles 69 ... 212 D 1
Chiry-Ourscamp 60 ... 23 G 5
Chis 65 ... 315 F 4
Chisa 2B ... 349 F 3
Chissay-en-Touraine 41 ... 152 D 3
Chisseaux 37 ... 152 C 3
Chisséria 39 ... 196 C 3
Chissey-en-Morvan 71 ... 158 C 5
Chissey-lès-Mâcon 71 ... 194 D 2
Chissey-sur-Loue 39 ... 179 F 1
Chitenay 41 ... 153 E 1
Chitray 36 ... 188 B 1
Chitry 89 ... 136 C 3
Chitry-les-Mines 58 ... 157 G 4
Chiuni Plage de 2A ... 348 A 1
Chives 17 ... 202 D 3
Chivres 21 ... 178 B 2
Chivres-en-Laonnois 02 ... 25 F 4
Chivres-Val 02 ... 40 C 2
Chivy-lès-Étouvelles 02 ... 40 D 1
Chizé 79 ... 202 B 1
Chocques 62 ... 7 H 3
Choignes 52 ... 117 E 3
Choilley 52 ... 139 G 4
Choisel 78 ... 57 H 5
Choiseul 52 ... 117 H 4
Choisey 39 ... 178 D 1
Choisies 59 ... 15 H 3
Choisy 74 ... 215 G 2
Choisy-au-Bac 60 ... 39 G 2
Choisy-en-Brie 77 ... 60 A 4
Choisy-la-Victoire 60 ... 39 E 2
Choisy-le-Roi 94 ... 58 C 4
Cholet 49 ... 166 D 1
Cholonge 38 ... 251 E 3
Choloy-Ménillot 54 ... 94 A 1
Chomelix 43 ... 247 E 1
Chomérac 07 ... 266 D 2
La Chomette 43 ... 246 C 1
Chonas-l'Amballan 38 ... 231 E 4
Chonville 55 ... 64 C 5
Chooz 08 ... 17 E 4
Choqueuse-les-Bénards 60 ... 22 A 4
Choranche 38 ... 250 B 3
Chorey-lès-Beaune 21 ... 177 H 1
Chorges 05 ... 270 A 3
Chouain 14 ... 33 E 4
Chouday 36 ... 172 C 3
Choue 41 ... 109 E 5
Chougny 58 ... 175 H 1
Chouilly 51 ... 61 G 1
Chouppes 86 ... 168 D 4
Chourgnac 24 ... 241 F 1
Choussy 41 ... 153 E 3
Chouvigny 03 ... 209 G 2
Chouvigny Gorges de 63 ... 209 G 2
Choux 39 ... 196 D 4
Les Choux 45 ... 134 C 3
Chouy 02 ... 40 A 4
Chouzé-sur-Loire 37 ... 150 D 4
Chouzelot 25 ... 161 H 5
Chouzy-sur-Cisse 41 ... 152 D 1
Choye 70 ... 161 G 2
Chozeau 38 ... 231 H 1
Chuelles 45 ... 112 D 5
Chuffilly-Roche 08 ... 42 C 1
Chuignes 80 ... 23 F 2
Chuignolles 80 ... 23 F 2
Chuisnes 28 ... 85 G 4
Chusclan 30 ... 285 E 3
Chuyer 42 ... 230 D 4
Chuzelles 38 ... 231 F 2
Ciadoux 31 ... 316 C 4
Ciamannacce 2A ... 349 E 3
Cians Gorges du 06 ... 289 G 5
Ciboure 64 ... 310 B 3
Cideville 76 ... 19 H 5
Ciel 71 ... 178 A 3
Cier-de-Luchon 31 ... 334 B 4
Cier-de-Rivière 31 ... 334 B 1
Cierges 02 ... 40 D 5
Cierges-
sous-Montfaucon 55 ... 43 G 3
Cierp-Gaud 31 ... 334 B 3
Cierrey 27 ... 56 C 1
Cierzac 17 ... 220 B 2
Cieurac 46 ... 278 B 1
Cieutat 65 ... 333 F 1
Cieux 87 ... 205 F 3
Ciez 58 ... 156 C 2
Cigné 53 ... 82 B 4
Cigogné 37 ... 152 B 4
Cilly 02 ... 25 F 3
Cinais 37 ... 150 D 5
Cindré 03 ... 192 C 4
Cinq-Chemins 74 ... 198 A 3
Cinq-Mars-la-Pile 37 ... 151 G 3
Cinquétral 39 ... 197 E 3
Cinqueux 60 ... 38 D 3
Cintegabelle 31 ... 318 A 4
Cintheaux 14 ... 53 H 1
Cintray 27 ... 55 H 4
Cintray 28 ... 86 A 4
Cintré 35 ... 103 H 3
Cintrey 70 ... 140 B 3
La Ciotat 13 ... 327 F 4
Cipières 06 ... 309 E 1
Ciral 61 ... 83 E 3
Ciran 37 ... 170 B 1
Circourt 88 ... 95 E 5
Circourt-sur-Mouzon 88 ... 94 A 5
Ciré-d'Aunis 17 ... 200 D 2
Cirès 31 ... 334 A 4
Cires-lès-Mello 60 ... 38 C 4
Cirey 21 ... 177 F 2
Cirey 70 ... 162 A 2
Cirey-lès-Mareilles 52 ... 117 F 2
Cirey-lès-Pontailler 21 ... 160 C 3
Cirey-sur-Blaise 52 ... 92 C 5
Cirey-sur-Vezouze 54 ... 96 B 1
Cirfontaines-en-Azois 52 ... 116 C 3
Cirfontaines-en-Ornois 52 ... 93 F 3
Cirières 79 ... 167 F 3
Ciron 36 ... 188 A 1
Cirque Belvédère du 05 ... 271 G 1
Ciry-le-Noble 71 ... 194 A 1
Ciry-Salsogne 02 ... 40 C 2
Cisai-Saint-Aubin 61 ... 54 D 4
Cisery 89 ... 158 B 1
Cissac-Médoc 33 ... 237 E 1
Cissé 86 ... 169 E 5
Cisternes-la-Forêt 63 ... 209 E 5
Cistrières 43 ... 228 D 5
Cîteaux Abbaye de 21 ... 160 B 5
Citerne 80 ... 11 G 5
Citers 70 ... 141 G 3
Citey 70 ... 161 G 1
Citou 11 ... 320 A 3
Citry 77 ... 60 A 2
Civaux 86 ... 187 E 3
Civens 42 ... 212 A 5
Civières 27 ... 37 E 5
Civrac-de-Blaye 33 ... 237 H 2
Civrac-en-Médoc 33 ... 218 D 5
Civrac-sur-Dordogne 33 ... 256 D 1
Civray 18 ... 172 D 2
Civray 86 ... 203 G 1
Civray-de-Touraine 37 ... 152 C 3
Civray-sur-Esves 37 ... 169 H 1
Civrieux 01 ... 213 E 3
Civrieux-d'Azergues 69 ... 212 D 4
Civry 28 ... 110 A 4
Civry-en-Montagne 21 ... 159 F 3
Civry-la-Forêt 78 ... 57 E 3
Civry-sur-Serein 89 ... 137 E 5
Cizancourt 80 ... 23 G 2
Cizay-la-Madeleine 49 ... 150 B 4
Cize 01 ... 196 B 5
Cize 39 ... 179 H 4
Cizely 58 ... 175 E 2
Cizos 65 ... 316 A 4
Clacy-et-Thierret 02 ... 24 D 5
Cladech 24 ... 259 F 1
Claira 66 ... 339 E 5
Clairac 47 ... 275 G 1
Clairavaux 23 ... 207 G 5

Clairefontaine-en-Yvelines **78** ... 87 E 2
Clairefougère **61** ... 52 D 3
Clairegoutte **70** ... 142 A 3
Clairfayts **59** ... 16 A 4
Clairfontaine **02** ... 25 G 1
Clairmarais **62** ... 3 F 5
Clairoix **60** ... 39 F 2
Clairvaux **10** ... 116 B 3
Clairvaux-d'Aveyron **12** ... 262 B 5
Clairvaux-les-Lacs **39** ... 196 D 1
Clairvivre **24** ... 223 H 5
Clairy-Saulchoix **80** ... 22 B 2
Clais **76** ... 20 D 3
Claix **16** ... 221 E 3
Claix **38** ... 250 D 2
Clam **17** ... 219 H 3
Clamanges **51** ... 61 H 3
Clamart **92** ... 58 B 4
Clamecy **02** ... 40 B 2
Clamecy **58** ... 157 F 2
Clamensane **04** ... 287 H 1
Clamerey **21** ... 159 E 2
Clamouse *Grotte de* **34** ... 302 B 3
Clans **06** ... 289 H 4
Clans **70** ... 141 E 4
Clansayes **26** ... 285 E 1
Le Claon **55** ... 43 F 5
Claouey **33** ... 254 B 1
Le Clapier **12** ... 301 F 2
Clapiers **34** ... 302 D 4
La Claquette **67** ... 96 D 3
Clara **66** ... 342 B 3
Clarac **31** ... 334 B 1
Clarac **65** ... 315 G 5
Claracq **64** ... 294 B 5
Clarafond **74** ... 215 E 2
Clarbec **14** ... 34 C 4
Clarens **65** ... 315 H 5
Clarensac **30** ... 303 G 2
Claret **04** ... 269 G 5
Claret **34** ... 302 D 2
Clarques **62** ... 7 F 2
La Clarté **22** ... 72 C 2
Clary **59** ... 14 C 5
Classun **40** ... 294 B 3
Clastres **02** ... 24 A 3
Clasville **76** ... 19 F 3
Le Clat **11** ... 337 F 5
Claudon **88** ... 118 C 4
Les Claux **05** ... 270 D 3
Le Claux **15** ... 245 E 2
Clavans-en-Haut-Oisans **38** ... 251 H 3
Clavé **79** ... 185 F 2
Claveisolles **69** ... 212 B 2
Clavette **17** ... 200 D 1
Claveyson **26** ... 249 F 2
Clavières **15** ... 246 A 4
Claviers **83** ... 308 B 4
Claville **27** ... 56 A 1
Claville-Motteville **76** ... 20 B 5
Clavy-Warby **08** ... 26 C 3
La Claye **85** ... 183 E 2
Claye-Souilly **77** ... 59 E 2
Clayes **35** ... 104 A 2
Les Clayes-sous-Bois **78** ... 57 H 4
La Clayette **71** ... 194 A 5
Clayeures **54** ... 95 F 3
Clazay **79** ... 167 G 4
Clécy **14** ... 53 F 2
Cléden-Cap-Sizun **29** ... 98 D 2
Cléden-Poher **29** ... 76 C 4
Cléder **29** ... 71 F 3
Clèdes **40** ... 294 B 3
Cleebourg **67** ... 69 E 1
Clefmont **52** ... 117 G 3
Clefs-Val-d'Anjou **49** ... 129 G 5
Les Clefs **74** ... 216 A 4
Cléguer **56** ... 101 E 5
Cléguérec **56** ... 101 H 2
Clelles **38** ... 250 D 5
Clémencey **21** ... 159 H 4
Clémensat **63** ... 227 H 3
Clémery **54** ... 65 H 3
Clémont **18** ... 133 H 5
Clénay **21** ... 160 B 2
Clenleu **62** ... 6 C 4
Cléon **76** ... 36 A 3
Cléon-d'Andran **26** ... 267 F 3
Cleppé **42** ... 211 H 5
Clérac **17** ... 238 C 2
Cléré-du-Bois **36** ... 170 C 3
Cléré-les-Pins **37** ... 151 F 2
Cléré-sur-Layon **49** ... 149 H 5
Clères **76** ... 20 B 5
Clérey **10** ... 115 F 2
Clérey-la-Côte **88** ... 94 A 3
Clérey-sur-Brenon **54** ... 94 D 2
Clergoux **19** ... 243 F 1
Clérieux **26** ... 249 F 3
Les Clérimois **89** ... 113 H 2
Le Clerjus **88** ... 119 F 4
Clerlande **63** ... 209 H 4
Clermain **71** ... 194 C 4
Clermont **09** ... 335 G 2
Clermont **40** ... 293 E 4
Clermont **60** ... 38 C 2
Clermont **74** ... 215 E 3
Clermont *Abbaye de* **53** ... 105 G 3
Clermont-Créans **72** ... 129 G 4
Clermont-de-Beauregard **24** ... 240 B 4
Clermont-Dessous **47** ... 275 G 2
Clermont-d'Excideuil **24** ... 223 F 5
Clermont-en-Argonne **55** ... 43 G 5
Clermont-en-Auge **14** ... 34 B 4
Clermont-Ferrand **63** ... 209 H 5
Clermont-le-Fort **31** ... 317 H 2
Clermont-les-Fermes **02** ... 25 F 4
Clermont-l'Hérault **34** ... 302 A 4
Clermont-Pouyguillès **32** ... 316 A 2
Clermont-Savès **32** ... 297 E 4
Clermont-Soubiran **47** ... 276 D 3
Clermont-sur-Lauquet **11** ... 337 H 2
Cléron **25** ... 162 A 5
Clerques **62** ... 2 D 5
Clerval **25** ... 162 D 2
Cléry **21** ... 161 E 3
Cléry **73** ... 234 A 1
Cléry-en-Vexin **95** ... 37 G 5
Cléry-le-Grand **55** ... 43 G 2
Cléry-le-Petit **55** ... 43 G 2
Cléry-Saint-André **45** ... 132 D 3
Cléry-sur-Somme **80** ... 23 G 1
Clesles **51** ... 90 C 3
Clessé **71** ... 195 E 3
Clessé **79** ... 167 H 5
Clessy **71** ... 193 G 2
Cléty **62** ... 7 F 2
Cleurie **88** ... 119 H 3
Cleuville **76** ... 19 F 4
Cléville **14** ... 34 A 5
Cléville **76** ... 19 F 5
Clévilliers **28** ... 86 A 3
Cleyrac **33** ... 256 D 2
Cleyzieu **01** ... 214 B 3
Clézentaine **88** ... 95 G 3
Clichy **92** ... 58 C 3
Clichy-sous-Bois **93** ... 58 D 3
Climbach **67** ... 69 E 1
Le Climont **67** ... 96 D 4
Clinchamp **52** ... 117 G 2
Clinchamps-sur-Orne **14** ... 33 G 5
Clion **17** ... 219 H 3
Clion **36** ... 170 D 2
Le Clion-sur-Mer **44** ... 146 C 5
Cliousclat **26** ... 267 F 2
Cliponville **76** ... 19 G 4
Cliron **08** ... 26 C 2
Clis **44** ... 145 G 4
La Clisse **17** ... 201 F 5
Clisson **44** ... 148 A 5
Clitourps **50** ... 29 G 3
Clohars-Carnoët **29** ... 100 C 5
Clohars-Fouesnant **29** ... 99 H 4
Le Cloître-Pleyben **29** ... 76 B 4
Le Cloître-Saint-Thégonnec **29** ... 76 B 2
Clomot **21** ... 159 E 4
Clonas-sur-Varèze **38** ... 231 E 4
Clos *Futaie des* **72** ... 130 C 3
Clos-Fontaine **77** ... 89 E 2
La Clotte **17** ... 238 C 2
Clouange **57** ... 45 G 4
Cloué **86** ... 186 A 3
Les Clouzeaux **85** ... 165 G 5
Cloyes-sur-le-Loir **28** ... 109 G 5
Cloyes-sur-Marne **51** ... 62 D 5
Clucy **39** ... 179 H 2
Clugnat **23** ... 189 H 4
Cluis **36** ... 189 E 2
Clumanc **04** ... 288 B 4
Cluny **71** ... 194 D 3
La Clusaz **74** ... 216 A 3
La Cluse **01** ... 214 C 1
La Cluse **05** ... 269 F 2
La Cluse-et-Mijoux **25** ... 180 D 2
Les Cluses **66** ... 343 E 4
Cluses **74** ... 216 C 1
Clussais-la-Pommeraie **79** ... 203 E 1
Clux **71** ... 178 B 2
Coadout **22** ... 73 E 5
Coaraze **06** ... 291 F 4
Coarraze **64** ... 314 C 5
Coat-Méal **29** ... 70 C 5
Coatascorn **22** ... 73 E 4
Coatfrec *Château de* **22** ... 72 C 3
Coatréven **22** ... 72 D 3
Cobonne **26** ... 267 G 1
Cobrieux **59** ... 9 E 3
Cocalière *Grotte de la* **30** ... 283 H 2
La Cochère **61** ... 54 C 4
Cocherel **27** ... 56 C 1
Cocherel **77** ... 59 H 1
Cocheren **57** ... 47 F 5
Coclois **10** ... 91 F 3
Cocquerel **80** ... 11 H 4
Cocumont **47** ... 256 D 5
Codalet **66** ... 342 A 3
Codognan **30** ... 303 G 3
Codolet **30** ... 285 E 3
Coëmont **72** ... 130 B 4
Coësmes **35** ... 104 D 5
Coëtlogon **22** ... 102 C 2
Coëtmieux **22** ... 78 C 3
Coëtquidan-Saint-Cyr *Camp de* **56** ... 103 F 4
Cœuilly **94** ... 58 D 4
Cœuvres-et-Valsery **02** ... 40 A 3
Coëx **85** ... 165 E 4
Coggia **2A** ... 348 B 1
Coglès **35** ... 80 D 3
Cogna **39** ... 196 D 1
Cognac **16** ... 220 B 1
Cognac-la-Forêt **87** ... 205 E 5
Cognat-Lyonne **03** ... 210 A 2
Cogners **72** ... 130 D 2
Cognet **38** ... 251 E 5
Cognières **70** ... 162 C 1
Cognin **73** ... 233 E 2
Cognin-les-Gorges **38** ... 250 B 2
Cognocoli-Monticchi **2A** ... 348 D 4
Cogny **18** ... 173 G 3
Cogny **69** ... 212 C 3
Cogolin **83** ... 329 F 3
Cohade **43** ... 228 B 5
Cohan **02** ... 40 D 4
Cohennoz **73** ... 216 B 5
Cohiniac **22** ... 78 A 3
Cohons **52** ... 139 G 3
Coiffy-le-Bas **52** ... 118 A 5
Coiffy-le-Haut **52** ... 118 A 5
Coigneux **80** ... 13 E 4
Coignières **78** ... 57 H 4
Coigny **50** ... 31 H 2
Coimères **33** ... 256 B 4
Coin-lès-Cuvry **57** ... 65 H 1
Coin-sur-Seille **57** ... 65 H 2
Coinces **45** ... 110 C 5
Coinches **88** ... 96 C 5
Coincourt **54** ... 66 D 5
Coincy **02** ... 40 C 5
Coincy **57** ... 66 B 1
Coings **36** ... 171 H 3
Coingt **02** ... 25 G 3
Coirac **33** ... 256 C 2
Coise **69** ... 230 B 2
Coise-Saint-Jean-Pied-Gauthier **73** ... 233 G 2
Coiserette **39** ... 197 E 4
Coisevaux **70** ... 142 B 3
Coisia **39** ... 196 C 4
Coisy **80** ... 22 C 1
Coivert **17** ... 201 H 2
Coivrel **60** ... 22 D 5
Coizard-Joches **51** ... 61 F 3
Colayrac-Saint-Cirq **47** ... 275 H 3
Colembert **62** ... 2 C 5
Coligny **01** ... 196 A 3
Coligny **51** ... 61 G 3
Colincamps **80** ... 13 F 4
Collan **89** ... 136 D 2
La Collancelle **58** ... 157 G 5
Collandres **15** ... 244 D 1
Collandres-Quincarnon **27** ... 55 H 1
Collanges **63** ... 228 A 4
Collat **43** ... 246 D 1
La Colle-sur-Loup **06** ... 309 F 2
Collégien **77** ... 59 E 3
Collemiers **89** ... 113 F 3
Colleret **59** ... 15 H 2
Le Collet **88** ... 120 C 3
Le Collet-d'Allevard **38** ... 233 G 4
Le Collet-de-Dèze **48** ... 283 F 2
Colletot **27** ... 35 F 3
Colleville **76** ... 19 E 3
Colleville-Montgomery **14** ... 33 H 3
Colleville-sur-Mer **14** ... 32 D 2
Collias **30** ... 284 C 5
Colligis-Crandelain **02** ... 40 D 1
Colligny **57** ... 66 B 1
Colline-Beaumont **62** ... 11 F 1
Collinée **22** ... 78 D 5
Collioure **66** ... 343 G 4
Collobrières **83** ... 328 D 3
Collonge-en-Charollais **71** ... 194 C 1
Collonge-la-Madeleine **71** ... 177 E 2
Collonges **01** ... 215 E 1
Collonges-au-Mont-d'Or **69** ... 213 E 5
Collonges-la-Rouge **19** ... 242 C 3
Collonges-lès-Bévy **21** ... 159 H 5
Collonges-lès-Premières **21** ... 160 C 4
Collonges-sous-Salève **74** ... 215 G 1
Collongues **06** ... 289 F 5
Collongues **65** ... 315 F 4
Collorec **29** ... 76 B 4
Collorgues **30** ... 284 A 5
Colmar **68** ... 121 E 3
Colmars **04** ... 288 D 2
Colmen **57** ... 46 C 3
Colméry **58** ... 156 D 3
Colmesnil-Manneville **76** ... 20 A 2
Colmey **54** ... 44 C 2
Colmier-le-Bas **52** ... 138 D 3
Colmier-le-Haut **52** ... 138 D 3
Colognac **30** ... 283 F 5
Cologne **32** ... 297 E 3
Colomars **06** ... 309 G 2
Colombe **38** ... 232 B 4
La Colombe **41** ... 132 B 2
La Colombe **50** ... 52 A 2
Colombé-la-Fosse **10** ... 92 B 5
Colombé-le-Sec **10** ... 116 B 2
Colombe-lès-Bithaine **70** ... 141 G 3
Colombe-lès-Vesoul **70** ... 141 F 4
Colombelles **14** ... 33 H 4
Colombes **92** ... 58 B 2
Colombey-les-Belles **54** ... 94 B 2
Colombey-lès-Choiseul **52** ... 117 H 3
Colombey-les-Deux-Églises **52** ... 116 C 2
Colombier **03** ... 191 E 5
Colombier **21** ... 159 F 5
Colombier **24** ... 257 H 1
Colombier **42** ... 230 D 5
Colombier **70** ... 141 F 4
Colombier-Châtelot **25** ... 142 A 5
Colombier-en-Brionnais **71** ... 194 A 4
Colombier-Fontaine **25** ... 142 B 5
Colombier-le-Cardinal **07** ... 249 E 1
Colombier-le-Jeune **07** ... 248 D 4
Colombier-le-Vieux **07** ... 248 D 3
Colombier-Saugnieu **69** ... 231 G 1
Colombière *Col de la* **74** ... 216 B 2
Colombières **14** ... 32 C 3
Colombières-sur-Orb **34** ... 301 E 5
Colombiers **17** ... 219 G 2
Colombiers **18** ... 173 F 5
Colombiers **34** ... 321 F 4
Colombiers **61** ... 83 G 3
Colombiers **86** ... 169 F 4
Colombiers-du-Plessis **53** ... 81 H 4
Colombiers-sur-Seulles **14** ... 33 F 3
Colombiès **12** ... 280 B 1
Colombotte **70** ... 141 F 4
Colomby **50** ... 29 F 5
Colomby-Anguerny **14** ... 33 G 3
Colomby de Gex *Mont* **01** ... 197 F 4
Colomby-sur-Thaon **14** ... 33 G 3
Colomiers **31** ... 297 H 4
Colomieu **01** ... 214 C 5
Colonard-Corubert **61** ... 84 C 4
Colondannes **23** ... 188 D 5
Colonfay **02** ... 25 E 2
Colonne **39** ... 179 E 3
Colonzelle **26** ... 267 F 5
Colpo **56** ... 102 A 5
Colroy-la-Grande **88** ... 96 C 4
Colroy-la-Roche **67** ... 96 D 3
Coltainville **28** ... 86 B 3
Coltines **15** ... 245 G 3
Coly **24** ... 241 G 3
Combaillaux **34** ... 302 C 4
Combas **30** ... 303 F 2
La Combe-de-Lancey **38** ... 251 F 1
La Combe des Eparres **38** ... 232 A 3
Combe Laval **26** ... 249 H 4
Combeaufontaine **70** ... 140 C 3
Combefa **81** ... 279 G 5
La Combelle **63** ... 228 A 4
Comberanche-et-Épeluche **24** ... 239 G 1
Comberjon **70** ... 141 F 4
Comberouger **82** ... 297 F 2
Combéroumal *Prieuré de* **12** ... 281 G 3
Combertault **21** ... 177 H 2
Les Combes **25** ... 163 E 5
Combes **34** ... 301 F 5
Combiers **16** ... 221 H 3
Comblanchien **21** ... 159 H 5
Combles **80** ... 13 H 5
Combles-en-Barrois **55** ... 63 G 4
Comblessac **35** ... 103 G 5
Combleux **45** ... 133 F 2
Comblot **61** ... 84 C 3
Combloux **74** ... 216 C 3
Combon **27** ... 35 H 5
Combourg **35** ... 80 A 3
Combourtillé **35** ... 81 E 5
Combovin **26** ... 249 G 5
Combrailles **63** ... 208 D 5
Combrand **79** ... 167 F 3
Combray **14** ... 53 F 2
Combre **42** ... 212 A 2
Combrée **49** ... 127 G 3
Combres **28** ... 85 F 5
Combres-sous-les-Côtes **55** ... 64 D 1
Combressol **19** ... 225 G 4
Combret **12** ... 300 B 2
Combreux **45** ... 111 H 5
Combrimont **88** ... 96 C 5
Combrit **29** ... 99 G 4
Combronde **63** ... 209 H 3
Combs-la-Ville **77** ... 58 D 5
La Comelle **71** ... 176 B 3
Comiac **46** ... 243 F 5
Comigne **11** ... 320 B 5
Comines **59** ... 4 C 5
Commana **29** ... 76 A 2
Commarin **21** ... 159 F 4
Commeaux **61** ... 54 A 4
Commelle **38** ... 231 H 4
Commelle-Vernay **42** ... 211 G 3
Commenailles **39** ... 178 D 4
Commenchon **02** ... 24 A 4
Commensacq **40** ... 273 E 2
Commentry **03** ... 191 E 5
Commeny **95** ... 37 G 5
Commequiers **85** ... 165 E 4
Commer **53** ... 106 B 2
Commercy **55** ... 64 D 5
Commerveil **72** ... 84 A 5
Commes **14** ... 32 D 2
Commissey **89** ... 137 F 2
Communailles-en-Montagne **39** ... 180 A 3
Communay **69** ... 231 E 2
Compaing *Pas de* **15** ... 245 E 4
Compains **63** ... 227 F 4
Compainville **76** ... 21 E 4
Compans **77** ... 59 E 2
Le Compas **23** ... 208 C 3
Compertrix **51** ... 62 A 2
Compeyre **12** ... 281 H 3
Compiègne **60** ... 39 F 2
Compigny **89** ... 89 G 5
Compolibat **12** ... 279 H 1
La Compôte **73** ... 233 H 1
Comprégnac **12** ... 281 G 4
Compreignac **87** ... 205 H 3
Comps **26** ... 267 H 4
Comps **30** ... 304 B 2
Comps **33** ... 237 G 3
Comps-la-Grand-Ville **12** ... 280 D 3
Comps-sur-Artuby **83** ... 308 A 2
La Comté **62** ... 7 H 5
Comus **11** ... 336 D 4
Conan **41** ... 132 A 3
Conand **01** ... 214 B 4
Conat **66** ... 342 A 3
Conca **2A** ... 349 G 5
Concarneau **29** ... 100 A 4
Concevreux **02** ... 41 E 2
Concèze **19** ... 223 H 5
Conches-en-Ouche **27** ... 56 A 2
Conches-sur-Gondoire **77** ... 59 F 3
Conchez-de-Béarn **64** ... 294 C 5
Conchil-le-Temple **62** ... 6 B 5
Conchy-les-Pots **60** ... 23 F 5
Conchy-sur-Canche **62** ... 12 C 2
Les Concluses **30** ... 284 B 3
Concorès **46** ... 259 H 3
Concoret **56** ... 103 F 3
Concots **46** ... 278 C 1
Concoules **30** ... 283 G 1
Concourson-sur-Layon **49** ... 149 H 5
Concremiers **36** ... 187 H 1
Concressault **18** ... 155 G 1
Concriers **41** ... 132 B 3
Condac **16** ... 203 F 2
Condal **71** ... 195 H 2
Condamine **01** ... 214 C 1
Condamine **39** ... 178 D 5
La Condamine-Châtelard **04** ... 271 E 4
Condat **15** ... 227 E 5
Condat **46** ... 242 C 4
Condat-en-Combraille **63** ... 208 C 5
Condat-lès-Montboissier **63** ... 228 C 3
Condat-sur-Ganaveix **19** ... 224 C 4
Condat-sur-Trincou **24** ... 222 C 5
Condat-sur-Vézère **24** ... 241 G 3
Condat-sur-Vienne **87** ... 205 G 5
Condé **36** ... 172 B 3
Condé-en-Barrois **55** ... 63 H 3
Condé-en-Brie **02** ... 60 D 1
Condé-Folie **80** ... 11 H 4
Condé-lès-Autry **08** ... 43 E 3
Condé-lès-Herpy **08** ... 41 H 1
Condé-Northen **57** ... 46 C 5
Condé-Sainte-Libiaire **77** ... 59 F 3
Condé-sur-Aisne **02** ... 40 C 2
Condé-sur-Ifs **14** ... 54 A 1
Condé-sur-Iton **27** ... 56 A 3
Condé-sur-l'Escaut **59** ... 9 H 4
Condé-sur-Marne **51** ... 61 H 1
Condé-sur-Noireau **14** ... 53 F 3
Condé-sur-Risle **27** ... 35 F 3
Condé-sur-Sarthe **61** ... 83 G 4
Condé-sur-Seulles **14** ... 33 E 4
Condé-sur-Suippe **02** ... 41 F 2
Condé-sur-Vesgre **78** ... 57 F 4
Condé-sur-Vire **50** ... 32 B 5
Condeau **61** ... 85 E 4
Condécourt **95** ... 57 H 1
Condeissiat **01** ... 213 G 1
Condéon **16** ... 220 C 4
Condes **39** ... 196 C 4
Condes **52** ... 117 E 3
Condette **62** ... 6 B 2
Condezaygues **47** ... 258 D 5
Condillac **26** ... 267 E 3
Condom **32** ... 275 G 5
Condom-d'Aubrac **12** ... 263 F 3
Condorcet **26** ... 268 A 5
Condren **02** ... 24 B 5
Condrieu **69** ... 231 E 4
Conflandey **70** ... 141 E 3
Conflans-en-Jarnisy **54** ... 45 E 5
Conflans-Sainte-Honorine **78** ... 58 A 2
Conflans-sur-Anille **72** ... 108 D 5
Conflans-sur-Lanterne **70** ... 141 F 2
Conflans-sur-Loing **45** ... 112 C 5
Conflans-sur-Seine **51** ... 90 B 2
Confolens **16** ... 204 C 3
Confolens *Cascade de* **38** ... 251 G 4
Confolent-Port-Dieu **19** ... 226 C 3
Confort **01** ... 215 E 1
Confort-Meilars **29** ... 99 E 2
Confracourt **70** ... 140 C 4
Confrançon **01** ... 195 G 5
Congé-sur-Orne **72** ... 107 H 2
Congénies **30** ... 303 F 2
Congerville **91** ... 87 E 4
Congerville-Thionville **91** ... 87 E 4
Congis-sur-Thérouanne **77** ... 59 G 1
Congrier **53** ... 127 G 2
Congy **51** ... 61 F 3
Conie-Molitard **28** ... 110 A 3
Conilhac-Corbières **11** ... 320 C 5
Conilhac-de-la-Montagne **11** ... 337 G 3
Conjux **73** ... 215 E 5
Conlie **72** ... 107 F 3
Conliège **39** ... 179 F 5
Connac **12** ... 280 D 5
Connangles **43** ... 246 D 1
Connantray-Vaurefroy **51** ... 61 G 4
Connantre **51** ... 61 F 5
Connaux **30** ... 284 D 4
Conne-de-Labarde **24** ... 258 B 1
Connelles **27** ... 36 C 4
Connerré **72** ... 108 B 4
Connezac **24** ... 222 B 3
Connigis **02** ... 60 C 1
Conquereuil **44** ... 126 B 4
Conque-en-Rouergue **12** ... 262 B 4
Conques-sur-Orbiel **11** ... 319 H 4
Le Conquet **29** ... 74 C 2
Conqueyrac **30** ... 302 D 1
Cons-la-Grandville **54** ... 44 D 2
Cons-Sainte-Colombe **74** ... 216 A 5
Consac **17** ... 219 G 4
Conségudes **06** ... 309 F 1
Consenvoye **55** ... 43 H 3

Consigny 52 ... 117 G 2
Consolation *Cirque de* 25 ... 163 E 4
Consolation-Maisonnettes 25 ... 163 E 4
Contalmaison 80 ... 13 G 5
Contamine-Sarzin 74 ... 215 F 2
Contamine-sur-Arve 74 ... 216 A 1
Les Contamines-Montjoie 74 ... 216 D 4
Contault 51 ... 63 E 2
Contay 80 ... 13 E 5
Conte 39 ... 180 A 4
Contes 06 ... 291 F 5
Contes 62 ... 6 D 5
Contescourt 02 ... 24 A 3
Contest 53 ... 82 B 5
Conteville 14 ... 33 H 5
Conteville 27 ... 35 E 2
Conteville 60 ... 22 A 4
Conteville 76 ... 21 F 4
Conteville 80 ... 12 B 3
Conteville-en-Ternois 62 ... 7 G 5
Conteville-lès-Boulogne 62 ... 2 B 5
Conthil 57 ... 66 D 3
Contigné 49 ... 128 C 3
Contigny 03 ... 192 A 4
Contilly 72 ... 84 A 4
Continvoir 37 ... 151 E 2
Contis-Plage 40 ... 272 A 3
Contoire 80 ... 22 D 4
Contrazy 09 ... 335 G 2
Contré 17 ... 202 B 2
Contre 80 ... 22 A 3
Contréglise 70 ... 140 D 2
Contremoulins 76 ... 19 E 3
Contres 18 ... 173 F 3
Contres 41 ... 153 F 2
Contreuve 08 ... 42 C 2
Contrevoz 01 ... 214 C 5
Contrexéville 88 ... 118 B 2
Contrières 50 ... 51 G 1
Contrisson 55 ... 63 F 3
Conty 80 ... 22 A 3
Contz-les-Bains 57 ... 46 B 2
Conzieu 01 ... 214 C 5
Coole 51 ... 62 B 4
Coolus 51 ... 62 B 2
La Copechagnière 85 ... 166 A 3
Copponex 74 ... 215 G 2
Coq *Col du* 38 ... 233 E 5
Coquainvilliers 14 ... 34 C 4
Coquelles 62 ... 2 C 3
La Coquille 24 ... 223 E 3
Corancez 28 ... 86 B 5
Corancy 58 ... 176 A 1
Coray 29 ... 100 B 2
Corbara 2B ... 344 C 5
Corbarieu 82 ... 297 H 1
Corbas 69 ... 231 F 1
Corbehem 62 ... 14 A 2
Corbeil 51 ... 91 G 2
Corbeil-Cerf 60 ... 38 A 3
Corbeil-Essonnes 91 ... 88 A 2
Corbeilles 45 ... 112 A 4
Corbel 73 ... 233 E 4
Corbelin 38 ... 232 C 2
Corbenay 70 ... 119 F 5
Corbeny 02 ... 41 F 1
Corbère 66 ... 342 C 2
Corbère-Abères 64 ... 314 D 2
Corbère-les-Cabanes 66 ... 342 D 2
Corberon 21 ... 178 A 1
Corbès 30 ... 283 G 4
Corbie 80 ... 22 D 2
Le Corbier 73 ... 252 A 1
La Corbière 70 ... 141 H 2
Corbières 04 ... 306 C 2
Corbières 11 ... 337 E 2
Corbigny 58 ... 157 G 4
Corbon 14 ... 34 A 5
Corbon 61 ... 84 C 4
Corbonod 01 ... 215 E 3
Corbreuse 91 ... 87 E 3
Corcelle-Mieslot 25 ... 162 B 2
Corcelles 01 ... 214 C 2
Corcelles 58 ... 174 B 2
Corcelles 70 ... 142 A 4
Corcelles-en-Beaujolais 69 ... 212 D 1
Corcelles-Ferrières 25 ... 161 G 4
Corcelles-les-Arts 21 ... 177 G 2
Corcelles-lès-Cîteaux 21 ... 160 B 5
Corcelles-les-Monts 21 ... 159 H 3
Corcieux 88 ... 120 B 2
Corcondray 25 ... 161 G 4
Corconne 30 ... 303 E 1
Corcoué-sur-Logne 44 ... 165 G 1
Corcy 02 ... 40 A 4
Cordéac 38 ... 251 E 5
Cordebugle 14 ... 34 D 5
Cordelle 42 ... 211 G 3
Cordemais 44 ... 147 E 3
Cordes-sur-Ciel 81 ... 279 F 4
Cordes-Tolosannes 82 ... 277 F 5
Cordesse 71 ... 176 D 1
Cordey 14 ... 53 H 3
Cordieux 01 ... 213 G 4
Cordiron 25 ... 161 G 3
Cordon 74 ... 216 C 3
Cordonnet 70 ... 161 H 2
Coren 15 ... 245 H 3
Corenc 38 ... 251 E 1
Corent 63 ... 227 H 2
Corfélix 51 ... 61 E 3
Corgengoux 21 ... 178 A 2
Corgenon 01 ... 195 G 5
Corgirnon 52 ... 139 H 2
Corgnac-sur-l'Isle 24 ... 223 E 5
Corgoloin 21 ... 177 H 1
Corignac 17 ... 237 H 1
Corlay 22 ... 77 H 4
Corlée 52 ... 139 G 2
Corlier 01 ... 214 B 2
Cormainville 28 ... 110 B 3
Cormaranche-en-Bugey 01 ... 214 C 3
Cormatin 71 ... 194 D 2
Corme-Écluse 17 ... 219 E 1
Corme-Royal 17 ... 201 E 5
Cormeilles 27 ... 34 D 4
Cormeilles 60 ... 22 B 4
Cormeilles-en-Parisis 95 ... 58 B 2
Cormeilles-en-Vexin 95 ... 37 H 5
Cormelles-le-Royal 14 ... 33 G 5
Le Cormenier 79 ... 184 D 5
Cormenon 41 ... 109 E 5
Cormeray 41 ... 153 F 1
Cormeray 50 ... 80 D 2
Cormery 37 ... 152 A 4
Cormes 72 ... 108 D 3
Cormet de Roselend 73 ... 216 D 5
Cormicy 51 ... 41 F 2
Le Cormier 27 ... 56 C 2
Cormolain 14 ... 32 C 5
Cormont 62 ... 6 B 3
Cormontreuil 51 ... 41 G 4
Cormoranche-sur-Saône 01 ... 195 E 5
Cormost 10 ... 115 E 3
Cormot-le-Grand 21 ... 177 F 2
Cormoyeux 51 ... 41 F 5
Cormoz 01 ... 195 H 3
Corn 46 ... 261 E 3
Cornac 46 ... 243 E 5
Cornant 89 ... 113 F 3
Cornas 07 ... 249 F 4
Cornay 08 ... 43 F 3
Corné 49 ... 149 H 1
Cornebarrieu 31 ... 297 H 4
Corneilhan 34 ... 321 G 3
Corneilla-de-Conflent 66 ... 342 A 3
Corneilla-del-Vercol 66 ... 343 F 2
Corneilla-la-Rivière 66 ... 342 D 2
Corneillan 32 ... 294 C 4
Corneuil 27 ... 56 B 3
Corneville-la-Fouquetière 27 ... 55 G 1
Corneville-sur-Risle 27 ... 35 F 3
Cornier 74 ... 215 H 1
Cornièville 55 ... 64 D 5
Cornil 19 ... 242 D 2
Cornillac 26 ... 268 B 5
Cornille 24 ... 240 D 1
Cornillé 35 ... 105 E 3
Cornillé-les-Caves 49 ... 150 A 1
Cornillon 30 ... 284 C 2
Cornillon-Confoux 13 ... 305 F 5
Cornillon-en-Trièves 38 ... 250 D 5
Cornillon-sur-l'Oule 26 ... 268 B 5
Cornimont 88 ... 120 A 4
Cornod 39 ... 196 B 4
Cornot 70 ... 140 C 4
La Cornuaille 49 ... 148 D 1
Cornus 12 ... 301 G 1
Cornusse 18 ... 173 H 2
Cornusson *Château de* 82 ... 279 E 3
Corny 27 ... 36 D 3
Corny-Machéroménil 08 ... 26 B 5
Corny-sur-Moselle 57 ... 65 G 2
Coron 49 ... 149 F 5
Corong *Gorges du* 22 ... 77 E 3
Corpe 85 ... 183 F 2
Corpeau 21 ... 177 G 2
Corpoyer-la-Chapelle 21 ... 159 F 1
Corps 38 ... 251 F 5
Corps-Nuds 35 ... 104 B 4
Corquilleroy 45 ... 112 B 4
Corquoy 18 ... 172 D 3
Corrano 2A ... 349 E 3
Corravillers 70 ... 119 H 5
Corre 70 ... 118 C 5
Corrençon-en-Vercors 38 ... 250 C 3
Correns 83 ... 307 F 5
Corrèze 19 ... 225 E 5
Corribert 51 ... 61 E 2
Corrobert 51 ... 60 D 2
Corrombles 21 ... 158 C 1
Corronsac 31 ... 318 A 2
Corroy 51 ... 61 F 5
Corsaint 21 ... 158 C 1
Corsavy 66 ... 342 C 4
Corscia 2B ... 346 D 4
Corsen *Pointe de* 29 ... 74 C 2
Corsept 44 ... 146 C 3
Corseul 22 ... 79 F 3
Cortambert 71 ... 194 D 2
Corte 2B ... 347 E 4
Cortevaix 71 ... 194 C 2
Cortone *Col de* 2A ... 348 C 5
Cortrat 45 ... 134 D 2
Les Corvées-les-Yys 28 ... 85 G 5
Corveissiat 01 ... 196 B 5
Corvol-d'Embernard 58 ... 157 E 4
Corvol-l'Orgueilleux 58 ... 157 E 2
Corzé 49 ... 128 D 5
Cos 09 ... 336 A 2
Cosges 39 ... 178 D 4
Coslédaà-Lube-Boast 64 ... 314 C 2
Cosmes 53 ... 105 H 5
Cosnac 19 ... 242 C 3
Cosne-d'Allier 03 ... 191 F 3
Cosne-sur-Loire 58 ... 156 A 2
Cosnes-et-Romain 54 ... 44 D 1
Cosqueville 50 ... 29 G 2
Cossaye 58 ... 175 E 5
Cossé-d'Anjou 49 ... 149 F 5
Cossé-en-Champagne 53 ... 106 D 5
Cossé-le-Vivien 53 ... 105 H 5
Cossesseville 14 ... 53 F 2
Cosswiller 67 ... 97 E 1
Costa 2B ... 346 D 2
Costaros 43 ... 247 F 5
Les Costes 05 ... 269 G 1
Les Costes-Gozon 12 ... 281 E 5
La Côte 70 ... 141 H 3
Cote 304 55 ... 43 H 4
La Côte-d'Aime 73 ... 234 D 2
La Côte-d'Arbroz 74 ... 198 C 5
La Côte-en-Couzan 42 ... 211 E 5
La Côte-Saint-André 38 ... 232 A 4
Le Coteau 42 ... 211 G 3
Côtebrune 25 ... 162 C 3
Les Côtes-d'Arey 38 ... 231 F 4
Les Côtes-de-Corps 38 ... 251 F 5
Coti-Chiavari 2A ... 348 C 5
Cotignac 83 ... 307 G 5
La Cotinière 17 ... 200 A 3
Cottance 42 ... 212 A 5
Cottenchy 80 ... 22 C 3
Cottévrard 76 ... 20 C 4
Cottier 25 ... 161 G 4
Cottun 14 ... 32 D 3
Cou *Col de* 74 ... 198 A 4
La Couarde 79 ... 185 G 4
La Couarde-sur-Mer 17 ... 182 D 5
Couargues 18 ... 156 A 4
Coubert 77 ... 59 E 5
Coubeyrac 33 ... 257 E 1
Coubisou 12 ... 263 E 4
Coubjours 24 ... 241 G 1
Coublanc 52 ... 139 H 4
Coublanc 71 ... 212 A 1
Coublevie 38 ... 232 C 5
Coublucq 64 ... 294 B 5
Coubon 43 ... 247 F 4
La Coubre *Phare de* 17 ... 218 B 1
Coubron 93 ... 58 D 3
Couches 71 ... 177 F 3
Couchey 21 ... 160 A 4
La Coucourde 26 ... 267 E 3
Coucouron 07 ... 265 G 1
Coucy 08 ... 42 B 1
Coucy-la-Ville 02 ... 40 B 1
Coucy-le-Château-Auffrique 02 ... 40 B 1
Coucy-lès-Eppes 02 ... 25 E 5
Couddes 41 ... 153 F 3
Coudehard 61 ... 54 C 3
Coudekerque-Branche 59 ... 3 G 2
Coudekerque-Village 59 ... 3 G 2
Coudes 63 ... 228 A 2
Coudeville-sur-Mer 50 ... 51 F 2
Le Coudon 83 ... 328 B 4
Coudons 11 ... 337 F 4
Coudoux 13 ... 305 G 5
Coudray 27 ... 37 E 3
Le Coudray 28 ... 86 B 4
Le Coudray 44 ... 126 A 5
Coudray 45 ... 111 H 2
Coudray 53 ... 128 B 3
Coudray-au-Perche 28 ... 109 E 2
Le Coudray-Macouard 49 ... 150 B 4
Le Coudray-Montceaux 91 ... 88 A 2
Coudray-Rabut 14 ... 34 C 3
Le Coudray-Saint-Germer 60 ... 37 G 2
Coudray-Salbart *Château de* 79 ... 184 D 3
Le Coudray-sur-Thelle 60 ... 38 A 3
La Coudre 79 ... 167 G 2
Les Coudreaux 77 ... 59 E 3
Coudreceau 28 ... 85 E 5
Coudrecieux 72 ... 108 C 5
Coudres 27 ... 56 C 3
Coudroy 45 ... 134 B 2
Coudun 60 ... 39 F 1
Coudures 40 ... 294 A 3
Coueilles 31 ... 316 D 3
Couëlan *Château de* 22 ... 103 F 1
Couëron 44 ... 147 F 4
Couesmes 37 ... 130 B 5
Couesmes-en-Froulay 53 ... 82 A 3
Couesque *Barrage de* 12 ... 262 D 2
Les Couets 44 ... 147 G 4
Couffé 44 ... 148 A 2
Couffoulens 11 ... 337 G 1
Couffy 41 ... 153 F 4
Couffy-sur-Sarsonne 19 ... 226 B 2
Couflens 09 ... 335 F 5
Coufouleux 81 ... 298 C 2
Cougnac *Grottes de* 46 ... 259 H 2
Couhé 86 ... 186 A 4
Couilly-Pont-aux-Dames 77 ... 59 G 3
Couin 62 ... 13 E 4
Couiza 11 ... 337 G 5
Couladère 31 ... 317 F 5
Coulaines 72 ... 107 H 4
Coulandon 03 ... 192 A 2
Coulangeron 89 ... 136 A 4
Coulanges 03 ... 193 E 2
Coulanges 41 ... 152 D 1
Coulanges-la-Vineuse 89 ... 136 B 4
Coulanges-lès-Nevers 58 ... 174 C 2
Coulanges-sur-Yonne 89 ... 157 F 1
Coulans-sur-Gée 72 ... 107 F 4
Coulans-sur-Lizon 25 ... 180 A 1
Coulaures 24 ... 241 E 1
Couledoux 31 ... 334 C 3
Couleuvre 03 ... 174 A 5
Coulevon 70 ... 141 F 4
Coulgens 16 ... 203 G 5
Coulimer 61 ... 84 B 3
Coullemelle 80 ... 22 C 4
Coullemont 62 ... 13 E 3
Coullons 45 ... 134 B 5
Coulmer 61 ... 54 D 4
Coulmier-le-Sec 21 ... 138 A 3
Coulmiers 45 ... 110 C 5
Coulobres 34 ... 321 G 2
Coulogne 62 ... 2 D 3
Couloisy 60 ... 39 H 2
Coulombiers 72 ... 83 G 5
Coulombiers 86 ... 186 A 2
Coulombs 14 ... 33 F 3
Coulombs 28 ... 57 E 5
Coulombs-en-Valois 77 ... 60 A 1
Coulomby 62 ... 6 D 2
Coulommes 77 ... 59 G 3
Coulommes-et-Marqueny 08 ... 42 C 1
Coulommes-la-Montagne 51 ... 41 F 4
Coulommiers 77 ... 59 H 4
Coulommiers-la-Tour 41 ... 131 H 3
Coulon 79 ... 184 C 4
Coulonces 14 ... 52 C 3
Coulonces 61 ... 54 B 3
La Coulonche 61 ... 53 F 5
Coulongé 72 ... 130 A 4
Coulonge-sur-Charente 17 ... 201 F 4
Coulonges 16 ... 203 E 4
Coulonges 17 ... 219 H 2
Coulonges 27 ... 56 B 3
Coulonges 86 ... 188 A 3
Coulonges-Cohan 02 ... 40 D 4
Coulonges-les-Sablons 61 ... 85 E 4
Coulonges-sur-l'Autize 79 ... 184 C 2
Coulonges-sur-Sarthe 61 ... 84 A 3
Coulonges-Thouarsais 79 ... 167 H 2
Coulonvillers 80 ... 11 H 3
Couloumé-Mondebat 32 ... 295 F 4
Coulounieix-Chamiers 24 ... 240 C 2
Coulours 89 ... 114 A 3
Couloutre 58 ... 156 C 2
Coulouvray-Boisbenâtre 50 ... 52 A 3
Coulvain 14 ... 52 D 1
Coulx 47 ... 257 H 5
Coume 57 ... 46 D 5
Counozouls 11 ... 337 G 5
Coupelle-Neuve 62 ... 7 E 4
Coupelle-Vieille 62 ... 7 E 4
Coupesarte 14 ... 54 B 1
Coupetz 51 ... 62 B 3
Coupéville 51 ... 62 D 2
Coupiac 12 ... 300 B 1
Coupray 52 ... 116 C 5
Coupru 02 ... 60 B 1
Couptrain 53 ... 82 D 3
Coupvray 77 ... 59 F 3
Couquèques 33 ... 219 E 5
Cour-Cheverny 41 ... 153 F 1
Cour-et-Buis 38 ... 231 G 4
Cour-l'Évêque 52 ... 116 C 5
La Cour-Marigny 45 ... 134 C 2
Cour-Maugis-sur-Maugis 61 ... 84 D 4
Cour-Saint-Maurice 25 ... 163 F 3
Cour-sur-Loire 41 ... 132 B 5
Courances 91 ... 88 A 4
Courant 17 ... 201 G 2
Courban 21 ... 116 B 5
La Courbe 61 ... 53 H 4
Courbehaye 28 ... 110 B 3
Courbépine 27 ... 35 F 5
Courbes 02 ... 24 C 4
Courbesseaux 54 ... 66 C 5
Courbette 39 ... 196 B 1
Courbeveille 53 ... 105 H 4
Courbevoie 92 ... 58 B 3
Courbiac 47 ... 277 E 1
Courbillac 16 ... 202 C 5
Courboin 02 ... 60 C 2
Courbons 04 ... 288 A 3
Courbouzon 39 ... 179 E 5
Courbouzon 41 ... 132 C 4
Courboyer *Manoir de* 61 ... 84 C 4
Courçais 03 ... 190 B 3
Courçay 37 ... 152 B 4
Courceaux 89 ... 89 G 4
Courcebœufs 72 ... 107 H 3
Courcelette 80 ... 13 G 5
Courcelle 91 ... 58 A 5
Courcelles 17 ... 201 H 3
Courcelles 25 ... 161 H 5
Courcelles 45 ... 111 H 4
Courcelles 54 ... 94 C 4
Courcelles 58 ... 157 E 2
Courcelles 90 ... 142 D 4
Courcelles-au-Bois 80 ... 13 F 4
Courcelles-Chaussy 57 ... 66 B 1
Courcelles-de-Touraine 37 ... 151 E 1
Courcelles-en-Barrois 55 ... 64 C 4
Courcelles-en-Bassée 77 ... 89 E 4
Courcelles-en-Montagne 52 ... 139 F 2
Courcelles-Epayelles 60 ... 23 E 5
Courcelles-Frémoy 21 ... 158 C 2
Courcelles-la-Forêt 72 ... 129 G 3
Courcelles-le-Comte 62 ... 13 G 4
Courcelles-lès-Gisors 60 ... 37 F 4
Courcelles-lès-Lens 62 ... 8 D 5
Courcelles-lès-Montbard 21 ... 137 H 5
Courcelles-lès-Montbéliard 25 ... 142 B 4
Courcelles-lès-Semur 21 ... 158 D 2
Courcelles-Sapicourt 51 ... 41 F 4
Courcelles-sous-Châtenois 88 ... 94 B 4
Courcelles-sous-Moyencourt 80 ... 22 A 3
Courcelles-sous-Thoix 80 ... 22 A 4
Courcelles-sur-Aire 55 ... 63 H 2
Courcelles-sur-Aujon 52 ... 139 E 2
Courcelles-sur-Blaise 52 ... 92 C 4
Courcelles-sur-Nied 57 ... 66 B 1
Courcelles-sur-Seine 27 ... 36 D 5
Courcelles-sur-Vesle 02 ... 40 D 3
Courcelles-sur-Viosne 95 ... 57 H 1
Courcelles-sur-Voire 10 ... 91 H 3
Courcelles-Val-d'Esnoms 52 ... 139 F 4
Courcemain 51 ... 90 C 2
Courcemont 72 ... 108 A 3
Courcerac 17 ... 202 B 4
Courcerault 61 ... 84 C 4
Courceroy 10 ... 89 H 3
Courchamp 21 ... 139 H 5
Courchamp 77 ... 89 G 2
Courchamps 02 ... 40 A 5
Courchamps 49 ... 150 B 4
Courchapon 25 ... 161 G 3
Courchaton 70 ... 141 H 5
Courchelettes 59 ... 8 D 5
Courchevel 73 ... 234 C 4
Courcité 53 ... 83 E 5
Courcival 72 ... 108 A 2
Courcôme 16 ... 203 F 3
Courçon 17 ... 183 H 5
Courcoué 37 ... 169 F 1
Courcouronnes 91 ... 87 H 2
Courcoury 17 ... 219 G 1
Courcuire 70 ... 161 G 2
Courcy 14 ... 54 A 2
Courcy 50 ... 31 G 5
Courcy 51 ... 41 G 3
Courcy-aux-Loges 45 ... 111 G 4
Courdemanche 27 ... 56 C 4
Courdemanche 72 ... 130 C 3
Courdemanges 51 ... 62 C 5
Courdimanche 95 ... 57 H 1
Courdimanche-sur-Essonne 91 ... 87 H 4
Couret 31 ... 334 C 2
Courgains 72 ... 83 H 5
Courgeac 16 ... 221 E 4
Courgenard 72 ... 108 D 3
Courgenay 89 ... 90 A 5
Courgent 78 ... 57 F 3
Courgeon 61 ... 84 C 3
Courgeoût 61 ... 84 B 3
Courgis 89 ... 136 C 3
Courgivaux 51 ... 60 C 5
Courgoul 63 ... 227 G 3
Courjeonnet 51 ... 61 F 3
Courlac 16 ... 221 E 5
Courlandon 51 ... 41 E 3
Courlans 39 ... 179 E 5
Courlaoux 39 ... 179 E 5
Courlay 79 ... 167 G 4
Courlay-sur-Mer 17 ... 218 C 1
Courléon 49 ... 150 D 2
Courlon 21 ... 139 E 4
Courlon-sur-Yonne 89 ... 89 F 5
Courmangoux 01 ... 196 A 4
Courmas 51 ... 41 F 4
Courmelles 02 ... 40 B 3
Courmemin 41 ... 153 G 2
Courménil 61 ... 54 C 4
Courmes 06 ... 309 E 2
Courmont 02 ... 40 D 5
Courmont 70 ... 142 A 3
Cournanel 11 ... 337 G 2
La Courneuve 93 ... 58 C 2
Courniou 34 ... 320 C 2
Cournols 63 ... 227 G 2
Cournon 56 ... 125 G 3
Cournon-d'Auvergne 63 ... 227 H 1
Cournonsec 34 ... 302 C 5
Cournonterral 34 ... 302 C 5
La Couronne 13 ... 325 H 4
La Couronne 16 ... 221 E 2
Courouvre 55 ... 64 B 3
Courpalay 77 ... 59 G 5
Courpiac 33 ... 256 C 1
Courpière 63 ... 228 C 1
Courpignac 17 ... 219 H 5
Courquetaine 77 ... 59 F 5
Courrensan 32 ... 295 G 2
Courrières 62 ... 8 C 4
Courris 81 ... 299 H 1
Courry 30 ... 283 H 2
Cours 46 ... 260 B 4
Cours 47 ... 276 B 1
Le Cours 56 ... 124 D 2
Cours 58 ... 156 B 2
Cours 69 ... 212 A 2
Cours 79 ... 185 E 2
Cours-de-Monségur 33 ... 257 E 3
Cours-de-Pile 24 ... 258 B 1
Cours-les-Bains 33 ... 274 D 1
Cours-les-Barres 18 ... 174 B 2
Coursac 24 ... 240 B 2
Coursan 11 ... 321 F 5
Coursan-en-Othe 10 ... 114 C 4
Coursegoules 06 ... 309 F 1
Courset 62 ... 6 C 2
Courseulles-sur-Mer 14 ... 33 F 3
Courson 14 ... 52 B 3
Courson *Château de* 91 ... 87 F 2
Courson-les-Carrières 89 ... 136 A 5
Courson-Monteloup 91 ... 87 F 2
Courtacon 77 ... 60 B 5
Courtagnon 51 ... 41 F 5
Courtalain 28 ... 109 G 4
Courtangis *Château de* 72 ... 108 D 3
Courtanvaux *Château de* 72 ... 131 E 2
Courtaoult 10 ... 114 C 4

Courtauly 11 337 E 2
Courtavon 68 143 E 5
Courtefontaine 25 163 G 2
Courtefontaine 39 161 G 5
Courteilles 27 56 A 5
Courteix 19 226 B 2
Courtelevant 90 142 D 4
Courtemanche 80 22 D 4
Courtemaux 45 112 D 4
Courtémont 51 43 E 5
Courtemont-Varennes 02 60 D 1
Courtempierre 45 112 B 4
Courtenay 38 214 A 5
Courtenay 45 113 E 4
Courtenot 10 115 F 3
Courteranges 10 115 F 2
Courteron 10 115 G 4
Courtes 01 195 G 2
Courtesoult-et-Gatey 70 140 A 4
Courtetain-et-Salans 25 162 D 3
La Courtète 11 337 E 1
Courteuil 60 38 D 4
Courthézon 84 285 F 4
Courthiézy 51 60 D 1
Courties 32 295 F 5
Courtieux 60 39 H 2
Courtillers 72 129 E 3
Courtils 50 51 G 5
La Courtine 23 225 H 1
Courtisols 51 62 C 2
Courtivron 21 139 E 5
Courtoin 89 113 E 3
Courtois-sur-Yonne 89 113 G 2
Courtomer 61 84 A 2
Courtomer 77 59 G 5
Courtonne-la-Meurdrac 14 34 D 5
Courtonne-les-Deux-Églises 14 34 D 5
Courtrizy-et-Fussigny 02 41 E 1
Courtry 77 59 E 2
Courvaudon 14 53 E 1
Courvières 25 180 A 3
Courville 51 41 E 3
Courville-sur-Eure 28 85 H 4
Courzieu 69 230 C 1
Cousance 39 196 A 2
Cousances-au-Bois 55 64 C 5
Cousances-les-Forges 55 92 D 2
Cousolre 59 16 A 3
Coussa 09 336 B 2
Coussac-Bonneval 87 223 H 3
Coussan 65 315 F 4
Coussay 86 168 D 3
Coussay-les-Bois 86 170 A 4
Coussegrey 10 114 D 5
Coussergues 12 281 F 1
Coussey 88 94 A 4
Coust 18 173 G 5
Coustaussa 11 337 G 3
Coustellet 84 305 F 1
Coustouge 11 338 C 2
Coustouges 66 342 C 5
Coutances 50 31 G 5
Coutansouze 03 209 G 1
Coutarnoux 89 137 E 5
Coutençon 77 89 E 3
Coutens 09 336 D 1
Couterne 61 82 C 3
Couternon 21 160 B 3
Couteuges 43 246 C 2
Coutevroult 77 59 G 3
Couthenans 70 142 B 3
Couthures-sur-Garonne 47 257 E 4
Coutiches 59 9 E 4
Coutières 79 185 G 2
Coutouvre 42 211 H 2
Coutras 33 238 C 3
Couture 16 203 G 3
La Couture 62 8 A 3
La Couture 85 183 E 1
La Couture-Boussey 27 56 D 3
Couture-d'Argenson 79 202 D 3
Couture-sur-Loir 41 130 D 3
Couturelle 62 13 E 3
Coutures 24 221 G 5
Coutures 33 256 D 3
Coutures 49 149 H 2
Coutures 57 66 C 4
Coutures 82 297 E 1
Couvains 50 32 B 4
Couvains 61 55 F 3
La Couvertoirade 12 301 H 1
Couvertpuis 55 93 F 2
Couvignon 10 116 A 2
Couville 50 29 E 4
Couvonges 55 63 G 4
Couvrelles 02 40 C 3
Couvron-et-Aumencourt 02 24 C 4
Couvrot 51 62 C 4
Coux 07 266 D 2
Coux 17 219 H 5
Coux et Bigaroque-Mouzens 24 259 E 1
Couy 18 173 H 1
La Couyère 35 104 C 5
Couzan *Château de* 42 229 F 1
Couze-et-Saint-Front 24 258 C 1
Couzeix 87 205 G 4
Couziers 37 150 D 5
Couzon 03 191 H 1
Couzon-au-Mont-d'Or 69 213 E 4
Couzou 46 260 C 2
Cox 31 297 E 3
Coye-la-Forêt 60 38 D 5
Coyecques 62 7 F 3
Coyolles 02 39 H 4
Coyrière 39 197 E 4
Coyron 39 196 D 2
Coyviller 54 95 E 1
Cozes 17 219 E 2
Cozzano 2A 349 F 3
Crac'h 56 124 A 4
Craches 78 86 D 2
Crachier 38 231 H 3
Crain 89 157 F 1
Craincourt 57 66 B 3
Craintilleux 42 230 A 2
Crainvilliers 88 118 B 3
Cramaille 02 40 C 4
Cramans 39 179 G 1
Cramant 51 61 G 2
Cramchaban 17 184 B 5
Craménil 61 53 G 4
Cramoisy 60 38 C 4
Cramont 80 12 B 4
Crampagna 09 336 B 2
Cran-Gevrier 74 215 G 3
Crancey 10 90 A 3
Crançot 39 179 F 5
Crandelles 15 244 B 4
Crannes-en-Champagne 72 107 F 5
Crans 01 213 H 3
Crans 39 180 A 4
Cransac 12 261 H 4
Crantenoy 54 95 E 3
Cranves-Sales 74 197 H 5
Craon 53 127 H 2
Craon 86 168 C 4
Craonne 02 41 E 2
Craonnelle 02 41 E 2
Crapeaumesnil 60 23 F 4
Craponne 69 230 D 1
Craponne-sur-Arzon 43 229 F 5
Cras 38 250 B 1
Cras 46 260 B 4
Cras-sur-Reyssouze 01 195 G 4
Crastatt 67 68 B 5
Crastes 32 296 C 3
Crasville 27 36 B 4
Crasville 50 29 G 4
Crasville-la-Mallet 76 19 G 3
Crasville-la-Rocquefort 76 19 H 3
La Crau 83 328 B 4
Cravanche 90 142 C 3
Cravans 17 219 F 2
Cravant 45 132 C 3
Cravant 89 136 C 4
Cravant-les-Côteaux 37 151 F 5
Cravencères 32 295 E 3
Cravent 78 57 E 2
Crayssac 46 259 H 4
Craywick 59 3 F 3
Craz 01 214 D 2
Crazannes 17 201 F 4
Cré-sur-Loir 72 129 F 4
Créac'h *Phare de* 29 74 A 1
Créances 50 31 F 4
Créancey 21 159 F 4
Créancey 52 116 C 4
Crécey-sur-Tille 21 139 F 5
La Crèche 79 185 E 4
Crêches-sur-Saône 71 195 E 5
Créchets 65 334 A 2
Créchy 03 192 B 5
Crécy-au-Mont 02 40 B 1
Crécy-Couvé 28 56 C 5
Crécy-en-Ponthieu 80 11 G 2
Crécy-la-Chapelle 77 59 G 3
Crécy-sur-Serre 02 24 D 4
Crédin 56 102 B 3
Crégols 46 260 D 5
Crégy-lès-Meaux 77 59 G 2
Créhange 57 66 D 1
Créhen 22 79 F 3
Creil 60 38 D 4
Creissan 34 321 E 3
Creissels 12 281 H 4
Crémarest 62 6 C 2
Cremeaux 42 211 F 4
Crémery 80 23 F 3
Crémieu 38 231 H 1
Crempigny-Bonneguête 74 215 E 3
Cremps 46 278 C 1
Crenans 39 196 D 2
Crenay 52 117 E 4
Creney-près-Troyes 10 91 E 5
Crennes-sur-Fraubée 53 82 D 4
Creno *Lac de* 2A 346 D 5
Créon 33 255 H 1
Créon-d'Armagnac 40 274 C 5
Créot 71 177 F 2
Crépand 21 137 H 5
Crépey 54 94 C 2
Crépieux-la-Pape 69 213 F 5
Crépion 55 44 B 4
Crépol 26 249 G 2
Crépon 14 33 F 3
Crépy 02 24 C 5
Crépy 62 7 F 4
Crépy-en-Valois 60 39 G 4
Créquy 62 7 E 4
Le Crès 34 303 E 4
Cresancey 70 161 F 2
Crésantignes 10 114 D 3
Les Cresnays 50 52 A 4
Crespian 30 303 F 1
Crespières 78 57 H 3
Crespin 12 279 H 3
Crespin 59 9 H 5
Crespin 81 279 H 5
Crespinet 81 299 G 1
Crespy-le-Neuf 10 91 H 4
Cressac-Saint-Genis 16 221 E 4
Cressanges 03 191 H 3
Cressat 23 207 G 1
La Cresse 12 281 H 3
Cressé 17 202 C 4
Cressely 78 58 A 5
Cressensac 46 242 B 4
Cresserons 14 33 G 3
Cresseveuille 14 34 B 4
Cressia 39 196 B 2
Cressin-Rochefort 01 214 D 5
La Cressonnière 14 54 D 1
Cressonsacq 60 38 D 1
Cressy 76 20 B 3
Cressy-Omencourt 80 23 G 4
Cressy-sur-Somme 71 175 H 5
Crest 26 267 G 2
Le Crest 63 227 H 1
Crest-Voland 73 216 B 4
Creste 63 227 G 3
Le Crestet 07 248 D 4
Crestet 84 285 H 2
Crestot 27 36 A 4
Créteil 94 58 D 4
Créton 27 56 B 3
Cretteville 50 31 H 2
Creuë 55 64 D 2
Creully 14 33 F 3
La Creuse 70 141 G 4
Creuse 80 22 A 2
Le Creusot 71 177 E 4
Creutzwald 57 46 D 4
Creuzier-le-Neuf 03 210 B 1
Creuzier-le-Vieux 03 210 B 1
Crevans-et-la-Chapelle-lès-Granges 70 142 A 4
Crevant 36 189 G 3
Crevant-Laveine 63 210 B 4
Crévéchamps 54 95 E 2
Crèvecœur-en-Auge 14 34 B 5
Crèvecœur-en-Brie 77 59 G 4
Crèvecœur-le-Grand 60 22 A 5
Crèvecœur-le-Petit 60 22 D 5
Crèvecœur-sur-l'Escaut 59 14 B 4
Creveney 70 141 F 3
Crévic 54 95 F 1
Crévin 35 104 B 5
Crévoux 05 270 D 3
Creys-Mépieu 38 214 B 5
Creyssac 24 222 B 5
Creysse 24 240 B 5
Creysse 46 242 C 5
Creysseilles 07 266 C 2
Creyssensac-et-Pissot 24 240 C 5
Crézançay-sur-Cher 18 173 E 4
Crézancy 02 60 C 1
Crézancy-en-Sancerre 18 155 H 3
Crézières 79 202 D 2
Crézilles 54 94 B 2
Cricquebœuf 14 34 C 2
Cricqueville-en-Auge 14 34 A 4
Cricqueville-en-Bessin 14 32 C 2
Criel-sur-Mer 76 10 C 4
Crillat 39 196 D 1
Crillon 60 37 H 1
Crillon-le-Brave 84 285 H 3
Crimolois 21 160 B 3
Crion 54 95 G 1
La Crique 76 20 B 4
Criquebeuf-en-Caux 76 18 D 3
Criquebeuf-la-Campagne 27 36 A 4
Criquebeuf-sur-Seine 27 36 B 3
Criquetot-le-Mauconduit 76 19 F 3
Criquetot-l'Esneval 76 18 D 4
Criquetot-sur-Longueville 76 20 B 3
Criquetot-sur-Ouville 76 19 H 4
Criquiers 76 21 F 4
Crisenoy 77 88 C 2
Crisolles 60 23 H 5
Crissay-sur-Manse 37 151 G 5
Crissé 72 107 F 3
Crissey 39 179 E 1
Crissey 71 177 H 4
Cristinacce 2A 346 C 5
Cristot 14 33 E 4
Criteuil-la-Magdeleine 16 220 C 3
Critot 76 20 C 5
Croce 2B 347 G 3
Crochte 59 3 G 3
Crocicchia 2B 347 G 2
Crocq 23 208 B 4
Le Crocq 60 22 B 5
Crocy 14 54 A 3
Crœttwiller 67 69 F 2
Croignon 33 255 H 1
Croisances 43 246 D 5
Croisette 62 12 C 2
La Croisette 74 215 G 1
Le Croisic 44 145 G 4
La Croisière 23 205 H 1
La Croisille 27 56 A 2
La Croisille-sur-Briance 87 224 C 2
Croisilles 14 53 F 1
Croisilles 28 57 E 5
Croisilles 61 54 C 4
Croisilles 62 13 H 3
Croismare 54 95 G 1
Croissanville 14 34 A 5
Croissy-Beaubourg 77 59 E 3
Croissy-sur-Celle 60 22 B 4
Croissy-sur-Seine 78 58 A 3
Le Croisty 56 101 E 2
Croisy 18 173 H 2
Croisy-sur-Andelle 76 36 D 1
Croisy-sur-Eure 27 56 C 1
Croix 59 9 E 2
Croix 90 142 D 5
Croix *Col de la* 2A 346 A 4
Croix *Plateau de la* 74 216 D 4
La Croix-aux-Bois 08 43 E 2
La Croix-aux-Mines 88 96 C 5
La Croix-Avranchin 50 80 D 2
La Croix-Blanche 47 276 C 2
La Croix-Blanche 71 194 D 4
Croix-Caluyau 59 15 E 4
Croix-Chapeau 17 200 D 1
La Croix-Comtesse 17 201 H 2
Croix-de-Bauzon *Col de la* 07 265 H 3
La Croix-de-Berny 92 58 C 4
La Croix-de-Fer *Col de* 73 251 H 1
La Croix-de-la-Rochette 73 233 G 3
Croix-de-l'Homme-Mort *Col de la* 42 229 F 3
Croix-de-Vie 85 164 D 4
Croix-du-Bac 59 8 B 2
La Croix-du-Perche 28 109 F 2
La Croix-en-Brie 77 89 E 2
La Croix-en-Champagne 51 62 D 1
Croix-en-Ternois 62 7 F 5
La Croix-en-Touraine 37 152 C 3
Croix-Fonsomme 02 24 B 1
La Croix-Fry *Col de* 74 216 A 3
La Croix-Haute *Col de la* 26 268 D 2
La Croix-Helléan 56 102 D 4
Croix-Mare 76 19 H 5
Croix-Moligneaux 80 23 H 2
Croix-Morand ou de Diane *Col de la* 63 227 F 2
Croix-Rampau 69 213 E 4
La Croix-Saint-Leufroy 27 36 C 5
Croix-Saint-Robert *Col de la* 63 227 F 3
Croix Saint-Thomas 21 158 D 3
Croix-Sainte 13 325 G 3
La Croix-sur-Gartempe 87 205 E 1
La Croix-sur-Ourcq 02 40 B 5
La Croix-sur-Roudoule 06 289 F 4
La Croix-Valmer 83 329 F 3
Croixanvec 56 102 A 2
Croixdalle 76 20 D 2
La Croixille 53 105 G 2
Croixrault 80 21 H 3
Croizet-sur-Gand 42 211 H 4
Crolles 38 233 F 5
Crollon 50 80 D 2
Cromac 87 188 B 4
Cromary 70 162 A 2
Cronat 71 175 G 5
Cronce 43 246 B 3
La Cropte 53 106 C 5
Cropus 76 20 B 3
Cros 30 283 F 5
Le Cros 34 301 H 2
Cros 63 226 D 4
Cros-de-Cagnes 06 309 G 3
Cros-de-Géorand 07 265 H 1
Cros-de-Montvert 15 243 G 3
Cros-de-Ronesque 15 244 D 5
Crosey-le-Grand 25 162 D 2
Crosey-le-Petit 25 162 D 2
Crosmières 72 129 F 3
Crosne 91 58 D 5
Crossac 44 146 C 1
Crosses 18 173 G 2
Crosville-la-Vieille 27 36 A 5
Crosville-sur-Douve 50 31 G 2
Crosville-sur-Scie 76 20 B 2
Crotelles 37 152 A 1
Crotenay 39 179 G 4
Croth 27 56 D 3
Le Crotoy 80 11 F 2
Crots 05 270 C 3
Crottes-en-Pithiverais 45 111 F 3
Crottet 01 195 E 5
Le Crouais 35 103 F 1
Crouay 14 32 D 3
La Croupte 14 54 D 1
Crouseilles 64 294 D 5
Croutelle 86 186 B 2
Les Croûtes 10 114 C 5
Croutoy 60 39 H 2
Crouttes 61 54 C 2
Crouttes-sur-Marne 02 60 A 2
Crouy 02 40 B 2
Crouy 80 22 A 1
Crouy-en-Thelle 60 38 C 4
Crouy-sur-Cosson 41 132 C 5
Crouy-sur-Ourcq 77 59 H 1
Le Crouzet 25 180 B 4
Crouzet-Migette 25 180 A 2
La Crouzille 63 209 E 1
La Crouzille 87 205 H 3
Crouzilles 37 151 F 5
Crozant 23 188 D 4
Croze 23 207 G 5
Crozes-Hermitage 26 249 F 3
Crozet 01 197 F 4
Le Crozet 42 211 E 1
Les Crozets 39 196 D 2
Crozon 29 75 E 4
Crozon-sur-Vauvre 36 189 F 2
Cruas 07 267 E 3
Crucey 28 56 A 5
Crucheray 41 131 G 4
Cruéjouls 12 263 F 5
Cruet 73 233 G 3
Crugey 21 159 F 5
Crugny 51 41 E 4
Cruguel 56 102 C 5
Cruis 04 287 F 4
Crulai 61 55 F 5
Crupies 26 267 H 4
Crupilly 02 25 E 1
Cruscades 11 320 D 5
Cruseilles 74 215 G 2
Crusnes 54 45 F 2
Crussol *Château de* 07 249 F 4
Cruviers-Lascours 30 284 A 5
Crux-la-Ville 58 157 F 5
Cruzille 71 195 E 2
Cruzilles-lès-Mépillat 01 195 E 5
Cruzy 34 321 E 3
Cruzy-le-Châtel 89 137 G 2
Cry 89 137 G 4
Cubelles 43 246 D 4
Cubières 48 265 E 5
Cubières-sur-Cinoble 11 338 A 4
Cubiérettes 48 265 E 5
Cubjac 24 241 E 1
Cublac 19 241 H 2
Cublize 69 212 B 3
Cubnezais 33 237 H 3
Cubrial 25 162 C 1
Cubry 25 162 D 1
Cubry-lès-Faverney 70 141 E 2
Cubry-lès-Soing 70 140 D 4
Cubzac-les-Ponts 33 237 H 4
Cucharmoy 77 89 F 2
Cucheron *Col du* 38 233 E 4
Cuchery 51 41 F 5
Cucq 62 6 B 4
Cucugnan 11 338 B 4
Cucuron 84 306 A 2
Cucuruzzu *Castellu de* 2A 349 F 5
Cudos 33 274 B 1
Cudot 89 113 F 5
Cuébris 06 289 G 5
Cuélas 32 315 H 3
Cuers 83 328 B 3
Cuffies 02 40 B 2
Cuffy 18 174 B 2
Cugand 85 148 A 5
Cuges-les-Pins 13 327 G 3
Cugnaux 31 297 H 5
Cugney 70 161 F 2
Cugny 02 24 A 4
Cugny-lès-Crouttes 02 40 C 4
Cuguen 35 80 B 3
Cuguron 31 334 A 1
Cuhon 86 168 D 4
Cuignières 60 38 D 2
Cuigy-en-Bray 60 37 G 2
Cuillé 53 105 F 4
Cuinchy 62 8 B 4
Cuincy 59 8 D 5
Le Cuing 31 316 B 5
Cuinzier 42 212 A 1
Cuirieux 02 25 E 4
Cuiry-Housse 02 40 C 3
Cuiry-lès-Chaudardes 02 41 E 2
Cuiry-lès-Iviers 02 25 H 3
Cuis 51 61 G 2
Cuise-la-Motte 60 39 H 2
Cuiseaux 71 196 A 2
Cuiserey 21 160 C 2
Cuisery 71 195 F 1
Cuisia 39 196 A 1
Cuisiat 01 196 A 4
Cuisles 51 41 E 5
Cuissai 61 83 G 3
Cuissy-et-Geny 02 41 E 2
Cuisy 55 43 G 3
Cuisy 77 59 F 1
Cuisy-en-Almont 02 40 A 2
La Cula 42 230 C 3
Culan 18 190 B 2
Culètre 21 159 F 5
Culey 55 63 H 4
Culey-le-Patry 14 53 F 2
Culhat 63 210 A 4
Culin 38 232 A 3
Culles-les-Roches 71 177 F 5
Cully 14 33 F 3
Culmont 52 139 H 2
Culoison 10 91 E 5
Culoz 01 214 D 4
Cult 70 161 F 3
Cultures 48 264 B 5
Cumières 51 61 F 1
Cumières-le-Mort-Homme 55 43 H 4
Cumiès 11 318 D 4
Cumont 82 296 D 1
Cunac 81 299 G 1
Cunault 49 150 B 3
Cuncy-lès-Varzy 58 157 E 3
Cunèges 24 257 G 1
Cunel 55 43 G 2
Cunelières 90 142 D 3
Cunfin 10 116 A 4
Cunlhat 63 228 C 2
Cuntorba *Castello de* 2A 348 D 5
Cuon 49 150 B 1
Cuperly 51 62 B 1
Cuq 47 276 C 4
Cuq 81 299 F 4
Cuq-Toulza 81 298 D 5
Cuqueron 64 313 H 3
Curac 16 239 E 1
Curan 12 281 F 3
Curbans 04 269 G 5
Curbigny 71 194 A 4
Curçay-sur-Dive 86 168 C 1
Curchy 80 23 F 3
Curciat-Dongalon 01 195 G 2
Curcy-sur-Orne 14 53 F 1
Curdin 71 193 F 1
La Cure 39 197 F 2

Curebourse *Col de* 15 244 D 4
Curel 04 286 D 3
Curel 52 92 D 3
Curemonte 19 242 D 4
Cures 72 107 F 3
Curey 50 80 D 2
Curgies 59 15 E 2
Curgy 71 176 D 2
Curienne 73 233 F 2
Curières 12 263 F 3
Curis-au-Mont-d'Or 69 213 E 4
Curley 21 159 H 4
Curlu 80 23 F 1
Curmont 52 92 C 5
Curnier 26 268 A 5
Cursan 33 256 B 1
Curtafond 01 195 G 5
Curtil-Saint-Seine 21 159 H 1
Curtil-sous-Buffières 71 194 C 3
Curtil-sous-Burnand 71 194 C 1
Curtil-Vergy 21 159 H 5
Le Curtillard 38 233 G 5
Curtin 38 232 B 1
Curvalle 81 300 A 1
Curzay-sur-Vonne 86 185 H 2
Curzon 85 183 E 2
Cusance 25 162 D 2
Cuse-et-Adrisans 25 162 C 1
Cusey 52 139 G 4
Cussac 15 245 F 4
Cussac 87 222 D 1
Cussac-Fort-Médoc 33 237 F 2
Cussac-sur-Loire 43 247 F 4
Cussangy 10 115 E 4
Cussay 37 170 A 1
Cusset 03 210 B 1
Cussey-les-Forges 21 139 E 4
Cussey-sur-Lison 25 161 H 5
Cussey-sur-l'Ognon 25 161 H 2
Cussy 14 32 D 3
Cussy-en-Morvan 71 176 C 1
Cussy-la-Colonne 21 177 F 1
Cussy-le-Châtel 21 159 F 5
Cussy-les-Forges 89 158 A 1
Custines 54 65 H 4
Cusy 74 215 F 5
Cusy 89 137 F 3
Cutry 02 40 A 3
Cutry 54 44 D 2
Cuts 60 39 H 1
Cutting 57 67 F 3
Cuttoli-Corticchiato 2A 348 D 3
Cuttura 39 196 D 3
Cuvat 74 215 G 2
Cuve 70 119 E 5
Cuvergnon 60 39 H 5
Cuverville 14 33 H 4
Cuverville 27 36 D 3
Cuverville 76 18 D 4
Cuverville-sur-Yères 76 10 D 5
Cuvéry *Col de* 01 214 D 1
Cuves 50 52 A 4
Cuves 52 117 G 3
Cuvier 39 180 A 3
Cuvillers 59 14 B 3
Cuvilly 60 23 E 5
Cuvry 57 65 H 1
Cuxac-Cabardès 11 319 G 3
Cuxac-d'Aude 11 321 E 5
Cuy 60 23 G 5
Cuy 89 113 G 2
Cuy-Saint-Fiacre 76 37 F 1
Cuzac 46 261 G 4
Cuzals *Musée de* 46 260 D 4
Cuzance 46 242 B 4
Cuzieu 01 214 D 4
Cuzieu 42 230 A 2
Cuzion 36 188 D 3
Cuzorn 47 259 E 4
Cuzy 71 176 B 4
Cys-la-Commune 02 40 D 2
Cysoing 59 9 E 3

D

Dabisse 04 287 G 5
Dabo 57 68 A 5
Dabo *Rocher de* 57 68 A 5
Dachstein 67 97 F 1
Dadonville 45 111 G 3
Daglan 24 259 G 2
Dagneux 01 213 G 4
Dagny 77 60 A 5
Dagny-Lambercy 02 25 G 3
Dagonville 55 64 B 4
La Daguenière 49 149 H 2
Dahlenheim 67 97 F 1
Daignac 33 256 B 1
Daigny 08 27 F 3
Daillancourt 52 92 C 5
Daillecourt 52 117 G 3
Dainville 62 13 F 2
Dainville-Bertheléville 55 93 G 3
Daix 21 160 A 3
Dalem 57 46 D 4
Dalhain 57 66 D 3
Dalhunden 67 69 F 4
Dallet 63 210 A 5
Dallon 02 24 A 2
Dalou 09 336 B 2
Dalstein 57 46 B 3
Daluis 06 289 F 4
Damas-aux-Bois 88 95 F 3
Damas-et-Bettegney 88 119 E 2
Damazan 47 275 F 2
Dambach 67 68 C 1
Dambach-la-Ville 67 97 E 4
Dambelin 25 163 E 2
Dambenois 25 142 C 4
Dambenoît-lès-Colombe 70 141 G 3
Damblain 88 117 H 3
Damblainville 14 54 A 2
Dambron 28 110 D 3
Dame-Marie 27 56 A 4
Dame-Marie 61 84 C 5
Dame-Marie-les-Bois 37 152 C 1
Damelevières 54 95 F 2
Daméraucourt 60 21 H 4
Damerey 71 178 A 3
Damery 51 61 F 1
Damery 80 23 F 3
Damgan 56 124 D 5
Damiatte 81 299 E 4
Damigny 61 83 G 3
Damloup 55 44 C 5
Dammard 02 40 A 5
Dammarie 28 86 A 5
Dammarie-en-Puisaye 45 135 E 5
Dammarie-les-Lys 77 88 B 3
Dammarie-sur-Loing 45 135 E 3
Dammarie-sur-Saulx 55 93 E 2
Dammartin-en-Goële 77 59 E 1
Dammartin-en-Serve 78 57 E 3
Dammartin-
les-Templiers 25 162 B 3
Dammartin-Marpain 39 161 E 3
Dammartin-sur-Meuse 52 117 H 4
Dammartin-sur-Tigeaux 77 59 G 4
Damousies 59 15 H 3
Damouzy 08 26 D 2
Damparis 39 178 D 1
Dampierre 10 91 G 2
Dampierre 14 52 C 1
Dampierre 39 161 G 5
Dampierre 52 117 G 5
Dampierre-au-Temple 51 62 B 1
Dampierre-en-Bray 76 37 F 1
Dampierre-en-Bresse 71 178 C 3
Dampierre-en-Burly 45 134 B 3
Dampierre-en-Crot 18 155 G 2
Dampierre-en-Graçay 18 154 B 5
Dampierre-en-Montagne 21 159 E 2
Dampierre-en-Yvelines 78 57 H 5
Dampierre-et-Flée 21 160 D 1
Dampierre-le-Château 51 63 E 1
Dampierre-les-Bois 25 142 C 4
Dampierre-lès-Conflans 70 141 F 2
Dampierre-Saint-Nicolas 76 20 C 2
Dampierre-sous-Bouhy 58 156 C 1
Dampierre-sous-Brou 28 109 G 2
Dampierre-sur-Avre 28 56 B 4
Dampierre-sur-Blévy 28 85 G 2
Dampierre-
sur-Boutonne 17 201 H 2
Dampierre-sur-le-Doubs 25 142 B 5
Dampierre-sur-Linotte 70 141 F 5
Dampierre-sur-Loire 49 150 C 4
Dampierre-sur-Moivre 51 62 C 3
Dampierre-sur-Salon 70 140 B 5
Dampjoux 25 163 F 2
Dampleux 02 40 A 4
Dampmart 77 59 F 3
Dampniat 19 242 C 2
Damprichard 25 163 G 3
Les Damps 27 36 B 3
Dampsmesnil 27 37 F 5
Dampvalley-
lès-Colombe 70 141 F 4
Dampvalley-
Saint-Pancras 70 119 E 5
Dampvitoux 54 65 E 2
Damrémont 52 117 H 5
Damville 27 56 A 3
Damvillers 55 44 B 3
Damvix 85 184 B 4
Dancé 42 211 G 4
Dancé 61 84 D 5
Dancevoir 52 116 C 5
Dancharia 64 310 C 4
Dancourt 76 21 E 2
Dancourt-Popincourt 80 23 F 4
Dancy 28 110 A 3
Danestal 14 34 B 3
Dangé-Saint-Romain 86 169 H 2
Dangeau 28 109 H 2
Dangers 28 85 H 3
Dangeul 72 107 H 2
Dangolsheim 67 97 F 1
Dangu 27 37 F 4
Dangy 50 52 A 1
Danizy 02 24 B 4
Danjoutin 90 142 C 3
Danne-et-Quatre-Vents 57 68 A 4
Dannelbourg 57 68 A 4
Dannemarie 25 142 C 5
Dannemarie 68 143 E 3
Dannemarie 78 57 E 4
Dannemarie-sur-Crète 25 161 G 4
Dannemoine 89 137 E 2
Dannemois 91 88 A 4
Dannes 62 6 B 3
Dannevoux 55 43 H 3
Danvou-la-Ferrière 14 53 E 2
Danzé 41 131 G 2
Daon 53 128 B 3
Daoulas 29 75 G 3
Daoulas *Gorges du* 22 77 G 5
Daours 80 22 D 2
Darazac 19 243 G 2
Darbonnay 39 179 F 3
Darbres 07 266 C 3
Darcey 21 138 B 5
Dardenac 33 256 B 1
Dardenay 52 139 G 4
Dardez 27 56 B 1
Dardilly 69 213 E 5
Dareizé 69 212 B 4
Dargies 60 21 H 4
Dargilan *Grotte de* 48 282 B 3
Dargnies 80 11 E 4
Dargoire 42 230 D 3
Darmannes 52 117 E 2
Darmont 55 44 D 5
Darnac 87 187 G 5
Darnétal 76 36 B 2
Darnets 19 225 G 4
Darney 88 118 C 3
Darney-aux-Chênes 88 94 B 5
Darnieulles 88 119 F 2
Darois 21 159 H 2
Darvault 77 112 C 2
Darvoy 45 133 G 2
Dasle 25 142 C 4
Daubensand 67 97 H 3
Daubeuf-la-Campagne 27 36 A 4
Daubeuf-près-Vatteville 27 36 C 4
Daubeuf-Serville 76 19 E 4
Daubèze 33 256 C 2
Dauendorf 67 68 D 3
Daumazan-sur-Arize 09 335 G 1
Daumeray 49 128 D 4
Dauphin 04 306 C 1
Dausse 47 276 D 1
Daux 31 297 G 4
Dauzat-sur-Vodable 63 227 H 4
Davayat 63 209 H 4
Davayé 71 194 D 4
Davejean 11 338 B 3
Davenescourt 80 23 E 4
Davézieux 07 248 D 1
Davignac 19 225 G 4
Davrey 10 114 D 4
Davron 78 57 H 3
Dax 40 292 D 3
Deauville 14 34 B 2
Deaux 30 283 H 4
Débats-Rivière-d'Orpra 42 211 F 5
Decazeville 12 261 H 4
Dechy 59 8 D 5
Décines-Charpieu 69 213 F 5
Decize 58 175 E 4
Dédeling 57 66 D 3
La Défense 92 58 B 3
Dégagnac 46 259 H 3
Degré 72 107 G 4
Dehault 72 108 C 2
Dehéries 59 14 C 5
Dehlingen 67 67 H 2
Deinvillers 88 95 G 3
Delain 70 140 B 5
Delettes 62 7 F 3
Delincourt 60 37 G 4
Delle 90 142 D 4
Delme 57 66 B 3
Delouze 55 93 G 2
Le Déluge 60 38 A 3
Delut 55 44 B 3
Deluz 25 162 B 3
Demandolx 04 308 B 1
Demange-aux-Eaux 55 93 G 2
Demangevelle 70 118 C 5
Demi-Quartier 74 216 C 3
La Demie 70 141 F 5
Demigny 71 177 H 2
Demoiselle Coiffée 05 271 E 1
Demoiselles *Grotte des* 34 302 C 1
Demoiselles Coiffées 05 269 H 4
Démouville 14 33 H 4
Dému 32 295 F 3
Démuin 80 22 D 2
Denain 59 14 C 2
Dénat 81 299 G 2
Denazé 53 128 A 2
Dénecourt *Tour* 77 88 C 4
Denée 49 149 G 2
Dénestanville 76 20 B 3
Deneuille-lès-Chantelle 03 191 H 5
Deneuille-les-Mines 03 191 E 4
Deneuvre 54 95 H 3
Denèvre 70 140 B 5
Dénézé-sous-Doué 49 150 A 4
Dénézé-sous-le-Lude 49 150 D 1
Denezières 39 196 D 1
Denguin 64 314 A 3
Denicé 69 212 D 3
Denier 62 13 E 2
Denipaire 88 96 B 4
Dennebrœucq 62 7 E 3
Dennemont 78 57 F 1
Denneville 50 31 F 2
Dennevy 71 177 F 3
Denney 90 142 C 2
Denone *Château de* 63 210 A 2
Denonville 28 86 D 4
Denting 57 46 C 5
Déols 36 171 H 4
Der-Chantecoq *Lac du* 51 92 A 2
Derbamont 88 95 E 5
Dercé 86 169 E 2
Derchigny 76 10 C 5
Dercy 02 24 D 4
Dernacueillette 11 338 B 3
Dernancourt 80 23 E 1
Derval 44 126 C 4
Désaignes 07 248 C 4
Désandans 25 142 A 4
Descartes 37 169 H 2
Le Deschaux 39 179 E 2
Le Désert 14 52 D 2
Le Désert 38 251 G 5
Désertines 03 190 D 4
Désertines 53 81 H 3
Les Déserts 73 233 F 1
Déservillers 25 180 A 1
Desges 43 246 C 4
Desingy 74 215 E 2
Desmonts 45 112 A 2
Desnes 39 179 E 4
Desseling 57 67 F 4
Dessenheim 68 121 F 4
Dessia 39 196 B 3
Destord 88 95 H 5
La Destrousse 13 327 F 2
Destry 57 66 D 2
Desvres 62 6 C 2
Détain-et-Bruant 21 159 G 5
Détrier 73 233 G 3
Le Détroit 14 53 G 3
Les Détroits 48 282 A 2
Dettey 71 176 C 4
Dettwiller 67 68 B 4
Deuil-la-Barre 95 58 C 2
Deuillet 02 24 B 4
Deûlémont 59 4 C 5
Les Deux-Alpes 38 251 H 3
Deux Amants *Côte des* 27 36 C 3
Deux-Chaises 03 191 G 4
Deux-Évailles 53 106 B 2
Les Deux-Fays 39 179 E 3
Deux-Jumeaux 14 32 C 2
Deux-Verges 15 263 G 1
Les Deux-Villes 08 27 H 4
Deuxnouds-aux-Bois 55 64 D 2
Deuxnouds-
devant-Beauzée 55 63 H 1
Deuxville 54 95 F 1
Devay 58 175 F 4
Devecey 25 161 H 3
Devesset 07 248 B 3
Devèze 65 316 A 4
Devèze *Grotte de la* 34 320 C 2
Deviat 16 221 E 4
Dévillac 47 258 D 3
Deville 08 26 D 1
Déville-lès-Rouen 76 36 A 1
La Devinière *Musée* 37 150 D 5
Devise 80 23 H 2
Devrouze 71 178 B 4
Deycimont 88 119 H 2
Deyme 31 318 A 2
Deyvillers 88 119 G 2
Le Dézert 50 32 A 4
Dezize-lès-Maranges 71 177 F 3
Dhuisy 77 60 A 1
Dhuizel 02 40 D 2
Dhuizon 41 132 D 5
Diable *Roche du* 88 120 B 3
Diable *Roches du* 29 100 D 4
Diancey 21 158 D 5
Diane-Capelle 57 67 G 5
Diant 77 113 E 2
Diarville 54 94 D 4
Le Diben 29 71 H 3
Diconne 71 178 B 4
Dicy 89 113 E 5
Didenheim 68 143 F 2
Die 26 268 B 1
Diebling 57 47 F 5
Diebolsheim 67 97 G 4
Diedendorf 67 67 G 3
Dieffenbach-au-Val 67 97 E 4
Dieffenbach-lès-Wœrth 67 69 E 2
Dieffenthal 67 97 E 4
Diefmatten 68 143 E 2
Dielette 50 28 C 4
Dième 69 212 B 3
Diemeringen 67 67 H 2
Diémoz 38 231 G 2
Diénay 21 160 A 1
Dienne 15 245 E 2
Dienné 86 186 D 3
Diennes-Aubigny 58 175 F 3
Dienville 10 91 H 5
Dieppe 76 10 B 5
Dieppe-sous-Douaumont 55 44 C 5
Dieppedalle-Croisset 76 36 A 2
Dierre 37 152 B 3
Dierrey-Saint-Julien 10 90 C 5
Dierrey-Saint-Pierre 10 90 C 5
Diesen 57 46 D 5
Dietwiller 68 143 G 2
Dieudonné 60 38 B 4
Dieue-sur-Meuse 55 64 B 1
Dieulefit 26 267 G 4
Dieulivol 33 257 E 2
Dieulouard 54 65 G 4
Dieupentale 82 297 G 2
Dieuze 57 67 E 4
Diéval 62 7 H 5
Diffembach-lès-Hellimer 57 67 F 2
Diges 89 136 A 4
Digna 39 196 A 2
Dignac 16 221 G 3
La Digne-d'Amont 11 337 F 2
La Digne-d'Aval 11 337 F 2
Digne-les-Bains 04 288 A 3
Dignonville 88 95 G 5
Digny 28 85 G 3
Digoin 71 193 F 2
Digoine *Château de* 71 193 H 2
Digosville 50 29 F 3
Digulleville 50 28 C 2
Dijon 21 160 A 3
Dilo 89 114 A 4
Dimancheville 45 111 H 2
Dimbsthal 67 68 B 5
Dimechaux 59 15 H 3
Dimont 59 15 H 3
Dinan 22 79 G 4
Dinan *Pointe de* 29 75 E 4
Dinard 35 50 B 5
Dinéault 29 75 G 4
Dingé 35 80 B 4
Dingsheim 67 68 D 5
Dingy-en-Vuache 74 215 F 1
Dingy-Saint-Clair 74 215 H 3
Dinozé 88 119 G 2
Dinsac 87 187 H 5
Dinsheim 67 97 E 1
Dinteville 52 116 B 4
Dio-et-Valquières 34 301 G 4
Dionay 38 249 H 1
Dions 30 303 G 1
Diors 36 172 A 4
Diou 03 193 E 2
Diou 36 172 B 1
Dirac 16 221 F 2
Dirinon 29 75 G 2
Dirol 58 157 G 3
Disneyland Paris 77 59 F 3
Dissais 85 183 F 1
Dissangis 89 137 E 5
Dissay 86 169 F 5
Dissay-sous-Courcillon 72 130 C 4
Dissé-sous-Ballon 72 108 A 2
Dissé-sous-le-Lude 72 129 H 5
Distré 49 150 B 4
Distroff 57 45 H 3
Diusse 64 294 C 5
Divajeu 26 267 G 2
Dives 60 23 G 5
Dives-sur-Mer 14 34 A 3
Divion 62 7 H 4
Divonne-les-Bains 01 197 G 3
Dixmont 89 113 H 4
Dizimieu 38 232 A 1
Dizy 51 61 G 1
Dizy-le-Gros 02 25 G 4
Doazit 40 293 H 3
Doazon 64 313 H 2
Docelles 88 119 H 2
Doëlan 29 100 C 5
Dœuil-sur-le-Mignon 17 201 G 1
Dognen 64 313 G 4
Dogneville 88 95 F 5
Dohem 62 7 F 2
Dohis 02 25 H 3
Doignies 59 14 A 4
Doingt 80 23 G 1
Doissat 24 259 F 2
Doissin 38 232 B 3
Doix-lès-Fontaines 85 184 B 3
Doizieux 42 230 C 4
Dol-de-Bretagne 35 80 A 2
Dolaincourt 88 94 B 4
Dolancourt 10 92 A 5
Dolcourt 54 94 C 3
Dole 39 161 E 5
Dolignon 02 25 G 3
Dolleren 68 142 C 1
Dollon 72 108 C 4
Dollot 89 113 E 2
Dolmayrac 47 276 B 1
Dolo 22 79 E 4
Dolomieu 38 232 B 2
Dolus-d'Oléron 17 200 B 3
Dolus-le-Sec 37 152 B 5
Dolving 57 67 G 4
Dom-le-Mesnil 08 27 E 4
Domagné 35 104 D 3
Domaize 63 228 C 1
Domalain 35 105 E 4
Domancy 74 216 C 3
Domarin 38 231 H 2
Domart-en-Ponthieu 80 12 B 5
Domart-sur-la-Luce 80 22 D 2
Domats 89 113 E 3
Domazan 30 304 B 1
Dombasle-
devant-Darney 88 118 D 3
Dombasle-en-Argonne 55 43 H 5
Dombasle-en-Xaintois 88 94 C 5
Dombasle-sur-Meurthe 54 95 E 1
Domblain 52 92 C 3
Domblans 39 179 F 4
Dombras 55 44 B 3
Dombrot-le-Sec 88 118 B 2
Dombrot-sur-Vair 88 94 B 5
Domecy-sur-Cure 89 157 H 2
Domecy-sur-le-Vault 89 157 H 1
Doméliers 60 22 A 5
Domène 38 251 E 1
Domérat 03 190 C 4
Domesmont 80 12 B 4
Domessargues 30 283 H 5
Domessin 73 232 D 2
Domèvre-en-Haye 54 65 F 4
Domèvre-sous-Montfort 88 94 C 5
Domèvre-sur-Avière 88 119 F 2
Domèvre-sur-Durbion 88 95 F 5
Domèvre-sur-Vezouze 54 96 A 2
Domeyrat 43 246 C 1
Domeyrot 23 189 H 5
Domezain-Berraute 64 311 H 4
Domfaing 88 96 A 5
Domfessel 67 67 H 2
Domfront 60 22 D 5
Domfront-en-Poiraie 61 82 B 2
Domfront-
en-Champagne 72 107 G 3
Domgermain 54 94 A 1
La Dominelais 35 126 C 3
Domino 17 200 A 3

Dominois 80 ... 11 G 1
Domjean 50 ... 52 B 1
Domjevin 54 ... 95 H 1
Domjulien 88 ... 94 C 5
Domléger 80 ... 12 B 4
Domloup 35 ... 104 C 3
Dommarie-Eulmont 54 ... 94 C 3
Dommarien 52 ... 139 G 4
Dommartemont 54 ... 65 H 5
Dommartin 01 ... 195 F 4
Dommartin 25 ... 180 C 2
Dommartin 58 ... 175 H 1
Dommartin 69 ... 212 D 5
Dommartin 80 ... 22 C 3
Dommartin-aux-Bois 88 ... 119 E 2
Dommartin-Dampierre 51 ... 43 E 5
Dommartin-la-Chaussée 54 ... 65 F 2
Dommartin-la-Montagne 55 ... 64 D 2
Dommartin-le-Coq 10 ... 91 G 3
Dommartin-le-Franc 52 ... 92 C 4
Dommartin-le-Saint-Père 52 ... 92 C 4
Dommartin-
lès-Cuiseaux 71 ... 195 H 2
Dommartin-
lès-Remiremont 88 ... 119 H 4
Dommartin-lès-Toul 54 ... 94 B 1
Dommartin-lès-Vallois 88 ... 118 D 2
Dommartin-Lettrée 51 ... 62 A 4
Dommartin-sous-Amance 54 ... 66 B 5
Dommartin-sous-Hans 51 ... 43 E 5
Dommartin-sur-Vraine 88 ... 94 B 4
Dommartin-Varimont 51 ... 63 E 2
Dommary-Baroncourt 55 ... 44 D 4
Domme 24 ... 259 G 1
Dommery 08 ... 26 B 4
Dommiers 02 ... 40 A 3
Domnom-lès-Dieuze 57 ... 67 F 3
Domont 95 ... 58 C 1
Dompaire 88 ... 119 E 2
Dompcevrin 55 ... 64 C 3
Dompierre 60 ... 22 D 5
Dompierre 61 ... 53 E 5
Dompierre 88 ... 95 G 5
Dompierre-aux-Bois 55 ... 64 D 2
Dompierre-Becquincourt 80 ... 23 F 1
Dompierre-du-Chemin 35 ... 81 F 5
Dompierre-en-Morvan 21 ... 158 C 2
Dompierre-les-Églises 87 ... 188 A 5
Dompierre-les-Ormes 71 ... 194 B 4
Dompierre-les-Tilleuls 25 ... 180 B 3
Dompierre-
sous-Sanvignes 71 ... 176 C 5
Dompierre-sur-Authie 80 ... 11 H 1
Dompierre-sur-Besbre 03 ... 192 D 2
Dompierre-
sur-Chalaronne 01 ... 213 F 1
Dompierre-
sur-Charente 17 ... 219 H 1
Dompierre-sur-Helpe 59 ... 15 G 4
Dompierre-sur-Héry 58 ... 157 F 4
Dompierre-sur-Mer 17 ... 183 G 5
Dompierre-sur-Mont 39 ... 196 C 1
Dompierre-sur-Nièvre 58 ... 156 D 4
Dompierre-sur-Veyle 01 ... 213 H 2
Dompierre-sur-Yon 85 ... 165 H 4
Dompnac 07 ... 265 H 4
Domprel 25 ... 162 D 4
Dompremy 51 ... 62 D 4
Domprix 54 ... 45 E 3
Domps 87 ... 224 D 2
Domptail 88 ... 95 G 3
Domptail-en-l'Air 54 ... 95 E 2
Domptin 02 ... 60 B 1
Domqueur 80 ... 12 B 4
Domremy-aux-Bois 55 ... 64 B 5
Domremy-en-Ornois 52 ... 93 E 4
Domremy-la-Canne 55 ... 44 D 4
Domrémy-la-Pucelle 88 ... 93 H 3
Domsure 01 ... 195 H 3
Domvallier 88 ... 94 D 5
Domvast 80 ... 11 H 2
Don 59 ... 8 C 3
Donazac 11 ... 337 F 1
Donchery 08 ... 27 E 4
Doncières 88 ... 95 H 3
Doncourt-aux-Templiers 55 ... 64 D 1
Doncourt-lès-Conflans 54 ... 45 F 5
Doncourt-lès-Longuyon 54 ... 44 D 2
Doncourt-sur-Meuse 52 ... 117 H 3
Dondas 47 ... 276 D 2
Donges 44 ... 146 C 2
Donjeux 52 ... 93 E 4
Donjeux 57 ... 66 C 3
Le Donjon 03 ... 193 E 4
Donnay 14 ... 53 G 2
Donnazac 81 ... 279 F 5
Donnelay 57 ... 67 E 4
Donnemain-
Saint-Mamès 28 ... 110 A 3
Donnemarie 52 ... 117 G 3
Donnemarie-Dontilly 77 ... 89 F 3
Donnement 10 ... 91 G 3
Donnenheim 67 ... 68 D 4
Donnery 45 ... 133 G 2
Donneville 31 ... 318 A 2
Donnezac 33 ... 237 H 1
Donon Col du 67 ... 96 C 2
Dontreix 23 ... 208 C 3
Dontrien 51 ... 42 B 4
Donville-les-Bains 50 ... 51 F 2
Donzac 33 ... 256 B 3
Donzac 82 ... 276 D 4
Donzacq 40 ... 293 F 3
Le Donzeil 23 ... 207 F 3
Donzenac 19 ... 242 B 1
Donzère 26 ... 267 E 5
Donzy 58 ... 156 C 3
Donzy-le-National 71 ... 194 C 3
Donzy-le-Pertuis 71 ... 194 D 3
Donzy-le-Pré 58 ... 156 C 3
Doranges 63 ... 228 D 4
Dorans 90 ... 142 C 3
Dorat 63 ... 210 C 4
Le Dorat 87 ... 187 H 5
Dorceau 61 ... 84 D 4
Dordives 45 ... 112 C 3
Dore-l'Église 63 ... 229 E 5
La Dorée 53 ... 81 G 3
Dorengt 02 ... 24 D 1
Dorignies 59 ... 8 D 5
Dorlisheim 67 ... 97 F 2
Dormans 51 ... 60 D 1
Dormelles 77 ... 88 D 5
Dormillouse 05 ... 270 B 1
La Dornac 24 ... 241 H 3
Dornas 07 ... 248 B 5
Dornecy 58 ... 157 F 2
Dornes 58 ... 175 E 5
Dornot 57 ... 65 G 1
Dorres 66 ... 341 E 4
Dortan 01 ... 196 C 4
Dosches 10 ... 91 F 5
Dosnon 10 ... 91 F 2
Dossenheim-Kochersberg 67 ... 68 C 5
Dossenheim-sur-Zinsel 67 ... 68 B 4
Douadic 36 ... 170 C 5
Douai 59 ... 8 D 5
Douains 27 ... 56 D 1
Douarnenez 29 ... 99 F 2
Douaumont 55 ... 44 B 5
Doubs 25 ... 180 C 2
Doucelles 72 ... 107 H 2
Douchapt 24 ... 239 H 1
Douchy 02 ... 23 H 3
Douchy-Montcorbon 45 ... 113 E 5
Douchy-lès-Ayette 62 ... 13 F 3
Douchy-les-Mines 59 ... 14 C 2
Doucier 39 ... 179 G 5
Doucy 73 ... 234 B 3
Doucy-en-Bauges 73 ... 233 H 1
Doudeauville 62 ... 6 C 3
Doudeauville 76 ... 21 F 5
Doudeauville-en-Vexin 27 ... 37 E 3
Doudelainville 80 ... 11 G 4
Doudeville 76 ... 19 H 3
Doudrac 47 ... 258 C 3
Doue 77 ... 60 A 3
Doué-la-Fontaine 49 ... 150 A 4
Douelle 46 ... 259 H 5
Le Douhet 17 ... 201 G 5
Douillet 72 ... 83 F 5
Douilly 80 ... 23 H 3
Doulaincourt 52 ... 93 E 5
Doulaize 25 ... 179 H 1
Doulcon 55 ... 43 G 2
Doulevant-le-Château 52 ... 92 C 4
Doulevant-le-Petit 52 ... 92 C 3
Doulezon 33 ... 256 D 1
Le Doulieu 59 ... 8 A 2
Doullens 80 ... 12 D 4
Doumely-Bégny 08 ... 26 A 4
Doumy 64 ... 314 B 2
Dounoux 88 ... 119 F 3
Les Dourbes 04 ... 288 B 4
Dourbies 30 ... 282 C 4
Dourdain 35 ... 104 D 2
Dourdan 91 ... 87 E 3
Dourges 62 ... 8 C 5
Dourgne 81 ... 319 F 2
Douriez 62 ... 11 G 1
Dourlers 59 ... 15 G 3
Le Dourn 81 ... 280 C 5
Dournazac 87 ... 223 E 2
Dournon 39 ... 179 H 2
Dours 65 ... 315 F 4
Doussard 74 ... 215 H 5
Doussay 86 ... 169 E 3
Douvaine 74 ... 197 H 4
Douville 24 ... 240 B 4
Douville-en-Auge 14 ... 34 B 3
Douville-sur-Andelle 27 ... 36 C 3
Douvrend 76 ... 20 C 2
Douvres 01 ... 214 A 3
Douvres-la-Délivrande 14 ... 33 G 3
Douvrin 62 ... 8 B 4
Doux 08 ... 42 B 1
Doux 79 ... 168 C 4
Douy 28 ... 109 H 4
Douy-la-Ramée 77 ... 59 G 1
Douzains 47 ... 257 H 3
Douzat 16 ... 221 E 1
La Douze 24 ... 240 D 3
Douzens 11 ... 320 B 5
Douzies 59 ... 15 G 2
Douzillac 24 ... 239 H 3
Douzy 08 ... 27 F 4
Doville 50 ... 31 G 2
Doye 39 ... 180 A 4
La Doye 39 ... 197 F 2
Doyet 03 ... 191 E 4
Dozulé 14 ... 34 A 4
Dracé 69 ... 212 D 1
Draché 37 ... 169 H 1
Drachenbronn 67 ... 69 E 1
Dracy 89 ... 135 H 3
Dracy-le-Fort 71 ... 177 G 4
Dracy-lès-Couches 71 ... 177 F 3
Dracy-Saint-Loup 71 ... 176 D 1
Dragey 50 ... 51 G 4
Draguignan 83 ... 308 A 4
Draillant 74 ... 198 A 4
Drain 49 ... 148 B 2
Draix 04 ... 288 B 3
Draize 08 ... 26 A 4
Drambon 21 ... 160 D 3
Dramelay 39 ... 196 B 3
Le Dramont 83 ... 329 H 1
Drancy 93 ... 58 D 2
Drap 06 ... 309 H 2
Dravegny 02 ... 40 D 4
Draveil 91 ... 58 C 5
Drée 21 ... 159 G 3
Drée Château de 71 ... 194 A 4
Drefféac 44 ... 146 D 1
Drémil-Lafage 31 ... 298 B 5
Le Drennec 29 ... 70 D 5
Dreslincourt 60 ... 39 G 1
Dreuil-Hamel 80 ... 11 H 5
Dreuil-lès-Amiens 80 ... 22 B 1
Dreuil-lès-Molliens 80 ... 22 A 2
Dreuilhe 09 ... 336 D 3
Dreux 28 ... 56 D 4
Drevant 18 ... 173 F 5
Dricourt 08 ... 42 C 2
Driencourt 80 ... 23 H 1
Drignac 15 ... 244 B 2
Drincham 59 ... 3 G 3
Drocourt 62 ... 8 C 5
Drocourt 78 ... 57 G 1
Droisy 27 ... 56 B 4
Droisy 74 ... 215 E 3
Droitaumont 54 ... 45 F 5
Droitfontaine 25 ... 163 F 3
Droiturier 03 ... 192 D 5
Droizy 02 ... 40 B 3
Drom 01 ... 196 A 5
Dromesnil 80 ... 21 G 2
Drosay 76 ... 19 G 3
Drosnay 51 ... 92 A 2
Droué 41 ... 109 F 4
Droue-sur-Drouette 28 ... 86 C 2
Drouges 35 ... 105 E 5
Drouilly 51 ... 62 C 4
Droupt-Saint-Basle 10 ... 90 D 3
Droupt-Sainte-Marie 10 ... 90 C 3
Drouville 54 ... 66 C 5
Drouvin-le-Marais 62 ... 8 A 4
Droux 87 ... 205 G 1
Droyes 52 ... 92 A 3
Drubec 14 ... 34 C 4
Drucat 80 ... 11 G 3
Drucourt 27 ... 35 E 5
Drudas 31 ... 297 F 3
Druelle 12 ... 280 C 1
Drugeac 15 ... 244 B 2
Druillat 01 ... 214 A 2
Drulhe 12 ... 261 G 5
Drulingen 67 ... 67 H 3
Drumettaz-Clarafond 73 ... 233 F 1
Drusenheim 67 ... 69 F 4
Druval 14 ... 34 B 4
Druy-Parigny 58 ... 175 E 3
Druye 37 ... 151 G 3
Druyes-
les-Belles-Fontaines 89 ... 157 E 1
Dry 45 ... 132 D 3
Duault 22 ... 77 E 3
Ducey-les-Chéris 50 ... 51 H 5
Duclair 76 ... 35 H 1
Ducy-Sainte-Marguerite 14 ... 33 E 4
Duerne 69 ... 230 C 1
Duesme 21 ... 138 B 4
Duffort 32 ... 315 H 3
Dugny 93 ... 58 C 2
Dugny-sur-Meuse 55 ... 64 B 1
Duhort-Bachen 40 ... 294 B 3
Duilhac-
sous-Peyrepertuse 11 ... 338 B 4
Duingt 74 ... 215 H 4
Duisans 62 ... 13 F 2
Dullin 73 ... 232 D 2
Dumes 40 ... 293 H 3
Dun 09 ... 336 C 2
Dun-le-Palestel 23 ... 189 E 4
Dun-le-Poëlier 36 ... 153 H 5
Dun-les-Places 58 ... 158 A 4
Dun-sur-Auron 18 ... 173 G 3
Dun-sur-Grandry 58 ... 175 H 1
Dun-sur-Meuse 55 ... 43 G 2
Duneau 72 ... 108 B 4
Dunes 82 ... 276 C 4
Dunet 36 ... 188 B 3
Dung 25 ... 142 B 4
Dunière-sur-Eyrieux 07 ... 266 D 1
Dunières 43 ... 248 B 1
Dunkerque 59 ... 3 G 2
Duntzenheim 67 ... 68 C 5
Duppigheim 67 ... 97 G 2
Duran 32 ... 296 A 4
Durance 47 ... 275 E 3
Duranus 06 ... 291 E 4
Duranville 27 ... 35 E 5
Duras 47 ... 257 F 2
Duravel 46 ... 259 F 4
Durban 32 ... 296 A 5
Durban-Corbières 11 ... 338 D 2
Durban-sur-Arize 09 ... 335 H 2
Durbans 46 ... 260 D 3
Durbelière
Château de la 79 ... 167 F 2
Durcet 61 ... 53 F 4
Durdat-Larequille 03 ... 191 E 5
Dureil 72 ... 129 F 2
Durenque 12 ... 280 D 4
Durette 69 ... 212 C 1
Durfort 09 ... 318 A 5
Durfort 81 ... 319 G 2
Durfort-et-Saint-Martin-
de-Sossenac 30 ... 283 G 5
Durfort-Lacapelette 82 ... 277 F 3
Durlinsdorf 68 ... 143 F 4
Durmenach 68 ... 143 F 4
Durmignat 63 ... 209 F 1
Durnes 25 ... 162 B 5
Durningen 67 ... 68 C 5
Durrenbach 67 ... 69 E 2
Durrenentzen 68 ... 121 F 2
Durstel 67 ... 67 H 3
Durtal 49 ... 129 E 4
Durtol 63 ... 209 G 5
Dury 02 ... 23 H 3
Dury 62 ... 14 A 3
Dury 80 ... 22 B 2
Dussac 24 ... 223 F 5
Duttlenheim 67 ... 97 F 2
Duvy 60 ... 39 G 4
Duzey 55 ... 44 D 3
Dyé 89 ... 136 D 2
Dyo 71 ... 194 A 4

E

Eancé 35 ... 127 F 2
Eaubonne 95 ... 58 B 2
Eaucourt-sur-Somme 80 ... 11 H 4
Eaunes 31 ... 317 H 3
Eaux-Bonnes 64 ... 332 A 2
Eaux-Chaudes 64 ... 332 A 2
Eaux-Puiseaux 10 ... 114 C 3
Eauze 32 ... 295 F 1
Ébange 57 ... 45 G 3
Ébaty 21 ... 177 G 2
Ebaupinaye Château d' 79 ... 167 H 1
Ebblinghem 59 ... 3 G 5
Ébéon 17 ... 201 H 4
Eberbach-Seltz 67 ... 69 G 2
Eberbach-Wœrth 67 ... 68 D 2
Ebersheim 67 ... 97 F 4
Ebersmunster 67 ... 97 F 4
Ébersviller 57 ... 46 B 4
Éblange 57 ... 46 C 4
Ébouleau 02 ... 25 F 4
Ébréon 16 ... 203 E 3
Ébreuil 03 ... 209 H 2
L'Écaille 08 ... 41 H 2
Écaillon 59 ... 9 E 5
Écajeul 14 ... 54 A 1
Ecalgrain Baie d' 50 ... 28 C 2
Écalles-Alix 76 ... 19 H 5
Écaquelon 27 ... 35 G 3
Écardenville-
la-Campagne 27 ... 35 H 5
Écardenville-sur-Eure 27 ... 36 C 5
Écausseville 50 ... 29 G 5
Écauville 27 ... 36 A 5
Eccica-Suarella 2A ... 348 D 3
Eccles 59 ... 15 H 3
Échalas 69 ... 230 D 3
Échallat 16 ... 220 D 1
Échallon 01 ... 196 D 5
Échalot 21 ... 138 D 5
Échalou 61 ... 53 F 4
Échandelys 63 ... 228 C 3
Échannay 21 ... 159 F 3
Écharcon 91 ... 87 H 2
Les Écharmeaux 69 ... 212 B 1
Échassières 03 ... 209 F 1
Échauffour 61 ... 54 D 4
Échavanne 70 ... 142 B 3
Échay 25 ... 179 H 1
Échebrune 17 ... 219 H 2
L'Échelle 08 ... 26 B 2
L'Échelle-Saint-Aurin 80 ... 23 E 4
Les Échelles 73 ... 232 D 4
Échemines 10 ... 90 C 4
Échemiré 49 ... 129 F 5
Échenans 25 ... 142 B 4
Échenans-
sous-Mont-Vaudois 70 ... 142 B 3
Échenay 52 ... 93 F 3
Échenevex 01 ... 197 F 4
Échenon 21 ... 160 C 5
Échenoz-la-Méline 70 ... 141 E 4
Échenoz-le-Sec 70 ... 141 E 5
Échery 68 ... 96 D 5
Les Échets 01 ... 213 F 4
Échevanne 70 ... 161 F 2
Échevannes 21 ... 160 B 1
Échevannes 25 ... 162 B 5
Échevis 26 ... 250 B 3
Échevronne 21 ... 159 H 5
Échigey 21 ... 160 B 4
Échillais 17 ... 200 D 4
Échilleuses 45 ... 112 A 3
Echinghen 62 ... 6 B 2
Échiré 79 ... 185 E 3
Échirolles 38 ... 250 D 2
Échouboulains 77 ... 88 D 4
Échourgnac 24 ... 239 F 2
Eckartswiller 67 ... 68 B 4
Eckbolsheim 67 ... 97 G 1
Eckmühl Phare d' 29 ... 99 F 5
Eckwersheim 67 ... 68 D 5
Éclaibes 59 ... 15 G 3
Éclaires 51 ... 63 F 1
Éclance 10 ... 92 A 5
Éclans 39 ... 161 E 5
Eclaron 52 ... 92 B 2
Eclassan 07 ... 249 E 2
Écleux 39 ... 179 G 1
Éclimeux 62 ... 7 F 5
Eclose 38 ... 232 A 3
Écluse Défilé de l' 74 ... 215 E 1
Écluzier-Vaux 80 ... 23 F 1
Écluzelles 28 ... 56 D 5
Écly 08 ... 26 A 5
Écoche 42 ... 212 A 1
Écoivres 62 ... 12 C 2
École 73 ... 233 H 1
École-Valentin 25 ... 161 H 3
Écollemont 51 ... 92 A 2
Écoman 41 ... 132 A 2
Écommoy 72 ... 130 A 2
Écomusée
de Haute-Alsace 68 ... 121 E 5
Écoquenéauville 50 ... 31 H 2
Écorcei 61 ... 55 F 5
Les Écorces 25 ... 163 G 3
Écorches 61 ... 54 B 3
Écordal 08 ... 26 C 5
Écorpain 72 ... 108 C 5
Écos 27 ... 37 E 5
Écot 25 ... 142 B 5
Ecot-la-Combe 52 ... 117 F 2
Écotay-l'Olme 42 ... 229 G 2
Écots 14 ... 54 B 1
Écouché 61 ... 54 A 4
Écouen 95 ... 58 C 1
Écouflant 49 ... 149 G 1
Écouis 27 ... 36 D 3
Écourt-Saint-Quentin 62 ... 14 A 3
Écoust-Saint-Mein 62 ... 13 H 3
Écouves Forêt d' 61 ... 83 G 2
Écouviez 55 ... 44 B 1
L'Écouvotte 25 ... 162 B 2
Écoyeux 17 ... 201 H 5
Ecquedecques 62 ... 7 H 3
Ecques 62 ... 7 F 2
Ecquetot 27 ... 36 A 5
Ecquevilly 78 ... 57 H 2
Écrainville 76 ... 18 D 4
Écrammeville 14 ... 32 C 2
Les Écrennes 77 ... 88 D 3
Écretteville-lès-Baons 76 ... 19 G 4
Écretteville-sur-Mer 76 ... 19 E 3
Écriennes 51 ... 62 D 5
Écrille 39 ... 196 C 2
Écromagny 70 ... 141 H 2
Écrosnes 28 ... 86 C 3
Écrouves 54 ... 94 B 1
Ectot-l'Auber 76 ... 20 A 4
Ectot-lès-Baons 76 ... 19 H 4
Écublé 28 ... 85 H 2
Écueil 51 ... 41 G 4
Écueillé 36 ... 171 E 1
Écuélin 59 ... 15 G 3
Écuelle 70 ... 140 A 5
Écuelles 71 ... 178 A 2
Écuelles 77 ... 88 C 5
Écuillé 49 ... 128 C 5
Écuires 62 ... 6 C 4
Écuisses 71 ... 177 F 4
Éculleville 50 ... 28 D 2
Écully 69 ... 213 E 5
Écuras 16 ... 222 B 1
Écurat 17 ... 201 F 5
Écurcey 25 ... 142 B 5
Écurey-en-Verdunois 55 ... 44 B 3
Écurie 62 ... 13 G 2
Écury-le-Repos 51 ... 61 G 4
Écury-sur-Coole 51 ... 62 A 3
Écutigny 21 ... 177 F 1
Écuvilly 60 ... 23 G 4
Edern 29 ... 100 A 2
Édon 16 ... 221 G 3
Les Éduts 17 ... 202 C 3
Eecke 59 ... 4 A 5
Effiat 63 ... 210 A 2
Effincourt 52 ... 93 E 3
Effry 02 ... 25 G 1
Égat 66 ... 341 F 4
Égleny 89 ... 135 H 3
Égletons 19 ... 225 F 5
Égligny 77 ... 89 F 4
Eglingen 68 ... 143 E 2
L'Église-aux-Bois 19 ... 225 E 2
Église-Neuve-de-Vergt 24 ... 240 C 3
Église-Neuve-d'Issac 24 ... 239 H 4
Égliseneuve-
d'Entraigues 63 ... 227 F 5
Égliseneuve-des-Liards 63 ... 228 B 3
Égliseneuve-près-Billom 63 ... 228 B 1
Les Églises d'Argenteuil 17 ... 201 H 3
Églisolles 63 ... 229 F 4
Les Églisottes-
et-Chalaures 33 ... 238 D 3
Égly 91 ... 87 G 2
Égreville 77 ... 112 D 3
Égriselles-le-Bocage 89 ... 113 F 3
Égry 45 ... 111 H 4
Éguelshardt 57 ... 68 B 1
Eguenigue 90 ... 142 C 2
L'Éguille 17 ... 218 D 1
Éguilles 13 ... 305 H 5
Éguilly 21 ... 159 E 3
Éguilly-sous-Bois 10 ... 115 H 3
Eguisheim 68 ... 121 E 3
Éguzon 36 ... 188 D 3
Éguzon Barrage d' 36 ... 188 D 3
Éhuns 70 ... 141 G 2
Eichhoffen 67 ... 97 F 3
Eincheville 57 ... 66 D 2
Einvaux 54 ... 95 F 2
Einville-au-Jard 54 ... 95 F 1
Eix 55 ... 44 C 5
Élan 08 ... 26 D 4
Élancourt 78 ... 57 H 4
Elbach 68 ... 142 D 3
Elbeuf 76 ... 36 A 3
Elbeuf-en-Bray 76 ... 37 F 1
Elbeuf-sur-Andelle 76 ... 36 D 1
Élencourt 60 ... 21 H 4
Élesmes 59 ... 15 H 2

Életot 76 .... 19 E 3
Éleu-Dit-Leauwette 62 .... 8 B 5
Élincourt 59 .... 14 C 5
Élincourt-Sainte-Marguerite 60 .... 39 F 1
Élisabethville 78 .... 57 G 2
Élise-Daucourt 51 .... 63 E 1
Elizaberry 64 .... 310 D 3
Ellecourt 76 .... 21 F 3
Elliant 29 .... 100 A 3
Ellon 14 .... 33 E 4
Elne 66 .... 343 F 3
Elnes 62 .... 7 E 2
Éloie 90 .... 142 C 2
Éloise 74 .... 215 E 1
Éloyes 88 .... 119 H 3
Elsenheim 67 .... 121 F 2
Elvange 57 .... 66 D 1
Elven 56 .... 124 D 3
Elzange 57 .... 45 H 3
Émagny 25 .... 161 G 3
Émalleville 27 .... 36 B 5
Émancé 78 .... 86 C 2
Émanville 27 .... 55 H 1
Émanville 76 .... 20 A 5
Emberménil 54 .... 95 H 1
Embourie 16 .... 203 E 2
Embres-et-Castelmaure 11 .... 338 D 3
Embreville 80 .... 11 E 4
Embrun 05 .... 270 C 3
Embry 62 .... 6 D 4
Émerainville 77 .... 59 E 4
Émerchicourt 59 .... 14 B 2
Émeringes 69 .... 194 D 5
Éméville 60 .... 39 H 3
Émiéville 14 .... 33 H 5
Emlingen 68 .... 143 F 3
Emmerin 59 .... 8 C 3
Émondeville 50 .... 29 G 5
Empeaux 31 .... 297 F 5
Empurany 07 .... 248 D 4
Empuré 16 .... 203 E 2
Empury 58 .... 157 H 3
Encausse 32 .... 297 E 3
Encausse-les-Thermes 31 .... 334 C 2
Enchanet *Barrage d'* 15 .... 243 H 3
Enchastrayes 04 .... 271 E 5
Enchenberg 57 .... 68 A 1
L'Enclave-de-la-Martinière 79 .... 185 G 4
Encourtiech 09 .... 335 F 3
Encrenaz *Col de l'* 74 .... 198 C 5
Endoufielle 32 .... 297 E 5
Énencourt-le-Sec 60 .... 37 H 3
Énencourt-Léage 60 .... 37 G 3
Enfer *Gouffre d'* 42 .... 230 B 4
Enfer *Portes d'* 86 .... 187 G 4
Enfonvelle 52 .... 118 B 5
Engarran *Château de l'* 34 .... 302 D 5
Engayrac 47 .... 276 D 2
Engayresque *Col d'* 12 .... 281 G 2
Engente 10 .... 92 B 5
Engenthal 67 .... 68 A 5
Engenville 45 .... 111 G 2
Enghien-les-Bains 95 .... 58 C 2
Engins 38 .... 250 D 2
Englancourt 02 .... 25 E 1
Englebelmer 80 .... 13 F 5
Englefontaine 59 .... 15 E 3
Englesqueville-en-Auge 14 .... 34 C 3
Englesqueville-la-Percée 14 .... 32 C 2
Englos 59 .... 8 C 2
Engomer 09 .... 335 E 3
Engraviès 09 .... 336 C 2
Enguinegatte 62 .... 7 F 3
Engwiller 67 .... 68 C 3
Ennemain 80 .... 23 G 2
Ennery 57 .... 45 H 4
Ennery 95 .... 58 A 1
Ennetières-en-Weppes 59 .... 8 C 2
Ennevelin 59 .... 8 D 3
Ennezat 63 .... 210 A 4
Ennordres 18 .... 155 E 2
Enquin-les-Mines 62 .... 7 F 3
Enquin-sur-Baillons 62 .... 6 C 3
Ens 65 .... 333 G 4
Ensérune *Oppidum d'* 34 .... 321 F 5
Ensigné 79 .... 202 C 2
Ensisheim 68 .... 121 E 5
Ensuès-la-Redonne 13 .... 326 C 2
Entrages 04 .... 288 A 4
Entraigues 38 .... 251 F 4
Entraigues 63 .... 210 A 4
Entraigues-sur-la-Sorgue 84 .... 285 G 5
Entrains-sur-Nohain 58 .... 156 D 2
Entrammes 53 .... 106 A 4
Entrange 57 .... 45 G 2
Entraunes 06 .... 289 E 2
Entraygues-sur-Truyère 12 .... 262 D 3
Entre-deux-Eaux 88 .... 96 B 5
Entre-deux-Guiers 38 .... 232 D 4
Entre-deux-Monts 39 .... 180 A 5
Entrecasteaux 83 .... 307 G 5
Entrechaux 84 .... 285 H 2
Entremont 74 .... 216 A 3
Entremont-le-Vieux 73 .... 233 E 3
Entrepierres 04 .... 287 G 2
Entressen 13 .... 305 E 4
Entrevaux 04 .... 289 F 5
Entrevennes 04 .... 287 G 5
Entrevernes 74 .... 215 H 4
Entzheim 67 .... 97 G 1
Enval 63 .... 209 G 4
Enveitg 66 .... 341 E 4
Envermeu 76 .... 20 C 2
Envronville 76 .... 19 G 4
Eoulx 04 .... 308 B 1
Éourres 05 .... 287 E 2
Eoux 31 .... 316 D 4
Épagne 10 .... 91 G 4
Épagne-Epagnette 80 .... 11 G 4
Épagny 02 .... 40 A 1
Épagny 21 .... 160 A 1
Épagny-Metz-Tessy 74 .... 215 G 3
Épaignes 27 .... 35 E 3
Épaney 14 .... 53 H 2
Épannes 79 .... 184 C 5
Éparcy 02 .... 25 G 2
Les Éparges 55 .... 64 D 1
Épargnes 17 .... 219 E 3
Les Éparres 38 .... 232 A 3
Epau *Abbaye de l'* 72 .... 107 H 5
Épaumesnil 80 .... 11 G 5
Épaux-Bézu 02 .... 40 B 5
Épeautrolles 28 .... 85 H 5
Épécamps 80 .... 12 B 4
Épégard 27 .... 35 H 4
Épehy 80 .... 14 A 5
Épeigné-les-Bois 37 .... 152 C 4
Épeigné-sur-Dême 37 .... 130 D 4
Épénancourt 80 .... 23 G 2
Épenède 16 .... 204 B 2
Épenouse 25 .... 162 C 4
Épenoy 25 .... 162 C 5
Épense 51 .... 63 E 2
Épercieux-Saint-Paul 42 .... 211 H 5
Éperlecques 62 .... 3 E 4
Épernay 51 .... 61 G 1
Épernay-sous-Gevrey 21 .... 160 A 4
Épernon 28 .... 86 C 2
Éperrais 61 .... 84 B 4
Épersy 73 .... 215 F 5
Épertully 71 .... 177 F 2
Épervans 71 .... 177 H 4
Les Epesses 85 .... 166 D 3
Épeugney 25 .... 162 A 5
Epfig 67 .... 97 F 4
Épiais 41 .... 132 A 3
Épiais-lès-Louvres 95 .... 58 D 1
Épiais-Rhus 95 .... 38 A 5
Épieds 02 .... 40 C 5
Épieds 27 .... 56 D 2
Épieds 49 .... 150 C 5
Épieds-en-Beauce 45 .... 110 B 5
Épierre 73 .... 234 A 3
Épiez-sur-Chiers 54 .... 44 C 2
Épiez-sur-Meuse 55 .... 93 H 2
Épinac 71 .... 177 E 2
Épinal 88 .... 119 F 2
Épinant 52 .... 117 G 4
Épinay 27 .... 55 F 2
Épinay-Champlâtreux 95 .... 58 C 1
L'Épinay-le-Comte 61 .... 81 H 3
Épinay-sous-Sénart 91 .... 58 D 5
Épinay-sur-Duclair 76 .... 35 H 1
Épinay-sur-Odon 14 .... 33 E 5
Épinay-sur-Orge 91 .... 58 C 5
Épinay-sur-Seine 93 .... 58 C 2
L'Épine 05 .... 268 D 5
L'Épine 51 .... 62 B 2
L'Épine 85 .... 164 B 1
Épine *Col de l'* 73 .... 233 E 2
L'Épine-aux-Bois 02 .... 60 C 3
Épineau-les-Voves 89 .... 113 H 5
Épineu-le-Chevreuil 72 .... 107 E 4
Épineuil 89 .... 137 E 2
Épineuil-le-Fleuriel 18 .... 190 D 2
Épineuse 60 .... 38 D 2
Épineux-le-Seguin 53 .... 106 D 5
Epiniac 35 .... 80 B 2
Épinonville 55 .... 43 G 3
Épinouze 26 .... 231 F 5
Épinoy 62 .... 14 B 3
Épire 49 .... 149 F 2
Épiry 58 .... 157 G 5
Épisy 77 .... 88 C 5
Épizon 52 .... 93 F 4
Éplessier 80 .... 21 H 3
Épluches 95 .... 58 A 1
Éply 54 .... 65 H 3
Époisses 21 .... 158 C 1
Épône 78 .... 57 G 2
Épothémont 10 .... 92 A 4
Épouville 76 .... 18 C 5
Époye 51 .... 42 A 3
Eppe-Sauvage 59 .... 16 A 4
Eppes 02 .... 25 E 5
Eppeville 80 .... 23 H 3
Epping 57 .... 48 B 5
Épretot 76 .... 18 D 5
Épreville 76 .... 19 E 4
Épreville-en-Lieuvin 27 .... 35 F 4
Épreville-en-Roumois 27 .... 35 G 3
Épreville-près-le-Neubourg 27 .... 35 H 5
Épron 14 .... 33 G 4
Eps 62 .... 7 F 4
Épuisay 41 .... 131 F 2
Équancourt 80 .... 14 A 5
Équemauville 14 .... 34 C 2
Équennes-Éramecourt 80 .... 21 H 3
Équeurdreville-Hainneville 50 .... 29 E 3
Équevilley 70 .... 141 F 3
Équevillon 39 .... 179 H 4
Équihen-Plage 62 .... 6 A 2
Équilly 50 .... 51 G 3
Équirre 62 .... 7 F 4
Éragny 95 .... 58 A 1
Éragny-sur-Epte 60 .... 37 G 3
Eraines 14 .... 53 H 2
Éramecourt 80 .... 21 H 4
Éraville 16 .... 220 D 2
Erbajolo 2B .... 347 F 5
Erbalunga 2B .... 345 G 3
Erbéviller-sur-Amezule 54 .... 66 C 5
Erbray 44 .... 127 E 4
Erbrée 35 .... 105 F 3
Ercé 09 .... 335 G 4
Ercé-en-Lamée 35 .... 126 D 2
Ercé-près-Liffré 35 .... 80 C 5
Erceville 45 .... 111 F 2
Erches 80 .... 23 E 4
Ercheu 80 .... 23 G 4
Erchin 59 .... 14 B 2
Erching 57 .... 48 B 5
Erckartswiller 67 .... 68 B 3
Ercourt 80 .... 11 F 4
Ercuis 60 .... 38 B 4
Erdeven 56 .... 123 G 3
Erdre-en-Anjou 49 .... 128 A 5
Éréac 22 .... 103 E 1
Ergersheim 67 .... 97 F 1
Ergnies 80 .... 12 B 4
Ergny 62 .... 6 D 3
Ergué-Gabéric 29 .... 99 H 3
Érigné 49 .... 149 G 2
Érin 62 .... 7 F 5
Éringes 21 .... 138 A 5
Eringhem 59 .... 3 G 3
Ériseul 52 .... 139 E 2
Érize-la-Brûlée 55 .... 63 H 3
Érize-la-Grande 55 .... 63 H 2
Érize-la-Petite 55 .... 63 H 2
Érize-Saint-Dizier 55 .... 63 H 3
Erlon 02 .... 25 E 3
Erloy 02 .... 25 E 1
Ermenonville 60 .... 39 E 5
Ermenonville-la-Grande 28 .... 86 A 5
Ermenonville-la-Petite 28 .... 85 H 5
Ermenouville 76 .... 19 H 3
Ermitage-du-Frère-Joseph 88 .... 120 B 5
Ermont 95 .... 58 B 2
Ernecourt 55 .... 64 B 5
Ernée 53 .... 81 G 5
Ernemont-Boutavent 60 .... 21 G 5
Ernemont-la-Villette 76 .... 37 F 1
Ernemont-sur-Buchy 76 .... 36 D 1
Ernes 14 .... 54 A 1
Ernestviller 57 .... 67 G 1
Ernolsheim-Bruche 67 .... 97 F 1
Ernolsheim-lès-Saverne 67 .... 68 B 4
Erny-Saint-Julien 62 .... 7 F 3
Érôme 26 .... 249 E 2
Érondelle 80 .... 11 G 4
Érone 2B .... 347 F 3
Éroudeville 50 .... 29 G 5
Erp 09 .... 335 F 3
Erquery 60 .... 38 D 2
Erquières 62 .... 12 B 2
Erquinghem-le-Sec 59 .... 8 C 3
Erquinghem-Lys 59 .... 8 B 2
Erquinvillers 60 .... 38 D 1
Erquy 22 .... 78 D 2
Err 66 .... 341 F 5
Erre 59 .... 9 F 5
Errevet 70 .... 142 B 2
Errouville 54 .... 45 F 2
Ersa 2B .... 345 F 1
Erstein 67 .... 97 G 3
Erstroff 57 .... 67 E 2
Ervauville 45 .... 113 E 4
Ervillers 62 .... 13 G 4
Ervy-le-Châtel 10 .... 114 C 4
Esbareich 65 .... 334 A 3
Esbarres 21 .... 160 C 5
Esbly 77 .... 59 F 3
Esboz-Brest 70 .... 141 G 2
Escala 65 .... 333 H 1
Escalans 40 .... 274 D 5
Les Escaldes 66 .... 341 F 4
L'Escale 04 .... 287 G 4
Escales 11 .... 320 C 5
Escalette *Pas de l'* 34 .... 301 H 2
Escalles 62 .... 2 B 3
Escalquens 31 .... 318 A 2
Escames 60 .... 21 G 5
Escamps 46 .... 278 C 1
Escamps 89 .... 136 A 4
Escandolières 12 .... 262 B 5
Escanecrabe 31 .... 316 C 4
Escardes 51 .... 60 C 5
L'Escarène 06 .... 291 F 5
Escarmain 59 .... 14 D 3
Escaro 66 .... 342 A 3
Escassefort 47 .... 257 F 4
Escatalens 82 .... 277 G 5
Escaudain 59 .... 14 C 2
Escaudes 33 .... 274 B 1
Escaudœuvres 59 .... 14 B 3
Escaufourt 59 .... 14 D 5
Escaunets 65 .... 314 D 3
Escautpont 59 .... 9 G 5
Escazeaux 82 .... 297 E 2
Eschau 67 .... 97 G 2
Eschbach 67 .... 68 D 3
Eschbach-au-Val 68 .... 120 D 3
Eschbourg 67 .... 68 A 3
Eschêne-Autrage 90 .... 142 C 3
Eschentzwiller 68 .... 143 G 2
Escherange 57 .... 45 G 2
Esches 60 .... 38 A 4
Eschwiller 67 .... 67 H 3
Esclagne 09 .... 336 D 2
Esclainvillers 80 .... 22 C 4
Esclanèdes 48 .... 264 B 5
Esclangon 04 .... 288 A 2
Esclassan-Labastide 32 .... 316 A 2
Esclauzels 46 .... 260 C 5
Esclavelles 76 .... 20 D 4
Esclavolles-Lurey 51 .... 90 A 2
Escles 88 .... 118 D 3
Escles-Saint-Pierre 60 .... 21 G 3
Esclimont 28 .... 86 D 3
Esclottes 47 .... 257 E 2
Escobecques 59 .... 8 C 2
Escœuilles 62 .... 2 D 5
Escoire 24 .... 240 D 2
Escolives-Sainte-Camille 89 .... 136 B 4
Escombres-et-le-Chesnois 08 .... 27 G 4
Esconac 33 .... 255 G 2
Escondeaux 65 .... 315 F 3
Esconnets 65 .... 333 G 1
Escorailles 15 .... 244 B 2
Escornebœuf 32 .... 296 D 4
Escorpain 28 .... 56 B 5
Escos 64 .... 311 H 3
Escosse 09 .... 336 A 1
Escot 64 .... 331 H 2
Escots 65 .... 333 G 1
Escou 64 .... 331 H 1
Escoubès 64 .... 314 C 2
Escoubès-Pouts 65 .... 333 E 1
Escoublère *Manoir de l'* 53 .... 128 C 3
Escoulis 31 .... 335 E 1
Escouloubre 11 .... 337 F 5
Escource 40 .... 272 D 3
Escoussans 33 .... 256 B 2
Escoussens 81 .... 319 G 2
Escout 64 .... 331 H 1
Escoutoux 63 .... 210 C 5
Escoville 14 .... 33 H 4
Escragnolles 06 .... 308 D 2
Escrennes 45 .... 111 G 3
Escrignelles 45 .... 134 D 4
Escrinet *Col de l'* 07 .... 266 C 2
Escroux 81 .... 300 B 3
Escueillens 11 .... 337 E 1
Escurès 64 .... 314 D 2
Escures-sur-Favières 14 .... 54 A 1
Escurolles 03 .... 210 A 1
Ésery 74 .... 215 H 1
Eslettes 76 .... 20 A 5
Esley 88 .... 118 C 2
Eslourenties-Daban 64 .... 314 D 4
Esmans 77 .... 88 D 5
Esmery-Hallon 80 .... 23 H 4
Esmoulières 70 .... 119 H 5
Esmoulins 70 .... 161 E 2
Esnandes 17 .... 183 F 5
Esnans 25 .... 162 C 2
Esnes 59 .... 14 C 4
Esnes-en-Argonne 55 .... 43 H 4
Esnoms-au-Val 52 .... 139 F 4
Esnon 89 .... 114 A 5
Esnouveaux 52 .... 117 F 3
Espagnac 19 .... 243 E 1
Espagnac-Sainte-Eulalie 46 .... 261 E 4
Espagnols *Pointe des* 29 .... 75 E 3
Espalais 82 .... 276 D 4
Espalem 43 .... 246 A 1
Espalion 12 .... 263 E 4
Espaly-Saint-Marcel 43 .... 247 F 3
Espanès 31 .... 318 A 2
Espaon 32 .... 316 D 3
Esparron 05 .... 269 F 4
Esparron 31 .... 316 C 4
Esparron 83 .... 306 D 4
Esparron-de-Verdon 04 .... 307 E 2
Esparron-la-Bâtie 04 .... 287 H 1
Esparros 65 .... 333 G 2
Esparsac 82 .... 297 E 1
Espartignac 19 .... 224 C 4
Espas 32 .... 295 E 2
Espaubourg 60 .... 37 G 2
Espèche 65 .... 333 G 1
Espéchède 64 .... 314 C 3
Espédaillac 46 .... 260 D 3
Espelette 64 .... 310 D 4
Espeluche 26 .... 267 F 4
Espenel 26 .... 268 A 2
Espérausses 81 .... 300 A 4
Espéraza 11 .... 337 G 3
Esperce 31 .... 317 H 4
Espère 46 .... 259 H 4
L'Espérou 30 .... 282 C 4
Espès-Undurein 64 .... 313 F 4
Espeyrac 12 .... 262 C 3
Espeyroux 46 .... 261 E 2
Espezel 11 .... 337 E 4
Espieilh 65 .... 333 G 1
Espiens 47 .... 275 G 3
Espiet 33 .... 256 B 1
Espinas 82 .... 279 E 3
Espinasse 15 .... 245 G 5
Espinasse 63 .... 209 E 3
Espinasse-Vozelle 03 .... 210 A 2
Espinasses 05 .... 270 A 4
Espinchal 63 .... 227 F 5
Espinouse 04 .... 287 H 4
Espins 14 .... 53 G 1
Espira-de-Conflent 66 .... 342 B 3
Espira-de-l'Agly 66 .... 338 D 5
Espirat 63 .... 228 B 1
Espiute 64 .... 311 H 4
Esplantas-Vazeilles 43 .... 246 C 5
Esplas 09 .... 318 A 5
Esplas-de-Sérou 09 .... 335 H 3
Espoey 64 .... 314 C 4
Espondeilhan 34 .... 321 G 2
Esprels 70 .... 141 G 5
Esquay-Notre-Dame 14 .... 33 F 5
Esquay-sur-Seulles 14 .... 33 E 3
Esquéhéries 02 .... 25 E 1
Esquelbecq 59 .... 3 G 4
Esquennoy 60 .... 22 B 4
Esquerchin 59 .... 8 D 5
Esquerdes 62 .... 7 F 2
Esquibien 29 .... 98 D 2
Esquièze-Sère 65 .... 333 E 3
Esquillon *Pointe de l'* 06 .... 309 E 5
Esquiule 64 .... 331 G 1
Essalois *Château d'* 42 .... 230 A 4
Les Essards 16 .... 239 E 1
Les Essards 17 .... 201 F 5
Les Essards 37 .... 151 E 3
Les Essards-Taignevaux 39 .... 178 D 2
Essarois 21 .... 138 C 3
Essars 62 .... 8 A 3
Les Essarts 27 .... 56 A 3
Les Essarts 41 .... 131 E 4
Les Essarts 76 .... 36 A 3
Les Essarts 85 .... 166 B 4
Les Essarts-le-Roi 78 .... 57 G 5
Les Essarts-le-Vicomte 51 .... 60 D 5
Les Essarts-lès-Sézanne 51 .... 60 D 4
Les Essarts-Varimpré 76 .... 21 E 2
Essavilly 39 .... 180 A 4
Essay 61 .... 83 H 2
Esse 16 .... 204 C 2
Essé 35 .... 104 D 5
Essegney 88 .... 95 E 4
Les Esseintes 33 .... 256 D 3
Essert 89 .... 136 D 5
Essert 90 .... 142 B 3
Essert-Romand 74 .... 198 C 5
Essertaux 80 .... 22 B 3
Essertenne 71 .... 177 F 4
Essertenne-et-Cecey 70 .... 160 D 2
Essertines-en-Châtelneuf 42 .... 229 G 2
Essertines-en-Donzy 42 .... 212 A 5
Esserts-Blay 73 .... 234 B 1
Esserts-Salève 74 .... 215 H 1
Esserval-Combe 39 .... 180 A 3
Esserval-Tartre 39 .... 180 A 3
Essey 21 .... 159 E 4
Essey-et-Maizerais 54 .... 65 E 3
Essey-la-Côte 54 .... 95 F 3
Essey-les-Eaux 52 .... 117 G 4
Essey-lès-Nancy 54 .... 65 H 5
Essey-les-Ponts 52 .... 116 C 4
Essia 39 .... 196 B 1
Essigny-le-Grand 02 .... 24 B 3
Essigny-le-Petit 02 .... 24 B 2
Essises 02 .... 60 C 2
Essômes-sur-Marne 02 .... 60 B 1
Esson 14 .... 53 F 2
Essoyes 10 .... 115 H 4
Essuiles 60 .... 38 B 1
Les Estables 43 .... 247 H 5
Estables 48 .... 264 C 3
Establet 26 .... 268 B 4
Estadens 31 .... 334 D 2
Estagel 66 .... 338 C 5
Estaing 12 .... 262 D 4
Estaing 65 .... 332 C 3
Estaires 59 .... 8 B 2
Estal 46 .... 243 E 5
Estampes 32 .... 315 G 3
Estampures 65 .... 315 G 3
Estancarbon 31 .... 334 C 1
Estandeuil 63 .... 228 B 1
Estang 32 .... 294 D 1
L'Estaque 13 .... 326 D 2
Estarvielle 65 .... 333 H 4
Estavar 66 .... 341 F 4
Esteil 63 .... 228 B 4
Estenc 06 .... 289 E 2
Esténos 31 .... 334 B 3
Estensan 65 .... 333 G 4
Estérençuby 64 .... 330 C 1
Esternay 51 .... 60 D 4
Esterre 65 .... 333 E 3
Estevelles 62 .... 8 C 4
Esteville 76 .... 20 C 5
Estézargues 30 .... 304 B 1
Estialescq 64 .... 313 H 4
Estibeaux 40 .... 293 F 4
Estigarde 40 .... 274 C 5
Estillac 47 .... 276 B 3
Estipouy 32 .... 295 H 5
Estirac 65 .... 295 E 5
Estissac 10 .... 114 C 2
Estivals 19 .... 242 B 4
Estivareilles 03 .... 190 D 3
Estivareilles 42 .... 229 G 4
Estivaux 19 .... 242 B 1
Estoher 66 .... 342 B 3
Estos 64 .... 331 H 1
Estoublon 04 .... 288 A 5
Estouches 91 .... 87 F 5
Estourmel 59 .... 14 C 4
Étouteville-Écalles 76 .... 20 C 5
Estouy 45 .... 111 H 3
Estrablin 38 .... 231 F 3
Estramiac 32 .... 296 D 2
Estrebay 08 .... 26 A 2
Estrébœuf 80 .... 11 F 3
L'Estréchure 30 .... 283 E 4
Estrée 62 .... 6 C 4
Estrée-Blanche 62 .... 7 G 3
Estrée-Cauchy 62 .... 8 A 5
Estrée-Wamin 62 .... 12 D 2
Estréelles 62 .... 6 C 4

Estrées 02 ... 24 B 1
Estrées 59 ... 14 A 2
Estrées-Deniécourt 80 ... 23 F 2
Estrées-en-Chaussée 80 ... 23 H 2
Estrées-la-Campagne 14 ... 53 H 1
Estrées-lès-Crécy 80 ... 11 H 2
Estrées-Saint-Denis 60 ... 39 E 2
Estrées-sur-Noye 80 ... 22 C 3
Estrennes 88 ... 94 C 5
Estreux 59 ... 9 H 5
Estrun 59 ... 14 C 3
Estry 14 ... 52 D 2
Esves-le-Moutier 37 ... 170 B 1
Esvres 37 ... 152 A 4
Eswars 59 ... 14 B 3
Étable 73 ... 233 H 3
Étables 07 ... 249 E 3
Étables-sur-Mer 22 ... 73 H 4
Étagnac 16 ... 204 D 4
Étaimpuis 76 ... 20 B 4
Étain 55 ... 44 D 5
Étaing 62 ... 13 H 2
Étainhus 76 ... 18 D 5
Étais 21 ... 137 H 4
Étais-la-Sauvin 89 ... 156 D 1
Étalans 25 ... 162 C 4
Étalante 21 ... 138 C 4
Étalle 08 ... 26 B 2
Étalleville 76 ... 19 H 3
Étalon 80 ... 23 F 3
Étalondes 76 ... 10 D 4
Étampes 91 ... 87 F 4
Étampes-sur-Marne 02 ... 60 C 1
L'Étang-Bertrand 50 ... 29 E 5
L'Étang-la-Ville 78 ... 58 A 3
Étang-sur-Arroux 71 ... 176 C 3
L'Étang-Vergy 21 ... 159 H 5
Les Étangs 57 ... 46 B 5
Étaples 62 ... 6 B 4
Étaule 89 ... 158 A 1
Étaules 17 ... 200 C 5
Étaules 21 ... 159 H 2
Étauliers 33 ... 237 G 1
Étaves-et-Bocquiaux 02 ... 24 C 1
Étavigny 60 ... 39 G 5
Etcharry 64 ... 311 H 4
Etchebar 64 ... 331 E 2
Eteaux 74 ... 215 H 1
Éteignières 08 ... 26 B 2
Eteimbes 68 ... 142 D 2
Étel 56 ... 123 G 3
Ételfay 80 ... 23 E 4
L'Etelon 03 ... 190 D 1
Étercy 74 ... 215 F 3
Éternoz 25 ... 180 A 1
Éterpigny 62 ... 13 H 3
Éterpigny 80 ... 23 G 2
Éterville 14 ... 33 G 5
Étevaux 21 ... 160 C 3
Eth 59 ... 15 E 2
Étienville 50 ... 31 G 2
Étigny 89 ... 113 G 3
Les Étilleux 28 ... 108 D 2
Étinehem 80 ... 23 E 1
Étiolles 91 ... 88 A 2
Étival 39 ... 196 D 2
Étival-Clairefontaine 88 ... 96 A 4
Étival-lès-le-Mans 72 ... 107 G 5
Étivey 89 ... 137 F 4
Étobon 70 ... 142 A 3
Étoges 51 ... 61 F 3
L'Étoile 39 ... 179 E 4
L'Étoile 80 ... 12 B 5
Étoile-Saint-Cyrice 05 ... 286 D 1
Étoile-sur-Rhône 26 ... 267 F 1
Éton 55 ... 44 D 4
Étormay 21 ... 138 B 5
Étouars 24 ... 222 B 2
Étourvy 10 ... 115 E 5
Étoutteville 76 ... 19 G 4
Étouvans 25 ... 142 B 5
Étouvelles 02 ... 40 D 1
Étouvy 14 ... 52 C 2
Étouy 60 ... 38 C 2
Étrabonne 25 ... 161 G 4
Étrappe 25 ... 142 A 5
L'Étrat 42 ... 230 B 3
Étray 25 ... 162 C 5
Étraye 55 ... 44 B 3
Étréaupont 02 ... 25 F 1
Étrechet 36 ... 172 A 4
Étréchy 18 ... 155 H 5
Étréchy 51 ... 61 G 3
Étréchy 91 ... 87 G 3
Étréham 14 ... 32 D 3
Étreillers 02 ... 24 A 2
Étréjust 80 ... 11 H 5
Étrelles 35 ... 105 E 3
Étrelles-et-la-Montbleuse 70 ... 161 G 1
Étrelles-sur-Aube 10 ... 90 C 2
Étrembières 74 ... 197 H 5
Étrépagny 27 ... 37 E 3
Étrepigney 39 ... 161 F 5
Étrépigny 08 ... 26 D 4
Étrépilly 02 ... 60 B 1
Étrépilly 77 ... 59 G 1
Étrepy 51 ... 63 E 4
Étretat 76 ... 18 C 3
Étreux 02 ... 15 E 5
Étreval 54 ... 94 C 3
Étréville 27 ... 35 F 2
Étrez 01 ... 195 H 4
Étriac 16 ... 220 D 3
Étriché 49 ... 128 D 4
Étricourt-Manancourt 80 ... 13 H 5
Étrigny 71 ... 195 E 1
Étrochey 21 ... 138 A 2
Étrœungt 59 ... 15 G 5
Étroitefontaine 70 ... 141 H 5
Étroussat 03 ... 192 A 5
Étrun 62 ... 13 F 2
Etsaut 64 ... 331 H 4
Ettendorf 67 ... 68 C 3
Etting 57 ... 67 H 1
Étueffont 90 ... 142 C 2
Étupes 25 ... 142 C 4
Éturqueraye 27 ... 35 G 2
Étusson 79 ... 167 G 1
Étuz 70 ... 161 H 2
Etzling 57 ... 47 F 5
Eu 76 ... 10 D 4
Euffigneix 52 ... 116 D 3
Eugénie-les-Bains 40 ... 294 B 3
Euilly-et-Lombut 08 ... 27 G 4
Eulmont 54 ... 65 H 5
Eup 31 ... 334 B 3
Eurre 26 ... 267 G 1
Eurville-Bienville 52 ... 92 D 2
Eus 66 ... 342 B 2
Euvezin 54 ... 65 E 3
Euville 55 ... 64 D 5
Euvy 51 ... 61 G 5
Euzet 30 ... 284 A 4
Évaillé 72 ... 130 D 2
Évans 39 ... 161 G 4
Évaux-et-Ménil 88 ... 95 E 4
Évaux-les-Bains 23 ... 208 C 1
Ève 60 ... 59 E 1
Évecquemont 78 ... 57 H 1
Évenos 83 ... 327 H 4
Évergnicourt 02 ... 41 G 2
Everly 77 ... 89 G 3
Évette-Salbert 90 ... 142 B 2
Éveux 69 ... 212 D 5
Évian-les-Bains 74 ... 198 B 3
Évigny 08 ... 26 D 3
Évillers 25 ... 180 B 1
Évin-Malmaison 62 ... 8 D 5
Évires 74 ... 215 H 2
Évisa 2A ... 346 C 5
Évosges 01 ... 214 B 3
Évran 22 ... 79 H 5
Évrange 57 ... 45 H 1
Évrecy 14 ... 33 F 5
Èvres 55 ... 63 G 1
Évreux 27 ... 56 B 1
Évricourt 60 ... 23 G 5
Évriguet 56 ... 102 D 3
Évron 53 ... 106 C 3
Évry 89 ... 113 G 2
Évry 91 ... 87 H 2
Évry-Grégy-sur-Yerres 77 ... 59 E 5
Excenevex 74 ... 198 A 3
Excideuil 24 ... 223 F 5
Exermont 08 ... 43 F 3
Exideuil 16 ... 204 C 4
Exincourt 25 ... 142 C 4
Exireuil 79 ... 185 F 3
Exmes 61 ... 54 C 4
Exoudun 79 ... 185 G 4
Expiremont 17 ... 220 B 5
Expo Faune Lorraine 88 ... 120 B 3
Eybens 38 ... 251 E 2
Eybouleuf 87 ... 206 B 5
Eyburie 19 ... 224 C 4
Eycheil 09 ... 335 F 3
Eydoche 38 ... 232 A 4
Eygalayes 26 ... 286 D 2
Eygalières 13 ... 305 E 2
Eygaliers 26 ... 286 A 2
Eygliers 05 ... 270 D 2
Eygluy-Escoulin 26 ... 267 H 1
Eyguians 05 ... 287 E 1
Eyguières 13 ... 305 E 3
Eygurande 19 ... 226 C 2
Eygurande-Gardedeuil 24 ... 239 E 3
Eyharce 64 ... 311 E 5
Eyjeaux 87 ... 205 H 5
Eyliac 24 ... 240 D 2
Eymet 24 ... 257 G 3
Eymeux 26 ... 249 H 3
Eymouthiers 16 ... 222 B 2
Eymoutiers 87 ... 224 D 1
Eyne 66 ... 341 G 4
Eyne 2600 66 ... 341 G 4
Eynesse 33 ... 257 E 1
Eyragues 13 ... 304 D 2
Eyrans 33 ... 237 G 2
Eyrein 19 ... 225 F 5
Eyrenville 24 ... 258 B 2
Eyres-Moncube 40 ... 293 H 3
Eyrignac *Jardins d'* 24 ... 241 H 5
Eyroles 26 ... 268 A 5
Eysines 33 ... 237 F 5
Eysson 25 ... 162 D 4
Eysus 64 ... 331 H 1
Eyvirat 24 ... 222 C 5
Eywiller 67 ... 67 H 3
Eyzahut 26 ... 267 G 4
Eyzerac 24 ... 223 E 5
Les Eyzies-de-Tayac 24 ... 241 E 5
Eyzin-Pinet 38 ... 231 G 3
Ézanville 95 ... 58 C 1
Èze 06 ... 309 H 2
Ézy-sur-Eure 27 ... 56 D 3

F

Fa 11 ... 337 G 3
Fabas 09 ... 335 F 1
Fabas 31 ... 316 D 4
Fabas 82 ... 297 H 2
Fabras 07 ... 266 A 3
Fabrègues 34 ... 302 C 5
Fabrezan 11 ... 338 C 1
Faches-Thumesnil 59 ... 8 D 3
Fâchin 58 ... 176 A 2
Facture 33 ... 254 C 2
Fades *Viaduc des* 63 ... 209 E 3
Fage *Gouffre de la* 19 ... 242 B 3
La Fage-Montivernoux 48 ... 263 H 2
La Fage-Saint-Julien 48 ... 264 A 1
Fageole *Col de la* 15 ... 245 H 3
Le Faget 31 ... 298 D 5
Faget-Abbatial 32 ... 316 B 2
Fagnières 51 ... 62 A 2
Fagnon 08 ... 26 C 3
Fahy-lès-Autrey 70 ... 160 D 1
Failly 57 ... 45 H 5
Faimbe 25 ... 142 A 5
Fain-lès-Montbard 21 ... 137 H 5
Fain-lès-Moutiers 21 ... 137 G 5
Fains 27 ... 56 D 2
Fains-la-Folie 28 ... 110 C 2
Fains-les-Sources 55 ... 63 G 4
Fains-Véel 55 ... 63 G 4
Faissault 08 ... 26 B 5
Fajac-en-Val 11 ... 338 A 1
Fajac-la-Relenque 11 ... 318 C 4
Fajoles 46 ... 259 H 1
La Fajolle 11 ... 337 E 5
Fajolles 82 ... 277 E 5
Falaise 08 ... 42 D 2
Falaise 14 ... 53 H 2
La Falaise 78 ... 57 G 2
Falck 57 ... 46 D 4
Faleyras 33 ... 256 B 1
Falga 31 ... 318 D 2
Le Falgoux 15 ... 244 D 2
Falgueyrat 24 ... 257 H 2
Falicon 06 ... 309 H 2
Falkwiller 68 ... 143 E 2
Fallencourt 76 ... 21 E 2
Fallerans 25 ... 162 C 5
Falleron 85 ... 165 F 2
Falletans 39 ... 161 E 5
Fallières 88 ... 119 G 4
Fallon 70 ... 141 H 5
La Faloise 80 ... 22 C 4
Fals 47 ... 276 B 4
Falvy 80 ... 23 G 2
Famars 59 ... 14 D 2
Famechon 62 ... 13 E 4
Famechon 80 ... 22 A 3
Fameck 57 ... 45 G 4
Familly 14 ... 54 D 2
Fampoux 62 ... 13 H 2
Fanget *Col du* 04 ... 288 B 1
Fanjeaux 11 ... 319 E 5
Fanlac 24 ... 241 F 3
Le Faou 29 ... 75 G 3
Le Faouët 22 ... 73 F 4
Le Faouët 56 ... 100 D 3
Faramans 01 ... 213 G 4
Faramans 38 ... 231 H 4
Farbus 62 ... 8 B 5
Farceaux 27 ... 37 E 3
Farcheville *Château de* 91 ... 87 G 4
La Fare-en-Champsaur 05 ... 269 G 2
La Fare-les-Oliviers 13 ... 305 G 5
Farébersviller 57 ... 47 F 5
Fareins 01 ... 213 E 2
Faremoutiers 77 ... 59 H 4
Farges 01 ... 197 E 5
Les Farges 24 ... 241 G 3
Farges-Allichamps 18 ... 173 E 4
Farges-en-Septaine 18 ... 173 G 1
Farges-lès-Chalon 71 ... 177 H 3
Farges-lès-Mâcon 71 ... 195 E 2
Fargniers 02 ... 24 B 4
Fargues 33 ... 256 B 4
Fargues 40 ... 294 A 3
Fargues 46 ... 277 G 1
Fargues-Saint-Hilaire 33 ... 255 H 1
Fargues-sur-Ourbise 47 ... 275 E 2
Farincourt 52 ... 140 B 4
Farinole 2B ... 345 F 4
La Farlède 83 ... 328 B 4
Farnay 42 ... 230 C 3
Faron *Mont* 83 ... 328 A 4
Faronville 45 ... 111 F 2
Farrou 12 ... 279 F 1
Farschviller 57 ... 67 F 1
Fatines 72 ... 108 A 4
Fatouville-Grestain 27 ... 34 D 2
Le Fau 15 ... 244 D 3
Fau-de-Peyre 48 ... 264 A 2
Fauch 81 ... 299 G 2
Faucigny 74 ... 216 A 1
La Faucille *Col de* 01 ... 197 F 3
Faucogney-et-la-Mer 70 ... 141 H 2
Faucompierre 88 ... 119 H 2
Faucon 84 ... 285 H 2
Faucon-de-Barcelonnette 04 ... 270 D 5
Faucon-du-Caire 04 ... 269 H 5
Fauconcourt 88 ... 95 G 4
Faucoucourt 02 ... 40 C 1
Faudoas 82 ... 297 E 2
Le Fauga 31 ... 317 G 3
Faugères 07 ... 265 H 5
Faugères 34 ... 301 G 5
Fauguernon 14 ... 34 D 4
Fauguerolles 47 ... 257 F 5
Fauillet 47 ... 257 F 5
Le Faulq 14 ... 34 D 4
Faulquemont 57 ... 66 D 1
Faulx 54 ... 65 H 4
Faumont 59 ... 8 D 4
Fauquembergues 62 ... 7 E 3
La Faurie 05 ... 269 E 3
Faurilles 24 ... 258 C 2
Fauroux 82 ... 277 E 2
Faussergues 81 ... 280 C 5
La Faute-sur-Mer 85 ... 183 E 4
Fauverney 21 ... 160 B 4
Fauville 27 ... 56 B 1
Fauville-en-Caux 76 ... 19 F 4
Faux 08 ... 26 B 5
Faux 24 ... 258 B 1
Faux de Verzy 51 ... 41 H 5
Faux-Fresnay 51 ... 61 G 5
Faux-la-Montagne 23 ... 225 F 1
Faux-Mazuras 23 ... 206 D 4
Faux-Vésigneul 51 ... 62 B 4
Faux-Villecerf 10 ... 90 B 5
Favalello 2B ... 347 F 4
Favars 19 ... 242 D 1
La Favède 30 ... 283 G 3
Faveraye-Mâchelles 49 ... 149 G 4
Faverdines 18 ... 190 C 1
Faverelles 45 ... 135 E 5
Faverges-Seythenex 74 ... 216 A 5
Faverges-de-la-Tour 38 ... 232 C 2
Faverney 70 ... 141 E 3
Faverois 90 ... 142 D 4
Faverolles 02 ... 40 A 4
Faverolles 15 ... 245 H 5
Faverolles 28 ... 57 E 5
Faverolles 52 ... 117 E 5
Faverolles 61 ... 53 G 5
Faverolles 80 ... 23 E 4
Faverolles-en-Berry 36 ... 153 F 5
Faverolles-et-Coëmy 51 ... 41 E 4
Faverolles-la-Campagne 27 ... 55 H 1
Faverolles-lès-Lucey 21 ... 138 D 2
Faverolles-les-Mares 27 ... 35 E 5
Faverolles-sur-Cher 41 ... 152 D 3
La Favière 39 ... 180 A 4
La Favière 83 ... 329 E 4
La Favière *Plage de* 83 ... 329 E 4
Favières 28 ... 85 H 3
Favières 54 ... 94 B 3
Favières 77 ... 59 F 4
Favières 80 ... 11 F 2
Favone 2A ... 349 H 4
Favresse 51 ... 62 D 4
Favreuil 62 ... 13 G 4
Favrieux 78 ... 57 F 2
Le Favril 27 ... 35 F 4
Le Favril 28 ... 85 G 3
Le Favril 59 ... 15 F 4
Fay 61 ... 55 E 5
Le Fay 71 ... 178 D 5
Fay 72 ... 107 G 4
Fay 80 ... 23 F 2
Fay-aux-Loges 45 ... 111 F 5
Fay-de-Bretagne 44 ... 147 F 1
Fay-en-Montagne 39 ... 179 G 4
Fay-le-Clos 26 ... 249 F 1
Fay-les-Étangs 60 ... 37 H 4
Fay-lès-Marcilly 10 ... 90 A 4
Fay-lès-Nemours 77 ... 112 B 2
Le Fay-Saint-Quentin 60 ... 38 B 2
Fay-sur-Lignon 43 ... 248 A 4
Faycelles 46 ... 261 F 4
La Faye 16 ... 203 F 2
Faye 41 ... 131 H 3
La Faye *Pas de* 06 ... 308 D 2
Faye-d'Anjou 49 ... 149 G 3
Faye-la-Vineuse 37 ... 169 F 2
Faye-l'Abbesse 79 ... 167 H 3
Faye-sur-Ardin 79 ... 184 D 3
Le Fayel 60 ... 39 E 2
Fayence 83 ... 308 C 3
Fayet 02 ... 24 A 2
Fayet 12 ... 301 E 2
Le Fayet 74 ... 216 D 3
Fayet-le-Château 63 ... 228 B 1
Fayet-Ronaye 63 ... 228 C 4
Fayl-Billot 52 ... 140 A 3
Faymont 70 ... 142 A 3
Faymoreau 85 ... 184 C 1
Fayrac 24 ... 259 F 1
Fays 52 ... 92 D 3
Fays 88 ... 119 H 2
Fays-la-Chapelle 10 ... 114 D 3
Fayssac 81 ... 299 E 1
Féas 64 ... 331 G 1
Febvin-Palfart 62 ... 7 G 3
Fécamp 76 ... 19 E 3
Féchain 59 ... 14 B 2
Fêche-l'Église 90 ... 142 D 4
La Féclaz 73 ... 233 F 1
Fécocourt 54 ... 94 C 4
Fédry 70 ... 140 C 4
Fegersheim 67 ... 97 G 2
Fégréac 44 ... 125 H 4
Feigères 74 ... 215 G 1
Feigneux 60 ... 39 G 4
Feignies 59 ... 15 G 2
Feillens 01 ... 195 E 4
Feings 41 ... 153 E 2
Feings 61 ... 84 C 2
Feins 35 ... 80 B 4
Feins-en-Gâtinais 45 ... 135 E 4
Feissons-sur-Isère 73 ... 234 B 2
Feissons-sur-Salins 73 ... 234 C 3
Le Fel 12 ... 262 C 3
Fel 61 ... 54 B 4
Felce 2B ... 347 G 4
Feldbach 68 ... 143 F 4
Feldkirch 68 ... 121 E 5
Feliceto 2B ... 346 C 2
Félines 07 ... 231 E 5
Félines 43 ... 247 E 1
Félines-Minervois 34 ... 320 B 4
Félines-sur-Rimandoule 26 ... 267 G 3
Félines-Termenès 11 ... 338 B 2
Felleries 59 ... 15 H 4
Fellering 68 ... 120 B 5
Felletin 23 ... 207 G 4
Fellus 66 ... 338 A 5
Felon 90 ... 142 D 2
Felzins 46 ... 261 G 3
Fenain 59 ... 9 F 5
Fénay 21 ... 160 A 4
Fendeille 11 ... 319 E 4
Fénery 79 ... 167 H 5
Fénétrange 57 ... 67 G 3
Feneu 49 ... 128 C 5
Féneyrols 82 ... 279 E 4
Féniers 23 ... 225 G 1
Féniers *Abbaye de* 15 ... 227 E 5
Fenioux 17 ... 201 G 4
Fenioux 79 ... 184 D 2
Fenneviller 54 ... 96 A 2
Fénols 81 ... 299 E 2
Le Fenouiller 85 ... 164 D 4
Fenouillet 31 ... 297 H 4
Fenouillet 66 ... 337 H 5
Fenouillet *Sommet du* 83 ... 328 B 4
Fenouillet-du-Razès 11 ... 337 E 1
Fépin 08 ... 17 E 5
Fer à Cheval *Cirque du* 74 ... 217 E 1
Ferayola 2B ... 346 B 3
Fercé 44 ... 127 E 2
Fercé-sur-Sarthe 72 ... 129 G 2
Ferdrupt 88 ... 119 H 5
La Fère 02 ... 24 B 4
Fère *Château de* 02 ... 40 C 4
Fère-Champenoise 51 ... 61 G 4
Fère-en-Tardenois 02 ... 40 C 4
Fèrebrianges 51 ... 61 F 3
La Férée 08 ... 26 A 3
Férel 56 ... 125 E 5
Ferfay 62 ... 7 G 4
Féricy 77 ... 88 C 4
Férin 59 ... 14 A 2
Fermanville 50 ... 29 F 2
Ferme de Navarin *Monument de la* 51 ... 42 C 4
La Fermeté 58 ... 174 D 2
Ferney-Voltaire 01 ... 197 G 4
Fernoël 63 ... 208 B 5
Férolles 45 ... 133 G 3
Férolles-Attilly 77 ... 59 E 5
Féron 59 ... 15 H 5
Ferques 62 ... 2 C 4
Ferrals-les-Corbières 11 ... 338 C 1
Ferrals-les-Montagnes 34 ... 320 B 3
Ferran 11 ... 337 F 1
Ferrassières 26 ... 286 C 3
Le Ferré 35 ... 81 E 3
Ferrensac 47 ... 258 B 3
Ferrère 65 ... 334 A 3
Les Ferres 06 ... 309 F 1
Ferrette 68 ... 143 F 4
Ferreux 10 ... 90 A 4
La Ferrière 22 ... 102 C 2
La Ferrière 37 ... 131 E 5
La Ferrière 38 ... 233 G 5
La Ferrière 85 ... 166 A 4
La Ferrière-Airoux 86 ... 186 C 4
La Ferrière-au-Doyen 14 ... 52 D 1
La Ferrière-au-Doyen 61 ... 55 E 5
La Ferrière-aux-Étangs 61 ... 53 F 5
La Ferrière-Béchet 61 ... 83 G 2
La Ferrière-Bochard 61 ... 83 F 4
La Ferrière-de-Flée 49 ... 128 A 3
La Ferrière-Duval 14 ... 53 E 2
La Ferrière-en-Parthenay 79 ... 168 B 5
Ferrière-et-Lafolie 52 ... 92 D 4
La Ferrière-Harang 14 ... 52 C 1
Ferrière-la-Grande 59 ... 15 H 2
Ferrière-la-Petite 59 ... 15 H 3
Ferrière-Larçon 37 ... 170 B 2
Ferrière-sur-Beaulieu 37 ... 152 C 5
La Ferrière-sur-Risle 27 ... 55 G 2
Ferrières 17 ... 183 H 5
Ferrières 50 ... 81 G 2
Ferrières 54 ... 95 E 2
Ferrières 60 ... 22 D 5
Ferrières 65 ... 332 B 2
Ferrières 74 ... 215 G 3
Ferrières 80 ... 22 B 2
Ferrières 81 ... 300 A 4
Ferrières-en-Bray 76 ... 37 F 1
Ferrières-en-Brie 77 ... 59 E 4
Ferrières-en-Gâtinais 45 ... 112 C 4
Ferrières-Haut-Clocher 27 ... 56 A 1
Ferrières-la-Verrerie 61 ... 54 D 5
Ferrières-le-Lac 25 ... 163 G 3
Ferrières-les-Bois 25 ... 161 G 4
Ferrières-lès-Ray 70 ... 140 C 5
Ferrières-lès-Scey 70 ... 140 D 4
Ferrières-les-Verreries 34 ... 302 C 1
Ferrières-Poussarou 34 ... 320 D 2
Ferrières-Saint-Hilaire 27 ... 55 F 1
Ferrières-Saint-Mary 15 ... 245 G 2
Ferrières-sur-Ariège 09 ... 336 B 3
Ferrières-sur-Sichon 03 ... 210 D 3
Ferrussac 43 ... 246 B 3
Fertans 25 ... 180 A 1
La Ferté 39 ... 179 F 2
La Ferté-Alais 91 ... 87 H 3
La Ferté-Beauharnais 41 ... 154 A 1
La Ferté-Bernard 72 ... 108 C 2
La Ferté-Chevresis 02 ... 24 D 3
La Ferté-en-Ouche 61 ... 55 E 3
La Ferté-Gaucher 77 ... 60 B 4

La Ferté-Hauterive 03 192 A 3
La Ferté-Imbault 41 154 B 3
La Ferté-Loupière 89 135 G 2
La Ferté-Macé 61 82 D 2
La Ferté-Milon 02 39 H 5
La Ferté-Saint-Aubin 45 133 F 4
La Ferté-Saint-Cyr 41 132 D 4
La Ferté-Saint-Samson 76 21 E 5
La Ferté-sous-Jouarre 77 60 A 2
La Ferté-sur-Chiers 08 27 H 5
La Ferté-Vidame 28 85 E 2
La Ferté-Villeneuil 28 109 H 5
Fertrève 58 175 F 2
Fervaches 50 52 B 1
Fervaques 14 54 D 1
Fescamps 80 23 E 4
Fesches-le-Châtel 25 142 C 4
Fesmy-le-Sart 02 15 E 5
Fesques 76 21 E 3
Fessanvilliers-
Mattanvilliers 28 56 A 5
Fessenheim 68 121 G 4
Fessenheim-le-Bas 67 68 C 5
Fessevillers 25 163 G 3
Les Fessey 70 141 H 2
Fessy 74 198 A 4
Festalemps 24 239 F 1
Festes-et-Saint-André 11 337 F 3
Festieux 02 41 E 1
Festigny 51 61 E 1
Festigny 89 157 F 1
Festre Col du 05 269 F 2
Festubert 62 8 B 3
Le Fête 21 159 E 5
Féternes 74 198 B 3
Fétigny 39 196 C 2
Feucherolles 78 57 H 3
Feuchy 62 13 G 2
Feugarolles 47 275 G 3
Feugères 50 31 H 4
Feuges 10 91 E 4
Feuguerolles 27 36 A 5
Feuguerolles-sur-Orne 14 33 G 5
Feuguerolles-sur-Seulles 14 33 E 5
Feuilla 11 338 D 3
Feuillade 16 221 H 2
La Feuillade 24 241 H 3
La Feuillée 29 76 B 3
Feuillères 80 23 F 1
La Feuillie 50 31 G 4
La Feuillie 76 37 E 1
Feule 25 163 F 2
Feuquières 60 21 G 4
Feuquières-en-Vimeu 80 11 E 4
Feurs 42 229 H 1
Feusines 36 189 H 2
Feux 18 156 A 4
Fèves 57 45 G 5
Féy 57 65 G 2
Fey-en-Haye 54 65 F 3
Feyt 19 226 C 1
Feytiat 87 205 H 5
Feyzin 69 231 E 1
Fiac 81 298 D 3
Ficaja 2B 347 G 3
Ficajola 2A 346 A 5
Ficheux 62 13 G 3
Fichous-Riumayou 64 294 A 5
Le Fidelaire 27 55 H 2
Le Fied 39 179 G 4
Le Fief-Sauvin 49 148 C 4
Fieffes 80 12 C 5
Fiefs 62 7 G 4
Fiennes 62 2 C 4
Fienvillers 80 12 C 4
Fier Gorges du 74 215 F 3
Fierville-la-Campagne 14 53 H 1
Fierville-les-Mines 50 29 E 5
Fierville-les-Parcs 14 34 C 4
Le Fieu 33 238 D 3
Fieulaine 02 24 C 2
Fieux 47 275 G 4
Figanières 83 308 A 4
Figareto 2B 347 H 3
Figari 2A 351 F 3
Figarol 31 334 D 1
Figeac 46 261 F 3
Fignévelle 88 118 B 4
Fignières 80 23 E 4
Filain 02 40 D 1
Filain 70 141 F 5
Filitosa (Station
Préhistorique de) 2A 348 D 5
Fillé 72 129 H 2
Fillières 54 45 E 3
Fillièvres 62 12 B 2
Fillinges 74 198 A 5
Fillols 66 342 A 3
Filstroff 57 46 C 3
Fiménil 88 119 H 2
Findrol 74 215 H 1
Finestret 66 342 B 3
Finhan 82 297 G 1
Finiels Col de 48 265 E 5
Les Fins 25 163 E 5
Fins 80 14 A 5
Fiquefleur-Équainville 27 34 D 2
Firbeix 24 223 E 2
Firfol 14 34 D 5
Firmi 12 262 B 4
Firminy 42 230 A 5
Fislis 68 143 G 4
Fismes 51 40 D 3
Fitignieu 01 214 D 3
Fitilieu 38 232 C 2
Fitou 11 339 E 3
Fitz-James 60 38 C 2
Fix-Saint-Geneys 43 246 D 2
Fixem 57 45 H 2
Fixin 21 160 A 4
Flabas 55 44 B 4
Flacé-lès-Mâcon 71 195 E 4
Flacey 21 160 B 2
Flacey 28 109 H 3
Flacey-en-Bresse 71 196 A 1
La Flachère 38 233 F 4
Flachères 38 232 A 3
Flacourt 78 57 F 2
Flacy 89 114 A 2
Flagey 25 180 A 1
Flagey 52 139 G 3
Flagey-Echézeaux 21 160 A 5
Flagey-lès-Auxonne 21 160 D 5
Flagey-Rigney 25 162 B 1
Flagnac 12 261 H 3
Flagy 70 141 F 3
Flagy 71 194 C 2
Flagy 77 88 D 5
Flaignes-Havys 08 26 B 2
Flaine 74 216 C 2
Flainval 54 95 F 1
Flamanville 50 28 C 4
Flamanville 76 19 H 4
Flamarens 32 276 C 5
La Flamengrie 02 15 G 5
La Flamengrie 59 15 F 2
Flamets-Frétils 76 21 E 3
Flammerans 21 160 D 4
Flammerécourt 52 92 D 4
Flancourt-Catelon 27 35 G 3
Flancourt-Crescy-
en-Roumois 27 35 H 3
Flangebouche 25 162 D 4
Flaran Abbaye de 32 295 H 1
Flassan 84 286 A 4
Flassans-sur-Issole 83 328 C 1
Flassigny 55 44 B 2
Flastroff 57 46 C 3
Flaucourt 80 23 G 1
Flaugeac 24 257 H 2
Flaujac-Gare 46 260 D 2
Flaujac-Poujols 46 278 B 1
Flaujagues 33 257 E 1
Flaumont-Waudrechies 59 15 G 4
Flaux 30 284 C 5
Flavacourt 60 37 G 3
Flaviac 07 266 D 2
Flavignac 87 223 F 1
Flavignerot 21 159 H 3
Flavigny 18 173 H 2
Flavigny 51 61 G 2
Flavigny-le-Grand-
et-Beaurain 02 24 D 2
Flavigny-sur-Moselle 54 94 D 2
Flavigny-sur-Ozerain 21 159 E 1
Flavin 12 280 D 2
Flavy-le-Martel 02 24 A 4
Flavy-le-Meldeux 60 23 H 4
Flaxieu 01 214 D 4
Flaxlanden 68 143 F 2
Flayat 23 208 B 5
Flayosc 83 308 A 5
Fléac 16 221 E 1
Fléac-sur-Seugne 17 219 G 3
La Flèche 72 129 G 4
Fléchères Château de 01 212 D 2
Fléchin 62 7 F 3
Fléchy 60 22 B 4
Fleckenstein Château de 67 68 D 1
Flée 21 158 D 2
Flée 72 130 C 3
Fleigneux 08 27 F 3
Fleisheim 57 67 H 4
Le Fleix 24 239 F 5
Fleix 86 187 F 2
Fléré-la-Rivière 36 170 C 2
Flers 61 53 E 4
Flers 62 12 C 2
Flers 80 13 G 5
Flers-en-Escrebieux 59 8 D 5
Flers-sur-Noye 80 22 B 3
Flesquières 59 14 A 4
Flesselles 80 12 C 5
Flétrange 57 66 D 1
Flêtre 59 4 A 5
Fléty 58 176 A 4
Fleurac 16 220 D 1
Fleurac 24 241 E 4
Fleurance 32 296 B 2
Fleurat 23 189 E 5
Fleurbaix 62 8 B 2
Fleuré 61 54 A 5
Fleuré 86 186 D 2
Fleurey 25 163 F 2
Fleurey-lès-Faverney 70 141 E 3
Fleurey-lès-Lavoncourt 70 140 C 4
Fleurey-lès-Saint-Loup 70 119 E 5
Fleurey-sur-Ouche 21 159 H 3
Fleurie 69 212 D 1
Fleuriel 03 191 H 5
Fleurieu-sur-Saône 69 213 E 4
Fleurieux-sur-l'Arbresle 69 212 D 4
Fleurigné 35 81 F 4
Fleurigny 89 89 G 5
Fleurines 60 39 E 4
Fleurville 71 195 E 3
Fleury 02 40 A 4
Fleury 11 321 F 5
Fleury 50 51 H 3
Fleury 57 65 H 1
Fleury 60 37 H 4
Fleury 62 7 F 5
Fleury 80 22 A 3
Fleury-
devant-Douaumont 55 44 B 5
Fleury-en-Bière 77 88 A 4
Fleury-la-Forêt 27 37 E 2
Fleury-la-Montagne 71 211 H 1
Fleury-la-Rivière 51 41 F 5
Fleury-la-Vallée 89 136 A 2
Fleury-les-Aubrais 45 111 E 5
Fleury-Mérogis 91 87 H 2
Fleury-sur-Aire 55 63 G 1
Fleury-sur-Andelle 27 36 D 2
Fleury-sur-Loire 58 174 D 4
Fleury-sur-Orne 14 33 G 5
Flévieu 01 214 B 5
Fléville 08 43 F 3
Fléville-devant-Nancy 54 94 D 1
Fléville-Lixières 54 45 E 4
Flévy 57 45 H 4
Flexanville 78 57 F 3
Flexbourg 67 97 E 1
Fley 71 177 F 5
Fleys 89 136 D 3
Flez-Cuzy 58 157 F 3
Fligny 08 26 A 2
Flin 54 95 H 2
Flines-lès-Mortagne 59 9 G 4
Flines-lez-Raches 59 9 E 5
Flins-Neuve-Église 78 57 E 3
Flins-sur-Seine 78 57 G 2
Flipou 27 36 C 3
Flirey 54 65 E 3
Flixecourt 80 12 B 5
Flize 08 26 D 4
La Flocellière 85 166 D 3
Flocourt 57 66 C 2
Flocques 76 10 D 4
Flogny-la-Chapelle 89 114 C 5
Floing 08 27 E 3
Floirac 17 219 F 3
Floirac 33 237 G 5
Floirac 46 242 C 5
Florac 48 282 D 1
Florange 57 45 G 3
Florémont 88 95 E 4
Florensac 34 322 C 4
Florent-en-Argonne 51 43 F 5
Florentia 39 196 A 3
Florentin 81 299 E 1
Florentin-la-Capelle 12 262 D 3
Floressas 46 259 F 5
Florimont 90 142 D 4
Florimont-Gaumier 24 259 G 2
Floringhem 62 7 G 4
Flornoy 52 92 C 3
La Flotte 17 183 E 5
Flottemanville 50 29 F 5
Flottemanville-Hague 50 28 D 3
Floudès 33 256 D 4
Floure 11 320 A 5
Flourens 31 298 A 5
Floursies 59 15 G 3
Floyon 59 15 G 5
Flumet 73 216 B 4
Fluquières 02 24 A 3
Fluy 80 22 A 2
Foameix 55 44 D 4
Foce 2A 351 E 2
Focicchia 2B 347 F 5
Foëcy 18 154 C 5
Le Fœil 22 78 A 4
Foisches 08 17 E 4
Foissac 12 261 F 4
Foissac 30 284 A 4
Foissiat 01 195 H 3
Foissy 21 159 F 5
Foissy-lès-Vézelay 89 157 G 2
Foissy-sur-Vanne 89 113 H 2
Foix 09 336 B 3
Folcarde 31 318 C 3
Folelli 2B 347 H 3
Folembray 02 40 B 1
Folgensbourg 68 143 G 3
Le Folgoët 29 71 E 4
La Folie 14 32 C 3
Folies 80 23 E 3
Folkling 57 47 F 5
Follainville-Dennemont 78 57 F 1
Folles 87 206 B 2
La Folletière 76 19 H 5
La Folletière Château de 27 56 D 2
La Folletière-Abenon 14 55 E 2
Folleville 27 35 E 5
Folleville 80 22 C 4
Folligny 50 51 G 3
Folpersviller 57 47 H 5
Folschviller 57 66 D 1
Fomerey 88 119 E 2
Fomperron 79 185 G 2
Fonbeauzard 31 298 A 4
Foncegrive 21 139 F 5
Fonches-Fonchette 80 23 F 3
Foncine-le-Bas 39 180 A 5
Foncine-le-Haut 39 180 A 5
Foncquevillers 62 13 F 4
Fond-de-France 38 233 G 5
Fondamente 12 301 F 1
Fondettes 37 151 H 2
Fondremand 70 162 A 1
Fongalop 24 259 E 2
Fongrave 47 275 H 1
Fongueusemare 76 18 D 4
Fonroque 24 257 H 2
Fons 07 266 B 3
Fons 30 303 G 1
Fons 46 261 F 3
Fons-sur-Lussan 30 284 B 3
Fonsomme 02 24 B 1
Fonsorbes 31 297 G 5
Font-Romeu-Odeillo-Via 66 341 F 4
Fontain 25 162 A 4
Fontaine 10 116 A 2
Fontaine 38 250 D 1
Fontaine 90 142 D 2
Fontaine-au-Bois 59 15 E 4
Fontaine-au-Pire 59 14 C 4
Fontaine-Bellenger 27 36 C 4
Fontaine-Bonneleau 60 22 A 4
Fontaine-Chaalis 60 39 E 5
Fontaine-Chalendray 17 202 C 3
Fontaine-Couverte 53 105 F 5
Fontaine-Daniel 53 82 A 5
Fontaine-de-Vaucluse 84 305 F 1
Fontaine-Denis-Nuisy 51 90 B 2
Fontaine-en-Bray 76 20 D 4
Fontaine-en-Dormois 51 42 D 4
Fontaine-Étoupefour 14 33 F 5
Fontaine-Fourches 77 89 H 4
Fontaine-Française 21 160 D 1
Fontaine-Guérard
Abbaye de 27 36 C 3
Fontaine-Guérin 49 150 B 1
Fontaine-Henry 14 33 F 3
Fontaine-Heudebourg 27 36 C 5
Fontaine-la-Gaillarde 89 113 G 2
Fontaine-la-Guyon 28 85 H 3
Fontaine-la-Louvet 27 35 E 5
Fontaine-la-Mallet 76 18 C 5
Fontaine-la-Rivière 91 87 F 5
Fontaine-la-Soret 27 35 G 5
Fontaine-l'Abbé 27 35 G 5
Fontaine-Lavaganne 60 21 H 5
Fontaine-le-Bourg 76 20 B 5
Fontaine-le-Comte 86 186 B 2
Fontaine-le-Dun 76 19 H 2
Fontaine-le-Pin 14 53 H 2
Fontaine-le-Port 77 88 C 3
Fontaine-le-Puits 73 234 B 3
Fontaine-le-Sec 80 11 G 5
Fontaine-les-Bassets 61 54 B 3
Fontaine-lès-Boulans 62 7 F 4
Fontaine-lès-Cappy 80 23 F 2
Fontaine-lès-Clercs 02 24 A 3
Fontaine-lès-Clerval 25 162 D 1
Fontaine-les-Coteaux 41 131 E 3
Fontaine-lès-Croisilles 62 13 H 3
Fontaine-lès-Dijon 21 160 A 3
Fontaine-les-Grès 10 90 C 4
Fontaine-lès-Hermans 62 7 G 4
Fontaine-lès-Luxeuil 70 141 G 2
Fontaine-les-Ribouts 28 56 C 5
Fontaine-lès-Vervins 02 25 F 2
Fontaine-l'Étalon 62 12 B 2
Fontaine-Luyères 10 91 E 4
Fontaine-Mâcon 10 89 H 3
Fontaine-Notre-Dame 02 24 C 2
Fontaine-Notre-Dame 59 14 B 4
Fontaine-Raoul 41 109 G 5
Fontaine-Saint-Lucien 60 38 A 1
La Fontaine-
Saint-Martin 72 129 H 3
Fontaine-Simon 28 85 F 3
Fontaine-sous-Jouy 27 56 C 1
Fontaine-
sous-Montaiguillon 77 89 H 2
Fontaine-sous-Montdidier 80 22 D 4
Fontaine-sous-Préaux 76 36 B 1
Fontaine-sur-Ay 51 61 G 1
Fontaine-sur-Coole 51 62 B 4
Fontaine-sur-Maye 80 11 H 2
Fontaine-sur-Somme 80 11 H 4
Fontaine-Uterte 02 24 B 1
Fontainebleau 77 88 B 4
Fontainebrux 39 178 D 5
Fontaines 71 177 G 3
Fontaines 85 183 H 3
Fontaines 89 135 H 4
Fontaines-d'Ozillac 17 219 H 4
Fontaines-en-Duesmois 21 138 A 4
Fontaines-en-Sologne 41 153 G 1
Fontaines-les-Sèches 21 137 H 3
Fontaines-Saint-Clair 55 43 H 2
Fontaines-Saint-Martin 69 213 E 4
Fontaines Salées
Fouilles des 89 157 H 2
Fontaines-sur-Marne 52 92 D 2
Fontaines-sur-Saône 69 213 E 4
Les Fontaines 60 37 H 2
Fontains 77 89 E 3
Fontan 06 291 H 3
Fontanès 30 303 F 2
Fontanès 34 302 D 2
Fontanes 42 230 B 3
Fontanes 46 278 B 2
Fontanes 48 265 E 1
Fontanès-de-Sault 11 337 F 5
Fontanes-du-Causse 46 260 C 3
Fontanges 15 244 C 3
Fontangy 21 158 D 3
Fontanières 23 208 C 2
Fontanil-Cornillon 38 250 D 1
Fontannes 43 246 B 1
Fontans 48 264 B 2
Fontarèches 30 284 C 4
Fontcaude Abbaye de 34 321 F 3
Fontclaireau 16 203 F 4
Fontcouverte 11 320 C 5
Fontcouverte 17 201 G 5
Fontcouverte-
la-Toussuire 73 252 A 1
Fontdouce Abbaye de 17 201 H 5
La Fontelaye 76 20 A 4
Fontenai-les-Louvets 61 83 F 3
Fontenai-sur-Orne 61 54 A 4
Fontenailles 77 88 D 2
Fontenailles 89 136 A 5
Fontenay 27 37 E 4
Fontenay 36 171 H 1
Fontenay 50 52 B 5
Fontenay 71 194 A 2
Fontenay 76 18 C 5
Fontenay 88 95 G 5
Fontenay Abbaye de 21 137 H 5
Fontenay-aux-Roses 92 58 B 4
Fontenay-de-Bossery 10 89 H 4
Fontenay-en-Parisis 95 58 D 1
Fontenay-le-Comte 85 184 B 2
Fontenay-le-Fleury 78 58 A 4
Fontenay-le-Marmion 14 33 G 5
Fontenay-le-Pesnel 14 33 E 4
Fontenay-le-Vicomte 91 87 H 3
Fontenay-lès-Briis 91 87 F 2
Fontenay-Mauvoisin 78 57 F 2
Fontenay-près-Chablis 89 136 D 2
Fontenay-près-Vézelay 89 157 G 2
Fontenay-Saint-Père 78 57 F 1
Fontenay-sous-Bois 94 58 D 3
Fontenay-
sous-Fouronnes 89 136 B 5
Fontenay-sur-Conie 28 110 C 3
Fontenay-sur-Eure 28 86 A 4
Fontenay-sur-Loing 45 112 C 4
Fontenay-sur-Mer 50 29 G 4
Fontenay-sur-Vègre 72 107 E 5
Fontenay-Torcy 60 21 G 5
Fontenay-Trésigny 77 59 G 5
Fontenelle 02 15 G 5
Fontenelle 21 160 D 1
La Fontenelle 35 80 C 3
La Fontenelle 41 109 F 4
Fontenelle 90 142 C 3
Fontenelle Château de 04 287 H 4
Fontenelle-en-Brie 02 60 C 2
Fontenelle-Montby 25 162 C 1
Les Fontenelles 25 163 F 4
Fontenelles Abbaye des 85 165 G 5
Fontenermont 14 52 A 3
Fontenet 17 201 H 4
Fontenille 16 203 F 4
Fontenille 79 202 D 1
Fontenilles 31 297 F 5
Les Fontenis 70 162 A 1
Fontenois-la-Ville 70 118 D 5
Fontenois-
lès-Montbozon 70 162 B 1
Fontenotte 25 162 C 2
Fontenouilles 89 135 F 2
Fontenoy 02 40 A 2
Fontenoy 89 135 H 5
Fontenoy-la-Joûte 54 95 H 3
Fontenoy-le-Château 88 119 E 4
Fontenoy-sur-Moselle 54 65 G 5
Fontenu 39 179 G 5
Fonteny 39 179 H 2
Fonteny 57 66 C 3
Fonters-du-Razès 11 318 D 5
Fontès 34 301 H 5
Fontet 33 256 D 4
Fontette 10 116 A 4
Fontevraud-l'Abbaye 49 150 C 5
Fontfreide 63 227 G 2
Fontfroide Abbaye de 11 338 D 1
Fontgombault 36 170 B 5
Fontguenand 36 153 G 4
Fontienne 04 287 E 4
Fontiers-Cabardès 11 319 G 3
Fontiès-d'Aude 11 320 A 4
Fontjoncouse 11 338 C 2
Fontoy 57 45 F 3
Fontpédrouse 66 341 G 4
Fontrabiouse 66 341 G 2
Fontrailles 65 315 H 3
Fontvannes 10 90 C 5
Fontvieille 13 304 C 3
Forbach 57 47 F 5
Força Réal Ermitage de 66 338 C 5
Forcalqueiret 83 328 B 2
Forcalquier 04 287 E 5
La Force 11 319 F 5
La Force 24 239 G 5
Forcé 53 106 A 4
Forcelles-Saint-Gorgon 54 94 D 3
Forcelles-sous-Gugney 54 94 C 4
Forceville 80 13 E 5
Forceville-en-Vimeu 80 11 G 5
Forcey 52 117 F 3
Forciolo 2A 349 E 4
La Forclaz 74 198 C 3
Forclaz Col de la 74 215 H 4
Forest-en-Cambrésis 59 15 E 4
Forest-l'Abbaye 80 11 G 2
La Forest-Landerneau 29 75 G 2
Forest-Montiers 80 11 F 2
Forest-Saint-Julien 05 269 H 2
Forest-sur-Marque 59 9 E 2
Foreste 02 23 H 3
La Forestière 51 60 D 5
Forestière Aven de la 30 284 B 1
La Forêt 33 237 F 5
La Forêt-Auvray 61 53 G 3
La Forêt-de-Tessé 16 203 E 2
La Foret-du-Parc 27 56 C 2
La Forêt-du-Temple 23 189 F 3
La Forêt-Fouesnant 29 100 A 4
Forêt-la-Folie 27 37 E 4
La Forêt-le-Roi 91 87 F 3
La Forêt-Sainte-Croix 91 87 G 4
La Forêt-sur-Sèvre 79 167 F 4
Forfry 77 59 F 1
La Forge 88 119 H 3

Forges 17 .... 201 E 1
Forgès 19 .... 243 E 2
Les Forges 23 .... 207 H 1
Forges 49 .... 150 A 4
Les Forges 56 .... 102 C 3
Forges 61 .... 83 G 3
Forges 77 .... 88 D 4
Les Forges 79 .... 185 H 2
Les Forges 88 .... 119 F 2
Les Forges-de-Paimpont 35 .... 103 F 4
Forges-la-Forêt 35 .... 127 F 2
Forges-les-Bains 91 .... 87 F 2
Forges-les-Eaux 76 .... 21 E 5
Forges-sur-Meuse 55 .... 43 H 3
Forgevieille 23 .... 188 D 4
Forgues 31 .... 317 E 2
La Forie 63 .... 229 E 2
Forléans 21 .... 158 C 1
Formentin 14 .... 34 C 4
Formerie 60 .... 21 F 4
Formigny 14 .... 32 C 2
Formiguères 66 .... 341 G 3
Fornex 09 .... 317 G 5
Fors 79 .... 185 E 5
Forstfeld 67 .... 69 G 3
Forstheim 67 .... 68 D 2
Fort-Bloqué 56 .... 123 E 2
Fort-du-Plasne 39 .... 180 A 5
Fort-Louis 67 .... 69 G 3
Fort-Mahon-Plage 80 .... 11 E 1
Fort-Mardyck 59 .... 3 G 2
Fort-Médoc 33 .... 237 F 2
Fort-Moville 27 .... 35 E 3
Fortan 41 .... 131 F 2
Fortel-en-Artois 62 .... 12 C 3
La Forteresse 38 .... 232 B 5
Fortschwihr 68 .... 121 F 2
Fos 31 .... 334 C 4
Fos 34 .... 301 G 5
Fos-sur-Mer 13 .... 325 G 3
Le Fossat 09 .... 317 H 5
Fossé 08 .... 43 F 1
Fossé 41 .... 132 A 5
Fosse 66 .... 338 A 5
Le Fossé 76 .... 21 E 5
La Fosse *Hameau troglodytique de* 49 .... 150 A 4
La Fosse Arthour 50 .... 52 D 5
La Fosse-Corduan 10 .... 90 A 4
La Fosse-de-Tigné 49 .... 149 H 4
Fossemagne 24 .... 241 E 3
Fossemanant 80 .... 22 B 3
Les Fosses 79 .... 202 B 1
Fosses 95 .... 58 D 1
Fossès-et-Baleyssac 33 .... 257 E 3
La Fossette 83 .... 329 E 4
Fosseuse 60 .... 38 B 4
Fosseux 62 .... 13 E 3
Fossieux 57 .... 66 B 3
Fossoy 02 .... 60 C 1
Fou *Gorges de la* 66 .... 342 C 4
Foucarmont 76 .... 21 E 2
Foucart 76 .... 19 F 5
Foucarville 50 .... 29 H 5
Foucaucourt-en-Santerre 80 .... 23 F 2
Foucaucourt-Hors-Nesle 80 .... 11 F 5
Foucaucourt-sur-Thabas 55 .... 63 G 1
Fouchécourt 70 .... 140 D 2
Fouchécourt 88 .... 118 B 4
Foucherans 25 .... 162 B 4
Foucherans 39 .... 160 D 5
Fouchères 10 .... 115 F 3
Fouchères 89 .... 113 F 3
Fouchères-aux-Bois 55 .... 63 H 5
Foucherolles 45 .... 113 E 4
Fouchy 67 .... 96 D 4
Foucrainville 27 .... 56 C 2
Fouday 67 .... 96 D 3
Fouencamps 80 .... 22 C 2
Fouesnant 29 .... 99 H 4
Foufflin-Ricametz 62 .... 12 D 2
Foug 54 .... 94 A 1
Fougaron 31 .... 334 D 2
Fougax-et-Barrineuf 09 .... 336 D 4
Fougeré 49 .... 129 F 5
Fougeré 85 .... 166 A 5
Fougères 35 .... 81 F 4
Fougères-sur-Bièvre 41 .... 153 E 2
Les Fougerêts 56 .... 125 G 3
Fougerolles 36 .... 189 F 2
Fougerolles 70 .... 119 F 5
Fougerolles-du-Plessis 53 .... 81 G 3
Fougueyrolles 24 .... 239 F 5
La Fouillade 12 .... 279 F 3
Fouilleuse 60 .... 38 D 2
Fouillouse 05 .... 269 G 4
La Fouillouse 42 .... 230 A 3
Le Fouilloux 17 .... 238 C 2
Fouillouze 04 .... 271 E 3
Fouilloy 60 .... 21 G 3
Fouilloy 80 .... 22 D 2
Fouju 77 .... 88 C 2
Foulain 52 .... 117 E 4
Foulangues 60 .... 38 C 4
Foulayronnes 47 .... 276 B 2
Foulbec 27 .... 35 E 2
Foulcrey 57 .... 96 A 1
Fouleix 24 .... 240 C 4
Foulenay 39 .... 179 E 3
Fouligny 57 .... 66 C 1
Foulognes 14 .... 32 D 5
Foulzy 08 .... 26 A 2
Fouquebrune 16 .... 221 F 3
Fouquenies 60 .... 38 A 1
Fouquereuil 62 .... 8 A 4
Fouquerolles 60 .... 38 B 1
Fouquescourt 80 .... 23 F 3
Fouqueure 16 .... 203 E 4
Fouqueville 27 .... 36 A 4
Fouquières-lès-Béthune 62 .... 8 A 4
Fouquières-lès-Lens 62 .... 8 C 5
Four 38 .... 231 H 2
Fouras 17 .... 200 C 3
Fourbanne 25 .... 162 C 2
Fourcatier-et-Maison-Neuve 25 .... 180 C 4
Fourcès 32 .... 275 F 5
Fourchambault 58 .... 174 B 2
Fourchaud *Château de* 03 .... 192 A 3
Fourches 14 .... 54 A 3
Fourcigny 80 .... 21 G 3
Fourdrain 02 .... 24 C 5
Fourdrinoy 80 .... 22 A 1
Fourg 25 .... 161 G 5
Fourges 27 .... 37 F 5
Les Fourgs 25 .... 180 D 3
Fourilles 03 .... 191 H 5
Fourmagnac 46 .... 261 F 3
Fourmetot 27 .... 35 F 2
Fourmies 59 .... 15 H 5
Fournaudin 89 .... 114 A 3
Fourneaux 23 .... 207 G 3
Fourneaux 42 .... 212 A 3
Fourneaux 45 .... 133 E 2
Fourneaux 50 .... 52 B 1
Fourneaux 73 .... 252 D 1
Fourneaux-le-Val 14 .... 53 H 3
Fournels 48 .... 263 H 1
Fournès 30 .... 304 B 1
Fournes-Cabardès 11 .... 319 H 3
Fournes-en-Weppes 59 .... 8 C 3
Le Fournet 14 .... 34 B 4
Fournet-Blancheroche 25 .... 163 G 4
Fournets-Luisans 25 .... 163 E 5
Fourneville 14 .... 34 C 2
Fournival 60 .... 38 C 1
Fournols 63 .... 228 D 3
Fournoulès 15 .... 261 H 3
Fouronnes 89 .... 136 B 5
Fourques 30 .... 304 B 3
Fourques 66 .... 342 D 3
Fourques-sur-Garonne 47 .... 257 E 5
Fourqueux 78 .... 58 A 3
Fourquevaux 31 .... 318 B 2
Fours 33 .... 237 F 2
Fours 58 .... 175 G 4
Fours-en-Vexin 27 .... 37 E 4
Fourtou 11 .... 337 H 3
Foussais-Payré 85 .... 184 C 2
Foussemagne 90 .... 142 D 3
Le Fousseret 31 .... 317 E 4
Foussignac 16 .... 220 D 1
Foussignargues 30 .... 283 H 2
Fouvent-le-Bas 70 .... 140 B 4
Fouvent-le-Haut 70 .... 140 B 4
La Foux 83 .... 329 F 2
La Foux-d'Allos 04 .... 288 D 1
Fouzilhon 34 .... 321 G 2
Foville 57 .... 66 B 3
Fox-Amphoux 83 .... 307 F 4
La Foye-Monjault 79 .... 184 D 5
Fozières 34 .... 301 H 3
Fozzano 2A .... 349 E 5
Fragnes-La Loyère 71 .... 177 H 3
Frahier-et-Chatebier 70 .... 142 B 3
Fraignot-et-Vesvrotte 21 .... 138 D 4
Fraillicourt 08 .... 25 H 4
Fraimbois 54 .... 95 G 2
Frain 88 .... 118 B 3
Frais 90 .... 142 D 3
Frais-Marais 59 .... 8 D 5
Fraisans 39 .... 161 G 5
Fraisnes-en-Saintois 54 .... 94 C 4
Fraisse 24 .... 239 G 5
Fraisse-Cabardès 11 .... 319 G 4
Fraissé-des-Corbières 11 .... 338 D 3
Fraisse-sur-Agout 34 .... 300 C 5
Fraisses 42 .... 230 A 5
Fraissines 81 .... 300 A 1
Fraissinet-de-Fourques 48 .... 282 C 3
Fraissinet-de-Lozère 48 .... 283 E 1
Fraize 88 .... 120 B 2
Fralignes 10 .... 115 G 3
La Framboisière 28 .... 85 F 2
Frambouhans 25 .... 163 F 3
Framecourt 62 .... 12 D 2
Framerville-Rainecourt 80 .... 23 E 2
Framicourt 80 .... 11 F 5
Framont 70 .... 140 A 5
Frampas 52 .... 92 B 3
Francalmont 70 .... 141 F 2
Francaltroff 57 .... 67 E 2
Francardo 2B .... 347 E 3
Francarville 31 .... 298 C 5
Francastel 60 .... 22 A 5
Françay 41 .... 131 H 5
Francazal 31 .... 335 E 2
Francescas 47 .... 275 G 4
Francheleins 01 .... 213 E 2
Franchesse 03 .... 191 G 1
Francheval 08 .... 27 F 3
Franchevelle 70 .... 141 H 3
La Francheville 08 .... 26 D 3
Francheville 21 .... 159 H 1
Francheville 27 .... 55 H 4
Francheville 39 .... 179 E 3
Francheville 51 .... 62 C 3
Francheville 54 .... 65 F 5
Francheville 61 .... 54 A 5
Francheville 69 .... 231 E 1
Francières 60 .... 39 E 2
Francières 80 .... 11 H 4
Francillon 36 .... 171 G 2
Francillon-sur-Roubion 26 .... 267 H 3
Francilly-Selency 02 .... 24 A 2
Francin 73 .... 233 G 3
Franclens 74 .... 215 E 2
François 79 .... 185 E 3
Francon 31 .... 317 E 4
Franconville 54 .... 95 F 2
Franconville 95 .... 58 B 2
Francoulès 46 .... 260 B 4
Francourt 70 .... 140 B 4
Francourville 28 .... 86 C 4
Francs 33 .... 238 D 4
Francueil 37 .... 152 C 3
Franey 25 .... 161 G 3
Frangy 74 .... 215 F 2
Frangy-en-Bresse 71 .... 178 D 4
Franken 68 .... 143 F 3
Franleu 80 .... 11 F 3
Franois 25 .... 161 H 4
Franquevielle 31 .... 334 A 1
Franqueville 02 .... 25 E 2
Franqueville 27 .... 35 G 4
Franqueville 80 .... 12 B 4
Franqueville-Saint-Pierre 76 .... 36 B 2
La Franqui 11 .... 339 E 3
Frans 01 .... 213 E 3
Fransart 80 .... 23 F 3
Fransèches 23 .... 207 F 3
Fransu 80 .... 12 B 4
Fransures 80 .... 22 B 4
Franvillers 80 .... 22 D 1
Franxault 21 .... 178 C 1
Frapelle 88 .... 96 C 4
Fraquelfing 57 .... 96 B 1
Fraroz 39 .... 180 A 4
Frasnay-Reugny 58 .... 175 F 2
Frasne 25 .... 180 B 3
Frasne-le-Château 70 .... 161 H 1
Frasne-les-Meulières 39 .... 161 E 4
La Frasnée 39 .... 196 D 1
Le Frasnois 39 .... 179 H 5
Frasnoy 59 .... 15 E 2
La Frasse 74 .... 216 C 1
Frasseto 2A .... 349 E 3
Frauenberg 57 .... 47 H 5
Frausseilles 81 .... 279 E 5
Fravaux 10 .... 116 A 2
Le Fraysse 81 .... 299 H 1
Frayssinet 46 .... 260 B 3
Frayssinet-le-Gélat 46 .... 259 F 4
Frayssinhes 46 .... 243 F 5
Frazé 28 .... 109 G 2
Fréauville 76 .... 20 D 2
Frebécourt 88 .... 93 H 4
Frébuans 39 .... 179 E 5
Le Frêche 40 .... 294 C 1
Fréchède 65 .... 315 G 3
Fréchencourt 80 .... 22 C 1
Fréchendets 65 .... 333 G 1
Le Fréchet 31 .... 316 D 5
Fréchet-Aure 65 .... 333 H 3
Le Fréchou 47 .... 275 G 4
Fréchou-Fréchet 65 .... 315 F 5
Frécourt 52 .... 117 G 5
Frédéric-Fontaine 70 .... 142 A 3
La Frédière 17 .... 201 G 4
Frédille 36 .... 171 F 2
Frégimont 47 .... 275 H 2
Frégouville 32 .... 297 E 5
Fréhel 22 .... 79 E 2
Fréhel *Cap* 22 .... 79 E 1
Freigné 49 .... 127 G 5
Freissinières 05 .... 270 C 1
La Freissinouse 05 .... 269 G 4
Freistroff 57 .... 46 C 4
Freix-Anglards 15 .... 244 B 4
Fréjairolles 81 .... 299 G 1
Fréjeville 81 .... 299 F 5
Fréjus 83 .... 329 G 1
Fréjus *Parc zoologique* 83 .... 308 C 5
Fréjus *Tunnel du* 73 .... 252 D 1
Fréland 68 .... 120 D 2
Frelinghien 59 .... 4 C 5
Frémainville 95 .... 57 G 1
Frémécourt 95 .... 37 H 5
Fréménil 54 .... 95 H 2
Frémeréville-sous-les-Côtes 55 .... 64 D 4
Frémery 57 .... 66 C 3
Frémestroff 57 .... 67 E 1
Frémicourt 62 .... 13 H 4
Fremifontaine 88 .... 95 H 5
Frémontiers 80 .... 22 A 3
Frémonville 54 .... 96 A 1
La Frénaye 76 .... 35 F 1
Frencq 62 .... 6 B 3
Frêne *Col du* 73 .... 233 G 2
Frenelle-la-Grande 88 .... 94 D 4
Frenelle-la-Petite 88 .... 94 C 4
Frênes 61 .... 53 E 4
Freneuse 76 .... 36 B 3
Freneuse 78 .... 57 E 1
Freneuse-sur-Risle 27 .... 35 G 4
Freney 73 .... 252 C 1
Le Freney-d'Oisans 38 .... 251 H 3
Fréniches 60 .... 23 H 4
Frénois 21 .... 159 H 1
Frénois 88 .... 118 D 2
Frénouse *Musée de la* 53 .... 105 H 5
Frénouville 14 .... 33 H 5
Frépillon 95 .... 58 B 1
Fresles 76 .... 20 D 3
La Fresnaie-Fayel 61 .... 54 C 3
La Fresnais 35 .... 50 D 5
Fresnay 10 .... 92 B 5
Fresnay-en-Retz 44 .... 165 E 1
Fresnay-le-Comte 28 .... 86 A 5
Fresnay-le-Gilmert 28 .... 86 A 3
Fresnay-le-Long 76 .... 20 B 4
Fresnay-le-Samson 61 .... 54 C 3
Fresnay-l'Évêque 28 .... 110 D 2
Fresnay-sur-Sarthe 72 .... 83 G 5
La Fresnaye-au-Sauvage 61 .... 53 H 4
La Fresnaye-sur-Chédouet 72 .... 83 H 4
Le Fresne 27 .... 56 A 2
Le Fresne 51 .... 62 D 2
Le Fresne-Camilly 14 .... 33 F 3
Fresne-Cauverville 27 .... 35 E 4
Fresné-la-Mère 14 .... 54 A 2
Fresne-l'Archevêque 27 .... 36 D 3
Fresne-le-Plan 76 .... 36 C 2
Fresne-Léguillon 60 .... 37 H 4
Le Fresne-Poret 50 .... 52 C 4
Fresne-Saint-Mamès 70 .... 140 C 5
Le Fresne-sur-Loire 44 .... 148 D 2
Fresneaux-Montchevreuil 60 .... 37 H 3
Fresnes 21 .... 138 A 5
Fresnes 41 .... 153 F 2
Fresnes 89 .... 137 E 3
Fresnes 94 .... 58 C 4
Fresnes-au-Mont 55 .... 64 B 3
Fresnes-en-Saulnois 57 .... 66 C 4
Fresnes-en-Tardenois 02 .... 40 D 5
Fresnes-en-Woëvre 55 .... 64 D 1
Fresnes-lès-Montauban 62 .... 13 H 2
Fresnes-lès-Reims 51 .... 41 H 3
Fresnes-Mazancourt 80 .... 23 G 2
Fresnes-sous-Coucy 02 .... 24 B 5
Fresnes-sur-Apance 52 .... 118 B 5
Fresnes-sur-Escaut 59 .... 9 H 5
Fresnes-sur-Marne 77 .... 59 F 2
Fresnes-Tilloloy 80 .... 11 G 5
Fresneville 80 .... 21 G 2
Fresney 27 .... 56 C 2
Fresney-le-Puceux 14 .... 53 G 1
Fresney-le-Vieux 14 .... 53 G 1
Fresnicourt-le-Dolmen 62 .... 8 A 5
Fresnières 60 .... 23 F 5
Fresnois-la-Montagne 54 .... 44 D 2
Fresnoy 62 .... 7 E 5
Fresnoy-Andainville 80 .... 11 G 5
Fresnoy-au-Val 80 .... 22 A 2
Fresnoy-en-Bassigny 52 .... 118 A 4
Fresnoy-en-Chaussée 80 .... 23 E 3
Fresnoy-en-Gohelle 62 .... 8 C 5
Fresnoy-en-Thelle 60 .... 38 B 4
Fresnoy-Folny 76 .... 20 D 2
Fresnoy-la-Rivière 60 .... 39 G 3
Fresnoy-le-Château 10 .... 115 F 2
Fresnoy-le-Grand 02 .... 24 B 1
Fresnoy-le-Luat 60 .... 39 F 4
Fresnoy-lès-Roye 80 .... 23 F 3
Frespech 47 .... 276 D 2
Fresquiennes 76 .... 20 A 5
Fressac 30 .... 283 F 5
Fressain 59 .... 14 B 2
Fressancourt 02 .... 24 C 4
Fresse 70 .... 142 A 1
Fresse-sur-Moselle 88 .... 120 A 5
Fresselines 23 .... 189 E 4
Fressenneville 80 .... 11 E 4
Fressies 59 .... 14 B 3
Fressin 62 .... 7 E 4
Fressines 79 .... 185 E 4
Le Frestoy-Vaux 60 .... 23 E 5
Fresville 50 .... 29 G 5
Le Fret 29 .... 75 E 3
Fréterive 73 .... 233 H 2
Fréteval 41 .... 131 H 2
Fréthun 62 .... 2 C 3
Fretigney-et-Velloreille 70 .... 161 H 1
Frétigny 28 .... 85 F 4
Fretin 59 .... 8 D 3
Frétoy 77 .... 60 A 5
Frétoy-le-Château 60 .... 23 G 4
La Frette 38 .... 232 A 4
La Frette 71 .... 178 A 5
La Frette-sur-Seine 95 .... 58 B 2
Frettecuisse 80 .... 11 G 5
Frettemeule 80 .... 11 F 4
Frettemolle 80 .... 21 G 3
Fretterans 71 .... 178 C 2
Frettes 70 .... 140 A 4
Le Fréty 08 .... 26 A 3
Freulleville 76 .... 20 C 2
Frévent 62 .... 12 C 2
Fréville 76 .... 19 H 5
Fréville 88 .... 93 H 5
Fréville-du-Gâtinais 45 .... 112 A 4
Frévillers 62 .... 7 H 5
Frévin-Capelle 62 .... 13 F 2
Freybouse 57 .... 67 E 2
Freycenet-la-Cuche 43 .... 247 H 5
Freycenet-la-Tour 43 .... 247 G 5
Freychenet 09 .... 336 C 3
Freyming-Merlebach 57 .... 47 E 5
Freyssenet 07 .... 266 C 2
Friaize 28 .... 85 G 4
Friardel 14 .... 54 D 1
Friaucourt 80 .... 11 E 3
Friauville 54 .... 45 E 5
Fribourg 57 .... 67 F 4
Fricamps 80 .... 21 H 2
Frichemesnil 76 .... 20 B 5
Fricourt 80 .... 13 F 5
Fridefont 15 .... 245 H 5
Friedolsheim 67 .... 68 C 5
Frières-Faillouël 02 .... 24 A 4
Friesen 68 .... 143 E 3
Friesenheim 67 .... 97 G 4
Frignicourt 51 .... 62 C 5
Le Friolais 25 .... 163 F 3
Frise 80 .... 23 F 1
Friville-Escarbotin 80 .... 11 E 3
Frizon 88 .... 95 F 5
Froberville 76 .... 18 D 3
Frocourt 60 .... 38 A 2
Frœningen 68 .... 143 F 2
Frœschwiller 67 .... 68 D 2
Froges 38 .... 233 F 5
Frohen-le-Grand 80 .... 12 C 3
Frohen-le-Petit 80 .... 12 C 3
Frohmuhl 67 .... 68 A 2
Froideconche 70 .... 141 G 2
Froidefontaine 39 .... 180 B 4
Froidefontaine 90 .... 142 C 4
Froidestrées 02 .... 25 F 1
Froideterre 70 .... 141 H 3
Froidevaux 25 .... 163 F 3
Froideville 39 .... 179 E 3
Froidfond 85 .... 165 F 2
Froidmont-Cohartille 02 .... 25 E 4
Froidos 55 .... 63 G 1
Froissy 60 .... 22 B 5
Frôlois 21 .... 159 F 1
Frolois 54 .... 94 D 2
Fromelennes 08 .... 17 F 4
Fromelles 59 .... 8 B 3
Fromental 87 .... 205 H 1
Fromentières 51 .... 61 E 3
Fromentières 53 .... 128 B 2
Fromentine 85 .... 164 C 2
Fromentine *Pont de* 85 .... 164 C 2
Fromeréville-les-Vallons 55 .... 43 H 4
Fromezey 55 .... 44 C 5
Fromont 77 .... 112 A 2
Fromy 08 .... 27 H 5
Froncles-Buxières 52 .... 93 E 5
Fronsac 31 .... 334 B 3
Fronsac 33 .... 238 B 5
Frontenac 33 .... 256 C 2
Frontenac 46 .... 261 F 4
Frontenard 71 .... 178 B 2
Frontenas 69 .... 212 C 3
Frontenaud 71 .... 195 H 1
Frontenay 39 .... 179 F 4
Frontenay-Rohan-Rohan 79 .... 184 D 5
Frontenay-sur-Dive 86 .... 168 C 3
Frontenex 73 .... 234 A 1
Frontignan 34 .... 323 E 3
Frontignan-de-Comminges 31 .... 334 B 2
Frontignan-Plage 34 .... 323 E 3
Frontignan-Savès 31 .... 316 D 3
Fronton 31 .... 297 H 2
Frontonas 38 .... 231 H 1
Fronville 52 .... 93 E 4
Frossay 44 .... 146 D 3
Frotey-lès-Lure 70 .... 141 H 4
Frotey-lès-Vesoul 70 .... 141 F 4
Frouard 54 .... 65 H 5
Frouville 95 .... 38 A 5
Frouzins 31 .... 317 H 2
Froville 54 .... 95 E 3
Froyelles 80 .... 11 H 2
Frozes 86 .... 168 D 5
Frucourt 80 .... 11 G 4
Frugères-les-Mines 43 .... 228 A 5
Fruges 62 .... 7 E 4
Frugières-le-Pin 43 .... 246 C 1
Frunce 28 .... 85 H 4
Fry 76 .... 37 E 1
Fuans 25 .... 163 E 5
Fublaines 77 .... 59 G 2
Le Fugeret 04 .... 288 D 4
Le Fuilet 49 .... 148 C 3
Fuilla 66 .... 342 A 3
Fuissé 71 .... 194 D 5
Fuligny 10 .... 92 A 5
Fulleren 68 .... 143 E 3
Fultot 76 .... 19 H 3
Fulvy 89 .... 137 F 3
Fumay 08 .... 17 E 5
Fumel 47 .... 259 E 5
Fumichon 14 .... 34 D 4
Furchhausen 67 .... 68 B 4
Furdenheim 67 .... 97 F 1
Fures 38 .... 232 B 5
Furiani 2B .... 345 G 4
Furmeyer 05 .... 269 F 4
Fussey 21 .... 159 H 5
Fussy 18 .... 155 E 5
La Fuste 04 .... 306 D 2
Fustérouau 32 .... 295 E 3
Fustignac 31 .... 317 E 4
Futeau 55 .... 43 F 5
Futuroscope 86 .... 169 F 5
Fuveau 13 .... 327 F 1
Fyé 72 .... 83 G 5
Fyé 89 .... 136 D 3

G

Gaas 40 .... 292 D 4
Gabarnac 33 .... 256 B 3
Gabarret 40 .... 274 D 5
Gabas 64 .... 332 A 3
Gabaston 64 .... 314 C 3
Gabat 64 .... 311 G 4
Gabian 34 .... 321 G 2
Gabillou 24 .... 241 F 2
Gabre 09 .... 335 H 1
Gabriac 12 .... 263 E 5
Gabriac 48 .... 283 E 3
Gabrias 48 .... 264 B 4
Gacé 61 .... 54 D 4
La Gacilly 56 .... 125 G 2
Gâcogne 58 .... 157 H 4

Gadancourt 95 ... 57 G 1
Gadencourt 27 ... 56 D 2
Gaël 35 ... 103 F 2
Gageac-et-Rouillac 24 ... 257 G 1
Gages-le-Haut 12 ... 281 E 1
Gagnac-sur-Cère 46 ... 243 E 5
Gagnac-sur-Garonne 31 ... 297 H 3
Gagnières 30 ... 283 H 2
Gagny 93 ... 58 D 3
Gahard 35 ... 80 C 5
Gailhan 30 ... 303 E 2
Gaillac 81 ... 298 D 1
Gaillac-d'Aveyron 12 ... 281 F 1
Gaillac-Toulza 31 ... 318 A 4
Gaillagos 65 ... 332 C 2
Gaillan-en-Médoc 33 ... 218 D 5
Gaillard 74 ... 197 H 5
Gaillardbois-Cressenville 27 ... 36 D 3
La Gaillarde 76 ... 19 H 2
Gaillefontaine 76 ... 21 F 4
Gaillères 40 ... 274 A 5
Gaillon 27 ... 36 C 5
Gaillon-sur-Montcient 78 ... 57 G 1
Gainneville 76 ... 34 D 1
Gaja-et-Villedieu 11 ... 337 G 1
Gaja-la-Selve 11 ... 318 D 5
Gajac 33 ... 256 C 5
Gajan 09 ... 335 F 2
Gajan 30 ... 303 G 1
Gajoubert 87 ... 204 D 2
Galametz 62 ... 12 B 2
Galamus *Gorges de* 11 ... 338 A 4
Galan 65 ... 315 H 5
Galapian 47 ... 275 G 2
Galargues 34 ... 303 E 3
La Galère 06 ... 309 E 5
Galéria 2B ... 346 A 3
Galey 09 ... 334 D 3
Galez 65 ... 315 H 5
Galfingue 68 ... 143 E 2
Galgan 12 ... 261 G 5
Galgon 33 ... 238 B 4
Galiax 32 ... 295 E 4
Galibier *Col du* 05 ... 252 B 3
Galié 31 ... 334 B 2
Galinagues 11 ... 337 E 4
Gallardon 28 ... 86 C 3
Gallargues-le-Montueux 30 ... 303 F 3
Gallerande *Château de* 72 ... 129 G 4
Le Gallet 60 ... 22 A 5
Galluis 78 ... 57 G 4
Gamaches 80 ... 11 E 5
Gamaches-en-Vexin 27 ... 37 F 4
Gamarde-les-Bains 40 ... 293 F 3
Gamarthe 64 ... 311 F 5
Gambais 78 ... 57 F 4
Gambaiseuil 78 ... 57 F 4
Gambsheim 67 ... 69 F 5
Gan 64 ... 314 B 4
Ganac 09 ... 336 A 3
Ganagobie 04 ... 287 F 4
Ganagobie *Prieuré de* 04 ... 287 F 5
Gancourt-Saint-Étienne 76 ... 21 F 5
Gandelain 61 ... 83 F 3
Gandelu 02 ... 40 A 5
Gandrange 57 ... 45 G 4
Ganges 34 ... 302 C 1
Gannat 03 ... 209 H 2
Gannay-sur-Loire 03 ... 175 F 5
Gannes 60 ... 22 C 5
Les Gannes 63 ... 226 C 2
Gans 33 ... 256 C 5
Ganties 31 ... 334 C 1
Ganzeville 76 ... 19 E 3
Gap 05 ... 269 H 3
Gapennes 80 ... 11 H 2
Gâprée 61 ... 84 A 2
Garabit *Viaduc de* 15 ... 245 H 4
Garac 31 ... 297 F 4
Garancières 78 ... 57 F 4
Garancières-en-Beauce 28 ... 87 E 4
Garancières-en-Drouais 28 ... 56 C 5
Garanou 09 ... 336 C 5
Garat 16 ... 221 G 2
Garcelles-Secqueville 14 ... 33 H 5
Garche 57 ... 45 H 3
Garches 92 ... 58 B 3
Garchizy 58 ... 174 C 1
Garchy 58 ... 156 B 4
Gardanne 13 ... 327 E 1
La Garde 04 ... 308 B 1
La Garde 38 ... 251 G 3
La Garde 48 ... 246 A 5
La Garde 83 ... 328 B 4
La Garde-Adhémar 26 ... 285 E 1
La Garde-Freinet 83 ... 329 E 2
La Garde-Guérin 48 ... 265 F 5
Gardefort 18 ... 155 H 4
Gardegan-et-Tourtirac 33 ... 238 D 5
Gardères 65 ... 314 D 4
Les Gardes 49 ... 149 E 5
Gardes-le-Pontaroux 16 ... 221 G 3
Gardie 11 ... 337 G 1
Gardonne 24 ... 257 G 1
Gardouch 31 ... 318 B 3
Garein 40 ... 273 G 4
Garencières 27 ... 56 C 2
La Garenne-Colombes 92 ... 58 B 3
Garennes-sur-Eure 27 ... 56 D 3
Garentreville 77 ... 112 A 2
Garéoult 83 ... 328 B 2
La Garette 79 ... 184 C 4
Gargan *Mont* 87 ... 224 C 2
Garganvillar 82 ... 277 F 5
Gargas 31 ... 298 A 3
Gargas 84 ... 305 H 1
Gargenville 78 ... 57 G 2
Garges-lès-Gonesse 95 ... 58 C 2
Gargilesse-Dampierre 36 ... 188 D 2
Garidech 31 ... 298 A 3
Gariès 82 ... 297 E 2
Garigny 18 ... 174 A 1
Garin 31 ... 334 A 4
Garindein 64 ... 311 H 5
Garlan 29 ... 72 A 4
Garlède-Mondebat 64 ... 294 B 5
Garlin 64 ... 294 C 5
Le Garn 30 ... 284 C 2
La Garnache 85 ... 165 E 2
Garnat-sur-Engièvre 03 ... 192 D 1
Garnay 28 ... 56 C 5
Garnerans 01 ... 195 E 5
Garnetot 14 ... 54 B 2
La Garonne 83 ... 328 B 5
Garons 30 ... 304 A 2
Garos 64 ... 294 A 5
Garravet 32 ... 316 D 3
Garrebourg 57 ... 68 A 5
Garrevaques 81 ... 319 E 2
Garrey 40 ... 293 F 3
Le Garric 81 ... 279 G 5
Garrigues 34 ... 303 E 2
Garrigues 81 ... 298 C 4
Garrigues-
Sainte-Eulalie 30 ... 284 B 5
Garris 64 ... 311 G 4
Garrosse 40 ... 273 E 5
Gars 06 ... 308 D 1
Gartempe 23 ... 206 D 1
Gas 28 ... 86 C 2
Gaschney 68 ... 120 C 3
Gasny 27 ... 57 E 1
Gasques 82 ... 276 D 3
Gassin 83 ... 329 F 3
Le Gast 14 ... 52 B 3
Gastes 40 ... 272 C 1
Gastines 53 ... 105 F 5
Gastins 77 ... 89 E 2
Gasville-Oisème 28 ... 86 B 3
Gâtelles 28 ... 85 H 3
Gatey 39 ... 178 D 2
Gathemo 50 ... 52 B 4
Gatteville-le-Phare 50 ... 29 H 2
Gattières 06 ... 309 G 2
Gatuzières 48 ... 282 C 3
Gaubertin 45 ... 111 H 3
La Gaubretière 85 ... 166 C 2
Gauchin-Légal 62 ... 7 H 5
Gauchin-Verloingt 62 ... 7 G 5
Gauchy 02 ... 24 A 2
Gauciel 27 ... 56 C 1
La Gaudaine 28 ... 85 E 5
La Gaude 06 ... 309 G 2
Gaudechart 60 ... 21 H 5
Gaudent 65 ... 334 A 2
Gaudiempré 62 ... 13 E 3
Gaudiès 09 ... 318 C 5
Gaudonville 32 ... 296 D 1
Gaudreville-la-Rivière 27 ... 56 A 2
Gaugeac 24 ... 258 D 3
Gaujac 30 ... 284 D 4
Gaujac 32 ... 316 D 2
Gaujac 47 ... 257 E 4
Gaujacq 40 ... 293 G 4
Gaujan 32 ... 316 C 3
Le-Gault-du-Perche 41 ... 109 F 4
Le Gault-Saint-Denis 28 ... 110 A 2
Le Gault-Soigny 51 ... 60 D 4
Gauré 31 ... 298 B 4
Gauriac 33 ... 237 G 3
Gauriaguet 33 ... 237 H 3
Gaussan 65 ... 316 A 5
Gausson 22 ... 78 B 5
Les Gautherets 71 ... 194 A 1
Gauville 61 ... 55 F 3
Gauville 80 ... 21 G 3
Gauville-la-Campagne 27 ... 56 B 1
Gavarnie 65 ... 332 D 5
Gavarnie-Gèdre 65 ... 333 E 4
Gavarnie *Port de* 65 ... 332 D 5
Gavarret-sur-Aulouste 32 ... 296 B 3
Gavaudun 47 ... 258 D 4
Gavet 38 ... 251 F 3
Gavignano 2B ... 347 F 3
Gavisse 57 ... 45 H 2
La Gavotte 13 ... 326 D 2
Gavray 50 ... 51 H 2
Le Gâvre 44 ... 126 B 5
Gavrelle 62 ... 13 H 2
Gâvres 56 ... 123 F 3
Gavrinis *Cairn de* 56 ... 124 A 4
Gavrus 14 ... 33 F 5
Gayan 65 ... 315 E 4
Gaye 51 ... 61 F 5
Gayon 64 ... 314 C 2
Gazaupouy 32 ... 275 H 5
Gazave 65 ... 333 H 2
Gazax-et-Baccarisse 32 ... 295 F 4
Gazeran 78 ... 86 D 2
Gazinet 33 ... 255 E 1
Gazost 65 ... 333 E 2
Geaune 40 ... 294 B 4
Geay 17 ... 201 F 4
Geay 79 ... 167 H 3
Gée 49 ... 150 A 1
Gée-Rivière 32 ... 294 C 3
Geffosses 50 ... 31 F 4
Géfosse-Fontenay 14 ... 32 B 2
Gehée 36 ... 171 F 1
Geishouse 68 ... 120 C 5
Geispitzen 68 ... 143 G 2
Geispolsheim 67 ... 97 G 2
Geiswasser 68 ... 121 G 4
Geiswiller 67 ... 68 C 4
Gélacourt 54 ... 95 H 2
Gélannes 10 ... 90 B 3
Gélaucourt 54 ... 94 C 3
Gellainville 28 ... 86 B 4
Gellenoncourt 54 ... 66 C 5
Gelles 63 ... 209 E 5
Gellin 25 ... 180 C 4
Gelos 64 ... 314 B 4
Geloux 40 ... 273 G 5
Gelucourt 57 ... 67 E 4
Gelvécourt-et-Adompt 88 ... 118 D 2
Gémages 61 ... 84 C 5
Gemaingoutte 88 ... 96 C 5
Gembrie 65 ... 334 A 2
Gemeaux 21 ... 160 B 1
Gémenos 13 ... 327 F 2
Gémigny 45 ... 110 C 5
Gémil 31 ... 298 B 3
Gemmelaincourt 88 ... 94 C 5
Gémonval 25 ... 142 A 4
Gémonville 54 ... 94 B 4
Gémozac 17 ... 219 F 2
Genac-Bignac 16 ... 203 E 5
Genainville 95 ... 37 F 5
Genas 69 ... 231 G 1
Génat 09 ... 336 A 4
Genay 21 ... 158 C 1
Genay 69 ... 213 E 4
Gençay 86 ... 186 C 4
Gendreville 88 ... 118 A 2
Gendrey 39 ... 161 F 4
Gené 49 ... 128 A 4
Génébrières 82 ... 278 B 5
Genech 59 ... 9 E 3
Génelard 71 ... 193 H 1
Générac 30 ... 303 H 3
Générac 33 ... 237 G 2
Générargues 30 ... 283 G 4
Générest 65 ... 334 A 2
Generville 11 ... 318 D 5
Geneslay 61 ... 82 C 3
Le Genest 53 ... 105 H 3
Genestelle 07 ... 266 B 2
Geneston 44 ... 147 H 5
La Genête 71 ... 195 F 1
La Genétouze 17 ... 238 D 1
La Genétouze 85 ... 165 G 4
Genêts 50 ... 51 G 4
Les Genettes 61 ... 55 F 5
Geneuille 25 ... 161 H 3
La Genevraie 61 ... 54 D 5
La Genevraye 77 ... 88 C 5
Genevreuille 70 ... 141 G 4
Genevrey 70 ... 141 G 3
Genevrières 52 ... 140 A 3
La Genevroye 52 ... 92 D 5
Geney 25 ... 142 A 5
La Geneytouse 87 ... 206 B 5
Génicourt 95 ... 58 A 1
Génicourt-sous-Condé 55 ... 63 G 3
Génicourt-sur-Meuse 55 ... 64 B 2
Genilac 42 ... 230 C 3
Genillé 37 ... 152 C 5
Genin *Lac* 01 ... 196 D 5
Génis 24 ... 223 G 5
Génissac 33 ... 238 B 5
Génissiat *Barrage de* 01 ... 215 E 2
Génissieux 26 ... 249 G 3
Genlis 21 ... 160 C 4
Gennes 25 ... 162 A 3
Gennes 49 ... 150 A 3
Gennes-Ivergny 62 ... 12 B 2
Gennes-sur-Glaize 53 ... 128 C 2
Gennes-sur-Seiche 35 ... 105 F 4
Genneteil 49 ... 129 H 5
Gennetines 03 ... 192 B 1
Genneton 79 ... 167 H 1
Genneville 14 ... 34 D 2
Gennevilliers 92 ... 58 B 2
Genod 39 ... 196 B 4
Génois *Pont* 2B ... 346 D 3
Génois *Pont* 2B ... 347 F 5
Génolhac 30 ... 283 G 1
Génos 31 ... 334 B 2
Génos 65 ... 333 H 4
Genouillac 16 ... 204 B 4
Genouillac 23 ... 189 G 4
Genouillé 17 ... 201 F 2
Genouillé 86 ... 203 G 2
Genouilleux 01 ... 213 E 1
Genouilly 18 ... 154 A 5
Genouilly 71 ... 177 F 5
Genrupt 52 ... 118 A 5
Gensac 33 ... 257 E 1
Gensac 65 ... 315 E 2
Gensac 82 ... 297 E 1
Gensac-de-Boulogne 31 ... 316 B 4
Gensac-la-Pallue 16 ... 220 C 1
Gensac-sur-Garonne 31 ... 317 F 5
Genté 16 ... 220 B 2
Gentelles 80 ... 22 D 2
Gentilly 94 ... 58 C 4
Gentioux 23 ... 207 F 5
Genvry 60 ... 23 G 5
Georfans 70 ... 141 H 5
Géovreisset 01 ... 196 C 5
Ger 50 ... 52 D 5
Ger 64 ... 314 D 4
Ger 65 ... 332 D 1
Geraise 39 ... 179 H 2
Gérardmer 88 ... 120 B 3
Géraudot 10 ... 91 F 5
Gérauvilliers 55 ... 93 H 2
Gerbaix 73 ... 232 D 2
Gerbamont 88 ... 120 A 4
Gerbécourt 57 ... 66 C 5
Gerbécourt-et-Haplemont 54 ... 94 D 3
Gerbépal 88 ... 120 B 2
Gerberoy 60 ... 37 G 1
Gerbéviller 54 ... 95 G 2
Gerbier de Jonc *Mont* 07 ... 266 A 1
Gercourt-et-Drillancourt 55 ... 43 H 3
Gercy 02 ... 25 F 2
Gerde 65 ... 333 F 1
Gerderest 64 ... 314 C 2
Gère-Bélesten 64 ... 332 A 2
Gergny 02 ... 25 F 1
Gergovie *Plateau de* 63 ... 227 H 1
Gergueil 21 ... 159 H 4
Gergy 71 ... 178 A 3
Gerland 21 ... 160 A 5
Germ 65 ... 333 H 4
Germagnat 01 ... 196 B 4
Germagny 71 ... 177 F 5
Germaine 02 ... 23 H 3
Germaine 51 ... 41 G 5
Germaines 52 ... 139 E 3
Germainville 28 ... 56 D 4
Germainvilliers 52 ... 117 H 3
Germay 52 ... 93 F 4
Germéfontaine 25 ... 162 D 3
Germenay 58 ... 157 F 4
Germignac 17 ... 220 B 2
Germigney 39 ... 179 F 1
Germigney 70 ... 161 E 2
Germignonville 28 ... 110 C 3
Germigny 51 ... 41 F 4
Germigny 89 ... 114 C 5
Germigny-des-Prés 45 ... 133 H 2
Germigny-l'Évêque 77 ... 59 G 2
Germigny-l'Exempt 18 ... 174 A 3
Germigny-sous-Coulombs 77 ... 60 A 1
Germigny-sur-Loire 58 ... 174 B 1
Germinon 51 ... 61 H 3
Germiny 54 ... 94 C 2
Germisay 52 ... 93 F 4
Germolles *Château de* 71 ... 177 G 4
Germolles-sur-Grosne 71 ... 194 C 5
Germond-Rouvre 79 ... 185 E 3
Germondans 25 ... 162 B 2
Germont 08 ... 43 E 1
Germonville 54 ... 94 D 3
Germs-sur-l'Oussouet 65 ... 333 E 1
Gernelle 08 ... 27 E 3
Gernicourt 02 ... 41 F 2
Géronce 64 ... 313 G 4
Gerponville 76 ... 19 F 3
Gerrots 14 ... 34 B 4
Gerstheim 67 ... 97 G 3
Gertwiller 67 ... 97 F 3
Geruge 39 ... 179 E 5
Gervans 26 ... 249 E 3
Gerville 76 ... 18 D 4
Gerville-la-Forêt 50 ... 31 G 3
Géry 55 ... 63 H 4
Gerzat 63 ... 209 H 5
Gesnes 53 ... 106 B 3
Gesnes-en-Argonne 55 ... 43 G 3
Gesnes-le-Gandelin 72 ... 83 G 5
Gespunsart 08 ... 27 E 2
Gestas 64 ... 313 F 3
Gesté 49 ... 148 C 4
Gestel 56 ... 100 D 5
Gestiès 09 ... 336 A 5
Gesvres 53 ... 83 E 4
Gesvres-le-Chapitre 77 ... 59 G 1
Gétigné 44 ... 148 B 5
Les Gets 74 ... 198 C 5
Geu 65 ... 332 D 2
Geudertheim 67 ... 69 E 4
Géus-d'Arzacq 64 ... 294 A 5
Geüs-d'Oloron 64 ... 313 G 4
Gévezé 35 ... 80 A 5
Gevigney-et-Mercey 70 ... 140 D 2
Gevingey 39 ... 179 E 5
Gevresin 25 ... 180 A 2
Gevrey-Chambertin 21 ... 160 A 4
Gevrolles 21 ... 116 B 5
Gevry 39 ... 178 D 1
Gex 01 ... 197 F 4
Geyssans 26 ... 249 G 2
Gez 65 ... 332 D 2
Gez-ez-Angles 65 ... 333 E 1
Gézaincourt 80 ... 12 D 4
Gezier-et-Fontenelay 70 ... 161 H 2
Gézoncourt 54 ... 65 G 4
Ghisonaccia 2B ... 349 G 2
Ghisoni 2B ... 349 F 1
Ghissignies 59 ... 15 E 3
Ghyvelde 59 ... 3 H 2
Giat 63 ... 208 C 5
Gibeaumeix 54 ... 94 A 2
Gibel 31 ... 318 B 4
Gibercourt 02 ... 24 B 3
Giberville 14 ... 33 H 4
Gibles 71 ... 194 A 4
Gibourne 17 ... 202 B 3
Gibret 40 ... 293 F 3
Le Gicq 17 ... 202 C 3
Gidy 45 ... 110 D 5
Giel-Courteilles 61 ... 53 H 4
Gien 45 ... 134 C 4
Gien-sur-Cure 58 ... 158 B 5
Giens 83 ... 328 C 5
Gières 38 ... 251 E 1
La Giettaz 73 ... 216 B 4
Giéville 50 ... 52 B 1
Gièvres 41 ... 153 H 4
Giey-sur-Aujon 52 ... 116 D 5
Giez 74 ... 215 H 5
Gif-sur-Yvette 91 ... 58 A 5
Giffaumont-Champaubert 51 ... 92 B 2
Gigean 34 ... 323 E 3
Gignac 34 ... 302 B 4
Gignac 46 ... 242 B 4
Gignac 84 ... 306 A 1
Gignac-la-Nerthe 13 ... 326 C 1
Gignat 63 ... 228 A 4
Gignéville 88 ... 118 B 3
Gigney 88 ... 95 E 5
Gigny 39 ... 196 B 2
Gigny 89 ... 137 G 3
Gigny-Bussy 51 ... 91 H 2
Gigny-sur-Saône 71 ... 178 A 5
Gigondas 84 ... 285 G 3
Gigors 04 ... 269 H 5
Gigors-et-Lozeron 26 ... 267 H 1
Gigouzac 46 ... 260 B 4
Gijounet 81 ... 300 B 3
Gildwiller 68 ... 143 E 2
Gilette 06 ... 291 E 5
Gilhac-et-Bruzac 07 ... 249 E 5
Gilhoc-sur-Ormèze 07 ... 248 D 4
Gillancourt 52 ... 116 C 3
Gillaumé 52 ... 93 F 3
Gilles 28 ... 57 E 3
Gilley 25 ... 162 D 5
Gilley 52 ... 140 A 4
Gillois 39 ... 180 A 4
Gillonnay 38 ... 232 A 4
Gilly-lès-Cîteaux 21 ... 160 A 5
Gilly-sur-Isère 73 ... 234 A 1
Gilly-sur-Loire 71 ... 193 E 2
Gilocourt 60 ... 39 G 3
Gimat 82 ... 297 E 2
Gimbrède 32 ... 276 C 5
Gimbrett 67 ... 68 D 5
Gimeaux 63 ... 209 H 4
Gimécourt 55 ... 64 B 4
Gimel-les-Cascades 19 ... 243 E 1
Gimeux 16 ... 220 B 2
La Gimond 42 ... 230 B 3
Gimont 32 ... 296 D 4
Gimouille 58 ... 174 B 2
Ginai 61 ... 54 C 4
Ginals 82 ... 279 E 3
Ginasservis 83 ... 306 D 3
Ginchy 80 ... 13 G 5
Gincla 11 ... 337 H 5
Gincrey 55 ... 44 C 4
Gindou 46 ... 259 G 3
Ginestas 11 ... 320 D 4
Ginestet 24 ... 239 H 5
Gingsheim 67 ... 68 C 4
Ginoles 11 ... 337 F 4
Ginouillac 46 ... 260 B 2
Gintrac 46 ... 242 D 5
Giocatojo 2B ... 347 G 3
Gionges 51 ... 61 G 2
Giou-de-Mamou 15 ... 244 C 5
Gioux 23 ... 207 G 5
Gipcy 03 ... 191 G 2
Girac 46 ... 243 E 5
Girancourt 88 ... 119 E 2
Giraumont 54 ... 45 F 5
Giraumont 60 ... 39 F 1
Girauvoisin 55 ... 64 D 4
Gircourt-lès-Viéville 88 ... 94 D 4
Girecourt-sur-Durbion 88 ... 95 G 5
Girefontaine 70 ... 118 D 5
Giremoutiers 77 ... 59 H 3
Girgols 15 ... 244 C 4
Giriviller 54 ... 95 F 3
Girmont 88 ... 95 F 5
Girmont-Val-d'Ajol 88 ... 119 G 4
Girolles 45 ... 112 C 4
Girolles 89 ... 157 H 1
Giromagny 90 ... 142 B 2
Giron 01 ... 196 D 5
Gironcourt-sur-Vraine 88 ... 94 B 5
Gironde-sur-Dropt 33 ... 256 C 3
Girondelle 08 ... 26 B 2
Gironville 77 ... 112 A 3
Gironville-et-Neuville 28 ... 86 A 2
Gironville-sous-les-Côtes 55 ... 64 D 4
Gironville-sur-Essonne 91 ... 87 H 5
Le Girouard 85 ... 182 C 1
Giroussens 81 ... 298 C 3
Giroux 36 ... 172 B 1
Girovillers-sous-Montfort 88 ... 94 C 5
Giry 58 ... 157 E 4
Gisay-la-Coudre 27 ... 55 F 2
Giscaro 32 ... 296 D 4
Giscos 33 ... 274 C 2
Gisors 27 ... 37 G 3
Gissac 12 ... 301 E 2
Gissey-le-Vieil 21 ... 159 E 3
Gissey-sous-Flavigny 21 ... 159 F 1
Gissey-sur-Ouche 21 ... 159 G 4
Gisy-les-Nobles 89 ... 113 F 2
Giuncaggio 2B ... 347 G 5
Giuncheto 2A ... 350 D 3
Givardon 18 ... 173 H 4
Givarlais 03 ... 190 D 3
Givenchy-en-Gohelle 62 ... 8 B 5
Givenchy-le-Noble 62 ... 13 E 2
Givenchy-lès-la-Bassée 62 ... 8 B 4
Giverny 27 ... 57 E 1
Giverville 27 ... 35 F 4
Givet 08 ... 17 F 4
Givonne 08 ... 27 F 3
Givors 69 ... 231 E 2
Givraines 45 ... 111 H 3
Givrand 85 ... 164 D 5
Givrauval 55 ... 93 F 1
Le Givre 85 ... 182 D 2
Givrezac 17 ... 219 G 3
Givron 08 ... 26 A 4

Givry 08 42 C 1
Givry 71 177 G 4
Givry 89 157 H 1
Givry-en-Argonne 51 63 E 2
Givry-lès-Loisy 51 61 F 3
Givrycourt 57 67 F 2
Gizaucourt 51 63 E 1
Gizay 86 186 C 3
Gizeux 37 151 E 2
Gizia 39 196 A 2
Gizy 02 25 E 5
La Glacerie 50 29 E 3
Glacière *Grotte de la* 25 162 C 3
Glageon 59 15 H 5
Glaignes 60 39 F 4
Glainans 25 163 E 2
Glaine-Montaigut 63 228 B 1
Glaire 08 27 E 3
Le Glaizil 05 269 G 1
Glamondans 25 162 C 3
Gland 02 60 C 1
Gland 89 137 G 3
Glandage 26 268 D 2
Glandon 87 223 G 4
Glandon *Col du* 73 251 H 1
Glanes 46 243 E 5
Glanges 87 224 B 2
Glannes 51 62 C 5
Glanon 21 178 B 1
Glanville 14 34 B 3
Glatens 82 296 D 1
Glatigny 50 31 F 3
Glatigny 57 46 B 5
Glatigny 60 37 H 1
Glay 25 142 C 5
Gleizé 69 212 D 3
Glénac 56 125 G 3
Glénat 15 243 H 5
Glénay 79 168 A 3
Glénic 23 189 G 5
Glennes 02 41 E 3
Glénouze 86 168 C 2
Glère 25 163 H 2
Glicourt 76 10 C 5
Glisolles 27 56 A 2
Glisy 80 22 C 2
Glomel 22 77 E 5
Glonville 54 95 H 3
Glorianes 66 342 C 3
Glos 14 34 D 5
Glos-la-Ferrière 61 55 F 3
Glos-sur-Risle 27 35 G 3
Gluges 46 242 C 5
Gluiras 07 266 C 1
Glun 07 249 E 4
Glux-en-Glenne 58 176 B 2
Goas 82 297 E 2
La Godefroy 50 51 H 4
Godenvillers 60 22 D 5
Goderville 76 19 E 4
Godewaersvelde 59 4 A 5
Godisson 61 54 C 5
La Godivelle 63 227 F 5
Godoncourt 88 118 B 4
Gœrlingen 67 67 H 4
Gœrsdorf 67 69 E 2
Goès 64 331 H 1
Goetzenbruck 57 68 B 2
Gœulzin 59 14 A 2
Gogney 54 96 A 1
Gognies-Chaussée 59 15 G 2
La Gohannière 50 51 H 4
Gohier 49 149 H 2
Gohory 28 109 H 3
Goin 57 65 H 2
Goincourt 60 38 A 2
Golancourt 60 23 H 4
Golbey 88 119 F 2
Goldbach 68 120 C 5
Golfe-Juan 06 309 F 4
Golfech 82 276 D 4
Golinhac 12 262 D 3
Golleville 50 29 F 5
Gombergean 41 131 G 5
Gomelange 57 46 C 4
Gomené 22 102 D 2
Gomer 64 314 C 4
Gometz-la-Ville 91 58 A 5
Gometz-le-Châtel 91 58 A 5
Gomiécourt 62 13 G 4
Gommecourt 62 13 F 4
Gommecourt 78 57 E 1
Gommegnies 59 15 F 2
Gommenec'h 22 73 F 4
Gommersdorf 68 143 E 3
Gommerville 28 87 E 5
Gommerville 76 18 D 5
Gomméville 21 115 H 5
Gomont 08 41 H 1
Gonaincourt 52 117 H 2
Goncelin 38 233 F 5
Goncourt 52 117 H 2
Gond-Pontouvre 16 221 F 1
Gondecourt 59 8 C 3
Gondenans-les-Moulins 25 162 C 1
Gondenans-Montby 25 162 D 1
Gondeville 16 220 C 1
Gondrecourt-Aix 54 45 E 4
Gondrecourt-le-Château 55 93 G 3
Gondreville 45 112 B 4
Gondreville 54 65 F 5
Gondreville 60 39 G 4
Gondrexange 57 67 G 5
Gondrexon 54 95 H 1
Gondrin 32 295 G 1
Les Gonds 17 219 G 1
Gonesse 95 58 D 2
Gonez 65 315 F 4
Gonfaron 83 328 D 2
Gonfreville 50 31 H 3
Gonfreville-Caillot 76 19 E 4
Gonfreville-l'Orcher 76 34 C 1
La Gonfrière 61 55 E 3
Gonnehem 62 7 H 3
Gonnelieu 59 14 B 5
Gonnetot 76 19 H 3
Gonneville-Le Theil 50 29 F 3
Gonneville-en-Auge 14 33 H 3
Gonneville-la-Mallet 76 18 C 4
Gonneville-sur-Honfleur 14 34 D 2
Gonneville-sur-Mer 14 34 A 3
Gonneville-sur-Scie 76 20 B 3
Gonsans 25 162 C 4
Gontaud-de-Nogaret 47 257 F 5
La Gonterie-
Boulouneix 24 222 B 5
Gonvillars 70 142 A 4
Gonzeville 76 19 H 3
Goos 40 293 F 3
Gorbio 06 291 G 5
Gorcy 54 44 D 1
Gordes 84 305 G 1
Gorenflos 80 12 B 4
Gorges 44 148 A 5
Gorges 50 31 G 3
Gorges 80 12 C 4
La Gorgue 59 8 A 2
Gorhey 88 119 E 2
Gornac 33 256 C 2
Gorniès 34 302 B 1
Gorre 87 223 E 1
Gorrevod 01 195 F 3
Gorron 53 81 H 4
Gorses 46 261 F 1
Gorze 57 65 G 1
Gosnay 62 7 H 4
Gosné 35 80 D 5
Gosselming 57 67 G 4
Gotein-Libarrenx 64 331 E 1
Gottenhouse 67 68 B 5
Gottesheim 67 68 C 4
Gouaix 77 89 G 3
Goualade 33 274 C 1
Gouarec 22 77 G 5
Gouaux 65 333 H 4
Gouaux-de-Larboust 31 334 A 4
Gouaux-de-Luchon 31 334 B 4
Gouberville 50 29 G 2
Gouchaupre 76 10 C 5
Goudargues 30 284 C 3
Goudelancourt-
lès-Berrieux 02 41 F 1
Goudelancourt-
lès-Pierrepont 02 25 F 4
Goudelin 22 73 F 5
Goudet 43 247 F 5
Goudex 31 317 E 3
Goudon 65 315 G 4
Goudourville 82 276 D 4
Gouesnach 29 99 H 4
La Gouesnière 35 50 D 5
Gouesnou 29 70 C 5
Gouex 86 187 E 4
Gouézec 29 76 A 5
Gougenheim 67 68 C 5
Gouhelans 25 162 C 1
Gouhenans 70 141 H 4
Gouillons 28 86 D 5
Gouise 03 192 B 3
Goujounac 46 259 G 4
La Goulafrière 27 55 E 2
Goulaine *Château de* 44 147 H 4
Goulet 61 54 A 4
Goulien 29 98 D 2
Goulier 09 336 A 5
Goulles 19 243 G 4
Les Goulles 21 138 D 2
Gouloux 58 158 B 4
Goult 84 305 G 1
Goulven 29 71 E 4
Goumois 25 163 H 3
Goupillières 14 53 F 1
Goupillières 27 35 G 5
Goupillières 76 20 A 5
Goupillières 78 57 G 3
Gouraincourt 55 44 D 4
Le Gouray 22 78 D 5
Gourbera 40 292 D 2
Gourbesville 50 29 G 5
Gourbit 09 336 A 4
Gourchelles 60 21 G 3
Gourdan-Polignan 31 334 A 1
Gourdièges 15 245 F 5
Gourdon 06 309 E 2
Gourdon 07 266 B 2
Gourdon 46 259 H 2
Gourdon 71 194 B 1
Gourdon-Murat 19 225 E 3
Gourette 64 332 B 2
Gourfaleur 50 32 B 5
Gourfouran *Gouffre de* 05 270 C 1
Gourgançon 51 61 G 5
Gourgé 79 168 B 5
Gourgeon 70 140 C 3
Gourgue 65 333 G 1
Gourhel 56 103 E 4
Gourin 56 76 C 5
Gourlizon 29 99 G 2
Gournay 36 189 E 1
Gournay 76 34 C 1
Gournay 79 202 D 1
Gournay-en-Bray 76 37 F 1
Gournay-le-Guérin 27 55 G 5
Gournay-sur-Aronde 60 39 E 1
Gournay-sur-Marne 93 58 D 3
Les Gours 16 202 D 3
Gours 33 238 D 4
Gourvieille 11 318 C 4
Gourville 16 202 D 5
Gourvillette 17 202 C 4
Goury 50 28 C 2
Gourzon 52 92 D 2
Goussaincourt 55 94 A 3
Goussainville 28 57 E 4
Goussainville 95 58 D 1
Goussancourt 02 40 D 5
Gousse 40 293 F 2
Goussonville 78 57 G 2
Goustranville 14 34 A 4
La Goutelle 63 209 E 5
Goutevernisse 31 317 F 5
Goutrens 12 262 B 5
Gouts 40 293 F 2
Gouts 82 277 E 1
Gouts-Rossignol 24 221 G 4
Gouttières 27 55 G 1
Gouttières 63 209 E 2
Goutz 32 296 C 2
Gouvernes 77 59 E 3
Gouves 62 13 F 2
Gouvets 50 52 B 2
Gouvieux 60 38 C 4
Gouville 27 56 A 3
Gouville-sur-Mer 50 31 F 5
Gouvix 14 53 G 1
Goux 32 295 E 4
Goux 39 179 E 1
Goux-lès-Dambelin 25 163 E 2
Goux-les-Usiers 25 180 C 1
Goux-sous-Landet 25 161 H 5
Gouy 02 14 B 5
Gouy 76 36 B 3
Gouy-en-Artois 62 13 F 3
Gouy-en-Ternois 62 12 D 2
Gouy-les-Groseillers 60 22 B 4
Gouy-l'Hôpital 80 21 H 2
Gouy-Saint-André 62 6 D 5
Gouy-Servins 62 8 A 5
Gouy-sous-Bellonne 62 14 A 2
Gouzangrez 95 37 H 5
Gouze 64 313 G 2
Gouzeaucourt 59 14 A 5
Gouzens 31 317 F 5
Gouzon 23 207 H 1
Gouzougnat 23 207 H 1
Goven 35 104 A 4
Goviller 54 94 C 3
Goxwiller 67 97 F 3
Goyencourt 80 23 F 3
Goyrans 31 317 H 2
Grabels 34 302 D 4
Graçay 18 154 A 5
Grâce-Uzel 22 102 B 1
Grâces 22 73 E 5
Gradignan 33 255 F 1
Graffigny-Chemin 52 117 H 2
Gragnague 31 298 B 4
Graignes 50 32 A 3
Grailhen 65 333 H 4
Graimbouville 76 18 D 5
Graincourt-
lès-Havrincourt 62 14 A 4
Grainville 27 36 D 3
Grainville-la-Teinturière 76 19 F 3
Grainville-Langannerie 14 53 H 1
Grainville-sur-Odon 14 33 F 5
Grainville-sur-Ry 76 36 C 1
Grainville-Ymauville 76 19 E 4
Le Grais 61 53 G 5
Graissac 12 263 E 2
Graissessac 34 301 F 4
Graix 42 230 C 5
Le Grallet 17 218 C 1
Gramat 46 260 D 2
Gramazie 11 337 F 1
Grambois 84 306 B 2
Grammond 42 230 B 3
Grammont 70 141 H 5
Gramond 12 280 B 2
Gramont 82 296 C 1
Granace 2A 351 E 2
Grancey-le-Château 21 139 E 4
Grancey-sur-Ource 21 116 A 4
Granchain 27 55 G 1
Grand 88 93 G 4
Le Grand-Abergement 01 214 D 2
Grand-Auverné 44 127 E 5
Grand-Ballon 68 120 C 5
Grand Bois ou de la République
Col du 42 230 C 5
Le Grand-Bornand 74 216 A 3
Le Grand-Bourg 23 206 C 1
Grand-Bourgtheroulde 27 35 H 3
Grand-Brassac 24 239 H 1
Grand-Camp 27 55 E 1
Grand-Camp 76 19 F 5
Grand-Castang 24 240 C 5
Le Grand-Celland 50 52 A 5
Grand-Champ 56 124 B 2
Grand-Charmont 25 142 C 4
Grand-Châtel 39 196 D 3
La Grand-Combe 30 283 G 3
Grand-Corent 01 196 B 5
Grand-Couronne 76 36 A 3
La Grand-Croix 42 230 C 3
Grand-Failly 54 44 C 2
Grand-Fayt 59 15 F 4
Grand Fenestrez 01 214 D 4
Grand-Fort-Philippe 59 3 E 2
Grand-Fougeray 35 126 B 3
Grand-Laviers 80 11 G 3
Le Grand-Lemps 38 232 B 4
Le Grand-Lucé 72 130 C 2
Le Grand-Madieu 16 203 H 3
Grand Phare 85 164 A 4
Le Grand Piquey 33 254 B 2
Le Grand-Pressigny 37 170 A 3
Grand-Puch
Château du 33 238 B 5
Le Grand-Quevilly 76 36 A 2
Grand-Rozoy 02 40 B 4
Grand-Rullecourt 62 13 E 3
Le Grand-Serre 26 249 G 1
Grand Taureau 25 180 D 2
Grand-Vabre 12 262 B 3
Le Grand-Valtin 88 120 B 3
Grand-Verly 02 24 D 1
Le Grand-Village-Plage 17 200 B 4
Grandcamp-Maisy 14 32 B 2
Grandchamp 08 26 B 4
Grandchamp 52 139 H 3
Grandchamp 72 83 H 5
Grandchamp 78 57 E 5
Grandchamp 89 135 G 3
Grandchamp-
des-Fontaines 44 147 G 2
Grandchamp-le-Château 14 34 B 5
Grand'Combe-Châteleu 25 181 E 1
Grand'Combe-des-Bois 25 163 G 4
Grandcourt 76 11 E 5
Grandcourt 80 13 F 5
Grande Chartreuse
Couvent de la 38 233 E 5
La Grande-Fosse 88 96 C 4
La Grande-Motte 34 303 F 5
La Grande-Paroisse 77 88 D 4
La Grande-Résie 70 161 E 3
Grande-Rivière 39 197 E 1
Grande-Synthe 59 3 F 2
La Grande-Verrière 71 176 B 2
Grandecourt 70 140 C 4
Les Grandes-Armoises 08 27 E 5
Les Grandes-Chapelles 10 90 D 3
Les Grandes-Dalles 76 19 F 2
Les Grandes-Loges 51 62 A 1
Les Grandes-Rivières 17 183 G 5
Les Grandes-Ventes 76 20 C 3
Grandeyrolles 63 227 G 3
Grandfontaine 25 161 H 4
Grandfontaine 67 96 C 2
Grandfontaine-
sur-Creuse 25 162 D 4
Grandfresnoy 60 39 E 2
Grandham 08 43 E 3
Grandjean 17 201 G 4
Grand'Landes 85 165 F 3
Grandlup-et-Fay 02 25 E 4
Grandmesnil 14 54 B 2
Grandmesnil 54 94 A 1
Grandouet 14 34 B 5
Grandpré 08 43 E 3
Grandpuits 77 88 D 2
Grandrieu 48 264 D 1
Grandrieux 02 25 H 3
Grandrif 63 229 E 3
Grandris 69 212 B 2
Grandrû 60 23 H 5
Grandrupt 88 96 C 4
Grandrupt-de-Bains 88 118 D 3
Les Grands-Chézeaux 87 188 B 4
Grandsaigne 19 225 E 4
Grandval 63 228 D 2
Grandval *Barrage de* 15 245 H 5
Grandvals 48 263 G 2
Grandvaux 71 194 A 2
Grandvelle-
et-le-Perrenot 70 161 H 1
Grandvillars 90 142 D 4
La Grandville 08 26 D 3
Grandville 10 91 F 2
Grandvillers 88 95 H 5
Grandvillers-aux-Bois 60 39 E 2
Grandvilliers 27 56 A 4
Grandvilliers 60 21 H 4
Grane 26 267 F 2
Granès 11 337 G 3
La Grange 25 163 E 3
Grange-de-Vaivre 39 179 G 1
Grange-le-Bocage 89 89 H 5
Grangent *Barrage de* 42 230 A 4
Grangermont 45 111 H 3
Granges 01 196 B 5
Les Granges 10 115 E 4
Granges 71 177 G 4
Granges-Aumontzey 88 120 A 2
Les Granges *Château* 58 156 B 3
Granges-d'Ans 24 241 F 2
Granges-de-Vienney 25 162 B 4
Les Granges-Gontardes 26 267 E 5
Granges-la-Ville 70 142 A 4
Granges-le-Bourg 70 142 A 4
Les Granges-le-Roi 91 87 E 3
Granges-l'Église 25 180 C 2
Granges-
les-Beaumont 26 249 G 3
Granges-Maillot 25 180 B 1
Granges-Narboz 25 180 C 2
Granges-Sainte-Marie 25 180 C 3
Granges-sur-Aube 51 90 C 2
Granges-sur-Baume 39 179 F 4
Granges-sur-Lot 47 275 H 1
Les Grangettes 25 180 C 3
Grangues 14 34 A 3
Granier 73 234 C 2
Granier *Col du* 73 233 F 3
Granieu 38 232 C 2
Granon *Col de* 05 252 C 4
Grans 13 305 F 4
Granville 50 51 F 3
Granzay-Gript 79 184 D 5
Gras 07 266 C 5
Les Gras 25 181 E 1
Gras *Plateau des* 07 284 C 1
Grassac 16 221 H 2
Grasse 06 309 E 3
Grassendorf 67 68 C 3
Grateloup-
Saint-Gayrand 47 257 G 5
Gratens 31 317 F 4
Gratentour 31 297 H 3
Gratibus 80 22 D 4
Gratot 50 31 G 5
Gratreuil 51 42 D 4
Grattepanche 80 22 B 3
Le Gratteris 25 162 B 4
Grattery 70 141 E 4
Le Grau-d'Agde 34 322 C 5
Grau de Maury 66 338 B 4
Le Grau-du-Roi 30 303 F 5
Graufthal 67 68 A 3
Les Graulges 24 221 H 3
Graulhet 81 299 E 3
Grauves 51 61 G 2
Graval 76 21 E 3
La Grave 05 252 A 3
La Grave 06 291 F 5
Grave *Pointe de* 33 218 C 2
Gravelines 59 3 E 2
La Gravelle 53 105 G 3
Gravelotte 57 65 G 1
La Graverie 14 52 C 2
Graveron-Sémerville 27 36 A 5
Graves-Saint-Amant 16 220 D 2
Graveson 13 304 C 2
Gravières 07 265 H 5
Gravigny 27 56 B 1
Gravon 77 89 F 4
Gray 70 161 E 1
Gray-la-Ville 70 161 E 1
Grayan-et-l'Hôpital 33 218 C 4
Graye-et-Charnay 39 196 B 2
Graye-sur-Mer 14 33 F 3
Grayssas 47 276 D 3
Grazac 31 318 A 4
Grazac 43 247 H 2
Grazac 81 298 B 2
Grazay 53 82 C 5
Gréalou 46 261 E 4
Gréasque 13 327 F 1
Grébault-Mesnil 80 11 F 4
Grécourt 80 23 G 3
Gredisans 39 161 E 5
La Grée-Penvins 56 124 C 5
La Grée-Saint-Laurent 56 102 D 4
Gréez-sur-Roc 72 108 D 3
Greffeil 11 337 H 1
Grèges 76 10 B 5
Grégy-sur-Yerres 77 59 E 5
Grémecey 57 66 C 4
Grémévillers 60 21 H 5
Gremilly 55 44 C 4
Grémonville 76 19 H 4
Grenade 31 297 G 3
Grenade-sur-l'Adour 40 294 A 2
Grenant 52 139 H 3
Grenant-lès-Sombernon 21 159 G 4
Grenay 38 231 G 1
Grenay 62 8 B 4
Grendelbruch 67 97 E 2
Greneville-en-Beauce 45 111 F 3
Grenier-Montgon 43 245 H 1
Gréning 57 67 F 2
Grenoble 38 250 D 1
Grenois 58 157 F 3
Grentheville 14 33 H 5
Grentzingen 68 143 F 3
Greny 76 10 C 5
Gréolières 06 309 E 1
Gréolières-les-Neiges 06 309 E 1
Gréoux-les-Bains 04 306 D 2
Grépiac 31 318 A 3
Le Grès 31 297 F 3
Grésigny-Sainte-Reine 21 138 A 5
Gresin 73 232 D 2
La Gresle 42 212 A 2
Gresse-en-Vercors 38 250 C 5
Gressey 78 57 E 3
Gresswiller 67 97 E 2
Gressy 77 59 E 2
Grésy-sur-Aix 73 215 F 5
Grésy-sur-Isère 73 233 H 2
Gretz-Armainvilliers 77 59 F 4
Greucourt 70 140 C 5
Greuville 76 19 H 2
Greux 88 93 H 3
La Grève-sur-Mignon 17 184 B 5
Les Grèves 22 78 C 3
Gréville-Hague 50 28 D 2
Grévillers 62 13 G 4
Grevilly 71 195 E 2
Grez 60 21 H 4
Le Grez 72 107 E 2
Grez-en-Bouère 53 128 C 2
Grez-Neuville 49 128 B 5
Grez-sur-Loing 77 88 B 5
Grézac 17 219 E 2
Grézels 46 259 F 5
Grèzes 24 241 H 3
Grèzes 43 246 C 5
Grèzes 46 261 E 3
Grèzes 48 264 B 4
Grézet-Cavagnan 47 275 E 1

Grézian 65 333 G 4
Grézieu-la-Varenne 69 212 D 5
Grézieu-le-Marché 69 230 B 2
Grézieux-le-Fromental 42 229 H 2
Grézillac 33 256 C 1
Grézillé 49 149 H 3
Grézolles 42 211 F 4
Gricourt 02 24 A 2
Grièges 01 195 E 5
La Grière 85 182 D 3
Gries 67 69 E 4
Griesbach 67 68 D 2
Griesbach-au-Val 68 120 D 3
Griesbach-le-Bastberg 67 68 B 3
Griesheim-près-Molsheim 67 97 F 2
Griesheim-sur-Souffel 67 68 D 5
Grignan 26 267 F 5
Grigneuseville 76 20 B 4
Grignols 24 240 B 3
Grignols 33 274 D 1
Grignon 21 137 H 5
Grignon 73 234 A 1
Grignoncourt 88 118 B 5
Grigny 62 7 E 5
Grigny 69 231 E 2
Grigny 91 58 C 5
La Grigonnais 44 126 C 5
Grillemont Château de 37 170 A 1
Grillon 84 267 F 5
Grilly 01 197 G 4
Grimaucourt-en-Woëvre 55 44 C 5
Grimaucourt-près-Sampigny 55 64 C 4
Grimaud 83 329 F 2
La Grimaudière 86 168 C 4
Grimault 89 137 E 4
Grimbosq 14 53 F 1
Grimesnil 50 51 H 1
Grimone 26 268 D 2
Grimone Col de 26 268 D 2
Grimonviller 54 94 C 4
Grincourt-lès-Pas 62 13 E 4
Grindorff-Bizing 57 46 C 2
Gripp 65 333 F 3
La Gripperie-Saint-Symphorien 17 200 D 5
Gripport 54 95 E 3
Gris-Nez Cap 62 2 A 4
Griscourt 54 65 G 4
Griselles 21 137 H 2
Griselles 45 112 C 4
Grisolles 02 40 B 5
Grisolles 82 297 G 2
Grisy 14 54 A 1
Grisy-les-Plâtres 95 38 A 5
Grisy-Suisnes 77 59 E 5
Grisy-sur-Seine 77 89 G 4
La Grive 38 231 H 2
Grives 24 259 F 2
Grivesnes 80 22 D 4
Grivillers 80 23 E 4
Grivy-Loisy 08 42 C 2
Groffliers 62 6 B 5
La Groise 59 15 E 5
Groises 18 155 H 4
Groissiat 01 196 C 5
Groisy 74 215 G 2
Groix 56 123 E 3
Groléjac 24 259 H 1
Gron 18 155 H 5
Gron 89 113 G 3
Gronard 02 25 F 3
Le Gros Cerveau 83 327 H 4
Gros-Chastang 19 243 F 2
Gros-Réderching 57 67 H 1
Grosbliederstroff 57 47 G 5
Grosbois 25 162 C 2
Grosbois Château de 94 58 D 5
Grosbois-en-Montagne 21 159 F 3
Grosbois-lès-Tichey 21 178 C 1
Grosbreuil 85 182 B 1
Les Groseillers 79 185 E 2
Groslay 95 58 C 2
Groslée 01 232 C 1
Groslée-Saint-Benoit 01 232 C 1
Grosley-sur-Risle 27 55 H 1
Grosmagny 90 142 C 2
Grosne 90 142 D 3
Grospierres 07 284 A 1
Grosrouvre 78 57 F 4
Grosrouvres 54 65 E 4
Grossa 2A 350 D 2
Grosseto-Prugna 2A 348 D 4
Grossœuvre 27 56 B 2
Grossouvre 18 174 A 3
Grostenquin 57 67 E 2
Grosville 50 28 D 4
Le Grouanec 29 70 D 4
Grouches-Luchuel 80 12 D 3
Grougis 02 24 C 1
Grouin Pointe du 35 50 D 4
La Groulais Château de 44 147 F 1
La Groutte 18 173 F 5
Grozon 39 179 F 2
Gruchet-le-Valasse 76 19 E 5
Gruchet-Saint-Siméon 76 19 H 2
Grues 85 183 E 3
Gruey-lès-Surance 88 118 D 4
Gruffy 74 215 G 5
Grugé-l'Hopital 49 127 G 3
Grugies 02 24 A 3
Grugny 76 20 B 5
Gruissan 11 339 F 1
Gruissan-Plage 11 339 F 1
Grumesnil 76 21 F 5
Grun-Bordas 24 240 B 3
Grundviller 57 67 G 1
Gruny 80 23 F 3
Grury 71 176 A 5
Gruson 59 9 E 3
Grusse 39 196 B 1
Grussenheim 68 121 F 2
Grust 65 332 D 3
Gruyères 08 26 C 3
Le Gua 17 200 D 5
Le Gua 38 250 D 3
Guagno 2A 348 D 1
Guagno-les-Bains 2A 348 C 1
Guainville 28 57 E 2
Guarbecque 62 7 H 3
Guargualé 2A 348 D 4
Guchan 65 333 G 4
Guchen 65 333 G 4
Gudas 09 336 B 2
Gudmont 52 93 E 5
Le Gué-d'Alleré 17 183 H 5
Le Gué-de-la-Chaîne 61 84 B 4
Le Gué-de-Longroi 28 86 C 3
Le Gué-de-Velluire 85 183 H 3
Gué-d'Hossus 08 26 C 1
Le Gué-du-Loir 41 131 F 3
Le Gué-Lian 72 107 G 2
Guebenhouse 57 67 F 1
Gueberschwihr 68 121 E 3
Guébestroff 57 67 E 4
Guéblange-lès-Dieuze 57 67 E 4
Guébling 57 67 E 3
Guebwiller 68 120 D 5
Guécélard 72 129 H 2
Le Guédéniau 49 150 C 1
Guégon 56 102 C 4
Guéhébert 50 51 H 1
Guéhenno 56 102 C 5
Gueltas 56 102 B 2
Guémappe 62 13 H 3
Guémar 68 97 E 5
Guémené-Penfao 44 126 A 4
Guémené-sur-Scorff 56 101 F 2
Guémicourt 80 21 F 3
Guemps 62 2 D 3
Guénange 57 45 H 4
Guengat 29 99 G 2
Guénin 56 101 H 4
Guénouvry 44 126 B 4
Guenroc 22 79 G 5
Guenrouet 44 125 H 5
Guentrange 57 45 G 3
Guenviller 57 47 E 5
Guêprei 61 54 B 3
Guer 56 103 F 5
Guérande 44 145 H 4
Guérard 77 59 G 4
Guerbigny 80 23 E 4
La Guerche 37 170 A 3
La Guerche-de-Bretagne 35 105 E 5
La Guerche-sur-l'Aubois 18 174 A 2
Guercheville 77 112 A 2
Guerchy 89 136 A 2
Guéreins 01 213 E 1
Guéret 23 207 E 1
Guerfand 71 178 A 4
Guérigny 58 174 C 1
Guérin 47 257 E 5
La Guérinière 85 164 B 1
Guerlédan Lac de 22 77 H 5
Guerlesquin 29 72 B 5
Guermange 57 67 F 4
Guermantes 77 59 E 3
Guern 56 101 G 3
Guernanville 27 55 H 3
Guernes 78 57 F 1
Le Guerno 56 125 E 4
Guerny 27 37 F 4
Guéron 14 33 E 3
La Guéroulde 27 55 H 4
Guerpont 55 63 H 4
Guerquesalles 61 54 C 2
Les Guerreaux 71 193 F 2
Guerstling 57 46 D 3
Guerting 57 46 D 5
Guerville 76 11 E 5
Guerville 78 57 F 2
Guéry Col de 63 227 F 2
Gueschart 80 11 H 2
Guesnain 59 8 D 5
Guesnes 86 168 D 2
Guessling-Hémering 57 66 D 1
Guéthary 64 310 C 3
Le Guétin 18 174 B 2
Gueudecourt 80 13 G 5
Gueugnon 71 193 G 1
Gueures 76 20 A 2
Gueutteville 76 20 A 4
Gueutteville-les-Grès 76 19 G 2
Gueux 51 41 F 4
Guevenatten 68 142 D 2
Guewenheim 68 142 D 1
Gueynard 33 237 H 3
Gueytes-et-Labastide 11 337 E 2
Gueyze 47 275 E 4
Gugnécourt 88 95 H 5
Gugney 54 94 C 4
Gugney-aux-Aulx 88 95 E 5
Guibermesnil 80 21 G 2
Guibeville 91 87 G 2
Guichainville 27 56 B 2
Guiche 64 292 C 5
La Guiche 71 194 B 2
Guichen 35 104 A 4
Guiclan 29 71 G 5
Guidel 56 100 D 5
Guidon du Bouquet 30 284 A 3
La Guierche 72 107 H 3
Guignecourt 60 38 A 1
Guignemicourt 80 22 B 2
Guignen 35 103 H 5
Guignes 77 88 C 2
Guigneville 45 111 G 2
Guigneville-sur-Essonne 91 87 H 3
Guignicourt 02 41 G 2
Guignicourt-sur-Vence 08 26 C 4
La Guignière 37 151 H 2
Guignonville 45 111 F 3
Guigny 62 11 H 1
Guilberville 50 52 C 1
Le Guildo 22 50 A 5
Guiler-sur-Goyen 29 99 F 2
Guilers 29 75 E 2
Guilherand-Granges 07 249 F 4
Guillac 33 256 C 1
Guillac 56 102 D 5
Guillaucourt 80 23 E 2
Guillaumes 06 289 F 3
Guillemont 80 13 G 5
La Guillermie 03 210 D 3
Guillerval 91 87 F 5
Guillestre 05 270 D 2
Guilleville 28 110 D 2
Guilliers 56 102 D 3
Guilligomarc'h 29 101 E 4
Guillon 89 158 B 1
Guillon-les-Bains 25 162 C 2
Guillonville 28 110 C 4
Guillos 33 255 G 4
Guilly 36 171 H 1
Guilly 45 133 H 3
Guilmécourt 76 10 C 5
Guilvinec 29 99 F 5
Guimaëc 29 72 A 4
Guimiliau 29 71 G 5
Guimps 16 220 C 4
Guinarthe-Parenties 64 311 H 3
Guincourt 08 26 C 5
Guindrecourt-aux-Ormes 52 92 D 3
Guindrecourt-sur-Blaise 52 92 C 5
Guinecourt 62 12 C 2
Guînes 62 2 C 4
Guingamp 22 73 E 5
Guinglange 57 66 C 1
Guinkirchen 57 46 C 4
Guinzeling 57 67 F 3
Guipavas 29 75 F 2
Guipel 35 80 B 5
Guipronvel 29 70 C 5
Guipry-Messac 35 126 A 2
Guipy 58 157 F 4
Guirlange 57 46 C 4
Guiry-en-Vexin 95 37 G 5
Guiscard 60 23 H 4
Guiscriff 56 100 C 2
Guise 02 24 D 1
Guiseniers 27 37 E 4
Le Guislain 50 52 A 1
Guissény 29 70 D 4
Guisy 62 6 D 5
Guitalens 81 299 E 4
Guitera-les-Bains 2A 349 E 3
Guitinières 17 219 G 4
Guitrancourt 78 57 G 1
Guîtres 33 238 C 3
Guitry 27 37 E 4
Guitté 22 103 G 1
Guivry 02 23 H 4
Guizancourt 80 21 H 3
Guizengeard 16 220 D 5
Guizerix 65 315 H 4
Gujan-Mestras 33 254 C 2
Gumbrechtshoffen 67 68 D 2
Gumery 10 89 H 4
Gumiane 26 268 A 4
Gumières 42 229 G 3
Gumond 19 243 F 2
Gundershoffen 67 68 D 2
Gundolsheim 68 121 E 4
Gungwiller 67 67 H 3
Gunsbach 68 120 D 3
Gunstett 67 69 E 2
Guntzviller 57 67 H 5
Guny 02 40 A 1
Guran 31 334 B 3
Gurat 16 221 G 4
Gurcy-le-Châtel 77 89 E 3
Gurgy 89 136 B 2
Gurgy-la-Ville 21 138 D 2
Gurgy-le-Château 21 138 D 2
Gurmençon 64 331 H 1
Gurs 64 313 G 4
Gurunhuel 22 72 D 5
Gury 60 23 F 5
Gussainville 55 44 D 5
Gussignies 59 15 F 2
Guyancourt 78 58 A 4
Guyans-Durnes 25 162 B 5
Guyans-Vennes 25 163 E 4
Guyencourt 02 41 F 2
Guyencourt-Saulcourt 80 14 A 5
Guyencourt-sur-Noye 80 22 C 3
La Guyonnière 85 166 A 2
Guyonvelle 52 140 B 2
Guzargues 34 303 E 3
Guzet-Neige 09 335 G 5
Gy 70 161 G 2
Gy-en-Sologne 41 153 G 3
Gy-les-Nonains 45 112 D 5
Gy-l'Évêque 89 136 B 4
Gye 54 94 B 1
Gyé-sur-Seine 10 115 G 4

H

Habarcq 62 13 F 2
Habas 40 293 E 4
Habère-Lullin 74 198 B 4
Habère-Poche 74 198 B 4
L'Habit 27 56 D 3
L'Habitarelle 48 264 D 3
L'Habitarelle 48 265 F 5
Hablainville 54 95 H 2
Habloville 61 53 H 4
Habonville 54 45 F 5
Haboudange 57 66 D 3
Habsheim 68 143 G 1
Hachan 65 315 H 4
Hâcourt 52 117 H 2
Hacqueville 27 37 E 3
Hadancourt-le-Haut-Clocher 60 37 G 5
Hadigny-les-Verrières 88 95 F 4
Hadol 88 119 G 3
Hadonville-lès-Lachaussée 55 65 E 1
Haegen 67 68 B 5
Hagécourt 88 94 D 5
Hagedet 65 295 E 5
Hagen 57 45 H 1
Hagenbach 68 143 E 2
Hagenthal-le-Bas 68 143 G 4
Hagenthal-le-Haut 68 143 G 4
Haget 32 315 F 2
Hagetaubin 64 293 H 5
Hagetmau 40 293 H 4
Hagéville 54 65 F 2
Hagnéville-et-Roncourt 88 94 A 5
Hagnicourt 08 26 C 5
Hagondange 57 45 H 4
La Hague Usine atomique de 50 28 C 2
Haguenau 67 69 E 3
La Haie-Fouassière 44 147 H 4
La Haie-Longue 49 149 F 3
La Haie-Traversaine 53 82 B 4
Les Haies 69 231 E 3
Haigneville 54 95 E 3
Haillainville 88 95 F 4
Le Haillan 33 237 F 5
Hailles 80 22 C 3
Haillicourt 62 7 H 4
Haimps 17 202 C 4
Haims 86 187 G 2
Hainvillers 60 23 E 5
Haironville 55 63 G 5
Haisnes 62 8 B 4
Haleine 61 82 C 3
Halinghen 62 6 B 3
Hallencourt 80 11 G 5
Hallennes-lez-Haubourdin 59 8 C 3
Hallering 57 46 D 5
Les Halles 69 230 B 1
Halles-sous-les-Côtes 55 43 G 1
Hallignicourt 52 63 E 5
Hallines 62 7 F 2
Halling-lès-Boulay 57 46 C 5
Hallivillers 80 22 B 4
La Hallotière 76 36 D 1
Halloville 54 96 A 2
Halloy 60 21 H 4
Halloy 62 12 D 4
Halloy-lès-Pernois 80 12 C 5
Hallu 80 23 F 3
Halluin 59 4 D 5
Halsou 64 310 D 3
Halstroff 57 46 C 2
Le Ham 14 34 A 4
Le Ham 50 29 G 5
Le Ham 53 82 D 4
Ham 80 23 H 3
Ham Roches de 50 52 B 1
Ham-en-Artois 62 7 H 3
Ham-les-Moines 08 26 C 2
Ham-sous-Varsberg 57 46 D 5
Ham-sur-Meuse 08 17 E 4
Hamars 14 53 F 1
Hambach 57 67 G 1
Hambers 53 106 C 2
Hamblain-les-Prés 62 13 H 2
Hambye 50 51 H 2
Hambye Abbaye de 50 51 H 2
Hameau-de-la-Mer 50 29 E 2
Hamel 59 14 A 2
Le Hamel 60 21 H 4
Le Hamel 80 22 D 2
Hamelet 80 22 D 1
Hamelin 50 81 F 2
Hamelincourt 62 13 G 3
Hames-Boucres 62 2 C 4
Hammeville 54 94 C 2
Hamonville 54 65 E 4
Hampigny 10 91 H 3
Hampont 57 66 D 4
Han-devant-Pierrepont 54 44 D 3
Han-lès-Juvigny 55 43 H 1
Han-sur-Meuse 55 64 C 4
Han-sur-Nied 57 66 C 2
Hanau Étang de 57 68 C 1
Hanc 79 203 E 2
Hanches 28 86 C 2
Hancourt 80 23 H 1
Handschuheim 67 97 F 1
Hangard 80 22 D 2
Hangenbieten 67 97 G 1
Hangest-en-Santerre 80 23 E 3
Hangest-sur-Somme 80 22 A 1
Hangviller 57 68 A 4
Hannaches 60 37 G 1
Hannapes 02 24 D 1
Hannappes 08 25 H 2
Hannescamps 62 13 F 4
Hannocourt 57 66 C 3
Hannogne-Saint-Martin 08 27 E 4
Hannogne-Saint-Rémy 08 25 H 5
Hannonville-sous-les-Côtes 55 64 D 2
Hannonville-Suzémont 54 65 E 1
Le Hanouard 76 19 G 3
Hans 51 42 D 5
Hantay 59 8 B 3
Hantz Col du 88 96 C 3
Hanvec 29 75 H 3
Hanviller 57 48 C 5
Hanvoile 60 37 G 1
Haplincourt 62 13 H 4
Happencourt 02 24 A 3
Happonvilliers 28 85 G 5
Harambels 64 311 G 5
Haramont 02 39 H 3
Haraucourt 08 27 F 4
Haraucourt 54 95 E 1
Haraucourt-sur-Seille 57 66 D 4
Haraumont 55 43 H 2
Haravesnes 62 12 B 2
Haravilliers 95 38 A 5
Harbonnières 80 23 E 2
Harbouey 54 96 A 1
Harcanville 76 19 G 3
Harchéchamp 88 94 A 4
Harcigny 02 25 G 3
Harcourt 27 35 G 5
Harcy 08 26 C 2
Hardancourt 88 95 G 4
Hardanges 53 82 C 5
Hardecourt-aux-Bois 80 23 F 1
Hardelot-Plage 62 6 A 2
Hardencourt-Cocherel 27 56 C 1
Hardifort 59 3 H 4
Hardinghen 62 2 C 5
Hardinvast 50 29 E 3
Hardivillers 60 22 C 5
Hardivillers-en-Vexin 60 37 H 3
La Hardoye 08 25 H 4
Hardricourt 78 57 G 1
La Harengère 27 36 A 4
Haréville 88 118 C 2
Harfleur 76 34 C 1
Hargarten-aux-Mines 57 46 D 4
Hargeville 78 57 F 3
Hargeville-sur-Chée 55 63 H 3
Hargicourt 02 24 A 1
Hargicourt 80 22 D 4
Hargnies 08 17 E 5
Hargnies 59 15 G 2
Haricourt 27 37 E 5
Harly 02 24 B 2
Harméville 52 93 F 3
Harmonville 88 94 B 3
La Harmoye 22 77 H 4
Harnes 62 8 C 4
Harol 88 119 E 2
Haroué 54 94 D 3
Harponville 80 13 E 5
Harprich 57 66 D 2
Harquency 27 37 E 4
Harreberg 57 67 H 5
Harréville-les-Chanteurs 52 93 H 5
Harricourt 08 43 F 1
Harricourt 52 92 C 5
Harsault 88 119 E 3
Harskirchen 67 67 G 2
Hartennes-et-Taux 02 40 B 3
Hartmannswiller 68 120 D 5
Hartzviller 57 67 H 5
Harville 55 65 E 1
Hary 02 25 F 3
Haselbourg 57 68 A 5
Hasnon 59 9 F 5
Hasparren 64 311 E 3
Haspelschiedt 57 48 C 5
Haspres 59 14 C 3
Hastingues 40 292 D 5
Hatrize 54 45 F 5
Hatten 67 69 F 2
Hattencourt 80 23 F 3
Hattenville 76 19 F 4
Hattigny 57 96 B 1
Hattmatt 67 68 B 4
Hattonchâtel 55 64 D 2
Hattonville 55 64 D 2
Hattstatt 68 121 E 3
Hauban 65 333 F 1
Haubourdin 59 8 C 3
Hauconcourt 57 45 H 4
Haucourt 60 37 H 1
Haucourt 62 13 H 3
Haucourt 76 21 F 4
Haucourt-en-Cambrésis 59 14 C 4
Haucourt-la-Rigole 55 44 D 4
Haucourt-Moulaine 54 45 E 2
Haudainville 55 64 B 1
Haudiomont 55 64 C 1
Haudivillers 60 38 B 1
Haudonville 54 95 G 2
Haudrecy 08 26 C 3
Haudricourt 76 21 F 3
Haulchin 59 14 D 2
Haulies 32 296 B 5
Haulmé 08 26 D 2
Haumont-lès-Lachaussée 55 65 E 2
Haumont-près-Samogneux 55 44 B 4
Hauriet 40 293 G 3
Hausgauen 68 143 F 3
Haussez 76 21 F 5

Haussignémont *51*......63 E 4
Haussimont *51*......61 H 4
Haussonville *54*......95 E 2
Haussy *59*......14 D 3
Haut-Asco *2B*......346 C 3
Haut-Barr *Château du 67*......68 B 4
Haut-Clocher *57*......67 G 4
Le Haut-Corlay *22*......77 H 4
Haut-de-Bosdarros *64*......314 B 5
Le Haut-du-Them *70*......142 B 1
Haut-Kœnigsbourg
Château du 67......97 E 5
Haut-Lieu *59*......15 G 4
Haut-Loquin *62*......2 D 5
Haut-Maînil *62*......12 B 2
Haut-Mauco *40*......293 H 2
Le Haut Planet *Balcon 78*......57 F 5
Hautaget *65*......333 H 1
Hautbos *60*......21 G 5
Haute-Avesnes *62*......13 F 2
La Haute-Beaume *05*......268 D 3
La Haute-Chapelle *61*......82 B 2
Haute-Epine *60*......21 H 5
Haute-Goulaine *44*......147 H 4
Haute-Isle *95*......57 F 1
Haute-Kontz *57*......46 B 2
La Haute-Maison *77*......59 H 3
Haute Provence
Observatoire de 04......287 E 5
Haute-Rivoire *69*......230 B 1
Haute-Vigneulles *57*......66 D 1
Hautecloque *62*......12 D 2
Hautecombe *Abbaye de 73*......215 E 5
Hautecôte *62*......12 C 2
Hautecour *39*......196 D 1
Hautecour *73*......234 C 3
Hautecourt-lès-Broville *55*......44 C 5
Hautecourt-Romanèche *01*......214 B 1
Hautefage *19*......243 F 3
Hautefage-la-Tour *47*......276 C 1
Hautefaye *24*......221 H 3
Hautefeuille *77*......59 G 4
Hautefond *71*......193 H 3
Hautefontaine *60*......39 H 2
Hautefort *24*......241 F 1
Hauteluce *73*......216 C 5
Hautepierre-le-Châtelet *25*......180 C 1
Hauterive *03*......210 B 2
Hauterive *61*......83 H 3
Hauterive *89*......114 A 5
Hauterive-la-Fresse *25*......180 D 1
Hauterives *26*......249 G 1
Hauteroche *21*......159 F 1
Hautes-Duyes *04*......287 H 2
Les Hautes-Rivières *08*......27 E 1
Hautesvignes *47*......257 G 5
Hautevelle *70*......141 F 2
Hautevesnes *02*......40 A 5
Hauteville *02*......24 C 2
Hauteville *08*......26 A 5
Hauteville *51*......63 E 5
Hauteville *62*......13 E 2
Hauteville *73*......233 H 2
La Hauteville *78*......57 E 5
Hauteville-Gondon *73*......234 D 1
Hauteville-la-Guichard *50*......31 H 5
Hauteville-lès-Dijon *21*......160 A 2
Hauteville-Lompnes *01*......214 C 3
Hauteville-sur-Fier *74*......215 F 3
Hauteville-sur-Mer *50*......51 F 1
L'Hautil *78*......57 H 2
Haution *02*......25 F 2
Hautmont *59*......15 G 3
Hautmougey *88*......119 E 4
Hautot-l'Auvray *76*......19 G 3
Hautot-le-Vatois *76*......19 G 4
Hautot-Saint-Sulpice *76*......19 G 4
Hautot-sur-Mer *76*......20 A 2
Hautot-sur-Seine *76*......36 A 2
Hautteville-Bocage *50*......29 F 5
Hautvillers *51*......61 F 1
Hautvillers-Ouville *80*......11 G 3
Hauville *27*......35 G 2
Hauviné *08*......42 B 3
Haux *33*......255 H 2
Haux *64*......331 F 2
Havange *57*......45 F 3
Havelu *28*......57 E 4
Haveluy *59*......9 F 5
Havernas *80*......12 C 5
Haverskerque *59*......7 H 2
Le Havre *76*......34 C 1
Le Havre-Antifer
Port pétrolier 76......18 C 4
Havrincourt *62*......14 A 4
Havys *08*......26 B 2
L'Hay-les-Roses *94*......58 C 4
Hayange *57*......45 G 3
Haybes *08*......17 E 5
La Haye *76*......36 D 1
La Haye *88*......119 E 3
La Haye-Aubrée *27*......35 G 2
La Haye-Bellefond *50*......52 A 1
La Haye-de-Calleville *27*......35 G 4
La Haye-de-Routot *27*......35 G 2
La Haye-d'Ectot *50*......28 D 5
La Haye-du-Puits *50*......31 F 3
La Haye-du-Theil *27*......35 H 4
La Haye-le-Comte *27*......36 B 4
La Haye-Malherbe *27*......36 A 4
La Haye-Pesnel *50*......51 G 3
La Haye-Saint-Sylvestre *27*......55 F 2
Les Hayes *41*......131 E 4
Hayes *57*......46 B 5
Haynecourt *59*......14 B 3
Les Hays *39*......178 D 2
Hazebrouck *59*......3 H 5
Hazembourg *57*......67 F 2
Héas *65*......333 E 5
Le Heaulme *95*......37 H 5
Héauville *50*......28 D 3
Hébécourt *27*......37 F 3
Hébécourt *80*......22 B 3
Hébécrevon *50*......32 A 5
Héberville *76*......19 H 3
Hébuterne *62*......13 F 4
Hèches *65*......333 H 2
Hecken *68*......143 E 2
Hecmanville *27*......35 F 4
Hécourt *27*......56 D 2
Hécourt *60*......37 G 1
Hecq *59*......15 E 3
Hectomare *27*......36 A 4
Hédauville *80*......13 E 5
Hédé-Bazouges *35*......80 A 5
Hédouville *95*......38 B 5
Hegeney *67*......68 D 2
Hégenheim *68*......143 H 3
Heidolsheim *67*......97 F 5
Heidwiller *68*......143 F 2
Heiligenberg *67*......97 E 2
Heiligenstein *67*......97 F 3
Heillecourt *54*......94 D 1
Heilles *60*......38 B 3
Heilly *80*......22 D 1
Heiltz-le-Hutier *51*......63 E 5
Heiltz-le-Maurupt *51*......63 E 4
Heiltz-l'Évêque *51*......62 D 4
Heimersdorf *68*......143 F 3
Heimsbrunn *68*......143 E 2
Heining-lès-Bouzonville *57*......46 D 3
Heippes *55*......63 H 1
Heiteren *68*......121 G 4
Heiwiller *68*......143 F 3
Hélesmes *59*......9 F 5
Hélette *64*......311 F 4
Helfaut *62*......7 F 2
Helfrantzkirch *68*......143 G 3
Helléan *56*......102 D 4
Hellemmes-Lille *59*......8 D 2
Hellenvilliers *27*......56 B 4
Hellering-lès-
Fénétrange *57*......67 G 4
Helleville *50*......28 D 4
Hellimer *57*......67 F 2
Héloup *61*......83 G 4
Helstroff *57*......46 C 5
Hem *59*......9 E 2
Hem-Hardinval *80*......12 C 4
Hem-Lenglet *59*......14 B 3
Hem-Monacu *80*......23 F 1
Hémevez *50*......29 F 5
Hémévillers *60*......39 E 1
Hémilly *57*......66 C 1
Héming *57*......67 G 5
Hémonstoir *22*......102 A 2
Hénaménil *54*......66 D 5
Hénanbihen *22*......79 E 2
Hénansal *22*......79 E 3
Hendaye *64*......310 A 3
Hendecourt-
lès-Cagnicourt *62*......13 H 3
Hendecourt-lès-Ransart *62*......13 G 3
Hénencourt *80*......13 E 5
Henflingen *68*......143 F 3
Hengoat *22*......73 E 3
Hengwiller *67*......68 B 5
Hénin-Beaumont *62*......8 C 5
Hénin-sur-Cojeul *62*......13 G 3
Héninel *62*......13 G 3
Hennebont *56*......101 F 5
Hennecourt *88*......119 E 2
Hennemont *55*......64 D 1
Henneveux *62*......2 C 5
Hennezel *88*......118 D 3
Hennezis *27*......36 D 4
Hénon *22*......78 C 4
Hénonville *60*......38 A 4
Hénouville *76*......36 A 1
Henrichemont *18*......155 F 3
Henridorff *57*......68 A 4
Henriville *57*......67 F 1
Hénu *62*......13 E 4
Henvic *29*......71 H 4
Hérange *57*......67 H 4
L'Herbaudière *85*......164 B 1
Herbault *41*......131 H 5
Herbeauvilliers *77*......112 A 2
Herbécourt *80*......23 F 1
Herbelles *62*......7 F 2
L'Herbergement *85*......165 H 2
Herbeuval *08*......27 H 4
Herbeuville *55*......64 D 2
Herbeville *78*......57 G 3
Herbéviller *54*......95 H 2
Herbeys *38*......251 E 2
Les Herbiers *85*......166 C 3
Herbignac *44*......146 B 1
Herbinghen *62*......2 D 5
Herbisse *10*......91 E 2
Herbitzheim *67*......67 G 1
Herblay *95*......58 A 2
Herbsheim *67*......97 G 4
Hercé *53*......81 H 4
Herchies *60*......37 H 1
La Hérelle *60*......22 C 5
Hérenguerville *50*......51 G 1
Hérépian *34*......301 F 5
Hères *65*......295 E 5
Hergnies *59*......9 G 4
Hergugney *88*......94 D 4
Héric *44*......147 G 1
Héricourt *62*......12 C 2
Héricourt *70*......142 B 3
Héricourt-en-Caux *76*......19 G 4
Héricourt-sur-Thérain *60*......21 G 5
Héricy *77*......88 C 4
La Hérie *02*......25 G 2
Le Hérie-la-Viéville *02*......24 D 2
Hériménil *54*......95 F 2
Hérimoncourt *25*......142 C 5
Hérin *59*......9 G 5
Hérissart *80*......12 D 5
Hérisson *03*......191 E 2
Hérisson
Cascades du 39......179 H 5
Herleville *80*......23 F 2
La Herlière *62*......13 E 3
Herlies *59*......8 B 3
Herlin-le-Sec *62*......7 G 5
Herlincourt *62*......12 C 2
Herly *62*......6 D 3
Herly *80*......23 G 3
L'Herm *09*......336 B 3
Herm *40*......292 D 2
L'Herm *Château de 24*......241 E 3
Hermanville *76*......20 A 2
Hermanville-sur-Mer *14*......33 G 3
Les Hermaux *48*......263 H 4
Hermaville *62*......13 F 2
Hermé *77*......89 G 3
Hermelange *57*......67 G 5
Hermelinghen *62*......2 C 5
L'Hermenault *85*......183 H 2
Herment *63*......226 D 1
Hermeray *78*......86 C 2
Hermerswiller *67*......69 F 2
Hermes *60*......38 B 3
Hermeville *76*......18 D 5
Herméville-en-Woëvre *55*......44 C 5
Hermies *62*......14 A 4
Hermillon *73*......234 A 5
Hermin *62*......7 H 5
L'Hermitage *35*......104 A 2
L'Hermitage-Lorge *22*......78 A 5
Les Hermites *37*......131 E 4
L'Hermitière *61*......84 C 5
Hermival-les-Vaux *14*......34 D 5
Hermonville *51*......41 F 3
Hernicourt *62*......7 G 5
Herny *57*......66 C 2
Le Héron *76*......36 D 1
Héronchelles *76*......36 D 1
Hérouville-en-Vexin *95*......38 A 5
Hérouville-Saint-Clair *14*......33 G 4
Hérouvillette *14*......33 H 4
Herpelmont *88*......119 H 2
La Herpinière *Moulin 49*......150 C 4
Herpont *51*......62 D 1
Herpy-l'Arlésienne *08*......41 H 1
Herqueville *27*......36 C 4
Herqueville *50*......28 C 2
Herran *31*......334 D 2
Herré *40*......274 D 5
Herrère *64*......331 H 1
Herrin *59*......8 C 3
Herrlisheim *67*......69 F 4
Herrlisheim-
près-Colmar *68*......121 E 3
Herry *18*......156 A 4
Hersbach *67*......96 D 2
Herserange *54*......45 E 1
Hersin-Coupigny *62*......8 A 4
Hertzing *57*......67 G 5
Hervelinghen *62*......2 B 4
Hervilly *80*......23 H 1
Héry *58*......157 F 4
Héry *89*......136 B 2
Héry-sur-Alby *74*......215 F 5
Herzeele *59*......3 H 4
Hesbécourt *80*......23 H 1
Hescamps-Saint-Clair *80*......21 G 3
Hesdigneul-lès-Béthune *62*......8 A 4
Hesdigneul-lès-Boulogne *62*......6 B 2
Hesdin *62*......7 E 5
Hesdin-l'Abbé *62*......6 B 2
Hésingue *68*......143 H 3
Hesmond *62*......6 D 4
Hesse *57*......67 G 5
Hessenheim *67*......97 F 5
Hestroff *57*......46 C 4
Hestrud *59*......16 A 3
Hestrus *62*......7 G 4
Hétomesnil *60*......22 A 5
Hettange-Grande *57*......45 G 2
Hettenschlag *68*......121 F 3
Heubécourt-Haricourt *27*......37 E 5
Heuchin *62*......7 F 4
Heucourt-Croquoison *80*......11 G 5
Heudebouville *27*......36 C 4
Heudicourt *27*......37 F 3
Heudicourt *80*......14 A 5
Heudicourt-
sous-les-Côtes *55*......64 D 3
Heudreville-en-Lieuvin *27*......35 E 4
Heudreville-sur-Eure *27*......36 B 5
Heugas *40*......292 D 3
Heugleville-sur-Scie *76*......20 B 3
Heugnes *36*......171 F 2
Heugon *61*......54 D 3
Heugueville-sur-Sienne *50*......31 G 5
Heuilley-Cotton *52*......139 G 3
Heuilley-le-Grand *52*......139 H 3
Heuilley-sur-Saône *21*......160 D 3
Heuland *14*......34 B 3
Heume-l'Église *63*......227 E 1
La Heunière *27*......56 D 1
Heuqueville *27*......36 C 3
Heuqueville *76*......18 C 5
Heuringhem *62*......7 F 2
Heurteauville *76*......35 H 2
Heurtevent *14*......54 C 2
Heussé *50*......81 H 3
Heutrégiville *51*......42 A 3
Heuzecourt *80*......12 C 4
Hévilliers *55*......93 F 2
Heyrieux *38*......231 G 2
Hézecques *62*......7 F 4
Le Hézo *56*......124 C 4
Hibarette *65*......315 E 5
Hières-sur-Amby *38*......214 A 5
Hierges *08*......17 E 4
Hiermont *80*......12 B 3
Hiers-Brouage *17*......200 C 4
Hiersac *16*......221 E 1
Hiesse *16*......204 B 2
Hiesville *50*......32 A 2
Hiéville *14*......54 B 1
Higuères-Souye *64*......314 C 3
Hiis *65*......315 F 5
Hilbesheim *57*......67 H 4
Hillion *22*......78 C 3
Hilsenheim *67*......97 G 4
Hilsprich *57*......67 F 1
Hinacourt *02*......24 B 3
Hinckange *57*......46 C 5
Hindisheim *67*......97 G 2
Hindlingen *68*......143 E 3
Hinges *62*......8 A 3
Le Hinglé *22*......79 G 4
Hinsbourg *67*......68 A 2
Hinsingen *67*......67 G 2
Hinx *40*......293 E 3
Hipsheim *67*......97 G 2
Hirel *35*......50 D 5
Hirmentaz *74*......198 B 4
Hirschland *67*......67 H 3
Hirsingue *68*......143 F 3
Hirson *02*......25 G 1
Hirtzbach *68*......143 E 3
Hirtzfelden *68*......121 F 4
His *31*......335 E 1
Hitte *65*......315 F 5
Hoc *Pointe du 14*......32 C 2
Hochfelden *67*......68 C 4
Hochstatt *68*......143 F 2
Hochstett *67*......68 D 4
Hocquigny *50*......51 G 3
Hocquincourt *80*......11 G 4
Hocquinghen *62*......2 D 5
Hodenc-en-Bray *60*......37 H 1
Hodenc-l'Evêque *60*......38 A 3
Hodeng-au-Bosc *76*......21 F 2
Hodeng-Hodenger *76*......37 E 1
Hodent *95*......37 G 5
Hœdic *56*......144 D 4
Hœnheim *67*......69 E 5
Hœrdt *67*......69 E 5
Hoéville *54*......66 C 5
Hoffen *67*......69 F 2
Les Hogues *27*......36 D 2
La Hoguette *14*......53 H 3
Hohatzenheim *67*......68 D 4
Hohengœft *67*......68 C 5
Hohfrankenheim *67*......68 C 4
Hohneck *68*......120 C 3
Hohrod *68*......120 C 3
Hohrodberg *68*......120 C 3
Le Hohwald *67*......97 E 3
Hohwiller *67*......69 F 2
Holacourt *57*......66 C 2
Holling *57*......46 C 4
Holnon *02*......24 A 2
Holque *59*......3 F 4
Holtzheim *67*......97 G 1
Holtzwihr *68*......121 F 2
Holving *57*......67 G 1
Hombleux *80*......23 G 3
Homblières *02*......24 B 2
Hombourg *68*......143 G 1
Hombourg-Budange *57*......46 B 4
Hombourg-Haut *57*......47 E 5
L'Hôme-Chamondot *61*......84 D 2
Homécourt *54*......45 F 4
Hommarting *57*......67 H 4
L'Homme-d'Armes *26*......267 E 3
Hommert *57*......67 H 5
Hommes *37*......151 E 2
Le Hommet-d'Arthenay *50*......32 A 4
Homps *11*......320 C 4
Homps *32*......296 D 2
Hon-Hergies *59*......15 F 2
Hondainville *60*......38 B 3
Hondeghem *59*......3 H 5
Hondevilliers *77*......60 B 3
Hondouville *27*......36 B 5
Hondschoote *59*......3 H 2
Honfleur *14*......34 C 2
Honguemare-
Guenouville *27*......35 H 2
Honnechy *59*......14 D 5
Honnecourt-sur-Escaut *59*......14 B 5
L'Honor-de-Cos *82*......277 H 4
Honskirch *57*......67 G 2
Hontanx *40*......294 C 2
L'Hôpital *22*......78 C 4
L'Hôpital *48*......283 E 1
L'Hôpital *57*......47 E 5
Hôpital-Camfrout *29*......75 G 3
L'Hôpital-d'Orion *64*......313 F 2
L'Hôpital-du-Grosbois *25*......162 B 4
L'Hôpital-le-Grand *42*......229 H 2
L'Hôpital-le-Mercier *71*......193 G 3
L'Hôpital-Saint-Blaise *64*......313 F 4
L'Hôpital-Saint-Lieffroy *25*......162 D 2
L'Hôpital-
sous-Rochefort *42*......211 F 5
L'Hôpital-sur-Rhins *42*......211 H 3
Les Hôpitaux-Neufs *25*......180 D 4
Les Hôpitaux-Vieux *25*......180 D 3
Horbourg *68*......121 E 3
Hordain *59*......14 C 2
La Horgne *08*......26 D 4
Horgues *65*......315 E 5
L'Horme *42*......230 C 3
Hornaing *59*......9 F 5
Hornoy *80*......21 H 2
Le Horps *53*......82 C 4
Horsarrieu *40*......293 H 3
Hortes *52*......140 A 2
Horville-en-Ornois *55*......93 G 3
L'Hosmes *27*......56 A 4
Hospice de France *31*......334 B 5
L'Hospitalet *04*......287 E 4
L'Hospitalet *46*......260 C 1
L'Hospitalet-du-Larzac *12*......282 A 5
L'Hospitalet-
près-l'Andorre *09*......340 D 3
Hossegor *40*......292 A 3
Hosta *64*......330 D 1
Hoste *57*......67 F 1
Hostens *33*......255 F 4
Hostiaz *01*......214 C 4
Hostun *26*......249 H 3
L'Hôtellerie *14*......35 E 5
L'Hôtellerie-de-Flée *49*......128 A 3
Hotonnes *01*......214 D 2
Hotot-en-Auge *14*......34 A 4
Hottot-les-Bagues *14*......33 E 4
Hottviller *57*......68 A 1
La Houblonnière *14*......34 B 5
Les Houches *74*......216 D 3
Houchin *62*......8 A 4
Houdain *62*......7 H 4
Houdain-lez-Bavay *59*......15 F 2
Houdan *78*......57 E 4
Houdancourt *60*......39 E 3
Houdelaincourt *55*......93 G 2
Houdelaucourt-
sur-Othain *55*......44 D 4
Houdelmont *54*......94 C 2
Houdemont *54*......94 D 1
Houdetot *76*......19 H 2
Houdilcourt *08*......41 H 2
Houdreville *54*......94 D 2
Houécourt *88*......94 B 5
Houeillès *47*......274 D 3
Houesville *50*......31 H 2
Houetteville *27*......36 B 5
Houéville *88*......94 A 4
Houeydets *65*......315 H 5
Le Houga *32*......294 C 2
Houilles *78*......58 B 2
Houlbec-Cocherel *27*......56 D 1
Houlbec-
près-le-Gros-Theil *27*......35 H 4
Houldizy *08*......26 D 2
Houlette *16*......202 C 5
Houlgate *14*......34 A 3
Houlle *62*......3 F 5
Le Houlme *76*......36 A 1
L'Houmeau *17*......183 F 5
Hounoux *11*......337 E 1
Houplin-Ancoisne *59*......8 C 3
Houplines *59*......8 C 2
Houppeville *76*......36 B 1
Houquetot *76*......19 E 5
Hourc *65*......315 F 4
Le Hourdel *80*......11 E 2
Hourges *51*......41 E 3
Hours *64*......314 C 4
Hourtin *33*......236 C 1
Hourtin-Plage *33*......236 B 1
Hourtous *Roc des 48*......282 A 2
Houry *02*......25 F 3
Houssay *41*......131 F 3
Houssay *53*......106 A 5
La Houssaye *27*......55 H 2
La Houssaye-Béranger *76*......20 B 4
La Houssaye-en-Brie *77*......59 G 4
Le Housseau *53*......82 C 3
Houssen *68*......121 E 2
Housseras *88*......95 H 4
Housset *02*......25 E 3
Housséville *54*......94 D 3
La Houssière *88*......120 A 2
La Houssoye *60*......37 H 3
Houtaud *25*......180 C 2
Houtkerque *59*......4 A 4
Houtteville *50*......31 H 2
Houville-en-Vexin *27*......36 D 3
Houville-la-Branche *28*......86 C 4
Houvin-Houvigneul *62*......12 D 2
Houx *28*......86 B 2
Hoymille *59*......3 H 3
Huanne-Montmartin *25*......162 C 1
Hubersent *62*......6 B 3
Hubert-Folie *14*......33 G 5
Huberville *50*......29 F 4
Huby-Saint-Leu *62*......7 E 5
Huchenneville *80*......11 G 4
Huclier *62*......7 G 5
Hucqueliers *62*......6 D 3
Hudimesnil *50*......51 G 2
Hudiviller *54*......95 F 1
Huelgoat *29*......76 C 3
Huest *27*......56 B 1
Huêtre *45*......110 D 4
Huez *38*......251 G 2
Hugier *70*......161 F 3
Hugleville-en-Caux *76*......20 A 4
Huillé *49*......129 E 4

A B C D E F G H I J K L M N O P Q R S T U V W X Y Z

Huilliécourt *52* 117 H 2
Huilly-sur-Seille *71* 195 G 1
Huiron *51* 62 C 5
Huismes *37* 151 E 4
Huisnes-sur-Mer *50* 51 G 5
D'Huison-Longueville *91* 87 H 4
Huisseau-en-Beauce *41* 131 G 4
Huisseau-sur-Cosson *41* 132 B 5
Huisseau-sur-Mauves *45* 132 D 2
L'Huisserie *53* 106 A 4
Hulluch *62* 8 B 4
Hultehouse *57* 68 A 5
Humbauville *51* 62 B 5
Humbécourt *52* 92 C 2
Humbercamps *62* 13 E 3
Humbercourt *80* 13 E 3
Humbert *62* 6 D 4
Humberville *52* 93 F 5
Humbligny *18* 155 G 4
La Hume *33* 254 B 2
Humerœuille *62* 7 F 5
Humes *52* 117 F 5
Humières *62* 7 F 5
Hunaudaye
Château de la 22 79 E 3
Hunawihr *68* 121 E 2
Hundling *57* 47 G 5
Hundsbach *68* 143 F 3
Huningue *68* 143 H 3
Hunspach *67* 69 F 2
Hunting *57* 46 B 2
Huos *31* 334 B 1
Huparlac *12* 263 E 2
Huppain *14* 32 D 2
Huppy *80* 11 G 4
Hurbache *88* 96 B 4
Hure *33* 256 D 4
Hurecourt *70* 118 D 5
Hures-la-Parade *48* 282 B 2
Huriel *03* 190 C 4
Hurigny *71* 195 E 4
Hurtières *38* 233 F 5
Hurtigheim *67* 97 F 1
Husseren-les-Châteaux *68* 121 E 3
Husseren-Wesserling *68* 120 C 5
Hussigny-Godbrange *54* 45 E 2
Husson *50* 81 H 2
La Hutte *72* 83 G 5
Huttendorf *67* 68 D 3
Huttenheim *67* 97 G 3
Hyds *03* 191 F 5
Hyémondans *25* 163 E 2
Hyencourt-le-Grand *80* 23 F 2
Hyenville *50* 51 G 1
Hyères *83* 328 C 4
Hyères-Plage *83* 328 C 5
Hyet *70* 162 A 1
Hyèvre-Magny *25* 162 D 2
Hyèvre-Paroisse *25* 162 D 2
Hymont *88* 94 D 5

I

Ibarrolle *64* 311 G 5
Ibarron *64* 310 C 4
Ibigny *57* 96 A 1
Ibos *65* 315 E 4
Ichtratzheim *67* 97 G 2
Ichy *77* 112 A 2
Idaux-Mendy *64* 331 E 1
Idrac-Respaillès *32* 296 A 5
Idron *64* 314 B 4
Ids-Saint-Roch *18* 172 D 5
If *Château d' 13* 326 D 3
Iffendic *35* 103 G 2
Les Iffs *35* 80 A 5
Ifs *14* 33 G 5
Les Ifs *76* 19 E 4
Igé *61* 84 B 5
Igé *71* 194 D 3
Ignaucourt *80* 22 D 2
Ignaux *09* 336 D 5
Igney *54* 96 A 1
Igney *88* 95 F 5
Ignol *18* 174 A 2
Igny *70* 161 G 1
Igny *91* 58 B 4
Igny-Comblizy *51* 61 E 1
Igon *64* 314 C 5
Igornay *71* 176 D 1
Igoville *27* 36 B 3
Iguerande *71* 193 G 5
Iholdy *64* 311 F 5
Ilay *39* 179 H 5
Ile-aux-Moines *56* 124 B 4
L'Ile-Bouchard *37* 151 F 5
Ile-d'Aix *17* 200 C 2
Ile-d'Arz *56* 124 B 4
Ile-de-Batz *29* 71 G 3
Ile-de-Bréhat *22* 73 G 2
Ile-de-Sein *29* 98 B 2
L'Ile-d'Elle *85* 183 G 4
Ile-d'Houat *56* 144 D 3
L'Ile-d'Olonne *85* 182 A 1
L'Île-d'Yeu *85* 164 A 4
Ile-Molène *29* 74 B 2
L'Ile-Rousse *2B* 344 C 5
L'Ile-Saint-Denis *93* 58 C 2
Ile-Tudy *29* 99 G 4
Ilhan *65* 333 H 3
Ilharre *64* 311 G 3
Ilhat *09* 336 C 3
Les Ilhes *11* 319 H 3
Ilhet *65* 333 H 2
Ilheu *65* 334 B 2
Illange *57* 45 H 3
Illartein *09* 335 E 3
Las Illas *66* 342 D 5
Illats *33* 255 H 3
Ille-sur-Têt *66* 342 C 2
Illeville-sur-Montfort *27* 35 G 3
Illfurth *68* 143 F 2
Illhaeusern *68* 97 F 5
Illiat *01* 213 E 1
Illier-et-Laramade *09* 336 A 5
Illiers-Combray *28* 85 H 5
Illiers-l'Évêque *27* 56 C 4
Illies *59* 8 B 3
Illifaut *22* 103 E 2
Illkirch-Graffenstaden *67* 97 G 1
Illois *76* 21 F 3
Illoud *52* 117 H 2
Illy *08* 27 F 3
Illzach *68* 143 F 1
Ilonse *06* 289 H 4
Imbleville *76* 20 A 4
Imbsheim *67* 68 B 4
Imécourt *08* 43 F 2
Imling *57* 67 G 5
Immonville *54* 45 E 4
Imphy *58* 174 D 3
Imsthal *Étang d' 67* 68 A 3
Inaumont *08* 26 A 5
Incarville *27* 36 B 4
Incheville *76* 11 E 4
Inchy *59* 14 D 4
Inchy-en-Artois *62* 14 A 3
Incourt *62* 7 E 5
Indevillers *25* 163 H 2
Indre *44* 147 F 4
Ineuil *18* 172 D 4
Les Infournas *05* 269 H 2
Infreville *27* 35 H 3
Ingenheim *67* 68 C 4
Ingersheim *68* 121 E 2
Inghem *62* 7 F 2
Inglange *57* 46 B 3
Ingolsheim *67* 69 F 1
Ingouville *76* 19 G 2
Ingrandes *36* 187 G 1
Ingrandes *86* 169 G 3
Ingrandes-de-Touraine *37* 151 E 3
Ingrandes-Le Fresne-
sur-Loire *49* 148 D 2
Ingrannes *45* 111 G 5
Ingré *45* 133 E 2
Inguiniel *56* 101 F 3
Ingwiller *67* 68 B 3
Injoux-Génissiat *01* 215 E 2
Innenheim *67* 97 F 2
Innimond *01* 214 C 5
Inor *55* 27 G 5
Insming *57* 67 F 2
Insviller *57* 67 F 3
Intraville *76* 10 C 5
Intres *07* 248 B 4
Intréville *28* 87 E 5
Intville-la-Guétard *45* 111 G 2
Inval-Boiron *80* 21 G 2
Inxent *62* 6 C 3
Inzinzac-Lochrist *56* 101 F 5
Ippécourt *55* 63 H 1
Ippling *57* 47 G 5
Irai *61* 55 G 5
Irais *79* 168 B 3
Irancy *89* 136 C 4
Iré-le-Sec *55* 44 B 2
Iré-les-Prés *55* 44 B 2
Irigny *69* 231 E 1
Irissarry *64* 311 F 5
Irles *80* 13 G 4
Irmstett *67* 97 F 1
Irodouër *35* 103 H 1
Iron *02* 24 D 1
Irouléguy *64* 330 B 1
Irreville *27* 36 B 5
Irvillac *29* 75 G 3
Is-en-Bassigny *52* 117 G 4
Is-sur-Tille *21* 160 B 1
Isbergues *62* 7 H 2
Isches *88* 118 B 4
Isdes *45* 133 H 4
Isenay *58* 175 G 3
Iseran *Col de l' 73* 235 F 3
Isigny-le-Buat *50* 52 A 5
Isigny-sur-Mer *14* 32 B 3
Island *89* 157 H 1
Isle *87* 205 G 5
L'Isle-Adam *95* 38 B 5
L'Isle-Arné *32* 296 C 4
Isle-Aubigny *10* 91 F 3
Isle-Aumont *10* 115 E 2
L'Isle-Bouzon *32* 296 C 1
Isle-Briand *Haras de l' 49* 128 B 4
L'Isle-d'Abeau *38* 231 H 2
L'Isle-d'Abeau
Ville nouvelle 38 231 H 2
L'Isle-de-Noé *32* 295 H 5
L'Isle-d'Espagnac *16* 221 F 1
L'Isle-en-Dodon *31* 316 D 3
Isle-et-Bardais *03* 173 H 5
L'Isle-Jourdain *32* 297 F 4
L'Isle-Jourdain *86* 187 E 5
Isle-Saint-Georges *33* 255 G 2
Isle-Savary
Château d' 36 170 D 2
L'Isle-sur-la-Sorgue *84* 305 F 1
L'Isle-sur-le-Doubs *25* 142 A 5
Isle-sur-Marne *51* 62 D 5
L'Isle-sur-Serein *89* 137 E 5
Les Isles-Bardel *14* 53 G 3
Isles-les-Meldeuses *77* 59 H 2
Isles-lès-Villenoy *77* 59 F 3
Isles-sur-Suippe *51* 41 H 2
Les Islettes *55* 43 F 5
Isneauville *76* 36 B 1
Isola *06* 289 G 2
Isola 2000 *06* 289 H 2
Isolaccio-di-Fiumorbo *2B* 349 F 2
Isômes *52* 139 G 4
Ispagnac *48* 282 C 1
Ispe *40* 254 B 5
Ispoure *64* 330 C 1
Isques *62* 6 B 2
Issac *24* 239 H 4
Les Issambres *83* 329 G 1
Issamoulenc *07* 266 C 1
Issancourt-et-Rumel *08* 27 E 3
Issanlas *07* 265 G 2
Issans *25* 142 B 4
Les Issards *09* 336 C 1
Issarlès *07* 265 G 1
Issé *44* 126 D 4
Isse *51* 61 H 1
Issel *11* 319 E 3
Issendolus *46* 260 D 2
Issenhausen *67* 68 C 3
Issenheim *68* 120 D 5
Issepts *46* 261 F 3
Isserpent *03* 210 D 1
Isserteaux *63* 228 B 2
Issigeac *24* 258 B 2
Issirac *30* 284 C 2
Issoire *63* 228 A 3
Issolud *Puy d' 46* 242 D 4
Issoncourt *55* 63 H 2
Issor *64* 331 G 2
Issou *78* 57 G 2
Issoudun *36* 172 B 2
Issoudun-Létrieix *23* 207 G 2
Issus *31* 318 A 3
Issy-les-Moulineaux *92* 58 B 4
Issy-l'Évêque *71* 176 A 5
Istres *13* 305 E 5
Les Istres-et-Bury *51* 61 H 2
Isturits *64* 311 F 4
Itancourt *02* 24 B 3
Iteuil *86* 186 B 2
Ithorots-Olhaïby *64* 311 H 4
Ittenheim *67* 97 G 1
Itterswiller *67* 97 E 3
Itteville *91* 87 H 3
Itxassou *64* 310 D 4
Itzac *81* 279 E 5
Ivergny *62* 12 D 3
Iverny *77* 59 F 2
Iviers *02* 25 H 3
Iville *27* 35 H 5
Ivors *60* 39 H 4
Ivory *39* 179 H 2
Ivoy-le-Pré *18* 155 F 3
Ivrey *39* 179 H 1
Ivry *Obélisque d' 27* 56 D 2
Ivry-en-Montagne *21* 177 F 1
Ivry-la-Bataille *27* 56 D 3
Ivry-le-Temple *60* 37 H 4
Ivry-sur-Seine *94* 58 C 4
Iwuy *59* 14 C 3
Izaourt *65* 334 B 2
Izaut-de-l'Hôtel *31* 334 C 2
Izaux *65* 333 H 1
Izé *53* 106 D 2
Izeaux *38* 232 B 5
Izel-lès-Équerchin *62* 8 C 5
Izel-les-Hameaux *62* 13 E 2
Izenave *01* 214 B 2
Izernore *01* 196 C 5
Izeron *38* 250 B 2
Izeste *64* 332 A 1
Izeure *21* 160 B 5
Izier *21* 160 B 3
Izieu *01* 232 C 1
Izoard *Col d' 05* 253 E 5
Izon *33* 237 H 5
Izon-la-Bruisse *26* 286 D 2
Izotges *32* 295 E 4
Izy *45* 111 F 3

J

Jablines *77* 59 F 2
Jabreilles-les-Bordes *87* 206 B 3
Jabrun *15* 263 G 1
Jacob-Bellecombette *73* 233 F 2
Jacou *34* 302 D 4
Jacque *65* 315 F 3
Jagny-sous-Bois *95* 58 D 1
Jaignes *77* 59 H 2
Jaillans *26* 249 H 3
La Jaille-Yvon *49* 128 B 3
Jaillon *54* 65 F 5
Jailly *58* 175 E 1
Jailly-les-Moulins *21* 159 F 1
Jainvillotte *88* 94 A 5
Jalesches *23* 189 H 5
Jaleyrac *15* 244 B 1
Jaligny-sur-Besbre *03* 192 C 4
Jallais *49* 148 D 4
Jallanges *21* 178 B 2
Jallans *28* 110 A 4
Jallaucourt *57* 66 B 4
Jallerange *25* 161 F 3
Jalognes *18* 155 H 4
Jalogny *71* 194 C 3
Jâlons *51* 61 H 1
La Jalousie *14* 33 G 5
Jambles *71* 177 G 4
Jambville *78* 57 G 1
Jaméricourt *60* 37 G 3
Jametz *55* 44 B 2
Jameyzieu *38* 231 H 1
Janailhac *87* 223 G 2
Janaillat *23* 206 D 2
Jancigny *21* 160 D 2
Jandun *08* 26 C 4
Janneyrias *38* 213 G 5
Jans *44* 126 C 4
Jansac *26* 268 B 3
Janville *14* 34 A 4
Janville *28* 110 D 2
Janville *60* 39 G 1
Janville-sur-Juine *91* 87 G 3
Janvilliers *51* 60 D 3
Janvry *51* 41 F 4
Janvry *91* 58 A 5
Janzé *35* 104 C 4
Jarcieu *38* 231 F 5
La Jard *17* 219 G 1
Jard-sur-Mer *85* 182 C 2
Le Jardin *19* 225 F 5
Jardin *38* 231 F 3
Jardres *86* 186 D 1
Jargeau *45* 133 G 2
Jarjayes *05* 269 H 4
Jarménil *88* 119 H 2
Jarnac *16* 220 C 1
Jarnac-Champagne *17* 219 H 2
Jarnages *23* 207 G 1
La Jarne *17* 200 C 1
Jarnioux *69* 212 C 3
Jarnosse *42* 211 H 2
Jarny *54* 45 F 5
Jarret *65* 333 E 1
La Jarrie *17* 200 D 1
Jarrie *38* 251 E 2
La Jarrie-Audouin *17* 201 H 2
Jarrier *73* 234 A 5
Jars *18* 155 G 2
Jarsy *73* 233 H 1
Jarville-la-Malgrange *54* 94 D 1
Jarzé Villages *49* 129 E 5
Jas *42* 230 A 1
Jasney *70* 118 D 5
Jassans-Riottier *01* 213 E 3
Jasseines *10* 91 G 3
Jasseron *01* 196 A 5
Jasses *64* 313 G 3
Jatxou *64* 310 D 3
Jau *Col de 11* 341 H 2
Jau-Dignac-et-Loirac *33* 218 D 4
Jaucourt *10* 116 A 2
La Jaudonnière *85* 166 D 5
Jaudrais *28* 85 G 2
Jaujac *07* 266 A 3
Jauldes *16* 203 G 5
Jaulges *89* 114 C 5
Jaulgonne *02* 60 C 1
Jaulnay *37* 169 F 2
Jaulnes *77* 89 G 4
Jaulny *54* 65 F 2
Jaulzy *60* 39 H 2
Jaunac *07* 248 B 5
Jaunay-Clan *86* 169 F 5
Jaures *24* 240 B 3
Jausiers *04* 271 E 5
Jaux *60* 39 F 2
Jauzé *72* 108 A 2
Javaugues *43* 246 C 1
Javené *35* 81 E 5
Javerdat *87* 205 E 3
Javerlhac-et-la-Chapelle-
Saint-Robert *24* 222 B 3
Javernant *10* 114 D 3
La Javie *04* 288 B 2
Javols *48* 264 B 2
Javrezac *16* 220 B 1
Javron *53* 82 D 4
Jax *43* 246 D 2
Jaxu *64* 311 F 5
Jayac *24* 241 H 4
Jayat *01* 195 G 3
Jazeneuil *86* 185 H 3
Jazennes *17* 219 G 2
Jeancourt *02* 24 A 1
Jeandelaincourt *54* 65 H 4
Jeandelize *54* 45 E 5
Jeanménil *88* 95 H 4
Jeansagnière *42* 229 E 1
Jeantes *02* 25 G 3
Jebsheim *68* 121 F 2
Jegun *32* 296 A 3
La Jemaye *24* 239 F 2
Jenlain *59* 15 E 2
Jenzat *03* 209 H 1
Jésonville *88* 118 D 3
Jessains *10* 91 H 5
Jetterswiller *67* 68 B 5
Jettingen *68* 143 G 3
Jeu-les-Bois *36* 172 A 5
Jeu-Maloches *36* 171 F 1
Jeufosse *78* 57 E 1
Jeugny *10* 114 D 3
Jeumont *59* 15 H 2
Jeurre *39* 196 D 3
Jeux-lès-Bard *21* 158 C 1
Jeuxey *88* 119 G 2
Jevoncourt *54* 94 D 3
Jezainville *54* 65 G 3
Jézeau *65* 333 H 3
Joannas *07* 266 A 4
Job *63* 229 E 2
Jobourg *50* 28 C 2
Jobourg *Nez de 50* 28 C 2
Joch *66* 342 B 3
Jœuf *54* 45 G 4
Joganville *50* 29 G 5
Joigny *89* 113 H 5
Joigny-sur-Meuse *08* 26 D 2
Joinville *52* 92 D 3
Joinville-le-Pont *94* 58 D 4
Joiselle *51* 60 C 4
Jolimetz *59* 15 E 3
Jolivet *54* 95 G 1
Jonage *69* 213 G 5
Joncels *34* 301 G 3
La Jonchère *85* 182 D 2
La Jonchère-
Saint-Maurice *87* 206 B 3
Jonchères *26* 268 B 3
Joncherey *90* 142 D 4
Jonchery *52* 116 D 3
Jonchery-sur-Suippe *51* 42 B 5
Jonchery-sur-Vesle *51* 41 E 3
Joncourt *02* 24 B 1
Joncreuil *10* 92 A 3
Joncy *71* 194 C 1
Jongieux *73* 215 E 5
Jonquerets-de-Livet *27* 55 F 1
Jonquerettes *84* 285 G 5
Jonquery *51* 41 E 5
Jonquières *11* 338 C 2
Jonquières *34* 302 A 4
Jonquières *60* 39 F 2
Jonquières *81* 299 F 4
Jonquières *84* 285 F 4
Jonquières-
Saint-Vincent *30* 304 B 2
Jons *69* 213 G 5
Jonval *08* 26 D 5
Jonvelle *70* 118 C 5
Jonville-en-Woëvre *55* 65 E 1
Jonzac *17* 219 H 4
Jonzier-Épagny *74* 215 F 2
Jonzieux *42* 230 B 5
Joppécourt *54* 45 E 3
Jorquenay *52* 117 F 5
Jort *14* 54 A 2
Jorxey *88* 95 E 5
Josat *43* 246 D 2
Josnes *41* 132 C 3
Josse *40* 292 C 4
Josselin *56* 102 C 4
Jossigny *77* 59 F 3
Jou-sous-Monjou *15* 244 D 5
Jouac *87* 188 A 4
Jouaignes *02* 40 C 3
Jouancy *89* 137 E 4
Jouarre *77* 60 A 2
Jouars-Pontchartrain *78* 57 H 4
Jouaville *54* 45 F 5
Joucas *84* 305 G 1
Joucou *11* 337 F 4
Joudes *71* 196 A 2
Joudreville *54* 45 E 4
Joué-du-Bois *61* 83 E 2
Joué-du-Plain *61* 54 A 5
Joué-en-Charnie *72* 107 E 4
Joué-Étiau *49* 149 F 4
Joué-l'Abbé *72* 107 H 3
Joué-lès-Tours *37* 151 H 3
Joué-sur-Erdre *44* 147 H 1
Jouet-sur-l'Aubois *18* 174 B 1
Jouey *21* 159 E 5
Jougne *25* 180 D 4
Jouhe *39* 161 E 5
Jouhet *86* 187 F 2
Jouillat *23* 189 G 5
Jouques *13* 306 B 4
Jouqueviel *81* 279 G 3
Journans *01* 214 A 1
Journet *86* 187 G 3
Journiac *24* 240 D 4
Journy *62* 2 D 5
Jours-en-Vaux *21* 177 F 1
Jours-lès-Baigneux *21* 138 B 5
Joursac *15* 245 G 2
Joussé *86* 186 C 5
Jouvençon *71* 195 G 1
La Jouvente *35* 50 C 5
Joux *69* 212 B 4
Joux *Château de 25* 180 C 2
Joux *Forêt de la 39* 180 A 3
Joux-la-Ville *89* 136 D 5
Joux Plane *Col de la 74* 216 D 1
Joux Verte *Col de la 74* 198 D 5
Jouy *28* 86 B 3
Jouy *89* 112 D 3
Jouy-aux-Arches *57* 65 G 1
Jouy-en-Argonne *55* 43 H 5
Jouy-en-Josas *78* 58 B 4
Jouy-en-Pithiverais *45* 111 F 3
Jouy-le-Châtel *77* 60 A 5
Jouy-le-Moutier *95* 58 A 1
Jouy-le-Potier *45* 133 E 3
Jouy-lès-Reims *51* 41 F 4
Jouy-Mauvoisin *78* 57 F 2
Jouy-sous-les-Côtes *55* 64 D 5
Jouy-sous-Thelle *60* 37 H 3
Jouy-sur-Eure *27* 56 C 1
Jouy-sur-Morin *77* 60 B 4
Joyeuse *07* 266 A 5
Joyeux *01* 213 G 3
Joze *63* 210 A 4
Jozerand *63* 209 H 3
Jû-Belloc *32* 295 E 5
Juan-les-Pins *06* 309 F 4
Juaye-Mondaye *14* 33 E 4
Jubainville *88* 94 A 3
La Jubaudière *49* 148 D 4
Jubécourt *55* 43 G 5
Jublains *53* 106 C 2
Le Juch *29* 99 G 2
Jugazan *33* 256 C 1

Jugeals-Nazareth 19 242 C 3
Jugon-les-Lacs 22 79 E 4
Jugy 71 195 E 1
Juicq 17 201 G 4
Juif 71 178 B 5
Juignac 16 221 F 5
Juigné-des-Moutiers 44 127 F 4
Juigné-sur-Loire 49 149 G 2
Juigné-sur-Sarthe 72 129 E 2
Juignettes 27 55 F 3
Juillac 19 223 H 5
Juillac 32 295 F 5
Juillac 33 257 E 1
Juillac-le-Coq 16 220 B 2
Juillaguet 16 221 F 4
Juillan 65 315 E 5
Juillé 16 203 F 3
Juillé 72 107 G 2
Juillé 79 202 C 1
Juillenay 21 158 C 3
Juilles 32 296 D 4
Juilley 50 51 H 5
Juilly 21 158 D 1
Juilly 77 59 E 1
Jujols 66 341 H 3
Jujurieux 01 214 B 2
Julianges 48 246 A 5
Juliénas 69 194 D 5
Julienne 16 220 C 1
Julienrupt 88 119 H 3
Jullianges 43 247 E 1
Jullié 69 194 D 5
Jullouville 50 51 F 3
Jully 89 137 G 3
Jully-lès-Buxy 71 177 G 5
Jully-sur-Sarce 10 115 F 3
Julos 65 333 E 1
Julvécourt 55 43 H 5
Jumeauville 78 57 G 3
Jumeaux 63 228 B 4
Les Jumeaux 79 168 B 4
Jumel 80 22 C 3
Jumelles 27 56 B 2
Jumelles 49 150 B 2
La Jumellière 49 149 F 3
Jumencourt 02 40 B 1
Jumièges 76 35 H 2
Jumigny 02 41 E 2
Jumilhac-le-Grand 24 223 F 3
Junas 30 303 F 3
Junay 89 137 E 2
Juncalas 65 333 E 1
Jungholtz 68 120 D 5
Junhac 15 262 C 2
Les Junies 46 259 G 4
Juniville 08 42 B 2
Jupilles 72 130 B 3
Jurançon 64 314 B 4
Juranville 45 112 A 4
Juré 42 211 F 4
Jurignac 16 220 D 3
Jurques 14 52 D 1
Jurvielle 31 334 A 4
Jury 57 65 H 1
Juscorps 79 185 E 5
Jusix 47 257 E 4
Jussac 15 244 B 4
Jussarupt 88 120 A 2
Jussas 17 238 B 1
Jussecourt-Minecourt 51 63 E 4
Jussey 70 140 C 2
Jussy 02 24 A 4
Jussy 57 65 G 1
Jussy 74 215 G 2
Jussy 89 136 B 4
Jussy-Champagne 18 173 G 2
Jussy-le-Chaudrier 18 156 A 5
Justian 32 295 G 2
Justine-Herbigny 08 26 A 5
Justiniac 09 318 A 5
Jutigny 77 89 F 3
Juvaincourt 88 94 C 4
Juvancourt 10 116 B 3
Juvanzé 10 91 H 5
Juvardeil 49 128 C 4
Juvelize 57 66 D 4
Juvignac 34 302 D 4
Juvigné 53 105 G 2
Juvignies 60 38 A 1
Juvigny 02 40 B 2
Juvigny 51 62 A 1
Juvigny 74 197 H 5
Juvigny-en-Perthois 55 93 E 2
Juvigny-le-Tertre 50 52 B 5
Juvigny-sous-Andaine 61 82 C 2
Juvigny-sur-Loison 55 44 B 2
Juvigny-sur-Orne 61 54 B 4
Juvigny-sur-Seulles 14 33 E 4
Juville 57 66 B 3
Juvinas 07 266 A 2
Juvincourt-et-Damary 02 41 F 2
Juvisy-sur-Orge 91 58 C 5
Juvrecourt 54 66 D 5
Juxue 64 311 G 5
Juzanvigny 10 91 H 4
Juzennecourt 52 116 C 2
Juzes 31 318 C 2
Juzet-de-Luchon 31 334 B 4
Juzet-d'Izaut 31 334 C 2
Juziers 78 57 G 2

K

Kalhausen 57 67 H 1
Kaltenhouse 67 69 E 3
Kanfen 57 45 G 2
Kappelen 68 143 G 3
Kappelkinger 57 67 F 2
Les Karellis 73 252 B 1
Katzenthal 68 121 E 2
Kauffenheim 67 69 F 3
Kaysersberg Vignoble 68 120 D 2
Kédange-sur-Canner 57 46 B 3
Keffenach 67 69 E 2
Kembs 68 143 G 2
Kembs-Loéchlé 68 143 H 2
Kemplich 57 46 B 3
Kerazan *Manoir de* 29 99 G 4
Kerbach 57 47 F 5
Kerbors 22 73 E 2
Kerdéniel *Pointe de* 29 75 F 3
Kerdévot *Chapelle de* 29 100 A 3
Kerfany-les-Pins 29 100 B 5
Kerfons *Chapelle de* 22 72 C 3
Kerfot 22 73 F 3
Kerfourn 56 102 A 3
Kergloff 29 76 D 4
Kergonadeac'h *Château de* 29 71 F 4
Kergrist 56 101 H 2
Kergrist *Château de* 22 72 C 4
Kergrist-Moëlou 22 77 F 4
Kergroadès *Château de* 29 70 B 5
Kerguehennec *Château de* 56 102 B 5
Kerien 22 77 G 3
Kérity 29 99 F 5
Kerjean *Château de* 29 71 F 4
Kerlaz 29 99 G 2
Kerling-lès-Sierck 57 46 B 2
Kerlouan 29 70 D 3
Kermaria 56 102 A 5
Kermaria *Chapelle* 22 73 G 4
Kermaria-Sulard 22 72 D 3
Kermoroc'h 22 73 E 4
Kernascléden 56 101 F 3
Kernével 29 100 B 3
Kernilis 29 70 D 4
Kernouës 29 70 D 4
Kérouzéré *Château de* 29 71 G 3
Kerpape 56 123 F 2
Kerpert 22 77 G 3
Kerprich-aux-Bois 57 67 G 4
Kersaint 29 70 B 4
Kersaint-Plabennec 29 70 D 5
Kertzfeld 67 97 F 3
Kervignac 56 123 G 2
Keskastel 67 67 G 2
Kesseldorf 67 69 G 2
Kienheim 67 68 C 5
Kientzheim 68 121 E 2
Kientzville 67 97 F 4
Kiffis 68 143 G 5
Killem 59 3 H 3
Kilstett 67 69 E 5
Kindwiller 67 68 C 3
Kingersheim 68 143 F 1
Kintzheim 67 97 E 5
Kirchberg 68 142 C 1
Kirchheim 67 97 F 1
Kirrberg 67 67 G 3
Kirrwiller 67 68 C 3
Kirsch-lès-Sierck 57 46 B 2
Kirschnaumen 57 46 B 2
Kirviller 57 67 G 2
Klang 57 46 B 3
Kleinfrankenheim 67 68 C 5
Kleingœft 67 68 B 5
Klingenthal 67 97 E 2
Knœringue 68 143 G 3
Knœrsheim 67 68 B 5
Knutange 57 45 G 3
Koeking 57 45 H 2
Kœnigsmacker 57 45 H 2
Kœstlach 68 143 F 4
Kœtzingue 68 143 G 2
Kœur-la-Grande 55 64 C 4
Kœur-la-Petite 55 64 C 4
Kogenheim 67 97 F 4
Kolbsheim 67 97 F 1
Krautergersheim 67 97 F 2
Krautwiller 67 68 D 4
Le Kremlin-Bicêtre 94 58 C 4
Kreuzweg *Col du* 67 96 D 3
Kriegsheim 67 68 D 4
Kruth 68 120 B 4
Kuhlendorf 67 69 F 2
Kunheim 68 121 F 3
Kuntzig 57 45 H 3
Kurtzenhouse 67 69 E 4
Kuttolsheim 67 68 C 5
Kutzenhausen 67 69 E 2

L

Laà-Mondrans 64 313 G 2
Laas 32 315 G 2
Laas 45 111 G 3
Laàs 64 313 F 3
Labalme 01 214 B 1
Labarde 33 237 F 3
Labaroche 68 120 D 2
Labarrère 32 275 E 5
Labarthe 32 316 B 2
Labarthe 82 277 H 3
Labarthe *Moulin de* 33 256 D 1
Labarthe-Bleys 81 279 E 4
Labarthe-Inard 31 334 D 1
Labarthe-Rivière 31 334 B 1
Labarthe-sur-Lèze 31 317 H 2
Labarthète 32 294 D 4
Labassère 65 333 E 1
Labastide 65 333 H 2
Labastide-Beauvoir 31 318 B 2
Labastide-Castel-Amouroux 47 275 E 1
Labastide-Cézéracq 64 313 H 3
Labastide-Chalosse 40 293 H 4
Labastide-Clermont 31 317 F 3
Labastide-d'Anjou 11 318 D 3
Labastide-d'Armagnac 40 274 B 5
Labastide-de-Lévis 81 299 E 1
Labastide-de-Penne 82 278 C 2
Labastide-de-Virac 07 284 B 1
Labastide-Dénat 81 299 G 2
Labastide-du-Haut-Mont 46 261 G 1
Labastide-du-Temple 82 277 G 4
Labastide-du-Vert 46 259 G 4
Labastide-en-Val 11 338 A 1
Labastide-Esparbairenque 11 319 H 3
Labastide-Gabausse 81 279 G 5
Labastide-Marnhac 46 277 H 1
Labastide-Monréjeau 64 314 A 2
Labastide-Murat 46 260 C 3
Labastide-Paumès 31 316 D 3
Labastide-Rouairoux 81 320 B 2
Labastide-Saint-Georges 81 298 D 3
Labastide-Saint-Pierre 82 297 H 1
Labastide-Saint-Sernin 31 298 A 3
Labastide-Savès 32 297 E 5
Labastide-sur-Bésorgues 07 266 A 2
Labastide-Villefranche 64 311 G 3
Labastidette 31 317 G 2
Labathude 46 261 F 2
Labatie-d'Andaure 07 248 C 4
Labatmale 64 314 C 5
Labatut 09 318 A 4
Labatut 40 293 E 5
Labatut 64 315 E 2
Labatut-Rivière 65 295 E 5
Labbeville 95 38 A 5
Labeaume 07 266 A 5
Labécède-Lauragais 11 319 E 3
Labège 31 298 A 5
Labégude 07 266 B 3
Labéjan 32 296 A 5
Labenne 40 292 A 4
Labenne-Océan 40 292 A 4
Labergement-du-Navois 25 180 A 1
Labergement-Foigney 21 160 C 4
Labergement-lès-Auxonne 21 160 D 5
Labergement-lès-Seurre 21 178 B 2
Labergement-Sainte-Marie 25 180 C 4
Laberlière 60 23 F 5
Labescau 33 256 C 5
Labesserette 15 262 C 2
Labessette 63 226 C 4
Labessière-Candeil 81 299 E 2
Labets-Biscay 64 311 G 3
Labeuville 55 65 E 1
Labeuvrière 62 7 H 4
Labeyrie 64 293 H 5
Lablachère 07 266 A 5
Laboissière-en-Santerre 80 23 E 4
Laboissière-en-Thelle 60 38 A 3
Laboissière-Saint-Martin 80 21 G 2
Laborde 65 333 G 2
Laborel 26 286 D 1
Labosse 60 37 H 3
Labouheyre 40 273 E 2
Labouiche *Rivière souterraine de* 09 336 B 2
Laboulbène 81 299 G 4
Laboule 07 265 H 3
Labouquerie 24 258 D 2
Labouret *Col du* 04 288 B 2
Labourgade 82 297 F 1
Labourse 62 8 A 4
Laboutarie 81 299 F 3
Labretonie 47 257 G 5
Labrihe 32 296 D 3
Labrit 40 273 H 4
Labroquère 31 334 A 2
Labrosse 45 111 H 2
Labrousse 15 262 C 1
Labroye 62 11 H 1
Labruguière 81 299 G 5
Labruyère 21 178 B 1
Labruyère 60 38 D 3
Labruyère-Dorsa 31 318 A 3
Labry 54 45 F 5
Labuissière 62 7 H 4
Laburgade 46 278 B 1
Lac-des-Rouges-Truites 39 197 F 1
Le Lac-d'Issarlès 07 265 H 1
Lacabarède 81 320 B 2
Lacadée 64 293 H 5
Lacajunte 40 294 A 4
Lacalm 12 263 F 2
Lacam-d'Ourcet 46 261 F 1
Lacanau 33 236 C 4
Lacanau-de-Mios 33 254 D 2
Lacanau-Océan 33 236 B 3
Lacanche 21 177 F 1
Lacapelle-Barrès 15 245 E 5
Lacapelle-Biron 47 258 D 3
Lacapelle-Cabanac 46 259 F 5
Lacapelle-del-Fraisse 15 262 C 1
Lacapelle-Livron 82 278 D 2
Lacapelle-Marival 46 261 E 2
Lacapelle-Pinet 81 280 B 4
Lacapelle-Ségalar 81 279 F 4
Lacapelle-Viescamp 15 243 H 5
Lacarre 64 330 C 1
Lacarry-Arhan-Charritte-de-Haut 64 331 F 2
Lacassagne 65 315 F 3
Lacaugne 31 317 G 4
Lacaune 81 300 C 3
Lacaussade 47 258 D 4
Lacave 09 335 E 2
Lacave 46 260 C 1
Lacaze 81 300 A 3
Lacelle 19 225 E 2
Lacenas 69 212 D 3
Lacépède 47 275 H 1
Lachaise 16 220 C 3
Lachalade 55 43 F 4
Lachambre 57 67 E 1
Lachamp 48 264 B 3
Lachamp-Raphaël 07 266 A 1
Lachapelle 47 257 F 4
Lachapelle 54 96 A 3
Lachapelle 80 21 H 3
Lachapelle 82 276 D 5
Lachapelle-aux-Pots 60 37 H 2
Lachapelle-Auzac 46 242 B 5
Lachapelle-en-Blaisy 52 116 C 2
Lachapelle-Graillouse 07 265 G 1
Lachapelle-Saint-Pierre 60 38 B 4
Lachapelle-sous-Aubenas 07 266 B 4
Lachapelle-sous-Chanéac 07 248 A 4
Lachapelle-sous-Chaux 90 142 B 2
Lachapelle-sous-Gerberoy 60 37 G 1
Lachapelle-sous-Rougemont 90 142 D 2
Lachassagne 69 212 D 3
Lachau 26 286 D 2
Lachaussée 55 65 E 2
Lachaussée-du-Bois-d'Écu 60 22 B 5
Lachaux 63 210 C 3
Lachelle 60 39 F 2
Lachy 51 61 E 4
Lacollonge 90 142 C 2
Lacombe 11 319 G 3
Lacommande 64 314 A 4
Lacoste 34 302 A 4
Lacoste 84 305 G 2
Lacougotte-Cadoul 81 298 D 4
Lacour 82 277 E 2
Lacour-d'Arcenay 21 158 C 3
Lacourt 09 335 F 3
Lacourt-Saint-Pierre 82 277 G 5
Lacq 64 313 H 2
Lacquy 40 274 B 5
Lacrabe 40 293 H 4
Lacres 62 6 C 3
Lacroisille 81 298 D 5
Lacroix-Barrez 12 262 D 1
Lacroix-Falgarde 31 317 H 2
Lacroix-Saint-Ouen 60 39 F 3
Lacroix-sur-Meuse 55 64 C 2
Lacropte 24 240 D 4
Lacrost 71 195 F 1
Lacrouzette 81 299 H 4
Lacs 36 189 G 1
Ladapeyre 23 189 H 5
Ladaux 33 256 B 2
Ladern-sur-Lauquet 11 337 H 1
Ladevèze-Rivière 32 295 E 5
Ladevèze-Ville 32 295 E 5
Ladignac-le-Long 87 223 F 2
Ladignac-sur-Rondelles 19 243 E 1
Ladinhac 15 262 C 2
Ladirat 46 261 F 1
Ladiville 16 220 D 3
Ladoix 21 177 H 1
Ladoix-Serrigny 21 177 H 1
Ladon 45 112 A 5
Lados 33 256 C 5
Ladoye-sur-Seille 39 179 F 4
Laduz 89 136 A 2
Lafage 11 318 D 5
Lafage-sur-Sombre 19 243 G 1
Lafare 84 285 G 3
Lafarre 07 248 C 3
Lafarre 43 265 G 1
Lafat 23 188 D 4
Lafauche 52 93 G 5
Laféline 03 191 H 4
Laferté-sur-Amance 52 140 B 2
Laferté-sur-Aube 52 116 B 3
Lafeuillade-en-Vézie 15 262 C 1
Laffaux 02 40 C 2
Laffite-Toupière 31 316 D 5
Laffrey 38 251 E 3
Lafite Rothschild *Château de* 33 237 E 1
Lafitole 65 315 E 2
Lafitte 82 277 F 5
Lafitte-sur-Lot 47 275 H 1
Lafitte-Vigordane 31 317 F 4
Lafosse 33 237 G 3
Lafox 47 276 C 3
Lafrançaise 82 277 G 4
Lafraye 60 38 B 1
Lafresnoye 80 21 G 2
Lafrimbolle 57 96 B 1
Lagamas 34 302 A 4
Lagarde 09 336 D 2
Lagarde 31 318 C 3
Lagarde 32 275 H 5
Lagarde 57 67 E 5
Lagarde 65 315 E 4
Lagarde d'Apt 84 286 C 5
Lagarde-Enval 19 243 E 2
Lagarde-Hachan 32 316 A 3
Lagarde-Paréol 84 285 F 2
Lagarde-sur-le-Né 16 220 C 3
Lagardelle 46 259 F 5
Lagardelle-sur-Lèze 31 317 H 3
Lagardère 32 295 H 2
Lagardiolle 81 319 F 2
Lagarrigue 47 275 G 2
Lagarrigue 81 299 G 5
Lagatjar *Alignements de* 29 74 D 3
Lageon 79 168 A 4
Lagery 51 41 E 4
Lagesse 10 115 E 4
Laghet 06 309 H 2
Lagleygeolle 19 242 D 3
Laglorieuse 40 294 B 1
Lagnes 84 305 F 1
Lagney 54 65 F 5
Lagnicourt-Marcel 62 13 H 4
Lagnieu 01 214 A 4
Lagny 60 23 G 5
Lagny-le-Sec 60 59 F 1
Lagny-sur-Marne 77 59 E 3
Lagor 64 313 H 3
Lagorce 07 266 B 5
Lagorce 33 238 C 3
Lagord 17 183 F 5
Lagos 64 314 C 5
Lagrâce-Dieu 31 317 H 3
Lagrand 05 287 E 1
Lagrange 40 274 C 5
Lagrange 65 333 H 1
Lagrange 90 142 D 2
Lagrasse 11 338 B 1
Lagraulas 32 295 G 3
Lagraulet-du-Gers 32 295 G 1
Lagraulet-Saint-Nicolas 31 297 F 2
Lagraulière 19 224 C 5
Lagrave 81 299 E 1
Lagruère 47 275 F 1
Laguenne 19 242 D 1
Laguépie 82 279 F 4
Laguian-Mazous 32 315 G 2
Laguinge-Restoue 64 331 F 2
Laguiole 12 263 F 3
Lagupie 47 257 E 4
Lahage 31 317 E 2
Laharie 40 272 D 4
Laharmand 52 116 D 3
Lahas 32 296 D 5
Lahaye-Saint-Romain 80 21 H 4
Lahaymeix 55 64 B 3
Lahayville 55 65 E 3
Laheycourt 55 63 F 2
Lahitère 31 335 F 1
Lahitte 32 296 B 4
Lahitte 65 333 G 1
Lahitte-Toupière 65 315 E 2
Lahonce 64 292 B 5
Lahontan 64 293 E 5
Lahosse 40 293 F 3
Lahourcade 64 313 H 3
Lahoussoye 80 22 D 1
Laifour 08 26 D 1
La Laigne 17 184 B 5
Laigné 53 128 A 2
Laigné-en-Belin 72 130 A 2
Laignelet 35 81 F 4
Laignes 21 137 H 2
Laigneville 60 38 C 3
Laigny 02 25 F 2
Laillé 35 104 A 4
Lailly 89 114 A 2
Lailly-en-Val 45 132 D 3
Laimont 55 63 G 3
Lain 89 135 H 5
Laines-aux-Bois 10 114 D 2
Lains 39 196 B 3
Lainsecq 89 156 D 1
Lainville-en-Vexin 78 57 G 1
Laire 25 142 B 4
Laires 62 7 F 3
Lairière 11 338 A 2
Lairoux 85 183 E 2
Laissac-Sévérac-l'Eglise 12 281 F 1
Laissaud 73 233 G 3
Laissey 25 162 B 3
Laître-sous-Amance 54 66 B 5
Laives 71 177 H 5
Laix 54 45 E 2
Laiz 01 195 E 5
Laizé 71 195 E 3
Laize-la-Ville 14 33 G 5
Laizy 71 176 C 3
Lajo 48 264 B 1
Lajoux 39 197 F 3
Lalacelle 61 83 E 3
Lalande 89 135 H 4
Lalande-de-Pomerol 33 238 C 4
Lalande-en-Son 60 37 G 2
Lalandelle 60 37 G 2
Lalandusse 47 257 H 3
Lalanne 32 296 B 2
Lalanne 65 316 A 4
Lalanne-Arqué 32 316 B 3
Lalanne-Trie 65 315 H 4
Lalaye 67 96 D 4
Lalbarède 81 299 E 4
Lalbenque 46 278 B 1
Laleu 61 84 A 2
Laleu 80 11 H 5
Lalevade-d'Ardèche 07 266 A 3
Lalheue 71 177 H 5
Lalinde 24 258 C 1
Lalizolle 03 209 G 1
Lallaing 59 9 E 5
Lalleu 35 126 D 2

Lalley 38 ... 268 D 1
Lalobbe 08 ... 26 A 4
Lalœuf 54 ... 94 C 3
Lalongue 64 ... 314 C 2
Lalonquette 64 ... 294 B 5
Laloubère 65 ... 315 E 5
Lalouret-Laffiteau 31 ... 316 B 5
Lalouvesc 07 ... 248 C 2
Laluque 40 ... 293 E 1
Lama 2B ... 345 E 5
Lamadeleine-Val-des-Anges 90 ... 142 C 1
Lamagdelaine 46 ... 260 B 5
Lamagistère 82 ... 276 D 4
Lamaguère 32 ... 316 B 2
Lamaids 03 ... 190 B 5
Lamairé 79 ... 168 B 4
Lamalou-les-Bains 34 ... 301 F 5
Lamancine 52 ... 116 D 2
Lamanère 66 ... 342 B 5
Lamanon 13 ... 305 F 3
Lamarche 88 ... 118 A 3
Lamarche-en-Woëvre 55 ... 65 E 3
Lamarche-sur-Saône 21 ... 160 D 3
Lamargelle 21 ... 159 H 1
Lamargelle-aux-Bois 52 ... 139 E 4
Lamaronde 80 ... 21 H 3
Lamarque 33 ... 237 F 2
Lamarque-Pontacq 65 ... 314 D 5
Lamarque-Rustaing 65 ... 315 G 4
Lamasquère 31 ... 317 G 2
Lamastre 07 ... 248 C 4
Lamath 54 ... 95 F 2
Lamativie 46 ... 243 F 5
Lamayou 64 ... 315 E 3
Lamazère 32 ... 295 H 5
Lamazière-Basse 19 ... 225 G 5
Lamazière-Haute 19 ... 226 B 2
Lambach 57 ... 68 A 1
Lambader 29 ... 71 G 4
Lamballe 22 ... 78 D 3
Lambersart 59 ... 8 D 2
Lambert 04 ... 288 A 2
Lamberville 50 ... 32 C 5
Lamberville 76 ... 20 A 3
Lambesc 13 ... 305 G 4
Lamblore 28 ... 85 E 2
Lambres 62 ... 7 G 3
Lambres-lez-Douai 59 ... 8 D 5
Lambrey 70 ... 140 D 3
Lambruisse 04 ... 288 C 4
Laméac 65 ... 315 G 3
Lamécourt 60 ... 38 D 2
Lamelouze 30 ... 283 G 3
Lamenay-sur-Loire 58 ... 175 F 4
Lamérac 16 ... 220 C 4
Lametz 08 ... 26 D 5
Lamillarié 81 ... 299 F 2
Lammerville 76 ... 20 A 3
Lamnay 72 ... 108 D 3
Lamongerie 19 ... 224 C 3
Lamontélarié 81 ... 300 B 4
Lamontgie 63 ... 228 B 4
Lamontjoie 47 ... 275 H 4
Lamonzie-Montastruc 24 ... 240 B 5
Lamonzie-Saint-Martin 24 ... 257 G 1
Lamorlaye 60 ... 38 C 5
Lamorville 55 ... 64 C 3
Lamothe 40 ... 293 H 2
Lamothe 43 ... 246 B 1
Lamothe-Capdeville 82 ... 277 H 4
Lamothe-Cassel 46 ... 260 B 3
Lamothe-Cumont 82 ... 296 D 1
Lamothe-en-Blaisy 52 ... 116 C 2
Lamothe-Fénelon 46 ... 259 H 1
Lamothe-Goas 32 ... 296 A 2
Lamothe-Landerron 33 ... 257 E 4
Lamothe-Montravel 24 ... 238 D 5
Lamotte-Beuvron 41 ... 133 F 5
Lamotte-Brebière 80 ... 22 C 2
Lamotte-Buleux 80 ... 11 G 2
Lamotte-du-Rhône 84 ... 284 D 2
Lamotte-Warfusée 80 ... 23 E 2
Lamouilly 55 ... 27 H 5
Lamoura 39 ... 197 F 3
Lampaul 29 ... 74 A 1
Lampaul-Guimiliau 29 ... 71 G 5
Lampaul-Plouarzel 29 ... 70 A 5
Lampaul-Ploudalmézeau 29 ... 70 B 4
Lampertheim 67 ... 68 D 5
Lampertsloch 67 ... 69 E 2
Lamure-sur-Azergues 69 ... 212 B 2
Lanans 25 ... 162 D 3
Lanarce 07 ... 265 G 2
Lanarvily 29 ... 70 D 4
Lanas 07 ... 266 B 4
Lancé 41 ... 131 G 4
Lanchères 80 ... 11 E 3
Lanches-Saint-Hilaire 80 ... 12 B 4
Lanchy 02 ... 23 H 2
Lancié 69 ... 212 D 1
Lancieux 22 ... 50 B 5
Lancôme 41 ... 131 H 5
Lançon 08 ... 43 E 3
Lançon 65 ... 333 H 3
Lançon-Provence 13 ... 305 F 4
Lancrans 01 ... 215 E 1
Landal *Château de* 35 ... 80 B 2
Landange 57 ... 67 G 5
Landas 59 ... 9 F 4
Landaul 56 ... 123 H 2
Landaville 88 ... 94 A 5
Landavran 35 ... 105 E 2
La Lande-d'Airou 50 ... 51 H 3
La Lande-de-Fronsac 33 ... 237 H 4
La Lande-de-Goult 61 ... 83 F 2
La Lande-de-Lougé 61 ... 53 H 5
La Lande-Patry 61 ... 53 E 4
La Lande-Saint-Léger 27 ... 34 D 3
La Lande-Saint-Siméon 61 ... 53 F 3
La Lande-sur-Drôme 14 ... 32 C 5
La Lande-sur-Eure 61 ... 85 E 2
La Lande-Vaumont 14 ... 52 C 4
Landéan 35 ... 81 F 4
Landebaëron 22 ... 73 E 4
Landébia 22 ... 79 E 3
La Landec 22 ... 79 F 4
Landécourt 54 ... 95 F 2
Landéda 29 ... 70 C 4
Landéhen 22 ... 78 D 4
Landeleau 29 ... 76 C 4
Landelles 28 ... 85 G 3
Landelles-et-Coupigny 14 ... 52 B 2
Landemont 49 ... 148 B 3
Landepéreuse 27 ... 55 F 1
Landerneau 29 ... 75 G 2
Landeronde 85 ... 165 G 5
Landerrouat 33 ... 257 E 2
Landerrouet-sur-Ségur 33 ... 256 D 3
Landersheim 67 ... 68 C 5
Landes 17 ... 201 G 3
Les Landes-Genusson 85 ... 166 B 2
Landes-le-Gaulois 41 ... 131 H 5
Landes-sur-Ajon 14 ... 33 E 5
Landes-Vieilles-et-Neuves 76 ... 21 F 3
Landévant 56 ... 123 H 2
Landévennec 29 ... 75 G 3
Landevieille 85 ... 165 E 5
Landéville 52 ... 93 F 4
Landeyrat 15 ... 245 F 1
Landifay-et-Bertaignemont 02 ... 24 D 2
Landigou 61 ... 53 F 4
Le Landin 27 ... 35 H 2
Landiras 33 ... 255 H 3
Landisacq 61 ... 53 E 4
Landivisiau 29 ... 71 F 5
Landivy 53 ... 81 G 3
Landogne 63 ... 208 D 4
Landonvillers 57 ... 46 B 5
Landorthe 31 ... 334 C 1
Landos 43 ... 265 F 1
Landouge 87 ... 205 G 5
Landouzy-la-Cour 02 ... 25 G 2
Landouzy-la-Ville 02 ... 25 G 2
Landrais 17 ... 201 E 2
Le Landreau 44 ... 148 A 4
Landrecies 59 ... 15 E 4
Landrecourt 55 ... 64 B 1
Landrellec 22 ... 72 C 2
Landremont 54 ... 65 H 4
Landres 54 ... 45 E 3
Landres-et-Saint-Georges 08 ... 43 F 2
Landresse 25 ... 162 D 3
Landrethun-le-Nord 62 ... 2 C 4
Landrethun-lès-Ardres 62 ... 2 D 4
Landrévarzec 29 ... 99 H 2
Landreville 10 ... 115 H 4
Landrichamps 08 ... 17 F 4
Landricourt 02 ... 40 B 1
Landricourt 51 ... 92 B 2
Landroff 57 ... 66 D 2
Landry 73 ... 234 D 2
Landser 68 ... 143 G 2
Landudal 29 ... 100 A 2
Landudec 29 ... 99 F 3
Landujan 35 ... 103 H 1
Landunvez 29 ... 70 B 4
Lanéria 39 ... 196 A 3
Lanespède 65 ... 315 G 5
Lanessan *Château de* 33 ... 237 E 2
Lanester 56 ... 123 F 2
Lanet 11 ... 338 A 3
Laneuvelle 52 ... 118 A 5
Laneuvelotte 54 ... 66 B 5
Laneuveville-aux-Bois 54 ... 95 H 1
Laneuveville-derrière-Foug 54 ... 65 E 5
Laneuveville-devant-Bayon 54 ... 95 E 3
Laneuveville-devant-Nancy 54 ... 94 D 1
Laneuveville-en-Saulnois 57 ... 66 C 3
Laneuveville-lès-Lorquin 57 ... 67 G 5
Laneuville-à-Bayard 52 ... 92 D 2
Laneuville-à-Rémy 52 ... 92 C 3
Laneuville-au-Bois 52 ... 93 G 4
Laneuville-au-Pont 52 ... 63 E 5
Laneuville-au-Roi 52 ... 116 C 3
Laneuville-au-Rupt 55 ... 64 D 5
Laneuville-sur-Meuse 55 ... 43 G 1
Laneuvilleroy 60 ... 38 D 1
Lanfains 22 ... 78 A 4
Lanfroicourt 54 ... 66 B 4
Langan 35 ... 80 A 5
Langast 22 ... 78 C 5
Langatte 57 ... 67 G 4
Langé 36 ... 171 F 1
Langeac 43 ... 246 C 3
Langeais 37 ... 151 F 3
Langensoultzbach 67 ... 68 D 2
Langeron 58 ... 174 B 4
Langesse 45 ... 134 C 3
Langey 28 ... 109 G 4
Langlade 30 ... 303 G 2
Langley 88 ... 95 E 4
Langoat 22 ... 72 D 3
Langoëlan 56 ... 101 F 2
Langogne 48 ... 265 F 2
Langoiran 33 ... 255 H 2
Langolen 29 ... 100 A 2
Langon 33 ... 256 B 4
Langon 35 ... 126 A 3
Langon-sur-Cher 41 ... 154 A 4
Le Langon 85 ... 183 G 3
Langonnet 56 ... 100 D 2
Langonnet *Abbaye de* 56 ... 101 E 2
Langouet 35 ... 80 A 5
Langourla 22 ... 78 D 5
Langres 52 ... 139 G 2
Langrolay-sur-Rance 22 ... 79 H 3
Langrune-sur-Mer 14 ... 33 G 3
Languédias 22 ... 79 F 4
Languenan 22 ... 79 G 3
Langueux 22 ... 78 B 3
Languevoisin-Quiquery 80 ... 23 G 3
Languidic 56 ... 101 G 5
Languidou *Chapelle de* 29 ... 99 F 4
Languimberg 57 ... 67 F 4
Languivoa *Chapelle de* 29 ... 99 F 4
Langy 03 ... 192 C 5
Lanhélin 35 ... 80 A 3
Lanhères 55 ... 44 D 5
Lanhouarneau 29 ... 71 E 4
Lanildut 29 ... 70 A 5
Laning 57 ... 67 E 1
Laniscat 22 ... 77 G 5
Laniscourt 02 ... 24 C 5
Lanleff 22 ... 73 F 4
Lanloup 22 ... 73 G 3
Lanmérin 22 ... 72 D 3
Lanmeur 29 ... 72 A 4
Lanmodez 22 ... 73 F 2
Lann-Bihoué 56 ... 123 F 2
Lanne 65 ... 315 E 5
Lanne-en-Barétous 64 ... 331 F 2
Lanne-Soubiran 32 ... 294 D 3
Lannéanou 29 ... 76 C 2
Lannebert 22 ... 73 F 4
Lannecaube 64 ... 314 C 2
Lannédern 29 ... 76 B 4
Lannemaignan 32 ... 294 C 1
Lannemezan 65 ... 333 H 1
Lannepax 32 ... 295 G 2
Lanneplaà 64 ... 313 F 2
Lanneray 28 ... 109 H 4
Lannes 47 ... 275 F 5
Lannes 52 ... 117 F 5
Lanneuffret 29 ... 71 E 5
Lannilis 29 ... 70 C 4
Lannion 22 ... 72 C 3
Lannoy 59 ... 9 E 2
Lannoy-Cuillère 60 ... 21 F 4
Lannux 32 ... 294 C 4
Lano 2B ... 347 F 3
Lanobre 15 ... 226 C 4
Lanouaille 24 ... 223 F 5
Lanouée 56 ... 102 C 4
Lanoux 09 ... 335 H 1
Lanquais 24 ... 258 C 1
Lanques-sur-Rognon 52 ... 117 F 3
Lanquetot 76 ... 19 F 5
Lanrelas 22 ... 103 E 1
Lanrigan 35 ... 80 B 4
Lanrivain 22 ... 77 G 3
Lanrivoaré 29 ... 70 B 5
Lanrodec 22 ... 77 H 2
Lans 71 ... 177 H 4
Lans-en-Vercors 38 ... 250 C 2
Lansac 33 ... 237 G 3
Lansac 65 ... 315 F 5
Lansac 66 ... 338 B 5
Lansargues 34 ... 303 F 4
Lanslebourg-Mont-Cenis 73 ... 235 E 5
Lanslevillard 73 ... 235 F 5
Lanta 31 ... 298 B 5
Lantabat 64 ... 311 G 5
Lantages 10 ... 115 F 4
Lantan 18 ... 173 G 3
Lantéfontaine 54 ... 45 F 4
Lantenay 01 ... 214 C 2
Lantenay 21 ... 159 H 3
Lantenne-Vertière 25 ... 161 G 4
Lantenot 70 ... 141 H 3
La Lanterne-et-les-Armonts 70 ... 141 H 2
Lanteuil 19 ... 242 C 3
Lanthenans 25 ... 163 E 2
Lanthes 21 ... 178 C 1
Lantheuil 14 ... 33 F 3
Lantic 22 ... 73 G 5
Lantignié 69 ... 212 C 1
Lantillac 56 ... 102 B 4
Lantilly 21 ... 158 D 1
Lanton 33 ... 254 C 2
Lantosque 06 ... 291 F 3
Lantriac 43 ... 247 G 4
Lanty 58 ... 175 H 4
Lanty-sur-Aube 52 ... 116 B 4
Lanuéjols 30 ... 282 B 4
Lanuéjols 48 ... 264 D 5
Lanuéjouls 12 ... 261 G 5
Lanvallay 22 ... 79 G 4
Lanvaudan 56 ... 101 F 4
Lanvellec 22 ... 72 B 4
Lanvénégen 56 ... 100 D 3
Lanvéoc 29 ... 75 E 3
Lanvézéac 22 ... 72 D 3
Lanvollon 22 ... 73 G 4
Lanzac 46 ... 242 B 5
Laon 02 ... 24 D 5
Laons 28 ... 56 B 5
Laouzas *Barrage de* 81 ... 300 C 4
Lapalisse 03 ... 192 D 5
Lapalud 84 ... 284 D 1
Lapan 18 ... 172 D 3
Lapanouse 12 ... 281 G 1
Lapanouse-de-Cernon 12 ... 281 H 5
Laparade 47 ... 275 H 1
Laparrouquial 81 ... 279 F 4
Lapège 09 ... 336 A 4
Lapenche 82 ... 278 C 3
Lapenne 09 ... 336 C 1
Lapenty 50 ... 81 G 2
Laperche 47 ... 257 G 4
Laperrière-sur-Saône 21 ... 160 D 5
Lapeyre 65 ... 315 H 3
Lapeyrère 31 ... 317 G 5
Lapeyrouse 01 ... 213 F 3
Lapeyrouse 63 ... 191 F 5
Lapeyrouse-Fossat 31 ... 298 A 4
Lapeyrouse-Mornay 26 ... 231 G 5
Lapeyrugue 15 ... 262 C 2
Lapleau 19 ... 243 G 1
Laplume 47 ... 275 H 4
Lapoutroie 68 ... 120 D 2
Lapouyade 33 ... 238 B 3
Lappion 02 ... 25 G 5
Laprade 11 ... 319 G 2
Laprade 16 ... 239 F 1
Lapradelle 11 ... 337 G 4
Laprugne 03 ... 211 E 3
Laps 63 ... 228 A 2
Lapte 43 ... 248 A 2
Lapugnoy 62 ... 7 H 4
Laquenexy 57 ... 66 B 1
Laqueuille 63 ... 227 E 2
Laragne-Montéglin 05 ... 287 F 1
Larajasse 69 ... 230 C 2
Laramière 46 ... 279 E 1
Laran 65 ... 316 A 5
Larbey 40 ... 293 G 3
Larbont 09 ... 335 H 2
Larbroye 60 ... 23 G 5
Larcan 31 ... 316 C 5
Larcat 09 ... 336 B 5
Larçay 37 ... 152 A 3
Larceveau-Arros-Cibits 64 ... 311 G 5
Larchamp 53 ... 81 G 4
Larchamp 61 ... 53 E 5
Larchant 77 ... 112 B 2
Larche 04 ... 271 F 4
Larche 19 ... 241 H 3
Larche *Col de* 04 ... 271 F 4
Le Larderet 39 ... 179 H 3
Lardier-et-Valença 05 ... 269 G 5
Lardiers 04 ... 287 E 4
Le Lardin-Saint-Lazare 24 ... 241 G 3
Lardy 91 ... 87 G 3
Larée 32 ... 295 E 1
Laréole 31 ... 297 E 3
Largeasse 79 ... 167 G 5
Largentière 07 ... 266 A 4
Largillay-Marsonnay 39 ... 196 C 1
Largitzen 68 ... 143 E 3
Largny-sur-Automne 02 ... 39 H 4
Largoët *Forteresse de* 56 ... 124 D 3
Larians-et-Munans 70 ... 162 B 1
Larivière 90 ... 142 D 2
Larivière-sur-Apance 52 ... 118 A 4
Larmor-Baden 56 ... 124 A 4
Larmor-Plage 56 ... 123 F 2
Larnage 26 ... 249 F 3
Larnagol 46 ... 260 D 5
Larnas 07 ... 266 D 5
Larnat 09 ... 336 B 5
Larnaud 39 ... 179 E 5
Larnod 25 ... 161 H 4
Laroche-près-Feyt 19 ... 226 C 1
Laroche-Saint-Cydroine 89 ... 113 H 5
Larochemillay 58 ... 176 A 3
Larodde 63 ... 226 C 3
Laroin 64 ... 314 A 4
Larone *Col de* 2A ... 349 G 4
Laronxe 54 ... 95 G 2
Laroque 33 ... 256 B 2
Laroque 34 ... 302 C 1
Laroque-de-Fa 11 ... 338 B 3
Laroque-des-Albères 66 ... 343 F 4
Laroque-des-Arcs 46 ... 260 B 5
Laroque-d'Olmes 09 ... 336 D 3
Laroque-Timbaut 47 ... 276 C 2
Laroquebrou 15 ... 243 H 4
Laroquevieille 15 ... 244 C 4
Larouillies 59 ... 15 G 5
Larra 31 ... 297 G 3
Larrau 64 ... 331 E 3
Larrazet 82 ... 297 F 1
Larré 56 ... 124 D 3
Larré 61 ... 83 H 3
Larressingle 32 ... 295 G 1
Larressore 64 ... 310 D 3
Larret 29 ... 70 B 5
Larret 70 ... 140 A 4
Larreule 64 ... 314 A 2
Larreule 65 ... 315 E 2
Larrey 21 ... 137 H 2
Larribar-Sorhapuru 64 ... 311 H 4
Larringes 74 ... 198 B 3
Larrivière-Saint-Savin 40 ... 294 A 2
Larrivoire 39 ... 196 D 4
Larroque 31 ... 316 B 5
Larroque 65 ... 316 A 4
Larroque 81 ... 278 D 5
Larroque-Engalin 32 ... 275 H 5
Larroque-Saint-Sernin 32 ... 296 A 2
Larroque-sur-l'Osse 32 ... 275 F 5
Larroque-Toirac 46 ... 261 F 4
Lartigue 32 ... 296 C 5
Lartigue 33 ... 274 C 2
Laruns 64 ... 332 A 2
Laruscade 33 ... 238 B 2
Larzac 24 ... 259 E 2
Larzicourt 51 ... 62 D 5
Lasalle 30 ... 283 F 5
Lasbordes 11 ... 319 E 4
Lascabanes 46 ... 277 H 1
Lascaux 19 ... 223 H 5
Lascaux *Grotte de* 24 ... 241 G 3
Lascazères 65 ... 295 E 5
Lascelle 15 ... 244 D 4
Laschamps-de-Chavanat 23 ... 207 E 1
Lasclaveries 64 ... 314 B 2
Lasfaillades 81 ... 300 A 5
Lasgraisses 81 ... 299 E 2
Laslades 65 ... 315 F 5
Lassales 65 ... 316 A 5
Lassay-les-Châteaux 53 ... 82 C 3
Lassay-sur-Croisne 41 ... 153 G 3
Lasse 49 ... 150 C 1
Lasse 64 ... 330 B 1
Lasserade 32 ... 295 E 4
Lasséran 32 ... 296 A 5
Lasserre 09 ... 335 F 1
Lasserre 31 ... 297 F 4
Lasserre 47 ... 275 G 4
Lasserre 64 ... 294 D 5
Lasserre-de-Prouille 11 ... 319 F 5
Lasseube 64 ... 314 A 4
Lasseube-Propre 32 ... 296 B 5
Lasseubetat 64 ... 314 A 5
Lassicourt 10 ... 91 H 4
Lassigny 60 ... 23 F 5
Lasson 14 ... 33 F 4
Lasson 89 ... 114 C 4
Lassouts 12 ... 263 F 5
Lassur 09 ... 336 C 5
Lassy 14 ... 53 E 2
Lassy 35 ... 103 H 4
Lassy 95 ... 38 D 5
Lastelle 50 ... 31 G 3
Lastic 15 ... 246 A 3
Lastic 63 ... 226 D 1
Lastioulles *Barrage de* 15 ... 226 D 5
Lastours 11 ... 319 H 4
Lataule 60 ... 39 E 1
Le Latet 39 ... 179 H 3
La Latette 39 ... 180 A 4
Lathuile 74 ... 215 H 5
Lathus 86 ... 187 G 4
Latillé 86 ... 185 H 1
Latilly 02 ... 40 B 5
Latoue 31 ... 316 C 5
Latouille-Lentillac 46 ... 261 F 1
Latour 31 ... 317 G 5
Latour-Bas-Elne 66 ... 343 F 3
Latour-de-Carol 66 ... 341 E 4
Latour-de-France 66 ... 338 B 5
Latour-en-Woëvre 55 ... 65 E 1
Latrape 31 ... 317 G 5
Latrecey 52 ... 116 C 5
Latresne 33 ... 255 G 1
Latrille 40 ... 294 C 4
Latronche 19 ... 243 H 1
Latronquière 46 ... 261 G 1
Lattainville 60 ... 37 G 4
La Latte *Fort* 22 ... 50 A 4
Lattes 34 ... 302 D 5
Lattre-Saint-Quentin 62 ... 13 E 2
Lau-Balagnas 65 ... 332 D 2
Laubach 67 ... 68 D 3
Laubert 48 ... 264 D 4
Les Laubies 48 ... 264 B 2
Laubressel 10 ... 91 F 5
Laubrières 53 ... 105 F 5
La Lauch *Lac de* 68 ... 120 C 4
Laucourt 80 ... 23 F 4
Laudrefang 57 ... 66 D 1
Laudun-l'Ardoise 30 ... 284 D 4
Laugnac 47 ... 276 B 2
Laujuzan 32 ... 294 D 2
Laulne 50 ... 31 G 3
Laumesfeld 57 ... 46 C 3
Launac 31 ... 297 F 3
Launaguet 31 ... 298 A 4
Launay 27 ... 35 G 5
Launay-Villiers 53 ... 105 G 3
Launois-sur-Vence 08 ... 26 C 4
Launoy 02 ... 40 B 4
Launstroff 57 ... 46 C 2
La Laupie 26 ... 267 F 3
Laurabuc 11 ... 319 E 5
Laurac 11 ... 319 E 5
Laurac-en-Vivarais 07 ... 266 A 4
Lauraët 32 ... 295 G 1
Lauraguel 11 ... 337 F 1
Laure-Minervois 11 ... 320 A 4
Laurède 40 ... 293 G 2
Laurenan 22 ... 102 D 1
Laurens 34 ... 301 G 5
Lauresses 46 ... 261 G 2
Lauret 34 ... 302 D 2
Lauret 40 ... 294 B 5
Laurie 15 ... 245 H 1
Laurière 24 ... 240 D 1
Laurière 87 ... 206 B 2
Lauris 84 ... 305 H 3
Lauroux 34 ... 301 G 3
Laussac 12 ... 263 E 1
Laussonne 43 ... 247 G 4
Laussou 47 ... 258 D 4
Lautaret *Col du* 05 ... 252 B 3
Lautenbach 68 ... 120 D 4
Lautenbachzell 68 ... 120 D 4
Lauterbourg 67 ... 69 H 1
Lauthiers 86 ... 187 E 1
Lautignac 31 ... 317 E 3

Lautrec 81 ... 299 F 3
Lauw 68 ... 142 D 1
Lauwin-Planque 59 ... 8 D 5
Laux-Montaux 26 ... 286 C 1
Lauzach 56 ... 124 D 4
Lauzerte 82 ... 277 F 2
Lauzerville 31 ... 298 B 5
Lauzès 46 ... 260 C 4
Le Lauzet-Ubaye 04 ... 270 B 5
Lauzières 17 ... 183 F 5
Lauzun 47 ... 257 H 3
Lava *Col de* 2A ... 346 A 5
Lava *Golfe de* 2A ... 348 B 3
Lavacquerie 60 ... 22 A 4
Laval 38 ... 251 F 1
Laval 53 ... 106 A 3
Laval *Chalets de* 05 ... 252 C 3
Laval-Atger 48 ... 264 D 1
Laval-d'Aix 26 ... 268 B 2
Laval-d'Aurelle 07 ... 265 G 4
Laval-de-Cère 46 ... 243 F 5
Laval-du-Tarn 48 ... 282 B 1
Laval-en-Brie 77 ... 89 E 4
Laval-en-Laonnois 02 ... 40 D 1
Laval-le-Prieuré 25 ... 163 E 4
Laval-Morency 08 ... 26 B 2
Laval-Pradel 30 ... 283 H 3
Laval-Roquecezière 12 ... 300 B 2
Laval-Saint-Roman 30 ... 284 C 2
Laval-sur-Doulon 43 ... 228 C 5
Laval-sur-Luzège 19 ... 243 G 1
Laval-sur-Tourbe 51 ... 42 D 5
Laval-sur-Vologne 88 ... 119 H 2
Lavalade 24 ... 258 D 2
Lavaldens 38 ... 251 F 4
Lavalette 11 ... 319 G 5
Lavalette 31 ... 298 B 4
Lavalette 34 ... 301 G 4
Lavalette *Barrage de* 43 ... 247 H 2
Lavallée 55 ... 64 B 4
Le Lavancher 74 ... 217 E 2
Lavancia-Epercy 39 ... 196 C 4
Le Lavandou 83 ... 329 E 4
Lavangeot 39 ... 161 F 5
Lavannes 51 ... 41 H 3
Lavans-lès-Dole 39 ... 161 F 5
Lavans-lès-Saint-Claude 39 ... 196 D 3
Lavans-Quingey 25 ... 161 H 5
Lavans-sur-Valouse 39 ... 196 C 4
Lavans-Vuillafans 25 ... 162 B 5
Lavaqueresse 02 ... 25 E 1
Lavardac 47 ... 275 F 3
Lavardens 32 ... 296 A 3
Lavardin 41 ... 131 F 3
Lavardin 72 ... 107 G 4
Lavaré 72 ... 108 C 4
Lavars 38 ... 250 D 5
Lavasina 2B ... 345 G 3
Lavastrie 15 ... 245 G 5
Lavatoggio 2B ... 346 C 2
Lavau 10 ... 91 E 5
Lavau 89 ... 135 F 5
Lavau-sur-Loire 44 ... 146 D 3
Lavaudieu 43 ... 246 C 1
Lavaufranche 23 ... 190 A 4
Lavault-de-Frétoy 58 ... 176 A 1
Lavault-Sainte-Anne 03 ... 190 D 4
Les Lavaults 89 ... 158 B 3
Lavaur 24 ... 259 E 3
Lavaur 81 ... 298 D 3
Lavaurette 82 ... 278 C 3
Lavausseau 86 ... 185 H 1
Lavaveix-les-Mines 23 ... 207 G 2
Lavazan 33 ... 256 C 5
Laveissenet 15 ... 245 F 3
Laveissière 15 ... 245 E 3
Lavelanet 09 ... 336 D 3
Lavelanet-
de-Comminges 31 ... 317 F 4
Laveline-
devant-Bruyères 88 ... 120 A 2
Laveline-du-Houx 88 ... 119 H 2
Lavenay 72 ... 130 D 3
Laventie 62 ... 8 B 2
Lavéra 13 ... 325 G 4
Laveraët 32 ... 295 G 5
Lavercantière 46 ... 259 H 3
Laverdines 18 ... 173 H 1
Lavergne 46 ... 260 D 1
Lavergne 47 ... 257 G 3
Lavernat 72 ... 130 B 4
Lavernay 25 ... 161 G 3
Lavernhe 12 ... 281 G 2
Lavernose-Lacasse 31 ... 317 G 3
Lavernoy 52 ... 117 H 5
Laverrière 60 ... 21 H 4
Laversine 02 ... 40 A 3
Laversines 60 ... 38 B 2
Lavérune 34 ... 302 D 5
Laveyron 26 ... 249 E 1
Laveyrune 07 ... 265 F 3
Laveyssière 24 ... 239 H 5
Lavieu 42 ... 229 G 3
Laviéville 80 ... 22 D 1
Lavigerie 15 ... 245 E 2
Lavignac 87 ... 223 F 1
Lavignéville 55 ... 64 D 3
Lavigney 70 ... 140 C 3
Lavignolle 33 ... 255 E 3
Lavigny 39 ... 179 F 4
Lavillatte 07 ... 265 G 2
Laville-aux-Bois 52 ... 117 E 3
Lavilledieu 07 ... 266 C 4
Lavilleneuve 52 ... 117 G 4
Lavilleneuve-au-Roi 52 ... 116 C 3
Lavilleneuve-
aux-Fresnes 52 ... 116 B 2
Lavilletertre 60 ... 37 H 4
Lavincourt 55 ... 63 G 5
Laviolle 07 ... 266 B 1
Laviron 25 ... 163 E 3
Lavit-de-Lomagne 82 ... 296 D 1
Lavoine 03 ... 210 D 3
Lavoncourt 70 ... 140 C 4
Lavours 01 ... 214 D 4
Lavoûte-Chilhac 43 ... 246 B 2
Lavoûte-sur-Loire 43 ... 247 F 3
Lavoux 86 ... 186 D 1
Lavoye 55 ... 63 G 1
Lawarde-Mauger-l'Hortoy 80 ... 22 B 4
Laxou 54 ... 65 H 5
Lay 42 ... 211 H 3
Lay-Lamidou 64 ... 313 G 4
Lay-Saint-Christophe 54 ... 65 H 5
Lay-Saint-Remy 54 ... 94 A 1
Laye 05 ... 269 G 2
Laymont 32 ... 317 E 3
Layrac 47 ... 276 B 4
Layrac-sur-Tarn 31 ... 298 A 2
Layrisse 65 ... 315 E 5
Lays-sur-le-Doubs 71 ... 178 C 2
Laz 29 ... 76 B 5
Lazenay 18 ... 172 C 1
Lazer 05 ... 287 F 1
Léalvillers 80 ... 13 E 5
Léaupartie 14 ... 34 B 4
Léaz 01 ... 215 E 1
Lebetain 90 ... 142 D 4
Lebeuville 54 ... 95 E 3
Lebiez 62 ... 6 D 4
Leboulin 32 ... 296 B 4
Lebreil 46 ... 277 F 1
Lebucquière 62 ... 13 H 4
Lécaude 14 ... 34 B 5
Lecci 2A ... 349 G 5
Lecelles 59 ... 9 F 4
Lecey 52 ... 139 H 2
Lechâtelet 21 ... 178 B 1
Léchelle 62 ... 13 H 5
Léchelle 77 ... 89 G 2
La Léchère 73 ... 234 B 2
Les Lèches 24 ... 239 G 4
Lechiagat 29 ... 99 F 5
Lécluse 59 ... 14 A 2
Lécourt 52 ... 117 H 4
Lécousse 35 ... 81 E 4
Lecques 30 ... 303 F 2
Les Lecques 83 ... 327 G 4
Lect 39 ... 196 C 3
Lectoure 32 ... 296 B 1
Lecumberry 64 ... 330 C 1
Lécussan 31 ... 316 A 5
Lédas-et-Penthiès 81 ... 280 B 4
le Lédat 47 ... 258 B 5
Lédenon 30 ... 304 A 1
Lédergues 12 ... 280 C 4
Lederzeele 59 ... 3 G 4
Ledeux 64 ... 313 H 4
Lédignan 30 ... 283 H 5
Ledinghem 62 ... 6 D 2
Ledringhem 59 ... 3 G 4
Lée 64 ... 314 B 4
Leers 59 ... 9 E 2
Lées-Athas 64 ... 331 H 3
Lefaux 62 ... 6 B 3
Leffard 14 ... 53 G 2
Leffincourt 08 ... 42 C 2
Leffond 70 ... 139 H 4
Leffonds 52 ... 117 E 5
Leffrinckoucke 59 ... 3 G 2
Leforest 62 ... 8 D 5
Lège 31 ... 334 B 3
Legé 44 ... 165 G 2
Lège-Cap-Ferret 33 ... 254 B 1
Légéville-et-Bonfays 88 ... 118 D 2
Léglantiers 60 ... 38 D 1
Légna 39 ... 196 C 3
Légny 69 ... 212 C 4
Léguevin 31 ... 297 G 5
Léguillac-de-Cercles 24 ... 221 H 5
Léguillac-de-l'Auche 24 ... 240 B 2
Lehaucourt 02 ... 24 B 1
Léhélec *Château de* 56 ... 125 F 4
Léhon 22 ... 79 G 4
Leigné-les-Bois 86 ... 169 H 4
Leigné-sur-Usseau 86 ... 169 G 3
Leignes-sur-Fontaine 86 ... 187 F 2
Leigneux 42 ... 229 G 1
Leimbach 68 ... 142 D 1
Leintrey 54 ... 95 H 1
Leitersviller 67 ... 69 F 2
Lélex 01 ... 197 E 4
Lelin-Lapujolle 32 ... 294 D 3
Lelling 57 ... 67 E 1
Lemainville 54 ... 94 D 2
Lembach 67 ... 69 E 1
Lemberg 57 ... 68 B 1
Lembeye 64 ... 314 D 2
Lembras 24 ... 239 H 5
Lemé 02 ... 25 E 2
Lème 64 ... 294 B 5
Leménil-Mitry 54 ... 95 E 3
Lémeré 37 ... 169 E 1
Lemmecourt 88 ... 94 A 5
Lemmes 55 ... 43 H 5
Lemoncourt 57 ... 66 B 3
Lempaut 81 ... 299 F 5
Lempdes 63 ... 209 H 5
Lempdes-sur-Allagnon 43 ... 228 A 5
Lempire 02 ... 24 A 1
Lempire-aux-Bois 55 ... 43 H 5
Lemps 07 ... 249 E 3
Lemps 26 ... 286 B 1
Lempty 63 ... 210 A 5
Lempzours 24 ... 222 D 5
Lemud 57 ... 66 B 1
Lemuy 39 ... 179 H 2
Lénault 14 ... 53 E 2
Lenax 03 ... 193 E 4
Lencloître 86 ... 169 E 4
Lencouacq 40 ... 274 A 4
Lendresse 64 ... 313 G 2
Lengelsheim 57 ... 48 C 5
Lengronne 50 ... 51 G 2
Lenharrée 51 ... 61 H 4
Léning 57 ... 67 E 2
Lénizeul 52 ... 117 H 4
Lennon 29 ... 76 A 5
Lenoncourt 54 ... 95 E 1
Lens 62 ... 8 B 5
Lens-Lestang 26 ... 231 G 5
Lent 01 ... 213 H 1
Lent 39 ... 180 A 4
Lentigny 42 ... 211 G 3
Lentillac-Lauzès 46 ... 260 C 4
Lentillac-Saint-Blaise 46 ... 261 G 4
Lentillères 07 ... 266 A 3
Lentilles 10 ... 92 A 3
Lentilly 69 ... 212 D 5
Lentiol 38 ... 231 G 5
Lento 2B ... 347 F 2
Léobard 46 ... 259 H 2
Léogeats 33 ... 255 H 4
Léognan 33 ... 255 F 2
Léojac 82 ... 277 H 5
Léon 40 ... 292 B 1
Léoncel 26 ... 249 H 5
Léotoing 43 ... 228 A 5
Léouville 45 ... 111 F 2
Léoville 17 ... 220 B 4
Lépanges-sur-Vologne 88 ... 119 H 2
Lépaud 23 ... 190 B 5
Lépin-le-Lac 73 ... 233 E 2
Lépinas 23 ... 207 F 2
Lépine 62 ... 6 B 5
Lépron-les-Vallées 08 ... 26 B 3
Lepuix 90 ... 142 B 1
Lepuix-Neuf 90 ... 143 E 4
Léran 09 ... 336 D 2
Lercoul 09 ... 336 A 5
Léré 18 ... 156 A 2
Léren 64 ... 292 D 5
Lérigneux 42 ... 229 F 2
Lerm-et-Musset 33 ... 274 C 1
Lerné 37 ... 150 D 5
Lérouville 55 ... 64 C 4
Lerrain 88 ... 118 D 2
Léry 21 ... 138 D 5
Léry 27 ... 36 B 3
Lerzy 02 ... 25 F 1
Lesbœufs 80 ... 13 H 5
Lesbois 53 ... 81 H 3
Lescar 64 ... 314 A 3
Leschaux 74 ... 215 G 5
Leschelle 02 ... 25 E 1
Lescheraines 73 ... 215 G 5
Leschères 39 ... 197 E 2
Leschères-
sur-le-Blaiseron 52 ... 92 D 5
Lescherolles 77 ... 60 B 4
Lescheroux 01 ... 195 G 3
Lesches 77 ... 59 F 3
Lesches-en-Diois 26 ... 268 C 3
Lesconil 29 ... 99 G 5
Lescouët-Gouarec 22 ... 77 F 5
Lescouët-Jugon 22 ... 79 E 4
Lescousse 09 ... 336 A 1
Lescout 81 ... 299 F 5
Lescun 64 ... 331 G 4
Lescuns 31 ... 317 E 5
Lescure 09 ... 335 G 2
Lescure-d'Albigeois 81 ... 299 F 1
Lescure-Jaoul 12 ... 279 G 3
Lescurry 65 ... 315 F 3
Lesdain 59 ... 14 B 4
Lesdins 02 ... 24 B 2
Lesges 02 ... 40 C 3
Lesgor 40 ... 293 F 1
Lésigny 77 ... 59 E 4
Lésigny 86 ... 170 A 3
Le Leslay 22 ... 78 A 4
Lesme 71 ... 192 D 1
Lesménils 54 ... 65 G 3
Lesmont 10 ... 91 G 4
Lesneven 29 ... 71 E 4
Lesparre-Médoc 33 ... 218 D 5
Lesparrou 09 ... 336 D 3
Lespéron 07 ... 265 F 2
Lesperon 40 ... 272 C 5
Lespesses 62 ... 7 G 3
Lespielle 64 ... 314 D 2
Lespignan 34 ... 321 G 4
Lespinasse 31 ... 297 H 3
Lespinasse *Château de* 43 ... 246 A 1
Lespinassière 11 ... 320 A 3
Lespinoy 62 ... 6 D 5
Lespiteau 31 ... 334 C 1
Lesponne 65 ... 333 F 2
Lespouey 65 ... 315 F 5
Lespourcy 64 ... 314 D 3
Lespugue 31 ... 316 B 5
Lesquerde 66 ... 338 A 4
Lesquielles-
Saint-Germain 02 ... 24 D 1
Lesquin 59 ... 8 D 3
Lessac 16 ... 204 C 2
Lessard-en-Bresse 71 ... 178 B 4
Lessard-et-le-Chêne 14 ... 54 C 1
Lessard-le-National 71 ... 177 H 3
Lessay 50 ... 31 G 3
Lesse 57 ... 66 C 2
Lesseux 88 ... 96 C 4
Lesson 85 ... 184 C 3
Lessy 57 ... 65 G 1
Lestanville 76 ... 20 A 3
Lestards 19 ... 225 E 3
Lestelle-Bétharram 64 ... 314 C 5
Lestelle-
de-Saint-Martory 31 ... 334 D 1
Lesterps 16 ... 204 D 3
Lestiac-sur-Garonne 33 ... 255 H 2
Lestiou 41 ... 132 C 4
Lestrade-et-Thouels 12 ... 280 D 5
Lestre 50 ... 29 G 4
Lestrem 62 ... 8 A 2
Létanne 08 ... 27 G 5
Léthuin 28 ... 86 D 5
Letia 2A ... 348 C 1
Létra 69 ... 212 C 3
Létricourt 54 ... 66 B 3
Letteguives 27 ... 36 C 2
Lettret 05 ... 269 G 4
Leubringhen 62 ... 2 B 4
Leuc 11 ... 337 H 1
Leucamp 15 ... 262 C 2
Leucate 11 ... 339 E 3
Leucate-Plage 11 ... 339 F 3
Leuchey 52 ... 139 F 3
Leudeville 91 ... 87 H 2
Leudon-en-Brie 77 ... 60 B 4
Leuglay 21 ... 138 C 2
Leugny 86 ... 169 H 3
Leugny 89 ... 136 A 4
Leugny *Château de* 37 ... 152 B 3
Leuhan 29 ... 100 B 2
Leuilly-sous-Coucy 02 ... 40 B 1
Leulinghem 62 ... 3 F 5
Leulinghen-Bernes 62 ... 2 B 4
Leurville 52 ... 93 F 5
Leury 02 ... 40 B 2
Leutenheim 67 ... 69 F 3
Leuville-sur-Orge 91 ... 87 G 2
Leuvrigny 51 ... 61 E 1
Le Leuy 40 ... 293 H 2
Leuze 02 ... 25 H 2
La Levade 30 ... 283 G 2
Levainville 28 ... 86 C 3
Leval 59 ... 15 F 3
Leval 90 ... 142 D 2
Levallois-Perret 92 ... 58 B 3
Levant *Île du* 83 ... 329 E 5
Levaré 53 ... 81 H 4
Levécourt 52 ... 117 H 3
Levens 06 ... 291 E 4
Levergies 02 ... 24 B 1
Levernois 21 ... 177 H 2
Lèves 28 ... 86 A 3
Les Lèves-
et-Thoumeyragues 33 ... 257 F 1
Levesville-la-Chenard 28 ... 86 D 5
Levet 18 ... 173 E 3
Levie 2A ... 349 F 5
Levier 25 ... 180 B 2
Lévignac 31 ... 297 G 4
Lévignac-de-Guyenne 47 ... 257 F 3
Lévignacq 40 ... 272 C 4
Lévignen 60 ... 39 G 4
Lévigny 10 ... 92 A 5
Levis 89 ... 135 H 5
Lévis-Saint-Nom 78 ... 57 H 5
Levoncourt 55 ... 64 B 4
Levoncourt 68 ... 143 E 5
Levroux 36 ... 171 G 2
Lewarde 59 ... 14 B 2
Lexos 82 ... 279 E 4
Lexy 54 ... 44 D 1
Ley 57 ... 66 D 5
Leychert 09 ... 336 C 3
Leydé *Pointe de* 29 ... 75 F 5
Leyme 46 ... 261 E 1
Leymen 68 ... 143 G 4
Leyment 01 ... 214 A 3
Leynes 71 ... 194 D 5
Leynhac 15 ... 261 H 2
Leyr 54 ... 66 B 4
Leyrat 23 ... 190 A 4
Leyrieu 38 ... 213 H 5
Leyritz-Moncassin 47 ... 275 E 1
Leyssard 01 ... 214 B 1
Leyvaux 15 ... 245 G 1
Leyviller 57 ... 67 F 1
Lez 31 ... 334 B 3
Lez-Fontaine 59 ... 15 H 3
Lézan 30 ... 283 G 5
Lézardrieux 22 ... 73 F 3
Lézat 39 ... 197 E 2
Lézat-sur-Lèze 09 ... 317 H 5
Lezay 79 ... 185 H 5
Lezennes 59 ... 8 D 3
Lezéville 52 ... 93 F 3
Lezey 57 ... 66 D 4
Lézignac-Durand 16 ... 204 C 5
Lézignan 65 ... 333 E 1
Lézignan-Corbières 11 ... 320 C 5
Lézignan-la-Cèbe 34 ... 322 C 3
Lézigné 49 ... 129 E 4
Lézigneux 42 ... 229 G 3
Lézinnes 89 ... 137 F 3
Lezoux 63 ... 210 B 5
Lhéraule 60 ... 37 H 1
Lherm 31 ... 317 G 2
Lherm 46 ... 259 G 4
Lhéry 51 ... 41 E 4
Lhez 65 ... 315 F 5
Lhommaizé 86 ... 186 D 3
Lhomme 72 ... 130 C 3
Lhôpital 01 ... 214 D 2
Lhor 57 ... 67 F 3
Lhospitalet 46 ... 277 H 1
Lhoumois 79 ... 168 B 5
Lhuis 01 ... 214 C 5
Lhuître 10 ... 91 F 2
Lhuys 02 ... 40 D 3
Liac 65 ... 315 F 2
Liancourt 60 ... 38 D 3
Liancourt-Fosse 80 ... 23 F 3
Liancourt-Saint-Pierre 60 ... 37 H 4
Liart 08 ... 26 A 3
Lias 32 ... 297 F 5
Lias-d'Armagnac 32 ... 294 D 1
Liausson 34 ... 301 H 4
Libaros 65 ... 315 H 4
Libération *Croix de la* 71 ... 176 D 2
Libercourt 62 ... 8 C 4
Libermont 60 ... 23 G 4
Libourne 33 ... 238 B 5
Librecy 08 ... 26 B 3
Licey-sur-Vingeanne 21 ... 160 D 1
Lichans-Sunhar 64 ... 331 F 2
Lichères 16 ... 203 F 4
Lichères-
près-Aigremont 89 ... 136 D 4
Lichères-sur-Yonne 89 ... 157 F 1
Lichos 64 ... 313 F 3
Lichtenberg 67 ... 68 B 2
Licourt 80 ... 23 G 2
Licq-Athérey 64 ... 331 E 2
Licques 62 ... 2 D 5
Licy-Clignon 02 ... 40 B 5
Lidrezing 57 ... 67 E 3
Liebenswiller 68 ... 143 G 4
Liebsdorf 68 ... 143 F 4
Liebvillers 25 ... 163 F 2
Liederschiedt 57 ... 48 C 5
Lieffrans 70 ... 140 D 5
Le Liège 37 ... 152 C 4
Liéhon 57 ... 65 H 2
Liencourt 62 ... 13 E 2
Lieoux 31 ... 316 C 5
Liépvre 68 ... 96 D 5
Liéramont 80 ... 14 A 5
Liercourt 80 ... 11 H 4
Lières 62 ... 7 G 3
Liergues 69 ... 212 D 3
Liernais 21 ... 158 C 4
Liernolles 03 ... 193 E 3
Lierval 02 ... 40 D 1
Lierville 60 ... 37 G 4
Lies 65 ... 333 F 1
Liesle 25 ... 179 G 1
Liesse-Notre-Dame 02 ... 25 E 5
Liessies 59 ... 15 H 4
Liesville-sur-Douve 50 ... 31 H 2
Liettres 62 ... 7 G 3
Lieu-Saint-Amand 59 ... 14 C 2
Lieuche 06 ... 289 G 4
Lieucourt 70 ... 161 F 2
Lieudieu 38 ... 231 H 4
Lieurac 09 ... 336 C 2
Lieuran-Cabrières 34 ... 301 H 5
Lieuran-lès-Béziers 34 ... 321 G 3
Lieurey 27 ... 35 E 4
Lieuron 35 ... 103 H 5
Lieury 14 ... 54 B 1
Lieusaint 50 ... 29 F 5
Lieusaint 77 ... 88 A 2
Lieutadès 15 ... 263 F 1
Lieuvillers 60 ... 38 D 1
Liévans 70 ... 141 G 4
Liévin 62 ... 8 B 5
Lièvremont 25 ... 180 D 1
Liez 02 ... 24 B 4
Liez 85 ... 184 B 3
Liézey 88 ... 120 A 3
Liffol-le-Grand 88 ... 93 H 5
Liffol-le-Petit 52 ... 93 G 5
Liffré 35 ... 104 C 2
Ligardes 32 ... 275 H 5
Ligescourt 80 ... 11 G 1
Liget *Chartreuse du* 37 ... 152 D 5
Liginiac 19 ... 226 B 4
Liglet 86 ... 187 H 2
Lignac 36 ... 188 A 3
Lignairolles 11 ... 337 E 1
Lignan-de-Bazas 33 ... 256 B 5
Lignan-de-Bordeaux 33 ... 255 H 1
Lignan-sur-Orb 34 ... 321 F 3
Lignareix 19 ... 225 H 2
Ligné 16 ... 203 E 4
Ligné 44 ... 148 A 2
Lignères 61 ... 54 D 4
Lignereuil 62 ... 13 E 2
Lignerolles 03 ... 190 D 5
Lignerolles 21 ... 138 D 2
Lignerolles 27 ... 56 C 3
Lignerolles 36 ... 189 H 2
Lignerolles 61 ... 84 C 2
Lignéville 88 ... 118 C 2
Ligneyrac 19 ... 242 C 3
Lignières 10 ... 114 D 5
Lignières 18 ... 172 D 5
Lignières 41 ... 131 H 2
Lignières 80 ... 23 E 4
Lignières-Châtelain 80 ... 21 G 3
Lignières-de-Touraine 37 ... 151 F 3
Lignières-en-Vimeu 80 ... 11 F 5
Lignières-la-Carelle 72 ... 83 H 4
Lignières-Orgères 53 ... 83 E 2
Lignières-Sonneville 16 ... 220 C 3
Lignières-sur-Aire 55 ... 64 B 4
Lignol 56 ... 101 F 3
Lignol-le-Château 10 ... 116 B 2

Lignon 51 ... 91 H 2
Lignorelles 89 ... 136 C 2
Lignou 61 ... 53 G 5
Ligny-en-Barrois 55 ... 93 F 1
Ligny-en-Brionnais 71 ... 193 H 5
Ligny-en-Cambrésis 59 ... 14 C 4
Ligny-le-Châtel 89 ... 136 C 2
Ligny-le-Ribault 45 ... 133 E 4
Ligny-lès-Aire 62 ... 7 G 3
Ligny-Saint-Flochel 62 ... 7 G 5
Ligny-sur-Canche 62 ... 12 C 2
Ligny-Thilloy 62 ... 13 G 4
Ligré 37 ... 151 E 5
Ligron 72 ... 129 G 3
Ligsdorf 68 ... 143 F 4
Ligueil 37 ... 170 A 1
Ligueux 24 ... 240 D 1
Ligueux 33 ... 257 F 1
Ligugé 86 ... 186 B 2
Lihons 80 ... 23 F 2
Lihus 60 ... 22 A 5
Les Lilas 93 ... 58 C 3
Lilhac 31 ... 316 C 4
Lilignod 01 ... 214 D 3
Lille 59 ... 8 D 2
Lillebonne 76 ... 35 F 1
Lillemer 35 ... 80 A 2
Lillers 62 ... 7 H 3
Lilly 27 ... 37 E 2
Limalonges 79 ... 203 F 1
Limans 04 ... 287 E 5
Limanton 58 ... 175 G 2
Limas 69 ... 212 D 3
Limay 78 ... 57 F 2
Limbrassac 09 ... 336 D 2
Limé 02 ... 40 D 3
Limeil-Brévannes 94 ... 58 D 4
Limendous 64 ... 314 C 4
Limeray 37 ... 152 C 2
Limersheim 67 ... 97 G 2
Limerzel 56 ... 125 E 4
Limésy 76 ... 20 A 5
Limetz-Villez 78 ... 57 E 1
Limeuil 24 ... 240 D 5
Limeux 18 ... 172 C 1
Limeux 80 ... 11 G 4
Limey-Remenauville 54 ... 65 F 3
Limeyrat 24 ... 241 E 2
Limoges 87 ... 205 G 5
Limoges-Fourches 77 ... 88 B 2
Limogne-en-Quercy 46 ... 278 D 1
Limoise 03 ... 174 B 5
Limon 58 ... 175 E 2
Limonest 69 ... 213 E 4
Limons 63 ... 210 B 3
Limont-Fontaine 59 ... 15 G 3
Limony 07 ... 231 E 5
Limours-en-Hurepoix 91 ... 87 F 2
Limousis 11 ... 319 H 4
Limoux 11 ... 337 G 2
La Limouzinière 44 ... 165 G 1
La Limouzinière 85 ... 166 A 5
Limpiville 76 ... 19 E 4
Linac 46 ... 261 G 3
Linard 23 ... 189 F 4
Linards 87 ... 224 C 1
Linars 16 ... 221 E 1
Linas 91 ... 87 G 2
Linay 08 ... 27 H 4
Linazay 86 ... 203 F 1
Lincel 04 ... 306 C 1
Lincheux-Hallivillers 80 ... 21 H 2
Lindebeuf 76 ... 19 H 4
Le Lindois 16 ... 222 B 1
Lindre-Basse 57 ... 67 E 4
Lindre-Haute 57 ... 67 E 4
Lindry 89 ... 136 A 3
Linexert 70 ... 141 H 3
Lingé 36 ... 170 C 4
Lingeard 50 ... 52 B 4
Lingèvres 14 ... 33 E 4
Linghem 62 ... 7 G 3
Lingolsheim 67 ... 97 G 1
Lingreville 50 ... 51 F 1
Linguizzetta 2B ... 347 H 4
Linières-Bouton 49 ... 150 D 1
Liniers 86 ... 186 D 1
Liniez 36 ... 171 H 2
Linsdorf 68 ... 143 G 4
Linselles 59 ... 4 D 5
Linthal 68 ... 120 C 4
Linthelles 51 ... 61 F 5
Linthes 51 ... 61 F 4
Lintot 76 ... 19 F 5
Lintot-les-Bois 76 ... 20 B 3
Linxe 40 ... 272 B 5
Liny-devant-Dun 55 ... 43 H 2
Linzeux 62 ... 12 C 2
Liocourt 57 ... 66 B 3
Liomer 80 ... 21 G 2
Le Lion-d'Angers 49 ... 128 B 4
Lion-devant-Dun 55 ... 43 H 2
Lion-en-Beauce 45 ... 111 E 3
Lion-en-Sullias 45 ... 134 B 4
Lion-sur-Mer 14 ... 33 G 3
Liorac-sur-Louyre 24 ... 240 B 5
Le Lioran 15 ... 245 E 3
Liouc 30 ... 303 E 1
Le Liouquet 13 ... 327 G 4
Liourdres 19 ... 243 E 5
Liouville 55 ... 64 D 4
Lioux 84 ... 286 B 5
Lioux-les-Monges 23 ... 208 C 3
Liposthey 40 ... 273 E 1
Lipsheim 67 ... 97 G 2
Lirac 30 ... 285 E 4
Liré 49 ... 148 B 2
Lirey 10 ... 114 D 3
Lironcourt 88 ... 118 B 4
Lironville 54 ... 65 F 3
Liry 08 ... 42 D 3
Lisbourg 62 ... 7 F 4
Liscia *Golfe de la* 2A ... 348 B 2
Lisieux 14 ... 34 C 5
Lisle 24 ... 240 B 1
Lisle 41 ... 131 H 2
Lisle-en-Barrois 55 ... 63 G 2
L'Isle-en-Rigault 55 ... 63 G 4
Lisle-sur-Tarn 81 ... 298 C 2
Lislet 02 ... 25 G 4
Lison 14 ... 32 B 3
Lison *Source du* 25 ... 180 A 2
Lisores 14 ... 54 C 2
Lisors 27 ... 36 D 3
Lissac 09 ... 318 A 4
Lissac 43 ... 247 E 2
Lissac-et-Mouret 46 ... 261 F 3
Lissac-sur-Couze 19 ... 242 B 3
Lissay-Lochy 18 ... 173 E 2
Lisse 47 ... 275 F 4
Lisse-en-
Champagne 51 ... 62 D 3
Lisses 91 ... 87 H 2
Lisseuil 63 ... 209 F 2
Lissey 55 ... 44 B 3
Lissieu 69 ... 212 D 4
Lissy 77 ... 88 B 2
Listrac-de-Durèze 33 ... 257 E 1
Listrac-Médoc 33 ... 237 E 3
Lit-et-Mixe 40 ... 272 B 4
Lithaire 50 ... 31 G 3
Litteau 14 ... 32 C 4
Littenheim 67 ... 68 C 4
Littry 14 ... 32 C 4
Litz 60 ... 38 C 2
Livaie 61 ... 83 F 3
Livarot-Pays-d'Auge 14 ... 54 C 1
Liverdun 54 ... 65 G 5
Liverdy-en-Brie 77 ... 59 F 5
Livernon 46 ... 261 E 3
Livers-Cazelles 81 ... 279 F 5
Livet 53 ... 106 C 3
Livet-en-Saosnois 72 ... 83 H 4
Livet-et-Gavet 38 ... 251 F 2
Livet-sur-Authou 27 ... 35 F 4
Livilliers 95 ... 58 A 1
Livinhac-le-Haut 12 ... 261 H 4
La Livinière 34 ... 320 B 4
Livré-la-Touche 53 ... 105 G 5
Livré-sur-Changeon 35 ... 104 D 2
Livron 64 ... 314 D 4
Livron-sur-Drôme 26 ... 267 F 1
Livry 14 ... 32 D 5
Livry 58 ... 174 B 4
Livry-Gargan 93 ... 58 D 2
Livry-Louvercy 51 ... 42 A 5
Livry-sur-Seine 77 ... 88 B 3
Lixhausen 67 ... 68 C 4
Lixheim 57 ... 67 H 4
Lixières 54 ... 65 H 3
Lixing-lès-Rouhling 57 ... 47 G 5
Lixing-lès-Saint-Avold 57 ... 67 E 1
Lixy 89 ... 113 E 2
Lizac 82 ... 277 F 4
Lizant 86 ... 203 G 2
Lizeray 36 ... 172 A 2
Lizières 23 ... 206 C 1
Lizine 25 ... 180 A 1
Lizines 77 ... 89 F 3
Lizio 56 ... 102 C 5
Lizos 65 ... 315 F 4
Lizy 02 ... 40 C 1
Lizy-sur-Ourcq 77 ... 59 H 1
La Llagonne 66 ... 341 G 4
Llauro 66 ... 342 D 3
Llo 66 ... 341 F 4
Llous 66 ... 341 F 5
Llupia 66 ... 342 D 2
Lobsann 67 ... 69 E 2
Loc-Brévalaire 29 ... 70 D 4
Loc Dieu *Ancienne*
Abbaye de 12 ... 279 E 1
Loc-Eguiner 29 ... 71 F 5
Loc-Eguiner-
Saint-Thégonnec 29 ... 76 A 2
Loc-Envel 22 ... 72 C 5
Locarn 22 ... 77 E 4
Loché 71 ... 194 D 5
Loché-sur-Indrois 37 ... 170 D 1
Loches 37 ... 152 C 5
Loches-sur-Ource 10 ... 115 H 4
Le Locheur 14 ... 33 F 5
Lochieu 01 ... 214 D 3
Lochwiller 67 ... 68 B 5
Locmalo 56 ... 101 G 2
Locmaria 22 ... 72 C 5
Locmaria 56 ... 144 C 4
Locmaria *Chapelle de* 29 ... 70 D 5
Locmaria-Berrien 29 ... 76 C 3
Locmaria-Grand-Champ 56. 124 B 2
Locmaria-Plouzané 29 ... 74 D 2
Locmariaquer 56 ... 124 A 4
Locmélar 29 ... 75 H 2
Locminé 56 ... 102 A 5
Locmiquélic 56 ... 123 F 2
Locoal-Mendon 56 ... 123 H 3
Locon 62 ... 8 A 3
Loconville 60 ... 37 H 4
Locqueltas 56 ... 124 B 2
Locquémeau 22 ... 72 B 3
Locquénolé 29 ... 71 H 4
Locquignol 59 ... 15 F 3
Locquirec 29 ... 72 B 3
Locronan 29 ... 99 G 2
Loctudy 29 ... 99 G 5
Locunolé 29 ... 100 D 4
Loddes 03 ... 193 E 5
Lodes 31 ... 316 B 5
Lodève 34 ... 301 H 3
Lods 25 ... 180 B 1
Lœuilley 70 ... 160 D 1
Lœuilly 80 ... 22 B 3
Loëx 74 ... 197 H 5
Loffre 59 ... 9 E 5
La Loge 62 ... 7 E 5
La Loge-aux-Chèvres 10 ... 91 G 5
La Loge des Gardes 03 ... 211 E 3
Loge-Fougereuse 85 ... 184 C 1
La Loge-Pomblin 10 ... 114 D 4
Logelbach 68 ... 121 E 3
Logelheim 68 ... 121 F 3
Les Loges 14 ... 52 D 1
Les Loges 52 ... 139 H 3
Les Loges 72 ... 108 C 5
Les Loges 76 ... 18 D 4
Les Loges-en-Josas 78 ... 58 A 4
Les Loges-Marchis 50 ... 81 F 2
Les Loges-Margueron 10 ... 115 E 4
Les Loges-Saulces 14 ... 53 G 3
Les Loges-sur-Brécey 50 ... 52 A 4
Le Logis-du-Pin 06 ... 308 B 2
Le Logis-Neuf 01 ... 195 G 5
Le Logis-Neuf 13 ... 327 E 2
Lognes 77 ... 59 E 3
Logny-Bogny 08 ... 26 B 3
Logny-lès-Aubenton 02 ... 25 H 2
Logny-lès-Chaumont 08 ... 25 H 4
Logonna-Daoulas 29 ... 75 G 3
Logrian-Florian 30 ... 303 E 1
Logron 28 ... 109 H 3
Loguivy-de-la-Mer 22 ... 73 F 2
Loguivy-Plougras 22 ... 72 C 5
Lohéac 35 ... 103 H 5
Lohitzun-Oyhercq 64 ... 311 H 5
Lohr 67 ... 68 A 3
Lohuec 22 ... 76 D 2
Loigné-sur-Mayenne 53 ... 128 B 2
Loigny-la-Bataille 28 ... 110 C 3
Loiré 49 ... 127 H 4
Loire-les-Marais 17 ... 200 D 2
Loiré-sur-Nie 17 ... 202 B 3
Loire-sur-Rhône 69 ... 231 E 3
Loiron-Ruillé 53 ... 105 G 4
Loisail 61 ... 84 C 3
Loisey-Culey 55 ... 63 H 4
Loisia 39 ... 196 B 2
Loisieux 73 ... 232 D 1
Loisin 74 ... 197 H 4
Loison 55 ... 44 D 4
Loison-sous-Lens 62 ... 8 C 5
Loison-sur-Créquoise 62 ... 6 D 5
Loisy 54 ... 65 G 3
Loisy 71 ... 195 F 1
Loisy-en-Brie 51 ... 61 F 3
Loisy-sur-Marne 51 ... 62 C 4
Loivre 51 ... 41 G 3
Loix 17 ... 182 D 5
Loizé 79 ... 202 D 1
Lolif 50 ... 51 G 4
Lolme 24 ... 258 D 2
Lombard 25 ... 161 G 5
Lombard 39 ... 179 E 4
Lombers 81 ... 299 F 2
Lombez 32 ... 316 D 2
Lombia 64 ... 314 D 3
Lombray 02 ... 39 H 1
Lombrès 65 ... 334 A 1
Lombreuil 45 ... 112 B 5
Lombron 72 ... 108 A 4
Lomener 56 ... 123 E 2
Lomme 59 ... 8 C 2
Lommerange 57 ... 45 F 3
Lommoye 78 ... 57 E 2
Lomné 65 ... 333 G 2
Lomont 70 ... 142 A 3
Lomont-sur-Crête 25 ... 162 D 2
Lompnas 01 ... 214 B 5
Lompnieu 01 ... 214 D 3
Lompret 59 ... 8 C 2
Lonçon 64 ... 314 A 2
La Londe 76 ... 36 A 3
La Londe-les-Maures 83 ... 328 D 4
Londigny 16 ... 203 F 2
Londinières 76 ... 20 D 2
Long 80 ... 11 H 4
Longages 31 ... 317 G 3
Longaulnay 35 ... 79 H 5
Longavesnes 80 ... 23 H 1
Longchamp 21 ... 160 C 4
Longchamp 52 ... 117 G 3
Longchamp 73 ... 234 A 4
Longchamp 88 ... 95 G 5
Longchamp-
sous-Châtenois 88 ... 94 B 5
Longchamp-sur-Aujon 10 ... 116 B 3
Longchamps 02 ... 24 D 1
Longchamps 27 ... 37 F 3
Longchamps-sur-Aire 55 ... 64 B 3
Longchaumois 39 ... 197 E 2
Longcochon 39 ... 180 A 4
Longeau 52 ... 139 G 3
Longeault 21 ... 160 C 4
Longeaux 55 ... 93 F 1
Longechaux 25 ... 162 D 4
Longechenal 38 ... 232 A 4
Longecourt-en-Plaine 21 ... 160 B 4
Longecourt-lès-Culêtre 21 ... 159 F 5
Longefoy 73 ... 234 C 2
Longemaison 25 ... 162 D 5
Longemer 88 ... 120 B 3
Longepierre 71 ... 178 C 2
Le Longeron 49 ... 166 C 1
Longes 69 ... 230 D 3
Longessaigne 69 ... 212 B 5
Longevelle 70 ... 141 H 4
Longevelle-lès-Russey 25 ... 163 E 3
Longevelle-sur-Doubs 25 ... 142 A 5
Longèves 17 ... 183 G 5
Longèves 85 ... 183 H 2
La Longeville 25 ... 180 D 1
Longeville 25 ... 180 B 1
Longeville-en-Barrois 55 ... 63 H 4
Longeville-lès-Metz 57 ... 65 G 1
Longeville-lès-Saint-Avold 57. 46 D 5
Longeville-sur-la-Laines 52 ... 92 A 3
Longeville-sur-Mer 85 ... 182 C 2
Longeville-sur-Mogne 10 ... 115 E 3
Longevilles-Mont-d'Or 25 ... 180 C 4
Longfossé 62 ... 6 C 2
La Longine 70 ... 119 H 5
Longjumeau 91 ... 58 B 5
Longlaville 54 ... 45 E 1
Longmesnil 76 ... 21 E 5
Longnes 72 ... 107 F 4
Longnes 78 ... 57 E 2
Longny-au-Perche 61 ... 84 D 3
Longperrier 77 ... 59 E 1
Longpont 02 ... 40 A 4
Longpont-sur-Orge 91 ... 87 G 2
Longpré-le-Sec 10 ... 115 H 2
Longpré-les-Corps-Saints 80. 11 H 4
Longraye 14 ... 33 E 4
Longré 16 ... 203 E 3
Longroy 76 ... 11 E 5
Longsols 10 ... 91 F 4
Longué 49 ... 150 B 2
Longueau 80 ... 22 C 2
Longuefuye 53 ... 128 C 2
Longueil 76 ... 20 A 2
Longueil-Annel 60 ... 39 G 1
Longueil-Sainte-Marie 60 ... 39 F 3
Longuenesse 62 ... 3 F 5
Longuenoë 61 ... 83 F 3
Longuerue 76 ... 20 C 5
Longues 63 ... 228 A 2
Longues-sur-Mer 14 ... 33 E 2
Longuesse 95 ... 57 H 1
Longueval 80 ... 13 G 5
Longueval-Barbonval 02 ... 40 D 3
Longueville 14 ... 32 C 2
Longueville 47 ... 257 F 5
Longueville 50 ... 51 F 2
La Longueville 59 ... 15 G 2
Longueville 62 ... 2 D 5
Longueville 77 ... 89 F 3
Longueville-sur-Aube 10 ... 90 C 2
Longueville-sur-Scie 76 ... 20 B 3
Longuevillette 80 ... 12 C 4
Longuyon 54 ... 44 C 2
Longvic 21 ... 160 A 3
Longvillers 14 ... 53 E 1
Longvillers 80 ... 12 B 4
Longvilliers 62 ... 6 B 3
Longvilliers 78 ... 87 E 2
Longwé 08 ... 43 E 2
Longwy 54 ... 45 E 1
Longwy-sur-le-Doubs 39 ... 178 D 2
Lonlay-l'Abbaye 61 ... 52 D 5
Lonlay-le-Tesson 61 ... 53 G 5
Lonnes 16 ... 203 F 3
Lonny 08 ... 26 C 2
Lonrai 61 ... 83 G 3
Lons 64 ... 314 A 3
Lons-le-Saunier 39 ... 179 E 5
Lonzac 17 ... 219 H 2
Le Lonzac 19 ... 224 D 4
Looberghe 59 ... 3 F 3
Loon-Plage 59 ... 3 F 2
Loos 59 ... 8 C 3
Loos-en-Gohelle 62 ... 8 B 4
Looze 89 ... 113 H 5
Lopérec 29 ... 75 H 4
Loperhet 29 ... 75 G 2
Lopigna 2A ... 348 C 1
Loqueffret 29 ... 76 B 3
Lor 02 ... 41 G 1
Loray 25 ... 162 D 4
Lorcières 15 ... 246 A 4
Lorcy 45 ... 112 A 4
Lordat 09 ... 336 C 5
Loré 61 ... 82 B 3
Lorentzen 67 ... 67 H 2
Loreto-di-Casinca 2B ... 347 G 2
Loreto-di-Tallano 2A ... 349 E 5
Lorette 42 ... 230 C 3
Le Loreur 50 ... 51 G 2
Loreux 41 ... 154 A 2
Le Lorey 50 ... 31 H 5
Lorey 54 ... 95 E 2
Lorges 41 ... 132 B 3
Lorgies 62 ... 8 B 3
Lorgues 83 ... 307 H 5
La Lorie *Château de* 49 ... 128 A 4
Lorient 56 ... 123 F 2
Loriges 03 ... 192 B 5
Lorignac 17 ... 219 F 3
Lorigné 79 ... 203 E 1
Loriol-du-Comtat 84 ... 285 G 4
Loriol-sur-Drôme 26 ... 267 E 1
Lorlanges 43 ... 228 A 5
Lorleau 27 ... 37 E 2
Lormaison 60 ... 38 A 4
Lormaye 28 ... 57 E 5
Lormes 58 ... 157 H 4
Lormont 33 ... 237 G 5
Lornay 74 ... 215 E 3
Loromontzey 54 ... 95 F 3
Le Loroux 35 ... 81 G 4
Le Loroux-Bottereau 44 ... 148 A 4
Lorp-Sentaraille 09 ... 335 F 2
Lorquin 57 ... 67 G 5
Lorrez-le-Bocage 77 ... 112 D 2
Lorris 45 ... 134 B 2
Lorry-lès-Metz 57 ... 45 G 5
Lorry-Mardigny 57 ... 65 G 2
Lortet 65 ... 333 H 2
Loscouët-sur-Meu 22 ... 103 F 2
Losne 21 ... 160 C 5
Losse 40 ... 274 C 4
Lostanges 19 ... 242 D 3
Lostroff 57 ... 67 F 3
Lothey 29 ... 75 H 5
Lottinghen 62 ... 6 D 2
Le Lou-du-Lac 35 ... 103 H 2
Louailles 72 ... 129 E 3
Louan 77 ... 89 H 2
Louannec 22 ... 72 D 2
Louans 37 ... 152 A 5
Louargat 22 ... 72 D 5
Louâtre 02 ... 40 A 4
Loubajac 65 ... 332 D 1
Loubaresse 07 ... 265 G 3
Loubaresse 15 ... 246 A 5
Loubaut 09 ... 317 G 5
Loubédat 32 ... 295 E 3
Loubejac 24 ... 259 F 4
Loubens 09 ... 336 A 2
Loubens 33 ... 256 D 3
Loubens-Lauragais 31 ... 298 C 5
Loubers 81 ... 279 E 5
Loubersan 32 ... 316 A 2
Loubès-Bernac 47 ... 257 G 2
Loubeyrat 63 ... 209 G 4
Loubieng 64 ... 313 G 2
La Loubière 12 ... 280 D 1
Loubières 09 ... 336 B 2
Loubigné 79 ... 202 D 2
Loubillé 79 ... 202 D 2
Loublande 79 ... 167 E 2
Loubressac 46 ... 243 E 5
Loucé 61 ... 54 A 5
Loucelles 14 ... 33 E 4
Louchats 33 ... 255 G 4
Louches 62 ... 2 D 4
Louchy-Montfand 03 ... 192 A 4
Loucrup 65 ... 333 E 1
Loudéac 22 ... 102 B 2
Loudenvielle 65 ... 333 H 4
Loudervielle 65 ... 333 H 4
Loudes 43 ... 247 E 3
Loudet 31 ... 316 A 5
Loudrefing 57 ... 67 F 3
Loudun 86 ... 168 D 2
Loué 72 ... 107 E 4
La Loue *Source de* 25 ... 180 C 1
Louens 33 ... 237 F 4
Louer 40 ... 293 F 2
Louerre 49 ... 150 A 3
Louesme 21 ... 138 C 2
Louesme 89 ... 135 G 3
Louestault 37 ... 130 D 5
Loueuse 60 ... 21 G 5
Louey 65 ... 315 E 5
Lougé-sur-Maire 61 ... 53 H 5
Lougratte 47 ... 258 B 4
Lougres 25 ... 142 B 5
Louhans-
Châteaurenaud 71 ... 178 C 5
Louhossoa 64 ... 311 E 4
Louignac 19 ... 241 G 1
Louin 79 ... 168 B 4
Louisfert 44 ... 126 D 4
Louit 65 ... 315 F 4
Loulans-Verchamp 70 ... 162 B 1
Loulay 17 ... 201 H 2
Loulle 39 ... 179 H 4
La Loupe 28 ... 85 F 3
Loupeigne 02 ... 40 C 4
Loupershouse 57 ... 67 F 1
Loupes 33 ... 255 H 1
Loupfougères 53 ... 82 D 5
Loupia 11 ... 337 F 2
Loupiac 12 ... 261 F 4
Loupiac 15 ... 244 B 3
Loupiac 33 ... 256 B 3
Loupiac 46 ... 260 B 1
Loupiac 81 ... 298 C 2
Loupiac-de-la-Réole 33 ... 256 D 4
Loupian 34 ... 322 D 3
Louplande 72 ... 107 G 5
Loupmont 55 ... 64 D 3
Louppy-le-Château 55 ... 63 G 3
Louppy-sur-Chée 55 ... 63 G 3
Louppy-sur-Loison 55 ... 44 B 2
Loups du Gévaudan
Parc des 48 ... 264 A 3
La Loupière-Thénard 10 ... 89 H 4
Lourches 59 ... 14 C 2
Lourde 31 ... 334 B 2
Lourdes 65 ... 332 D 1
Lourdios-Ichère 64 ... 331 G 2
Lourdoueix-Saint-Michel 36. 189 E 3
Lourdoueix-Saint-Pierre 23. 189 F 3
Lourenties 64 ... 314 C 4
Loures-Barousse 65 ... 334 B 2
Louresse-Rochemenier 49 ... 150 A 4
Lourmais 35 ... 80 B 3
Lourmarin 84 ... 305 H 2
Lournand 71 ... 194 D 3
Lourouer-Saint-Laurent 36 ... 189 G 1
Le Louroux 37 ... 152 A 5
Le Louroux-Béconnais 49 ... 148 D 1

Louroux-Bourbonnais 03..... 191 F 2
Louroux-de-Beaune 03....... 191 F 4
Louroux-de-Bouble 03........ 191 G 5
Louroux-Hodement 03....... 191 E 3
Lourquen 40................ 293 G 3
Lourties-Monbrun 32........ 316 A 2
Loury 45..................... 111 F 5
Louslitges 32............... 295 F 4
Loussous-Débat 32......... 295 E 4
Loutehel 35................. 103 G 4
Loutremange 57............. 46 C 5
Loutzviller 57............... 48 C 5
Louvagny 14................. 54 A 2
Louvaines 49............... 128 A 4
Louvatange 39.............. 161 F 4
Louveciennes 78............ 58 A 3
Louvemont 52............... 92 C 2
Louvemont-
    Côte-du-Poivre 55....... 44 B 5
Louvencourt 80............. 13 E 4
Louvenne 39................ 196 B 3
Louvergny 08................ 26 D 5
Louverné 53................ 106 A 3
Le Louveron 39............. 179 F 4
Louversey 27................ 55 H 2
Louvetot 76.................. 19 G 5
Louvie-Juzon 64............ 332 A 1
Louvie-Soubiron 64......... 332 A 2
La Louvière-Lauragais 11... 318 C 4
Louvières 14................. 32 C 2
Louvières 52................ 117 F 4
Louvières-en-Auge 61...... 54 B 3
Louviers 27................... 36 B 4
Louvigné 53................ 106 B 4
Louvigné-de-Bais 35....... 104 D 4
Louvigné-du-Désert 35...... 81 F 3
Louvignies-Bavay 59......... 15 F 2
Louvignies-Quesnoy 59..... 15 E 3
Louvigny 14.................. 33 G 4
Louvigny 57.................. 65 H 2
Louvigny 64................ 294 A 5
Louvigny 72.................. 83 H 5
Louvil 59...................... 9 E 3
Louville-la-Chenard 28...... 86 D 5
Louvilliers-en-Drouais 28.... 56 C 5
Louvilliers-lès-Perche 28..... 85 F 2
Louvois 51.................... 41 H 5
Louvrechy 80................ 22 C 3
Louvres 95................... 58 D 1
Louvroil 59................... 15 G 2
Louye 27...................... 56 C 4
Louzac 16.................... 219 H 1
Louze 52...................... 92 A 4
Louzes 72.................... 84 A 4
Louzignac 17............... 202 C 4
Louzouer 45................ 112 D 4
Louzy 79.................... 168 B 1
Lovagny 74................. 215 F 3
Loxéville 55.................. 64 B 5
Loyat 56.................... 103 F 4
La Loye 39................. 179 E 1
Loye-sur-Arnon 18......... 190 B 1
Loyettes 01................ 213 H 5
Lozanne 69................ 212 D 4
Lozari 2B.................... 344 D 5
Lozay 17.................... 201 G 2
Loze 82..................... 278 D 2
Lozère Mont 48............ 265 E 5
Lozinghem 62................ 7 H 4
Lozon 50..................... 31 H 4
Lozzi 2B.................... 346 D 4
Luant 36.................... 171 G 5
Le Luart 72................. 108 C 4
Lubbon 40.................. 274 D 4
Lubécourt 57................ 66 C 3
Lubersac 19................ 223 H 4
Lubey 54..................... 45 E 4
Lubilhac 43................. 246 A 1
Lubine 88.................... 96 C 4
Lublé 37.................... 151 E 1
Lubret-Saint-Luc 65........ 315 G 4
Luby-Betmont 65............ 315 G 4
Luc 48...................... 265 F 3
Luc 65...................... 315 F 5
Le Luc 83................... 328 D 1
Luc-Armau 64............... 314 D 2
Luc-en-Diois 26............. 268 B 3
Luc-la-Primaube 12......... 280 C 2
Luc-sur-Aude 11............ 337 G 3
Luc-sur-Mer 14.............. 33 G 3
Luc-sur-Orbieu 11.......... 320 C 5
Lucarré 64.................. 314 D 2
Luçay-le-Libre 36.......... 172 A 1
Luçay-le-Mâle 36........... 153 F 5
Lucbardez-et-Bargues 40... 274 A 5
Lucciana 2B................ 347 G 2
Lucé 28...................... 86 A 4

Lucé 61....................... 82 B 2
Lucé-sous-Ballon 72......... 107 H 2
Luceau 72................... 130 B 4
Lucelle 68.................. 143 F 5
Lucenay 69................. 212 D 4
Lucenay-le-Duc 21.......... 138 A 5
Lucenay-l'Évêque 71........ 176 C 1
Lucéram 06................. 291 F 4
Lucerne Abbaye de la 50.... 51 G 3
La Lucerne-d'Outremer 50... 51 G 3
Lucey 21.................... 138 D 2
Lucey 54..................... 65 E 5
Lucey 73.................... 215 E 5
Lucgarier 64................ 314 C 5
Luchapt 86................. 204 D 1
Luchat 17.................. 219 F 1
Luché-Pringé 72............ 129 H 4
Luché-sur-Brioux 79........ 202 D 1
Luché-Thouarsais 79....... 167 H 3
Lucheux 80.................. 12 D 3
Luchy 60..................... 22 A 5
Lucinges 74................ 197 H 5
Lucmau 33.................. 274 B 1
Luçon 85................... 183 F 2
Lucq-de-Béarn 64........... 313 G 4
Lucquy 08.................... 26 B 5
Les Lucs-sur-Boulogne 85.. 165 H 3
Lucy 51....................... 61 F 2
Lucy 57....................... 66 C 2
Lucy 76....................... 20 D 3
Lucy-le-Bocage 02........... 60 B 1
Lucy-le-Bois 89............. 157 H 1
Lucy-sur-Cure 89........... 136 C 5
Lucy-sur-Yonne 89......... 157 F 1
Le Lude 72.................. 129 H 4
Ludes 51..................... 41 G 5
Ludesse 63................. 227 H 2
Ludiès 09................... 336 C 1
Ludon-Médoc 33............ 237 G 4
Ludres 54.................... 94 D 1
Lüe 40...................... 272 D 2
Lué-en-Baugeois 49........ 150 A 1
Luemschwiller 68........... 143 F 2
Luère Col de la 69.......... 212 D 5
Lugagnac 46................ 278 D 1
Lugagnan 65................ 332 D 1
Lugaignac 33............... 256 C 1
Lugan 12.................... 261 H 5
Lugan 81.................... 298 C 3
Lugarde 15................. 245 E 1
Lugasson 33................ 256 C 1
Lugion 40................... 273 F 4
Lugny 02..................... 25 E 3
Lugny 71.................... 195 E 2
Lugny-Bourbonnais 18...... 173 H 3
Lugny-Champagne 18....... 155 H 5
Lugny-lès-Charolles 71..... 193 H 3
Lugo-di-Nazza 2B.......... 349 G 1
Lugon-et-l'Île-du-Carnay 33. 238 B 4
Lugos 33.................... 254 D 4
Lugrin 74................... 198 C 3
Lugy 62........................ 7 F 4
Le Luhier 25................ 163 E 4
Luigné 49................... 149 H 3
Luigny 28................... 109 F 2
Luisans 25................. 163 E 5
Luisant 28................... 86 A 4
Luisetaines 77............... 89 F 3
Luitré 35..................... 81 F 5
Lullin 74.................... 198 B 4
Lully 74..................... 198 A 4
Lumbin 38.................. 233 F 5
Lumbres 62.................... 7 E 2
Lumeau 28.................. 110 D 3
Lumes 08..................... 26 D 3
Luméville-en-Ornois 55..... 93 G 3
Lumigny 77................... 59 G 4
Lumio 2B................... 346 C 2
Lunac 12................... 279 G 3
Lunan 46................... 261 G 3
Lunaret Zoo de 34.......... 302 D 4
Lunas 24................... 239 G 5
Lunas 34................... 301 G 3
Lunax 31................... 316 B 3
Lunay 41.................... 131 F 3
Luneau 03.................. 193 H 4
Lunegarde 46............... 260 D 2
Lunel 34.................... 303 F 4
Lunel-Viel 34............... 303 F 4
Luneray 76................... 19 H 2
Lunery 18.................. 172 D 3
Lunéville 54................. 95 F 1
Le Luot 50.................... 51 H 4
Lupcourt 54................. 94 D 1
Lupé 42.................... 230 D 5
Lupersat 23................ 208 B 3

Lupiac 32................... 295 F 3
Luplanté 28.................. 86 A 5
Luppé-Violles 32............ 294 D 3
Luppy 57..................... 66 B 2
Lupsault 16................. 202 D 3
Lupstein 67.................. 68 C 4
Luquet 65................... 314 D 4
Lurais 36................... 170 B 5
Lurbe-Saint-Christau 64.... 331 H 2
Lurcy 01.................... 213 E 2
Lurcy-le-Bourg 58.......... 157 E 5
Lurcy-Lévis 03............. 174 A 5
Luré 42..................... 211 F 4
Lure 70..................... 141 H 3
Lureuil 36.................. 170 C 5
Luri 2B..................... 345 G 2
Luriecq 42.................. 229 G 4
Lurs 04.................... 287 F 5
Lury-sur-Arnon 18.......... 154 C 5
Lus-la-Croix-Haute 26...... 268 D 2
Lusanger 44................ 126 C 4
Lusans 25.................. 162 B 2
Luscan 31.................. 334 B 2
Lusignac 24................ 221 G 5
Lusignan 86................ 186 A 3
Lusignan-Petit 47.......... 275 H 2
Lusigny 03................. 192 C 1
Lusigny-sur-Barse 10....... 115 F 2
Lusigny-sur-Ouche 21...... 177 F 1
Lussac 16.................. 203 H 4
Lussac 17.................. 219 H 3
Lussac 33.................. 238 D 4
Lussac-les-Châteaux 86.... 187 E 3
Lussac-les-Églises 87...... 188 A 4
Lussagnet 40............... 294 C 2
Lussagnet-Lusson 64....... 314 C 2
Lussan 30.................. 284 B 3
Lussan 32.................. 296 C 4
Lussan-Adeilhac 31........ 316 A 4
Lussant 17................. 201 E 3
Lussas 07.................. 266 C 3
Lussas-et-Nontronneau 24.. 222 B 3
Lussat 23.................. 208 B 1
Lussat 63.................. 210 A 5
Lussault-sur-Loire 37...... 152 B 2
Lusse 88..................... 96 C 4
Lusseray 79................ 202 C 1
Lustar 65.................. 315 G 4
Lustrac Moulin de 47....... 258 D 5
Luthenay-Uxeloup 58....... 174 D 3
Luthézieu 01............... 214 D 3
Lutilhous 65................ 333 G 1
Luttange 57.................. 46 B 4
Luttenbach-
    près-Munster 68......... 120 C 3
Lutter 68................... 143 G 4
Lutterbach 68.............. 143 F 1
Lutz-en-Dunois 28.......... 110 A 4
Lutzelbourg 67.............. 68 A 4
Lutzelhouse 67.............. 96 D 2
Luvigny 88................... 96 C 2
Lux 21..................... 160 B 1
Lux 31..................... 318 C 2
Lux 71..................... 177 H 4
Luxé 16.................... 203 F 4
Luxe-Sumberraute 64...... 311 G 4
Luxémont-et-Villotte 51..... 62 D 5
Luxeuil-les-Bains 70........ 141 G 2
Luxey 40................... 273 H 2
Luxiol 25................... 162 C 2
Luyères 10................... 91 F 4
Luynes 13.................. 306 A 5
Luynes 37.................. 151 G 2
Luz-Ardiden 65............. 332 D 3
Luz-Saint-Sauveur 65...... 333 E 3
Luzancy 77................... 60 A 2
Luzarches 95................ 38 C 5
Luzay 79................... 168 A 2
Luzé 37.................... 169 F 1
Luze 70.................... 142 B 3
Luzech 46.................. 259 G 5
Luzenac 09................. 336 C 5
Luzeret 36................. 188 B 2
La Luzerne 50............... 32 B 4
Luzillat 63................. 210 B 3
Luzillé 37.................. 152 C 4
Luzinay 38................. 231 F 2
Luzoir 02.................... 25 F 1
Luzy 58.................... 176 A 4
Luzy-Saint-Martin 55........ 27 G 5
Luzy-sur-Marne 52......... 117 E 4
Ly-Fontaine 02.............. 24 B 3
Lyas 07.................... 266 D 1
Lyaud 74.................. 198 B 3
Lye 36..................... 153 F 4
Lynde 59...................... 7 G 2

Lyoffans 70................ 142 A 3
Lyon 69.................... 213 E 5
Lyon-Saint-Exupéry
    Aéroport de 69.......... 231 G 1
Lyons-la-Forêt 27........... 36 D 2
Lys 58..................... 157 F 3
Lys 64..................... 314 B 5
Lys-Chantilly 60............ 38 C 5
Lys-lez-Lannoy 59............ 9 E 2
Lys-Saint-Georges 36....... 189 F 1

M

Maast-et-Violaine 02........ 40 C 3
Maâtz 52................... 139 H 4
Mably 42................... 211 G 2
Macau 33.................. 237 F 3
Macaye 64................. 311 E 4
Macé 61..................... 54 C 5
Machecoul-
    Saint-Même 44......... 165 E 4
Mâchecourt 02.............. 25 F 4
Machemont 60.............. 39 G 1
Macheren 57................ 67 E 1
Machézal 42............... 212 A 4
Machiel 80................... 11 G 1
Machilly 74................ 197 H 4
La Machine 58............. 175 E 3
Machine Col de la 26....... 250 A 4
Machy 10................... 114 D 3
Machy 80.................... 11 G 1
Macinaggio 2B............. 345 G 1
Mackenheim 67.............. 97 G 5
Mackwiller 67................ 67 H 2
Maclas 42.................. 230 D 5
Maclaunay 51................ 60 D 3
Macogny 02................. 40 A 5
Mâcon 71.................. 195 E 4
Maconcourt 52.............. 93 E 4
Maconcourt 88.............. 94 B 4
Maconge 21................ 159 F 4
Macornay 39............... 179 E 5
Mâcot-la-Plagne 73........ 234 D 2
Macqueville 17............. 202 C 5
Macquigny 02................ 24 C 2
Madaillan 47............... 276 B 2
Madecourt 88............... 94 D 5
Madegney 88................ 95 E 5
La Madelaine-
    sous-Montreuil 62........ 6 C 4
La Madeleine 44........... 147 H 3
La Madeleine 54............ 95 E 1
La Madeleine 59............. 8 D 2
Madeleine Col de la 73..... 234 A 3
Madeleine Grotte de la 07.. 284 C 1
La Madeleine-Bouvet 61..... 85 E 3
La Madeleine-
    de-Nonancourt 27........ 56 B 4
La Madeleine-sur-Loing 77.. 112 B 2
La Madeleine-Villefrouin 41. 132 B 3
Madeloc Tour 66............ 343 G 4
Madic 15................... 226 C 5
Madière 09................. 336 A 1
Madières 34................ 302 B 2
Madirac 33................. 255 H 1
Madiran 65................. 294 D 5
Madone de Fenestre 06..... 291 F 2
Madonne-et-Lamerey 88.... 119 E 2
La Madrague 83............ 327 G 4
La Madrague-
    de-la-Ville 13........... 326 D 2
La Madrague-
    de-Montredon 13........ 326 D 3
Madranges 19.............. 224 D 4
Madré 53.................... 82 D 3
Madriat 63................. 227 H 4
Maël-Carhaix 22............ 77 E 4
Maël-Pestivien 22........... 77 F 3
Maennolsheim 67........... 68 B 5
Maffliers 95................. 58 C 1
Maffrécourt 51.............. 43 E 5
Magagnosc 06.............. 309 E 3
Magalas 34................. 321 G 2
La Magdeleine 16........... 203 E 2
La Magdeleine
    Chapelle de 44......... 126 B 5
La Magdeleine-
    sur-Tarn 31............ 298 A 2
Le Mage 61.................. 84 D 3
Magenta 51.................. 61 G 1
Les Mages 30.............. 283 H 4
Magescq 40................ 292 C 2
Magland 74................ 216 C 2

Magnac-Bourg 87.......... 224 B 2
Magnac-Laval 87........... 188 A 5
Magnac-Lavalette-
    Villars 16............... 221 F 3
Magnan 32................. 294 D 2
Magnant 10................ 115 G 3
Magnanville 78............... 57 F 2
Magnas 32................. 296 C 1
Magnat-l'Étrange 23........ 207 H 5
Magné 79.................. 184 D 4
Magné 86.................. 186 C 4
Magnet 03................. 192 C 5
Magneux 51................. 41 E 3
Magneux 52................. 92 C 3
Magneux-Haute-Rive 42.... 229 H 1
Magneville 50............... 29 F 5
Magnicourt 10.............. 91 G 3
Magnicourt-en-Comte 62.... 7 H 5
Magnicourt-sur-Canche 62.. 12 D 2
Magnien 21................ 159 E 5
Magnières 54............... 95 G 3
Magnieu 01................ 214 D 5
Les Magnils-Reigniers 85... 183 E 2
Magnivray 70............... 141 H 2
Magnoncourt 70............ 119 E 5
Le Magnoray 70............ 141 E 5
Magny 28.................... 85 H 5
Magny 68.................. 142 D 3
Magny 89.................. 158 A 1
Le Magny 36............... 189 G 2
Le Magny 88............... 118 D 4
Les Magny 70.............. 141 H 5
Magny-Châtelard 25........ 162 C 4
Magny-Cours 58............ 174 C 3
Magny-Danigon 70......... 142 A 2
Magny-en-Bessin 14......... 33 E 3
Magny-en-Vexin 95......... 37 G 5
Magny-Fouchard 10........ 115 H 2
Magny-Jobert 70........... 142 A 3
Magny-la-Campagne 14..... 54 A 1
Magny-la-Fosse 02......... 24 A 1
Magny-la-Ville 21.......... 158 D 1
Magny-Lambert 21......... 138 B 4
Magny-le-Désert 61......... 82 D 2
Magny-le-Freule 14......... 34 A 5
Magny-le-Hongre 77......... 59 F 3
Magny-lès-Aubigny 21...... 160 B 5
Magny-lès-Jussey 70....... 140 D 2
Magny-lès-Villers 21....... 159 H 5
Magny-Lormes 58.......... 157 G 3
Magny-Montarlot 21....... 160 D 4
Magny-Saint-Médard 21.... 160 C 2
Magny-sur-Tille 21......... 160 B 3
Magny-Vernois 70.......... 141 H 4
Magny-Village 78............ 58 A 4
Magoar 22................... 77 G 3
Magrie 11.................. 337 G 2
Magrin 81.................. 298 D 5
Magstatt-le-Bas 68......... 143 G 2
Magstatt-le-Haut 68........ 143 G 3
Maguelone 34.............. 302 D 5
Mahalon 29.................. 99 E 2
Mahéru 61................... 55 E 5
Maîche 25.................. 163 G 3
Maidières 54................ 65 G 3
Maignaut-Tauzia 32........ 295 H 1
Maigné 72.................. 107 F 5
Maignelay-Montigny 60...... 22 D 5
Mailhac 11................. 320 D 4
Mailhac-sur-Benaize 87..... 188 B 4
Mailhoc 81................. 279 G 5
Mailholas 31............... 317 G 4
Maillane 13................ 304 C 2
Maillas 40................. 274 B 2
Maillat 01................. 214 B 1
Maillé 37.................. 169 G 1
Maillé 85.................. 184 B 4
Maillé 86.................. 168 D 5
Maillé Château de 29........ 71 F 4
Maillebois 28.............. 85 G 2
La Mailleraye-sur-Seine 76.. 35 G 1
Maillères 40................ 273 H 4
Mailleroncourt-Charette 70.. 141 F 3
Mailleroncourt-
    Saint-Pancras 70........ 118 D 5
Maillet 03................. 190 D 3
Maillet 36................. 189 E 2
Mailley-et-Chazelot 70..... 141 E 5
Maillezais 85.............. 184 B 3
Maillot 89................. 113 G 3
Mailly 71.................. 193 G 5
Mailly-Champagne 51...... 41 G 5
Mailly-la-Ville 89.......... 136 C 5
Mailly-le-Camp 10........... 61 H 5
Mailly-le-Château 89....... 136 B 5

Mailly-Maillet 80............ 13 F 5
Mailly-Raineval 80........... 22 D 3
Mailly-sur-Seille 54......... 65 H 3
Les Maillys 21.............. 160 C 5
Maimbeville 60.............. 38 D 2
Mainbresson 08............. 25 H 3
Mainbressy 08.............. 25 H 4
Maincourt-sur-Yvette 78..... 57 H 5
Maincy 77................... 88 B 3
Mainfonds 16............... 221 E 3
Maing 59.................... 14 D 2
Mainneville 27............... 37 F 2
Mainsat 23................. 208 B 2
Maintenay 62................. 6 C 5
Maintenon 28............... 86 B 2
Mainterne 28................ 56 B 5
Mainville 54................. 45 E 4
Mainvillers 57.............. 66 D 2
Mainvilliers 28.............. 86 A 4
Mainvilliers 45.............. 87 G 5
Mainxe 16.................. 220 C 2
Mainzac 16................. 221 H 3
Mairé 86................... 170 A 3
Mairé-Levescault 79........ 203 E 1
Mairieux 59................. 15 H 2
Mairy 08.................... 27 F 4
Mairy-Mainville 54........... 45 E 4
Mairy-sur-Marne 51......... 62 B 3
Maisdon-sur-Sèvre 44...... 148 A 5
Maisey-le-Duc 21........... 138 B 2
Maisières-Notre-Dame 25... 162 A 5
Maisnières 80............... 11 F 4
Le Maisnil 59................. 8 C 3
Maisnil 62.................. 12 D 2
Maisnil-lès-Ruitz 62........... 8 A 4
Maisod 39................. 196 C 2
Maison-des-Champs 10..... 115 H 2
La Maison-Dieu 58......... 157 G 2
Maison-Feyne 23........... 189 E 4
Maison-Jeannette 24....... 240 B 4
Maison-Maugis 61............ 84 D 4
Maison-Neuve 07........... 284 A 1
Maison-Neuve 16........... 221 G 2
Maison-Ponthieu 80......... 12 B 3
Maison-Roland 80............ 11 H 3
Maison-Rouge 77............ 89 F 2
Maisoncelle 62................. 7 E 4
Maisoncelle-et-Villers 08.... 27 E 5
Maisoncelle-Saint-Pierre 60. 38 A 1
Maisoncelle-Tuilerie 60...... 22 B 5
Maisoncelles 52............ 117 G 3
Maisoncelles 72............ 108 C 5
Maisoncelles-du-Maine 53.. 106 A 5
Maisoncelles-en-Brie 77..... 59 H 3
Maisoncelles-
    en-Gâtinais 77.......... 112 B 3
Maisoncelles-la-Jourdan 14.. 52 C 3
Maisoncelles-Pelvey 14..... 53 E 1
Maisoncelles-sur-Ajon 14... 53 F 1
Maisonnais 18.............. 190 A 1
Maisonnais 79.............. 202 D 1
Maisonnais-sur-Tardoire 87. 222 C 1
Maisonneuve 86............ 168 C 5
Maisonnisses 23........... 207 E 2
Maisons 11................. 338 B 3
Maisons 14................... 32 D 3
Maisons 28.................. 86 D 4
Maisons-Alfort 94............ 58 C 4
Les Maisons Blanches 79... 203 F 1
Maisons-du-Bois 25........ 180 D 1
Maisons-en-Champagne 51. 62 C 4
Maisons-Laffitte 78.......... 58 A 2
Maisons-lès-Chaource 10... 115 E 4
Maisons-lès-Soulaines 10... 92 B 5
Maisonsgoutte 67............ 96 D 4
Maisontiers 79............. 168 A 4
Maisse 91................... 87 H 4
Maissemy 02................ 24 A 2
Maixe 54.................... 95 F 1
Maizeray 55................. 64 D 1
Maizeroy 57................. 66 B 1
Maizery 57.................. 66 B 1
Maizet 14.................... 33 F 5
Maizey 55................... 64 C 3
Maizicourt 80............... 12 B 3
Maizières 14................. 33 H 1
Maizières 52................. 92 D 3
Maizières 54................. 94 C 2
Maizières 62................. 13 E 2
Maizières 70............... 161 H 1
Maizières-
    la-Grande-Paroisse 10... 90 B 3
Maizières-lès-Brienne 10.... 91 H 4
Maizières-lès-Metz 57....... 45 H 4

A B C D E F G H I J K L M N O P Q R S T U V W X Y Z

Maizières-les-Vic 57 ... 67 E 5
Maizières-sur-Amance 52 ... 140 A 2
Maizilly 42 ... 211 H 1
Maizy 02 ... 41 E 2
Majastres 04 ... 288 B 5
Malabat 32 ... 315 F 2
La Malachère 70 ... 162 A 1
Malafretaz 01 ... 195 G 4
Mâlain 21 ... 159 G 3
Malaincourt 88 ... 118 A 2
Malaincourt-sur-Meuse 52 ... 117 H 2
Malakoff 92 ... 58 B 4
Malancourt 55 ... 43 G 4
Malancourt-la-Montagne 57 ... 45 G 5
Malandry 08 ... 27 G 5
Malange 39 ... 161 F 4
Malans 25 ... 180 A 1
Malans 70 ... 161 E 3
Malansac 56 ... 125 F 3
Malarce-sur-la-Thines 07 ... 265 H 5
Malataverne 26 ... 267 E 4
Malaucène 84 ... 285 H 3
Malaucourt-sur-Seille 57 ... 66 B 4
Malaumont 55 ... 64 C 5
Malaunay 76 ... 36 A 1
Malause 82 ... 277 E 4
Malaussanne 64 ... 294 A 5
Malaussène 06 ... 289 H 5
Malauzat 63 ... 209 G 5
Malaville 16 ... 220 D 3
Malavillers 54 ... 45 E 3
Malay 71 ... 194 D 1
Malay-le-Grand 89 ... 113 G 3
Malay-le-Petit 89 ... 113 H 3
Malbo 15 ... 245 E 4
Malbosc 07 ... 283 H 1
Malbouhans 70 ... 142 A 2
Malbouzon 48 ... 263 H 2
Malbrans 25 ... 162 A 5
Malbuisson 25 ... 180 C 3
Mâle 61 ... 108 D 2
Malegoude 09 ... 336 D 1
Malemort 19 ... 242 C 2
Malemort-du-Comtat 84 ... 285 H 5
La Malène 48 ... 282 B 2
Malepeyre *Sabot de* 48 ... 282 A 1
Malesherbes 45 ... 87 H 5
Malestroit 56 ... 125 E 2
Malétable 61 ... 84 D 2
Maleville 12 ... 279 G 1
Malfalco *Anse de* 2B ... 345 E 4
Malguénac 56 ... 101 H 2
Malherbe-sur-Ajon 14 ... 33 F 5
La Malhoure 22 ... 78 D 4
Malicornay 36 ... 188 D 1
Malicorne 03 ... 191 E 5
Malicorne 89 ... 135 F 3
Malicorne-sur-Sarthe 72 ... 129 G 2
Maligny 21 ... 177 E 1
Maligny 89 ... 136 C 2
Malijai 04 ... 287 G 4
Malincourt 59 ... 14 C 5
Malintrat 63 ... 209 H 5
Malissard 26 ... 249 F 5
Malle *Château de* 33 ... 256 B 4
Mallefougasse 04 ... 287 F 4
Malleloy 54 ... 65 H 4
Mallemoisson 04 ... 287 H 4
Mallemort 13 ... 305 G 3
Malléon 09 ... 336 C 2
Malleret 23 ... 226 B 1
Malleret-Boussac 23 ... 189 H 4
Mallerey 39 ... 179 E 5
Mallet *Belvédère de* 15 ... 245 H 5
Malleval 42 ... 230 D 4
Malleval-en-Vercors 38 ... 250 B 2
Malleville-les-Grès 76 ... 19 F 2
Malleville-sur-le-Bec 27 ... 35 G 4
Mallièvre 85 ... 166 D 2
Malling 57 ... 45 H 2
Malloué 14 ... 52 C 2
La Malmaison 02 ... 41 G 1
Malmerspach 68 ... 120 C 5
Malmy 51 ... 43 E 4
Malnoue 77 ... 59 E 3
Malo-les-Bains 59 ... 3 G 2
Malons-et-Elze 30 ... 265 G 5
Malouy 27 ... 35 E 5
Malpart 80 ... 22 D 4
Malpas 25 ... 180 C 3
Malras 11 ... 337 F 2
Malrevers 43 ... 247 G 3
Malromé *Château de* 33 ... 256 B 3
Malroy 57 ... 45 H 5
Maltat 71 ... 175 H 5
Maltot 14 ... 33 G 5
Malval 23 ... 189 F 4
Malval *Col de* 69 ... 212 C 5
Malvalette 43 ... 229 H 5
Malves-en-Minervois 11 ... 320 A 4
Malvezie 31 ... 334 B 2
Malvières 43 ... 229 E 5
Malviès 11 ... 337 G 1
Malville 44 ... 147 E 2
Malvillers 70 ... 140 C 3
Malzéville 54 ... 65 H 5
Le Malzieu-Forain 48 ... 264 B 1
Le Malzieu-Ville 48 ... 264 B 1
Malzy 02 ... 25 E 1
Mambouhans 25 ... 163 E 2
Mamers 72 ... 84 A 5
Mametz 62 ... 7 G 2
Mametz 80 ... 13 G 5
Mamey 54 ... 65 F 3
Mamirolle 25 ... 162 B 4
Manas 26 ... 267 G 3
Manas-Bastanous 32 ... 315 H 3
Manaurie 24 ... 241 E 4
Mance 54 ... 45 F 4
La Mancelière 28 ... 56 A 5
La Mancellière 50 ... 52 A 5
La Mancellière-sur-Vire 50 ... 32 B 5
Mancenans 25 ... 162 D 1
Mancenans-Lizerne 25 ... 163 F 3
Mancey 71 ... 195 E 1
Manchecourt 45 ... 111 H 2
Manciet 32 ... 295 E 2
Mancieulles 54 ... 45 F 4
Mancioux 31 ... 316 D 5
Mancy 51 ... 61 F 2
Mandacou 24 ... 258 B 2
Mandagout 30 ... 282 D 5
Mandailles-Saint-Julien 15 ... 244 D 3
Mandelieu-la-Napoule 06 ... 309 E 4
Manderen 57 ... 46 B 2
Mandeure 25 ... 142 B 5
Mandeville 27 ... 36 A 4
Mandeville-en-Bessin 14 ... 32 C 3
Mandray 88 ... 96 B 5
Mandres 27 ... 55 H 4
Mandres-aux-Quatre-Tours 54 ... 65 E 4
Mandres-en-Barrois 55 ... 93 F 3
Mandres-la-Côte 52 ... 117 F 4
Mandres-les-Roses 94 ... 58 D 5
Mandres-sur-Vair 88 ... 118 B 2
Mandrevillars 70 ... 142 B 3
Manduel 30 ... 304 A 2
Mane 04 ... 287 E 5
Mane 31 ... 334 D 1
Manéglise 76 ... 18 D 5
Manéhouville 76 ... 20 B 2
Manent-Montané 32 ... 316 B 3
Manerbe 14 ... 34 C 4
Mangiennes 55 ... 44 C 3
Manglieu 63 ... 228 B 2
Mangonville 54 ... 95 E 3
Manhac 12 ... 280 C 2
Manheulles 55 ... 64 D 1
Manhoué 57 ... 66 B 4
Manicamp 02 ... 24 A 5
Manicourt 80 ... 23 G 3
Manigod 74 ... 216 A 4
Manin 62 ... 13 E 2
Maninghem 62 ... 6 D 3
Maninghen-Henne 62 ... 2 B 5
Maniquerville 76 ... 18 D 4
Manlay 21 ... 158 D 5
Manneville-ès-Plains 76 ... 19 G 2
Manneville-la-Goupil 76 ... 18 D 5
Manneville-la-Pipard 14 ... 34 C 3
Manneville-la-Raoult 27 ... 34 D 2
Manneville-sur-Risle 27 ... 35 F 2
Mannevillette 76 ... 18 C 5
Mano 40 ... 255 F 5
Le Manoir 14 ... 33 E 3
Le Manoir 27 ... 36 B 3
Manois 52 ... 93 F 5
Manom 57 ... 45 H 3
Manoncourt-en-Vermois 54 ... 95 E 1
Manoncourt-en-Woëvre 54 ... 65 F 4
Manoncourt-sur-Seille 54 ... 65 H 3
Manonville 54 ... 65 F 4
Manonviller 54 ... 95 H 1
Manosque 04 ... 306 C 1
Manot 16 ... 204 C 3
Manou 28 ... 85 F 3
Manre 08 ... 42 D 3
Le Mans 72 ... 107 H 4
Mansac 19 ... 241 H 2
Mansan 65 ... 315 F 3
Mansat-la-Courrière 23 ... 207 E 3
Manse *Col de* 05 ... 269 H 3
Mansempuy 32 ... 296 C 3
Mansencôme 32 ... 295 H 1
Manses 09 ... 336 C 1
Mansigné 72 ... 129 H 3
Mansle 16 ... 203 F 4
Manso 2B ... 346 B 4
Mansonville 82 ... 276 D 5
Manspach 68 ... 143 E 3
Mant 40 ... 294 A 4
Mantaille *Château de* 26 ... 249 F 1
Mantallot 22 ... 72 D 3
Mantenay-Montlin 01 ... 195 G 3
Mantes-la-Jolie 78 ... 57 F 2
Mantes-la-Ville 78 ... 57 F 2
Mantet 66 ... 341 H 4
Manteyer 05 ... 269 G 4
Manthelan 37 ... 152 A 5
Manthelon 27 ... 56 A 2
Manthes 26 ... 231 G 5
Mantilly 61 ... 82 A 2
Mantoche 70 ... 161 E 2
Mantry 39 ... 179 E 4
Manvieux 14 ... 33 E 2
Many 57 ... 66 C 2
Manzac-sur-Vern 24 ... 240 B 3
Manzat 63 ... 209 F 3
Manziat 01 ... 195 F 4
Maquens 11 ... 319 H 5
Marac 52 ... 117 E 5
Marainville-sur-Madon 88 ... 94 D 4
Marainviller 54 ... 95 G 1
Le Marais *Château* 91 ... 87 F 2
Le Marais-la-Chapelle 14 ... 54 A 3
Marais-Vernier 27 ... 35 E 2
Marambat 32 ... 295 G 2
Marandeuil 21 ... 160 C 3
Marange-Silvange 57 ... 45 G 5
Marange-Zondrange 57 ... 66 C 1
Marangea 39 ... 196 C 2
Marans 17 ... 183 G 4
Marans 49 ... 128 A 4
Maransin 33 ... 238 B 3
Marant 62 ... 6 C 4
Maranville 52 ... 116 C 3
Maranwez 08 ... 26 A 3
Marast 70 ... 141 G 5
Marat 63 ... 228 D 2
Marat-la-Grande 55 ... 63 H 3
Marault 52 ... 116 D 2
Maraussan 34 ... 321 F 3
Maravat 32 ... 296 C 3
Maray 41 ... 154 A 4
Maraye-en-Othe 10 ... 114 C 3
Marbache 54 ... 65 G 4
Marbaix 59 ... 15 F 4
Marbeuf 27 ... 36 A 5
Marbéville 52 ... 92 D 5
Marbotte 55 ... 64 D 4
Marboué 28 ... 109 H 3
Marboz 01 ... 195 H 4
Marby 08 ... 26 B 2
Marc-la-Tour 19 ... 243 E 2
Marçais 18 ... 173 E 5
Marçay 37 ... 151 E 5
Marçay 86 ... 186 B 3
Marcé 49 ... 129 E 5
Marcé-sur-Esves 37 ... 169 H 1
Marcei 61 ... 54 B 5
Marcelcave 80 ... 22 D 2
Marcellaz 74 ... 216 A 1
Marcellaz-Albanais 74 ... 215 F 4
Marcellois 21 ... 159 F 3
Marcellus 47 ... 257 E 5
Marcenais 33 ... 238 B 3
Marcenat 03 ... 192 B 5
Marcenat 15 ... 245 F 1
Marcenay 21 ... 137 H 2
Marcenod 42 ... 230 B 2
Marcevol 66 ... 342 B 2
Marcey-les-Grèves 50 ... 51 G 4
Marchainville 61 ... 85 E 2
Marchais 02 ... 25 E 5
Marchais-Beton 89 ... 135 F 3
Marchais-en-Brie 02 ... 60 C 3
Marchal 15 ... 226 D 4
Marchamp 01 ... 214 C 5
Marchampt 69 ... 212 C 1
Marchastel 15 ... 245 E 1
Marchastel 48 ... 263 H 3
Marchaux 25 ... 162 A 3
La Marche 58 ... 156 B 5
Marché-Allouarde 80 ... 23 G 3
Marchélepot 80 ... 23 G 2
Marchemaisons 61 ... 84 A 3
Marchémoret 77 ... 59 F 1
Marchenoir 41 ... 132 B 3
Marcheprime 33 ... 254 D 2
Marches 26 ... 249 H 4
Les Marches 73 ... 233 F 3
Marcheseuil 21 ... 158 D 5
Marchésieux 50 ... 31 H 4
Marchéville 28 ... 85 H 5
Marcheville 80 ... 11 H 2
Marchéville-en-Woëvre 55 ... 64 D 1
Marchezais 28 ... 57 E 4
Marchiennes 59 ... 9 E 5
Marchon 01 ... 196 C 4
Marciac 32 ... 295 F 5
Marcieu 38 ... 250 D 4
Marcieux 73 ... 232 D 2
Marcigny 71 ... 193 G 5
Marcigny-sous-Thil 21 ... 158 D 2
Marcilhac-sur-Célé 46 ... 260 D 4
Marcillac 33 ... 237 G 1
Marcillac-la-Croisille 19 ... 243 F 1
Marcillac-la-Croze 19 ... 242 D 4
Marcillac-Lanville 16 ... 203 E 4
Marcillac-Saint-Quentin 24 ... 241 G 4
Marcillac-Vallon 12 ... 262 C 5
Marcillat 63 ... 209 G 2
Marcillat-en-Combraille 03 ... 208 D 1
Marcillé-la-Ville 53 ... 82 C 5
Marcillé-Raoul 35 ... 80 C 4
Marcillé-Robert 35 ... 104 D 5
Marcilloles 38 ... 231 H 5
Marcilly 50 ... 51 H 5
Marcilly 77 ... 59 G 1
Marcilly-d'Azergues 69 ... 212 D 4
Marcilly-en-Bassigny 52 ... 117 H 5
Marcilly-en-Beauce 41 ... 131 G 3
Marcilly-en-Gault 41 ... 154 A 2
Marcilly-en-Villette 45 ... 133 F 3
Marcilly-et-Dracy 21 ... 159 E 2
Marcilly-la-Campagne 27 ... 56 B 3
Marcilly-la-Gueurce 71 ... 194 A 3
Marcilly-le-Châtel 42 ... 229 G 1
Marcilly-le-Hayer 10 ... 90 A 5
Marcilly-lès-Buxy 71 ... 177 F 5
Marcilly-Ogny 21 ... 158 D 4
Marcilly-sur-Eure 27 ... 56 C 3
Marcilly-sur-Maulne 37 ... 130 A 5
Marcilly-sur-Seine 51 ... 90 B 2
Marcilly-sur-Tille 21 ... 160 B 1
Marcilly-sur-Vienne 37 ... 169 G 1
Marck 62 ... 2 D 3
Marckolsheim 67 ... 121 F 2
Marclopt 42 ... 229 H 2
Marcoing 59 ... 14 B 4
Marcolès 15 ... 262 B 1
Marcollin 38 ... 231 G 5
Marcols-les-Eaux 07 ... 266 B 1
Marçon 72 ... 130 C 4
Marconnay *Château de* 86 ... 185 H 2
Marconne 62 ... 7 E 5
Marconnelle 62 ... 6 D 5
Marcorignan 11 ... 321 E 5
Marcoule 30 ... 285 E 3
Marcoussis 91 ... 87 G 2
Marcoux 04 ... 288 A 3
Marcoux 42 ... 229 G 1
Marcq 08 ... 43 F 3
Marcq 78 ... 57 G 3
Marcq-en-Barœul 59 ... 8 D 2
Marcq-en-Ostrevant 59 ... 14 B 2
Marcy 02 ... 24 B 2
Marcy 58 ... 157 E 3
Marcy 69 ... 212 D 4
Marcy-l'Étoile 69 ... 212 D 5
Marcy-sous-Marle 02 ... 25 E 3
Mardeuil 51 ... 61 F 1
Mardié 45 ... 133 G 2
Mardilly 61 ... 54 D 3
Mardor 52 ... 139 F 2
Mardore 69 ... 212 A 2
Mardyck 59 ... 3 F 2
La Mare-d'Ovillers 60 ... 38 B 4
Mareau-aux-Bois 45 ... 111 G 4
Mareau-aux-Prés 45 ... 133 E 2
Marèges *Barrage de* 19 ... 226 B 5
Mareil-en-Champagne 72 ... 107 E 5
Mareil-en-France 95 ... 58 C 1
Mareil-le-Guyon 78 ... 57 G 4
Mareil-Marly 78 ... 58 A 3
Mareil-sur-Loir 72 ... 129 G 4
Mareil-sur-Mauldre 78 ... 57 G 3
Mareilles 52 ... 117 F 2
Marenla 62 ... 6 C 4
Marennes 17 ... 200 C 4
Marennes 69 ... 231 F 2
Maresché 72 ... 107 G 2
Maresches 59 ... 15 E 2
Maresquel-Ecquemicourt 62 ... 6 D 5
Marest 62 ... 7 G 4
Marest-Dampcourt 02 ... 24 A 5
Marest-sur-Matz 60 ... 39 F 1
Marestaing 32 ... 297 E 5
Marestmontiers 80 ... 22 D 4
Maresville 62 ... 6 B 4
Les Marêts 77 ... 60 B 5
Maretz 59 ... 14 C 5
Mareugheol 63 ... 227 H 4
Mareuil 16 ... 202 C 5
Mareuil 24 ... 221 H 4
Mareuil-Caubert 80 ... 11 G 4
Mareuil-en-Brie 51 ... 61 E 2
Mareuil-en-Dôle 02 ... 40 D 4
Mareuil-la-Motte 60 ... 39 F 1
Mareuil-le-Port 51 ... 61 E 1
Mareuil-lès-Meaux 77 ... 59 G 2
Mareuil-sur-Arnon 18 ... 172 C 3
Mareuil-sur-Ay 51 ... 61 G 1
Mareuil-sur-Cher 41 ... 153 E 4
Mareuil-sur-Lay 85 ... 183 E 1
Mareuil-sur-Ourcq 60 ... 39 H 5
Marey 88 ... 118 B 3
Marey-lès-Fussey 21 ... 159 H 5
Marey-sur-Tille 21 ... 139 E 5
Marfaux 51 ... 41 F 5
Marfontaine 02 ... 25 E 3
Margaux 33 ... 237 F 3
Margencel 74 ... 198 A 3
Margency 95 ... 58 B 2
Margerides 19 ... 226 B 4
Margerie-Chantagret 42 ... 229 G 3
Margerie-Hancourt 51 ... 91 H 2
Margès 26 ... 249 G 2
Margilley 70 ... 140 A 5
Margival 02 ... 40 B 2
Le Margnès 81 ... 300 B 4
Margny 08 ... 27 H 4
Margny 51 ... 60 D 2
Margny-aux-Cerises 60 ... 23 G 4
Margny-lès-Compiègne 60 ... 39 F 2
Margny-sur-Matz 60 ... 39 F 1
Margon 28 ... 85 E 5
Margon 34 ... 321 H 2
Margouët-Meymes 32 ... 295 F 3
Margueray 50 ... 52 A 2
Marguerittes 30 ... 304 A 2
Margueron 33 ... 257 F 1
Marguestau 32 ... 295 E 1
Margut 08 ... 27 H 5
Mariac 07 ... 248 B 5
Mariaud 04 ... 288 C 1
Maricourt 80 ... 23 F 1
Marie 06 ... 289 H 4
Marienthal 67 ... 69 E 4
Marieulles 57 ... 65 G 2
Marieux 80 ... 12 D 4
Marigna-sur-Valouse 39 ... 196 B 3
Marignac 17 ... 219 H 3
Marignac 31 ... 334 B 3
Marignac 82 ... 296 D 2
Marignac-en-Diois 26 ... 268 A 1
Marignac-Lasclares 31 ... 317 F 4
Marignac-Laspeyres 31 ... 317 E 5
Marignana 2A ... 346 C 5
Marignane 13 ... 326 C 1
Marigné 49 ... 128 C 3
Marigné-Laillé 72 ... 130 B 3
Marigné-Peuton 53 ... 128 A 2
Marignier 74 ... 216 B 1
Marignieu 01 ... 214 D 5
Marigny 03 ... 191 H 1
Marigny 39 ... 179 G 5
Marigny 51 ... 61 F 5
Marigny 71 ... 177 E 5
Marigny 79 ... 185 E 5
Marigny-Brizay 86 ... 169 F 4
Marigny-Chemereau 86 ... 186 A 3
Marigny-en-Orxois 02 ... 60 A 1
Marigny-le-Cahouët 21 ... 159 E 1
Marigny-le-Châtel 10 ... 90 B 4
Marigny-le-Lozon 50 ... 32 A 5
Marigny-l'Église 58 ... 158 A 3
Marigny-lès-Reullée 21 ... 178 A 1
Marigny-les-Usages 45 ... 111 E 5
Marigny-Marmande 37 ... 169 G 2
Marigny-Saint-Marcel 74 ... 215 F 4
Marigny-sur-Yonne 58 ... 157 G 4
Marillac-le-Franc 16 ... 221 H 1
Le Marillais 49 ... 148 C 2
Marillet 85 ... 184 C 1
Marimbault 33 ... 256 B 5
Marimont-lès-Bénestroff 57 ... 67 E 3
Marin 74 ... 198 B 3
Marines 95 ... 37 H 5
Les Marines-de-Cogolin 83 ... 329 F 2
Maringes 42 ... 230 A 2
Maringues 63 ... 210 A 4
Mariol 03 ... 210 C 3
Marions 33 ... 274 C 1
Marissel 60 ... 38 A 2
Marizy-Saint-Mard 02 ... 40 A 5
Marizy-Sainte-Geneviève 02 ... 40 A 5
Le Markstein 68 ... 120 C 4
Marle 02 ... 25 E 3
Marlemont 08 ... 26 A 3
Marlenheim 67 ... 97 F 1
Marlens 74 ... 216 A 5
Marlers 80 ... 21 G 3
Marles-en-Brie 77 ... 59 G 5
Marles-les-Mines 62 ... 7 H 4
Marles-sur-Canche 62 ... 6 C 4
Marlhes 42 ... 248 B 1
Marliac 31 ... 318 A 5
Marliens 21 ... 160 B 4
Marlieux 01 ... 213 G 2
Marlioz 74 ... 215 F 2
Marly 57 ... 65 H 1
Marly 59 ... 9 G 5
Marly-Gomont 02 ... 25 E 1
Marly-la-Ville 95 ... 58 D 1
Marly-le-Roi 78 ... 58 A 3
Marly-sous-Issy 71 ... 176 A 5
Marly-sur-Arroux 71 ... 193 H 1
Marmagne 18 ... 172 D 1
Marmagne 21 ... 137 H 5
Marmagne 71 ... 176 D 3
Marmande 47 ... 257 E 4
Marmanhac 15 ... 244 C 4
Marmeaux 89 ... 137 F 5
Marmesse 52 ... 116 C 4
Marminiac 46 ... 259 G 3
Marmont-Pachas 47 ... 276 B 4
Marmouillé 61 ... 54 C 5
Marmoutier 67 ... 68 B 5
Marnac 24 ... 259 E 1
Marnand 69 ... 212 A 2
Marnans 38 ... 231 H 5
Marnaves 81 ... 279 E 4
Marnay 70 ... 161 G 3
Marnay 71 ... 178 A 5
Marnay 86 ... 186 B 3
Marnay-sur-Marne 52 ... 117 E 4
Marnay-sur-Seine 10 ... 90 A 3
Marnaz 74 ... 216 B 1
La Marne 44 ... 165 F 1
Marne-la-Vallée 11 ... 59 E 3
Marnefer 61 ... 55 F 3
Marnes 79 ... 168 C 3
Marnes-la-Coquette 92 ... 58 B 3
Marnézia 39 ... 196 C 1
Marnhagues-et-Latour 12 ... 301 F 2
Marnoz 39 ... 179 G 2
Marœuil 62 ... 13 F 2
Maroilles 59 ... 15 F 4
La Marolle-en-Sologne 41 ... 133 E 5
Marolles 14 ... 34 D 5
Marolles 41 ... 132 A 5
Marolles 51 ... 62 D 5
Marolles 60 ... 39 H 5
Marolles-en-Beauce 91 ... 87 G 5
Marolles-en-Brie 77 ... 60 A 4
Marolles-en-Brie 94 ... 58 D 5
Marolles-en-Hurepoix 91 ... 87 G 2
Marolles-lès-Bailly 10 ... 115 G 2
Marolles-les-Braults 72 ... 108 A 2
Marolles-les-Buis 28 ... 85 E 5
Marolles-lès-Saint-Calais 72 ... 108 D 5
Marolles-sous-Lignières 10 ... 114 D 5
Marolles-sur-Seine 77 ... 89 E 4
Marollette 72 ... 84 A 4
Marols 42 ... 229 G 4
Maromme 76 ... 36 A 1
Mâron 36 ... 172 A 4
Maron 54 ... 94 C 1
Maroncourt 88 ... 94 D 5
Maroué 22 ... 78 D 4
Maroutière *Château de la* 53 ... 128 B 2
Marpain 39 ... 161 E 3
Marpaps 40 ... 293 G 4
Marpent 59 ... 15 H 2
Marpiré 35 ... 104 D 2
Marquaix 80 ... 23 H 1
Marquay 24 ... 241 F 5
Marquay 62 ... 7 G 5
Marquefave 31 ... 317 G 4
Marquéglise 60 ... 39 F 1
Marquein 11 ... 318 C 4
Marquenterre *Parc du* 80 ... 11 E 1
Marquerie 65 ... 315 F 4
Marques 76 ... 21 F 3
Marquette-en-Ostrevant 59 ... 14 B 2
Marquette-lez-Lille 59 ... 8 D 2
Marquigny 08 ... 26 D 5
Marquillies 59 ... 8 C 3

Marquion *62*....14 A 3
Marquise *62*....2 B 4
Marquivillers *80*....23 E 4
Marquixanes *66*....342 B 2
Marray *37*....130 D 5
La Marre *39*....179 F 4
Marre *55*....43 H 4
Mars *07*....248 A 4
Les Mars *23*....208 C 3
Mars *30*....282 D 5
Mars *42*....212 A 1
Mars-la-Tour *54*....65 F 1
Mars-sous-Bourcq *08*....42 C 2
Mars-sur-Allier *58*....174 B 3
Marsa *11*....337 F 4
Marsac *16*....221 E 1
Marsac *23*....206 C 2
Marsac *65*....315 E 3
Marsac *82*....296 D 1
Marsac-en-Livradois *63*....229 E 4
Marsac-sur-Don *44*....126 C 4
Marsac-sur-l'Isle *24*....240 C 2
Marsainvilliers *45*....111 G 2
Marsais *17*....201 G 1
Marsais-
Sainte-Radégonde *85*....183 H 1
Marsal *57*....66 D 4
Marsal *81*....299 G 1
Marsalès *24*....258 D 2
Marsan *32*....296 C 4
Marsaneix *24*....240 D 3
Marsangis *51*....90 C 2
Marsangy *89*....113 G 3
Marsannay-la-Côte *21*....160 A 3
Marsannay-le-Bois *21*....160 B 2
Marsanne *26*....267 F 3
Marsas *33*....237 H 3
Marsas *65*....333 G 1
Marsat *63*....209 H 4
Marsaz *26*....249 F 2
Marseillan *32*....315 G 2
Marseillan *34*....322 C 4
Marseillan *65*....315 F 4
Marseillan-Plage *34*....322 D 5
Marseille *13*....326 D 3
Marseille-en-Beauvaisis *60*....21 H 5
Marseille-lès-Aubigny *18*....174 B 1
Marseillette *11*....320 A 5
Marsillargues *34*....303 G 4
Marsilly *17*....183 F 5
Marsilly *57*....66 B 1
Marsinval *78*....57 H 2
Marsolan *32*....296 A 1
Marson *51*....62 C 2
Marson-sur-Barboure *55*....93 G 1
Marsonnas *01*....195 G 4
Marsoulas *31*....335 E 1
Marsous *65*....332 C 2
Marspich *57*....45 G 3
Marssac-sur-Tarn *81*....299 E 1
Martagny *27*....37 F 2
Martailly-lès-Brancion *71*....195 E 2
Martainneville *80*....11 F 4
Martainville *14*....53 G 2
Martainville *27*....35 E 3
Martainville-Épreville *76*....36 C 1
Martaizé *86*....168 C 3
Martel *46*....242 C 5
Marthemont *54*....94 C 2
Marthille *57*....66 D 3
Marthod *73*....216 A 5
Marthon *16*....221 H 2
Martiel *12*....279 E 1
Martigna *39*....196 D 3
Martignac *46*....259 F 4
Martignargues *30*....284 A 5
Martignas-sur-Jalle *33*....237 E 5
Martignat *01*....196 C 5
Martigné-Briand *49*....149 H 4
Martigné-Ferchaud *35*....127 E 2
Martigné-sur-Mayenne *53*....106 A 2
Martigny *02*....25 H 2
Martigny *50*....52 A 5
Martigny *76*....20 B 2
Martigny-Courpierre *02*....40 D 1
Martigny-le-Comte *71*....194 A 2
Martigny-les-Bains *88*....118 B 3
Martigny-les-Gerbonvaux *88*....94 A 3
Martigny-sur-l'Ante *14*....53 H 2
Martigues *13*....325 H 3
Martillac *33*....255 G 2
Martimpré *Col de 88*....120 B 3
Martin-Église *76*....10 B 5
Martincourt *54*....65 F 4
Martincourt *60*....37 H 1
Martincourt-sur-Meuse *55*....27 G 5
Le Martinet *30*....283 H 2
Martinet *85*....165 F 5
Martinpuich *62*....13 G 5
Martinvast *50*....29 E 3
Martinvelle *88*....118 C 4
Martisserre *31*....316 D 3
Martizay *36*....170 C 4
Martot *27*....36 A 3
Martragny *14*....33 E 3
La Martre *83*....308 B 2
Martres *33*....256 C 2
Les Martres-d'Artière *63*....210 A 5
Martres-de-Rivière *31*....334 B 1
Les Martres-de-Veyre *63*....227 H 1
Martres-sur-Morge *63*....210 A 4
Martres-Tolosane *31*....317 E 5
Martrin *12*....300 B 1
Martrois *21*....159 E 3
La Martyre *29*....75 H 2
Les Martys *11*....319 G 3
Maruéjols-lès-Gardon *30*....283 H 5
Marval *87*....222 D 2
Marvaux-Vieux *08*....42 D 3
Marvejols *48*....264 A 4
Marvelise *25*....142 A 4
Marville *55*....44 B 2
Marville-les-Bois *28*....85 H 2
Marville-Moutiers-Brûlé *28*....56 D 5
Mary *71*....194 B 1
Mary-sur-Marne *77*....59 H 1
Marzal *Aven de 07*....284 C 1
Marzan *56*....125 F 5
Marzens *81*....298 D 4
Marzy *58*....174 C 2
Le Mas *06*....308 D 1
Mas-Blanc-des-Alpilles *13*....304 C 2
Mas-Cabardès *11*....319 H 3
Mas Camargues *48*....283 F 1
Le Mas-d'Agenais *47*....257 F 5
Le Mas-d'Artige *23*....225 H 1
Mas-d'Auvignon *32*....296 A 1
Le Mas-d'Azil *09*....335 H 1
Mas-d'Azil *Grotte du 09*....335 H 1
Mas-de-Londres *34*....302 C 2
Le Mas-de-Tence *43*....248 B 3
Mas-des-Cours *11*....337 H 1
Mas-d'Orcières *48*....265 E 5
Mas-Grenier *82*....297 G 1
Mas-Saint-Chély *48*....282 B 2
Mas-Saintes-Puelles *11*....318 D 4
Le Mas-Soubeyran *30*....283 G 4
Mas-Thibert *13*....304 C 5
Masbaraud-Mérignat *23*....206 D 3
Mascaraàs-Haron *64*....294 C 5
Mascaras *32*....295 G 5
Mascaras *65*....315 F 5
Mascarville *31*....298 C 5
Masclat *46*....259 H 1
Masevaux-Niederbruck *68*....142 D 1
Maslacq *64*....313 G 2
Masléon *87*....224 C 1
Maslives *41*....132 B 5
Masmejan *48*....283 E 1
Le Masnau-
Massuguiès *81*....300 A 3
Masnières *59*....14 B 4
Masny *59*....9 E 5
Los Masos *66*....342 B 3
Masparraute *64*....311 G 3
Maspie-Lalonquère-
Juillacq *64*....314 D 2
Masquières *47*....277 E 1
Massabrac *31*....317 H 5
Massac *11*....338 B 3
Massac *17*....202 C 4
Massac-Séran *81*....298 D 4
Massaguel *81*....319 F 2
Massais *79*....167 H 1
Massals *81*....300 A 2
Massanes *30*....283 H 5
Massangis *89*....137 E 5
Massat *09*....335 H 3
Massay *18*....154 B 5
Le Massegros *48*....281 H 2
Masseilles *33*....256 D 5
Massels *47*....276 D 2
Massérac *44*....126 A 4
Masseret *19*....224 B 3
Masseube *32*....316 A 2
Massiac *15*....246 A 1
Massieu *38*....232 C 4
Massieux *01*....213 E 4
Massiges *51*....42 D 4
Massignac *16*....204 C 5
Massignieu-de-Rives *01*....214 D 5
Massillargues-Attuech *30*....283 G 5
Massilly *71*....194 D 2
Massingy *21*....116 A 5
Massingy *74*....215 F 4
Massingy-lès-Semur *21*....158 D 1
Massingy-lès-Vitteaux *21*....159 F 2
Massognes *86*....168 C 4
Massoins *06*....289 H 5
Massongy *74*....198 A 4
Massoulès *47*....276 D 1
Massugas *33*....257 E 1
Massy *71*....194 C 2
Massy *76*....20 D 4
Massy *91*....58 B 5
Mastaing *59*....14 C 2
Matafelon-Granges *01*....196 C 5
Les Matelles *34*....302 D 3
Matemale *66*....341 G 3
Matha *17*....202 B 4
Mathaux *10*....91 H 4
Mathay *25*....142 B 5
Mathenay *39*....179 F 2
Les Mathes *17*....200 C 5
Mathieu *14*....33 G 3
Mathons *52*....92 D 4
Mathonville *76*....20 D 5
Matignicourt-Goncourt *51*....62 D 5
Matignon *22*....50 A 5
Matigny *80*....23 H 3
Matougues *51*....62 A 2
Matour *71*....194 B 4
Matra *2B*....347 G 4
Matringhem *62*....7 F 3
Mattaincourt *88*....94 D 5
Mattexey *54*....95 G 3
Matton-et-Clémency *08*....27 G 4
Mattstall *67*....68 D 1
Matzenheim *67*....97 G 3
Maubec *38*....232 A 2
Maubec *82*....296 D 2
Maubec *84*....305 F 1
Maubert-Fontaine *08*....26 B 2
Maubeuge *59*....15 G 2
Maubourguet *65*....315 E 2
Maubuisson *33*....236 B 3
Mauchamps *91*....87 G 3
Maucomble *76*....20 C 4
Maucor *64*....314 B 3
Maucourt *60*....23 H 4
Maucourt *80*....23 F 3
Maucourt-sur-Orne *55*....44 C 4
Maudétour-en-Vexin *95*....37 G 5
Mauguio *34*....303 E 4
Maulain *52*....117 H 4
Maulais *79*....168 B 2
Maulan *55*....63 H 5
Maulay *86*....169 E 2
Maulde *59*....9 G 4
Maule *78*....57 G 3
Mauléon *79*....167 E 2
Mauléon-Barousse *65*....334 A 3
Mauléon-d'Armagnac *32*....294 D 1
Mauléon-Licharre *64*....311 H 5
Maulers *60*....22 A 5
Maulette *78*....57 E 4
Maulévrier *49*....167 E 1
Maulévrier-
Sainte-Gertrude *76*....19 G 5
Maulichères *32*....294 D 3
Maumusson *44*....148 C 1
Maumusson *82*....296 D 1
Maumusson-Laguian *32*....294 D 4
Mauny *76*....35 H 2
Maupas *10*....115 E 3
Le Maupas *21*....158 D 4
Maupas *32*....294 D 2
Maupas *Château de 18*....155 G 4
Mauperthuis *77*....59 H 4
Maupertuis *50*....52 A 1
Maupertus-sur-Mer *50*....29 F 3
Mauprévoir *86*....204 B 1
Mauquenchy *76*....20 D 5
Mauran *31*....317 E 5
Maure *64*....314 D 3
Maure *Col de 04*....288 B 1
Maure-de-Bretagne *35*....103 G 5
Maurecourt *78*....58 A 2
Mauregard *77*....59 E 1
Mauregny-en-Haye *02*....41 E 1
Maureilhan *34*....321 F 3
Maureillas-las-Illas *66*....343 E 4
Mauremont *31*....318 B 2
Maurens *24*....239 H 5
Maurens *31*....318 C 2
Maurens *32*....296 D 5
Maurens-Scopont *81*....298 C 5
Maurepas *78*....57 H 4
Maurepas *80*....23 F 1
Mauressac *31*....317 H 4
Mauressargues *30*....283 H 5
Maureville *31*....298 C 5
Mauriac *15*....244 B 2
Mauriac *33*....256 D 2
Mauries *40*....294 B 4
Maurin *04*....271 F 3
Maurin *34*....302 D 5
Maurines *15*....245 H 5
Maurois *59*....14 D 5
Mauron *56*....103 E 3
Mauroux *32*....296 C 1
Mauroux *46*....259 E 5
Maurrin *40*....294 B 2
Maurs *15*....261 H 2
Maurupt-le-Montois *51*....63 E 4
Maury *66*....338 B 4
Maury *Barrage de 12*....262 D 3
Mausoléo *2B*....346 D 2
Maussac *19*....225 G 4
Maussane-les-Alpilles *13*....304 D 3
Maussans *70*....162 B 1
Mausson *Château de 53*....81 G 3
Mautes *23*....208 B 4
Mauvages *55*....93 G 2
Mauvaisin *31*....318 A 3
Mauves *07*....249 E 3
Mauves-sur-Huisne *61*....84 C 4
Mauves-sur-Loire *44*....148 A 3
Mauvezin *31*....316 D 3
Mauvezin *32*....296 D 3
Mauvezin *65*....333 G 1
Mauvezin-d'Armagnac *40*....274 C 5
Mauvezin-de-Prat *09*....335 E 2
Mauvezin-
de-Sainte-Croix *09*....335 G 1
Mauvezin-sur-Gupie *47*....257 E 4
Mauvières *36*....187 H 2
Mauvilly *21*....138 B 4
Maux *58*....175 H 1
Mauzac *31*....317 G 3
Mauzac-et-Saint-Meyme-
de-Rozens *24*....240 D 5
Mauzé-sur-le-Mignon *79*....184 C 5
Mauzé-Thouarsais *79*....168 A 2
Mauzens-et-Miremont *24*....241 E 4
Mauzun *63*....228 B 1
Mavaleix *24*....223 E 3
Maves *41*....132 A 4
Mavilly-Mandelot *21*....177 G 1
La Maxe *57*....45 H 5
Maxent *35*....103 G 4
Maxéville *54*....65 H 5
Maxey-sur-Meuse *88*....94 A 3
Maxey-sur-Vaise *55*....93 H 2
Maxilly-sur-Léman *74*....198 C 3
Maxilly-sur-Saône *21*....160 D 3
Maxou *46*....260 B 4
Maxstadt *57*....67 E 1
May-en-Multien *77*....59 H 1
Le May-sur-Èvre *49*....148 D 5
May-sur-Orne *14*....33 G 5
Mayac *24*....241 E 1
Mayenne *53*....82 B 5
Mayet *72*....130 A 3
Le Mayet-de-Montagne *03*....210 D 2
Le Mayet-d'École *03*....210 A 1
Maylis *40*....293 G 3
Maynal *39*....196 A 1
Les Mayons *83*....328 D 2
Mayot *02*....24 B 4
Mayrac *46*....242 C 5
Mayran *12*....280 B 1
La Mayrand *63*....227 G 4
Mayrègne *31*....334 A 4
Mayres *07*....248 D 4
Mayres *07*....265 H 3
Mayres *63*....228 D 5
Mayres-Savel *38*....250 D 5
Mayreste *Belvédère de 04*....307 H 2
Mayreville *11*....318 D 5
Mayrinhac-Lentour *46*....261 E 1
Mayronnes *11*....338 A 2
Maysel *60*....38 C 4
Mazamet *81*....319 H 2
Mazan *84*....285 H 4
Mazan-l'Abbaye *07*....265 H 2
Mazangé *41*....131 F 3
Mazaugues *83*....328 A 2
Mazaye *63*....209 F 5
Mazé-Milon *49*....150 A 1
Le Mazeau *85*....184 C 4
Mazeirat *23*....207 F 1
Mazeley *88*....95 E 5
Mazerat-Aurouze *43*....246 C 2
Mazeray *17*....201 G 4
Mazères *09*....318 B 4
Mazères *33*....256 B 4
Mazères *Église de 65*....295 E 5
Mazères-de-Neste *65*....334 A 1
Mazères-Lezons *64*....314 B 4
Mazères-sur-Salat *31*....335 E 1
Mazerier *03*....209 H 2
Mazerny *08*....26 C 5
Mazerolles *16*....222 B 1
Mazerolles *17*....219 G 3
Mazerolles *40*....294 A 1
Mazerolles *64*....314 A 2
Mazerolles *65*....315 G 3
Mazerolles *86*....187 E 3
Mazerolles-du-Razès *11*....337 F 1
Mazerolles-le-Salin *25*....161 G 4
Mazerulles *54*....66 B 5
Mazet-Saint-Voy *43*....248 A 3
Mazeuil *86*....168 D 4
Mazeyrat-d'Allier *43*....246 C 3
Mazeyrolles *24*....259 E 3
La Mazière-
aux-Bons-Hommes *23*....208 C 4
Mazières *16*....204 B 5
Mazières-de-Touraine *37*....151 F 2
Mazières-en-Gâtine *79*....185 E 2
Mazières-en-Mauges *49*....167 E 1
Mazières-Naresse *47*....258 C 3
Mazières-sur-Béronne *79*....185 F 5
Mazille *71*....194 C 3
Mazingarbe *62*....8 A 4
Mazinghem *62*....7 G 3
Mazinghien *59*....15 E 5
Mazion *33*....237 G 2
Mazirat *03*....190 C 5
Mazirot *88*....94 D 4
Le Mazis *80*....21 G 2
Mazoires *63*....227 G 5
Mazouau *65*....333 H 2
Mazuby *11*....337 E 4
Les Mazures *08*....26 C 1
Mazzola *2B*....347 F 4
Méailles *04*....288 D 4
Méallet *15*....244 B 1
Méasnes *23*....189 E 3
Meaucé *28*....85 F 3
La Meauffe *50*....32 B 4
La Méaugon *22*....78 B 3
Meaulne *03*....190 D 1
Méaulte *80*....23 E 1
Méautis *50*....31 H 3
Meaux *77*....59 G 2
Meaux-la-Montagne *69*....212 B 2
Meauzac *82*....277 G 4
Mecé *35*....81 E 5
Mechmont *46*....260 B 4
Mécleuves *57*....65 H 1
Mecquignies *59*....15 F 2
Mécrin *55*....64 C 4
Mécringes *51*....60 C 3
Médan *78*....57 H 2
Médavy *61*....54 B 5
La Mède *13*....325 H 4
Medeyrolles *63*....229 E 4
Médière *25*....142 A 5
Médillac *16*....239 E 1
Médis *17*....218 D 1
Médonnet *Chapelle du 74*....216 C 3
Médonville *88*....118 A 2
Médous *Grotte de 65*....333 F 2
Médréac *35*....103 G 1
Le Mée *28*....110 A 5
Mée *53*....128 A 2
Le Mée-sur-Seine *77*....88 B 3
Les Mées *04*....287 G 4
Mées *40*....292 D 3
Les Mées *72*....83 H 5
Mégange *57*....46 C 4
Megève *74*....216 C 4
Mégevette *74*....198 B 5
Mégrit *22*....79 F 5
Méharicourt *80*....23 F 3
Méharin *64*....311 F 4
Méhers *41*....153 F 3
Méhoncourt *54*....95 F 2
Méhoudin *61*....82 D 3
Mehun-sur-Yèvre *18*....154 D 5
La Meignanne *49*....149 F 1
Meigné *49*....150 A 4
Meigné-le-Vicomte *49*....151 E 1
Meigneux *77*....89 E 3
Meigneux *80*....21 H 3
Meilhac *87*....223 G 1
Meilhan *32*....316 B 2
Meilhan *40*....293 G 1
Meilhan-sur-Garonne *47*....256 D 4
Meilhards *19*....224 C 3
Meilhaud *63*....227 H 3
Meillac *35*....80 A 3
Meillant *18*....173 F 4
Meillard *03*....192 A 4
Le Meillard *80*....12 C 4
La Meilleraie-Tillay *85*....166 D 4
Meilleray *77*....60 C 4
La Meilleraye-
de-Bretagne *44*....127 E 5
Meillerie *74*....198 C 2
Meillers *03*....191 H 2
Meillier-Fontaine *08*....26 D 2
Meillon *64*....314 B 4
Meillonnas *01*....196 A 5
Meilly-sur-Rouvres *21*....159 F 4
Meisenthal *57*....68 A 2
Meistratzheim *67*....97 F 2
Le Meix *21*....138 D 5
Le Meix-Saint-Epoing *51*....60 D 5
Le Meix-Tiercelin *51*....62 B 5
Méjanes *13*....304 A 5
Méjannes-le-Clap *30*....284 B 2
Méjannes-lès-Alès *30*....283 H 4
Mela *2A*....349 E 5
Mélagues *12*....301 E 3
Mélamare *76*....19 E 5
Melan *04*....287 H 2
Melay *49*....149 F 4
Melay *52*....118 B 5
Melay *71*....193 G 5
Le Mêle-sur-Sarthe *61*....84 A 3
Mélecey *70*....141 H 5
Melesse *35*....104 B 2
Melgven *29*....100 B 4
Mélicocq *60*....39 F 1
Mélicourt *27*....55 E 2
Méligny-le-Grand *55*....93 G 1
Méligny-le-Petit *55*....93 G 1
Melin *70*....140 C 3
Melincourt *70*....118 D 5
Mélisey *70*....142 A 2
Mélisey *89*....115 E 5
Meljac *12*....280 C 4
Mellac *29*....100 D 4
Mellé *35*....81 F 3
Melle *79*....185 G 5
Mellecey *71*....177 G 4
Melleran *79*....203 E 1
Melleray *72*....108 D 3
Melleray *Abbaye de 44*....127 E 5
Melleray-la-Vallée *53*....82 B 3
Melleroy *45*....135 E 2
Melles *31*....334 C 4
Melleville *76*....11 E 5
Mellionnec *22*....77 F 5
Mello *60*....38 C 4
Meloisey *21*....177 G 1
Melrand *56*....101 G 4
Melsheim *67*....68 C 4
Melun *77*....88 B 3
Melve *04*....287 G 1
Melz-sur-Seine *77*....89 H 3
Membrey *70*....140 B 5
La Membrolle-
sur-Choisille *37*....151 H 2
La Membrolle-
sur-Longuenée *49*....128 B 5
Membrolles *41*....110 A 5
Méménil *88*....95 G 5
Memmelshoffen *67*....69 E 2
Le Mémont *25*....163 F 4
Mémorial Canadien *62*....8 B 5
Menades *89*....157 H 2
Ménarmont *88*....95 H 3
Menars *41*....132 B 5
Menat *63*....209 F 2
Menaucourt *55*....93 F 1
Mencas *62*....7 E 3
Menchhoffen *67*....68 C 3
Mende *48*....264 C 4
Mendionde *64*....311 E 4
Menditte *64*....331 E 1
Mendive *64*....330 C 1
Ménéac *56*....102 D 2
Menée *Col de 38*....268 D 1
Ménerbes *84*....305 G 2
Ménerval *76*....21 F 5
Ménerville *78*....57 E 2
Menesble *21*....138 D 3
Méneslies *80*....11 E 4
Ménesplet *24*....239 E 4
Ménesqueville *27*....36 D 2
Ménessaire *21*....158 B 5
Menestreau *58*....156 D 2
Ménestreau-en-Villette *45*....133 F 4
Menet *15*....244 D 1
Menetou-Couture *18*....174 A 1
Menetou-Râtel *18*....155 H 3
Menetou-Salon *18*....155 F 4
Menetou-sur-Nahon *36*....153 H 4

A B C D E F G H I J K L M N O P Q R S T U V W X Y Z

Ménétréol-
sous-Sancerre 18 .... 156 A 3
Ménétréol-sur-Sauldre 18 .... 155 E 2
Ménétréols-sous-Vatan 36 .. 172 A 2
Ménetreuil 71 .... 195 G 1
Ménétreux-le-Pitois 21 .... 138 A 5
Ménétrol 63 .... 209 H 4
Menétru-le-Vignoble 39 .... 179 F 4
Menétrux-en-Joux 39 .... 179 G 5
Ménévillers 60 .... 39 E 1
Ménez-Bré 22 .... 72 D 5
Ménez-Hom 29 .... 75 G 4
Ménez-Meur *Domaine de* 29 .. 75 H 3
Menglon 26 .... 268 C 2
Ménigoute 79 .... 185 G 2
Ménil 53 .... 128 B 3
Le Ménil 88 .... 120 A 5
Ménil-Annelles 08 .... 42 B 1
Ménil-aux-Bois 55 .... 64 C 4
Le Ménil-Bérard 61 .... 55 E 5
Le Ménil-Broût 61 .... 83 H 3
Le Ménil-Ciboult 61 .... 52 D 4
Le Ménil-de-Briouze 61 .... 53 G 5
Ménil-de-Senones 88 .... 96 B 3
Ménil-en-Xaintois 88 .... 94 C 5
Ménil-Erreux 61 .... 83 H 3
Ménil-Froger 61 .... 54 D 4
Ménil-Glaise 61 .... 53 H 4
Ménil-Gondouin 61 .... 53 G 4
Le Ménil-Guyon 61 .... 84 A 2
Ménil-Hermei 61 .... 53 G 3
Ménil-Hubert-en-Exmes 61 .... 54 C 3
Ménil-Hubert-sur-Orne 61 .... 53 G 3
Ménil-Jean 61 .... 53 H 4
Ménil-la-Horgne 55 .... 64 C 5
Ménil-la-Tour 54 .... 65 F 5
Ménil-Lépinois 08 .... 42 A 2
Le Ménil-Scelleur 61 .... 83 F 2
Ménil-sur-Belvitte 88 .... 95 H 3
Ménil-sur-Saulx 55 .... 63 H 5
Le Ménil-Vicomte 61 .... 54 D 4
Ménil-Vin 61 .... 53 G 3
Ménilles 27 .... 56 D 1
Ménillot 54 .... 94 A 1
La Ménitré 49 .... 150 A 2
Mennecy 91 .... 87 H 2
Mennessis 02 .... 24 A 4
Mennetou-sur-Cher 41 .... 154 A 4
Menneval 27 .... 35 F 5
Menneville 02 .... 41 G 2
Menneville 62 .... 6 C 2
Mennevret 02 .... 24 D 1
Mennouveaux 52 .... 117 G 3
Ménoire 19 .... 242 D 3
Menomblet 85 .... 167 E 4
Menoncourt 90 .... 142 C 2
Ménonval 76 .... 21 E 3
Menotey 39 .... 161 E 5
Menou 58 .... 156 D 3
Menouville 95 .... 38 A 5
Le Menoux 36 .... 188 D 2
Menoux 70 .... 141 E 2
Mens 38 .... 251 E 5
Mensignac 24 .... 240 B 1
Menskirch 57 .... 46 B 3
Mentheville 76 .... 19 E 4
Menthon-Saint-Bernard 74 .. 215 H 4
Menthonnex-en-Bornes 74 .. 215 G 2
Menthonnex-
sous-Clermont 74 .... 215 F 3
Mentières 15 .... 245 H 3
Menton 06 .... 291 G 5
Mentque-Nortbécourt 62 .... 3 E 5
Menucourt 95 .... 57 H 1
Les Menuires 73 .... 234 C 5
Les Menus 61 .... 85 E 3
Menville 31 .... 297 G 4
Méobecq 36 .... 171 F 5
Méolans 04 .... 270 C 5
Méolans-Revel 04 .... 270 C 5
Méon 49 .... 150 D 1
Méounes-lès-Montrieux 83 .. 328 A 2
Mépieu 38 .... 214 B 5
Mer 41 .... 132 C 4
Mer de Sable *La* 60 .... 39 E 5
Méracq 64 .... 294 B 5
Méral 53 .... 105 G 5
Méras 09 .... 317 G 5
Mercatel 62 .... 13 G 3
Mercenac 09 .... 335 E 2
Merceuil 21 .... 177 H 2
Mercey 21 .... 159 E 5
Mercey 27 .... 56 D 1
Mercey-le-Grand 25 .... 161 F 4
Mercey-sur-Saône 70 .... 140 B 5
Mercin-et-Vaux 02 .... 40 B 2
Merck-Saint-Liévin 62 .... 7 E 3
Merckeghem 59 .... 3 F 4
Mercœur 19 .... 243 F 4
Mercœur 43 .... 246 A 2
Mercuer 07 .... 266 B 3
Mercuès 46 .... 259 H 5
Mercurey 71 .... 177 G 3
Mercurol-Veaunes 26 .... 249 F 3
Mercury 73 .... 234 A 1
Mercus-Garrabet 09 .... 336 B 4
Mercy 03 .... 192 C 3
Mercy 89 .... 114 A 4
Mercy-le-Bas 54 .... 45 E 3
Mercy-le-Haut 54 .... 45 E 3
Merdrignac 22 .... 102 D 1
Méré 78 .... 57 G 4
Méré 89 .... 136 D 2
Méreau 18 .... 154 C 5
Méréaucourt 80 .... 21 H 3
Méréglise 28 .... 85 G 5
Mérélessart 80 .... 11 G 5
Mérens 32 .... 296 A 3
Mérens-les-Vals 09 .... 341 E 2
Mérenvielle 31 .... 297 F 4
Méreuil 05 .... 269 E 5
Méréville 54 .... 94 D 1
Méréville 91 .... 87 F 5
Merey 27 .... 56 D 2
Mérey-sous-Montrond 25 .... 162 A 4
Mérey-Vieilley 25 .... 162 A 2
Merfy 51 .... 41 F 3
Mergey 10 .... 90 D 4
Meria 2B .... 345 G 2
Mérial 11 .... 337 E 5
Méribel 73 .... 234 C 4
Méribel-Mottaret 73 .... 234 C 4
Méricourt 62 .... 8 B 5
Méricourt 78 .... 57 F 1
Méricourt-en-Vimeu 80 .... 21 H 2
Méricourt-l'Abbé 80 .... 22 D 1
Méricourt-sur-Somme 80 .... 23 E 1
Mériel 95 .... 58 B 1
Mérifons 34 .... 301 G 4
Mérignac 16 .... 220 D 1
Mérignac 17 .... 220 B 5
Mérignac 33 .... 237 F 5
Mérignas 33 .... 256 D 1
Mérignat 01 .... 214 B 2
Mérignies 59 .... 8 D 4
Mérigny 36 .... 187 G 1
Mérigon 09 .... 335 F 1
Mérilheu 65 .... 333 F 1
Mérillac 22 .... 103 E 1
Mérinchal 23 .... 208 C 4
Mérindol 84 .... 305 G 3
Mérindol-les-Oliviers 26 .... 285 H 2
Mérinville 45 .... 112 D 4
Le Mériot 10 .... 89 H 3
Méritein 64 .... 313 G 3
Merkwiller-Pechelbronn 67 .... 69 E 2
Merlande *Prieuré de* 24 .... 240 B 1
Merlas 38 .... 232 D 4
La Merlatière 85 .... 166 A 4
Merlaut 51 .... 62 D 4
Merle *Tours de* 19 .... 243 G 3
Merle-Leignec 42 .... 229 G 5
Merléac 22 .... 78 A 5
Le Merlerault 61 .... 54 D 5
Merles 82 .... 277 E 4
Merles-sur-Loison 55 .... 44 C 3
Merlette 05 .... 270 A 2
Merlevenez 56 .... 123 G 2
Merlieux-et-Fouquerolles 02 .... 40 C 1
Merlimont 62 .... 6 B 4
Merlimont-Plage 62 .... 6 A 4
Merlines 19 .... 226 C 2
Mernel 35 .... 103 H 5
Mérobert 91 .... 87 E 4
Méron 49 .... 150 B 5
Mérona 39 .... 196 C 1
Mérouville 28 .... 86 D 5
Meroux 90 .... 142 C 3
Merpins 16 .... 220 B 1
Merrey 52 .... 117 H 4
Merrey-sur-Arce 10 .... 115 G 3
Merri 61 .... 54 A 3
Merris 59 .... 4 A 5
Merry-la-Vallée 89 .... 135 H 3
Merry-Sec 89 .... 136 A 4
Merry-sur-Yonne 89 .... 136 C 5
Mers-les-Bains 80 .... 10 D 4
Mers-sur-Indre 36 .... 189 F 1
Merschweiller 57 .... 46 B 2
Mersuay 70 .... 141 E 2
Merten 57 .... 46 D 4
Mertrud 52 .... 92 C 4
Mertzen 68 .... 143 E 3
Mertzwiller 67 .... 68 D 3
Méru 60 .... 38 A 4
Merval 02 .... 41 E 3
Mervans 71 .... 178 B 4
Mervent 85 .... 184 B 2
Merviel 09 .... 336 C 2
Mervilla 31 .... 318 A 2
Merville 31 .... 297 G 3
Merville 59 .... 8 A 2
Merville-Franceville-Plage 14 .. 33 H 3
Merviller 54 .... 96 A 2
Merxheim 68 .... 121 E 5
Méry 73 .... 233 F 1
Méry-Corbon 14 .... 34 A 5
Méry-ès-Bois 18 .... 155 E 3
Méry-la-Bataille 60 .... 23 E 5
Méry-Prémecy 51 .... 41 F 4
Méry-sur-Cher 18 .... 154 B 4
Méry-sur-Marne 77 .... 60 A 2
Méry-sur-Oise 95 .... 58 B 1
Méry-sur-Seine 10 .... 90 C 3
Le Merzer 22 .... 73 F 5
Mésandans 25 .... 162 C 1
Mésanger 44 .... 148 B 1
Mésangueville 76 .... 21 E 5
Mesbrecourt-Richecourt 02 .. 24 C 4
Meschers-sur-Gironde 17 .... 218 D 2
Mescla *Balcons de la* 04 .... 307 H 2
Mescoules 24 .... 257 H 2
Le Mesge 80 .... 22 A 1
Mesgrigny 10 .... 90 C 3
Mésigny 74 .... 215 F 2
Meslan 56 .... 101 E 3
Mesland 41 .... 152 D 1
Meslay 14 .... 53 G 2
Meslay 41 .... 131 G 3
Meslay *Grange de* 37 .... 152 A 2
Meslay-du-Maine 53 .... 106 B 5
Meslay-le-Grenet 28 .... 86 A 5
Meslay-le-Vidame 28 .... 110 A 2
Meslières 25 .... 142 C 5
Meslin 22 .... 78 C 4
Mesmay 25 .... 179 G 1
Mesmont 08 .... 26 B 5
Mesmont 21 .... 159 G 3
Mesnac 16 .... 202 B 5
Mesnard-la-Barotière 85 .... 166 C 3
Mesnay 39 .... 179 G 2
Les Mesneux 51 .... 41 G 4
La Mesnière 61 .... 84 B 3
Mesnières-en-Bray 76 .... 20 D 3
Le Mesnil 50 .... 31 E 2
Le Mesnil-Adelée 50 .... 52 B 4
Le Mesnil-Amand 50 .... 51 H 2
Le Mesnil-Amelot 77 .... 59 E 1
Le Mesnil-Amey 50 .... 32 A 5
Le Mesnil-Angot 50 .... 32 A 4
Le Mesnil-au-Grain 14 .... 53 E 1
Le Mesnil-au-Val 50 .... 29 F 3
Le Mesnil-Aubert 50 .... 51 G 2
Le Mesnil-Aubry 95 .... 58 C 1
Le Mesnil-Auzouf 14 .... 52 D 1
Le Mesnil-Bacley 14 .... 54 C 1
Le Mesnil-Benoist 14 .... 52 B 3
Le Mesnil-Bœufs 50 .... 52 A 5
Le Mesnil-Bonant 50 .... 51 H 2
Mesnil-Bruntel 80 .... 23 G 2
Le Mesnil-Caussois 14 .... 52 B 3
Mesnil-Clinchamps 14 .... 52 B 3
Le Mesnil-Conteville 60 .... 22 A 4
Mesnil-Domqueur 80 .... 12 B 4
Le Mesnil-Drey 50 .... 51 G 3
Le Mesnil-Durand 14 .... 54 C 1
Le Mesnil-Durdent 76 .... 19 G 2
Mesnil-en-Arrouaise 80 .... 13 H 5
Le Mesnil-en-Thelle 60 .... 38 B 5
Le Mesnil-en-Vallée 49 .... 148 D 2
Le Mesnil-Esnard 76 .... 36 B 2
Le Mesnil-Eudes 14 .... 34 C 5
Mesnil-Eudin 80 .... 21 F 2
Le Mesnil-Eury 50 .... 32 A 4
Mesnil-Follemprise 76 .... 20 C 3
Le Mesnil-Fuguet 27 .... 56 B 1
Le Mesnil-Garnier 50 .... 51 H 2
Le Mesnil-Germain 14 .... 54 C 1
Le Mesnil-Gilbert 50 .... 52 B 4
Le Mesnil-Guillaume 14 .... 34 D 5
Le Mesnil-Hardray 27 .... 56 A 2
Le Mesnil-Herman 50 .... 52 A 1
Le Mesnil-Hue 50 .... 51 H 2
Le Mesnil-Jourdain 27 .... 36 B 5
Mesnil-la-Comtesse 10 .... 91 E 3
Le Mesnil-le-Roi 78 .... 58 A 2
Mesnil-Lettre 10 .... 91 F 3
Le Mesnil-Lieubray 76 .... 37 E 1
Mesnil-Martinsart 80 .... 13 F 5
Le Mesnil-Mauger 14 .... 34 B 5
Mesnil-Mauger 76 .... 21 E 4
Le Mesnil-Opac 50 .... 52 B 1
Le Mesnil-Ozenne 50 .... 51 H 5
Mesnil-Panneville 76 .... 19 H 5
Le Mesnil-Patry 14 .... 33 F 4
Le Mesnil-Rainfray 50 .... 52 B 5
Mesnil-Raoul 76 .... 36 C 2
Le Mesnil-Raoult 50 .... 52 B 1
Le Mesnil-Réaume 76 .... 10 D 5
Le Mesnil-Robert 14 .... 52 C 3
Le Mesnil-Rogues 50 .... 51 G 2
Mesnil-Rousset 27 .... 55 F 3
Le Mesnil-Rouxelin 50 .... 32 B 4
Le Mesnil-Saint-Denis 78 .... 57 H 4
Le Mesnil-Saint-Firmin 60 .... 22 C 5
Mesnil-Saint-Georges 80 .... 22 D 4
Mesnil-Saint-Laurent 02 .... 24 B 2
Mesnil-Saint-Loup 10 .... 90 B 5
Mesnil-Saint-Nicaise 80 .... 23 G 3
Mesnil-Saint-Père 10 .... 115 G 2
Mesnil-Sellières 10 .... 91 F 5
Le Mesnil-Simon 14 .... 34 B 5
Le Mesnil-Simon 28 .... 57 E 3
Le Mesnil-sous-Jumièges 76 .. 35 H 2
Mesnil-sous-les-Côtes 55 .... 64 C 1
Mesnil-sous-Vienne 27 .... 37 F 2
Le Mesnil-sur-Blangy 14 .... 34 D 3
Le Mesnil-sur-Bulles 60 .... 38 C 1
Mesnil-sur-l'Estrée 27 .... 56 C 4
Le Mesnil-sur-Oger 51 .... 61 G 2
Le Mesnil-Thébault 50 .... 52 A 5
Le Mesnil-Théribus 60 .... 37 H 3
Le Mesnil-Thomas 28 .... 85 G 2
Le Mesnil-Tôve 50 .... 52 B 4
Mesnil-Val 76 .... 10 D 4
Le Mesnil-Véneron 50 .... 32 A 4
Mesnil-Verclives 27 .... 36 D 3
Le Mesnil-Vigot 50 .... 31 H 4
Le Mesnil-Villeman 50 .... 51 H 2
Le Mesnil-Villement 14 .... 53 G 3
Le Mesnilbus 50 .... 31 H 4
Le Mesnillard 50 .... 52 B 5
Mesnois 39 .... 196 C 1
Les Mesnuls 78 .... 57 G 4
Mespaul 29 .... 71 G 4
Mesplède 64 .... 293 G 5
Mesples 03 .... 190 B 3
Mespuits 91 .... 87 G 5
Mesquer 44 .... 145 H 3
Messac 17 .... 220 B 5
Messac 35 .... 126 B 2
Messais 86 .... 168 C 3
Messanges 21 .... 159 H 5
Messanges 40 .... 292 B 2
Messas 45 .... 132 C 3
Messé 79 .... 186 A 5
Messei 61 .... 53 F 4
Messein 54 .... 94 D 1
Messeix 63 .... 226 C 2
Messemé 86 .... 168 D 1
Messery 74 .... 197 H 3
Messeux 16 .... 203 G 2
Messey-sur-Grosne 71 .... 177 G 5
Messia-sur-Sorne 39 .... 179 E 5
Messigny-et-Vantoux 21 .... 160 A 2
Messilhac *Château de* 15 .... 244 D 5
Messimy 69 .... 230 D 1
Messimy-sur-Saône 01 .... 213 E 2
Messincourt 08 .... 27 G 4
Messon 10 .... 114 C 2
Messy 77 .... 59 E 2
Mesterrieux 33 .... 256 D 3
Mestes 19 .... 226 B 3
Mesves-sur-Loire 58 .... 156 B 4
Mesvres 71 .... 176 C 3
Métabief 25 .... 180 C 4
Les Métairies 16 .... 220 C 1
Métairies-Saint-Quirin 57 .... 96 B 1
Méteren 59 .... 4 A 5
Méthamis 84 .... 286 A 5
Métigny 80 .... 11 H 5
Metting 57 .... 68 A 4
Mettray 37 .... 151 H 2
Metz 57 .... 65 H 1
Metz-en-Couture 62 .... 14 A 5
Metz-le-Comte 58 .... 157 G 2
Metz-Robert 10 .... 115 E 4
Metz-Tessy 74 .... 215 G 3
Metzeral 68 .... 120 C 4
Metzeresche 57 .... 46 B 4
Metzervisse 57 .... 45 H 3
Metzing 57 .... 47 F 5
Meucon 56 .... 124 B 3
Meudon 92 .... 58 B 4
Meuilley 21 .... 159 H 5
Meulan 78 .... 57 H 1
Meulers 76 .... 20 C 2
Meulin 71 .... 194 B 4
Meulles 14 .... 54 D 2
Meulson 21 .... 138 B 4
Meunet-Planches 36 .... 172 B 4
Meunet-sur-Vatan 36 .... 172 A 1
Meung-sur-Loire 45 .... 132 D 3
Meurcé 72 .... 107 H 2
Meurchin 62 .... 8 C 4
Meurcourt 70 .... 141 F 3
La Meurdraquière 50 .... 51 G 3
Meures 52 .... 116 D 2
Meurival 02 .... 41 E 3
Meursac 17 .... 219 E 1
Meursanges 21 .... 178 A 2
Meursault 21 .... 177 G 2
Meurville 10 .... 116 A 2
Meuse 52 .... 117 H 4
Meusnes 41 .... 153 F 4
Meussia 39 .... 196 D 2
Meuvaines 14 .... 33 F 3
Meuvy 52 .... 117 H 3
Meux 17 .... 220 B 4
Le Meux 60 .... 39 F 2
Meuzac 87 .... 224 B 3
Mévoisins 28 .... 86 B 3
Mévouillon 26 .... 286 C 2
Meximieux 01 .... 213 H 4
Mexy 54 .... 45 E 1
Mey 57 .... 45 H 5
Meyenheim 68 .... 121 E 4
Meylan 38 .... 251 E 1
Meylan 47 .... 275 E 4
Meymac 19 .... 225 G 3
Meynes 30 .... 304 B 1
Meyrals 24 .... 241 F 5
Meyrand *Col de* 07 .... 265 H 3
Meyrannes 30 .... 283 H 2
Meyrargues 13 .... 306 B 4
Meyras 07 .... 266 A 2
Meyreuil 13 .... 306 A 5
Meyriat 01 .... 214 A 1
Meyrié 38 .... 232 A 2
Meyrieu-les-Étangs 38 .... 231 H 3
Meyrieux-Trouet 73 .... 233 E 1
Meyrignac-l'Église 19 .... 225 E 5
Meyronne 46 .... 242 C 5
Meyronnes 04 .... 271 E 4
Meyrueis 48 .... 282 B 3
Meys 69 .... 230 B 1
Meyssac 19 .... 242 D 3
Meysse 07 .... 267 E 3
Meyssiez 38 .... 231 G 3
Meythet 74 .... 215 G 3
La Meyze 87 .... 223 G 2
Meyzieu 69 .... 213 G 5
Mézangers 53 .... 106 C 2
Mèze 34 .... 322 D 3
Mézel 04 .... 288 A 4
Mezel 63 .... 228 A 1
Mézenc *Mont* 43 .... 247 H 5
Mézens 81 .... 298 B 3
Mézeray 72 .... 129 G 2
Mézères 43 .... 247 G 2
Mézériat 01 .... 195 G 5
Mézerolles 80 .... 12 C 3
Mézerville 11 .... 318 C 4
Mézidon 14 .... 34 A 5
La Mézière 35 .... 104 A 2
Mézières-au-Perche 28 .... 109 H 2
Mézières-en-Brenne 36 .... 170 D 4
Mézières-en-Drouais 28 .... 56 D 5
Mézières-en-Gâtinais 45 .... 112 A 4
Mézières-en-Santerre 80 .... 22 D 3
Mézières-en-Vexin 27 .... 37 E 5
Mézières-lez-Cléry 45 .... 133 E 3
Mézières-sous-Lavardin 72 . 107 G 3
Mézières-sur-Couesnon 35 .... 80 D 5
Mézières-sur-Issoire 87 .... 205 E 2
Mézières-sur-Oise 02 .... 24 B 3
Mézières-sur-Ponthouin 72 . 108 A 2
Mézières-sur-Seine 78 .... 57 G 2
Mézilhac 07 .... 266 B 1
Mézilles 89 .... 135 G 4
Mézin 47 .... 275 F 4
Méziré 90 .... 142 C 4
Mézos 40 .... 272 C 4
Mézy-Moulins 02 .... 60 C 1
Mézy-sur-Seine 78 .... 57 G 2
Mezzavia 2A .... 348 C 3
Mhère 58 .... 157 H 4
Mialet 24 .... 223 E 3
Mialet 30 .... 283 G 4
Mialos 64 .... 294 B 5
Miannay 80 .... 11 F 3
Michaugues 58 .... 157 F 4
Michelbach 68 .... 143 E 1
Michelbach-le-Bas 68 .... 143 G 3
Michelbach-le-Haut 68 .... 143 G 3
Michery 89 .... 89 F 5
Midi de Bigorre *Pic du* 65 .... 333 F 3
Midrevaux 88 .... 93 H 4
Mièges 39 .... 180 A 4
Miel *Maison du* 63 .... 209 G 4
Miélan 32 .... 315 G 2
Miellin 70 .... 142 B 1
Miermaigne 28 .... 109 F 2
Miers 46 .... 260 D 1
Miéry 39 .... 179 F 3
Mietesheim 67 .... 68 D 3
Mieussy 74 .... 216 B 1
Mieuxcé 61 .... 83 G 4
Mifaget 64 .... 332 B 1
Migé 89 .... 136 B 4
Migennes 89 .... 114 A 5
Miglos 09 .... 336 B 5
Mignafans 70 .... 141 H 5
Mignaloux-Beauvoir 86 .... 186 C 2
Mignavillers 70 .... 141 H 5
Migné 36 .... 171 E 5
Migné-Auxances 86 .... 186 B 1
Mignères 45 .... 112 B 4
Mignerette 45 .... 112 B 4
Mignéville 54 .... 96 A 2
Mignières 28 .... 86 A 5
Mignovillard 39 .... 180 B 3
Migny 36 .... 172 C 2
Migré 17 .... 201 G 2
Migron 17 .... 201 H 5
Mijanès 09 .... 337 E 5
Mijoux 01 .... 197 F 3
La Milesse 72 .... 107 G 4
Milhac 46 .... 259 H 1
Milhac-d'Auberoche 24 .... 241 E 3
Milhac-de-Nontron 24 .... 222 D 4
Milhaguet 87 .... 222 D 2
Milhars 81 .... 279 E 4
Milhas 31 .... 334 C 2
Milhaud 30 .... 303 H 2
Milhavet 81 .... 279 F 5
Milizac 29 .... 70 C 5
Millac 86 .... 204 C 1
Millam 59 .... 3 F 4
Millançay 41 .... 153 H 2
Millas 66 .... 342 D 2
Millau 12 .... 281 H 4
Millay 58 .... 176 A 3
Millebosc 76 .... 11 E 5
Millemont 78 .... 57 F 4
Millencourt 80 .... 13 F 5
Millencourt-en-Ponthieu 80 .... 11 H 3
Millery 21 .... 158 D 1
Millery 54 .... 65 H 4
Millery 69 .... 231 E 2
Les Milles 13 .... 305 H 5
Millevaches 19 .... 225 G 2
Millières 50 .... 31 G 4
Millières 52 .... 117 G 3
Millonfosse 59 .... 9 F 5
Milly 50 .... 52 B 5
Milly 89 .... 136 C 3
Milly-la-Forêt 91 .... 88 A 4
Milly-Lamartine 71 .... 194 D 4
Milly-sur-Bradon 55 .... 43 H 2
Milly-sur-Thérain 60 .... 37 H 1
Milon-la-Chapelle 78 .... 58 A 5
Mimbaste 40 .... 293 E 4
Mimet 13 .... 327 E 1
Mimeure 21 .... 159 E 5
Mimizan 40 .... 272 B 2
Mimizan-Plage 40 .... 272 B 2
Minard *Pointe de* 22 .... 73 G 3
Minaucourt-le-Mesnil-
lès-Hurlus 51 .... 42 D 4
Mindin 44 .... 146 C 3
Minerve 34 .... 320 C 3
Mingot 65 .... 315 F 3
Mingoval 62 .... 7 H 5
Miniac-Morvan 35 .... 79 H 3
Miniac-sous-Bécherel 35 .... 103 H 1
Minier *Col du* 30 .... 282 C 4
Les Minières 27 .... 56 B 3
Le Minihic-sur-Rance 35 .... 50 C 5
Minihy-Tréguier 22 .... 73 E 3
Minorville 54 .... 65 F 4
Minot 21 .... 138 D 4
Minversheim 67 .... 68 D 4
Minzac 24 .... 239 E 4
Minzier 74 .... 215 F 2
Miolans *Château de* 73 .... 233 H 2
Miolles 81 .... 300 A 1
Miomo 2B .... 345 G 4
Mionnay 01 .... 213 F 4
Mions 69 .... 231 F 1
Mios 33 .... 254 D 3
Miossens-Lanusse 64 .... 314 B 2

Mirabeau 04 287 H 4
Mirabeau 84 306 C 3
Mirabel 07 266 C 3
Mirabel 82 277 H 4
Mirabel
Parc d'attractions 63 209 H 4
Mirabel-aux-Baronnies 26 285 H 1
Mirabel-et-Blacons 26 267 H 2
Miradoux 32 276 C 5
Miramar 06 309 E 5
Miramas 13 305 E 5
Mirambeau 17 219 G 4
Mirambeau 31 316 D 3
Miramont-d'Astarac 32 296 A 5
Miramont-
de-Comminges 31 334 C 1
Miramont-de-Guyenne 47 257 G 3
Miramont-de-Quercy 82 277 F 3
Miramont-Latour 32 296 B 3
Miramont-Sensacq 40 294 B 4
Mirande 32 295 H 5
Mirandol-Bourgnounac 81 279 G 4
Mirannes 32 295 H 4
Miraumont 80 13 G 4
Miraval-Cabardès 11 319 H 3
Mirbel 52 92 D 5
Miré 49 128 D 3
Mirebeau 86 168 D 4
Mirebeau-sur-Bèze 21 160 C 2
Mirebel 39 179 G 5
Mirecourt 88 94 D 5
Mirefleurs 63 228 A 1
Miremont 31 317 H 3
Miremont 63 209 E 4
Mirepeisset 11 320 D 4
Mirepeix 64 314 C 5
Mirepoix 09 336 D 1
Mirepoix 32 296 B 3
Mirepoix-sur-Tarn 31 298 B 2
Mireval 34 323 F 3
Mireval-Lauragais 11 319 E 4
Miribel 01 213 F 5
Miribel 26 249 H 1
Miribel-Lanchâtre 38 250 D 4
Miribel-les-Échelles 38 232 D 4
Mirmande 26 267 F 2
Le Miroir 71 196 A 2
Miromesnil Château de 76 20 B 2
Mirvaux 80 12 D 5
Mirville 76 19 E 5
Miscon 26 268 C 3
Miserey 27 56 C 1
Miserey-Salines 25 161 H 3
Misérieux 01 213 E 3
Misery 80 23 G 2
Mison 04 287 F 2
Missé 79 168 A 2
Missècle 81 299 E 3
Missègre 11 337 H 2
Missery 21 158 D 3
Missillac 44 125 G 5
Missiriac 56 103 E 5
Misson 40 293 E 4
Missy 14 33 F 5
Missy-aux-Bois 02 40 A 3
Missy-lès-Pierrepont 02 25 E 4
Missy-sur-Aisne 02 40 C 2
Misy-sur-Yonne 77 89 E 5
Mitry-le-Neuf 77 59 E 2
Mitry-Mory 77 59 E 2
Mitschdorf 67 69 E 2
Mittainville 78 57 F 5
Mittainvilliers-Vérigny 28 85 H 3
Mittelbergheim 67 97 F 3
Mittelbronn 57 68 A 4
Mittelhausbergen 67 97 G 1
Mittelhausen 67 68 D 5
Mittelschaeffolsheim 67 68 D 5
Mittelwihr 68 121 E 2
Mittersheim 57 67 F 3
Mittlach 68 120 C 4
Mittois 14 54 B 1
Mitzach 68 120 C 5
Mizérieux 42 211 H 5
Mizoën 38 251 H 3
Mobecq 50 31 G 3
Moca-Croce 2A 349 E 4
Modane 73 252 D 1
Modène 84 285 H 4
Moëlan-sur-Mer 29 100 C 5
Les Moëres 59 3 H 2
Mœrnach 68 143 F 4
Moëslains 52 92 C 2
Mœurs-Verdey 51 61 E 5
Mœuvres 59 14 A 4
Moëze 17 200 D 3
Moffans-et-Vacheresse 70 141 H 4
La Mogère Château de 34 303 E 4
Mogeville 55 44 C 4
Mognard 73 215 F 5
Mogneneins 01 213 E 1
Mognéville 55 63 F 4
Mogneville 60 38 D 3
Mogues 08 27 H 4
Mohon 56 102 D 3
Moidieu-Détourbe 38 231 G 3
Moidrey 50 80 C 2
Moigné 35 104 A 3
Moigny-sur-École 91 88 A 4
Moimay 70 141 G 5
Moineville 54 45 F 5
Moings 17 220 B 3
Moingt 42 229 G 2
Moinville-la-Jeulin 28 86 C 4
Moirans 38 232 C 5
Moirans-en-Montagne 39 196 D 3
Moirax 47 276 B 3
Moiré 69 212 C 3
Moiremont 51 43 E 5
Moirey 55 44 B 4
Moiron 39 179 E 5
Moiry 08 27 H 5
Moisdon-la-Rivière 44 127 E 4
Moisenay 77 88 C 2
Moislains 80 23 G 1
Moissac 82 277 F 4
Moissac-Bellevue 83 307 G 3
Moissac-
Vallée-Française 48 283 E 3
Moissannes 87 206 C 4
Moissat 63 210 B 5
Moisselles 95 58 C 1
Moissey 39 161 E 4
Moissieu-sur-Dolon 38 231 G 4
Moisson 78 57 F 1
Moissy-Cramayel 77 88 B 2
Moissy-Moulinot 58 157 G 3
Moisville 27 56 B 3
Moisy 41 132 A 2
Moïta 2B 347 G 4
Les Moitiers-d'Allonne 50 28 D 5
Les Moitiers-
en-Bauptois 50 31 G 2
Moitron 21 138 C 4
Moitron-sur-Sarthe 72 107 G 2
Moivre 51 62 D 2
Moivrons 54 65 H 4
Molac 56 125 E 3
Molagnies 76 37 F 1
Molain 02 14 D 5
Molain 39 179 G 3
Molamboz 39 179 F 2
Molandier 11 318 C 5
Molas 31 316 C 3
Molay 39 178 D 1
Molay 70 140 B 3
Môlay 89 137 E 4
Le Molay-Littry 14 32 C 3
La Môle 83 329 E 3
Moléans 28 110 A 3
Molèdes 15 245 G 1
Molène Île 29 74 B 2
Molère 65 333 G 1
Molesme 21 115 G 5
Molesmes 89 136 A 5
Molezon 48 282 D 3
Moliens 60 21 G 4
Molières 24 258 D 1
Molières 46 261 F 1
Molières 82 277 H 3
Les Molières 91 58 A 5
Molières-Cavaillac 30 282 D 5
Molières-Glandaz 26 268 B 2
Molières-sur-Cèze 30 283 H 2
Moliets-et-Maa 40 292 B 1
Moliets-Plage 40 292 B 1
Molinchart 02 24 C 5
Molines-en-Queyras 05 271 E 1
Molinet 03 193 F 3
Molineuf 41 131 H 5
Molinges 39 196 D 3
Molinghem 62 7 G 3
Molinons 89 114 A 2
Molinot 21 177 F 1
Molins-sur-Aube 10 91 G 4
Molitg-les-Bains 66 342 A 2
Mollans 70 141 G 4
Mollans-sur-Ouvèze 26 285 H 2
Mollard Col du 73 252 A 1
Mollau 68 120 B 5
Mollégès 13 305 E 2
Molles 03 210 C 2
Les Mollettes 73 233 G 3
Molleville 11 318 D 4
Molliens-au-Bois 80 22 C 1
Molliens-Dreuil 80 21 H 2
La Mollière 80 11 E 2
Mollkirch 67 97 E 2
Molompize 15 245 H 1
Molosmes 89 137 E 2
Moloy 21 159 H 1
Molphey 21 158 C 3
Molpré 39 180 A 4
Molring 57 67 F 3
Molsheim 67 97 F 1
Moltifao 2B 347 E 2
Les Molunes 39 197 E 3
Momas 64 314 A 2
Mombrier 33 237 G 3
Momères 65 315 E 5
Momerstroff 57 46 C 5
Mommenheim 67 68 D 4
Momuy 40 293 H 4
Momy 64 314 D 3
Mon Idée 08 26 A 2
Monacia-d'Aullène 2A 351 E 3
Monacia-d'Orezza 2B 347 G 3
Monampteuil 02 40 D 1
Monassut-Audiracq 64 314 C 2
Le Monastère 12 280 D 1
Le Monastier 48 264 A 4
Le Monastier-
sur-Gazeille 43 247 G 5
Monay 39 179 F 3
Monbadon 33 238 D 4
Monbahus 47 257 H 4
Monbalen 47 276 C 2
Monbardon 32 316 B 3
Monbazillac 24 257 H 1
Monbéqui 82 297 G 1
Monblanc 32 317 E 2
Monbos 24 257 G 2
Monbouan Château de 35 104 D 4
Monbrun 32 297 E 4
Moncale 2B 346 C 2
Moncassin 32 316 A 2
Moncaup 31 334 B 2
Moncaup 64 314 D 2
Moncaut 47 275 H 3
Moncayolle-Larrory-
Mendibieu 64 313 F 4
Moncé-en-Belin 72 130 A 2
Moncé-en-Saosnois 72 84 A 5
Monceau-le-Neuf-
et-Faucouzy 02 24 D 3
Monceau-le-Waast 02 25 E 5
Monceau-lès-Leups 02 24 C 4
Monceau-Saint-Waast 59 15 G 3
Monceau-sur-Oise 02 25 E 1
Les Monceaux 14 34 C 5
Monceaux 60 38 D 3
Monceaux-au-Perche 61 84 D 3
Monceaux-en-Bessin 14 33 E 3
Monceaux-l'Abbaye 60 21 G 4
Monceaux-le-Comte 58 157 G 3
Monceaux-
sur-Dordogne 19 243 E 3
Moncel-lès-Lunéville 54 95 G 1
Moncel-sur-Seille 54 66 C 4
Moncel-sur-Vair 88 94 A 4
La Moncelle 08 27 F 4
Moncetz-l'Abbaye 51 62 D 4
Moncetz-Longevas 51 62 B 2
Moncey 25 162 A 2
Monchaux 80 11 E 1
Monchaux-Soreng 76 11 E 5
Monchaux-sur-Écaillon 59 14 D 2
Moncheaux 59 8 D 4
Moncheaux-lès-Frévent 62 12 D 2
Monchecourt 59 14 B 2
Monchel-sur-Canche 62 12 C 2
Moncheux 57 66 B 3
Monchiet 62 13 F 3
Monchy-au-Bois 62 13 F 3
Monchy-Breton 62 7 H 5
Monchy-Cayeux 62 7 F 5
Monchy-Humières 60 39 F 1
Monchy-Lagache 80 23 H 2
Monchy-le-Preux 62 13 H 2
Monchy-Saint-Éloi 60 38 D 3
Monchy-sur-Eu 76 10 D 4
Moncla 64 294 C 4
Monclar 32 294 D 1
Monclar 47 257 H 5
Monclar-de-Quercy 82 278 C 5
Monclar-sur-Losse 32 295 H 5
Moncley 25 161 H 3
Moncontour 22 78 C 4
Moncontour 86 168 C 3
Moncorneil-Grazan 32 316 B 2
Moncourt 57 66 D 5
Moncoutant 79 167 F 4
Moncrabeau 47 275 G 5
Moncy 61 53 E 3
Mondavezan 31 317 E 5
Mondelange 57 45 H 4
Mondement-Montgivroux 51 61 E 4
Mondescourt 60 23 H 5
Mondevert 35 105 F 3
Mondeville 14 33 H 4
Mondeville 91 87 H 3
Mondicourt 62 13 E 4
Mondigny 08 26 C 3
Mondilhan 31 316 B 4
Mondion 86 169 G 2
Mondon 25 162 C 1
Mondonville 31 297 G 4
Mondonville-Saint-Jean 28 86 D 5
Mondorff 57 45 H 1
Mondoubleau 41 109 E 5
Mondouzil 31 298 A 4
Mondragon 84 285 E 2
Mondrainville 14 33 F 5
Mondrecourt 55 63 H 1
Mondrepuis 02 25 G 1
Mondreville 77 112 B 3
Mondreville 78 57 E 3
Monein 64 313 H 3
Monès 31 317 E 3
Monesple 09 336 A 1
Monestier 03 191 H 5
Monestier 07 248 C 2
Monestier 24 257 G 1
Le Monestier 63 228 D 3
Monestier-d'Ambel 38 269 F 1
Monestier-de-Clermont 38 250 D 4
Le Monestier-du-Percy 38 268 D 1
Monestier-Merlines 19 226 C 2
Monestier-Port-Dieu 19 226 C 4
Monestiés 81 279 G 4
Monestrol 31 318 B 4
Monétay-sur-Allier 03 192 A 4
Monétay-sur-Loire 03 193 E 3
Monéteau 89 136 B 2
Monêtier-Allemont 05 269 F 5
Le Monêtier-les-Bains 05 252 C 3
Monfaucon 24 239 F 5
Monfaucon 65 315 F 2
Monferran-Plavès 32 316 B 2
Monferran-Savès 32 297 E 5
Monflanquin 47 258 C 4
Monfort 32 296 D 2
Monfréville 14 32 B 3
Mongaillard 47 275 F 3
Mongausy 32 316 C 2
Mongauzy 33 256 D 4
Monget 40 294 A 5
La Mongie 65 333 F 3
Monguilhem 32 294 C 1
Monheurt 47 275 G 1
Monhoudou 72 84 A 5
Monieux 84 286 B 4
Monistrol-d'Allier 43 246 D 4
Monistrol-sur-Loire 43 247 H 1
Monlaur-Bernet 32 316 A 3
Monléon-Magnoac 65 316 A 4
Monlet 43 247 E 2
Monlezun 32 315 G 2
Monlezun-d'Armagnac 32 294 D 2
Monlong 65 315 H 5
Monmadalès 24 258 B 1
Monmarvès 24 258 B 2
Monnai 61 55 E 3
Monnaie 37 152 A 1
Monneren 57 46 B 3
La Monnerie-le-Montel 63 210 D 4
Monnerville 91 87 F 5
Monnes 02 40 A 5
Monnet-la-Ville 39 179 G 4
Monnetay 39 196 B 2
Monnetier-Mornex 74 197 H 5
Monneville 60 37 H 4
Monnières 39 160 D 5
Monnières 44 148 A 5
Monoblet 30 283 F 5
Monpardiac 32 315 G 2
Monpazier 24 258 D 2
Monpezat 64 294 D 5
Monplaisant 24 259 E 1
Monprimblanc 33 256 B 3
Mons 16 202 D 4
Mons 17 202 B 5
Mons 30 283 H 4
Mons 31 298 B 4
Mons 34 301 E 5
Mons 63 210 B 3
Mons 83 308 C 3
Mons-Boubert 80 11 F 3
Mons-en-Barœul 59 8 D 2
Mons-en-Chaussée 80 23 H 2
Mons-en-Laonnois 02 40 D 1
Mons-en-Montois 77 89 F 3
Mons-en-Pévèle 59 8 D 4
Monsac 24 258 C 1
Monsaguel 24 258 B 2
Monsec 24 222 B 4
Monségur 33 257 E 3
Monségur 40 293 H 4
Monségur 47 258 D 5
Monségur 64 315 E 2
La Monselie 15 226 C 5
Monsempron-Libos 47 259 E 5
Monsireigne 85 166 D 4
Monsols 69 194 C 5
Monsteroux-Milieu 38 231 F 4
Monsures 80 22 B 4
Monswiller 67 68 B 4
Mont 64 313 H 2
Mont 65 333 H 4
Mont 71 193 E 1
Le Mont 88 96 B 3
Mont Signal de 71 193 E 1
Mont-Bernanchon 62 8 A 3
Mont-Bertrand 14 52 C 1
Mont Blanc Tunnel du 74 217 E 3
Mont-Bonvillers 54 45 E 3
Le Mont-Caume 83 328 A 4
Mont-Cauvaire 76 20 B 5
Mont-Cenis Col du 73 235 F 5
Mont-Cindre 69 213 E 5
Mont-d'Astarac 32 316 A 4
Mont-Dauphin 05 270 D 2
Mont-de-Galié 31 334 B 2
Mont-de-Lans 38 251 H 3
Mont-de-Laval 25 163 E 4
Mont-de-l'If 76 19 H 5
Mont-de-Marrast 32 315 H 3
Mont-de-Marsan 40 294 A 1
Mont-de-Vougney 25 163 F 3
Mont des Cats 59 4 A 5
Mont-devant-Sassey 55 43 G 2
Le Mont-Dieu 08 27 E 5
Mont-Disse 64 294 D 5
Mont-Dol 35 80 A 2
Le Mont-Dore 63 227 E 3
Mont-d'Origny 02 24 C 2
Mont du Chat 73 233 E 1
Mont-et-Marré 58 175 G 1
Mont-Laurent 08 42 B 1
Mont-le-Franois 70 140 A 5
Mont-le-Vernois 70 141 E 4
Mont-le-Vignoble 54 94 B 1
Mont-lès-Lamarche 88 118 B 4
Mont-lès-Neufchâteau 88 93 H 4
Mont-lès-Seurre 71 178 B 2
Mont-l'Étroit 54 94 A 3
Mont-l'Évêque 60 39 E 4
Mont-Louis 66 341 G 4
Mont Noir 59 4 A 5
Mont-Notre-Dame 02 40 D 3
Mont-Ormel 61 54 C 3
Mont-près-Chambord 41 153 F 1
Mont-Roc 81 299 H 2
Mont Roland
Sanctuaire du 39 161 E 5
Mont-Rond Sommet du 01 197 F 3
Le Mont-Saint-Adrien 60 37 H 2
Mont-Saint-Aignan 76 36 B 1
Mont-Saint-Éloi 62 8 A 5
Mont-Saint-Jean 02 25 H 3
Mont-Saint-Jean 21 158 D 3
Mont-Saint-Jean 72 107 F 2
Mont-Saint-Léger 70 140 C 4
Mont-Saint-Martin 02 40 D 3
Mont-Saint-Martin 08 42 D 3
Mont-Saint-Martin 38 232 D 5
Mont-Saint-Martin 54 45 E 1
Le Mont-Saint-Michel 50 51 F 5
Mont-Saint-Père 02 60 C 1
Mont-Saint-Remy 08 42 B 2
Mont-Saint-Sulpice 89 114 A 5
Mont-Saint-Vincent 71 194 B 1
Mont-Saxonnex 74 216 B 2
Mont-sous-Vaudrey 39 179 F 1
Mont-sur-Courville 51 41 E 4
Mont-sur-Meurthe 54 95 F 2
Mont-sur-Monnet 39 179 G 4
Mont Thou 69 213 E 4
Mont-Villers 55 64 C 1
Montabard 61 54 A 3
Montabès Puy de 12 262 D 3
Montabon 72 130 B 4
Montabot 50 52 A 2
Montacher-Villegardin 89 113 E 3
Montadet 32 316 D 2
Montady 34 321 F 5
Montagagne 09 335 H 3
Montagna-le-Reconduit 39 196 A 2
Montagna-le-Templier 39 196 B 4
Montagnac 04 307 F 2
Montagnac 30 303 F 1
Montagnac 34 322 C 3
Montagnac-
d'Auberoche 24 241 E 2
Montagnac-la-Crempse 24 240 B 4
Montagnac-
sur-Auvignon 47 275 H 3
Montagnac-sur-Lède 47 258 D 4
Montagnat 01 213 H 1
Montagne 33 238 C 5
Montagne 38 249 H 2
La Montagne 44 147 F 4
La Montagne 70 119 H 5
Montagne de Dun 71 194 A 5
Montagne-Fayel 80 11 H 5
Montagney 25 162 C 1
Montagney 70 161 F 3
Montagnieu 01 214 B 5
Montagnieu 38 232 B 3
Montagnol 12 301 E 2
Montagnole 73 233 F 2
Montagny 42 211 H 2
Montagny 69 231 E 2
Montagny 73 234 C 3
Montagny-en-Vexin 60 37 G 4
Montagny-lès-Beaune 21 177 H 2
Montagny-lès-Buxy 71 177 G 5
Montagny-les-Lanches 74 215 G 4
Montagny-lès-Seurre 21 178 C 1
Montagny-
près-Louhans 71 178 C 5
Montagny-Sainte-Félicité 60 39 F 5
Montagny-sur-Grosne 71 194 C 4
Montagoudin 33 256 D 3
Montagrier 24 239 H 1
Montagudet 82 277 F 2
Montagut 64 294 A 5
Montaignac-
Saint-Hippolyte 19 225 F 5
Montaigu 02 41 F 1
Montaigu 39 179 E 5
Montaigu 85 166 A 1
Montaigu Butte de 53 106 C 2
Montaigu-de-Quercy 82 277 E 1
Montaigu-la-Brisette 50 29 G 4
Montaigu-le-Blin 03 192 C 5
Montaigu-les-Bois 50 51 H 2
Montaiguët-en-Forez 03 193 E 5
Montaigut 63 209 E 1
Montaigut-le-Blanc 23 206 D 2
Montaigut-le-Blanc 63 227 H 3
Montaigut-sur-Save 31 297 G 4
Montaillé 72 108 C 5
Montailleur 73 233 H 1
Montaillou 09 336 D 5
Montaimont 73 234 A 4
Montain 39 179 E 4
Montaïn 82 297 F 1
Montainville 28 110 B 2
Montainville 78 57 G 3
Montal Château de 46 261 E 1
Montalba-d'Amélie 66 342 D 4
Montalba-le-Château 66 342 C 2
Montalembert 79 203 F 1
Montalet-le-Bois 78 57 G 1
Montalieu-Vercieu 38 214 B 5
Montalivet-les-Bains 33 218 B 4
Montalzat 82 278 B 3
Montamat 32 316 D 2
Montambert 58 175 G 4
Montamel 46 260 B 3
Montamisé 86 186 C 1
Montamy 14 52 D 1
Montanay 69 213 E 4
Montanceix 24 240 B 2
Montancy 25 163 H 2
Montandon 25 163 G 2
Montanel 50 80 D 3
Montaner 64 315 E 3
Montanges 01 214 D 1
Montangon 10 91 G 4
Montans 81 298 D 2
Montapas 58 175 F 1
Montarcher 42 229 G 4
Montardit 09 335 F 1
Montardon 64 314 B 3
Montaren-
et-Saint-Médiers 30 284 B 5
Montargis 45 112 C 5
Montarlot 77 88 D 5
Montarlot-
lès-Champlitte 70 140 A 4

Montarlot-lès-Rioz 70 161 H 2
Montarnaud 34 302 C 4
Montaron 58 175 G 3
Montastruc 47 257 H 5
Montastruc 65 315 H 5
Montastruc 82 277 G 4
Montastruc-de-Salies 31 334 D 2
Montastruc-
la-Conseillère 31 298 B 3
Montastruc-Savès 31 317 E 3
Le Montat 46 278 B 1
Montataire 60 38 C 4
Montauban 82 277 H 5
Montauban-
de-Bretagne 35 103 G 2
Montauban-de-Luchon 31 334 B 4
Montauban-de-Picardie 80 13 G 5
Montauban-
sur-l'Ouvèze 26 286 C 2
Montaud 34 303 E 3
Montaud 38 250 C 1
Montaudin 53 81 G 4
Montaulieu 26 286 A 1
Montaulin 10 115 E 2
Montaure 27 36 B 4
Montauriol 11 318 D 4
Montauriol 47 258 B 3
Montauriol 66 342 D 3
Montauriol 81 280 B 4
Montauroux 83 308 D 3
Montaut 09 318 B 5
Montaut 24 258 B 2
Montaut 31 317 G 3
Montaut 32 315 H 3
Montaut 40 293 H 3
Montaut 47 258 C 3
Montaut 64 314 C 5
Montaut-les-Créneaux 32 296 B 3
Montautour 35 105 F 2
Montauville 54 65 G 3
Montay 59 14 D 4
Montayral 47 259 E 5
Montazeau 24 239 E 5
Montazels 11 337 G 3
Montbard 21 137 H 5
Montbarla 82 277 F 3
Montbarrey 39 179 F 1
Montbarrois 45 111 H 4
Montbartier 82 297 G 1
Montbavin 02 40 C 1
Montbazens 12 261 H 5
Montbazin 34 302 C 5
Montbazon 37 151 H 4
Montbel 09 337 E 3
Montbel 48 265 E 4
Montbéliard 25 142 B 4
Montbéliardot 25 163 E 4
Montbellet 71 195 E 2
Montbenoît 25 180 D 1
Montberaud 31 317 F 5
Montbernard 31 316 C 4
Montberon 31 298 A 3
Montbert 44 147 H 5
Montberthault 21 158 B 1
Montbertrand 38 231 H 1
Montbeton 82 277 G 5
Montbeugny 03 192 C 2
Montbizot 72 107 H 3
Montblainville 55 43 F 4
Montblanc 04 289 E 5
Montblanc 34 321 H 3
Montboillon 70 161 H 2
Montboissier 28 110 A 2
Montbolo 66 342 C 4
Montbonnot-
Saint-Martin 38 251 E 1
Montboucher 23 206 D 3
Montboucher-
sur-Jabron 26 267 E 4
Montboudif 15 227 E 5
Montbouton 90 142 C 5
Montbouy 45 134 D 2
Montboyer 16 221 E 5
Montbozon 70 162 B 1
Montbrand 05 268 D 3
Montbras 55 94 A 2
Montbray 50 52 B 2
Montbré 51 41 G 4
Montbrehain 02 24 B 1
Montbrison 26 267 G 5
Montbrison 42 229 G 2
Montbron 16 221 H 1
Montbronn 57 68 A 1
Montbrun 46 261 E 5
Montbrun 48 282 C 1
Montbrun Château de 87 223 E 2
Montbrun-Bocage 31 335 G 1
Montbrun-des-Corbières 11 320 C 5
Montbrun-Lauragais 31 318 A 2
Montbrun-les-Bains 26 286 C 3
Montcabrier 46 259 F 4
Montcabrier 81 298 C 4
Montcaret 24 239 E 5
Montcarra 38 232 B 2
Montcavrel 62 6 C 4
Montceau 38 232 A 2
Montceau-et-Écharnant 21 177 F 1
Montceau-les-Mines 71 176 D 5
Montceaux 01 213 E 2
Montceaux-lès-Meaux 77 59 H 2
Montceaux-lès-Provins 77 60 C 5
Montceaux-lès-Vaudes 10 115 E 3
Montceaux-l'Étoile 71 193 G 4
Montceaux-Ragny 71 195 E 1
Montcel 63 209 G 3
Le Montcel 73 215 F 5
Montcenis 71 176 D 4
Montcet 01 195 G 5
Montcey 70 141 F 4
Montchaboud 38 251 E 2
Montchal 42 212 A 5
Montchâlons 02 41 E 1
Montchamp 14 52 D 2
Montchamp 15 246 A 3
Montchanin 71 177 E 4
Montcharvot 52 118 A 5
Montchaton 50 51 G 1
Montchaude 16 220 C 4
Montchauvet 14 52 D 2
Montchauvet 78 57 F 3
Montchauvrot 39 179 E 3
Montchavin 73 234 D 2
Montchenot 51 41 G 5
Montchenu 26 249 G 1
Montcheutin 08 43 E 3
Montchevrel 61 84 A 2
Montchevrier 36 189 E 3
Montclar 04 270 B 5
Montclar 11 337 G 1
Montclar 12 300 B 1
Montclar-
de-Comminges 31 317 E 5
Montclar-Lauragais 31 318 C 3
Montclar-sur-Gervanne 26 267 H 1
Montclard 43 246 C 1
Montcléra 46 259 G 3
Montclus 05 268 D 5
Montclus 30 284 B 2
Montcombroux-
les-Mines 03 192 D 4
Montcony 71 178 C 5
Montcorbon 45 113 E 5
Montcornet 02 25 G 4
Montcornet 08 26 C 2
Montcourt 70 118 C 5
Montcourt-Fromonville 77 88 B 5
Montcoy 71 178 A 4
Montcresson 45 134 D 2
Montcuit 50 31 H 5
Montcuq-en-
Quercy-Blanc 46 277 G 1
Montcusel 39 196 C 3
Montcy-Notre-Dame 08 26 D 3
Montdardier 30 302 B 1
Montdauphin 77 60 C 3
Montdidier 57 67 F 2
Montdidier 80 22 D 4
Montdoré 70 118 D 5
Montdoumerc 46 278 B 2
Montdragon 81 299 F 3
Montdurausse 81 298 A 1
Monte 2B 347 G 2
Monte Cecu 2B 347 E 4
Monte d'Oro 2A 349 E 1
Monteaux 41 152 D 1
Montebourg 50 29 G 4
Montech 82 297 G 1
Montech
Pente d'eau de 82 277 G 5
Montécheroux 25 163 G 2
Montegrosso 2B 346 C 2
Montégut 32 296 B 4
Montégut 40 294 C 1
Montégut 65 334 A 1
Montégut-Arros 32 315 F 3
Montégut-Bourjac 31 317 E 4
Montégut-
en-Couserans 09 335 F 2
Montégut-Lauragais 31 318 D 2
Montégut-Plantaurel 09 336 A 1
Montégut-Savès 32 317 E 2
Monteignet-
sur-l'Andelot 03 210 A 2
Le Monteil 15 244 C 1
Le Monteil 43 247 F 3
Le Monteil-au-Vicomte 23 207 F 4
Monteille 14 34 B 5
Monteils 12 279 F 2
Monteils 30 284 A 4
Monteils 82 278 C 3
Montel-de-Gelat 63 208 D 4
Montéléger 26 249 F 5
Montélier 26 249 G 4
Montélimar 26 267 E 4
Le Montellier 01 213 G 3
Montels 09 336 A 2
Montels 34 321 E 4
Montels 81 298 D 1
Montemaggiore 2B 346 C 2
Montembœuf 16 204 B 5
Montenach 57 46 B 2
Montenay 53 81 H 5
Montendre 17 219 H 5
Montendry 73 233 H 2
Montenescourt 62 13 F 2
Monteneuf 56 103 F 5
Montenils 77 60 C 3
Montenois 25 142 A 4
Montenoison 58 157 E 4
Montenoy 54 65 H 4
Montépilloy 60 39 E 4
Monteplain 39 161 F 4
Montépreux 51 61 H 5
Monterblanc 56 124 C 2
Montereau 45 134 B 2
Montereau-Fault-Yonne 77 88 D 4
Montereau-sur-le-Jard 77 88 B 2
Monterfil 35 103 H 3
Montérolier 76 20 D 4
Monterrein 56 103 E 5
Montertelot 56 102 D 5
Montescot 66 343 F 3
Montescourt-Lizerolles 02 24 A 3
Montespan 31 334 D 1
Montesquieu 34 301 G 5
Montesquieu 47 275 H 3
Montesquieu 82 277 F 3
Montesquieu-Avantès 09 335 F 2
Montesquieu-
des-Albères 66 343 E 4
Montesquieu-Guittaut 31 316 C 3
Montesquieu-Lauragais 31 318 B 3
Montesquieu-Volvestre 31 317 G 5
Montesquiou 32 295 G 5
Montessaux 70 141 H 3
Montesson 52 140 B 2
Montesson 78 58 A 3
Montestruc-sur-Gers 32 296 B 2
Montestrucq 64 313 F 2
Le Montet 03 191 G 3
Montet-et-Bouxal 46 261 F 2
Monteton 47 257 F 3
Montets Col des 74 217 E 2
Monteux 84 285 G 4
Montévrain 77 59 F 3
Monteynard 38 250 D 4
Montézic 12 262 D 2
Montfa 09 335 G 1
Montfa 81 299 G 4
Montfalcon 38 249 H 1
Montfarville 50 29 H 3
Montfaucon 02 60 C 2
Montfaucon 25 162 A 4
Montfaucon 30 285 E 4
Montfaucon 46 260 C 2
Montfaucon-d'Argonne 55 43 G 3
Montfaucon-en-Velay 43 248 A 2
Montfaucon-montigné 49 148 B 5
Montfavet 84 304 D 1
Montfermeil 93 58 D 3
Montfermier 82 277 H 3
Montfermy 63 209 E 4
Montferney 25 162 C 1
Montferrand 11 318 D 3
Montferrand 63 209 H 5
Montferrand-
du-Périgord 24 258 D 2
Montferrand-la-Fare 26 286 C 1
Montferrand-le-Château 25 161 H 4
Montferrat 38 232 C 3
Montferrat 83 308 A 4
Montferrer 66 342 C 5
Montferrier 09 336 C 3
Montferrier-sur-Lez 34 302 D 4
Montfey 10 114 C 4
Montfiquet 14 32 C 4
Montfleur 39 196 B 4
Montflours 53 106 A 2
Montflovin 25 180 D 1
Montfort 04 287 G 4
Montfort 24 259 G 1
Montfort 25 179 H 1
Montfort 49 150 A 4
Montfort 64 313 F 3
Montfort-en-Chalosse 40 293 F 3
Montfort-l'Amaury 78 57 G 4
Montfort-le-Gesnois 72 108 A 4
Montfort-sur-Argens 83 307 F 5
Montfort-sur-Boulzane 11 337 H 5
Montfort-sur-Meu 35 103 H 2
Montfort-sur-Risle 27 35 G 3
Montfranc 12 300 B 2
Montfrin 30 304 B 1
Montfroc 26 286 D 3
Montfuron 04 306 C 1
Montgaillard 09 336 B 3
Montgaillard 11 338 B 3
Montgaillard 40 294 A 3
Montgaillard 65 333 F 1
Montgaillard 81 298 B 1
Montgaillard 82 296 D 1
Montgaillard-de-Salies 31 334 D 2
Montgaillard-Lauragais 31 318 C 2
Montgaillard-sur-Save 31 316 C 4
Montgardin 05 270 A 3
Montgardon 50 31 F 3
Montgaroult 61 54 A 4
Montgauch 09 335 E 2
Montgaudry 61 84 A 4
Montgazin 31 317 G 4
Montgé-en-Goële 77 59 F 1
Montgeard 31 318 B 3
Montgellafrey 73 234 A 4
Montgenèvre 05 252 D 4
Montgenost 51 90 A 2
Montgeoffroy
Château de 49 150 A 1
Montgérain 60 38 D 1
Montgermont 35 104 B 2
Montgeron 91 58 D 5
Montgeroult 95 57 H 1
Montgesoye 25 162 B 5
Montgesty 46 259 G 4
Montgey 81 318 D 2
Montgibaud 19 224 B 3
Montgilbert 73 234 A 2
Montgirod 73 234 C 2
Montgiscard 31 318 B 2
Montgivray 36 189 G 1
Montgobert 02 40 A 3
Montgon 08 42 D 1
Montgothier 50 52 A 5
Montgradail 11 337 E 1
Montgras 31 317 E 2
Montgreleix 15 227 F 5
Montgru-Saint-Hilaire 02 40 B 4
Montguers 26 286 C 2
Montgueux 10 90 D 5
Montguillon 49 128 B 3
Montguyon 17 238 C 1
Les Monthairons 55 64 B 2
Montharville 28 109 H 3
Monthault 35 81 F 2
Monthaut 11 337 F 1
Monthelie 21 177 G 2
Monthelon 51 61 F 2
Monthelon 71 176 C 2
Monthenault 02 40 D 1
Montheries 52 116 C 3
Montherlant 60 38 A 3
Monthermé 08 26 D 1
Monthiers 02 40 B 5
Monthieux 01 213 F 3
Monthion 73 234 A 1
Monthodon 37 131 E 4
Monthoiron 86 169 H 5
Monthois 08 42 D 3
Montholier 39 179 F 2
Monthou-sur-Bièvre 41 153 E 1
Monthou-sur-Cher 41 153 E 3
Monthuchon 50 31 G 5
Monthurel 02 60 D 1
Monthureux-le-Sec 88 118 C 2
Monthureux-sur-Saône 88 118 C 4
Monthyon 77 59 F 1
Monti 06 291 G 5
Monticello 2B 344 C 5
Montier-en-Der 52 92 B 3
Montier-en-l'Isle 10 116 A 2
Montiéramey 10 115 F 2
Montierchaume 36 171 H 3
Montiers 60 38 D 1
Montiers-sur-Saulx 55 93 E 2
Monties 32 316 B 3
Montignac 24 241 F 3
Montignac 33 256 B 2
Montignac 65 315 F 5
Montignac-Charente 16 203 F 5
Montignac-de-Lauzun 47 257 H 4
Montignac-le-Coq 16 221 F 5
Montignac-Toupinerie 47 257 G 4
Montignargues 30 303 G 1
Montigné 16 202 D 5
Montigné 79 185 F 5
Montigné-le-Brillant 53 105 H 4
Montigné-lès-Rairies 49 129 F 5
Montigné-sur-Moine 49 148 B 5
Montigny 14 53 F 1
Montigny 18 155 G 4
Montigny 45 111 F 3
Montigny 50 52 A 5
Montigny 54 96 A 2
Montigny 72 83 H 3
Montigny 76 36 A 1
Montigny 79 167 F 4
Montigny-aux-Amognes 58 174 D 1
Montigny-devant-Sassey 55 43 G 1
Montigny-en-Arrouaise 02 24 C 1
Montigny-en-Cambrésis 59 14 C 4
Montigny-en-Gohelle 62 8 C 5
Montigny-en-Morvan 58 157 H 5
Montigny-en-Ostrevant 59 9 E 5
Montigny-la-Resle 89 136 C 2
Montigny-l'Allier 02 39 H 5
Montigny-le-Bretonneux 78 57 H 4
Montigny-le-Chartif 28 85 G 5
Montigny-le-Franc 02 25 F 4
Montigny-le-Gannelon 28 109 H 5
Montigny-le-Guesdier 77 89 G 4
Montigny-le-Roi 52 117 G 4
Montigny-Lencoup 77 89 E 4
Montigny-Lengrain 02 39 H 2
Montigny-lès-Arsures 39 179 G 2
Montigny-lès-Cherlieu 70 140 C 2
Montigny-lès-Condé 02 60 D 2
Montigny-lès-Cormeilles 95 58 B 2
Montigny-les-Jongleurs 80 12 B 3
Montigny-lès-Metz 57 65 H 1
Montigny-les-Monts 10 114 D 3
Montigny-lès-Vaucouleurs 55 93 H 2
Montigny-lès-Vesoul 70 141 E 4
Montigny-Montfort 21 137 H 5
Montigny-
Saint-Barthélemy 21 158 C 2
Montigny-sous-Marle 02 25 E 3
Montigny-sur-Armançon 21 158 D 2
Montigny-sur-Aube 21 116 B 5
Montigny-sur-Avre 28 56 A 5
Montigny-sur-Canne 58 175 G 3
Montigny-sur-Chiers 54 44 D 2
Montigny-sur-Crécy 02 24 D 4
Montigny-sur-l'Ain 39 179 G 4
Montigny-sur-l'Hallue 80 22 D 1
Montigny-sur-Loing 77 88 C 5
Montigny-sur-Meuse 08 17 E 5
Montigny-sur-Vence 08 26 C 4
Montigny-sur-Vesle 51 41 E 3
Montigny-
sur-Vingeanne 21 139 H 5
Montilliers 49 149 G 4
Montillot 89 157 G 1
Montilly 03 192 A 1
Montilly-sur-Noireau 61 53 E 3
Montils 17 219 H 1
Les Montils 41 153 E 1
Montipouret 36 189 F 1
Montirat 11 320 A 5
Montirat 81 279 G 3
Montireau 28 85 F 4
Montiron 32 296 D 5
Montivernage 25 162 D 2
Montivilliers 76 18 C 5
Montjardin 11 337 E 2
Montjaux 12 281 F 4
Montjavoult 60 37 G 4
Montjay 05 286 D 1
Montjay 71 178 C 4
Montjay-la-Tour 77 59 E 3
Montjean 16 203 F 2
Montjean 53 105 G 4
Montjean-sur-Loire 49 149 E 2
Montjézieu 48 264 A 5
Montjoi 11 338 A 2
Montjoi 82 276 D 3
Montjoie 63 209 E 1
Montjoie-en-Couserans 09 335 F 2
Montjoie-le-Château 25 163 G 2
Montjoie-Saint-Martin 50 81 E 2
Montjoire 31 298 A 3
Montjouvent 39 196 C 2
Montjoux 26 267 H 4
Montjoyer 26 267 F 5
Montjustin 04 306 B 1
Montjustin-et-Velotte 70 141 G 4
Montlandon 28 85 F 4
Montlandon 52 139 H 2
Montlaur 11 338 B 1
Montlaur 12 300 D 1
Montlaur 31 318 B 2
Montlaur-en-Diois 26 268 B 3
Montlaux 04 287 F 4
Montlauzun 46 277 G 2
Montlay-en-Auxois 21 158 C 3
Montlebon 25 181 E 1
Montlegun 11 319 H 5
Montlevicq 36 189 H 2
Montlevon 02 60 D 2
Montlhéry 91 87 G 2
Montliard 45 111 H 4
Montlieu-la-Garde 17 238 B 1
Montlignon 95 58 B 1
Montliot-et-Courcelles 21 138 A 2
Montlivault 41 132 B 5
Montlognon 60 39 E 5
Montloué 02 25 G 4
Montlouet 28 86 C 3
Montlouis 18 172 D 4
Montlouis-sur-Loire 37 152 A 2
Montluçon 03 190 D 4
Montluel 01 213 G 4
Montmachoux 77 89 E 5
Montmacq 60 39 G 1
Montmagny 95 58 C 2
Montmahoux 25 180 A 1
Montmain 21 178 A 1
Montmain 76 36 C 2
Montmajour Abbaye de 13 304 C 3
Montmalin 39 179 F 2
Montmançon 21 160 D 2
Montmarault 03 191 G 4
Montmarlon 39 179 H 3
Montmarquet 80 21 G 3
Montmartin 60 39 E 1
Montmartin-en-Graignes 50 32 A 3
Montmartin-le-Haut 10 115 H 2
Montmartin-sur-Mer 50 51 F 1
Montmaur 05 269 F 3
Montmaur 11 318 D 3
Montmaur-en-Diois 26 268 B 2
Montmaurin 31 316 B 5
Montmédy 55 44 B 1
Montmeillant 08 26 A 4
Montmelard 71 194 B 4
Montmelas-Saint-Sorlin 69 212 C 3
Montmélian 73 233 G 3
Montmerle-sur-Saône 01 212 D 2
Montmerrei 61 54 B 5
Montmeyan 83 307 F 3
Montmeyran 26 267 G 1
Montmin 74 215 H 4
Montmirail 51 60 D 3
Montmirail 72 108 D 3
Montmiral 26 249 H 2
Montmirat 30 303 F 1
Montmirat Col de 48 264 C 5
Montmirey-la-Ville 39 161 E 4
Montmirey-le-Château 39 161 E 4
Montmoreau-
Saint-Cybard 16 221 E 4
Montmorency 95 58 C 2
Montmorency-Beaufort 10 91 H 3
Montmorillon 86 187 F 3
Montmorin 05 268 C 5
Montmorin 63 228 B 1
Montmorot 39 179 E 5
Montmort 51 61 F 2
Montmort 71 176 B 5
Montmotier 88 118 D 4
Montmoyen 21 138 C 3
Montmuran Château de 35 80 A 5
Montmurat 15 261 H 3
Montner 66 338 C 5
Montoillot 21 159 F 4
Montoir-de-Bretagne 44 146 C 2
Montoire-sur-le-Loir 41 131 F 3
Montois-la-Montagne 57 45 G 5
Montoison 26 267 F 1
Montoldre 03 192 B 4
Montolieu 11 319 G 4
Montolivet 77 60 C 3
Montonvillers 80 22 B 1
Montord 03 192 A 5
Montory 64 331 F 2
Montot 21 160 C 5
Montot 70 140 A 5
Montot-sur-Rognon 52 93 F 5
Montouliers 34 320 D 4
Montoulieu 09 336 B 3
Montoulieu 34 302 C 1
Montoulieu-
Saint-Bernard 31 316 D 5
Montournais 85 167 E 4

Montours 35 81 E 3
Montourtier 53 106 B 2
Montoussé 65 333 H 1
Montoussin 31 317 E 4
Montoy-Flanville 57 66 B 1
Montpascal 73 234 A 5
Montpellier 34 302 D 4
Montpellier-de-Médillan 17 219 F 2
Montpellier-la-Paillade 34 302 D 4
Montpellier-le-Vieux *Chaos de* 12 282 A 4
Montpensier 63 210 A 2
Montperreux 25 180 C 3
Montpeyroux 12 263 F 3
Montpeyroux 24 239 E 5
Montpeyroux 34 302 A 3
Montpeyroux 63 228 A 2
Montpezat 04 307 F 2
Montpezat 30 303 F 2
Montpézat 32 317 E 3
Montpezat-d'Agenais 47 275 H 1
Montpezat-de-Quercy 82 278 B 2
Montpezat-sous-Bauzon 07 266 A 2
Montpinchon 50 51 H 1
Montpinçon 14 54 B 2
Montpinier 81 299 G 4
Montpitol 31 298 B 3
Montplonne 55 63 H 5
Montpollin 49 129 F 5
Montpon-Ménestérol 24 239 F 4
Montpont-en-Bresse 71 195 G 1
Montpothier 10 89 H 2
Montpouillan 47 257 E 5
Montpoupon *Château de* 37 152 D 4
Montrabé 31 298 A 4
Montrabot 50 32 C 5
Montracol 01 195 G 5
Montravers 79 167 E 3
Montréal 07 266 A 4
Montréal 11 319 F 5
Montréal 32 275 F 5
Montréal 89 158 B 1
Montréal *Château de* 24 239 H 4
Montréal-la-Cluse 01 196 C 5
Montréal-les-Sources 26 268 A 5
Montrécourt 59 14 D 3
Montredon 11 319 H 5
Montredon 46 261 H 3
Montredon-des-Corbières 11 321 E 5
Montredon-Labessonnié 81 299 H 3
Montregard 43 248 B 2
Montréjeau 31 334 A 1
Montrelais 44 148 D 2
Montrelet 80 12 C 4
Montrem 24 240 B 2
Montrésor 37 152 D 5
Montret 71 178 B 5
Montreuil 28 56 D 4
Montreuil 53 82 C 4
Montreuil 62 6 C 4
Montreuil 85 183 H 3
Montreuil 93 58 D 3
Montreuil-au-Houlme 61 53 H 5
Montreuil-aux-Lions 02 60 A 1
Montreuil-Bellay 49 150 B 5
Montreuil-Bonnin 86 186 A 2
Montreuil-des-Landes 35 81 E 5
Montreuil-en-Auge 14 34 B 4
Montreuil-en-Caux 76 20 B 4
Montreuil-en-Touraine 37 152 B 1
Montreuil-Juigné 49 149 G 1
Montreuil-la-Cambe 61 54 B 3
Montreuil-l'Argillé 27 55 E 2
Montreuil-le-Chétif 72 107 F 2
Montreuil-le-Gast 35 80 B 5
Montreuil-le-Henri 72 130 D 2
Montreuil-sous-Pérouse 35 105 E 2
Montreuil-sur-Barse 10 115 F 2
Montreuil-sur-Blaise 52 92 C 3
Montreuil-sur-Brêche 60 38 B 1
Montreuil-sur-Epte 95 37 F 5
Montreuil-sur-Ille 35 80 B 5
Montreuil-sur-Loir 49 128 D 5
Montreuil-sur-Lozon 50 32 A 4
Montreuil-sur-Maine 49 128 B 4
Montreuil-sur-Thérain 60 38 B 2
Montreuil-sur-Thonnance 52 93 E 3
Montreuillon 58 157 H 5
Montreux 54 96 A 2
Montreux-Château 90 142 D 3
Montreux-Jeune 68 142 D 3
Montreux-Vieux 68 142 D 3
Montrevault-sur-Èvre 49 148 C 3
Montrevel 38 232 B 3
Montrevel 39 196 B 3
Montrevel-en-Bresse 01 195 G 4
Montrichard-Val-de-Cher 41 152 D 3
Montricher-Albanne 73 252 B 1
Montricoux 82 278 C 4
Montrieux-en-Sologne 41 153 H 1
Montrigaud 26 249 H 1
Montriond 74 198 C 5
Montriond *Lac de* 74 198 D 5
Montroc-le-Planet 74 217 E 2
Montrodat 48 264 B 4
Montrol-Sénard 87 205 E 3
Montrollet 16 205 E 3
Montromant 69 230 C 1
Montrond 05 269 E 5
Montrond 39 179 G 4
Montrond 73 252 A 1
Montrond-le-Château 25 162 A 5
Montrond-les-Bains 42 230 A 2
Montrosier 81 279 E 4
Montrottier 69 212 B 5
Montroty 76 37 F 2
Montrouge 92 58 C 4
Montrouveau 41 131 E 4
Montroy 17 200 D 1
Montrozier 12 281 E 1
Montry 77 59 F 3
Monts 37 151 H 4
Monts 60 37 H 4
Monts-de-Vaux 39 179 G 3
les Monts d'Olmes 09 336 C 4
Monts-en-Bessin 14 33 E 5
Monts-en-Ternois 62 12 D 2
Monts-sur-Guesnes 86 169 E 2
Montsalès 12 261 F 5
Montsalier 04 286 D 4
Montsalvy 15 262 C 2
Montsaon 52 116 D 3
Montsapey 73 234 A 2
Montsauche-les-Settons 58 158 B 4
Montsaugeon 52 139 G 4
Montsaunès 31 334 D 1
Montsec 55 65 E 3
Montsecret 61 53 E 3
Montségur 09 336 D 4
Montségur-sur-Lauzon 26 285 F 1
Montselgues 07 265 G 4
Montséret 11 338 D 1
Montsérié 65 333 H 2
Montseron 09 335 G 2
Montseugny 70 161 E 2
Montseveroux 38 231 F 4
Montsoreau 49 150 C 4
Montsoué 40 294 A 3
Montsoult 95 58 C 1
Montsûrs 53 106 B 3
Montsurvent 50 31 G 5
Montsuzain 10 91 E 4
Montureux-et-Prantigny 70 161 F 1
Montureux-lès-Baulay 70 140 D 2
Montursin 25 163 H 2
Montusclat 43 247 H 4
Montussaint 25 162 C 1
Montussan 33 237 H 5
Montvalen 81 298 B 2
Montvalent 46 242 C 5
Montvalezan 73 235 E 1
Montvendre 26 249 G 5
Montverdun 42 229 G 1
Montvernier 73 234 A 5
Montvert 15 243 G 4
Montvicq 03 191 E 4
Montviette 14 54 B 1
Montville 76 20 B 5
Montviron 50 51 G 4
Montzéville 55 43 H 4
Monviel 47 257 H 4
Monze 11 338 A 1
Moon-sur-Elle 50 32 B 4
Moosch 68 120 C 5
Mooslargue 68 143 E 4
Moraches 58 157 F 4
Moragne 17 201 E 3
Morains 51 61 G 4
Morainville 28 86 D 4
Morainville-Jouveaux 27 35 E 4
Morainvilliers 78 57 H 2
Morancé 69 212 D 4
Morancez 28 86 A 4
Morancourt 52 92 C 4
Morand 37 131 G 5
Morangis 51 61 F 2
Morangis 91 58 C 5
Morangles 60 38 B 4
Morannes-sur-Sarthe 49 128 D 3
Moranville 55 44 C 5
Moras 38 231 H 1
Moras-en-Valloire 26 231 G 5
Morbecque 59 7 H 2
Morbier 39 197 F 1
Morcenx 40 273 E 4
Morchain 80 23 G 3
Morchamps 25 162 C 1
Morchies 62 13 H 4
Morcourt 02 24 B 2
Morcourt 80 23 E 2
Mordelles 35 104 A 3
Moréac 56 102 A 4
Morée 41 131 H 2
Moreilles 85 183 F 3
Morello *Col de* 2B 347 F 5
Morelmaison 88 94 B 5
Morembert 10 91 F 3
Moréno *Col de la* 63 227 G 1
Morestel 38 232 B 1
Moret-Loing-et-Orvanne 77 88 C 5
Morêtel-de-Mailles 38 233 G 4
Morette 38 232 B 5
Moreuil 80 22 D 3
Morey 54 65 H 4
Morey 70 140 B 3
Morey 71 177 F 4
Morey-Saint-Denis 21 160 A 4
Morez 39 197 F 1
Morfontaine 54 45 E 2
Morganx 40 293 H 4
Morgat 29 75 E 4
Morgemoulin 55 44 C 4
Morgny 27 37 E 2
Morgny-en-Thiérache 02 25 G 3
Morgny-la-Pommeraye 76 36 C 1
Morhange 57 66 D 3
Moriani-Plage 2B 347 H 3
Moriat 63 228 A 4
Morienne 76 21 F 3
Morienval 60 39 G 3
Morières-lès-Avignon 84 285 F 5
Moriers 28 110 A 2
Morieux 22 78 C 3
Moriez 04 288 C 5
Morigny 50 52 B 2
Morigny-Champigny 91 87 G 4
Morillon 74 216 C 1
Morimond *Abbaye de* 52 118 A 4
Moringhem 62 3 E 5
Moriond 73 234 D 4
Morionvilliers 52 93 G 4
Morisel 80 22 D 3
Moriville 88 95 F 4
Moriviller 54 95 F 3
Morizécourt 88 118 B 3
Morizès 33 256 C 3
Morlaàs 64 314 C 3
Morlac 18 173 E 5
Morlaincourt 55 93 F 1
Morlaix 29 71 H 4
Morlancourt 80 23 E 1
Morlanne 64 293 H 5
Morlet 71 177 E 2
Morley 55 93 E 2
Morlhon-le-Haut 12 279 G 2
Morlincourt 60 23 H 5
Mormaison 85 165 H 2
Mormant 77 88 D 2
Mormant-sur-Vernisson 45 112 C 5
Mormès 32 294 D 2
Mormoiron 84 286 A 4
Mornac 16 221 G 1
Mornac-sur-Seudre 17 218 D 1
Mornand-en-Forez 42 229 H 1
Mornans 26 267 H 3
Mornant 69 230 D 2
Mornas 84 285 E 3
Mornay 21 139 H 5
Mornay 71 194 A 2
Mornay-Berry 18 174 A 1
Mornay-sur-Allier 18 174 B 4
Moroges 71 177 G 4
Morogues 18 155 G 4
Morosaglia 2B 347 F 3
Morre 25 162 A 4
Morsain 02 40 A 2
Morsains 51 60 D 4
Morsalines 50 29 G 4
Morsan 27 35 F 4
Morsang-sur-Orge 91 58 C 5
Morsang-sur-Seine 91 88 A 2
Morsbach 57 47 F 5
Morsbronn-les-Bains 67 68 D 2
Morschwiller 67 68 D 3
Morschwiller-le-Bas 68 143 F 1
Morsiglia 2B 345 F 1
Le Mort-Homme 55 43 H 4
Mortagne 88 96 A 5
Mortagne-au-Perche 61 84 C 3
Mortagne-du-Nord 59 9 G 4
Mortagne-sur-Gironde 17 219 E 3
Mortagne-sur-Sèvre 85 166 D 1
Mortain-Bocage 50 52 C 5
Mortcerf 77 59 G 4
La Morte 38 251 F 3
Morteau 25 163 E 5
Morteaux-Couliboeuf 14 54 A 2
Mortefontaine 02 39 H 3
Mortefontaine 60 39 E 5
Mortefontaine-en-Thelle 60 38 B 4
Mortemart 87 205 E 2
Mortemer 60 23 E 5
Mortemer 76 21 E 3
Mortemer *Abbaye de* 27 37 E 2
Morterolles-sur-Semme 87 205 H 1
Mortery 77 89 G 2
Morthemer 86 186 D 3
Morthomiers 18 172 D 1
Mortiers 02 24 D 4
Mortiers 17 220 B 4
Morton 86 150 C 5
Mortrée 61 54 B 5
Mortroux 23 189 F 4
Mortzwiller 68 142 D 2
Morval 39 196 B 3
Morval 62 13 H 5
Morvillars 90 142 C 4
Morville 50 29 F 5
Morville 88 118 A 2
Morville-en-Beauce 45 111 G 2
Morville-lès-Vic 57 66 D 4
Morville-sur-Andelle 76 36 D 1
Morville-sur-Nied 57 66 C 2
Morville-sur-Seille 54 65 H 3
Morvillers 60 21 G 5
Morvillers-Saint-Saturnin 80 21 G 3
Morvilliers 10 92 A 4
Morvilliers 28 55 H 5
Mory 62 13 G 4
Mory-Montcrux 60 22 C 5
Morzine 74 198 C 5
Mosles 14 32 D 3
Moslins 51 61 F 2
Mosnac 16 220 D 2
Mosnac 17 219 G 3
Mosnay 36 188 D 1
Mosnes 37 152 C 2
Mosset 66 342 A 2
Mosson 21 116 A 5
Mostuéjouls 12 282 A 3
Motey-Besuche 70 161 F 3
Motey-sur-Saône 70 140 B 5
La Mothe-Achard 85 165 F 5
La Mothe-Saint-Héray 79 185 G 4
Mothern 67 69 G 2
Motreff 29 76 D 5
La Motte 22 102 B 1
La Motte 83 308 B 5
La Motte-au-Bois 59 7 H 2
La Motte-Chalancon 26 268 B 4
La Motte-d'Aigues 84 306 A 2
La Motte-d'Aveillans 38 251 E 4
La Motte-de-Galaure 26 249 F 2
La Motte-du-Caire 04 287 G 1
La Motte-en-Bauges 73 233 G 1
La Motte-en-Champsaur 05 269 G 1
La Motte-Fanjas 26 250 A 3
La Motte-Feuilly 36 189 H 2
La Motte-Fouquet 61 82 D 2
La Motte-Saint-Jean 71 193 F 2
La Motte-Saint-Martin 38 250 D 4
La Motte-Servolex 73 233 E 2
La Motte-Ternant 21 158 D 3
La Motte-Tilly 10 89 H 3
Mottereau 28 109 G 2
Motteville 76 19 H 4
Mottier 38 232 A 4
Motz 73 215 E 3
Mouacourt 54 66 D 5
Mouais 44 126 C 3
Mouans-Sartoux 06 309 E 3
Mouaville 54 45 E 5
Mouazé 35 80 B 5
Mouchamps 85 166 C 4
Mouchan 32 295 G 1
Mouchard 39 179 G 1
La Mouche 50 51 H 3
Mouchès 32 295 H 5
Mouchin 59 9 F 4
Mouchy-le-Châtel 60 38 B 3
Moudeyres 43 247 H 4
Mouen 14 33 F 5
Mouettes 27 56 D 3
Mouffy 89 136 B 4
Mouflaines 27 37 E 4
Mouflers 80 12 B 5
Mouflières 80 11 F 5
Mougins 06 309 E 4
Mougon 79 185 F 4
Mouguerre 64 292 A 5
Mouhers 36 189 E 2
Mouhet 36 188 C 4
Mouhous 64 294 C 5
Mouillac 33 238 B 4
Mouillac 82 278 C 2
La Mouille 39 197 F 2
Mouilleron 52 139 F 4
Mouilleron-Saint-Germain 85 166 D 5
Mouilleron-le-Captif 85 165 H 4
Mouilly 55 64 C 2
Moulainville 55 44 C 5
Moularès 81 279 H 4
Moulay 53 82 B 5
Moulayrès 81 299 E 3
Moulédous 65 315 G 5
Moulès 13 304 C 4
Moulès-et-Baucels 34 302 C 1
Mouleydier 24 240 B 5
Moulézan 30 303 F 1
Moulhard 28 109 F 2
Moulicent 61 84 D 2
Moulidars 16 220 D 1
Mouliets-et-Villemartin 33 256 D 1
Mouliherne 49 150 C 1
Moulin *Château du* 41 153 G 3
Moulin-Chabaud 01 214 B 1
Le Moulin-des-Ponts 01 196 A 4
Moulin-Mage 81 300 D 3
Moulin-Neuf 09 337 E 1
Moulin-Neuf 24 239 E 4
Moulin-Neuf *Petit Musée auvergnat* 63 227 G 3
Moulin-sous-Touvent 60 39 H 1
Moulineaux 76 36 A 3
Moulines 14 53 G 1
Moulines 50 81 G 2
Moulinet 06 291 G 3
Moulinet 47 258 B 4
Le Moulinet-sur-Solin 45 134 C 2
Moulins 02 41 E 2
Moulins 03 192 A 2
Moulins 35 104 D 4
Moulins 79 167 E 2
Moulins-en-Tonnerrois 89 137 E 4
Moulins-Engilbert 58 175 H 2
Moulins-la-Marche 61 55 E 5
Moulins-le-Carbonnel 72 83 F 4
Moulins-lès-Metz 57 65 G 1
Moulins-Saint-Hubert 55 27 G 5
Moulins-sur-Céphons 36 171 G 2
Moulins-sur-Orne 61 54 A 4
Moulins-sur-Ouanne 89 135 H 4
Moulins-sur-Yèvre 18 173 F 1
Moulis 09 335 F 3
Moulis-en-Médoc 33 237 E 3
Moulismes 86 187 F 4
Moulle 62 3 F 5
Le Moulleau 33 254 B 2
Moulon 33 238 B 5
Moulon 45 112 B 4
Moulot 58 157 E 2
Moulotte 55 65 E 1
Moult 14 33 H 5
Moumoulous 65 315 G 3
Moumour 64 313 G 4
Mounes-Prohencoux 12 300 D 3
Mourède 32 295 G 2
Mourens 33 256 C 3
Mourenx 64 313 H 3
Mouret 12 262 C 4
Moureuille 63 209 F 1
Mourèze 34 301 H 4
Mouriès 13 304 D 3
Mouriez 62 11 H 1
Le Mourillon 83 328 A 4
Mourioux-Vieilleville 23 206 C 2
Mourjou 15 262 B 2
Mourmelon-le-Grand 51 42 B 5
Mourmelon-le-Petit 51 42 A 5
Mournans-Charbonny 39 180 A 4
Mouron 08 43 E 3
Mouron-sur-Yonne 58 157 G 5
Mouroux 77 59 H 4
Mours 95 38 B 5
Mours-Saint-Eusèbe 26 249 G 3
Le Mourtis 31 334 C 3
Mourvilles-Basses 31 318 C 2
Mourvilles-Hautes 31 318 D 3
Mouscardès 40 293 F 4
Moussac 30 284 A 5
Moussac 86 187 E 5
Moussages 15 244 C 1
Moussan 11 321 E 5
Moussé 35 105 E 5
Les Mousseaux 78 57 G 4
Mousseaux-lès-Bray 77 89 F 4
Mousseaux-Neuville 27 56 C 3
Mousseaux-sur-Seine 78 57 F 1
Moussey 10 115 E 2
Moussey 57 67 E 5
Moussey 88 96 B 3
Les Moussières 39 197 E 4
Mousson 54 65 G 3
Moussonvilliers 61 84 D 2
Moussoulens 11 319 G 4
Moussy 51 61 F 1
Moussy 58 157 E 5
Moussy 95 37 H 5
Moussy-le-Neuf 77 59 E 1
Moussy-le-Vieux 77 59 E 1
Moussy-Verneuil 02 40 D 2
Moustajon 31 334 A 4
Mousterlin 29 99 H 4
Moustéru 22 73 E 5
Moustey 40 273 F 1
Le Moustier 24 241 F 4
Moustier 47 257 G 3
Moustier-en-Fagne 59 16 A 4
Moustier-Ventadour 19 225 G 5
Moustiers-Sainte-Marie 04 307 G 1
Le Moustoir 22 76 D 4
Moustoir-Ac 56 102 A 5
Moustoir-Remungol 56 102 A 3
La Moutade 63 209 H 3
Moutaine 39 179 H 2
Moutardon 16 203 G 2
Le Moutaret 38 233 G 4
Moutchic 33 236 B 3
Mouterhouse 57 68 B 2
Mouterre-Silly 86 168 C 2
Mouterre-sur-Blourde 86 204 D 1
Mouthe 25 180 B 4
Le Moutherot 25 161 F 4
Mouthier-en-Bresse 71 178 D 3
Mouthier-Haute-Pierre 25 180 C 1
Mouthiers-sur-Boëme 16 221 E 3
Mouthoumet 11 338 A 3
Moutier-d'Ahun 23 207 G 2
Moutier-Malcard 23 189 G 4
Moutier-Rozeille 23 207 H 4
Moutiers 28 86 D 5
Moutiers 35 105 E 4
Moutiers 54 45 F 4
Moûtiers 73 234 C 3
Moutiers-au-Perche 61 85 E 3
Les Moutiers-en-Auge 14 54 B 2
Les Moutiers-en-Cinglais 14 53 G 1
Moutiers-en-Puisaye 89 135 G 5
Les Moutiers-en-Retz 44 146 D 5
Les Moutiers-Hubert 14 54 D 2
Moutiers-les-Mauxfaits 85 182 D 2
Moutiers-Saint-Jean 21 137 G 5
Moutiers-sous-Argenton 79 167 H 2
Moutiers-sous-Chantemerle 79 167 F 5
Moutiers-sur-le-Lay 85 183 F 1
Mouton 16 203 F 4
Mouton Rothschild *Château de* 33 237 E 1
Moutonne 39 196 B 2
La Moutonne 83 328 B 4
Moutonneau 16 203 F 4
Moutoux 39 179 H 4
Moutrot 54 94 B 1
Mouvaux 59 8 D 2
Moux 11 320 B 5
Moux-en-Morvan 58 158 C 5
Mouxy 73 233 F 1
Mouy 60 38 C 3
Mouy-sur-Seine 77 89 F 4
Mouzay 37 170 B 1
Mouzay 55 43 H 1
Mouzeil 44 148 A 1
Mouzens 24 259 E 1
Mouzens 81 298 D 5
Mouzeuil-Saint-Martin 85 183 G 2
Mouzieys-Panens 81 279 E 4
Mouzieys-Teulet 81 299 G 2
Mouzillon 44 148 A 5
Mouzon 08 27 G 4
Mouzon 16 204 B 5
Moval 90 142 C 3
Moy-de-l'Aisne 02 24 B 3
Moyaux 14 34 D 4

Moydans 05 268 C 5
Moye 74 215 E 4
Moyemont 88 95 G 4
Moyen 54 95 G 3
Moyencourt 80 23 G 4
Moyencourt-lès-Poix 80 22 A 3
Moyenmoutier 88 96 B 3
Moyenneville 60 39 E 1
Moyenneville 62 13 G 3
Moyenneville 80 11 G 4
Moyenvic 57 66 D 4
Moyeuvre-Grande 57 45 G 4
Moyeuvre-Petite 57 45 G 4
Moyon Villages 50 52 A 1
Moyrazès 12 280 C 1
Moyvillers 60 39 E 2
Mozac 63 209 H 4
Mozé-sur-Louet 49 149 G 2
Muchedent 76 20 B 3
Mudaison 34 303 E 4
Muel 35 103 F 2
Muespach 68 143 G 4
Muespach-le-Haut 68 143 G 4
Mugron 40 293 G 2
Muhlbach-sur-Bruche 67 96 D 2
Muhlbach-sur-Munster 68 120 C 3
Muides-sur-Loire 41 132 C 4
Muidorge 60 38 A 1
Muids 27 36 C 4
Muille-Villette 80 23 H 3
Muirancourt 60 23 H 4
Muizon 51 41 F 3
Les Mujouls 06 289 F 5
La Mulatière 69 231 E 1
Mulcent 78 57 F 3
Mulcey 57 67 E 4
Mulhausen 67 68 C 3
Mulhouse 68 143 F 1
Mulsanne 72 130 A 2
Mulsans 41 132 B 4
Mun 65 315 G 4
Munchhausen 67 69 G 2
Munchhouse 68 121 F 5
Muncq-Nieurlet 62 3 E 4
Mundolsheim 67 68 D 5
Muneville-le-Bingard 50 31 G 5
Muneville-sur-Mer 50 51 G 2
Le Mung 17 201 F 4
Munster 57 67 F 3
Munster 68 120 D 3
Muntzenheim 68 121 F 2
Munwiller 68 121 E 4
Mur-de-Barrez 12 262 D 1
Mûr-de-Bretagne 22 77 H 5
Mur-de-Sologne 41 153 G 2
Muracciole 2B 349 F 1
Murasson 12 300 C 3
Murat 03 191 F 3
Murat 15 245 F 3
Murat-le-Quaire 63 227 E 2
Murat-sur-Vèbre 81 300 D 4
Murato 2B 345 F 5
La Muraz 74 215 H 1
Murbach 68 120 D 4
La Mure 04 288 C 4
La Mure 38 251 E 4
Mureaumont 60 21 G 5
Les Mureaux 78 57 H 2
Mureils 26 249 F 1
Mûres 74 215 G 4
Muret 31 317 H 2
Le Muret 40 255 E 5
Muret-et-Crouttes 02 40 C 3
Muret-le-Château 12 262 D 5
La Murette 38 232 C 4
Murianette 38 251 E 1
Murinais 38 250 A 1
Murles 34 302 C 4
Murlin 58 156 C 5
Muro 2B 346 C 2
Murol 63 227 F 3
Murols 12 262 D 2
Muron 17 201 E 2
Murs 36 170 D 3
Murs 84 286 A 5
Mûrs-Erigné 49 149 G 2
Murs-et-Gélignieux 01 232 D 1
Murtin-et-Bogny 08 26 C 2
Murvaux 55 43 H 2
Murviel-lès-Béziers 34 321 F 2
Murviel-lès-Montpellier 34 302 C 4
Murville 54 45 E 3
Murzo 2A 348 C 1
Mus 30 303 G 3
Muscourt 02 41 E 2
Musculdy 64 331 E 1
Musièges 74 215 F 2
Musigny 21 159 E 5
Musseau 52 139 F 4
Mussey 55 63 G 3
Mussey-sur-Marne 52 93 E 4
Mussidan 24 239 G 3
Mussig 67 97 F 5
Mussy-la-Fosse 21 159 E 1
Mussy-sous-Dun 71 194 A 5
Mussy-sur-Seine 10 115 H 5
Mutigney 39 161 E 3
Mutigny 51 61 G 1
Mutrécy 14 53 G 1
Muttersholtz 67 97 F 4
Mutzenhouse 67 68 C 4
Mutzig 67 97 F 2
Le Muy 83 308 B 5
Muzeray 55 44 D 3
Muzillac 56 124 D 5
Muzy 27 56 C 4
Myans 73 233 F 3
Myennes 58 156 A 2
Myon 25 179 H 1

N

Nabas 64 313 F 3
Nabinaud 16 239 F 1
Nabirat 24 259 H 2
Nabringhen 62 2 C 5
Nachamps 17 201 G 2
Nadaillac 24 241 H 4
Nadaillac-de-Rouge 46 260 B 1
Nades 03 209 G 1
Nadillac 46 260 B 4
Naftel 50 52 A 5
Nagel-Séez-Mesnil 27 55 H 2
Nages 81 300 C 4
Nages-et-Solorgues 30 303 G 2
Nahuja 66 341 F 5
Nailhac 24 241 F 1
Naillat 23 188 D 5
Nailloux 31 318 B 3
Nailly 89 113 F 2
Naintré 86 169 G 4
Nainville-les-Roches 91 88 A 3
Naisey 25 162 B 4
Naives-devant-Bar 55 63 H 3
Naives-en-Blois 55 93 G 1
Naix-aux-Forges 55 93 F 1
Naizin 56 102 A 4
Najac 12 279 F 3
Nalliers 85 183 G 2
Nalliers 86 187 F 1
Nalzen 09 336 C 3
Nambsheim 68 121 G 4
Nampcel 60 39 H 1
Nampcelles-la-Cour 02 25 G 3
Nampont-Saint-Martin 80 11 G 1
Namps-au-Mont 80 22 A 3
Namps-au-Val 80 22 A 3
Nampteuil-sous-Muret 02 40 C 3
Nampty 80 22 B 3
Nan-Sous-Thil 21 158 D 2
Nanc-lès-Saint-Amour 39 196 A 3
Nançay 18 154 D 3
Nance 39 178 D 4
Nances 73 233 E 2
Nanclars 16 203 F 4
Nançois-le-Grand 55 64 B 5
Nançois-sur-Ornain 55 64 B 5
Nancras 17 201 E 5
Nancray 25 162 B 3
Nancray-sur-Rimarde 45 111 H 4
Nancuise 39 196 B 2
Nancy 54 65 H 5
Nancy-sur-Cluses 74 216 C 2
Nandax 42 211 H 2
Nandy 77 88 A 2
Nangeville 45 87 H 5
Nangis 77 89 E 2
Nangy 74 197 H 5
Nannay 58 156 C 4
Nans 25 162 C 1
Les Nans 39 179 H 4
Nans-les-Pins 83 327 H 2
Nans-sous-Sainte-Anne 25 180 A 1
Nant 12 282 A 5
Nant-le-Grand 55 63 H 5
Nant-le-Petit 55 63 H 5
Nanteau-sur-Essonne 77 87 H 5
Nanteau-sur-Lunain 77 112 C 2
Nanterre 92 58 B 3
Nantes 44 147 G 4
Nantes-en-Ratier 38 251 E 4
Nanteuil 79 185 F 3
Nanteuil-Auriac-de-Bourzac 24 221 G 5
Nanteuil-en-Vallée 16 203 G 3
Nanteuil-la-Forêt 51 41 F 5
Nanteuil-la-Fosse 02 40 C 2
Nanteuil-le-Haudouin 60 39 F 5
Nanteuil-lès-Meaux 77 59 G 2
Nanteuil-Notre-Dame 02 40 C 4
Nanteuil-sur-Aisne 08 42 A 1
Nanteuil-sur-Marne 77 60 A 2
Nantey 39 196 A 3
Nantheuil 24 223 E 4
Nanthiat 24 223 E 4
Nantiat 87 205 G 3
Nantillé 17 201 H 4
Nantillois 55 43 G 3
Nantilly 70 161 E 1
Nantoin 38 232 A 4
Nantois 55 93 F 1
Nanton 71 195 E 1
Nantouard 70 161 F 1
Nantouillet 77 59 E 2
Nantoux 21 177 G 1
Nantua 01 214 C 1
Naours 80 12 C 5
La Napoule 06 309 E 4
Napt 01 196 B 5
Narbéfontaine 57 46 C 5
Narbief 25 163 F 4
Narbonne 11 321 E 5
Narbonne-Plage 11 321 G 5
Narcastet 64 314 B 4
Narcy 52 92 D 2
Narcy 58 156 B 4
Nargis 45 112 C 3
Narnhac 15 245 E 5
Narp 64 313 F 3
Narrosse 40 293 E 3
La Nartelle 83 329 G 2
Narthoux 81 279 F 4
Nasbinals 48 263 G 3
Nassandres 27 35 G 5
Nassiet 40 293 G 4
Nassigny 03 190 D 2
Nastringues 24 239 E 5
Nattages 01 214 D 5
Natzwiller 67 96 D 3
Naucelle 12 280 B 3
Naucelles 15 244 B 4
Naujac-sur-Mer 33 236 C 1
Naujan-et-Postiac 33 256 C 1
Naurouze *Seuil de* 11 318 D 3
Nauroy 02 24 A 1
Naussac 12 261 G 4
Naussac-Fontanes 48 265 F 2
Naussac *Barrage de* 48 265 F 2
Naussannes 24 258 C 2
Nauvay 72 108 A 2
Nauviale 12 262 B 4
Nauzan 17 218 C 1
Navacelles 30 284 A 3
Navacelles *Cirque de* 34 302 A 1
Navailles-Angos 64 314 B 2
Navarosse 40 254 B 5
Navarrenx 64 313 G 3
Naveil 41 131 G 3
Navenne 70 141 F 4
Naves 03 209 H 1
Naves 07 283 H 1
Naves 19 242 D 1
Naves 59 14 C 3
Naves 73 234 B 2
Navès 81 299 G 5
Nâves-Parmelan 74 215 H 3
Navilly 71 178 B 2
Nay 50 31 H 3
Nay 64 314 C 5
Nayemont-les-Fosses 88 96 B 4
Le Nayrac 12 262 D 3
Nazelles-Négron 37 152 B 2
Néac 33 238 C 4
Néant-sur-Yvel 56 103 E 4
Neau 53 106 C 3
Neaufles-Auvergny 27 55 G 3
Neaufles-Saint-Martin 27 37 F 3
Neauphe-sous-Essai 61 83 H 2
Neauphe-sur-Dive 61 54 B 3
Neauphle-le-Château 78 57 H 4
Neauphle-le-Vieux 78 57 G 4
Neauphlette 78 57 E 2
Neaux 42 211 H 3
Nébian 34 302 A 4
Nébias 11 337 F 3
Nébing 57 67 F 3
Nébouzat 63 227 F 1
Nécy 61 54 A 3
Nedde 87 225 E 1
Nédon 62 7 G 4
Nédonchel 62 7 G 4
Neewiller-près-Lauterbourg 67 69 G 2
Neffes 05 269 G 4
Neffiès 34 301 H 5
Néfiach 66 342 C 2
Nègrepelisse 82 278 B 4
Négreville 50 29 F 4
Négron 37 152 B 2
Négrondes 24 222 D 5
Néhou 50 29 F 5
Nehwiller 67 68 D 2
Nelling 57 67 F 2
Nemours 77 112 B 2
Nempont-Saint-Firmin 62 6 B 5
Nénigan 31 316 B 3
Nenon 39 161 E 5
Néons-sur-Creuse 36 170 B 5
Néoules 83 328 B 2
Néoux 23 207 H 4
Nepvant 55 27 H 5
Nérac 47 275 G 3
Nerbis 40 293 G 2
Nercillac 16 220 C 1
Néré 17 202 C 3
Néret 36 189 H 2
Nérigean 33 238 B 5
Nérignac 86 187 E 5
Néris-les-Bains 03 190 D 5
Nermier 39 196 C 2
Nernier 74 197 H 3
Néron 28 86 B 2
Néronde 42 212 A 5
Néronde-sur-Dore 63 210 C 5
Nérondes 18 173 H 2
Ners 30 283 H 5
Nersac 16 221 E 2
Nervieux 42 211 H 5
Nerville-la-Forêt 95 58 B 1
Néry 60 39 F 3
Neschers 63 227 H 2
Nescus 09 335 H 2
Nesle 80 23 G 3
Nesle-et-Massoult 21 137 H 3
Nesle-Hodeng 76 21 E 4
Nesle-la-Reposte 51 90 A 2
Nesle-le-Repons 51 61 E 1
Nesle-l'Hôpital 80 11 F 5
Nesle-Normandeuse 76 11 F 5
Nesles 62 6 B 2
Nesles 77 59 G 5
Nesles-la-Montagne 02 60 C 1
Nesles-la-Vallée 95 38 B 5
Neslette 80 11 F 5
Nesmy 85 182 D 1
Nesploy 45 111 H 5
Nespouls 19 242 B 3
Nessa 2B 346 C 2
Nestier 65 334 A 1
Nettancourt 55 63 F 3
Netzenbach 67 96 D 2
Neublans 39 178 C 2
Neubois 67 97 E 4
Le Neubourg 27 35 H 5
Neuchâtel-Urtière 25 163 F 2
Neuf-Berquin 59 8 A 2
Neuf-Brisach 68 121 F 3
Neuf-Église 63 209 F 2
Neuf-Marché 76 37 F 2
Neuf-Mesnil 59 15 G 2
Neufbosc 76 20 D 4
Le Neufbourg 50 52 C 5
Neufchâteau 88 94 A 4
Neufchâtel-en-Bray 76 20 D 3
Neufchâtel-en-Saosnois 72 83 H 4
Neufchâtel-Hardelot 62 6 B 3
Neufchâtel-sur-Aisne 02 41 G 2
Neufchef 57 45 G 3
Neufchelles 60 39 H 5
Neuffons 33 256 D 3
Neuffontaines 58 157 G 3
Neufgrange 57 67 G 1
Neuflieux 02 24 A 5
Neuflize 08 42 A 2
Neufmaison 08 26 B 3
Neufmaisons 54 96 A 3
Neufmanil 08 26 D 2
Neufmesnil 50 31 G 2
Neufmoulin 80 11 H 3
Neufmoulins 57 67 G 5
Neufmoutiers-en-Brie 77 59 F 4
Le Neufour 55 43 F 5
Neufvillage 57 67 E 2
Neufvy-sur-Aronde 60 39 E 1
Neugartheim 67 68 C 5
Neugartheim-Ittlenheim 67 68 C 5
Neuhaeusel 67 69 G 3
Neuil 37 151 G 5
Neuilh 65 333 E 1
Neuillac 17 219 H 3
Neuillay-les-Bois 36 171 F 4
Neuillé 49 150 C 3
Neuillé-le-Lierre 37 152 B 1
Neuillé-Pont-Pierre 37 151 G 1
Neuilly 27 56 D 2
Neuilly 58 157 F 4
Neuilly 89 136 A 2
Neuilly-en-Donjon 03 193 F 4
Neuilly-en-Dun 18 173 H 4
Neuilly-en-Sancerre 18 155 G 3
Neuilly-en-Thelle 60 38 B 4
Neuilly-en-Vexin 95 37 H 5
Neuilly-la-Forêt 14 32 B 3
Neuilly-le-Bisson 61 83 H 3
Neuilly-le-Brignon 37 170 A 2
Neuilly-le-Dien 80 12 B 3
Neuilly-le-Malherbe 14 33 F 5
Neuilly-le-Réal 03 192 B 3
Neuilly-le-Vendin 53 82 D 3
Neuilly-lès-Dijon 21 160 B 3
Neuilly-l'Évêque 52 117 G 5
Neuilly-l'Hôpital 80 11 G 3
Neuilly-Plaisance 93 58 D 3
Neuilly-Saint-Front 02 40 A 5
Neuilly-sous-Clermont 60 38 C 3
Neuilly-sur-Eure 61 85 E 3
Neuilly-sur-Marne 93 58 D 3
Neuilly-sur-Seine 92 58 B 3
Neuilly-sur-Suize 52 117 E 4
Neulette 62 7 F 5
Neulise 42 211 H 4
Neulles 17 219 H 3
Neulliac 56 101 H 2
Neung-sur-Beuvron 41 154 A 1
Neunhoffen 67 68 C 1
Neunkirchen-lès-Bouzonville 57 46 C 3
Neure 03 174 B 5
Neurey-en-Vaux 70 141 F 3
Neurey-lès-la-Demie 70 141 F 5
Neussargues-Moissac 15 245 G 3
Neuve-Chapelle 62 8 B 3
Neuve-Eglise 67 97 E 4
La Neuve-Grange 27 37 E 2
La Neuve-Lyre 27 55 G 2
Neuve-Maison 02 25 G 1
Neuvecelle 74 198 C 3
Neuvéglise 15 245 G 5
Neuvelle-lès-Champlitte 70 140 A 5
Neuvelle-lès-Cromary 70 162 A 2
Neuvelle-lès-Grancey 21 139 E 4
Neuvelle-lès-la-Charité 70 140 D 5
La Neuvelle-lès-Lure 70 141 H 3
La Neuvelle-lès-Scey 70 140 D 3
Neuvelle-lès-Voisey 52 140 C 2
Neuves-Maisons 54 94 D 1
La Neuveville-devant-Lépanges 88 119 H 2
La Neuveville-sous-Châtenois 88 94 B 5
La Neuveville-sous-Montfort 88 118 C 2
Neuvic 19 225 H 5
Neuvic 24 239 H 3
Neuvic-Entier 87 224 C 1
Neuvicq 17 238 C 1
Neuvicq-le-Château 17 202 C 5
Neuvillalais 72 107 F 3
Neuville 03 191 F 3
Neuville 19 243 E 3
La Neuville 59 8 D 4
Neuville 63 228 B 1
La Neuville-à-Maire 08 27 E 5
Neuville-au-Bois 80 11 G 5
Neuville-au-Cornet 62 12 D 2
Neuville-au-Plain 50 29 G 5
La Neuville-au-Pont 51 43 E 5
Neuville-aux-Bois 45 111 F 4
La Neuville-aux-Bois 51 63 E 2
La Neuville-aux-Joûtes 08 25 H 1
La Neuville-aux-Larris 51 41 F 5
La Neuville-aux-Tourneurs 08 26 A 2
Neuville-Bosc 60 37 H 4
La Neuville-Bosmont 02 25 F 4
Neuville-Bourjonval 62 14 A 5
La Neuville-Chant-d'Oisel 76 36 C 2
Neuville-Coppegueule 80 21 G 2
La Neuville-d'Aumont 60 38 A 3
Neuville-Day 08 42 D 1
Neuville-de-Poitou 86 169 E 5
La Neuville-du-Bosc 27 35 H 4
Neuville-en-Avesnois 59 15 E 3
Neuville-en-Beaumont 50 31 F 2
La Neuville-en-Beine 02 24 A 4
Neuville-en-Ferrain 59 5 E 5
La Neuville-en-Hez 60 38 C 2
La Neuville-en-Tourne-à-Fuy 08 42 B 3
Neuville-en-Verdunois 55 63 H 2
Neuville-Ferrières 76 20 D 4
La Neuville-Garnier 60 38 A 3
La Neuville-Housset 02 25 E 3
La Neuville-lès-Bray 80 23 E 1
Neuville-les-Dames 01 213 F 1
Neuville-lès-Decize 58 174 D 4
La Neuville-lès-Dorengt 02 24 D 1
Neuville-lès-Dieppe 76 10 B 5
Neuville-lès-Lœuilly 80 22 B 3
Neuville-lès-This 08 26 C 3
Neuville-lès-Vaucouleurs 55 93 H 2
La Neuville-lès-Wasigny 08 26 A 4
Neuville-lez-Beaulieu 08 26 A 2
Neuville-près-Sées 61 54 C 5
Neuville-Saint-Amand 02 24 B 2
La Neuville-Saint-Pierre 60 38 B 1
Neuville-Saint-Rémy 59 14 B 3
Neuville-Saint-Vaast 62 8 B 5
La Neuville-Sire-Bernard 80 22 D 3
Neuville-sous-Arzillières 51 62 D 5
Neuville-sous-Montreuil 62 6 C 4
Neuville-sur-Ailette 02 41 E 1
Neuville-sur-Ain 01 214 A 2
Neuville-sur-Authou 27 35 F 4
Neuville-sur-Brenne 37 131 F 5
Neuville-sur-Escaut 59 14 C 2
La Neuville-sur-Essonne 45 111 H 3
Neuville-sur-Margival 02 40 B 1
Neuville-sur-Oise 95 58 A 1
Neuville-sur-Ornain 55 63 G 3
La Neuville-sur-Oudeuil 60 21 H 5
La Neuville-sur-Ressons 60 23 F 5
Neuville-sur-Saône 69 213 E 4
Neuville-sur-Sarthe 72 107 H 4
Neuville-sur-Seine 10 115 G 4
Neuville-sur-Touques 61 54 D 3
Neuville-sur-Vanne 10 114 B 2
La Neuville-Vault 60 37 H 1
Neuville-Vitasse 62 13 G 3
Neuviller-la-Roche 67 96 D 3
Neuviller-lès-Badonviller 54 96 A 2
Neuviller-sur-Moselle 54 95 E 3
Neuvillers-sur-Fave 88 96 C 5
Neuvillette 02 24 C 2
La Neuvillette 51 41 G 3
Neuvillette 80 12 D 3
Neuvillette-en-Charnie 72 107 E 3
Neuvilley 39 179 F 2
Neuvilly 59 14 D 4
Neuvilly-en-Argonne 55 43 G 4
Neuvireuil 62 8 C 5
Neuvizy 08 26 C 4
Neuvy 03 192 A 2
Neuvy 41 153 G 1
Neuvy 51 60 C 4
Neuvy-au-Houlme 61 53 H 3
Neuvy-Bouin 79 167 G 5
Neuvy-deux-Clochers 18 155 G 4
Neuvy-en-Beauce 28 110 D 2
Neuvy-en-Champagne 72 107 F 4
Neuvy-en-Dunois 28 110 B 2
Neuvy-en-Mauges 49 149 E 3
Neuvy-en-Sullias 45 133 H 3
Neuvy-Grandchamp 71 193 F 1
Neuvy-le-Barrois 18 174 B 3
Neuvy-le-Roi 37 130 D 5
Neuvy-Pailloux 36 172 A 3
Neuvy-Saint-Sépulchre 36 189 F 1
Neuvy-Sautour 89 114 C 4
Neuvy-sur-Barangeon 18 154 D 3
Neuvy-sur-Loire 58 156 A 1
Neuwiller 68 143 H 4
Neuwiller-lès-Saverne 67 68 B 3
Neuzy 71 193 G 2
Névache 05 252 C 3
Nevers 58 174 C 2
Névez 29 100 B 5
Névian 11 320 D 5
Néville 76 19 G 2
Néville-sur-Mer 50 29 G 2
Nevoy 45 134 C 4
Nevy-lès-Dole 39 179 E 1
Nevy-sur-Seille 39 179 F 4
Nexon 87 223 G 1
Ney 39 179 H 4
Neydens 74 215 G 1
Neyrac-les-Bains 07 266 A 3
Les Neyrolles 01 214 C 1
Neyron 01 213 F 5
Nézel 78 57 G 2
Nézignan-l'Évêque 34 321 H 3

Niafles 53 ... 127 H 2
Niaux 09 ... 336 B 4
Niaux *Grotte de* 09 ... 336 B 4
Nibas 80 ... 11 E 3
Nibelle 45 ... 111 H 4
Nibles 04 ... 287 G 1
Nice 06 ... 309 H 2
Nicey 21 ... 137 H 2
Nicey-sur-Aire 55 ... 64 B 3
Nicole 47 ... 275 G 1
Nicorps 50 ... 51 G 1
Nideck *Château*
et Cascade du 67 ... 96 D 1
Niderhoff 57 ... 96 B 1
Niderviller 57 ... 67 H 5
Niederbronn-les-Bains 67 ... 68 D 2
Niederbruck 68 ... 142 C 1
Niederentzen 68 ... 121 E 4
Niederhaslach 67 ... 97 E 2
Niederhausbergen 67 ... 68 D 5
Niederhergheim 68 ... 121 F 4
Niederlarg 68 ... 143 E 4
Niederlauterbach 67 ... 69 G 1
Niedermodern 67 ... 68 D 3
Niedermorschwihr 68 ... 120 D 2
Niedernai 67 ... 97 F 2
Niederrœdern 67 ... 69 G 2
Niederschaeffolsheim 67 ... 68 D 4
Niederseebach 67 ... 69 F 2
Niedersoultzbach 67 ... 68 B 3
Niedersteinbach 67 ... 68 D 1
Niederstinzel 57 ... 67 G 3
Niedervisse 57 ... 46 D 5
Nielles-lès-Ardres 62 ... 2 D 4
Nielles-lès-Bléquin 62 ... 7 E 2
Nielles-lès-Calais 62 ... 2 C 3
Le Nieppe 59 ... 3 G 5
Nieppe 59 ... 8 B 2
Niergnies 59 ... 14 B 4
Nieudan 15 ... 243 H 4
Nieuil 16 ... 203 H 4
Nieuil-l'Espoir 86 ... 186 C 2
Nieul 87 ... 205 G 4
Nieul-le-Dolent 85 ... 182 C 1
Nieul-le-Virouil 17 ... 219 G 4
Nieul-lès-Saintes 17 ... 201 F 5
Nieul-sur-l'Autise 85 ... 184 C 3
Nieul-sur-Mer 17 ... 183 F 5
Nieulle-sur-Seudre 17 ... 200 D 5
Nieurlet 59 ... 3 F 5
Niévroz 01 ... 213 G 4
Niffer 68 ... 143 H 2
Niherne 36 ... 171 G 4
Nijon 52 ... 117 H 2
Nilvange 57 ... 45 G 3
Nîmes 30 ... 303 H 2
Ninville 52 ... 117 G 3
Niort 79 ... 184 D 4
Niort-de-Sault 11 ... 337 E 4
Niort-la-Fontaine 53 ... 82 B 3
Niozelles 04 ... 287 F 5
Nissan-lez-Enserune 34 ... 321 F 4
Nistos 65 ... 334 A 2
Nitry 89 ... 136 D 4
Nitting 57 ... 67 G 5
Nivelle 59 ... 9 G 4
Nivillac 56 ... 125 F 5
Nivillers 60 ... 38 A 2
Nivolas-Vermelle 38 ... 232 A 2
Nivollet-Montgriffon 01 ... 214 B 3
Nixéville 55 ... 43 H 5
Le Nizan 33 ... 256 B 5
Nizan-Gesse 31 ... 316 B 5
Nizas 32 ... 317 E 2
Nizas 34 ... 321 H 2
Nizerolles 03 ... 210 D 2
Nizon 29 ... 100 B 4
Nizy-le-Comte 02 ... 25 G 5
Noailhac 12 ... 262 B 4
Noailhac 19 ... 242 C 3
Noailhac 81 ... 299 H 5
Noaillac 33 ... 256 D 4
Noaillan 33 ... 255 H 4
Noailles 19 ... 242 B 3
Noailles 60 ... 38 B 3
Noailles 81 ... 279 F 5
Noailly 42 ... 211 G 1
Noalhac 48 ... 263 H 1
Noalhat 63 ... 210 B 4
Noards 27 ... 35 E 4
Nocario 2B ... 347 G 3
Nocé 61 ... 84 C 4
Noceta 2B ... 347 F 5
Nochize 71 ... 193 H 3
La Nocle-Maulaix 58 ... 175 H 4
Nod-sur-Seine 21 ... 138 A 3
Nods 25 ... 162 C 5
Noé 31 ... 317 G 3
Noé 89 ... 113 H 3
Noé-les-Mallets 10 ... 115 H 3
La Noë-Blanche 35 ... 126 B 2
La Noë-Poulain 27 ... 35 E 3
Noël-Cerneux 25 ... 163 F 5
Noëllet 49 ... 127 G 4
Noërs 54 ... 44 C 2
Les Noës 42 ... 211 E 2
Les Noës-près-Troyes 10 ... 90 D 5
Nœux-lès-Auxi 62 ... 12 C 3
Nœux-les-Mines 62 ... 8 A 4
Nogaret 31 ... 318 D 2
Nogaro 32 ... 295 E 3
Nogent 52 ... 117 F 4
Nogent-en-Othe 10 ... 114 C 3
Nogent-l'Abbesse 51 ... 41 H 4
Nogent-l'Artaud 02 ... 60 B 2
Nogent-le-Bernard 72 ... 108 B 2
Nogent-le-Phaye 28 ... 86 B 4
Nogent-le-Roi 28 ... 57 E 5
Nogent-le-Rotrou 28 ... 84 D 5
Nogent-le-Sec 27 ... 56 A 2
Nogent-lès-Montbard 21 ... 137 H 5
Nogent-sur-Aube 10 ... 91 F 3
Nogent-sur-Eure 28 ... 86 A 4
Nogent-sur-Loir 72 ... 130 B 4
Nogent-sur-Marne 94 ... 58 D 3
Nogent-sur-Oise 60 ... 38 D 3
Nogent-sur-Seine 10 ... 89 H 3
Nogent-sur-Vernisson 45 ... 134 D 2
Nogentel 02 ... 60 C 1
Nogna 39 ... 196 C 1
Noguères 64 ... 313 H 3
Nohan 08 ... 27 E 1
Nohanent 63 ... 209 G 5
Nohant-en-Goût 18 ... 173 G 1
Nohant-en-Graçay 18 ... 154 A 5
Nohant-Vic 36 ... 189 G 1
Nohèdes 66 ... 341 H 3
Nohic 82 ... 298 A 1
Noidan 21 ... 158 D 3
Noidans-le-Ferroux 70 ... 140 D 5
Noidans-lès-Vesoul 70 ... 141 E 4
Noidant-Chatenoy 52 ... 139 G 3
Noidant-le-Rocheux 52 ... 139 G 2
Noilhan 32 ... 296 D 5
Nointel 60 ... 38 D 2
Nointel 95 ... 38 B 5
Nointot 76 ... 19 E 5
Noir *Lac* 68 ... 120 C 2
Noircourt 02 ... 25 G 4
Noirefontaine 25 ... 163 F 2
Noirémont 60 ... 22 B 5
Noirétable 42 ... 211 E 5
Noirlac *Abbaye de* 18 ... 173 F 5
Noirlieu 51 ... 63 E 2
Noirlieu 79 ... 167 H 2
Noirmoutier-en-l'Île 85 ... 164 B 1
Noiron 70 ... 161 F 2
Noiron-sous-Gevrey 21 ... 160 B 4
Noiron-sur-Bèze 21 ... 160 C 2
Noiron-sur-Seine 21 ... 115 H 5
Noironte 25 ... 161 G 3
Noirpalu 50 ... 51 H 3
Noirterre 79 ... 167 H 3
Noirval 08 ... 43 E 1
Noiseau 94 ... 58 D 4
Noisiel 77 ... 59 E 3
Noisseville 57 ... 45 H 5
Noisy-le-Grand 93 ... 58 D 3
Noisy-le-Roi 78 ... 58 A 3
Noisy-le-Sec 93 ... 58 D 3
Noisy-Rudignon 77 ... 88 D 5
Noisy-sur-École 77 ... 88 A 5
Noisy-sur-Oise 95 ... 38 C 5
Noizay 37 ... 152 B 2
Noizé 79 ... 168 B 3
Nojals-et-Clotte 24 ... 258 C 2
Nojeon-en-Vexin 27 ... 37 E 3
Nolay 21 ... 177 F 2
Nolay 58 ... 156 D 5
Nolléval 76 ... 37 E 1
Nollieux 42 ... 211 G 5
Nomain 59 ... 9 E 4
Nomdieu 47 ... 275 H 4
Nomécourt 52 ... 92 D 3
Nomeny 54 ... 65 H 3
Nomexy 88 ... 95 F 5
Nommay 25 ... 142 C 4
Nompatelize 88 ... 96 A 4
Nonac 16 ... 221 E 4
Nonancourt 27 ... 56 B 4
Nonant 14 ... 33 E 3
Nonant-le-Pin 61 ... 54 C 5
Nonards 19 ... 243 E 4
Nonaville 16 ... 220 D 3
Noncourt-
sur-le-Rongeant 52 ... 93 E 4
Nonette-Orsonnette 63 ... 228 A 4
Nonglard 74 ... 215 F 3
Nonhigny 54 ... 96 A 2
Nonières 07 ... 248 C 5
Les Nonières 26 ... 268 C 1
Nonsard 55 ... 65 E 3
Nontron 24 ... 222 C 3
Nonville 77 ... 112 C 2
Nonville 88 ... 118 C 3
Nonvilliers-Grandhoux 28 ... 85 G 5
Nonza 2B ... 345 F 3
Nonzeville 88 ... 95 H 5
Noordpeene 59 ... 3 G 4
Nordausques 62 ... 3 E 4
Nordheim 67 ... 68 C 5
Nordhouse 67 ... 97 G 2
Nore *Pic de* 11 ... 320 A 3
Noreuil 62 ... 13 H 4
Norges-la-Ville 21 ... 160 A 2
La Norma 73 ... 252 D 1
Normandel 61 ... 55 G 5
Normandie *Pont de* 14 ... 34 D 2
Normanville 27 ... 56 B 1
Normanville 76 ... 19 F 4
Normée 51 ... 61 G 4
Normier 21 ... 159 E 3
Norolles 14 ... 34 C 4
Noron-la-Poterie 14 ... 32 D 4
Noron-l'Abbaye 14 ... 53 H 2
Noroy 60 ... 38 D 2
Noroy-le-Bourg 70 ... 141 G 4
Noroy-lès-Jussey 70 ... 140 C 2
Noroy-sur-Ourcq 02 ... 40 A 4
Norrent-Fontes 62 ... 7 G 3
Norrey-en-Auge 14 ... 54 B 2
Norrey-en-Bessin 14 ... 33 F 4
Norrois 51 ... 62 D 5
Norroy 88 ... 118 B 2
Norroy-le-Sec 54 ... 45 E 4
Norroy-le-Veneur 57 ... 45 G 5
Norroy-lès-Pont-
à-Mousson 54 ... 65 G 3
Nort-Leulinghem 62 ... 3 E 5
Nort-sur-Erdre 44 ... 147 H 1
Nortkerque 62 ... 3 E 4
Norville 76 ... 35 F 1
La Norville 91 ... 87 G 2
Nossage-et-Bénévent 05 ... 287 E 1
Nossoncourt 88 ... 95 H 3
Nostang 56 ... 123 G 2
Noth 23 ... 188 D 5
Nothalten 67 ... 97 E 4
Notre-Dame-d'Aiguebelle
Abbaye de 26 ... 267 F 5
Notre-Dame-
d'Aliermont 76 ... 20 C 2
Notre-Dame-
d'Allençon 49 ... 149 H 3
Notre-Dame-d'Aurès 12 ... 281 E 3
Notre-Dame d'Ay
Sanctuaire de 07 ... 248 D 2
Notre-Dame-
de-Bellecombe 73 ... 216 B 4
Notre-Dame-
de-Bliquetuit 76 ... 35 G 1
Notre-Dame-de-Boisset 42 .. 211 H 3
Notre-Dame-
de-Bondeville 76 ... 36 A 1
Notre-Dame-
de-Briançon 73 ... 234 B 2
Notre-Dame de Buglose 40 ... 293 E 2
Notre-Dame-de-Cenilly 50 ... 51 H 1
Notre-Dame de Clausis 05 .. 271 F 2
Notre-Dame-
de-Commiers 38 ... 250 D 3
Notre-Dame-de-Courson 14 ... 54 D 1
Notre-Dame-de-Fresnay 14 ... 54 B 2
Notre-Dame-
de-Garaison 65 ... 316 A 5
Notre-Dame-de-Grace 44 ... 126 A 5
Notre-Dame-
de-Gravenchon 76 ... 35 F 1
Notre-Dame de Kérinec
Chapelle 29 ... 99 F 2
Notre-Dame-de-la-Cour 22 ... 73 G 5
Notre-Dame de
la Gorge 74 ... 216 D 4
Notre-Dame-de-la-Grainetière
Abbaye de 85 ... 166 C 3
Notre-Dame-de-la-Mer
Chapelle 78 ... 57 E 1
Notre-Dame-
de-la-Rouvière 30 ... 283 E 5
Notre-Dame-
de-la-Salette 38 ... 251 G 5
Notre Dame de la Serra
Belvédère de 2B ... 346 B 2
Notre-Dame-de-l'Aillant 71 .. 176 B 1
Notre-Dame-de-Laus 05 ... 269 H 4
Notre-Dame-
de-l'Espérance 22 ... 73 H 4
Notre-Dame-de-l'Isle 27 ... 36 D 5
Notre-Dame-de-Livaye 14 ... 34 B 5
Notre-Dame-de-Livoye 50 ... 52 A 4
Notre-Dame-
de-Londres 34 ... 302 C 2
Notre-Dame-de-Lorette 62 ... 8 A 5
Notre-Dame de l'Ormeau
Chapelle 83 ... 308 C 3
Notre-Dame-de-l'Osier 38 ... 250 B 1
Notre-Dame de Lure
Monastère de 04 ... 287 E 3
Notre-Dame-
de-Mésage 38 ... 251 E 3
Notre-Dame-de-Montplacé
Chapelle 49 ... 129 F 5
Notre-Dame-de-Monts 85 ... 164 C 3
Notre-Dame-de-Piétat
Chapelle de 64 ... 314 B 5
Notre-Dame-de-Riez 85 ... 164 D 4
Notre-Dame-
de-Sanilhac 24 ... 240 C 3
Notre-Dame-de-Timadeuc
Abbaye de 56 ... 102 B 3
Notre-Dame-de-Tréminou
Chapelle 29 ... 99 F 4
Notre-Dame-de-Tronoën 29 ... 99 F 4
Notre-Dame de Valvert
Chapelle de 04 ... 288 D 5
Notre-Dame-de-Vaulx 38 ... 251 E 4
Notre-Dame de Vie
Ermitage 06 ... 309 E 4
Notre-Dame-d'Elle 50 ... 32 C 5
Notre-Dame-d'Épine 27 ... 35 F 4
Notre-Dame-des-Anges
Prieuré 83 ... 328 D 2
Notre-Dame-des-Dombes
Abbaye de 01 ... 213 G 2
Notre-Dame des Fontaines
Chapelle 06 ... 291 H 2
Notre-Dame-
des-Landes 44 ... 147 F 2
Notre-Dame-
des-Millières 73 ... 234 A 1
Notre-Dame-des-Misères
Chapelle de 82 ... 278 B 4
Notre-Dame-d'Estrées 14 ... 34 B 5
Notre-Dame-d'Igny
Abbaye 51 ... 41 E 4
Notre-Dame-d'Oé 37 ... 151 H 2
Notre-Dame-d'Or 86 ... 168 C 4
Notre-Dame-du-Bec 76 ... 18 C 5
Notre-Dame-du-Crann
Chapelle 29 ... 76 C 5
Notre-Dame-du-Cruet 73 ... 234 A 4
Notre-Dame-du-Groseau
Chapelle 84 ... 285 H 3
Notre-Dame-du-Guildo 22 ... 50 A 5
Notre-Dame-du-Hamel 27 ... 55 E 3
Notre-Dame du Haut
Chapelle 22 ... 78 C 5
Notre-Dame-du-Mai
Chapelle 83 ... 327 H 5
Notre-Dame-du-Parc 76 ... 20 B 3
Notre-Dame-du-Pé 72 ... 129 E 3
Notre-Dame-du-Pré 73 ... 234 C 2
Notre-Dame-du-Rocher 61 ... 53 G 4
Notre-Dame-du-Touchet 50 ... 81 G 2
Nottonville 28 ... 110 B 3
La Nouaille 23 ... 207 G 5
Nouaillé-Maupertuis 86 ... 186 C 2
Nouainville 50 ... 29 E 3
Nouan-le-Fuzelier 41 ... 154 B 1
Nouan-sur-Loire 41 ... 132 C 4
Nouans 72 ... 107 H 2
Nouans-les-Fontaines 37 ... 153 E 5
Nouart 08 ... 43 F 1
Nouâtre 37 ... 169 G 1
La Nouaye 35 ... 103 H 2
La Noue 17 ... 200 A 1
La Noue 51 ... 60 D 4
Noueilles 31 ... 318 A 3
Nougaroulet 32 ... 296 C 3
Nouhant 23 ... 190 B 5
Nouic 87 ... 205 E 2
Nouilhan 65 ... 315 E 2
Les Nouillers 17 ... 201 F 3
Nouillonpont 55 ... 44 D 3
Nouilly 57 ... 45 H 5
Noulens 32 ... 295 F 2
Nourard-le-Franc 60 ... 38 C 1
Nourray 41 ... 131 G 4
Nousse 40 ... 293 F 3
Nousseviller-lès-Bitche 57 ... 48 B 5
Nousseviller-Saint-Nabor 57 .. 47 G 5
Nousty 64 ... 314 C 4
Nouvelle-Église 62 ... 3 E 3
Nouvion-en-Ponthieu 80 ... 11 G 2
Le Nouvion-en-Thiérache 02 .. 15 F 5
Nouvion-et-Catillon 02 ... 24 C 4
Nouvion-le-Comte 02 ... 24 C 4
Nouvion-le-Vineux 02 ... 40 D 1
Nouvion-sur-Meuse 08 ... 26 D 4
Nouvoitou 35 ... 104 C 4
Nouvron-Vingré 02 ... 40 A 2
Nouzerines 23 ... 189 H 4
Nouzerolles 23 ... 189 E 4
Nouziers 23 ... 189 G 3
Nouzilly 37 ... 152 A 1
Nouzonville 08 ... 26 D 2
Novacelles 63 ... 228 D 4
Novalaise 73 ... 233 E 2
Novale 2B ... 347 G 4
Novéant-sur-Moselle 57 ... 65 G 2
Novel 74 ... 198 D 3
Novella 2B ... 345 E 5
Noves 13 ... 304 D 1
Noviant-aux-Prés 54 ... 65 F 4
Novillard 90 ... 142 D 3
Novillars 25 ... 162 A 3
Novillers 60 ... 38 B 4
Novion-Porcien 08 ... 26 B 5
Novy-Chevrières 08 ... 26 B 5
Noyal 22 ... 78 D 4
Noyal-Châtillon-
sur-Seiche 35 ... 104 B 3
Noyal-Muzillac 56 ... 125 E 4
Noyal-Pontivy 56 ... 102 A 3
Noyal-sous-Bazouges 35 ... 80 B 3
Noyal-sur-Brutz 44 ... 127 E 3
Noyal-sur-Vilaine 35 ... 104 C 3
Noyales 02 ... 24 C 2
Noyalo 56 ... 124 C 4
Noyant 49 ... 150 D 1
Noyant-d'Allier 03 ... 191 H 3
Noyant-de-Touraine 37 ... 151 G 5
Noyant-et-Aconin 02 ... 40 B 3
Noyant-la-Gravoyère 49 ... 127 H 3
Noyant-la-Plaine 49 ... 149 H 3
Noyarey 38 ... 250 D 1
Noyelle-Vion 62 ... 13 E 2
Noyelles-en-Chaussée 80 ... 11 H 2
Noyelles-Godault 62 ... 8 C 5
Noyelles-lès-Humières 62 ... 7 F 5
Noyelles-lès-Seclin 59 ... 8 D 3
Noyelles-lès-Vermelles 62 ... 8 A 4
Noyelles-sous-Bellonne 62 ... 14 A 2
Noyelles-sous-Lens 62 ... 8 B 5
Noyelles-sur-Escaut 59 ... 14 B 4
Noyelles-sur-Mer 80 ... 11 F 2
Noyelles-sur-Sambre 59 ... 15 F 4
Noyelles-sur-Selle 59 ... 14 C 2
Noyellette 62 ... 13 F 2
Noyen-sur-Sarthe 72 ... 129 F 2
Noyen-sur-Seine 77 ... 89 G 4
Le Noyer 05 ... 269 G 2
Le Noyer 14 ... 34 D 2
Le Noyer 18 ... 155 G 3
Le Noyer 73 ... 233 G 1
Noyer *Col du* 05 ... 269 G 2
Le Noyer-en-Ouche 27 ... 55 G 1
Noyers 27 ... 37 F 4
Noyers 45 ... 134 B 2
Noyers 52 ... 117 G 4
Noyers 89 ... 137 E 4
Noyers-Missy 14 ... 33 F 5
Noyers-le-Val 55 ... 63 F 3
Noyers-Pont-Maugis 08 ... 27 F 4
Noyers-Saint-Martin 60 ... 22 B 5
Noyers-sur-Cher 41 ... 153 F 4
Noyers-sur-Jabron 04 ... 287 F 3
Noyon 60 ... 23 H 5
Nozay 10 ... 91 E 3
Nozay 44 ... 126 C 5
Nozay 91 ... 58 B 5
Nozeroy 39 ... 180 A 4
Nozières 07 ... 248 C 3
Nozières 18 ... 173 E 5
Nuaillé 49 ... 149 E 5
Nuaillé-d'Aunis 17 ... 183 H 5
Nuaillé-sur-Boutonne 17 ... 201 H 2
Nuars 58 ... 157 G 2
Nubécourt 55 ... 63 H 1
Nuces 12 ... 262 C 5
Nucourt 95 ... 37 G 5
Nueil-les-Aubiers 79 ... 167 F 2
Nueil-sous-Faye 86 ... 169 E 2
Nueil-sur-Argent 79 ... 167 F 2
Nueil-sur-Layon 49 ... 149 H 5
Nuelles 69 ... 212 C 4
Nuillé-le-Jalais 72 ... 108 B 4
Nuillé-sur-Ouette 53 ... 106 B 4
Nuillé-sur-Vicoin 53 ... 105 H 4
Nuisement-sur-Coole 51 ... 62 A 3
Nuits 89 ... 137 G 4
Nuits-Saint-Georges 21 ... 160 A 5
Nullemont 76 ... 21 F 3
Nully 52 ... 92 B 4
Nuncq 62 ... 12 C 2
Nuret-le-Ferron 36 ... 171 F 5
Nurieux-Volognat 01 ... 214 B 1
Nurlu 80 ... 14 A 5
Nuzéjouls 46 ... 259 H 4
Nyer 66 ... 341 H 3
Nyoiseau 49 ... 127 H 3
Nyons 26 ... 285 H 1

O

O *Château d'* 61 ... 54 B 5
Obenheim 67 ... 97 G 3
Oberbronn 67 ... 68 C 2
Oberbruck 68 ... 142 C 1
Oberdorf 68 ... 143 F 3
Oberdorf-Spachbach 67 ... 69 E 2
Oberdorff 57 ... 46 D 4
Oberentzen 68 ... 121 E 4
Obergailbach 57 ... 47 H 5
Oberhaslach 67 ... 97 E 1
Oberhausbergen 67 ... 97 G 1
Oberhergheim 68 ... 121 E 4
Oberhoffen-
lès-Wissembourg 67 ... 69 F 1
Oberhoffen-sur-Moder 67 ... 69 E 4
Oberkutzenhausen 67 ... 69 E 2
Oberlarg 68 ... 143 F 5
Oberlauterbach 67 ... 69 G 2
Obermodern 67 ... 68 C 3
Obermorschwihr 68 ... 121 E 3
Obermorschwiller 68 ... 143 F 2
Obernai 67 ... 97 F 2
Oberrœdern 67 ... 69 F 2
Obersaasheim 68 ... 121 G 4
Oberschaeffolsheim 67 ... 97 G 1
Obersoultzbach 67 ... 68 B 3
Obersteigen 67 ... 68 A 5
Obersteinbach 67 ... 68 D 1
Oberstinzel 57 ... 67 G 4
Obervisse 57 ... 46 D 5
Obies 59 ... 15 F 2
Objat 19 ... 241 H 1
Oblinghem 62 ... 8 A 3
Obrechies 59 ... 15 H 3
Obreck 57 ... 66 D 3
Obsonville 77 ... 112 A 2
Obterre 36 ... 170 C 3
Obtrée 21 ... 115 H 5
Ocana 2A ... 348 D 3
Occagnes 61 ... 54 A 4
Occey 52 ... 139 G 5
Occhiatana 2B ... 346 D 2
Occoches 80 ... 12 C 4
Ochancourt 80 ... 11 F 3
Oches 08 ... 43 F 1
Ochey 54 ... 94 B 2
Ochiaz 01 ... 214 D 1
Ochtezeele 59 ... 3 G 4
Ocquerre 77 ... 59 H 1
Ocqueville 76 ... 19 G 3
Octeville 50 ... 29 E 3
Octeville-l'Avenel 50 ... 29 G 4
Octeville-sur-Mer 76 ... 18 C 5
Octon 34 ... 301 H 4
Odars 31 ... 298 B 5
Odeillo 66 ... 341 F 4
Odenas 69 ... 212 D 2
Oderen 68 ... 120 B 5
Odival 52 ... 117 F 4
Odomez 59 ... 9 G 4
Odos 65 ... 315 E 5
Odratzheim 67 ... 97 F 1
Oeillon *Crêt de l'* 42 ... 230 D 4
Oëlleville 88 ... 94 C 4
Oermingen 67 ... 67 H 2
Œting 57 ... 47 F 5
Oëtre *Roche d'* 61 ... 53 G 3
Œuf-en-Ternois 62 ... 7 F 5
Œuilly 02 ... 41 E 2
Œuilly 51 ... 61 E 1
Œutrange 57 ... 45 G 2
Oëy 55 ... 93 F 1
Oeyregave 40 ... 292 D 5
Oeyreluy 40 ... 292 D 3
Offekerque 62 ... 3 E 3
Offemont 90 ... 142 C 2
Offendorf 67 ... 69 F 4
Offignies 80 ... 21 G 3

Offin 62 6 D 4
Offlanges 39 161 E 4
Offoy 60 22 A 4
Offoy 80 23 H 3
Offranville 76 20 A 2
Offrethun 62 2 B 5
Offroicourt 88 94 C 5
Offwiller 67 68 C 2
Ogenne-Camptort 64 313 G 3
Oger 51 61 G 2
Ogeu-les-Bains 64 314 A 4
Ogéviller 54 95 H 2
Ogliastro 2B 345 F 2
Ognes 02 24 A 5
Ognes 51 61 F 5
Ognes 60 39 F 5
Ognéville 54 94 C 3
Ognolles 60 23 G 4
Ognon 60 39 E 4
Ogy 57 66 B 1
Ohain 59 16 A 5
Oherville 76 19 G 3
Ohis 02 25 G 1
Ohlungen 67 68 D 3
Ohnenheim 67 97 F 5
L'Oie 85 166 B 3
Oigney 70 140 C 3
Oignies 62 8 C 4
Oigny 21 138 C 5
Oigny 41 109 E 4
Oigny-en-Valois 02 40 A 4
Oingt 69 212 C 3
Oinville-Saint-Liphard 28 111 E 2
Oinville-sous-Auneau 28 86 C 3
Oinville-sur-Montcient 78 57 G 1
Oiron 79 168 B 2
Oiry 51 61 G 1
Oiselay-et-Grachaux 70 161 H 2
Oisemont 80 11 G 5
Oisilly 21 160 D 2
Oisly 41 153 E 2
Oison 45 111 E 3
Oisseau 53 82 A 4
Oisseau-le-Petit 72 83 G 5
Oissel 76 36 B 3
Oissery 77 59 F 1
Oissy 80 22 A 1
Oisy 02 15 E 5
Oisy 58 157 E 1
Oisy 59 9 G 5
Oisy-le-Verger 62 14 A 3
Oizé 72 129 H 3
Oizon 18 155 F 2
OK Corral
Parc d'attractions 13 327 G 3
Olargues 34 300 D 5
Olby 63 227 F 1
Olcani 2B 345 F 2
Oléac-Debat 65 315 F 4
Oléac-Dessus 65 315 F 5
Olemps 12 280 C 1
Olendon 14 53 H 2
Oléron *Île d'* 17 200 B 4
Oléron *Viaduc d'* 17 200 C 4
Oletta 2B 345 F 5
Olette 66 341 H 3
Olhain *Château d'* 62 8 A 5
Olivese 2A 349 E 4
Olivet 45 133 E 2
Olivet 53 105 H 3
Olizy 08 42 D 2
Olizy 51 41 E 5
Olizy-sur-Chiers 55 27 H 5
Ollainville 88 94 A 5
Ollainville 91 87 G 2
Ollans 25 162 B 1
Ollé 28 85 H 4
Ollencourt 60 39 H 1
Olley 54 45 E 5
Ollezy 02 24 A 3
Ollières 55 44 D 3
Les Ollières 74 215 H 2
Ollières 83 306 D 5
Les Ollières-sur-Eyrieux 07 266 D 1
Olliergues 63 228 D 1
Ollioules 83 327 H 4
Olloix 63 227 G 2
Les Olmes 69 212 C 4
Olmet 63 228 D 1
Olmet-et-Villecun 34 301 H 3
Olmeta-di-Capocorso 2B 345 F 3
Olmeta-di-Tuda 2B 345 F 5
Olmeto 2A 348 D 5
Olmi-Cappella 2B 346 D 2
Olmiccia 2A 349 E 5
Olmo 2B 347 G 2
Olonne-sur-Mer 85 182 A 1
Olonzac 34 320 C 4
Oloron-Sainte-Marie 64 331 H 1
Ols-et-Rinhodes 12 261 F 5
Oltingue 68 143 G 4
Olwisheim 67 68 D 5
Omaha Beach 14 32 D 2
Omblèze 26 250 A 5
Omécourt 60 21 G 5
Omelmont 54 94 D 2
Les Omergues 04 286 D 3
Omerville 95 37 F 5
Omessa 2B 347 F 4
Omet 33 256 B 3
Omex 65 332 D 1
Omey 51 62 C 3
Omicourt 08 27 E 4
Omiécourt 80 23 F 3
Omissy 02 24 B 2
Omméel 61 54 C 4
Ommeray 57 67 E 5
Ommoy 61 54 A 3
Omont 08 26 D 5
Omonville 76 20 A 3
Omonville-la-Petite 50 28 C 2
Omonville-la-Rogue 50 28 D 2
Omps 15 243 H 5
Oms 66 342 D 3
Onans 25 142 A 4
Onard 40 293 F 2
Onay 70 161 F 2
Oncieu 01 214 B 3
Oncourt 88 95 F 5
Oncy-sur-École 91 88 A 4
Ondefontaine 14 53 E 1
Ondes 31 297 G 3
Ondres 40 292 A 4
Ondreville-sur-Essonne 45 111 H 2
Onesse-Laharie 40 272 C 4
Onet-le-Château 12 280 D 1
Oneux 80 11 H 3
Ongles 04 287 E 4
Onglières 39 180 A 3
Onival 80 10 D 3
Onjon 10 91 F 4
Onlay 58 176 A 2
Onnaing 59 9 H 5
Onnion 74 198 B 5
Onoz 39 196 C 2
Ons-en-Bray 60 37 H 2
Ontex 73 215 E 5
Onville 54 65 F 2
Onvillers 80 23 E 5
Onzain 41 152 D 1
Oô 31 334 A 4
Oost-Cappel 59 4 A 3
Opio 06 309 E 3
Opme 63 227 H 1
Opoul-Périllos 66 338 D 4
Oppède 84 305 G 2
Oppède-le-Vieux 84 305 F 2
Oppedette 04 286 D 5
Oppenans 70 141 G 4
Oppy 62 13 H 2
Optevoz 38 214 A 5
Or *Mont d'* 25 180 C 4
Oraàs 64 311 H 3
Oradour 15 245 F 5
Oradour 16 202 D 4
Oradour-Fanais 16 204 D 2
Oradour-Saint-Genest 87 187 H 5
Oradour-sur-Glane 87 205 F 4
Oradour-sur-Vayres 87 222 D 1
Orain 21 139 H 5
Orainville 02 41 G 2
Oraison 04 287 G 5
Orange 84 285 F 3
Orbagna 39 196 B 1
Orbais-l'Abbaye 51 61 E 2
Orban 81 299 F 2
Orbec 14 55 E 1
Orbeil 63 228 A 3
Orbessan 32 296 B 5
Orbey 68 120 D 2
Orbigny 37 152 D 4
Orbigny-au-Mont 52 139 H 2
Orbigny-au-Val 52 139 H 2
Orbois 14 33 E 5
L'Orbrie 85 184 B 2
Orçay 41 154 C 4
Orcemont 78 86 D 2
Orcenais 18 173 E 5
Orcet 63 227 H 1
Orcevaux 52 139 G 3
Orchaise 41 131 H 5
Orchamps 39 161 F 5
Orchamps-Vennes 25 163 E 5
Orches 86 169 E 3
Orchies 59 9 E 4
Orcier 74 198 B 4
Orcières 05 270 A 2
Orcinas 26 267 H 4
Orcines 63 209 G 5
Orcival 63 227 F 1
Orconte 51 62 D 5
Ordan-Larroque 32 296 A 3
Ordiarp 64 331 E 1
Ordizan 65 333 F 1
Ordonnac 33 219 E 5
Ordonnaz 01 214 C 4
Ore 31 334 B 2
Orègue 64 311 G 3
Oreilla 66 341 H 3
Orelle 73 252 C 1
Oresmaux 80 22 B 3
Orezza *Couvent d'* 2B 347 G 3
Organ 65 316 A 4
Orgeans 25 163 F 3
Orgedeuil 16 221 H 1
Orgeix 09 341 E 2
Orgelet 39 196 C 2
Orgères 35 104 B 4
Orgères 61 54 D 4
Orgères-en-Beauce 28 110 C 3
Orgères-la-Roche 53 83 E 2
Orgerus 78 57 F 3
Orges 52 116 C 3
Orgeux 21 160 B 2
Orgeval 02 41 E 1
Orgeval 78 57 H 2
Orgibet 09 334 D 3
Orglandes 50 29 F 5
Orgnac *Aven d'* 07 284 B 1
Orgnac-l'Aven 07 284 B 2
Orgnac-sur-Vézère 19 224 B 5
Orgon 13 305 F 2
Orgueil 82 297 H 1
Oricourt 70 141 G 4
Orient *Forêt d'* 10 91 G 5
Orieux 65 315 G 5
Orignac 65 333 F 1
Origne 33 255 G 4
Origné 53 106 A 5
Orignolles 17 238 C 1
Origny 21 138 B 4
Origny-en-Thiérache 02 25 G 1
Origny-le-Butin 61 84 B 4
Origny-le-Roux 61 84 A 5
Origny-le-Sec 10 90 B 3
Origny-Sainte-Benoite 02 24 C 2
Orin 64 313 G 4
Orincles 65 333 E 1
Oriocourt 57 66 C 3
Oriol-en-Royans 26 250 A 4
Oriolles 16 220 C 5
Orion 64 313 F 2
Oris-en-Rattier 38 251 F 4
Orist 40 292 C 4
Orival 16 239 E 1
Orival 76 36 A 3
Orival 80 21 G 3
Orléans 45 133 E 2
Orléat 63 210 B 4
Orleix 65 315 F 5
Orliac 24 259 F 2
Orliac-de-Bar 19 224 D 5
Orliaguet 24 241 H 5
Orliénas 69 230 D 1
Orlu 09 341 E 2
Orlu 28 87 E 5
Orly 94 58 C 4
Orly-sur-Morin 77 60 A 3
Ormancey 52 117 E 5
Ormeaux 77 59 H 5
Ormenans 70 162 B 1
Ormersviller 57 48 B 5
Ormes 10 91 E 2
Ormes 27 56 A 1
Ormes 45 110 D 5
Ormes 51 41 G 4
Ormes 71 195 F 1
Les Ormes 86 169 H 2
Les Ormes 89 135 H 2
Ormes-et-Ville 54 94 D 3
Les Ormes-sur-Voulzie 77 89 F 3
Ormesson 77 112 B 2
Ormesson-sur-Marne 94 58 D 4
Ormoiche 70 141 F 2
Ormoy 28 86 A 2
Ormoy 70 118 C 5
Ormoy 89 114 A 5
Ormoy 91 88 A 2
Ormoy-la-Rivière 91 87 F 4
Ormoy-le-Davien 60 39 G 4
Ormoy-lès-Sexfontaines 52 116 D 2
Ormoy-sur-Aube 52 116 B 4
Ormoy-Villers 60 39 F 4
Ornacieux 38 231 H 4
Ornaisons 11 320 D 5
Ornans 25 162 B 5
Ornel 55 44 D 4
Ornes 55 44 C 4
Ornex 01 197 G 4
Ornézan 32 296 B 5
Orniac 46 260 C 4
Ornolac-Ussat-
les-Bains 09 336 B 4
Ornon 38 251 F 3
Ornon *Col d'* 38 251 F 3
Orny 57 65 H 2
Oroër 60 38 A 1
Oroix 65 314 D 4
Oron 57 66 C 3
Oroux 79 168 B 5
Orphin 78 86 D 2
Orpierre 05 287 E 1
Orquevaux 52 93 F 5
Les Orres 05 270 C 4
Orret 21 138 C 5
Orriule 64 313 F 2
Orrouer 28 85 H 4
Orrouy 60 39 G 3
Orry-la-Ville 60 38 D 5
Ors 59 15 E 4
Orsan 30 284 D 3
Orsanco 64 311 G 4
Orsans 11 319 E 5
Orsans 25 162 C 3
Orsay 91 58 B 5
Orschwihr 68 120 D 4
Orschwiller 67 97 E 5
Orsennes 36 189 E 3
Orsinval 59 15 E 2
Orsonnette 63 228 A 4
Orsonville 78 86 D 3
Ortaffa 66 343 F 3
Ortale 2B 347 G 4
Orthevielle 40 292 D 5
Orthez 64 293 G 5
Orthoux-Sérignac-
Quilhan 30 303 E 1
Ortillon 10 91 F 3
Ortiporio 2B 347 G 3
Orto 2A 348 D 1
Orval-sur-Sienne 88 95 G 4
Orus 09 336 A 5
Orval 18 173 F 5
Orval 50 51 G 1
Orvault 44 147 G 3
Orvaux 27 56 A 2
Orve 25 163 E 2
Orveau 91 87 G 4
Orveau-Bellesauve 45 111 H 2
Orville 21 139 F 5
Orville 36 154 A 5
Orville 45 111 H 2
Orville 61 54 D 3
Orville 62 12 D 4
Orvillers-Sorel 60 23 E 5
Orvilliers 78 57 F 3
Orvilliers-Saint-Julien 10 90 C 4
Orx 40 292 B 4
Os-Marsillon 64 313 H 2
Osani 2A 346 A 4
Osches 55 63 H 1
Osenbach 68 120 D 4
Oslon 71 177 H 4
Osly-Courtil 02 40 A 2
Osmanville 14 32 B 2
Osmery 18 173 G 3
Osmets 65 315 G 4
Osmoy 18 173 F 1
Osmoy 78 57 F 3
Osmoy-Saint-Valery 76 20 C 3
Osne-le-Val 52 93 E 3
Osnes 08 27 G 4
Osny 95 58 A 1
L'Ospédale 2A 351 F 2
Osquich *Col d'* 64 311 G 5
Ossages 40 293 F 5
Ossas-Suhare 64 331 E 1
Osse 25 162 B 3
Ossé 35 104 D 3
Osse-en-Aspe 64 331 H 3
Osséja 66 341 F 5
Osselle *Grottes d'* 25 161 G 5
Osselle-Routelle 25 161 G 5
Ossen 65 332 D 1
Ossenx 64 313 F 3
Osserain-Rivareyte 64 311 H 4
Ossès 64 311 E 5
Ossey-les-Trois-Maisons 10 90 B 4
Ossun 65 314 D 5
Ossun-ez-Angles 65 333 E 1
Ostabat-Asme 64 311 G 5
Ostel 02 40 D 2
Ostheim 68 121 E 2
Osthoffen 67 97 F 1
Osthouse 67 97 G 3
Ostreville 62 7 G 5
Ostricourt 59 8 D 4
Ostwald 67 97 H 1
Ota 2A 346 B 5
Othe 54 44 B 2
Othis 77 59 E 1
Ottange 57 45 F 2
Ottersthal 67 68 B 4
Otterswiller 67 68 B 4
Ottmarsheim 68 143 G 1
Ottonville 57 46 C 4
Ottrott 67 97 E 2
Ottwiller 67 68 A 3
Ouagne 58 157 E 2
Ouainville 76 19 F 3
Ouanne 89 136 A 4
Ouarville 28 86 D 5
Les Oubeaux 14 32 B 3
Ouchamps 41 153 E 2
Ouches 42 211 G 3
Oucques 41 132 A 3
Oudalle 76 34 D 1
Oudan 58 156 D 3
Oudeuil 60 21 H 5
Oudezeele 59 3 H 4
Oudincourt 52 116 D 2
Oudon 44 148 A 2
Oudrenne 57 46 B 3
Oudry 71 193 H 1
Oueilloux 65 315 F 5
Ouerre 28 56 D 5
Ouessant *Île d'* 29 74 A 1
Ouézy 14 34 A 5
Ouffières 14 53 F 1
Ouge 70 140 B 2
Ouges 21 160 A 4
Ougney 39 161 F 4
Ougney-Douvot 25 162 C 2
Ougny 58 175 G 1
Ouhans 25 180 C 1
Ouides 43 247 E 5
Ouillat *Col de l'* 66 343 F 4
Ouillon 64 314 C 3
Ouilly-du-Houley 14 34 D 5
Ouilly-le-Tesson 14 53 H 1
Ouilly-le-Vicomte 14 34 C 4
Ouistreham-Riva-Bella 14 33 H 3
Oulches 36 188 B 1
Oulches-la-Vallée-Foulon 02 41 E 2
Oulchy-la-Ville 02 40 B 4
Oulchy-le-Château 02 40 B 4
Oulins 28 56 D 3
Oulles 38 251 F 3
Oullins 69 231 E 1
Oulmes 85 184 C 3
Oulon 58 157 E 5
Ounans 39 179 F 1
Oupia 34 320 C 4
Our 39 161 F 5
Ourcel-Maison 60 22 B 5
Ourches 26 267 G 1
Ourches-sur-Meuse 55 94 A 1
Ourde 65 334 A 3
Ourdis-Cotdoussan 65 333 E 2
Ourdon 65 333 E 2
Ourouër 58 174 D 1
Ourouer-les-Bourdelins 18 173 H 3
Ouroux 69 194 C 5
Ouroux-en-Morvan 58 168 A 5
Ouroux-sous-le-Bois-
Sainte-Marie 71 194 A 4
Ouroux-sur-Saône 71 178 A 5
Oursbelille 65 315 E 4
Ourscamps *Abbaye d'* 60 39 G 1
Les Oursinières 83 328 B 5
Ourtigas *Col de l'* 34 301 E 4
Ourton 62 7 H 4
Ourville-en-Caux 76 19 F 3
Ousse 64 314 C 4
Ousse-Suzan 40 273 F 5
Oussières 39 179 E 2
Ousson-sur-Loire 45 134 D 5
Oussoy-en-Gâtinais 45 134 C 2
Oust 09 335 G 4
Oust-Marest 80 10 D 4
Ousté 65 333 E 1
Outarville 45 111 E 2
Outines 51 92 A 2
Outreau 62 6 A 2
Outrebois 80 12 C 3
Outremécourt 52 118 A 2
Outrepont 51 62 D 4
Outriaz 01 214 C 2
Outtersteene 59 4 A 5
Ouvans 25 162 D 3
Ouve-Wirquin 62 7 E 2
Ouveillan 11 321 E 4
Ouville 50 51 H 1
Ouville-la-Bien-Tournée 14 54 A 1
Ouville-la-Rivière 76 20 A 2
Ouville-l'Abbaye 76 19 H 4
Ouvrouer-
les-Champs 45 133 H 3
Ouzilly 86 169 F 4
Ouzilly-Vignolles 86 168 C 3
Ouzouer-
des-Champs 45 134 C 2
Ouzouer-le-Doyen 41 109 H 5
Ouzouer-le-Marché 41 132 C 2
Ouzouer-
sous-Bellegarde 45 112 A 5
Ouzouer-sur-Loire 45 134 B 3
Ouzouer-sur-Trézée 45 134 D 4
Ouzous 65 332 D 2
Ovanches 70 140 D 4
Ovillers-la-Boisselle 80 13 F 5
Oxelaëre 59 3 H 5
Oxocelhaya et Isturits
Grottes d' 64 311 F 4
Oyé 71 193 H 4
Oye-et-Pallet 25 180 C 3
Oye-Plage 62 3 E 3
Oyes 51 61 E 4
Oyeu 38 232 B 4
Oyonnax 01 196 C 5
Oyré 86 169 H 3
Oyrières 70 140 A 5
Oysonville 28 87 E 4
Oytier-Saint-Oblas 38 231 G 2
Oz 38 251 G 2
Ozan 01 195 F 3
Oze 05 269 E 4
Ozenay 71 195 E 2
Ozenx 64 313 F 2
Ozerailles 54 45 E 4
Ozeville 50 29 G 4
Ozières 52 117 G 2
Ozillac 17 219 H 4
Ozoir-la-Ferrière 77 59 E 4
Ozoir-le-Breuil 28 110 A 5
Ozolles 71 194 A 4
Ozon 07 249 E 2
Ozon 65 315 G 5
Ozouer-le-Repos 77 88 D 2
Ozouer-le-Voulgis 77 59 F 5
Ozourt 40 293 F 3

P

Paars 02 40 D 3
Pabu 22 73 E 5
La Pacaudière 42 211 F 1
Pacé 35 104 A 2
Pacé 61 83 F 3
Pact 38 231 G 5
Pacy-sur-Armançon 89 137 F 3
Pacy-sur-Eure 27 56 D 1
Padern 11 338 B 4
Padiès 81 280 B 5
Padirac 46 260 D 1
Padirac *Gouffre de* 46 260 D 1
Padoux 88 95 G 5
Pageas 87 223 E 1
Pagney 39 161 F 3
Pagney-derrière-Barine 54 65 F 5
Pagnoz 39 179 G 2
Pagny-la-Blanche-Côte 55 94 A 2
Pagny-la-Ville 21 178 B 1
Pagny-le-Château 21 178 B 1
Pagny-lès-Goin 57 65 H 2
Pagny-sur-Meuse 55 94 A 1
Pagny-sur-Moselle 54 65 G 2
Pagolle 64 311 H 5
Pailhac 65 333 H 3
Pailharès 07 248 C 3
Pailhères *Port de* 09 337 E 5
Pailherols 15 244 D 5
Pailhès 09 335 H 1
Pailhès 34 321 G 2
Paillart 60 22 C 4
Paillé 17 202 B 3
Paillencourt 59 14 B 3
Paillet 33 255 H 2
Pailloles 47 258 B 5
Le Pailly 52 139 H 3
Pailly 89 89 G 5
Paimbœuf 44 146 D 3
Paimpol 22 73 F 3

Paimpont 35 103 F 3
Pain de Sucre 14 53 F 2
Painblanc 21 159 F 5
Pair-et-Grandrupt 88 96 B 5
Pairis 68 120 C 2
Paissy 02 41 E 2
Paisy-Cosdon 10 114 B 2
Paizay-le-Chapt 79 202 C 2
Paizay-le-Sec 86 187 F 1
Paizay-le-Tort 79 202 C 1
Paizay-Naudouin 16 203 E 2
Pajay 38 231 H 5
le Pal *Parc d'attractions et animalier* 03 192 D 2
Paladru 38 232 C 3
Palagaccio 2B 345 G 4
Palaggiu *Alignements de* 2A 350 D 3
Palairac 11 338 B 3
Le Palais 56 144 B 4
Le Palais-sur-Vienne 87 205 H 4
Palaiseau 91 58 B 5
Palaiseul 52 139 H 3
Palaja 11 319 H 5
Palaminy 31 317 E 5
Palante 70 142 A 3
Palantine 25 161 H 5
Palasca 2B 344 D 5
Palau-de-Cerdagne 66 341 F 5
Palau-del-Vidre 66 343 F 3
Palavas-les-Flots 34 303 E 5
Palazinges 19 242 D 2
Paley 77 112 D 2
Paleyrac 24 259 E 1
Palhers 48 264 A 4
Palinges 71 193 H 2
Pâlis 10 90 B 5
Palise 25 162 A 2
Palisse 19 225 H 4
Palladuc 63 210 D 4
Pallanne 32 295 G 5
Palleau 71 178 A 2
Pallegney 88 95 F 5
Le Pallet 44 148 A 5
Palleville 81 319 E 2
La Pallice 17 200 B 1
La Pallu 53 82 D 3
Palluau 85 165 G 3
Palluau-sur-Indre 36 171 E 2
Palluaud 16 221 F 5
Pallud 73 234 A 1
Palluel 62 14 A 2
Palmas d'Aveyron 12 281 F 1
La Palme 11 339 E 3
La Palmyre 17 218 B 1
Palneca 2A 349 F 3
Palogneux 42 229 F 1
Palombaggia *Plage de* 2A 351 G 3
La Palud-sur-Verdon 04 307 H 2
Paluden 29 70 C 4
Paluel 76 19 F 2
Pamfou 77 88 D 4
Pamiers 09 336 B 1
Pampelonne 81 279 H 4
Pamplie 79 184 D 2
Pamproux 79 185 G 3
Panassac 32 316 A 3
Panazol 87 205 H 5
Pancé 35 104 B 5
Pancheraccia 2B 347 G 5
Pancy-Courtecon 02 40 D 1
Pandrignes 19 243 E 2
Pange 57 66 B 1
Panges 21 159 G 2
Panilleuse 27 37 E 5
Panissage 38 232 B 3
Panissières 42 212 A 5
Panjas 32 294 D 2
Panlatte 27 56 A 4
Pannecé 44 148 B 1
Pannecières 45 87 F 5
Pannes 45 112 B 4
Pannes 54 65 E 3
Pannesière-Chaumard *Barrage de* 58 157 H 5
Pannessières 39 179 F 5
Panon 72 84 A 5
Panossas 38 231 H 1
La Panouse 48 264 D 2
Pansey 52 93 F 3
Pantin 93 58 C 3
Panzoult 37 151 F 5
Papleux 02 15 G 5
La Pâquelais 44 147 F 2
Paradou 13 304 C 3
Paramé 35 50 C 5
Parassy 18 155 F 4
Parata 2B 347 G 3
Parata *Pointe de la* 2A 348 B 4
Paray-Douaville 78 86 D 4
Paray-le-Frésil 03 192 C 1
Paray-le-Monial 71 193 G 3
Paray-sous-Briailles 03 192 B 5
Paray-Vieille-Poste 91 58 C 5
Paraza 11 320 D 4
Parbayse 64 313 H 3
Parc-d'Anxtot 76 19 E 5
Parçay-les-Pins 49 150 D 2
Parçay-Meslay 37 152 A 2
Parçay-sur-Vienne 37 151 G 5
Parcé 35 81 E 5
Parcé-sur-Sarthe 72 129 F 2
Parcey 39 179 E 1
Parcieux 01 213 E 4
Parcoul-Chenaud 24 239 E 2
Le Parcq 62 7 E 5
Parcy-et-Tigny 02 40 B 4
Pardaillan 34 320 D 2
Pardaillan 47 257 F 3
Pardies 64 313 H 3
Pardies-Piétat 64 314 B 5
Pardines 63 227 H 3
Paréac 65 333 E 1
Pareid 55 64 D 1
Parempuyre 33 237 F 4
Parennes 72 107 E 3
Parent 63 228 A 2
Parentignat 63 228 A 3
Parentis-en-Born 40 272 D 1
Parenty 62 6 C 3
Parey-Saint-Césaire 54 94 C 2
Parey-sous-Montfort 88 94 C 5
Parfondeval 02 25 H 3
Parfondeval 61 84 B 3
Parfondru 02 41 E 1
Parfondrupt 55 44 D 5
Parfouru-l'Éclin 14 32 D 5
Parfouru-sur-Odon 14 33 E 5
Pargnan 02 41 E 2
Pargny 80 23 G 3
Pargny-Filain 02 40 D 1
Pargny-la-Dhuys 02 60 D 2
Pargny-les-Bois 02 24 D 3
Pargny-lès-Reims 51 41 F 4
Pargny-Resson 08 42 B 1
Pargny-sous-Mureau 88 93 H 4
Pargny-sur-Saulx 51 63 E 4
Pargues 10 115 F 4
Parignargues 30 303 G 1
Parigné 35 81 F 3
Parigné-le-Pôlin 72 129 H 2
Parigné-l'Évêque 72 108 A 5
Parigné-sur-Braye 53 82 B 5
Parigny 42 211 G 3
Parigny 50 81 G 2
Parigny-la-Rose 58 157 E 3
Parigny-les-Vaux 58 174 C 1
Pariou *Puy de* 63 209 G 5
Paris 75 58 C 3
Paris-Charles-de-Gaulle *Aéroport* 95 58 D 1
Paris-l'Hôpital 71 177 F 2
Paris-Orly *Aéroport de* 91 58 C 5
Parisot 81 298 D 2
Parisot 82 279 E 2
Parlan 15 261 G 1
Parleboscq 40 274 D 5
Parly 89 135 H 3
Parmain 95 38 B 5
Parmilieu 38 214 A 4
Parnac 36 188 C 3
Parnac 46 259 H 5
Parnans 26 249 H 2
Parnay 18 173 G 3
Parnay 49 150 C 4
Parné-sur-Roc 53 106 A 4
Parnes 60 37 F 4
Parnot 52 117 H 4
Les Paroches 55 64 C 3
Parois 55 43 G 5
Paron 89 113 F 3
Paroy 25 179 H 1
Paroy 77 89 F 3
Paroy-en-Othe 89 114 A 4
Paroy-sur-Saulx 52 93 E 3
Paroy-sur-Tholon 89 113 H 5
Parpeçay 36 153 H 4
Parpeville 02 24 C 3
Parranquet 47 258 D 3
Parroy 54 66 D 5
Pars-lès-Chavanges 10 91 H 3
Pars-lès-Romilly 10 90 B 3
Parsac 33 238 D 5
Parsac-Rimondeix 23 207 G 1
Parthenay 79 168 A 5
Parthenay-de-Bretagne 35 104 A 2
Partinello 2A 346 B 4
Parux 54 96 B 2
Parves-et-Nattages 01 214 D 5
Parville 27 56 B 1
Parvillers-le-Quesnoy 80 23 F 3
Parzac 16 203 H 3
Les Pas 50 51 G 5
Le Pas 53 82 A 3
Pas-de-Jeu 79 168 C 2
Pas de la Graille 04 287 F 3
Pas de l'Echelle 74 197 G 5
Pas de l'Ours 11 336 D 4
Pas-des-Lanciers 13 326 C 1
Pas-en-Artois 62 13 E 4
Le Pas-Saint-l'Homer 61 85 E 3
Pasciolo *Fort de* 2B 347 E 5
Pasilly 89 137 F 4
Paslières 63 210 C 4
Pasly 02 40 B 2
Pasques 21 159 H 2
Le Pasquier 39 179 H 3
Passa 66 343 E 3
Le Passage 38 232 C 3
Le Passage 47 276 B 3
Passais 61 82 A 2
Passavant 25 162 C 3
Passavant-en-Argonne 51 63 F 1
Passavant-la-Rochère 70 118 C 4
Passavant-sur-Layon 49 149 H 5
Passay 44 147 G 5
Passel 60 23 G 5
Passenans 39 179 F 4
Passin 01 214 D 3
Passins 38 232 B 1
Passirac 16 220 D 5
Passonfontaine 25 162 D 5
Passy 71 194 C 2
Passy 74 216 C 3
Passy 89 113 G 3
Passy-en-Valois 02 40 A 5
Passy-Grigny 51 41 E 5
Passy-sur-Marne 02 60 D 1
Passy-sur-Seine 77 89 G 4
Pastricciola 2A 348 D 1
Patay 45 110 C 4
Patornay 39 196 D 1
Patrimonio 2B 345 F 4
Pau 64 314 B 5
Paucourt 45 112 C 4
Paudy 36 172 B 1
Paugnat 63 209 G 4
Pauilhac 32 296 B 1
Pauillac 33 237 E 1
Paule 22 77 E 4
Paulhac 15 245 F 4
Paulhac 31 298 A 3
Paulhac 43 246 B 1
Paulhac-en-Margeride 48 246 B 5
Paulhaguet 43 246 C 2
Paulhan 34 302 A 5
Paulhe 12 281 H 3
Paulhenc 15 245 F 5
Paulhiac 47 258 D 4
Pauliac *Puy de* 19 242 D 2
Pauligne 11 337 F 1
Paulin 24 241 H 4
La Pauline 83 328 B 4
Paulinet 81 300 A 2
Paulmy 37 170 A 2
Paulnay 36 170 D 3
Paulx 44 165 F 1
Paunat 24 240 D 5
Pause *Col de* 09 335 F 5
Paussac-et-Saint-Vivien 24 222 B 5
Pautaines-Augeville 52 93 F 4
Pauvres 08 42 B 2
Pavant 02 60 B 2
Pavezin 42 230 D 4
Pavie 32 296 B 4
Pavillon *Col du* 69 212 A 2
Le Pavillon-Sainte-Julie 10 90 C 4
Les Pavillons-sous-Bois 93 58 D 3
Pavilly 76 20 A 5
Pavin *Lac* 63 227 F 3
Payns 10 90 D 4
Payra-sur-l'Hers 11 318 D 4
Payrac 46 260 B 1
Payré 86 186 A 4
Payrignac 46 259 H 2
Payrin-Augmontel 81 319 H 2
Payros-Cazautets 40 294 B 4
Payroux 86 186 C 5
Payssous 31 334 B 2
Payzac 07 265 H 5
Payzac 24 223 G 5
Pazayac 24 241 H 3
Paziols 11 338 C 4
Pazy 58 157 G 4
Le Péage 38 231 G 2
Le Péage-de-Roussillon 38 231 E 5
Péas 51 61 E 4
Peaugres 07 249 E 1
Péaule 56 125 E 4
Péault 85 183 E 2
Pébées 32 317 E 2
Pébrac 43 246 C 4
Pech 09 336 B 5
Pech-Luna 11 318 D 5
Pech Merle *Grotte du* 46 260 C 4
Péchabou 31 318 A 2
Pécharic-et-le-Py 11 318 D 5
Péchaudier 81 299 E 5
Pechbonnieu 31 298 A 3
Pechbusque 31 298 A 5
Le Pêchereau 36 188 D 1
Pécorade 40 294 B 4
Le Pecq 78 58 A 3
Pecquencourt 59 9 E 5
Pecqueuse 91 87 F 2
Pécy 77 59 H 5
Pédernec 22 72 D 5
Pégairolles-de-Buèges 34 302 B 2
Pégairolles-de-l'Escalette 34 301 H 2
Pégomas 06 309 E 4
Le Pègue 26 267 G 5
Péguilhan 31 316 C 4
Peigney 52 139 G 2
Peillac 56 125 G 3
Peille 06 291 G 5
Peillon 06 291 F 5
Peillonnex 74 216 A 1
Peintre 39 161 E 4
Les Peintures 33 238 D 3
Peipin 04 287 G 3
Peïra-Cava 06 291 F 4
Peisey-Nancroix 73 234 D 2
Pel-et-Der 10 91 G 4
Pélissanne 13 305 F 4
Pellafol 38 269 F 1
Pelleautier 05 269 G 4
Pellefigue 32 316 C 2
Pellegrue 33 257 E 2
Pelleport 31 297 F 3
Pellerey 21 159 G 1
Le Pellerin 44 147 F 4
La Pellerine 49 150 D 1
La Pellerine 53 81 G 5
Pellevoisin 36 171 F 2
Pellouailles-les-Vignes 49 149 H 1
Pelonne 26 268 B 5
Pelouse 48 264 D 4
Pelousey 25 161 H 3
Peltre 57 65 H 1
Pélussin 42 230 D 4
Pelves 62 13 H 2
Pelvoux 05 252 C 5
Pelvoux *Belvédère du* 05 252 C 5
Pen-Guen 22 50 A 5
Pen-Lan *Pointe de* 56 124 D 5
Penchard 77 59 G 2
Pencran 29 75 G 2
Pendé 80 11 E 3
Pendu *Col du* 07 265 G 3
Pénestin 56 124 D 5
Penguily 22 78 D 4
Penhir *Pointe de* 29 74 D 4
Penhors 29 99 E 3
Penin 62 13 E 2
Penly 76 10 C 5
Penmarch 29 99 F 5
Pennautier 11 319 H 5
La Penne 06 289 G 5
Penne 81 278 D 4
Penne-d'Agenais 47 276 D 1
La Penne-sur-Huveaune 13 327 F 3
La Penne-sur-l'Ouvèze 26 286 A 2
Pennedepie 14 34 C 2
Pennes-le-Sec 26 268 A 3
Les Pennes-Mirabeau 13 326 D 1
Pennesières 70 162 A 1
Penol 38 231 H 4
Pensol 87 222 D 2
Penta-Acquatella 2B 347 G 2
Penta-di-Casinca 2B 347 G 2
Penthièvre 56 123 H 4
Pentrez-Plage 29 75 F 4
Penvénan 22 72 D 2
Penvins *Pointe de* 56 124 C 5
Péone 06 289 F 3
Pépieux 11 320 C 4
Pérassay 36 189 H 3
Peray 72 108 A 2
Perceneige 89 89 H 5
Percey 89 114 C 5
Percey-le-Grand 70 139 H 5
Percey-le-Pautel 52 139 G 3
Percey-sous-Montormentier 52 139 G 5
Le Perchay 95 37 H 5
La Perche 18 190 D 1
Perchède 32 294 D 2
Le Percy 38 268 D 1
Percy-en-Auge 14 54 A 1
Percy-en-Normandie 50 52 A 2
Perdreauville 78 57 F 2
Perdrix *Crêt de la* 42 230 C 5
Péré 17 201 E 1
Péré 65 333 G 1
Péréandre *Roche* 07 248 D 1
Péreille 09 336 C 3
Perelli 2B 347 G 4
Pérenchies 59 8 C 2
Péret 34 301 H 5
Péret-Bel-Air 19 225 F 4
Péreuil 16 220 D 3
Péreyres 07 266 A 1
Pergain-Taillac 32 276 B 4
Peri 2A 348 D 2
Le Périer 38 251 F 4
Périers 50 31 G 4
Périers-en-Auge 14 34 A 3
Périers-sur-le-Dan 14 33 G 3
Pérignac 16 221 E 4
Pérignac 17 219 H 2
Pérignat-lès-Sarliève 63 227 H 1
Pérignat-sur-Allier 63 228 A 1
Périgné 79 202 C 1
Périgneux 42 229 H 4
Périgny 03 192 C 5
Périgny 14 53 E 2
Périgny 17 200 C 1
Périgny 41 131 H 4
Périgny 94 58 D 5
Périgny-la-Rose 10 90 A 3
Périgueux 24 240 C 2
Périllos 66 338 D 3
Périssac 33 238 B 3
Perles 02 40 D 3
Perles-et-Castelet 09 336 C 5
Pern 46 277 H 1
Pernand-Vergelesses 21 177 H 1
Pernant 02 40 A 2
Pernay 37 151 G 2
La Pernelle 50 29 G 3
Pernes 62 7 G 4
Pernes-lès-Boulogne 62 2 B 5
Pernes-les-Fontaines 84 285 H 5
Pernois 80 12 C 5
Pero *Plage de* 2A 348 A 1
Pero-Casevecchie 2B 347 G 3
Pérols 34 303 E 5
Pérols-sur-Vézère 19 225 F 3
Péron 01 197 E 5
Péronnas 01 213 H 1
Péronne 71 195 E 3
Péronne 80 23 G 1
Péronne-en-Mélantois 59 9 E 3
Péronville 28 110 B 4
Pérouges 01 213 H 4
La Pérouille 36 171 F 5
Pérouse 90 142 C 3
Pérouse *Rocher de la* 89 158 A 3
Péroy-les-Gombries 60 39 F 5
Perpezac-le-Blanc 19 241 H 2
Perpezac-le-Noir 19 224 C 5
Perpezat 63 227 E 1
Perpignan 66 343 E 2
Les Perques 50 29 E 5
Perquie 40 294 C 1
Perrancey-les-Vieux-Moulins 52 139 G 2
Le Perray-en-Yvelines 78 57 G 5
Perrecy-les-Forges 71 193 H 1
La Perrena 39 180 A 5
Le Perréon 69 212 C 2
Perret 22 77 G 5
Perreuil 71 177 F 4
Perreuse 89 156 C 1
Perreux 42 211 H 2
Perreux 89 135 G 2
Le Perreux-sur-Marne 94 58 D 3
Perrex 01 195 F 5
Perrier 63 227 H 3
Le Perrier 85 164 D 3
La Perrière 61 84 B 4
La Perrière 73 234 C 3
Perrières 14 54 A 2
Perriers-en-Beauficel 50 52 B 4
Perriers-la-Campagne 27 35 G 5
Perriers-sur-Andelle 27 36 D 2
Perrignier 74 198 A 4
Perrigny 39 179 F 5
Perrigny 89 136 B 3
Perrigny-lès-Dijon 21 160 A 4
Perrigny-sur-Armançon 89 137 G 4
Perrigny-sur-l'Ognon 21 160 D 3
Perrigny-sur-Loire 71 193 E 2
Perrogney 52 139 F 2
Le Perron 50 32 C 5
Perros-Guirec 22 72 C 2
Perrou 61 82 B 2
Perrouse 70 162 A 2
Perroy 58 156 C 2
Perruel 27 36 D 2
Perrusse 52 117 G 3
Perrusson 37 170 C 1
Pers 15 243 H 5
Pers 79 185 H 5
Pers-en-Gâtinais 45 112 D 3
Pers-Jussy 74 215 H 1
Persac 86 187 E 4
Persan 95 38 B 5
Perse *Église de* 12 263 E 4
Persquen 56 101 G 3
Pertain 80 23 G 3
Perthes 08 42 A 1
Perthes 52 63 E 5
Perthes 77 88 A 3
Perthes-lès-Brienne 10 91 H 4
Pertheville-Ners 14 54 A 3
Le Perthus 66 343 E 4
Le Pertre 35 105 G 4
Le Pertuis 43 247 G 3
Pertuis 84 306 A 3
Pertuis *Col du* 63 210 D 5
Le Pertuiset 42 230 A 4
Perty *Col de* 26 286 C 1
La Péruse 16 204 B 3
La Pérusse 04 287 H 3
Pervenchères 61 84 B 4
Perville 82 276 D 3
Pescadoires 46 259 F 5
Peschadoires 63 210 C 5
Le Pescher 19 242 D 3
Péseux 25 163 F 2
Peseux 39 178 D 1
Peslières 63 228 C 4
Pesmes 70 161 E 3
Pessac 33 255 F 1
Pessac-sur-Dordogne 33 257 E 1
Pessan 32 296 B 4
Pessans 25 161 H 5
Pessat-Villeneuve 63 209 H 4
La Pesse 39 197 E 4
Pessines 17 201 F 5
Pessoulens 32 296 D 2
Pesteils *Château de* 15 244 D 5
Petersbach 67 68 A 3
Le Petit-Abergement 01 214 C 2
Petit-Appeville 76 10 A 5
Petit-Auverné 44 127 F 4
Petit Ballon 68 120 C 4
Petit-Bersac 24 239 F 1
Le Petit-Bornand-les-Glières 74 216 A 2
Le Petit-Celland 50 52 A 4
Petit-Cœur 73 234 B 2
Petit-Couronne 76 36 A 2
Petit-Croix 90 142 D 3
Le Petit Drumont 88 120 B 5
Petit-Ébersviller 57 67 E 1
Petit-Failly 54 44 C 2
Petit-Fayt 59 15 F 4
Petit-Fort-Philippe 59 3 E 2
Le Petit-Fougeray 35 104 B 5
Petit-Landau 68 143 H 1
Petit-Mars 44 147 H 2
Le Petit-Mercey 39 161 G 4
Petit-Mesnil 10 91 H 5
Petit Minou *Pointe du* 29 74 D 3
Petit-Noir 39 178 D 2
Petit-Palais-et-Cornemps 33 238 D 4
Le Petit-Pressigny 37 170 B 3
Le Petit-Quevilly 76 36 A 2
Petit-Réderching 57 68 A 1
Petit Saint-Bernard *Col du* 73 217 E 5
Petit-Tenquin 57 67 F 2
Petit-Verly 02 24 C 1
Petit-Xivry 54 44 C 2
La Petite-Boissière 79 167 E 3
Petite-Chaux 25 180 B 5
Petite-Forêt 59 9 G 5

La Petite-Fosse 88 ... 96 C 4
La Petite-Marche 03 ... 208 D 1
La Petite-Pierre 67 ... 68 A 3
La Petite-Raon 88 ... 96 B 3
Petite-Rosselle 57 ... 47 F 4
Petite-Synthe 59 ... 3 G 2
La Petite-Verrière 71 ... 176 C 1
Petitefontaine 90 ... 142 D 2
Les Petites-Armoises 08 ... 43 E 1
Les Petites-Dalles 76 ... 19 F 2
Les Petites-Loges 51 ... 42 A 5
Petitmagny 90 ... 142 C 2
Petitmont 54 ... 96 B 1
Les Petits-Robins 26 ... 267 E 1
Petiville 14 ... 33 H 4
Petiville 76 ... 35 F 1
Petosse 85 ... 183 H 2
Petreto-Bicchisano 2A ... 348 D 5
Pettoncourt 57 ... 66 C 4
Pettonville 54 ... 95 H 2
Peujard 33 ... 237 H 3
Peumerit 29 ... 99 F 3
Peumerit-Quintin 22 ... 77 F 3
Peuplingues 62 ... 2 C 3
Peuton 53 ... 128 A 2
Peuvillers 55 ... 44 B 3
Peux-et-Couffouleux 12 ... 300 D 3
Pévange 57 ... 66 D 3
Pévy 51 ... 41 F 3
Pexiora 11 ... 319 E 4
Pexonne 54 ... 96 A 2
Pey 40 ... 292 C 4
Peymeinade 06 ... 308 D 3
Peynier 13 ... 327 G 1
Peypin 13 ... 327 F 1
Peypin-d'Aigues 84 ... 306 B 2
Peyrabout 23 ... 207 E 2
La Peyrade 34 ... 323 E 3
Le Peyrat 09 ... 336 D 3
Peyrat-de-Bellac 87 ... 205 F 1
Peyrat-la-Nonière 23 ... 207 H 2
Peyrat-le-Château 87 ... 206 D 5
La Peyratte 79 ... 168 B 5
Peyraube 65 ... 315 G 5
Peyraud 07 ... 231 E 5
Peyre 40 ... 293 H 5
Peyre-Haute
Table d'orientation de 05 ... 270 D 2
Peyrecave 32 ... 276 D 5
Peyrefitte-du-Razès 11 ... 337 E 2
Peyrefitte-sur-l'Hers 11 ... 318 D 5
Peyregoux 81 ... 299 G 4
Peyrehorade 40 ... 292 D 5
Peyreleau 12 ... 282 A 3
Peyrelevade 19 ... 225 G 1
Peyrelongue-Abos 64 ... 314 D 2
Peyremale 30 ... 283 H 2
Peyrens 11 ... 319 E 3
Peyrepertuse
Château de 11 ... 338 B 4
Peyresourde 65 ... 333 H 4
Peyresourde *Col de 31* ... 333 H 4
Peyrestortes 66 ... 338 D 5
Peyret-Saint-André 65 ... 316 A 4
Peyriac-de-Mer 11 ... 339 E 1
Peyriac-Minervois 11 ... 320 B 4
Peyriat 01 ... 214 B 1
Peyrière 47 ... 257 G 4
Peyrieu 01 ... 232 D 1
Peyrignac 24 ... 241 G 2
Peyriguère 65 ... 315 G 4
Peyrilhac 87 ... 205 F 3
Peyrillac-et-Millac 24 ... 241 H 5
Peyrilles 46 ... 259 H 3
Peyrins 26 ... 249 G 3
Peyrissac 19 ... 224 D 3
Peyrissas 31 ... 316 D 4
Peyro-Clabado *Rocher 81* ... 299 H 4
Peyrol *Pas de 15* ... 244 D 3
Peyrole 81 ... 298 D 2
Peyrolles 11 ... 337 H 3
Peyrolles 30 ... 283 F 4
Peyrolles-en-Provence 13 ... 306 B 4
Peyroules 04 ... 308 B 1
Peyrouse 65 ... 332 D 1
Peyrouzet 31 ... 316 D 5
Peyruis 04 ... 287 G 4
Peyrun 65 ... 315 F 3
Peyrus 26 ... 249 H 5
Peyrusse 15 ... 245 G 2
Peyrusse-Grande 32 ... 295 G 4
Peyrusse-le-Roc 12 ... 261 G 5
Peyrusse-Massas 32 ... 296 A 3
Peyrusse-Vieille 32 ... 295 F 4
Peyssies 31 ... 317 F 4
Peyzac-le-Moustier 24 ... 241 F 4
Peyzieux-sur-Saône 01 ... 213 E 1
Pézarches 77 ... 59 H 4
Pezé-le-Robert 72 ... 107 F 2
Pézenas 34 ... 322 C 3
Pézènes-les-Mines 34 ... 301 G 5
Pezens 11 ... 319 G 4
Pézilla-de-Conflent 66 ... 338 A 5
Pézilla-la-Rivière 66 ... 342 D 2
Pezou 41 ... 131 H 2
Pezuls 24 ... 240 D 5
Pézy 28 ... 86 B 5
Pfaffenheim 68 ... 121 E 4
Pfaffenhoffen 67 ... 68 C 3
Pfalzweyer 67 ... 68 A 4
Pfastatt 68 ... 143 F 1
Pfetterhouse 68 ... 143 E 4
Pfettisheim 67 ... 68 D 5
Pfulgriesheim 67 ... 68 D 5
Phaffans 90 ... 142 C 2
Phalempin 59 ... 8 D 4
Phalsbourg 57 ... 68 A 4
Philippsbourg 57 ... 68 C 1
Philondenx 40 ... 294 A 5
Phlin 54 ... 66 B 3
Pia 66 ... 339 E 5
Piacé 72 ... 107 G 2
Le Pian-Médoc 33 ... 237 F 4
Le Pian-sur-Garonne 33 ... 256 B 3
Piana 2A ... 346 A 5
Pianella *Pont de 2A* ... 346 B 5
Pianello 2B ... 347 G 4
Piano 2B ... 347 G 3
Pianottoli-Caldarello 2A ... 351 E 3
Les Piards 39 ... 197 E 2
La Piarre 05 ... 268 D 4
Piau-Engaly 65 ... 333 F 4
Piazzali 2B ... 347 G 4
Piazzole 2B ... 347 G 3
Piblange 57 ... 46 B 4
Pibrac 31 ... 297 G 4
Picarreau 39 ... 179 G 4
Picarrou 31 ... 318 B 4
Picauville 50 ... 31 H 2
Pichanges 21 ... 160 B 1
Picherande 63 ... 227 E 4
Picquigny 80 ... 22 A 1
Pie-d'Orezza 2B ... 347 G 3
Pied-de-Borne 48 ... 265 G 5
Pied-la-Viste
Table d'orientation de 05 ... 270 D 2
Piedicorte-di-Gaggio 2B ... 347 G 5
Piedicroce 2B ... 347 G 3
Piedigriggio 2B ... 347 E 3
Piedipartino 2B ... 347 G 3
Piégon 26 ... 285 H 1
Piégros-la-Clastre 26 ... 267 H 2
Piégut 04 ... 269 H 4
Piégut-Pluviers 24 ... 222 C 2
Piémanson *Plage de 13* ... 325 F 4
Piencourt 27 ... 35 E 5
Piennes 54 ... 45 E 4
Piennes 80 ... 23 E 5
Piépape 52 ... 139 G 3
Pierlas 06 ... 289 G 4
La Pierre 38 ... 233 F 5
Pierre-Bénite 69 ... 231 E 1
Pierre-Buffière 87 ... 223 H 1
Pierre-Carrée *Col de la 74* ... 216 C 2
Pierre-Châtel 38 ... 251 E 4
La Pierre Couverte
Dolmen de 49 ... 129 G 5
Pierre-d'Avenon 83 ... 329 E 4
Pierre-de-Bresse 71 ... 178 C 3
Pierre Frite *Menhir de 49* ... 127 F 3
Pierre-Gourde
Château de 07 ... 249 E 5
Pierre-la-Treiche 54 ... 94 B 1
Pierre-Levée 77 ... 59 H 3
Pierre-Morains 51 ... 61 G 3
Pierre-Percée 54 ... 96 B 2
Pierre-Perthuis 89 ... 157 H 2
La Pierre Plantée 48 ... 264 D 4
Pierre-Plantée *Col de la 48* ... 264 D 3
Pierre-qui-Vire
Abbaye de la 89 ... 158 B 3
Pierreclos *Château de 71* ... 194 D 4
Pierrecourt 70 ... 140 A 4
Pierrecourt 76 ... 21 F 2
Pierrefaites 52 ... 140 B 2
Pierrefeu 06 ... 309 F 1
Pierrefeu-du-Var 83 ... 328 C 3
Pierrefiche 12 ... 263 G 5
Pierrefiche 48 ... 265 E 2
Pierrefiques 76 ... 18 D 4
Pierrefitte 19 ... 224 C 4
Pierrefitte 23 ... 207 H 1
Pierrefitte 79 ... 168 A 3
Pierrefitte 88 ... 118 D 2
Pierrefitte-en-Auge 14 ... 34 C 3
Pierrefitte-en-Beauvaisis 60 ... 37 H 1
Pierrefitte-en-Cinglais 14 ... 53 G 2
Pierrefitte-ès-Bois 45 ... 155 H 1
Pierrefitte-Nestalas 65 ... 332 D 2
Pierrefitte-sur-Aire 55 ... 64 B 3
Pierrefitte-sur-Loire 03 ... 193 E 2
Pierrefitte-sur-Sauldre 41 ... 154 C 1
Pierrefitte-sur-Seine 93 ... 58 C 2
Pierrefonds 60 ... 39 G 3
Pierrefontaine-
lès-Blamont 25 ... 163 G 2
Pierrefontaine-
les-Varans 25 ... 163 E 4
Pierrefontaines 52 ... 139 F 3
Pierrefort 15 ... 245 F 5
Pierregot 80 ... 12 D 5
Pierrelatte 26 ... 285 E 1
Pierrelaye 95 ... 58 A 1
Pierrelongue 26 ... 286 A 2
Pierremande 02 ... 24 A 5
Pierremont 62 ... 7 F 5
Pierrepont 02 ... 25 E 4
Pierrepont 14 ... 53 G 2
Pierrepont 54 ... 44 D 2
Pierrepont-sur-Avre 80 ... 22 D 4
Pierrepont-sur-l'Arentèle 88 ... 95 H 5
Pierrerue 04 ... 287 F 5
Pierrerue 34 ... 321 E 2
Pierres 14 ... 52 D 3
Pierres 28 ... 86 B 2
Pierreval 76 ... 20 C 5
Pierrevert 04 ... 306 C 2
Pierreville 50 ... 28 D 5
Pierreville 54 ... 94 D 2
Pierrevillers 57 ... 45 G 4
Pierric 44 ... 126 B 3
Pierry 51 ... 61 F 1
Pietra-di-Verde 2B ... 347 G 4
Pietracorbara 2B ... 345 G 3
Pietralba 2B ... 347 E 2
Pietranera 2B ... 345 G 4
Pietraserena 2B ... 347 G 5
Pietricaggio 2B ... 347 G 4
Pietrosella 2A ... 348 C 4
Pietroso 2B ... 349 F 1
Piets-Plasence-
Moustrou 64 ... 294 A 5
Pieusse 11 ... 337 G 1
Les Pieux 50 ... 28 D 4
Piève 2B ... 345 F 5
Piffonds 89 ... 113 F 4
Le Pigeon 46 ... 242 B 5
Pigeonnier *Col du 67* ... 69 E 1
Pigerolles 23 ... 207 G 5
Pigna 2B ... 344 C 5
Pignan 34 ... 302 C 5
Pignans 83 ... 328 C 2
Pignicourt 02 ... 41 G 2
Pignols 63 ... 228 A 2
Pigny 18 ... 155 F 5
Pihem 62 ... 7 F 2
Pihen-lès-Guînes 62 ... 2 C 4
Pila-Canale 2A ... 348 D 4
Pilat *Mont 42* ... 230 C 4
Pilat-Plage 33 ... 254 B 3
Le Pilhon 26 ... 268 D 3
Pillac 16 ... 221 F 5
Pillemoine 39 ... 179 H 5
Les Pilles 26 ... 285 H 1
Pillon 55 ... 44 C 3
Pimbo 40 ... 294 B 5
Pimelles 89 ... 137 G 2
Pimorin 39 ... 196 B 2
Pimprez 60 ... 39 G 1
Le Pin 03 ... 193 F 3
Le Pin 14 ... 34 D 4
Le Pin 17 ... 220 B 5
Le Pin 30 ... 284 C 4
Le Pin 38 ... 232 C 3
Le Pin 39 ... 179 E 5
Le Pin 44 ... 127 F 5
Pin 70 ... 161 G 3
Le Pin 77 ... 59 E 3
Le Pin 79 ... 167 F 3
Le Pin 82 ... 277 E 5
Pin *Haras du 61* ... 54 C 4
Le Pin-au-Haras 61 ... 54 C 4
Pin-Balma 31 ... 298 A 4
Le Pin-en-Mauges 49 ... 148 D 4
Le Pin-la-Garenne 61 ... 84 B 4
Pin-Moriès 48 ... 264 A 5
Le Pin-Murelet 31 ... 317 E 3
Pinarellu 2A ... 349 G 5
Pinas 65 ... 333 H 1
Pinay 42 ... 211 H 4
Pincé 72 ... 128 D 3
Pinçon *Mont 14* ... 53 E 1
Pindères 47 ... 274 D 2
Pindray 86 ... 187 F 2
Les Pineaux 85 ... 183 F 1
Pinel-Hauterive 47 ... 258 B 5
Pinet 34 ... 322 C 4
Pineuilh 33 ... 257 F 1
Piney 10 ... 91 G 4
Pino 2B ... 345 F 2
Pinols 43 ... 246 B 3
Pinon 02 ... 40 C 1
Les Pins 16 ... 203 H 5
Pins-Justaret 31 ... 317 H 2
Pinsac 46 ... 260 B 1
Pinsaguel 31 ... 317 H 2
Pinsot 38 ... 233 G 4
Pintac 65 ... 315 E 4
Pinterville 27 ... 36 B 4
Pintheville 55 ... 64 D 1
Les Pinthières 28 ... 57 E 5
Piobetta 2B ... 347 G 4
Pioggiola 2B ... 346 D 2
Piolenc 84 ... 285 E 3
Pionnat 23 ... 207 F 1
Pionsat 63 ... 208 D 2
Pioussay 79 ... 203 E 2
Pipriac 35 ... 126 A 2
Piquecos 82 ... 277 H 4
Pirajoux 01 ... 196 A 3
Piré-sur-Seiche 35 ... 104 D 4
Pirey 25 ... 161 H 3
Piriac-sur-Mer 44 ... 145 G 3
Pirmil 72 ... 107 F 5
Pirou 50 ... 31 F 4
Pis 32 ... 296 C 2
Pisany 17 ... 219 E 1
Piscop 95 ... 58 C 1
Piseux 27 ... 56 A 4
Pisieu 38 ... 231 G 4
Pisse *Cascade de la 38* ... 251 H 3
Pisseleu 60 ... 38 A 1
Pisseleux 02 ... 39 H 4
Pisseloup 52 ... 140 B 2
La Pisseure 70 ... 141 F 2
Pissos 40 ... 273 F 1
Pissotte 85 ... 184 B 2
Pissy 80 ... 22 A 2
Pissy-Pôville 76 ... 36 A 1
Pisy 89 ... 158 B 1
Pitgam 59 ... 3 G 3
Pithiviers 45 ... 111 G 3
Pithiviers-le-Vieil 45 ... 111 G 3
Pithon 02 ... 23 H 3
Pîtres 27 ... 36 C 3
Pittefaux 62 ... 2 B 5
Pizançon 26 ... 249 G 3
Pizay 01 ... 213 G 4
Pizieux 72 ... 84 A 5
Le Pizou 24 ... 239 E 4
Le Pla 09 ... 337 F 5
Pla-d'Adet 65 ... 333 G 4
Plabennec 29 ... 70 D 5
Placé 53 ... 82 A 5
Les Places 27 ... 35 E 5
La Placette *Col de 38* ... 232 D 5
Placey 25 ... 161 G 3
Plachy-Buyon 80 ... 22 B 2
Placy 14 ... 53 G 1
Placy-Montaigu 50 ... 52 C 1
Le Plagnal 07 ... 265 G 2
Plagne 01 ... 196 D 5
Plagne 31 ... 317 E 5
La Plagne 73 ... 234 D 2
Plagnole 31 ... 317 E 3
Plaigne 11 ... 318 C 5
Plailly 60 ... 39 E 5
Plaimbois-du-Miroir 25 ... 163 E 4
Plaimbois-Vennes 25 ... 163 E 4
Plaimpied-Givaudins 18 ... 173 F 2
La Plaine 49 ... 167 F 1
Plaine 67 ... 96 C 3
Plaine-de-Walsch 57 ... 67 H 5
Plaine-Haute 22 ... 78 A 3
Plaine-Joux 74 ... 216 D 2
La Plaine-sur-Mer 44 ... 146 B 4
Plainemont 70 ... 141 F 2
Plaines-Saint-Lange 10 ... 115 H 5
Plainfaing 88 ... 120 C 2
Plainoiseau 39 ... 179 E 4
Plainpalais *Col de 73* ... 233 F 1
Les Plains-
et-Grands-Essarts 25 ... 163 G 2
Plaintel 22 ... 78 B 4
Plainval 60 ... 38 C 1
Plainville 27 ... 35 E 5
Plainville 60 ... 22 D 5
Plaisance 12 ... 300 A 1
Plaisance 24 ... 258 B 2
Plaisance 32 ... 295 E 4
Plaisance 34 ... 301 E 4
Plaisance 86 ... 187 F 4
Plaisance-du-Touch 31 ... 297 G 5
Plaisia 39 ... 196 C 1
Plaisians 26 ... 286 B 2
Plaisir 78 ... 57 H 4
Plaisir Fontaine
Grotte de 25 ... 162 B 5
Plaissan 34 ... 302 A 5
Plaizac 16 ... 202 D 5
Plampinet 05 ... 252 D 3
Le Plan 31 ... 317 F 5
Plan 38 ... 232 B 5
Plan-d'Aups 83 ... 327 G 2
Plan-de-Baix 26 ... 267 H 1
Plan-de-Campagne 13 ... 326 D 1
Plan-de-Cuques 13 ... 327 E 2
Le Plan-de-Grasse 06 ... 309 E 3
Le Plan-de-la-Tour 83 ... 329 F 2
Plan-d'Orgon 13 ... 305 E 2
Plan-du-Var 06 ... 291 E 5
Planaise 73 ... 233 G 3
Planay 21 ... 137 H 3
Planay 73 ... 234 D 3
La Planche 44 ... 165 H 1
Plancher-Bas 70 ... 142 B 2
Plancher-les-Mines 70 ... 142 B 1
Plancherine 73 ... 234 A 1
Les Planches 27 ... 36 B 5
Planches 61 ... 54 D 5
Les Planches-
en-Montagne 39 ... 180 A 5
Les Planches-
près-Arbois 39 ... 179 G 3
Planchez 58 ... 158 A 5
Plancoët 22 ... 79 F 3
Plancy-l'Abbaye 10 ... 90 D 2
La Planée 25 ... 180 C 3
Planès 66 ... 341 G 4
Planèzes 66 ... 338 B 5
Planfoy 42 ... 230 B 5
Planguenoual 22 ... 78 C 3
Planioles 46 ... 261 F 3
Le Planois 71 ... 178 D 4
Le Planquay 27 ... 35 E 5
Planquery 14 ... 32 D 4
Planques 62 ... 7 E 4
Las Planques
Église de 81 ... 279 H 4
Planrupt 52 ... 92 B 3
Les Plans 30 ... 284 A 3
Les Plans 34 ... 301 G 3
Le Plantay 01 ... 213 G 2
Les Plantiers 30 ... 283 E 4
Le Plantis 61 ... 84 A 2
Planty 10 ... 114 A 2
Planzolles 07 ... 265 H 5
Plappeville 57 ... 45 G 5
Plascassier 06 ... 309 E 3
Plasne 39 ... 179 F 3
Plasnes 27 ... 35 F 5
Plassac 17 ... 219 G 3
Plassac 33 ... 237 F 2
Plassac-Rouffiac 16 ... 221 E 3
Plassay 17 ... 201 F 4
Plateau-d'Assy 74 ... 216 D 3
Plats 07 ... 249 E 4
Plaudren 56 ... 124 C 2
Plauzat 63 ... 227 H 2
Plavilla 11 ... 336 D 1
Plazac 24 ... 241 F 4
Pleaux 15 ... 243 H 3
Pléboulle 22 ... 79 E 2
Pléchâtel 35 ... 104 A 5
Plédéliac 22 ... 79 E 4
Plédran 22 ... 78 B 4
Pléguien 22 ... 73 G 4
Pléhédel 22 ... 73 F 4
Pleine-Fougères 35 ... 80 C 2
Pleine-Selve 02 ... 24 C 3
Pleine-Selve 33 ... 219 G 5
Pleine-Sève 76 ... 19 G 2
Pleines-Œuvres 14 ... 52 B 2
Plélan-le-Grand 35 ... 103 G 4
Plélan-le-Petit 22 ... 79 F 4
Plélauff 22 ... 77 G 5
Plélo 22 ... 73 G 5
Plémet 22 ... 102 C 2
Plémy 22 ... 78 C 5
Plénée-Jugon 22 ... 79 E 5
Pléneuf *Pointe de 22* ... 78 D 2
Pléneuf-Val-André 22 ... 78 D 2
Plénise 39 ... 180 A 3
Plénisette 39 ... 180 A 3
Plerguer 35 ... 80 A 2
Plérin 22 ... 78 B 3
Plerneuf 22 ... 78 A 3
Plescop 56 ... 124 B 3
Plesder 35 ... 79 H 4
Plésidy 22 ... 77 G 2
Pleslin 22 ... 79 G 3
Plesnois 57 ... 45 G 5
Plesnoy 52 ... 117 G 5
Plessala 22 ... 78 C 5
Plessé 44 ... 126 A 5
Plessier-de-Roye 60 ... 23 F 5
Le Plessier-Huleu 02 ... 40 B 4
Le Plessier-Rozainvillers 80 ... 22 D 3
Le Plessier-sur-Bulles 60 ... 38 C 1
Le Plessier-sur-Saint-Just 60 ... 38 D 1
Le Plessis-aux-Bois 77 ... 59 F 2
Plessis-Barbuise 10 ... 90 A 2
Le Plessis-Belleville 60 ... 59 F 1
Le Plessis-Bouchard 95 ... 58 B 2
Le Plessis Bourré
Château 49 ... 128 C 5
Le Plessis-Brion 60 ... 39 G 1
Le Plessis-Chenet 91 ... 88 A 2
Le Plessis-Dorin 41 ... 109 E 4
Plessis-du-Mée 89 ... 89 G 5
Le Plessis-Feu-Aussoux 77 ... 59 H 5
Le Plessis-Gassot 95 ... 58 C 1
Le Plessis-Grammoire 49 ... 149 H 1
Le Plessis-Grimoult 14 ... 53 E 2
Le Plessis-Grohan 27 ... 56 B 2
Le Plessis-Hébert 27 ... 56 D 2
Le Plessis-Josso
Château 56 ... 124 D 4
Le Plessis-Lastelle 50 ... 31 G 3
Le Plessis-l'Échelle 41 ... 132 B 3
Le Plessis-l'Évêque 77 ... 59 F 1
Le Plessis-Luzarches 95 ... 38 D 5
Le Plessis-Macé 49 ... 128 B 5
Le Plessis-Pâté 91 ... 87 H 2
Le Plessis-Patte-d'Oie 60 ... 23 H 4
Le Plessis-Picard 77 ... 88 B 2
Le Plessis-Placy 77 ... 59 H 1
Le Plessis-Robinson 92 ... 58 B 4
Plessis-Saint-Benoist 91 ... 87 E 4
Plessis-Saint-Jean 89 ... 89 G 5
Le Plessis-
Sainte-Opportune 27 ... 55 H 1
Le Plessis-Trévise 94 ... 58 D 4
Plessix-Balisson 22 ... 79 G 3
Plestan 22 ... 78 D 4
Plestin-les-Grèves 22 ... 72 B 4
Pleubian 22 ... 73 F 2
Pleucadeuc 56 ... 125 E 2
Pleudaniel 22 ... 73 E 3
Pleudihen-sur-Rance 22 ... 79 H 3
Pleugriffet 56 ... 102 B 4
Pleugueneuc 35 ... 79 H 4
Pleumartin 86 ... 170 A 5
Pleumeleuc 35 ... 103 H 2
Pleumeur-Bodou 22 ... 72 C 2
Pleumeur-Gautier 22 ... 73 E 2
Pleure 39 ... 178 D 2
Pleurs 51 ... 61 F 5
Pleurtuit 35 ... 50 B 5
Pleuven 29 ... 99 H 4
Pleuvezain 88 ... 94 B 4
Pleuville 16 ... 204 B 2
Pléven 22 ... 79 E 3
Plévenon 22 ... 79 E 1
Plévin 22 ... 76 D 5
Pleyben 29 ... 76 A 4
Pleyber-Christ 29 ... 71 H 5
Le Pleyney 38 ... 233 G 5
Pliboux 79 ... 203 F 1
Plichancourt 51 ... 62 D 4
Plieux 32 ... 296 C 1
Plivot 51 ... 61 G 1
Ploaré 29 ... 99 F 2
Plobannalec-Lesconil 29 ... 99 G 5
Plobsheim 67 ... 97 H 2
Ploemel 56 ... 123 H 3
Ploemeur 56 ... 123 F 2
Ploërdut 56 ... 101 F 2
Ploeren 56 ... 124 B 3
Ploërmel 56 ... 102 D 4
Ploeuc-L'Hermitage 22 ... 78 B 5
Ploëven 29 ... 75 G 5
Ploëzal 22 ... 73 E 3
Plogastel-Saint-Germain 29 ... 99 F 3
Plogoff 29 ... 98 D 2
Plogonnec 29 ... 99 G 2
Ploisy 02 ... 40 B 3
Plomb 50 ... 51 H 4
Plombières-les-Bains 88 ... 119 G 4
Plombières-lès-Dijon 21 ... 160 A 3
Plomelin 29 ... 99 G 3

Plomeur 29 99 F 4
Plomion 02 25 G 2
Plomodiern 29 75 G 5
Plonéis 29 99 G 2
Plonéour-Lanvern 29 99 F 4
Plonévez-du-Faou 29 76 B 4
Plonévez-Porzay 29 75 G 5
Plorec-sur-Arguenon 22 79 E 3
Plottes 71 195 E 2
Plou 18 172 C 1
Plouagat 22 73 F 5
Plouaret 22 72 C 4
Plouarzel 29 74 C 2
Plouasne 22 103 H 1
Plouay 56 101 E 4
Ploubalay 22 50 B 5
Ploubazlanec 22 73 F 2
Ploubezre 22 72 C 3
Ploudalmézeau 29 70 B 4
Ploudaniel 29 71 E 5
Ploudiry 29 75 H 2
Plouëc-du-Trieux 22 73 E 4
Plouédern 29 71 E 5
Plouégat-Guérand 29 72 A 4
Plouégat-Moysan 29 72 B 5
Plouénan 29 71 G 4
Plouër-sur-Rance 22 79 H 3
Plouescat 29 71 F 3
Plouézec 22 73 G 3
Plouezoc'h 29 71 H 4
Ploufragan 22 78 B 3
Plougar 29 71 F 4
Plougasnou 29 72 A 3
Plougastel-Daoulas 29 75 F 2
Plougonvelin 29 74 C 3
Plougonven 29 72 A 5
Plougonver 22 77 F 2
Plougoulm 29 71 G 3
Plougoumelen 56 124 A 3
Plougourvest 29 71 F 5
Plougras 22 72 B 5
Plougrescant 22 73 E 2
Plouguenast 22 78 B 5
Plouguerneau 29 70 C 4
Plouguernével 22 77 F 5
Plouguiel 22 73 E 2
Plouguin 29 70 C 5
Plouha 22 73 G 4
Plouharnel 56 123 H 4
Plouhinec 29 99 E 2
Plouhinec 56 123 G 3
Plouider 29 71 E 4
Plouigneau 29 72 A 5
Plouisy 22 73 E 5
Ploulec'h 22 72 C 3
Ploumagoar 22 73 E 5
Ploumanach 22 72 C 2
Ploumilliau 22 72 C 4
Ploumoguer 29 74 D 2
Plounéour-Ménez 29 76 B 2
Plounéour-Trez 29 71 E 3
Plounérin 22 72 B 5
Plounéventer 29 71 E 5
Plounévez-Lochrist 29 71 E 4
Plounévez-Moëdec 22 72 C 5
Plounévez-Quintin 22 77 F 4
Plounévézel 29 76 D 4
Plourac'h 22 76 D 2
Plouray 56 101 E 2
Plourhan 22 73 G 4
Plourin 29 70 B 5
Plourin-lès-Morlaix 29 72 A 5
Plourivo 22 73 F 3
Plouvain 62 13 H 2
Plouvara 22 78 A 3
Plouvien 29 70 D 5
Plouvorn 29 71 G 4
Plouyé 29 76 C 3
Plouzané 29 74 D 2
Plouzélambre 22 72 B 4
Plouzévédé 29 71 F 4
Plovan 29 99 F 3
Ployart-et-Vaurseine 02 41 E 1
Le Ployron 60 23 E 5
Plozévet 29 99 E 3
Pludual 22 73 G 4
Pluduno 22 79 F 3
Plufur 22 72 B 4
Pluguffan 29 99 G 3
Pluherlin 56 125 E 3
Plumaudan 22 79 G 5
Plumaugat 22 103 F 1
Plumelec 56 102 C 5
Pluméliau 56 101 H 4
Plumelin 56 102 A 5
Plumergat 56 124 A 2
Plumetot 14 33 G 3
Plumieux 22 102 C 2
Plumont 39 161 F 5
Pluneret 56 124 A 3
Plurien 22 79 E 2
Plusquellec 22 77 E 3
Plussulien 22 77 H 4
Pluvault 21 160 C 4
Pluvet 21 160 C 4
Pluvigner 56 124 A 2
Pluzunet 22 72 D 4
Pocancy 51 61 H 2
Pocé-les-Bois 35 105 E 3
Pocé-sur-Cisse 37 152 C 2
Podensac 33 255 H 3
Le Poët 05 287 F 1
Le Poët-Célard 26 267 H 3
Le Poët-en-Percip 26 286 B 2
Le Poët-Laval 26 267 G 4
Le Poët-Sigillat 26 286 A 1
Pœuilly 80 23 H 2
Poey-de-Lescar 64 314 A 3
Poey-d'Oloron 64 313 G 4
Poëzat 03 210 A 2
Poggio-di-Nazza 2B 349 G 2
Poggio-di-Venaco 2B 347 F 5
Poggio-d'Oletta 2B 345 G 5
Poggio-Marinaccio 2B 347 G 3
Poggio-Mezzana 2B 347 H 3
Poggiolo 2A 348 D 1
Pogny 51 62 B 3
Poids-de-Fiole 39 196 C 1
Poigny 77 89 G 3
Poigny-la-Forêt 78 57 F 5
Le Poil 04 288 A 5
Poil 58 176 B 3
Poilcourt-Sydney 08 41 H 2
Poilhes 34 321 F 4
Poillé-sur-Vègre 72 106 D 5
Poilley 35 81 E 3
Poilley 50 51 H 5
Poilly 51 41 F 4
Poilly-lez-Gien 45 134 C 4
Poilly-sur-Serein 89 136 D 3
Poilly-sur-Tholon 89 136 A 2
Poinchy 89 136 C 3
Poinçon-lès-Larrey 21 137 H 2
Le Poinçonnet 36 171 H 4
Poincy 77 59 G 2
Poinsenot 52 139 E 4
Poinson-lès-Fayl 52 140 A 3
Poinson-lès-Grancey 52 139 E 4
Poinson-lès-Nogent 52 117 F 4
Point Sublime 04 307 H 2
Point-Sublime 48 282 A 2
Pointel 61 53 G 5
Pointis-de-Rivière 31 334 B 1
Pointis-Inard 31 334 C 1
Pointre 39 161 E 4
Pointvillers 25 161 H 5
Poinville 28 111 E 3
Le Poiré-sur-Velluire 85 183 H 3
Le Poiré-sur-Vie 85 165 G 4
Poiroux 85 182 C 2
Poisat 38 251 E 2
Poiseul 52 117 G 5
Poiseul-la-Grange 21 138 C 5
Poiseul-la-Ville-
et-Laperrière 21 138 B 5
Poiseul-lès-Saulx 21 139 E 5
Poiseux 58 156 D 5
Poisieux 18 172 C 1
Le Poislay 41 109 F 4
Poisoux 39 196 A 3
Poisson 71 193 H 4
Poissons 52 93 E 4
Poissy 78 58 A 2
Poisvilliers 28 86 A 3
Poisy 74 215 G 3
La Poitevinière 49 148 D 4
Poitiers 86 186 B 1
Poivres 10 62 A 5
Poix 51 62 C 2
Poix-de-Picardie 80 21 H 3
Poix-du-Nord 59 15 E 3
Poix-Terron 08 26 C 4
Le Poizat-Lalleyriat 01 214 D 1
Pol *Chapelle* 29 71 E 3
Polaincourt-
et-Clairefontaine 70 118 D 5
Polastron 31 317 E 4
Polastron 32 296 D 5
Poleymieux-
au-Mont-d'Or 69 213 E 4
Poliénas 38 250 B 1
Polignac 17 238 B 1
Polignac 43 247 F 3
Poligné 35 104 B 5
Poligny 05 269 G 2
Poligny 10 115 G 3
Poligny 39 179 F 3
Poligny 77 112 C 2
Polincove 62 3 E 4
Polisot 10 115 G 4
Polisy 10 115 G 4
Pollestres 66 343 E 2
Polliat 01 195 G 5
Pollieu 01 214 D 5
Pollionnay 69 212 D 5
Polminhac 15 244 D 5
Polveroso 2B 347 G 3
Pomacle 51 41 H 3
La Pomarède 11 319 E 3
Pomarède 46 259 F 4
Pomarez 40 293 F 4
Pomas 11 337 G 1
Pomay *Château de* 03 192 B 1
Pomayrols 12 263 G 5
Pomerol 33 238 C 4
Pomérols 34 322 C 4
Pomeys 69 230 B 2
Pommard 21 177 G 1
Pommera 62 12 D 4
La Pommeraie-
sur-Sèvre 85 167 E 3
La Pommeraye 14 53 F 2
La Pommeraye 49 149 E 2
Pommeret 22 78 C 3
Pommereuil 59 15 E 4
Pommereux 76 21 F 5
Pommeréval 76 20 C 3
Pommerieux 53 128 A 2
Pommérieux 57 65 H 2
Pommerit-Jaudy 22 73 E 3
Pommerit-le-Vicomte 22 73 F 4
Pommerol 26 268 C 5
Pommeuse 77 59 H 4
Pommevic 82 276 D 4
Pommier 62 13 F 3
Pommier-
de-Beaurepaire 38 231 H 4
Pommiers 02 40 B 2
Pommiers 30 302 B 1
Pommiers 36 189 E 2
Pommiers 42 211 G 5
Pommiers 69 212 D 3
Pommiers-la-Placette 38 232 D 5
Pommiers-Moulons 17 220 B 5
Pomoy 70 141 G 4
Pompaire 79 185 F 1
Pompéjac 33 256 B 5
Pompertuzat 31 318 A 2
Pompey 54 65 H 4
Pompiac 32 317 E 2
Le Pompidou 48 282 D 3
Pompierre 88 94 A 5
Pompierre-sur-Doubs 25 162 D 1
Pompiey 47 275 F 3
Pompignac 33 237 H 5
Pompignan 30 302 D 1
Pompignan 82 297 G 2
Pompogne 47 274 D 2
Pomponne 77 59 E 3
Pomport 24 257 H 1
Pomps 64 293 H 5
Pomy 11 337 F 2
Poncé-sur-le-Loir 72 130 D 3
Poncey-lès-Athée 21 160 D 4
Poncey-sur-l'Ignon 21 159 G 1
Le Ponchel 62 12 B 3
Ponches-Estruval 80 11 H 1
Ponchon 60 38 B 3
Poncin 01 214 A 2
Poncins 42 229 H 1
Pondaurat 33 256 C 4
Le Pondy 18 173 G 4
Ponet-et-Saint-Auban 26 268 A 1
Ponlat-Taillebourg 31 334 B 1
Pons 12 262 C 2
Pons 17 219 G 2
Ponsampère 32 315 H 2
Ponsan-Soubiran 32 316 A 3
Ponsas 26 249 E 2
Ponson-Debat-Pouts 64 314 D 3
Ponson-Dessus 64 314 D 3
Ponsonnas 38 251 E 5
Pont 21 160 C 4
Pont-à-Bucy 02 24 C 4
Pont-à-la-Planche 87 205 E 4
Pont-à-Marcq 59 8 D 4
Pont-à-Mousson 54 65 G 3
Pont-à-Vendin 62 8 C 4
Pont-Arcy 02 40 D 2
Pont-Audemer 27 35 E 2
Pont-Authou 27 35 G 4
Pont-aux-Moines 45 133 G 2
Pont-Aven 29 100 B 5
Pont-Bellanger 14 52 B 2
Pont-Calleck *Château*
et Forêt de 56 101 E 3
Pont-Château 44 146 C 1
Le Pont-Chrétien-
Chabenet 36 188 C 1
Pont-Croix 29 99 E 2
Pont-d'Ain 01 214 A 2
Pont-d'Arc 07 284 B 1
Le Pont-d'Ardres 62 2 D 3
Pont-de-Barret 26 267 G 3
Le Pont-de-Beauvoisin 38 232 D 3
Le Pont-de-Beauvoisin 73 232 D 3
Pont-de-Braye 72 130 D 3
Pont-de-Briques 62 6 B 2
Pont-de-Buis-
lès-Quimerch 29 75 H 4
Pont-de-Chazey-Villieu 01 213 H 4
Pont-de-Chéruy 38 213 H 5
Le Pont-de-Claix 38 250 D 2
Pont-de-Crau 13 304 B 4
Pont-de-Dore 63 210 C 5
Pont de Gau (Parc
ornithologique du) 13 324 B 3
Pont-de-la-Chaux 39 179 H 5
Pont-de-la-Maye 33 255 G 1
Pont-de-Labeaume 07 266 A 3
Pont-de-l'Arche 27 36 B 3
Pont-de-Larn 81 319 H 2
Pont-de-l'Étoile 13 327 F 2
Pont-de-l'Isère 26 249 F 4
Pont-de-Lunel 34 303 G 3
Pont-de-Menat 63 209 F 2
Pont-de-Metz 80 22 B 2
Le Pont-de-Montvert 48 283 E 1
Pont-de-Pany 21 159 G 3
Le Pont-de-Planches 70 140 D 5
Pont-de-Poitte 39 196 C 1
Pont-de-Roide 25 163 F 2
Pont-de-Ruan 37 151 G 4
Pont-de-Salars 12 281 E 2
Pont-de-Vaux 01 195 F 3
Pont-de-Veyle 01 195 E 5
Pont-des-Pierres 01 215 E 1
Pont-d'Espagne 65 332 C 4
Pont-d'Hérault 30 283 E 5
Pont-d'Héry 39 179 H 3
Pont-d'Ouche 21 159 G 5
Pont-d'Ouilly 14 53 G 3
Pont-du-Bois 70 118 D 4
Pont-du-Casse 47 276 B 2
Pont-du-Château 63 210 A 5
Pont-du-Châtel 29 71 E 4
Pont du Diable
Gorges du 74 198 C 4
Pont du Dognon 87 206 B 4
Pont-du-Fossé 05 270 A 2
Pont du Gard 30 304 A 1
Pont-du-Loup 06 309 E 2
Pont-du-Navoy 39 179 G 4
Pont-en-Royans 38 250 A 3
Pont-et-Massène 21 158 D 1
Pont-Évêque 38 231 F 3
Pont-Farcy 50 52 B 2
Pont-Hébert 50 32 A 4
Pont-James 44 165 G 1
Pont-la-Ville 52 116 C 3
Pont-l'Abbé 29 99 G 4
Pont-l'Abbé 50 31 G 2
Pont-l'Abbé-d'Arnoult 17 201 E 4
Pont-lès-Bonfays 88 118 D 2
Pont-les-Moulins 25 162 C 2
Pont-l'Évêque 14 34 C 3
Pont-l'Évêque 60 23 G 5
Pont-Melvez 22 77 F 2
Pont-Noyelles 80 22 C 1
Pont-Péan 35 104 B 4
Pont-Réan 35 104 A 4
Pont-Remy 80 11 H 4
Pont-Royal 13 305 G 3
Pont-Saint-Esprit 30 284 D 2
Pont-Saint-Mard 02 40 B 1
Pont-Saint-Martin 44 147 G 5
Pont-Saint-Pierre 27 36 C 3
Pont-Saint-Vincent 54 94 D 1
Pont-Sainte-Marie 10 91 E 5
Pont-Sainte-Maxence 60 39 E 3
Pont-Salomon 43 230 A 5
Pont-Scorff 56 101 E 5
Pont-sur-l'Ognon 70 141 G 5
Pont-sur-Madon 88 94 D 4
Pont-sur-Meuse 55 64 C 4
Pont-sur-Sambre 59 15 G 3
Pont-sur-Seine 10 90 A 3
Pont-sur-Vanne 89 113 H 3
Pont-sur-Yonne 89 89 F 5
Pont-Trambouze 69 212 A 2
Pontacq 64 314 D 5
Pontaillac 17 218 C 1
Pontailler-sur-Saône 21 160 D 3
Pontaix 26 268 A 1
Pontamafrey 73 234 A 5
Pontanevaux 71 195 E 5
Pontarion 23 207 E 3
Pontarlier 25 180 C 2
Pontarmé 60 38 D 5
Pontaubault 50 51 H 5
Pontaubert 89 157 H 1
Pontault-Combault 77 59 E 4
Pontaumur 63 208 D 4
Pontavert 02 41 F 2
Pontcarré 77 59 E 4
Pontcey 70 140 D 4
Pontchardon 61 54 D 2
Pontcharra 38 233 G 4
Pontcharra-
sur-Turdine 69 212 B 4
Pontcharraud 23 207 H 4
Pontchartrain 78 57 H 4
Pontcirq 46 259 G 4
Ponte-Leccia 2B 347 E 3
Ponte Nuovo 2B 347 F 2
Pontécoulant 14 53 E 3
Ponteilla 66 343 E 2
Ponteils-et-Brésis 30 283 G 1
Pontempeyrat 43 229 F 5
Pontenx-les-Forges 40 272 C 2
Le Pontet 33 237 G 2
Le Pontet 73 233 H 3
Le Pontet 84 285 F 5
Les Pontets 25 180 B 4
Pontevès 83 307 F 4
Ponteyraud 24 239 F 2
Pontfaverger-
Moronvilliers 51 42 A 3
Pontgibaud 63 209 F 5
Pontgouin 28 85 G 3
Ponthévrard 78 87 E 3
Ponthierry 77 88 A 3
Ponthion 51 62 D 4
Ponthoile 80 11 F 2
Le Ponthou 29 72 B 5
Ponthoux 39 196 D 3
Pontiacq-Viellepinte 64 314 D 3
Pontigné 49 129 G 5
Pontigny 89 136 C 2
Pontis 04 270 B 4
Pontivy 56 101 H 3
Pontlevoy 41 153 E 2
Pontlieue 72 107 H 5
Pontmain 53 81 G 3
Pontoise 95 58 A 1
Pontoise-lès-Noyon 60 23 H 5
Pontonx-sur-l'Adour 40 293 E 2
Pontorson 50 80 C 2
Pontours 24 258 C 1
Pontoux 71 178 B 2
Pontoy 57 66 B 2
Pontpierre 57 66 D 1
Pontpoint 60 39 E 3
Pontrieux 22 73 E 4
Pontru 02 24 A 1
Pontruet 02 24 A 1
Ponts 50 51 H 4
Les Ponts-de-Cé 49 149 G 2
Ponts-et-Marais 76 10 D 4
Les Ponts-Neufs 22 78 C 3
Pontvallain 72 130 A 3
Popian 34 302 A 4
Popolasca 2B 347 E 3
Porcaro 56 103 F 5
Porcelette 57 46 D 5
Porchères 33 238 D 3
Porcheresse 16 221 E 4
La Porcherie 87 224 C 3
Porcheux 60 37 H 3
Porcheville 78 57 G 2
Porcieu-Amblagnieu 38 214 B 4
Pordic 22 73 H 5
Le Porge 33 236 C 5
Pornic 44 146 C 5
Pornichet 44 145 H 5
Porquéricourt 60 23 G 5
Porquerolles *Île de* 83 328 C 5
Porri 2B 347 G 3
Pors-Even 22 73 F 2
Porsmilin 29 74 D 2
Porspoder 29 70 A 5
Port 01 214 C 1
Le Port 09 335 H 4
Port *Col de* 09 336 A 3
Port-à-Binson 51 61 E 1
Port-Bail 50 31 E 2
Port-Barcarès 66 339 E 4
Port-Blanc 22 72 D 2
Port-Brillet 53 105 G 3
Port-Camargue 30 303 F 5
Port-Coton *Aiguilles de* 56 144 B 4
Port-Cros *Île de* 83 329 E 5
Port-d'Atelier 70 140 D 3
Port-de-Bouc 13 325 G 3
Port-de-Carhaix 29 76 D 4
Port-de-Gagnac 46 243 E 5
Port-de-Groslée 01 232 C 1
Port-de-la-Meule 85 164 A 4
Port-de-Lanne 40 292 C 4
Port-de-Miramar 83 328 D 4
Port-de-Piles 86 169 H 2
Port-d'Envaux 17 201 F 4
Port-des-Barques 17 200 C 3
Port-Donnant 56 144 B 4
Port-du-Salut
Trappe du 53 106 A 4
Port-en-Bessin 14 32 D 2
Port-Goulphar 56 144 B 4
Port-Grimaud 83 329 F 2
Port-Haliguen 56 123 H 5
Port-Jérôme 76 35 F 1
Port-Joinville 85 164 A 4
Port-la-Nouvelle 11 339 F 2
Port-Launay 29 75 H 4
Port-Lauragais 31 318 C 3
Port-le-Grand 80 11 G 3
Port-Lesney 39 179 G 1
Port-Leucate 11 339 F 4
Port-Louis 56 123 F 2
Port-Manech 29 100 B 5
Port-Maria 56 144 C 4
Le Port-Marly 78 58 A 3
Port-Miou 13 327 F 3
Port-Mort 27 36 D 5
Port-Navalo 56 124 A 4
Port Royal des Champs
Abbaye de 78 57 H 4
Port-Saint-Louis-
du-Rhône 13 325 F 4
Port-Saint-Père 44 147 F 5
Port-Sainte-Foy-
et-Ponchapt 24 257 F 1
Port-Sainte-Marie 47 275 G 2
Port-sur-Saône 70 141 E 4
Port-sur-Seille 54 65 H 3
Port-Vendres 66 343 G 4
Port-Villez 78 57 E 1
Porta 66 341 E 4
La Porta 2B 347 G 3
Porte *Col de* 38 233 E 5
Porte-Joie 27 36 C 4
Porté-Puymorens 66 341 E 3
Le Portel 62 6 A 2
Portel *Sommet de* 09 335 H 3
Portel-des-Corbières 11 338 D 2
Portes 27 56 A 1
Portes 30 283 G 2
Portes *Calvaire de* 01 214 B 4
Portes *Chartreuse de* 01 214 B 4
Les Portes-en-Ré 17 182 C 4
Portes-en-Valdaine 26 267 F 4
Portes-lès-Valence 26 249 F 5
Portet 64 294 C 5
Portet-d'Aspet 31 334 D 3
Portet d'Aspet *Col de* 31 334 D 3
Portet-de-Luchon 31 334 A 4
Portet-sur-Garonne 31 297 H 5
Portets 33 255 H 2
Porticcio 2A 348 C 4
Porticciolo *Marine de* 2B 345 G 2
Portieux 88 95 E 4
Portiragnes 34 321 H 4
Portiragnes-Plage 34 321 H 4
Portivy 56 123 G 5
Porto 2A 346 B 5
Porto-Pollo 2A 348 C 5
Porto-Vecchio 2A 351 G 2
Ports 37 169 G 1
Portsall 29 70 B 4
Posanges 21 159 E 2
Poses 27 36 C 3
Possesse 51 63 E 3
La Possonnière 49 149 F 2
La Possonnière *Manoir* 41 130 D 3
La Postolle 89 113 H 2
Postroff 57 67 H 3
Potangis 51 90 A 2
Potelières 30 284 A 3
Potelle 59 15 E 3
La Poterie 22 78 D 3
La Poterie-au-Perche 61 84 D 2
La Poterie-Cap-d'Antifer 76 18 C 4

La Poterie-Mathieu 27 ... 35 E 4
Pothières 21 ... 115 H 5
Potigny 14 ... 53 H 2
Potte 80 ... 23 G 3
Pouan-les-Vallées 10 ... 90 D 3
Pouançay 86 ... 168 B 1
Pouancé 49 ... 127 F 3
Pouant 86 ... 169 E 2
Poubeau 31 ... 334 A 4
Poucharramet 31 ... 317 F 3
Pouchergues 65 ... 333 H 4
Poudenas 47 ... 275 F 4
Poudenx 40 ... 293 H 4
Poudis 81 ... 299 E 5
Poudrey *Gouffre de* 25 ... 162 B 4
Poueyferré 65 ... 332 D 1
La Pouëze 49 ... 128 A 5
Pouffonds 79 ... 185 G 5
La Pouge 23 ... 207 F 3
Le Pouget 34 ... 302 A 5
Pougnadoires *Cirque de* 48 ... 282 B 1
Pougnadoresse 30 ... 284 C 4
Pougné 16 ... 203 G 3
Pougne-Hérisson 79 ... 167 H 5
Pougny 01 ... 215 F 1
Pougny 58 ... 156 B 3
Pougues-les-Eaux 58 ... 174 C 1
Pougy 10 ... 91 G 4
Pouillac 17 ... 238 B 1
Pouillat 01 ... 196 B 4
Pouillé 41 ... 153 E 3
Pouillé 85 ... 183 H 2
Pouillé 86 ... 186 D 2
Pouillé-les-Côteaux 44 ... 148 B 1
Pouillenay 21 ... 159 E 1
Pouilley-Français 25 ... 161 G 4
Pouilley-les-Vignes 25 ... 161 H 3
Pouillon 40 ... 293 E 4
Pouillon 51 ... 41 F 3
Pouilloux 71 ... 194 A 1
Pouilly 57 ... 65 H 1
Pouilly 60 ... 38 A 4
Pouilly-en-Auxois 21 ... 159 F 4
Pouilly-en-Bassigny 52 ... 117 H 4
Pouilly-le-Fort 77 ... 88 B 2
Pouilly-le-Monial 69 ... 212 D 3
Pouilly-lès-Feurs 42 ... 211 H 5
Pouilly-les-Nonains 42 ... 211 F 2
Pouilly-sous-Charlieu 42 ... 211 G 1
Pouilly-sur-Loire 58 ... 156 A 4
Pouilly-sur-Meuse 55 ... 27 G 5
Pouilly-sur-Saône 21 ... 178 B 1
Pouilly-sur-Serre 02 ... 24 D 4
Pouilly-sur-Vingeanne 21 ... 139 H 5
Le Poujol-sur-Orb 34 ... 301 F 5
Poujols 34 ... 301 H 3
Poul-Fétan 56 ... 101 G 4
Poulaines 36 ... 153 H 5
Poulains *Pointe des* 56 ... 144 B 3
Poulainville 80 ... 22 C 1
Poulan-Pouzols 81 ... 299 F 2
Poulangy 52 ... 117 E 4
Poulay 53 ... 82 C 4
Pouldavid 29 ... 99 F 2
Pouldergat 29 ... 99 F 2
Pouldouran 22 ... 73 E 3
Pouldreuzic 29 ... 99 F 3
Le Pouldu 29 ... 123 E 2
Poule-les-Écharmeaux 69 ... 212 B 1
Pouliacq 64 ... 294 B 5
Les Poulières 88 ... 120 A 2
Pouligney 25 ... 162 B 2
Pouligny-Notre-Dame 36 ... 189 G 2
Pouligny-Saint-Martin 36 ... 189 G 2
Pouligny-Saint-Pierre 36 ... 170 C 5
Le Pouliguen 44 ... 145 H 5
Poullan-sur-Mer 29 ... 99 E 2
Poullaouen 29 ... 76 C 3
Poullignac 16 ... 220 D 4
Poulx 30 ... 303 H 1
Poumarous 65 ... 315 F 5
Poupas 82 ... 276 D 5
Poupry 28 ... 110 D 4
Pouques-Lormes 58 ... 157 H 3
Pourcharesses 48 ... 265 F 5
Pourchères 07 ... 266 C 2
Pourcieux 83 ... 306 D 5
Pourcy 51 ... 41 F 5
Pourlans 71 ... 178 C 2
Pournoy-la-Chétive 57 ... 65 H 2
Pournoy-la-Grasse 57 ... 65 H 2
Pourrain 89 ... 136 A 3
Pourrières 83 ... 306 C 5
Poursac 16 ... 203 G 3
Poursay-Garnaud 17 ... 201 H 3
Poursiugues-Boucoue 64 ... 294 B 5
Pourtalet *Col du* 64 ... 332 A 4
Pouru-aux-Bois 08 ... 27 G 3
Pouru-Saint-Remy 08 ... 27 G 4
Pourville-sur-Mer 76 ... 10 A 5
Poussan 34 ... 323 E 3
Poussanges 23 ... 207 H 5
Poussay 88 ... 94 D 4
Pousseaux 58 ... 157 F 1
Poussignac 47 ... 275 E 1
Poussy-la-Campagne 14 ... 33 H 5
Pousthomy 12 ... 300 B 2
Le Pout 33 ... 255 H 1
Pouvrai 61 ... 84 B 5
Pouxeux 88 ... 119 G 3
Pouy 65 ... 316 A 4
Pouy-de-Touges 31 ... 317 E 3
Pouy-Loubrin 32 ... 316 B 2
Pouy-Roquelaure 32 ... 275 H 5
Pouy-sur-Vannes 10 ... 90 A 5
Pouyastruc 65 ... 315 F 4
Pouydesseaux 40 ... 274 A 5
Pouydraguin 32 ... 295 E 4
Pouylebon 32 ... 295 G 5
Pouzac 65 ... 333 F 1
Le Pouzat 07 ... 248 B 4
Pouzauges 85 ... 166 D 4
Pouzay 37 ... 169 G 1
Pouze 31 ... 318 A 2
Pouzilhac 30 ... 284 D 4
Le Pouzin 07 ... 267 E 1
Pouzioux 86 ... 187 E 2
Pouzol 63 ... 209 G 2
Pouzolles 34 ... 321 G 2
Pouzols 34 ... 302 A 4
Pouzols-Minervois 11 ... 320 D 4
Pouzy-Mésangy 03 ... 174 B 5
Poyanne 40 ... 293 F 2
Poyans 70 ... 160 D 1
Poyartin 40 ... 293 F 3
Poyols 26 ... 268 B 3
Pozières 80 ... 13 G 5
Pra Loup 04 ... 270 D 5
Le Pradal 34 ... 301 F 4
Les Pradeaux 63 ... 228 A 3
Pradeaux *Col des* 63 ... 229 E 3
Pradel *Col du* 11 ... 336 D 5
Pradelle 26 ... 268 A 3
Pradelles 43 ... 265 F 1
Pradelles 59 ... 4 A 5
Pradelles-Cabardès 11 ... 320 A 3
Pradelles-en-Val 11 ... 338 A 1
Pradère-les-Bourguets 31 ... 297 F 4
Prades 07 ... 266 A 3
Prades 09 ... 336 D 5
Prades 43 ... 246 D 4
Prades 48 ... 282 C 1
Prades 66 ... 342 A 3
Prades 81 ... 299 E 4
Prades-d'Aubrac 12 ... 263 G 4
Prades-de-Salars 12 ... 281 E 2
Prades-le-Lez 34 ... 302 D 3
Prades-sur-Vernazobre 34 ... 321 E 2
Le Pradet 83 ... 328 B 4
Pradettes 09 ... 336 C 2
Pradières 09 ... 336 B 3
Pradiers 15 ... 245 F 1
Pradinas 12 ... 279 H 3
Pradines 19 ... 225 E 3
Pradines 42 ... 211 H 3
Pradines 46 ... 259 H 5
Pradons 07 ... 266 B 5
Prads 04 ... 288 C 2
Prafrance *Bambouseraie de* 30 ... 283 G 4
Pragnères *Centrale de* 65 ... 333 E 4
Prahecq 79 ... 185 E 5
Prailles 79 ... 185 F 4
Pralognan-la-Vanoise 73 ... 234 D 4
Prâlon 21 ... 159 G 3
Pralong 42 ... 229 G 2
Pramousquier 83 ... 329 E 4
Pramouton 05 ... 270 C 4
Prangey 52 ... 139 G 3
Pranles 07 ... 266 C 1
Pranzac 16 ... 221 G 1
Prapoutel-les-Sept-Laux 38 ... 251 F 1
Le Prarion 74 ... 216 D 3
Praslay 52 ... 139 F 3
Praslin 10 ... 115 F 4
Prasville 28 ... 110 C 2
Prat 22 ... 72 D 4
Prat-Bonrepaux 09 ... 335 E 2
Prat de Bouc 15 ... 245 E 3
Prato-di-Giovellina 2B ... 347 E 3
Prats-de-Carlux 24 ... 241 H 5
Prats-de-Mollo-la-Preste 66 ... 342 B 5
Prats-de-Sournia 66 ... 338 A 5
Prats-du-Périgord 24 ... 259 F 2
Pratviel 81 ... 298 D 4
Pratz 39 ... 196 D 3
Pratz 52 ... 116 C 2
Prauthoy 52 ... 139 G 4
Pray 41 ... 131 H 4
Praye 54 ... 94 D 3
Prayet *Col du* 38 ... 268 D 1
Prayols 09 ... 336 B 3
Prayssac 46 ... 259 G 5
Prayssas 47 ... 275 H 2
La Praz 73 ... 252 C 1
Le Praz 73 ... 234 C 3
Praz-Coutant 74 ... 216 D 3
Les Praz-de-Chamonix 74 ... 217 E 3
Praz-sur-Arly 74 ... 216 C 4
Le Pré-d'Auge 14 ... 34 C 5
Pré de Madame Carle 05 ... 252 B 4
Pré-en-Pail-Saint-Samson 53 ... 83 E 3
Pré-Saint-Évroult 28 ... 110 A 3
Le Pré-Saint-Gervais 93 ... 58 C 3
Pré-Saint-Martin 28 ... 110 A 2
Préaux 07 ... 248 D 2
Les Préaux 27 ... 35 E 3
Préaux 36 ... 171 E 2
Préaux 53 ... 106 C 5
Préaux 76 ... 36 C 1
Préaux 77 ... 112 D 2
Préaux-Bocage 14 ... 53 F 1
Préaux-du-Perche 61 ... 84 D 5
Préaux-Saint-Sébastien 14 ... 54 D 2
Prébois 38 ... 268 D 1
Précey 50 ... 51 G 5
Préchac 32 ... 296 B 2
Préchac 33 ... 255 H 5
Préchac 65 ... 332 D 2
Préchac-sur-Adour 32 ... 295 E 4
Préchacq-Josbaig 64 ... 313 G 4
Préchacq-les-Bains 40 ... 293 F 2
Préchacq-Navarrenx 64 ... 313 G 4
Précieux 42 ... 229 H 2
Précigné 72 ... 129 E 3
Précilhon 64 ... 331 H 1
Précorbin 50 ... 32 C 5
Précy 18 ... 174 A 1
Précy-le-Sec 89 ... 136 D 5
Précy-Notre-Dame 10 ... 91 G 4
Précy-Saint-Martin 10 ... 91 G 4
Précy-sous-Thil 21 ... 158 D 2
Précy-sur-Marne 77 ... 59 F 2
Précy-sur-Oise 60 ... 38 C 4
Précy-sur-Vrin 89 ... 113 G 5
Prédefin 62 ... 7 F 4
Préfailles 44 ... 146 B 4
Préfontaines 45 ... 112 B 3
Prégilbert 89 ... 136 C 5
Préguillac 17 ... 219 G 1
Préhy 89 ... 136 C 3
Preignac 33 ... 256 B 3
Preignan 32 ... 296 B 3
Preigney 70 ... 140 C 3
Preixan 11 ... 337 G 1
Prélenfrey 38 ... 250 D 3
Prelles 05 ... 252 C 5
Prémanon 39 ... 197 F 2
Premeaux-Prissey 21 ... 159 H 5
Prémery 58 ... 156 D 5
Prémesques 59 ... 8 C 2
Prémeyzel 01 ... 232 D 1
Prémian 34 ... 300 D 5
Premières 21 ... 160 C 4
Prémierfait 10 ... 90 D 3
Prémilhat 03 ... 190 C 4
Prémillieu 01 ... 214 C 4
Prémont 02 ... 14 C 5
Prémontré 02 ... 24 C 5
Prendeignes 46 ... 261 G 2
Préneron 32 ... 295 G 3
La Prénessaye 22 ... 102 C 1
Prenois 21 ... 159 H 2
Prénouvellon 41 ... 110 B 5
Prénovel 39 ... 197 E 2
Prény 54 ... 65 G 2
Préporché 58 ... 175 H 3
Prépotin 61 ... 84 C 2
Les Prés 26 ... 268 D 4
Présailles 43 ... 247 G 5
Préseau 59 ... 15 E 2
Présentevillers 25 ... 142 B 4
Préserville 31 ... 298 B 5
Présilly 39 ... 196 C 1
Présilly 74 ... 215 G 1
Presle 70 ... 141 F 5
Presle 73 ... 233 G 3
Presles 14 ... 52 D 3
Presles 38 ... 250 B 3
Presles 95 ... 38 B 5
Presles-en-Brie 77 ... 59 F 5
Presles-et-Boves 02 ... 40 D 2
Presles-et-Thierny 02 ... 40 D 1
Presly 18 ... 155 E 2
Presnoy 45 ... 112 A 5
Presque *Grotte de* 46 ... 261 E 1
Pressac 86 ... 204 B 1
Pressagny-l'Orgueilleux 27 ... 36 D 5
Pressiat 01 ... 196 A 4
Pressignac 16 ... 204 C 5
Pressignac-Vicq 24 ... 240 C 5
Pressigny 52 ... 140 B 3
Pressigny 79 ... 168 B 4
Pressigny-les-Pins 45 ... 134 D 2
Pressins 38 ... 232 C 3
Pressy 62 ... 7 G 4
Pressy-sous-Dondin 71 ... 194 B 2
La Preste 66 ... 342 A 5
La Prétière 25 ... 142 A 5
Pretin 39 ... 179 G 2
Prétot-Sainte-Suzanne 50 ... 31 G 2
Prétot-Vicquemare 76 ... 19 H 3
Prêtreville 14 ... 54 D 1
Préty 71 ... 195 F 2
Pretz-en-Argonne 55 ... 63 G 2
Preuilly 18 ... 172 D 1
Preuilly *Abbaye de* 77 ... 89 E 4
Preuilly-la-Ville 36 ... 170 B 5
Preuilly-sur-Claise 37 ... 170 B 3
Preures 62 ... 6 C 3
Preuschdorf 67 ... 69 E 2
Preuseville 76 ... 21 E 2
Preutin-Higny 54 ... 45 E 3
Preux-au-Bois 59 ... 15 E 4
Preux-au-Sart 59 ... 15 E 2
Préval 72 ... 108 C 2
Prévelles 72 ... 108 B 3
Prévenchères 48 ... 265 F 4
Préveranges 18 ... 190 A 3
Prévessin-Moëns 01 ... 197 G 4
La Prévière 49 ... 127 F 3
Prévillers 60 ... 21 H 5
Prévinquières 12 ... 279 H 1
Prévocourt 57 ... 66 C 3
Prey 27 ... 56 C 2
Prey 88 ... 119 H 2
Preyssac-d'Excideuil 24 ... 223 F 5
Prez 08 ... 26 A 2
Prez-sous-Lafauche 52 ... 93 G 5
Prez-sur-Marne 52 ... 92 D 2
Priaires 79 ... 201 G 1
Priay 01 ... 214 A 2
Priez 02 ... 40 B 5
Prignac 17 ... 202 B 4
Prignac-en-Médoc 33 ... 218 D 5
Prignac-et-Marcamps 33 ... 237 G 3
Prigonrieux 24 ... 239 G 5
Primarette 38 ... 231 G 4
Primat 08 ... 42 D 2
La Primaube 12 ... 280 D 2
Primel-Trégastel 29 ... 72 A 3
Primelin 29 ... 98 D 2
Primelles 18 ... 172 D 3
Prin-Deyrançon 79 ... 184 C 5
Prinçay 86 ... 169 E 2
Princé 35 ... 105 F 2
Pringé 72 ... 129 H 4
Pringy 51 ... 62 C 4
Pringy 74 ... 215 G 3
Pringy 77 ... 88 A 3
Prinquiau 44 ... 146 D 2
Prinsuéjols 48 ... 263 H 3
Printzheim 67 ... 68 C 4
Prisces 02 ... 25 F 3
Prisches 59 ... 15 F 4
Prissac 36 ... 188 B 2
Prissé 71 ... 194 D 4
Prissé-la-Charrière 79 ... 201 H 1
Pritz 53 ... 106 A 3
Privas 07 ... 266 D 2
Privezac 12 ... 279 H 1
Prix-lès-Mézières 08 ... 26 D 3
Priziac 56 ... 101 E 2
Prizy 71 ... 193 H 4
La Proiselière-et-Langle 70 ... 141 H 2
Proissans 24 ... 241 G 5
Proisy 02 ... 25 E 1
Proix 02 ... 24 D 1
Projan 32 ... 294 C 4
Promilhanes 46 ... 279 E 1
Prompsat 63 ... 209 H 4
Prondines 63 ... 226 D 1
Pronleroy 60 ... 38 D 1
Pronville-en-Artois 62 ... 13 H 3
Propiac 26 ... 286 A 2
Propières 69 ... 212 B 1
Propriano 2A ... 350 D 2
Prosnes 51 ... 42 A 4
Prouais 28 ... 57 E 5
Prouilly 51 ... 41 F 3
Proumeyssac *Gouffre de* 24 ... 241 E 5
Proupiary 31 ... 316 D 5
Proussy 14 ... 53 F 2
Prouvais 02 ... 41 G 1
Prouville 80 ... 12 B 4
Prouvy 59 ... 14 D 2
Prouzel 80 ... 22 B 2
Provemont 27 ... 37 F 3
Provenchère 25 ... 163 E 3
Provenchère 70 ... 141 E 3
Provenchères-lès-Darney 88 ... 118 C 3
Provenchères-et-Colroy 88 ... 96 C 4
Provenchères-sur-Marne 52 ... 92 D 5
Provenchères-sur-Meuse 52 ... 117 H 4
Provency 89 ... 158 A 1
Proverville 10 ... 116 A 2
Proveysieux 38 ... 250 D 1
Proville 59 ... 14 B 4
Provin 59 ... 8 C 4
Provins 77 ... 89 G 2
Proviseux-et-Plesnoy 02 ... 41 G 1
Proyart 80 ... 23 E 2
Prudemanche 28 ... 56 B 5
Prudhomat 46 ... 243 E 5
Prugnanes 66 ... 338 A 4
Prugny 10 ... 114 D 2
Pruillé 49 ... 128 B 5
Pruillé-le-Chétif 72 ... 107 G 5
Pruillé-l'Éguillé 72 ... 130 B 2
Pruines 12 ... 262 C 4
Prunay 51 ... 41 H 4
Prunay-Belleville 10 ... 90 B 5
Prunay-Cassereau 41 ... 131 F 4
Prunay-en-Yvelines 78 ... 86 D 3
Prunay-le-Gillon 28 ... 86 C 5
Prunay-le-Temple 78 ... 57 F 3
Prunay-sur-Essonne 91 ... 87 H 5
Prunelli-di-Casacconi 2B ... 347 G 2
Prunelli-di-Fiumorbo 2B ... 349 G 2
Prunet 07 ... 266 A 3
Prunet 15 ... 262 C 1
Prunet 31 ... 298 C 5
Prunet-et-Belpuig 66 ... 342 C 3
Prunete 2B ... 347 H 5
Prunières 05 ... 270 A 3
Prunières 38 ... 251 E 5
Prunières 48 ... 264 B 1
Pruniers 36 ... 172 C 4
Pruniers 49 ... 149 G 1
Pruniers-en-Sologne 41 ... 153 H 3
Pruno 2B ... 347 G 3
Prunoy 89 ... 135 G 2
Prusly-sur-Ource 21 ... 138 B 2
Prusy 10 ... 114 D 5
Pruzilly 71 ... 194 D 5
Puberg 67 ... 68 A 2
Publier 74 ... 198 B 3
Publy 39 ... 179 F 5
Puceul 44 ... 126 C 5
Le Puch 09 ... 337 F 5
Puch-d'Agenais 47 ... 275 F 1
Puchay 27 ... 37 E 3
Puchevillers 80 ... 12 D 5
Le Puech 34 ... 301 H 4
Puéchabon 34 ... 302 B 3
Puéchoursi 81 ... 318 D 2
Puechredon 30 ... 303 F 1
Puellemontier 52 ... 92 A 3
Puessans 25 ... 162 C 1
Puget 84 ... 305 G 2
Puget-Rostang 06 ... 289 G 4
Puget-sur-Argens 83 ... 308 C 5
Puget-Théniers 06 ... 289 F 5
Puget-Ville 83 ... 328 C 2
Pugey 25 ... 161 H 4
Pugieu 01 ... 214 C 4
Puginier 11 ... 318 D 3
Pugnac 33 ... 237 G 3
Pugny 79 ... 167 G 4
Pugny-Chatenod 73 ... 233 F 1
Puichéric 11 ... 320 B 5
Le Puid 88 ... 96 C 3
Puigmal 66 ... 341 G 5
Puihardy 79 ... 184 D 2
Puilacher 34 ... 302 A 5
Puilaurens 11 ... 337 G 5
Puilboreau 17 ... 183 F 5
Puilly-et-Charbeaux 08 ... 27 H 4
Puimichel 04 ... 287 G 5
Puimisson 34 ... 321 G 2
Puimoisson 04 ... 307 F 1
La Puisaye 28 ... 85 F 2
Puiseaux 45 ... 112 A 2
Puiselet-le-Marais 91 ... 87 G 4
Puisenval 76 ... 21 E 2
Le Puiset 28 ... 110 D 2
Le Puiset-Doré 49 ... 148 C 4
Puiseux 08 ... 26 C 5
Puiseux 28 ... 86 A 2
Puiseux-en-Bray 60 ... 37 G 2
Puiseux-en-France 95 ... 58 D 1
Puiseux-en-Retz 02 ... 40 A 3
Puiseux-le-Hauberger 60 ... 38 B 4
Puiseux-Pontoise 95 ... 57 H 1
Puisieulx 51 ... 41 H 4
Puisieux 62 ... 13 F 4
Puisieux 77 ... 59 G 1
Puisieux-et-Clanlieu 02 ... 24 D 2
Puissalicon 34 ... 321 G 2
Puisseguin 33 ... 238 D 5
Puisserguier 34 ... 321 E 3
Puits 21 ... 138 A 3
Le Puits-des-Mèzes 52 ... 117 F 3
Puits-et-Nuisement 10 ... 115 H 2
Puits-la-Vallée 60 ... 22 B 5
Puivert 11 ... 337 E 3
Pujaudran 32 ... 297 F 5
Pujaut 30 ... 285 E 5
Pujo 65 ... 315 E 3
Pujo-le-Plan 40 ... 294 B 1
Les Pujols 09 ... 336 C 1
Pujols 33 ... 256 D 1
Pujols 47 ... 276 C 1
Pujols-sur-Ciron 33 ... 255 H 4
Le Puley 71 ... 177 F 5
Puligny-Montrachet 21 ... 177 G 2
Pullay 27 ... 55 H 4
Pulligny 54 ... 94 D 2
Pulney 54 ... 94 C 4
Pulnoy 54 ... 66 B 5
Pulvérières 63 ... 209 F 4
Pulversheim 68 ... 121 E 5
Punchy 80 ... 23 F 3
Punerot 88 ... 94 A 3
Puntous 65 ... 316 A 4
Puntous de Laguian 32 ... 315 G 2
Pupillin 39 ... 179 G 3
Pure 08 ... 27 G 4
Purgerot 70 ... 140 D 3
Pusey 70 ... 141 E 4
Pusignan 69 ... 213 G 5
Pussay 91 ... 87 E 5
Pussigny 37 ... 169 G 2
Pussy 73 ... 234 B 2
Pusy-et-Épenoux 70 ... 141 E 4
Putanges-le-Lac 61 ... 53 H 4
Puteaux 92 ... 58 B 3
Putot-en-Auge 14 ... 34 A 4
Putot-en-Bessin 14 ... 33 F 4
Puttelange-aux-Lacs 57 ... 67 F 1
Puttelange-lès-Thionville 57 ... 45 H 1
Puttigny 57 ... 66 D 3
Puxe 54 ... 45 E 5
Puxieux 54 ... 65 F 1
Le Puy 25 ... 162 B 2
Le Puy 33 ... 257 E 3
Puy Crapaud 85 ... 167 E 4
Puy-d'Arnac 19 ... 242 D 4
Puy de Dôme 63 ... 209 G 5
Puy-de-Serre 85 ... 184 C 1
Puy du Fou *Château du* 85 ... 166 D 2
Puy-du-Lac 17 ... 201 F 3
Le Puy-en-Velay 43 ... 247 F 3
Puy-Guillaume 63 ... 210 C 3
Puy-l'Évêque 46 ... 259 F 4
Puy-Malsignat 23 ... 207 H 3
Le Puy-Notre-Dame 49 ... 150 A 5
Puy-Saint-André 05 ... 252 C 4
Le Puy-Saint-Bonnet 49 ... 166 D 1
Puy-Saint-Eusèbe 05 ... 270 B 3
Puy-Saint-Gulmier 63 ... 208 D 5
Puy-Saint-Martin 26 ... 267 G 3
Puy-Saint-Pierre 05 ... 252 D 4
Puy-Saint-Vincent 05 ... 252 C 5
Le Puy-Sainte-Réparade 13 ... 306 A 3
Puy-Sanières 05 ... 270 C 3
Puybarban 33 ... 256 D 4
Puybegon 81 ... 298 D 2
Puybrun 46 ... 242 D 5
Puycalvel 81 ... 299 F 4
Puycasquier 32 ... 296 C 3
Puycelsi 81 ... 278 D 5
Puycornet 82 ... 277 H 3
Puydaniel 31 ... 317 H 4
Puydarrieux 65 ... 315 H 4

Puydrouard 17 ... 201 E 1
La Puye 86 ... 187 F 1
Puygaillard-de-Lomagne 82 ... 276 D 5
Puygaillard-de-Quercy 82 ... 278 C 5
Puygiron 26 ... 267 F 4
Puygouzon 81 ... 299 F 1
Puygros 73 ... 233 G 2
Puyguilhem 24 ... 257 G 2
Puyguilhem *Château de* 24 ... 222 C 4
Puyjourdes 46 ... 279 E 1
Puylagarde 82 ... 279 E 2
Puylaroque 82 ... 278 C 2
Puylaurens 81 ... 299 E 5
Puylausic 32 ... 316 D 2
Puyloubier 13 ... 306 C 5
Puymangou 24 ... 239 E 2
Puymartin *Château de* 24 ... 241 F 5
Puymaurin 31 ... 316 C 3
Puyméras 84 ... 285 H 2
Puymiclan 47 ... 257 G 4
Puymirol 47 ... 276 C 3
Puymorens *Col de* 66 ... 340 D 3
Puymoyen 16 ... 221 F 2
Puynormand 33 ... 238 D 4
Puyol-Cazalet 40 ... 294 B 4
Puyoô 64 ... 293 E 5
Puyravault 17 ... 201 E 1
Puyravault 85 ... 183 F 3
Puyréaux 16 ... 203 F 4
Puyrenier 24 ... 221 H 4
Puyricard 13 ... 306 A 4
Puyrolland 17 ... 201 G 2
Puys 76 ... 10 B 5
Puységur 32 ... 296 B 3
Puysségur 31 ... 297 E 3
Puysserampion 47 ... 257 G 3
Puyvalador 66 ... 341 G 2
Puyvert 84 ... 305 H 2
Puzeaux 80 ... 23 F 3
Puzieux 57 ... 66 B 3
Puzieux 88 ... 94 D 4
Py 66 ... 342 A 4
Pyla-sur-Mer 33 ... 254 B 2
La Pyle 27 ... 35 H 4
Pyrénées 2000 66 ... 341 F 4
Pys 80 ... 13 G 4

Q

Quaëdypre 59 ... 3 H 3
Quaix-en-Chartreuse 38 ... 250 D 1
Quantilly 18 ... 155 F 4
Quarante 34 ... 321 E 3
Quarouble 59 ... 9 H 5
Quarré-les-Tombes 89 ... 158 A 3
La Quarte 70 ... 140 B 3
Le Quartier 63 ... 209 E 2
Quasquara 2A ... 349 E 3
Quatre-Champs 08 ... 42 D 1
Les Quatre Chemins 85 ... 183 F 2
Quatre-Routes-d'Albussac 19 ... 242 D 3
Les Quatre-Routes-du-Lot 46 ... 242 C 4
Quatre Vios *Col des* 07 ... 266 B 1
Quatremare 27 ... 36 B 4
Quatzenheim 67 ... 68 C 5
Quéant 62 ... 13 H 3
Queaux 86 ... 187 E 4
Québriac 35 ... 80 A 4
Quédillac 35 ... 103 F 1
Queige 73 ... 216 B 5
Quelaines-Saint-Gault 53 ... 105 H 5
Les Quelles 67 ... 96 C 3
Quelmes 62 ... 3 E 5
Quelneuc 56 ... 125 H 2
Quéménéven 29 ... 75 H 5
Quemigny-Poisot 21 ... 159 H 4
Quemigny-sur-Seine 21 ... 138 B 4
Quemper-Guézennec 22 ... 73 F 3
Quemperven 22 ... 72 D 3
Quend 80 ... 11 F 1
Quend-Plage-les-Pins 80 ... 11 E 1
Quenne 89 ... 136 C 3
Quenoche 70 ... 162 A 1
Quenza 2A ... 349 F 5
Quercamps 62 ... 3 E 5
Querciolo 2B ... 347 H 2
Quercitello 2B ... 347 G 3
Quérénaing 59 ... 14 D 2
Quéribus *Château de* 11 ... 338 B 4
Quérigut 09 ... 341 G 2
Quernes 62 ... 7 G 3
Quéroy *Grottes du* 16 ... 221 G 2
Querqueville 50 ... 29 E 2
Querré 49 ... 128 C 4
Querrien 29 ... 100 D 4
Querrieu 80 ... 22 C 1
Quers 70 ... 141 G 3
Quesmy 60 ... 23 H 4
Quesnay-Guesnon 14 ... 32 D 4
Le Quesne 80 ... 21 G 2
Le Quesnel 80 ... 23 E 3
Le Quesnel-Aubry 60 ... 38 C 1
Le Quesnoy 59 ... 15 E 3
Le Quesnoy 80 ... 23 E 3
Le Quesnoy-en-Artois 62 ... 12 B 2
Quesnoy-le-Montant 80 ... 11 F 3
Quesnoy-sur-Airaines 80 ... 11 H 5
Quesnoy-sur-Deûle 59 ... 4 C 5
Quesques 62 ... 6 D 2
Quessigny 27 ... 56 C 2
Quessoy 22 ... 78 C 4
Quessy 02 ... 24 B 4
Questembert 56 ... 125 E 3
Questrecques 62 ... 6 C 2
Quet-en-Beaumont 38 ... 251 F 5
Quetigny 21 ... 160 B 3
Quettehou 50 ... 29 G 3
Quettetot 50 ... 29 E 4
Quetteville 14 ... 34 D 3
Quettreville-sur-Sienne 50 ... 51 G 1
Queudes 51 ... 61 E 5
La Queue-en-Brie 94 ... 58 D 4
La Queue-les-Yvelines 78 ... 57 G 4
Queuille 63 ... 209 F 3
Quevauvillers 80 ... 22 A 2
Quéven 56 ... 101 E 5
Quévert 22 ... 79 G 4
Quevillon 76 ... 36 A 2
Quevilloncourt 54 ... 94 D 3
Quévreville-la-Poterie 76 ... 36 B 3
Queyrac 33 ... 218 D 4
Queyrières 43 ... 247 H 3
Queyssac 24 ... 240 B 5
Queyssac-les-Vignes 19 ... 242 D 4
Quézac 15 ... 261 H 2
Quézac 48 ... 282 C 1
Quiberon 56 ... 123 H 5
Quiberville 76 ... 20 A 2
Quibou 50 ... 32 A 5
Quié 09 ... 336 B 4
Quiers 77 ... 88 D 2
Quiers-sur-Bézonde 45 ... 111 H 5
Quiéry-la-Motte 62 ... 8 C 5
Quierzy 02 ... 24 A 5
Quiestède 62 ... 7 G 2
Quiévelon 59 ... 15 H 3
Quiévrechain 59 ... 9 H 5
Quièvrecourt 76 ... 20 D 3
Quiévy 59 ... 14 D 4
Quilen 62 ... 6 D 4
Quilinen *Calvaire de* 29 ... 99 H 2
Quillan 11 ... 337 F 4
Quillane *Col de* 66 ... 341 G 3
Quillebeuf-sur-Seine 27 ... 35 F 1
Le Quillio 22 ... 102 A 1
Quilly 08 ... 42 C 2
Quilly 44 ... 146 D 1
Quilly 56 ... 102 D 5
Quimerch 29 ... 75 H 4
Quimiac 44 ... 145 G 3
Quimper 29 ... 99 H 3
Quimperlé 29 ... 100 D 4
Quincampoix 76 ... 36 B 1
Quincampoix-Fleuzy 60 ... 21 G 3
Quinçay 86 ... 186 B 1
Quincerot 21 ... 137 G 5
Quincerot 89 ... 115 E 5
Quincey 10 ... 90 A 3
Quincey 21 ... 160 A 5
Quincey 70 ... 141 F 4
Quincié-en-Beaujolais 69 ... 212 C 1
Quincieu 38 ... 250 B 1
Quincieux 69 ... 213 E 4
Quincy 18 ... 154 C 5
Quincy-Basse 02 ... 40 B 1
Quincy-Landzécourt 55 ... 43 H 1
Quincy-le-Vicomte 21 ... 137 G 5
Quincy-sous-le-Mont 02 ... 40 D 3
Quincy-sous-Sénart 91 ... 58 D 5
Quincy-Voisins 77 ... 59 G 3
Quinéville 50 ... 29 G 4
Quingey 25 ... 161 H 5
Quinquempoix 60 ... 22 C 5
Quins 12 ... 280 B 3
Quinsac 24 ... 222 C 4
Quinsac 33 ... 255 G 1
Quinsac 87 ... 223 G 4
Quinson 04 ... 307 F 3
Quinssaines 03 ... 190 C 4
Quint-Fonsegrives 31 ... 298 A 5
Quintal 74 ... 215 G 4
La Quinte 72 ... 107 G 4
Quintenas 07 ... 248 D 2
Quintenic 22 ... 79 E 3
Quintigny 39 ... 179 E 4
Quintillan 11 ... 338 C 3
Quintin 22 ... 78 A 4
Le Quiou 22 ... 79 H 5
Quirbajou 11 ... 337 F 4
Quiry-le-Sec 80 ... 22 C 4
Quissac 30 ... 303 E 1
Quissac 46 ... 260 D 3
Quistinic 56 ... 101 G 4
Quittebeuf 27 ... 36 A 5
Quitteur 70 ... 140 B 5
Quivières 80 ... 23 H 2
Quœux-Haut-Maînil 62 ... 12 B 2

R

Rabastens 81 ... 298 C 2
Rabastens-de-Bigorre 65 ... 315 F 3
Rabat-les-Trois-Seigneurs 09 ... 336 A 4
La Rabatelière 85 ... 166 A 3
Rablay-sur-Layon 49 ... 149 G 3
Rabodanges 61 ... 53 G 3
Rabodanges *Barrage de* 61 ... 53 G 4
Le Rabot 41 ... 133 F 5
Rabou 05 ... 269 G 3
Rabouillet 66 ... 337 H 5
Racécourt 88 ... 94 D 5
Rachecourt-sur-Marne 52 ... 92 D 3
Rachecourt-Suzémont 52 ... 92 C 3
Raches 59 ... 8 D 5
Racines 10 ... 114 C 4
La Racineuse 71 ... 178 B 3
Racou-Plage 66 ... 343 G 3
Racquinghem 62 ... 7 G 2
Racrange 57 ... 67 E 3
Raddon-et-Chapendu 70 ... 141 H 2
Radenac 56 ... 102 B 4
Radepont 27 ... 36 C 3
Radinghem 62 ... 7 E 3
Radinghem-en-Weppes 59 ... 8 C 3
Radon 61 ... 83 G 3
Radonvilliers 10 ... 91 H 4
Radule *Bergeries de* 2B ... 346 C 4
Raedersdorf 68 ... 143 G 4
Raedersheim 68 ... 121 E 5
Raffetot 76 ... 19 F 5
Rageade 15 ... 246 A 3
Raguenès-Plage 29 ... 100 B 5
Rahart 41 ... 131 G 2
Rahay 72 ... 108 D 5
Rahling 57 ... 67 H 2
Rahon 25 ... 163 E 2
Rahon 39 ... 178 D 1
Rai 61 ... 55 F 4
Raids 50 ... 31 H 4
Raillencourt-Sainte-Olle 59 ... 14 B 3
Railleu 66 ... 341 G 3
Raillicourt 08 ... 26 C 4
Raillimont 02 ... 25 H 4
Raimbeaucourt 59 ... 8 D 4
Rainans 39 ... 161 E 5
Raincheval 80 ... 12 D 5
Raincourt 70 ... 140 C 2
Le Raincy 93 ... 58 D 3
Rainfreville 76 ... 20 A 3
Rainneville 80 ... 22 C 1
Rainsars 59 ... 15 H 5
Rainville 88 ... 94 B 4
Rainvillers 60 ... 37 H 2
Les Rairies 49 ... 129 F 4
Raismes 59 ... 9 G 5
Raissac 09 ... 336 C 3
Raissac-d'Aude 11 ... 320 D 5
Raissac-sur-Lampy 11 ... 319 F 4
Raix 16 ... 203 F 3
Raizeux 78 ... 86 C 2
Ramasse 01 ... 196 A 5
Ramatuelle 83 ... 329 G 3
Ramaz *Col de la* 74 ... 198 B 5
Rambaud 05 ... 269 H 3
Rambervillers 88 ... 95 H 4
Rambluzin-et-Benoite-Vaux 55 ... 64 B 2
Rambouillet 78 ... 86 D 2
Rambucourt 55 ... 65 E 4
Ramburelles 80 ... 11 F 5
Rambures 80 ... 11 F 5
Ramecourt 62 ... 7 G 5
Ramecourt 88 ... 94 D 5
Ramerupt 10 ... 91 F 3
Ramicourt 02 ... 24 B 1
Ramillies 59 ... 14 B 3
Rammersmatt 68 ... 142 D 1
Ramonchamp 88 ... 120 A 5
Ramonville-Saint-Agne 31 ... 298 A 5
Ramoulu 45 ... 111 G 2
Ramous 64 ... 293 F 5
Ramousies 59 ... 15 H 4
Ramouzens 32 ... 295 F 2
Rampan 50 ... 32 A 4
Rampieux 24 ... 258 D 2
Rampillon 77 ... 89 E 3
Rampont 55 ... 43 H 5
Rampoux 46 ... 259 H 3
Rancé 01 ... 213 E 3
Rancenay 25 ... 161 H 4
Rancennes 08 ... 17 E 4
Rances 10 ... 91 H 3
Ranchal 69 ... 212 B 1
Ranchette 39 ... 196 D 3
Ranchicourt 62 ... 7 H 5
Ranchot 39 ... 161 F 5
Ranchy 14 ... 32 D 3
Rancogne 16 ... 221 H 1
Rançon 76 ... 19 G 5
Rancon 87 ... 205 G 1
Rançonnières 52 ... 117 H 5
Rancoudray 50 ... 52 C 5
Rancourt 80 ... 13 H 5
Rancourt 88 ... 118 D 2
Rancourt-sur-Ornain 55 ... 63 F 3
Rancy 71 ... 195 G 1
Randan 63 ... 210 B 3
Randanne 63 ... 227 F 1
Randens 73 ... 234 A 2
Randevillers 25 ... 162 D 3
Randonnai 61 ... 55 F 5
Rânes 61 ... 53 H 5
Rang 25 ... 142 A 5
Rang-du-Fliers 62 ... 6 B 5
Rangecourt 52 ... 117 G 4
Rangen 67 ... 68 C 5
Ranguevaux 57 ... 45 G 4
Rannée 35 ... 105 E 5
Ranrupt 67 ... 96 D 3
Rans 39 ... 161 F 5
Ransart 62 ... 13 F 3
Ranspach 68 ... 120 C 5
Ranspach-le-Bas 68 ... 143 G 3
Ranspach-le-Haut 68 ... 143 G 3
Rantechaux 25 ... 162 C 5
Rantigny 60 ... 38 D 3
Ranton 86 ... 168 C 2
Rantzwiller 68 ... 143 G 2
Ranville 14 ... 33 H 4
Ranville-Breuillaud 16 ... 202 D 4
Ranzevelle 70 ... 118 C 5
Ranzières 55 ... 64 C 2
Raon-aux-Bois 88 ... 119 G 3
Raon-lès-Leau 54 ... 96 C 2
Raon-l'Étape 88 ... 96 A 3
Raon-sur-Plaine 88 ... 96 C 2
Rapaggio 2B ... 347 G 3
Rapale 2B ... 345 F 5
Rapey 88 ... 95 E 4
Raphèle-les-Arles 13 ... 304 C 4
Rapilly 14 ... 53 G 3
Rapsécourt 51 ... 63 E 1
Raray 60 ... 39 F 4
Rarécourt 55 ... 43 G 5
Rasiguères 66 ... 338 B 5
Raslay 86 ... 150 C 5
Rasteau 84 ... 285 G 2
Le Rat 19 ... 225 F 1
Ratenelle 71 ... 195 F 2
Ratières 26 ... 249 F 2
Ratilly *Château de* 89 ... 156 C 1
Ratte 71 ... 178 C 5
Ratzwiller 67 ... 68 A 2
Raucoules 43 ... 248 A 2
Raucourt 54 ... 65 H 3
Raucourt-au-Bois 59 ... 15 E 3
Raucourt-et-Flaba 08 ... 27 F 5
Raulecourt 55 ... 65 E 4
Raulhac 15 ... 244 D 5
Rauret 43 ... 265 E 1
Rauville-la-Bigot 50 ... 29 E 4
Rauville-la-Place 50 ... 31 G 2
Rauwiller 67 ... 67 H 4
Rauzan 33 ... 256 C 1
Raveau 58 ... 156 B 5
Ravel 63 ... 210 B 5
Ravel 69 ... 230 D 2
Ravel-et-Ferriers 26 ... 268 C 2
Ravenel 60 ... 38 D 1
Ravennefontaines 52 ... 117 H 4
Ravenoville 50 ... 29 H 5
Raves 88 ... 96 C 5
Raviège *Lac de la* 81 ... 300 B 5
Ravières 89 ... 137 G 4
Ravigny 53 ... 83 F 3
Raville 57 ... 66 C 1
Raville-sur-Sânon 54 ... 95 F 1
Ravilloles 39 ... 196 D 3
La Ravoire 73 ... 233 F 2
Ray-sur-Saône 70 ... 140 C 5
Raye-sur-Authie 62 ... 11 H 1
Rayet 47 ... 258 C 3
Raymond 18 ... 173 G 2
Raynans 25 ... 142 B 4
Rayol-Canadel-sur-Mer 83 ... 329 E 4
Rayssac 81 ... 299 H 2
Raz *Pointe du* 29 ... 98 C 2
Razac-de-Saussignac 24 ... 257 F 1
Razac-d'Eymet 24 ... 257 H 2
Razac-sur-l'Isle 24 ... 240 B 2
Raze 70 ... 140 D 5
Razecueillé 31 ... 334 C 3
Razengues 32 ... 297 E 4
Razès 87 ... 205 H 3
Razimet 47 ... 275 F 1
Razines 37 ... 169 F 2
Ré *Île de* 17 ... 182 D 5
Réal 66 ... 341 G 2
Réalcamp 76 ... 21 F 2
Réallon 05 ... 270 B 3
Réalmont 81 ... 299 G 3
Réalville 82 ... 278 B 4
Réans 32 ... 295 E 1
Réau 77 ... 88 B 2
Réau (Ancienne Abbaye de la) 86 ... 204 B 1
Réaumont 38 ... 232 C 4
Réaumur 85 ... 167 E 4
Réaup 47 ... 275 E 4
Réauville 26 ... 267 F 5
Réaux-sur-Trèfle 17 ... 220 B 3
Les Réaux *Château* 37 ... 150 D 4
Rebais 77 ... 60 A 3
Rebecques 62 ... 7 G 2
Rébénacq 64 ... 314 A 5
Rebergues 62 ... 2 D 5
Rebets 76 ... 36 D 1
Rebeuville 88 ... 94 A 4
Rebigue 31 ... 318 A 2
Rebouc 65 ... 333 H 2
Rebouillon 83 ... 308 A 4
Rebourguil 12 ... 300 C 1
Rebourseaux 89 ... 114 B 5
Reboursin 36 ... 172 A 1
Rebréchien 45 ... 111 F 5
Rebreuve-Ranchicourt 62 ... 7 H 5
Rebreuve-sur-Canche 62 ... 12 D 2
Rebreuviette 62 ... 12 D 3
Recanoz 39 ... 179 E 3
Recey-sur-Ource 21 ... 138 D 3
Réchésy 90 ... 143 E 4
Réchicourt 55 ... 44 D 3
Réchicourt-la-Petite 54 ... 66 D 5
Réchicourt-le-Château 57 ... 67 F 5
Récicourt 55 ... 43 G 5
Réclainville 28 ... 86 C 5
Reclesne 71 ... 176 C 1
Reclinghem 62 ... 7 F 3
Réclonville 54 ... 95 H 2
Recloses 77 ... 88 B 5
Recologne 25 ... 161 G 3
Recologne 70 ... 140 C 5
Recologne-lès-Rioz 70 ... 161 H 1
Recoubeau-Jansac 26 ... 268 B 2
Recoules-d'Aubrac 48 ... 263 G 2
Recoules-de-Fumas 48 ... 264 B 3
Recoules-Prévinquières 12 ... 281 G 1
Récourt 52 ... 117 G 5
Récourt 62 ... 14 A 3
Récourt-le-Creux 55 ... 64 B 2
La Recousse 62 ... 3 E 4
Recouvrance 90 ... 142 D 3
Le Recoux 48 ... 281 H 1
Recques-sur-Course 62 ... 6 C 4
Recques-sur-Hem 62 ... 3 E 4
Recquignies 59 ... 15 H 2
Le Reculey 14 ... 52 C 2
Reculfoz 25 ... 180 B 4
Recurt 65 ... 315 H 5
Recy 51 ... 62 A 2
Rédange 57 ... 45 F 2
Rédené 29 ... 100 D 5
Réderis *Cap* 66 ... 343 G 4
Redessan 30 ... 304 A 2
Réding 57 ... 67 H 4
Redon 35 ... 125 G 4
La Redorte 11 ... 320 B 4
Redortiers 04 ... 286 D 4
Réez-Fosse-Martin 60 ... 39 G 5
Reffannes 79 ... 185 F 2
Reffroy 55 ... 93 G 1
Reffuveille 50 ... 52 A 5
Refranche 25 ... 180 A 1
Régades 31 ... 334 C 2
Régat 09 ... 336 D 2
Regnauville 62 ... 11 H 1
Regnévelle 88 ... 118 C 4
Regnéville-sur-Mer 50 ... 51 F 1
Regnéville-sur-Meuse 55 ... 44 B 4
Regney 88 ... 95 E 5
Régnié-Durette 69 ... 212 D 1
Regnière-Écluse 80 ... 11 G 1
Regniowez 08 ... 26 B 1
Regny 02 ... 24 C 2
Régny 42 ... 211 H 3
La Regrippière 44 ... 148 B 4
Réguiny 56 ... 102 B 4
Réguisheim 68 ... 121 E 5
Régusse 83 ... 307 F 3
Rehaincourt 88 ... 95 F 4
Rehainviller 54 ... 95 F 2
Rehaupal 88 ... 119 H 2
Reherrey 54 ... 95 H 2
Réhon 54 ... 45 E 1
Reichsfeld 67 ... 97 E 3
Reichshoffen 67 ... 68 D 2
Reichstett 67 ... 69 E 5
Reignac 16 ... 220 C 4
Reignac 33 ... 237 G 1
Reignac-sur-Indre 37 ... 152 B 4
Reignat 63 ... 228 B 1
Reigneville-Bocage 50 ... 29 F 5
Reignier-Ésery 74 ... 215 H 1
Reigny 18 ... 190 B 2
Reilhac 15 ... 244 B 4
Reilhac 43 ... 246 C 3
Reilhac 46 ... 260 D 2
Reilhaguet 46 ... 260 B 2
Reilhanette 26 ... 286 C 3
Reillanne 04 ... 306 B 1
Reillon 54 ... 95 H 1
Reilly 60 ... 37 G 4
Reimerswiller 67 ... 69 E 2
Reims 51 ... 41 G 4
Reims-la-Brûlée 51 ... 62 D 4
Reine Jeanne *Pont de la* 04 ... 287 G 2
Reinhardsmunster 67 ... 68 A 5
Reiningue 68 ... 143 E 1
Reipertswiller 67 ... 68 B 2
Reithouse 39 ... 196 B 1
Reitwiller 67 ... 68 D 5
Réjaumont 32 ... 296 A 2
Réjaumont 65 ... 315 H 5
Rejet-de-Beaulieu 59 ... 15 E 5
Relanges 88 ... 118 C 3
Relans 39 ... 179 E 4
Le Relecq-Kerhuon 29 ... 75 F 2
Relevant 01 ... 213 F 2
Rely 62 ... 7 G 3
Remaisnil 80 ... 12 C 3
Rémalard-en-Perche 61 ... 84 D 4
Remaucourt 02 ... 24 B 2
Remaucourt 08 ... 25 H 5
La Remaudière 44 ... 148 B 4
Remaugies 80 ... 23 E 5
Remauville 77 ... 112 C 2
Rembercourt-aux-Pots 55 ... 63 H 2
Rembercourt-sur-Mad 54 ... 65 F 2
Rémécourt 60 ... 38 D 2
Remelange 57 ... 45 G 3
Rémelfang 57 ... 46 C 4
Rémelfing 57 ... 47 G 5
Rémeling 57 ... 46 C 2
Remennecourt 55 ... 63 F 3
Remenoville 54 ... 95 F 3
Rémérangles 60 ... 38 B 2
Réméréville 54 ... 66 C 5
Rémering 57 ... 46 D 4
Rémering-lès-Puttelange 57 ... 67 F 1
Remicourt 51 ... 63 E 2
Remicourt 88 ... 94 C 5
Remiencourt 80 ... 22 C 3
Remies 02 ... 24 C 4
La Remigeasse 17 ... 200 B 3
Remigny 02 ... 24 B 4
Remigny 71 ... 177 G 3
Rémilly 57 ... 66 B 2
Rémilly 58 ... 175 H 4
Remilly-Aillicourt 08 ... 27 F 4
Remilly-en-Montagne 21 ... 159 G 3
Remilly-les-Pothées 08 ... 26 C 3
Remilly-sur-Lozon 50 ... 32 A 4
Remilly-sur-Tille 21 ... 160 B 3
Remilly-Wirquin 62 ... 7 F 2
Réminiac 56 ... 103 F 5
Remiremont 88 ... 119 G 4
Remoiville 55 ... 44 B 2
Remollon 05 ... 269 H 4

Remomeix 88 .... 96 B 5
Remoncourt 54 .... 67 E 5
Remoncourt 88 .... 94 C 5
Rémondans-Vaivre 25 .... 163 F 2
Rémonville 08 .... 43 F 2
Remoray-Boujeons 25 .... 180 C 4
Remouillé 44 .... 166 A 1
Remoulins 30 .... 304 B 1
Removille 88 .... 94 B 4
Rempnat 87 .... 225 E 1
La Remuée 76 .... 35 E 1
Remungol 56 .... 102 A 4
Rémuzat 26 .... 268 B 5
Remy 60 .... 39 E 2
Rémy 62 .... 13 H 3
Renac 35 .... 125 H 3
Renage 38 .... 232 B 5
Renaison 42 .... 211 F 2
La Renaissance 17 .... 200 D 3
Renansart 02 .... 24 C 3
Renaucourt 70 .... 140 C 4
La Renaudie 63 .... 229 E 1
La Renaudière 49 .... 148 C 5
Renauvoid 88 .... 119 F 2
Renay 41 .... 131 H 2
Renazé 53 .... 127 G 2
Rencurel 38 .... 250 B 2
René 72 .... 83 H 5
Renédale 25 .... 180 C 1
Renescure 59 .... 3 G 5
Renève 21 .... 160 D 2
Réning 57 .... 67 F 2
Rennemoulin 78 .... 58 A 3
Rennepont 52 .... 116 B 3
Rennes 35 .... 104 B 3
Rennes-en-Grenouilles 53 .... 82 C 3
Rennes-le-Château 11 .... 337 G 3
Rennes-les-Bains 11 .... 337 H 3
Rennes-sur-Loue 25 .... 179 G 1
Renneval 02 .... 25 G 3
Renneville 08 .... 25 H 4
Renneville 27 .... 36 C 2
Renneville 31 .... 318 C 3
Renno 2A .... 346 C 5
Le Renouard 61 .... 54 B 2
Rentières 63 .... 227 H 4
Renty 62 .... 7 E 3
Renung 40 .... 294 B 3
Renwez 08 .... 26 C 2
La Réole 33 .... 256 D 3
La Réorthe 85 .... 183 G 1
Réotier 05 .... 270 D 2
Repaix 54 .... 96 A 1
La Répara-Auriples 26 .... 267 G 3
Réparsac 16 .... 220 C 1
Repel 88 .... 94 C 4
Repentigny 14 .... 34 B 4
Replonges 01 .... 195 E 4
Le Reposoir 74 .... 216 B 2
Les Repôts 39 .... 178 D 5
Reppe 90 .... 142 D 2
Requeil 72 .... 129 H 3
Réquista 12 .... 280 C 5
Résenlieu 61 .... 54 D 4
La Résie-Saint-Martin 70 .... 161 E 3
Résigny 02 .... 25 H 3
Resson 55 .... 63 H 4
Ressons-l'Abbaye 60 .... 38 A 3
Ressons-le-Long 02 .... 40 A 2
Ressons-sur-Matz 60 .... 39 F 1
Les Ressuintes 28 .... 85 E 2
Restigné 37 .... 151 E 4
Restinclières 34 .... 303 E 3
Restonica *Gorges de la* 2B .... 347 E 5
Le Retail 79 .... 184 D 1
Rétaud 17 .... 219 F 1
Reterre 23 .... 208 C 2
Rethel 08 .... 42 A 1
Retheuil 02 .... 39 H 3
Rethondes 60 .... 39 G 2
Rethonvillers 80 .... 23 G 3
Réthoville 50 .... 29 G 2
Retiers 35 .... 104 D 5
Retjons 40 .... 274 B 4
Retonfey 57 .... 46 B 5
Rétonval 76 .... 21 E 2
Retournac 43 .... 247 G 2
Retournemer *Lac de* 88 .... 120 B 3
Retschwiller 67 .... 69 E 2
Rettel 57 .... 46 B 2
Rety 62 .... 2 C 5
Retzwiller 68 .... 142 D 3
Reugney 25 .... 180 B 1
Reugny 03 .... 190 D 3
Reugny 37 .... 152 B 1
Reuil 51 .... 61 E 1
Reuil-en-Brie 77 .... 60 A 2
Reuil-sur-Brêche 60 .... 38 B 1
Reuilly 27 .... 56 C 1
Reuilly 36 .... 172 C 1
Reuilly-Sauvigny 02 .... 60 D 1
Reulle-Vergy 21 .... 159 H 4
Reumont 59 .... 14 D 4
La Réunion 47 .... 275 E 2
Reutenbourg 67 .... 68 B 5
Reuves 51 .... 61 F 4
Reuville 76 .... 19 H 3
Reux 14 .... 34 C 3
Revard *Mont* 73 .... 233 F 1
Réveillon 51 .... 60 C 4
Réveillon 61 .... 84 C 3
Revel 31 .... 319 E 2
Revel 38 .... 251 F 1
Revel-Tourdan 38 .... 231 G 4
Revelles 80 .... 22 A 2
Revémont 54 .... 44 D 2
Revens 30 .... 282 A 4
Reventin-Vaugris 38 .... 231 E 4
Revercourt 28 .... 56 B 5
Revest-des-Brousses 04 .... 287 E 5
Revest-du-Bion 04 .... 286 C 4
Le Revest-les-Eaux 83 .... 328 A 4
Revest-les-Roches 06 .... 289 H 5
Revest-Saint-Martin 04 .... 287 F 4
La Revêtizon 79 .... 184 D 5
Reviers 14 .... 33 F 3
Revigny 39 .... 179 F 5
Revigny-sur-Ornain 55 .... 63 F 3
Réville 50 .... 29 H 3
Réville-aux-Bois 55 .... 44 B 3
Révillon 02 .... 41 E 2
Revin 08 .... 26 C 1
Revollat *Croix de* 38 .... 251 F 1
Revonnas 01 .... 214 A 1
Rexingen 67 .... 67 H 3
Rexpoëde 59 .... 3 H 3
Reyersviller 57 .... 68 B 1
Reygade 19 .... 243 E 4
Reynel 52 .... 93 F 5
Reynès 66 .... 342 D 4
Reynier 04 .... 287 H 1
Reyniès 82 .... 297 H 1
Reyrevignes 46 .... 261 E 3
Reyrieux 01 .... 213 E 3
Les Reys-de-Saulce 26 .... 267 E 2
Reyssouze 01 .... 195 F 3
Reyvroz 74 .... 198 B 3
Rezay 18 .... 172 D 5
Rezé 44 .... 147 G 4
Rézentières 15 .... 245 H 3
Rezonville 57 .... 65 F 1
Rezza 2A .... 348 D 1
Rhèges 10 .... 90 D 2
Le Rheu 35 .... 104 A 3
Le Rhien 70 .... 142 A 2
Rhinau 67 .... 97 H 4
Rhodes 57 .... 67 F 4
Rhodon 41 .... 132 A 3
Rhodon 78 .... 58 A 5
Rhuis 60 .... 39 E 3
Ri 61 .... 54 A 4
Ria-Sirach 66 .... 342 A 3
Riaillé 44 .... 127 E 5
Le Rialet 81 .... 300 A 5
Rians 18 .... 155 G 5
Rians 83 .... 306 C 4
Riantec 56 .... 123 F 2
Riau *Château du* 03 .... 192 A 1
Riaucourt 52 .... 117 E 2
Riaville 55 .... 64 D 1
Ribagnac 24 .... 257 H 1
Ribarrouy 64 .... 294 C 5
Ribaute 11 .... 338 B 1
Ribaute-les-Tavernes 30 .... 283 H 5
Le Ribay 53 .... 82 C 4
Ribeaucourt 55 .... 93 F 2
Ribeaucourt 80 .... 12 B 4
Ribeauvillé 02 .... 25 H 2
Ribeauvillé 68 .... 97 E 5
Ribécourt 60 .... 39 G 1
Ribécourt-la-Tour 59 .... 14 A 4
Ribemont 02 .... 24 C 3
Ribemont-sur-Ancre 80 .... 22 D 1
Ribennes 48 .... 264 B 3
Ribérac 24 .... 239 G 1
Ribes 07 .... 266 A 5
Ribeyret 05 .... 268 C 5
Ribiers 05 .... 287 F 2
Ribouisse 11 .... 318 D 5
Riboux 83 .... 327 H 2
La Ricamarie 42 .... 230 B 4
Ricarville 76 .... 19 F 4
Ricarville-du-Val 76 .... 20 C 3
Ricaud 11 .... 318 D 3
Ricaud 65 .... 315 G 5
Les Riceys 10 .... 115 G 5
La Richardais 35 .... 50 C 5
Richardménil 54 .... 94 D 1
Richarville 91 .... 87 E 4
La Riche 37 .... 151 H 2
Riche 57 .... 66 D 3
Richebourg 52 .... 116 D 4
Richebourg 62 .... 8 B 3
Richebourg 78 .... 57 F 4
Richecourt 55 .... 65 E 3
Richelieu 37 .... 169 E 1
Richeling 57 .... 67 G 1
Richemont 16 .... 220 B 1
Richemont 57 .... 45 H 4
Richemont 76 .... 21 F 3
Richemont *Col de* 01 .... 214 D 2
Richerenches 84 .... 285 F 1
Richet 40 .... 273 F 1
Richeval 57 .... 96 A 1
Richeville 27 .... 37 E 4
Richtolsheim 67 .... 97 G 5
Richwiller 68 .... 143 F 1
Ricourt 32 .... 315 F 2
Ricquebourg 60 .... 23 F 5
Riec-sur-Belon 29 .... 100 C 5
Riedheim 67 .... 68 C 3
Riedisheim 68 .... 143 F 1
Riedseltz 67 .... 69 F 1
Riedwihr 68 .... 121 F 2
Riel-les-Eaux 21 .... 116 A 5
Riencourt 80 .... 22 A 1
Riencourt-lès-Bapaume 62 .... 13 H 4
Riencourt-lès-Cagnicourt 62 .... 13 H 3
Riervescemont 90 .... 142 C 1
Riespach 68 .... 143 F 4
Rieucazé 31 .... 334 C 1
Rieucros 09 .... 336 C 1
Rieulay 59 .... 9 E 5
Rieumajou 31 .... 318 C 3
Rieumes 31 .... 317 F 3
Rieupeyroux 12 .... 279 H 2
Rieussec 34 .... 320 C 3
Rieutort-de-Randon 48 .... 264 C 3
Rieux 31 .... 317 G 4
Rieux 51 .... 60 C 3
Rieux 56 .... 125 G 4
Rieux 60 .... 38 D 3
Rieux 62 .... 7 H 3
Rieux 76 .... 11 E 5
Rieux-de-Pelleport 09 .... 336 B 2
Rieux-en-Cambrésis 59 .... 14 C 3
Rieux-en-Val 11 .... 338 A 1
Rieux-Minervois 11 .... 320 B 4
Riez 04 .... 307 F 1
Rigarda 66 .... 342 B 2
Rigaud 06 .... 289 G 4
Rignac 12 .... 279 H 1
Rignac 46 .... 260 D 1
Rignat 01 .... 214 A 1
Rignaucourt 55 .... 63 H 2
Rigné 79 .... 168 A 2
Rigney 25 .... 162 B 2
Rignieux-le-Franc 01 .... 213 H 3
Rignosot 25 .... 162 B 2
Rignovelle 70 .... 141 H 2
Rigny 70 .... 161 F 1
Rigny-la-Nonneuse 10 .... 90 B 4
Rigny-la-Salle 55 .... 94 A 1
Rigny-le-Ferron 10 .... 114 A 2
Rigny-Saint-Martin 55 .... 94 A 1
Rigny-sur-Arroux 71 .... 193 G 2
Rigny-Ussé 37 .... 151 E 4
Riguepeu 32 .... 295 H 4
Rilhac-Lastours 87 .... 223 F 2
Rilhac-Rancon 87 .... 205 H 4
Rilhac-Treignac 19 .... 224 D 3
Rilhac-Xaintrie 19 .... 243 H 2
Rillans 25 .... 162 C 1
Rillé 37 .... 151 E 2
Rillieux-la-Pape 69 .... 213 F 5
Rilly-la-Montagne 51 .... 41 G 5
Rilly-Sainte-Syre 10 .... 90 D 4
Rilly-sur-Aisne 08 .... 42 C 1
Rilly-sur-Loire 41 .... 152 D 2
Rilly-sur-Vienne 37 .... 169 G 1
Rimaucourt 52 .... 93 F 5
Rimbach-près-Guebwiller 68 .... 120 D 5
Rimbach-près-Masevaux 68 .... 142 C 1
Rimbachzell 68 .... 120 D 5
Rimbez-et-Baudiets 40 .... 274 D 4
Rimboval 62 .... 6 D 4
Rimeize 48 .... 264 B 2
Rimling 57 .... 48 B 5
Rimogne 08 .... 26 C 2
Rimon-et-Savel 26 .... 268 A 2
Rimondeix 23 .... 189 H 5
Rimons 33 .... 256 D 2
Rimont 09 .... 335 G 2
Rimou 35 .... 80 C 4
Rimplas 06 .... 289 H 3
Rimsdorf 67 .... 67 H 2
Ringeldorf 67 .... 68 C 3
Ringendorf 67 .... 68 C 3
Rinxent 62 .... 2 B 4
Riocaud 33 .... 257 F 1
Riolan *Clue du* 06 .... 289 G 5
Riolas 31 .... 316 D 3
Riols 34 .... 320 C 2
Le Riols 81 .... 279 E 3
Riom 63 .... 209 H 4
Riom-ès-Montagnes 15 .... 244 D 1
Rioms 26 .... 286 C 2
Rion-des-Landes 40 .... 273 E 5
Rions 33 .... 255 H 2
Riorges 42 .... 211 G 2
Riotord 43 .... 248 B 1
Rioupéroux 38 .... 251 F 2
Rioupes *Col de* 05 .... 269 F 2
Rioux 17 .... 219 F 2
Rioux-Martin 16 .... 238 D 1
Rioz 70 .... 162 A 1
Ripaille *Domaine de* 74 .... 198 B 3
Riquet *Obélisque de* 11 .... 318 D 3
Riquewihr 68 .... 121 E 2
Ris 63 .... 210 C 3
Ris 65 .... 333 H 3
Ris-Orangis 91 .... 58 C 5
Riscle 32 .... 294 D 4
Risoul 05 .... 270 D 2
Risoul 1850 05 .... 270 D 2
Ristolas 05 .... 271 F 1
Ristz *Château du* 03 .... 192 A 3
Rittershoffen 67 .... 69 F 2
Ritzing 57 .... 46 C 2
Riunoguès 66 .... 343 E 4
Riupeyrous 64 .... 314 C 2
Riva-Bella 14 .... 33 H 3
Rivarennes 36 .... 188 B 1
Rivarennes 37 .... 151 F 4
Rivas 42 .... 230 A 2
Rivau *Château du* 37 .... 151 E 5
Rive-de-Gier 42 .... 230 D 3
Rivecourt 60 .... 39 F 3
Rivedoux-Plage 17 .... 200 B 1
Rivehaute 64 .... 313 F 3
Rivel 11 .... 337 E 3
Riventosa 2B .... 347 F 5
Rivèrenert 09 .... 335 G 3
Riverie 69 .... 230 C 2
Rivery 80 .... 22 C 2
Les Rives 34 .... 301 G 2
Rives 38 .... 232 C 5
Rives 47 .... 258 C 3
Rivesaltes 66 .... 338 D 5
Le Rivier 38 .... 232 B 4
La Rivière 33 .... 238 B 4
Rivière 37 .... 151 E 5
La Rivière 38 .... 250 C 1
Rivière 62 .... 13 F 3
La Rivière-de-Corps 10 .... 90 D 5
La Rivière-Drugeon 25 .... 180 B 3
La Rivière-Enverse 74 .... 216 C 1
Rivière-les-Fosses 52 .... 139 G 4
Rivière-Saas-et-Gourby 40 .... 292 D 3
La Rivière-Saint-Sauveur 14 .... 34 D 2
Rivière-sur-Tarn 12 .... 281 H 3
La Rivière-Thibouville 27 .... 35 G 5
Rivières 16 .... 203 G 5
Rivières 30 .... 284 A 2
Rivières 81 .... 299 E 1
Les Rivières-Henruel 51 .... 62 C 5
Rivières-le-Bois 52 .... 139 H 3
Riville 76 .... 19 F 3
Rivolet 69 .... 212 C 3
Rix 39 .... 180 A 4
Rix 58 .... 157 E 2
Rixheim 68 .... 143 G 1
La Rixouse 39 .... 197 E 2
Rizaucourt 52 .... 92 C 5
Roaillan 33 .... 256 B 4
Roaix 84 .... 285 G 2
Roanne 42 .... 211 G 2
Roannes-Saint-Mary 15 .... 262 B 1
Robécourt 88 .... 118 A 3
Robecq 62 .... 7 H 3
Robehomme 14 .... 34 A 4
Robersart 59 .... 15 E 4
Robert-Espagne 55 .... 63 G 4
Robert-le-Diable *Château de* 76 .... 36 A 3
Robert-Magny 52 .... 92 B 3
Robertot 76 .... 19 G 3
Roberval 60 .... 39 E 3
Robiac-Rochessadoule 30 .... 283 H 2
Robien *Château* 22 .... 78 A 4
Robin *Mont* 50 .... 52 A 2
La Robine-sur-Galabre 04 .... 288 A 2
Robion 04 .... 308 A 1
Robion 84 .... 305 F 1
Le Roc 46 .... 260 B 1
Le Roc-Saint-André 56 .... 102 D 5
Rocamadour 46 .... 260 C 1
Rocbaron 83 .... 328 B 2
Rocé 41 .... 131 H 3
Roche 38 .... 231 H 2
Roche 41 .... 132 B 3
Roche 42 .... 229 F 2
La Roche aux Fées 35 .... 104 D 5
Roche-Béranger 38 .... 251 F 2
La Roche-Bernard 56 .... 125 F 5
La Roche-Blanche 44 .... 148 C 1
La Roche-Blanche 63 .... 227 H 1
La Roche-Canilhac 15 .... 263 G 2
La Roche-Canillac 19 .... 243 F 2
La Roche-Chalais 24 .... 238 D 2
Roche-Charles 63 .... 227 G 4
La Roche-Clermault 37 .... 151 E 5
La Roche Courbon *Château de* 17 .... 201 E 4
Roche-d'Agoux 63 .... 208 D 2
La Roche-de-Glun 26 .... 249 F 4
La Roche-de-Rame 05 .... 270 C 1
La Roche-Derrien 22 .... 73 E 3
La Roche-des-Arnauds 05 .... 269 G 3
Roche du Prêtre 25 .... 163 E 4
La Roche-en-Brenil 21 .... 158 C 2
Roche-en-Régnier 43 .... 247 F 1
Roche-et-Raucourt 70 .... 140 B 4
La Roche-Guyon 95 .... 57 F 1
La Roche-Jagu *Château de* 22 .... 73 E 3
Roche-la-Molière 42 .... 230 A 4
La Roche-l'Abeille 87 .... 223 G 2
Roche-le-Peyroux 19 .... 226 B 4
Roche-lès-Clerval 25 .... 162 D 2
Roche-lez-Beaupré 25 .... 162 A 3
La Roche-Mabile 61 .... 83 F 3
La Roche-Maurice 29 .... 71 E 5
La Roche-Noire 63 .... 228 A 1
La Roche-Posay 86 .... 170 A 4
La Roche-qui-Boit *Barrage de* 50 .... 51 H 5
La Roche-Racan *Château* 37 .... 130 C 5
La Roche-Rigault 86 .... 168 D 2
Roche-Saint-Secret-Béconne 26 .... 267 G 4
La Roche-sur-Foron 74 .... 215 H 1
La Roche-sur-Grane 26 .... 267 F 2
La Roche-sur-le-Buis 26 .... 286 B 2
Roche-sur-Linotte-et-Sorans-les-Cordiers 70 .... 162 B 1
La Roche-sur-Yon 85 .... 165 H 5
La Roche-Vanneau 21 .... 159 E 1
La Roche-Vineuse 71 .... 194 D 4
Rochebaudin 26 .... 267 G 3
La Rochebeaucourt-et-Argentine 24 .... 221 G 3
Rochebloine 07 .... 248 C 3
Rochebonne *Château de* 07 .... 248 B 4
Rochebrune 05 .... 269 H 4
Rochebrune 26 .... 286 A 1
Rochebrune *Château de* 16 .... 204 D 4
Rochechinard 26 .... 250 A 3
Rochechouart 87 .... 204 D 5
Rochecolombe 07 .... 266 B 4
Rochecorbon 37 .... 152 A 2
Rochefort 17 .... 200 D 3
Rochefort 21 .... 138 B 3
Rochefort 73 .... 232 D 2
Rochefort *Rocher de* 42 .... 211 F 3
Rochefort-du-Gard 30 .... 285 E 5
Rochefort-en-Terre 56 .... 125 F 3
Rochefort-en-Valdaine 26 .... 267 F 4
Rochefort-en-Yvelines 78 .... 87 E 2
Rochefort-Montagne 63 .... 227 E 1
Rochefort-Samson 26 .... 249 H 4
Rochefort-sur-la-Côte 52 .... 117 E 2
Rochefort-sur-Loire 49 .... 149 F 2
Rochefort-sur-Nenon 39 .... 161 E 5
La Rochefoucauld 16 .... 221 H 1
Rochefourchat 26 .... 268 A 3
La Rochegiron 04 .... 286 D 4
Rochegude 26 .... 285 F 2
Rochegude 30 .... 284 A 2
Rochejean 25 .... 180 C 4
La Rochelambert *Château de* 43 .... 247 E 3
La Rochelle 17 .... 200 C 1
La Rochelle 70 .... 140 B 3
La Rochelle-Normande 50 .... 51 G 4
Rochemaure 07 .... 267 E 3
La Rochénard 79 .... 184 C 5
Rochepaule 07 .... 248 B 3
La Rochepot 21 .... 177 G 2
Rocher 07 .... 266 A 4
Rocher-Portail *Château du* 35 .... 80 D 3
Le Rochereau 86 .... 168 D 5
Les Rochers-Sévigné *Château* 35 .... 105 F 3
Roches 23 .... 189 G 5
Roches Blanches *Panorama des* 83 .... 329 E 2
Les Roches-de-Condrieu 38 .... 231 E 4
Roches-lès-Blamont 25 .... 142 C 5
Les Roches-l'Évêque 41 .... 131 F 3
Roches-Prémarie-Andillé 86 .... 186 C 2
Roches-sur-Marne 52 .... 92 D 2
Roches-sur-Rognon 52 .... 93 E 5
Rocheservière 85 .... 165 G 2
Rochessauve 07 .... 266 D 2
Rochesson 88 .... 120 A 4
Rochetaillée 42 .... 230 B 4
Rochetaillée 52 .... 139 F 2
Rochetaillée-sur-Saône 69 .... 213 E 4
Rochetoirin 38 .... 232 B 2
Rochetrejoux 85 .... 166 C 4
La Rochette 04 .... 289 F 5
La Rochette 05 .... 269 H 3
La Rochette 07 .... 248 A 5
La Rochette 16 .... 203 G 5
La Rochette 23 .... 207 G 3
La Rochette 73 .... 233 G 3
La Rochette 77 .... 88 B 3
La Rochette-du-Buis 26 .... 286 B 2
Rocheville 06 .... 309 E 4
Rocheville 50 .... 29 E 4
Rochonvillers 57 .... 45 G 2
Rochy-Condé 60 .... 38 B 2
Rocles 03 .... 191 G 3
Rocles 07 .... 266 A 4
Rocles 48 .... 265 E 2
Roclincourt 62 .... 13 G 2
Rocourt 88 .... 118 A 3
Rocourt-Saint-Martin 02 .... 40 B 5
Rocquancourt 14 .... 33 G 5
La Rocque 14 .... 53 E 2
Rocquefort 76 .... 19 G 4
Rocquemont 60 .... 39 F 4
Rocquemont 76 .... 20 C 5
Rocquencourt 60 .... 22 C 4
Rocquencourt 78 .... 58 A 3
Rocques 14 .... 34 C 4
Rocquigny 02 .... 15 H 5
Rocquigny 08 .... 26 A 4
Rocquigny 62 .... 13 H 5
Rocroi 08 .... 26 B 1
Rodalbe 57 .... 67 E 3
Rodelinghem 62 .... 2 D 4
Rodelle 12 .... 262 D 5
Rodemack 57 .... 45 H 2
Roderen 68 .... 142 D 1
La Roderie 44 .... 147 F 4
Rodern 68 .... 97 E 5
Rodès 66 .... 342 C 2
Rodez 12 .... 280 D 1
Rodilhan 30 .... 304 A 2
Rodome 11 .... 337 F 5
La Roë 53 .... 105 F 5
Roëllecourt 62 .... 7 G 5
Rœschwoog 67 .... 69 G 3
Rœulx 59 .... 14 C 2
Rœux 62 .... 13 H 2
Roézé-sur-Sarthe 72 .... 129 H 2
Roffey 89 .... 137 E 2
Roffiac 15 .... 245 G 3
Rogalle 09 .... 335 F 3
Rogécourt 02 .... 24 C 4
Rogerville 76 .... 34 D 1
Rogéville 54 .... 65 F 4
Roggenhouse 68 .... 121 F 5
Rogliano 2B .... 345 G 1
Rogna 39 .... 196 D 4
Rognac 13 .... 305 G 5
Rognaix 73 .... 234 B 2
Rognes 13 .... 305 H 3
Rognon 25 .... 162 C 1
Rognonas 13 .... 304 D 1
Rogny 02 .... 25 E 3
Rogny-les-Sept-Écluses 89 .... 135 E 4

Rogues 30....302 B 1
Rogy 80....22 B 4
Rohaire 28....55 H 5
Rohan 56....102 B 3
Rohr 67....68 C 5
Rohrbach-lès-Bitche 57....68 A 1
Rohrwiller 67....69 F 4
Roiffé 86....150 C 5
Roiffieux 07....248 D 1
Roiglise 80....23 F 4
Roilly 21....158 D 2
Roinville 28....86 C 4
Roinville 91....87 F 3
Roinvilliers 91....87 G 5
Roisel 80....23 H 1
Les Roises 55....93 H 3
Roisey 42....230 D 4
Roissard 38....250 D 5
Roissy-en-Brie 77....59 E 4
Roissy-en-France 95....58 D 2
Roiville 61....54 C 3
Roizy 08....41 H 2
Rolampont 52....117 F 5
Rolbing 57....48 C 4
Rollainville 88....94 A 4
Rollancourt 62....7 E 5
Rolland 33....238 D 3
Rolleboise 78....57 E 1
Rolleville 76....18 C 5
Rollot 80....23 E 5
Rom 79....186 A 4
Romagnat 63....227 H 1
La Romagne 08....26 A 4
Romagne 33....256 C 1
Romagné 35....81 E 4
La Romagne 49....166 C 1
Romagne 86....186 B 5
Romagne-sous-les-Côtes 55....44 B 4
Romagne-sous-Montfaucon 55....43 G 3
Romagnieu 38....232 D 2
Romagny 68....142 D 3
Romagny-Fontenay 50....52 B 5
Romagny-sous-Rougemont 90....142 C 2
Romain 25....162 C 1
Romain 39....161 F 4
Romain 51....41 E 3
Romain 54....95 E 2
Romain-aux-Bois 88....118 A 3
Romain-sur-Meuse 52....117 H 2
Romaines 10....91 F 3
Romainville 93....58 C 3
Roman 27....56 A 3
Romanèche 01....196 B 5
Romanèche-Thorins 71....212 D 1
Romange 39....161 E 5
Romans 01....213 F 1
Romans 79....185 F 4
Romans-sur-Isère 26....249 G 3
Romanswiller 67....68 B 5
Romazières 17....202 C 3
Romazy 35....80 C 4
Rombach-le-Franc 68....96 D 4
Rombas 57....45 G 4
Rombies-et-Marchipont 59....9 H 5
Rombly 62....7 G 3
Romegoux 17....201 E 4
Romelfing 57....67 G 3
Romenay 71....195 G 2
Romeny-sur-Marne 02....60 B 2
Romeries 59....14 D 3
Romery 02....25 E 2
Romery 51....41 F 5
Romescamps 60....21 G 4
Romestaing 47....256 D 5
Romette 05....269 H 3
Romeyer 26....268 B 1
La Romieu 32....275 H 5
Romigny 51....41 E 5
Romiguières 34....301 G 2
Romillé 35....103 H 2
Romilly 41....109 F 5
Romilly-la-Puthenaye 27....55 H 1
Romilly-sur-Aigre 28....109 H 5
Romilly-sur-Andelle 27....36 C 3
Romilly-sur-Seine 10....90 B 3
Romont 88....95 G 4
Romorantin-Lanthenay 41....153 H 3
Rompon 07....267 E 1
Rônai 61....54 A 3
Ronce-les-Bains 17....200 C 5
Ronceнay 10....114 D 2
Le Roncenay-Authenay 27....56 A 3
Roncey 50....51 H 1
Ronchamp 70....142 A 2
Ronchaux 25....179 H 1
Ronchères 02....40 D 5
Ronchères 89....135 G 4
Roncherolles-en-Bray 76....20 D 5
Roncherolles-sur-le-Vivier 76....36 B 1
Ronchin 59....8 D 3
Ronchois 76....21 F 3
Roncourt 57....45 G 5
Roncourt 88....118 A 2
Roncq 59....4 D 5
La Ronde 17....184 B 4
La Ronde 79....167 F 4
La Ronde-Haye 50....31 G 5
Rondefontaine 25....180 B 4
Ronel 81....299 G 2
Ronfeugerai 61....53 F 4
Rongères 03....192 B 5
Ronnet 03....209 E 1
Ronno 69....212 B 3
Ronquerolles 95....38 B 5
Ronsenac 16....221 F 4
Ronssoy 80....24 A 1
Rontalon 69....230 D 1
Ronthon 50....51 G 4
Rontignon 64....314 B 4
Ronvaux 55....64 C 1
Roôcourt-la-Côte 52....117 E 2
Roost-Warendin 59....8 D 5
Roppe 90....142 C 2
Roppenheim 67....69 G 3
Roppentzwiller 68....143 F 4
Roppeviller 57....48 C 5
La Roque-Alric 84....285 H 3
La Roque-Baignard 14....34 B 4
La Roque-d'Anthéron 13....305 H 3
La Roque-Esclapon 83....308 B 2
La Roque-Gageac 24....259 G 1
La Roque-Sainte-Marguerite 12....282 A 4
La Roque-sur-Cèze 30....284 C 3
La Roque-sur-Pernes 84....285 H 5
Roquebillière 06....291 F 3
Roquebrun 34....321 E 2
Roquebrune 32....295 G 3
Roquebrune 33....256 D 3
Roquebrune-Cap-Martin 06....291 G 5
Roquebrune-sur-Argens 83....308 C 5
La Roquebrussanne 83....328 A 2
Roquecor 82....277 E 1
Roquecourbe 81....299 G 4
Roquecourbe-Minervois 11....320 B 5
Roquedols Château de 48....282 C 3
Roquedur 30....282 D 5
Roquefère 11....319 H 3
Roquefeuil 11....337 E 4
Roquefixade 09....336 C 3
Roquefort 32....296 B 3
Roquefort 40....274 A 4
Roquefort 47....276 B 3
Roquefort-de-Sault 11....337 G 5
Roquefort-des-Corbières 11....339 E 2
Roquefort-la-Bédoule 13....327 F 3
Roquefort-les-Cascades 09....336 C 3
Roquefort-les-Pins 06....309 F 3
Roquefort-sur-Garonne 31....317 E 5
Roquefort-sur-Soulzon 12....281 G 5
Roquelaure 32....296 B 3
Roquelaure Château de 12....263 F 5
Roquelaure-Saint-Aubin 32....297 E 4
Roquemaure 30....285 E 4
Roquemaure 81....298 B 2
Roquepine 32....296 A 1
Roqueredonde 34....301 G 2
Roques 31....317 H 2
Roques 32....295 G 2
Roqueseriere 31....298 B 3
Roquessels 34....301 G 5
Roquesteron 06....289 G 5
Roquestéron-Grasse 06....289 G 5
Roquetaillade 11....337 G 2
Roquetaillade Château de 33....256 B 4
Roquetoire 62....7 G 2
La Roquette 27....36 D 4
La Roquette-sur-Siagne 06....309 E 4
La Roquette-sur-Var 06....291 E 5
Roquettes 31....317 H 2
Roquevaire 13....327 F 2
Roquevidal 81....298 D 4
Roquiague 64....331 F 1
La Roquille 33....257 F 1
Rorbach-lès-Dieuze 57....67 F 4
Rorschwihr 68....97 E 5
Rorthais 79....167 F 2
Les Rosaires 22....73 H 5
Rosanbo Château de 22....72 B 4
Rosans 05....268 C 5
Rosay 39....196 B 2
Rosay 76....20 C 4
Rosay 78....57 F 3
Rosay-sur-Lieure 27....36 D 2
Rosazia 2A....348 C 1
Rosbruck 57....47 F 5
Roscanvel 29....75 E 3
Roscoff 29....71 G 3
Rosel 14....33 F 4
Roselend Barrage de 73....216 C 5
Roselier Pointe du 22....73 H 5
Rosenau 68....143 H 2
Rosendaël 59....3 G 2
Rosenwiller 67....97 E 2
Roset-Fluans 25....161 G 4
Rosey 70....141 E 5
Rosey 71....177 G 4
Rosheim 67....97 F 2
La Rosière 70....119 H 5
La Rosière-1850 73....235 E 1
Rosières 07....266 A 5
Rosières 18....172 D 2
Rosières 43....247 G 2
Rosières 60....39 F 4
Rosières 81....279 G 5
Rosières-aux-Salines 54....95 E 1
Rosières-devant-Bar 55....63 H 3
Rosières-en-Blois 55....93 G 2
Rosières-en-Haye 54....65 G 4
Rosières-en-Santerre 80....23 E 2
Rosières-près-Troyes 10....115 E 2
Rosières-sur-Barbèche 25....163 E 2
Rosières-sur-Mance 70....140 C 2
Rosiers-de-Juillac 19....241 H 1
Rosiers-d'Égletons 19....225 F 5
Les Rosiers-sur-Loire 49....150 A 3
Rosis 34....301 E 4
Rosnay 36....170 D 5
Rosnay 51....41 F 4
Rosnay 85....183 E 1
Rosnay-l'Hôpital 10....91 H 3
Rosnes 55....63 H 3
Rosnoën 29....75 G 4
Rosny-sous-Bois 93....58 D 3
Rosny-sur-Seine 78....57 F 2
Rosoy 60....38 D 3
Rosoy 89....113 G 3
Rosoy-en-Multien 60....39 H 5
Rosoy-sur-Amance 52....140 A 2
Rospez 22....72 D 3
Rospigliani 2B....347 F 5
Rosporden 29....100 B 3
Rossay 86....168 D 2
Rosselange 57....45 G 4
Rossfeld 67....97 G 4
Rossillon 01....214 C 4
Rosteig 67....68 A 2
Rostrenen 22....77 F 5
Rosult 59....9 F 4
Rosureux 25....163 F 3
Rotalier 39....196 B 1
Rotangy 60....22 A 5
Rothau 67....96 D 3
Rothbach 67....68 C 2
Rothéneuf 35....50 C 4
Rotherens 73....233 G 3
La Rothière 10....91 H 5
Rothois 60....21 H 5
Rothonay 39....196 B 2
Les Rotours 61....53 H 4
Rots 14....33 F 4
Rott 67....69 E 1
Rottelsheim 67....68 D 4
Rottier 26....268 B 4
Rou-Marson 49....150 B 4
Rouairoux 81....320 B 2
Rouans 44....147 E 4
La Rouaudière 53....127 F 2
Roubaix 59....9 E 2
Roubia 11....320 D 5
Roubion 06....289 H 3
Roucamps 14....53 E 1
Roucourt 59....14 A 2
Roucy 02....41 E 2
Roudouallec 56....100 C 2
Rouécourt 52....92 D 5
Rouède 31....334 D 2
Rouellé 61....82 A 2
Rouelles 52....139 E 3
Rouelles 76....34 C 1
Rouen 76....36 B 2
Rouessé-Fontaine 72....83 G 5
Rouessé-Vassé 72....107 E 3
Rouet 34....302 C 2
Rouez 72....107 E 3
Rouffach 68....121 E 4
Rouffange 39....161 F 4
Rouffiac 15....243 G 4
Rouffiac 16....239 E 1
Rouffiac 17....219 H 1
Rouffiac 81....299 F 1
Rouffiac-d'Aude 11....337 G 1
Rouffiac-des-Corbières 11....338 B 4
Rouffiac-Tolosan 31....298 A 4
Rouffignac 17....219 H 5
Rouffignac 24....241 E 3
Rouffignac Grotte de 24....241 E 4
Rouffignac-de-Sigoulès 24....257 H 1
Rouffigny 50....51 H 3
Rouffilhac 46....259 H 1
Rouffillac 24....241 H 5
Rouffy 51....61 H 2
Rougé 44....126 D 2
La Rouge 61....84 D 5
Rouge-Perriers 27....35 H 5
Rougefay 62....12 C 2
Rougegoutte 90....142 C 2
Rougemont 21....137 G 4
Rougemont 25....162 C 1
Rougemont-le-Château 90....142 C 2
Rougemontiers 27....35 G 2
Rougemontot 25....162 B 2
Rougeou 41....153 G 3
Rougeries 02....25 E 3
Les Rouges-Eaux 88....96 A 5
Le Rouget-Pers 15....261 H 1
Rouget Cascade du 74....216 D 2
Rougeux 52....140 A 2
Rougiers 83....327 H 1
Rougiville 88....96 A 5
Rougnac 16....221 G 3
Rougnat 23....208 C 2
Rougon 04....307 H 2
Rouhe 25....161 H 5
Rouhling 57....47 G 5
Rouillac 16....202 D 5
Rouillac 22....79 E 5
Rouillas-Bas 63....227 G 2
Rouillé 86....185 H 3
Rouillon 72....107 G 4
Rouilly 77....89 G 2
Rouilly-Sacey 10....91 F 5
Rouilly-Saint-Loup 10....115 E 2
Roujan 34....321 H 2
Roulans 25....162 B 3
Le Roulier 88....119 H 2
Roullée 72....84 A 3
Roullens 11....319 G 4
Roullet 16....221 E 2
Roullours 14....52 C 3
Roumagne 47....257 G 3
Roumare 76....36 A 1
Roumazières 16....204 B 4
Roumazières-Loubert 16....204 B 4
Roumégoux 15....261 H 1
Roumégoux 81....299 G 2
Roumengoux 09....336 D 1
Roumens 31....318 D 2
Roumoules 04....307 F 1
Rountzenheim 67....69 F 3
Roupeldange 57....46 C 4
Rouperroux 61....83 F 2
Rouperroux-le-Coquet 72....108 B 2
Roupy 02....24 A 3
La Rouquette 12....279 F 2
Roure 06....289 H 3
Le Rouret 06....309 E 3
Rousies 59....15 H 2
Roussac 87....205 G 2
Roussas 26....267 E 5
Roussay 49....148 C 5
Roussayrolles 81....279 E 4
Rousseloy 60....38 C 3
Roussennac 12....261 H 5
Roussent 62....6 C 5
Les Rousses 39....197 F 2
Rousses 48....282 D 3
Rousset 05....270 A 4
Rousset 13....306 B 5
Le Rousset 71....194 B 1
Rousset Col de 26....250 B 5
Rousset-les-Vignes 26....267 G 5
Le Rousset-Marizy 71....194 B 1
La Roussière 27....55 F 2
Roussieux 26....286 C 1
Roussillon 38....231 E 5
Roussillon 84....305 G 1
Roussillon-en-Morvan 71....176 B 1
Roussines 16....222 B 1
Roussines 36....188 B 3
Rousson 30....283 H 3
Rousson 89....113 G 4
Roussy-le-Village 57....45 H 2
Routelle 25....161 G 4
Routes 76....19 G 3
Routier 11....337 F 1
Routot 27....35 G 2
Rouvenac 11....337 F 3
Rouves 54....65 H 3
La Rouvière 30....303 G 1
Rouvignies 59....14 D 2
Rouville 60....39 G 4
Rouville 76....19 E 5
Rouvillers 60....39 E 2
Rouvray 21....158 B 2
Rouvray 27....56 C 1
Rouvray 89....136 C 2
Rouvray-Catillon 76....21 E 5
Rouvray-Saint-Denis 28....111 E 2
Rouvray-Saint-Florentin 28....110 B 2
Rouvray-Sainte-Croix 45....110 C 4
Rouvre 79....185 E 3
Rouvrel 80....22 C 3
Rouvres 14....53 H 1
Rouvres 28....56 D 3
Rouvres 77....59 F 1
Rouvres-en-Multien 60....39 H 5
Rouvres-en-Plaine 21....160 B 4
Rouvres-en-Woëvre 55....44 D 5
Rouvres-en-Xaintois 88....94 C 5
Rouvres-la-Chétive 88....94 A 5
Rouvres-les-Bois 36....171 H 1
Rouvres-les-Vignes 10....116 B 2
Rouvres-Saint-Jean 45....87 G 5
Rouvres-sous-Meilly 21....159 F 4
Rouvres-sur-Aube 52....139 E 2
Rouvrois-sur-Meuse 55....64 C 3
Rouvrois-sur-Othain 55....44 D 3
Rouvroy 02....24 B 2
Rouvroy 62....8 C 5
Rouvroy-en-Santerre 80....23 E 3
Rouvroy-les-Merles 60....22 C 4
Rouvroy-Ripont 51....42 D 4
Rouvroy-sur-Audry 08....26 B 3
Rouvroy-sur-Marne 52....93 E 4
Rouvroy-sur-Serre 02....25 H 3
Le Roux 07....265 H 2
Rouxeville 50....32 C 5
La Rouxière 44....148 C 1
Rouxmesnil-Bouteilles 76....10 B 5
Rouy 58....175 F 1
Rouy-le-Grand 80....23 G 3
Rouy-le-Petit 80....23 G 3
Rouze 09....337 F 5
Rouzède 16....222 B 1
Rouziers 15....261 H 1
Rouziers-de-Touraine 37....151 H 1
Le Rove 13....326 C 2
Roville-aux-Chênes 88....95 G 4
Roville-devant-Bayon 54....95 E 3
Rovon 38....250 B 1
Roy-Boissy 60....21 H 5
Royan 17....218 C 2
Royas 38....231 G 3
Royat 63....227 G 1
Royaucourt 60....22 D 5
Royaucourt-et-Chailvet 02....40 C 1
Royaumeix 54....65 F 4
Royaumont Abbaye de 95....38 C 5
Roybon 38....250 A 1
Roye 70....141 H 4
Roye 80....23 F 4
Roye-sur-Matz 60....23 F 5
Royer 71....195 E 1
Royère-de-Vassivière 23....207 E 5
Royères 87....206 B 4
Roynac 26....267 F 3
Royon 62....6 D 4
Royville 76....20 A 3
Roz-Landrieux 35....80 A 2
Roz-sur-Couesnon 35....51 F 5
Rozay-en-Brie 77....59 G 5
Le Rozel 50....28 D 4
Rozelieures 54....95 F 3
Rozérieulles 57....65 G 1
Rozerotte 88....94 D 5
Rozès 32....295 H 2
Rozet-Saint-Albin 02....40 A 4
Le Rozier 48....282 A 3
Rozier-Côtes-d'Aurec 42....229 H 5
Rozier-en-Donzy 42....212 A 5
Rozières 52....92 B 4
Rozières-en-Beauce 45....110 C 5
Rozières-sur-Crise 02....40 B 3
Rozières-sur-Mouzon 88....118 A 3
Roziers-Saint-Georges 87....224 C 1
Rozoy-Bellevalle 02....60 C 2
Rozoy-le-Vieil 45....112 D 3
Rozoy-sur-Serre 02....25 H 4
Ruages 58....157 G 3
Ruan 45....111 E 3
Ruan-sur-Egvonne 41....109 G 4
Ruaudin 72....107 H 5
Ruaux 88....119 F 4
Rubécourt-et-Lamécourt 08....27 F 4
Rubelles 77....88 B 2
Rubempré 80....12 D 5
Rubercy 14....32 C 3
Rubescourt 80....22 D 5
Rubigny 08....25 H 4
Rubrouck 59....3 G 4
Ruca 22....79 E 2
Ruch 33....256 D 1
Rucqueville 14....33 E 3
Rudeau-Ladosse 24....222 B 4
Rudelle 46....261 E 2
Rue 80....11 F 1
La Rue-Saint-Pierre 60....38 B 2
La Rue-Saint-Pierre 76....20 C 5
Ruederbach 68....143 F 3
Rueil-la-Gadelière 28....56 A 5
Rueil-Malmaison 92....58 B 3
Ruelisheim 68....143 F 1
Ruelle-sur-Touvre 16....221 F 1
Les Rues-des-Vignes 59....14 B 4
Ruesnes 59....15 E 2
Rueyres 46....261 E 2
Ruffec 16....203 F 2
Ruffec 36....188 A 1
Ruffey-le-Château 25....161 G 3
Ruffey-lès-Beaune 21....177 H 1
Ruffey-lès-Echirey 21....160 A 2
Ruffey-sur-Seille 39....179 E 4
Ruffiac 47....274 D 1
Ruffiac 56....125 F 2
Ruffieu 01....214 D 2
Ruffieux 73....215 E 4
Ruffigné 44....126 D 3
Rugles 27....55 G 3
Rugney 88....95 E 4
Rugny 89....137 F 2
Rugy 57....45 H 5
Ruhans 70....162 A 1
Ruillé-en-Champagne 72....107 F 4
Ruillé-Froid-Fonds 53....106 A 5
Ruillé-le-Gravelais 53....105 G 4
Ruillé-sur-Loir 72....130 D 3
Ruisseauville 62....7 E 4
Ruitz 62....8 A 4
Rullac-Saint-Cirq 12....280 C 4
Rully 14....52 D 3
Rully 60....39 F 4
Rully 71....177 G 3
Rumaisnil 80....22 A 3
Rumaucourt 62....14 A 3
Rumegies 59....9 F 4
Rumengol 29....75 H 3
Rumersheim 67....68 D 5
Rumersheim-le-Haut 68....121 F 5
Rumesnil 14....34 B 4
Rumigny 08....26 A 2
Rumigny 80....22 B 3
Rumilly 62....6 D 3
Rumilly 74....215 F 4
Rumilly-en-Cambrésis 59....14 B 4
Rumilly-lès-Vaudes 10....115 F 3
Ruminghem 62....3 E 4
Rumont 55....63 H 3
Rumont 77....112 A 2
Runan 22....73 E 4
Rungis 94....58 C 4
Ruoms 07....266 B 5
Rupéreux 77....89 G 2
Ruppes 88....94 A 3
Rupt 52....92 D 4
Rupt-aux-Nonains 55....63 G 5
Rupt-devant-Saint-Mihiel 55....64 B 3
Rupt-en-Woëvre 55....64 C 2
Rupt-sur-Moselle 88....119 H 5
Rupt-sur-Othain 55....44 C 2
Rupt-sur-Saône 70....140 D 4
Rurange-lès-Thionville 57....45 H 4
Rurey 25....162 A 5
Rusio 2B....347 F 4
Russ 67....96 D 2
Russange 57....45 F 2
Le Russey 25....163 F 4
Russy 14....32 D 2
Russy-Bémont 60....39 G 4
Rustenhart 68....121 F 4
Rustiques 11....320 A 5
Rustrel 84....306 A 1
Rustroff 57....46 B 2
Rutali 2B....345 G 5
Ruvigny 10....91 E 5
Ruy 38....232 A 2
Ruyaulcourt 62....14 A 4

Ruynes-en-Margeride 15.....246 A 4
Ry 76.....36 D 1
Rye 39.....178 D 3
Ryes 14.....33 E 3

S

Saâcy-sur-Marne 77.....60 A 2
Saales 67.....96 C 4
Saales *Col de* 67.....96 C 4
Saâne-Saint-Just 76.....20 A 3
Saasenheim 67.....97 G 5
Sabadel-Latronquière 46.....261 G 2
Sabadel-Lauzès 46.....260 C 4
Sabaillan 32.....316 C 2
Sabalos 65.....315 F 4
Sabarat 09.....335 H 1
Sabarros 65.....315 H 4
Sabazan 32.....295 E 3
Sablé-sur-Sarthe 72.....129 E 2
Les Sables-d'Olonne 85.....182 A 2
Sables-d'Or-les-Pins 22.....79 E 2
Sablet 84.....285 G 3
Les Sablettes 83.....328 A 5
Sablières 07.....265 H 4
Sablonceaux 17.....219 E 1
Sablonnières 77.....60 B 3
Sablons 33.....238 C 3
Sablons 38.....231 E 5
Sablons-sur-Huisne 61.....85 E 4
Sabonnères 31.....317 E 2
La Sabotterie 08.....26 D 5
Sabran 30.....284 C 3
Sabres 40.....273 F 3
Saccourvielle 31.....334 A 4
Sacé 53.....106 A 2
Sacey 50.....80 D 2
Saché 37.....151 G 4
Sachin 62.....7 G 4
Sachy 08.....27 G 4
Sacierges-Saint-Martin 36.....188 B 2
Saclas 91.....87 F 5
Saclay 91.....58 B 5
Saconin-et-Breuil 02.....40 A 3
Sacoué 65.....334 A 2
Le Sacq 27.....56 A 3
Sacquenay 21.....139 G 5
Sacquenville 27.....56 A 1
Sacy 51.....41 G 4
Sacy 89.....136 D 4
Sacy-le-Grand 60.....38 D 3
Sacy-le-Petit 60.....39 E 3
Sadeillan 32.....315 H 3
Sadillac 24.....257 H 2
Sadirac 33.....255 H 1
Sadournin 65.....315 H 4
Sadroc 19.....242 C 1
Saessolsheim 67.....68 C 5
Saffais 54.....95 E 2
Saffloz 39.....179 H 5
Saffré 44.....147 G 1
Saffres 21.....159 F 2
Sagelat 24.....259 E 1
Sagnat 23.....188 D 5
Sagnes-et-Goudoulet 07.....266 A 1
Sagone 2A.....348 B 1
Sagonne 18.....173 H 3
Sagy 71.....196 A 1
Sagy 95.....57 H 1
Sahorre 66.....342 A 3
Sahune 26.....268 A 5
Sahurs 76.....36 A 2
Sai 61.....54 B 4
Saignes 15.....226 C 5
Saignes 46.....261 E 1
Saigneville 80.....11 F 3
Saignon 84.....306 A 1
Saiguède 31.....297 F 5
Sail-les-Bains 42.....193 E 5
Sail-sous-Couzan 42.....229 F 1
Sailhan 65.....333 G 4
Saillac 19.....242 C 4
Saillac 46.....278 D 1
Saillagouse 66.....341 F 4
Saillans 26.....267 H 2
Saillans 33.....238 B 4
Saillant 63.....229 F 4
Saillat-sur-Vienne 87.....204 D 4
Saillé 44.....145 H 4
Saillenard 71.....178 D 5
Sailly 08.....27 G 4
Sailly 52.....93 E 3
Sailly 71.....194 C 2
Sailly 78.....57 G 1
Sailly-Achâtel 57.....66 B 3
Sailly-au-Bois 62.....13 F 4
Sailly-en-Ostrevent 62.....13 H 2
Sailly-Flibeaucourt 80.....11 G 2
Sailly-Labourse 62.....8 A 4
Sailly-Laurette 80.....23 E 1
Sailly-le-Sec 80.....22 D 1
Sailly-lez-Cambrai 59.....14 B 3
Sailly-lez-Lannoy 59.....9 E 2
Sailly-Saillisel 80.....13 H 5
Sailly-sur-la-Lys 62.....8 B 2
Sain-Bel 69.....212 C 5
Saincaize-Meauce 58.....174 B 3
Sainghin-en-Mélantois 59.....9 E 3
Sainghin-en-Weppes 59.....8 C 3
Sainneville 76.....18 D 5
Sainpuits 89.....156 D 1
Sains 35.....80 C 2
Sains-du-Nord 59.....15 H 4
Sains-en-Amiénois 80.....22 C 2
Sains-en-Gohelle 62.....8 A 4
Sains-lès-Fressin 62.....7 E 4
Sains-lès-Marquion 62.....14 A 3
Sains-lès-Pernes 62.....7 G 4
Sains-Morainvillers 60.....22 D 5
Sains-Richaumont 02.....25 E 2
Le Saint 56.....100 D 2
Saint-Aaron 22.....78 D 3
Saint-Abit 64.....314 B 5
Saint-Abraham 56.....102 D 5
Saint-Acheul 80.....12 C 3
Saint-Adjutory 16.....203 H 5
Saint-Adrien 22.....77 G 2
Saint-Adrien
Roches de 76.....36 B 2
Saint-Affrique 12.....300 D 1
Saint-Affrique-
les-Montagnes 81.....299 G 5
Saint-Agathon 22.....73 F 5
Saint-Agil 41.....109 E 4
Saint-Agnan 02.....60 D 1
Saint-Agnan 58.....158 B 3
Saint-Agnan 71.....193 F 2
Saint-Agnan 81.....298 C 4
Saint-Agnan 89.....89 E 5
Saint-Agnan-
de-Cernières 27.....55 E 2
Saint-Agnan-en-Vercors 26.....250 B 4
Saint-Agnan-le-Malherbe 14.....53 E 1
Saint-Agnan-sur-Erre 61.....84 D 5
Saint-Agnan-sur-Sarthe 61.....84 B 2
Saint-Agnant 17.....200 D 4
Saint-Agnant-
de-Versillat 23.....188 C 5
Saint-Agnant-
près-Crocq 23.....208 B 5
Saint-Agnant-
sous-les-Côtes 55.....64 D 4
Saint-Agne 24.....258 B 1
Saint-Agnet 40.....294 C 4
Saint-Agnin-sur-Bion 38.....231 H 3
Saint-Agoulin 63.....209 H 2
Saint-Agrève 07.....248 B 4
Saint-Aignan 08.....27 E 4
Saint-Aignan 33.....238 B 4
Saint-Aignan 41.....153 E 4
Saint-Aignan 56.....77 H 5
Saint-Aignan 72.....108 A 2
Saint-Aignan 82.....277 F 5
Saint-Aignan-
de-Couptrain 53.....82 D 3
Saint-Aignan-
de-Cramesnil 14.....33 H 5
Saint-Aignan-des-Gués 45.....134 A 2
Saint-Aignan-
des-Noyers 18.....173 H 4
Saint-Aignan-Grandlieu 44.....147 G 5
Saint-Aignan-le-Jaillard 45.....134 B 4
Saint-Aignan-sur-Roë 53.....127 G 2
Saint-Aignan-sur-Ry 76.....36 D 1
Saint-Aigny 36.....187 H 1
Saint-Aigulin 17.....238 D 2
Saint-Ail 54.....45 F 5
Saint-Albain 71.....195 E 3
Saint-Alban 01.....214 B 1
Saint-Alban 22.....78 D 2
Saint-Alban 31.....297 H 4
Saint-Alban-Auriolles 07.....266 A 5
Saint-Alban-d'Ay 07.....248 D 2
Saint-Alban-
d'Hurtières 73.....234 A 3
Saint-Alban-de-Montbel 73.....233 E 2
Saint-Alban-de-Roche 38.....231 H 2
Saint-Alban-des-Villards 73.....233 H 5
Saint-Alban-du-Rhône 38.....231 E 4
Saint-Alban-
en-Montagne 07.....265 F 2
Saint-Alban-les-Eaux 42.....211 F 3
Saint-Alban-Leysse 73.....233 F 2
Saint-Alban-
sur-Limagnole 48.....264 B 1
Saint-Albin-
de-Vaulserre 38.....232 D 3
Saint-Alexandre 30.....284 D 2
Saint-Algis 02.....25 E 1
Saint-Allouestre 56.....102 B 4
Saint-Alpinien 23.....207 H 3
Saint-Alyre-d'Arlanc 63.....228 D 5
Saint-Alyre-
ès-Montagne 63.....227 G 5
Saint-Amadou 09.....336 C 1
Saint-Amancet 81.....319 F 2
Saint-Amand 23.....207 H 3
Saint-Amand 50.....52 C 1
Saint-Amand 62.....13 E 4
Saint-Amand-de-Belvès 24.....259 E 2
Saint-Amand-de-Coly 24.....241 G 3
Saint-Amand-de-Vergt 24.....240 C 4
Saint-Amand-
des-Hautes-Terres 27.....36 A 4
Saint-Amand-
en-Puisaye 58.....156 B 1
Saint-Amand-
Jartoudeix 23.....206 C 4
Saint-Amand-le-Petit 87.....206 D 5
Saint-Amand-les-Eaux 59.....9 F 4
Saint-Amand-Longpré 41.....131 G 4
Saint-Amand-
Magnazeix 87.....205 H 1
Saint-Amand-Montrond 18.....173 F 5
Saint-Amand-sur-Fion 51.....62 C 3
Saint-Amand-sur-Ornain 55.....93 F 1
Saint-Amand-sur-Sèvre 79.....167 E 3
Saint-Amandin 15.....227 E 5
Saint-Amans 09.....336 A 1
Saint-Amans 11.....318 D 5
Saint-Amans 48.....264 C 3
Saint-Amans-
de-Pellagal 82.....277 F 3
Saint-Amans-des-Cots 12.....262 D 2
Saint-Amans-du-Pech 82.....276 D 2
Saint-Amans-Soult 81.....320 A 2
Saint-Amans-Valtoret 81.....320 A 2
Saint-Amant-de-Boixe 16.....203 F 5
Saint-Amant-
de-Bonnieure 16.....203 G 4
Saint-Amant-de-Graves 16.....220 D 2
Saint-Amant-
de-Montmoreau 16.....221 F 4
Saint-Amant-de-Nouère 16.....203 E 5
Saint-Amant-
Roche-Savine 63.....228 D 3
Saint-Amant-Tallende 63.....227 H 2
Saint-Amarin 68.....120 C 5
Saint-Ambreuil 71.....177 H 5
Saint-Ambroix 18.....172 C 3
Saint-Ambroix 30.....284 A 2
Saint-Amé 88.....119 H 4
Saint-Amour 39.....196 A 3
Saint-Amour-Bellevue 71.....194 D 5
Saint-Anastaise 63.....227 G 4
Saint-Andelain 58.....156 A 3
Saint-Andéol 26.....268 A 1
Saint-Andéol 38.....250 C 4
Saint-Andéol-de-Berg 07.....266 C 4
Saint-Andéol-
de-Clerguemort 48.....283 F 2
Saint-Andéol-
de-Fourchades 07.....266 A 1
Saint-Andéol-de-Vals 07.....266 B 2
Saint-Andéol-
le-Château 69.....230 D 2
Saint-Andeux 21.....158 B 2
Saint-Andiol 13.....305 E 2
Saint-Andoche 70.....140 B 4
Saint-André 16.....219 H 1
Saint-André 31.....316 D 4
Saint-André 32.....296 D 5
Saint-André 66.....343 F 3
Saint-André 73.....252 C 1
Saint-André 81.....300 A 1
Saint-André *Chapelle* 46.....259 G 3
Saint-André-Capcèze 48.....265 G 5
Saint-André-d'Allas 24.....241 F 5
Saint-André-d'Apchon 42.....211 F 2
Saint-André-de-Bagé 01.....195 F 4
Saint-André-de-Boëge 74.....198 A 5
Saint-André-de-Bohon 50.....32 A 3
Saint-André-de-Briouze 61.....53 G 4
Saint-André-
de-Buèges 34.....302 B 2
Saint-André-
de-Chalencon 43.....247 G 1
Saint-André-de-Corcy 01.....213 F 3
Saint-André-
de-Cruzières 07.....284 A 1
Saint-André-de-Cubzac 33.....237 H 4
Saint-André-de-Double 24.....239 G 2
Saint-André-
de-la-Marche 49.....148 C 5
Saint-André-
de-la-Roche 06.....309 H 2
Saint-André-de-Lancize 48.....283 F 2
Saint-André-de-l'Épine 50.....32 B 4
Saint-André-de-l'Eure 27.....56 C 3
Saint-André-de-Lidon 17.....219 F 2
Saint-André-
de-Majencoules 30.....282 D 5
Saint-André-de-Messei 61.....53 F 5
Saint-André-de-Najac 12.....279 F 3
Saint-André-
de-Roquelongue 11.....338 D 1
Saint-André-
de-Roquepertuis 30.....284 C 2
Saint-André-de-Rosans 05.....268 C 5
Saint-André-
de-Sangonis 34.....302 A 4
Saint-André-
de-Seignanx 40.....292 B 4
Saint-André-
de-Valborgne 30.....283 E 3
Saint-André-de-Vézines 12.....282 A 3
Saint-André-d'Embrun 05.....270 C 3
Saint-André-des-Eaux 22.....79 H 5
Saint-André-des-Eaux 44.....146 B 2
Saint-André-d'Hébertot 14.....34 D 3
Saint-André-d'Huiriat 01.....195 F 5
Saint-André-
d'Olérargues 30.....284 C 3
Saint-André-du-Bois 33.....256 C 3
Saint-André-en-Barrois 55.....63 H 1
Saint-André-en-Bresse 71.....178 B 5
Saint-André-en-Morvan 58.....157 H 2
Saint-André-en-Royans 38.....250 A 3
Saint-André-
en-Terre-Plaine 89.....158 B 1
Saint-André-en-Vivarais 07.....248 B 3
Saint-André-et-Appelles 33.....257 F 1
Saint-André-Farivillers 60.....22 B 5
Saint-André-Goule-d'Oie 85.....166 B 3
Saint-André-la-Côte 69.....230 C 2
Saint-André-Lachamp 07.....265 H 4
Saint-André-
le-Bouchoux 01.....213 G 1
Saint-André-le-Coq 63.....210 A 3
Saint-André-le-Désert 71.....194 C 2
Saint-André-le-Gaz 38.....232 C 2
Saint-André-le-Puy 42.....230 A 2
Saint-André-les-Alpes 04.....288 C 5
Saint-André-les-Vergers 10.....90 D 5
Saint-André-lez-Lille 59.....8 D 2
Saint-André-sur-Cailly 76.....20 C 5
Saint-André-sur-Orne 14.....33 G 5
Saint-André-sur-Sèvre 79.....167 F 4
Saint-André-
sur-Vieux-Jonc 01.....213 G 1
Saint-André-
Treize-Voies 85.....165 H 2
Saint-André-Val-de-Fier 74.....215 E 3
Saint-Androny 33.....237 F 1
Saint-Ange-et-Torçay 28.....56 B 5
Saint-Ange-le-Viel 77.....112 D 2
Saint-Angeau 16.....203 G 4
Saint-Angel 03.....191 E 4
Saint-Angel 19.....225 H 3
Saint-Angel 63.....209 F 3
Saint-Anthème 63.....229 F 3
Saint-Anthot 21.....159 F 3
Saint-Antoine 05.....252 C 5
Saint-Antoine 13.....326 D 2
Saint-Antoine 15.....262 B 2
Saint-Antoine 25.....180 C 3
Saint-Antoine 29.....71 H 4
Saint-Antoine 32.....276 D 5
Saint-Antoine 33.....237 H 3
Saint-Antoine-Cumond 24.....239 F 1
Saint-Antoine-
d'Auberoche 24.....241 E 2
Saint-Antoine-
de-Breuilh 24.....257 E 1
Saint-Antoine-
de-Ficalba 47.....276 C 1
Saint-Antoine-
du-Queyret 33.....256 D 1
Saint-Antoine-
du-Rocher 37.....151 H 1
Saint-Antoine-la-Forêt 76.....19 E 5
Saint-Antoine-l'Abbaye 38.....249 H 2
Saint-Antoine-sur-l'Isle 33.....239 E 3
Saint-Antonin 06.....289 G 5
Saint-Antonin 32.....296 C 3
Saint-Antonin-
de-Lacalm 81.....299 G 3
Saint-Antonin-
de-Sommaire 27.....55 F 3
Saint-Antonin-du-Var 83.....307 H 5
Saint-Antonin-Noble-Val 82.....278 D 3
Saint-Antonin-
sur-Bayon 13.....306 B 5
Saint-Aoustrille 36.....172 B 2
Saint-Août 36.....172 B 5
Saint-Apollinaire 05.....270 B 3
Saint-Apollinaire 21.....160 B 3
Saint-Apollinaire-
de-Rias 07.....248 D 5
Saint-Appolinaire 69.....212 B 3
Saint-Appolinard 38.....250 A 2
Saint-Appolinard 42.....230 D 5
Saint-Aquilin 24.....239 H 2
Saint-Aquilin-d'Augerons 27.....55 E 2
Saint-Aquilin-de-Corbion 61.....55 E 5
Saint-Aquilin-de-Pacy 27.....56 D 1
Saint-Araille 31.....317 E 3
Saint-Arailles 32.....295 H 4
Saint-Arcons-d'Allier 43.....246 C 3
Saint-Arcons-de-Barges 43.....265 F 1
Saint-Arey 38.....251 E 5
Saint-Armel 35.....104 B 4
Saint-Armel 56.....124 C 4
Saint-Armou 64.....314 B 2
Saint-Arnac 66.....338 A 5
Saint-Arnoult 14.....34 B 3
Saint-Arnoult 41.....131 F 4
Saint-Arnoult 60.....21 G 5
Saint-Arnoult 76.....35 G 1
Saint-Arnoult-des-Bois 28.....85 H 3
Saint-Arnoult-en-Yvelines 78.....87 E 2
Saint-Arroman 32.....316 A 2
Saint-Arroman 65.....333 H 2
Saint-Arroumex 82.....277 E 5
Saint-Astier 24.....239 H 2
Saint-Astier 47.....257 F 2
Saint-Auban 04.....287 G 4
Saint-Auban 06.....308 C 1
Saint-Auban-d'Oze 05.....269 F 4
Saint-Auban-
sur-l'Ouvèze 26.....286 B 1
Saint-Aubert 59.....14 C 3
Saint-Aubert-sur-Orne 61.....53 G 4
Saint-Aubin 02.....40 A 1
Saint-Aubin 10.....90 A 3
Saint-Aubin 21.....177 G 2
Saint-Aubin 36.....172 B 3
Saint-Aubin 39.....178 C 1
Saint-Aubin 40.....293 G 3
Saint-Aubin 47.....258 D 5
Saint-Aubin 59.....15 G 3
Saint-Aubin 62.....6 B 4
Saint-Aubin 91.....58 A 5
Saint-Aubin-Celloville 76.....36 B 2
Saint-Aubin-
Château-Neuf 89.....135 H 3
Saint-Aubin-d'Appenai 61.....84 A 3
Saint-Aubin-d'Arquenay 14.....33 H 3
Saint-Aubin-d'Aubigné 35.....80 B 5
Saint-Aubin-
de-Baubigné 79.....167 F 2
Saint-Aubin-de-Blaye 33.....237 G 1
Saint-Aubin-de-Bonneval 61.....54 D 2
Saint-Aubin-de-Branne 33.....256 C 1
Saint-Aubin-
de-Cadelech 24.....257 H 2
Saint-Aubin-
de-Courteraie 61.....84 B 2
Saint-Aubin-de-Crétot 76.....19 F 5
Saint-Aubin-
de-Lanquais 24.....258 B 1
Saint-Aubin-
de-Locquenay 72.....83 G 5
Saint-Aubin-de-Luigné 49.....149 F 3
Saint-Aubin-de-Médoc 33.....237 F 5
Saint-Aubin-de-Nabirat 24.....259 G 2
Saint-Aubin-de-Scellon 27.....35 E 4
Saint-Aubin-de-Terregatte 50.....81 E 2
Saint-Aubin-d'Écrosville 27.....36 A 5
Saint-Aubin-des-Bois 14.....52 A 3
Saint-Aubin-des-Bois 28.....86 A 3
Saint-Aubin-
des-Châteaux 44.....126 D 3
Saint-Aubin-
des-Chaumes 58.....157 G 2
Saint-Aubin-
des-Coudrais 72.....108 C 3
Saint-Aubin-des-Grois 61.....84 C 5
Saint-Aubin-des-Hayes 27.....55 G 1
Saint-Aubin-des-Landes 35.....105 E 3
Saint-Aubin-
des-Ormeaux 85.....166 C 1
Saint-Aubin-des-Préaux 50.....51 F 3
Saint-Aubin-du-Cormier 35.....80 D 5
Saint-Aubin-du-Désert 53.....83 E 5
Saint-Aubin-du-Pavail 35.....104 C 4
Saint-Aubin-du-Perron 50.....31 H 4
Saint-Aubin-du-Plain 79.....167 G 2
Saint-Aubin-du-Thenney 27.....55 E 1
Saint-Aubin-en-Bray 60.....37 G 2
Saint-Aubin-
en-Charollais 71.....193 H 2
Saint-Aubin-Épinay 76.....36 B 2
Saint-Aubin-
Fosse-Louvain 53.....81 H 3
Saint-Aubin-la-Plaine 85.....183 G 2
Saint-Aubin-le-Cauf 76.....20 B 2
Saint-Aubin-le-Cloud 79.....167 H 5
Saint-Aubin-le-Dépeint 37.....130 B 5
Saint-Aubin-le-Guichard 27.....55 G 1
Saint-Aubin-le-Monial 03.....191 G 2
Saint-Aubin-le-Vertueux 27.....55 F 1
Saint-Aubin-lès-Elbeuf 76.....36 A 3
Saint-Aubin-les-Forges 58.....156 C 5
Saint-Aubin-Montenoy 80.....21 H 2
Saint-Aubin-Rivière 80.....21 G 2
Saint-Aubin-Routot 76.....34 D 1
Saint-Aubin-sous-Erquery 60.....38 D 2
Saint-Aubin-sur-Aire 55.....64 C 5
Saint-Aubin-sur-Algot 14.....34 B 5
Saint-Aubin-sur-Gaillon 27.....36 C 5
Saint-Aubin-sur-Loire 71.....193 E 2
Saint-Aubin-sur-Mer 14.....33 G 3
Saint-Aubin-sur-Mer 76.....19 H 2
Saint-Aubin-
sur-Quillebeuf 27.....35 F 1
Saint-Aubin-sur-Scie 76.....20 B 2
Saint-Aubin-sur-Yonne 89.....113 G 5
Saint-Augustin 03.....174 B 4
Saint-Augustin 17.....218 C 1
Saint-Augustin 19.....225 E 4
Saint-Augustin 77.....59 H 4
Saint-Augustin-des-Bois 49.....149 E 1
Saint-Aulaire 19.....241 H 1
Saint-Aulais-la-Chapelle 16.....220 D 4
Saint-Aulaye-
Puymangou 24.....239 E 2
Saint-Aunès 34.....303 E 4
Saint-Aunix-Lengros 32.....295 E 5
Saint-Aupre 38.....232 D 4
Saint-Austremoine 43.....246 B 3
Saint-Auvent 87.....205 E 5
Saint-Avaugourd-
des-Landes 85.....182 C 1
Saint-Avé 56.....124 C 3
Saint-Aventin 31.....334 A 4
Saint-Avertin 37.....152 A 3
Saint-Avit 16.....239 E 1
Saint-Avit 26.....249 F 2
Saint-Avit 40.....273 H 5
Saint-Avit 41.....109 E 4
Saint-Avit 47.....257 F 4
Saint-Avit 47.....258 D 4
Saint-Avit 63.....208 C 4
Saint-Avit 81.....319 F 2
Saint-Avit-de-Soulège 33.....257 E 1
Saint-Avit-de-Tardes 23.....207 H 4
Saint-Avit-de-Vialard 24.....240 D 5
Saint-Avit-Frandat 32.....276 B 5
Saint-Avit-le-Pauvre 23.....207 F 3
Saint-Avit-
les-Guespières 28.....109 H 2
Saint-Avit-Rivière 24.....258 D 2
Saint-Avit-Saint-Nazaire 33.....239 F 5
Saint-Avit-Sénieur 24.....258 D 1
Saint-Avold 57.....67 E 1
Saint-Avre 73.....234 A 4
Saint-Ay 45.....132 D 2
Saint-Aybert 59.....9 H 4
Saint-Aygulf 83.....329 G 1
Saint-Babel 63.....228 A 2
Saint Baldoph 73.....233 F 2
Saint-Bandry 02.....40 A 2
Saint-Baraing 39.....178 D 2
Saint-Barbant 87.....204 D 1
Saint-Bard 23.....208 B 4
Saint-Bardoux 26.....249 F 3
Saint-Barnabé 22.....102 B 2
Saint-Barthélemy 38.....231 G 5
Saint-Barthélemy 40.....292 B 5
Saint-Barthélemy 50.....52 C 5
Saint-Barthélemy 56.....101 H 4
Saint-Barthélemy 70.....142 A 2
Saint-Barthélemy 77.....60 B 4
Saint-Barthélemy-
d'Agenais 47.....257 G 4
Saint-Barthélemy-
d'Anjou 49.....149 G 1
Saint-Barthélemy-
de-Bellegarde 24.....239 F 3
Saint-Barthélemy-
de-Bussière 24.....222 C 2

Saint-Barthélemy-de-Séchilienne 38 251 E 3
Saint-Barthélemy-de-Vals 26 249 F 2
Saint-Barthélemy-Grozon 07 248 D 4
Saint-Barthélemy-le-Meil 07 248 C 5
Saint-Barthélemy-le-Plain 07 249 E 3
Saint-Barthélemy-Lestra 42 230 A 1
Saint-Basile 07 248 C 4
Saint-Baslemont 88 118 C 2
Saint-Baudel 18 172 D 4
Saint-Baudelle 53 82 B 5
Saint-Baudille-de-la-Tour 38 214 A 5
Saint-Baudille-et-Pipet 38 269 E 1
Saint-Bauld 37 152 A 5
Saint-Baussant 54 65 E 3
Saint-Bauzeil 09 336 B 1
Saint-Bauzély 30 303 G 1
Saint-Bauzile 07 266 D 2
Saint-Bauzile 48 264 C 5
Saint-Bauzille-de-la-Sylve 34 302 B 4
Saint-Bauzille-de-Montmel 34 303 E 3
Saint-Bauzille-de-Putois 34 302 C 1
Saint-Bazile 87 222 D 1
Saint-Bazile-de-la-Roche 19 243 F 2
Saint-Bazile-de-Meyssac 19 242 D 3
Saint-Béat 31 334 B 3
Saint-Beaulize 12 301 F 1
Saint-Beauzeil 82 276 D 1
Saint-Beauzély 12 281 G 3
Saint-Beauzile 81 279 E 5
Saint-Beauzire 43 246 A 1
Saint-Beauzire 63 209 H 5
Saint-Bénézet 30 283 H 5
Saint-Bénigne 01 195 F 3
Saint-Benin 59 14 D 5
Saint-Benin-d'Azy 58 175 E 2
Saint-Benin-des-Bois 58 157 E 5
Saint-Benoist-sur-Mer 85 182 D 3
Saint-Benoist-sur-Vanne 10 114 B 2
Saint-Benoît 04 289 E 5
Saint-Benoît 11 337 F 2
Saint-Benoît 28 109 F 4
Saint-Benoît 86 186 B 2
Saint-Benoît-de-Carmaux 81 279 G 5
Saint-Benoît-des-Ombres 27 35 F 4
Saint-Benoît-des-Ondes 35 50 D 5
Saint-Benoît-d'Hébertot 14 34 D 3
Saint-Benoît-du-Sault 36 188 B 3
Saint-Benoît-en-Diois 26 268 A 2
Saint-Benoît-en-Woëvre 55 65 E 2
Saint-Benoît-la-Chipotte 88 95 H 4
Saint-Benoît-la-Forêt 37 151 E 4
Saint-Benoît-sur-Loire 45 134 A 3
Saint-Benoît-sur-Seine 10 90 D 4
Saint-Bérain 43 246 D 4
Saint-Bérain-sous-Sanvignes 71 176 D 5
Saint-Bérain-sur-Dheune 71 177 F 3
Saint-Bernard 01 212 D 3
Saint-Bernard 21 160 A 5
Saint-Bernard 38 233 F 5
Saint-Bernard 57 46 B 4
Saint-Bernard 68 143 E 2
Saint-Béron 73 232 D 3
Saint-Berthevin 53 105 H 3
Saint-Berthevin-la-Tannière 53 81 G 4
Saint-Bertrand-de-Comminges 31 334 A 2
Saint-Biez-en-Belin 72 130 A 2
Saint-Bihy 22 77 H 3
Saint-Blaise 06 291 E 5
Saint-Blaise 74 215 G 2
Saint-Blaise Fouilles de 13 325 G 3
Saint-Blaise-du-Buis 38 232 C 4
Saint-Blaise-la-Roche 67 96 C 3
Saint-Blancard 32 316 B 3
Saint-Blimont 80 11 E 3
Saint-Blin 52 93 G 5
Saint-Boès 64 293 F 5
Saint-Bohaire 41 132 A 5
Saint-Boil 71 177 G 5
Saint-Boingt 54 95 F 3
Saint-Bois 01 232 C 1
Saint-Bomer 28 109 E 2
Saint-Bômer-les-Forges 61 53 E 5
Saint-Bon 51 60 C 5
Saint-Bon-Tarentaise 73 234 C 3
Saint-Bonnet 16 220 D 3
Saint-Bonnet Signal de 69 212 C 2
Saint-Bonnet-Avalouze 19 243 E 1
Saint-Bonnet-Briance 87 224 B 1
Saint-Bonnet-de-Bellac 87 205 E 1
Saint-Bonnet-de-Chavagne 38 250 A 2
Saint-Bonnet-de-Chirac 48 264 A 4
Saint-Bonnet-de-Condat 15 245 E 1
Saint-Bonnet-de-Cray 71 193 H 5
Saint-Bonnet-de-Four 03 191 F 4
Saint-Bonnet-de-Joux 71 194 B 2
Saint-Bonnet-de-Montauroux 48 265 E 1
Saint-Bonnet-de-Mure 69 231 G 1
Saint-Bonnet-de-Rochefort 03 209 H 1
Saint-Bonnet-de-Salendrinque 30 283 F 5
Saint-Bonnet-de-Salers 15 244 C 2
Saint-Bonnet-de-Valclérieux 26 249 H 1
Saint-Bonnet-de-Vieille-Vigne 71 193 H 2
Saint-Bonnet-des-Bruyères 69 194 B 5
Saint-Bonnet-des-Quarts 42 211 E 1
Saint-Bonnet-du-Gard 30 304 A 1
Saint-Bonnet-Elvert 19 243 E 2
Saint-Bonnet-en-Bresse 71 178 B 3
Saint-Bonnet-en-Champsaur 05 269 G 2
Saint-Bonnet-la-Rivière 19 241 H 1
Saint-Bonnet-le-Bourg 63 228 D 4
Saint-Bonnet-le-Chastel 63 228 D 4
Saint-Bonnet-le-Château 42 229 G 4
Saint-Bonnet-le-Courreau 42 229 F 2
Saint-Bonnet-le-Froid 43 248 B 2
Saint-Bonnet-le-Troncy 69 212 B 2
Saint-Bonnet-l'Enfantier 19 242 B 1
Saint-Bonnet-lès-Allier 63 228 A 1
Saint-Bonnet-les-Oules 42 230 A 3
Saint-Bonnet-les-Tours-de-Merle 19 243 G 3
Saint-Bonnet-près-Bort 19 226 B 3
Saint-Bonnet-près-Orcival 63 227 F 1
Saint-Bonnet-près-Riom 63 209 H 4
Saint-Bonnet-sur-Gironde 17 219 F 5
Saint-Bonnet-Tronçais 03 190 D 1
Saint-Bonnot 58 156 D 4
Saint-Bouize 18 156 A 4
Saint-Brancher 89 158 A 2
Saint-Branchs 37 152 A 4
Saint-Brandan 22 78 A 4
Saint-Brès 30 284 A 2
Saint-Brès 32 296 C 2
Saint-Brès 34 303 E 4
Saint-Bresson 30 302 B 1
Saint-Bresson 70 119 G 5
Saint-Bressou 46 261 F 2
Saint-Brevin-les-Pins 44 146 C 3
Saint-Brevin-l'Océan 44 146 C 3
Saint-Briac-sur-Mer 35 50 B 5
Saint-Brice 16 220 B 1
Saint-Brice 33 256 C 2
Saint-Brice 50 51 H 4
Saint-Brice 53 128 D 2
Saint-Brice 61 82 B 2
Saint-Brice 77 89 G 2
Saint-Brice-Courcelles 51 41 G 3
Saint-Brice-de-Landelles 50 81 F 2
Saint-Brice-en-Coglès 35 80 D 3
Saint-Brice-sous-Forêt 95 58 C 2
Saint-Brice-sous-Rânes 61 53 H 5
Saint-Brice-sur-Vienne 87 205 E 4
Saint-Brieuc 22 78 B 3
Saint-Brieuc-de-Mauron 56 103 E 3
Saint-Brieuc-des-Iffs 35 80 A 5
Saint-Bris-des-Bois 17 201 H 5
Saint-Bris-le-Vineux 89 136 C 3
Saint-Brisson 58 158 B 4
Saint-Brisson-sur-Loire 45 134 C 5
Saint-Broing 70 161 F 1
Saint-Broing-les-Moines 21 138 D 4
Saint-Broingt-le-Bois 52 139 H 3
Saint-Broingt-les-Fosses 52 139 G 3
Saint-Broladre 35 51 E 5
Saint-Bueil 38 232 D 3
Saint-Cado 56 123 G 3
Saint-Calais 72 108 D 5
Saint-Calais-du-Désert 53 83 E 3
Saint-Calez-en-Saosnois 72 84 A 5
Saint-Cannat 13 305 H 4
Saint-Caprais 03 191 E 2
Saint-Caprais 18 172 D 2
Saint-Caprais 32 296 C 5
Saint-Caprais 46 259 F 3
Saint-Caprais-de-Blaye 33 219 G 5
Saint-Caprais-de-Bordeaux 33 255 H 1
Saint-Caprais-de-Lerm 47 276 C 3
Saint-Capraise-de-Lalinde 24 258 B 1
Saint-Capraise-d'Eymet 24 257 H 2
Saint-Caradec 22 102 A 1
Saint-Caradec-Trégomel 56 101 E 3
Saint-Carné 22 79 G 4
Saint-Carreuc 22 78 B 4
Saint-Cassien 24 258 D 2
Saint-Cassien 38 232 C 5
Saint-Cassien 86 168 D 2
Saint-Cassin 73 233 F 2
Saint-Cast-le-Guildo 22 50 A 5
Saint-Castin 64 314 B 3
Saint-Célerin 72 108 B 3
Saint-Céneré 53 106 B 3
Saint-Céneri-le-Gérei 61 83 F 4
Saint-Céols 18 155 G 4
Saint-Céré 46 261 E 1
Saint-Cergues 74 197 H 5
Saint-Cernin 15 244 B 3
Saint-Cernin 46 260 C 4
Saint-Cernin-de-Labarde 24 258 B 1
Saint-Cernin-de-Larche 19 241 H 3
Saint-Cernin-de-l'Herm 24 259 E 3
Saint-Cernin-de-Reilhac 24 241 E 4
Saint-Césaire 17 201 H 5
Saint-Césaire 30 303 H 2
Saint-Césaire-de-Gauzignan 30 284 A 5
Saint-Cézaire Grottes de 06 308 D 3
Saint-Cézaire-sur-Siagne 06 308 D 3
Saint-Cézert 31 297 G 3
Saint-Chabrais 23 207 H 1
Saint-Chaffrey 05 252 C 4
Saint-Chamant 15 244 C 3
Saint-Chamant 19 243 E 3
Saint-Chamarand 46 260 B 3
Saint-Chamas 13 305 F 5
Saint-Chamassy 24 241 E 5
Saint-Chamond 42 230 C 4
Saint-Champ 01 214 D 5
Saint-Chaptes 30 284 A 5
Saint-Charles 54 45 E 1
Saint-Charles-de-Percy 14 52 D 2
Saint-Charles-la-Forêt 53 106 B 5
Saint-Chartier 36 189 G 1
Saint-Chartres 86 168 C 3
Saint-Chef 38 232 A 2
Saint-Chels 46 260 D 4
Saint-Chély-d'Apcher 48 264 A 1
Saint-Chély-d'Aubrac 12 263 F 4
Saint-Chély-du-Tarn 48 282 B 1
Saint-Chéron 51 62 C 5
Saint-Chéron 91 87 F 3
Saint-Chéron-des-Champs 28 86 A 2
Saint-Chinian 34 321 E 3
Saint-Christ-Briost 80 23 G 2
Saint-Christau 64 331 H 2
Saint-Christaud 31 317 F 5
Saint-Christaud 32 295 G 5
Saint-Christo-en-Jarez 42 230 C 3
Saint-Christol 07 248 B 5
Saint-Christol 34 303 F 3
Saint-Christol 84 286 C 4
Saint-Christol-de-Rodières 30 284 C 2
Saint-Christol-lès-Alès 30 283 H 4
Saint-Christoly-de-Blaye 33 237 G 2
Saint-Christoly-Médoc 33 219 E 5
Saint-Christophe 03 210 C 1
Saint-Christophe 16 239 E 1
Saint-Christophe 17 200 D 1
Saint-Christophe 23 207 E 2
Saint-Christophe 28 110 A 3
Saint-Christophe 69 194 C 5
Saint-Christophe 81 279 F 3
Saint-Christophe 86 169 F 3
Saint-Christophe-à-Berry 02 40 A 2
Saint-Christophe-d'Allier 43 265 E 1
Saint-Christophe-de-Chaulieu 61 52 D 4
Saint-Christophe-de-Double 33 238 D 3
Saint-Christophe-de-Valains 35 80 D 4
Saint-Christophe-des-Bardes 33 238 C 5
Saint-Christophe-des-Bois 35 105 E 2
Saint-Christophe-Dodinicourt 10 91 H 4
Saint-Christophe-du-Bois 49 166 D 1
Saint-Christophe-du-Foc 50 28 D 4
Saint-Christophe-du-Jambet 72 107 G 2
Saint-Christophe-du-Ligneron 85 165 E 3
Saint-Christophe-du-Luat 53 106 C 3
Saint-Christophe-en-Bazelle 36 153 H 5
Saint-Christophe-en-Boucherie 36 172 C 5
Saint-Christophe-en-Bresse 71 178 A 4
Saint-Christophe-en-Brionnais 71 193 H 5
Saint-Christophe-en-Champagne 72 107 E 5
Saint-Christophe-en-Oisans 38 251 H 4
Saint-Christophe-et-le-Laris 26 249 G 1
Saint-Christophe-la-Couperie 49 148 B 3
Saint-Christophe-la-Grotte 73 233 E 3
Saint-Christophe-le-Chaudry 18 190 B 1
Saint-Christophe-le-Jajolet 61 54 B 5
Saint-Christophe-les-Gorges 15 243 H 3
Saint-Christophe-sur-Avre 27 55 H 5
Saint-Christophe-sur-Condé 27 35 F 3
Saint-Christophe-sur-Dolaison 43 247 E 4
Saint-Christophe-sur-Guiers 38 233 E 4
Saint-Christophe-sur-le-Nais 37 130 C 5
Saint-Christophe-sur-Roc 79 185 E 3
Saint-Christophe-Vallon 12 262 B 5
Saint-Cibard 33 238 D 4
Saint-Cierge-la-Serre 07 266 D 1
Saint-Cierge-sous-le-Cheylard 07 248 B 5
Saint-Ciergues 52 139 G 2
Saint-Ciers-Champagne 17 220 B 4
Saint-Ciers-d'Abzac 33 238 B 3
Saint-Ciers-de-Canesse 33 237 G 3
Saint-Ciers-du-Taillon 17 219 F 4
Saint-Ciers-sur-Bonnieure 16 203 G 4
Saint-Ciers-sur-Gironde 33 219 G 5
Saint-Cirgue 81 299 H 1
Saint-Cirgues 43 246 B 2
Saint-Cirgues 46 261 G 2
Saint-Cirgues-de-Jordanne 15 244 D 4
Saint-Cirgues-de-Malbert 15 244 B 3
Saint-Cirgues-de-Prades 07 266 A 3
Saint-Cirgues-en-Montagne 07 265 H 2
Saint-Cirgues-la-Loutre 19 243 G 3
Saint-Cirgues-sur-Couze 63 227 H 3
Saint-Cirice 82 276 D 4
Saint-Cirq 24 241 E 5
Saint-Cirq 82 278 C 4
Saint-Cirq-Lapopie 46 260 C 5
Saint-Cirq-Madelon 46 259 H 1
Saint-Cirq-Souillaguet 46 260 B 2
Saint-Civran 36 188 B 2
Saint-Clair 07 248 D 1
Saint-Clair 46 259 H 2
Saint-Clair 82 277 E 3
Saint-Clair 83 329 E 4
Saint-Clair 86 168 C 3
Saint-Clair-d'Arcey 27 55 F 1
Saint-Clair-de-Halouze 61 53 E 5
Saint-Clair-de-la-Tour 38 232 B 2
Saint-Clair-du-Rhône 38 231 E 4
Saint-Clair-sur-Epte 95 37 F 4
Saint-Clair-sur-Galaure 38 249 H 1
Saint-Clair-sur-l'Elle 50 32 B 4
Saint-Clair-sur-les-Monts 76 19 H 5
Saint-Clar 32 296 C 1
Saint-Clar-de-Rivière 31 317 G 2
Saint-Claud 16 203 H 4
Saint-Claude 39 197 E 3
Saint-Claude-de-Diray 41 132 B 5
Saint-Clément 02 25 G 3
Saint-Clément 03 210 D 2
Saint-Clément 07 248 A 4
Saint-Clément 15 244 D 4
Saint-Clément 19 224 D 5
Saint-Clément 30 303 E 2
Saint-Clément 50 52 C 5
Saint-Clément 54 95 G 2
Saint-Clément 89 113 G 2
Saint-Clément-à-Arnes 08 42 B 3
Saint-Clément-de-la-Place 49 149 F 1
Saint-Clément-de-Régnat 63 210 A 3
Saint-Clément-de-Rivière 34 302 D 4
Saint-Clément-de-Valorgue 63 229 F 3
Saint-Clément-de-Vers 69 194 B 5
Saint-Clément-des-Baleines 17 182 C 5
Saint-Clément-des-Levées 49 150 B 3
Saint-Clément-les-Places 69 212 B 5
Saint-Clément-sur-Durance 05 270 C 2
Saint-Clément-sur-Guye 71 194 C 1
Saint-Clément-sur-Valsonne 69 212 B 4
Saint-Clémentin 79 167 G 2
Saint-Clet 22 73 E 4
Saint-Cloud 92 58 B 3
Saint-Cloud-en-Dunois 28 110 A 4
Saint-Colomb-de-Lauzun 47 257 H 3
Saint-Colomban 44 165 G 1
Saint-Colomban-des-Villards 73 233 H 5
Saint-Côme 33 256 C 5
Saint-Côme Chapelle de 29 75 G 5
Saint-Côme-de-Fresné 14 33 E 2
Saint-Côme-d'Olt 12 263 F 4
Saint-Côme-du-Mont 50 31 H 2
Saint-Côme-et-Maruéjols 30 303 G 2
Saint-Congard 56 125 F 2
Saint-Connan 22 77 H 3
Saint-Connec 22 102 A 1
Saint-Constant-Fournoulès 15 261 H 3
Saint-Contest 14 33 G 4
Saint-Corneille 72 108 A 4
Saint-Cornier-des-Landes 61 52 D 4
Saint-Cosme 68 142 D 2
Saint-Cosme-en-Vairais 72 84 B 5
Saint-Couat-d'Aude 11 320 B 5
Saint-Couat-du-Razès 11 337 F 2
Saint-Coulitz 29 75 H 5
Saint-Coulomb 35 50 C 4
Saint-Coutant 16 203 H 3
Saint-Coutant 79 185 H 5
Saint-Coutant-le-Grand 17 201 F 3
Saint-Créac 32 296 C 1
Saint-Créac 65 333 E 1
Saint-Crépin 05 270 D 1
Saint-Crépin 17 201 F 2
Saint-Crépin-aux-Bois 60 39 G 2
Saint-Crépin-d'Auberoche 24 240 D 3
Saint-Crépin-de-Richemont 24 222 B 4
Saint-Crépin-et-Carlucet 24 241 G 4
Saint-Crépin-Ibouvillers 60 38 A 4
Saint-Crespin 14 34 B 5
Saint-Crespin 76 20 B 3
Saint-Crespin-sur-Moine 49 148 B 5
Saint-Cricq 32 297 E 3
Saint-Cricq-Chalosse 40 293 G 4
Saint-Cricq-du-Gave 40 293 E 5
Saint-Cricq-Villeneuve 40 294 B 1
Saint-Cybardeaux 16 202 D 5
Saint-Cybranet 24 259 G 1
Saint-Cyprien 19 241 H 1
Saint-Cyprien 24 241 F 5
Saint-Cyprien 42 230 A 3
Saint-Cyprien 46 277 G 2
Saint-Cyprien 66 343 F 3
Saint-Cyprien-Plage 66 343 F 2
Saint-Cyprien-sur-Dourdou 12 262 B 4
Saint-Cyr 07 249 E 1
Saint-Cyr 39 179 G 2
Saint-Cyr 50 29 F 4
Saint-Cyr 71 177 H 5
Saint-Cyr 86 169 F 5
Saint-Cyr 87 205 E 5
Saint-Cyr Mont 46 260 B 5
Saint-Cyr-au-Mont-d'Or 69 213 E 5
Saint-Cyr-de-Favières 42 211 G 3
Saint-Cyr-de-Salerne 27 35 G 4
Saint-Cyr-de-Valorges 42 212 A 4
Saint-Cyr-des-Gâts 85 183 H 1
Saint-Cyr-du-Bailleul 50 82 A 2
Saint-Cyr-du-Doret 17 183 H 5
Saint-Cyr-du-Gault 41 131 G 5
Saint-Cyr-du-Ronceray 14 54 D 1
Saint-Cyr-en-Arthies 95 57 F 1
Saint-Cyr-en-Bourg 49 150 C 4
Saint-Cyr-en-Pail 53 83 E 4
Saint-Cyr-en-Retz 44 165 E 1
Saint-Cyr-en-Talmondais 85 183 E 2
Saint-Cyr-en-Val 45 133 F 3
Saint-Cyr-la-Campagne 27 36 A 4
Saint-Cyr-la-Lande 79 168 B 1
Saint-Cyr-la-Rivière 91 87 F 5
Saint-Cyr-la-Roche 19 241 H 1
Saint-Cyr-la-Rosière 61 84 C 5
Saint-Cyr-le-Chatoux 69 212 C 2
Saint-Cyr-le-Gravelais 53 105 G 4
Saint-Cyr-l'École 78 58 A 4
Saint-Cyr-les-Champagnes 24 223 H 5
Saint-Cyr-les-Colons 89 136 C 3
Saint-Cyr-les-Vignes 42 230 A 1
Saint-Cyr-sous-Dourdan 91 87 F 2
Saint-Cyr-sur-le-Rhône 69 231 E 3
Saint-Cyr-sur-Loire 37 151 H 2
Saint-Cyr-sur-Menthon 01 195 F 5
Saint-Cyr-sur-Mer 83 327 G 4
Saint-Cyr-sur-Morin 77 60 A 3
Saint-Cyran-du-Jambot 36 170 D 2
Saint-Dalmas-de-Tende 06 291 H 2
Saint-Dalmas-le-Selvage 06 289 F 1
Saint-Dalmas-Valdeblore 06 291 E 2
Saint-Daunès 46 277 G 1
Saint-Denis 11 319 G 3
Saint-Denis 30 284 A 2
Saint-Denis 79 185 E 2
Saint-Denis 93 58 C 2
Saint-Denis-Catus 46 259 H 4
Saint-Denis-Combarnazat 63 210 A 3
Saint-Denis-d'Aclon 76 20 A 2
Saint-Denis-d'Anjou 53 128 D 3
Saint-Denis-d'Augerons 27 55 E 2
Saint-Denis-d'Authou 28 85 F 5
Saint-Denis-de-Cabanne 42 211 H 1
Saint-Denis-de-Gastines 53 81 H 4
Saint-Denis-de-Jouhet 36 189 F 2
Saint-Denis-de-l'Hôtel 45 133 G 2
Saint-Denis-de-Mailloc 14 34 D 5
Saint-Denis-de-Méré 14 53 F 3
Saint-Denis-de-Palin 18 173 F 3
Saint-Denis-de-Pile 33 238 C 4
Saint-Denis-de-Vaux 71 177 G 4
Saint-Denis-de-Villenette 61 82 B 3
Saint-Denis-des-Coudrais 72 108 B 3
Saint-Denis-des-Monts 27 35 H 4
Saint-Denis-des-Murs 87 206 C 5
Saint-Denis-des-Puits 28 85 G 4
Saint-Denis-d'Oléron 17 200 A 2
Saint-Denis-d'Orques 72 106 D 4
Saint-Denis-du-Béhélan 27 56 A 3
Saint-Denis-du-Maine 53 106 B 5
Saint-Denis-du-Payré 85 183 E 3
Saint-Denis-du-Pin 17 201 H 3
Saint-Denis du Tertre Chapelle 72 108 A 4
Saint-Denis-en-Bugey 01 214 A 3
Saint-Denis-en-Margeride 48 264 C 2
Saint-Denis-en-Val 45 133 F 2

Saint-Denis-la-Chevasse 85 166 A3
Saint-Denis-le-Ferment 27 37 F3
Saint-Denis-le-Gast 50 51 H2
Saint-Denis-le-Thiboult 76 36 D1
Saint-Denis-le-Vêtu 50 51 G1
Saint-Denis-lès-Bourg 01 195 H5
Saint-Denis-lès-Martel 46 242 C5
Saint-Denis-les-Ponts 28 109 H4
Saint-Denis-lès-Rebais 77 60 A3
Saint-Denis-lès-Sens 89 113 G2
Saint-Denis-Maisoncelles 14 52 C1
Saint-Denis-sur-Coise 42 230 B2
Saint-Denis-sur-Huisne 61 84 B3
Saint-Denis-sur-Loire 41 132 B5
Saint-Denis-sur-Ouanne 89 135 G3
Saint-Denis-sur-Sarthon 61 83 F3
Saint-Denis-sur-Scie 76 20 B4
Saint-Deniscourt 60 21 G5
Saint-Denœux 62 6 D4
Saint-Denoual 22 79 E3
Saint-Derrien 29 71 F5
Saint-Désert 71 177 G4
Saint-Désir 14 34 C5
Saint-Désirat 07 249 E1
Saint-Désiré 03 190 B2
Saint-Dézery 19 226 B3
Saint-Dézéry 30 284 A5
Saint-Didier 21 158 C3
Saint-Didier 35 104 D3
Saint-Didier 39 179 E5
Saint-Didier 58 157 F3
Saint-Didier 84 285 H5
Saint-Didier-au-Mont-d'Or 69 213 E5
Saint-Didier-d'Allier 43 246 D4
Saint-Didier-d'Aussiat 01 195 G4
Saint-Didier-de-Bizonnes 38 232 A3
Saint-Didier-de-Formans 01 213 E3
Saint-Didier-de-la-Tour 38 232 B2
Saint-Didier-des-Bois 27 36 A4
Saint-Didier-en-Bresse 71 178 B3
Saint-Didier-en-Brionnais 71 193 H4
Saint-Didier-en-Donjon 03 193 E3
Saint-Didier-en-Velay 43 248 A1
Saint-Didier-la-Forêt 03 192 B5
Saint-Didier-sous-Aubenas 07 266 B3
Saint-Didier-sous-Écouves 61 83 F2
Saint-Didier-sous-Riverie 69 230 C2
Saint-Didier-sur-Arroux 71 176 B4
Saint-Didier-sur-Beaujeu 69 212 C1
Saint-Didier-sur-Chalaronne 01 213 E1
Saint-Didier-sur-Doulon 43 246 C1
Saint-Didier-sur-Rochefort 42 211 E5
Saint-Dié-des-Vosges 88 96 B5
Saint-Dier-d'Auvergne 63 228 C1
Saint-Diéry 63 227 G3
Saint-Dionisy 30 303 G2
Saint-Disdier 05 269 F1
Saint-Divy 29 75 F2
Saint-Dizant-du-Bois 17 219 G4
Saint-Dizant-du-Gua 17 219 F4
Saint-Dizier 52 63 F5
Saint-Dizier-en-Diois 26 268 C4
Saint-Dizier-la-Tour 23 207 G1
Saint-Dizier-les-Domaines 23 189 G4
Saint-Dizier-l'Évêque 90 142 D5
Saint-Dizier-Leyrenne 23 206 D3
Saint-Dolay 56 125 G5
Saint-Domet 23 207 H2
Saint-Domineuc 35 80 A4
Saint-Donan 22 78 A3
Saint-Donat 63 227 E4
Saint-Donat *Église de* 04 287 G4
Saint-Donat-sur-l'Herbasse 26 249 G2
Saint-Dos 64 292 D5
Saint-Doulchard 18 173 E1
Saint-Drézéry 34 303 E3
Saint-Dyé-sur-Loire 41 132 B4
Saint-Eble 43 246 C3
Saint-Ébremond-de-Bonfossé 50 32 A5
Saint-Edmond 71 193 H5
Saint-Égrève 38 250 D1
Saint-Élier 27 56 A2
Saint-Éliph 28 85 F4
Saint-Élix-d'Astarac 32 316 C2
Saint-Élix-le-Château 31 317 F4
Saint-Élix-Séglan 31 316 D5
Saint-Élix-Theux 32 316 A2
Saint-Ellier 49 149 H3
Saint-Ellier-du-Maine 53 81 G4
Saint-Ellier-les-Bois 61 83 F3
Saint-Éloi 01 213 H3
Saint-Éloi 22 72 D4
Saint-Éloi 23 207 E2
Saint-Éloi 58 174 C2
Saint-Éloi-de-Fourques 27 35 H4
Saint-Eloy 29 75 H3
Saint-Éloy-d'Allier 03 190 B3
Saint-Éloy-de-Gy 18 155 E5
Saint-Éloy-la-Glacière 63 228 C3
Saint-Éloy-les-Mines 63 209 F1
Saint-Éloy-les-Tuileries 19 223 H4
Saint-Éman 28 85 G5
Saint-Émiland 71 177 E3
Saint-Émilien-de-Blain 44 147 F1
Saint-Émilion 33 238 C5
Saint-Ennemond 03 175 E5
Saint-Épain 37 151 G5
Saint-Epvre 57 66 C2
Saint-Erblon 35 104 B4
Saint-Erblon 53 127 G2
Saint-Erme-Outre-et-Ramecourt 02 41 F1
Saint-Escobille 91 87 E4
Saint-Esteben 64 311 F4
Saint-Estèphe 16 221 E2
Saint-Estèphe 24 222 C2
Saint-Estèphe 33 237 E1
Saint-Estève 66 343 E2
Saint-Estève 84 286 A3
Saint-Estève-Janson 13 305 H3
Saint-Étienne 42 230 B4
Saint-Étienne-à-Arnes 08 42 B3
Saint-Étienne-au-Mont 62 6 B2
Saint-Étienne-au-Temple 51 62 B1
Saint-Étienne-aux-Clos 19 226 C3
Saint-Étienne-Cantalès 15 243 H5
Saint-Étienne-Cantalès *Barrage de* 15 243 H5
Saint-Étienne-d'Albagnan 34 300 D5
Saint-Étienne-de-Baïgorry 64 330 B1
Saint-Étienne-de-Boulogne 07 266 C2
Saint-Étienne-de-Brillouet 85 183 G2
Saint-Étienne-de-Carlat 15 244 D5
Saint-Étienne-de-Chigny 37 151 G3
Saint-Étienne-de-Chomeil 15 226 D5
Saint-Étienne-de-Crossey 38 232 D4
Saint-Étienne-de-Cuines 73 234 A4
Saint-Étienne-de-Fontbellon 07 266 B3
Saint-Étienne-de-Fougères 47 258 B5
Saint-Étienne-de-Fursac 23 206 B1
Saint-Étienne-de-Gourgas 34 301 H3
Saint-Étienne-de-Lisse 33 238 C5
Saint-Étienne-de-l'Olm 30 284 A4
Saint-Étienne-de-Lugdarès 07 265 G3
Saint-Étienne-de-Maurs 15 261 H2
Saint-Étienne-de-Mer-Morte 44 165 F2
Saint-Étienne-de-Montluc 44 147 F3
Saint-Étienne-de-Puycorbier 24 239 G3
Saint-Étienne-de-Saint-Geoirs 38 232 A5
Saint-Étienne-de-Serre 07 266 C1
Saint-Étienne-de-Tinée 06 289 F1
Saint-Étienne-de-Tulmont 82 278 B5
Saint-Étienne-de-Valoux 07 249 E1
Saint-Étienne-de-Vicq 03 210 C1
Saint-Étienne-de-Villeréal 47 258 C3
Saint-Étienne-des-Champs 63 208 D5
Saint-Étienne-des-Guérets 41 131 G5
Saint-Étienne-des-Oullières 69 212 D2
Saint-Étienne-des-Sorts 30 285 E3
Saint-Étienne-d'Orthe 40 292 C4
Saint-Étienne-du-Bois 01 196 A4
Saint-Étienne-du-Bois 85 165 G3
Saint-Étienne-du-Grès 13 304 C2
Saint-Étienne-du-Gué-de-l'Isle 22 102 C2
Saint-Étienne-du-Rouvray 76 36 B2
Saint-Étienne-du-Valdonnez 48 264 C5
Saint-Étienne-du-Vauvray 27 36 C4
Saint-Étienne-du-Vigan 43 265 F1
Saint-Étienne-en-Bresse 71 178 A5
Saint-Étienne-en-Coglès 35 81 E4
Saint-Étienne-en-Dévoluy 05 269 F2
Saint-Étienne-Estréchoux 34 301 F4
Saint-Étienne-la-Cigogne 79 201 H1
Saint-Étienne-la-Geneste 19 226 B4
Saint-Étienne-la-Thillaye 14 34 C3
Saint-Étienne-la-Varenne 69 212 C2
Saint-Étienne-l'Allier 27 35 F3
Saint-Étienne-Lardeyrol 43 247 G3
Saint-Étienne-le-Laus 05 269 H4
Saint-Étienne-le-Molard 42 229 G1
Saint-Étienne-les-Orgues 04 287 E4
Saint-Étienne-lès-Remiremont 88 119 H4
Saint-Étienne-Roilaye 60 39 H3
Saint-Étienne-sous-Bailleul 27 36 D5
Saint-Étienne-sous-Barbuise 10 91 E3
Saint-Étienne-sur-Blesle 43 245 H1
Saint-Étienne-sur-Chalaronne 01 213 E1
Saint-Étienne-sur-Reyssouze 01 195 F3
Saint-Étienne-sur-Suippe 51 41 H2
Saint-Étienne-sur-Usson 63 228 B3
Saint-Étienne-Vallée-Française 48 283 F3
Saint-Eugène 02 60 C1
Saint-Eugène 17 220 B3
Saint-Eugène 71 176 C5
Saint-Eulien 51 63 E5
Saint-Euphraise-et-Clairizet 51 41 F4
Saint-Euphrône 21 158 D1
Saint-Eusèbe 71 177 E5
Saint-Eusèbe 74 215 F3
Saint-Eusèbe-en-Champsaur 05 269 G1
Saint-Eustache 74 215 G4
Saint Eustache *Col de* 2A 349 E5
Saint-Eustache-la-Forêt 76 19 E5
Saint-Eutrope 16 221 E4
Saint-Eutrope-de-Born 47 258 C4
Saint-Évarzec 29 99 H3
Saint-Evroult-de-Montfort 61 54 D4
Saint-Evroult-Notre-Dame-du-Bois 61 55 E4
Saint-Exupéry 33 256 C3
Saint-Exupéry-les-Roches 19 226 B3
Saint-Fargeau 89 135 F5
Saint-Fargeau-Ponthierry 77 88 A3
Saint-Fargeol 03 208 D1
Saint-Faust 64 314 A4
Saint-Félicien 07 248 D3
Saint-Féliu-d'Amont 66 342 D2
Saint-Féliu-d'Avall 66 342 D2
Saint-Félix 03 192 C5
Saint-Félix 16 220 D5
Saint-Félix 17 201 G2
Saint-Félix 46 261 G3
Saint-Félix 60 38 B3
Saint-Félix 74 215 F4
Saint-Félix-de-Bourdeilles 24 222 B4
Saint-Félix-de-Foncaude 33 256 C3
Saint-Félix-de-l'Héras 34 301 G2
Saint-Félix-de-Lodez 34 302 A4
Saint-Félix-de-Lunel 12 262 C4
Saint-Félix-de-Montceau *Ancienne Abbaye de* 34 323 E3
Saint-Félix-de-Pallières 30 283 G5
Saint-Félix-de-Reillac-et-Mortemart 24 241 E4
Saint-Félix-de-Rieutord 09 336 B2
Saint-Félix-de-Sorgues 12 301 E1
Saint-Félix-de-Tournegat 09 336 C1
Saint-Félix-de-Villadeix 24 240 C5
Saint-Félix-Lauragais 31 318 D2
Saint-Fergeux 08 25 H5
Saint-Ferjeux 70 141 H5
Saint-Ferme 33 257 E2
Saint-Ferréol 31 316 C3
Saint-Ferréol 31 319 E2
Saint-Ferréol 74 216 A5
Saint-Ferréol-d'Auroure 43 230 A5
Saint-Ferréol-des-Côtes 63 228 D3
Saint-Ferréol-Trente-Pas 26 268 A5
Saint-Ferriol 11 337 G4
Saint-Fiacre 22 77 H2
Saint-Fiacre 56 100 D3
Saint-Fiacre 77 59 G2
Saint-Fiacre-sur-Maine 44 147 H5
Saint-Fiel 23 207 E1
Saint-Firmin 05 269 G1
Saint-Firmin 54 94 D3
Saint-Firmin 58 175 E1
Saint-Firmin 71 177 E3
Saint-Firmin-des-Bois 45 112 D5
Saint-Firmin-des-Prés 41 131 H2
Saint-Firmin-sur-Loire 45 134 D5
Saint-Flavy 10 90 B4
Saint-Florent 45 134 B4
Saint-Florent 79 184 D4
Saint-Florent 2B 345 F4
Saint-Florent-des-Bois 85 183 E1
Saint-Florent-le-Vieil 49 148 C2
Saint-Florent-sur-Auzonnet 30 283 H2
Saint-Florent-sur-Cher 18 172 D2
Saint-Florentin 36 171 H1
Saint-Florentin 89 114 B5
Saint-Floret 63 227 H3
Saint-Floris 62 7 H2
Saint-Flour 15 245 H4
Saint-Flour 63 228 C1
Saint-Flour-de-Mercoire 48 265 F2
Saint-Flovier 37 170 C2
Saint-Floxel 50 29 G4
Saint-Folquin 62 3 E3
Saint-Fons 69 231 E1
Saint-Forgeot 71 176 D2
Saint-Forget 78 57 H5
Saint-Forgeux 69 212 B4
Saint-Forgeux-Lespinasse 42 211 F1
Saint-Fort 53 128 B3
Saint-Fort-sur-Gironde 17 219 F3
Saint-Fort-sur-le-Né 16 220 B2
Saint-Fortunat-sur-Eyrieux 07 266 D1
Saint-Fraigne 16 203 E3
Saint-Fraimbault 61 82 A3
Saint-Fraimbault-de-Prières 53 82 B4
Saint-Frajou 31 316 D3
Saint-Franc 73 232 D3
Saint-Franchy 58 157 E5
Saint-François-de-Sales 73 233 G1
Saint-François-Lacroix 57 46 C3
Saint-François-Longchamp 73 234 A4
Saint-Frégant 29 70 D4
Saint-Fréjoux 19 226 B3
Saint-Frézal-d'Albuges 48 265 E4
Saint-Frézal-de-Ventalon 48 283 F2
Saint-Frichoux 11 320 A4
Saint-Frion 23 207 H4
Saint-Fromond 50 32 B4
Saint-Front 16 203 G4
Saint-Front 43 247 H4
Saint-Front-d'Alemps 24 222 D5
Saint-Front-de-Pradoux 24 239 G3
Saint-Front-la-Rivière 24 222 C4
Saint-Front-sur-Lémance 47 259 E4
Saint-Front-sur-Nizonne 24 222 B4
Saint-Froult 17 200 C3
Saint-Fulgent 85 166 B3
Saint-Fulgent-des-Ormes 61 84 B5
Saint-Fuscien 80 22 C2
Saint-Gabriel *Chapelle* 13 304 C2
Saint-Gabriel-Brécy 14 33 F3
Saint-Gal 48 264 B3
Saint-Gal-sur-Sioule 63 209 G2
Saint-Galmier 42 230 A2
Saint-Gand 70 140 C5
Saint-Ganton 35 126 A3
Saint-Gatien-des-Bois 14 34 C2
Saint-Gaudens 31 334 C1
Saint-Gaudent 86 203 G1
Saint-Gaudéric 11 337 E1
Saint-Gault 53 105 H5
Saint-Gaultier 36 188 C1
Saint-Gauzens 81 298 D3
Saint-Gayrand 47 275 G1
Saint-Gein 40 294 B2
Saint-Gelais 79 185 E3
Saint-Gelven 22 77 G5
Saint-Gély-du-Fesc 34 302 D3
Saint-Génard 79 202 D1
Saint-Gence 87 205 F4
Saint-Généroux 79 168 B3
Saint-Genès-Champanelle 63 227 G1
Saint-Genès-Champespe 63 227 E4
Saint-Genès-de-Blaye 33 237 F2
Saint-Genès-de-Castillon 33 238 D5
Saint-Genès-de-Fronsac 33 238 B3
Saint-Genès-de-Lombaud 33 255 H1
Saint-Genès-du-Retz 63 210 A2
Saint-Genès-la-Tourette 63 228 C3
Saint-Genest 03 190 D5
Saint-Genest 88 95 G4
Saint-Genest-d'Ambière 86 169 F4
Saint-Genest-de-Beauzon 07 265 H5
Saint-Genest-de-Contest 81 299 F3
Saint-Genest-Lachamp 07 266 B1
Saint-Genest-Lerpt 42 230 A4
Saint-Genest-Malifaux 42 230 B5
Saint-Genest-sur-Roselle 87 224 B1
Saint-Geneys-près-Saint-Paulien 43 247 E2
Saint-Gengoulph 02 40 A5
Saint-Gengoux-de-Scissé 71 194 D2
Saint-Gengoux-le-National 71 194 D1
Saint-Geniès 24 241 G4
Saint-Geniès-Bellevue 31 298 A4
Saint-Geniès-de-Comolas 30 285 E4
Saint-Geniès-de-Fontedit 34 321 G2
Saint-Geniès-de-Malgoirès 30 303 G1
Saint-Geniès-de-Varensal 34 301 E4
Saint-Geniès-des-Mourgues 34 303 E3
Saint-Geniez 04 287 G2
Saint-Geniez-d'Olt-et-d'Aubrac 12 263 G5
Saint-Geniez-ô-Merle 19 243 G3
Saint-Genis 05 269 E5
Saint-Genis 38 251 E5
Saint-Genis-de-Blanzac 16 221 E4
Saint-Genis-de-Saintonge 17 219 G3
Saint-Génis-des-Fontaines 66 343 F3
Saint-Genis-d'Hiersac 16 203 E5
Saint-Genis-du-Bois 33 256 C2
Saint-Genis-l'Argentière 69 230 C1
Saint-Genis-Laval 69 231 E1
Saint-Genis-les-Ollières 69 212 D5
Saint-Genis-Pouilly 01 197 F5
Saint-Genis-sur-Menthon 01 195 F4
Saint-Genix-sur-Guiers 73 232 C2
Saint-Genou 36 171 E3
Saint-Genouph 37 151 H2
Saint-Geoire-en-Valdaine 38 232 D3
Saint-Geoirs 38 232 A5
Saint-Georges 15 245 H4
Saint-Georges 16 203 G3
Saint-Georges 32 296 D3
Saint-Georges 33 238 C5
Saint-Georges 47 259 E5
Saint-Georges 57 67 G5
Saint-Georges 62 7 E5
Saint-Georges 82 278 C3
Saint-Georges *Gorges de* 11 337 G5
Saint-Georges-Armont 25 163 E2
Saint-Georges-Blancaneix 24 239 G5
Saint-Georges-Buttavent 53 82 A5
Saint-Georges-d'Annebecq 61 53 H5
Saint-Georges-d'Aunay 14 53 E1
Saint-Georges-d'Aurac 43 246 C2
Saint-Georges-d'Hurtières 73 234 A3
Saint-Georges-de-Baroille 42 211 H4
Saint-Georges-de-Bohon 50 31 H3
Saint-Georges-de-Chesné 35 81 E5
Saint-Georges-de-Commiers 38 250 D3
Saint-Georges-de-Cubillac 17 219 H3
Saint-Georges-de-Didonne 17 218 D2
Saint-Georges-de-Gréhaigne 35 80 C2
Saint-Georges-de-la-Couée 72 130 D2
Saint-Georges-de-la-Rivière 50 31 E2
Saint-Georges-de-Lévéjac 48 282 A2
Saint-Georges-de-Livoye 50 52 A4
Saint-Georges-de-Longuepierre 17 202 B2
Saint-Georges-de-Luzençon 12 281 G4
Saint-Georges-de-Mons 63 209 F4
Saint-Georges-de-Montaigu 85 166 A2
Saint-Georges-de-Montclard 24 240 B5
Saint-Georges-de-Noisné 79 185 F2
Saint-Georges-de-Pointindoux 85 165 F5
Saint-Georges-de-Poisieux 18 173 F5
Saint-Georges-de-Reintembault 35 81 E2
Saint-Georges-de-Reneins 69 212 D2
Saint-Georges-de-Rex 79 184 C4
Saint-Georges-de-Rouelley 50 82 A2
Saint-Georges-d'Elle 50 32 C4
Saint-Georges-des-Agoûts 17 219 F4
Saint-Georges-des-Coteaux 17 201 F5
Saint-Georges-des-Gardes 49 149 E5
Saint-Georges-des-Groseillers 61 53 E4
Saint-Georges-des-Sept-Voies 49 150 A3
Saint-Georges-d'Espéranche 38 231 G2
Saint-Georges-d'Oléron 17 200 A3
Saint-Georges-d'Orques 34 302 C4
Saint-Georges-du-Bois 17 201 F1
Saint-Georges-du-Bois 49 150 A1
Saint-Georges-du-Bois 72 107 G5
Saint-Georges-du-Mesnil 27 35 F4
Saint-Georges-du-Rosay 72 108 B2
Saint-Georges-du-Vièvre 27 35 F4
Saint-Georges-en-Auge 14 54 B1
Saint-Georges-en-Couzan 42 229 F1
Saint-Georges-Haute-Ville 42 229 H3
Saint-Georges-la-Pouge 23 207 F3
Saint-Georges-Lagricol 43 247 F1
Saint-Georges-le-Fléchard 53 106 B4
Saint-Georges-le-Gaultier 72 83 F5
Saint-Georges-lès-Baillargeaux 86 169 F5
Saint-Georges-les-Bains 07 249 E5
Saint-Georges-les-Landes 87 188 B4

Saint-Georges-Montcocq 50 ... 32 B 5
Saint-Georges-Motel 27 ... 56 D 4
Saint-Georges-Nigremont 23 ... 207 H 5
Saint-Georges-sur-Allier 63 ... 228 A 1
Saint-Georges-sur-Arnon 36 ... 172 C 2
Saint-Georges-sur-Baulche 89 ... 136 B 3
Saint-Georges-sur-Cher 41 ... 152 D 3
Saint-Georges-sur-Erve 53 ... 106 D 2
Saint-Georges-sur-Eure 28 ... 85 H 4
Saint-Georges-sur-Fontaine 76 ... 20 B 5
Saint-Georges-sur-la-Prée 18 ... 154 B 4
Saint-Georges-sur-l'Aa 59 ... 3 F 3
Saint-Georges-sur-Layon 49 ... 149 H 4
Saint-Georges-sur-Loire 49 ... 149 E 2
Saint-Georges-sur-Moulon 18 ... 155 E 5
Saint-Georges-sur-Renon 01 ... 213 G 1
Saint-Geours-d'Auribat 40 ... 293 F 2
Saint-Geours-de-Maremne 40 ... 292 C 3
Saint-Gérand 56 ... 102 A 2
Saint-Gérand-de-Vaux 03 ... 192 B 4
Saint-Gérand-le-Puy 03 ... 192 C 5
Saint-Géraud 47 ... 257 E 3
Saint-Géraud-de-Corps 24 ... 239 F 4
Saint-Géréon 44 ... 148 B 2
Saint-Germain 07 ... 266 C 4
Saint-Germain 10 ... 114 D 2
Saint-Germain 54 ... 95 E 3
Saint-Germain 70 ... 141 H 3
Saint-Germain 86 ... 187 G 2
Saint-Germain *Ermitage de* 74 ... 215 H 4
Saint-Germain-au-Mont-d'Or 69 ... 213 E 4
Saint-Germain-Beaupré 23 ... 188 D 4
Saint-Germain-Chassenay 58 ... 175 E 4
Saint-Germain-d'Anxure 53 ... 106 A 2
Saint-Germain-d'Arcé 72 ... 130 A 5
Saint-Germain-d'Aunay 61 ... 54 D 2
Saint-Germain-de-Belvès 24 ... 259 F 1
Saint-Germain-de-Calberte 48 ... 283 E 3
Saint-Germain-de-Clairefeuille 61 ... 54 C 5
Saint-Germain-de-Confolens 16 ... 204 C 2
Saint-Germain-de-Coulamer 53 ... 83 E 5
Saint-Germain-de-Fresney 27 ... 56 C 2
Saint-Germain-de-Grave 33 ... 256 B 3
Saint-Germain-de-Joux 01 ... 196 D 5
Saint-Germain-de-la-Coudre 61 ... 84 C 5
Saint-Germain-de-la-Grange 78 ... 57 H 3
Saint-Germain-de-la-Rivière 33 ... 238 B 4
Saint-Germain-de-Livet 14 ... 34 C 5
Saint-Germain-de-Longue-Chaume 79 ... 167 H 5
Saint-Germain-de-Lusignan 17 ... 219 H 4
Saint-Germain-de-Marencennes 17 ... 201 F 2
Saint-Germain-de-Martigny 61 ... 84 B 2
Saint-Germain-de-Modéon 21 ... 158 B 2
Saint-Germain-de-Montbron 16 ... 221 H 2
Saint-Germain-de-Montgommery 14 ... 54 C 2
Saint-Germain-de-Pasquier 27 ... 36 A 4
Saint-Germain-de-Prinçay 85 ... 166 C 4
Saint-Germain-de-Salles 03 ... 210 A 1
Saint-Germain-de-Tallevende-la-Lande-Vaumont 14 ... 52 C 3
Saint-Germain-de-Tournebut 50 ... 29 G 4
Saint-Germain-de-Varreville 50 ... 29 H 5
Saint-Germain-de-Vibrac 17 ... 220 B 4
Saint-Germain-d'Ectot 14 ... 32 D 5
Saint-Germain-d'Elle 50 ... 32 C 5
Saint-Germain-des-Angles 27 ... 36 B 5
Saint-Germain-des-Bois 18 ... 173 F 3
Saint-Germain-des-Bois 58 ... 157 F 3
Saint-Germain-des-Champs 89 ... 158 A 2
Saint-Germain-des-Essourts 76 ... 36 C 1
Saint-Germain-des-Fossés 03 ... 210 B 1
Saint-Germain-des-Grois 61 ... 85 E 4
Saint-Germain-des-Prés 24 ... 223 E 5
Saint-Germain-des-Prés 45 ... 112 D 5
Saint-Germain-des-Prés 49 ... 149 E 2
Saint-Germain-des-Prés 81 ... 299 F 5
Saint-Germain-des-Vaux 50 ... 28 C 2
Saint-Germain-d'Esteuil 33 ... 219 E 5
Saint-Germain-d'Étables 76 ... 20 B 2
Saint-Germain-du-Bel-Air 46 ... 260 B 3
Saint-Germain-du-Bois 71 ... 178 C 4
Saint-Germain-du-Corbéis 61 ... 83 G 4
Saint-Germain-du-Crioult 14 ... 53 E 3
Saint-Germain-du-Pert 14 ... 32 B 2
Saint-Germain-du-Pinel 35 ... 105 F 4
Saint-Germain-du-Plain 71 ... 178 A 5
Saint-Germain-du-Puch 33 ... 238 B 5
Saint-Germain-du-Puy 18 ... 173 F 1
Saint-Germain-du-Salembre 24 ... 239 H 2
Saint-Germain-du-Seudre 17 ... 219 F 3
Saint-Germain-du-Teil 48 ... 263 H 5
Saint-Germain-du-Val 72 ... 129 G 4
Saint-Germain-en-Brionnais 71 ... 194 A 4
Saint-Germain-en-Coglès 35 ... 81 E 4
Saint-Germain-en-Laye 78 ... 58 A 3
Saint-Germain-en-Montagne 39 ... 179 H 4
Saint-Germain-et-Mons 24 ... 258 B 1
Saint-Germain-la-Blanche-Herbe 14 ... 33 G 4
Saint-Germain-la-Campagne 27 ... 55 E 1
Saint-Germain-la-Chambotte 73 ... 215 E 5
Saint-Germain-la-Gâtine 28 ... 86 A 3
Saint-Germain-la-Montagne 42 ... 212 A 1
Saint-Germain-la-Poterie 60 ... 37 H 2
Saint-Germain-la-Ville 51 ... 62 B 3
Saint-Germain-l'Aiguiller 85 ... 166 D 5
Saint-Germain-Langot 14 ... 53 G 2
Saint-Germain-Laprade 43 ... 247 G 3
Saint-Germain-Laval 42 ... 211 G 5
Saint-Germain-Laval 77 ... 89 E 4
Saint-Germain-Lavolps 19 ... 225 H 2
Saint-Germain-Laxis 77 ... 88 B 2
Saint-Germain-le-Châtelet 90 ... 142 C 2
Saint-Germain-le-Fouilloux 53 ... 105 H 3
Saint-Germain-le-Gaillard 28 ... 85 H 4
Saint-Germain-le-Gaillard 50 ... 28 D 4
Saint-Germain-le-Guillaume 53 ... 105 H 2
Saint-Germain-le-Rocheux 21 ... 138 B 3
Saint-Germain-le-Vasson 14 ... 53 G 1
Saint-Germain-le-Vieux 61 ... 84 A 2
Saint-Germain-Lembron 63 ... 228 A 4
Saint-Germain-lès-Arlay 39 ... 179 E 4
Saint-Germain-lès-Arpajon 91 ... 87 G 2
Saint-Germain-les-Belles 87 ... 224 B 2
Saint-Germain-lès-Buxy 71 ... 177 G 5
Saint-Germain-lès-Corbeil 91 ... 88 A 2
Saint-Germain-les-Paroisses 01 ... 214 C 5
Saint-Germain-lès-Senailly 21 ... 137 G 5
Saint-Germain-les-Vergnes 19 ... 242 C 1
Saint-Germain-Lespinasse 42 ... 211 F 2
Saint-Germain-l'Herm 63 ... 228 C 4
Saint-Germain-près-Herment 63 ... 226 D 1
Saint-Germain-sous-Cailly 76 ... 20 C 5
Saint-Germain-sous-Doue 77 ... 60 A 3
Saint-Germain-sur-Avre 27 ... 56 C 4
Saint-Germain-sur-Ay-Plage 50 ... 31 F 3
Saint-Germain-sur-Bresle 80 ... 21 F 2
Saint-Germain-sur-Eaulne 76 ... 21 E 3
Saint-Germain-sur-École 77 ... 88 A 3
Saint-Germain-sur-Ille 35 ... 80 B 5
Saint-Germain-Nuelles 69 ... 212 C 4
Saint-Germain-sur-Meuse 55 ... 93 H 1
Saint-Germain-sur-Moine 49 ... 148 B 5
Saint-Germain-sur-Morin 77 ... 59 G 3
Saint-Germain-sur-Renon 01 ... 213 G 2
Saint-Germain-sur-Rhône 74 ... 215 E 2
Saint-Germain-sur-Sarthe 72 ... 83 G 5
Saint-Germain-sur-Sèves 50 ... 31 H 3
Saint-Germain-sur-Vienne 37 ... 150 D 4
Saint-Germain-Village 27 ... 35 E 3
Saint-Germainmont 08 ... 41 H 1
Saint-Germé 32 ... 294 D 3
Saint-Germer-de-Fly 60 ... 37 G 2
Saint-Germier 31 ... 318 C 2
Saint-Germier 32 ... 297 E 4
Saint-Germier 79 ... 185 G 3
Saint-Germier 81 ... 299 G 4
Saint-Géron 43 ... 228 A 5
Saint-Gérons 15 ... 243 H 5
Saint-Gervais 16 ... 203 G 3
Saint-Gervais 30 ... 284 D 3
Saint-Gervais 33 ... 237 H 3
Saint-Gervais 38 ... 250 B 1
Saint-Gervais 85 ... 164 D 2
Saint-Gervais 95 ... 37 G 5
Saint-Gervais-d'Auvergne 63 ... 209 E 3
Saint-Gervais-de-Vic 72 ... 131 E 2
Saint-Gervais-des-Sablons 61 ... 54 B 2
Saint-Gervais-du-Perron 61 ... 83 H 2
Saint-Gervais-en-Belin 72 ... 130 A 2
Saint-Gervais-en-Vallière 71 ... 178 A 2
Saint-Gervais-la-Forêt 41 ... 132 A 5
Saint-Gervais-les-Bains 74 ... 216 D 3
Saint-Gervais-les-Trois-Clochers 86 ... 169 F 3
Saint-Gervais-sous-Meymont 63 ... 228 D 1
Saint-Gervais-sur-Couches 71 ... 177 F 2
Saint-Gervais-sur-Mare 34 ... 301 E 4
Saint-Gervais-sur-Roubion 26 ... 267 F 3
Saint-Gervasy 30 ... 304 A 1
Saint-Gervazy 63 ... 228 A 4
Saint-Géry 24 ... 239 G 4
Saint-Géry 46 ... 260 C 5
Saint-Géry *Château de* 81 ... 298 C 2
Saint-Geyrac 24 ... 241 E 3
Saint-Gibrien 51 ... 62 A 2
Saint-Gildas 22 ... 77 H 3
Saint-Gildas *Pointe de* 44 ... 146 B 4
Saint-Gildas-de-Rhuys 56 ... 124 B 5
Saint-Gildas-des-Bois 44 ... 125 H 5
Saint-Gilles 30 ... 304 A 4
Saint-Gilles 35 ... 104 A 2
Saint-Gilles 36 ... 188 C 3
Saint-Gilles 50 ... 32 A 5
Saint-Gilles 51 ... 40 D 3
Saint-Gilles 71 ... 177 F 3
Saint-Gilles-Croix-de-Vie 85 ... 164 D 4
Saint-Gilles-de-Crétot 76 ... 19 F 5
Saint-Gilles-de-la-Neuville 76 ... 19 E 5
Saint-Gilles-des-Marais 61 ... 82 A 2
Saint-Gilles-du-Mené 22 ... 102 C 1
Saint-Gilles-les-Bois 22 ... 73 F 4
Saint-Gilles-les-Forêts 87 ... 224 C 2
Saint-Gilles-Pligeaux 22 ... 77 H 3
Saint-Gilles-Vieux-Marché 22 ... 77 H 5
Saint-Gineis-en-Coiron 07 ... 266 C 3
Saint-Gingolph 74 ... 198 D 3
Saint-Girod 73 ... 215 F 5
Saint-Girons 09 ... 335 F 2
Saint-Girons-d'Aiguevives 33 ... 237 G 2
Saint-Girons-en-Béarn 64 ... 293 F 5
Saint-Girons-Plage 40 ... 272 A 5
Saint-Gladie-Arrive-Munein 64 ... 311 H 4
Saint-Glen 22 ... 78 D 5
Saint-Goazec 29 ... 76 B 5
Saint-Gobain 02 ... 24 B 5
Saint-Gobert 02 ... 25 E 3
Saint-Goin 64 ... 313 G 4
Saint-Gondon 45 ... 134 B 4
Saint-Gondran 35 ... 80 A 5
Saint-Gonéry *Chapelle* 22 ... 73 E 2
Saint-Gonlay 35 ... 103 G 3
Saint-Gonnery 56 ... 102 A 2
Saint-Gor 40 ... 274 B 4
Saint-Gorgon 56 ... 125 F 4
Saint-Gorgon 88 ... 95 H 4
Saint-Gorgon-Main 25 ... 180 C 1
Saint-Gouéno 22 ... 102 C 1
Saint-Gourgon 41 ... 131 G 4
Saint-Gourson 16 ... 203 G 3
Saint-Goussaud 23 ... 206 C 2
Saint-Gratien 80 ... 22 C 1
Saint-Gratien 95 ... 58 B 2
Saint-Gratien-Savigny 58 ... 175 G 3
Saint-Gravé 56 ... 125 F 3
Saint-Grégoire 35 ... 104 B 2
Saint-Grégoire 81 ... 299 G 1
Saint-Grégoire-d'Ardennes 17 ... 219 H 3
Saint-Grégoire-du-Vièvre 27 ... 35 F 4
Saint-Griède 32 ... 294 D 3
Saint-Groux 16 ... 203 F 4
Saint-Guen 22 ... 102 A 1
Saint-Guénolé 29 ... 99 F 5
Saint-Guilhem-le-Désert 34 ... 302 B 3
Saint-Guillaume 38 ... 250 C 4
Saint-Guinoux 35 ... 80 A 2
Saint-Guiraud 34 ... 302 A 4
Saint-Guyomard 56 ... 124 D 2
Saint-Haon 43 ... 265 E 1
Saint-Haon-le-Châtel 42 ... 211 F 2
Saint-Haon-le-Vieux 42 ... 211 F 2
Saint-Héand 42 ... 230 B 3
Saint-Hélen 22 ... 79 H 4
Saint-Hélier 21 ... 159 F 2
Saint-Hellier 76 ... 20 B 3
Saint-Herblain 44 ... 147 F 4
Saint-Herblon 44 ... 148 C 2
Saint-Herbot 29 ... 76 B 3
Saint-Hérent 63 ... 227 H 4
Saint-Hernin 29 ... 76 C 5
Saint-Hervé 22 ... 78 A 5
Saint-Hilaire 03 ... 191 G 2
Saint-Hilaire 11 ... 337 H 1
Saint-Hilaire 16 ... 220 C 4
Saint-Hilaire 25 ... 162 B 2
Saint-Hilaire 31 ... 317 G 3
Saint-Hilaire 38 ... 233 F 5
Saint-Hilaire 43 ... 228 B 5
Saint-Hilaire 46 ... 261 G 2
Saint-Hilaire 63 ... 208 D 2
Saint-Hilaire 91 ... 87 F 4
Saint-Hilaire-au-Temple 51 ... 62 B 1
Saint-Hilaire-Bonneval 87 ... 223 H 1
Saint-Hilaire-Cottes 62 ... 7 G 3
Saint-Hilaire-Cusson-la-Valmitte 42 ... 229 G 5
Saint-Hilaire-de-Beauvoir 34 ... 303 E 3
Saint-Hilaire-de-Brens 38 ... 232 A 1
Saint-Hilaire-de-Brethmas 30 ... 283 H 4
Saint-Hilaire-de-Briouze 61 ... 53 G 4
Saint-Hilaire-de-Chaléons 44 ... 147 E 5
Saint-Hilaire-de-Clisson 44 ... 166 A 1
Saint-Hilaire-de-Court 18 ... 154 B 5
Saint-Hilaire-de-Gondilly 18 ... 174 A 1
Saint-Hilaire-de-la-Côte 38 ... 232 A 4
Saint-Hilaire-de-la-Noaille 33 ... 256 D 3
Saint-Hilaire-de-Lavit 48 ... 283 F 2
Saint-Hilaire-de-Loulay 85 ... 166 A 1
Saint-Hilaire-de-Lusignan 47 ... 275 H 3
Saint-Hilaire-de-Riez 85 ... 164 D 4
Saint-Hilaire-de-Villefranche 17 ... 201 G 4
Saint-Hilaire-de-Voust 85 ... 184 C 1
Saint-Hilaire-des-Landes 35 ... 80 D 4
Saint-Hilaire-des-Loges 85 ... 184 C 2
Saint-Hilaire-d'Estissac 24 ... 239 H 4
Saint-Hilaire-d'Ozilhan 30 ... 284 D 5
Saint-Hilaire-du-Bois 17 ... 219 H 4
Saint-Hilaire-du-Bois 33 ... 256 D 2
Saint-Hilaire-du-Bois 49 ... 149 G 5
Saint-Hilaire-du-Bois 85 ... 166 D 5
Saint-Hilaire-du-Harcouët 50 ... 81 F 2
Saint-Hilaire-du-Maine 53 ... 105 G 2
Saint-Hilaire-du-Rosier 38 ... 250 A 2
Saint-Hilaire-en-Lignières 18 ... 172 D 5
Saint-Hilaire-en-Morvan 58 ... 176 A 1
Saint-Hilaire-en-Woëvre 55 ... 64 D 1
Saint-Hilaire-Foissac 19 ... 225 G 5
Saint-Hilaire-Fontaine 58 ... 175 G 4
Saint-Hilaire-la-Croix 63 ... 209 G 2
Saint-Hilaire-la-Forêt 85 ... 182 C 2
Saint-Hilaire-la-Gérard 61 ... 83 G 2
Saint-Hilaire-la-Gravelle 41 ... 109 G 5
Saint-Hilaire-la-Palud 79 ... 184 B 5
Saint-Hilaire-la-Plaine 23 ... 207 F 2
Saint-Hilaire-la-Treille 87 ... 188 B 5
Saint-Hilaire-le-Château 23 ... 207 E 3
Saint-Hilaire-le-Châtel 61 ... 84 B 2
Saint-Hilaire-le-Grand 51 ... 42 B 4
Saint-Hilaire-le-Lierru 72 ... 108 B 3
Saint-Hilaire-le-Petit 51 ... 42 B 3
Saint-Hilaire-le-Vouhis 85 ... 166 B 5
Saint-Hilaire-les-Andrésis 45 ... 113 E 4
Saint-Hilaire-les-Courbes 19 ... 225 E 2
Saint-Hilaire-les-Monges 63 ... 208 D 5
Saint-Hilaire-les-Places 87 ... 223 G 2
Saint-Hilaire-lez-Cambrai 59 ... 14 C 3
Saint-Hilaire-Luc 19 ... 225 H 5
Saint-Hilaire-Petitville 50 ... 32 A 3
Saint-Hilaire-Peyroux 19 ... 242 C 2
Saint-Hilaire-Saint-Florent 49 ... 150 B 4
Saint-Hilaire-Saint-Mesmin 45 ... 133 E 2
Saint-Hilaire-sous-Charlieu 42 ... 211 H 1
Saint-Hilaire-sous-Romilly 10 ... 90 B 3
Saint-Hilaire-sur-Benaize 36 ... 187 H 2
Saint-Hilaire-sur-Erre 61 ... 84 D 5
Saint-Hilaire-sur-Helpe 59 ... 15 G 4
Saint-Hilaire-sur-Puiseaux 45 ... 134 C 2
Saint-Hilaire-sur-Risle 61 ... 55 E 4
Saint-Hilaire-sur-Yerre 28 ... 109 H 4
Saint-Hilaire-Taurieux 19 ... 243 E 3
Saint-Hilarion 78 ... 86 C 2
Saint-Hilliers 77 ... 89 G 2
Saint-Hippolyte 12 ... 262 D 2
Saint-Hippolyte 15 ... 245 E 2
Saint-Hippolyte 17 ... 201 E 3
Saint-Hippolyte 25 ... 163 G 2
Saint-Hippolyte 33 ... 238 C 5
Saint-Hippolyte 37 ... 170 C 1
Saint-Hippolyte 63 ... 209 G 4
Saint-Hippolyte 66 ... 339 E 5
Saint-Hippolyte 68 ... 97 E 5
Saint-Hippolyte-de-Caton 30 ... 284 A 4
Saint-Hippolyte-de-Montaigu 30 ... 284 C 5
Saint-Hippolyte-du-Fort 30 ... 283 F 5
Saint-Hippolyte-le-Graveyron 84 ... 285 H 3
Saint-Honorat *Île* 06 ... 309 F 5
Saint-Honoré 38 ... 251 E 4
Saint-Honoré 76 ... 20 B 3
Saint-Honoré-les-Bains 58 ... 175 H 3
Saint-Hostien 43 ... 247 G 3
Saint-Hubert 57 ... 46 B 4
Saint-Hubert 78 ... 57 G 5
Saint-Huruge 71 ... 194 C 1
Saint-Hymer 14 ... 34 C 4
Saint-Hymetière 39 ... 196 C 3
Saint-Igeaux 22 ... 77 G 4
Saint-Igest 12 ... 261 G 5
Saint-Ignan 31 ... 316 B 5
Saint-Ignat 63 ... 210 A 4
Saint-Igneuc 22 ... 79 E 4
Saint-Igny-de-Roche 71 ... 212 A 1
Saint-Igny-de-Vers 69 ... 194 B 5
Saint-Illide 15 ... 244 B 3
Saint-Illiers-la-Ville 78 ... 57 E 2
Saint-Illiers-le-Bois 78 ... 57 E 2
Saint-Ilpize 43 ... 246 B 2
Saint-Imoges 51 ... 41 G 5
Saint-Inglevert 62 ... 2 C 4
Saint-Isidore 06 ... 309 G 2
Saint-Isle 53 ... 105 H 3
Saint-Ismier 38 ... 251 E 1
Saint-Izaire 12 ... 281 E 5
Saint-Jacques 04 ... 288 B 5
Saint-Jacques 06 ... 309 E 3
Saint-Jacques-d'Aliermont 76 ... 20 C 2
Saint-Jacques-d'Ambur 63 ... 209 E 4
Saint-Jacques-d'Atticieux 07 ... 230 D 5
Saint-Jacques-de-la-Lande 35 ... 104 B 3
Saint-Jacques-de-Néhou 50 ... 29 E 5
Saint-Jacques-de-Thouars 79 ... 168 A 2
Saint-Jacques-des-Arrêts 69 ... 194 C 5
Saint-Jacques-des-Blats 15 ... 245 E 3
Saint-Jacques-des-Guérets 41 ... 131 E 3
Saint-Jacques-en-Valgodemard 05 ... 269 G 1
Saint-Jacques-sur-Darnétal 76 ... 36 C 2
Saint-Jacut-de-la-Mer 22 ... 50 A 5
Saint-Jacut-du-Mené 22 ... 78 D 5
Saint-Jacut-les-Pins 56 ... 125 G 3
Saint-Jal 19 ... 224 C 5
Saint-James 50 ... 81 E 2
Saint-Jammes 64 ... 314 C 3
Saint-Jans-Cappel 59 ... 4 A 5
Saint-Jean 06 ... 309 E 4
Saint-Jean 31 ... 298 A 4
Saint-Jean *Chapelle* 27 ... 36 D 2
Saint-Jean *Chapelle* 29 ... 75 F 2
Saint-Jean *Col* 04 ... 270 B 5
Saint Jean *Église* 2B ... 347 E 4
Saint-Jean-aux-Amognes 58 ... 174 D 2
Saint-Jean-aux-Bois 08 ... 26 A 3
Saint-Jean-aux-Bois 60 ... 39 G 3
Saint-Jean-Balanant 29 ... 70 D 5
Saint-Jean-Baptiste *Chapelle de* 2A ... 349 E 5
Saint-Jean-Bonnefonds 42 ... 230 B 4
Saint-Jean-Brévelay 56 ... 102 B 5
Saint-Jean-Cap-Ferrat 06 ... 309 H 2
Saint-Jean-Chambre 07 ... 248 C 5
Saint-Jean-d'Abbetot 76 ... 35 E 1
Saint-Jean-d'Aigues-Vives 09 ... 336 D 3
Saint-Jean-d'Alcapiès 12 ... 301 E 1
Saint-Jean-d'Angély 17 ... 201 H 3
Saint-Jean-d'Angle 17 ... 200 D 4
Saint-Jean-d'Ardières 69 ... 212 D 1
Saint-Jean-d'Arves 73 ... 252 A 1
Saint-Jean-d'Arvey 73 ... 233 F 2
Saint-Jean-d'Assé 72 ... 107 G 3
Saint-Jean-d'Ataux 24 ... 239 H 2
Saint-Jean-d'Aubrigoux 43 ... 229 E 5
Saint-Jean-d'Aulps 74 ... 198 C 4
Saint-Jean-d'Avelanne 38 ... 232 D 3
Saint-Jean-de-Barrou 11 ... 338 D 3
Saint-Jean-de-Bassel 57 ... 67 G 4
Saint-Jean-de-Beauregard 91 ... 58 A 5
Saint-Jean-de-Belleville 73 ... 234 B 3
Saint-Jean-de-Beugné 85 ... 183 G 2
Saint-Jean-de-Blaignac 33 ... 256 C 1
Saint-Jean-de-Bœuf 21 ... 159 G 4
Saint-Jean-de-Boiseau 44 ... 147 F 4
Saint-Jean-de-Bonneval 10 ... 114 D 3
Saint-Jean-de-Bournay 38 ... 231 H 3
Saint-Jean-de-Braye 45 ... 133 F 2
Saint-Jean-de-Buèges 34 ... 302 B 2
Saint-Jean-de-Ceyrargues 30 ... 284 A 4
Saint-Jean-de-Chevelu 73 ... 233 E 1
Saint-Jean-de-Côle 24 ... 222 D 4
Saint-Jean-de-Corcoué 44 ... 165 G 1
Saint-Jean-de-Cornies 34 ... 303 E 3
Saint-Jean-de-Couz 73 ... 233 E 3
Saint-Jean-de-Crieulon 30 ... 283 G 5
Saint-Jean-de-Cuculles 34 ... 302 D 3
Saint-Jean-de-Daye 50 ... 32 A 3
Saint-Jean-de-Duras 47 ... 257 G 2
Saint-Jean-de-Folleville 76 ... 35 E 1
Saint-Jean-de-Fos 34 ... 302 B 3
Saint-Jean-de-Gonville 01 ... 197 F 5
Saint-Jean-de-la-Blaquière 34 ... 301 H 3
Saint-Jean-de-la-Croix 49 ... 149 G 2

Saint-Jean-de-la-Forêt *61*......84 C 4
Saint-Jean-de-la-Haize *50*.......51 H 4
Saint-Jean-de-la-Léqueraye *27*.............35 F 4
Saint-Jean-de-la-Motte *72*...129 H 3
Saint-Jean-de-la-Neuville *76*..19 E 5
Saint-Jean-de-la-Porte *73*...233 G 2
Saint-Jean-de-la-Rivière *50*....31 E 2
Saint-Jean-de-la-Ruelle *45*..133 E 2
Saint-Jean-de-Laur *46*.........261 E 5
Saint-Jean-de-Lier *40*..........293 F 2
Saint-Jean-de-Linières *49*....149 F 1
Saint-Jean-de-Liversay *17*..183 H 4
Saint-Jean-de-Livet *14*...........34 C 5
Saint-Jean-de-Losne *21*........160 C 5
Saint-Jean-de-Luz *64*.........310 B 3
Saint-Jean-de-Marcel *81*......279 H 5
Saint-Jean-de-Marsacq *40*..292 C 4
Saint-Jean-de-Maruéjols-et-Avéjan *30*.....................284 A 2
Saint-Jean-de-Maurienne *73*.............234 A 5
Saint-Jean-de-Minervois *34*...............320 D 3
Saint-Jean-de-Moirans *38*...232 C 5
Saint-Jean-de-Monts *85*......164 C 3
Saint-Jean-de-Muzols *07*.....249 E 3
Saint-Jean-de-Nay *43*.........246 D 3
Saint-Jean-de-Niost *01*.........213 H 4
Saint-Jean-de-Paracol *11*....337 F 3
Saint-Jean-de-Pourcharesse *07*........265 H 5
Saint-Jean-de-Rebervilliers *28*..............85 H 2
Saint-Jean-de-Rives *81*........298 C 3
Saint-Jean-de-Sauves *86*.....168 D 3
Saint-Jean-de-Savigny *50*.......32 B 4
Saint-Jean-de-Serres *30*......283 H 5
Saint-Jean-de-Sixt *74*...........216 A 3
Saint-Jean-de-Soudain *38*...232 B 2
Saint-Jean-de-Tholome *74*..216 A 1
Saint-Jean-de-Thouars *79*....168 A 2
Saint-Jean-de-Thurac *47*......276 C 3
Saint-Jean-de-Thurigneux *01*.............213 E 3
Saint-Jean-de-Touslas *69*.....230 D 2
Saint-Jean-de-Trézy *71*.......177 F 3
Saint-Jean-de-Valériscle *30*..............283 H 2
Saint-Jean-de-Vals *81*.........299 G 4
Saint-Jean-de-Vaulx *38*.......251 E 3
Saint-Jean-de-Vaux *71*.......177 G 4
Saint-Jean-de-Védas *34*.......302 D 5
Saint-Jean-de-Verges *09*......336 B 2
Saint-Jean-Delnous *12*........280 C 5
Saint-Jean-des-Baisants *50*...32 C 5
Saint-Jean-des-Bois *61*............52 D 4
Saint-Jean-des-Champs *50*....51 G 3
Saint-Jean-des-Échelles *72*...............108 D 3
Saint-Jean-des-Essartiers *14*...............52 D 1
Saint-Jean-des-Mauvrets *49*.............149 H 2
Saint-Jean-des-Ollières *63*..228 B 2
Saint-Jean-des-Vignes *69*...212 D 4
Saint-Jean-d'Estissac *24*......239 H 4
Saint-Jean-d'Étreux *39*........196 A 3
Saint-Jean-devant-Possesse *51*...........63 E 3
Saint-Jean-d'Eyraud *24*.........239 H 4
Saint-Jean-d'Hérans *38*........251 E 5
Saint-Jean-d'Heurs *63*........210 B 5
Saint-Jean-d'Illac *33*...........255 E 1
Saint-Jean-d'Ormont *88*..........96 B 4
Saint-Jean-du-Bois *72*.........129 G 2
Saint-Jean-du-Bouzet *82*......276 D 5
Saint-Jean-du-Bruel *12*.........282 B 5
Saint-Jean-du-Cardonnay *76*.36 A 1
Saint-Jean-du-Castillonnais *09*.........334 D 3
Saint-Jean-du-Corail *50*...........52 C 5
Saint-Jean-du-Corail-des-Bois *50*.........................52 A 4
Saint-Jean-du-Doigt *29*..........72 A 3
Saint-Jean-du-Falga *09*.........336 B 1
Saint-Jean-du-Gard *30*........283 F 4
Saint-Jean-du-Marché *88*......119 H 2
Saint-Jean-du-Pin *30*............283 G 4
Saint-Jean-du-Thenney *27*......55 E 1
Saint-Jean-en-Royans *26*......250 A 3
Saint-Jean-en-Val *63*...........228 B 3
Saint-Jean-et-Saint-Paul *12*..............301 E 1
Saint-Jean-Froidmentel *41*..109 H 5
Saint-Jean-Kerdaniel *22*..........73 F 5
Saint-Jean-Kourtzerode *57*....67 H 4
Saint-Jean-la-Bussière *69*...212 A 3
Saint-Jean-la-Fouillouse *48*.264 D 2
Saint-Jean-la-Poterie *56*......125 G 4
Saint-Jean-la-Rivière *06*......291 E 4
Saint-Jean-la-Vêtre *42*........211 E 5
Saint-Jean-Lachalm *43*.........247 E 4
Saint-Jean-Lagineste *46*.....261 E 1
Saint-Jean-Lasseille *66*.......343 E 3
Saint-Jean-le-Blanc *14*...........53 E 2
Saint-Jean-le-Blanc *45*.........133 F 2
Saint-Jean-le-Centenier *07*.266 C 3
Saint-Jean-le-Comtal *32*......296 A 5
Saint-Jean-le-Priche *71*.......195 E 4
Saint-Jean-le-Thomas *50*.......51 F 4
Saint-Jean-le-Vieux *01*.........214 A 2
Saint-Jean-le-Vieux *38*........251 F 1
Saint-Jean-le-Vieux *64*.........330 C 1
Saint-Jean-lès-Buzy *55*..........44 D 5
Saint-Jean-les-Deux-Jumeaux *77*.........59 H 2
Saint-Jean-lès-Longuyon *54*..44 B 2
Saint-Jean-Lespinasse *46*...261 E 1
Saint-Jean-Lherm *31*...........298 B 3
Saint-Jean-Ligoure *87*.........223 H 1
Saint-Jean-Mirabel *46*..........261 G 3
Saint-Jean-Pied-de-Port *64*.330 C 1
Saint-Jean-Pierre-Fixte *28*.....85 E 5
Saint-Jean-Pla-de-Corts *66*...............343 E 4
Saint-Jean-Pougde *64*..........294 C 5
Saint-Jean-Poutge *32*..........295 H 3
Saint-Jean-Rohrbach *57*.........67 F 1
Saint-Jean-Roure *07*...........248 B 4
Saint-Jean-Saint-Germain *37*............170 C 1
Saint-Jean-Saint-Gervais *63*.............228 B 4
Saint-Jean-Saint-Maurice-sur-Loire *42*.....................211 G 3
Saint-Jean-Saint-Nicolas *05*..............270 A 2
Saint-Jean-Saverne *67*...........68 B 4
Saint-Jean-Soleymieux *42*..229 G 3
Saint-Jean-sur-Couesnon *35*................80 D 5
Saint-Jean-sur-Erve *53*........106 C 4
Saint-Jean-sur-Mayenne *53* 106 A 3
Saint-Jean-sur-Moivre *51*.......62 C 2
Saint-Jean-sur-Reyssouze *01*...........195 G 3
Saint-Jean-sur-Tourbe *51*.......42 D 5
Saint-Jean-sur-Veyle *01*......195 F 5
Saint-Jean-sur-Vilaine *35*....104 D 3
Saint-Jean-Trolimon *29*...........99 F 4
Saint-Jeannet *04*..................287 H 5
Saint-Jeannet *06*..................309 F 2
Saint-Jeanvrin *18*................190 A 1
Saint-Jeoire *74*...................216 B 1
Saint-Jeoire-Prieuré *73*.......233 F 2
Saint-Jeure-d'Andaure *07*....248 B 3
Saint-Jeure-d'Ay *07*............248 D 2
Saint-Jeures *43*...................247 H 3
Saint-Joachim *44*..................146 B 2
Saint-Jodard *42*....................211 H 4
Saint-Joire *55*.........................93 F 2
Saint-Jores *50*........................31 G 3
Saint-Jorioz *74*....................215 G 4
Saint-Jory *31*........................297 H 3
Saint-Jory-de-Chalais *24*......222 D 3
Saint-Jory-las-Bloux *24*.......223 E 5
Saint-Joseph *42*....................230 D 3
Saint-Joseph *50*......................29 F 4
Saint-Joseph-de-Rivière *38*.232 D 4
Saint-Joseph-des-Bancs *07*...............266 B 2
Saint-Josse *62*..........................6 B 4
Saint-Jouan-de-l'Isle *22*.......103 F 1
Saint-Jouan-des-Guérets *35*..................50 C 5
Saint-Jouin *14*........................34 B 4
Saint-Jouin-Bruneval *76*.........18 C 4
Saint-Jouin-de-Blavou *61*......84 B 4
Saint-Jouin-de-Marnes *79*...168 B 3
Saint-Jouin-de-Milly *79*.......167 F 4
Saint-Jouvent *87*..................205 G 3
Saint-Juan *25*.......................162 C 3
Saint-Judoce *22*......................79 H 5
Saint-Juéry *12*.....................300 C 1
Saint-Juéry *48*.....................263 H 1
Saint-Juéry *81*.....................299 G 1
Saint-Juire-Champgillon *85*.183 G 1
Saint-Julia *31*.......................318 D 2
Saint-Julia-de-Bec *11*..........337 G 4
Saint-Julien *21*.....................160 B 2
Saint-Julien *22*.......................78 B 3
Saint-Julien *34*.....................301 E 5
Saint-Julien *39*.....................196 B 3
Saint-Julien *56*.....................123 H 5
Saint-Julien *69*.....................212 D 2
Saint-Julien *70*.....................140 B 3
Saint-Julien *88*.....................118 B 4
Saint-Julien-aux-Bois *19*.....243 G 3
Saint-Julien-Beychevelle *33*................237 F 2
Saint-Julien-Boutières *07*....248 B 4
Saint-Julien-Chapteuil *43*....247 G 4
Saint-Julien-d'Ance *43*........247 F 1
Saint-Julien-d'Armagnac *40*................274 C 5
Saint-Julien-d'Arpaon *48*.....282 D 2
Saint-Julien-d'Asse *04*.........287 H 5
Saint-Julien-de-Bourdeilles *24*............222 B 5
Saint-Julien-de-Briola *11*.....319 E 5
Saint-Julien-de-Cassagnas *30*............284 A 3
Saint-Julien-de-Chédon *41*..152 D 3
Saint-Julien-de-Civry *71*......193 H 4
Saint-Julien-de-Concelles *44*..............148 A 3
Saint-Julien-de-Coppel *63*...228 A 1
Saint-Julien-de-Crempse *24*...............239 H 4
Saint-Julien-de-Gras-Capou *09*..........336 D 2
Saint-Julien-de-Jonzy *71*.....193 H 5
Saint-Julien-de-Jordanne *15*...............244 D 3
Saint-Julien-de-la-Liègue *27*..36 C 5
Saint-Julien-de-la-Nef *30*.....283 E 5
Saint-Julien-de-Lampon *24*.259 H 1
Saint-Julien-de-l'Escap *17*...201 H 3
Saint-Julien-de-l'Herms *38*..231 G 4
Saint-Julien-de-Mailloc *14*......34 D 5
Saint-Julien-de-Peyrolas *30*..............284 D 2
Saint-Julien-de-Raz *38*.......232 D 5
Saint-Julien-de-Toursac *15*..261 H 2
Saint-Julien-de-Vouvantes *44*.............127 F 4
Saint-Julien-des-Chazes *43*................246 D 3
Saint-Julien-des-Landes *85*.165 F 5
Saint-Julien-des-Points *48*..283 G 2
Saint-Julien-d'Eymet *24*.......257 H 2
Saint-Julien-d'Oddes *42*......211 G 4
Saint-Julien-du-Gua *07*.......266 B 1
Saint-Julien-du-Pinet *43*.....247 G 2
Saint-Julien-du-Puy *81*........299 F 3
Saint-Julien-du-Sault *89*.......113 G 4
Saint-Julien-du-Serre *07*.....266 B 3
Saint-Julien-du-Terroux *53*.....82 C 3
Saint-Julien-du-Tournel *48*..264 D 5
Saint-Julien-du-Verdon *04*...288 D 5
Saint-Julien-en-Beauchêne *05*...........269 E 3
Saint-Julien-en-Born *40*.......272 B 4
Saint-Julien-en-Champsaur *05*..........269 H 2
Saint-Julien-en-Genevois *74*..............215 G 1
Saint-Julien-en-Jarez *42*.....230 C 4
Saint-Julien-en-Quint *26*......250 A 5
Saint-Julien-en-Saint-Alban *07*..........266 D 2
Saint-Julien-en-Vercors *26*..250 B 3
Saint-Julien-Gaulène *81*......280 B 5
Saint-Julien-la-Geneste *63*..208 D 2
Saint-Julien-la-Genête *23*....208 C 1
Saint-Julien-la-Vêtre *42*.......211 E 5
Saint-Julien-Labrousse *07*...248 C 5
Saint-Julien-l'Ars *86*...........186 D 2
Saint-Julien-le-Châtel *23*.....207 H 2
Saint-Julien-le-Faucon *14*.......54 B 1
Saint-Julien-le-Montagnier *83*.............307 E 3
Saint-Julien-le-Pèlerin *19*....243 G 4
Saint-Julien-le-Petit *87*........206 D 5
Saint-Julien-le-Roux *07*........248 D 5
Saint-Julien-le-Vendômois *19*............223 H 4
Saint-Julien-lès-Gorze *54*.......65 F 2
Saint-Julien-lès-Metz *57*.........45 H 5
Saint-Julien-lès-Montbéliard *25*..........142 B 4
Saint-Julien-les-Rosiers *30*.283 H 3
Saint-Julien-lès-Russey *25*..163 F 4
Saint-Julien-les-Villas *10*........91 E 5
Saint-Julien-Maumont *19*....242 D 4
Saint-Julien-Molhesabate *43*..............248 B 2
Saint-Julien-Molin-Molette *42*............230 D 5
Saint-Julien-Mont-Denis *73*.234 B 5
Saint-Julien-près-Bort *19*.....226 B 4
Saint-Julien-Puy-Lavèze *63*................226 D 2
Saint-Julien-sous-les-Côtes *55*..............64 D 4
Saint-Julien-sur-Bibost *69*...212 C 5
Saint-Julien-sur-Calonne *14*...34 C 3
Saint-Julien-sur-Cher *41*.....153 H 4
Saint-Julien-sur-Dheune *71*.177 F 4
Saint-Julien-sur-Garonne *31*...............317 F 5
Saint-Julien-sur-Reyssouze *01*...........195 G 3
Saint-Julien-sur-Sarthe *61*......84 A 3
Saint-Julien-sur-Veyle *01*....195 F 5
Saint-Julien-Vocance *07*......248 C 2
Saint-Junien *87*...................205 E 4
Saint-Junien-la-Bregère *23*..................206 D 4
Saint-Junien-les-Combes *87*................205 F 2
Saint-Jure *57*.........................65 H 3
Saint-Jurs *04*......................307 G 1
Saint-Just *01*.......................195 H 5
Saint-Just *15*.......................246 A 5
Saint-Just *18*.......................173 F 2
Saint-Just *24*.......................221 H 5
Saint-Just *27*.........................36 D 5
Saint-Just *34*.......................303 F 4
Saint-Just *35*.......................126 A 2
Saint-Just *63*.......................229 E 4
Saint-Just-Chaleyssin *38*......231 G 2
Saint-Just-d'Ardèche *07*......284 D 2
Saint-Just-d'Avray *69*.........212 B 3
Saint-Just-de-Bélengard *11*............337 E 1
Saint-Just-de-Claix *38*........250 A 3
Saint-Just-en-Bas *42*..........229 F 1
Saint-Just-en-Brie *77*............89 E 2
Saint-Just-en-Chaussée *60*....38 C 1
Saint-Just-en-Chevalet *42*...211 E 4
Saint-Just-et-le-Bézu *11*.......337 G 4
Saint-Just-et-Vacquières *30*.............284 A 4
Saint-Just-Ibarre *64*............330 D 1
Saint-Just-la-Pendue *42*.......212 A 4
Saint-Just-le-Martel *87*........205 H 4
Saint-Just-Luzac *17*.............200 D 5
Saint-Just-Malmont *43*........230 A 5
Saint-Just-près-Brioude *43*..246 B 1
Saint-Just-Saint-Rambert *42*.............230 A 3
Saint-Just-Sauvage *51*...........90 B 2
Saint-Just-sur-Dive *49*.........150 B 5
Saint-Just-sur-Viaur *12*.........280 B 4
Saint-Justin *32*....................315 F 2
Saint-Justin *40*....................274 B 5
Saint-Juvat *22*.......................79 G 5
Saint-Juvin *08*........................43 F 3
Saint-Lactencin *36*...............171 F 3
Saint-Lager *69*.....................212 D 1
Saint-Lager-Bressac *07*........267 E 2
Saint-Lamain *39*..................179 F 4
Saint-Lambert *14*....................53 F 2
Saint-Lambert *78*....................57 H 5
Saint-Lambert-des-Levées *49*................150 B 3
Saint-Lambert-du-Lattay *49*..................149 F 3
Saint-Lambert-et-Mont-de-Jeux *08*............42 C 1
Saint-Lambert-la-Potherie *49*..................149 F 1
Saint-Lambert-sur-Dive *61*.....54 B 3
Saint-Langis-lès-Mortagne *61*...................84 B 3
Saint-Lanne *65*....................294 D 4
Saint-Laon *86*.......................168 C 2
Saint-Lary *09*.......................334 D 3
Saint-Lary *32*.......................296 A 3
Saint-Lary-Boujean *31*.........316 C 5
Saint-Lary-Soulan *65*...........333 G 4
Saint-Lattier *38*....................249 H 3
Saint-Launeuc *22*..................103 E 1
Saint-Laure *63*.....................210 A 4
Saint-Laurent *08*.....................26 D 3
Saint-Laurent *18*...................154 D 4
Saint-Laurent *22*.....................73 E 4
Saint-Laurent *23*...................207 F 1
Saint-Laurent *31*...................316 C 4
Saint-Laurent *47*...................275 G 2
Saint-Laurent *74*...................216 A 2
Saint-Laurent-Blangy *62*.........13 G 2
Saint-Laurent-Bretagne *64*.................314 C 3
Saint-Laurent-Chabreuges *43*...............246 B 1
Saint-Laurent-d'Agny *69*......230 D 2
Saint-Laurent-d'Aigouze *30*..................303 G 4
Saint-Laurent-d'Andenay *71*..................177 E 4
Saint-Laurent-d'Arce *33*......237 H 3
Saint-Laurent-de-Belzagot *16*................221 E 4
Saint-Laurent-de-Brèvedent *76*.................18 D 5
Saint-Laurent-de-Carnols *30*.................284 C 3
Saint-Laurent-de-Cerdans *66*................342 C 5
Saint-Laurent-de-Céris *16*...203 H 3
Saint-Laurent-de-Chamousset *69*.........230 B 1
Saint-Laurent-de-Cognac *16*.................219 H 1
Saint-Laurent-de-Condel *14*...53 G 1
Saint-Laurent-de-Cuves *50*....52 A 4
Saint-Laurent-de-Gosse *40*.292 C 5
Saint-Laurent-de-Jourdes *86*................186 D 3
Saint-Laurent-de-la-Barrière *17*.............201 F 2
Saint-Laurent-de-la-Cabrerisse *11*.........338 C 1
Saint-Laurent-de-la-Côte *73*..................234 B 3
Saint-Laurent-de-la-Mer *22*....73 H 5
Saint-Laurent-de-la-Plaine *49*...............149 E 3
Saint-Laurent-de-la-Prée *17*..................200 D 3
Saint-Laurent-de-la-Salanque *66*..........339 E 5
Saint-Laurent-de-la-Salle *85*..................183 H 1
Saint-Laurent-de-Lévézou *12*................281 G 3
Saint-Laurent-de-Lin *37*.......151 E 1
Saint-Laurent-de-Mure *69*....231 G 1
Saint-Laurent-de-Muret *48*..264 A 3
Saint-Laurent-de-Neste *65*..334 A 1
Saint-Laurent-de-Terregatte *50*.................81 E 2
Saint-Laurent-de-Trèves *48*...................282 D 2
Saint-Laurent-de-Vaux *69*....230 D 1
Saint-Laurent-de-Veyrès *48*...................263 H 2
Saint-Laurent-des-Arbres *30*.................285 E 4
Saint-Laurent-des-Autels *49*..................148 B 3
Saint-Laurent-des-Bâtons *24*.................240 C 4
Saint-Laurent-des-Bois *27*......56 C 3
Saint-Laurent-des-Bois *41*...132 B 2
Saint-Laurent-des-Combes *16*...............221 E 5
Saint-Laurent-des-Combes *33*...............238 C 5
Saint-Laurent-des-Hommes *24*.............239 F 3
Saint-Laurent-des-Mortiers *53*...............128 C 3
Saint-Laurent-des-Vignes *24*..................257 H 1
Saint-Laurent-d'Oingt *69*......212 C 3
Saint-Laurent-d'Olt *12*.........263 H 5
Saint-Laurent-d'Onay *26*......249 G 2
Saint-Laurent-du-Bois *33*....256 C 3
Saint-Laurent-du-Cros *05*.....269 H 2
Saint-Laurent-du-Mont *14*......34 B 5
Saint-Laurent-du-Mottay *49*..................148 D 2
Saint-Laurent-du-Pape *07*...267 E 1
Saint-Laurent-du-Plan *33*....256 C 3
Saint-Laurent-du-Pont *38*....232 D 4
Saint-Laurent-du-Tencement *27*................55 E 3
Saint-Laurent-du-Var *06*......309 G 3
Saint-Laurent-du-Verdon *04*..................307 F 3
Saint-Laurent-en-Beaumont *38*.............251 F 5
Saint-Laurent-en-Brionnais *71*.............194 A 5
Saint-Laurent-en-Caux *76*......19 H 3
Saint-Laurent-en-Gâtines *37*.............131 E 5
Saint-Laurent-en-Grandvaux *39*............197 E 1
Saint-Laurent-en-Royans *26*..................250 A 3
Saint-Laurent-la-Conche *42*..................229 H 1
Saint-Laurent-la-Gâtine *28*.....57 E 5
Saint-Laurent-la-Roche *39*..196 B 1
Saint-Laurent-la-Vallée *24*...259 F 2
Saint-Laurent-la-Vernède *30*..................284 C 4
Saint-Laurent-l'Abbaye *58*...156 B 3
Saint-Laurent-le-Minier *30*...302 B 1
Saint-Laurent-les-Bains *07*.....................265 G 3
Saint-Laurent-les-Églises *87*.................206 B 3
Saint-Laurent-les-Tours *46*..243 E 5
Saint-Laurent-Lolmie *46*.......277 G 2
Saint-Laurent-Médoc *33*.......237 E 2
Saint-Laurent-Nouan *41*.......132 C 4
Saint-Laurent-Rochefort *42*...................211 F 5
Saint-Laurent-sous-Coiron *07*..............266 C 3
Saint-Laurent-sur-Gorre *87*.205 E 5
Saint-Laurent-sur-Manoire *24*...............240 D 2
Saint-Laurent-sur-Mer *14*.......32 C 2
Saint-Laurent-sur-Othain *55*...44 C 3
Saint-Laurent-sur-Oust *56*...125 F 2
Saint-Laurent-sur-Saône *01*....................195 E 4
Saint-Laurent-sur-Sèvre *85*.166 D 2
Saint-Laurs *79*.....................184 C 2
Saint-Léger *06*.....................289 F 4
Saint-Léger *16*.....................221 E 4
Saint-Léger *17*.....................219 G 2
Saint-Léger *47*.....................275 G 2
Saint-Léger *50*.......................51 G 3
Saint-Léger *53*.....................106 C 3
Saint-Léger *62*.......................13 G 3
Saint-Léger *73*.....................234 A 3
Saint-Léger *77*.......................60 A 3
Saint-Léger *Pont de 06*.......289 F 4
Saint-Léger-aux-Bois *60*.........39 G 1
Saint-Léger-aux-Bois *76*.........21 E 2
Saint-Léger-Bridereix *23*......188 D 5
Saint-Léger-de-Balson *33*....255 G 5
Saint-Léger-de-Fougeret *58*..............176 A 1
Saint-Léger-de-la-Martinière *79*..........185 G 5
Saint-Léger-de-Montbrillais *86*...........168 C 1
Saint-Léger-de-Montbrun *79*..............168 B 2
Saint-Léger-de-Peyre *48*.....264 A 4
Saint-Léger-de-Rôtes *27*.......35 F 5
Saint-Léger-des-Aubées *28*...86 C 4
Saint-Léger-des-Bois *49*.......149 F 1
Saint-Léger-des-Prés *35*........80 B 4
Saint-Léger-des-Vignes *58*..175 E 4
Saint-Léger-du-Bois *71*.......177 E 1
Saint-Léger-du-Bourg-Denis *76*.............36 B 2
Saint-Léger-du-Gennetey *27*..35 G 3
Saint-Léger-du-Malzieu *48*..246 A 5
Saint-Léger-du-Ventoux *84*.286 A 2
Saint-Léger-Dubosq *14*..........34 A 4
Saint-Léger-en-Bray *60*..........37 H 2
Saint-Léger-en-Yvelines *78*....57 G 5
Saint-Léger-la-Montagne *87*.................206 B 3
Saint-Léger-le-Guérétois *23*.................207 E 1
Saint-Léger-le-Petit *18*........156 B 5
Saint-Léger-lès-Authie *80*......13 E 4
Saint-Léger-lès-Domart *80*.....12 B 5
Saint-Léger-les-Mélèzes *05*.................269 H 2
Saint-Léger lès-Paray *71*......193 G 2
Saint-Léger-les-Vignes *44*...147 F 5
Saint-Léger-Magnazeix *87*..188 A 5
Saint-Léger-près-Troyes *10*................115 E 2
Saint-Léger-sous-Beuvray *71*.............176 B 3
Saint-Léger-sous-Brienne *10*..................91 H 4
Saint-Léger-sous-Cholet *49*.................148 D 5
Saint-Léger-sous-la-Bussière *71*.........194 C 4
Saint-Léger-sous-Margerie *10*...............91 H 3
Saint-Léger-sur-Bonneville *14*................34 D 3
Saint-Léger-sur-Bresle *80*.......21 F 2
Saint-Léger-sur-Dheune *71*.177 F 3
Saint-Léger-sur-Roanne *42*.211 G 2

Saint-Léger-sur-Sarthe 61 ..... 84 A 3
Saint-Léger-sur-Vouzance 03 ..... 193 F 3
Saint-Léger-Triey 21 ..... 160 D 3
Saint-Léger-Vauban 89 ..... 158 B 2
Saint-Léomer 86 ..... 187 G 3
Saint-Léon 03 ..... 192 D 3
Saint-Léon 31 ..... 318 A 3
Saint-Léon 33 ..... 256 B 1
Saint-Léon 47 ..... 275 F 2
Saint-Léon-d'Issigeac 24 ..... 258 C 2
Saint-Léon-sur-l'Isle 24 ..... 239 H 3
Saint-Léon-sur-Vézère 24 ..... 241 F 4
Saint-Léonard 32 ..... 296 C 2
Saint-Léonard 51 ..... 41 H 4
Saint-Léonard 62 ..... 6 B 2
Saint-Léonard 76 ..... 18 D 3
Saint-Léonard 88 ..... 96 B 5
Saint-Léonard-de-Noblat 87 ..... 206 B 5
Saint-Léonard-des-Bois 72 ..... 83 F 4
Saint-Léonard-des-Parcs 61 ..... 54 D 5
Saint-Léonard-en-Beauce 41 ..... 132 B 3
Saint-Léons 12 ..... 281 G 3
Saint-Léopardin-d'Augy 03 ..... 174 C 5
Saint-Léry 56 ..... 103 F 3
Saint-Leu-d'Esserent 60 ..... 38 C 4
Saint-Leu-la-Forêt 95 ..... 58 B 1
Saint-Lézer 65 ..... 315 E 3
Saint-Lézin 49 ..... 149 E 4
Saint-Lieux-Lafenasse 81 ..... 299 G 3
Saint-Lieux-lès-Lavaur 81 ..... 298 C 3
Saint-Liguaire 79 ..... 184 D 4
Saint-Lin 79 ..... 185 F 2
Saint-Lions 04 ..... 288 B 4
Saint-Lizier 09 ..... 335 F 2
Saint-Lizier-du-Planté 32 ..... 317 E 3
Saint-Lô 50 ..... 32 B 5
Saint-Lô-d'Ourville 50 ..... 31 F 2
Saint-Lon-les-Mines 40 ..... 292 D 4
Saint-Longis 72 ..... 84 A 5
Saint-Lormel 22 ..... 79 F 3
Saint-Lothain 39 ..... 179 F 3
Saint-Loube 32 ..... 317 E 2
Saint-Loubert 33 ..... 256 C 4
Saint-Loubès 33 ..... 237 H 5
Saint-Loubouer 40 ..... 294 A 3
Saint-Louet-sur-Seulles 14 ..... 33 E 5
Saint-Louet-sur-Vire 50 ..... 52 B 1
Saint-Louis 57 ..... 67 H 5
Saint-Louis 68 ..... 143 H 3
Saint-Louis-de-Montferrand 33 ..... 237 G 4
Saint-Louis-en-l'Isle 24 ..... 239 G 3
Saint-Louis-et-Parahou 11 ..... 337 H 4
Saint-Louis-lès-Bitche 57 ..... 68 A 2
Saint-Loup 03 ..... 192 B 4
Saint-Loup 17 ..... 201 G 3
Saint-Loup 23 ..... 207 H 1
Saint-Loup 39 ..... 178 C 1
Saint-Loup 50 ..... 51 H 5
Saint-Loup 51 ..... 61 F 4
Saint-Loup 58 ..... 156 B 2
Saint-Loup 69 ..... 212 B 4
Saint-Loup 82 ..... 276 D 4
Saint-Loup Pic 34 ..... 302 D 3
Saint-Loup-Cammas 31 ..... 298 A 4
Saint-Loup-de-Buffigny 10 ..... 90 A 4
Saint-Loup-de-Fribois 14 ..... 34 B 5
Saint-Loup-de-Gonois 45 ..... 112 D 4
Saint-Loup-de-Naud 77 ..... 89 F 3
Saint-Loup-de-Varennes 71 ..... 177 H 5
Saint-Loup-des-Chaumes 18 ..... 173 E 4
Saint-Loup-des-Vignes 45 ..... 111 H 4
Saint-Loup-d'Ordon 89 ..... 113 F 4
Saint-Loup-du-Dorat 53 ..... 128 D 2
Saint-Loup-du-Gast 53 ..... 82 B 4
Saint-Loup-en-Champagne 08 ..... 41 H 1
Saint-Loup-en-Comminges 31 ..... 316 A 4
Saint-Loup-Géanges 71 ..... 177 H 2
Saint-Loup-Hors 14 ..... 33 E 3
Saint-Loup-Lamairé 79 ..... 168 B 4
Saint-Loup-Nantouard 70 ..... 161 F 2
Saint-Loup-sur-Aujon 52 ..... 139 E 2
Saint-Loup-sur-Cher 41 ..... 154 A 4
Saint-Loup-sur-Semouse 70 ..... 119 E 5
Saint-Loup-Terrier 08 ..... 26 C 5
Saint-Loyer-des-Champs 61 ..... 54 B 5
Saint-Lubin-de-Cravant 28 ..... 56 B 5
Saint-Lubin-de-la-Haye 28 ..... 57 E 4
Saint-Lubin-des-Joncherets 28 ..... 56 B 4
Saint-Lubin-en-Vergonnois 41 ..... 131 H 5
Saint-Luc 27 ..... 56 C 2
Saint-Lucien 28 ..... 57 E 5
Saint-Lucien 76 ..... 36 D 1
Saint-Lumier-en-Champagne 51 ..... 62 D 4
Saint-Lumier-la-Populeuse 51 ..... 63 E 4
Saint-Lumine-de-Clisson 44 ..... 148 A 5
Saint-Lumine-de-Coutais 44 ..... 147 F 5
Saint-Lunaire 35 ..... 50 B 5
Saint-Luperce 28 ..... 85 H 4
Saint-Lupicin 39 ..... 196 D 3
Saint-Lupien 10 ..... 90 B 5
Saint-Lyé 10 ..... 90 D 5
Saint-Lyé-la-Forêt 45 ..... 111 E 4
Saint-Lyphard 44 ..... 146 B 1
Saint-Lys 31 ..... 317 F 2
Saint-Macaire 33 ..... 256 B 4
Saint-Macaire-du-Bois 49 ..... 150 A 5
Saint-Macaire-en-Mauges 49 ..... 148 C 5
Saint-Maclou 27 ..... 35 E 2
Saint-Maclou-de-Folleville 76 ..... 20 B 4
Saint-Maclou-la-Brière 76 ..... 19 E 4
Saint-Macoux 86 ..... 203 F 1
Saint-Maden 22 ..... 79 G 5
Saint-Magne 33 ..... 255 F 4
Saint-Magne-de-Castillon 33 ..... 238 D 5
Saint-Maigner 63 ..... 208 D 2
Saint-Maigrin 17 ..... 220 B 4
Saint-Maime 04 ..... 306 D 1
Saint-Maime-de-Péreyrol 24 ..... 240 B 4
Saint-Maixant 23 ..... 207 H 3
Saint-Maixant 33 ..... 256 B 3
Saint-Maixent 72 ..... 108 C 4
Saint-Maixent-de-Beugné 79 ..... 184 C 2
Saint-Maixent-l'École 79 ..... 185 F 3
Saint-Maixent-sur-Vie 85 ..... 165 E 4
Saint-Maixme-Hauterive 28 ..... 85 G 2
Saint-Malo 35 ..... 50 C 5
Saint-Malo-de-Beignon 56 ..... 103 F 4
Saint-Malo-de-Guersac 44 ..... 146 C 2
Saint-Malo-de-la-Lande 50 ..... 31 F 5
Saint-Malo-de-Phily 35 ..... 104 A 5
Saint-Malo-des-Trois-Fontaines 56 ..... 102 D 3
Saint-Malô-du-Bois 85 ..... 166 D 2
Saint-Malo-en-Donziois 58 ..... 156 D 3
Saint-Malon-sur-Mel 35 ..... 103 G 3
Saint-Mamert 38 ..... 231 F 4
Saint-Mamert 69 ..... 194 C 5
Saint-Mamert-du-Gard 30 ..... 303 G 1
Saint-Mamet 31 ..... 334 B 5
Saint-Mamet-la-Salvetat 15 ..... 261 H 1
Saint-Mammès 77 ..... 88 C 4
Saint-Mandé 94 ..... 58 C 3
Saint Mandé-sur-Brédoire 17 ..... 202 B 2
Saint-Mandrier-sur-Mer 83 ..... 328 A 5
Saint-Manvieu-Bocage 14 ..... 52 B 3
Saint-Manvieu-Norrey 14 ..... 33 F 4
Saint-Marc 15 ..... 245 H 5
Saint-Marc 44 ..... 146 B 3
Saint-Marc-à-Frongier 23 ..... 207 G 4
Saint-Marc-à-Loubaud 23 ..... 207 F 5
Saint-Marc-du-Cor 41 ..... 109 E 5
Saint-Marc-Jaumegarde 13 ..... 306 B 5
Saint-Marc-la-Lande 79 ..... 185 E 2
Saint-Marc-le-Blanc 35 ..... 80 D 4
Saint-Marc-sur-Couesnon 35 ..... 80 D 5
Saint-Marc-sur-Seine 21 ..... 138 B 4
Saint-Marcan 35 ..... 51 E 5
Saint-Marceau 08 ..... 26 D 3
Saint-Marceau 72 ..... 107 G 2
Saint-Marcel 08 ..... 26 C 3
Saint-Marcel 27 ..... 36 D 5
Saint-Marcel 36 ..... 188 C 1
Saint-Marcel 54 ..... 65 F 1
Saint-Marcel 56 ..... 125 E 2
Saint-Marcel 70 ..... 140 C 2
Saint-Marcel 71 ..... 177 H 4
Saint-Marcel 73 ..... 234 C 2
Saint-Marcel 81 ..... 279 F 4
Saint-Marcel-Bel-Accueil 38 ..... 231 H 1
Saint-Marcel-d'Ardèche 07 ..... 284 D 1
Saint-Marcel-de-Careiret 30 ..... 284 C 3
Saint-Marcel-de-Félines 42 ..... 211 H 4
Saint-Marcel-du-Périgord 24 ..... 240 C 5
Saint-Marcel-d'Urfé 42 ..... 211 F 4
Saint-Marcel-en-Dombes 01 ..... 213 F 3
Saint-Marcel-en-Marcillat 03 ..... 208 D 1
Saint-Marcel-en-Murat 03 ..... 191 G 4
Saint-Marcel-l'Éclairé 69 ..... 212 B 4
Saint-Marcel-lès-Annonay 07 ..... 248 D 1
Saint-Marcel-lès-Sauzet 26 ..... 267 E 3
Saint-Marcel-lès-Valence 26 ..... 249 F 4
Saint-Marcel-Paulel 31 ..... 298 B 4
Saint-Marcel-sur-Aude 11 ..... 321 E 5
Saint-Marcelin-de-Cray 71 ..... 194 C 1
Saint-Marcellin 38 ..... 250 A 2
Saint-Marcellin-de-Vars 05 ..... 270 D 2
Saint-Marcellin-en-Forez 42 ..... 229 H 3
Saint-Marcellin-lès-Vaison 84 ..... 285 H 2
Saint-Marcet 31 ..... 316 C 5
Saint-Marcory 24 ..... 259 E 2
Saint-Marcouf 14 ..... 32 C 3
Saint-Marcouf 50 ..... 29 G 5
Saint-Mard 02 ..... 40 D 2
Saint-Mard 17 ..... 201 F 2
Saint-Mard 54 ..... 95 E 2
Saint-Mard 77 ..... 59 E 1
Saint-Mard 80 ..... 23 F 4
Saint-Mard-de-Réno 61 ..... 84 C 3
Saint-Mard-de-Vaux 71 ..... 177 G 4
Saint-Mard-lès-Rouffy 51 ..... 61 H 2
Saint-Mard-sur-Auve 51 ..... 62 D 1
Saint-Mard-sur-le-Mont 51 ..... 63 E 2
Saint-Mards 76 ..... 20 A 3
Saint-Mards-de-Blacarville 27 ..... 35 E 2
Saint-Mards-de-Fresne 27 ..... 55 E 1
Saint-Mards-en-Othe 10 ..... 114 C 3
Saint-Marien 23 ..... 190 A 3
Saint-Mariens 33 ..... 237 H 2
Saint-Mars-de-Coutais 44 ..... 147 F 5
Saint-Mars-de-Locquenay 72 ..... 108 B 5
Saint-Mars-d'Égrenne 61 ..... 82 A 2
Saint-Mars-d'Outillé 72 ..... 130 B 2
Saint-Mars-du-Désert 44 ..... 147 H 2
Saint-Mars-du-Désert 53 ..... 83 E 5
Saint-Mars-en-Brie 77 ..... 60 B 4
Saint-Mars-la-Brière 72 ..... 108 A 4
Saint-Mars-la-Jaille 44 ..... 127 F 5
Saint-Mars-la-Réorthe 85 ..... 166 D 3
Saint-Mars-sous-Ballon 72 ..... 107 H 3
Saint-Mars-sur-Colmont 53 ..... 82 A 4
Saint-Mars-sur-la-Futaie 53 ..... 81 G 3
Saint-Marsal 66 ..... 342 C 3
Saint-Marsault 79 ..... 167 F 4
Saint-Martial 07 ..... 248 A 5
Saint-Martial 15 ..... 245 G 5
Saint-Martial 16 ..... 221 E 5
Saint-Martial 17 ..... 201 H 2
Saint-Martial 30 ..... 283 E 5
Saint-Martial 33 ..... 256 C 3
Saint-Martial-d'Albarède 24 ..... 223 F 5
Saint-Martial-d'Artenset 24 ..... 239 F 4
Saint-Martial-de-Gimel 19 ..... 243 E 1
Saint-Martial-de-Mirambeau 17 ..... 219 G 4
Saint-Martial-de-Nabirat 24 ..... 259 G 2
Saint-Martial-de-Valette 24 ..... 222 C 3
Saint-Martial-de-Vitaterne 17 ..... 219 H 4
Saint-Martial-Entraygues 19 ..... 243 F 3
Saint-Martial-le-Mont 23 ..... 207 G 2
Saint-Martial-le-Vieux 23 ..... 225 H 2
Saint-Martial-sur-Isop 87 ..... 204 D 1
Saint-Martial-sur-Né 17 ..... 220 B 2
Saint-Martial-Viveyrol 24 ..... 221 G 5
Saint-Martin 32 ..... 295 H 5
Saint-Martin 50 ..... 51 F 2
Saint-Martin 54 ..... 95 H 1
Saint-Martin 65 ..... 315 E 5
Saint-Martin 66 ..... 338 A 5
Saint-Martin 67 ..... 96 D 4
Saint Martin Casella 2B ..... 347 F 4
Saint-Martin-au-Bosc 76 ..... 21 F 2
Saint-Martin-aux-Arbres 76 ..... 19 H 4
Saint-Martin-aux-Bois 60 ..... 38 D 1
Saint-Martin-aux-Buneaux 76 ..... 19 F 2
Saint-Martin-aux-Champs 51 ..... 62 C 3
Saint-Martin-aux-Chartrains 14 ..... 34 C 3
Saint-Martin-Belle-Roche 71 ..... 195 E 3
Saint-Martin-Bellevue 74 ..... 215 G 3
Saint-Martin-Boulogne 62 ..... 2 B 5
Saint-Martin-Cantalès 15 ..... 243 H 3
Saint-Martin-Château 23 ..... 207 E 5
Saint-Martin-Chennetron 77 ..... 89 H 2
Saint-Martin-Choquel 62 ..... 6 D 2
Saint-Martin-d'Abbat 45 ..... 133 H 2
Saint-Martin-d'Ablois 51 ..... 61 F 1
Saint-Martin-d'Août 26 ..... 249 G 1
Saint-Martin-d'Arberoue 64 ..... 311 F 4
Saint-Martin-d'Arc 73 ..... 252 B 1
Saint-Martin-d'Arcé 49 ..... 129 F 5
Saint-Martin-d'Ardèche 07 ..... 284 D 2
Saint-Martin-d'Armagnac 32 ..... 294 D 3
Saint-Martin-d'Arrossa 64 ..... 311 E 5
Saint-Martin-d'Ary 17 ..... 238 C 1
Saint-Martin-d'Aubigny 50 ..... 31 H 4
Saint-Martin-d'Audouville 50 ..... 29 G 4
Saint-Martin-d'Auxigny 18 ..... 155 E 5
Saint-Martin-d'Auxy 71 ..... 177 F 5
Saint-Martin-de-Bavel 01 ..... 214 D 4
Saint-Martin-de-Beauville 47 ..... 276 D 3
Saint-Martin-de-Belleville 73 ..... 234 B 4
Saint-Martin-de-Bernegoue 79 ..... 185 E 5
Saint-Martin-de-Bienfaite 14 ..... 54 D 1
Saint-Martin-de-Blagny 14 ..... 32 C 3
Saint-Martin-de-Bonfossé 50 ..... 32 A 5
Saint-Martin-de-Boscherville 76 ..... 36 A 2
Saint-Martin-de-Bossenay 10 ..... 90 B 4
Saint-Martin-de-Boubaux 48 ..... 283 F 3
Saint-Martin-de-Bréthencourt 78 ..... 87 E 3
Saint-Martin-de-Brômes 04 ..... 307 E 2
Saint-Martin-de-Caralp 09 ..... 336 A 2
Saint-Martin-de-Castillon 84 ..... 306 A 1
Saint-Martin-de-Cenilly 50 ..... 51 H 1
Saint-Martin-de-Clelles 38 ..... 250 D 5
Saint-Martin-de-Commune 71 ..... 177 E 3
Saint-Martin-de-Connée 53 ..... 107 E 2
Saint-Martin-de-Cornas 69 ..... 230 D 2
Saint-Martin-de-Coux 17 ..... 238 D 2
Saint-Martin-de-Crau 13 ..... 304 D 4
Saint-Martin-de-Curton 47 ..... 274 D 1
Saint-Martin-de-Fenollar Chapelle de 66 ..... 343 E 4
Saint-Martin-de-Fontenay 14 ..... 33 G 5
Saint-Martin-de-Fraigneau 85 ..... 184 B 3
Saint-Martin-de-Fresnay 14 ..... 54 B 2
Saint-Martin-de-Fressengeas 24 ..... 222 D 4
Saint-Martin-de-Fugères 43 ..... 247 F 5
Saint-Martin-de-Goyne 32 ..... 275 H 5
Saint-Martin-de-Gurson 24 ..... 239 E 4
Saint-Martin-de-Hinx 40 ..... 292 C 4
Saint-Martin-de-Juillers 17 ..... 202 B 3
Saint-Martin-de-Jussac 87 ..... 205 E 4
Saint-Martin-de-la-Brasque 84 ..... 306 B 2
Saint-Martin-de-la-Cluze 38 ..... 250 D 4
Saint-Martin-de-la-Coudre 17 ..... 201 G 2
Saint-Martin-de-la-Lieue 14 ..... 34 C 5
Saint-Martin-de-la-Mer 21 ..... 158 C 4
Saint-Martin-de-la-Place 49 ..... 150 B 3
Saint-Martin-de-la-Porte 73 ..... 252 B 1
Saint-Martin-de-Lamps 36 ..... 171 G 2
Saint-Martin-de-Landelles 50 ..... 81 F 2
Saint-Martin-de-Lansuscle 48 ..... 283 E 3
Saint-Martin-de-l'Arçon 34 ..... 301 E 5
Saint-Martin-de-Laye 33 ..... 238 C 3
Saint-Martin-de-Lenne 12 ..... 263 G 5
Saint-Martin-de-Lerm 33 ..... 256 D 3
Saint-Martin-de-Lixy 71 ..... 211 H 1
Saint-Martin-de-Londres 34 ..... 302 C 2
Saint-Martin-de-Mâcon 79 ..... 168 B 1
Saint-Martin-de-Mailloc 14 ..... 34 D 5
Saint-Martin-de-Mieux 14 ..... 53 H 3
Saint-Martin-de-Nigelles 28 ..... 86 B 2
Saint-Martin-de-Pallières 83 ..... 306 D 4
Saint-Martin-de-Peille Église 06 ..... 291 G 5
Saint-Martin-de-Queyrières 05 ..... 252 C 5
Saint-Martin-de-Ré 17 ..... 182 D 5
Saint-Martin-de-Ribérac 24 ..... 239 G 1
Saint-Martin-de-Saint-Maixent 79 ..... 185 F 3
Saint-Martin-de-Salencey 71 ..... 194 B 2
Saint-Martin-de-Sallen 14 ..... 53 F 2
Saint-Martin-de-Sanzay 79 ..... 168 A 1
Saint-Martin-de-Seignanx 40 ..... 292 B 5
Saint-Martin-de-Sescas 33 ..... 256 C 3
Saint-Martin-de-Tallevende 14 ..... 52 C 3
Saint-Martin-de-Valamas 07 ..... 248 B 5
Saint-Martin-de-Valgalgues 30 ..... 283 H 3
Saint-Martin-de-Varreville 50 ..... 29 H 5
Saint-Martin-de-Vaulserre 38 ..... 232 D 3
Saint-Martin-de-Vers 46 ..... 260 C 4
Saint-Martin-de-Villeréal 47 ..... 258 D 3
Saint-Martin-de-Villereglan 11 ..... 337 G 1
Saint-Martin-d'Écublei 61 ..... 55 G 4
Saint-Martin-d'Entraigues 79 ..... 202 D 1
Saint-Martin-d'Entraunes 06 ..... 289 E 3
Saint-Martin-des-Besaces 14 ..... 52 C 1
Saint-Martin-des-Bois 41 ..... 131 E 4
Saint-Martin-des-Champs 18 ..... 156 A 5
Saint-Martin-des-Champs 29 ..... 71 H 4
Saint-Martin-des-Champs 50 ..... 51 H 5
Saint-Martin-des-Champs 77 ..... 60 B 4
Saint-Martin-des-Champs 78 ..... 57 F 3
Saint-Martin-des-Champs 89 ..... 135 F 4
Saint-Martin-des-Combes 24 ..... 240 B 4
Saint-Martin-des-Entrées 14 ..... 33 E 3
Saint-Martin-des-Fontaines 85 ..... 183 H 1
Saint-Martin-des-Lais 03 ..... 175 G 5
Saint-Martin-des-Landes 61 ..... 83 E 2
Saint-Martin-des-Monts 72 ..... 108 C 3
Saint-Martin-des-Noyers 85 ..... 166 B 4
Saint-Martin-des-Olmes 63 ..... 229 E 3
Saint-Martin-des-Pézerits 61 ..... 55 E 5
Saint-Martin-des-Plains 63 ..... 228 A 4
Saint-Martin-des-Prés 22 ..... 78 A 5
Saint-Martin-des-Puits 11 ..... 338 B 2
Saint-Martin-des-Tilleuls 85 ..... 166 C 2
Saint-Martin-d'Estréaux 42 ..... 211 E 1
Saint-Martin-d'Hardinghem 62 ..... 7 E 3
Saint-Martin-d'Hères 38 ..... 251 E 1
Saint-Martin-d'Heuille 58 ..... 174 D 1
Saint-Martin-d'Ollières 63 ..... 228 B 4
Saint-Martin-Don 14 ..... 52 C 2
Saint-Martin-d'Oney 40 ..... 273 G 5
Saint-Martin-d'Ordon 89 ..... 113 F 4
Saint-Martin-d'Oydes 09 ..... 318 A 5
Saint-Martin-du-Bec 76 ..... 18 C 5
Saint-Martin-du-Bois 33 ..... 238 B 3
Saint-Martin-du-Bois 49 ..... 128 B 4
Saint-Martin-du-Boschet 77 ..... 60 C 4
Saint-Martin-du-Canigou Abbaye de 66 ..... 342 A 4
Saint-Martin-du-Clocher 16 ..... 203 F 2
Saint-Martin-du-Fouilloux 49 ..... 149 F 2
Saint-Martin-du-Fouilloux 79 ..... 185 G 1
Saint-Martin-du-Frêne 01 ..... 214 C 1
Saint-Martin-du-Lac 71 ..... 193 G 5
Saint-Martin-du-Limet 53 ..... 127 H 2
Saint-Martin-du-Manoir 76 ..... 18 D 5
Saint-Martin-du-Mesnil-Oury 14 ..... 54 C 1
Saint-Martin-du-Mont 01 ..... 214 A 1
Saint-Martin-du-Mont 21 ..... 159 G 2
Saint-Martin-du-Mont 71 ..... 195 H 1
Saint-Martin-du-Puy 33 ..... 256 D 2
Saint-Martin-du-Puy 58 ..... 157 H 3
Saint-Martin-du-Tartre 71 ..... 194 C 1
Saint-Martin-du-Tertre 89 ..... 113 G 2
Saint-Martin-du-Tertre 95 ..... 38 C 5
Saint-Martin-du-Tilleul 27 ..... 35 F 5
Saint-Martin-du-Touch 31 ..... 297 H 5
Saint-Martin-du-Var 06 ..... 291 E 5
Saint-Martin-du-Vieux-Bellême 61 ..... 84 B 4
Saint-Martin-du-Vivier 76 ..... 36 B 1
Saint-Martin-d'Uriage 38 ..... 251 E 2
Saint-Martin-en-Bière 77 ..... 88 A 4
Saint-Martin-en-Bresse 71 ..... 178 A 4
Saint-Martin-en-Campagne 76 ..... 10 C 5
Saint-Martin-en-Coailleux 42 ..... 230 C 4
Saint-Martin-en-Gâtinois 71 ..... 178 A 2
Saint-Martin-en-Haut 69 ..... 230 C 1
Saint-Martin-en-Vercors 26 ..... 250 B 3
Saint-Martin-Gimois 32 ..... 296 C 5
Saint-Martin-la-Campagne 27 ..... 56 A 1
Saint-Martin-la-Garenne 78 ..... 57 F 1
Saint-Martin-la-Méanne 19 ..... 243 F 2
Saint-Martin-la-Patrouille 71 ..... 194 C 1
Saint-Martin-la-Plaine 42 ..... 230 C 3
Saint-Martin-la-Sauveté 42 ..... 211 F 5
Saint-Martin-Labouval 46 ..... 260 D 5
Saint-Martin-Lacaussade 33 ..... 237 F 2
Saint-Martin-Laguépie 81 ..... 279 F 4
Saint-Martin-l'Aiguillon 61 ..... 83 E 2
Saint-Martin-Lalande 11 ..... 319 E 4
Saint-Martin-l'Ars 86 ..... 186 D 5
Saint-Martin-Lars-en-Sainte-Hermine 85 ..... 183 G 1
Saint-Martin-l'Astier 24 ..... 239 G 3
Saint-Martin-le-Beau 37 ..... 152 B 3
Saint-Martin-le-Bouillant 50 ..... 52 A 3
Saint-Martin-le-Châtel 01 ..... 195 G 4
Saint-Martin-le-Colonel 26 ..... 250 A 4
Saint-Martin-le-Gaillard 76 ..... 10 D 5
Saint-Martin-le-Gréard 50 ..... 29 E 4
Saint-Martin-le-Hébert 50 ..... 29 E 4
Saint-Martin-le-Mault 87 ..... 188 A 4
Saint-Martin-le-Nœud 60 ..... 38 A 2
Saint-Martin-le-Pin 24 ..... 222 B 3
Saint-Martin-le-Redon 46 ..... 259 E 4
Saint-Martin-le-Supérieur 07 ..... 266 D 3
Saint-Martin-le-Vieil 11 ..... 319 F 4
Saint-Martin-le-Vieux 87 ..... 223 F 1
Saint-Martin-le-Vinoux 38 ..... 250 D 1
Saint-Martin-les-Eaux 04 ..... 306 C 1
Saint-Martin-lès-Langres 52 ..... 139 G 2
Saint-Martin-lès-Melle 79 ..... 185 F 5
Saint-Martin-lès-Seyne 04 ..... 270 A 5
Saint-Martin-lez-Tatinghem 62 ..... 3 F 5
Saint-Martin-Lestra 42 ..... 230 A 1
Saint-Martin-l'Heureux 51 ..... 42 B 4
Saint-Martin-l'Hortier 76 ..... 20 D 3
Saint-Martin-l'Inférieur 07 ..... 266 D 3
Saint-Martin-Longueau 60 ..... 39 E 3
Saint-Martin-Lys 11 ..... 337 G 4
Saint-Martin-Osmonville 76 ..... 20 C 4
Saint-Martin-Petit 47 ..... 257 E 4
Saint-Martin-Rivière 02 ..... 14 D 5
Saint-Martin-Saint-Firmin 27 ..... 35 F 3
Saint-Martin-Sainte-Catherine 23 ..... 206 C 3
Saint-Martin-Sepert 19 ..... 224 B 4
Saint-Martin-sous-Montaigu 71 ..... 177 G 4
Saint-Martin-sous-Vigouroux 15 ..... 245 E 5
Saint-Martin-sur-Armançon 89 ..... 137 F 2
Saint-Martin-sur-Arve 74 ..... 216 C 3
Saint-Martin-sur-Cojeul 62 ..... 13 G 3
Saint-Martin-sur-Ecaillon 59 ..... 14 D 3
Saint-Martin-sur-la-Chambre 73 ..... 234 A 4
Saint-Martin-sur-la-Renne 52 ..... 116 C 3
Saint-Martin-sur-le-Pré 51 ..... 62 A 2
Saint-Martin-sur-Nohain 58 ..... 156 B 3
Saint-Martin-sur-Ocre 45 ..... 134 C 4
Saint-Martin-sur-Ocre 89 ..... 135 H 3
Saint-Martin-sur-Oreuse 89 ..... 89 G 5
Saint-Martin-sur-Ouanne 89 ..... 135 F 2
Saint-Martin-sur-Oust 56 ..... 125 F 3
Saint-Martin-Terressus 87 ..... 206 B 4
Saint-Martin-Valmeroux 15 ..... 244 B 3
Saint-Martin-Vésubie 06 ..... 291 E 2
Saint-Martinien 03 ..... 190 C 4
Saint-Martory 31 ..... 334 D 1
Saint-Mary 16 ..... 203 H 5
Saint-Mary-le-Plain 15 ..... 245 H 2
Saint-Masmes 51 ..... 42 A 3
Saint-Mathieu 87 ..... 222 C 1

410

Saint-Mathieu *Pointe de 29*...74 C 3
Saint-Mathieu-de-Tréviers 34....302 D 3
Saint-Mathurin 85....182 B 1
Saint-Mathurin-Léobazel 19....243 F 4
Saint-Mathurin-sur-Loire 49.150 A 2
Saint-Matré 46....277 F 1
Saint-Maudan 22....102 B 2
Saint-Maudez 22....79 F 4
Saint-Maugan 35....103 G 2
Saint-Maulvis 80....11 G 5
Saint-Maur 18....190 A 1
Saint-Maur 32....315 H 2
Saint-Maur 36....171 G 4
Saint-Maur 39....196 C 1
Saint-Maur 60....21 H 5
Saint-Maur-de-Glanfeuil *Abbaye de 49*....150 A 2
Saint-Maur-des-Bois 50....52 A 3
Saint-Maur-des-Fossés 94....58 D 4
Saint-Maur-sur-le-Loir 28.... 110 A 3
Saint-Maurice 52....139 H 2
Saint-Maurice 58....175 F 1
Saint-Maurice 63....228 A 2
Saint-Maurice 67....97 E 4
Saint-Maurice 94....58 C 4
Saint-Maurice-aux-Forges 54....96 A 2
Saint-Maurice-aux-Riches-Hommes 89....89 H 5
Saint-Maurice-Colombier 25....142 A 5
Saint-Maurice-Crillat 39....197 E 1
Saint-Maurice-d'Ardèche 07....266 B 4
Saint-Maurice-de-Beynost 01....213 F 4
Saint-Maurice-de-Cazevieille 30....284 A 5
Saint-Maurice-de-Gourdans 01....213 H 5
Saint-Maurice-de-Laurençanne 17....219 H 5
Saint-Maurice-de-Lestapel 47....258 B 4
Saint-Maurice-de-Lignon 43....247 H 1
Saint-Maurice-de-Rémens 01....214 A 3
Saint-Maurice-de-Rotherens 73....232 D 2
Saint-Maurice-de-Satonnay 71....195 E 3
Saint-Maurice-de-Tavernole 17....219 H 3
Saint-Maurice-de-Ventalon 48....283 F 1
Saint-Maurice-des-Champs 71....194 C 1
Saint-Maurice-des-Lions 16....204 C 3
Saint-Maurice-des-Noues 85....184 B 1
Saint-Maurice-d'Ételan 76....35 F 1
Saint-Maurice-d'Ibie 07....266 C 4
Saint-Maurice-du-Désert 61....82 D 2
Saint-Maurice-en-Chalencon 07....248 D 5
Saint-Maurice-en-Cotentin 50....28 D 5
Saint-Maurice-en-Gourgois 42....229 H 4
Saint-Maurice-en-Quercy 46....261 F 2
Saint-Maurice-en-Rivière 71....178 A 3
Saint-Maurice-en-Trièves 38....268 D 1
Saint-Maurice-en-Valgodemard 05....269 G 1
Saint-Maurice-la-Clouère 86....186 C 4
Saint-Maurice-Etusson 79....167 G 1
Saint-Maurice-la-Souterraine 23....206 B 1
Saint-Maurice-le-Girard 85....167 E 5
Saint-Maurice-le-Vieil 89....135 H 3
Saint-Maurice-les-Brousses 87....223 G 1
Saint-Maurice-lès-Charencey 61....55 G 5
Saint-Maurice-lès-Châteauneuf 71....193 H 5
Saint-Maurice-lès-Couches 71....177 F 3
Saint-Maurice-l'Exil 38....231 E 4

Saint-Maurice-Montcouronne 91....87 F 2
Saint-Maurice-Navacelles 34....302 A 2
Saint-Maurice-près-Crocq 23....208 B 4
Saint-Maurice-près-Pionsat 63....208 D 2
Saint-Maurice-Saint-Germain 28....85 F 3
Saint-Maurice-sous-les-Côtes 55....64 D 2
Saint-Maurice-sur-Adour 40....294 A 2
Saint-Maurice-sur-Aveyron 45....135 E 2
Saint-Maurice-sur-Dargoire 69....230 D 2
Saint-Maurice-sur-Eygues 26....285 G 1
Saint-Maurice-sur-Fessard 45....112 B 5
Saint-Maurice-sur-Huisne 61..84 D 4
Saint-Maurice-sur-Mortagne 88....95 G 4
Saint-Maurice-sur-Moselle 88....120 A 5
Saint-Maurice-sur-Vingeanne 21....139 H 5
Saint-Maurice-Thizouaille 89....135 H 2
Saint-Maurin 47....276 D 3
Saint-Max 54....65 H 5
Saint-Maxent 80.... 11 F 4
Saint-Maximin 30....284 C 5
Saint-Maximin 38....233 G 4
Saint-Maximin 60....38 D 4
Saint-Maximin-la-Sainte-Baume 83....327 H 1
Saint-Maxire 79....184 D 3
Saint-May 26....268 A 5
Saint-Mayeux 22....77 H 5
Saint-Méard 87....224 C 2
Saint-Méard-de-Drône 24....239 H 1
Saint-Méard-de-Gurçon 24..239 F 4
Saint-Médard 16....220 C 3
Saint-Médard 17....220 B 4
Saint-Médard 23....207 G 2
Saint-Médard 31....334 D 1
Saint-Médard 32....316 A 2
Saint-Médard 36....170 D 2
Saint-Médard 40....294 A 1
Saint-Médard 46....259 G 4
Saint-Médard 57....66 D 4
Saint-Médard 64....293 H 5
Saint-Médard 79....185 F 5
Saint-Médard-d'Aunis 17....200 D 1
Saint-Médard-de-Guizières 33....238 D 4
Saint-Médard-de-Mussidan 24....239 G 3
Saint-Médard-de-Presque 46....261 E 1
Saint-Médard-des-Prés 85..184 B 2
Saint-Médard-d'Excideuil 24....223 F 5
Saint-Médard-d'Eyrans 33....255 G 2
Saint-Médard-en-Forez 42....230 B 2
Saint-Médard-en-Jalles 33....237 F 5
Saint-Médard-Nicourby 46....261 F 2
Saint-Médard-sur-Ille 35....80 B 5
Saint-Méen 29....71 E 4
Saint-Méen-le-Grand 35....103 F 2
Saint-Melaine 35....104 D 3
Saint-Melaine-sur-Aubance 49....149 G 2
Saint-Mélany 07....265 H 4
Saint-Méloir-des-Bois 22....79 F 4
Saint-Méloir-des-Ondes 35....50 C 5
Saint-Même-le-Tenu 44....165 E 1
Saint-Même-les-Carrières 16....220 C 2
Saint-Memmie 51....62 B 2
Saint-Menge 88....94 C 5
Saint-Menges 08....27 E 3
Saint-Menoux 03....191 H 1
Saint-Merd-la-Breuille 23....226 B 1
Saint-Merd-les-Oussines 19....225 F 2
Saint-Méry 77....88 C 2
Saint-Meslin-du-Bosc 27....35 H 4
Saint-Mesmes 77....59 E 2
Saint-Mesmin 10....90 C 4
Saint-Mesmin 21....159 F 3
Saint-Mesmin 24....223 G 5

Saint-Mesmin 85....167 E 4
Saint-Mexant 19....242 C 1
Saint-Mézard 32....275 H 5
Saint-M'Hervé 35....105 F 2
Saint-M'Hervon 35....103 G 1
Saint-Micaud 71....177 F 5
Saint-Michel 02....25 H 1
Saint-Michel 09....336 A 1
Saint-Michel 16....221 E 2
Saint-Michel 31....317 F 5
Saint-Michel 32....315 H 2
Saint-Michel 34....301 H 2
Saint-Michel 45....111 H 4
Saint-Michel 52....139 G 3
Saint-Michel 64....330 C 1
Saint-Michel 82....277 F 5
Saint-Michel-Chef-Chef 44....146 C 4
Saint-Michel-d'Aurance 07....248 C 5
Saint-Michel-de-Bannières 46....242 D 4
Saint-Michel-de-Boulogne 07....266 B 2
Saint-Michel-de-Castelnau 33....274 C 2
Saint-Michel-de-Chabrillanoux 07....266 D 1
Saint-Michel-de-Chaillol 05....269 H 2
Saint-Michel-de-Chavaignes 72....108 C 4
Saint-Michel-de-Cuxa *Abbaye de 66*....342 A 3
Saint-Michel-de-Dèze 48....283 F 2
Saint-Michel-de-Double 24....239 G 3
Saint-Michel-de-Feins 53....128 C 3
Saint-Michel-de-Frigolet *Abbaye 13*....304 C 1
Saint-Michel-de-Fronsac 33....238 B 4
Saint-Michel-de-la-Pierre 50....31 H 4
Saint-Michel-de-la-Roë 53....105 F 5
Saint-Michel-de-Lanès 11....318 C 4
Saint-Michel-de-Lapujade 33....257 E 3
Saint-Michel-de-Livet 14....54 C 1
Saint-Michel-de-Llotes 66....342 C 2
Saint-Michel-de-Maurienne 73....252 B 1
Saint-Michel-de-Montaigne 24....238 D 5
Saint-Michel-de-Montjoie 50....52 B 4
Saint-Michel-de-Mourcairol *Château de 34*....301 F 5
Saint-Michel-de-Plélan 22....79 F 4
Saint-Michel-de-Rieufret 33....255 H 3
Saint-Michel-de-Rivière 24..238 D 2
Saint-Michel-de-Saint-Geoirs 38....232 A 5
Saint-Michel-de-Vax 81....278 D 4
Saint-Michel-de-Veisse 23....207 G 3
Saint-Michel-de-Villadeix 24....240 C 4
Saint-Michel-de-Volangis 18....155 F 5
Saint-Michel-des-Andaines 61....82 C 2
Saint-Michel-des-Loups 50....51 F 4
Saint-Michel-d'Euzet 30....284 C 3
Saint-Michel-d'Halescourt 76....21 F 5
Saint-Michel-en-Beaumont 38....251 F 5
Saint-Michel-en-Brenne 36....170 D 4
Saint-Michel-en-Grève 22....72 B 3
Saint-Michel-en-l'Herm 85...183 E 3
Saint-Michel-Escalus 40....292 C 1
Saint-Michel-et-Chanveaux 49....127 G 4
Saint-Michel-Labadié 81....280 C 5
Saint-Michel-le-Cloucq 85...184 B 2
Saint-Michel-l'Écluse-et-Léparon 24....239 E 2
Saint-Michel-les-Portes 38...250 C 5
Saint-Michel-l'Observatoire 04....306 C 1
Saint-Michel-Loubéjou 46....243 E 5
Saint-Michel-Mont-Mercure 85....166 D 3
Saint-Michel-Peyresq 04....288 D 4
Saint-Michel-sous-Bois 62....6 D 4
Saint-Michel-sur-Loire 37....151 F 3
Saint-Michel-sur-Meurthe 88....96 B 4
Saint-Michel-sur-Orge 91....87 G 2
Saint-Michel-sur-Rhône 42....231 E 4

Saint-Michel-sur-Savasse 26....249 H 2
Saint-Michel-sur-Ternoise 62...7 G 5
Saint-Michel-Tubœuf 61....55 G 4
Saint-Mihiel 55....64 C 3
Saint-Mitre-les-Remparts 13....325 G 3
Saint-Molf 44....145 H 3
Saint-Momelin 59....3 F 5
Saint-Mont 32....294 D 4
Saint-Montan 07....266 D 5
Saint-Moré 89....136 D 5
Saint-Moreil 23....206 D 5
Saint-Morel 08....42 D 3
Saint-Morillon 33....255 G 3
Saint-Mury-Monteymond 38....251 F 1
Saint-Myon 63....209 H 3
Saint-Nabor 67....97 E 3
Saint-Nabord 88....119 G 3
Saint-Nabord-sur-Aube 10....91 F 3
Saint-Nauphary 82....297 H 1
Saint-Nazaire 30....284 D 3
Saint-Nazaire 33....239 G 5
Saint-Nazaire 44....146 B 3
Saint-Nazaire 66....343 F 4
Saint-Nazaire *Pont de 44*....146 C 2
Saint-Nazaire *Site de 19*....226 B 4
Saint-Nazaire-d'Aude 11....320 D 5
Saint-Nazaire-de-Ladarez 34....321 F 2
Saint-Nazaire-de-Pézan 34....303 F 4
Saint-Nazaire-de-Valentane 82....277 E 3
Saint-Nazaire-des-Gardies 30....283 G 5
Saint-Nazaire-en-Royans 26....250 A 3
Saint-Nazaire-le-Désert 26..268 A 3
Saint-Nazaire-les-Eymes 38....251 E 1
Saint-Nazaire-sur-Charente 17....200 C 3
Saint-Nectaire 63....227 G 2
Saint-Nexans 24....258 B 1
Saint-Nic 29....75 G 4
Saint-Nicodème 22....77 F 3
Saint-Nicodème *Chapelle 56*....101 H 4
Saint-Nicolas 62....13 G 2
Saint-Nicolas *Cascade 68*...120 B 5
Saint-Nicolas *Chapelle 56*...101 E 3
Saint-Nicolas-aux-Bois 02....24 C 5
Saint-Nicolas-aux-Bois *Abbaye de 02*....24 C 5
Saint-Nicolas-Courbefy 87...223 F 2
Saint-Nicolas-d'Aliermont 76....20 C 2
Saint-Nicolas-d'Attez 27....55 H 4
Saint-Nicolas-de-Bliquetuit 76....35 G 1
Saint-Nicolas-de-Bourgueil 37....150 D 3
Saint-Nicolas-de-Brem 85...165 E 5
Saint-Nicolas-de-la-Balerme 47....276 C 4
Saint-Nicolas-de-la-Grave 82....277 E 4
Saint-Nicolas-de-la-Haie 76...19 F 5
Saint-Nicolas-de-la-Taille 76...35 E 1
Saint-Nicolas-de-Macherin 38....232 C 4
Saint-Nicolas-de-Pierrepont 50....31 F 2
Saint-Nicolas-de-Port 54....95 E 1
Saint-Nicolas-de-Redon 44.125 H 4
Saint-Nicolas-de-Sommaire 61....55 F 4
Saint-Nicolas-de-Véroce 74....216 D 4
Saint-Nicolas-des-Biefs 03...211 E 2
Saint-Nicolas-des-Bois 50....52 A 4
Saint-Nicolas-des-Bois 61....83 G 3
Saint-Nicolas-des-Eaux 56....101 H 4
Saint-Nicolas-des-Laitiers 61.55 E 3
Saint-Nicolas-des-Motets 37....131 G 5
Saint-Nicolas-du-Bosc 27....35 H 4
Saint-Nicolas-du-Bosc-l'Abbé 27....55 F 1
Saint-Nicolas-du-Pélem 22....77 G 4
Saint-Nicolas-du-Tertre 56....125 G 2
Saint-Nicolas-en-Forêt 57....45 G 3
Saint-Nicolas-la-Chapelle 10..89 H 3
Saint-Nicolas-la-Chapelle 73....216 B 4

Saint-Nicolas-lès-Cîteaux 21....160 A 5
Saint-Nizier-d'Azergues 69..212 B 2
Saint-Nizier-de-Fornas 42...229 G 4
Saint-Nizier-du-Moucherotte 38....250 D 2
Saint-Nizier-le-Bouchoux 01....195 G 2
Saint-Nizier-le-Désert 01....213 G 2
Saint-Nizier-sous-Charlieu 42....211 H 1
Saint-Nizier-sur-Arroux 71....176 C 4
Saint-Nolff 56....124 C 3
Saint-Nom-la-Bretèche 78....57 H 3
Saint-Offenge-Dessous 73...215 F 5
Saint-Offenge-Dessus 73...215 F 5
Saint-Omer 14....53 F 2
Saint-Omer 44....147 E 1
Saint-Omer 62....3 F 5
Saint-Omer-Capelle 62....3 E 3
Saint-Omer-en-Chaussée 60.37 H 1
Saint-Ondras 38....232 C 3
Saint-Onen-la-Chapelle 35..103 F 2
Saint-Oradoux-de-Chirouze 23....226 B 1
Saint-Oradoux-près-Crocq 23....208 B 4
Saint-Orens 32....296 D 3
Saint-Orens-de-Gameville 31....298 A 5
Saint-Orens-Pouy-Petit 32..295 H 1
Saint-Ost 32....316 A 3
Saint-Osvin 50....51 H 4
Saint-Ouen 41....131 G 3
Saint-Ouen 80....12 B 5
Saint-Ouen 93....58 C 3
Saint-Ouen-d'Aunis 17....183 G 5
Saint-Ouen-de-la-Cour 61....84 C 4
Saint-Ouen-de-Mimbré 72....83 G 5
Saint-Ouen-de-Pontcheuil 27.36 A 4
Saint-Ouen-de-Sécherouvre 61....84 B 2
Saint-Ouen-de-Thouberville 27....35 H 2
Saint-Ouen-des-Alleux 35....80 D 4
Saint-Ouen-des-Besaces 14..52 C 1
Saint-Ouen-des-Champs 27...35 F 2
Saint-Ouën-des-Toits 53....105 H 3
Saint-Ouën-des-Vallons 53.106 B 2
Saint-Ouen-Domprot 51....91 G 2
Saint-Ouen-du-Breuil 76....20 A 4
Saint-Ouen-du-Mesnil-Oger 14....34 A 5
Saint-Ouen-du-Tilleul 27....36 A 3
Saint-Ouen-en-Belin 72....130 A 2
Saint-Ouen-en-Brie 77....88 D 2
Saint-Ouen-en-Champagne 72....107 E 5
Saint-Ouen-la-Rouërie 35....80 D 3
Saint-Ouen-la-Thène 17....202 C 4
Saint-Ouen-l'Aumône 95....58 A 1
Saint-Ouen-le-Brisoult 61...82 D 3
Saint-Ouen-le-Houx 14....54 C 2
Saint-Ouen-le-Mauger 76....20 A 3
Saint-Ouen-le-Pin 14....34 B 5
Saint-Ouen-lès-Parey 88....118 A 2
Saint-Ouen-les-Vignes 37...152 C 2
Saint-Ouen-Marchefroy 28....57 E 3
Saint-Ouen-sous-Bailly 76....10 C 5
Saint-Ouen-sur-Gartempe 87....205 F 1
Saint-Ouen-sur-Iton 61....55 G 4
Saint-Ouen-sur-Loire 58....174 D 3
Saint-Ouen-sur-Maire 61....53 H 5
Saint-Ouen-sur-Morin 77....60 A 3
Saint-Oulph 10....90 C 3
Saint-Ours 63....209 F 5
Saint-Ours 73....215 F 5
Saint-Outrille 18....154 A 5
Saint-Oyen 73....234 B 3
Saint-Oyen-Montbellet 71....195 E 2
Saint-Pabu 29....70 C 4
Saint-Paër 27....37 F 3
Saint-Paër 76....35 H 1
Saint-Pair 14....33 H 4
Saint-Pair-du-Mont 14....34 B 5
Saint-Pair-sur-Mer 50....51 F 3
Saint-Pal-de-Chalencon 43.229 F 5
Saint-Pal-de-Mons 43....248 A 1
Saint-Pal-de-Senouire 43....246 D 1
Saint-Palais 03....190 A 3
Saint-Palais 18....155 E 4
Saint-Palais 33....219 G 5
Saint-Palais 64....311 G 4
Saint-Palais-de-Négrignac 17....238 C 1
Saint-Palais-de-Phiolin 17...219 G 3

Saint-Palais-du-Né 16....220 B 3
Saint-Palais-sur-Mer 17....218 C 1
Saint-Pancrace 04....306 C 2
Saint-Pancrace 06....309 G 2
Saint-Pancrace 24....222 C 4
Saint-Pancrace 73....234 A 5
Saint-Pancrace 2B....346 D 4
Saint-Pancrasse 38....233 E 5
Saint-Pancré 54....44 D 1
Saint-Pandelon 40....292 D 2
Saint-Pantaléon 46....277 G 1
Saint-Pantaléon 71....176 D 2
Saint-Pantaléon 84....305 G 1
Saint-Pantaléon-de-Lapleau 19....225 H 5
Saint-Pantaléon-de-Larche 19....242 B 2
Saint-Pantaléon-les-Vignes 26....267 G 5
Saint-Pantaly-d'Ans 24....241 F 5
Saint-Pantaly-d'Excideuil 24....223 H 1
Saint-Papoul 11....319 E 4
Saint-Pardon-de-Conques 33....256 C 4
Saint-Pardoult 17....201 H 3
Saint-Pardoux 63....209 G 2
Saint-Pardoux 79....185 E 1
Saint-Pardoux 87....205 H 2
Saint-Pardoux-Corbier 19....224 C 1
Saint-Pardoux-d'Arnet 23....208 B 4
Saint-Pardoux-de-Drône 24....239 H 1
Saint-Pardoux-du-Breuil 47.257 F 5
Saint-Pardoux-et-Vielvic 24.259 G 2
Saint-Pardoux-Isaac 47....257 G 3
Saint-Pardoux-la-Croisille 19....243 F 1
Saint-Pardoux-la-Rivière 24....222 C 1
Saint-Pardoux-le-Neuf 19....226 B 2
Saint-Pardoux-le-Neuf 23....207 H 4
Saint-Pardoux-le-Vieux 19....225 H 2
Saint-Pardoux-les-Cards 23....207 G 2
Saint-Pardoux-l'Ortigier 19..242 C 1
Saint-Pardoux-Morterolles 23....207 E 4
Saint-Pargoire 34....302 A 5
Saint-Parize-en-Viry 58....175 E 4
Saint-Parize-le-Châtel 58....174 C 3
Saint-Parres-aux-Tertres 10...91 E 4
Saint-Parres-lès-Vaudes 10....115 G 3
Saint-Parthem 12....262 B 3
Saint-Pastour 47....258 B 5
Saint-Pastous 65....332 D 2
Saint-Paterne 72....83 G 4
Saint-Paterne-Racan 37....130 C 5
Saint-Pathus 77....59 F 1
Saint-Patrice 37....151 E 3
Saint-Patrice-de-Claids 50....31 G 3
Saint-Patrice-du-Désert 61....82 D 2
Saint-Paul 19....243 E 2
Saint-Paul 33....237 G 2
Saint-Paul 60....37 H 2
Saint-Paul 61....53 E 4
Saint-Paul 65....334 A 1
Saint-Paul 73....233 E 1
Saint-Paul 87....224 B 1
Saint-Paul 88....94 B 4
Saint-Paul-aux-Bois 02....40 A 1
Saint-Paul-Cap-de-Joux 81.299 E 4
Saint-Paul-de-Baïse 32....295 G 2
Saint-Paul-de-Fenouillet 66.338 A 4
Saint-Paul-de-Fourques 27....35 H 4
Saint-Paul-de-Jarrat 09....336 B 2
Saint-Paul-de-Loubressac 46....278 B 2
Saint-Paul-de-Salers 15....244 C 3
Saint-Paul-de-Serre 24....240 B 3
Saint-Paul-de-Tartas 43....265 F 1
Saint-Paul-de-Varax 01....213 G 1
Saint-Paul-de-Varces 38....250 D 3
Saint-Paul-de-Vence 06....309 F 2
Saint-Paul-de-Vern 46....261 F 1
Saint-Paul-de-Vézelin 42....211 G 4
Saint-Paul-des-Landes 15....244 B 5
Saint-Paul-d'Espis 82....277 E 3
Saint-Paul-d'Izeaux 38....232 B 5
Saint-Paul-d'Oueil 31....334 A 4
Saint-Paul-du-Bois 49....167 G 1
Saint-Paul-du-Vernay 14....32 D 4
Saint-Paul-d'Uzore 42....229 G 1
Saint-Paul-en-Born 40....272 C 2
Saint-Paul-en-Chablais 74..198 C 3
Saint-Paul-en-Cornillon 42..230 A 4

Saint-Paul-en-Forêt 83......308 C 4
Saint-Paul-en-Gâtine 79......167 F 5
Saint-Paul-en-Jarez 42......230 C 4
Saint-Paul-en-Pareds 85......166 C 3
Saint-Paul-et-Valmalle 34....302 C 4
Saint-Paul-Flaugnac 46......277 H 2
Saint-Paul-la-Coste 30......283 C 5
Saint-Paul-la-Roche 24......223 E 4
Saint-Paul-le-Froid 48......264 D 1
Saint-Paul-le-Gaultier 72......83 F 5
Saint-Paul-le-Jeune 07......283 H 1
Saint-Paul-lès-Dax 40......292 D 3
Saint-Paul-les-Fonts 30......284 D 4
Saint-Paul-lès-Monestier 38......250 D 4
Saint-Paul-lès-Romans 26..249 H 3
Saint-Paul-lez-Durance 13..306 C 3
Saint-Paul-Lizonne 24......221 G 5
Saint-Paul-Mont-Penit 85....165 F 3
Saint-Paul-sur-Isère 73......234 B 2
Saint-Paul-sur-Risle 27......35 F 3
Saint-Paul-sur-Save 31......297 G 3
Saint-Paul-sur-Ubaye 04....271 E 3
Saint-Paul-Trois-Châteaux 26......285 E 1
Saint-Paulet 11......318 D 3
Saint-Paulet-de-Caisson 30 284 D 2
Saint-Paulien 43......247 E 2
Saint-Pavace 72......107 H 4
Saint-Pé-d'Ardet 31......334 B 2
Saint-Pé-de-Bigorre 65......332 C 1
Saint-Pé-de-Léren 64......292 C 4
Saint-Pé-Delbosc 31......316 B 4
Saint-Pé-Saint-Simon 47....275 E 5
Saint-Pée-sur-Nivelle 64......310 C 4
Saint-Pellerin 28......109 G 4
Saint-Pellerin 50......32 A 3
Saint-Péran 35......103 G 3
Saint-Péravy-Épreux 45......111 E 2
Saint-Péravy-la-Colombe 45......110 C 5
Saint-Péray 07......249 F 4
Saint-Perdon 40......293 H 1
Saint-Perdoux 24......258 B 2
Saint-Perdoux 46......261 F 3
Saint-Père 35......50 C 5
Saint-Père 58......156 A 2
Saint-Père 89......157 G 2
Saint-Père-en-Retz 44......146 D 4
Saint-Père-sur-Loire 45......134 A 3
Saint-Péreuse 58......175 H 1
Saint-Pern 35......103 H 1
Saint-Perreux 56......125 G 3
Saint-Péver 22......77 H 2
Saint-Pey-d'Armens 33......238 C 5
Saint-Pey-de-Castets 33....256 D 1
Saint-Phal 10......114 D 3
Saint-Philbert-de-Bouaine 85......165 G 1
Saint-Philbert-de-Grand-Lieu 44......165 G 1
Saint-Philbert-des-Champs 14......34 D 4
Saint-Philbert-du-Peuple 49......150 C 2
Saint-Philbert-du-Pont-Charrault 85......166 C 5
Saint-Philbert-en-Mauges 49......148 C 5
Saint-Philbert-sur-Boissey 27......35 G 4
Saint-Philbert-sur-Orne 61....53 G 3
Saint-Philbert-sur-Risle 27 ....35 F 3
Saint-Philibert 21......160 A 4
Saint-Philibert 56......124 A 4
Saint-Philibert-d'Entremont 38 ....233 E 4
Saint-Philippe-d'Aiguille 33......238 D 5
Saint-Philippe-du-Seignal 33......257 F 1
Saint-Piat 28......86 B 3
Saint-Pierre 04......289 G 5
Saint-Pierre 15......226 B 5
Saint-Pierre 31......298 B 4
Saint-Pierre 39......197 E 1
Saint-Pierre 51......62 A 2
Saint-Pierre 67......97 F 3
Saint-Pierre-à-Arnes 08......42 B 3
Saint-Pierre-à-Champ 79......167 H 1
Saint-Pierre-à-Gouy 80......22 A 1
Saint-Pierre-Aigle 02......40 A 3
Saint-Pierre-Avez 05......287 E 2
Saint-Pierre-Azif 14......34 B 3
Saint-Pierre-Bellevue 23......97 E 4
Saint-Pierre-Bénouville 76....20 A 3
Saint-Pierre-Bois 67......97 E 4

Saint-Pierre-Brouck 59......3 F 3
Saint-Pierre-Canivet 14......53 H 2
Saint-Pierre-Chérignat 23...206 C 3
Saint-Pierre-Colamine 63...227 G 3
Saint-Pierre-d'Albigny 73....233 H 2
Saint-Pierre-d'Allevard 38...233 G 4
Saint-Pierre-d'Alvey 73......232 D 1
Saint-Pierre-d'Amilly 17......201 G 1
Saint-Pierre-d'Argençon 05..268 D 4
Saint-Pierre-d'Arthéglise 50...28 D 5
Saint-Pierre-d'Aubézies 32..295 F 4
Saint-Pierre-d'Aurillac 33....256 C 3
Saint-Pierre-d'Autils 27......36 D 5
Saint-Pierre-de-Bailleul 27...36 D 5
Saint-Pierre-de-Bat 33......256 B 2
Saint-Pierre-de-Belleville 73......233 H 3
Saint-Pierre-de-Bœuf 42....231 E 4
Saint-Pierre-de-Bressieux 38......232 A 5
Saint-Pierre-de-Buzet 47....275 F 2
Saint-Pierre-de-Caubel 47...258 B 5
Saint-Pierre-de-Cernières 27.55 E 2
Saint-Pierre-de-Chandieu 69......231 G 2
Saint-Pierre-de-Chartreuse 38......233 E 5
Saint-Pierre-de-Chérennes 38......250 B 4
Saint-Pierre-de-Chevillé 72.130 B 4
Saint-Pierre-de-Chignac 24..240 D 3
Saint-Pierre-de-Clairac 47...276 C 3
Saint-Pierre-de-Côle 24......222 D 5
Saint-Pierre-de-Colombier 07......266 A 2
Saint-Pierre-de-Cormeilles 27......35 E 4
Saint-Pierre-de-Coutances 50......51 G 1
Saint-Pierre-de-Curtille 73...215 E 5
Saint-Pierre-de-Frugie 24....215 E 5
Saint-Pierre-de-Fursac 23...206 B 1
Saint-Pierre-de-Genebroz 73......232 D 3
Saint-Pierre-de-Jards 36....172 B 1
Saint-Pierre-de-Juillers 17...202 B 3
Saint-Pierre-de-la-Fage 34..302 A 2
Saint-Pierre-de-Lages 31....298 B 5
Saint-Pierre-de-Lamps 36...171 F 2
Saint-Pierre-de-l'Ile 17......201 H 2
Saint-Pierre-de-Maillé 86....170 A 5
Saint-Pierre-de-Mailloc 14....54 D 1
Saint-Pierre-de-Manneville 76......36 A 2
Saint-Pierre-de-Méaroz 38..251 E 5
Saint-Pierre-de-Mésage 38..251 E 3
Saint-Pierre-de-Mézoargues 13......304 B 1
Saint-Pierre-de-Mons 33....256 B 4
Saint-Pierre-de-Nogaret 48..263 H 5
Saint-Pierre-de-Plesguen 35......79 H 4
Saint-Pierre-de-Rivière 09...336 A 3
Saint-Pierre-de-Salerne 27...35 F 4
Saint-Pierre-de-Semilly 50....32 B 5
Saint-Pierre-de-Soucy 73....233 G 3
Saint-Pierre-de-Trivisy 81...300 A 3
Saint-Pierre-de-Varengeville 76......36 A 1
Saint-Pierre-de-Varennes 71......177 E 3
Saint-Pierre-de-Vassols 84..285 H 4
Saint-Pierre-dels-Forcats 66......341 G 4
Saint-Pierre-d'Entremont 38 ....233 E 4
Saint-Pierre-d'Entremont 61...53 E 3
Saint-Pierre-d'Entremont 73 ....233 E 4
Saint-Pierre-des-Bois 72....107 E 5
Saint-Pierre-des-Champs 11......338 B 2
Saint-Pierre-des-Corps 37...152 A 2
Saint-Pierre-des-Échaubrognes 79......167 E 1
Saint-Pierre-des-Fleurs 27....36 A 4
Saint-Pierre-des-Ifs 14......34 C 5
Saint-Pierre-des-Ifs 27......35 F 3
Saint-Pierre-des-Jonquières 76......20 D 2
Saint-Pierre-des-Landes 53...81 G 5
Saint-Pierre-des-Loges 61....55 E 4
Saint-Pierre-des-Nids 53......83 F 4
Saint-Pierre-des-Ormes 72...84 A 5
Saint-Pierre-des-Tripiers 48......282 A 3
Saint-Pierre-d'Exideuil 86...203 G 1

Saint-Pierre-d'Extravache 73......253 E 1
Saint-Pierre-d'Eyraud 24......257 G 1
Saint-Pierre-d'Irube 64......292 A 5
Saint-Pierre-d'Oléron 17......200 B 3
Saint-Pierre-du-Bosguérard 27......35 H 4
Saint-Pierre-du-Bû 14......53 H 3
Saint-Pierre-du-Champ 43..247 F 1
Saint-Pierre-du-Chemin 85..167 F 5
Saint-Pierre-du-Fresne 14......52 D 1
Saint-Pierre-du-Jonquet 14...34 A 4
Saint-Pierre-du-Lorouër 72..130 C 3
Saint-Pierre-du-Mesnil 27......55 F 2
Saint-Pierre-du-Mont 14......32 C 2
Saint-Pierre-du-Mont 40......294 A 1
Saint-Pierre-du-Mont 58......157 E 2
Saint-Pierre-du-Palais 17.....238 C 2
Saint-Pierre-du-Perray 91......88 A 2
Saint-Pierre-du-Regard 61....53 F 3
Saint-Pierre-du-Val 27......34 D 2
Saint-Pierre-du-Vauvray 27...36 C 4
Saint-Pierre-Église 50......29 G 2
Saint-Pierre-en-Faucigny 74......216 A 1
Saint-Pierre-en-Port 76......19 E 2
Saint-Pierre-en-Val 76......10 D 4
Saint-Pierre-en-Vaux 21......177 E 1
Saint-Pierre-es-Champs 60....37 F 2
Saint-Pierre-Eynac 43......247 G 3
Saint-Pierre-la-Bourlhonne 63......229 E 1
Saint-Pierre-la-Bruyère 61....84 D 5
Saint-Pierre-la-Cour 53......105 G 3
Saint-Pierre-la-Garenne 27...36 D 5
Saint-Pierre-la-Noaille 42...211 G 1
Saint-Pierre-la-Palud 69......212 C 5
Saint-Pierre-la-Rivière 61......54 D 1
Saint-Pierre-la-Roche 07......266 D 3
Saint-Pierre-la-Vieille 14......53 E 2
Saint-Pierre-Lafeuille 46......160 B 4
Saint-Pierre-Langers 50......51 G 3
Saint-Pierre-Laval 03......211 E 1
Saint-Pierre-Lavis 76......19 F 4
Saint-Pierre-la-Mer 11......321 G 5
Saint-Pierre-le-Bost 23......190 A 3
Saint-Pierre-le-Chastel 63...209 F 5
Saint-Pierre-le-Déchausselat 07......265 H 5
Saint-Pierre-le-Moûtier 58...174 C 4
Saint-Pierre le Potier 53......106 A 4
Saint-Pierre-le-Vieux 48......264 A 1
Saint-Pierre-le-Vieux 71......194 C 5
Saint-Pierre-le-Vieux 76......19 H 2
Saint-Pierre-le-Vieux 85......184 B 3
Saint-Pierre-le-Viger 76......19 H 2
Saint-Pierre-les-Aubagne 13......327 F 2
Saint-Pierre-lès-Bitry 60......39 H 2
Saint-Pierre-les-Bois 18......190 A 1
Saint-Pierre-lès-Elbeuf 76....36 A 4
Saint-Pierre-les-Étieux 18...173 G 5
Saint-Pierre-lès-Franqueville 02......25 E 2
Saint-Pierre-lès-Nemours 77......112 B 2
Saint-Pierre-Montlimart 49...148 C 3
Saint-Pierre-Quiberon 56 ...123 H 5
Saint-Pierre-Roche 63......227 F 1
Saint-Pierre-sur-Dives 14......54 A 1
Saint-Pierre-sur-Doux 07....248 B 2
Saint-Pierre-sur-Dropt 47...257 F 3
Saint-Pierre-sur-Erve 53....106 C 4
Saint-Pierre-sur-Orthe 53...107 E 2
Saint-Pierre-sur-Vence 08....26 D 4
Saint-Pierre-Tarentaine 14....52 D 2
Saint-Pierre-Toirac 46......261 F 4
Saint-Pierremont 02......25 F 3
Saint-Pierremont 08......43 F 1
Saint-Pierremont 88......95 G 3
Saint-Pierreville 07......266 C 1
Saint-Pierrevillers 55......44 D 3
Saint-Plaisir 03......191 H 1
Saint-Plancard 31......316 A 5
Saint-Planchers 50......51 F 3
Saint-Plantaire 36......189 E 3
Saint-Point 71......194 C 4
Saint-Point-Lac 25......180 C 3
Saint-Pois 50......52 B 4
Saint-Poix 53......105 G 5
Saint-Pol-de-Léon 29......71 G 3
Saint-Pol-sur-Mer 59......3 G 2
Saint-Pol-sur-Ternoise 62......7 G 5
Saint-Polgues 42......211 F 4
Saint-Polycarpe 11......337 G 2
Saint-Pompain 79......184 C 3
Saint-Pompon 24......259 F 2

Saint-Poncy 15......245 H 2
Saint-Pons 04......270 D 5
Saint-Pons 07......266 D 3
Saint-Pons Parc de 13......327 G 2
Saint-Pons-de-Mauchiens 34......302 A 5
Saint-Pons-de-Thomières 34......320 C 2
Saint-Pons-la-Calm 30......284 D 4
Saint-Pont 03......210 A 1
Saint-Porchaire 17......201 E 4
Saint-Porquier 82......277 F 5
Saint-Pôtan 22......79 F 3
Saint-Pouange 10......114 D 2
Saint-Pourçain-sur-Besbre 03......192 D 3
Saint-Pourçain-sur-Sioule 03......192 A 4
Saint-Prancher 88......94 C 4
Saint-Préjet-Armandon 43..246 C 1
Saint-Préjet-d'Allier 43......246 D 5
Saint-Prest 28......86 B 3
Saint-Preuil 16......220 C 2
Saint-Priest 07......266 C 2
Saint-Priest 23......208 B 2
Saint-Priest 69......231 F 1
Saint-Priest-Bramefant 63..210 B 3
Saint-Priest-d'Andelot 03......209 H 2
Saint-Priest-de-Gimel 19....243 E 1
Saint-Priest-des-Champs 63......209 E 3
Saint-Priest-en-Jarez 42......230 B 4
Saint-Priest-en-Murat 03......191 F 4
Saint-Priest-la-Feuille 23......206 C 1
Saint-Priest-la-Marche 18...190 A 3
Saint-Priest-la-Plaine 23......206 C 1
Saint-Priest-la-Prugne 42...211 E 3
Saint-Priest-la-Roche 42......211 G 4
Saint-Priest-la-Vêtre 42......211 E 5
Saint-Priest-les-Betoux 87...205 G 1
Saint-Priest-les-Fougères 24......223 E 3
Saint-Priest-Ligoure 87......223 H 2
Saint-Priest-Palus 23......206 C 1
Saint-Priest-sous-Aixe 87...205 F 5
Saint-Priest-Taurion 87......205 H 4
Saint-Prim 38......231 E 4
Saint-Privat 07......266 B 3
Saint-Privat 19......243 G 3
Saint-Privat 34......301 H 3
Saint-Privat-d'Allier 43......246 D 4
Saint-Privat-de-Champclos 30......284 B 2
Saint-Privat-de-Vallongue 48......283 F 2
Saint-Privat-des-Prés 24......239 F 1
Saint-Privat-des-Vieux 30...283 H 3
Saint-Privat-du-Dragon 43..246 B 2
Saint-Privat-du-Fau 48......246 B 1
Saint-Privat-la-Montagne 57......45 G 5
Saint-Privé 71......177 F 5
Saint-Privé 89......135 F 4
Saint-Prix 03......192 D 5
Saint-Prix 07......248 C 4
Saint-Prix 71......176 B 2
Saint-Prix 95......58 B 1
Saint-Prix-lès-Arnay 21......159 E 5
Saint-Projet 46......260 B 2
Saint-Projet 82......278 D 2
Saint-Projet-de-Salers 15...244 C 3
Saint-Projet-Saint-Constant 16......221 G 1
Saint-Prouant 85......166 D 4
Saint-Pryvé-Saint-Mesmin 45......133 E 2
Saint-Python 59......14 D 3
Saint-Quantin-de-Rançanne 17......219 G 3
Saint-Quay-Perros 22......72 C 2
Saint-Quay-Portrieux 22......73 H 4
Saint-Quentin 02......24 B 2
Saint-Quentin-de-Baron 33......256 B 1
Saint-Quentin-de-Blavou 61...84 B 3
Saint-Quentin-de-Caplong 33......257 E 1
Saint-Quentin-de-Chalais 16......239 E 1
Saint-Quentin-des-Isles 27...55 F 1
Saint-Quentin-des-Prés 60....37 G 1
Saint-Quentin-du-Dropt 47..258 B 2
Saint-Quentin-en-Mauges 49......148 D 3

Saint-Quentin-en-Tourmont 80......11 E 1
Saint-Quentin-en-Yvelines 78.57 H 4
Saint-Quentin-Fallavier 38...231 G 2
Saint-Quentin-la-Chabanne 23......207 G 4
Saint-Quentin-la-Motte-Croix-au-Bailly 80......10 D 4
Saint-Quentin-la-Poterie 30..284 C 4
Saint-Quentin-la-Tour 09......336 D 2
Saint-Quentin-le-Petit 08......25 G 5
Saint-Quentin-le-Verger 51....90 B 2
Saint-Quentin-les-Anges 53 128 A 3
Saint-Quentin-lès-Beaurepaire 49......129 F 5
Saint-Quentin-les-Chardonnets 61......52 D 4
Saint-Quentin-les-Marais 51...62 D 4
Saint-Quentin-lès-Troo 41..131 E 3
Saint-Quentin-sur-Charente 16......204 C 5
Saint-Quentin-sur-Coole 51...62 A 3
Saint-Quentin-sur-Indrois 37......152 C 4
Saint-Quentin-sur-Isère 38..232 C 5
Saint-Quentin-sur-le-Homme 50......51 H 5
Saint-Quentin-sur-Nohain 58......156 B 3
Saint-Quentin-sur-Sauxillanges 63......228 B 3
Saint-Quintin-sur-Sioule 63..209 G 2
Saint-Quirc 09......318 A 4
Saint-Quirin 57......96 C 1
Saint-Rabier 24......241 F 2
Saint-Racho 71......194 A 5
Saint-Rambert-d'Albon 26...249 E 1
Saint-Rambert-en-Bugey 01......214 B 3
Saint-Rambert-l'Ile-Barbe 69......213 E 5
Saint-Raphaël 24......241 F 1
Saint-Raphaël 83......329 H 1
Saint-Régis-du-Coin 42......248 B 1
Saint-Règle 37......152 C 2
Saint-Remèze 07......284 C 1
Saint-Remimont 54......95 E 2
Saint-Remimont 88......94 B 5
Saint-Rémy 01......195 H 5
Saint-Rémy 12......279 F 1
Saint-Rémy 14......53 F 2
Saint-Rémy 19......225 H 2
Saint-Rémy 21......137 G 5
Saint-Rémy 24......239 F 4
Saint-Remy 70......141 E 2
Saint-Rémy 71......177 H 4
Saint-Rémy 79......184 D 3
Saint-Remy 88......96 A 4
Saint-Rémy-au-Bois 62......6 C 5
Saint-Rémy-aux-Bois 54......95 F 3
Saint-Rémy-Blanzy 02......40 B 4
Saint-Rémy-Boscrocourt 76...10 D 4
Saint-Rémy-Chaussée 59......15 G 3
Saint-Rémy-de-Blot 63......209 F 2
Saint-Rémy-de-Chargnat 63......228 A 3
Saint-Rémy-de-Chaudes-Aigues 15....263 G 2
Saint-Rémy-de-Maurienne 73......233 H 4
Saint-Rémy-de-Provence 13......304 D 2
Saint-Rémy-de-Salers 15...244 C 3
Saint-Rémy-de-Sillé 72......107 F 2
Saint-Rémy-des-Landes 50....31 F 3
Saint-Rémy-des-Monts 72......84 A 5
Saint-Rémy-du-Nord 59......15 G 3
Saint-Rémy-du-Plain 35......80 C 4
Saint-Rémy-du-Val 72......83 H 5
Saint-Remy-en-Bouzemont-Saint-Genest-et-Isson 51...62 D 5
Saint-Rémy-en-l'Eau 60......38 C 1
Saint-Rémy-en-Mauges 49.148 C 3
Saint-Rémy-en-Montmorillon 86......187 G 5
Saint-Rémy-en-Rollat 03......210 B 1
Saint-Rémy-la-Calonne 55....64 D 2
Saint-Rémy-la-Varenne 49...150 A 2
Saint-Rémy-le-Petit 08......42 A 2
Saint-Rémy-lès-Chevreuse 78......58 A 5
Saint-Rémy-l'Honoré 78......57 G 4
Saint-Remy-sous-Barbuise 10......91 E 3
Saint-Rémy-sous-Broyes 51...61 E 5
Saint-Rémy-sur-Avre 28......56 C 4

Saint-Remy-sur-Bussy 51......62 C 1
Saint-Rémy-sur-Creuse 86..169 H 2
Saint-Rémy-sur-Durolle 63..210 C 4
Saint-Renan 29......74 D 3
Saint-René 22......78 C 3
Saint-Restitut 26......285 E 1
Saint-Révérend 85......165 E 4
Saint-Révérien 58......157 F 4
Saint-Rieul 22......79 E 4
Saint-Rigomer-des-Bois 72...83 H 4
Saint-Rimay 41......131 F 3
Saint-Riquier 80......11 H 3
Saint-Riquier-en-Rivière 76....21 E 4
Saint-Riquier-ès-Plains 76......19 G 2
Saint-Rirand 42......211 E 2
Saint-Rivoal 29......76 A 3
Saint-Robert 19......241 H 1
Saint-Robert 47......276 C 2
Saint-Roch 37......151 G 2
Saint-Roch-sur-Égrenne 61...82 A 2
Saint-Rogatien 17......200 C 1
Saint-Romain 16......239 F 1
Saint-Romain 21......177 G 2
Saint-Romain 63......229 F 3
Saint-Romain 86......186 C 5
Saint-Romain Mont 71......194 D 3
Saint-Romain-au-Mont-d'Or 69......213 E 4
Saint-Romain-d'Ay 07......248 D 2
Saint-Romain-de-Benet 17..219 E 1
Saint-Romain-de-Colbosc 76......18 D 5
Saint-Romain-de-Jalionas 38......213 H 5
Saint-Romain-de-Lerps 07..249 E 4
Saint-Romain-de-Monpazier 24......258 D 2
Saint-Romain-de-Popey 69.212 C 4
Saint-Romain-de-Surieu 38..231 F 4
Saint-Romain-des-Iles 71....213 E 1
Saint-Romain-d'Urfé 42......211 E 4
Saint-Romain-en-Gal 69......231 E 3
Saint-Romain-en-Gier 69......230 D 2
Saint-Romain-en-Jarez 42..230 C 3
Saint-Romain-en-Viennois 84......285 H 2
Saint-Romain-et-Saint-Clément 24......222 D 4
Saint-Romain-la-Motte 42...211 F 2
Saint-Romain-la-Virvée 33..237 H 4
Saint-Romain-Lachalm 43...248 A 1
Saint-Romain-le-Noble 47...276 C 3
Saint-Romain-le-Preux 89...113 G 5
Saint-Romain-le-Puy 42......229 H 3
Saint-Romain-les-Atheux 42......230 B 5
Saint-Romain-sous-Gourdon 71......194 B 1
Saint-Romain-sous-Versigny 71......193 H 1
Saint-Romain-sur-Cher 41..153 F 3
Saint-Romain-sur-Gironde 17......219 F 4
Saint-Roman 26......268 B 2
Saint-Roman Abbaye de 30......304 B 2
Saint-Roman-de-Bellet 06...309 G 2
Saint-Roman-de-Codières 30......283 G 5
Saint-Roman-de-Malegarde 84......285 G 2
Saint-Romans 38......250 A 2
Saint-Romans-des-Champs 79......185 E 5
Saint-Romans-lès-Melle 79......185 F 5
Saint-Rome 31......318 B 3
Saint-Rome-de-Cernon 12..281 G 5
Saint-Rome-de-Dolan 48......282 A 2
Saint-Rome-de-Tarn 12......281 F 5
Saint-Romphaire 50......52 B 1
Saint-Rouin Ermitage de 55...63 F 1
Saint-Rustice 31......297 H 2
Saint-Saëns 76......20 C 4
Saint-Saire 76......21 E 4
Saint-Salvadou 12......279 G 2
Saint-Salvadour 19......224 D 5
Saint-Salvi-de-Carcavès 81......300 B 2
Saint-Salvy 47......275 H 2
Saint-Salvy-de-la-Balme 81..299 H 5
Saint-Samson 14......34 A 4
Saint-Samson 53......83 E 3
Saint-Samson-de-Bonfossé 50......32 A 5
Saint-Samson-de-la-Roque 27......35 E 2

A
B
C
D
E
F
G
H
I
J
K
L
M
N
O
P
Q
R
S
T
U
V
W
X
Y
Z

Saint-Samson-la-Poterie 60 ... 21 F 5
Saint-Samson-sur-Rance 22 ... 79 G 3
Saint-Sandoux 63 ... 227 H 2
Saint-Santin 12 ... 261 H 3
Saint-Santin-Cantalès 15 ... 243 H 4
Saint-Santin-de-Maurs 15 ... 261 H 3
Saint-Sardos 47 ... 275 H 1
Saint-Sardos 82 ... 297 F 1
Saint-Sardos-de-Laurenque 47 ... 258 D 4
Saint-Satur 18 ... 156 A 3
Saint-Saturnin 15 ... 245 E 1
Saint-Saturnin 16 ... 221 E 1
Saint-Saturnin 18 ... 190 A 2
Saint-Saturnin 48 ... 282 A 1
Saint-Saturnin 51 ... 90 C 2
Saint-Saturnin 63 ... 227 H 2
Saint-Saturnin 72 ... 107 G 4
Saint-Saturnin-de-Lenne 12 ... 263 G 5
Saint-Saturnin-de-Lucian 34 ... 302 A 4
Saint-Saturnin-du-Bois 17 ... 201 G 1
Saint-Saturnin-du-Limet 53 ... 127 G 2
Saint-Saturnin-lès-Apt 84 ... 286 B 5
Saint-Saturnin-lès-Avignon 84 ... 285 G 5
Saint-Saturnin-sur-Loire 49 ... 149 H 2
Saint-Saud-Lacoussière 24 ... 222 D 3
Saint-Sauflieu 80 ... 22 B 3
Saint-Saulge 58 ... 175 F 1
Saint-Saulve 59 ... 9 G 5
Saint-Saury 15 ... 261 G 1
Saint-Sauvant 17 ... 201 H 5
Saint-Sauvant 86 ... 185 H 4
Saint-Sauves-d'Auvergne 63 ... 226 D 2
Saint-Sauveur 05 ... 270 C 3
Saint-Sauveur 21 ... 160 D 2
Saint-Sauveur 29 ... 76 A 2
Saint-Sauveur 31 ... 297 H 3
Saint-Sauveur 33 ... 237 E 1
Saint-Sauveur 38 ... 250 A 2
Saint-Sauveur 54 ... 96 B 2
Saint-Sauveur 60 ... 39 F 3
Saint-Sauveur 70 ... 141 G 2
Saint-Sauveur 79 ... 167 H 3
Saint-Sauveur 80 ... 22 B 1
Saint-Sauveur *Chapelle* 64 ... 330 D 2
Saint-Sauveur-Camprieu 30 ... 282 C 4
Saint-Sauveur-d'Aunis 17 ... 183 H 5
Saint-Sauveur-de-Bergerac 24 ... 240 B 5
Saint-Sauveur-de-Carrouges 61 ... 83 F 2
Saint-Sauveur-de-Chaulieu 50 ... 52 C 4
Saint-Sauveur-de-Cruzières 07 ... 284 A 2
Saint-Sauveur-de-Flée 49 ... 128 A 3
Saint-Sauveur-de-Ginestoux 48 ... 264 D 2
Saint-Sauveur-de-Landemont 49 ... 148 B 3
Saint-Sauveur-de-Meilhan 47 ... 256 D 5
Saint-Sauveur-de-Montagut 07 ... 266 C 1
Saint-Sauveur-de-Peyre 48 ... 264 A 3
Saint-Sauveur-de-Pierrepont 50 ... 31 F 2
Saint-Sauveur-de-Puynormand 33 ... 238 D 4
Saint-Sauveur-d'Émalleville 76 ... 18 D 5
Saint-Sauveur-des-Landes 35 ... 81 E 4
Saint-Sauveur-en-Diois 26 ... 267 H 2
Saint-Sauveur-en-Puisaye 89 ... 135 G 5
Saint-Sauveur-en-Rue 42 ... 248 C 1
Saint-Sauveur-Gouvernet 26 ... 286 B 1
Saint-Sauveur-la-Pommeraye 50 ... 51 G 3
Saint-Sauveur-la-Sagne 63 ... 228 D 5
Saint-Sauveur-la-Vallée 46 ... 260 C 3
Saint-Sauveur-Lalande 24 ... 239 F 4
Saint-Sauveur-le-Vicomte 50 ... 31 G 2
Saint-Sauveur-Lendelin 50 ... 31 G 4
Saint-Sauveur-les-Bains 65 ... 333 E 4
Saint-Sauveur-lès-Bray 77 ... 89 F 4
Saint-Sauveur-Levasville 28 ... 85 H 2
Saint-Sauveur-sur-École 77 ... 88 A 3
Saint-Sauveur-sur-Tinée 06 ... 289 H 3
Saint-Sauvier 03 ... 190 B 4
Saint-Sauvy 32 ... 296 D 3
Saint-Savin 33 ... 237 H 2
Saint-Savin 38 ... 232 A 2
Saint-Savin 65 ... 332 D 2
Saint-Savin 86 ... 187 F 2
Saint-Savinien 17 ... 201 F 4
Saint-Saviol 86 ... 203 G 1
Saint-Savournin 13 ... 327 F 1
Saint-Sébastien 23 ... 188 D 4
Saint-Sébastien 38 ... 251 E 5
Saint-Sébastien *Chapelle* 29 ... 75 H 4
Saint-Sébastien-d'Aigrefeuille 30 ... 283 G 4
Saint-Sébastien-de-Morsent 27 ... 56 B 1
Saint-Sébastien-de-Raids 50 ... 31 H 4
Saint-Sébastien-sur-Loire 44 ... 147 H 4
Saint-Secondin 86 ... 186 D 4
Saint-Ségal 29 ... 75 H 4
Saint-Séglin 35 ... 103 G 5
Saint-Seine 58 ... 175 H 5
Saint-Seine-en-Bâche 21 ... 160 D 5
Saint-Seine-l'Abbaye 21 ... 159 G 2
Saint-Seine-sur-Vingeanne 21 ... 160 D 1
Saint-Selve 33 ... 255 G 2
Saint-Senier-de-Beuvron 50 ... 81 E 2
Saint-Senier-sous-Avranches 50 ... 51 H 4
Saint-Senoch 37 ... 170 B 1
Saint-Senoux 35 ... 104 A 5
Saint-Sériès 34 ... 303 F 3
Saint-Sernin 07 ... 266 B 4
Saint-Sernin 11 ... 318 C 5
Saint-Sernin 47 ... 257 F 2
Saint-Sernin-du-Bois 71 ... 177 E 3
Saint-Sernin-du-Plain 71 ... 177 F 3
Saint-Sernin-lès-Lavaur 81 ... 299 E 5
Saint-Sernin-sur-Rance 12 ... 300 B 1
Saint-Sérotin 89 ... 113 F 2
Saint-Servais 22 ... 77 E 3
Saint-Servais 29 ... 71 F 5
Saint-Servan-sur-Mer 35 ... 50 C 5
Saint-Servant 56 ... 102 C 5
Saint-Setiers 19 ... 225 G 1
Saint-Seurin-de-Bourg 33 ... 237 G 3
Saint-Seurin-de-Cadourne 33 ... 219 E 5
Saint-Seurin-de-Cursac 33 ... 237 F 2
Saint-Seurin-de-Palenne 17 ... 219 G 2
Saint-Seurin-de-Prats 24 ... 257 E 1
Saint-Seurin-d'Uzet 17 ... 219 E 3
Saint-Seurin-sur-l'Isle 33 ... 238 D 4
Saint-Sève 33 ... 256 D 3
Saint-Sever 40 ... 293 H 2
Saint-Sever-Calvados 14 ... 52 B 3
Saint-Sever-de-Rustan 65 ... 315 G 3
Saint-Sever-de-Saintonge 17 ... 219 H 1
Saint-Sever-du-Moustier 12 ... 300 C 3
Saint-Séverin 16 ... 221 F 5
Saint-Séverin-d'Estissac 24 ... 239 H 3
Saint-Séverin-sur-Boutonne 17 ... 201 H 2
Saint-Siffret 30 ... 284 C 5
Saint-Sigismond 45 ... 110 C 5
Saint-Sigismond 49 ... 148 D 1
Saint-Sigismond 74 ... 216 C 1
Saint-Sigismond 85 ... 184 B 4
Saint-Sigismond-de-Clermont 17 ... 219 G 4
Saint-Silvain-Bas-le-Roc 23 ... 190 A 4
Saint-Silvain-Bellegarde 23 ... 207 H 3
Saint-Silvain-Montaigut 23 ... 206 D 1
Saint-Silvain-sous-Toulx 23 ... 190 A 5
Saint-Siméon 27 ... 35 F 3
Saint-Siméon 61 ... 82 A 3
Saint-Siméon 77 ... 60 A 4
Saint-Siméon-de-Bressieux 38 ... 232 A 5
Saint-Simeux 16 ... 220 D 2
Saint-Simon 02 ... 24 A 3
Saint-Simon 15 ... 244 C 4
Saint-Simon 16 ... 220 D 2
Saint-Simon 46 ... 261 E 2
Saint-Simon-de-Bordes 17 ... 219 H 4
Saint-Simon-de-Pellouaille 17 ... 219 F 2
Saint-Sixt 74 ... 216 A 2
Saint-Sixte 42 ... 211 G 5
Saint-Sixte 47 ... 276 C 4
Saint-Solen 22 ... 79 H 4
Saint-Solve 19 ... 241 H 1
Saint-Sorlin 69 ... 230 D 2
Saint-Sorlin-d'Arves 73 ... 251 H 1
Saint-Sorlin-de-Conac 17 ... 219 F 5
Saint-Sorlin-de-Morestel 38 ... 232 B 2
Saint-Sorlin-de-Vienne 38 ... 231 F 3
Saint-Sorlin-en-Bugey 01 ... 214 A 4
Saint-Sorlin-en-Valloire 26 ... 231 F 5
Saint-Sornin 03 ... 191 G 3
Saint-Sornin 16 ... 221 H 1
Saint-Sornin 17 ... 200 D 5
Saint-Sornin 85 ... 182 D 2
Saint-Sornin-la-Marche 87 ... 205 E 1
Saint-Sornin-Lavolps 19 ... 223 H 5
Saint-Sornin-Leulac 87 ... 205 H 1
Saint-Soulan 32 ... 316 D 2
Saint-Souplet 59 ... 14 D 5
Saint-Souplet-sur-Py 51 ... 42 B 4
Saint-Soupplets 77 ... 59 F 1
Saint-Sozy 46 ... 242 C 5
Saint-Stail 88 ... 96 C 3
Saint-Suliac 35 ... 79 H 3
Saint-Sulpice 01 ... 195 G 4
Saint-Sulpice 46 ... 260 D 4
Saint-Sulpice 49 ... 149 H 2
Saint-Sulpice 53 ... 106 A 5
Saint-Sulpice 58 ... 174 D 1
Saint-Sulpice 60 ... 38 A 3
Saint-Sulpice 63 ... 226 D 2
Saint-Sulpice 70 ... 141 H 5
Saint-Sulpice 73 ... 233 E 2
Saint-Sulpice-d'Arnoult 17 ... 201 E 5
Saint-Sulpice-de-Cognac 16 ... 202 B 5
Saint-Sulpice-de-Faleyrens 33 ... 238 C 5
Saint-Sulpice-de-Favières 91 ... 87 G 3
Saint-Sulpice-de-Grimbouville 27 ... 35 E 2
Saint-Sulpice-de-Guilleragues 33 ... 257 E 3
Saint-Sulpice-de-Mareuil 24 ... 221 H 4
Saint-Sulpice-de-Pommeray 41 ... 132 A 5
Saint-Sulpice-de-Pommiers 33 ... 256 C 2
Saint-Sulpice-de-Roumagnac 24 ... 239 G 2
Saint-Sulpice-de-Royan 17 ... 218 D 1
Saint-Sulpice-de-Ruffec 16 ... 203 G 3
Saint-Sulpice-des-Landes 35 ... 126 C 3
Saint-Sulpice-des-Landes 44 ... 127 F 5
Saint-Sulpice-des-Rivoires 38 ... 232 C 3
Saint-Sulpice-d'Excideuil 24 ... 223 E 5
Saint-Sulpice-en-Pareds 85 ... 183 H 1
Saint-Sulpice-et-Cameyrac 33 ... 237 H 5
Saint-Sulpice-la-Forêt 35 ... 104 C 2
Saint-Sulpice-la-Pointe 81 ... 298 B 3
Saint-Sulpice-Laurière 87 ... 206 B 2
Saint-Sulpice-le-Dunois 23 ... 189 E 5
Saint-Sulpice-le-Guérétois 23 ... 207 F 1
Saint-Sulpice-le-Verdon 85 ... 165 H 2
Saint-Sulpice-les-Bois 19 ... 225 G 2
Saint-Sulpice-les-Champs 23 ... 207 F 3
Saint-Sulpice-les-Feuilles 87 ... 188 B 4
Saint-Sulpice-sur-Lèze 31 ... 317 H 4
Saint-Sulpice-sur-Risle 61 ... 55 F 4
Saint-Supplet 54 ... 44 D 3
Saint-Sylvain 14 ... 53 H 1
Saint-Sylvain 19 ... 243 E 2
Saint-Sylvain 76 ... 19 G 2
Saint-Sylvain-d'Anjou 49 ... 149 H 1
Saint-Sylvestre 07 ... 249 E 4
Saint-Sylvestre 74 ... 215 F 4
Saint-Sylvestre 87 ... 205 H 3
Saint-Sylvestre-Cappel 59 ... 3 H 5
Saint-Sylvestre-de-Cormeilles 27 ... 35 E 4
Saint-Sylvestre-Pragoulin 63 ... 210 B 2
Saint-Sylvestre-sur-Lot 47 ... 276 D 1
Saint-Symphorien 04 ... 287 G 2
Saint-Symphorien 18 ... 173 E 4
Saint-Symphorien 27 ... 35 E 3
Saint-Symphorien 33 ... 255 G 5
Saint-Symphorien 35 ... 80 A 5
Saint-Symphorien 37 ... 151 H 2
Saint-Symphorien 48 ... 264 D 1
Saint-Symphorien 72 ... 107 F 4
Saint-Symphorien 79 ... 184 D 5
Saint-Symphorien-d'Ancelles 71 ... 194 D 5
Saint-Symphorien-de-Lay 42 ... 211 H 3
Saint-Symphorien-de-Mahun 07 ... 248 C 2
Saint-Symphorien-de-Marmagne 71 ... 176 D 3
Saint-Symphorien-de-Thénières 12 ... 263 E 2
Saint-Symphorien-des-Bois 71 ... 194 A 4
Saint-Symphorien-des-Bruyères 61 ... 55 F 4
Saint-Symphorien-des-Monts 50 ... 81 G 2
Saint-Symphorien-d'Ozon 69 ... 231 E 2
Saint-Symphorien-le-Valois 50 ... 31 F 3
Saint-Symphorien-les-Buttes 50 ... 52 C 1
Saint-Symphorien-sous-Chomérac 07 ... 267 E 2
Saint-Symphorien-sur-Coise 69 ... 230 B 2
Saint-Symphorien-sur-Couze 87 ... 205 G 2
Saint-Symphorien-sur-Saône 21 ... 160 C 5
Saint-Thégonnec-Loc-Eguiner 29 ... 71 G 5
Saint-Thélo 22 ... 102 A 1
Saint-Théodorit 30 ... 303 F 1
Saint-Théoffrey 38 ... 251 E 4
Saint-Thibaud-de-Couz 73 ... 233 E 3
Saint-Thibault 10 ... 115 E 2
Saint-Thibault 18 ... 156 A 3
Saint-Thibault 21 ... 159 E 2
Saint-Thibault 60 ... 21 G 4
Saint-Thibault-des-Vignes 77 ... 59 E 3
Saint-Thibaut 02 ... 40 D 3
Saint-Thibéry 34 ... 322 C 4
Saint-Thiébaud 39 ... 179 H 2
Saint-Thiébault 52 ... 117 H 2
Saint-Thierry 51 ... 41 G 3
Saint-Thois 29 ... 76 A 5
Saint-Thomas 02 ... 41 E 1
Saint-Thomas 31 ... 297 F 5
Saint-Thomas *Col de* 42 ... 211 E 4
Saint-Thomas-de-Conac 17 ... 219 F 4
Saint-Thomas-de-Courceriers 53 ... 82 D 5
Saint-Thomas-en-Argonne 51 ... 43 E 4
Saint-Thomas-en-Royans 26 ... 250 A 3
Saint-Thomas-la-Garde 42 ... 229 G 3
Saint-Thomé 07 ... 266 D 4
Saint-Thonan 29 ... 70 D 5
Saint-Thual 35 ... 79 H 5
Saint-Thurial 35 ... 103 H 4
Saint-Thuriau 56 ... 101 H 3
Saint-Thurien 27 ... 35 F 2
Saint-Thurien 29 ... 100 C 3
Saint-Thurin 42 ... 211 F 5
Saint-Thyrse *Chapelle* 04 ... 308 A 1
Saint-Tricat 62 ... 2 C 3
Saint-Trimoël 22 ... 78 D 4
Saint-Trinit 84 ... 286 C 3
Saint-Trivier-de-Courtes 01 ... 195 G 2
Saint-Trivier-sur-Moignans 01 ... 213 F 2
Saint-Trojan 33 ... 237 G 3
Saint-Trojan-les-Bains 17 ... 200 B 4
Saint-Tropez 83 ... 329 G 2
Saint-Tugdual 56 ... 101 E 2
Saint-Tugen 29 ... 98 D 2
Saint-Ulphace 72 ... 108 D 3
Saint-Ulrich 68 ... 143 E 3
Saint-Uniac 35 ... 103 G 2
Saint-Urbain 29 ... 75 G 2
Saint-Urbain 85 ... 164 D 2
Saint-Urbain-sur-Marne 52 ... 93 E 4
Saint-Urcisse 47 ... 276 D 3
Saint-Urcisse 81 ... 298 B 1
Saint-Urcize 15 ... 263 G 2
Saint-Ursin 50 ... 51 G 3
Saint-Usage 10 ... 116 A 3
Saint-Usage 21 ... 160 C 5
Saint-Usuge 71 ... 178 C 5
Saint-Utin 51 ... 91 H 2
Saint-Uze 26 ... 249 F 2
Saint-Vaast-de-Longmont 60 ... 39 F 3
Saint-Vaast-d'Équiqueville 76 ... 20 C 2
Saint-Vaast-Dieppedalle 76 ... 19 G 3
Saint-Vaast-du-Val 76 ... 20 A 4
Saint-Vaast-en-Auge 14 ... 34 B 3
Saint-Vaast-en-Cambrésis 59 ... 14 C 3
Saint-Vaast-en-Chaussée 80 ... 22 B 1
Saint-Vaast-la-Hougue 50 ... 29 H 3
Saint-Vaast-lès-Mello 60 ... 38 C 4
Saint-Vaast-sur-Seulles 14 ... 33 E 5
Saint-Vaize 17 ... 201 G 5
Saint-Valbert 70 ... 142 B 3
Saint-Valentin 36 ... 172 A 2
Saint-Valérien 85 ... 183 H 2
Saint-Valérien 89 ... 113 E 3
Saint-Valery 60 ... 21 F 3
Saint-Valery-en-Caux 76 ... 19 G 2
Saint-Valery-sur-Somme 80 ... 11 F 2
Saint-Vallerin 71 ... 177 G 5
Saint-Vallier 16 ... 238 D 1
Saint-Vallier 26 ... 249 E 2
Saint-Vallier 71 ... 194 A 1
Saint-Vallier 88 ... 95 E 5
Saint-Vallier-de-Thiey 06 ... 308 D 2
Saint-Vallier-sur-Marne 52 ... 139 H 2
Saint-Varent 79 ... 168 A 3
Saint-Vaury 23 ... 206 D 1
Saint-Venant 62 ... 7 H 2
Saint-Venec *Chapelle* 29 ... 75 H 5
Saint-Vénérand 43 ... 246 D 5
Saint-Vérain 58 ... 156 B 1
Saint-Véran 05 ... 271 F 1
Saint-Vérand 38 ... 250 A 2
Saint-Vérand 69 ... 212 C 4
Saint-Vérand 71 ... 194 D 5
Saint-Vert 43 ... 228 C 5
Saint-Viance 19 ... 242 B 2
Saint-Viâtre 41 ... 154 B 1
Saint-Viaud 44 ... 146 D 3
Saint-Victeur 72 ... 83 G 5
Saint-Victor 03 ... 190 D 4
Saint-Victor 07 ... 248 D 3
Saint-Victor 15 ... 243 H 4
Saint-Victor 24 ... 239 H 1
Saint-Victor-de-Buthon 28 ... 85 F 4
Saint-Victor-de-Cessieu 38 ... 232 B 3
Saint-Victor-de-Chrétienville 27 ... 55 E 1
Saint-Victor-de-Malcap 30 ... 284 A 2
Saint-Victor-de-Morestel 38 ... 232 B 1
Saint-Victor-de-Réno 61 ... 84 D 3
Saint-Victor-d'Épine 27 ... 35 F 4
Saint-Victor-des-Oules 30 ... 284 C 4
Saint-Victor-en-Marche 23 ... 207 E 2
Saint-Victor-et-Melvieu 12 ... 281 F 5
Saint-Victor-la-Coste 30 ... 284 D 4
Saint-Victor-la-Rivière 63 ... 227 F 3
Saint-Victor-l'Abbaye 76 ... 20 B 4
Saint-Victor-Malescours 43 ... 248 A 1
Saint-Victor-Montvianeix 63 ... 210 D 4
Saint-Victor-Rouzaud 09 ... 336 A 1
Saint-Victor-sur-Arlanc 43 ... 229 E 5
Saint-Victor-sur-Avre 27 ... 55 H 5
Saint-Victor-sur-Loire 42 ... 230 A 4
Saint-Victor-sur-Ouche 21 ... 159 G 4
Saint-Victor-sur-Rhins 42 ... 212 A 3
Saint-Victoret 13 ... 326 C 1
Saint-Victour 19 ... 226 B 4
Saint-Victurnien 87 ... 205 E 4
Saint-Vidal 43 ... 247 E 3
Saint-Vigor 27 ... 56 C 1
Saint-Vigor-des-Mézerets 14 ... 53 E 2
Saint-Vigor-des-Monts 50 ... 52 B 2
Saint-Vigor-d'Ymonville 76 ... 34 D 1
Saint-Vigor-le-Grand 14 ... 33 E 3
Saint-Vincent 31 ... 318 C 2
Saint-Vincent 43 ... 247 F 2
Saint-Vincent 63 ... 227 H 3
Saint-Vincent 64 ... 314 C 5
Saint-Vincent 82 ... 278 B 3
Saint-Vincent-Bragny 71 ... 193 H 2
Saint-Vincent-Cramesnil 76 ... 34 D 1
Saint-Vincent-de-Barbeyrargues 34 ... 302 D 3
Saint-Vincent-de-Barrès 07 ... 267 E 3
Saint-Vincent-de-Boisset 42 ... 211 H 3
Saint-Vincent-de-Connezac 24 ... 239 H 2
Saint-Vincent-de-Cosse 24 ... 259 F 1
Saint-Vincent-de-Durfort 07 ... 266 D 1
Saint-Vincent-de-Lamontjoie 47 ... 275 H 4
Saint-Vincent-de-Mercuze 38 ... 233 F 4
Saint-Vincent-de-Paul 33 ... 237 H 4
Saint-Vincent-de-Paul 40 ... 293 E 2
Saint-Vincent-de-Pertignas 33 ... 256 C 1
Saint-Vincent-de-Reins 69 ... 212 B 2
Saint-Vincent-de-Salers 15 ... 244 C 2
Saint-Vincent-de-Tyrosse 40 ... 292 B 3
Saint-Vincent-des-Bois 27 ... 56 D 1
Saint-Vincent-des-Landes 44 ... 126 D 4
Saint-Vincent-des-Prés 71 ... 194 C 2
Saint-Vincent-des-Prés 72 ... 84 A 5
Saint-Vincent-d'Olargues 34 ... 300 D 5
Saint-Vincent-du-Boulay 27 ... 35 E 5
Saint-Vincent-du-Lorouër 72 ... 130 C 2
Saint-Vincent-du-Pendit 46 ... 261 E 1
Saint-Vincent-en-Bresse 71 ... 178 B 5
Saint-Vincent-Jalmoutiers 24 ... 239 F 2
Saint-Vincent-la-Châtre 79 ... 185 G 5
Saint-Vincent-la-Commanderie 26 ... 249 H 4
Saint-Vincent-le-Paluel 24 ... 241 G 5
Saint-Vincent-les-Forts 04 ... 270 B 4
Saint-Vincent-Lespinasse 82 ... 277 E 4
Saint-Vincent-Puymaufrais 85 ... 183 F 1
Saint-Vincent-Rive-d'Olt 46 ... 259 G 5
Saint-Vincent-Sterlanges 85 ... 166 C 4
Saint-Vincent-sur-Graon 85 ... 182 D 2
Saint-Vincent-sur-Jabron 04 ... 287 E 3
Saint-Vincent-sur-Jard 85 ... 182 C 3
Saint-Vincent-sur-l'Isle 24 ... 240 D 1
Saint-Vincent-sur-Oust 56 ... 125 G 3
Saint-Vinnemer 89 ... 137 F 2
Saint-Vit 25 ... 161 G 4
Saint-Vital 73 ... 234 A 1
Saint-Vite 47 ... 259 E 5
Saint-Vitte 18 ... 190 C 2
Saint-Vitte-sur-Briance 87 ... 224 C 2
Saint-Vivien 17 ... 200 D 2
Saint-Vivien 24 ... 239 E 5
Saint-Vivien-de-Blaye 33 ... 237 G 2
Saint-Vivien-de-Médoc 33 ... 218 C 4
Saint-Vivien-de-Monségur 33 ... 257 E 3
Saint-Voir 03 ... 192 C 3
Saint-Vougay 29 ... 71 F 4
Saint-Vrain 51 ... 63 E 5
Saint-Vrain 91 ... 87 H 3
Saint-Vran 22 ... 102 D 1
Saint-Vulbas 01 ... 214 A 4
Saint-Waast 59 ... 15 F 2
Saint-Wandrille-Rançon 76 ... 35 G 1
Saint-Witz 95 ... 58 D 1
Saint-Xandre 17 ... 183 F 5
Saint-Yaguen 40 ... 293 G 1
Saint-Yan 71 ... 193 G 3
Saint-Ybard 19 ... 224 B 4
Saint-Ybars 09 ... 317 H 5
Saint-Ylie 39 ... 178 D 1
Saint-Yon 91 ... 87 G 2
Saint-Yorre 03 ... 210 C 2
Saint-Yrieix-la-Montagne 23 ... 207 F 4
Saint-Yrieix-la-Perche 87 ... 223 G 3
Saint-Yrieix-le-Déjalat 19 ... 225 F 4
Saint-Yrieix-les-Bois 23 ... 207 F 2
Saint-Yrieix-sous-Aixe 87 ... 205 F 4
Saint-Yrieix-sur-Charente 16 ... 221 E 1
Saint-Ythaire 71 ... 194 C 1
Saint-Yvi 29 ... 100 A 3
Saint-Yvoine 63 ... 228 A 2
Saint-Yzan-de-Soudiac 33 ... 237 H 2
Saint-Yzans-de-Médoc 33 ... 219 E 5
Saint-Zacharie 83 ... 327 G 1

Sainte-Adresse 76 34 B 1
Sainte-Agathe 63 210 D 5
Sainte-Agathe-d'Aliermont 76 20 C 2
Sainte-Agathe-en-Donzy 42 212 A 5
Sainte-Agathe-la-Bouteresse 42 229 G 1
Sainte-Agnès 06 291 G 5
Sainte-Agnès 38 251 F 1
Sainte-Agnès 39 196 B 1
Sainte-Alauzie 46 277 H 2
Sainte-Alvère 24 240 D 5
Sainte-Anastasie 15 245 G 2
Sainte-Anastasie 30 303 H 1
Sainte-Anastasie-sur-Issole 83 328 C 2
Sainte-Anne 04 271 E 4
Sainte-Anne 25 180 A 2
Sainte-Anne 32 297 E 3
Sainte-Anne 41 131 G 3
Sainte-Anne-d'Auray 56 124 A 3
Sainte-Anne-d'Evenos 83 327 H 4
Sainte-Anne-du-Castellet 83 327 H 3
Sainte-Anne-la-Condamine 04 271 E 4
Sainte-Anne-la-Palud 29 75 G 5
Sainte-Anne-Saint-Priest 87 224 D 1
Sainte-Anne-sur-Brivet 44 146 D 1
Sainte-Anne-sur-Gervonde 38 231 H 3
Sainte-Anne-sur-Vilaine 35 126 B 3
Sainte-Aulde 77 60 A 2
Sainte-Aurence-Cazaux 32 315 H 3
Sainte-Austreberthe 62 7 E 5
Sainte-Austreberthe 76 20 A 5
Sainte-Avoye 56 124 A 3
Sainte-Barbe 57 46 B 5
Sainte-Barbe 88 95 H 3
Sainte-Barbe *Alignements de* 56 100 D 3
Sainte-Barbe-sur-Gaillon 27 36 C 5
Sainte-Baume *Gorge de la* 07 266 D 5
La Sainte-Baume *Massif de* 93 327 G 2
Sainte-Bazeille 47 257 E 4
Sainte-Beuve-en-Rivière 76 21 E 3
Sainte-Blandine 38 232 B 2
Sainte-Blandine 79 185 F 5
Sainte-Brigitte 56 77 G 5
Sainte-Camelle 11 318 C 4
Sainte-Catherine 62 13 G 2
Sainte-Catherine 63 228 C 4
Sainte-Catherine 69 230 C 2
Sainte-Catherine-de-Fierbois 37 151 H 5
Sainte-Cécile 36 153 H 5
Sainte-Cécile 50 52 A 3
Sainte-Cécile 71 194 C 3
Sainte-Cécile 85 166 B 4
Sainte-Cécile-d'Andorge 30 283 G 2
Sainte-Cécile-du-Cayrou 81 278 D 5
Sainte-Cécile-les-Vignes 84 285 F 2
Sainte-Céronne-lès-Mortagne 61 84 B 2
Sainte-Cérotte 72 130 D 2
Sainte-Christie 32 296 B 3
Sainte-Christie-d'Armagnac 32 295 E 2
Sainte-Christine 49 149 E 3
Sainte-Christine 63 209 F 2
Sainte-Christine 85 184 C 4
Sainte-Christine *Chapelle* 29 75 F 3
Sainte-Colombe 05 286 D 1
Sainte-Colombe 16 203 G 5
Sainte-Colombe 17 238 B 1
Sainte-Colombe 25 180 C 2
Sainte-Colombe 33 238 D 5
Sainte-Colombe 35 104 C 5
Sainte-Colombe 40 293 H 3
Sainte-Colombe 46 261 F 2
Sainte-Colombe 50 29 F 5
Sainte-Colombe 69 231 F 3
Sainte-Colombe 76 19 G 3
Sainte-Colombe 77 89 G 3
Sainte-Colombe 89 137 E 5
Sainte-Colombe-de-Duras 47 257 E 2
Sainte-Colombe-de-la-Commanderie 66 342 D 3
Sainte-Colombe-de-Peyre 48 264 A 2
Sainte-Colombe-de-Villeneuve 47 276 B 1
Sainte-Colombe-des-Bois 58 156 C 3
Sainte-Colombe-en-Auxois 21 159 E 2
Sainte-Colombe-en-Bruilhois 47 275 H 3
Sainte-Colombe-la-Commanderie 27 36 A 5
Sainte-Colombe-près-Vernon 27 36 C 5
Sainte-Colombe-sur-Gand 42 212 A 4
Sainte-Colombe-sur-Guette 11 337 G 5
Sainte-Colombe-sur-l'Hers 11 337 E 3
Sainte-Colombe-sur-Loing 89 135 G 5
Sainte-Colombe-sur-Seine 21 138 A 2
Sainte-Colome 64 332 A 1
Sainte-Consorce 69 212 D 5
Sainte-Croix 01 213 G 4
Sainte-Croix 02 41 E 1
Sainte-Croix 12 261 F 5
Sainte-Croix 24 258 D 2
Sainte-Croix 26 268 A 1
Sainte-Croix 46 277 F 1
Sainte-Croix 71 195 H 1
Sainte-Croix 81 279 G 5
Sainte-Croix *Barrage de* 83 307 F 2
Sainte-Croix *Prieuré de* 60 39 G 2
Sainte-Croix-à-Lauze 04 306 B 1
Sainte-Croix-aux-Mines 68 96 D 5
Sainte-Croix-de-Caderle 30 283 F 4
Sainte-Croix-de-Mareuil 24 221 H 4
Sainte-Croix-de-Quintillargues 34 302 D 3
Sainte-Croix-du-Mont 33 256 B 3
Sainte-Croix-du-Verdon 04 307 F 2
Sainte-Croix-en-Jarez 42 230 D 3
Sainte-Croix-en-Plaine 68 121 E 3
Sainte-Croix-Grand-Tonne 14 33 F 4
Sainte-Croix-Hague 50 28 D 3
Sainte-Croix-sur-Aizier 27 35 F 2
Sainte-Croix-sur-Buchy 76 20 D 5
Sainte-Croix-sur-Mer 14 33 F 3
Sainte-Croix-sur-Orne 61 53 G 4
Sainte-Croix-Vallée-Française 48 283 E 3
Sainte-Croix-Volvestre 09 335 F 1
Sainte-Dode 32 315 H 2
Sainte-Eanne 79 185 G 3
Sainte-Engrâce 64 331 F 3
Sainte-Enimie 48 282 B 1
Sainte-Eugénie-de-Villeneuve 43 246 D 2
Sainte-Eugienne 50 51 H 4
Sainte-Eulalie 07 265 H 1
Sainte-Eulalie 11 319 G 5
Sainte-Eulalie 15 244 B 3
Sainte-Eulalie 33 237 H 5
Sainte-Eulalie 48 264 C 1
Sainte-Eulalie-d'Ans 24 241 E 1
Sainte-Eulalie-de-Cernon 12 281 H 5
Sainte-Eulalie-d'Eymet 24 257 G 2
Sainte-Eulalie-d'Olt 12 263 G 5
Sainte-Eulalie-en-Born 40 272 C 2
Sainte-Eulalie-en-Royans 26 250 A 3
Sainte-Euphémie 01 213 E 3
Sainte-Euphémie-sur-Ouvèze 26 286 B 1
Sainte-Eusoye 60 22 B 5
Sainte-Fauste 36 172 A 3
Sainte-Féréole 19 242 C 1
Sainte-Feyre 23 207 E 1
Sainte-Feyre-la-Montagne 23 207 H 4
Sainte-Flaive-des-Loups 85 165 G 5
Sainte-Florence 33 256 D 1
Sainte-Florence 85 166 B 3
Sainte-Florine 43 228 A 4
Sainte-Foi 09 336 D 1
Sainte-Fortunade 19 242 D 2
Sainte-Foy 40 294 B 1
Sainte-Foy 71 193 H 5
Sainte-Foy 76 20 B 3
Sainte-Foy 85 182 B 1
Sainte-Foy-d'Aigrefeuille 31 298 B 5
Sainte-Foy-de-Belvès 24 259 E 2
Sainte-Foy-de-Longas 24 240 C 5
Sainte-Foy-de-Montgommery 14 54 C 2
Sainte-Foy-de-Peyrolières 31 317 F 2
Sainte-Foy-des-Vignes 24 239 H 5
Sainte-Foy-la-Grande 33 257 F 1
Sainte-Foy-la-Longue 33 256 C 3
Sainte-Foy-l'Argentière 69 230 B 1
Sainte-Foy-lès-Lyon 69 231 E 1
Sainte-Foy-Saint-Sulpice 42 211 H 5
Sainte-Foy-Tarentaise 73 235 E 1
Sainte-Gauburge 61 84 C 5
Sainte-Gauburge-Sainte-Colombe 61 55 E 5
Sainte-Gemme 17 201 E 5
Sainte-Gemme 32 296 C 2
Sainte-Gemme 33 257 E 3
Sainte-Gemme 36 171 E 3
Sainte-Gemme 51 40 D 5
Sainte-Gemme 79 168 A 3
Sainte-Gemme 81 279 H 4
Sainte-Gemme-en-Sancerrois 18 155 H 2
Sainte-Gemme-la-Plaine 85 183 F 2
Sainte-Gemme-Martaillac 47 275 E 1
Sainte-Gemme-Moronval 28 56 D 4
Sainte-Gemmes 41 132 A 3
Sainte-Gemmes-d'Andigné 49 128 A 4
Sainte-Gemmes-le-Robert 53 106 D 2
Sainte-Gemmes-sur-Loire 49 149 G 2
Sainte-Geneviève 02 25 G 3
Sainte-Geneviève 50 29 G 3
Sainte-Geneviève 54 65 G 3
Sainte-Geneviève 60 38 B 3
Sainte-Geneviève 76 20 D 4
Sainte-Geneviève-des-Bois 45 134 D 3
Sainte-Geneviève-des-Bois 91 87 H 2
Sainte-Geneviève-lès-Gasny 27 57 E 1
Sainte-Geneviève-sur-Argence 12 263 E 1
Sainte-Hélène 33 236 D 4
Sainte-Hélène 48 264 D 4
Sainte-Hélène 56 123 G 2
Sainte-Hélène 71 177 F 4
Sainte-Hélène 88 95 H 5
Sainte-Hélène-Bondeville 76 19 E 3
Sainte-Hélène-du-Lac 73 233 G 3
Sainte-Hélène-sur-Isère 73 234 A 1
Sainte-Hermine 85 183 G 1
Sainte-Honorine-de-Ducy 14 32 D 5
Sainte-Honorine-des-Pertes 14 32 D 2
Sainte-Honorine-du-Fay 14 33 F 5
Sainte-Honorine-la-Chardonne 61 53 F 3
Sainte-Honorine-la-Guillaume 61 53 G 4
Sainte-Innocence 24 257 G 2
Sainte-Jalle 26 286 A 1
Sainte-Jamme-sur-Sarthe 72 107 H 3
Sainte-Julie 01 214 A 4
Sainte-Juliette 82 277 F 2
Sainte-Juliette-sur-Viaur 12 280 C 3
Sainte-Léocadie 66 341 F 5
Sainte-Lheurine 17 220 B 3
Sainte-Livière 52 92 B 2
Sainte-Livrade 31 297 F 4
Sainte-Livrade-sur-Lot 47 276 B 1
Sainte-Lizaigne 36 172 B 2
Sainte-Luce 38 251 F 5
Sainte-Luce-sur-Loire 44 147 H 3
Sainte-Lucie-de-Porto-Vecchio 2A 349 G 5
Sainte-Lucie-de-Tallano 2A 349 E 5
Sainte-Lunaise 18 173 E 3
Sainte-Magnance 89 158 B 2
Sainte-Marguerite 43 246 D 2
Sainte-Marguerite 88 96 B 5
Sainte-Marguerite *Île* 06 309 F 4
Sainte-Marguerite *Presqu'île de* 29 70 C 4
Sainte-Marguerite-de-Carrouges 61 83 E 2
Sainte-Marguerite-de-l'Autel 27 55 H 3
Sainte-Marguerite-de-Viette 14 54 B 1
Sainte-Marguerite-d'Elle 14 32 B 4
Sainte-Marguerite-des-Loges 14 54 C 1
Sainte-Marguerite-en-Ouche 27 55 F 1
Sainte-Marguerite-Lafigère 07 265 G 5
Sainte-Marguerite-sur-Duclair 76 35 H 1
Sainte-Marguerite-sur-Fauville 76 19 F 4
Sainte-Marguerite-sur-Mer 76 10 A 5
Sainte-Marie 05 268 C 4
Sainte-Marie 08 42 D 2
Sainte-Marie 15 245 F 5
Sainte-Marie 16 239 E 1
Sainte-Marie 25 142 B 4
Sainte-Marie 32 296 D 4
Sainte-Marie 35 125 H 3
Sainte-Marie 44 146 C 5
Sainte-Marie 58 175 E 1
Sainte-Marie 65 334 B 2
Sainte-Marie *Col de* 88 96 C 5
Sainte-Marie-à-Py 51 42 C 4
Sainte-Marie-au-Bosc 76 18 C 4
Sainte-Marie-aux-Anglais 14 54 B 1
Sainte-Marie-aux-Chênes 57 45 F 5
Sainte-Marie-aux-Mines 68 96 D 5
Sainte-Marie-Cappel 59 3 H 5
Sainte-Marie-d'Alloix 38 233 F 4
Sainte-Marie-d'Alvey 73 232 D 2
Sainte-Marie-d'Attez 27 56 A 4
Sainte-Marie-de-Campan 65 333 F 2
Sainte-Marie-de-Chignac 24 240 D 2
Sainte-Marie-de-Cuines 73 234 A 5
Sainte-Marie-de-Gosse 40 292 C 4
Sainte-Marie-de-Ré 17 200 B 1
Sainte-Marie-de-Vars 05 270 D 3
Sainte-Marie-de-Vatimesnil 27 37 E 4
Sainte-Marie-de-Vaux 87 205 F 4
Sainte-Marie-des-Champs 76 19 G 5
Sainte-Marie-des-Chazes 43 246 D 3
Sainte-Marie-du-Bois 50 81 H 2
Sainte-Marie-du-Bois 53 82 C 3
Sainte-Marie-du-Lac-Nuisement 51 92 B 2
Sainte-Marie du Ménez-Hom *Chapelle* 29 75 G 4
Sainte-Marie-du-Mont 38 233 F 4
Sainte-Marie-du-Mont 50 32 A 2
Sainte-Marie-en-Chanois 70 141 H 2
Sainte-Marie-en-Chaux 70 141 G 2
Sainte-Marie-Kerque 62 3 E 3
Sainte-Marie-la-Blanche 21 177 H 2
Sainte-Marie-la-Mer 66 339 E 5
Sainte-Marie-la-Robert 61 53 H 5
Sainte-Marie-Lapanouze 19 226 B 4
Sainte-Marie-Laumont 14 52 C 2
Sainte-Marie-Outre-l'Eau 14 52 B 2
Sainte-Marie-sur-Ouche 21 159 G 3
Sainte-Marine 29 99 G 4
Sainte-Marthe 27 55 H 2
Sainte-Marthe 47 257 E 5
Sainte-Maure 10 90 D 5
Sainte-Maure-de-Peyriac 47 275 E 5
Sainte-Maure-de-Touraine 37 151 H 5
Sainte-Maxime 83 329 G 2
Sainte-Même 17 201 H 4
Sainte-Menehould 51 43 E 5
Sainte-Mère 32 276 B 5
Sainte-Mère-Église 50 29 G 5
Sainte-Mesme 78 87 E 3
Sainte-Mondane 24 259 H 1
Sainte-Montaine 18 155 E 1
Sainte-Nathalène 24 241 G 5
Sainte-Néomaye 79 185 F 3
Sainte-Odile *Mont* 67 97 E 3
Sainte-Olive 01 213 F 2
Sainte-Opportune 61 53 F 4
Sainte-Opportune-du-Bosc 27 35 H 5
Sainte-Opportune-la-Mare 27 35 F 2
Sainte-Orse 24 241 F 2
Sainte-Osmane 72 130 D 2
Sainte-Ouenne 79 184 D 3
Sainte-Pallaye 89 136 C 5
Sainte-Paule 69 212 C 3
Sainte-Pazanne 44 147 E 5
Sainte-Pexine 85 183 F 1
Sainte-Pezenne 79 184 D 4
Sainte-Pience 50 51 H 4
Sainte-Pôle 54 96 A 2
Sainte-Preuve 02 25 F 5
Sainte-Radegonde 12 280 D 1
Sainte-Radegonde 17 201 E 4
Sainte-Radegonde 24 258 C 2
Sainte-Radegonde 32 296 B 2
Sainte-Radegonde 33 256 D 1
Sainte-Radegonde 71 176 B 5
Sainte-Radegonde 79 168 A 2
Sainte-Radégonde 86 187 E 1
Sainte-Radégonde-des-Noyers 85 183 G 3
Sainte-Ramée 17 219 F 4
Sainte-Reine 70 161 G 1
Sainte-Reine 73 233 G 2
Sainte-Reine-de-Bretagne 44 146 C 1
Sainte-Restitude 2B 346 C 2
Sainte-Roseline *Chapelle* 83 308 B 5
Sainte-Ruffine 57 65 G 1
Sainte-Sabine 21 159 F 4
Sainte-Sabine 24 258 C 2
Sainte-Sabine-sur-Longève 72 107 G 3
Sainte-Savine 10 90 D 5
Sainte-Scolasse-sur-Sarthe 61 84 A 2
Sainte-Segrée 80 21 H 3
Sainte-Sève 29 71 H 5
Sainte-Sévère 16 202 C 5
Sainte-Sévère-sur-Indre 36 189 H 3
Sainte-Sigolène 43 248 A 1
Sainte-Solange 18 155 F 5
Sainte-Soline 79 185 H 5
Sainte-Souline 16 220 D 5
Sainte-Soulle 17 183 G 5
Sainte-Suzanne 09 317 H 5
Sainte-Suzanne 25 142 B 4
Sainte-Suzanne 64 313 F 2
Sainte-Suzanne-en-Bauptois 50 31 G 3
Sainte-Suzanne-et-Chammes 53 106 D 3
Sainte-Suzanne-sur-Vire 50 32 B 5
Sainte-Terre 33 256 C 1
Sainte-Thérence 03 190 C 5
Sainte-Thorette 18 172 D 1
Sainte-Tréphine 22 77 G 4
Sainte-Trie 24 241 G 1
Sainte-Tulle 04 306 C 2
Sainte-Valière 11 320 D 4
Sainte-Vaubourg 08 42 C 1
Sainte-Verge 79 168 A 1
Sainte-Vertu 89 137 E 3
Sainteny 50 31 H 3
Saintes 17 201 G 5
Saintes-Maries-de-la-Mer 13 324 C 3
Saintines 60 39 F 3
Saintry-sur-Seine 91 88 A 2
Saints 77 59 H 4
Saints-en-Puisaye 89 135 H 5
Saints-Geosmes 52 139 G 2
Sainville 28 86 D 4
Saires 86 169 E 3
Saires-la-Verrerie 61 53 F 5
Saisies *Col des* 73 216 B 5
Saissac 11 319 F 3
Saisseval 80 22 A 2
Saisy 71 177 F 2
Saivres 79 185 F 3
Le Saix 05 269 F 4
Saïx 81 299 G 5
Saix 86 150 C 5
Saizenay 39 179 H 2
Saizerais 54 65 G 4
Saizy 58 157 G 3
Sajas 31 317 E 3
Salagnac 24 241 G 1
Salagnon 38 232 A 1
Salaise-sur-Sanne 38 231 E 5
Salans 39 161 G 4
Salasc 34 301 H 4
Salaunes 33 237 E 4
Salavas 07 284 B 1
Salavre 01 196 A 3
Salazac 30 284 C 2
Salbris 41 154 C 2
Les Salces 48 263 H 4
Saléchan 65 334 B 3
Saleich 31 335 E 2
Saleignes 17 202 C 3
Saleilles 66 343 F 2
Les Salelles 07 265 H 5
Les Salelles 48 264 A 5
Salency 60 23 H 5
Salenthal 67 68 B 5
Saléon 05 287 E 1
Salérans 05 287 E 2
Salerm 31 316 C 4
Salernes 83 307 G 4
Salers 15 244 C 3
Sales 74 215 F 4
Salesches 59 15 E 3
La Salette-Fallavaux 38 251 G 5
Salettes 26 267 G 4
Salettes 43 247 G 5
Saleux 80 22 B 2
Salève *Mont* 74 215 G 1
Salice 2A 348 C 1
Saliceto 2B 347 F 3
Saliès 81 299 F 1
Salies-de-Béarn 64 311 H 3
Salies-du-Salat 31 334 D 1
Salignac 04 287 G 3
Salignac 33 237 H 3
Salignac-de-Mirambeau 17 219 H 5
Salignac-Eyvigues 24 241 H 4
Salignac-sur-Charente 17 219 H 1
Saligney 39 161 F 4
Saligny 85 165 H 3
Saligny 89 113 G 2
Saligny-le-Vif 18 173 H 1
Saligny-sur-Roudon 03 193 E 3
Saligos 65 332 D 3
Salin-de-Badon 13 324 D 3
Salin-de-Giraud 13 325 E 3
Salindres 30 283 H 3
Saline Royale d'Arc-et-Cenans 25 179 G 1
Salinelles 30 303 F 2
Salins 15 244 B 2
Salins 77 89 E 4
Les Salins-d'Hyères 83 328 C 4
Salins-les-Bains 39 179 H 2
Salins-Fontaine 73 234 C 3
Salives 21 138 D 5
Sallagriffon 06 289 F 5
Sallanches 74 216 C 3
Sallaumines 62 8 C 5
La Salle 71 195 E 3
La Salle 88 96 A 4
La Salle-de-Vihiers 49 149 F 5
La Salle-en-Beaumont 38 251 F 5
La Salle-et-Chapelle-Aubry 49 148 D 3
La Salle-les-Alpes 05 252 C 4
La Salle-Prunet 48 282 D 2
Sallebœuf 33 237 H 5
Sallèdes 63 228 A 2
Sallèles-Cabardès 11 319 H 4
Sallèles-d'Aude 11 321 E 4
Sallen 14 32 D 5
Sallenelles 14 33 H 3
Sallenôves 74 215 F 2
Sallertaine 85 164 D 2
Les Salles 33 238 D 5
Salles 33 254 D 4
Les Salles 42 211 E 5
Salles 47 258 D 4
Salles 65 332 D 2
Salles 79 185 G 3
Salles 81 279 F 4
Salles-Adour 65 315 E 5
Salles-Arbuissonnas-en-Beaujolais 69 212 D 2
Salles-Courbatiès 12 261 G 5
Salles-Curan 12 281 E 3
Salles-d'Angles 16 220 B 2
Salles-d'Armagnac 32 295 E 2
Salles-d'Aude 11 321 F 5
Salles-de-Barbezieux 16 220 C 4
Salles-de-Belvès 24 259 E 2
Salles-de-Villefagnan 16 203 F 3
Les Salles-du-Gardon 30 283 G 3
Salles-en-Toulon 86 187 E 2

A B C D E F G H I J K L M N O P Q R S T U V W X Y Z

Salles-et-Pratviel *31* ... 334 B 4
Salles-la-Source *12* ... 262 C 5
Salles-Lavalette *16* ... 221 F 5
Les Salles-Lavauguyon *87* ... 222 C 1
Salles-lès-Aulnay *17* ... 202 B 2
Salles-Mongiscard *64* ... 293 F 5
Salles-sous-Bois *26* ... 267 F 5
Salles-sur-Garonne *31* ... 317 F 4
Salles-sur-l'Hers *11* ... 318 C 4
Salles-sur-Mer *17* ... 200 D 1
Les Salles-sur-Verdon *83* ... 307 G 2
Sallespisse *64* ... 293 G 5
Salmagne *55* ... 64 B 5
Salmaise *21* ... 159 F 1
Salmbach *67* ... 69 G 1
Salmiech *12* ... 280 D 3
Salomé *59* ... 8 B 3
Salon *10* ... 61 G 5
Salon *24* ... 240 C 4
Salon-de-Provence *13* ... 305 F 4
Salon-la-Tour *19* ... 224 B 3
Salonnes *57* ... 66 C 4
Salornay-sur-Guye *71* ... 194 C 2
Salouël *80* ... 22 B 2
Salperwick *62* ... 3 F 5
Salsein *09* ... 335 E 3
Salses-le-Château *66* ... 339 E 4
Salsigne *11* ... 319 H 4
Salt-en-Donzy *42* ... 230 A 1
Les Salvages *81* ... 299 G 4
Salvagnac *81* ... 298 C 1
Salvagnac-Cajarc *12* ... 261 E 5
Salvagnac-Saint-Loup *12* ... 261 F 4
La Salvetat-Belmontet *82* ... 298 A 1
La Salvetat-Lauragais *31* ... 298 C 5
La Salvetat-Peyralès *12* ... 279 H 3
La Salvetat-Saint-Gilles *31* ... 297 G 5
La Salvetat-sur-Agout *34* ... 300 C 5
Salvezines *11* ... 337 H 5
Salvi *Col de* *2B* ... 346 C 2
Salviac *46* ... 259 G 3
Salvizinet *42* ... 212 A 5
Salza *11* ... 338 A 2
Salzuit *43* ... 246 C 2
Samadet *40* ... 294 A 4
Saman *31* ... 316 C 5
Samara *80* ... 22 B 1
Samaran *32* ... 316 A 3
Samatan *32* ... 316 D 2
Samazan *47* ... 257 E 5
Sambin *41* ... 153 E 2
Sambourg *89* ... 137 E 3
Le Sambuc *13* ... 304 C 5
Saméon *59* ... 9 F 4
Samer *62* ... 6 C 2
Samerey *21* ... 160 D 5
Sames *64* ... 292 C 5
Sammarçolles *86* ... 168 D 1
Sammeron *77* ... 59 H 2
Samoëns *74* ... 216 D 1
Samognat *01* ... 196 C 5
Samogneux *55* ... 44 B 4
Samois-sur-Seine *77* ... 88 C 4
Samonac *33* ... 237 G 3
Samoreau *77* ... 88 C 4
Samouillan *31* ... 316 D 4
Samoussy *02* ... 25 E 5
Sampans *39* ... 160 D 5
Sampigny *55* ... 64 C 4
Sampigny-lès-Maranges *71* ... 177 F 3
Sampolo *2A* ... 349 E 3
Sampzon *07* ... 266 B 5
Samson *25* ... 179 H 1
Samsons-Lion *64* ... 314 D 2
Samuran *65* ... 334 B 2
San Cervone *Col de* *2B* ... 347 F 4
San-Damiano *2B* ... 347 G 3
San-Gavino-d'Ampugnani *2B* ... 347 G 3
San-Gavino-di-Carbini *2A* ... 349 F 5
San-Gavino-di-Fiumorbo *2B* ... 349 F 2
San-Gavino-di-Tenda *2B* ... 345 F 5
San-Giovanni-di-Moriani *2B* ... 347 H 3
San-Giuliano *2B* ... 347 H 4
San-Lorenzo *2B* ... 347 F 3
San-Martino-di-Lota *2B* ... 345 G 4
San Michele de Murato *Église* *2B* ... 345 F 5
San-Nicolao *2B* ... 347 H 3
San-Peïre-sur-Mer *83* ... 329 G 2
San-Pellegrino *2B* ... 347 H 2
San Quilico *Chapelle de* *2A* 351 F 3
San Quilico de Cambia *Chapelle* *2B* ... 347 F 3
San Stefano *Col de* *2B* ... 345 F 5
Sana *31* ... 317 E 5
Sanadoire *Roche* *63* ... 227 F 2
Sanary-sur-Mer *83* ... 327 H 4
Sancé *71* ... 195 E 4
Sancergues *18* ... 156 A 5
Sancerre *18* ... 155 H 3
Sancey *25* ... 163 E 3
Sancey-le-Long *25* ... 163 E 3
Sancheville *28* ... 110 B 3
Sanchey *88* ... 119 F 2
Sancoins *18* ... 174 A 4
Sancourt *27* ... 37 F 3
Sancourt *59* ... 14 B 3
Sancourt *80* ... 23 H 3
Sancy *54* ... 45 F 3
Sancy *77* ... 59 G 3
Sancy *Puy de* *63* ... 227 E 3
Sancy-les-Cheminots *02* ... 40 C 2
Sancy-lès-Provins *77* ... 60 C 5
Sand *67* ... 97 G 3
Sandarville *28* ... 85 H 5
Sandaucourt *88* ... 94 B 5
Sandillon *45* ... 133 F 2
Sandouville *76* ... 34 D 1
Sandrans *01* ... 213 F 2
Sangatte *62* ... 2 C 3
Sanghen *62* ... 2 D 5
Sanguinaires *Îles* *2A* ... 348 A 4
Sanguinet *40* ... 254 C 4
Sanilhac *07* ... 266 A 4
Sanilhac-Sagriès *30* ... 284 C 5
Sannat *23* ... 208 B 2
Sannerville *14* ... 33 H 4
Sannes *84* ... 306 A 2
Sannois *95* ... 58 B 2
Sanous *65* ... 315 E 3
Sanry-lès-Vigy *57* ... 45 H 5
Sanry-sur-Nied *57* ... 66 B 1
Sans-Vallois *88* ... 118 D 2
Sansa *66* ... 341 G 3
Sansac-de-Marmiesse *15* ... 244 B 5
Sansac-Veinazès *15* ... 262 C 2
Sansais *79* ... 184 C 5
Sansan *32* ... 296 B 5
Sanssac-l'Église *43* ... 247 E 3
Sanssat *03* ... 192 C 5
Santa-Lucia-di-Mercurio *2B* ... 347 F 4
Santa-Lucia-di-Moriani *2B* ... 347 H 3
Santa-Maria *2B* ... 345 G 3
Santa-Maria-di-Lota *2B* ... 345 G 4
Santa-Maria-Figaniella *2A* ... 349 E 5
Santa-Maria-Poggio *2B* ... 347 F 3
Santa-Maria-Poggio *2B* ... 347 H 4
Santa-Maria-Sicché *2A* ... 348 D 4
Santa-Reparata-di-Balagna *2B* ... 344 C 5
Santa-Reparata-di-Moriani *2B* ... 347 G 3
Sant'Andréa-di-Bozio *2B* ... 347 F 4
Sant'Andréa-di-Cotone *2B* ... 347 H 4
Sant'Andréa-d'Orcino *2A* ... 348 C 2
Santans *39* ... 179 F 1
Sant'Antonino *2B* ... 346 C 2
Sant'Appiano *Cathédrale* *2A* ... 348 B 1
Santeau *45* ... 111 F 4
Santec *29* ... 71 G 3
Santenay *21* ... 177 G 3
Santenay *41* ... 131 H 5
Santeny *94* ... 58 D 5
Santes *59* ... 8 C 3
Santeuil *28* ... 86 C 4
Santeuil *95* ... 37 H 5
Santigny *89* ... 137 F 5
Santilly *28* ... 110 D 3
Santilly *71* ... 194 D 1
Santo-Pietro-di-Tenda *2B* ... 345 F 5
Santo-Pietro-di-Venaco *2B* ... 347 E 5
Santoche *25* ... 162 D 1
Santosse *21* ... 177 F 1
Santranges *18* ... 155 H 1
Sanvensa *12* ... 279 F 2
Sanvignes-les-Mines *71* ... 176 D 5
Sanxay *86* ... 185 H 2
Sanzay *79* ... 167 H 2
Sanzey *54* ... 65 E 5
Saon *14* ... 32 D 3
Saône *25* ... 162 A 4
Saonnet *14* ... 32 C 3
Saorge *06* ... 291 H 3
Saosnes *72* ... 83 H 5
Saou *26* ... 267 G 3
Le Sap-André *61* ... 54 D 3
Le Sap-en-Auge *61* ... 54 D 3
Le Sapey *38* ... 251 E 3
Sapignicourt *51* ... 63 E 5
Sapignies *62* ... 13 G 4
Sapogne-et-Feuchères *08* ... 27 E 4
Sapogne-sur-Marche *08* ... 27 H 5
Sapois *39* ... 179 H 4
Sapois *88* ... 120 A 4
Saponay *02* ... 40 C 4
Saponcourt *70* ... 118 C 5
Le Sappey *74* ... 215 G 1
Le Sappey-en-Chartreuse *38* ... 251 E 1
Saramon *32* ... 296 C 5
Saran *45* ... 110 D 5
Saraz *25* ... 179 H 1
Sarbazan *40* ... 274 A 5
Sarcé *72* ... 130 A 4
Sarceaux *61* ... 54 A 4
Sarcelles *95* ... 58 C 2
Sarcenas *38* ... 233 E 5
Sarcey *52* ... 117 F 4
Sarcey *69* ... 212 C 4
Sarcicourt *52* ... 116 D 3
Sarcos *32* ... 316 B 3
Sarcus *60* ... 21 G 4
Sarcy *51* ... 41 F 4
Sardan *30* ... 303 E 1
Sardent *23* ... 207 E 2
Sardieu *38* ... 231 H 5
Sardon *63* ... 210 A 3
Sardy-lès-Epiry *58* ... 157 G 5
Sare *64* ... 310 C 4
Sargé-lès-le-Mans *72* ... 107 H 4
Sargé-sur-Braye *41* ... 109 E 5
Sari-d'Orcino *2A* ... 348 C 2
Sari-Solenzara *2A* ... 349 G 4
Sariac-Magnoac *65* ... 316 A 4
Sarlabous *65* ... 333 G 1
Sarlande *24* ... 223 F 4
Sarlat-la-Canéda *24* ... 241 G 5
Sarliac-sur-l'Isle *24* ... 240 D 1
Sarniguet *65* ... 315 E 3
Sarnois *60* ... 21 H 4
Saron-sur-Aube *51* ... 90 B 2
Sarp *65* ... 334 A 2
Sarpourenx *64* ... 313 G 2
Sarragachies *32* ... 294 D 3
Sarrageois *25* ... 180 B 4
Sarraguzan *32* ... 315 G 3
Les Sarraix *63* ... 210 D 4
Sarralbe *57* ... 67 G 2
Sarraltroff *57* ... 67 G 4
Sarran *19* ... 225 F 4
Sarrance *64* ... 331 H 2
Sarrancolin *65* ... 333 H 2
Sarrans *Barrage de* *12* ... 263 E 1
Sarrant *32* ... 296 D 3
Sarras *07* ... 249 E 2
Sarrazac *24* ... 223 E 4
Sarrazac *46* ... 242 C 4
Sarraziet *40* ... 294 A 3
Sarre-Union *67* ... 67 H 2
Sarrebourg *57* ... 67 G 4
Sarrecave *31* ... 316 B 5
Sarreguemines *57* ... 47 G 5
Sarreinsberg *57* ... 68 B 2
Sarreinsming *57* ... 67 H 1
Sarremezan *31* ... 316 B 5
Sarrewerden *67* ... 67 H 2
Sarrey *52* ... 117 G 4
Sarriac-Bigorre *65* ... 315 F 3
Sarrians *84* ... 285 G 4
Sarrigné *49* ... 149 H 1
Sarrogna *39* ... 196 C 2
Sarrola-Carcopino *2A* ... 348 C 2
Sarron *40* ... 294 C 4
Sarron *60* ... 39 E 3
Sarrouilles *65* ... 315 F 4
Sarroux *19* ... 226 C 4
Sarry *51* ... 62 B 2
Sarry *71* ... 193 G 4
Sarry *89* ... 137 F 4
Le Sars *62* ... 13 G 5
Sars-et-Rosières *59* ... 9 F 4
Sars-le Bois *62* ... 12 D 2
Sars-Poteries *59* ... 15 H 3
Le Sart *59* ... 15 F 5
Sartène *2A* ... 350 D 2
Sartes *88* ... 94 A 5
Sartilly-Baie-Bocage *50* ... 51 G 4
Sarton *62* ... 12 D 4
Sartrouville *78* ... 58 A 2
Sarzay *36* ... 189 F 1
Sarzeau *56* ... 124 B 5
Sasnières *41* ... 131 F 4
Sassangy *71* ... 177 F 5
Sassay *41* ... 153 F 2
Sassegnies *59* ... 15 F 3
Sassenage *38* ... 250 D 1
Sassenay *71* ... 177 H 3
Sassetot-le-Malgardé *76* ... 19 H 3
Sassetot-le-Mauconduit *76* ... 19 F 2
Sasseville *76* ... 19 G 3
Sassey *27* ... 56 C 1
Sassey-sur-Meuse *55* ... 43 G 2
Sassierges-Saint-Germain *36* ... 172 A 4
Sassis *65* ... 332 D 3
Sassy *14* ... 54 A 1
Sathonay-Camp *69* ... 213 E 5
Sathonay-Village *69* ... 213 F 4
Satillieu *07* ... 248 D 2
Satolas-et-Bonce *38* ... 231 G 1
Saturargues *34* ... 303 F 3
Saubens *31* ... 317 H 2
Saubion *40* ... 292 B 3
Saubole *64* ... 314 D 3
Saubrigues *40* ... 292 B 4
Saubusse *40* ... 292 C 3
Saucats *33* ... 255 F 2
Saucède *64* ... 313 G 4
La Saucelle *28* ... 85 F 2
Sauchay *76* ... 10 C 5
Sauchy-Cauchy *62* ... 14 A 3
Sauchy-Lestrée *62* ... 14 A 3
Saucilières *12* ... 282 B 5
Saucourt-sur-Rognon *52* ... 93 E 5
Saudemont *62* ... 14 A 3
Saudoy *51* ... 61 E 5
Saudron *52* ... 93 F 3
Saudrupt *55* ... 63 G 5
Saugeot *39* ... 196 D 1
Saugnac-et-Cambran *40* ... 293 E 3
Saugnacq-et-Muret *40* ... 255 E 5
Saugnieu *69* ... 231 G 1
Saugon *33* ... 237 G 2
Saugues *43* ... 246 C 4
Sauguis-Saint-Étienne *64* ... 331 E 1
Saugy *18* ... 172 C 2
Saujac *12* ... 261 E 5
Saujon *17* ... 218 D 1
La Saulce *05* ... 269 G 5
Saulce-sur-Rhône *26* ... 267 E 2
Saulces-Champenoises *08* ... 42 B 1
Saulces-Monclin *08* ... 26 B 5
Saulcet *03* ... 192 A 4
Saulchery *02* ... 60 B 2
Le Saulchoy *60* ... 22 A 5
Saulchoy *62* ... 11 G 1
Saulchoy-sous-Poix *80* ... 21 H 3
Saulcy *10* ... 92 B 5
Le Saulcy *88* ... 96 C 3
Saulcy-sur-Meurthe *88* ... 96 B 5
Saules *25* ... 162 B 5
Saules *71* ... 177 G 5
Saulgé *86* ... 187 G 4
Saulgé-l'Hôpital *49* ... 149 H 3
Saulges *53* ... 106 C 5
Saulgond *16* ... 204 D 3
Sauliac-sur-Célé *46* ... 260 D 4
Saulieu *21* ... 158 C 4
Saulles *52* ... 140 A 3
Saulmory-Villefranche *55* ... 43 G 1
Saulnay *36* ... 171 E 3
Saulnes *54* ... 45 E 1
Saulnières *28* ... 56 C 5
Saulnières *35* ... 104 B 5
Saulnot *70* ... 142 A 4
Saulny *57* ... 45 G 5
Saulon-la-Chapelle *21* ... 160 B 4
Saulon-la-Rue *21* ... 160 A 4
La Saulsotte *10* ... 89 H 3
Sault *84* ... 286 B 4
Sault-Brénaz *01* ... 214 B 4
Sault-de-Navailles *64* ... 293 G 5
Sault-lès-Rethel *08* ... 42 A 1
Sault-Saint-Remy *08* ... 41 H 2
Saultain *59* ... 15 E 2
Saulty *62* ... 13 E 3
Saulx *70* ... 141 F 3
Saulx-en-Barrois *55* ... 64 C 5
Saulx-en-Woëvre *55* ... 64 D 1
Saulx-le-Duc *21* ... 139 E 5
Saulx-les-Chartreux *91* ... 58 B 5
Saulx-Marchais *78* ... 57 G 3
Saulxerotte *54* ... 94 B 3
Saulxures *52* ... 117 H 5
Saulxures *67* ... 96 C 3
Saulxures-lès-Bulgnéville *88* ... 118 B 2
Saulxures-lès-Nancy *54* ... 66 B 5
Saulxures-lès-Vannes *54* ... 94 A 2
Saulxures-sur-Moselotte *88* ... 120 A 4
Saulzais-le-Potier *18* ... 190 C 1
Saulzet *03* ... 210 A 1
Saulzet-le-Chaud *63* ... 227 G 1
Saulzet-le-Froid *63* ... 227 F 2
Saulzoir *59* ... 14 D 3
Saumane *04* ... 287 E 4
Saumane *30* ... 283 E 4
Saumane-de-Vaucluse *84* ... 305 F 1
Sauméjan *47* ... 274 D 2
Saumeray *28* ... 109 H 2
Saumont *47* ... 275 H 4
Saumont-la-Poterie *76* ... 21 F 5
Saumos *33* ... 236 C 4
Saumur *49* ... 150 B 4
Saunay *37* ... 131 F 5
La Saunière *23* ... 207 F 1
Saunières *71* ... 178 B 3
Sauqueuse-Saint-Lucien *60* ... 38 A 1
Sauqueville *76* ... 20 B 2
Saurais *79* ... 185 G 1
Saurat *09* ... 336 A 4
Sauret-Besserve *63* ... 209 E 3
Saurier *63* ... 227 G 3
Sausheim *68* ... 143 F 1
Saussan *34* ... 302 C 5
Saussay *28* ... 56 D 3
Saussay *76* ... 20 A 4
Saussay-la-Campagne *27* ... 37 E 3
La Saussaye *27* ... 36 A 4
Saussemesnil *50* ... 29 F 4
Saussenac *81* ... 279 H 5
Saussens *31* ... 298 C 5
Sausses *04* ... 289 E 4
Sausset-les-Pins *13* ... 325 H 4
Sausseuzemare-en-Caux *76* ... 18 D 4
Saussey *21* ... 177 F 1
Saussey *50* ... 51 G 1
Saussignac *24* ... 257 G 1
Saussines *34* ... 303 F 3
Saussy *21* ... 159 H 1
Saut de la Mounine *12* ... 261 E 5
Saut des Cuves *88* ... 120 B 3
Sautel *09* ... 336 C 3
Sauternes *33* ... 255 H 4
Sautet *Barrage du* *38* ... 251 F 5
Sauteyrargues *34* ... 302 D 2
Sauto *66* ... 341 G 4
Sautron *44* ... 147 F 3
Sauvage-Magny *52* ... 92 B 4
La Sauvagère *61* ... 53 F 5
Les Sauvages *69* ... 212 B 4
Sauvagnac *16* ... 222 C 1
Sauvagnas *47* ... 276 C 2
Sauvagnat *63* ... 208 D 5
Sauvagnat-Sainte-Marthe *63* ... 228 A 2
Sauvagney *25* ... 161 H 3
Sauvagnon *64* ... 314 B 2
Sauvagny *03* ... 191 E 3
Sauvain *42* ... 229 F 1
Sauvan *Château de* *04* ... 287 E 5
Sauvat *15* ... 244 C 1
Sauve *30* ... 303 E 1
La Sauve *33* ... 256 B 1
Sauvelade *64* ... 313 G 2
Sauverny *01* ... 197 G 4
Sauvessanges *63* ... 229 F 5
La Sauvetat *32* ... 296 A 2
La Sauvetat *43* ... 265 F 1
La Sauvetat *63* ... 227 H 2
La Sauvetat-de-Savères *47* ... 276 C 3
La Sauvetat-du-Dropt *47* ... 257 G 3
La Sauvetat-sur-Lède *47* ... 258 C 5
Sauveterre *30* ... 285 E 5
Sauveterre *32* ... 316 D 2
Sauveterre *65* ... 315 F 2
Sauveterre *81* ... 320 A 2
Sauveterre *82* ... 277 G 2
Sauveterre-de-Béarn *64* ... 311 H 3
Sauveterre-de-Comminges *31* ... 334 B 2
Sauveterre-de-Guyenne *33* ... 256 D 2
Sauveterre-de-Rouergue *12* ... 280 B 3
Sauveterre-la-Lémance *47* ... 259 E 4
Sauveterre-Saint-Denis *47* ... 276 C 3
Sauviac *32* ... 315 H 3
Sauviac *33* ... 256 C 5
Sauvian *34* ... 321 G 4
Sauviat *63* ... 228 C 1
Sauviat-sur-Vige *87* ... 206 C 4
Sauvignac *16* ... 238 D 1
Sauvigney-lès-Gray *70* ... 161 F 1
Sauvigney-lès-Pesmes *70* ... 161 E 3
Sauvigny *55* ... 94 A 3
Sauvigny-le-Beuréal *89* ... 158 B 1
Sauvigny-le-Bois *89* ... 158 A 1
Sauvigny-les-Bois *58* ... 174 D 2
Sauville *08* ... 27 E 5
Sauville *88* ... 118 A 2
Sauvillers-Mongival *80* ... 22 D 4
Sauvimont *32* ... 317 E 2
Sauvoy *55* ... 93 H 1
Saux *46* ... 277 F 1
Saux-et-Pomarède *31* ... 316 C 5
Sauxillanges *63* ... 228 B 3
Le Sauze *04* ... 270 D 5
Sauze *06* ... 289 F 3
Le Sauze-du-Lac *05* ... 270 A 4
Sauzé-Vaussais *79* ... 203 E 1
Sauzelle *17* ... 200 B 3
Sauzelles *36* ... 170 C 5
Sauzet *26* ... 267 E 3
Sauzet *30* ... 284 A 5
Sauzet *46* ... 259 G 5
La Sauzière-Saint-Jean *81* ... 298 B 1
Sauzon *56* ... 144 B 3
Savagna *39* ... 179 E 5
Savarthès *31* ... 334 C 1
Savas *07* ... 230 D 5
Savas-Mépin *38* ... 231 G 3
Savasse *26* ... 267 E 3
Savenay *44* ... 146 D 2
Savenès *82* ... 297 G 2
Savennes *23* ... 207 E 2
Savennes *63* ... 226 C 2
Savennières *49* ... 149 F 2
Saverdun *09* ... 318 B 5
Savères *31* ... 317 F 3
Saverne *67* ... 68 B 4
Saverne *Col de* *67* ... 68 A 4
Saveuse *80* ... 22 B 2
Savianges *71* ... 177 F 5
Savières *10* ... 90 D 4
Savigna *39* ... 196 C 3
Savignac *12* ... 279 F 1
Savignac *33* ... 256 C 4
Savignac-de-Duras *47* ... 257 F 2
Savignac-de-l'Isle *33* ... 238 B 4
Savignac-de-Miremont *24* ... 241 E 4
Savignac-de-Nontron *24* ... 222 C 3
Savignac-Lédrier *24* ... 223 G 5
Savignac-les-Églises *24* ... 241 E 1
Savignac-les-Ormeaux *09* ... 336 C 5
Savignac-Mona *32* ... 317 E 2
Savignac-sur-Leyze *47* ... 258 C 5
Savignargues *30* ... 283 H 5
Savigné *86* ... 203 G 1
Savigné-l'Évêque *72* ... 108 A 4
Savigné-sous-le-Lude *72* ... 129 H 5
Savigné-sur-Lathan *37* ... 151 F 2
Savigneux *01* ... 213 E 3
Savigneux *42* ... 229 G 2
Savignies *60* ... 37 H 1
Savigny *50* ... 31 H 5
Savigny *52* ... 140 B 3
Savigny *69* ... 212 C 5
Savigny *74* ... 215 F 2
Savigny *88* ... 95 E 4
Savigny-en-Revermont *71* ... 178 D 5
Savigny-en-Sancerre *18* ... 155 H 2
Savigny-en-Septaine *18* ... 173 F 1
Savigny-en-Terre-Plaine *89* ... 158 B 1
Savigny-en-Véron *37* ... 150 D 4
Savigny-le-Sec *21* ... 160 A 2
Savigny-le-Temple *77* ... 88 B 2
Savigny-le-Vieux *50* ... 81 G 2
Savigny-lès-Beaune *21* ... 177 H 1
Savigny-Lévescault *86* ... 186 C 2
Savigny-Poil-Fol *58* ... 175 H 4
Savigny-sous-Faye *86* ... 169 E 3
Savigny-sous-Mâlain *21* ... 159 G 3
Savigny-sur-Aisne *08* ... 42 D 2
Savigny-sur-Ardres *51* ... 41 E 4
Savigny-sur-Braye *41* ... 131 E 2
Savigny-sur-Clairis *89* ... 113 E 4
Savigny-sur-Grosne *71* ... 194 D 1
Savigny-sur-Orge *91* ... 58 C 5
Savigny-sur-Seille *71* ... 195 G 1
Savilly *21* ... 158 C 5
Savine *Col de la* *39* ... 197 F 1
Savines-le-Lac *05* ... 270 B 3
Savins *77* ... 89 F 3
Savoillan *84* ... 286 B 3
Savoisy *21* ... 137 H 3
Savolles *21* ... 160 C 2
Savonnières *37* ... 151 G 3
Savonnières-devant-Bar *55* ... 63 H 4
Savonnières-en-Perthois *55* ... 92 D 2
Savonnières-en-Woëvre *55* ... 64 D 3
Savouges *21* ... 160 A 4
Savournon *05* ... 269 E 5
Savoyeux *70* ... 140 B 5
Savy *02* ... 24 A 2

Savy-Berlette 62 ... 7 H 5
Saxel 74 ... 198 A 4
Saxi-Bourdon 58 ... 175 E 1
Saxon-Sion 54 ... 94 C 3
Sayat 63 ... 209 G 5
Saze 30 ... 304 C 1
Sazeray 36 ... 189 H 3
Sazeret 03 ... 191 G 4
Sazilly 37 ... 151 F 5
Sazos 65 ... 332 D 3
Scaër 29 ... 100 C 3
Les Scaffarels 04 ... 289 E 5
Scata 2B ... 347 G 3
Sceau-Saint-Angel 24 ... 222 C 4
Sceautres 07 ... 266 D 3
Sceaux 89 ... 158 A 1
Sceaux 92 ... 58 B 4
Sceaux-d'Anjou 49 ... 128 C 5
Sceaux-du-Gâtinais 45 ... 112 B 4
Sceaux-sur-Huisne 72 ... 108 C 3
Scey-en-Varais 25 ... 162 A 5
Scey-sur-Saône-et-Saint-Albin 70 ... 140 D 4
Schaeferhof 57 ... 68 A 5
Schaeffersheim 67 ... 97 G 3
Schaffhouse-près-Seltz 67 ... 69 G 2
Schaffhouse-sur-Zorn 67 ... 68 C 4
Schalbach 57 ... 67 H 3
Schalkendorf 67 ... 68 C 3
Scharrachbergheim 67 ... 97 F 1
Scheibenhard 67 ... 69 G 1
Scherlenheim 67 ... 68 C 4
Scherwiller 67 ... 97 E 4
Schillersdorf 67 ... 68 C 3
Schiltigheim 67 ... 97 H 1
Schirmeck 67 ... 96 D 2
Schirrhein 67 ... 69 F 3
Schirrhoffen 67 ... 69 F 3
Schleithal 67 ... 69 G 1
Schlierbach 68 ... 143 G 2
Schlucht *Col de la* 88 ... 120 C 3
Schmittviller 57 ... 67 H 1
Schneckenbusch 57 ... 67 H 5
Schnepfenried 68 ... 120 C 4
Schnersheim 67 ... 68 C 5
Schœnau 67 ... 97 G 5
Schœnbourg 67 ... 68 A 3
Schœneck 57 ... 47 F 4
Schœnenbourg 67 ... 69 F 2
Schopperten 67 ... 67 G 2
Schorbach 57 ... 48 C 5
Schwabwiller 67 ... 69 E 2
Schweighouse 68 ... 120 D 4
Schweighouse-sur-Moder 67 ... 68 D 3
Schweighouse-Thann 68 ... 143 E 1
Schwenheim 67 ... 68 B 5
Schwerdorff 57 ... 46 D 3
Schweyen 57 ... 48 C 5
Schwindratzheim 67 ... 68 C 4
Schwoben 68 ... 143 F 3
Schwobsheim 67 ... 97 G 5
Sciecq 79 ... 184 D 3
Scientrier 74 ... 216 A 1
Scieurac-et-Flourès 32 ... 295 F 5
Sciez 74 ... 198 A 3
Scillé 79 ... 184 D 1
Scionzier 74 ... 216 B 1
Scolca 2B ... 347 G 2
Scorbé-Clairvaux 86 ... 169 F 4
Scoury 36 ... 188 B 1
Scrignac 29 ... 76 C 2
Scrupt 51 ... 63 E 4
Scy-Chazelles 57 ... 65 G 1
Scye 70 ... 141 E 4
Séailles 32 ... 295 F 3
La Séauve-sur-Semène 43 ... 248 A 1
Sébazac-Concourès 12 ... 280 D 1
Sébécourt 27 ... 55 H 2
Sébeville 50 ... 31 H 2
Seboncourt 02 ... 24 C 1
Sebourg 59 ... 15 E 2
Sébouville 45 ... 111 F 3
Sébrazac 12 ... 262 D 4
Séby 64 ... 314 B 2
Secenans 70 ... 142 A 4
Séchault 08 ... 42 D 3
Sécheras 07 ... 249 E 2
Sécheval 08 ... 26 C 2
Le Séchier 05 ... 269 G 1
Séchilienne 38 ... 251 E 3
Séchin 25 ... 162 C 2
Seclin 59 ... 8 D 3
Secondigné-sur-Belle 79 ... 202 B 1
Secondigny 79 ... 185 E 1
Secourt 57 ... 66 B 2
Secqueville-en-Bessin 14 ... 33 F 4
Sedan 08 ... 27 F 3
Sédeilhac 31 ... 316 A 5
Séderon 26 ... 286 C 2
Sedze-Maubecq 64 ... 314 D 3
Sedzère 64 ... 314 C 3
Seebach 67 ... 69 F 1
Sées 61 ... 83 H 2
Séez 73 ... 234 D 1
Le Ségala 11 ... 318 D 4
Ségalas 47 ... 257 H 3
Ségalas 65 ... 315 F 3
La Ségalassière 15 ... 243 H 5
Séglien 56 ... 101 G 2
Ségny 01 ... 197 F 4
Segonzac 16 ... 220 C 2
Segonzac 19 ... 241 G 1
Segonzac 24 ... 239 H 2
Ségos 32 ... 294 C 4
Ségoufielle 32 ... 297 F 4
Segré 49 ... 128 A 4
Ségreville 31 ... 318 C 2
Ségrie 72 ... 107 G 2
Ségrie-Fontaine 61 ... 53 G 3
Segrois 21 ... 159 H 5
Ségry 36 ... 172 C 3
La Séguinière 49 ... 166 D 1
Ségur 12 ... 281 F 2
Le Ségur 81 ... 279 G 4
Ségur-le-Château 19 ... 223 H 4
Ségur-les-Villas 15 ... 245 F 2
Ségura 09 ... 336 B 2
Séguret 84 ... 285 G 3
Ségus 65 ... 332 D 1
Séhar *Pointe de* 22 ... 72 B 3
Seich 65 ... 334 A 2
Seichamps 54 ... 66 B 5
Seichebrières 45 ... 111 G 5
Seicheprey 54 ... 65 E 3
Seiches-sur-le-Loir 49 ... 128 D 5
Seignalens 11 ... 337 E 1
Seigné 17 ... 202 C 3
Seignelay 89 ... 136 B 2
Seigneulles 55 ... 63 H 3
Seignosse 40 ... 292 B 3
Seigny 21 ... 138 A 5
Seigy 41 ... 153 F 4
Seilh 31 ... 297 H 4
Seilhac 19 ... 224 D 5
Seilhan 31 ... 334 A 2
Seillac 41 ... 152 D 1
Seillans 83 ... 308 C 3
Seillonnaz 01 ... 214 B 5
Seillons-Source-d'Argens 83 ... 306 D 5
Sein *Île de* 29 ... 98 B 2
Seine *Sources de la* 21 ... 159 G 1
Seine-Port 77 ... 88 A 3
Seingbouse 57 ... 47 F 5
Seissan 32 ... 316 B 2
Seix 09 ... 335 F 4
Le Sel-de-Bretagne 35 ... 104 B 5
Selaincourt 54 ... 94 C 3
Selens 02 ... 40 A 1
Sélestat 67 ... 97 F 5
Séligné 79 ... 202 B 1
Séligney 39 ... 179 E 2
Selincourt 80 ... 21 H 2
La Selle-Craonnaise 53 ... 127 G 2
La Selle-en-Coglès 35 ... 81 E 3
La Selle-en-Hermoy 45 ... 112 D 5
La Selle-en-Luitré 35 ... 81 F 5
La Selle-Guerchaise 35 ... 105 F 5
La Selle-la-Forge 61 ... 53 F 4
La Selle-sur-le-Bied 45 ... 112 D 4
Selles 27 ... 35 E 3
Selles 51 ... 42 A 3
Selles 62 ... 6 D 2
Selles 70 ... 118 D 4
Selles-Saint-Denis 41 ... 154 B 3
Selles-sur-Cher 41 ... 153 G 4
Selles-sur-Nahon 36 ... 171 F 2
Sellières 39 ... 179 E 3
Selommes 41 ... 131 H 3
Seloncourt 25 ... 142 C 5
Selongey 21 ... 139 F 5
Selonnet 04 ... 270 A 5
Seltz 67 ... 69 G 2
La Selve 02 ... 25 G 5
La Selve 12 ... 280 C 4
Selvigny 59 ... 14 C 5
Sem 09 ... 336 A 5
Sémalens 81 ... 299 F 5
Semallé 61 ... 83 H 3
Semarey 21 ... 159 F 4
Sembadel 43 ... 246 D 1
Sembadel-Gare 43 ... 247 E 1
Sembas 47 ... 276 B 1
Semblançay 37 ... 151 G 1
Sembleçay 36 ... 153 H 4
Sembouès 32 ... 315 F 2
Séméac 65 ... 315 F 4
Séméacq-Blachon 64 ... 294 D 5
Semécourt 57 ... 45 G 5
Sémelay 58 ... 175 H 3
Semène 43 ... 230 A 5
Semens 33 ... 256 B 3
Sementron 89 ... 135 H 5
Sémeries 59 ... 15 H 4
Semerville 41 ... 110 A 5
Semezanges 21 ... 159 H 4
Sémézies-Cachan 32 ... 296 C 5
Semide 08 ... 42 C 3
Semillac 17 ... 219 G 4
Semilly 52 ... 93 G 5
Semmadon 70 ... 140 C 3
Semnoz *Montagne du* 74 ... 215 G 5
Semoine 10 ... 61 H 5
Semond 21 ... 138 B 4
Semondans 25 ... 142 B 4
Semons 38 ... 231 H 4
Semousies 59 ... 15 G 3
Semoussac 17 ... 219 G 4
Semoutiers 52 ... 116 D 4
Semoy 45 ... 111 E 5
Sempesserre 32 ... 276 B 5
Sempigny 60 ... 23 G 5
Sempy 62 ... 6 C 4
Semur-en-Auxois 21 ... 158 D 1
Semur-en-Brionnais 71 ... 193 G 5
Semur-en-Vallon 72 ... 108 C 4
Semussac 17 ... 218 D 2
Semuy 08 ... 42 D 1
Le Sen 40 ... 273 H 3
Sénac 65 ... 315 F 3
Senaide 88 ... 118 B 4
Sénaillac-Latronquière 46 ... 261 G 1
Sénaillac-Lauzès 46 ... 260 C 3
Senailly 21 ... 137 G 5
Senan 89 ... 135 H 2
Sénanque *Abbaye de* 84 ... 305 G 1
Senantes 28 ... 57 E 5
Senantes 60 ... 37 G 1
Senard 55 ... 63 F 1
Sénarens 31 ... 317 E 3
Senargent 70 ... 141 H 5
Senarpont 80 ... 21 F 2
Sénart 11 ... 88 A 2
Sénas 13 ... 305 F 3
Senaud 39 ... 196 A 3
Senaux 81 ... 300 B 3
Sencenac-Puy-de-Fourches 24 ... 222 C 5
Senconac 09 ... 336 C 5
Sendets 33 ... 256 C 5
Sendets 64 ... 314 C 4
Séné 56 ... 124 C 4
Sène *Mont de* 71 ... 177 G 2
Sénéchas 30 ... 283 G 1
Sénèque *Tour de* 2B ... 345 F 2
Senesse-de-Senabugue 09 ... 336 D 2
Sénestis 47 ... 257 F 5
Séneujols 43 ... 247 E 4
Senez 04 ... 288 B 5
Sénezergues 15 ... 262 B 2
Sengouagnet 31 ... 334 C 2
Séniergues 46 ... 260 B 2
Senillé 86 ... 169 H 4
Senillé-Saint-Sauveur 86 ... 169 H 4
Seninghem 62 ... 7 E 2
Senlecques 62 ... 6 D 2
Senlis 60 ... 39 E 4
Senlis 62 ... 7 E 3
Senlis-le-Sec 80 ... 13 E 5
Senlisse 78 ... 57 H 5
Senneçay 18 ... 173 F 2
Sennecé-lès-Mâcon 71 ... 195 E 4
Sennecey-le-Grand 71 ... 177 H 5
Sennecey-lès-Dijon 21 ... 160 B 3
Sennely 45 ... 133 G 4
Sennevières 37 ... 170 C 1
Senneville-sur-Fécamp 76 ... 19 E 3
Sennevoy-le-Bas 89 ... 137 G 3
Sennevoy-le-Haut 89 ... 137 G 3
Senon 55 ... 44 D 4
Senonches 28 ... 85 F 2
Senoncourt 70 ... 141 E 2
Senoncourt-les-Maujouy 55 ... 64 B 2
Senones 88 ... 96 B 3
Senonges 88 ... 118 C 2
Senonnes 53 ... 127 F 2
Senonville 55 ... 64 D 3
Senots 60 ... 37 H 4
Senouillac 81 ... 299 E 1
Sénoville 50 ... 28 D 5
Senozan 71 ... 195 E 3
Sens 89 ... 113 G 2
Sens-Beaujeu 18 ... 155 H 3
Sens-de-Bretagne 35 ... 80 C 4
Sens-sur-Seille 71 ... 178 C 4
Sentein 09 ... 334 D 4
Sentelie 80 ... 22 A 3
Sentenac-de-Sérou 09 ... 335 H 3
Sentenac-d'Oust 09 ... 335 F 4
Sentheim 68 ... 142 D 1
Sentilly 61 ... 54 A 4
La Sentinelle 59 ... 9 G 5
Sentous 65 ... 315 H 4
Senuc 08 ... 43 E 3
Senven-Léhart 22 ... 77 H 3
La Séoube 65 ... 333 G 2
Sépeaux-Saint-Romain 89 ... 113 F 5
Sepmeries 59 ... 14 D 2
Sepmes 37 ... 169 H 1
Seppois-le-Bas 68 ... 143 E 4
Seppois-le-Haut 68 ... 143 E 4
Sept-Fons *Abbaye de* 03 ... 192 D 2
Sept-Forges 61 ... 82 B 3
Sept-Frères 14 ... 52 B 3
Sept-Meules 76 ... 10 D 5
Sept-Saulx 51 ... 42 A 5
Sept-Sorts 77 ... 59 H 2
Sept-Vents 14 ... 32 D 5
Septème 38 ... 231 G 3
Septèmes-les-Vallons 13 ... 326 D 1
Septeuil 78 ... 57 F 3
Septfonds 82 ... 278 C 3
Septfonds 89 ... 135 F 4
Septfontaines 25 ... 180 B 1
Septmoncel 39 ... 197 E 3
Septmonts 02 ... 40 B 3
Septsarges 55 ... 43 G 3
Septvaux 02 ... 24 B 5
Sepvigny 55 ... 93 H 2
Sepvret 79 ... 185 G 4
Sepx 31 ... 316 D 5
Sequedin 59 ... 8 C 2
Sequehart 02 ... 24 B 1
Le Sequestre 81 ... 299 F 1
Serain 02 ... 14 C 5
Seraincourt 08 ... 25 H 5
Seraincourt 95 ... 57 G 1
Sérandon 19 ... 226 B 5
Séranon 06 ... 308 C 2
Serans 60 ... 37 G 4
Serans 61 ... 54 A 4
Seranville 54 ... 95 G 3
Séranvillers-Forenville 59 ... 14 B 4
Seraucourt 55 ... 63 H 2
Seraucourt-le-Grand 02 ... 24 A 3
Seraumont 88 ... 93 H 3
Serazereux 28 ... 86 A 2
Serbannes 03 ... 210 B 2
Serbonnes 89 ... 89 F 5
Serches 02 ... 40 C 3
Sercœur 88 ... 95 G 5
Sercus 59 ... 7 H 2
Sercy 71 ... 194 D 1
Serdinya 66 ... 342 A 3
Sère 32 ... 316 B 3
Sère-en-Lavedan 65 ... 332 D 2
Sère-Lanso 65 ... 333 E 1
Sère-Rustaing 65 ... 315 G 4
Sérécourt 88 ... 118 B 4
Séreilhac 87 ... 205 F 5
Serémange-Erzange 57 ... 45 G 3
Sérempuy 32 ... 296 D 3
Sérénac 81 ... 299 H 1
Sérent 56 ... 124 D 2
Sérévillers 60 ... 22 C 4
Séreyrède *Col de la* 30 ... 282 C 4
Serez 27 ... 56 D 2
Sérézin-de-la-Tour 38 ... 232 A 2
Sérézin-du-Rhône 69 ... 231 E 2
Sergeac 24 ... 241 F 4
Sergenaux 39 ... 179 E 3
Sergenon 39 ... 178 D 2
Sergines 89 ... 89 G 5
Sergy 01 ... 197 F 4
Sergy 02 ... 40 D 4
Séricourt 62 ... 12 D 2
Sériers 15 ... 245 G 4
Sérifontaine 60 ... 37 G 3
Sérignac 16 ... 239 E 1
Sérignac 46 ... 259 F 5
Sérignac 82 ... 297 E 1
Sérignac-Péboudou 47 ... 257 H 3
Sérignac-sur-Garonne 47 ... 275 H 3
Sérignan 34 ... 321 G 4
Sérignan-du-Comtat 84 ... 285 F 3
Sérignan-Plage 34 ... 321 H 4
Sérigné 85 ... 183 H 2
Sérigny 61 ... 84 C 4
Sérigny 86 ... 169 F 3
Sérilhac 19 ... 242 D 3
Seringes-et-Nesles 02 ... 40 C 4
Séris 41 ... 132 B 3
Serley 71 ... 178 C 4
Sermages 58 ... 175 H 1
Sermaise 49 ... 150 B 1
Sermaise 91 ... 87 F 3
Sermaises 45 ... 111 G 2
Sermaize 60 ... 23 G 5
Sermaize-les-Bains 51 ... 63 F 4
Sermamagny 90 ... 142 C 2
Sermange 39 ... 161 F 4
Sermano 2B ... 347 F 4
Sermentizon 63 ... 228 C 1
Sermentot 14 ... 33 E 5
Sermérieu 38 ... 232 B 1
Sermersheim 67 ... 97 F 4
Sermesse 71 ... 178 B 3
Sermiers 51 ... 41 G 5
Sermizelles 89 ... 157 H 1
Sermoise 02 ... 40 C 2
Sermoise-sur-Loire 58 ... 174 C 2
Sermoyer 01 ... 195 F 2
Sermur 23 ... 208 B 3
Sernhac 30 ... 304 B 1
Serocourt 88 ... 118 B 3
Séron 65 ... 314 D 3
Serpaize 38 ... 231 F 3
La Serpent 11 ... 337 F 3
Serques 62 ... 3 F 5
Serqueux 52 ... 118 A 4
Serqueux 76 ... 21 E 5
Serquigny 27 ... 35 G 5
Serra-di-Ferro 2A ... 348 C 5
Serra-di-Fiumorbo 2B ... 349 G 2
Serra di Pigno 2B ... 345 G 4
Serra-di-Scopamène 2A ... 349 E 5
Serrabone *Prieuré de* 66 ... 342 C 3
Serralongue 66 ... 342 C 5
Serrant *Château de* 49 ... 149 F 2
Serraval 74 ... 216 A 4
La Serre 12 ... 300 C 1
Serre *Col de* 15 ... 245 E 3
La Serre-Bussière-Vieille 23 ... 208 B 2
Serre-Chevalier 05 ... 252 C 4
Serre-les-Moulières 39 ... 161 F 4
Serre-les-Sapins 25 ... 161 H 4
Serre-Nerpol 38 ... 250 B 1
Serre-Ponçon *Barrage et Lac de* 93 ... 270 A 4
Serres 05 ... 269 E 5
Serres 11 ... 337 H 3
Serres 54 ... 66 C 5
Serres-Castet 64 ... 314 B 3
Serres-et-Montguyard 24 ... 257 H 2
Serres-Gaston 40 ... 294 A 4
Serres-Morlaàs 64 ... 314 C 3
Serres-Sainte-Marie 64 ... 313 H 2
Serres-sur-Arget 09 ... 336 A 3
Serreslous-et-Arribans 40 ... 293 H 3
Serriera 2A ... 346 B 5
Serrières 07 ... 231 E 5
Serrières 54 ... 65 H 4
Serrières 71 ... 194 D 4
Serrières-de-Briord 01 ... 214 B 5
Serrières-en-Chautagne 73 ... 215 E 4
Serrières-sur-Ain 01 ... 214 B 1
Serrigny 89 ... 137 E 2
Serrigny-en-Bresse 71 ... 178 B 3
Serris 77 ... 59 F 3
Serrouville 54 ... 45 F 3
Serruelles 18 ... 173 E 3
Sers 16 ... 221 G 2
Sers 65 ... 333 E 3
Servais 02 ... 24 B 5
Serval 02 ... 41 E 3
Servance 70 ... 142 A 1
Servanches 24 ... 239 F 2
Servant 63 ... 209 F 1
Servas 01 ... 213 H 1
Servas 30 ... 284 A 3
Servaville-Salmonville 76 ... 36 C 1
Serverette 48 ... 264 B 2
Serves-sur-Rhône 26 ... 249 E 2
Servian 34 ... 321 H 2
Servières 48 ... 264 B 4
Servières-le-Château 19 ... 243 F 3
Serviers-et-Labaume 30 ... 284 B 5
Serviès 81 ... 299 E 4
Serviès-en-Val 11 ... 338 A 1
Servignat 01 ... 195 G 3
Servigney 25 ... 162 C 1
Servigney 70 ... 141 F 3
Servigny 50 ... 31 G 5
Servigny-lès-Raville 57 ... 66 C 1
Servigny-lès-Sainte-Barbe 57 ... 45 H 5
Serville 28 ... 56 D 4
Servilly 03 ... 192 C 5
Servin 25 ... 162 D 3
Servins 62 ... 8 A 5
Servion 08 ... 26 B 3
Servon 50 ... 51 G 5
Servon 77 ... 59 E 5
Servon-Melzicourt 51 ... 43 E 4
Servon-sur-Vilaine 35 ... 104 C 3
Servoz 74 ... 216 D 3
Sery 08 ... 26 A 5
Sery 89 ... 136 C 5
Séry-lès-Mézières 02 ... 24 C 3
Séry-Magneval 60 ... 39 F 4
Serzy-et-Prin 51 ... 41 E 4
Sessenheim 67 ... 69 F 3
Sète 34 ... 323 E 4
Setques 62 ... 3 E 5
Les Settons 58 ... 158 B 4
Seudre *Pont de la* 17 ... 200 C 4
Seugy 95 ... 38 C 5
Seuil 08 ... 42 B 1
Seuillet 03 ... 210 C 1
Seuilly 37 ... 150 D 5
Seur 41 ... 153 E 1
Le Seure 17 ... 202 B 5
Seurre 21 ... 178 B 1
Seux 80 ... 22 A 2
Seuzey 55 ... 64 C 2
Sevelinges 42 ... 212 A 2
Sevenans 90 ... 142 C 3
Sévérac 44 ... 125 G 5
Sévérac d'Aveyron 12 ... 281 H 2
Sévérac-l'Église 12 ... 281 F 1
Seveux 70 ... 140 B 5
Sevi *Col de* 2A ... 346 C 5
Sévignac 22 ... 79 E 5
Sévignacq 64 ... 314 C 2
Sévignacq-Meyracq 64 ... 332 A 1
Sévigny 61 ... 54 A 4
Sévigny-la-Forêt 08 ... 26 B 1
Sévigny-Waleppe 08 ... 25 G 5
Sévis 76 ... 20 B 4
Sevrai 61 ... 53 H 5
Sevran 93 ... 58 D 2
Sèvres 92 ... 58 B 4
Sèvres-Anxaumont 86 ... 186 C 1
Sevrey 71 ... 177 H 4
Sévrier 74 ... 215 G 4
Sévry 18 ... 155 H 5
Sewen 68 ... 142 C 1
Sexcles 19 ... 243 F 4
Sexey-aux-Forges 54 ... 94 C 1
Sexey-les-Bois 54 ... 65 G 5
Sexfontaines 52 ... 116 D 2
Seychalles 63 ... 210 B 5
Seyches 47 ... 257 G 4
Seyne 04 ... 270 B 5
La Seyne-sur-Mer 83 ... 328 A 5
Seynes 30 ... 284 A 4
Seynod 74 ... 215 G 3
Seyre 31 ... 318 B 3
Seyresse 40 ... 292 D 3
Seyssel 01 ... 215 E 3
Seyssel 74 ... 215 E 3
Seysses 31 ... 317 G 2
Seysses-Savès 32 ... 317 E 2
Seyssinet-Pariset 38 ... 250 D 2
Seyssins 38 ... 250 D 2
Seyssuel 38 ... 231 E 3
Seythenex 74 ... 216 A 5
Seytroux 74 ... 198 C 4
Sézanne 51 ... 61 E 5
Sézéria 39 ... 196 C 2
Siarrouy 65 ... 315 E 3
Siaugues-Saint-Romain 43 ... 246 D 3
Sibiril 29 ... 71 G 3
Sibiville 62 ... 12 D 2
La Sicaudais 44 ... 146 D 4
Siccieu-Saint-Julien-et-Carisieu 38 ... 214 A 5
Sichamps 58 ... 156 D 5
Sickert 68 ... 142 C 1
Sideville 50 ... 29 E 3
Sidiailles 18 ... 190 B 2
Siecq 17 ... 202 C 4
Siegen 67 ... 69 G 1
Sièges 39 ... 196 D 4
Les Sièges 89 ... 114 A 3
Sierck-les-Bains 57 ... 46 B 2
Sierentz 68 ... 143 G 2
Siersthal 57 ... 68 A 1
Sierville 76 ... 20 A 5
Siest 40 ... 292 D 3

Sieurac 81 299 F2
Sieuras 09 317 H5
Siévoz 38 251 E5
Siewiller 67 67 H3
Sigale 06 289 G5
Sigalens 33 256 D5
Sigean 11 339 E2
Sigean *Réserve africaine de* 11 339 E2
Sigloy 45 133 H3
Signac 31 334 B3
Signes 83 327 H2
Signéville 52 93 F5
Signy-l'Abbaye 08 26 B4
Signy-le-Petit 08 26 A1
Signy-Montlibert 08 27 H5
Signy-Signets 77 59 H2
Sigogne 16 220 C1
Sigolsheim 68 121 E2
Sigonce 04 287 F5
Sigottier 05 268 D5
Sigoulès 24 257 G2
Sigournais 85 166 C5
Sigoyer 04 287 G1
Sigoyer 05 269 G4
Siguer 09 336 A5
Sigy 77 89 F3
Sigy-en-Bray 76 21 E5
Sigy-le-Châtel 71 194 C2
Silfiac 56 101 G2
Silhac 07 248 D5
Sillans 38 232 B5
Sillans-la-Cascade 83 307 G4
Sillars 86 187 F3
Sillas 33 274 D1
Sillé-le-Guillaume 72 107 E2
Sillé-le-Philippe 72 108 A3
Sillegny 57 65 H2
Sillery 51 41 H4
Silley-Amancey 25 180 B1
Silley-Bléfond 25 162 C2
Sillingy 74 215 F3
Silly-en-Gouffern 61 54 B4
Silly-en-Saulnois 57 66 B2
Silly-la-Poterie 02 40 A4
Silly-le-Long 60 39 F5
Silly-sur-Nied 57 46 B5
Silly-Tillard 60 38 A3
Silmont 55 63 H4
Siltzheim 67 67 G1
Silvacane *Ancienne Abbaye de* 13 305 H3
Silvareccio 2B 347 G3
Silvarouvres 52 116 B4
Simacourbe 64 314 C2
Simandre 71 195 F1
Simandre-sur-Suran 01 196 A5
Simandres 69 231 F2
Simard 71 178 B5
Simencourt 62 13 F3
Simeyrols 24 241 H5
Simiane-Collongue 13 327 E1
Simiane-la-Rotonde 04 286 D5
Simorre 32 316 C2
Simplé 53 105 H5
Le Simserhof *Fort* 57 68 B1
Sin-le-Noble 59 8 D5
Sinard 38 250 D4
Sinceny 02 24 A5
Sincey-lès-Rouvray 21 158 B2
Sindères 40 272 D4
Singles 63 226 C3
Singleyrac 24 257 H2
Singly 08 26 D4
Singrist 67 68 B5
Sinsat 09 336 B5
Sinzos 65 315 F5
Sion 32 295 E3
Sion 54 94 C3
Sion-les-Mines 44 126 C3
Sion-sur-l'Océan 85 164 D4
Sioniac 19 243 E4
Sionne 88 93 H4
Sionviller 54 95 G1
Siorac-de-Ribérac 24 239 G2
Siorac-en-Périgord 24 259 E1
Siouville-Hague 50 28 C3
Sirac 32 297 E3
Siracourt 62 7 F5
Siradan 65 334 B2
Siran 15 243 G5
Siran 34 320 B4
Siran *Château* 33 237 F3
Sireix 65 332 C2
Sireuil 16 221 E2
Sireuil 24 241 F5
Sirod 39 180 A4
Siros 64 314 A3
Sisco 2B 345 G2
Sissonne 02 25 F5
Sissy 02 24 C3
Sistels 82 276 C4
Sisteron 04 287 G2
Sivergues 84 305 H2
Sivignon 71 194 B3
Sivry 54 65 H4
Sivry-Ante 51 63 E1
Sivry-Courtry 77 88 C3
Sivry-la-Perche 55 43 H5
Sivry-lès-Buzancy 08 43 F2
Sivry-sur-Meuse 55 43 H3
Six-Fours-les-Plages 83 327 H5
Sixt-Fer-à-Cheval 74 216 D1
Sixt-sur-Aff 35 125 H2
Sizun 29 75 H2
Smarves 86 186 B2
Smermesnil 76 20 D2
Soccia 2A 348 C1
Sochaux 25 142 C4
Socoa 64 310 B3
Socourt 88 95 E4
Socx 59 3 G3
Sode 31 334 B4
Sœurdres 49 128 C3
Sognes 89 89 H5
Sognolles-en-Montois 77 89 F3
Sogny-aux-Moulins 51 62 B2
Sogny-en-l'Angle 51 63 E3
Soignolles 14 53 H1
Soignolles-en-Brie 77 59 E5
Soilly 51 60 D1
Soindres 78 57 F2
Soing 70 140 C5
Soings-en-Sologne 41 153 G2
Soirans 21 160 C4
Soissons 02 40 B2
Soissons-sur-Nacey 21 160 D3
Soisy-Bouy 77 89 G3
Soisy-sous-Montmorency 95 58 B2
Soisy-sur-École 91 88 A3
Soisy-sur-Seine 91 58 D5
Soize 02 25 G4
Soizé 28 109 E3
Soizy-aux-Bois 51 61 E4
Solaize 69 231 E2
Solaro 2B 349 G3
Solbach 67 96 D3
Soleilhas 04 308 B1
Solemont 25 163 F2
Solente 60 23 G4
Solenzara 2A 349 G4
Le Soler 66 342 D2
Solérieux 26 285 F1
Solers 77 59 F5
Solesmes 59 14 D3
Solesmes 72 129 E2
Soleymieu 38 232 A1
Soleymieux 42 229 G3
Solférino 40 273 E3
Solgne 57 66 B2
Soliers 14 33 H5
Solignac 87 223 G1
Solignac-sous-Roche 43 247 G1
Solignac-sur-Loire 43 247 F4
Solignat 63 227 H3
Soligny-la-Trappe 61 84 B2
Soligny-les-Étangs 10 89 H4
Sollacaro 2A 348 D5
Sollières-Sardières 73 235 E5
Solliès-Pont 83 328 B3
Solliès-Toucas 83 328 B3
Solliès-Ville 83 328 B4
Sologny 71 194 D4
Solomiac 32 296 D2
Solre-le-Château 59 15 H3
Solrinnes 59 15 H3
Solterre 45 134 D2
Solutré-Pouilly 71 194 D4
Somain 59 9 E5
Sombacour 25 180 C2
Sombernon 21 159 G3
Sombrin 62 13 E3
Sombrun 65 315 E2
Somloire 49 167 F1
Sommaing 59 14 D2
Sommaisne 55 63 G2
Sommancourt 52 92 D3
Sommant 71 176 C1
Sommauthe 08 43 F1
Somme-Bionne 51 42 D5
Somme-Suippe 51 42 C5
Somme-Tourbe 51 42 D5
Somme-Vesle 51 62 C1
Somme-Yèvre 51 62 D2
Sommecaise 89 135 G2
Sommedieue 55 64 C1
Sommeilles 55 63 F2
Sommelans 02 40 B5
Sommelonne 55 63 G5
Sommepy-Tahure 51 42 C4
Sommerance 08 43 F3
Sommerécourt 52 117 H2
Sommereux 60 21 H4
Sommermont 52 92 D3
Sommeron 02 25 F1
Sommervieu 14 33 E3
Sommerviller 54 95 E1
Sommery 76 20 D5
Sommesnil 76 19 G4
Sommesous 51 61 H4
Sommet-Bucher 05 271 E1
La Sommette 25 162 D4
Sommette-Eaucourt 02 23 H3
Sommeval 10 114 D3
Sommeville 52 92 D2
Sommevoire 52 92 B4
Sommières 30 303 F2
Sommières-du-Clain 86 186 B5
Somport *Col du* 64 331 H4
Sompt 79 202 D1
Sompuis 51 62 B5
Somsois 51 91 H2
Son 08 26 A5
Sonac 46 261 E2
Sonchamp 78 86 D2
Soncourt 88 94 B4
Soncourt-sur-Marne 52 116 D2
Sondernach 68 120 C4
Sondersdorf 68 143 F4
La Sône 38 250 A2
Songeons 60 21 G5
Songeson 39 179 G5
Songieu 01 214 D3
Songy 51 62 C4
Sonnac 12 261 G4
Sonnac 17 202 B4
Sonnac-sur-l'Hers 11 337 E2
Sonnay 38 231 F5
Sonnaz 73 233 F1
Sonneville 16 202 D5
Sons-et-Ronchères 02 24 D3
Sonthonnax-la-Montagne 01 196 B5
Sonzay 37 151 G1
Soorts-Hossegor 40 292 B3
Sophia-Antipolis 06 309 F3
Soppe-le-Bas 68 142 D2
Soppe-le-Haut 68 142 D2
Sor 09 335 E3
Sorans-lès-Breurey 70 162 A2
Sorba *Col de* 2B 349 F1
Sorbais 02 25 F1
Sorbets 32 295 E3
Sorbets 40 294 B4
Sorbey 55 44 C3
Sorbey 57 66 B1
Sorbier 03 192 D4
Sorbiers 05 268 C5
Sorbiers 42 230 B3
Sorbo-Ocagnano 2B 347 G2
Sorbollano 2A 349 E5
Sorbon 08 26 A5
Sorbs 34 301 H1
Sorcy-Bauthémont 08 26 C5
Sorcy-Saint-Martin 55 64 D5
Sorde-l'Abbaye 40 292 D5
Sore 40 273 G1
Soréac 65 315 F4
Sorède 66 343 F3
Sorel 80 14 A5
Sorel-en-Vimeu 80 11 H4
Sorel-Moussel 28 56 D3
Sorèze 81 319 F2
Sorgeat 09 336 D5
Sorges-et-Ligueux-en-Périgord 24 240 D1
Sorgues 84 285 F5
Sorigny 37 151 H4
Les Sorinières 44 147 G4
Sorio 2B 345 F5
Sormery 89 114 B4
Sormonne 08 26 C2
Sornac 19 225 H2
Sornay 70 161 F3
Sornay 71 195 G1
Sornéville 54 66 C5
Sorquainville 76 19 F4
Sorrus 62 6 B4
Sort-en-Chalosse 40 293 E3
Sortosville 50 29 F5
Sortosville-en-Beaumont 50 28 D5
Sos 47 275 E4
Sospel 06 291 G4
Sossais 86 169 F3
Sost 65 334 A3
Sotta 2A 351 F3
Sottevast 50 29 E4
Sotteville 50 28 D4
Sotteville-lès-Rouen 76 36 B2
Sotteville-sous-le-Val 76 36 B3
Sotteville-sur-Mer 76 19 H2
Soturac 46 259 E5
Sotzeling 57 66 D3
Souain-Perthes-lès-Hurlus 51 42 C4
Soual 81 299 F5
Souancé-au-Perche 28 109 E2
Souanyas 66 341 H3
Souastre 62 13 E4
Soubès 34 301 H3
Soubise 17 200 D3
Soublecause 65 295 E5
Soubran 17 219 G5
Soubrebost 23 207 E3
Soucé 53 82 B3
Soucelles 49 128 D5
La Souche 07 265 H3
Souché 79 184 D4
Souchez 62 8 B5
Soucht 57 68 A2
Soucia 39 196 D1
Soucieu-en-Jarrest 69 230 D1
Soucirac 46 260 B2
Souclin 01 214 B4
Soucy 02 39 H3
Soucy 89 113 G2
Soudaine-Lavinadière 19 224 D3
Soudan 44 127 E3
Soudan 79 185 G3
Soudat 24 222 B2
Souday 41 109 E4
Soudé 51 62 A4
Soudeilles 19 225 G4
Soudorgues 30 283 F4
Soudron 51 61 H3
Soueich 31 334 C2
Soueix-Rogalle 09 335 G3
Souel 81 279 F5
Soues 65 315 F5
Soues 80 22 A1
Souesmes 41 154 D2
Souffelweyersheim 67 69 E5
Soufflenheim 67 69 F3
Souffrignac 16 221 H2
Sougé 36 171 F2
Sougé 41 131 E3
Sougé-le-Ganelon 72 83 F5
Sougéal 35 80 C2
Sougères-en-Puisaye 89 156 D1
Sougères-sur-Sinotte 89 136 B2
Sougraigne 11 337 H3
Sougy 45 110 D4
Sougy-sur-Loire 58 175 E3
Les Souhesmes 55 43 H5
Souhey 21 158 D1
Le Souich 62 12 D3
Souilhanels 11 318 D3
Souilhe 11 318 D3
Souillac 46 242 B5
Souillé 72 107 H3
Souilly 55 63 H1
Souilly 77 59 E2
Soula 09 336 B3
Soulac-sur-Mer 33 218 C3
Soulages 15 246 A3
Soulages-Bonneval 12 263 E3
Soulaincourt 52 93 F3
Soulaines-Dhuys 10 92 A4
Soulaines-sur-Aubance 49 149 G2
Soulaire-et-Bourg 49 128 C5
Soulaires 28 86 B3
Soulan 09 335 G3
Soulanges 51 62 C4
Soulangis 18 155 F5
Soulangy 14 53 H2
Soulatgé 11 338 A4
Soulaucourt-sur-Mouzon 52 118 A2
Soulaures 24 259 E3
Soulce-Cernay 25 163 G2
Soulgé-sur-Ouette 53 106 B4
Le Soulié 34 300 C5
Soulières 51 61 F3
Soulièvres 79 168 B3
Soulignac 33 256 B2
Souligné-Flacé 72 107 F5
Souligné-sous-Ballon 72 107 H3
Soulignonne 17 201 E5
Souligny 10 114 D2
Soulitré 72 108 B4
Soullans 85 164 D3
Soulles 50 52 A1
Soulom 65 332 D2
Soulomès 46 260 C3
Soulor *Col du* 65 332 C2
Soulosse-sous-Saint-Élophe 88 94 A4
Soultz-Haut-Rhin 68 120 D5
Soultz-les-Bains 67 97 F1
Soultz-sous-Forêts 67 69 E2
Soultzbach-les-Bains 68 120 D3
Soultzeren 68 120 C3
Soultzmatt 68 120 D4
Soulvache 44 126 D2
Soumaintrain 89 114 C4
Soumans 23 190 B5
Soumensac 47 257 G2
Souméras 17 219 H5
Soumont 34 301 H3
Soumont-Saint-Quentin 14 53 H2
Soumoulou 64 314 C4
Soupex 11 318 D3
Soupir 02 40 D2
Souplicourt 80 21 H3
Souppes-sur-Loing 77 112 C3
Souprosse 40 293 G2
Le Souquet 40 272 C5
Souraïde 64 310 D4
Sourans 25 142 A5
La Source 45 133 F3
Source-Seine 21 159 F1
Sourcieux-les-Mines 69 212 D5
Le Sourd 02 25 E2
Sourdeval 50 52 C4
Sourdeval-les-Bois 50 51 H2
Sourdon 80 22 C4
Sourdun 77 89 G3
Le Sourn 56 101 H3
Sournia 66 338 A5
Sourniac 15 244 B1
Sourribes 04 287 G3
Sours 28 86 B4
Soursac 19 243 H1
Sourzac 24 239 G3
Sous-la-Tour 22 78 B3
Sous-Parsat 23 207 F2
Sousceyrac-en-Quercy 46 243 F5
Sousmoulins 17 220 B5
Souspierre 26 267 G4
Soussac 33 256 D2
Soussans 33 237 F3
Soussey-sur-Brionne 21 159 E3
Soustelle 30 283 G3
Soustons 40 292 B2
Sousville 38 251 E4
Souternon 42 211 G4
La Souterraine 23 188 C5
Soutiers 79 185 F1
Souvans 39 179 E1
Souvignargues 30 303 F2
Souvigné 16 203 E3
Souvigné 37 151 F1
Souvigné 79 185 F3
Souvigné-sur-Même 72 108 C2
Souvigné-sur-Sarthe 72 128 D2
Souvigny 03 191 H2
Souvigny-de-Touraine 37 152 C2
Souvigny-en-Sologne 41 133 G5
Souyeaux 65 315 F4
Souzay-Champigny 49 150 C4
Souzy 69 230 B1
Souzy-la-Briche 91 87 F3
Soveria 2B 347 E4
Soyans 26 267 G3
Soyaux 16 221 F2
Soye 25 162 D1
Soye-en-Septaine 18 173 F2
Soyécourt 80 23 F2
Soyers 52 140 B2
Soyons 07 249 F5
Spada 55 64 C3
Sparsbach 67 68 B3
Spay 72 107 G5
Spechbach 68 143 E2
Spechbach-le-Bas 68 143 E2
Speloncato 2B 346 D2
Spelunca *Gorges de* 2A 346 B5
Spéracèdes 06 308 D3
Spézet 29 76 C5
Spicheren 57 47 F4
Spin'a Cavallu *Pont génois* 2A 350 D2
Spincourt 55 44 D3
Sponville 54 65 E1
Spoy 10 116 A2
Spoy 21 160 B1
Spycker 59 3 G3
Squiffiec 22 73 E4
Staffelfelden 68 121 E5
Stains 93 58 C2
Stainville 55 63 H5
Stangala *Site du* 29 99 H2
Staple 59 3 H5
Stattmatten 67 69 F3
Stazzona 2B 347 G3
Steenbecque 59 7 H2
Steene 59 3 G3
Steenvoorde 59 3 H4
Steenwerck 59 8 B2
Steige 67 96 D4
Steinbach 68 143 E1
Steinbourg 67 68 B4
Steinbrunn-le-Bas 68 143 F2
Steinbrunn-le-Haut 68 143 F2
Steinseltz 67 69 F1
Steinsoultz 68 143 F3
Stella-Plage 62 6 A4
Stenay 55 43 G1
Sternenberg 68 142 D2
Stetten 68 143 G3
Stigny 89 137 G3
Still 67 97 E1
Stiring-Wendel 57 47 F4
Stival 56 101 H2
Stonne 08 27 F5
Storckensohn 68 120 B5
Stosswihr 68 120 C3
Stotzheim 67 97 F3
Strasbourg 67 97 H1
Strazeele 59 4 A5
Strenquels 46 242 C4
Strueth 68 143 E3
Struth 67 68 A3
Stuckange 57 45 H3
Stundwiller 67 69 F2
Sturzelbronn 57 68 C1
Stutzheim-Offenheim 67 68 D5
Suarce 90 142 D3
Suaucourt-et-Pisseloup 70 140 B4
Suaux 16 203 H4
Le Subdray 18 172 D2
Sublaines 37 152 C4
Subles 14 32 D3
Subligny 18 155 H2
Subligny 50 51 H4
Subligny 89 113 F3
Suc-au-May 19 225 E4
Suc-et-Sentenac 09 336 A5
Succieu 38 232 A3
Sucé-sur-Erdre 44 147 H2
Sucy-en-Brie 94 58 D4
Suèvres 41 132 B4
Sugères 63 228 B2
Sugny 08 42 D2
Suhescun 64 311 F5
Suilly-la-Tour 58 156 B3
Suin 71 194 B3
Suippes 51 42 C5
Suisse 57 66 D2
Suizy-le-Franc 51 61 E2
Sulignat 01 213 F1
Sully 14 32 D3
Sully 60 21 G5
Sully 71 177 E2
Sully-la-Chapelle 45 111 G5
Sully-sur-Loire 45 134 A3
Sulniac 56 124 D3
Sumène 30 283 E5
Sundhoffen 68 121 F3
Sundhouse 67 97 G5
Super-Barèges 65 333 F3
Super-Besse 63 227 F3
Super-Bolquère 66 341 G4
Super-Lioran 15 245 E3
Super-Sauze 04 270 D5
Superbagnères 31 334 A5
Superdévoluy 05 269 F2
Supeyres *Col des* 63 229 E2
Supt 39 179 H3
Le Suquet 06 291 E4
Surat 63 210 A4
Surba 09 336 B4
Surbourg 67 69 E2
Surcamps 80 12 B5
Surdoux 87 224 C2
Suré 61 84 A4
Suresnes 92 58 B3
Surfonds 72 108 B5
Surfontaine 02 24 C3
Surgères 17 201 F1
Surgy 58 157 F1
Suriauville 88 118 B2

Surin 79 ... 184 D 2
Surin 86 ... 203 H 2
Suris 16 ... 204 C 4
Surjoux 01 ... 215 E 2
Surmont 25 ... 163 E 3
Surques 62 ... 2 D 5
Surrain 14 ... 32 C 2
Surtainville 50 ... 28 D 5
Surtauville 27 ... 36 A 4
Survie 61 ... 54 C 3
Surville 14 ... 34 C 3
Surville 27 ... 36 B 4
Surville 50 ... 31 F 3
Survilliers 95 ... 38 D 5
Sury 08 ... 26 C 3
Sury-aux-Bois 45 ... 111 H 5
Sury-en-Vaux 18 ... 155 H 3
Sury-ès-Bois 18 ... 155 H 2
Sury-le-Comtal 42 ... 229 H 3
Sury-près-Léré 18 ... 156 A 1
Surzur 56 ... 124 C 4
Sus 64 ... 313 F 3
Sus-Saint-Léger 62 ... 12 D 3
Suscinio *Château de* 56 ... 124 C 5
Susmiou 64 ... 313 F 3
Sussac 87 ... 224 C 2
Sussargues 34 ... 303 E 3
Sussat 03 ... 209 G 1
Sussey 21 ... 158 D 4
Susville 38 ... 251 E 4
Sutrieu 01 ... 214 C 3
Suzan 09 ... 335 H 2
Suzanne 08 ... 42 C 1
Suzanne 80 ... 23 F 1
Suzannecourt 52 ... 93 E 3
Suzay 27 ... 37 E 3
Suze 26 ... 267 H 1
Suze-la-Rousse 26 ... 285 F 2
La Suze-sur-Sarthe 72 ... 129 G 2
Suzette 84 ... 285 H 3
Suzoy 60 ... 23 G 5
Suzy 02 ... 24 C 5
Sy 08 ... 43 E 1
Syam 39 ... 179 H 5
Sylvains-les-Moulins 27 ... 56 B 2
Sylvanès 12 ... 301 E 2
Le Syndicat 88 ... 119 H 4

T

Tabaille-Usquain 64 ... 311 H 4
Tabanac 33 ... 255 H 2
La Table 73 ... 233 H 3
Le Tablier 85 ... 183 E 1
Tabre 09 ... 336 D 2
La Tâche 16 ... 203 G 4
Tachoires 32 ... 316 B 2
Tacoignières 78 ... 57 F 3
Taconnay 58 ... 157 E 3
Taden 22 ... 79 H 4
Tadousse-Ussau 64 ... 294 C 5
Taglio-Isolaccio 2B ... 347 G 3
La Tagnière 71 ... 176 C 4
Tagnon 08 ... 42 A 2
Tagolsheim 68 ... 143 F 2
Tagsdorf 68 ... 143 F 3
Tailhac 43 ... 246 C 4
Taillades 84 ... 305 F 2
Le Taillan-Médoc 33 ... 237 F 5
Taillancourt 55 ... 94 A 2
Taillant 17 ... 201 G 4
Taillebois 61 ... 53 F 3
Taillebourg 17 ... 201 G 4
Taillebourg 47 ... 257 F 5
Taillecavat 33 ... 257 E 3
Taillecourt 25 ... 142 C 4
La Taillée 85 ... 183 H 3
Taillefontaine 02 ... 39 H 3
Taillepied 50 ... 31 F 2
Taillet 66 ... 342 C 4
Taillette 08 ... 26 B 1
Tailleville 14 ... 33 G 3
Taillis 35 ... 105 E 2
Tailly 08 ... 43 G 1
Tailly 21 ... 177 H 2
Tailly 80 ... 11 H 5
Tain-l'Hermitage 26 ... 249 E 3
Taingy 89 ... 136 A 5
Taintrux 88 ... 96 B 5
Taisnières-en-Thiérache 59 ... 15 F 4
Taisnières-sur-Hon 59 ... 15 F 2
Taisnil 80 ... 22 A 3
Taissy 51 ... 41 H 4
Taïx 81 ... 279 G 5
Taizé 71 ... 194 D 2
Taizé 79 ... 168 B 2
Taizé-Aizie 16 ... 203 G 2
Taizy 08 ... 42 A 1
Tajan 65 ... 315 H 5
Talairan 11 ... 338 B 2
Talais 33 ... 218 C 3
Talange 57 ... 45 H 4
Talant 21 ... 160 A 3
Talasani 2B ... 347 H 3
Talau 66 ... 341 H 3
La Talaudière 42 ... 230 B 4
Talazac 65 ... 315 E 3
Talcy 41 ... 132 B 3
Talcy 89 ... 137 F 5
Talence 33 ... 255 G 1
Talencieux 07 ... 249 E 1
Talensac 35 ... 103 H 3
Talissieu 01 ... 214 D 4
Talizat 15 ... 245 G 3
Tallans 25 ... 162 C 1
Tallard 05 ... 269 G 4
Tallenay 25 ... 162 A 3
Tallende 63 ... 227 H 2
Taller 40 ... 292 D 1
Talloires-Montmin 74 ... 215 H 4
Tallone 2B ... 347 G 5
Le Tallud 79 ... 185 F 1
Tallud-Sainte-Gemme 85 ... 166 D 5
Talmas 80 ... 12 D 5
Talmay 21 ... 160 D 2
Talmont-Saint-Hilaire 85 ... 182 B 2
Talmont-sur-Gironde 17 ... 218 D 3
Talmontiers 60 ... 37 F 2
Taloire 04 ... 308 A 1
Talon 58 ... 157 F 3
Talus-Saint-Prix 51 ... 61 E 3
Taluyers 69 ... 230 D 2
Tamaris-sur-Mer 83 ... 328 A 5
La Tamarissière 34 ... 322 C 5
Tamerville 50 ... 29 F 4
Tamié *Abbaye de* 73 ... 234 A 1
Tamnay-en-Bazois 58 ... 175 G 1
Tamniès 24 ... 241 F 4
Tanavelle 15 ... 245 G 4
Tanay 21 ... 160 C 2
Tancarville 76 ... 35 E 1
Tancarville *Pont de* 76 ... 35 E 1
Tancoigné 49 ... 149 H 4
Tancon 71 ... 212 A 1
Tanconville 54 ... 96 B 1
Tancrou 77 ... 59 H 2
Tangry 62 ... 7 G 4
La Tania 73 ... 234 C 3
Taninges 74 ... 216 C 1
Tanis 50 ... 51 G 5
Tanlay 89 ... 137 F 2
Tannay 08 ... 27 E 5
Tannay 58 ... 157 F 3
Tanneron 83 ... 308 D 4
Tannerre-en-Puisaye 89 ... 135 G 4
La Tannière 53 ... 81 G 4
Tannières 02 ... 40 D 3
Tannois 55 ... 63 H 4
Tanques 61 ... 54 A 5
Tantonville 54 ... 94 D 3
Le Tanu 50 ... 51 H 3
Tanus 81 ... 280 B 4
Tanville 61 ... 83 F 2
Tanzac 17 ... 219 G 2
Taponas 69 ... 213 E 1
Taponnat-Fleurignac 16 ... 203 H 5
Tappa
Site préhistorique 2A ... 351 F 3
Tarabel 31 ... 318 B 2
Taradeau 83 ... 308 A 5
Tarare 69 ... 212 B 4
Tarascon 13 ... 304 B 2
Tarascon-sur-Ariège 09 ... 336 B 4
Tarasteix 65 ... 315 E 3
Tarbes 65 ... 315 E 4
Tarcenay 25 ... 162 A 4
Tardais 28 ... 85 F 2
Tardes 23 ... 208 B 1
Tardets-Sorholus 64 ... 331 F 1
La Tardière 85 ... 167 E 5
Tardinghen 62 ... 2 B 4
Tarentaise 42 ... 230 C 5
Tarentaise
Belvédère de la 73 ... 235 F 3
Tarerach 66 ... 342 B 2
Targassonne 66 ... 341 F 4
Targé 86 ... 169 G 4
Target 03 ... 191 G 5
Targon 33 ... 256 B 2
Tarnac 19 ... 225 F 1
Tarnès 33 ... 237 H 4
Tarnos 40 ... 292 A 5
Taron-Sadirac-
Viellenave 64 ... 294 C 5
Tarquimpol 57 ... 67 E 4
Tarrano 2B ... 347 G 4
Tarsac 32 ... 294 D 4
Tarsacq 64 ... 313 H 3
Tarsul 21 ... 160 A 1
Tart-l'Abbaye 21 ... 160 C 4
Tart-le-Bas 21 ... 160 C 4
Tart-le-Haut 21 ... 160 B 4
Tartaras 42 ... 230 D 3
Tartas 40 ... 293 F 2
Tartécourt 70 ... 140 D 2
Tartiers 02 ... 40 A 2
Tartigny 60 ... 22 C 5
Tartonne 04 ... 288 B 4
Le Tartre 71 ... 178 D 4
Le Tartre-Gaudran 78 ... 57 E 5
Tarzy 08 ... 26 A 2
Tasdon 17 ... 200 C 1
Tasque 32 ... 295 E 4
Tassé 72 ... 129 F 2
Tassenières 39 ... 179 E 2
Tassillé 72 ... 107 F 4
Tassin-la-Demi-Lune 69 ... 213 E 5
Tasso 2A ... 349 E 3
Tatinghem 62 ... 3 F 5
Le Tâtre 16 ... 220 C 4
Taugon 17 ... 183 H 4
Taulanne 04 ... 308 A 1
Taulé 29 ... 71 H 4
Taulignan 26 ... 267 G 5
Taulis 66 ... 342 C 4
Taupont 56 ... 102 D 4
Tauriac 33 ... 237 G 3
Tauriac 46 ... 242 D 5
Tauriac 81 ... 298 B 1
Tauriac-de-Camarès 12 ... 301 E 3
Tauriac-de-Naucelle 12 ... 279 H 3
Tauriers 07 ... 266 A 4
Taurignan-Castet 09 ... 335 F 2
Taurignan-Vieux 09 ... 335 F 2
Taurinya 66 ... 342 B 3
Taurize 11 ... 338 A 1
Taussac 12 ... 262 D 1
Taussac-la-Billière 34 ... 301 F 4
Taussat 33 ... 254 C 2
Tautavel 66 ... 338 C 4
Tauves 63 ... 226 D 3
Tauxières-Mutry 51 ... 41 H 5
Tauxigny 37 ... 152 A 4
Tavaco 2A ... 348 D 2
Tavant 37 ... 151 F 5
Tavaux 39 ... 178 D 1
Tavaux-et-Pontséricourt 02 ... 25 F 3
Tavel 30 ... 285 E 5
Tavera 2A ... 348 D 2
Tavernay 71 ... 176 C 1
Tavernes 83 ... 307 E 4
Taverny 95 ... 58 B 1
Tavers 45 ... 132 C 3
Tavey 70 ... 142 B 4
Taxat-Senat 03 ... 209 H 1
Taxenne 39 ... 161 F 4
Tayac 33 ... 238 D 4
Taybosc 32 ... 296 C 2
Tayrac 12 ... 279 H 3
Tayrac 47 ... 276 D 3
Tazilly 58 ... 176 A 4
Le Tech 66 ... 342 B 5
Têche 38 ... 250 B 2
Técou 81 ... 299 E 2
Teghime *Col de* 2B ... 345 G 4
Le Teich 33 ... 254 C 3
Teigny 58 ... 157 G 2
Le Teil 07 ... 266 D 4
Teilhède 63 ... 209 G 3
Teilhet 09 ... 336 C 1
Teilhet 63 ... 209 E 2
Teillay 35 ... 126 D 2
Teillay-le-Gaudin 45 ... 111 E 3
Teillay-Saint-Benoît 45 ... 111 F 3
Teillé 44 ... 148 A 1
Teillé 72 ... 107 H 2
Teillet 81 ... 299 H 2
Teillet-Argenty 03 ... 190 C 5
Le Teilleul 50 ... 81 H 2
Teillots 24 ... 241 G 1
Teissières-de-Cornet 15 ... 244 B 4
Teissières-lès-Bouliès 15 ... 262 C 1
Télégraphe *Col du* 73 ... 252 B 1
Telgruc-sur-Mer 29 ... 75 F 4
Tellancourt 54 ... 44 D 1
Tellecey 21 ... 160 C 3
Tellières-le-Plessis 61 ... 84 A 2
Teloché 72 ... 130 A 2
Le Temple 33 ... 236 C 5
Le Temple 41 ... 109 E 5
Le Temple 79 ... 167 E 2
Le Temple-de-Bretagne 44 ... 147 F 2
Temple-Laguyon 24 ... 241 F 1
Le Temple-sur-Lot 47 ... 275 H 1
Templemars 59 ... 8 D 3
La Templerie 35 ... 81 F 5
Templeuve 59 ... 9 E 4
Templeux-la-Fosse 80 ... 23 H 1
Templeux-le-Guérard 80 ... 24 A 1
Tenaille *Ancienne*
Abbaye de la 17 ... 219 G 4
Tenay 01 ... 214 B 3
Tence 43 ... 248 A 3
Tencin 38 ... 233 F 5
Tende 06 ... 291 H 2
Tende *Col de* 06 ... 291 H 2
Tendon 88 ... 119 H 2
Tendron 18 ... 174 A 2
Tendu 36 ... 188 D 1
Teneur 62 ... 7 F 4
Tennie 72 ... 107 F 3
Tenteling 57 ... 47 F 5
Tercé 86 ... 186 D 2
Tercillat 23 ... 189 H 3
Tercis-les-Bains 40 ... 292 D 3
Terdeghem 59 ... 3 H 5
Térénez 29 ... 71 H 3
Térénez *Pont de* 29 ... 75 G 4
Tergnier 02 ... 24 B 4
Terjat 03 ... 208 D 1
Termes 08 ... 43 E 3
Termes 11 ... 338 B 2
Termes 48 ... 263 H 1
Termes-d'Armagnac 32 ... 295 E 4
Termignon 73 ... 235 E 5
Terminiers 28 ... 110 C 4
Ternand 69 ... 212 C 3
Ternant 17 ... 201 G 3
Ternant 21 ... 159 H 4
Ternant 58 ... 175 H 4
Ternant-les-Eaux 63 ... 227 H 4
Ternas 62 ... 12 D 2
Ternat 52 ... 117 E 5
Ternay 41 ... 131 E 4
Ternay 69 ... 231 E 2
Ternay 86 ... 168 C 1
Ternay *Barrage du* 07 ... 230 D 5
Les Ternes 15 ... 245 G 4
Ternuay-Melay-
et-Saint-Hilaire 70 ... 142 A 1
Terny-Sorny 02 ... 40 B 2
Terramesnil 80 ... 12 D 4
Terrans 71 ... 178 C 3
La Terrasse 38 ... 233 F 5
Terrasse
Panorama de la 69 ... 212 C 1
La Terrasse-sur-Dorlay 42 ... 230 C 4
Terrasson-Lavilledieu 24 ... 241 H 3
Terrats 66 ... 342 D 3
Terraube 32 ... 296 A 1
Terre-Clapier 81 ... 299 G 2
Terrebasse 31 ... 317 E 5
Terrefondrée 21 ... 138 D 3
Terrehault 72 ... 108 A 2
Terrenoire 42 ... 230 B 4
Les Terres-de-Chaux 25 ... 163 F 2
La Terrisse 12 ... 263 F 2
Terroles 11 ... 337 H 2
Terron-sur-Aisne 08 ... 42 D 1
Terrou 46 ... 261 F 1
Tersanne 26 ... 249 G 1
Tersannes 87 ... 187 H 5
Terssac 81 ... 299 F 1
Le Tertre Rouge
Parc zoologique 72 ... 129 G 4
Le Tertre-Saint-Denis 78 ... 57 E 2
Tertry 80 ... 23 H 2
Terves 79 ... 167 G 4
Terville 57 ... 45 G 3
Tessancourt-sur-Aubette 78 ... 57 H 1
Tessé-Froulay 61 ... 82 C 2
Tessé-la-Madeleine 61 ... 82 C 2
Tessel 14 ... 33 E 4
Tessens 73 ... 234 C 2
Tesson 17 ... 219 F 2
Tessonnière 79 ... 168 A 4
La Tessoualle 49 ... 167 E 1
Tessy Bocage 50 ... 52 B 1
La Teste-de-Buch 33 ... 254 B 3
Tétaigne 08 ... 27 G 4
Tête des Cuveaux 88 ... 119 H 3
Téteghem-
Coudekerque-Village 59 ... 3 G 2
Téterchen 57 ... 46 D 4
Téthieu 40 ... 293 E 2
Teting-sur-Nied 57 ... 66 D 1
Teuillac 33 ... 237 G 3
Teulat 81 ... 298 C 4
Le Teulet 19 ... 243 G 4
Teurthéville-Bocage 50 ... 29 G 3
Teurthéville-Hague 50 ... 28 D 3
Teyjat 24 ... 222 B 2
Teyran 34 ... 303 E 4
Teyssières 26 ... 267 H 5
Teyssieu 46 ... 243 F 5
Teyssode 81 ... 298 D 4
Thaas 51 ... 61 F 5
Thaims 17 ... 219 E 2
Thairé 17 ... 200 D 2
Thaix 58 ... 175 G 3
Thal-Drulingen 67 ... 67 H 3
Thal-Marmoutier 67 ... 68 B 5
Thalamy 19 ... 226 C 3
Thann 68 ... 142 D 1
Thannenkirch 68 ... 97 E 5
Thanvillé 67 ... 97 E 4
Thaon 14 ... 33 F 3
Thaon-les-Vosges 88 ... 95 F 5
Tharaux 30 ... 284 B 2
Tharoiseau 89 ... 157 H 2
Tharon-Plage 44 ... 146 C 4
Tharot 89 ... 157 H 1
Thaumiers 18 ... 173 G 4
Thauron 23 ... 207 E 3
Thauvenay 18 ... 156 A 3
Thèbe 65 ... 334 A 3
Théding 57 ... 47 F 5
Thédirac 46 ... 259 H 3
Thégra 46 ... 260 D 1
Théhillac 56 ... 125 G 5
Le Theil 03 ... 191 H 4
Le Theil 15 ... 244 C 3
Le Theil 23 ... 206 C 3
Le Theil 50 ... 29 F 3
Le Theil 61 ... 108 C 2
Le Theil-Bocage 14 ... 52 D 2
Le Theil-de-Bretagne 35 ... 104 D 5
Le Theil-en-Auge 14 ... 34 D 3
Le Theil-Nolent 27 ... 35 F 5
Theil-Rabier 16 ... 203 E 2
Theil-sur-Vanne 89 ... 113 H 3
Theillay 41 ... 154 B 3
Theillement 27 ... 35 H 3
Theix-Noyalo 56 ... 124 C 4
Theizé 69 ... 212 C 3
Thel 69 ... 212 B 1
Théligny 72 ... 108 D 3
Thélis-la-Combe 42 ... 230 C 5
Thélod 54 ... 94 C 2
Thelonne 08 ... 27 F 4
Thélus 62 ... 8 B 5
Théméricourt 95 ... 57 H 1
Thémines 46 ... 261 E 2
Théminettes 46 ... 261 E 2
Thénac 17 ... 219 F 1
Thénac 24 ... 257 G 2
Thenailles 02 ... 25 F 2
Thenay 36 ... 188 C 1
Thenay 41 ... 153 E 2
Thenelles 02 ... 24 C 2
Thénésol 73 ... 216 A 5
Theneuil 37 ... 169 F 1
Theneuille 03 ... 191 F 1
Thénezay 79 ... 168 C 5
Thénioux 18 ... 154 B 4
Thenissey 21 ... 159 F 1
Thénisy 77 ... 89 F 3
Thennelières 10 ... 91 E 5
Thennes 80 ... 22 D 3
Thenon 24 ... 241 F 2
Thénorgues 08 ... 43 F 2
Théoule-sur-Mer 06 ... 309 E 5
Therdonne 60 ... 38 A 2
Théret *Château du* 23 ... 207 F 2
Thérines 60 ... 21 H 5
Thermes-Magnoac 65 ... 316 B 5
Thérondels 12 ... 245 E 5
Thérouanne 62 ... 7 F 2
Thérouldeville 76 ... 19 F 3
Thervay 39 ... 161 F 4
Thésée 41 ... 153 E 3
Thésy 39 ... 179 H 2
Theuley 70 ... 140 C 4
Théus 05 ... 269 H 4
Theuville 28 ... 86 B 5
Theuville 95 ... 38 A 5
Theuville-aux-Maillots 76 ... 19 F 3
Theuvy-Achères 28 ... 85 H 2
Thevet-Saint-Julien 36 ... 189 H 1
Théville 50 ... 29 G 3
Thevray 27 ... 55 G 2
They-sous-Montfort 88 ... 118 C 2
They-sous-Vaudemont 54 ... 94 C 4
Theys 38 ... 233 F 5
Théza 66 ... 343 F 2
Thézac 17 ... 219 E 1
Thézac 47 ... 259 E 5
Thézan-des-Corbières 11 ... 338 C 1
Thézan-lès-Béziers 34 ... 321 F 3
Thèze 04 ... 287 F 1
Thèze 64 ... 314 B 2
Thézey-Saint-Martin 54 ... 66 B 3
Théziers 30 ... 304 B 1
Thézillieu 01 ... 214 C 4
Thézy-Glimont 80 ... 22 C 3
Thiais 94 ... 58 C 4
Thiancourt 90 ... 142 D 4
Thianges 58 ... 175 F 3
Thiant 59 ... 14 D 2
Thiat 87 ... 187 G 5
Thiaucourt-Regniéville 54 ... 65 F 3
Thiaville-sur-Meurthe 54 ... 96 A 3
Thiberville 27 ... 35 E 5
Thibie 51 ... 62 A 2
Thibivillers 60 ... 37 H 3
Thibouville 27 ... 35 G 5
Thicourt 57 ... 66 D 2
Thiébauménil 54 ... 95 G 1
Thiéblemont-Farémont 51 ... 62 D 5
Thiébouhans 25 ... 163 G 3
Thieffrain 10 ... 115 G 2
Thieffrans 70 ... 141 G 5
Thiéfosse 88 ... 120 A 4
Thiel-sur-Acolin 03 ... 192 C 2
Thiembronne 62 ... 7 E 3
Thiénans 70 ... 162 B 1
Thiennes 59 ... 7 H 2
Thiepval 80 ... 13 F 5
Thiergeville 76 ... 19 E 3
Thiernu 02 ... 25 E 3
Thiers 63 ... 210 C 4
Thiers-sur-Thève 60 ... 38 D 5
Thierville 27 ... 35 G 4
Thierville-sur-Meuse 55 ... 44 B 5
Thiéry 06 ... 289 G 4
Thiescourt 60 ... 23 G 5
Thiétreville 76 ... 19 F 3
Le Thieulin 28 ... 85 G 4
Thieulloy-la-Ville 80 ... 21 H 3
Thieulloy-l'Abbaye 80 ... 21 H 2
Thieuloy-Saint-Antoine 60 ... 21 H 4
La Thieuloye 62 ... 7 G 5
Thieux 60 ... 38 C 1
Thieux 77 ... 59 E 1
Thiéville 14 ... 54 A 1
Thièvres 62 ... 13 E 4
Thiézac 15 ... 244 D 4
Thignonville 45 ... 111 G 2
Thil 01 ... 213 G 5
Thil 10 ... 92 B 5
Le Thil 27 ... 37 E 3
Thil 31 ... 297 F 3
Thil 51 ... 41 G 3
Thil 54 ... 45 F 2
Thil-la-Ville 21 ... 158 D 2
Thil-Manneville 76 ... 20 A 2
Le Thil-Riberpré 76 ... 21 E 4
Thil-sur-Arroux 71 ... 176 B 4
Thilay 08 ... 27 E 2
Le Thillay 95 ... 58 D 2
Thilleux 52 ... 92 B 4
Les Thilliers-en-Vexin 27 ... 37 E 4
Thillois 51 ... 41 G 4
Thillombois 55 ... 64 B 3
Thillot 55 ... 64 D 2
Le Thillot 88 ... 120 A 5
Thilouze 37 ... 151 G 4
Thimert 28 ... 85 H 2
Thimonville 57 ... 66 B 2
Thimory 45 ... 134 C 2
Thin-le-Moutier 08 ... 26 B 3
Thines 07 ... 265 G 5
Thiolières 63 ... 228 D 2
Thionne 03 ... 192 C 3
Thionville 57 ... 45 H 3
Thionville-sur-Opton 78 ... 57 E 4
Thiouville 76 ... 19 F 4
Thiraucourt 88 ... 94 C 5
Thiré 85 ... 183 G 1
Thiron Gardais 28 ... 85 F 5
This 08 ... 26 C 3
Thise 25 ... 162 A 3
Thivars 28 ... 86 A 4
Thivencelle 59 ... 9 H 4
Thiverny 60 ... 38 C 4
Thiverval-Grignon 78 ... 57 H 3
Thivet 52 ... 117 F 4
Thiviers 24 ... 223 E 4
Thiville 28 ... 110 A 4
Thizay 36 ... 172 B 3
Thizay 37 ... 150 D 5
Thizy-les-Bourgs 69 ... 212 A 2
Thizy 89 ... 137 F 5

Thoard 04 ... 287 H 3
Thodure 38 ... 231 H 5
Thoigné 72 ... 83 H 5
Thoiras 30 ... 283 F 4
Thoiré-sous-Contensor 72 ... 83 H 5
Thoiré-sur-Dinan 72 ... 130 C 3
Thoires 21 ... 116 A 5
Thoirette 39 ... 196 B 4
Thoiria 39 ... 196 D 1
Thoiry 01 ... 197 F 5
Thoiry 73 ... 233 G 2
Thoiry 78 ... 57 G 3
Thoissey 01 ... 213 E 1
Thoissia 39 ... 196 A 3
Thoisy-la-Berchère 21 ... 158 D 4
Thoisy-le-Désert 21 ... 159 E 4
Thoix 80 ... 22 A 4
Thol-lès-Millières 52 ... 117 G 3
Thollet 86 ... 187 H 3
Thollon-les-Mémises 74 ... 198 C 3
Le Tholonet 13 ... 306 A 5
Le Tholy 88 ... 120 A 3
Thomer-la-Sôgne 27 ... 56 B 3
Thomery 77 ... 88 C 4
Thomirey 21 ... 177 F 1
Thonac 24 ... 241 F 4
Thônes 74 ... 216 A 3
Thonnance-lès-Joinville 52 ... 93 E 3
Thonnance-les-Moulins 52 ... 93 F 4
Thonne-la-Long 55 ... 44 B 1
Thonne-le-Thil 55 ... 44 B 1
Thonne-les-Prés 55 ... 44 B 1
Thonnelle 55 ... 44 B 1
Thonon-les-Bains 74 ... 198 B 3
Les Thons 88 ... 118 B 4
Thonville 57 ... 66 D 2
Le Thor 84 ... 305 E 1
Thorailles 45 ... 112 D 4
Thoraise 25 ... 161 H 4
Thorame-Basse 04 ... 288 C 3
Thorame-Haute 04 ... 288 D 3
Thorame-Haute-Gare 04 ... 288 D 4
Thoras 43 ... 246 C 5
Thoré-la-Rochette 41 ... 131 F 3
Thorée-les-Pins 72 ... 129 H 4
Thorenc 06 ... 308 D 1
Thorens-Glières 74 ... 215 H 2
Thorey 89 ... 137 F 2
Thorey-en-Plaine 21 ... 160 B 4
Thorey-Lyautey 54 ... 94 C 3
Thorey-sous-Charny 21 ... 159 E 3
Thorey-sur-Ouche 21 ... 159 G 5
Thorigné 79 ... 185 F 4
Thorigné-d'Anjou 49 ... 128 B 4
Thorigné-en-Charnie 53 ... 106 D 4
Thorigné-Fouillard 35 ... 104 C 2
Thorigné-sur-Dué 72 ... 108 B 4
Thorigny 85 ... 183 E 1
Thorigny-sur-le-Mignon 79 .. 201 G 1
Thorigny-sur-Marne 77 ... 59 E 3
Thorigny-sur-Oreuse 89 ... 89 H 5
Le Thoronet 83 ... 307 H 5
Thoronet Abbaye du 83 ... 307 H 5
Thorrenc 07 ... 249 E 1
Thors 10 ... 92 B 5
Thors 17 ... 202 B 4
Thory 80 ... 22 C 4
Thory 89 ... 137 E 5
Thoste 21 ... 158 C 2
Le Thot 24 ... 241 F 4
Le Thou 17 ... 201 E 1
Thou 18 ... 155 G 2
Thou 45 ... 135 E 5
Thouarcé 49 ... 149 G 3
Thouaré-sur-Loire 44 ... 147 H 3
Thouars 79 ... 168 A 2
Thouars-sur-Arize 09 ... 317 G 5
Thouars-sur-Garonne 47 ... 275 G 2
Thouarsais-Bouildroux 85 ... 183 H 1
Le Thoult-Trosnay 51 ... 61 E 3
Le Thour 08 ... 25 G 5
Le Thoureil 49 ... 150 A 2
Thourie 35 ... 126 D 2
Thouron 87 ... 205 G 3
Thourotte 60 ... 39 G 1
Thoury 41 ... 132 C 5
Thoury-Férottes 77 ... 88 D 5
Thoux 32 ... 297 E 4
Thubœuf 53 ... 82 C 3
Le Thuel 02 ... 25 G 4
Thuellin 38 ... 232 B 1
Thués-entre-Valls 66 ... 341 H 4
Thueyts 07 ... 266 A 2
Thugny-Trugny 08 ... 42 B 1
La Thuile 73 ... 233 G 2
Les Thuiles 04 ... 270 C 5
Thuilley-aux-Groseilles 54 ... 94 C 2
Thuillières 88 ... 118 C 2
Thuir 66 ... 342 D 2
Thuisy 10 ... 114 C 2
Le Thuit 27 ... 36 D 4
Le Thuit-Anger 27 ... 36 A 3
Thuit-Hébert 27 ... 35 H 3
Le Thuit-Signol 27 ... 36 A 4
Le Thuit-Simer 27 ... 35 H 4
Thulay 25 ... 142 C 5
Thumeréville 54 ... 45 E 5
Thumeries 59 ... 8 D 4
Thun-l'Évêque 59 ... 14 C 3
Thun-Saint-Amand 59 ... 9 G 4
Thun-Saint-Martin 59 ... 14 C 3
Thurageau 86 ... 169 E 4
Thuré 86 ... 169 F 4
Thuret 63 ... 210 A 3
Thurey 71 ... 178 B 4
Thurey-le-Mont 25 ... 162 A 2
Thurins 69 ... 230 D 1
Thury 21 ... 177 E 1
Thury 89 ... 135 H 5
Thury-en-Valois 60 ... 39 H 5
Thury-Harcourt 14 ... 53 F 1
Thury-sous-Clermont 60 ... 38 C 3
Thusy 74 ... 215 F 3
Thuy 65 ... 315 G 4
Thyez 74 ... 216 B 1
Thyl 73 ... 252 B 1
Tibiran-Jaunac 65 ... 334 A 2
Ticheville 61 ... 54 D 2
Tichey 21 ... 178 C 1
Tieffenbach 67 ... 68 A 3
Tiercé 49 ... 128 D 5
Tiercelet 54 ... 45 E 2
Le Tiercent 35 ... 80 D 4
Tierceville 14 ... 33 F 3
Tieste-Uragnoux 32 ... 295 E 5
La Tieule 48 ... 281 H 1
Tiffauges 85 ... 166 C 1
Tigeaux 77 ... 59 G 4
Tigery 91 ... 88 A 2
Tignac 09 ... 336 C 5
Tigné 49 ... 149 H 4
Tignécourt 88 ... 118 B 4
Tignes 73 ... 235 E 3
Tignes *Barrage de* 73 ... 235 F 2
Le Tignet 06 ... 308 D 3
Tignieu-Jameyzieu 38 ... 213 H 5
Tigny-Noyelle 62 ... 6 B 5
Tigy 45 ... 133 H 3
Til-Châtel 21 ... 160 B 1
Tilh 40 ... 293 F 4
Tilhouse 65 ... 333 G 1
Tillac 32 ... 315 G 2
Tillay-le-Péneux 28 ... 110 D 3
Tillé 60 ... 38 A 1
Tillenay 21 ... 160 D 4
Le Tilleul 76 ... 18 C 4
Tilleul-Dame-Agnès 27 ... 55 H 1
Le Tilleul-Lambert 27 ... 56 A 1
Le Tilleul-Othon 27 ... 35 G 5
Tilleux 88 ... 94 A 5
Tillières 49 ... 148 B 5
Tillières-sur-Avre 27 ... 56 A 4
Tilloloy 80 ... 23 F 4
Tillou 79 ... 202 D 1
Tilloy-et-Bellay 51 ... 62 C 1
Tilloy-Floriville 80 ... 11 F 5
Tilloy-lès-Conty 80 ... 22 B 3
Tilloy-lès-Hermaville 62 ... 13 E 2
Tilloy-lès-Mofflaines 62 ... 13 G 2
Tilloy-lez-Cambrai 59 ... 14 B 3
Tilloy-lez-Marchiennes 59 ... 9 F 5
Tilly 27 ... 37 E 5
Tilly 36 ... 188 A 3
Tilly 78 ... 57 E 3
Tilly-Capelle 62 ... 7 F 4
Tilly-la-Campagne 14 ... 33 G 5
Tilly-sur-Meuse 55 ... 64 B 2
Tilly-sur-Seulles 14 ... 33 E 4
Tilques 62 ... 3 F 5
Tincey-et-Pontrebeau 70 ... 140 C 5
Tinchebray 61 ... 52 D 4
Tincourt-Boucly 80 ... 23 H 1
Tincques 62 ... 7 H 5
Tincry 57 ... 66 C 3
Les Tines 74 ... 217 E 2
Tingry 62 ... 6 B 3
Tinqueux 51 ... 41 G 4
Tinténiac 35 ... 80 A 4
Tintry 71 ... 177 E 2
Tintury 58 ... 175 F 2
Tiranges 43 ... 247 G 1
Tirent-Pontéjac 32 ... 296 C 5
Tirepied 50 ... 51 H 4
Tissey 89 ... 136 D 2
Le Titre 80 ... 11 G 2
Tiuccia 2A ... 348 B 2
Tivernon 45 ... 111 E 3
Tiviers 15 ... 245 H 3
Tivolaggio 2A ... 350 D 2
Tizac-de-Curton 33 ... 256 B 1
Tizac-de-Lapouyade 33 ... 238 B 3
Tizzano 2A ... 350 D 3
Tocane-Saint-Apre 24 ... 239 H 1
Tocqueville 27 ... 35 F 2
Tocqueville 50 ... 29 G 2
Tocqueville-en-Caux 76 ... 19 H 3
Tocqueville-les-Murs 76 ... 19 E 4
Tocqueville-sur-Eu 76 ... 10 C 4
Tœufles 80 ... 11 F 4
Toges 08 ... 42 D 2
Togny-aux-Bœufs 51 ... 62 B 3
Tolla 2A ... 348 D 3
Tollaincourt 88 ... 118 A 3
Tollent 62 ... 11 H 1
Tollevast 50 ... 29 E 3
La Tombe 77 ... 89 E 4
Tombebœuf 47 ... 257 H 4
Tomblaine 54 ... 65 H 5
Tomino 2B ... 345 G 2
Les Tonils 26 ... 267 H 3
Tonnac 81 ... 279 E 4
Tonnay-Boutonne 17 ... 201 F 3
Tonnay-Charente 17 ... 201 E 3
Tonneins 47 ... 275 G 1
Tonnerre 89 ... 137 E 2
Tonneville 50 ... 28 D 3
Tonnoy 54 ... 95 E 2
Tonquédec 22 ... 72 D 4
Tonquédec *Château de* 22 ... 72 C 4
Torcé 35 ... 105 E 3
Torcé-en-Vallée 72 ... 108 A 3
Torcé-Viviers-
en-Charnie 53 ... 106 D 3
Torcenay 52 ... 139 H 2
Torchamp 61 ... 82 A 2
Torchefelon 38 ... 232 B 3
Torcheville 57 ... 67 F 3
Torcieu 01 ... 214 A 3
Torcy 62 ... 6 D 4
Torcy 71 ... 177 E 4
Torcy 77 ... 59 E 3
Torcy-en-Valois 02 ... 60 B 1
Torcy-et-Pouligny 21 ... 158 C 1
Torcy-le-Grand 10 ... 91 E 3
Torcy-le-Grand 76 ... 20 B 3
Torcy-le-Petit 10 ... 91 E 3
Torcy-le-Petit 76 ... 20 B 2
Tordères 66 ... 342 D 3
Tordouet 14 ... 54 D 1
Torfou 49 ... 166 B 1
Torfou 91 ... 87 G 3
Torigny-les-Villes 50 ... 52 B 1
Tornac 30 ... 283 G 5
Tornay 52 ... 140 A 4
Le Torp-Mesnil 76 ... 19 H 4
Torpes 25 ... 161 H 4
Torpes 71 ... 178 D 3
Le Torpt 27 ... 34 D 3
Le Torquesne 14 ... 34 C 4
Torre 2A ... 351 G 2
Torreilles 66 ... 339 E 5
Torsac 16 ... 221 F 3
Torsiac 43 ... 228 A 5
Tortebesse 63 ... 226 D 1
Tortefontaine 62 ... 11 H 1
Tortequesne 62 ... 14 A 2
Torteron 18 ... 174 B 2
Torteval-Quesnay 14 ... 32 D 5
Tortezais 03 ... 191 F 3
Tortisambert 14 ... 54 B 2
Le Tortoir 02 ... 24 C 5
Torvilliers 10 ... 114 D 2
Torxé 17 ... 201 G 3
Tosny 27 ... 36 D 4
Tosse 40 ... 292 B 3
Tossiat 01 ... 214 A 1
Tostat 65 ... 315 F 3
Tostes 27 ... 36 B 4
Totainville 88 ... 94 C 4
Tôtes 14 ... 54 B 2
Tôtes 76 ... 20 A 4
Touchay 18 ... 172 D 5
La Touche 26 ... 267 F 4
Touche-Trébry
Château de la 22 ... 78 C 5
Les Touches 44 ... 147 H 1
Les Touches-de-Périgny 17 . 202 C 4
Toucy 89 ... 135 H 4
Toudon 06 ... 289 H 5
Touët-de-l'Escarène 06 ... 291 F 5
Touët-sur-Var 06 ... 289 G 5
Touffailles 82 ... 277 E 2
Toufflers 59 ... 9 E 2
Touffou *Château de* 86 ... 186 D 1
Touffréville 14 ... 33 H 4
Touffreville 27 ... 36 D 3
Touffreville-la-Cable 76 ... 35 F 1
Touffreville-la-Corbeline 76 ... 19 G 5
Touffreville-sur-Eu 76 ... 10 C 4
Touget 32 ... 296 D 4
Touille 31 ... 335 E 1
Touillon 21 ... 137 H 4
Touillon-et-Loutelet 25 ... 180 C 3
Toujouse 32 ... 294 C 2
Toul 54 ... 94 B 1
Toul Goulic *Gorges de* 22 ... 77 F 4
Toulaud 07 ... 249 E 5
Toulenne 33 ... 256 B 4
Touligny 08 ... 26 C 4
Toulis-et-Attencourt 02 ... 25 E 4
Toullaëron *Roc de* 29 ... 76 C 5
Toulon 83 ... 328 A 4
Toulon-la-Montagne 51 ... 61 F 3
Toulon-sur-Allier 03 ... 192 B 2
Toulon-sur-Arroux 71 ... 176 C 5
Toulonjac 12 ... 279 F 1
Toulouges 66 ... 343 E 2
Toulouse 31 ... 298 A 5
Toulouse *Croix de* 05 ... 252 D 4
Toulouse-le-Château 39 ... 179 F 3
Toulouzette 40 ... 293 G 2
Toulx-Sainte-Croix 23 ... 190 A 5
Touques 14 ... 34 C 2
Le Touquet-Paris-Plage 62 ... 6 A 4
Touquettes 61 ... 55 E 4
Touquin 77 ... 59 H 5
La Tour 06 ... 291 E 4
La Tour 74 ... 216 A 1
La Tour-Blanche 24 ... 221 H 5
La Tour-d'Aigues 84 ... 306 B 3
La Tour-d'Auvergne 63 ... 227 E 3
Tour-de-Faure 46 ... 260 D 5
La Tour-de-Salvagny 69 ... 212 D 5
La Tour-de-Scay 25 ... 162 B 2
La Tour-du-Crieu 09 ... 336 B 1
La Tour-du-Meix 39 ... 196 C 2
Le Tour-du-Parc 56 ... 124 C 5
La Tour-du-Pin 38 ... 232 B 2
Tour-en-Bessin 14 ... 32 D 3
La Tour-en-Jarez 42 ... 230 B 3
Tour-en-Sologne 41 ... 153 F 1
La Tour-Fondue 83 ... 328 C 5
La Tour-Saint-Gelin 37 ... 169 F 1
La Tour-sur-Orb 34 ... 301 F 4
Tourailles 41 ... 131 H 4
Les Tourailles 61 ... 53 G 4
Tourailles-sous-Bois 55 ... 93 G 3
Tourbes 34 ... 321 H 2
Tourcelles-Chaumont 08 ... 42 C 2
Tourch 29 ... 100 B 3
Tourcoing 59 ... 5 E 5
Tourdun 32 ... 295 F 5
La Tourette 19 ... 226 B 3
La Tourette 42 ... 229 G 4
La Tourette-Cabardès 11 ... 319 H 3
Tourette-du-Château 06 ... 289 H 5
Tourgéville 14 ... 34 B 3
La Tourlandry 49 ... 149 F 5
Tourlaville 50 ... 29 F 3
Tourliac 47 ... 258 D 2
Tourly 60 ... 37 H 4
Tourmalet *Col du* 65 ... 333 F 3
Tourmignies 59 ... 8 D 4
Tourmont 39 ... 179 F 3
Tournai-sur-Dive 61 ... 54 B 3
Tournan 32 ... 316 C 2
Tournan-en-Brie 77 ... 59 F 4
Tournans 25 ... 162 C 1
Tournavaux 08 ... 26 D 2
Tournay 65 ... 315 G 5
Tournay-sur-Odon 14 ... 33 E 5
Le Tourne 33 ... 255 H 2
Tournebu 14 ... 53 G 2
Tournecoupe 32 ... 296 C 2
Tournedos-Bois-Hubert 27 ... 56 A 1
Tournedos-sur-Seine 27 ... 36 C 3
Tournedoz 25 ... 163 E 2
Tournefeuille 31 ... 297 H 5
Tournefort 06 ... 289 H 5
Tournehem-sur-la-Hem 62 ... 3 E 4
Tournemire 12 ... 281 G 5
Tournemire 15 ... 244 C 3
Tournes 08 ... 26 C 2
Le Tourneur 14 ... 52 D 2
Tourneville 27 ... 36 B 5
Tourniac 15 ... 243 H 2
Tournières 14 ... 32 C 3
Tourniol *Col de* 26 ... 249 H 4
Tournissan 11 ... 338 B 1
Tournoël *Château de* 63 ... 209 G 4
Tournoisis 45 ... 110 B 5
Tournon 73 ... 234 A 1
Tournon-d'Agenais 47 ... 277 E 1
Tournon-Saint-Martin 36 ... 170 B 5
Tournon-Saint-Pierre 37 ... 170 B 5
Tournon-sur-Rhône 07 ... 249 E 3
Tournous-Darré 65 ... 315 H 4
Tournous-Devant 65 ... 315 H 4
Tournus 71 ... 195 E 1
Tourny 27 ... 37 E 5
Tourouvre-au-Perche 61 ... 84 C 2
Tourouzelle 11 ... 320 C 4
Tourreilles 11 ... 337 F 2
Les Tourreilles 31 ... 334 A 1
Tourrenquets 32 ... 296 B 3
Tourrette *Château de la* 07 .. 248 D 5
Tourrette-Levens 06 ... 291 E 5
Les Tourrettes 26 ... 267 E 2
Tourrettes 83 ... 308 C 3
Tourrettes-sur-Loup 06 ... 309 F 2
Tourriers 16 ... 203 F 5
Tours 37 ... 151 H 2
Tours-en-Savoie 73 ... 234 B 1
Tours-en-Vimeu 80 ... 11 F 4
Tours-Saint-Symphorien
Aéroport de 37 ... 152 A 2
Tours-sur-Marne 51 ... 61 H 1
Tours-sur-Meymont 63 ... 228 C 2
Tourtenay 79 ... 168 B 1
Tourteron 08 ... 26 C 5
Tourtoirac 24 ... 241 F 1
Tourtour 83 ... 307 H 4
Tourtouse 09 ... 335 F 1
Tourtrès 47 ... 257 H 4
Tourtrol 09 ... 336 C 2
Tourves 83 ... 328 A 1
Tourville-en-Auge 14 ... 34 C 3
Tourville-la-Campagne 27 ... 35 H 4
Tourville-la-Chapelle 76 ... 10 C 5
Tourville-la-Rivière 76 ... 36 B 3
Tourville-les-Ifs 76 ... 19 E 3
Tourville-sur-Arques 76 ... 20 B 2
Tourville-sur-Odon 14 ... 33 F 5
Tourville-
sur-Pont-Audemer 27 ... 35 E 3
Tourville-sur-Sienne 50 ... 31 F 5
Toury 28 ... 111 E 2
Toury-Lurcy 58 ... 175 E 5
Toury-sur-Jour 58 ... 174 D 5
Tourzel-Ronzières 63 ... 227 H 3
Toussaint 76 ... 19 E 3
Toussieu 69 ... 231 F 1
Toussieux 01 ... 213 E 3
Tousson 77 ... 88 A 5
La Toussuire 73 ... 233 H 5
Toussus-le-Noble 78 ... 58 A 4
Toutainville 27 ... 35 E 2
Toutenant 71 ... 178 B 3
Toutencourt 80 ... 13 E 5
Toutens 31 ... 318 C 2
Toutes Aures *Col de* 04 ... 288 D 5
Toutlemonde 49 ... 167 E 1
Toutry 21 ... 158 B 1
Touvérac 16 ... 220 C 4
Le Touvet 38 ... 233 F 4
Touville 27 ... 35 G 3
Touvois 44 ... 165 F 2
Touvre 16 ... 221 G 1
Touzac 16 ... 220 C 3
Touzac 46 ... 259 F 5
Tox 2B ... 347 G 5
Toy-Viam 19 ... 225 F 2
Trabuc *Grotte de* 30 ... 283 G 4
Tracol *Col de* 43 ... 248 B 1
Tracy-Bocage 14 ... 33 E 5
Tracy-le-Mont 60 ... 39 H 1
Tracy-le-Val 60 ... 39 H 1
Tracy-sur-Loire 58 ... 156 A 3
Tracy-sur-Mer 14 ... 33 E 2
Trades 69 ... 194 C 5
Traenheim 67 ... 97 F 1
Tragny 57 ... 66 B 2
Traînel 10 ... 89 H 4
Traînou 45 ... 111 F 5
Le Trait 76 ... 35 H 1
Traitiéfontaine 70 ... 162 A 2
Traize 73 ... 232 D 1
Tralaigues 63 ... 208 D 4
Tralonca 2B ... 347 F 4
Tramain 22 ... 79 E 4
Tramayes 71 ... 194 C 4
Trambly 71 ... 194 C 4
Tramecourt 62 ... 7 E 4
Tramery 51 ... 41 E 4
Tramezaïgues 65 ... 333 G 4
Tramolé 38 ... 232 A 3
Tramont-Émy 54 ... 94 B 4
Tramont-Lassus 54 ... 94 C 4
Tramont-Saint-André 54 ... 94 B 4
Tramoyes 01 ... 213 F 4
Trampot 88 ... 93 G 4
Trancault 10 ... 90 A 4
La Tranche-sur-Mer 85 ... 182 D 3
La Tranclière 01 ... 213 H 1
Trancrainville 28 ... 110 D 2
Trangé 72 ... 107 G 4
Le Tranger 36 ... 170 D 2
Trannes 10 ... 91 H 5
Tranqueville-Graux 88 ... 94 B 3
Trans 53 ... 82 D 5
Trans-en-Provence 83 ... 308 A 5
Trans-la-Forêt 35 ... 80 C 2
Trans-sur-Erdre 44 ... 148 A 1
Le Translay 80 ... 11 F 5
Le Transloy 62 ... 13 H 5
Tranzault 36 ... 189 F 1
La Trappe *Abbaye de* 61 ... 55 F 5
Trappes 78 ... 57 H 4
Trassanel 11 ... 320 A 3
Traubach-le-Bas 68 ... 143 E 2
Traubach-le-Haut 68 ... 142 D 2
Trausse 11 ... 320 B 4
Travaillan 84 ... 285 F 3
Travecy 02 ... 24 B 4
Traversères 32 ... 296 B 5
Traves 70 ... 140 D 4
Le Travet 81 ... 299 H 2
Le Trayas 83 ... 309 E 5
Trayes 79 ... 167 G 5
Tréal 56 ... 125 G 2
Tréauville 50 ... 28 D 4
Trébabu 29 ... 74 C 2
Treban 03 ... 191 H 3
Tréban 81 ... 280 B 4
Trébas 81 ... 300 A 1
Trébédan 22 ... 79 F 4
Trèbes 11 ... 320 A 5
Trébeurden 22 ... 72 B 3
Trébons 65 ... 333 F 1
Trébons-de-Luchon 31 ... 334 A 4
Trébons-sur-la-Grasse 31 ... 318 C 2
Tréboul 29 ... 75 F 5
Tréboul *Pont de* 15 ... 245 F 5
Trébrivan 22 ... 77 E 4
Trébry 22 ... 78 D 5
Tréclun 21 ... 160 C 4
Trécon 51 ... 61 H 3
Trédaniel 22 ... 78 C 4
Trédarzec 22 ... 73 E 3
Trédias 22 ... 79 F 5
Trédion 56 ... 124 D 2
Trédrez-Locquémeau 22 ... 72 B 3
Tréduder 22 ... 72 B 4
Trefcon 02 ... 23 H 2
Treffay 39 ... 180 A 4
Treffendel 35 ... 103 G 3
Treffiagat 29 ... 99 F 5
Treffieux 44 ... 126 D 4
Treffléan 56 ... 124 D 3
Treffort 38 ... 250 D 4
Treffort-Cuisiat 01 ... 196 A 4
Treffrin 22 ... 76 D 4
Tréflaouénan 29 ... 71 F 4
Tréflévénez 29 ... 75 H 2
Tréflez 29 ... 71 E 4
Tréfols 51 ... 60 C 4
Tréfumel 22 ... 79 G 5
Trégarantec 29 ... 71 E 4
Trégarvan 29 ... 75 G 4
Trégastel 22 ... 72 C 2
Trégastel-Plage 22 ... 72 C 2
Tréglamus 22 ... 72 D 5
Tréglonou 29 ... 70 C 4
Trégomar 22 ... 79 E 3
Trégomeur 22 ... 73 G 5
Trégon 22 ... 50 A 5
Trégonneau 22 ... 73 E 4
Trégourez 29 ... 100 B 2
Trégrom 22 ... 72 C 4
Tréguennec 29 ... 99 F 4
Trégueux 22 ... 78 B 3
Tréguidel 22 ... 73 G 5
Tréguier 22 ... 73 E 3
Trégunc 29 ... 100 A 4
Tréhet 41 ... 130 D 4
Tréhorenteuc 56 ... 103 E 4
Le Tréhou 29 ... 75 H 2
Treignac 19 ... 224 D 3
Treignat 03 ... 190 B 4
Treigny 89 ... 156 C 1
Treilles 11 ... 339 E 3
Treilles-en-Gâtinais 45 ... 112 B 4

Treillières 44 147 G 2
Treix 52 117 E 3
Treize-Arbres Les 74 215 G 1
Treize-Septiers 85 166 B 1
Treize-Vents 85 166 D 2
Tréjouls 82 277 G 2
Trélans 48 263 H 5
Trélazé 49 149 H 1
Trélechamp 74 217 E 2
Trélévern 22 72 D 2
Trelins 42 229 G 1
Trélissac 24 240 D 2
Trélivan 22 79 G 4
Trelly 50 51 G 1
Trélon 59 15 H 5
Trélou-sur-Marne 02 60 D 1
Trémaouézan 29 71 E 5
Trémargat 22 77 F 4
Trémauville 76 19 F 4
Trémazan 29 70 B 4
La Tremblade 17 200 C 5
Tremblay 35 80 D 3
Le Tremblay 49 127 H 4
Tremblay-en-France 93 58 D 2
Le Tremblay-les-Villages 28 86 A 2
Le Tremblay-Omonville 27 35 H 5
Le Tremblay-sur-Mauldre 78 57 G 4
Tremblecourt 54 65 F 4
Le Tremblois 70 161 E 2
Tremblois-lès-Carignan 08 27 H 4
Tremblois-lès-Rocroi 08 26 B 2
Tréméheuc 35 80 B 3
Trémel 22 72 B 4
Tréméloir 22 73 G 5
Trémentines 49 149 E 5
Tréméoc 29 99 G 4
Tréméreuc 22 79 G 3
Trémery 57 45 H 4
Trémeur 22 79 F 5
Tréméven 22 73 F 4
Tréméven 29 100 D 4
Trémilly 52 92 B 4
Tréminis 38 269 E 1
Trémoins 70 142 B 4
Trémolat 24 240 D 5
Trémons 47 276 D 1
Trémont 49 149 H 5
Trémont 61 84 A 2
Trémont-sur-Saulx 55 63 G 4
Trémonzey 88 119 E 4
Trémorel 22 103 E 1
Trémouille 15 226 D 5
Trémouille-Saint-Loup 63 226 C 4
Trémouilles 12 280 D 2
Trémoulet 09 336 C 1
Trémuson 22 78 A 3
Trenal 39 179 E 5
Trensacq 40 273 F 2
Trentels 47 258 D 5
Tréogan 22 76 D 5
Tréogat 29 99 F 3
Tréon 28 56 C 5
Tréouergat 29 70 B 5
Trépail 51 41 H 5
Trépassés Baie des 29 98 C 2
Trépied 62 6 B 4
Le Tréport 76 10 D 4
Trépot 25 162 B 4
Tréprel 14 53 G 2
Trept 38 232 A 1
Trésauvaux 55 64 D 1
Tresbœuf 35 104 C 5
Trescault 62 14 A 4
Treschenu-Creyers 26 268 C 2
Trescléoux 05 287 E 1
Trésilley 70 162 A 1
Treslon 51 41 F 4
Tresnay 58 174 C 5
Trespoux-Rassiels 46 277 H 1
Tresques 30 284 D 4
Tressaint 22 79 G 4
Tressan 34 302 A 5
Tressandans 25 162 C 1
Tressange 57 45 F 2
Tressé 35 80 A 3
Tresserre 66 343 E 3
Tresserve 73 233 E 1
Tresses 33 237 H 5
Tressignaux 22 73 G 5
Tressin 59 9 E 3
Tresson 72 130 D 2
Treteau 03 192 C 4
La Trétoire 77 60 A 3
Trets 13 327 G 1
Treux 80 23 E 1
Treuzy-Levelay 77 112 C 2
Trévans 04 288 A 5
Trévé 22 102 B 1
Trévenans 90 142 C 4
Tréveneuc 22 73 G 4
Tréveray 55 93 F 1
Trévérec 22 73 F 4
Trévérien 35 79 H 5
Trèves 30 282 B 4
Trèves 69 230 D 3
Trèves-Cunault 49 150 B 3
Trevey 70 141 F 5
Trévezel Roc 29 76 A 2
Trévien 81 279 G 4
Trévières 14 32 C 3
Trévignin 73 233 F 1
Trévillach 66 342 B 2
Tréville 11 319 E 3
Trévillers 25 163 G 3
Trévilly 89 158 B 1
Trevol 03 192 A 1
Trévou-Tréguignec 22 72 D 2
Trévoux 01 213 E 3
Le Trévoux 29 100 C 4
Trévron 22 79 G 4
Trézelles 03 192 C 4
Trézény 22 72 D 3
Trézien Phare de 29 74 C 2
Tréziers 11 337 E 2
Trézilidé 29 71 F 4
Trézioux 63 228 C 1
Triac-Lautrait 16 220 D 1
Le Triadou 34 302 D 3
Triaize 85 183 F 3
Triaucourt-en-Argonne 55 63 G 1
Tribehou 50 32 A 4
La Tricherie 86 169 F 5
Trichey 89 115 E 5
Triconville 55 64 B 5
Tricot 60 23 E 5
Trie-Château 60 37 G 3
Trie-la-Ville 60 37 G 3
Trie-sur-Baïse 65 315 H 4
Triel-sur-Seine 78 57 H 2
Triembach-au-Val 67 97 E 4
Trieux 54 45 F 3
Trigance 83 308 A 2
Trigavou 22 79 G 3
Trignac 44 146 C 2
Trigny 51 41 F 3
Triguères 45 113 E 5
Trilbardou 77 59 F 2
Trilla 66 338 A 5
Trilport 77 59 G 2
Trimbach 67 69 F 2
Trimer 35 79 H 5
La Trimouille 86 187 H 3
Trimouns
Carrière de talc de 09 336 C 4
Trinay 45 111 E 4
La Trinitat 15 263 G 2
La Trinité 06 309 H 2
La Trinité 27 56 C 2
La Trinité 50 51 H 3
La Trinité 73 233 H 3
Trinité Chapelle de la 29 99 E 3
Trinité Ermitage de la 2A 351 F 4
La Trinité-de-Réville 27 55 E 2
La Trinité-de-Thouberville 27 35 H 2
La Trinité-des-Laitiers 61 54 D 4
La Trinité-du-Mont 76 19 F 5
La Trinité-Langonnet 56 77 E 5
La Trinité-Porhoët 56 102 C 2
La Trinité-sur-Mer 56 123 H 4
La Trinité-Surzur 56 124 D 4
Triors 26 249 H 3
Le Trioulou 15 261 H 3
Tripleville 41 110 A 5
Triquerville 76 35 F 1
Triqueville 27 35 E 3
Trith-Saint-Léger 59 14 D 2
Tritteling-Redlach 57 66 D 1
Trivy 71 194 B 3
Trizac 15 244 C 1
Trizay 17 201 E 4
Trizay-Coutretot-
Saint-Serge 28 85 E 5
Trizay-lès-Bonneval 28 109 H 2
Troarn 14 33 H 4
Troche 19 224 B 5
Trochères 21 160 C 3
Trocy-en-Multien 77 59 G 1
Troësnes 02 40 A 4
Troguéry 22 73 E 3
Trogues 37 151 G 5
Trois Communes
Pointe des 06 291 G 3
Les Trois-Épis 68 120 D 2
Trois-Fonds 23 190 A 5
Trois-Fontaines-l'Abbaye 51 63 F 4
Trois-Maisons 57 68 A 4
Trois-Monts 14 53 F 1
Les Trois-Moutiers 86 168 C 1
Trois-Palis 16 221 E 2
Les Trois-Pierres 76 19 E 5
Trois-Puits 51 41 G 4
Trois Termes Pic des 66 343 F 4
Trois-Vèvres 58 175 E 3
Trois-Villes 64 331 F 1
Troischamps 52 139 H 2
Troisfontaines 52 92 D 2
Troisfontaines 57 67 H 5
Troisgots 50 52 B 1
Troissereux 60 38 A 1
Troissy 51 61 E 1
Troisvaux 62 7 G 5
Troisvilles 59 14 D 4
Tromarey 70 161 F 3
Tromborn 57 46 D 4
Tronçais Forêt de 03 191 E 1
Troncens 32 315 G 2
La Tronche 38 250 D 1
Le Tronchet 35 80 A 2
Le Tronchet 72 107 G 2
Tronchoy 52 117 F 5
Tronchoy 80 21 G 2
Tronchoy 89 137 E 2
Tronchy 71 178 B 4
Le Troncq 27 35 H 4
Trondes 54 65 E 5
Tronget 03 191 G 3
Tronjoly Château de 29 71 F 3
Le Tronquay 14 32 D 4
Le Tronquay 27 36 D 2
Tronsanges 58 174 B 1
Tronville 54 65 F 1
Tronville-en-Barrois 55 63 H 4
Troo 41 131 E 3
Trosly-Breuil 60 39 G 2
Trosly-Loire 02 40 A 1
Trouans 10 62 A 5
Troubat 65 334 A 2
La Trouche 88 96 A 3
Trouhans 21 160 C 5
Trouhaut 21 159 G 2
Trouillas 66 343 E 3
Trouley-Labarthe 65 315 G 4
Troumouse Cirque de 65 333 E 5
Troussencourt 60 22 B 5
Troussey 55 64 D 5
Troussures 60 37 H 2
Trouvans 25 162 C 1
Trouville 76 19 F 5
Trouville-la-Haule 27 35 F 2
Trouville-sur-Mer 14 34 B 2
Trouy 18 173 E 2
Troye-d'Ariège 09 336 D 2
Troyes 10 91 E 5
Troyon 55 64 C 2
La Truchère 71 195 F 2
Truchtersheim 67 68 D 5
Trucy 02 40 D 1
Trucy-l'Orgueilleux 58 157 E 2
Trucy-sur-Yonne 89 136 C 5
Le Truel 12 281 E 5
Trugny 21 178 B 2
Truinas 26 267 H 3
Trumilly 60 39 F 4
Trun 61 54 B 3
Trungy 14 32 D 4
Truttemer-le-Grand 14 52 D 4
Truttemer-le-Petit 14 52 D 4
Truyes 37 152 A 4
Tubersent 62 6 B 4
Tuchan 11 338 C 4
Tucquegnieux 54 45 F 4
Tudeils 19 242 D 4
Tudelle 32 295 G 4
Tuffé-Val-de-
la Chéronne 72 108 B 3
Tugéras-Saint-Maurice 17 219 H 5
Tugny-et-Pont 02 24 A 3
Les Tuileries 42 211 G 2
La Tuilière 42 211 E 3
Tuilière Roche 63 227 E 2
Tulette 26 285 F 2
Tulle 19 242 D 1
Tullins 38 232 B 5
Tully 80 11 E 3
Tupigny 02 24 D 1
Tupin-et-Semons 69 231 E 3
La Turballe 44 145 G 4
La Turbie 06 309 H 5
Turcey 21 159 G 2
Turckheim 68 121 E 3
Turenne 19 242 C 3
Turgon 16 203 H 3
Turgy 10 114 D 4
Turini Col de 06 291 F 3
Turny 89 114 B 4
Turquant 49 150 C 4
Turquestein-Blancrupt 57 96 C 1
Turqueville 50 29 H 5
Turretot 76 18 C 5
Turriers 04 269 H 5
Tursac 24 241 F 4
Tusson 16 203 E 3
Tuzaguet 65 333 H 1
Le Tuzan 33 255 G 5
Tuzie 16 203 F 3

U

Uberach 67 68 D 3
Ubexy 88 95 E 4
Ubraye 04 289 E 5
Ucciani 2A 348 D 2
Ucel 07 266 B 3
Uchacq-et-Parentis 40 293 H 1
Uchaud 30 303 G 3
Uchaux 84 285 E 3
Uchentein 09 335 E 3
Uchizy 71 195 E 2
Uchon 71 176 C 4
Uchon Signal d' 71 176 C 4
Uckange 57 45 G 4
Ueberkumen 68 143 E 2
Ueberstrass 68 143 E 4
Uffheim 68 143 G 2
Uffholtz 68 143 E 1
Ugine 73 216 A 5
Uglas 65 333 H 1
Ugnouas 65 315 F 3
Ugny 54 44 D 2
Ugny-le-Gay 02 24 A 4
Ugny-l'Équipée 80 23 H 2
Ugny-sur-Meuse 55 94 A 1
Uhart-Cize 64 330 C 1
Uhart-Mixe 64 311 G 5
Uhlwiller 67 68 D 3
Uhrwiller 67 68 C 3
Ulcot 79 167 H 1
Les Ulis 91 58 B 5
Ully-Saint-Georges 60 38 B 3
Les Ulmes 49 150 B 4
Umpeau 28 86 C 3
Unac 09 336 C 5
Uncey-le-Franc 21 159 F 3
Unchair 51 41 E 3
Ungersheim 68 121 E 5
Unias 42 229 H 2
Unienville 10 91 H 5
Unieux 42 230 A 4
L'Union 31 298 A 4
Untermuhthal 57 68 C 2
Unverre 28 109 G 2
Unzent 09 318 A 5
Upaix 05 287 F 1
Upie 26 267 G 1
Ur 66 341 E 4
Urau 31 334 D 2
Urbalacone 2A 348 D 4
Urbanya 66 341 H 2
Urbeis 67 96 D 4
Urbeis Col d' 67 96 D 4
Urbès 68 120 B 5
Urbise 42 193 F 5
Urçay 03 190 D 1
Urcel 02 40 D 1
Urcerey 90 142 B 3
Urciers 36 189 H 2
Urcuit 64 292 B 5
Urcy 21 159 H 4
Urdens 32 296 C 2
Urdès 64 313 H 2
Urdos 64 331 H 4
Urepel 64 330 A 2
Urgons 40 294 A 4
Urgosse 32 295 E 3
Uriage-les-Bains 38 251 E 2
Uriménil 88 119 F 3
Urmatt 67 97 E 2
Urost 64 314 D 3
Urou-et-Crennes 61 54 B 4
Urrugne 64 310 B 3
Urs 09 336 C 5
Urschenheim 68 121 F 2
Urt 64 292 B 5
Urtaca 2B 345 F 4
Urtière 25 163 G 3
Uruffe 54 94 A 2
Urval 24 259 E 1
Urville 10 116 A 3
Urville 14 53 G 1
Urville 50 29 F 5
Urville 88 118 A 2
Urville-Nacqueville 50 28 D 2
Urvillers 02 24 B 3
Ury 77 88 B 5
Urzy 58 174 C 1
Us 95 37 H 5
Usclades-et-Rieutord 07 265 H 1
Usclas-d'Hérault 34 302 A 5
Usclas-du-Bosc 34 301 H 3
Usinens 74 215 E 2
Ussac 19 242 B 2
Ussat 09 336 B 4
Ussé Château d' 37 151 E 4
Usseau 79 201 G 1
Usseau 86 169 G 3
Ussel 15 245 F 3
Ussel 19 226 B 3
Ussel 46 260 B 4
Ussel-d'Allier 03 209 H 1
Usson 63 228 B 3
Usson-du-Poitou 86 186 D 5
Usson-en-Forez 42 229 F 5
Ussy 14 53 H 2
Ussy-sur-Marne 77 59 H 2
Ustaritz 64 310 D 3
Ustou 09 335 G 5
Utelle 06 291 E 4
Utelle Madone d' 06 291 E 4
Uttenheim 67 97 G 3
Uttenhoffen 67 68 D 2
Uttwiller 67 68 C 3
Uvernet-Fours 04 270 D 5
Uxeau 71 176 B 5
Uxegney 88 119 F 2
Uxelles 39 196 D 1
Uxem 59 3 H 2
Uz 65 332 D 2
Uza 40 272 B 4
Uzan 64 314 A 2
Uzay-le-Venon 18 173 F 4
Uzech 46 259 H 4
Uzein 64 314 A 2
Uzel 22 78 A 5
Uzelle 25 162 D 1
Uzemain 88 119 F 3
Uzer 07 266 B 4
Uzer 65 333 F 1
Uzerche 19 224 C 4
Uzès 30 284 B 5
Uzeste 33 256 B 5
Uzos 64 314 B 5

V

Vaas 72 130 B 4
Vabre 81 299 H 4
Vabre-Tizac 12 279 G 2
Vabres 15 246 A 4
Vabres 30 283 F 5
Vabres-l'Abbaye 12 300 D 1
Vacherauville 55 44 B 5
Vachères 04 286 D 5
Vachères-en-Quint 26 268 A 1
Vacheresse 74 198 C 3
La Vacheresse-
et-la-Rouillie 88 118 A 2
Vacheresses-les-Basses 28 86 B 2
La Vacherie 27 36 B 5
Vacognes 14 33 F 5
Vacon 55 93 H 1
La Vacquerie 14 32 C 5
Vacquerie 80 12 C 4
La Vacquerie-et-Saint-Martin-
de-Castries 34 302 A 2
Vacquerie-le-Boucq 62 12 C 2
Vacqueriette-Erquières 62 12 B 2
Vacqueville 54 96 A 2
Vacqueyras 84 285 G 3
Vacquières 34 303 E 2
Vacquiers 31 298 A 3
Vadans 39 179 F 2
Vadans 70 161 E 2
Vadelaincourt 55 43 H 5
Vadenay 51 62 B 1
Vadencourt 02 24 D 1
Vadencourt 80 13 E 5
Vadonville 55 64 C 4
Vagnas 07 284 B 1
Vagney 88 119 H 4
Vahl-Ebersing 57 67 E 1
Vahl-lès-Bénestroff 57 67 E 3
Vahl-lès-Faulquemont 57 66 D 1
Vaiges 53 106 C 4
Vailhan 34 301 H 5
Vailhauquès 34 302 C 4
Vailhourles 12 279 E 2
Vaillac 46 260 B 3
Vaillant 52 139 F 4
Vailly 10 91 E 4
Vailly 74 198 B 4
Vailly-sur-Aisne 02 40 C 2
Vailly-sur-Sauldre 18 155 G 2
Vains 50 51 G 4
Vairé 85 165 E 5
Vaire-Arcier 25 162 B 3
Vaire-le-Petit 25 162 B 3
Vaire-sous-Corbie 80 22 D 1
Vaires-sur-Marne 77 59 E 3
Vaison-la-Romaine 84 285 H 2
Vaïssac 82 278 C 5
Vaite 70 140 B 5
La Vaivre 70 119 F 5
Vaivre-et-Montoille 70 141 E 4
Le Val 83 328 B 1
Val Château de 15 226 C 4
Le Val-André 22 78 D 2
Val-Claret 73 235 E 3
Le Val-d'Ajol 88 119 G 5
Val-d'Auzon 10 91 G 4
Le Val-David 27 56 C 2
Val-de-Bride 57 67 E 4
Val-de-Chalvagne 04 289 F 5
Val-de-Fier 74 215 E 3
Le Val-de-Gouhenans 70 141 H 4
Le Val-de-Guéblange 57 67 G 2
Val-de-la-Haye 76 36 A 2
Val-de-Mercy 89 136 B 4
Val-de-Reuil 27 36 C 3
Val-de-Roulans 25 162 B 2
Val-de-Saâne 76 20 A 4
Val-de-Vesle 51 41 H 4
Val-de-Vière 51 62 D 3
Val-d'Épy 39 196 A 3
Val-des-Prés 05 252 D 4
Val d'Esquières 83 329 G 2
Val-d'Isère 73 235 F 3
Val-d'Izé 35 105 E 2
Val-et-Châtillon 54 96 B 2
Val-Louron 65 333 H 4
Val-Maravel 26 268 C 3
Le Val-Saint-Éloi 70 141 F 3
Le Val-Saint-Germain 91 87 F 2
Le Val-Saint-Père 50 51 G 5
Val-Sainte-Marie 25 162 A 5
Val-Suzon 21 159 H 2
Val-Thorens 73 234 C 5
Valady 12 262 B 5
Valailles 27 35 F 5
Valaire 41 153 E 2
Valanjou 49 149 G 4
Valaurie 26 267 F 5
Valavoire 04 287 H 1
Valay 70 161 F 3
Valbeleix 63 227 G 4
Valbelle 04 287 F 3
Valberg 06 289 G 3
Valbonnais 38 251 F 5
La Valbonne 01 213 G 4
Valbonne 06 309 E 3
Valbonne Ancienne
Chartreuse de 30 284 C 2
Valcabrère 31 334 A 2
Valcanville 50 29 G 3
Valcebollère 66 341 F 5
Valchevrière
Calvaire de 38 250 C 3
Valcivières 63 229 E 2
Valcourt 52 92 C 2
Valdahon 25 162 C 4
Valdampierre 60 38 A 3
Valdeblore 06 291 E 2
Le Valdécie 50 29 E 5
Valdelancourt 52 116 D 3
Valderiès 81 279 H 5
Valderoure 06 308 C 1
Valdieu-Lutran 68 142 D 3
Valdivienne 86 187 E 2
Valdoie 90 142 C 2
Valdrôme 26 268 D 4
Valdurenque 81 299 H 5
Valeille 42 230 A 1
Valeilles 82 276 D 1
Valeins 01 213 E 1
Valempoulières 39 179 H 3
Valençay 36 153 G 5
Valence 16 203 G 4
Valence 26 249 F 4
Valence-d'Agen 82 276 D 4
Valence-d'Albigeois 81 280 B 5
Valence-en-Brie 77 88 D 4
Valence-sur-Baïse 32 295 H 1
Valenciennes 59 9 G 5
Valencin 38 231 G 2
Valencogne 38 232 C 3

Valennes 72 ... 108 D 5
Valensole 04 ... 307 E 1
Valentigney 25 ... 142 C 5
La Valentine 13 ... 327 F 1
Valentine 31 ... 334 B 1
Valenton 94 ... 58 D 4
Valergues 34 ... 303 F 4
Valernes 04 ... 287 G 2
Valescourt 60 ... 38 C 1
Valescure 83 ... 308 D 5
Valette 15 ... 244 D 1
La Valette 38 ... 251 F 4
La Valette 42 ... 212 A 5
La Valette-du-Var 83 ... 328 A 4
Valeuil 24 ... 222 B 5
Valeyrac 33 ... 218 D 4
Valezan 73 ... 234 D 2
Valferrière *Col de* 06 ... 308 C 2
Valff 67 ... 97 F 3
Valfin-lès-Saint-Claude 39 ... 197 E 2
Valfin-sur-Valouse 39 ... 196 B 3
Valflaunès 34 ... 302 D 2
Valfleury 42 ... 230 C 3
Valframbert 61 ... 83 G 3
Valfréjus 73 ... 252 D 1
Valfroicourt 88 ... 118 D 2
Valgorge 07 ... 265 H 4
Valhey 54 ... 66 C 5
Valhuon 62 ... 7 G 5
Valiergues 19 ... 225 H 4
Valignat 03 ... 209 G 1
Valigny 03 ... 173 H 5
Valines 80 ... 11 F 4
Valjouffrey 38 ... 251 G 5
Valjouze 15 ... 245 G 2
La Valla-en-Gier 42 ... 230 C 4
La Valla-sur-Rochefort 42 ... 211 F 5
Vallabrègues 30 ... 304 B 2
Vallabrix 30 ... 284 C 4
Vallan 89 ... 136 B 3
Vallangoujard 95 ... 38 A 5
Vallans 79 ... 184 C 5
Vallant-Saint-Georges 10 ... 90 C 3
Vallauris 06 ... 309 F 4
Valle-d'Alesani 2B ... 347 G 4
Valle-di-Campoloro 2B ... 347 H 4
Valle-di-Mezzana 2A ... 348 C 2
Valle-di-Rostino 2B ... 347 F 3
Valle-d'Orezza 2B ... 347 G 3
Vallecalle 2B ... 345 F 5
La Vallée 17 ... 201 E 4
Vallée *Étang de la* 45 ... 111 G 5
La Vallée-au-Blé 02 ... 25 E 2
Vallée d'Avérole 73 ... 235 G 4
La Vallée-Mulâtre 02 ... 14 D 5
Vallègue 31 ... 318 C 3
Valleiry 74 ... 215 F 1
Vallenay 18 ... 173 E 4
Vallentigny 10 ... 91 H 3
Vallerange 57 ... 67 E 2
Vallérargues 30 ... 284 B 4
Valleraugue 30 ... 282 D 4
Vallères 37 ... 151 G 3
Valleret 52 ... 92 C 3
Vallereuil 24 ... 239 H 3
Vallerois-le-Bois 70 ... 141 F 5
Vallerois-Lorioz 70 ... 141 E 5
Valleroy 25 ... 162 A 2
Valleroy 52 ... 140 B 4
Valleroy 54 ... 45 F 5
Valleroy-aux-Saules 88 ... 94 D 5
Valleroy-le-Sec 88 ... 118 C 2
Vallery 89 ... 113 E 2
Vallerysthal 57 ... 67 H 5
Vallesvilles 31 ... 298 B 5
Vallet 17 ... 220 B 5
Vallet 44 ... 148 A 4
Valletot 27 ... 35 F 2
Vallica 2B ... 346 D 2
Vallière 23 ... 207 F 4
Vallières 10 ... 115 E 5
Vallières 74 ... 215 F 3
Vallières-les-Grandes 41 ... 152 D 2
Valliguières 30 ... 284 D 5
Valliquerville 76 ... 19 G 5
Valloire 73 ... 252 B 1
Valloires *Abbaye de* 80 ... 11 G 1
Vallois 54 ... 95 G 3
Les Vallois 88 ... 118 D 2
Vallon-en-Sully 03 ... 190 D 2
Vallon-Pont-d'Arc 07 ... 266 B 5
Vallon-sur-Gée 72 ... 107 F 5
Vallorcine 74 ... 217 E 1
Vallouise 05 ... 252 C 5
Valmagne *Abbaye de* 34 ... 322 D 3
Valmanya 66 ... 342 B 3
Valmascle 34 ... 301 H 5
Valmeinier 73 ... 252 B 1
Valmestroff 57 ... 45 H 3
Valmigère 11 ... 337 H 2
Valmondois 95 ... 38 B 5
Valmont 57 ... 67 E 1
Valmont 76 ... 19 F 3
Valmorel 73 ... 234 B 3
Valmunster 57 ... 46 C 4
Valmy 51 ... 43 E 5
Valognes 50 ... 29 F 4
Valojoulx 24 ... 241 F 4
Valonne 25 ... 163 E 2
Valoreille 25 ... 163 F 3
Valouse 26 ... 267 H 5
Valprionde 46 ... 277 F 1
Valprivas 43 ... 229 G 5
Valpuiseaux 91 ... 87 H 4
Valras-Plage 34 ... 321 H 5
Valréas 84 ... 267 G 5
Valros 34 ... 321 H 3
Valroufié 46 ... 260 B 4
Vals 09 ... 336 C 1
Vals-le-Chastel 43 ... 246 C 1
Vals-les-Bains 07 ... 266 B 3
Vals-près-le-Puy 43 ... 247 F 4
Valsaintes 04 ... 286 D 5
Valsemé 14 ... 34 B 4
Valsenestre 38 ... 251 G 4
Valserres 05 ... 269 H 4
Valsonne 69 ... 212 B 3
Le Valtin 88 ... 120 C 3
Valuéjols 15 ... 245 F 3
Valvignères 07 ... 266 D 4
Valz-sous-Châteauneuf 63 ... 228 B 4
Valzergues 12 ... 261 H 5
Van *Pointe du* 29 ... 98 C 2
Vanault-le-Châtel 51 ... 62 D 3
Vanault-les-Dames 51 ... 63 E 3
Vançais 79 ... 185 H 4
Vancé 72 ... 130 D 2
La Vancelle 67 ... 97 E 4
Vanclans 25 ... 162 C 5
Vandeins 01 ... 195 G 5
Vandelainville 54 ... 65 F 2
Vandelans 70 ... 162 B 2
Vandeléville 54 ... 94 C 3
Vandélicourt 60 ... 39 F 1
Vandenesse 58 ... 175 H 3
Vandenesse-en-Auxois 21 ... 159 F 4
Vandeuil 51 ... 41 E 3
Vandières 51 ... 41 E 5
Vandières 54 ... 65 G 2
Vandœuvre-lès-Nancy 54 ... 94 D 1
Vandoncourt 25 ... 142 C 5
Vandré 17 ... 201 F 2
Vandrimare 27 ... 36 D 2
Vandy 08 ... 42 D 1
Les Vanels 48 ... 282 D 3
Vanlay 10 ... 114 D 4
Vannaire 21 ... 115 H 5
Vanne 70 ... 140 C 4
Le Vanneau-Irleau 79 ... 184 C 4
Vannecourt 57 ... 66 D 3
Vannecrocq 27 ... 35 E 3
Vannes 56 ... 124 C 3
Vannes-le-Châtel 54 ... 94 A 2
Vannes-sur-Cosson 45 ... 133 H 4
Vannoz 39 ... 179 H 4
Vanosc 07 ... 248 C 1
Les Vans 07 ... 283 H 1
Vantoux 57 ... 45 H 5
Vantoux-et-Longevelle 70 ... 161 G 1
Vanves 92 ... 58 B 4
Vanvey 21 ... 138 B 2
Vanvillé 77 ... 89 E 2
Vanxains 24 ... 239 G 1
Vany 57 ... 45 H 5
Vanzac 17 ... 220 B 5
Vanzay 79 ... 186 A 5
Vanzy 74 ... 215 E 2
Vaour 81 ... 278 D 4
Varacieux 38 ... 250 A 1
Varades 44 ... 148 C 2
Varages 83 ... 307 E 4
Varaignes 24 ... 222 B 2
Varaire 46 ... 278 D 1
Varaize 17 ... 201 H 3
Varambon 01 ... 214 A 2
Varanges 21 ... 160 B 4
Varangéville 54 ... 95 E 1
Varaville 14 ... 34 A 3
Varces-Allières-et-Risset 38 ... 250 D 3
Vareilles 23 ... 188 C 5
Vareilles 71 ... 194 A 4
Vareilles 89 ... 113 H 3
Varen 82 ... 279 E 3
Varengeville-sur-Mer 76 ... 10 A 5
Varenguebec 50 ... 31 G 2
La Varenne 49 ... 148 A 3
Varenne-l'Arconce 71 ... 193 H 4
Varenne-Saint-Germain 71 ... 193 G 3
La Varenne-Saint-Hilaire 94 ... 58 D 4
Varennes 24 ... 258 C 1
Varennes 31 ... 318 B 2
Varennes 37 ... 170 B 1
Varennes 80 ... 13 E 5
Varennes 82 ... 298 A 1
Varennes 86 ... 168 D 4
Varennes 89 ... 136 D 2
Varennes-Changy 45 ... 134 C 2
Varennes-en-Argonne 55 ... 43 F 4
Varennes-Jarcy 91 ... 58 D 5
Varennes-le-Grand 71 ... 177 H 5
Varennes-lès-Mâcon 71 ... 195 E 5
Varennes-lès-Narcy 58 ... 156 B 4
Varennes-Saint-Honorat 43 ... 246 D 2
Varennes-Saint-Sauveur 71 ... 195 H 2
Varennes-sous-Dun 71 ... 194 A 5
Varennes-sur-Allier 03 ... 192 B 4
Varennes-sur-Amance 52 ... 117 H 5
Varennes-sur-Fouzon 36 ... 153 G 4
Varennes-sur-Loire 49 ... 150 C 4
Varennes-sur-Morge 63 ... 209 H 4
Varennes-sur-Seine 77 ... 88 D 5
Varennes-sur-Tèche 03 ... 192 D 4
Varennes-sur-Usson 63 ... 228 A 3
Varennes-Vauzelles 58 ... 174 C 1
Varès 47 ... 257 G 5
Varesnes 60 ... 23 H 5
Varessia 39 ... 196 B 1
Varetz 19 ... 242 B 2
Varilhes 09 ... 336 B 2
Varinfroy 60 ... 39 H 5
Variscourt 02 ... 41 G 2
Varize 28 ... 110 B 4
Varize 57 ... 46 C 5
Varmonzey 88 ... 95 E 4
Varnéville 55 ... 64 D 3
Varneville-Bretteville 76 ... 20 A 4
Varney 55 ... 63 G 3
Varogne 70 ... 141 F 3
Varois-et-Chaignot 21 ... 160 B 3
Varouville 50 ... 29 G 2
Varrains 49 ... 150 C 4
Varreddes 77 ... 59 G 2
Vars 05 ... 270 D 2
Vars 16 ... 203 F 5
Vars 70 ... 140 A 5
Vars *Col de* 05 ... 270 D 3
Vars-sur-Roseix 19 ... 241 H 1
Varsberg 57 ... 46 D 5
Varvinay 55 ... 64 D 3
Varzay 17 ... 219 F 1
Varzy 58 ... 157 E 3
Vascœuil 27 ... 36 D 2
Vasles 79 ... 185 H 1
Vasouy 14 ... 34 C 2
Vasperviller 57 ... 96 C 1
Vassel 63 ... 228 A 1
Vasselay 18 ... 155 E 5
Vasselin 38 ... 232 B 2
Vassens 02 ... 40 A 1
Vasseny 02 ... 40 C 3
Vassieux-en-Vercors 26 ... 250 B 5
Vassimont-et-Chapelaine 51 ... 61 H 4
Vassincourt 55 ... 63 G 3
Vassivière *Lac de* 74 ... 207 E 5
Vassogne 02 ... 41 E 2
Vassonville 76 ... 20 B 4
Vassy 14 ... 53 E 3
Vassy 89 ... 137 G 5
Le Vast 50 ... 29 G 3
Vastérival 76 ... 10 A 5
Vasteville 50 ... 28 D 3
Les Vastres 43 ... 248 A 4
Vatan 36 ... 172 A 1
Vathiménil 54 ... 95 G 2
Vatierville 76 ... 21 E 3
Vatilieu 38 ... 250 B 1
Vatimont 57 ... 66 C 2
Vatry 51 ... 62 A 3
Vattetot-sous-Beaumont 76 ... 19 E 4
Vattetot-sur-Mer 76 ... 18 D 3
Vatteville 27 ... 36 C 3
Vatteville-la-Rue 76 ... 35 G 1
Vaubadon 14 ... 32 D 4
Vauban 71 ... 193 H 5
Vaubecourt 55 ... 63 G 2
Vaubexy 88 ... 95 E 5
Vaucé 53 ... 82 A 3
Vaucelles 14 ... 32 D 3
Vaucelles *Abbaye de* 59 ... 14 B 5
Vaucelles-et-Beffecourt 02 ... 40 D 1
Vauchamps 25 ... 162 B 3
Vauchamps 51 ... 60 D 3
Vauchassis 10 ... 114 D 2
Vauchelles 60 ... 23 G 5
Vauchelles-lès-Authie 80 ... 13 E 4
Vauchelles-lès-Domart 80 ... 12 B 5
Vauchelles-les-Quesnoy 80 ... 11 H 3
Vauchignon 21 ... 177 F 2
Vauchonvilliers 10 ... 115 H 2
Vauchoux 70 ... 140 D 4
Vauchrétien 49 ... 149 G 3
Vauciennes 51 ... 61 F 1
Vauciennes 60 ... 39 H 4
Vauclaix 58 ... 157 H 4
Vauclerc 51 ... 62 D 5
Vaucluse 25 ... 163 F 3
Vauclusotte 25 ... 163 F 3
Vaucogne 10 ... 91 G 3
Vauconcourt-Nervezain 70 ... 140 C 4
Vaucottes-sur-Mer 76 ... 18 D 3
Vaucouleurs 55 ... 93 H 1
Vaucourt 54 ... 67 E 5
Vaucourtois 77 ... 59 G 3
Vaucresson 92 ... 58 A 3
Vaudancourt 60 ... 37 G 4
Vaudebarrier 71 ... 194 A 3
Vaudelnay 49 ... 150 A 5
Vaudeloges 14 ... 54 B 2
Vaudemange 51 ... 42 A 5
Vaudémont 54 ... 94 C 3
Vaudémont *Signal de* 54 ... 94 C 3
Vaudes 10 ... 115 F 3
Vaudesincourt 51 ... 42 B 4
Vaudesson 02 ... 40 C 1
Vaudeurs 89 ... 114 A 3
Vaudevant 07 ... 248 D 3
Vaudeville 54 ... 94 D 3
Vaudéville 88 ... 95 G 5
Vaudeville-le-Haut 55 ... 93 H 3
Vaudherland 95 ... 58 D 2
Vaudigny 54 ... 94 D 3
Le Vaudioux 39 ... 179 H 5
Vaudoncourt 55 ... 44 D 4
Vaudoncourt 57 ... 46 C 5
Vaudoncourt 88 ... 118 B 2
Le Vaudoué 77 ... 88 A 5
Vaudoy-en-Brie 77 ... 59 H 5
Vaudreching 57 ... 46 C 4
Vaudrecourt 52 ... 117 H 2
Vaudrémont 52 ... 116 C 3
Le Vaudreuil 27 ... 36 C 4
Vaudreuille 31 ... 319 E 3
Vaudreville 50 ... 29 G 4
Vaudrey 39 ... 179 F 2
Vaudricourt 62 ... 8 A 4
Vaudricourt 80 ... 11 E 3
Vaudrimesnil 50 ... 31 G 4
Vaudringhem 62 ... 7 E 2
Vaudrivillers 25 ... 162 D 3
Vaudry 14 ... 52 C 3
Vaufrey 25 ... 163 G 2
Vaugines 84 ... 305 H 2
Vaugneray 69 ... 230 D 1
Vaugrigneuse 91 ... 87 F 2
Vauhallan 91 ... 58 B 5
Vaujany 38 ... 251 G 2
Vaujours 93 ... 58 D 2
Vaulandry 49 ... 129 G 5
Le Vaulmier 15 ... 244 D 2
Vaulnaveys-le-Bas 38 ... 251 E 2
Vaulnaveys-le-Haut 38 ... 251 E 2
Vaulry 87 ... 205 F 3
Vault-de-Lugny 89 ... 157 H 1
Vaulx 62 ... 12 B 2
Vaulx 74 ... 215 F 3
Vaulx-en-Velin 69 ... 213 F 5
Vaulx-Milieu 38 ... 231 H 2
Vaulx-Vraucourt 62 ... 13 H 4
Le Vaumain 60 ... 37 G 3
Vaumas 03 ... 192 D 3
Vaumeilh 04 ... 287 G 1
Vaumoise 60 ... 39 G 4
Vaumort 89 ... 113 H 3
Vaunac 24 ... 222 D 5
Vaunaveys-la-Rochette 26 ... 267 G 1
Vaunoise 61 ... 84 B 5
La Vaupalière 76 ... 36 A 1
Vaupillon 28 ... 85 F 3
Vaupoisson 10 ... 91 F 3
Vauquois 55 ... 43 G 4
Vauréal 95 ... 57 H 1
Vaureilles 12 ... 261 H 5
Vaurezis 02 ... 40 B 2
Le Vauroux 60 ... 37 H 2
Vausse *Prieuré de* 89 ... 137 F 5
Vausseroux 79 ... 185 G 2
Vautebis 79 ... 185 G 2
Vauthiermont 90 ... 142 D 2
Vautorte 53 ... 81 H 5
Vauvenargues 13 ... 306 B 5
Vauvert 30 ... 303 G 3
Vauville 14 ... 34 B 3
Vauville 50 ... 28 C 3
Vauvillers 70 ... 118 D 5
Vauvillers 80 ... 23 E 2
Vaux 03 ... 190 D 3
Vaux 31 ... 318 D 2
Vaux 57 ... 65 G 1
Vaux 86 ... 186 A 4
Vaux 89 ... 136 B 3
Vaux *Château de* 49 ... 128 C 3
Vaux-Andigny 02 ... 14 D 5
Vaux-Champagne 08 ... 42 C 1
Les Vaux de Cernay 78 ... 57 H 5
Vaux-devant-Damloup 55 ... 44 C 5
Vaux-en-Amiénois 80 ... 22 B 1
Vaux-en-Beaujolais 69 ... 212 C 2
Vaux-en-Bugey 01 ... 214 A 3
Vaux-en-Dieulet 08 ... 43 F 1
Vaux-en-Pré 71 ... 194 C 1
Vaux-en-Vermandois 02 ... 23 H 2
Vaux-et-Chantegrue 25 ... 180 C 3
Vaux-la-Douce 52 ... 140 B 2
Vaux-la-Grande 55 ... 93 G 1
Vaux-la-Petite 55 ... 93 G 1
Vaux-Lavalette 16 ... 221 F 4
Vaux-le-Moncelot 70 ... 161 H 1
Vaux-le-Pénil 77 ... 88 B 3
Vaux-le-Vicomte Château de 77 ... 88 C 2
Vaux-lès-Mouron 08 ... 43 E 3
Vaux-lès-Mouzon 08 ... 27 G 4
Vaux-lès-Palameix 55 ... 64 C 2
Vaux-les-Prés 25 ... 161 H 4
Vaux-lès-Rubigny 08 ... 25 H 4
Vaux-lès-Saint-Claude 39 ... 196 D 3
Vaux-Marquenneville 80 ... 11 G 5
Vaux-Montreuil 08 ... 26 C 5
Vaux-Rouillac 16 ... 202 D 5
Vaux-Saules 21 ... 159 G 1
Vaux-sous-Aubigny 52 ... 139 G 4
Vaux-sur-Aure 14 ... 33 E 3
Vaux-sur-Blaise 52 ... 92 C 3
Vaux-sur-Eure 27 ... 56 C 1
Vaux-sur-Lunain 77 ... 112 D 2
Vaux-sur-Mer 17 ... 218 C 1
Vaux-sur-Poligny 39 ... 179 G 3
Vaux-sur-Risle 27 ... 55 G 3
Vaux-sur-Saint-Urbain 52 ... 93 E 4
Vaux-sur-Seine 78 ... 57 H 2
Vaux-sur-Seulles 14 ... 33 E 3
Vaux-sur-Somme 80 ... 22 D 1
Vaux-sur-Vienne 86 ... 169 G 3
Vaux-Villaine 08 ... 26 B 3
Vauxaillon 02 ... 40 C 1
Vauxbons 52 ... 139 F 2
Vauxbuin 02 ... 40 B 3
Vauxcéré 02 ... 40 D 3
Vauxrenard 69 ... 194 D 5
Vauxtin 02 ... 40 D 3
Vavincourt 55 ... 63 H 3
Vavray-le-Grand 51 ... 62 D 4
Vavray-le-Petit 51 ... 62 D 3
Vaxainville 54 ... 95 H 2
Vaxoncourt 88 ... 95 F 5
Vaxy 57 ... 66 D 3
Vay 44 ... 126 B 5
Vaychis 09 ... 336 C 5
Vaylats 46 ... 278 C 1
Vayrac 46 ... 242 D 5
Vayres 33 ... 238 B 5
Vayres 87 ... 204 D 5
Vayres *Château de* 86 ... 169 F 5
Vayres-sur-Essonne 91 ... 87 H 4
Vazeilles-Limandre 43 ... 246 D 3
Vazeilles-près-Saugues 43 ... 246 D 5
Vazerac 82 ... 277 G 3
Veauce 03 ... 209 G 1
Veauche 42 ... 230 A 3
Veauchette 42 ... 230 A 3
Veaugues 18 ... 155 H 4
Veaunes 26 ... 249 F 3
Veauville-lès-Baons 76 ... 19 G 4
Veauville-lès-Quelles 76 ... 19 G 3
Vèbre 09 ... 336 C 5
Vebret 15 ... 226 C 5
Vebron 48 ... 282 D 2
Vecchio *Pont du* 2B ... 347 E 5
Veckersviller 57 ... 67 H 3
Veckring 57 ... 46 B 3
Vecoux 88 ... 119 H 4
Vecquemont 80 ... 22 D 2
Vecqueville 52 ... 92 D 3
Vedène 84 ... 285 F 5
Védrines-Saint-Loup 15 ... 246 A 3
Véel 55 ... 63 G 4
Végennes 19 ... 242 D 4
Vého 54 ... 95 H 1
Veigné 37 ... 152 A 4
Veigy-Foncenex 74 ... 197 H 4
Veilhes 81 ... 298 D 4
Veillac 15 ... 226 C 4
Veilleins 41 ... 153 H 2
Veilly 21 ... 159 F 5
Veix 19 ... 225 E 3
Velaine-en-Haye 54 ... 65 G 5
Velaine-sous-Amance 54 ... 66 B 5
Velaines 55 ... 64 B 5
Velanne 38 ... 232 D 3
Velars-sur-Ouche 21 ... 159 H 3
Velaux 13 ... 305 G 5
Velennes 60 ... 38 B 1
Velennes 80 ... 22 A 3
Velesmes 70 ... 161 F 2
Velesmes-Essarts 25 ... 161 H 4
Velet 70 ... 161 E 2
Vélieux 34 ... 320 C 3
Vélines 24 ... 239 E 5
Vélizy-Villacoublay 78 ... 58 B 4
Velle-le-Châtel 70 ... 141 E 4
Velle-sur-Moselle 54 ... 95 E 2
Vellèches 86 ... 169 G 2
Vellechevreux-et-Courbenans 70 ... 141 H 5
Velleclaire 70 ... 161 G 1
Vellefaux 70 ... 141 E 5
Vellefrey-et-Vellefrange 70 ... 161 G 1
Vellefrie 70 ... 141 F 3
Velleguindry-et-Levrecey 70 ... 141 E 5
Velleminfroy 70 ... 141 G 4
Vellemoz 70 ... 161 G 1
Velleron 84 ... 285 G 5
Vellerot-lès-Belvoir 25 ... 163 E 2
Vellerot-lès-Vercel 25 ... 162 D 3
Velles 36 ... 171 G 5
Velles 52 ... 140 B 2
Vellescot 90 ... 142 D 3
Vellevans 25 ... 162 D 3
Vellexon-Queutrey-et-Vaudey 70 ... 140 C 5
Velloreille-lès-Choye 70 ... 161 F 2
Velluire 85 ... 183 H 3
Velogny 21 ... 159 E 2
Velone-Orneto 2B ... 347 H 3
Velorcey 70 ... 141 F 2
Velosnes 55 ... 44 B 1
Velotte-et-Tatignécourt 88 ... 94 D 5
Vélu 62 ... 13 H 4
Velving 57 ... 46 C 4
Vélye 51 ... 61 H 3
Velzic 15 ... 244 C 4
Vémars 95 ... 58 D 1
Venables 27 ... 36 C 4
Venaco 2B ... 347 E 5
Venansault 85 ... 165 G 5
Venanson 06 ... 291 E 2
Venarey-les-Laumes 21 ... 159 E 1
Venarsal 19 ... 242 C 2
Venas 03 ... 191 E 3
Venasque 84 ... 285 H 5
Vence 06 ... 309 F 2
Vence *Col de* 06 ... 309 F 2
Vendargues 34 ... 303 E 4
Vendat 03 ... 210 B 1
Vendays-Montalivet 33 ... 218 C 5
Vendegies-au-Bois 59 ... 15 E 3
Vendegies-sur-Écaillon 59 ... 14 D 2
Vendeix *Roche* 63 ... 227 E 3
Vendel 35 ... 81 E 5
La Vendelée 50 ... 31 G 5
Vendelles 02 ... 23 H 1
Vendémian 34 ... 302 B 5
Vendenesse-lès-Charolles 71 ... 194 A 3
Vendenesse-sur-Arroux 71 ... 193 G 1
Vendenheim 67 ... 68 D 5
Vendes 14 ... 33 E 5
Vendes 15 ... 244 B 1
Vendeuil 02 ... 24 B 4
Vendeuil-Caply 60 ... 22 B 5
Vendeuvre 14 ... 54 A 1
Vendeuvre-du-Poitou 86 ... 169 E 5
Vendeuvre-sur-Barse 10 ... 115 H 2
Vendeville 59 ... 8 D 3
Vendhuile 02 ... 14 B 5
Vendières 02 ... 60 C 3
Vendin-le-Vieil 62 ... 8 C 4
Vendin-lès-Béthune 62 ... 8 A 3
Vendine 31 ... 298 C 5

Vendœuvres 36 ... 171 E 4
Vendoire 24 ... 221 G 4
Vendôme 41 ... 131 G 3
Vendranges 42 ... 211 H 3
Vendrennes 85 ... 166 B 3
Vendres 34 ... 321 G 4
Vendresse 08 ... 27 E 5
Vendresse-Beaulne 02 ... 40 D 2
Vendrest 77 ... 59 H 1
La Vendue-Mignot 10 ... 115 E 3
Vénéjan 30 ... 284 D 3
Venelles 13 ... 306 A 4
Vénérand 17 ... 201 G 5
Venère 70 ... 161 F 2
Vénérieu 38 ... 232 A 1
Vénérolles 02 ... 24 D 1
Venerque 31 ... 317 H 2
Vénès 81 ... 299 G 3
Venesmes 18 ... 173 E 4
Vénestanville 76 ... 19 H 3
Venette 60 ... 39 F 2
Veneux-les-Sablons 77 ... 88 C 5
Vénevelles Manoir de 72 ... 129 H 4
Veney 54 ... 96 A 3
Vengeons 50 ... 52 C 4
Venise 25 ... 162 A 2
Venisey 70 ... 140 D 2
Vénissieux 69 ... 231 F 1
Venizel 02 ... 40 B 2
Venizy 89 ... 114 B 4
Vennans 25 ... 162 B 2
Vennecy 45 ... 111 F 5
Vennes 25 ... 163 E 4
Vennezey 54 ... 95 F 3
Venon 27 ... 36 A 5
Venon 38 ... 251 E 2
Venosc 38 ... 251 G 3
Venouse 89 ... 136 C 2
Venoy 89 ... 136 B 3
Vensac 33 ... 218 C 4
Vensat 63 ... 209 H 2
Ventabren 13 ... 305 H 5
Ventadour Ruines de 19 ... 225 G 5
Ventavon 05 ... 269 F 5
Ventelay 51 ... 41 E 3
Ventenac 09 ... 336 C 2
Ventenac-Cabardès 11 ... 319 G 4
Ventenac-en-Minervois 11 ... 320 D 5
Venterol 04 ... 269 H 4
Venterol 26 ... 267 H 5
Les Ventes 27 ... 56 B 2
Les Ventes-de-Bourse 61 ... 84 A 3
Ventes-Saint-Rémy 76 ... 20 C 4
Venteuges 43 ... 246 C 4
Venteuil 51 ... 61 F 1
Venthon 73 ... 234 A 1
Ventiseri 2B ... 349 G 3
Ventouse 16 ... 203 G 4
Ventoux Mont 84 ... 286 A 3
Ventron 88 ... 120 B 4
La Ventrouze 61 ... 84 D 2
Venzolasca 2B ... 347 G 2
Ver 50 ... 51 G 2
Ver-lès-Chartres 28 ... 86 A 4
Ver-sur-Launette 60 ... 39 E 5
Ver-sur-Mer 14 ... 33 F 3
Vérac 33 ... 238 B 4
Véranne 42 ... 230 D 5
Vérargues 34 ... 303 F 3
Véraza 11 ... 337 G 2
Verberie 60 ... 39 F 3
Verbiesles 52 ... 117 E 4
Vercel-Villedieu-le-Camp 25 ... 162 D 4
Verchain-Maugré 59 ... 14 D 2
Verchaix 74 ... 216 C 1
Vercheny 26 ... 268 A 2
Les Verchers-sur-Layon 49 ... 150 A 5
Verchin 62 ... 7 F 4
Verchocq 62 ... 7 E 3
Vercia 39 ... 196 B 1
Verclause 26 ... 268 B 5
Vercoiran 26 ... 286 B 1
Vercourt 80 ... 11 F 1
Verdaches 04 ... 288 B 1
Verdalle 81 ... 319 F 2
Verde Col de 2B ... 349 F 2
Verdelais 33 ... 256 B 3
Verdelles Château de 72 ... 106 D 5
Verdelot 77 ... 60 B 3
Verdenal 54 ... 96 A 1
Verderel 60 ... 38 A 1
Verderonne 60 ... 38 D 3
Verdes 41 ... 110 A 5
Verdèse 2B ... 347 G 3
Verdets 64 ... 313 G 4
Le Verdier 81 ... 279 E 5
La Verdière 83 ... 307 E 4
Verdigny 18 ... 155 H 3
Verdille 16 ... 202 D 4
Verdilly 02 ... 60 C 1
Verdon 24 ... 258 B 1
Verdon 51 ... 60 D 2
Verdon Grand Canyon du 93 ... 307 H 2
Le Verdon-sur-Mer 33 ... 218 C 2
Verdonnet 21 ... 137 H 3
Verdun 09 ... 336 B 5
Verdun 55 ... 44 B 5
Verdun-en-Lauragais 11 ... 319 E 3
Verdun-sur-Garonne 82 ... 297 G 2
Verdun-sur-le-Doubs 71 ... 178 A 3
Verdus Musée de 07 ... 266 C 2
Vereaux 18 ... 174 A 3
Verel-de-Montbel 73 ... 232 D 2
Verel-Pragondran 73 ... 233 F 2
Véretz 37 ... 152 A 3
Vereux 70 ... 161 F 1
Verfeil 31 ... 298 B 4
Verfeil 82 ... 279 E 3
Verfeuil 30 ... 284 C 3
Vergaville 57 ... 67 E 3
Vergéal 35 ... 105 E 4
La Vergenne 70 ... 141 H 4
Le Verger 35 ... 103 H 3
Le Verger Château 49 ... 128 D 5
Verger-sur-Dive 86 ... 168 C 4
Vergeroux 17 ... 200 D 3
Verges 39 ... 179 F 5
Vergetot 76 ... 18 D 4
Vergezac 43 ... 247 E 4
Vergèze 30 ... 303 G 3
Vergheas 63 ... 208 D 3
Vergies 80 ... 11 G 5
Vergigny 89 ... 114 B 5
Vergio Col de 2B ... 346 C 5
Vergisson 71 ... 194 D 4
La Vergne 17 ... 201 G 3
Vergné 17 ... 201 H 2
Vergoignan 32 ... 294 C 3
Vergoncey 50 ... 80 D 2
Vergongheon 43 ... 228 A 5
Vergonnes 49 ... 127 G 3
Vergons 04 ... 288 D 5
Vergranne 25 ... 162 C 1
Vergt 24 ... 240 C 4
Vergt-de-Biron 24 ... 258 D 3
Le Verguier 02 ... 24 A 1
Véria 39 ... 196 A 2
Vérignon 83 ... 307 H 3
Vérigny 28 ... 85 H 3
Vérin 42 ... 231 E 4
Vérines 17 ... 183 G 5
Vérissey 71 ... 178 B 5
Vérizet 71 ... 195 E 3
Verjon 01 ... 196 A 4
Verjux 71 ... 178 A 3
Verlans 70 ... 142 B 4
Verlhac-Tescou 82 ... 298 A 1
Verlin 89 ... 113 F 4
Verlincthun 62 ... 6 B 2
Verlinghem 59 ... 8 C 2
Verlus 32 ... 294 C 4
Vermand 02 ... 24 A 2
Vermandovillers 80 ... 23 F 2
Vermelles 62 ... 8 B 4
Vermenton 89 ... 136 C 4
Vermondans 25 ... 163 F 2
Le Vermont 88 ... 96 C 3
Vern-sur-Seiche 35 ... 104 B 3
Vernais 18 ... 173 H 4
Vernaison 69 ... 231 E 2
Vernajoul 09 ... 336 B 2
Vernancourt 51 ... 63 E 3
Vernantes 49 ... 150 C 2
Vernantois 39 ... 179 F 5
La Vernarède 30 ... 283 G 2
Vernas 38 ... 214 A 5
Vernassal 43 ... 246 D 2
Vernaux 09 ... 336 C 5
Vernay 69 ... 212 C 1
La Vernaz 74 ... 198 C 4
Verne 25 ... 162 C 2
Verne Chartreuse de la 83 ... 329 E 3
Vernègues 13 ... 305 G 3
Verneiges 23 ... 190 B 5
Le Verneil 73 ... 233 H 3
Verneil-le-Chétif 72 ... 130 A 3
Verneix 03 ... 190 D 4
La Vernelle 36 ... 153 G 4
Le Vernet 03 ... 210 B 2
Le Vernet 04 ... 288 B 1
Le Vernet 09 ... 318 B 5
Vernet 31 ... 317 H 2
Le Vernet 43 ... 246 D 4
Vernet-la-Varenne 63 ... 228 B 4
Vernet-les-Bains 66 ... 342 A 3
Le Vernet-Sainte-Marguerite 63 ... 227 G 2
Verneugheol 63 ... 208 C 5
Verneuil 16 ... 204 C 5
Verneuil 18 ... 173 G 4
Verneuil 51 ... 40 D 5
Verneuil 58 ... 175 F 3
Verneuil-en-Bourbonnais 03 ... 192 A 4
Verneuil-en-Halatte 60 ... 38 D 4
Verneuil-Grand 55 ... 44 B 1
Verneuil-le-Château 37 ... 169 F 1
Verneuil-l'Étang 77 ... 88 C 2
Verneuil-Moustiers 87 ... 187 H 4
Verneuil-Petit 55 ... 44 B 1
Verneuil-sous-Coucy 02 ... 40 B 1
Verneuil-sur-Avre 27 ... 55 H 4
Verneuil-sur-Igneraie 36 ... 189 G 1
Verneuil-sur-Indre 37 ... 170 C 1
Verneuil-sur-Seine 78 ... 57 H 2
Verneuil-sur-Serre 02 ... 24 D 4
Verneuil-sur-Vienne 87 ... 205 F 5
Verneusses 27 ... 55 E 2
Vernéville 57 ... 45 G 5
Vernie 72 ... 107 G 2
Vernierfontaine 25 ... 162 C 5
Vernines 63 ... 227 F 2
Verniolle 09 ... 336 B 1
Vernioz 38 ... 231 F 4
Vernix 50 ... 52 A 4
Vernoil 49 ... 150 D 2
Le Vernois 39 ... 179 F 4
Vernois-le-Fol 25 ... 163 H 2
Vernois-lès-Belvoir 25 ... 163 E 2
Vernois-lès-Vesvres 21 ... 139 F 4
Vernois-sur-Mance 70 ... 140 C 2
Vernols 15 ... 245 F 1
Vernon 07 ... 266 A 4
Vernon 27 ... 57 E 1
Vernon 86 ... 186 C 3
Vernonvilliers 10 ... 92 A 5
Vernosc-lès-Annonay 07 ... 248 D 1
Vernot 21 ... 160 A 1
La Vernotte 70 ... 161 G 1
Vernou-en-Sologne 41 ... 153 H 1
Vernou-la-Celle-sur-Seine 77 ... 88 D 4
Vernou-sur-Brenne 37 ... 152 A 2
Vernouillet 28 ... 56 D 5
Vernouillet 78 ... 57 H 2
Vernoux 01 ... 195 G 2
Vernoux-en-Gâtine 79 ... 167 G 5
Vernoux-en-Vivarais 07 ... 248 D 5
Vernoux-sur-Boutonne 79 ... 202 C 1
Le Vernoy 25 ... 142 A 4
Vernoy 89 ... 113 F 4
Vernusse 03 ... 191 G 5
Verny 57 ... 65 H 2
Vero 2A ... 348 D 2
Véron 89 ... 113 G 3
Véronne 26 ... 268 A 2
Véronnes 21 ... 139 G 5
Verosvres 71 ... 194 B 3
Verpel 08 ... 43 F 2
La Verpillière 38 ... 231 H 2
Verpillières 80 ... 23 F 4
Verpillières-sur-Ource 10 ... 115 H 4
Verquières 13 ... 305 E 2
Verquigneul 62 ... 8 A 4
Verquin 62 ... 8 A 4
Verrens-Arvey 73 ... 234 A 1
La Verrerie Château de 18 ... 155 F 2
Verreries-de-Moussans 34 ... 320 C 2
Verrey-sous-Drée 21 ... 159 F 2
Verrey-sous-Salmaise 21 ... 159 F 2
Verricourt 10 ... 91 G 4
Verrie 49 ... 150 B 4
La Verrie 85 ... 166 C 2
La Verrière 78 ... 57 H 4
Verrières 08 ... 43 E 1
Verrières 10 ... 115 E 2
Verrières 12 ... 281 H 3
Verrières 16 ... 220 B 2
Verrières 51 ... 63 E 1
Verrières 61 ... 84 D 4
Verrières 63 ... 227 G 3
Verrières 86 ... 186 D 3
Verrières-de-Joux 25 ... 180 D 2
Verrières-du-Grosbois 25 ... 162 C 4
Verrières-en-Forez 42 ... 229 G 3
Verrières-le-Buisson 91 ... 58 B 4
Verrines-sous-Celles 79 ... 185 F 5
Verrue 86 ... 168 D 3
Verruyes 79 ... 185 F 2
Vers 46 ... 260 C 5
Vers 71 ... 195 E 1
Vers 74 ... 215 F 1
Vers-en-Montagne 39 ... 179 H 3
Vers-Pont-du-Gard 30 ... 284 C 5
Vers-sous-Sellières 39 ... 179 E 3
Vers-sur-Méouge 26 ... 286 C 2
Vers-sur-Selles 80 ... 22 B 2
Versailles 78 ... 58 A 4
Versailleux 01 ... 213 G 3
Versainville 14 ... 53 H 2
La Versanne 42 ... 230 C 5
Versaugues 71 ... 193 G 4
Verseilles-le-Bas 52 ... 139 G 3
Verseilles-le-Haut 52 ... 139 G 3
Versigny 02 ... 24 C 4
Versigny 60 ... 39 F 5
Versols-et-Lapeyre 12 ... 301 E 1
Verson 14 ... 33 F 4
Versonnex 01 ... 197 G 4
Versonnex 74 ... 215 F 3
Le Versoud 38 ... 251 E 1
Vert 40 ... 273 G 4
Vert 78 ... 57 F 2
Le Vert 79 ... 202 B 1
Vert Lac 74 ... 216 D 3
Vert-Bois 17 ... 200 B 4
Vert-en-Drouais 28 ... 56 C 4
Vert-la-Gravelle 51 ... 61 F 3
Vert-le-Grand 91 ... 87 H 2
Vert-le-Petit 91 ... 87 H 3
Vert-Saint-Denis 77 ... 88 B 2
Vertain 59 ... 14 D 3
Vertaizon 63 ... 210 A 5
Vertamboz 39 ... 196 D 1
Vertault 21 ... 115 G 5
Verte Île 13 ... 327 F 4
Verteillac 24 ... 221 G 5
Vertes-Feuilles 02 ... 40 A 3
Verteuil-d'Agenais 47 ... 257 G 5
Verteuil-sur-Charente 16 ... 203 F 3
Verthemex 73 ... 233 E 1
Vertheuil 33 ... 237 E 1
Vertilly 89 ... 89 G 5
Vertolaye 63 ... 228 D 2
Verton 62 ... 6 B 5
Vertou 44 ... 147 H 4
Vertrieu 38 ... 214 A 4
Vertus 51 ... 61 G 2
Les Vertus 76 ... 20 B 2
Vertuzey 55 ... 64 D 5
Vervant 16 ... 203 F 5
Vervant 17 ... 201 H 3
Vervezelle 88 ... 95 H 5
Vervins 02 ... 25 F 2
Véry 55 ... 43 G 3
Verzé 71 ... 194 D 3
Verzeille 11 ... 337 H 1
Verzenay 51 ... 41 H 5
Verzy 51 ... 41 H 5
Vesaignes-sous-Lafauche 52 ... 93 G 5
Vesaignes-sur-Marne 52 ... 117 F 4
Vesancy 01 ... 197 G 3
Vesc 26 ... 267 H 4
Vescemont 90 ... 142 C 2
Vescheim 57 ... 68 A 4
Vescles 39 ... 196 C 3
Vescours 01 ... 195 F 2
Vescovato 2B ... 347 G 2
Vesdun 18 ... 190 B 2
Vésigneul-sur-Marne 51 ... 62 B 3
Vésines 01 ... 195 E 4
Vésines 45 ... 112 C 4
Le Vésinet 78 ... 58 A 3
Vesles-et-Caumont 02 ... 25 E 4
Veslud 02 ... 41 E 1
Vesly 27 ... 37 F 4
Vesly 50 ... 31 G 3
Vesoul 70 ... 141 E 4
La Vespière-Friardel 14 ... 55 E 1
Vesseaux 07 ... 266 B 3
Vessey 50 ... 80 D 2
Vestric-et-Candiac 30 ... 303 G 3
Vesvres 21 ... 159 E 2
Vesvres-sous-Chalancey 52 ... 139 F 4
Vétheuil 95 ... 57 F 1
Vétraz-Monthoux 74 ... 197 H 5
Vétrigne 90 ... 142 C 2
Veuil 36 ... 153 G 5
Veuilly-la-Poterie 02 ... 60 A 1
Veules-les-Roses 76 ... 19 H 2
Veulettes-sur-Mer 76 ... 19 F 2
Le Veurdre 03 ... 174 B 5
Veurey-Voroize 38 ... 250 C 1
La Veuve 51 ... 62 A 1
Veuves 41 ... 152 D 2
Veuvey-sur-Ouche 21 ... 159 G 4
Veuxhaulles-sur-Aube 21 ... 116 B 5
Vevy 39 ... 179 F 5
Vexaincourt 88 ... 96 C 2
Le Vey 14 ... 53 F 2
Veynes 05 ... 269 E 4
Veyrac 87 ... 205 F 4
Veyras 07 ... 266 C 2
Veyre-Monton 63 ... 227 H 2
Veyreau 12 ... 282 A 3
Veyrier-du-Lac 74 ... 215 H 4
Veyrières 15 ... 226 B 5
Veyrières 19 ... 226 B 4
Veyrignac 24 ... 259 H 1
Veyrines 07 ... 248 C 2
Veyrines-de-Domme 24 ... 259 F 1
Veyrines-de-Vergt 24 ... 240 C 4
Veyrins 38 ... 232 C 2
Les Veys 50 ... 32 A 2
Veyssilieu 38 ... 231 H 1
Veyziat 01 ... 196 C 4
Vez 60 ... 39 H 4
Vézac 15 ... 244 C 5
Vézac 24 ... 259 F 1
Vézannes 89 ... 136 D 2
Vézaponin 02 ... 40 A 1
Vèze 15 ... 245 G 1
La Vèze 25 ... 162 A 4
Vézelay 89 ... 157 G 2
Vézelise 54 ... 94 C 3
Vézelois 90 ... 142 C 3
Vezels-Roussy 15 ... 262 D 1
Vézénobres 30 ... 283 H 4
Vézeronce-Curtin 38 ... 232 B 1
Vezet 70 ... 140 C 5
Vézézoux 43 ... 228 B 5
Le Vézier 51 ... 60 C 4
Vézières 86 ... 168 D 1
Vézillon 27 ... 36 D 4
Vézilly 02 ... 41 E 4
Vezin-le-Coquet 35 ... 104 A 3
Vézinnes 89 ... 137 E 2
Vezins 49 ... 149 F 5
Vezins 50 ... 51 H 5
Vezins Barrage de 50 ... 81 E 2
Vézins-de-Lévézou 12 ... 281 G 2
Vezot 72 ... 84 A 5
Vezou Belvédère du 15 ... 245 F 5
Vezzani 2B ... 347 F 5
Via 66 ... 341 F 4
Viabon 28 ... 110 C 2
Viala-du-Pas-de-Jaux 12 ... 301 F 1
Viala-du-Tarn 12 ... 281 F 4
Vialas 48 ... 283 F 1
Vialer 64 ... 294 C 5
Viam 19 ... 225 E 2
Viane 81 ... 300 B 3
Vianges 21 ... 158 D 5
Vianne 47 ... 275 G 3
Viâpres-le-Grand 10 ... 90 D 2
Viâpres-le-Petit 10 ... 90 D 2
Viarmes 95 ... 38 C 5
Vias 34 ... 322 C 5
Viaur Viaduc du 12 ... 280 B 4
Viazac 46 ... 261 G 3
Le Vibal 12 ... 281 E 2
Vibersviller 57 ... 67 F 3
Vibeuf 76 ... 19 H 4
Vibrac 16 ... 220 D 2
Vibrac 17 ... 220 B 5
Vibraye 72 ... 108 D 4
Vic 09 ... 335 G 4
Vic 36 ... 189 G 1
Vic Roche de 19 ... 242 D 3
Vic-de-Chassenay 21 ... 158 C 1
Vic-des-Prés 21 ... 159 F 5
Vic-en-Bigorre 65 ... 315 E 3
Vic-Fezensac 32 ... 295 G 3
Vic-la-Gardiole 34 ... 323 F 3
Vic-le-Comte 63 ... 228 A 2
Vic-le-Fesq 30 ... 303 F 1
Vic-sous-Thil 21 ... 158 D 3
Vic-sur-Aisne 02 ... 39 H 2
Vic-sur-Cère 15 ... 244 D 4
Vic-sur-Seille 57 ... 66 D 4
Vicdessos 09 ... 336 A 5
Le Vicel 50 ... 29 G 3
Vichel 63 ... 228 A 4
Vichel-Nanteuil 02 ... 40 B 4
Vichères 28 ... 109 E 2
Vicherey 88 ... 94 B 4
Vichy 03 ... 210 B 2
Vico 2A ... 348 C 1
La Vicogne 80 ... 12 D 5
La Vicomté-sur-Rance 22 ... 79 H 3
Vicq 03 ... 209 H 1
Vicq 52 ... 117 H 5
Vicq 59 ... 9 H 5
Vicq 78 ... 57 G 4
Vicq-d'Auribat 40 ... 293 F 2
Vicq-Exemplet 36 ... 189 H 1
Vicq-sur-Breuilh 87 ... 223 H 2
Vicq-sur-Gartempe 86 ... 170 A 5
Vicq-sur-Nahon 36 ... 171 G 1
Vicques 14 ... 54 A 2
Victoire Abbaye de la 60 ... 39 E 4
Victot-Pontfol 14 ... 34 B 4
Vidai 61 ... 84 A 3
Vidaillac 46 ... 279 E 1
Vidaillat 23 ... 207 E 3
Vidauban 83 ... 329 E 1
Videcosville 50 ... 29 G 4
Videix 87 ... 204 C 5
Videlles 91 ... 87 H 4
Vidou 65 ... 315 G 4
Vidouville 50 ... 32 C 5
Vidouze 65 ... 314 D 2
Viefvillers 60 ... 22 A 5
Vieil-Armand 68 ... 120 D 5
Le Vieil-Baugé 49 ... 150 B 1
Le Vieil-Dampierre 51 ... 63 E 1
Le Vieil-Évreux 27 ... 56 C 1
Vieil-Hesdin 62 ... 7 E 5
Vieil-Moutier 62 ... 6 D 2
Vieille-Brioude 43 ... 246 B 1
Vieille-Chapelle 62 ... 8 A 3
Vieille-Église 62 ... 3 E 3
Vieille-Église-en-Yvelines 78 ... 57 G 5
La Vieille-Loye 39 ... 179 F 1
La Vieille-Lyre 27 ... 55 G 2
Vieille-Toulouse 31 ... 298 A 5
Vieilles-Maisons-sur-Joudry 45 ... 134 B 2
Vieillespesse 15 ... 245 H 3
Vieillevie 15 ... 262 B 3
Vieillevigne 31 ... 318 B 3
Vieillevigne 44 ... 165 H 1
Vieilley 25 ... 162 A 2
Vieilmoulin 21 ... 159 F 3
Viel-Arcy 02 ... 40 D 2
Viel-Saint-Remy 08 ... 26 B 4
Viella 32 ... 294 D 4
Viella 65 ... 333 E 3
Vielle-Adour 65 ... 315 F 5
Vielle-Aure 65 ... 333 G 4
Vielle-Louron 65 ... 333 H 4
Vielle-Saint-Girons 40 ... 272 A 5
Vielle-Soubiran 40 ... 274 C 4
Vielle-Tursan 40 ... 294 A 3
Viellenave-d'Arthez 64 ... 314 A 2
Viellenave-de-Navarrenx 64 ... 313 F 3
Vielleneve-sur-Bidouze 64 ... 311 G 3
Viellességure 64 ... 313 G 3
Vielmanay 58 ... 156 C 4
Vielmur-sur-Agout 81 ... 299 F 4
Vielprat 43 ... 265 G 1
Viels-Maisons 02 ... 60 C 3
Vielverge 21 ... 160 D 3
Viennay 79 ... 168 A 5
Vienne 38 ... 231 F 3
Vienne-en-Arthies 95 ... 57 F 1
Vienne-en-Bessin 14 ... 33 E 3
Vienne-en-Val 45 ... 133 G 3
Vienne-la-Ville 51 ... 43 E 4
Vienne-le-Château 51 ... 43 E 4
Viens 84 ... 306 B 1
Vienville 88 ... 120 A 2
Vier-Bordes 65 ... 332 D 2
Viersat 23 ... 190 B 5
Vierville 28 ... 87 E 4
Vierville 50 ... 32 A 2
Vierville-sur-Mer 14 ... 32 C 2
Vierzon 18 ... 154 C 4
Vierzy 02 ... 40 B 3
Viesly 59 ... 14 D 4
Viessoix 14 ... 52 D 3
Viéthorey 25 ... 162 D 1
Vieu 01 ... 214 D 4
Vieu-d'Izenave 01 ... 214 B 2
Vieugy 74 ... 215 G 4
Vieure 03 ... 191 F 2
Vieussan 34 ... 301 E 5
Vieuvicq 28 ... 109 G 2
Vieuvy 53 ... 81 H 3
Vieux 14 ... 33 G 5
Vieux 81 ... 279 E 5
Vieux-Berquin 59 ... 8 A 2
Vieux-Boucau-les-Bains 40 ... 292 B 2
Vieux-Bourg 14 ... 34 D 3
Le Vieux-Bourg 22 ... 77 H 3
Le Vieux-Cérier 16 ... 203 H 3
Vieux Chambord Château du 03 ... 192 C 4

Vieux-Champagne *77*............89 F 2
Vieux-Charmont *25*............142 C 4
Vieux-Château *21*............158 B 1
Le Vieux Château *85*..........164 A 4
Vieux-Condé *59*..........................9 G 4
Vieux-Ferrette *68*..............143 F 4
Vieux-Fumé *14*......................54 A 1
Vieux-lès-Asfeld *08*...............41 H 1
Vieux-Lixheim *57*...................67 H 4
Vieux-Maisons *77*..................60 B 5
Vieux-Manoir *76*.....................20 C 5
Le Vieux-Marché *22*..............72 C 4
Vieux-Mareuil *24*................221 H 4
Vieux-Mesnil *59*......................15 G 2
Vieux-Moulin *60*......................39 G 2
Vieux-Moulin *88*......................96 B 3
Vieux-Moulins *52*..................139 G 2
Vieux-Pierrefeu *06*...............289 H 5
Vieux-Pont *61*..........................53 H 5
Vieux-Pont-en-Auge *14*..........54 B 1
Vieux-Port *27*...........................35 F 2
Vieux-Reng *59*..........................15 H 2
Vieux-Rouen-sur-Bresle *76*.....21 F 2
La Vieux-Rue *76*.......................36 C 1
Vieux-Ruffec *16*....................203 H 3
Vieux-Thann *68*.....................143 E 1
Vieux-Viel *35*...........................80 C 2
Vieux-Villez *27*.........................36 C 5
Vieux-Vy-sur-Couesnon *35*.....80 C 4
Vieuzos *65*..............................315 H 4
Viévigne *21*.............................160 C 2
Viéville *52*...............................117 E 2
Viéville-en-Haye *54*.................65 F 3
Viéville-sous-les-Côtes *55*........64 D 2
Viévy *21*...................................177 E 1
Viévy-le-Rayé *41*...................132 A 2
Viey *65*....................................333 E 3
Vif *38*.......................................250 D 3
Viffort *02*....................................60 C 2
Le Vigan *30*.............................282 D 5
Le Vigan *46*.............................260 B 2
Le Vigean *15*...........................244 B 2
Le Vigeant *86*..........................187 E 5
Le Vigen *87*.............................223 H 1
Vigeois *19*................................224 B 5
Viger *65*...................................332 D 1
Vigeville *23*..............................207 G 1
Viggianello *2A*.........................350 D 2
Viglain *45*.................................133 H 4
Vignacourt *80*...........................12 C 5
Vignage *Rochers du 61*..........83 G 3
Vignale *2B*................................347 G 2
Vignats *14*..................................54 A 3
Le Vignau *40*...........................294 C 2
Vignaux *31*...............................297 F 4
Les Vigneaux *05*.....................252 C 5
Vignec *65*................................333 G 4
Vignely *77*..................................59 F 2
Vignemont *60*............................39 F 1
Les Vignères *84*......................305 E 1
Les Vignes *48*.........................282 A 2
Vignes *64*.................................294 B 5
Vignes *89*.................................158 B 1
Vignes-la-Côte *52*.....................93 F 5
Vigneul-sous-Montmédy *55*.....43 H 1
Vigneulles *54*.............................95 E 2
Vigneulles-
lès-Hattonchâtel *55*.............64 D 2
Vigneux-de-Bretagne *44*.......147 F 2
Vigneux-Hocquet *02*.................25 G 3
Vigneux-sur-Seine *91*..............58 C 5
Vignevieille *11*.........................338 A 2
Vignieu *38*................................232 B 2
Vignoc *35*...................................80 A 5
Vignol *58*..................................157 G 3
Vignoles *21*..............................177 H 1
Vignolles *16*.............................220 D 3
Vignols *19*................................223 H 5
Vignonet *33*..............................238 C 5
Vignory *52*..................................92 D 5
Vignot *55*....................................64 D 5
Vignoux-sous-les-Aix *18*........155 F 5
Vignoux-sur-Barangeon *18*.154 C 5
Vigny *57*.....................................65 H 2
Vigny *95*.....................................57 H 1
Vigoulant *36*............................189 H 3
Vigoulet-Auzil *31*....................318 A 2
Vigoux *36*................................188 C 2
Vigueron *82*.............................297 E 1
Vigy *57*.......................................46 B 5
Vihiers *49*................................149 G 5
Vijon *36*...................................189 H 3
Vilbert *77*...................................59 G 5
Vilcey-sur-Trey *54*....................65 F 3
Vildé-Guingalan *22*...................79 F 4
Le Vilhain *03*...........................191 E 2
Vilhonneur *16*..........................221 H 1
Vilhosc *Prieuré de 04*...........287 G 2
Villa-Algérienne *33*................254 A 2
Villabé *91*...................................88 A 2
Villabon *18*...............................173 G 1
Villac *24*....................................241 G 2
Villacerf *10*.................................90 D 4
Villacourt *54*...............................95 E 3
Villadin *10*..................................90 B 5
Villafans *70*..............................141 H 5
Village-Neuf *68*........................143 H 3
Villaines-en-Duesmois *21*.....138 A 4
Villaines-la-Carelle *72*.............84 A 4
Villaines-la-Gonais *72*...........108 C 3
Villaines-la-Juhel *53*................82 D 5
Villaines-les-Prévôtes *21*......137 H 5
Villaines-les-Rochers *37*.......151 G 4
Villaines-sous-Bois *95*.............58 C 1
Villaines-sous-Lucé *72*.........130 C 2
Villaines-
sous-Malicorne *72*...........129 F 3
Villainville *76*.............................18 D 4
Villalbe *11*................................319 G 5
Villalet *27*....................................56 A 2
Villalier *11*................................319 H 4
Villamblain *45*..........................110 B 5
Villamblard *24*..........................240 B 4
Villamée *35*.................................81 E 3
Villampuy *28*............................110 B 4
Villandraut *33*..........................255 H 5
Villandry *37*..............................151 G 3
Villanière *11*.............................319 H 4
Villanova *2A*............................348 B 3
Villapourçon *58*.......................176 A 2
Villar-d'Arêne *05*....................252 A 3
Villar-en-Val *11*.......................338 A 1
Villar-Loubière *05*...................251 H 5
Villar-Saint-Anselme *11*........337 G 2
Villar-Saint-Pancrace *05*.......252 D 5
Villarceaux *Château de 95*......37 F 5
Villard *23*.................................189 E 4
Le Villard *48*............................264 A 5
Villard *74*.................................198 A 5
Villard-Bonnot *38*...................251 F 1
Villard-de-Lans *38*.................250 C 3
Villard-d'Héry *73*...................233 G 3
Villard-Léger *73*.....................233 H 3
Villard-Notre-Dame *38*...........251 G 3
Villard-Reculas *38*.................251 G 2
Villard-Reymond *38*................251 G 3
Villard-Saint-Christophe *38*.251 E 4
Villard-Saint-Sauveur *39*......197 E 3
Villard-Sallet *73*.....................233 G 3
Villard-sur-Bienne *39*............197 E 2
Villard-sur-Doron *73*..............216 B 5
Villardebelle *11*......................337 H 2
Villardonnel *11*.......................319 H 4
Villards-d'Héria *39*.................196 D 3
Les Villards-sur-Thônes *74*.216 A 3
Villarembert *73*......................252 A 1
Villargent *70*...........................141 H 5
Villargoix *21*...........................158 D 3
Villargondran *73*....................234 A 5
Villariès *31*.............................298 A 3
Villarlurin *73*..........................234 C 3
Villarodin-Bourget *73*............252 D 1
Villaroger *73*..........................235 E 1
Villaroux *73*............................233 G 3
Villars *24*................................222 C 4
Villars *28*................................110 B 2
Villars *42*................................230 A 4
Le Villars *71*...........................195 F 2
Villars *84*................................305 H 1
Villars *Grottes de 24*.............222 D 4
Villars-Colmars *04*.................288 D 2
Villars-en-Azois *52*................116 B 4
Villars-en-Pons *17*.................219 G 2
Villars-et-Villenotte *21*..........158 D 1
Villars-Fontaine *21*................159 H 5
Villars-le-Pautel *70*...............118 C 5
Villars-le-Sec *90*...................142 D 5
Villars-lès-Blamont *25*..........163 G 2
Villars-les-Bois *17*.................201 H 5
Villars-les-Dombes *01*...........213 G 3
Villars-Saint-Georges *25*......161 G 5
Villars-Saint-Marcellin *52*......118 B 5
Villars-Santenoge *52*............139 E 3
Villars-sous-Dampjoux *25*....163 F 2
Villars-sous-Écot *25*.............142 B 5
Villars-sur-Var *06*..................289 H 5
Villarzel-Cabardès *11*...........320 A 4
Villarzel-du-Razès *11*...........337 G 1
Villasavary *11*.........................319 E 4
Villate *31*.................................317 H 2
Villaudric *31*...........................297 H 2
Villautou *11*............................336 D 1
Villavard *41*............................131 F 3
Villaz *74*.................................215 H 3
Ville *60*......................................23 G 5
Villé *67*......................................97 E 4
La Ville *69*...............................212 A 1
Ville-au-Montois *54*..................45 E 2
Ville-au-Val *54*..........................65 G 4
La Ville-aux-Bois *10*.................92 A 4
La Ville-aux-Bois-lès-Dizy *02*.25 G 4
La Ville-aux-Bois-
lès-Pontavert *02*....................41 F 2
La Ville-aux-Clercs *41*..........131 G 2
La Ville-aux-Dames *37*.........152 A 2
La Ville-aux-Nonains *28*.........85 F 2
Ville-d'Avray *92*.........................58 B 3
Ville-devant-Belrain *55*............64 B 4
Ville-devant-Chaumont *55*.......44 B 4
Ville-di-Paraso *2B*.................346 D 2
Ville-di-Pietrabugno *2B*........345 G 4
La Ville-Dieu-
du-Temple *82*.....................277 G 5
Ville-Dommange *51*..................41 F 4
La Ville-du-Bois *91*...................58 B 5
Ville-du-Pont *25*.....................180 D 1
Ville-en-Blaisois *52*..................92 C 3
Ville-en-Sallaz *74*..................216 A 1
Ville-en-Selve *51*.....................41 G 5
Ville-en-Tardenois *51*..............41 E 4
Ville-en-Vermois *54*.................95 E 1
Ville-en-Woëvre *55*..................64 D 1
La Ville-ès-Nonais *35*..............79 H 3
Ville-Houdlémont *54*.................44 D 1
Ville-Issey *55*............................64 D 5
Ville-la-Grand *74*...................197 H 5
Ville-Langy *58*........................175 F 2
Ville-le-Marclet *80*...................12 B 5
Ville-Saint-Jacques *77*............88 D 5
Ville-Savoye *02*........................40 D 3
Ville-sous-Anjou *38*................231 F 5
Ville-sous-la-Ferté *10*............116 B 3
La Ville-sous-Orbais *51*...........61 E 2
Ville-sur-Ancre *80*....................23 E 1
Ville-sur-Arce *10*....................115 G 3
Ville-sur-Cousances *55*...........43 G 5
Ville-sur-Illon *88*....................119 E 2
Ville-sur-Jarnioux *69*.............212 C 3
Ville-sur-Lumes *08*..................26 D 3
Ville-sur-Retourne *08*..............42 B 2
Ville-sur-Saulx *55*....................63 G 4
Ville-sur-Terre *10*.....................92 B 5
Ville-sur-Tourbe *51*..................43 E 4
Ville-sur-Yron *54*......................65 F 1
Villeau *28*...............................110 B 2
Villebadin *61*............................54 C 4
Villebarou *41*...........................132 A 5
Villebaudon *50*..........................52 A 1
Villebazy *11*............................337 H 2
Villebéon *77*............................112 D 2
Villebernier *49*........................150 C 4
Villeberny *21*...........................159 F 2
Villebichot *21*..........................160 A 5
Villeblevin *89*............................89 E 5
Villebois *01*.............................214 B 4
Villebois-Lavalette *16*............221 G 3
Villebois-les-Pins *26*.............286 D 1
Villebon *28*...............................85 G 4
Villebon-sur-Yvette *91*.............58 B 5
Villebougis *89*.........................113 F 2
Villebourg *37*..........................130 C 4
Villebout *41*............................109 G 5
Villebramar *47*........................257 H 4
Villebret *03*.............................190 D 5
Villebrumier *82*.......................298 A 1
Villecelin *18*............................172 D 4
Villecerf *77*................................88 D 5
Villecey-sur-Mad *54*.................65 F 2
Villechantria *39*......................196 B 3
Villechauve *41*........................131 F 4
Villechenève *69*......................212 B 5
Villechétif *10*.............................91 E 5
Villechétive *89*........................114 A 4
Villechien *50*.............................81 G 2
Villecien *89*.............................113 G 5
Villécloye *55*..............................44 B 1
Villecomtal *12*.........................262 D 4
Villecomtal-sur-Arros *32*.......315 F 3
Villecomte *21*..........................160 A 1
Villeconin *91*.............................87 F 3
Villecourt *80*..............................23 G 3
Villecresnes *94*..........................58 D 5
Villecroze *83*............................307 H 4
Villedaigne *11*.........................320 D 5
Villedieu *15*.............................245 G 4
La Villedieu *17*........................202 B 2
Villedieu *21*.............................115 G 5
La Villedieu *23*........................225 E 1
Les Villedieu *25*......................180 C 4
La Villedieu *48*........................264 C 2
Villedieu *84*.............................285 G 2
La Villedieu-du-Clain *86*........186 C 3
La Villedieu-
en-Fontenette *70*.................141 F 3
Villedieu-la-Blouère *49*.........148 C 5
Villedieu-le-Château *41*........130 D 4
Villedieu-lès-Bailleul *61*..........54 B 3
Villedieu-les-
Poêles-Rouffigny *50*.............52 A 3
Villedieu-sur-Indre *36*............171 G 3
Villedômain *37*........................171 E 1
Villedômer *37*..........................152 B 1
Villedoux *17*............................183 G 5
Villedubert *11*..........................319 H 5
Villefagnan *16*.........................203 E 3
Villefargeau *89*........................136 A 3
Villefavard *87*..........................205 G 1
Villeferry *21*.............................159 E 2
Villefloure *11*...........................337 H 1
Villefollet *79*............................202 C 1
Villefontaine *38*.......................231 H 2
Villefort *11*..............................337 E 3
Villefort *48*..............................265 F 5
Villefranche *32*........................316 C 2
Villefranche-d'Albigeois *81*..299 H 1
Villefranche-d'Allier *03*.........191 F 4
Villefranche-
de-Conflent *66*....................342 A 3
Villefranche-
de-Lauragais *31*..................318 C 3
Villefranche-
de-Lonchat *24*.....................239 E 4
Villefranche-de-Panat *12*......281 E 4
Villefranche-
de-Rouergue *12*..................279 F 1
Villefranche-du-Périgord *24*.259 F 3
Villefranche-
du-Queyran *47*.....................275 F 2
Villefranche-le-Château *26*..286 C 2
Villefranche-Saint-Phal *89*...113 F 5
Villefranche-sur-Cher *41*.....153 H 4
Villefranche-sur-Mer *06*.......309 H 2
Villefranche-sur-Saône *69*...212 D 3
Villefrancœur *41*....................131 H 4
Villefrancon *70*.......................161 F 2
Villefranque *64*.......................310 D 3
Villefranque *65*.......................295 E 5
Villegagnon *77*..........................60 A 5
Villegailhenc *11*......................319 H 4
Villegardin *89*.........................113 E 3
Villegats *16*............................203 F 3
Villegats *27*...............................56 D 2
Villegaudin *71*.........................178 B 4
Villegenon *18*..........................155 G 2
Villegly *11*...............................320 A 4
Villegongis *36*.........................171 G 3
Villegouge *33*..........................238 B 4
Villegouin *36*...........................171 E 2
Villegruis *77*..............................89 H 2
Villegusien *52*.........................139 G 3
Villehardouin *10*.......................91 G 4
Villeherviers *41*.......................154 A 3
Villejésus *16*...........................203 E 4
Villejoubert *16*........................203 F 5
Villejuif *94*................................58 C 4
Villejust *91*................................58 B 5
Villelaure *84*...........................306 A 3
Villeloin-Coulangé *37*............152 D 5
Villelongue *65*........................332 D 2
Villelongue-d'Aude *11*..........337 F 2
Villelongue-
de-la-Salanque *66*...............339 E 5
Villelongue-dels-Monts *66*...343 E 4
Villeloup *10*..............................90 C 5
Villemade *82*..........................277 G 4
Villemagne *11*........................319 F 3
Villemagne-l'Argentière *34*..301 F 4
Villemain *79*............................202 D 2
Villemandeur *45*.....................112 C 5
Villemanoche *89*.......................89 F 5
Villemardy *41*..........................131 H 4
Villemaréchal *77*.....................112 D 2
Villemareuil *77*..........................59 G 2
Villematier *31*..........................298 A 2
Villemaur-sur-Vanne *10*.........114 B 2
Villembits *65*...........................315 G 4
Villembray *60*............................37 G 1
Villemer *77*................................88 C 5
Villemer *89*..............................136 A 2
Villemereuil *10*.........................115 E 2
Villemervry *52*........................139 E 4
Villemeux-sur-Eure *28*............56 D 5
Villemoiron *38*.........................231 H 1
Villemoiron-en-Othe *10*.........114 B 2
Villemoisan *49*........................148 D 1
Villemoisson-sur-Orge *91*.......58 C 5
Villemolaque *66*......................343 E 3
Villemomble *93*..........................58 D 3
Villemontais *42*.......................211 F 3
Villemontoire *02*........................40 B 3
Villemorien *10*.........................115 F 4
Villemorin *17*...........................202 B 3
Villemoron *52*.........................139 F 4
Villemort *86*............................187 G 2
Villemotier *01*.........................196 A 4
Villemoustaussou *11*.............319 H 4
Villemoutiers *45*.....................112 A 5
Villemoyenne *10*.....................115 F 3
Villemur *65*..............................316 A 4
Villemur-sur-Tarn *31*.............298 A 2
Villemurlin *45*.........................134 A 4
Villemus *04*.............................306 C 1
Villenauxe-la-Grande *10*.........90 A 2
Villenauxe-la-Petite *77*............89 G 4
Villenave *40*...........................273 E 5
Villenave-de-Rions *33*...........256 B 2
Villenave-d'Ornon *33*............255 G 1
Villenave-près-Béarn *65*.......314 D 3
Villenave-près-Marsac *65*....315 E 3
Villenavotte *89*.......................113 F 2
Villeneuve *01*..........................213 E 2
Villeneuve *04*..........................306 D 1
Villeneuve *09*..........................335 E 3
Villeneuve *12*..........................261 F 5
La Villeneuve *23*....................208 B 4
Villeneuve *33*..........................237 F 3
La Villeneuve *71*....................178 B 2
La Villeneuve-
au-Châtelot *10*......................90 A 3
Villeneuve-au-Chemin *10*.....114 C 4
La Villeneuve-
au-Chêne *10*......................115 G 2
La Villeneuve-Bellenoye-
et-la-Maize *70*...................141 F 3
Villeneuve-d'Allier *43*...........246 B 2
Villeneuve-d'Amont *25*..........180 A 2
Villeneuve d'Ascq *59*..................9 E 2
Villeneuve-d'Aval *39*.............179 G 2
Villeneuve-de-Berg *07*..........266 C 4
Villeneuve-de-Duras *47*........257 F 2
Villeneuve-de-la-Raho *66*....343 F 2
Villeneuve-de-Marc *38*.........231 G 3
Villeneuve-de-Marsan *40*.....294 B 1
Villeneuve-de-Mézin *47*.......275 F 5
Villeneuve-de-Rivière *31*.....334 B 1
Villeneuve-d'Entraunes *06*..289 E 3
Villeneuve-
des-Escaldes *66*.................341 F 4
Villeneuve-d'Olmes *09*..........336 D 3
Villeneuve-du-Bosc *09*..........336 B 2
Villeneuve-du-Latou *09*.........317 H 5
Villeneuve-du-Paréage *09*...336 B 1
La Villeneuve-
en-Chevrie *78*........................57 E 1
Villeneuve-
en-Montagne *71*..................177 F 4
Villeneuve-Frouville *41*.........132 A 3
Villeneuve-la-Comptal *11*.....318 D 4
Villeneuve-la-Comtesse *17*.201 H 1
Villeneuve-la-Dondagre *89*..113 F 3
Villeneuve-la-Garenne *92*......58 C 2
Villeneuve-la-Guyard *89*.........89 E 5
Villeneuve-la-Lionne *51*..........60 C 4
Villeneuve-la-Rivière *66*.......343 E 2
Villeneuve-la-Salle *05*...........252 C 4
Villeneuve-l'Archevêque *89*.114 A 2
Villeneuve-le-Comte *77*...........59 F 4
Villeneuve-le-Roi *94*..................58 C 5
Villeneuve-Lécussan *31*........316 A 5
Villeneuve-Lembron *63*.........227 H 4
Villeneuve-lès-Avignon *30*...285 E 5
Villeneuve-lès-Béziers *34*....321 G 4
Villeneuve-les-Bordes *77*........89 E 3
Villeneuve-lès-Bouloc *31*......297 H 3
Villeneuve-les-Cerfs *63*.........210 A 3
La Villeneuve-
lès-Charleville *51*..................61 E 4
Villeneuve-lès-Charnod *39*..196 B 4
La Villeneuve-
les-Convers *21*.....................138 B 5
Villeneuve-
les-Corbières *11*.................338 C 3
Villeneuve-les-Genêts *89*.....135 F 4
Villeneuve-lès-Lavaur *81*.....298 C 5
Villeneuve-
lès-Maguelone *34*...............302 D 5
Villeneuve-lès-Montréal *11*..319 F 5
Villeneuve-les-Sablons *60*.....38 A 4
Villeneuve-Loubet *06*............309 F 3
Villeneuve-Loubet-
Plage *06*...............................309 G 3
Villeneuve-Minervois *11*........320 A 4
Villeneuve-Renneville-
Chevigny *51*...........................61 G 2
Villeneuve-Saint-Denis *77*......59 F 4
Villeneuve-
Saint-Georges *94*..................58 D 5
Villeneuve-Saint-Germain *02*.40 B 2
Villeneuve-Saint-Nicolas *28*...86 B 5
Villeneuve-Saint-Salves *89*.136 C 2
Villeneuve-Saint-Vistre-
et-Villevotte *51*......................90 B 2
Villeneuve-
sous-Charigny *21*...............158 D 2
Villeneuve-
sous-Dammartin *77*...............59 E 1
Villeneuve-sous-Pymont *39*.179 E 5
La Villeneuve-
sous-Thury *60*.......................39 H 5
Villeneuve-sur-Allier *03*.......192 A 1
Villeneuve-sur-Auvers *91*.......87 G 3
Villeneuve-sur-Bellot *77*..........60 B 3
Villeneuve-sur-Cher *18*.........172 D 2
Villeneuve-sur-Conie *45*........110 C 4
Villeneuve-sur-Fère *02*............40 C 5
Villeneuve-sur-Lot *47*...........258 C 5
Villeneuve-sur-Tarn *81*.........300 A 1
Villeneuve-sur-Verberie *60*.....39 E 4
Villeneuve-sur-Vère *81*.........279 F 5
La Villeneuve-
sur-Vingeanne *21*...............139 H 5
Villeneuve-sur-Yonne *89*......113 G 4
Villeneuve-Tolosane *31*.........297 H 5
Villeneuvette *34*.....................301 H 4
Villennes-sur-Seine *78*............57 H 2
Villenouvelle *17*......................201 H 2
Villenouvelle *31*......................318 B 2
Villenoy *77*.................................59 G 2
Villentrois *36*...........................153 F 5
Villeny *41*................................132 D 5
Villepail *53*................................82 D 4
Villeparisis *77*...........................59 E 2
Villeparois *70*...........................141 F 4
Villeperdrix *26*.........................268 A 5
Villeperdue *37*.........................151 H 4
Villeperrot *89*...........................113 F 2
Villepinte *11*............................319 F 4
Villepinte *93*..............................58 D 2
Villeporcher *41*.......................131 G 5
Villepot *44*..............................127 F 3
Villepreux *78*..............................57 H 3
Villequier *76*...............................35 G 1
Villequier-Aumont *02*................24 A 4
Villequiers *18*..........................173 H 1
Viller *57*......................................66 D 2
Villerable *41*............................131 G 3
Villerbon *41*............................132 A 4
Villeréal *47*..............................258 C 3
Villereau *45*.............................111 E 4
Villereau *59*...............................15 E 3
Villerest *42*..............................211 G 3
Villeret *02*..................................24 A 1
Villeret *10*..................................91 H 3
Villereversure *01*....................196 A 5
Villermain *41*...........................132 C 2
Villeromain *41*.........................131 H 4
Villeron *95*.................................58 D 1
Villerouge-la-Crémade *11*....338 C 1
Villerouge-Termenès *11*.......338 B 2
Villeroy *77*.................................59 F 2
Villeroy *80*.................................11 F 5
Villeroy *89*...............................113 F 3
Villeroy-sur-Méholle *55*...........93 H 1
Villers *42*.................................211 H 1
Villers *88*...................................94 D 5
Villers-Agron-Aiguizy *02*..........41 E 5
Villers-Allerand *51*....................41 G 5
Villers-au-Bois *62*.......................8 A 5
Villers-au-Flos *62*......................13 H 5
Villers-au-Tertre *59*...................14 B 2
Villers-aux-Bois *51*....................61 F 2
Villers-aux-Érables *80*.............22 D 3
Villers-aux-Nœuds *51*...............41 G 4
Villers-aux-Vents *55*.................63 F 3
Villers-Bocage *14*.....................33 E 5
Villers-Bocage *80*.....................12 D 5
Villers-Bouton *70*....................161 H 1
Villers-Bretonneux *80*..............22 D 2
Villers-Brûlin *62*........................7 H 5
Villers-Buzon *25*.....................161 G 4
Villers-Campsart *80*.................21 G 2
Villers-Canivet *14*.....................53 H 2
Villers-Carbonnel *80*.................23 G 2
Villers-Cernay *08*......................27 F 3
Villers-Châtel *62*........................8 A 5
Villers-Chemin-
et-Mont-lès-Étrelles *70*.....161 G 1
Villers-Chief *25*.......................162 D 4
Villers-Cotterêts *02*..................39 H 4
Villers-devant-Dun *55*..............43 G 2
Villers-devant-le-Thour *08*......41 G 1
Villers-devant-Mouzon *08*.......27 F 4

Villers-Écalles 76 ... 19 H 5
Villers-en-Argonne 51 ... 63 F 1
Villers-en-Arthies 95 ... 57 F 1
Villers-en-Cauchies 59 ... 14 C 3
Villers-en-Haye 54 ... 65 G 4
Villers-en-Ouche 61 ... 55 E 3
Villers-en-Prayères 02 ... 40 D 2
Villers-en-Vexin 27 ... 37 E 4
Villers-Farlay 39 ... 179 G 1
Villers-Faucon 80 ... 23 H 1
Villers-Franqueux 51 ... 41 F 3
Villers-Grélot 25 ... 162 B 2
Villers-Guislain 59 ... 14 B 5
Villers-Hélon 02 ... 40 A 4
Villers-la-Chèvre 54 ... 44 D 1
Villers-la-Combe 25 ... 162 D 3
Villers-la-Faye 21 ... 159 H 5
Villers-la-Montagne 54 ... 45 E 2
Villers-la-Ville 70 ... 141 H 5
Villers-le-Château 51 ... 62 A 2
Villers-le-Lac 25 ... 163 F 5
Villers-le-Rond 54 ... 44 C 2
Villers-le-Sec 02 ... 24 C 3
Villers-le-Sec 51 ... 63 E 3
Villers-le-Sec 55 ... 93 F 1
Villers-le-Sec 70 ... 141 F 4
Villers-le-Tilleul 08 ... 26 D 4
Villers-le-Tourneur 08 ... 26 C 4
Villers-les-Bois 39 ... 179 E 2
Villers-lès-Cagnicourt 62 ... 14 A 3
Villers-lès-Guise 02 ... 24 D 1
Villers-lès-Luxeuil 70 ... 141 F 2
Villers-lès-Mangiennes 55 ... 44 C 3
Villers-lès-Moivrons 54 ... 65 H 4
Villers-lès-Nancy 54 ... 94 D 1
Villers-les-Ormes 36 ... 171 G 3
Villers-les-Pots 21 ... 160 D 4
Villers-lès-Roye 80 ... 23 F 4
Villers-l'Hôpital 62 ... 12 C 3
Villers-Marmery 51 ... 41 H 5
Villers-Outréaux 59 ... 14 C 5
Villers-Pater 70 ... 162 B 1
Villers-Patras 21 ... 115 H 5
Villers-Plouich 59 ... 14 A 5
Villers-Pol 59 ... 15 E 2
Villers-Robert 39 ... 179 E 2
Villers-Rotin 21 ... 160 D 5
Villers-Saint-Barthélemy 60 ... 37 H 2
Villers-Saint-Christophe 02 ... 23 H 3
Villers-Saint-Frambourg 60 ... 39 E 4
Villers-Saint-Genest 60 ... 39 G 5
Villers-Saint-Martin 25 ... 162 D 2
Villers-Saint-Paul 60 ... 38 D 3
Villers-Saint-Sépulcre 60 ... 38 B 3
Villers-Semeuse 08 ... 26 D 3
Villers-Sir-Simon 62 ... 13 E 2
Villers-Sire-Nicole 59 ... 15 H 2
Villers-sous-Ailly 80 ... 11 H 4
Villers-sous-Chalamont 25 ... 180 A 2
Villers-sous-Châtillon 51 ... 41 E 5
Villers-sous-
Foucarmont 76 ... 21 E 2
Villers-sous-Montrond 25 ... 162 A 5
Villers-sous-Pareid 55 ... 65 E 1
Villers-sous-Prény 54 ... 65 G 3
Villers-sous-Saint-Leu 60 ... 38 C 4
Villers-Stoncourt 57 ... 66 C 1
Villers-sur-Auchy 60 ... 37 G 1
Villers-sur-Authie 80 ... 11 F 1
Villers-sur-Bar 08 ... 27 E 4
Villers-sur-Bonnières 60 ... 37 H 1
Villers-sur-Coudun 60 ... 39 F 1
Villers-sur-Fère 02 ... 40 C 4
Villers-sur-le-Mont 08 ... 26 D 4
Villers-sur-le-Roule 27 ... 36 C 4
Villers-sur-Mer 14 ... 34 B 3
Villers-sur-Meuse 55 ... 64 B 2
Villers-sur-Nied 57 ... 66 D 3
Villers-sur-Port 70 ... 141 E 3
Villers-sur-Saulnot 70 ... 142 A 4
Villers-sur-Trie 60 ... 37 G 3
Villers-Tournelle 80 ... 22 D 4
Villers-Vaudey 70 ... 140 B 4
Villers-Vermont 60 ... 21 F 5
Villers-Vicomte 60 ... 22 B 4
Villerserine 39 ... 179 F 3
Villersexel 70 ... 141 H 5
Villerupt 54 ... 45 F 2
Villerville 14 ... 34 C 2
Villery 10 ... 114 D 3
Villes 01 ... 214 D 1
Villes-sur-Auzon 84 ... 286 A 4
Villesalem *Ancien*
Prieuré de 86 ... 187 G 2
Villeselve 60 ... 23 H 4
Villeseneux 51 ... 61 H 3
Villesèque 46 ... 277 H 1
Villesèque-
des-Corbières 11 ... 338 D 2
Villesèquelande 11 ... 319 G 5
Villesiscle 11 ... 319 F 5
Villespassans 34 ... 320 D 3
Villespy 11 ... 319 F 4
Villetaneuse 93 ... 58 C 2
La Villetelle 23 ... 208 B 4
Villetelle 34 ... 303 F 3
Villethierry 89 ... 113 E 2
Villeton 47 ... 275 F 1
Villetoureix 24 ... 239 G 1
Villetritouls 11 ... 338 A 1
Villetrun 41 ... 131 H 3
La Villette 14 ... 53 F 2
Villette 54 ... 44 C 2
Villette 73 ... 234 C 2
Villette 78 ... 57 F 2
Villette-d'Anthon 38 ... 213 G 5
Villette-de-Vienne 38 ... 231 F 2
Villette-lès-Arbois 39 ... 179 G 2
Villette-lès-Dole 39 ... 179 E 1
Villette-sur-Ain 01 ... 213 H 3
Villette-sur-Aube 10 ... 91 E 3
Villettes 27 ... 36 A 5
Les Villettes 43 ... 247 H 1
Villeurbanne 69 ... 213 F 5
Villevallier 89 ... 113 G 4
Villevaudé 77 ... 59 E 2
Villevenard 51 ... 61 E 3
Villevêque 49 ... 128 D 5
Villeveyrac 34 ... 322 D 3
Villevieille 04 ... 289 E 5
Villevieille 30 ... 303 F 2
Villevieux 39 ... 179 E 4
Villevocance 07 ... 248 C 1
Villevoques 45 ... 112 B 4
Villexanton 41 ... 132 B 4
Villexavier 17 ... 219 H 5
Le Villey 39 ... 179 E 3
Villey-le-Sec 54 ... 94 C 1
Villey-Saint-Étienne 54 ... 65 G 5
Villey-sur-Tille 21 ... 139 F 5
Villez-sous-Bailleul 27 ... 36 D 5
Villez-sur-le-Neubourg 27 ... 35 H 5
Villié-Morgon 69 ... 212 D 1
Villiers 36 ... 170 D 3
Villiers 86 ... 168 D 5
Villiers-Adam 95 ... 58 B 1
Villiers-au-Bouin 37 ... 130 A 5
Villiers-aux-Bois 52 ... 92 C 2
Villiers-aux-Chênes 52 ... 92 C 4
Villiers-aux-Corneilles 51 ... 90 B 2
Villiers-Charlemagne 53 ... 106 A 5
Villiers-Couture 17 ... 202 C 3
Villiers-en-Bière 77 ... 88 B 3
Villiers-en-Bois 79 ... 202 B 1
Villiers-en-Désœuvre 27 ... 56 D 2
Villiers-en-Lieu 52 ... 63 F 5
Villiers-en-Morvan 21 ... 158 C 5
Villiers-en-Plaine 79 ... 184 D 3
Villiers-Fossard 50 ... 32 B 4
Villiers-Herbisse 10 ... 61 H 5
Villiers-le-Bâcle 91 ... 58 A 5
Villiers-le-Bel 95 ... 58 C 1
Villiers-le-Bois 10 ... 115 F 5
Villiers-le-Duc 21 ... 138 B 2
Villiers-le-Mahieu 78 ... 57 G 3
Villiers-le-Morhier 28 ... 86 B 2
Villiers-le-Pré 50 ... 80 D 2
Villiers-le-Roux 16 ... 203 E 2
Villiers-le-Sec 14 ... 33 F 3
Villiers-le-Sec 52 ... 116 D 3
Villiers-le-Sec 58 ... 157 E 3
Villiers-le-Sec 95 ... 58 C 1
Villiers-lès-Aprey 52 ... 139 F 3
Villiers-les-Hauts 89 ... 137 F 4
Villiers-Louis 89 ... 113 H 3
Villiers-Saint-Benoît 89 ... 135 G 3
Villiers-Saint-Denis 02 ... 60 B 2
Villiers-Saint-Frédéric 78 ... 57 G 4
Villiers-Saint-Georges 77 ... 60 C 5
Villiers-Saint-Orien 28 ... 110 A 3
Villiers-sous-Grez 77 ... 88 B 5
Villiers-sous-Mortagne 61 ... 84 C 3
Villiers-sous-Praslin 10 ... 115 F 4
Villiers-sur-Chizé 79 ... 202 B 2
Villiers-sur-Loir 41 ... 131 G 3
Villiers-sur-Marne 52 ... 93 E 5
Villiers-sur-Marne 94 ... 58 D 4
Villiers-sur-Morin 77 ... 59 G 3
Villiers-sur-Orge 91 ... 58 B 5
Villiers-sur-Seine 77 ... 89 G 4
Villiers-sur-Suize 52 ... 117 E 5
Villiers-sur-Tholon 89 ... 135 H 2
Villiers-sur-Yonne 58 ... 157 F 2
Villiers-Vineux 89 ... 114 C 5
Villiersfaux 41 ... 131 G 3
Villieu-Loyes-Mollon 01 ... 213 H 3
Villing 57 ... 46 D 4
Villognon 16 ... 203 E 4
Villon 89 ... 137 G 2
Villoncourt 88 ... 95 G 5
Villons-les-Buissons 14 ... 33 G 4
Villorceau 45 ... 132 C 3
Villosanges 63 ... 208 D 4
Villotran 60 ... 37 H 3
Villotte 88 ... 118 A 3
La Villotte 89 ... 135 H 3
Villotte-devant-Louppy 55 ... 63 G 2
Villotte-Saint-Seine 21 ... 159 G 2
Villotte-sur-Aire 55 ... 64 B 4
Villotte-sur-Ource 21 ... 138 B 2
Villouxel 88 ... 93 H 4
Villuis 77 ... 89 G 4
Villy 08 ... 27 H 5
Villy 89 ... 136 C 2
Villy-Bocage 14 ... 33 E 5
Villy-en-Auxois 21 ... 159 F 2
Villy-en-Trodes 10 ... 115 G 2
Villy-le-Bois 10 ... 115 E 3
Villy-le-Bouveret 74 ... 215 G 2
Villy-le-Maréchal 10 ... 115 E 2
Villy-le-Moutier 21 ... 178 A 1
Villy-le-Pelloux 74 ... 215 G 2
Villy-lez-Falaise 14 ... 54 A 2
Villy-sur-Yères 76 ... 10 D 5
Vilory 70 ... 141 F 3
Vilosnes 55 ... 43 H 2
Vilsberg 57 ... 68 A 4
Vimarcé 53 ... 107 E 2
Vimenet 12 ... 281 F 1
Viménil 88 ... 95 H 5
Vimines 73 ... 233 E 2
Vimont 14 ... 33 H 5
Vimory 45 ... 112 B 5
Vimoutiers 61 ... 54 C 2
Vimpelles 77 ... 89 F 4
Vimy 62 ... 8 B 5
Vinaigre *Mont* 83 ... 308 D 5
Vinantes 77 ... 59 F 1
Vinassan 11 ... 321 F 5
Vinax 17 ... 202 C 2
Vinay 38 ... 250 B 1
Vinay 51 ... 61 F 1
Vinça 66 ... 342 B 2
Vincelles 39 ... 196 B 1
Vincelles 51 ... 40 D 5
Vincelles 71 ... 178 C 5
Vincelles 89 ... 136 B 4
Vincelottes 89 ... 136 C 4
Vincennes 94 ... 58 C 3
Vincent 39 ... 179 E 4
Vincey 88 ... 95 E 4
Vincly 62 ... 7 F 3
Vincy-Manœuvre 77 ... 59 G 1
Vincy-Reuil-et-Magny 02 ... 25 G 4
Vindecy 71 ... 193 G 4
Vindefontaine 50 ... 31 G 2
Vindelle 16 ... 221 E 1
Vindey 51 ... 61 E 5
Vindrac-Alayrac 81 ... 279 E 4
Vinets 10 ... 91 F 3
Vineuil 36 ... 171 G 3
Vineuil 41 ... 132 B 5
Vineuil-Saint-Firmin 60 ... 38 D 4
La Vineuse 71 ... 194 C 2
Vinezac 07 ... 266 B 4
Vingrau 66 ... 338 C 4
Vingt-Hanaps 61 ... 83 H 3
Vinnemerville 76 ... 19 F 2
Vinneuf 89 ... 89 F 5
Vinon 18 ... 155 H 4
Vinon-sur-Verdon 83 ... 306 D 3
Vins-sur-Caramy 83 ... 328 C 1
Vinsobres 26 ... 285 G 1
Le Vintrou 81 ... 300 A 5
Vinzelles 63 ... 210 B 4
Vinzelles 71 ... 194 D 5
Vinzier 74 ... 198 C 3
Vinzieux 07 ... 230 D 5
Viocourt 88 ... 94 B 4
Viodos-Abense-de-Bas 64 ... 313 F 4
Violaines 62 ... 8 B 3
Violay 42 ... 212 A 4
Violès 84 ... 285 G 3
Violot 52 ... 139 H 3
Viols-en-Laval 34 ... 302 C 3
Viols-le-Fort 34 ... 302 C 3
Vioménil 88 ... 118 D 3
Vion 07 ... 249 E 2
Vion 72 ... 129 E 2
Vions 73 ... 215 E 4
Vionville 57 ... 65 F 1
Viozan 32 ... 316 A 3
Viplaix 03 ... 190 B 3
Vira 09 ... 336 C 2
Vira 66 ... 337 H 5
Virac 81 ... 279 F 5
Virandeville 50 ... 28 D 3
Virargues 15 ... 245 F 3
Virazeil 47 ... 257 F 4
Vire 14 ... 52 C 3
Viré 71 ... 195 E 3
Viré-en-Champagne 72 ... 106 D 5
Vire-sur-Lot 46 ... 259 F 5
Vireaux 89 ... 137 F 3
Virecourt 54 ... 95 E 3
Virelade 33 ... 255 H 2
Viremont 39 ... 196 C 3
Vireux-Molhain 08 ... 17 E 4
Vireux-Wallerand 08 ... 17 E 4
Virey 50 ... 81 F 2
Virey 70 ... 161 G 2
Virey-le-Grand 71 ... 177 H 3
Virey-sous-Bar 10 ... 115 F 3
Virginy 51 ... 42 D 4
Viriat 01 ... 195 H 5
Viricelles 42 ... 230 B 2
Virieu 38 ... 232 B 3
Virieu-le-Grand 01 ... 214 C 4
Virieu-le-Petit 01 ... 214 D 3
Virigneux 42 ... 230 A 1
Virignin 01 ... 214 D 5
Viriville 38 ... 231 H 5
Virlet 63 ... 209 E 1
Virming 57 ... 67 E 2
Viroflay 78 ... 58 B 4
Virollet 17 ... 219 F 2
Vironchaux 80 ... 11 G 1
Vironvay 27 ... 36 C 4
Virsac 33 ... 237 H 3
Virson 17 ... 201 E 1
Virville 76 ... 18 D 5
Viry 39 ... 196 D 4
Viry 71 ... 194 A 2
Viry 74 ... 215 F 1
Viry-Châtillon 91 ... 58 C 5
Viry-Noureuil 02 ... 24 A 5
Vis-en-Artois 62 ... 13 H 3
Visan 84 ... 285 G 1
Viscomtat 63 ... 210 D 5
Viscos 65 ... 332 D 3
Le Viseney 39 ... 179 F 3
Viserny 21 ... 137 G 5
Visker 65 ... 315 E 5
Vismes-au-Val 80 ... 11 F 4
Visoncourt 70 ... 141 G 3
Vissac-Auteyrac 43 ... 246 D 3
Vissec 30 ... 302 A 1
Vissec *Cirque de* 30 ... 302 A 1
Visseiche 35 ... 105 E 5
Viterbe 81 ... 298 D 4
Viterne 54 ... 94 C 2
Vitot 27 ... 35 H 5
Vitrac 15 ... 262 B 1
Vitrac 24 ... 259 G 1
Vitrac 63 ... 209 F 3
Vitrac-en-Viadène 12 ... 263 F 1
Vitrac-Saint-Vincent 16 ... 203 H 5
Vitrac-sur-Montane 19 ... 225 F 5
Vitrai-sous-l'Aigle 61 ... 55 G 5
Vitray 03 ... 190 D 1
Vitray-en-Beauce 28 ... 110 A 2
Vitray-sous-Brézolles 28 ... 56 B 5
Vitré 35 ... 105 E 3
Vitré 79 ... 185 F 4
Vitreux 39 ... 161 F 4
Vitrey 54 ... 94 C 3
Vitrey-sur-Mance 70 ... 140 B 2
Vitrimont 54 ... 95 F 1
Vitrolles 05 ... 269 G 5
Vitrolles 13 ... 326 C 1
Vitrolles-en-Luberon 84 ... 306 B 2
Vitry-aux-Loges 45 ... 111 G 5
Vitry-en-Artois 62 ... 13 H 2
Vitry-en-Charollais 71 ... 193 G 3
Vitry-en-Montagne 52 ... 139 E 2
Vitry-en-Perthois 51 ... 62 D 4
Vitry-la-Ville 51 ... 62 B 3
Vitry-Laché 58 ... 157 F 4
Vitry-le-Croisé 10 ... 115 H 3
Vitry-le-François 51 ... 62 C 4
Vitry-lès-Cluny 71 ... 194 C 2
Vitry-lès-Nogent 52 ... 117 F 4
Vitry-sur-Loire 71 ... 175 G 5
Vitry-sur-Orne 57 ... 45 G 4
Vitry-sur-Seine 94 ... 58 C 4
Vittarville 55 ... 44 B 3
Vitteaux 21 ... 159 E 2
Vittefleur 76 ... 19 F 2
Vittel 88 ... 118 C 2
Vittersbourg 57 ... 67 F 2
Vittoncourt 57 ... 66 C 2
Vittonville 54 ... 65 G 2
Vitz-sur-Authie 80 ... 12 B 3
Viuz-en-Sallaz 74 ... 198 A 5
Viuz-la-Chiésaz 74 ... 215 G 4
Vivaise 02 ... 24 D 5
Vivans 42 ... 211 F 1
Vivario 2B ... 349 E 1
Viven 64 ... 314 B 2
Viverols 63 ... 229 F 4
Vivès 66 ... 342 D 4
Vivey 52 ... 139 E 3
Le Vivier 66 ... 338 A 5
Vivier-au-Court 08 ... 27 E 3
Le Vivier-sur-Mer 35 ... 50 D 5
Vivières 02 ... 39 H 3
Viviers 07 ... 266 D 5
Viviers 57 ... 66 C 3
Viviers 89 ... 137 E 3
Viviers-du-Lac 73 ... 233 F 1
Viviers-le-Gras 88 ... 118 C 3
Viviers-lès-Lavaur 81 ... 298 C 4
Viviers-lès-Montagnes 81 ... 299 F 5
Viviers-lès-Offroicourt 88 ... 94 C 5
Viviers-sur-Artaut 10 ... 115 H 3
Viviers-sur-Chiers 54 ... 44 D 2
Viviès 09 ... 336 C 2
Viviez 12 ... 261 H 4
Viville 16 ... 221 F 1
Vivoin 72 ... 107 G 2
Vivonne 86 ... 186 B 3
Vivy 49 ... 150 C 3
Vix 21 ... 138 A 2
Vix 85 ... 183 H 3
Vizille 38 ... 251 E 3
Vizos 65 ... 333 E 3
Vizzavona 2B ... 349 E 1
Vizzavona *Col de* 2B ... 349 E 1
Vocance 07 ... 248 C 2
Vodable 63 ... 227 H 3
Vœgtlinshofen 68 ... 121 E 3
Vœlfling-
lès-Bouzonville 57 ... 46 D 3
Vœllerdingen 67 ... 67 H 2
Vœuil-et-Giget 16 ... 221 F 2
Vogelgrun 68 ... 121 G 3
Voglans 73 ... 233 E 1
Vogüé 07 ... 266 B 4
Voharies 02 ... 25 E 3
Void 55 ... 93 H 1
Le Voide 49 ... 149 G 5
Voigny 10 ... 116 B 2
Voile de la Mariée
Cascade du 05 ... 252 A 5
Voile de la Mariée
Cascade du 2A ... 349 E 2
Voilemont 51 ... 63 E 1
Voillans 25 ... 162 C 2
Voillecomte 52 ... 92 B 3
Voimhaut 57 ... 66 C 2
Voinémont 54 ... 94 D 2
Voingt 63 ... 208 C 5
Voinsles 77 ... 59 H 5
Voipreux 51 ... 61 G 2
Voires 25 ... 162 B 5
Voiron 38 ... 232 C 4
Voiscreville 27 ... 35 G 3
Voise 28 ... 86 C 4
Voisenon 77 ... 88 B 2
Voisey 52 ... 118 A 5
Voisines 52 ... 139 F 2
Voisines 89 ... 113 H 2
Voisins-le-Bretonneux 78 ... 58 A 4
Voissant 38 ... 232 D 3
Voissay 17 ... 201 G 3
Voiteur 39 ... 179 F 4
La Voivre 70 ... 141 H 2
La Voivre 88 ... 96 B 4
Les Voivres 88 ... 119 E 4
Voivres-lès-le-Mans 72 ... 107 G 5
Volckerinckhove 59 ... 3 G 4
Volesvres 71 ... 193 H 3
Volgelsheim 68 ... 121 G 3
Volgré 89 ... 135 H 2
Volksberg 67 ... 68 A 2
Vollore-Montagne 63 ... 210 D 5
Vollore-Ville 63 ... 210 D 5
Volmerange-lès-Boulay 57 ... 46 C 5
Volmerange-les-Mines 57 ... 45 G 2
Volmunster 57 ... 48 B 5
Volnay 21 ... 177 G 2
Volnay 72 ... 108 B 5
Volon 70 ... 140 B 4
Volonne 04 ... 287 G 3
Volpajola 2B ... 347 G 2
Volstroff 57 ... 45 H 3
Volvent 26 ... 268 B 4
Volvic 63 ... 209 G 4
Volx 04 ... 306 D 1
Vomécourt 88 ... 95 G 4
Vomécourt-sur-Madon 88 ... 94 D 4
Voncourt 52 ... 140 B 3
Voncq 08 ... 42 D 1
Vonges 21 ... 160 D 3
Vongnes 01 ... 214 D 4
Vongy 74 ... 198 B 3
Vonnas 01 ... 195 F 5
Voray-sur-l'Ognon 70 ... 162 A 2
Voreppe 38 ... 232 D 5
Vorey 43 ... 247 F 2
Vorges 02 ... 40 D 1
Vorges-les-Pins 25 ... 161 H 4
Vorly 18 ... 173 F 2
Vornay 18 ... 173 G 2
Vors 12 ... 280 C 2
Vosbles 39 ... 196 B 4
Vosne-Romanée 21 ... 160 A 5
Vosnon 10 ... 114 C 3
Vou 37 ... 170 B 1
Vouarces 51 ... 90 C 2
Vouciennes 51 ... 62 B 3
Voudenay 21 ... 176 D 1
Voué 10 ... 91 E 3
Vouécourt 52 ... 93 E 5
Vouël 02 ... 24 B 4
Vougécourt 70 ... 118 C 5
Vougeot 21 ... 160 A 5
Vouglans 39 ... 196 C 3
Vouglans
Barrage et lac de 39 ... 196 C 3
Vougrey 10 ... 115 F 4
Vougy 42 ... 211 H 2
Vougy 74 ... 216 B 1
Vouharte 16 ... 203 E 5
Vouhé 17 ... 201 E 1
Vouhé 79 ... 185 F 2
Vouhenans 70 ... 141 H 4
Vouillé 79 ... 185 E 4
Vouillé 86 ... 186 A 1
Vouillé-les-Marais 85 ... 183 G 3
Vouillers 51 ... 63 E 5
Vouillon 36 ... 172 B 4
Vouilly 14 ... 32 B 3
Voujeaucourt 25 ... 142 B 5
Voulaines-les-Templiers 21 ... 138 C 2
Voulangis 77 ... 59 G 3
Voulême 86 ... 203 F 2
Voulgézac 16 ... 221 E 3
Voulmentin 79 ... 167 G 2
Voulon 86 ... 186 B 4
Voulpaix 02 ... 25 E 2
La Voulte-sur-Rhône 07 ... 267 E 1
Voultegon 79 ... 167 G 2
Voulton 77 ... 89 G 2
Voulx 77 ... 112 D 2
Vouneuil-sous-Biard 86 ... 186 B 1
Vouneuil-sur-Vienne 86 ... 169 G 5
Vourey 38 ... 232 C 5
Vourles 69 ... 231 E 1
Voussac 03 ... 191 G 4
Voutenay-sur-Cure 89 ... 136 D 5
Voutezac 19 ... 242 B 1
Vouthon 16 ... 221 H 1
Vouthon-Bas 55 ... 93 H 3
Vouthon-Haut 55 ... 93 H 3
Voutré 53 ... 106 D 3
Vouvant 85 ... 184 B 1
Vouvray 01 ... 214 D 1
Vouvray 37 ... 152 A 2
Vouvray-sur-Huisne 72 ... 108 B 4
Vouvray-sur-Loir 72 ... 130 C 4
Vouxey 88 ... 94 B 4
Vouzailles 86 ... 168 D 5
Vouzan 16 ... 221 G 2
Vouzeron 18 ... 154 D 4
Vouziers 08 ... 42 D 2
Vouzon 41 ... 133 G 5
Vouzy 51 ... 61 H 2
La Vove *Manoir de* 61 ... 84 C 4
Voves 28 ... 110 B 2
Vovray-en-Bornes 74 ... 215 G 1
Voyenne 02 ... 25 E 3
Voyennes 80 ... 23 G 3
Voyer 57 ... 67 H 5
La Vraie-Croix 56 ... 124 D 3
Vraignes-
en-Vermandois 80 ... 23 H 2
Vraignes-lès-Hornoy 80 ... 21 H 2
Vraincourt 52 ... 116 D 2
Vraiville 27 ... 36 A 4
Vrasville 50 ... 29 G 2
Vraux 51 ... 62 A 1

Vrécourt 88 ... 118 A 2
Vred 59 ... 9 E 5
Vregille 70 ... 161 H 3
Vregny 02 ... 40 C 2
Vrély 80 ... 23 E 3
Le Vrétot 50 ... 28 D 5
Vriange 39 ... 161 E 4
Vrigne-aux-Bois 08 ... 27 E 3
Vrigne-Meuse 08 ... 27 E 3
Vrigny 45 ... 111 G 4
Vrigny 51 ... 41 F 4
Vrigny 61 ... 54 A 5
La Vrine 25 ... 180 C 1
Vritz 44 ... 127 G 5
Vrizy 08 ... 42 D 2
Vrocourt 60 ... 37 G 1
Vroil 51 ... 63 F 3
Vron 80 ... 11 G 1
Vroncourt 54 ... 94 C 3
Vroncourt-la-Côte 52 ... 117 G 3
Vroville 88 ... 94 D 5
Vry 57 ... 46 B 5
Vue 44 ... 147 E 4
Vuillafans 25 ... 162 B 5
Vuillecin 25 ... 180 C 2
Vuillery 02 ... 40 B 2
Vulaines 10 ... 114 A 2
Vulaines-lès-Provins 77 ... 89 F 2
Vulaines-sur-Seine 77 ... 88 C 4
Vulbens 74 ... 215 F 1
Vulmont 57 ... 66 B 3
Vulvoz 39 ... 196 D 4
Vy-le-Ferroux 70 ... 140 D 5
Vy-lès-Filain 70 ... 141 F 5
Vy-lès-Lure 70 ... 141 H 4
Vy-lès-Rupt 70 ... 140 C 4
Vyans-le-Val 70 ... 142 B 4
Vyt-lès-Belvoir 25 ... 163 E 2

W

Waben 62 ... 6 B 5
Wackenbach 67 ... 96 D 2
Wacquemoulin 60 ... 39 E 1
Wacquinghen 62 ... 2 B 5
Wadelincourt 08 ... 27 F 4
Wadimont 08 ... 25 H 4
Wadonville-en-Woëvre 55 ... 64 D 1
Wagnon 08 ... 26 B 4
Wahagnies 59 ... 8 D 4
Wahlbach 68 ... 143 F 3
Wahlenheim 67 ... 68 D 4
Wail 62 ... 12 B 2
Wailly 62 ... 13 G 3
Wailly 80 ... 22 A 3
Wailly-Beaucamp 62 ... 6 B 5
Walbach 68 ... 120 D 3
Walbourg 67 ... 69 E 2
La Walck 67 ... 68 C 3
Waldersbach 67 ... 96 D 3
Waldhambach 67 ... 67 H 2
Waldhouse 57 ... 48 C 5
Waldighofen 68 ... 143 F 3
Waldolwisheim 67 ... 68 B 4
Waldweistroff 57 ... 46 C 3
Waldwisse 57 ... 46 C 2
Walheim 68 ... 143 F 3

Walibi Rhône-Alpes
  Parc d'attractions 38 ... 232 C 2
Walibi-Schtroumpf 57 ... 45 H 4
Walincourt 59 ... 14 C 5
Wallers 59 ... 9 F 5
Wallers-Trélon 59 ... 16 A 5
Wallon-Cappel 59 ... 3 H 5
Walschbronn 57 ... 48 C 5
Walscheid 57 ... 67 H 5
Waltembourg 57 ... 67 H 4
Waltenheim 68 ... 143 G 2
Waltenheim-sur-Zorn 67 ... 68 D 4
Waly 55 ... 63 G 1
Wambaix 59 ... 14 C 4
Wambercourt 62 ... 7 E 5
Wambez 60 ... 37 G 1
Wambrechies 59 ... 8 D 2
Wamin 62 ... 7 E 5
Wanchy-Capval 76 ... 20 D 2
Wancourt 62 ... 13 H 3
Wandignies-Hamage 59 ... 9 F 5
Wanel 80 ... 11 H 4
Wangen 67 ... 97 F 1
Wangenbourg 67 ... 96 D 1
Wannehain 59 ... 9 E 3
Wanquetin 62 ... 13 F 2
La Wantzenau 67 ... 69 E 5
Warcq 08 ... 26 D 3
Warcq 55 ... 44 D 5
Wardrecques 62 ... 7 G 2
Wargemoulin-Hurlus 51 ... 42 D 5
Wargnies 80 ... 12 C 5
Wargnies-le-Grand 59 ... 15 E 2
Wargnies-le-Petit 59 ... 15 E 2
Warhem 59 ... 3 H 3
Warlaing 59 ... 9 F 5
Warlencourt-Eaucourt 62 ... 13 G 4
Warlincourt-lès-Pas 62 ... 13 E 4
Warloy-Baillon 80 ... 13 E 5
Warluis 60 ... 38 A 2
Warlus 62 ... 13 F 2
Warlus 80 ... 11 H 5
Warluzel 62 ... 13 E 3
Warmeriville 51 ... 41 H 3
Warnécourt 08 ... 26 C 3
Warneton 59 ... 4 C 5
Warsy 80 ... 23 E 4
Warvillers 80 ... 23 E 3
Wasigny 08 ... 26 A 4
Wasnes-au-Bac 59 ... 14 B 2
Wasquehal 59 ... 8 D 2
Wasselonne 67 ... 68 B 5
Wasserbourg 68 ... 120 D 4
Wassigny 02 ... 15 E 5
Wassy 52 ... 92 C 3
Le Wast 62 ... 2 C 5
Watigny 02 ... 25 H 1
Watronville 55 ... 64 C 1
Watten 59 ... 3 F 4
Wattignies 59 ... 8 D 3
Wattignies-la-Victoire 59 ... 15 H 3
Wattrelos 59 ... 9 E 2
Wattwiller 68 ... 120 D 5
Wavignies 60 ... 22 C 5
Waville 54 ... 65 F 2
Wavrans-sur-l'Aa 62 ... 7 E 2

Wavrans-sur-Ternoise 62 ... 7 F 5
Wavrechain-
  sous-Denain 59 ... 14 D 2
Wavrechain-sous-Faulx 59 ... 14 C 2
Wavrille 55 ... 44 B 3
Wavrin 59 ... 8 C 3
Waziers 59 ... 8 D 5
Wé 08 ... 27 G 4
Weckolsheim 68 ... 121 F 3
Wegscheid 68 ... 142 C 1
Weinbourg 67 ... 68 B 3
Weislingen 67 ... 68 A 2
Weitbruch 67 ... 69 E 4
Weiterswiller 67 ... 68 B 3
Welles-Pérennes 60 ... 22 D 5
Wemaers-Cappel 59 ... 3 G 4
Wentzwiller 68 ... 143 G 3
Werentzhouse 68 ... 143 G 4
Wervicq-Sud 59 ... 4 D 5
West-Cappel 59 ... 3 H 3
Westbécourt 62 ... 3 E 5
Westhalten 68 ... 120 D 4
Westhoffen 67 ... 97 E 1
Westhouse 67 ... 97 G 3
Westhouse-Marmoutier 67 ... 68 B 5
Westrehem 62 ... 7 G 3
Wettolsheim 68 ... 121 E 3
Weyer 67 ... 67 H 3
Weyersheim 67 ... 69 E 4
Wickerschwihr 68 ... 121 F 2
Wickersheim 67 ... 68 C 4
Wicquinghem 62 ... 6 D 3
Wicres 59 ... 8 B 3
Widehem 62 ... 6 B 3
Widensolen 68 ... 121 F 3
Wiège-Faty 02 ... 25 E 2
Wiencourt-l'Équipée 80 ... 23 E 2
Wierre-au-Bois 62 ... 6 C 2
Wierre-Effroy 62 ... 2 C 5
Wiesviller 57 ... 67 H 1
Wignehies 59 ... 15 H 5
Wignicourt 08 ... 26 C 5
Wihr-au-Val 68 ... 120 D 3
Wihr-en-Plaine 68 ... 121 F 2
Wildenstein 68 ... 120 B 4
Wildersbach 67 ... 96 D 3
Willeman 62 ... 12 B 2
Willems 59 ... 9 E 2
Willencourt 62 ... 12 B 3
Willer 68 ... 143 F 3
Willer-sur-Thur 68 ... 120 C 5
Willeroncourt 55 ... 64 B 5
Willerval 62 ... 8 B 5
Willerwald 57 ... 67 G 1
Willgottheim 67 ... 68 C 5
Williers 08 ... 27 H 4
Willies 59 ... 15 H 4
Wilshausen 67 ... 68 C 4
Wilwisheim 67 ... 68 C 4
Wimereux 62 ... 2 B 5
Wimille 62 ... 2 B 5
Wimmenau 67 ... 68 B 2
Wimy 02 ... 25 G 1
Windstein 67 ... 68 D 1
Windstein
  Château de 67 ... 68 D 1

Wingen 67 ... 69 E 1
Wingen-sur-Moder 67 ... 68 B 2
Wingersheim-les-
  Quatre-Bans 67 ... 68 D 4
Wingles 62 ... 8 B 4
Winkel 68 ... 143 F 5
Winnezeele 59 ... 3 H 4
Wintersbourg 57 ... 67 H 4
Wintershouse 67 ... 68 D 4
Wintzenbach 67 ... 69 G 2
Wintzenheim 68 ... 121 E 3
Wintzenheim-
  Kochersberg 67 ... 68 C 5
Wirwignes 62 ... 6 C 2
Wiry-au-Mont 80 ... 11 G 5
Wisches 67 ... 96 D 2
Wisembach 88 ... 96 C 5
Wiseppe 55 ... 43 G 1
Wismes 62 ... 7 E 2
Wisques 62 ... 3 F 5
Wissant 62 ... 2 B 4
Wissembourg 67 ... 69 F 1
Wissignicourt 02 ... 40 C 1
Wissous 91 ... 58 C 5
Witry-lès-Reims 51 ... 41 H 3
Wittelsheim 68 ... 143 E 1
Wittenheim 68 ... 143 F 1
Witternesse 62 ... 7 G 3
Witternheim 67 ... 97 G 4
Wittersdorf 68 ... 143 F 3
Wittersheim 67 ... 68 D 4
Wittes 62 ... 7 E 2
Wittisheim 67 ... 97 G 4
Wittring 57 ... 67 H 1
Wiwersheim 67 ... 68 D 5
Wizernes 62 ... 7 F 2
Woël 55 ... 65 E 2
Wœlfling-
  lès-Sarreguemines 57 ... 67 H 1
Wœllenheim 67 ... 68 C 5
Wœrth 67 ... 68 D 2
Woignarue 80 ... 11 E 3
Woimbey 55 ... 64 C 2
Woincourt 80 ... 11 E 4
Woinville 55 ... 64 D 2
Woippy 57 ... 45 H 5
Woirel 80 ... 11 G 5
Wolfersdorf 68 ... 143 E 3
Wolfgantzen 68 ... 121 F 3
Wolfisheim 67 ... 97 G 1
Wolfskirchen 67 ... 67 G 1
Wolschheim 67 ... 68 B 5
Wolschwiller 68 ... 143 G 4
Wolxheim 67 ... 97 F 1
Wormhout 59 ... 3 H 4
Woustviller 57 ... 67 G 1
Wuenheim 68 ... 120 D 5
Wuisse 57 ... 66 D 3
Wulverdinghe 59 ... 3 F 4
Wy-dit-Joli-Village 95 ... 37 G 5
Wylder 59 ... 3 H 3

X

Xaffévillers 88 ... 95 G 3
Xaintrailles 47 ... 275 F 3

Xaintray 79 ... 184 D 2
Xambes 16 ... 203 E 5
Xammes 54 ... 65 F 2
Xamontarupt 88 ... 119 H 2
Xanrey 57 ... 66 D 5
Xanton-Chassenon 85 ... 184 B 2
Xaronval 88 ... 94 D 4
Xermaménil 54 ... 95 F 2
Xertigny 88 ... 119 F 3
Xeuilley 54 ... 94 C 2
Xirocourt 54 ... 94 D 3
Xivray-et-Marvoisin 55 ... 65 E 4
Xivry-Circourt 54 ... 45 E 3
Xocourt 57 ... 66 B 3
Xonrupt-Longemer 88 ... 120 B 3
Xonville 54 ... 65 E 1
Xouaxange 57 ... 67 G 5
Xousse 54 ... 95 H 1
Xures 54 ... 67 E 5

Y

Y 80 ... 23 G 3
Yainville 76 ... 35 H 1
Yaucourt-Bussus 80 ... 11 H 3
Le Yaudet 22 ... 72 C 3
Ychoux 40 ... 272 D 1
Ydes 15 ... 226 C 5
Yébleron 76 ... 19 F 4
Yèbles 77 ... 88 C 2
Yenne 73 ... 232 D 1
Yermenonville 28 ... 86 B 3
Yerres 91 ... 58 D 5
Yerville 76 ... 19 H 4
Yeu Île d' 85 ... 164 A 4
Yèvre-la-Ville 45 ... 111 H 3
Yèvre-le-Châtel 45 ... 111 H 3
Yèvres 28 ... 109 G 2
Yèvres-le-Petit 10 ... 91 H 3
Yffiniac 22 ... 78 C 3
Ygos-Saint-Saturnin 40 ... 273 F 5
Ygrande 03 ... 191 F 2
Ymare 76 ... 36 B 3
Ymeray 28 ... 86 C 3
Ymonville 28 ... 110 C 2
Yoncq 08 ... 27 F 5
Yonval 80 ... 11 G 3
Youx 63 ... 209 E 1
Yport 76 ... 18 D 3
Ypreville-Biville 76 ... 19 F 4
Yquebeuf 76 ... 20 C 5
Yquelon 50 ... 51 F 3
Yquem Château 33 ... 256 B 4
Yronde-et-Buron 63 ... 228 A 2
Yrouerre 89 ... 137 E 3
Yssac-la-Tourette 63 ... 209 H 4
Yssandon 19 ... 241 H 2
Yssandon Puy d' 19 ... 241 H 2
Yssingeaux 43 ... 247 H 2
Ysson Puy d' 63 ... 227 H 3
Ytrac 15 ... 244 B 5
Ytres 62 ... 13 H 5
Yutz 57 ... 45 H 3
Yvecrique 76 ... 19 H 4
Yvernaumont 08 ... 26 C 4
Yversay 86 ... 169 E 5

Yves 17 ... 200 D 2
Les Yveteaux 61 ... 53 G 5
Yvetot 76 ... 19 G 5
Yvetot-Bocage 50 ... 29 F 4
Yvias 22 ... 73 F 3
Yviers 16 ... 238 D 1
Yvignac-la-Tour 22 ... 79 F 5
Yville-sur-Seine 76 ... 35 H 2
Yvoire 74 ... 197 H 3
Yvoy-le-Marron 41 ... 133 E 5
Yvrac 33 ... 237 H 5
Yvrac-et-Malleyrand 16 ... 221 H 1
Yvrandes 61 ... 52 D 4
Yvré-le-Pôlin 72 ... 129 H 3
Yvré-l'Évêque 72 ... 107 H 4
Yvrench 80 ... 11 H 2
Yvrencheux 80 ... 11 H 2
Yzengremer 80 ... 11 E 4
Yzernay 49 ... 167 F 1
Yzeron 69 ... 230 C 1
Yzeure 03 ... 192 B 2
Yzeures-sur-Creuse 37 ... 170 B 4
Yzeux 80 ... 22 A 1
Yzosse 40 ... 293 E 3

Z

Zaessingue 68 ... 143 G 3
Zalana 2B ... 347 G 4
Zarbeling 57 ... 67 E 3
Zegerscappel 59 ... 3 G 4
Zehnacker 67 ... 68 B 5
Zeinheim 67 ... 68 C 5
Zellenberg 68 ... 121 E 2
Zellwiller 67 ... 97 F 3
Zermezeele 59 ... 3 H 4
Zérubia 2A ... 349 E 5
Zetting 57 ... 67 H 1
Zévaco 2A ... 349 E 3
Zicavo 2A ... 349 E 3
Zigliara 2A ... 348 D 4
Zilia 2B ... 346 C 2
Zilling 57 ... 68 A 4
Zillisheim 68 ... 143 F 2
Zimmerbach 68 ... 120 D 3
Zimmersheim 68 ... 143 G 2
Zimming 57 ... 46 D 5
Zincourt 88 ... 95 F 5
Zinswiller 67 ... 68 C 2
Zipitoli
  Pont génois de 2A ... 348 D 3
Zittersheim 67 ... 68 A 3
Zœbersdorf 67 ... 68 C 4
Zollingen 67 ... 67 G 3
Zommange 57 ... 67 F 4
Zonza 2A ... 349 F 5
Zoteux 62 ... 6 C 3
Zouafques 62 ... 3 E 4
Zoufftgen 57 ... 45 G 2
Zoza 2A ... 349 E 5
Zuani 2B ... 347 G 4
Zudausques 62 ... 3 E 5
Zutkerque 62 ... 3 E 4
Zutzendorf 67 ... 68 C 3
Zuydcoote 59 ... 3 H 2
Zuytpeene 59 ... 3 G 5

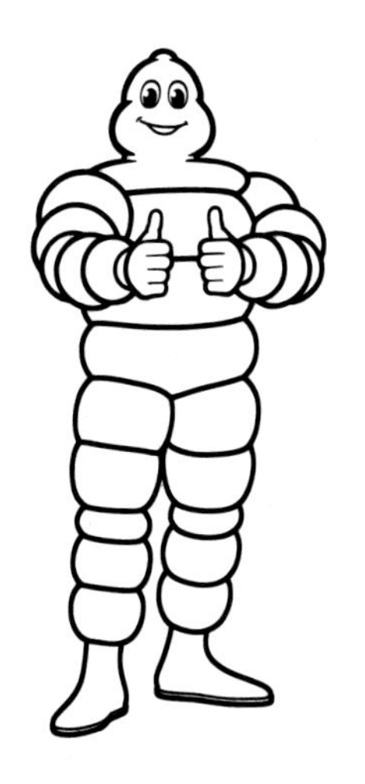

Plans

Curiosités
Bâtiment intéressant
Édifice religieux intéressant : catholique - protestant

Voirie
Autoroute - Double chaussée de type autoroutier
Échangeurs numérotés : complet - partiels
Grande voie de circulation
Rue réglementée ou impraticable
Rue piétonne - Tramway
Parking - Parking Relais
Tunnel
Gare et voie ferrée
Funiculaire, voie à crémailère
Téléphérique, télécabine

Signes divers
Information touristique
Mosquée - Synagogue
Tour - Ruines
Moulin à vent
Jardin, parc, bois
Cimetière

Stade - Golf - Hippodrome
Piscine de plein air, couverte
Vue - Panorama
Monument - Fontaine
Port de plaisance
Phare
Aéroport - Station de métro
Gare routière
Transport par bateau :
passagers et voitures, passagers seulement

Bureau principal de poste restante - Hôpital
Marché couvert
Gendarmerie - Police
Hôtel de ville
Université, grande école
Bâtiment public repéré par une lettre :
Musée
Théâtre

Town plans

Sights
Place of interest
Interesting place of worship:
Church - Protestant church

Roads
Motorway - Dual carriageway
Numbered junctions: complete, limited
Major thoroughfare
Unsuitable for traffic or street subject to restrictions
Pedestrian street - Tramway
Car park - Park and Ride
Tunnel
Station and railway
Funicular
Cable-car

Various signs
Tourist Information Centre
Mosque - Synagogue
Tower - Ruins
Windmill
Garden, park, wood
Cemetery

Stadium - Golf course - Racecourse
Outdoor or indoor swimming pool
View - Panorama
Monument - Fountain
Pleasure boat harbour
Lighthouse
Airport - Underground station
Coach station
Ferry services:
passengers and cars - passengers only

Main post office with poste restante - Hospital
Covered market
Gendarmerie - Police
Town Hall
University, College
Public buildings located by letter:
Museum
Theatre

Stadtpläne

Sehenswürdigkeiten
Sehenswertes Gebäude
Sehenswerter Sakralbau:Katholische - Evangelische Kirche

Straßen
Autobahn - Schnellstraße
Nummerierte Voll - bzw. Teilanschlussstellen
Hauptverkehrsstraße
Gesperrte Straße oder mit Verkehrsbeschränkungen
Fußgängerzone - Straßenbahn
Parkplatz - Park-and-Ride-Plätze
Tunnel
Bahnhof und Bahnlinie
Standseilbahn
Seilschwebebahn

Sonstige Zeichen
Informationsstelle
Moschee - Synagoge
Turm - Ruine
Windmühle
Garten, Park, Wäldchen
Friedhof

Stadion - Golfplatz - Pferderennbahn
Freibad - Hallenbad
Aussicht - Rundblick
Denkmal - Brunnen
Yachthafen
Leuchtturm
Flughafen - U-Bahnstation
Autobusbahnhof
Schiffsverbindungen:
Autofähre, Personenfähre
Hauptpostamt (postlagernde Sendungen) - Krankenhaus
Markthalle
Gendarmerie - Polizei
Rathaus
Universität, Hochschule
Öffentliches Gebäude, durch einen Buchstaben gekennzeichnet:
Museum
Theater

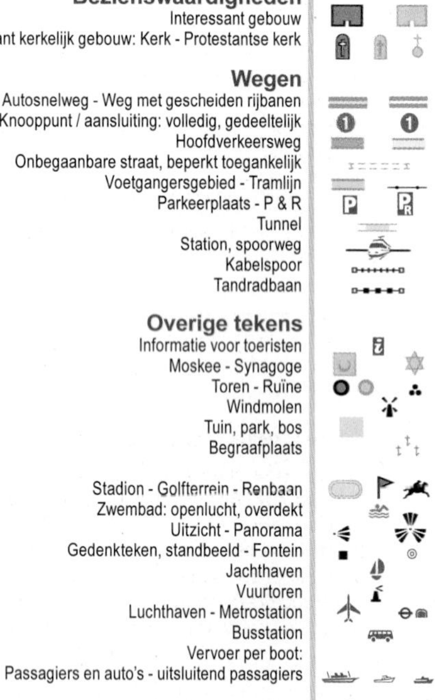

Plattegronden

Bezienswaardigheden
Interessant gebouw
Interessant kerkelijk gebouw: Kerk - Protestantse kerk

Wegen
Autosnelweg - Weg met gescheiden rijbanen
Knooppunt / aansluiting: volledig, gedeeltelijk
Hoofdverkeersweg
Onbegaanbare straat, beperkt toegankelijk
Voetgangersgebied - Tramlijn
Parkeerplaats - P & R
Tunnel
Station, spoorweg
Kabelspoor
Tandradbaan

Overige tekens
Informatie voor toeristen
Moskee - Synagoge
Toren - Ruïne
Windmolen
Tuin, park, bos
Begraafplaats

Stadion - Golfterrein - Renbaan
Zwembad: openlucht, overdekt
Uitzicht - Panorama
Gedenkteken, standbeeld - Fontein
Jachthaven
Vuurtoren
Luchthaven - Metrostation
Busstation
Vervoer per boot:
Passagiers en auto's - uitsluitend passagiers

Hoofdkantoor voor poste-restante - Ziekenhuis
Overdekte markt
Marechaussee / rijkswacht - Politie
Stadhuis
Universiteit, hogeschool
Openbaar gebouw, aangegeven met een letter::
Museum
Schouwburg

Piante

Curiosità
Edificio interessante
Costruzione religiosa interessante: Chiesa - Tempio

Viabilità
Autostrada - Doppia carreggiata tipo autostrada
Svincoli numerati: completo, parziale
Grande via di circolazione
Via regolamentata o impraticabile
Via pedonale - Tranvia
Parcheggio - Parcheggio Ristoro
Galleria
Stazione e ferrovia
Funicolare
Funivia, cabinovia

Simboli vari
Ufficio informazioni turistiche
Moschea - Sinagoga
Torre - Ruderi
Mulino a vento
Giardino, parco, bosco
Cimitero

Stadio - Golf - Ippodromo
Piscina: all'aperto, coperta
Vista - Panorama
Monumento - Fontana
Porto turistico
Faro
Aeroporto - Stazione della metropolitana
Autostazione
Trasporto con traghetto:
passeggeri ed autovetture - solo passeggeri

Ufficio centrale di fermo posta - Ospedale
Mercato coperto
Carabinieri - Polizia
Municipio
Università, scuola superiore
Edificio pubblico indicato con lettera:
Museo
Teatro

Planos

Curiosidades
Edificio interessante
Edificio religioso interessante: católica - protestante

Vías de circulación
Autopista - Autovía
Enlaces numerados: completo, parciales
Vía importante de circulacíon
Calle reglamentada o impracticable
Calle peatonal - Tranvía
Aparcamiento - Aparcamientos «P+R»
Túnel
Estación y línea férrea
Funicular, línea de cremallera
Teleférico, telecabina

Signos diversos
Oficina de Información de Turismo
Mezquita - Sinagoga
Torre - Ruinas
Molino de viento
Jardín, parque, madera
Cementerio

Estadio - Golf - Hipódromo
Piscina al aire libre, cubierta
Vista parcial - Vista panorámica
Monumento - Fuente
Puerto deportivo
Faro
Aeropuerto - Estación de metro
Estación de autobuses
Transporte por barco:
pasajeros y vehiculos, pasajeros solamente

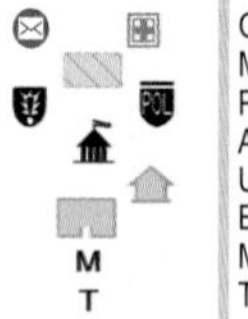

Oficina de correos - Hospital
Mercado cubierto
Policía National - Policía
Ayuntamiento
Universidad, escuela superior
Edificio público localizado con letra :
Museo
Teatro

Plans de ville
Town plans / Stadtpläne / Stadsplattegronden
Piante di città / Planos de ciudades

- ■ Aix-en-Provence............428
- ● Ajaccio....................476
- ■ Amiens 429
- ■ Angers...................430
- ● Annecy 476
- ● Arles....................476
- ■ Avignon 431
- ● Bastia...................476
- ● Bayonne 476
- ■ Besançon 432
- ● Biarritz.................476
- ● Blois 476
- ■ Bordeaux 433
- ■ Bourges..................434
- ■ Caen.....................435
- ■ Calais 436
- ■ Cannes...................437
- ● Carcassonne 476
- ● Châlons-en-Champagne 476
- ● Chalon-sur-Saône 476
- ● Chambéry.................476
- ● Chartres 476
- ■ Clermont-Ferrand 438
- ■ Colmar...................439
- ■ Dijon 440
- ■ Grenoble.................441
- ■ Le Havre 442
- ■ Lille....................443
- ■ Limoges 446
- ● Lorient..................476
- ■ Lyon 444
- ■ Le Mans..................447
- ■ Marseille................448
- ■ Metz.....................449
- ● Monaco...................476
- ■ Montpellier 450
- ■ Mulhouse 451
- ■ Nancy....................452
- ■ Nantes...................453
- ● Nevers...................476
- ■ Nice.....................454
- ■ Nîmes....................456
- ■ Orléans 457
- ■ Paris (environs).........458
- ■ Paris 462
- ■ Pau 464
- ■ Perpignan................465
- ■ Poitiers 466
- ■ Reims....................467
- ■ Rennes...................468
- ■ La Rochelle..............469
- ■ Rouen 470
- ■ Saint-Étienne............471
- ■ Strasbourg...............472
- ■ Toulon 473
- ■ Toulouse 474
- ■ Tours 475
- ● Troyes 476

Comment utiliser les QR Codes ?

1) Téléchargez gratuitement (ou mettez à jour) une application de lecture de QR Codes sur votre smartphone
2) Lancez l'application et visez le code souhaité
3) Le plan de la ville désirée apparaît automatiquement sur votre smartphone
4) Zoomez / Dézoomez pour faciliter votre déplacement !

How to use the QR Codes

1) Download (or update) the free QR Code reader app on your smartphone
2) Launch the app and point your smartphone at the required code
3) A map of the town/city will appear automatically on your smartphone
4) Zoom in/out to help you move around

Wie verwendet man QR Codes ?

1. Laden Sie eine Applikation zum Lesen von QR Codes (oder ein Update) kostenlos auf Ihr Smartphone herunter.
2. Starten Sie die Applikation und lesen Sie den gewünschten Code.
3. Der gewünschte Stadtplan erscheint automatisch auf Ihrem Smartphone.
4. Vergrößern/Verkleinern Sie den Zoom, um Ihre Fahrt zu erleichtern.

Hoe moet u de QR Codes gebruiken?

1. Download (of update) gratis een app om QR codes op uw smartphone te lezen
2. Start de app en selecteer de gewenste code
3. De gewenste stadsplattegrond verschijnt automatisch op uw smartphone
4. Zoom in of uit om uw verplaatsing beter te kunnen zien!

Come si usano i codici QR ?

1. Scarica gratuitamente (o aggiorna) un'applicazione di lettura di codici QR sul tuo smartphone
2. Lancia l'applicazione e punta il codice desiderato
3. La pianta della città desiderata appare automaticamente sul tuo smartphone
4. Zooma/dezooma per spostarti più facilmente!

Cómo utilizar los códigos QR

1. Descargue (o actualice) gratuitamente una aplicación de lectura de códigos QR para su smartphone
2. Abra la aplicación y seleccione el código deseado
3. El plano de ciudad deseado aparece automáticamente en su smartphone
4. Haga zoom adelante/atrás para facilitar el desplazamiento

Calais
Lille
Amiens
Le Havre
Châlons-en-Champagne
Rouen
Reims
Caen Chartres PARIS
Metz
Rennes
Le Mans
Strasbourg
Blois
Troyes Nancy
Orléans
Colmar
Angers
Dijon
Mulhouse
Tours
Nantes
Nevers
Besançon
Bourges
Poitiers
Chalon-s-Saône
La Rochelle
Clermont-Ferrand
Lyon
Annecy
Limoges
Chambéry
St-Étienne
Grenoble
Bordeaux
Nîmes
Avignon
Montpellier
Aix-en-Provence
Biarritz
Bayonne
Monaco
Toulouse
Nice
Pau
Cannes
Arles
Carcassonne
Marseille Toulon
Bastia
Perpignan
Ajaccio

- ■ Amiens - *plan de ville + QR Code*
- ■ Ajaccio - *QR Code*

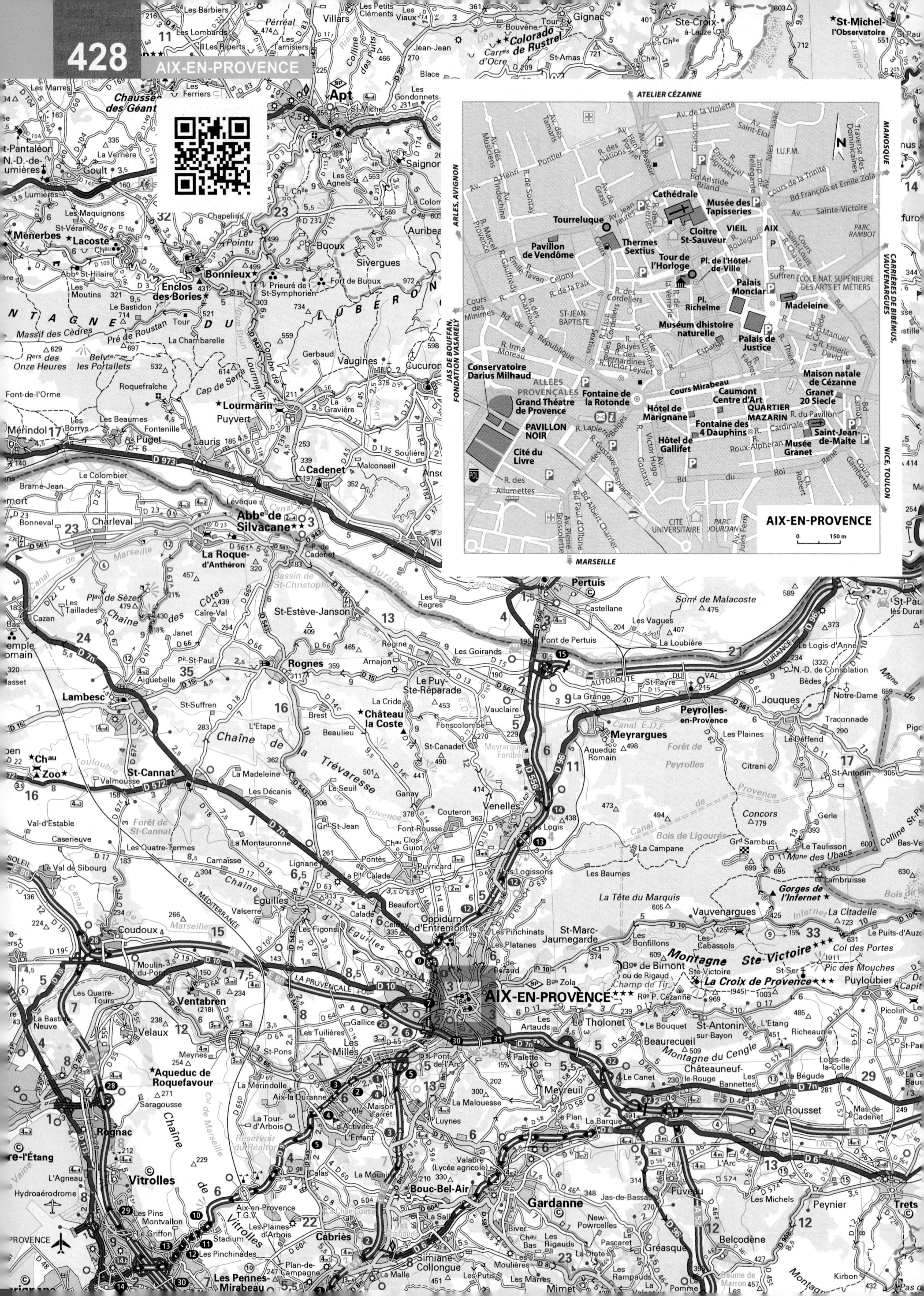
428
AIX-EN-PROVENCE
ATELIER CÉZANNE
MANOSQUE
ARLES, AVIGNON
JAS DE BOUFFAN, FONDATION VASARELY
CARRIÈRES DE BIBÉMUS, VAUVENARGUES
NICE, TOULON
MARSEILLE
Cathédrale
Musée des Tapisseries
Tourreluque
Thermes Sextius
Cloître St-Sauveur
VIEIL AIX
Pavillon de Vendôme
Tour de l'Horloge
Pl. de l'Hôtel-de-Ville
Palais Monclar
Pl. Richelme
Madeleine
Muséum dhistoire naturelle
Palais de Justice
ÉCOLE NAT. SUPÉRIEURE DES ARTS ET MÉTIERS
PARC RAMBOT
ST-JEAN-BAPTISTE
Conservatoire Darius Milhaud
ALLÉES PROVENÇALES
Fontaine de la Rotonde
Grand Théâtre de Provence
Cours Mirabeau
Caumont Centre d'Art
Maison natale de Cézanne
Granet 20 Siecle
Hôtel de Marignane
QUARTIER MAZARIN
PAVILLON NOIR
Fontaine des 4 Dauphins
Saint-Jean-de-Malte
Hôtel de Gallifet
Musée Granet
Cité du Livre
CITÉ UNIVERSITAIRE
PARC JOURDAN
AIX-EN-PROVENCE
0 150 m
Apt
Colorado de Rustrel
Gignac
St-Michel-l'Observatoire
Ménerbes
Lacoste
Bonnieux
Enclos des Bories
Lourmarin
Cadenet
Abbe de Silvacane
La Roque-d'Anthéron
Pertuis
Rognes
Lambesc
Château la Coste
Meyrargues
St-Cannat
Venelles
Vauvenargues
Gorges de l'Infernet
Montagne Ste-Victoire
La Croix de Provence
AIX-EN-PROVENCE
Ventabren
Aqueduc de Roquefavour
Vitrolles
Gardanne
Bouc-Bel-Air
Cabriès
Rousset
Trets
Fuveau
Peynier
Meyreuil
Le Tholonet
Éguilles
Luynes
Les Milles
Rognac

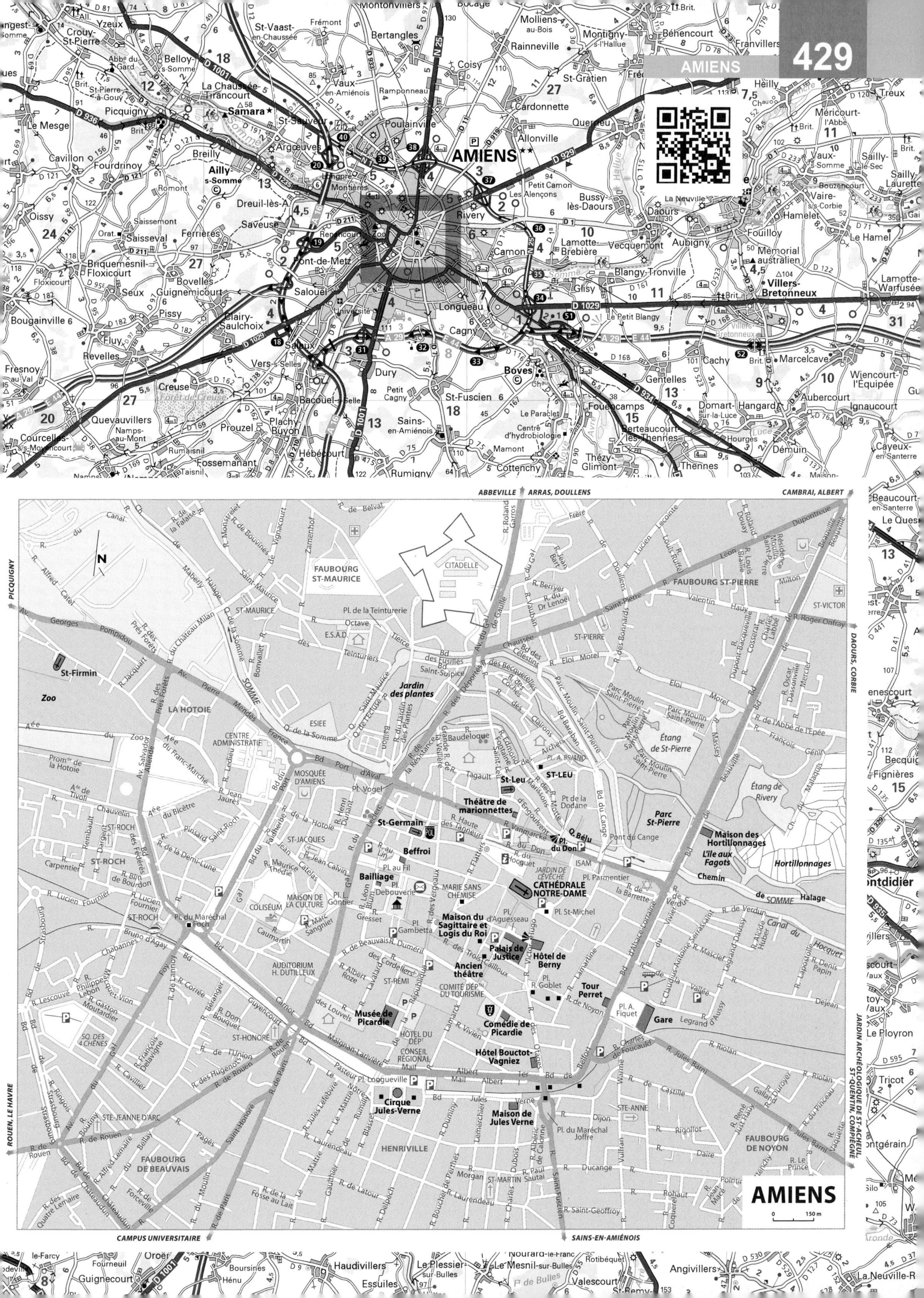
AMIENS
Picquigny
Samara
Ailly-s-Somme
Dreuil-lès-A.
Saveuse
Pont-de-Metz
Salouël
Saleux
Dury
Boves
Longueau
Cagny
Camon
Rivery
Poulainville
Allonville
Cardonnette
Querrieu
Bussy-lès-Daours
Daours
Lamotte-Brebière
Vecquemont
Glisy
Blangy-Tronville
Villers-Bretonneux
Fouilloy
Corbie
Mémorial australien
Cachy
Gentelles
Thennes
Thézy-Glimont
Cottenchy
Sains-en-Amiénois
St-Fuscien
Rumigny
Hébécourt
Plachy-Buyon
Prouzel
Bacouel-s-Selle
Vers-s-Selles
Creuse
Forêt de Creuse
Quevauvillers
Revelles
Fluy
Pissy
Clairy-Saulchoix
Seux
Guignemicourt
Bovelles
Briquemesnil-Floxicourt
Ferrieres
Saisseval
Oissy
Bougainville
Breilly
Fourdrinoy
Cavillon
Le Mesge
Argœuves
St-Sauveur
Vaux-en-Amiénois
Bertangles
St-Vaast-en-Chaussée
Rainneville
Molliens-au-Bois
Coisy
St-Gratien
Montigny-s-l'Hallue
Béhencourt
Franvillers
Heilly
Méricourt-l'Abbé
Treux
Sailly-le-Sec
Sailly-Laurette
Vaire-s/s-Corbie
Hamelet
Le Hamel
Lamotte-Warfusée
Marcelcave
Wiencourt-l'Equipée
Aubercourt
Ignaucourt
Demuin
Domart-sur-la-Luce
Hangard
Berteaucourt-lès-Thennes
Fouencamps
Le Paraclet
Centre d'hydrobiologie
Mamont
Cayeux-en-Santerre
A 29 – E 44
A 16
D 1029
D 929
D 1001
D 934
ABBEVILLE
ARRAS, DOULLENS
CAMBRAI, ALBERT
PICQUIGNY
DAOURS, CORBIE
ROUEN, LE HAVRE
JARDIN ARCHÉOLOGIQUE DE ST-ACHEUL
ST-QUENTIN, COMPIÈGNE
CAMPUS UNIVERSITAIRE
SAINS-EN-AMIÉNOIS
CITADELLE
FAUBOURG ST-MAURICE
FAUBOURG ST-PIERRE
ST-MAURICE
ST-PIERRE
ST-VICTOR
St-Firmin
Zoo
LA HOTOIE
CENTRE ADMINISTRATIF
MOSQUÉE D'AMIENS
ESIEE
E.S.A.D.
Jardin des plantes
Baudeloque
ST-LEU
St-Leu
Théâtre de marionnettes
St-Germain
Beffroi
Bailliage
MARIE SANS CHEMISE
MAISON DE LA CULTURE
COLISEUM
ST-JACQUES
ST-ROCH
Pl. du Maréchal Foch
AUDITORIUM H. DUTILLEUX
ST-RÉMI
COMITÉ DÉP^TAL DU TOURISME
Musée de Picardie
HÔTEL DU DÉP^T
CONSEIL RÉGIONAL
Maison du Sagittaire et Logis du Roi
Palais de Justice
Ancien théâtre
Hôtel de Berny
Tour Perret
Comédie de Picardie
Hôtel Bouctot-Vagniez
CATHÉDRALE NOTRE-DAME
JARDIN DE L'ÉVÊCHÉ
ISAM
Pl. du Don
Q. Bélu
Pt de la Dodane
Pont du Cange
Parc St-Pierre
Étang de St-Pierre
Étang de Rivery
Maison des Hortillonnages
L'île aux Fagots
Hortillonnages
Chemin de Halage
SOMME
Gare
Pl. A. Fiquet
Cirque Jules-Verne
Maison de Jules Verne
Pl. Longueville
Pl. du Maréchal Joffre
STE-ANNE
STE-JEANNE D'ARC
ST-HONORÉ
SQ. DES 4 CHÊNES
FAUBOURG DE BEAUVAIS
HENRIVILLE
ST-MARTIN
FAUBOURG DE NOYON
Pl. St-Michel
Pl. Parmentier
Pl. Gambetta
Pl. Vogel
Pl. de la Teinturerie
Pl. A. Briand
Bd du Port d'Aval
Av. Georges Pompidou
Av. Pierre Mendès France
Bd de Belfort
Bd Jules Verne
Bd d'Alsace-Lorraine
Bd de Beauvillé
Bd du Cange
R. des Jacobins
R. de Noyon
R. Saint-Fuscien
R. de Rouen
R. Jules Barni
AMIENS
0 150 m

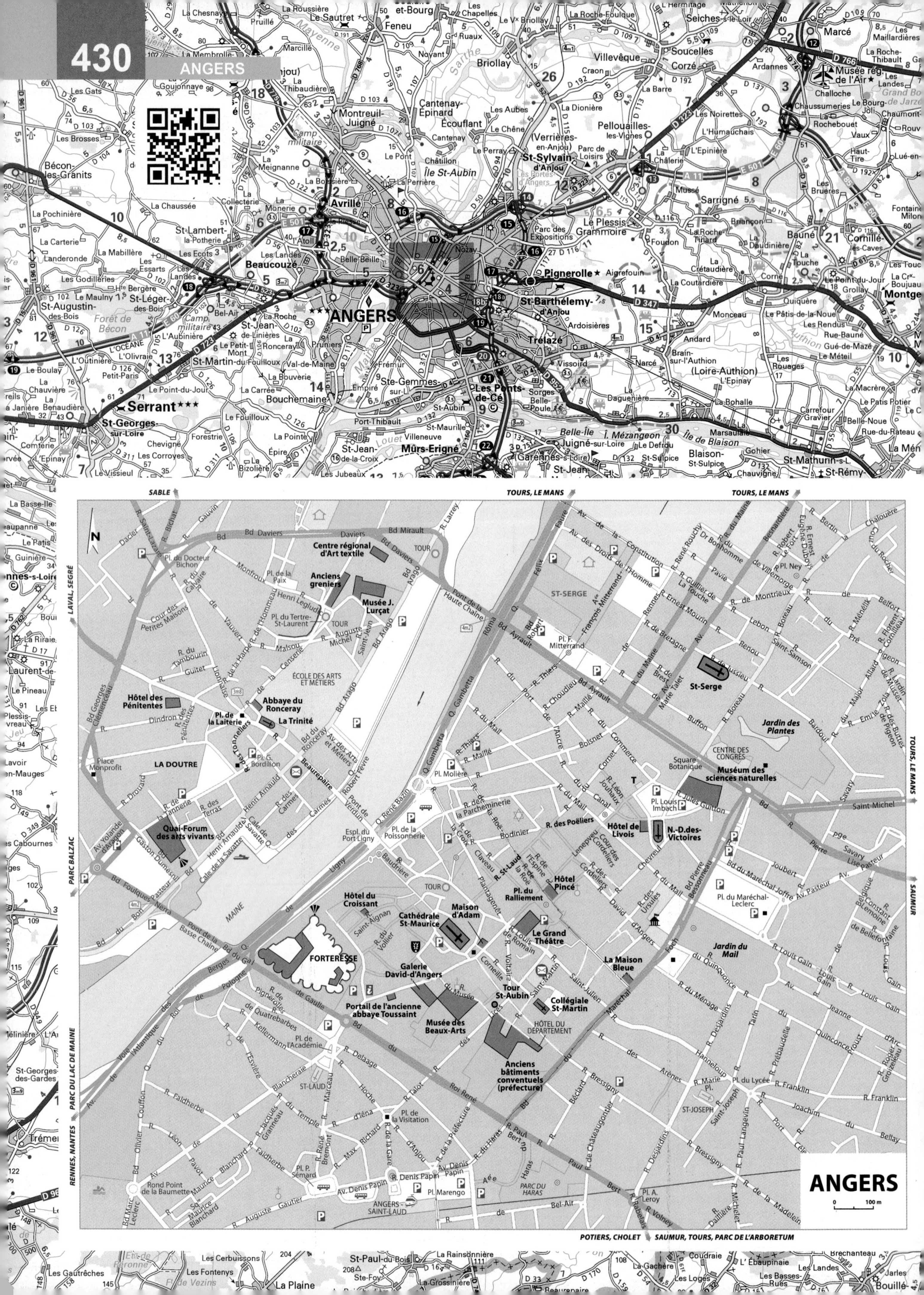

430
ANGERS
ANGERS
Avrillé
Beaucouzé
St-Barthélemy-d'Anjou
Trélazé
Les Ponts-de-Cé
Ste-Gemmes-sur-Loire
Bouchemaine
St-Jean-de-Linières
Serrant
St-Georges-sur-Loire
Mûrs-Erigné
Pignerolle
Montreuil-Juigné
Cantenay-Epinard
Écouflant
Briollay
Soucelles
Villevêque
Pellouailles-les-Vignes
St-Sylvain-d'Anjou
Le Plessis-Grammoire
Sarrigné
Bauné
Cornillé-les-Caves
Brain-sur-l'Authion
Andard
St-Mathurin-s-L.
Blaison-St-Sulpice
Juigné-sur-Loire
St-Lambert-la-Potherie
St-Léger-des-Bois
St-Augustin-des-Bois
St-Martin-du-Fouilloux
Bécon-les-Granits
Feneu
Seiches-s-le-Loir
Marcé
Musée rég. de l'Air
Parc des Expositions
Île St-Aubin
Camp militaire
Forêt de Bécon
SABLE
TOURS, LE MANS
LAVAL, SEGRÉ
PARC BALZAC
RENNES, NANTES
PARC DU LAC DE MAINE
SAUMUR
POTIERS, CHOLET
SAUMUR, TOURS, PARC DE L'ARBORETUM
Centre régional d'Art textile
Anciens greniers
Musée J. Lurçat
ÉCOLE DES ARTS ET MÉTIERS
Hôtel des Pénitentes
Abbaye du Ronceray
La Trinité
Pl. de la Laiterie
LA DOUTRE
Quai-Forum des arts vivants
ST-SERGE
Pl. F. Mitterrand
St-Serge
Jardin des Plantes
CENTRE DES CONGRES
Square Botanique
Muséum des sciences naturelles
Pl. Louis Imbach
Hôtel de Livois
N.-D.des-Victoires
R. des Poëliers
Pl. du Ralliement
Hôtel Pincé
Pl. du Maréchal-Leclerc
Hôtel du Croissant
Cathédrale St-Maurice
Maison d'Adam
FORTERESSE
Le Grand Théâtre
Galerie David-d'Angers
Jardin du Mail
La Maison Bleue
Tour St-Aubin
Collégiale St-Martin
Portail de l'ancienne abbaye Toussaint
Musée des Beaux-Arts
HÔTEL DU DÉPARTEMENT
Anciens bâtiments conventuels (préfecture)
MAINE
ST-LAUD
ST-JOSEPH
Pl. de l'Académie
Pl. de la Visitation
Rond Point de la Baumette
Pl. Marengo
ANGERS - SAINT-LAUD
PARC DU HARAS
Pl. A. Leroy
Pl. du Lycée
Bd du Roi René
Bd du Maréchal Foch
Av. Pasteur
Av. Denis Papin
ANGERS
0
100 m

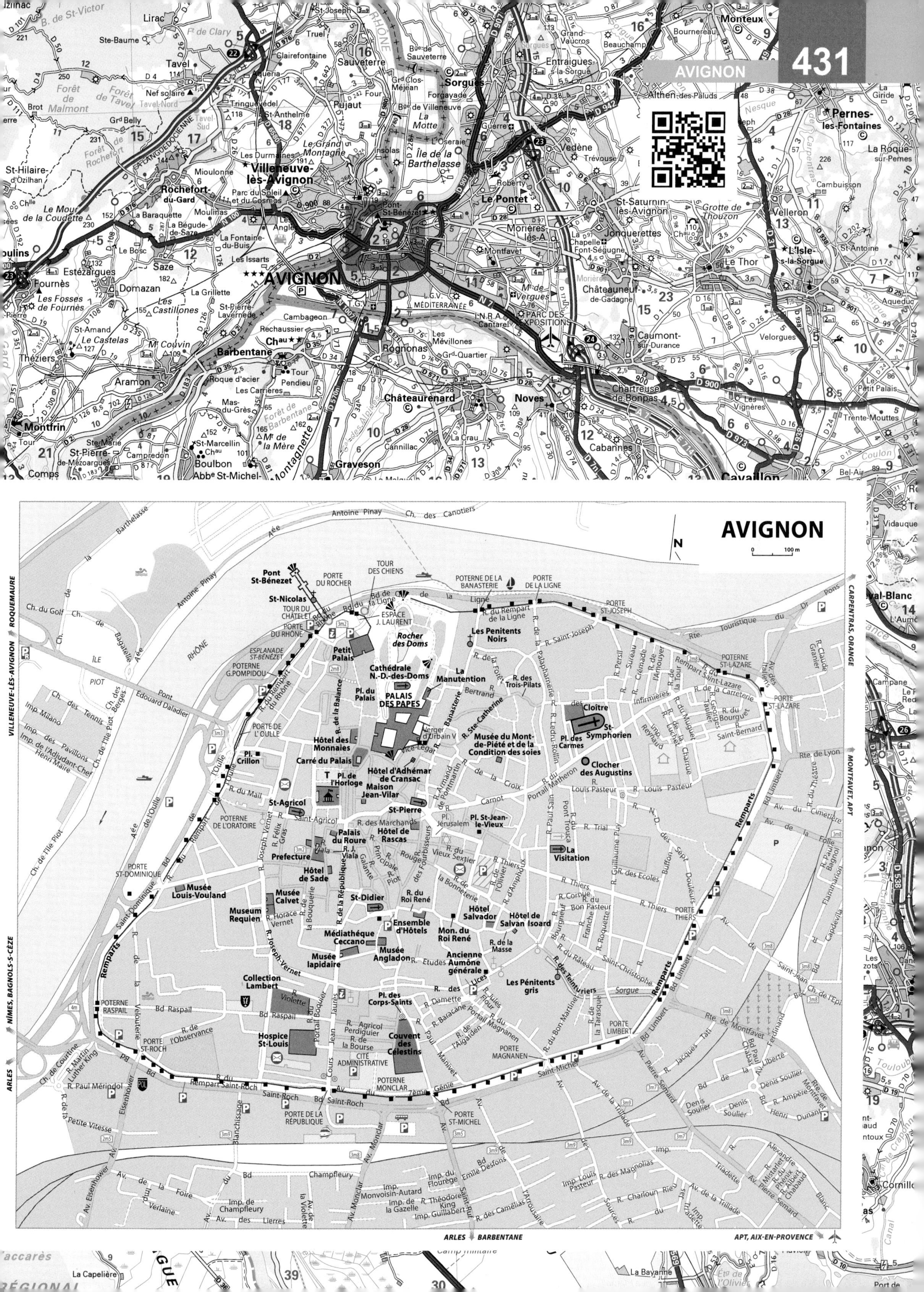
Villeneuve-lès-Avignon
Rochefort-du-Gard
Sorgues
Le Pontet
Vedène
St-Saturnin-lès-Avignon
Jonquerettes
Morières-lès-A.
Montfavet
Châteauneuf-de-Gadagne
Le Thor
L'Isle-sur-la-Sorgue
Pernes-les-Fontaines
Velleron
Entraigues-s-la-Sorgue
Monteux
Caumont-sur-Durance
Chartreuse de Bonpas
Noves
Châteaurenard
Rognonas
Barbentane
Graveson
Cabannes
Cavaillon
Tavel
Saze
Fournès
Domazan
Estézargues
Théziers
Aramon
Montfrin
Boulbon
Île de la Barthelasse
AVIGNON
N
0 100 m
Pont St-Bénezet
St-Nicolas
Tour du Châtelet
Porte du Rhône
Porte du Rocher
Tour des Chiens
Espace J. Laurent
Rocher des Doms
Poterne de la Banasterie
Porte de la Ligne
Porte St-Joseph
Les Penitents Noirs
Petit Palais
Cathédrale N.-D.-des-Doms
La Manutention
Pl. du Palais
Palais des Papes
R. des Trois-Pilats
Cloître
Pl. des Carmes
St-Symphorien
Clocher des Augustins
Musée du Mont-de-Piété et de la Condition des soies
Verger d'Urbain V
Hôtel des Monnaies
Carré du Palais
Pl. Crillon
Pl. de l'Horloge
Hôtel d'Adhémar de Cransac
Maison Jean-Vilar
St-Agricol
St-Pierre
Pl. St-Jean-le-Vieux
Palais du Roure
Hôtel de Rascas
Prefecture
La Visitation
Hôtel de Sade
St-Didier
Hôtel du Roi René
Hôtel Salvador
Hôtel de Salvan Isoard
Musée Louis-Vouland
Musée Calvet
Museum Requien
Ensemble d'Hôtels
Médiathèque Ceccano
Musée Angladon
Musée lapidaire
Mon. du Roi René
Ancienne Aumône générale
Les Pénitents gris
Collection Lambert
Pl. des Corps-Saints
Hospice St-Louis
Couvent des Célestins
Poterne St-Lazare
Porte St-Lazare
Porte Thiers
Porte Limbert
Porte Magnanen
Porte St-Michel
Porte de la République
Poterne Monclar
Porte St-Roch
Poterne Raspail
Porte St-Dominique
Poterne de l'Oratoire
Porte de l'Oulle
Poterne G.Pompidou
Esplanade St-Bénezet
Remparts
Rhône
Île Piot
Cité Administrative
VILLENEUVE-LÈS-AVIGNON, ROQUEMAURE
CARPENTRAS, ORANGE
MONTFAVET, APT
NÎMES, BAGNOLS-S-CÈZE
ARLES
ARLES, BARBENTANE
APT, AIX-EN-PROVENCE

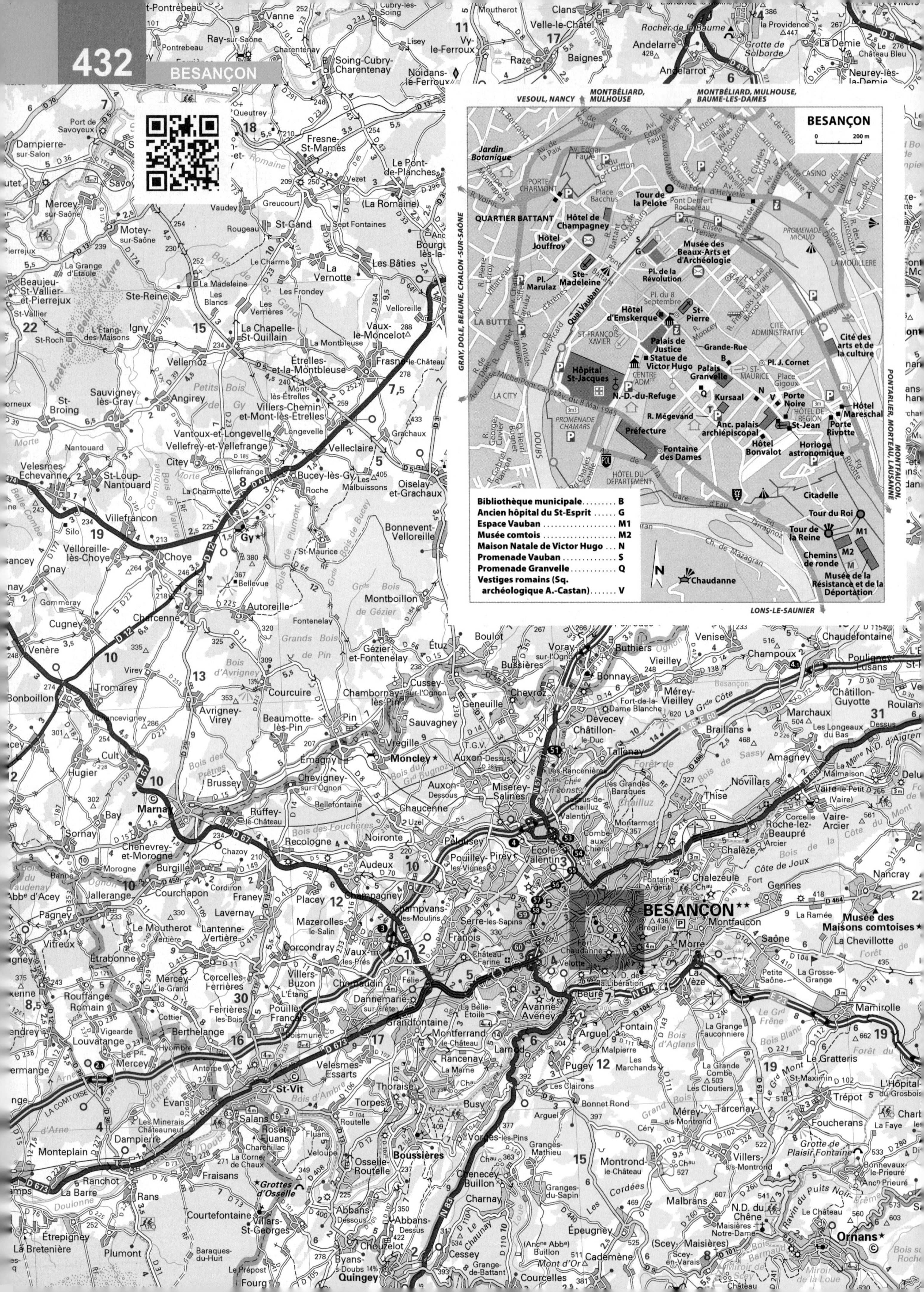
BESANÇON
VESOUL, NANCY
MONTBÉLIARD, MULHOUSE
MONTBÉLIARD, MULHOUSE, BAUME-LES-DAMES
GRAY, DOLE, BEAUNE, CHALON-SUR-SAÔNE
PONTARLIER, MORTEAU, LAUSANNE
MONTFAUCON
LONS-LE-SAUNIER
Jardin Botanique
QUARTIER BATTANT
Tour de la Pelote
Hôtel de Champagney
Hôtel Jouffroy
Musée des Beaux-Arts et d'Archéologie
Pl. Marulaz
Ste-Madeleine
Pl. de la Révolution
Hôtel d'Emskerque
St-Pierre
Palais de Justice
Statue de Victor Hugo
Hôpital St-Jacques
N.-D.-du-Refuge
Palais Granvelle
Pl. J. Cornet
Kursaal
Porte Noire
R. Mégevand
Anc. palais archiépiscopal
St-Jean
Hôtel Mareschal
Porte Rivotte
Préfecture
Fontaine des Dames
Hôtel Bonvalot
Horloge astronomique
Citadelle
Tour du Roi
Tour de la Reine
Chemins de ronde
Musée de la Résistance et de la Déportation
Chaudanne
Cité des arts et de la culture
LA BUTTE
LA CITY
LA MOUILLERE
CITÉ ADMINISTRATIVE
PROMENADE MICAUD
PROMENADE CHAMARS
DOUBS
Bibliothèque municipale........ B
Ancien hôpital du St-Esprit ..... G
Espace Vauban M1
Musée comtois M2
Maison Natale de Victor Hugo ... N
Promenade Vauban .... S
Promenade Granvelle .... Q
Vestiges romains (Sq. archéologique A.-Castan)...... V
BESANÇON ★★
Musée des Maisons comtoises ★
Moncley ★
Gy ★
Ornans ★
Grottes d'Osselle
Marnay
St-Vit
Boussières
Quingey
Forêt de Belle Vaivre
Forêt de Chailluz
Rocher de la Baume
Grotte de Solborde
Grotte de Plaisir Fontaine
Ravin du Puits Noir
Miroir de la Loue

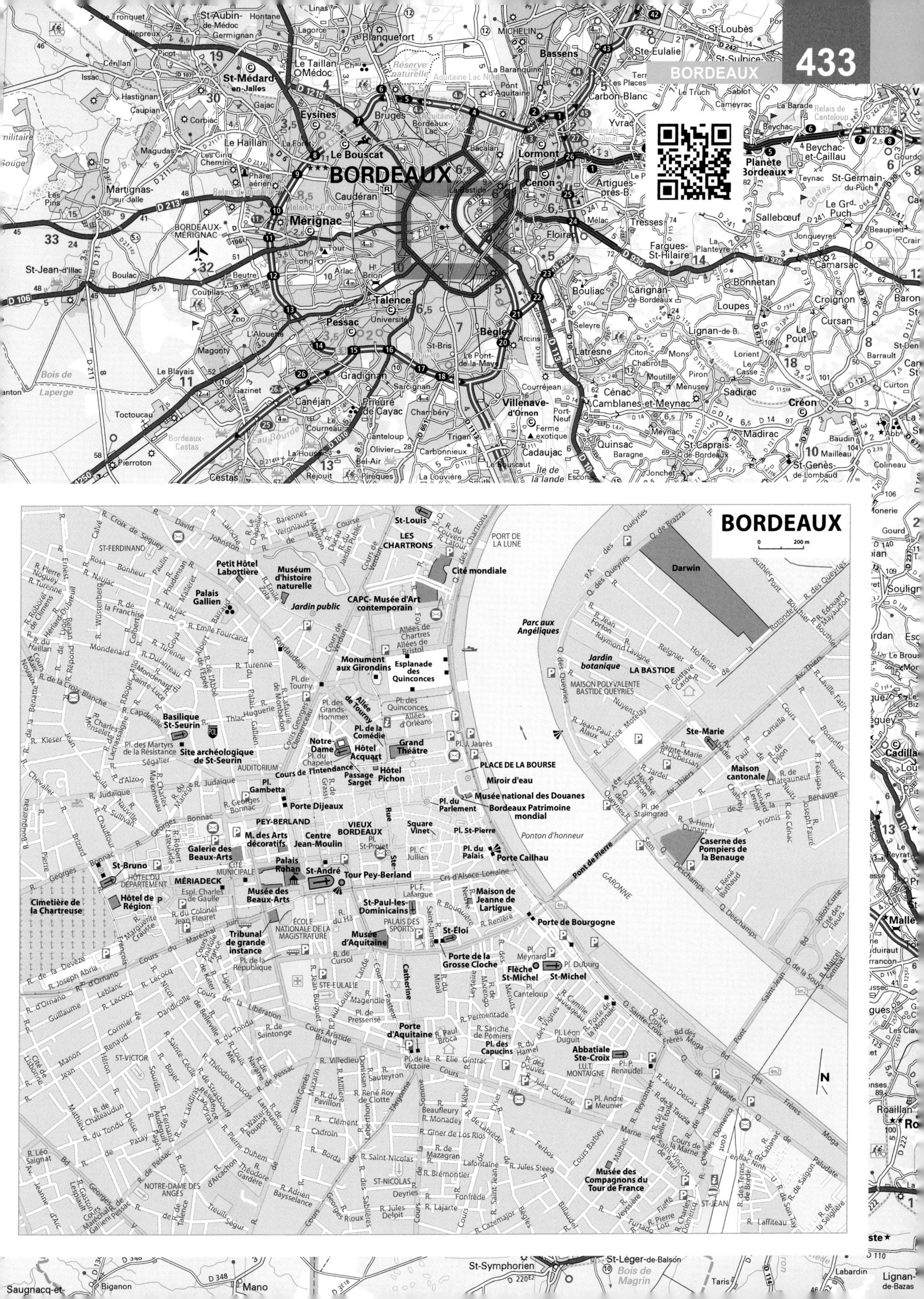
BORDEAUX
Mérignac
Le Bouscat
Bruges
Eysines
St-Médard-en-Jalles
Le Haillan
Blanquefort
Le Taillan-Médoc
Bassens
Lormont
Cenon
Floirac
Artigues-près-B.
Carbon-Blanc
Talence
Pessac
Bègles
Gradignan
Villenave-d'Ornon
Canéjan
Cestas
Martignas-sur-Jalle
St-Jean-d'Illac
Bouliac
Latresne
Cénac
Camblanes-et-Meynac
Quinsac
Cadaujac
Créon
Sadirac
Fargues-St-Hilaire
Tresses
Beychac-et-Caillau
Planète Bordeaux
St-Loubès
Ste-Eulalie
Yvrac
BORDEAUX-MÉRIGNAC
BORDEAUX
Darwin
Cité mondiale
LES CHARTRONS
St-Louis
Muséum d'histoire naturelle
Jardin public
CAPC- Musée d'Art contemporain
Petit Hôtel Labottière
Palais Gallien
Monument aux Girondins
Esplanade des Quinconces
Parc aux Angéliques
Jardin botanique
LA BASTIDE
Basilique St-Seurin
Site archéologique de St-Seurin
Notre-Dame
Hôtel Acquart
Grand Théâtre
PLACE DE LA BOURSE
Miroir d'eau
Musée national des Douanes
Bordeaux Patrimoine mondial
Porte Dijeaux
Hôtel Pichon
Passage Sarget
PEY-BERLAND
VIEUX BORDEAUX
M. des Arts décoratifs
Centre Jean-Moulin
Galerie des Beaux-Arts
Palais Rohan
St-André
Tour Pey-Berland
St-Bruno
MÉRIADECK
Musée des Beaux-Arts
Hôtel de Région
Cimetière de la Chartreuse
St-Paul-les-Dominicains
Maison de Jeanne de Lartigue
Porte Cailhau
Porte de Bourgogne
Tribunal de grande instance
Musée d'Aquitaine
St-Éloi
Porte de la Grosse Cloche
Flèche St-Michel
St-Michel
Ste-Marie
Maison cantonale
Caserne des Pompiers de la Benauge
Pont de Pierre
GARONNE
Porte d'Aquitaine
Abbatiale Ste-Croix
Musée des Compagnons du Tour de France
ST-JEAN
ST-NICOLAS
NOTRE-DAME DES ANGES
ST-VICTOR
STE-EULALIE
ST-FERDINAND

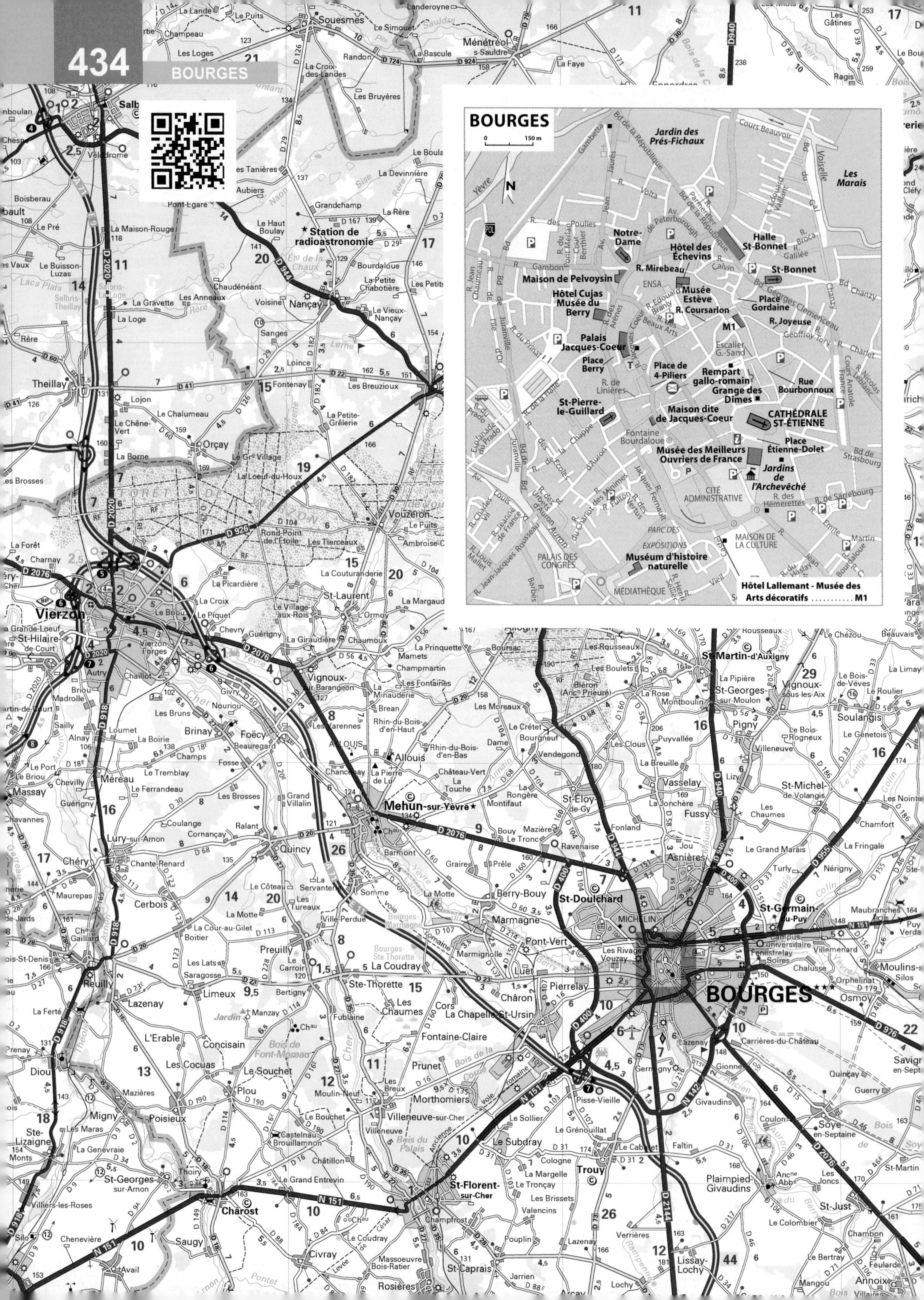

BOURGES

0   150 m

N

Jardin des
Prés-Fichaux

Les
Marais

POL

Notre-
Dame

Halle
St-Bonnet

Maison de Pelvoysin

Hôtel des
Échevins

St-Bonnet

R. Mirebeau

ENSA

Musée
Estève

Place
Gordaine

Hôtel Cujas
Musée du
Berry

R. Coursarlon

R. Joyeuse

M1

Palais
Jacques-Cœur

Place
Berry

Place de
4-Piliers

Rempart
gallo-romain
Grange des
Dîmes

Rue
Bourbonnoux

St-Pierre-
le-Guillard

Maison dite
de Jacques-Cœur

CATHÉDRALE
ST-ÉTIENNE

Fontaine
Bourdaloue

Musée des Meilleurs
Ouvriers de France

Place
Étienne-Dolet

Jardins
de
l'Archevêché

CITÉ
ADMINISTRATIVE

PARC DES
EXPOSITIONS

MAISON DE
LA CULTURE

PALAIS DES
CONGRÈS

Muséum d'histoire
naturelle

MÉDIATHÈQUE

Hôtel Lallemant - Musée des
Arts décoratifs M1

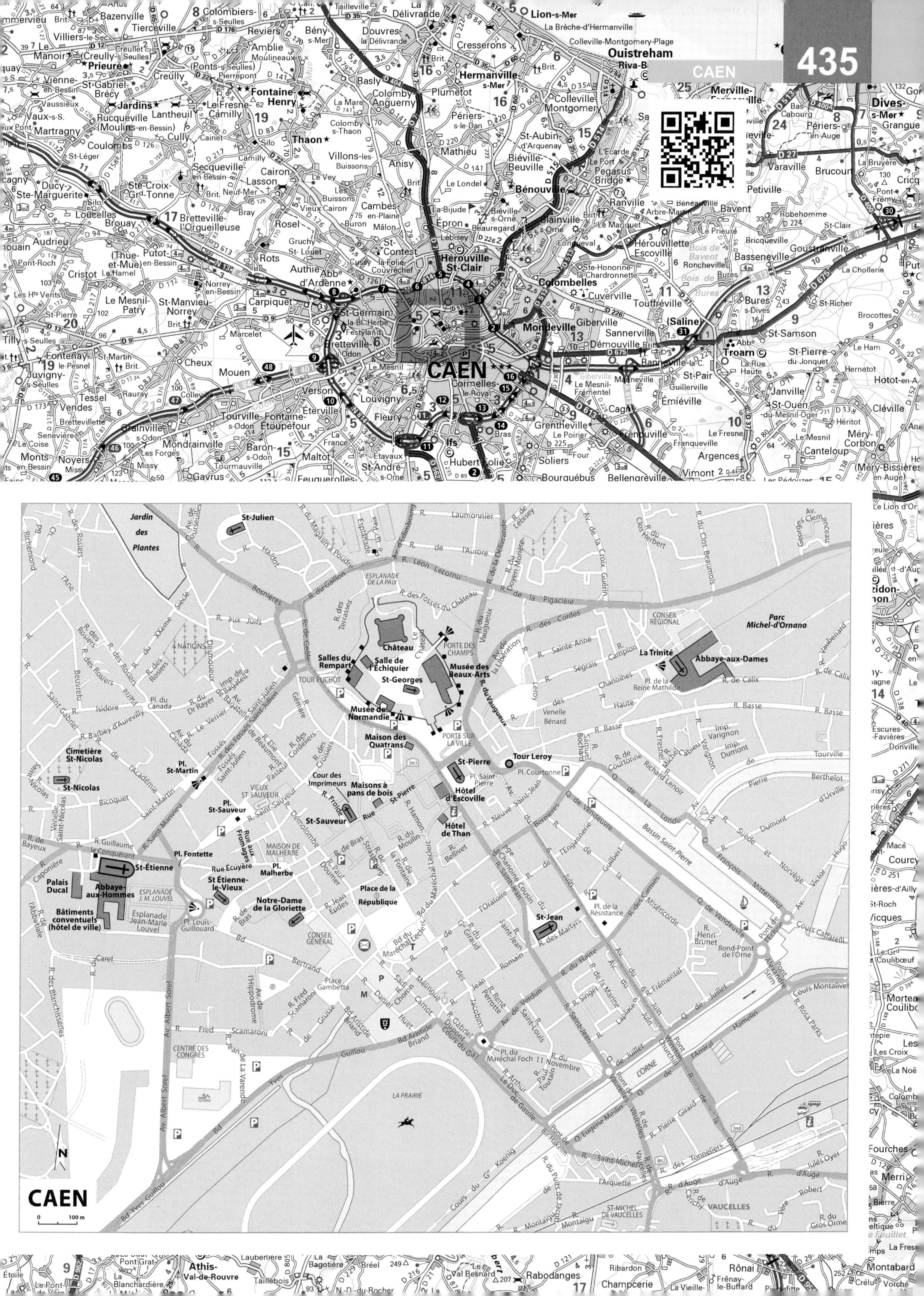
CAEN
Ouistreham
Hermanville-s-Mer
Colleville-Montgomery
Lion-s-Mer
Douvres-la-Délivrande
Cresserons
Bénouville
Ranville
Hérouville-St-Clair
Colombelles
Mondeville
Giberville
Troarn
Bretteville-l'Orgueilleuse
Carpiquet
St-Germain-la-Bl.-Herbe
Bretteville-s-Odon
Verson
Louvigny
Fleury-s-Orne
Ifs
Cormelles-le-Royal
Thaon
Fontaine-Henry
Creully
Dives-s-Mer
Cabourg
Varaville
Argences
Soliers
Bourguébus
Cagny
Démouville
Sannerville
Touffréville
Cheux
Mouen
Tourville-s-Odon
Évrecy
Jardin des Plantes
St-Julien
Château
Salle de l'Échiquier
Salles du Rempart
St-Georges
Musée des Beaux-Arts
Musée de Normandie
Maison des Quatrans
Tour Leroy
St-Pierre
Hôtel d'Escoville
Hôtel de Than
Cimetière St-Nicolas
St-Nicolas
Pl. St-Martin
Pl. St-Sauveur
St-Sauveur
Cour des Imprimeurs
Maisons à pans de bois
Rue aux Fromages
Pl. Fontette
St-Étienne
Abbaye-aux-Hommes
Palais Ducal
Bâtiments conventuels (hôtel de ville)
St-Étienne-le-Vieux
Pl. Malherbe
Notre-Dame de la Gloriette
Place de la République
St-Jean
La Trinité
Abbaye-aux-Dames
Parc Michel-d'Ornano
Bassin Saint-Pierre
L'ORNE
LA PRAIRIE
VAUCELLES
CAEN
0 100 m

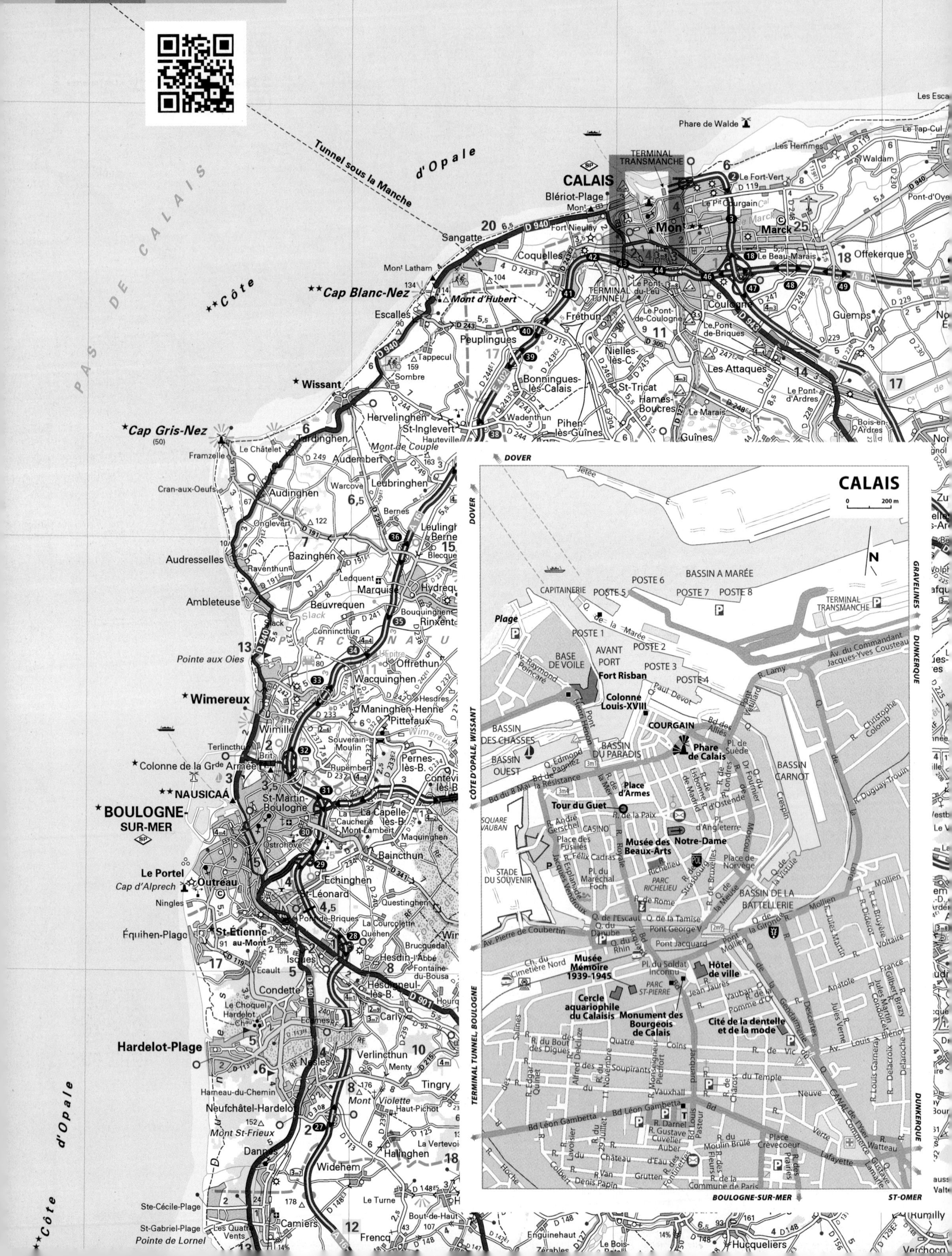

PAS DE CALAIS

Côte d'Opale

Tunnel sous la Manche

Phare de Walde
Les Hemmes
Le Tap-Cul
Waldam

CALAIS
TERMINAL TRANSMANCHE
Blériot-Plage
Le Fort-Vert
Le Pit Courgain
Mon
Marck
Offerkerque

Sangatte
Coquelles
TERMINAL TUNNEL
Le Pont-du-Leu
Le Pont-de-Coulogne
Le Pont de-Briques
Coulogne
Guemps

** Cap Blanc-Nez
Escalles
Mont d'Hubert
Fréthun
Nielles-lès-C.
St-Tricat
Hames-Boucres
Les Attaques
Le Marais
Le Pont-d'Ardres
Bois-en-Ardres

Peuplingues
Bonningues-lès-Calais
Pihen-lès-Guînes
Guînes

* Wissant
Tappecul
Sombre
Wadenthun
Hervelinghen
St-Inglevert
Hauteville

* Cap Gris-Nez
Tardinghen
Le Châtelet
Framzelle
Audembert
Mont-de-Couple

Cran-aux-Oeufs
Audinghen
Warcove
Leubringhen
Bernes
Leulinghen-Berne
Blecque

Audresselles
Bazinghen
Raventhun
Ledquent
Hydrequ

Ambleteuse
Marquise
Beuvrequen
Bouquinghen
Rinxent
Slack
Connincthun

PARC NATU
Pointe aux Oies
Offrethun
Wacquinghen
Hesdres

* Wimereux
Wimille
Maninghen-Henne
Pittefaux
Terlincthun
Souverain-Moulin
Pernes-lès-B.
Conteville-lès-B.

* Colonne de la Grde Armée
Brit
Rupembre

** NAUSICAA
St-Martin-Boulogne
La Capelle-lès-B.
Mont-Lambert
Maquinghen

* BOULOGNE-SUR-MER
Caucherie
Baincthun

Le Portel
Cap d'Alprech
Ostrohove
Echinghen
Questinghen

Outreau
St-Léonard
La Courcolette
Quéhen
Win

Ningles
Pont-de-Briques
Bruacquedal

Équihen-Plage
St-Étienne-au-Mont
Isques
Hesdin-l'Abbé
Fontaine-du-Bousa
Carly

Ecault
Hesdigneul-lès-B.
Hourq

Condette
Le Choquel
Hardelot-Chât
Écames

Hardelot-Plage
Nesles
Verlincthun
Menty
Tingry

Hameau-du-Chemin
Neufchâtel-Hardelot
Mont St-Frieux
Violette
Haut-Pichot
La Vertevoi

Dann
Widehem
Halinghen

Ste-Cécile-Plage
Le Turne
Bout-de-Haut
Enguinehaut
Le Bois-

St-Gabriel-Plage
Pointe de Lornel
Les Quatre Vents
Camiers
Frenca
Hucqueliers
Verchoca

Côte d'Opale

Inset map: CALAIS

DOVER
Jetée
BASSIN A MARÉE
POSTE 6
POSTE 5
POSTE 7 POSTE 8
CAPITAINERIE
TERMINAL TRANSMANCHE
GRAVELINES / DUNKERQUE

Plage
POSTE 1
AVANT PORT
BASE DE VOILE
Fort Risban
Colonne Louis-XVIII
POSTE 2
POSTE 3
POSTE 4
Av. du Commandant Jacques-Yves Cousteau

BASSIN DES CHASSES
BASSIN OUEST
BASSIN DU PARADIS
COURGAIN
Phare de Calais
Pl. de Suède
BASSIN CARNOT

Place d'Armes
BASSIN DE LA BATTELLERIE
Tour du Guet
SQUARE VAUBAN
CASINO
Place des Fusillés
Musée des Beaux-Arts
Notre-Dame
PARC RICHELIEU

STADE DU SOUVENIR
Musée Mémoire 1939-1945
PARC ST-PIERRE
Hôtel de ville
Cercle aquariophile du Calaisis
Monument des Bourgeois de Calais
Cité de la dentelle et de la mode

BOULOGNE-SUR-MER
ST-OMER
TERMINAL TUNNEL BOULOGNE
CÔTE D'OPALE / WISSANT

N
0   200 m

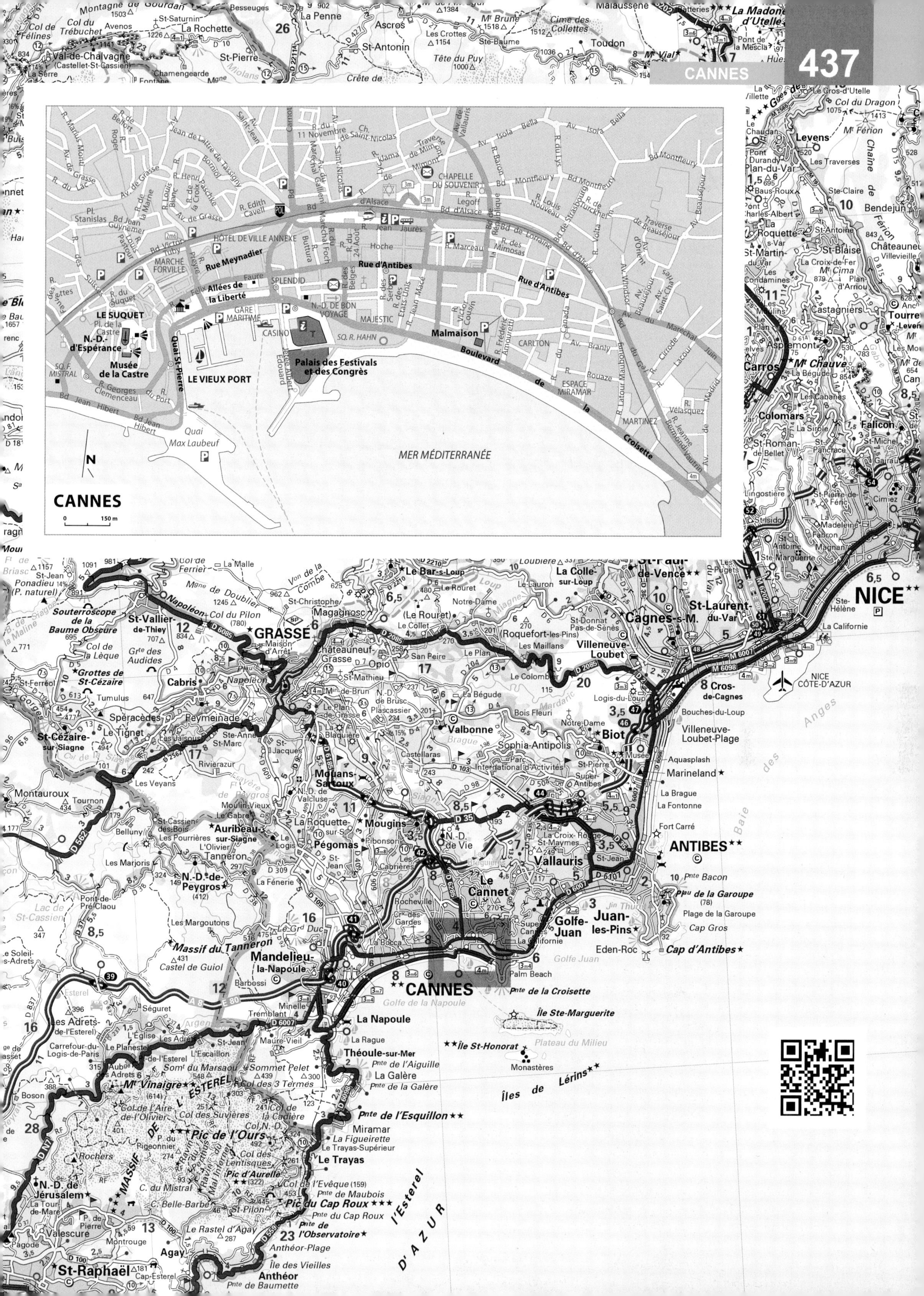
CANNES
0 150 m
N
LE SUQUET
N.-D. d'Espérance
Musée de la Castre
LE VIEUX PORT
Quai St-Pierre
Allées de la Liberté
Rue Meynadier
Rue d'Antibes
MARCHÉ FORVILLE
HÔTEL DE VILLE ANNEXE
GARE MARITIME
CASINO
SPLENDID
N.-D. DE BON VOYAGE
MAJESTIC
SQ. R. HAHN
Palais des Festivals et des Congrès
Malmaison
CARLTON
ESPACE MIRAMAR
MARTINEZ
Boulevard de la Croisette
Quai Max Laubeuf
MER MÉDITERRANÉE
CHAPELLE DU SOUVENIR
Bd d'Alsace
Bd de Lorraine
Bd Montfleury
Av. Isola Bella
Bd Jean Hibert
SQ. F. MISTRAL
NICE
ANTIBES
GRASSE
CANNES
Mandelieu-la-Napoule
Le Cannet
Vallauris
Golfe-Juan
Juan-les-Pins
Mougins
Pégomas
Valbonne
Sophia-Antipolis
Biot
Villeneuve-Loubet
Cagnes-s-M.
St-Laurent-du-Var
St-Paul-de-Vence
La Colle-sur-Loup
Le Bar-s-Loup
Châteauneuf-Grasse
Opio
Mouans-Sartoux
La Roquette-sur-Siagne
Auribeau-sur-Siagne
St-Cézaire-sur-Siagne
St-Vallier-de-Thiey
Cabris
Spéracèdes
Le Tignet
Peymeinade
Montauroux
Tanneron
N.-D.-de-Peygros
Massif du Tanneron
Les Adrets-de-l'Estérel
Théoule-sur-Mer
La Napoule
Miramar
Le Trayas
Anthéor
Agay
St-Raphaël
Valescure
N.-D. de Jérusalem
Pic de l'Ours
Mt Vinaigre
Pic du Cap Roux
MASSIF DE L'ESTEREL
Pte de l'Esquillon
Pte de l'Aiguille
Pte de la Croisette
Île Ste-Marguerite
Île St-Honorat
Îles de Lérins
Plateau du Milieu
Monastères
Golfe de la Napoule
Golfe Juan
Cap d'Antibes
Eden-Roc
Cap Gros
Plage de la Garoupe
Plau de la Garoupe
Pte Bacon
Fort Carré
Marineland
Aquasplash
Baie des Anges
NICE CÔTE-D'AZUR
Cros-de-Cagnes
Villeneuve-Loubet-Plage
La Californie
Ste-Hélène
Carros
Colomars
Falicon
Levens
Aspremont
Castagniers
St-Martin-du-Var
La Roquette-s-Var
Mt Chauve
Cimiez
Toudon
Ascros
La Penne
St-Antonin
La Madone d'Utelle
Souterroscope de la Baume Obscure
Grottes de St-Cézaire
Col du Pilon
Napoléon
Croix-Valmer
Île des Vieilles
Anthéor-Plage
Pte de Baumette
L'Esterel
CÔTE D'AZUR

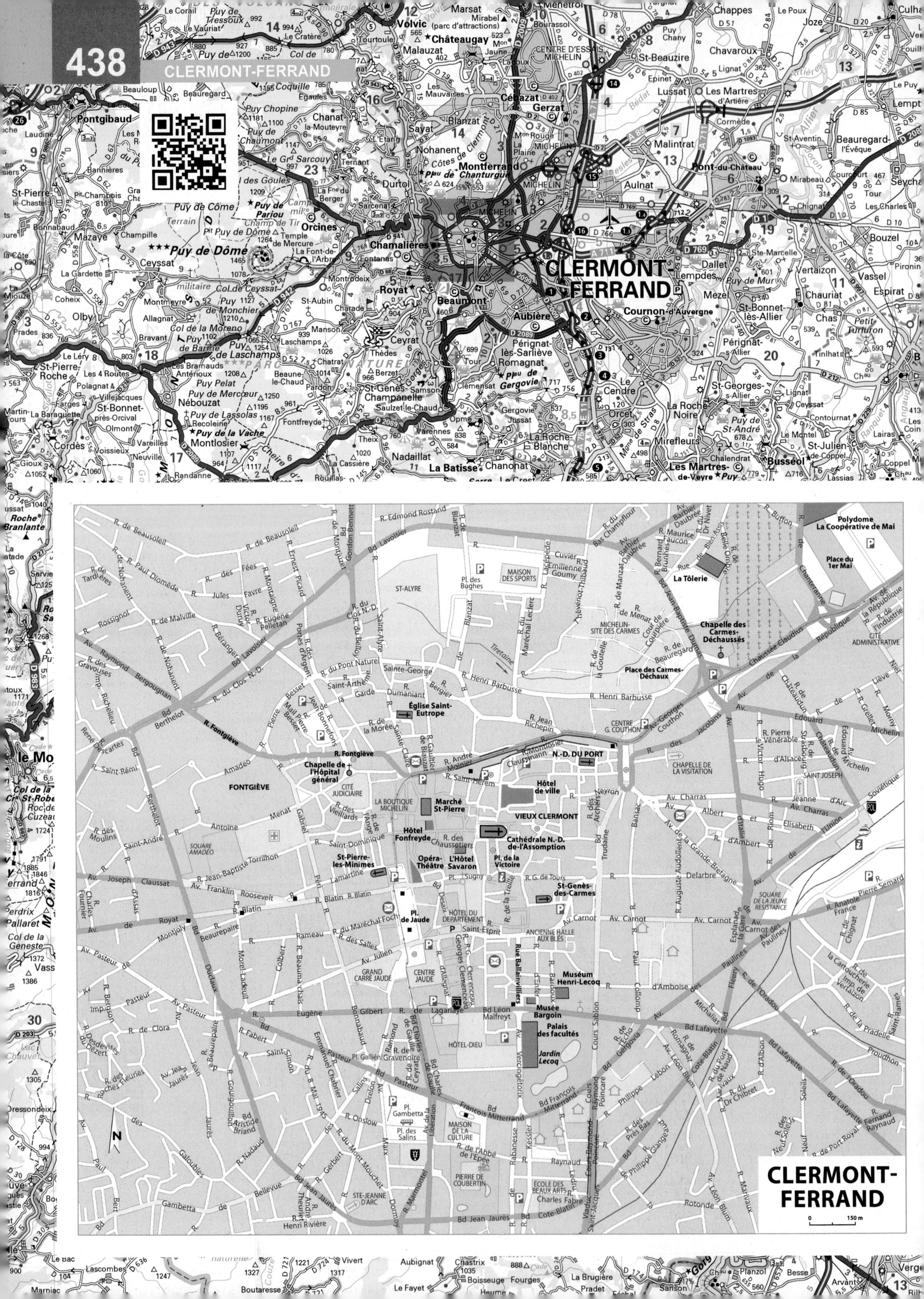
CLERMONT-FERRAND
Volvic
Châteaugay
Pontgibaud
Cébazat
Gerzat
Blanzat
Montferrand
Aulnat
Pont-du-Château
Chamalières
Royat
Beaumont
Aubière
Cournon-d'Auvergne
Puy de Dôme
Orcines
Ceyssat
Lempdes
Dallet
Romagnat
Pérignat-lès-Sarliève
Le Cendre
Orcet
La Roche-Blanche
Chanonat
La Batisse
Nadaillat
Mirefleurs
Les Martres-de-Veyre
Busséol
Vertaizon
Vassel
Espirat
Chauriat
St-Bonnet-lès-Allier
Mezel
Pérignat-s-Allier
St-Georges-s-Allier
La Roche-Noire
St-Julien-de-Coppel
Nébouzat
Montlosier
Rochefort-Montagne
Laschamps
Manson
St-Genès-Champanelle
Saulzet-le-Chaud
Ceyrat
Fontfreyde
Theix
Plpau de Gergovie
Col de Ceyssat
Puy de Côme
Puy Pariou
Malintrat
Lussat
Les Martres-d'Artière
Chavaroux
Joze
St-Beauzire
Ennezat
Malauzat
Sayat
Nohanent
Durtol
Le Crest
Polydome
La Coopérative de Mai
Place du 1er Mai
La Tôlerie
Chapelle des Carmes-Déchaussés
Place des Carmes-Déchaux
Église Saint-Eutrope
Chapelle de l'Hôpital général
FONTGIÈVE
Marché St-Pierre
Hôtel Fonfreyde
N.-D. DU PORT
Hôtel de ville
VIEUX CLERMONT
Cathédrale N.-D.-de-l'Assomption
St-Pierre-les-Minimes
Opéra-Théâtre
L'Hôtel Savaron
Pl. de la Victoire
St-Genès-des-Carmes
Pl. de Jaude
Muséum Henri-Lecoq
Musée Bargoin
Palais des facultés
Jardin Lecoq
HÔTEL-DIEU
MAISON DE LA CULTURE
CENTRE JAUDE
GRAND CARRÉ JAUDE
CITÉ JUDICIAIRE
LA BOUTIQUE MICHELIN
MICHELIN-SITE DES CARMES
MAISON DES SPORTS
ST-ALYRE
CITÉ ADMINISTRATIVE
CHAPELLE DE LA VISITATION
SQUARE DE LA JEUNE RÉSISTANCE
SQUARE AMADEO
PIERRE DE COUBERTIN
STE-JEANNE D'ARC
ÉCOLE DES BEAUX ARTS
ANCIENNE HALLE AUX BLÉS
HÔTEL DU DÉPARTEMENT
Bd Lavoisier
R. Fontgièvre
Bd Berthelot
Av. Carnot
Bd Lafayette
Bd François Mitterrand
Bd Jean Jaurès
Av. Charras
Av. Julien
Av. Franklin Roosevelt
Av. de Royat
Av. Pasteur
Chaussée Claudius
Av. de la République
Av. Edouard Michelin
Av. de l'Union Soviétique
Bd Charles de Gaulle
Av. de la Libération
Cours Sablon
Bd Trudaine
R. Ballainvilliers
N
0 150 m
CLERMONT-FERRAND

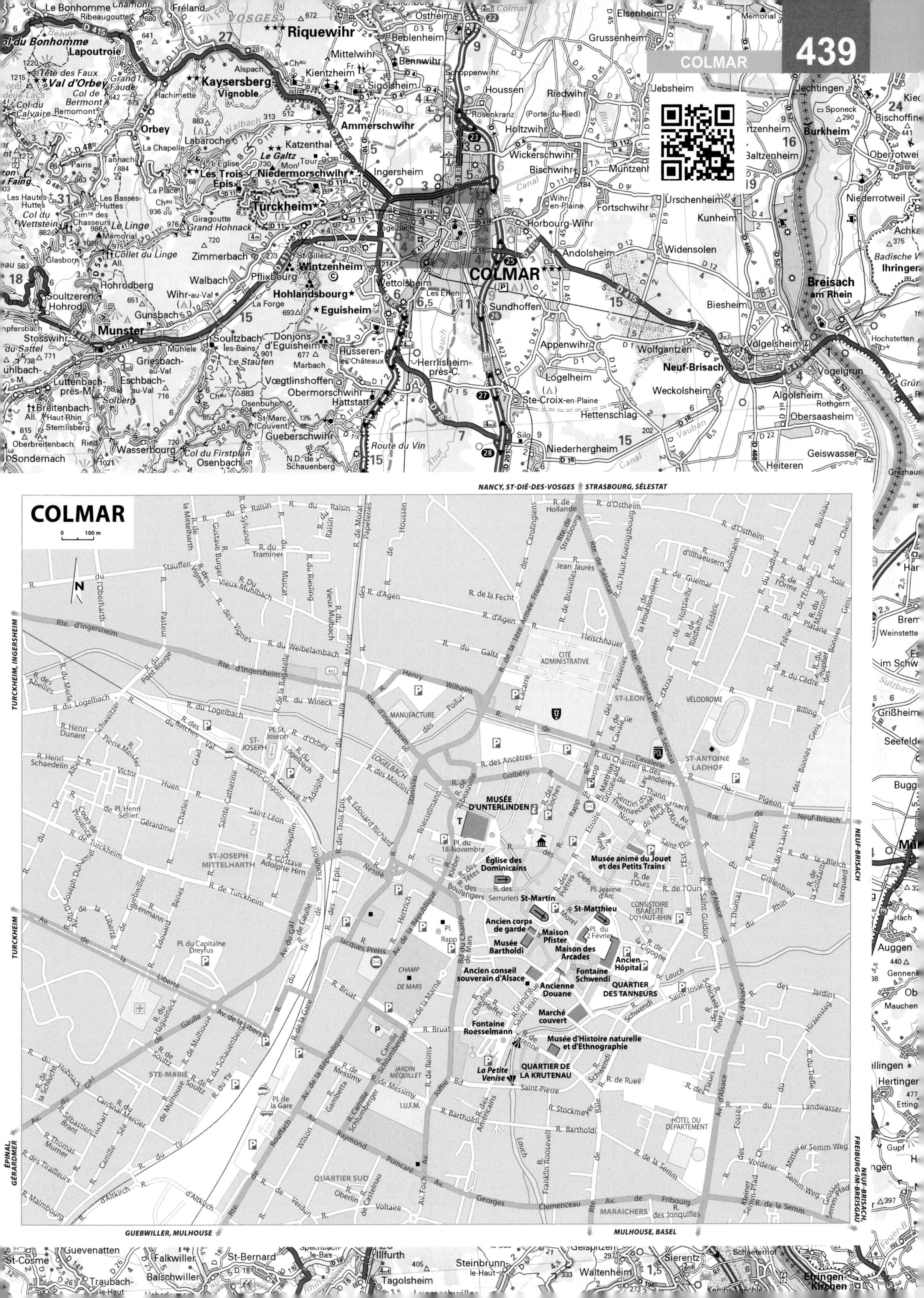
COLMAR
0 100 m
N
NANCY, ST-DIÉ-DES-VOSGES
STRASBOURG, SÉLESTAT
TURCKHEIM, INGERSHEIM
TURCKHEIM
ÉPINAL, GÉRARDMER
GUEBWILLER, MULHOUSE
MULHOUSE, BASEL
NEUF-BRISACH
NEUF-BRISACH, FREIBURG-IM-BREISGAU
MUSÉE D'UNTERLINDEN
Église des Dominicains
St-Martin
St-Matthieu
Ancien corps de garde
Maison Pfister
Musée Bartholdi
Maison des Arcades
Ancien Hôpital
Fontaine Schwendi
Ancien conseil souverain d'Alsace
Ancienne Douane
QUARTIER DES TANNEURS
Marché couvert
Fontaine Roesselmann
Musée d'Histoire naturelle et d'Ethnographie
La Petite Venise
QUARTIER DE LA KRUTENAU
Musée animé du Jouet et des Petits Trains
CONSISTOIRE ISRAÉLITE DU HAUT-RHIN
CITÉ ADMINISTRATIVE
ST-LÉON
VÉLODROME
ST-ANTOINE LADHOF
MANUFACTURE
LOGELBACH
ST-JOSEPH
ST-JOSEPH MITTELHARTH
STE-MARIE
QUARTIER SUD
MARAICHERS
CHAMP DE MARS
JARDIN MÉQUILLET
I.U.F.M.
HÔTEL DU DÉPARTEMENT
Pl. du 18-Novembre
Pl. Rapp
Pl. de la Gare
Pl. du Capitaine Dreyfus
Pl. Jeanne d'Arc
Pl. du 2 Février
Pl. Henri Sellier
Rte. d'Ingersheim
Rte. de Neuf-Brisach
Rte. de Strasbourg
Rte. de Sélestat
Av. de la Liberté
Av. de la République
Av. d'Alsace
Av. Georges Clemenceau
Av. Raymond Poincaré
Av. de la Marne
Av. Foch
Av. Joffre
R. de Turckheim
R. du Logelbach
R. de Rouffach
R. du Tir
R. Bruat
R. Stanislas
R. Roesselmann
R. Golbéry
R. des Ancêtres
R. Vauban
R. Kléber
R. de la Semm
R. de Fribourg
Riquewihr
Kaysersberg
Vignoble
Ammerschwihr
Turckheim
Les Trois-Épis
Niedermorschwihr
Wintzenheim
Eguisheim
Hohlandsbourg
Munster
Colmar
Houssen
Horbourg-Wihr
Andolsheim
Sundhoffen
Neuf-Brisach
Breisach am Rhein
Biesheim
Volgelsheim
Wettolsheim
Herrlisheim-près-C.
Logelheim
Ste-Croix-en-Plaine
Niederhergheim
Ingersheim
Sigolsheim
Bennwihr
Mittelwihr
Kientzheim
Orbey
Lapoutroie
Col du Bonhomme
Le Bonhomme
Fréland
Labaroche
Zimmerbach
Walbach
Gunsbach
Soultzeren
Hohrod
Stosswihr
Luttenbach-près-M.
Breitenbach-Haut-Rhin
Soultzbach-les-Bains
Gueberschwihr
Hattstatt
Obermorschwihr
Voegtlinshoffen
Husseren-les-Châteaux
Wasserbourg
Osenbach
Sondernach
Jebsheim
Riedwihr
Holtzwihr
Wickerschwihr
Bischwihr
Muntzenheim
Fortschwihr
Urschenheim
Kunheim
Widensolen
Wolfgantzen
Appenwihr
Weckolsheim
Hettenschlag
Algolsheim
Obersaasheim
Vogelgrun
Heiteren
Geiswasser
Burkheim
Jechtingen
Ihringen
Grussenheim
Elsenheim
Ostheim
Beblenheim
Zellenberg
Route du Vin
Sierentz
Waltenheim
Tagolsheim
Illfurth
Steinbrunn-le-Haut
Falkwiller
Balschwiller
Traubach-le-Haut
Guevenatten
St-Bernard
Auggen
Bremgarten
Seefelden
Grißheim
Hartheim
Hertingen
Efringen-Kirchen

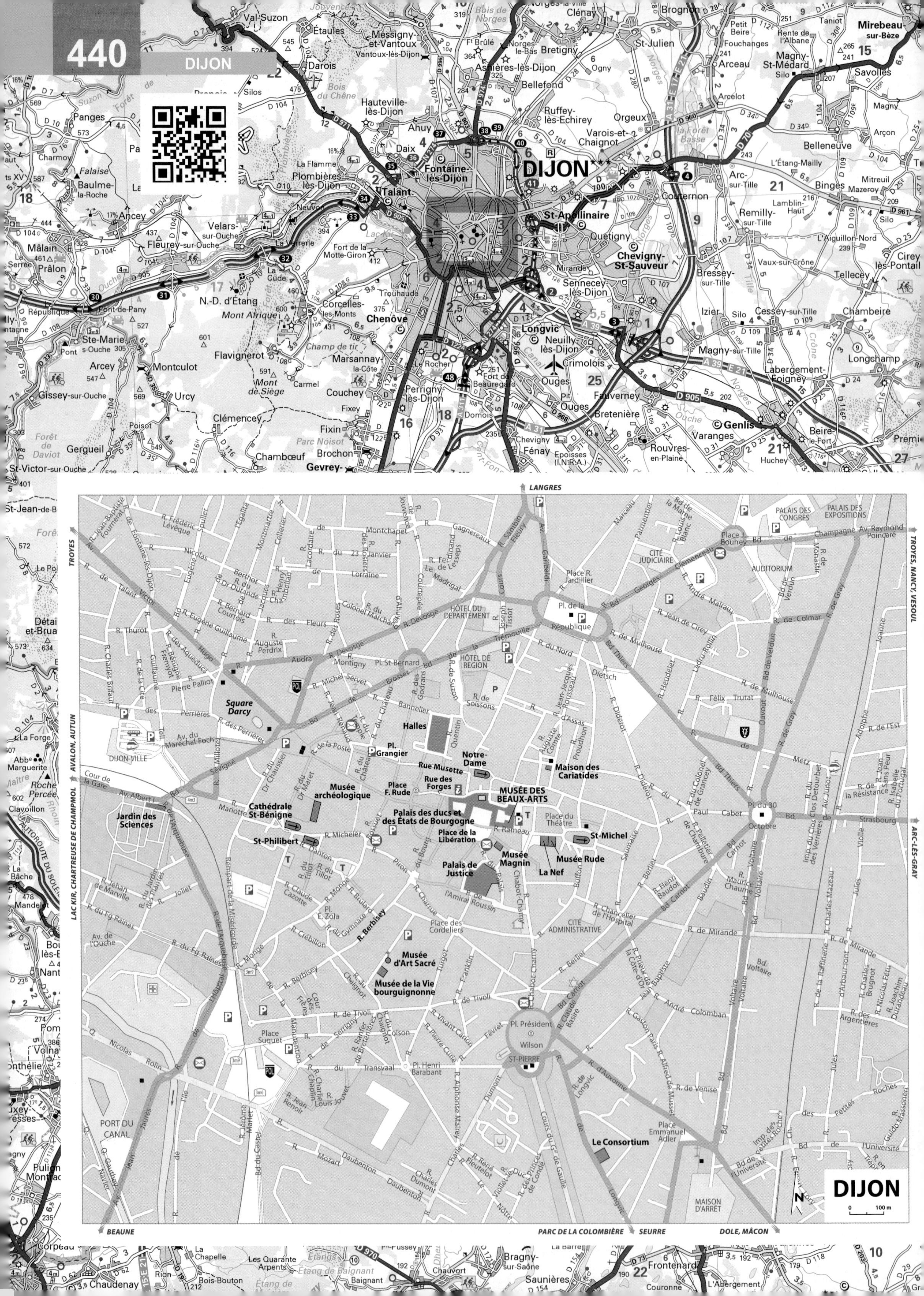
DIJON
Val-Suzon
Étaules
Messigny-et-Vantoux
Vantoux-lès-Dijon
Darois
Bois du Chêne
Hauteville-lès-Dijon
Ahuy
Daix
Fontaine-lès-Dijon
Talant
Plombières-lès-Dijon
Velars-sur-Ouche
Fleurey-sur-Ouche
Ancey
Baulme-la-Roche
Panges
Mâlain
Prâlon
La Serrée
Pont-de-Pany
Ste-Marie-s-Ouche
Arcey
Montculot
Urcy
Gissey-sur-Ouche
Clémencey
Gergueil
Chambœuf
St-Victor-sur-Ouche
Flavignerot
Mont Afrique
N.-D. d'Étang
Corcelles-les-Monts
Chenôve
Marsannay-la-Côte
Couchey
Fixey
Fixin
Brochon
Gevrey-
Perrigny-lès-Dijon
Longvic
Neuilly-lès-Dijon
Crimolois
Ouges
Fauverney
Bretenière
Chevigny
Fénay
Rouvres-en-Plaine
Varanges
Genlis
Izier
Magny-sur-Tille
Cessey-sur-Tille
Labergement-Foigney
Longchamp
Chambeire
Beire-le-Fort
Huchey
Quetigny
Chevigny-St-Sauveur
St-Apollinaire
Sennecey-lès-Dijon
Mirande
Couternon
Arc-sur-Tille
Remilly-sur-Tille
Bressey-sur-Tille
Varois-et-Chaignot
Orgeux
Ruffey-lès-Echirey
Bellefond
Asnières-lès-Dijon
Norges-le-Bas
Bretigny
Clénay
St-Julien
Brognon
Arceau
Fouchanges
Magny-St-Médard
Mirebeau-sur-Bèze
Savolles
Magny
Arçon
Belleneuve
Binges
Mitreuil
Mazeroy
L'Aiguillon-Nord
Cirey-lès-Pontail
Tellecey
Vaux-sur-Crône
Lac Kir
Fort de la Motte-Giron
Mont de Siège
Parc Noisot
Forêt de Daviot
Epoisses (I.N.R.A.)
Chaudenay
Les Quarante Arpents
Bois-Bouton
Chauvort
Baignant
Bragny-sur-Saône
Saunières
Frontenard
Couronne
L'Abergement
LANGRES
TROYES
TROYES, NANCY, VESOUL
AVALON, AUTUN
LAC KIR, CHARTREUSE DE CHAMPMOL
ARC-LÈS-GRAY
BEAUNE
PARC DE LA COLOMBIÈRE
SEURRE
DOLE, MÂCON
Square Darcy
Halles
Pl. Grangier
Notre-Dame
Rue Musette
Rue des Forges
Place F. Rude
Musée archéologique
Cathédrale St-Bénigne
St-Philibert
Jardin des Sciences
DIJON-VILLE
Palais des ducs et des États de Bourgogne
MUSÉE DES BEAUX-ARTS
Place de la Libération
Musée Magnin
Palais de Justice
Maison des Cariatides
Place du Théâtre
St-Michel
Musée Rude
La Nef
Place des Cordeliers
CITÉ ADMINISTRATIVE
Musée d'Art Sacré
Musée de la Vie bourguignonne
Pl. Président Wilson
ST-PIERRE
Place Suquet
PORT DU CANAL
Le Consortium
Place Emmanuel Adler
MAISON D'ARRÊT
Pl. du 30 Octobre
Pl. de la République
Place J. Bouhey
PALAIS DES CONGRÈS
PALAIS DES EXPOSITIONS
AUDITORIUM
CITÉ JUDICIAIRE
HÔTEL DU DÉPARTEMENT
HÔTEL DE RÉGION
Pl. St-Bernard
Place R. Jardillier
DIJON
0 100 m

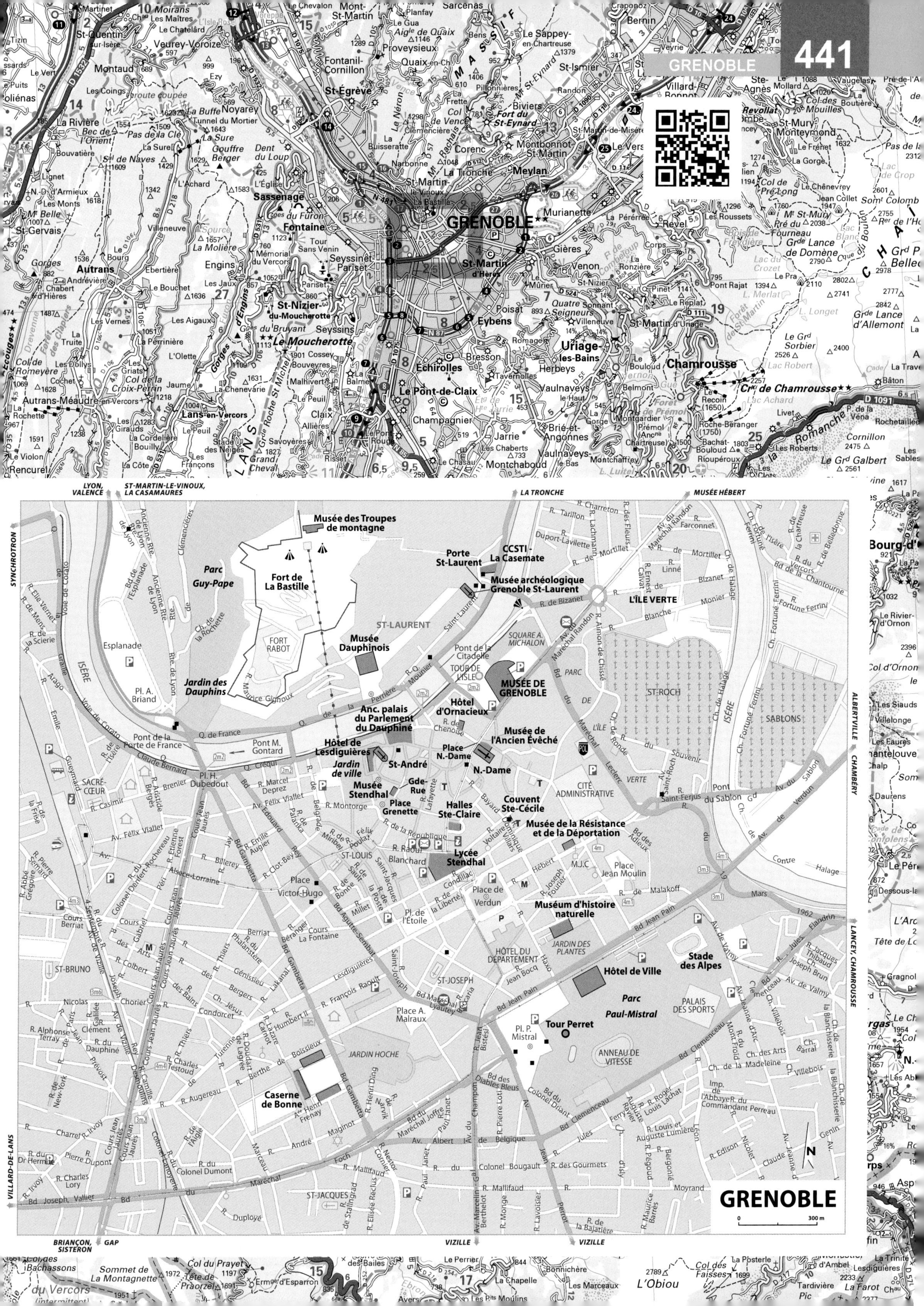
GRENOBLE
St-Égrève
Sassenage
Fontaine
Seyssinet-Pariset
St-Martin-d'Hères
Meylan
Eybens
Échirolles
Le Pont-de-Claix
Uriage-les-Bains
Chamrousse
Crx de Chamrousse
Le Moucherotte
Lans-en-Vercors
Autrans
St-Nizier-du-Moucherotte
LYON, VALENCE
ST-MARTIN-LE-VINOUX, LA CASAMAURES
LA TRONCHE
MUSÉE HÉBERT
SYNCHROTRON
ALBERTVILLE CHAMBÉRY
LANCEY, CHAMROUSSE
VILLARD-DE-LANS
BRIANÇON, SISTERON
GAP
VIZILLE
Musée des Troupes de montagne
Fort de La Bastille
Parc Guy-Pape
Jardin des Dauphins
FORT RABOT
ST-LAURENT
Porte St-Laurent
CCSTI - La Casemate
Musée archéologique Grenoble St-Laurent
L'ÎLE VERTE
Musée Dauphinois
MUSÉE DE GRENOBLE
Hôtel d'Ornacieux
Anc. palais du Parlement du Dauphiné
Hôtel de Lesdiguières
Jardin de ville
St-André
Musée de l'Ancien Évêché
Place N.-Dame
N.-Dame
Musée Stendhal
Gde-Rue
Place Grenette
Halles Ste-Claire
Couvent Ste-Cécile
Musée de la Résistance et de la Déportation
Lycée Stendhal
ST-LOUIS
CITÉ ADMINISTRATIVE
ST-ROCH
SABLONS
Place Victor-Hugo
Place de Verdun
Muséum d'histoire naturelle
JARDIN DES PLANTES
HÔTEL DU DÉPARTEMENT
Hôtel de Ville
Stade des Alpes
Parc Paul-Mistral
PALAIS DES SPORTS
Tour Perret
Pl. P. Mistral
ANNEAU DE VITESSE
JARDIN HOCHE
Caserne de Bonne
ST-JOSEPH
ST-BRUNO
SACRÉ-CŒUR
ST-JACQUES
Place A. Malraux
Pl. H. Dubedout
Esplanade
Pl. A. Briand
ISÈRE
GRENOBLE
0
300 m

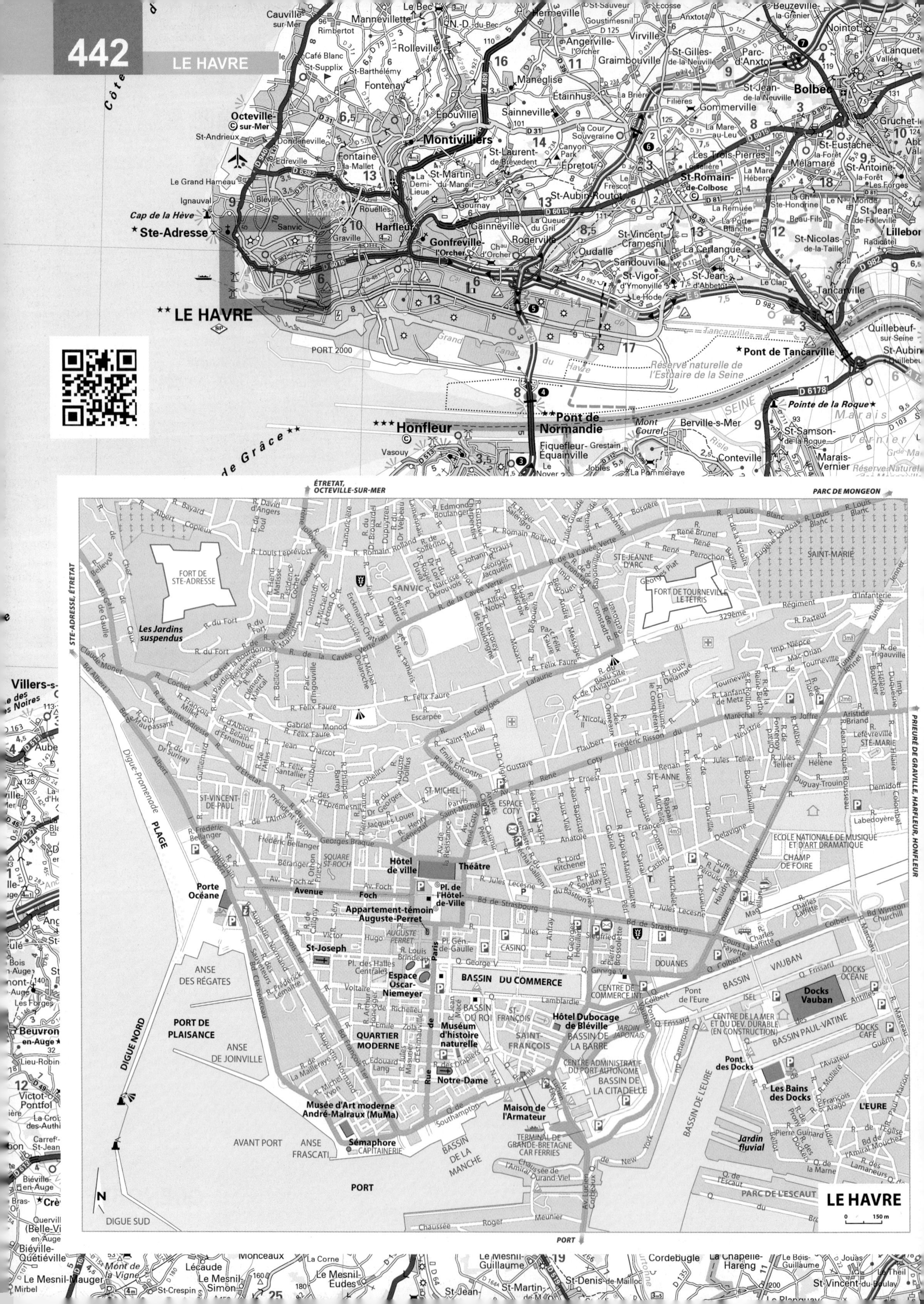

LE HAVRE
Montivilliers
Harfleur
Ste-Adresse
Honfleur
Pont de Normandie
Pont de Tancarville
Bolbec
St-Romain-de-Colbosc
Réserve naturelle de l'Estuaire de la Seine
PORT 2000
FORT DE STE-ADRESSE
Les Jardins suspendus
FORT DE TOURNEVILLE LE TETRIS
SANVIC
SAINT-MARIE
STE-JEANNE D'ARC
Hôtel de ville
Théâtre
Pl. de l'Hôtel-de-Ville
Porte Océane
Appartement-témoin Auguste-Perret
St-Joseph
Espace Oscar-Niemeyer
BASSIN DU COMMERCE
Hôtel Dubocage de Bléville
Muséum d'histoire naturelle
QUARTIER MODERNE
Notre-Dame
Musée d'Art moderne André-Malraux (MuMa)
Sémaphore
Maison de l'Armateur
Docks Vauban
Les Bains des Docks
PORT DE PLAISANCE
PLAGE
DIGUE NORD
DIGUE SUD
AVANT PORT
PORT
L'EURE
ECOLE NATIONALE DE MUSIQUE ET D'ART DRAMATIQUE
LE HAVRE

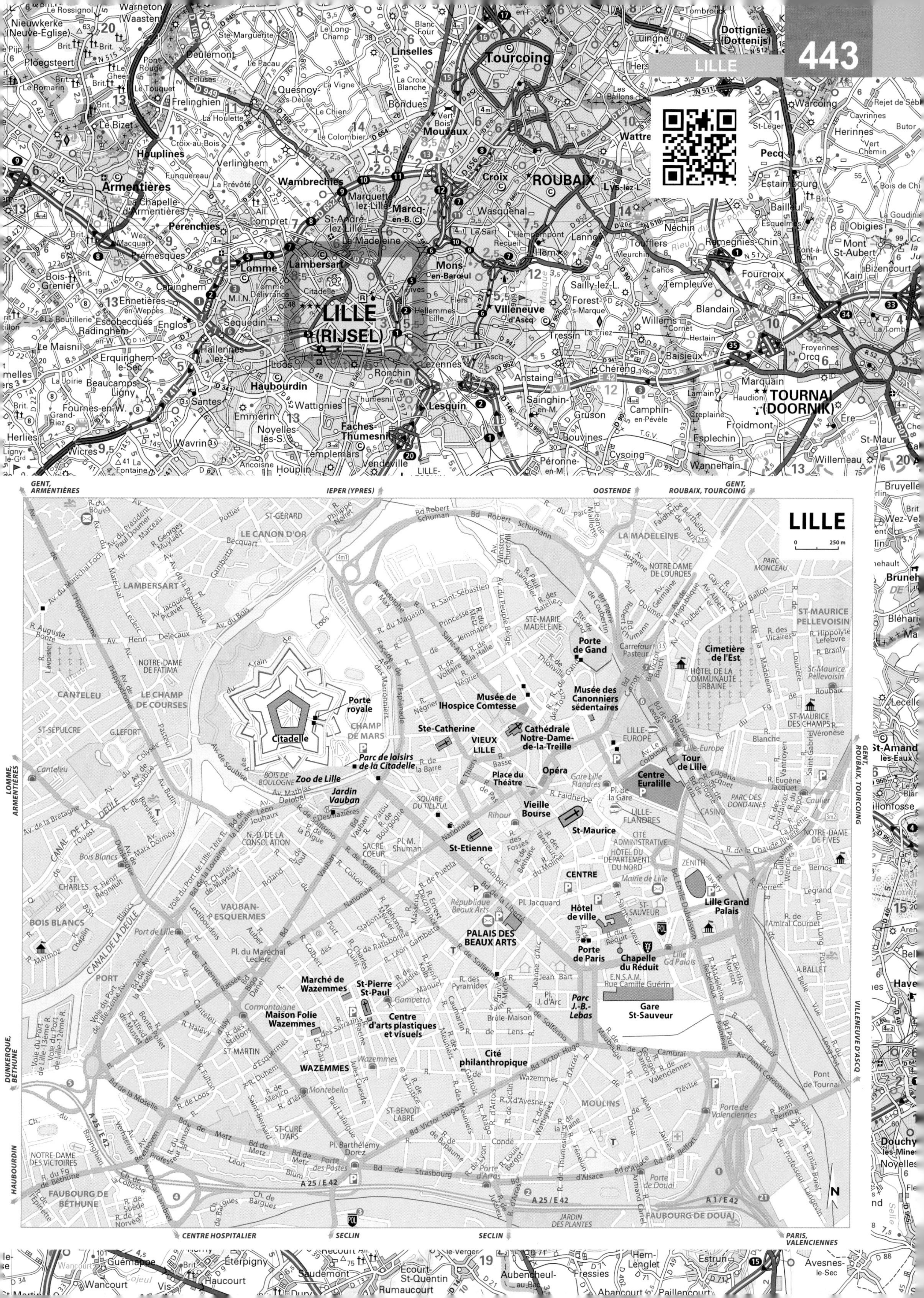
LILLE
LILLE (RIJSEL)
ROUBAIX
Tourcoing
TOURNAI (DOORNIK)
Armentières
Villeneuve d'Ascq
GENT, ARMENTIÈRES
IEPER (YPRES)
OOSTENDE
GENT, ROUBAIX, TOURCOING
Citadelle
Porte royale
Parc de loisirs de la Citadelle
Zoo de Lille
Jardin Vauban
Musée de l'Hospice Comtesse
Ste-Catherine
Cathédrale Notre-Dame-de-la-Treille
Porte de Gand
Musée des Canonniers sédentaires
Cimetière de l'Est
Place du Théâtre
Opéra
Vieille Bourse
St-Maurice
St-Etienne
Centre Euralille
Tour de Lille
Lille Grand Palais
Hôtel de ville
PALAIS DES BEAUX ARTS
Porte de Paris
Chapelle du Réduit
Marché de Wazemmes
St-Pierre St-Paul
Maison Folie Wazemmes
Centre d'arts plastiques et visuels
Parc J.-B.-Lebas
Gare St-Sauveur
Cité philanthropique
VIEUX LILLE
CENTRE
WAZEMMES
MOULINS
VAUBAN-ESQUERMES
LAMBERSART
CANTELEU
BOIS BLANCS
PORT
FAUBOURG DE BÉTHUNE
FAUBOURG DE DOUAI
ST-MAURICE PELLEVOISIN
LA MADELEINE
CENTRE HOSPITALIER
SECLIN
PARIS, VALENCIENNES
VILLENEUVE D'ASCQ
DUNKERQUE, BÉTHUNE
HAUBOURDIN
LOMME, ARMENTIÈRES
GENT, ROUBAIX, TOURCOING

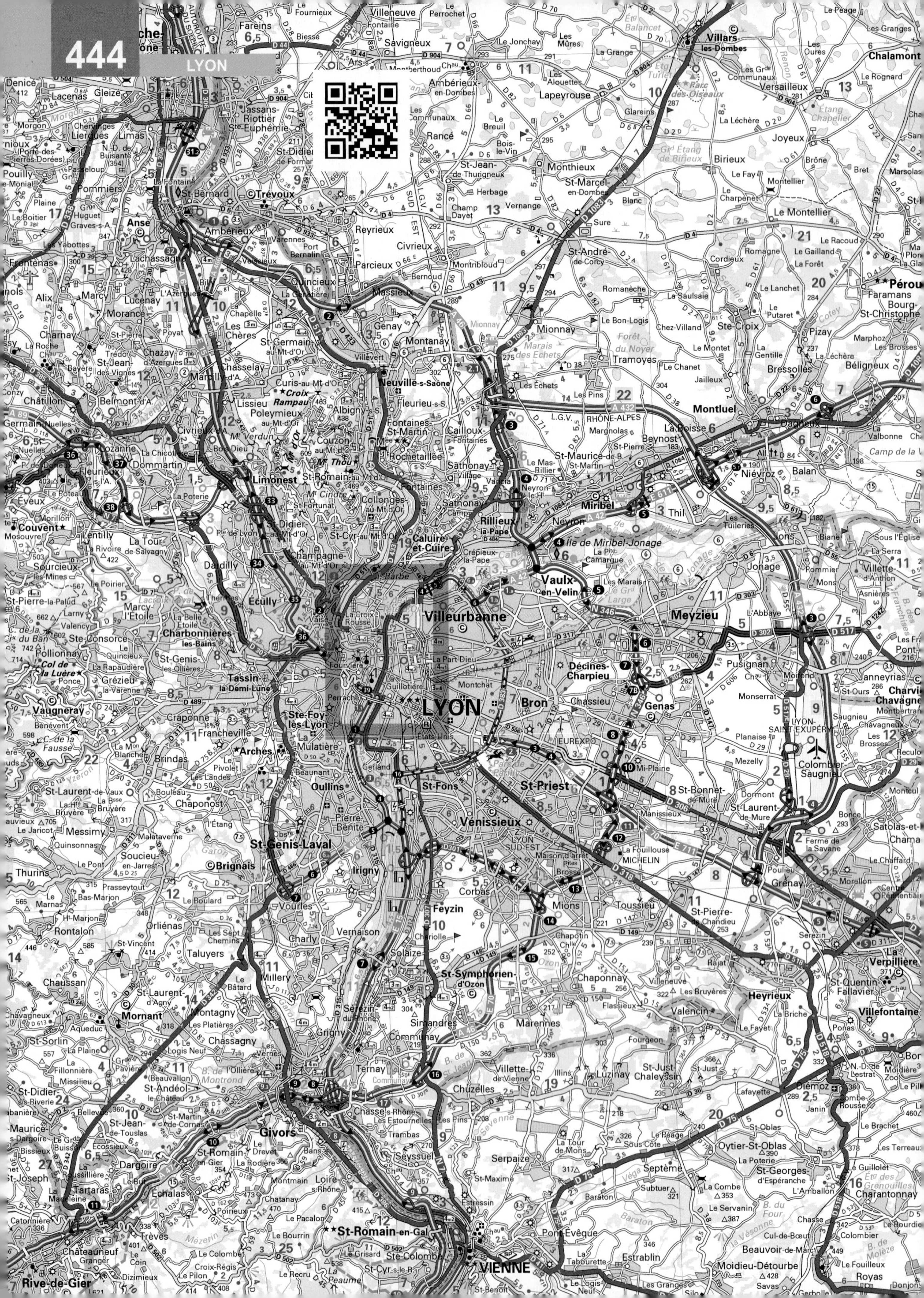

444
LYON
Villeneuve
Savigneux
Villars-les-Dombes
Chalamont
Ambérieux-en-Dombes
Lapeyrouse
Versailleux
Trévoux
St-Bernard
Anse
Reyrieux
Civrieux
Parcieux
Massieux
Quincieux
Ambérieux
Lachassagne
St-André-de-Corcy
Mionnay
Tramoyes
Montluel
Ste-Croix
Pérouges
Meximieux
Bressolles
Béligneux
Alix
Marcy
Lucenay
Morancé
Les Chères
Chazay-d'Azergues
St-Germain-au-Mt-d'Or
Genay
Montanay
Neuville-s-Saône
Fleurieu-s-S.
Fontaines-St-Martin
Rochetaillée-s-S.
Cailloux-s-Fontaines
Sathonay
Rillieux-la-Pape
Miribel
Neyron
Beynost
St-Maurice-de-B.
Nièvroz
Balan
Thil
Jons
Limonest
Dardilly
Champagne-au-Mt-d'Or
Caluire-et-Cuire
Vaulx-en-Velin
Villeurbanne
Meyzieu
Jonage
Ecully
Charbonnières-les-Bains
Tassin-la-Demi-Lune
LYON
Bron
Décines-Charpieu
Chassieu
Genas
Pusignan
Vaugneray
Craponne
Francheville
Ste-Foy-lès-Lyon
La Mulatière
Oullins
St-Fons
St-Priest
Vénissieux
Brindas
Chaponost
St-Genis-Laval
Brignais
Irigny
Feyzin
Corbas
Mions
Toussieu
Vourles
Charly
Vernaison
Solaize
St-Symphorien-d'Ozon
Chaponnay
Heyrieux
Millery
Mornant
Grigny
Ternay
Communay
Simandres
Marennes
Givors
Chasse-s-Rhône
Chuzelles
Villette-de-Vienne
Luzinay
Seyssuel
Loire-s-Rhône
St-Romain-en-Gal
VIENNE
Pont-Évêque
Estrablin
Septème
Oytier-St-Oblas
St-Georges-d'Espéranche
Diémoz
Charantonnay
Rive-de-Gier
Châteauneuf
Tartaras
Dargoire
Échalas
Trèves
La Verpillière
Villefontaine
St-Quentin-Fallavier
Grenay
Colombier-Saugnieu
LYON-SAINT-EXUPÉRY
St-Laurent-de-Mure
St-Bonnet-de-Mure
Janneyrias

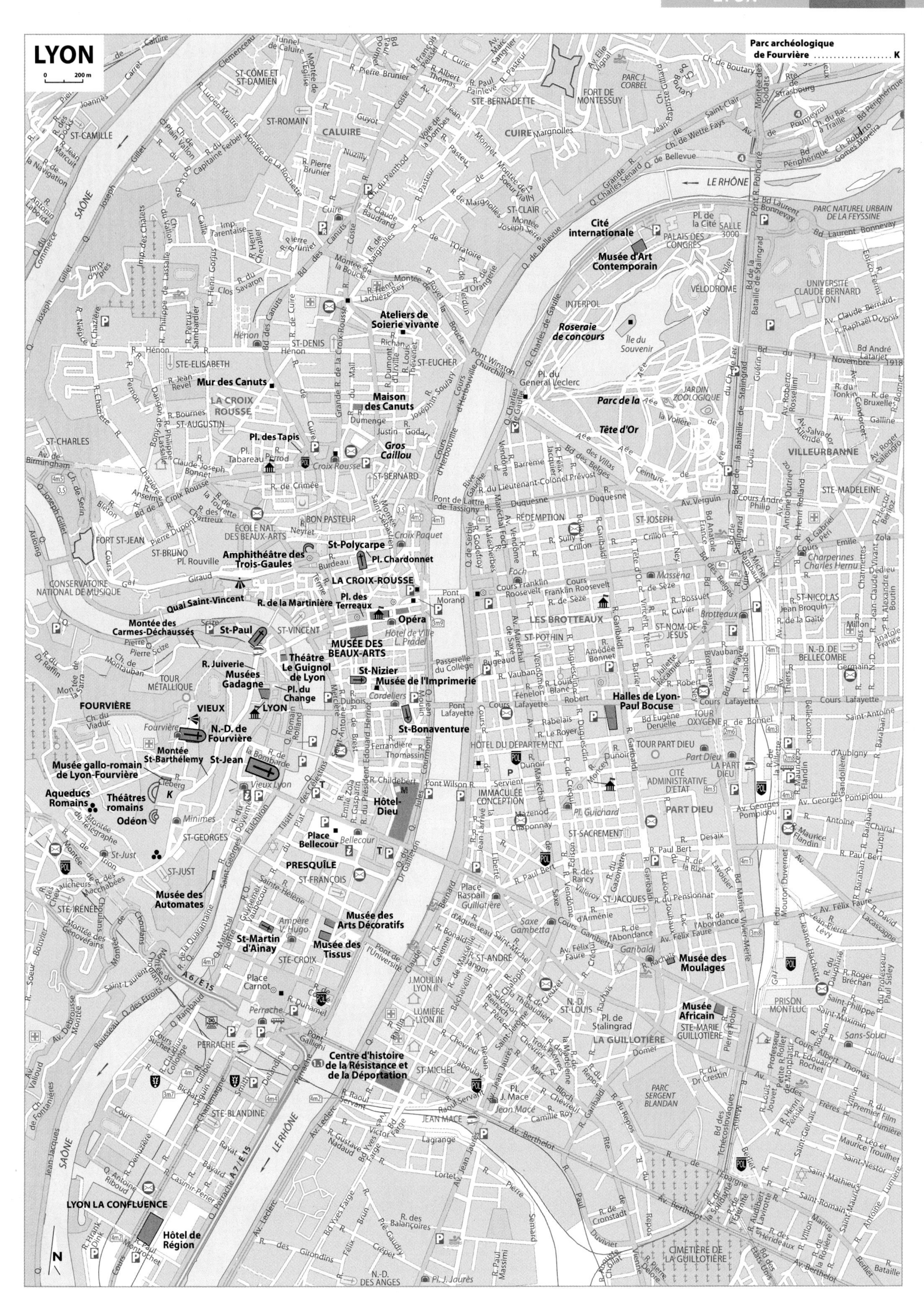

LYON

0   200 m

Parc archéologique
de Fourvière .... K

Tunnel de Caluire
St-CÔME ET
ST-DAMIEN
ST-ROMAIN
CALUIRE
CUIRE   Margnolles
STE-BERNADETTE
FORT DE
MONTESSUY
PARC J.
CORBEL
LE RHÔNE
PARC NATUREL URBAIN
DE LA FEYSSINE

ST-CAMILLE
ST-CLAIR
Cité
internationale
PALAIS DES
CONGRÈS
SALLE
3000
VÉLODROME
UNIVERSITÉ
CLAUDE BERNARD
LYON I

Musée d'Art
Contemporain
INTERPOL
Roseraie
de concours
Île du
Souvenir

Ateliers de
Soierie vivante
ST-DENIS
STE-ELISABETH
ST-EUCHER
JARDIN
ZOOLOGIQUE
VILLEURBANNE

Mur des Canuts
LA CROIX
ROUSSE
ST-AUGUSTIN
Maison
des Canuts
Parc de la
Tête d'Or
STE-MADELEINE

ST-CHARLES
Pl. des Tapis
Gros
Caillou
ST-BERNARD
ST-JOSEPH
ST-NICOLAS
Charpennes
Charles Hernu

FORT ST-JEAN
ÉCOLE NAT.
DES BEAUX-ARTS
BON PASTEUR
Croix Paquet
RÉDEMPTION
N.-D. DE
BELLECOMBE

CONSERVATOIRE
NATIONAL DE MUSIQUE
Amphithéâtre des
Trois-Gaules
St-Polycarpe
Pl. Chardonnet
LA CROIX-ROUSSE
LES BROTTEAUX
ST-NICOLAS

Quai Saint-Vincent
R. de la Martinière
Pl. des
Terreaux
Opéra
Pont
Morand
Pont de Lattre
ST-NOM-DE-
JÉSUS

Montée des
Carmes-Déchaussés
St-Paul
ST-VINCENT
MUSÉE DES
BEAUX-ARTS
Hôtel de Ville
L. Pradel

R. Juiverie
Musées
Gadagne
Théâtre
Le Guignol
de Lyon
St-Nizier
Musée de l'Imprimerie
Passerelle
du Collège
TOUR
OXYGENE

FOURVIÈRE
Pl. du
Change
VIEUX
LYON
St-Bonaventure
Halles de Lyon-
Paul Bocuse
TOUR PART DIEU

TOUR
MÉTALLIQUE
N.-D. de
Fourvière
St-Jean
HÔTEL DU DÉPARTEMENT
Part Dieu
LA PART
DIEU

Musée gallo-romain
de Lyon-Fourvière
Montée
St-Barthélemy
Vieux Lyon
CITÉ
ADMINISTRATIVE
D'ÉTAT
PART DIEU

Aqueducs
Romains
Théâtres
romains
Odéon
Hôtel-
Dieu
IMMACULÉE
CONCEPTION
Pl. Guichard
ST-SACREMENT

ST-GEORGES
ST-JUST
Place
Bellecour
PRESQU'ÎLE
ST-FRANÇOIS
Pl.
Raspail
Guillotière
ST-JACQUES

STE-IRÉNÉE
Musée des
Automates
Musée des
Arts Décoratifs
Saxe
Gambetta
Musée des
Moulages

St-Martin
d'Ainay
Musée des
Tissus
STE-CROIX
J.MOULIN
LYON II
N.-D.
ST-LOUIS
Pl. de
Stalingrad
Musée
Africain

Place
Carnot
LUMIÈRE
LYON III
STE-MARIE
GUILLOTIÈRE
LA GUILLOTIÈRE
PRISON
MONTLUC

PERRACHE
Centre d'histoire
de la Résistance et
de la Déportation
ST-MICHEL

STE-BLANDINE
PARC
SERGENT
BLANDAN

LYON LA CONFLUENCE
Hôtel de
Région
JEAN MACÉ
CIMETIÈRE DE
LA GUILLOTIÈRE
N.-D.
DES ANGES

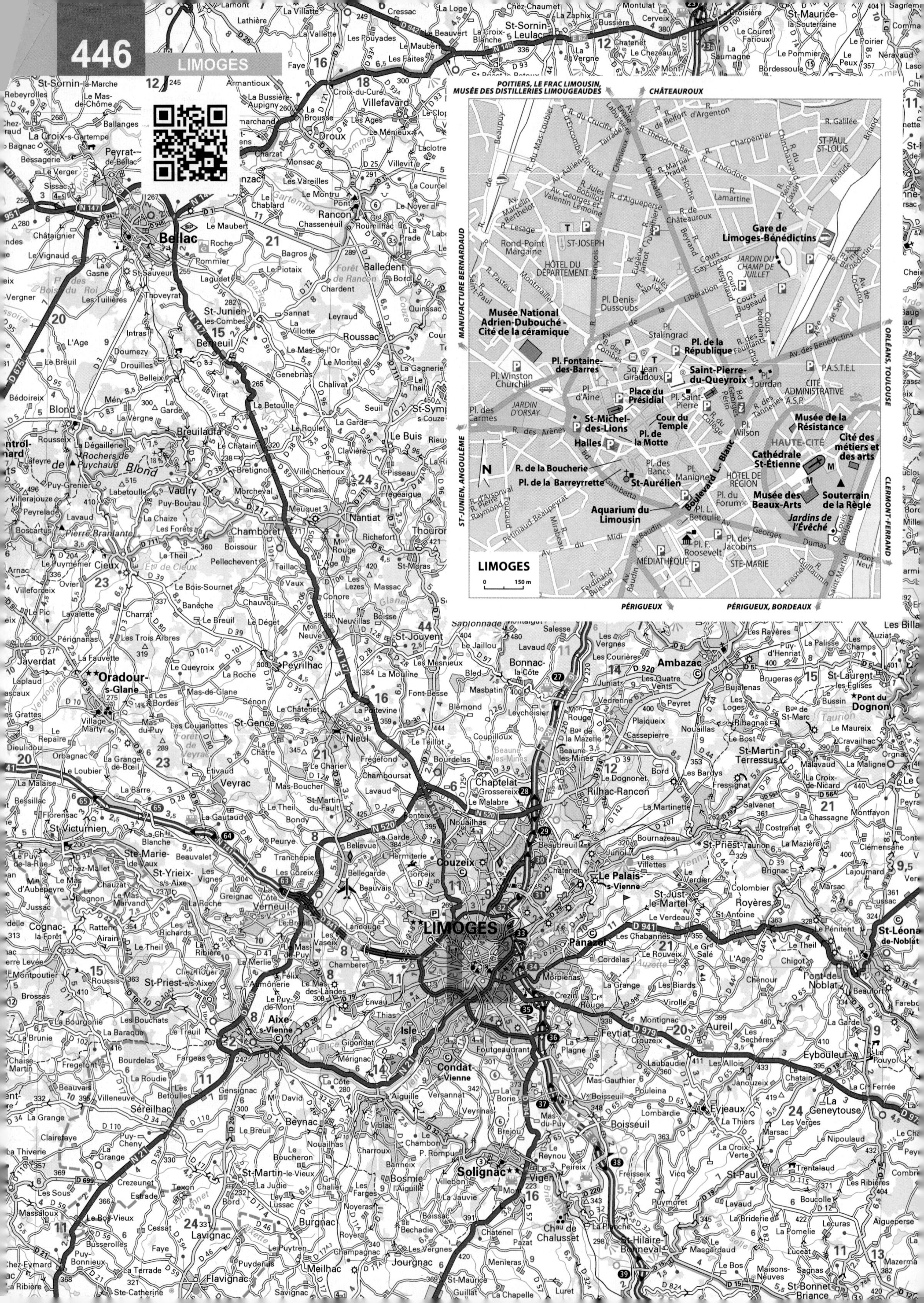
LIMOGES
POITIERS, LE FRAC LIMOUSIN, MUSÉE DES DISTILLERIES LIMOUGEAUDES
CHÂTEAUROUX
ORLÉANS, TOULOUSE
CLERMONT-FERRAND
PÉRIGUEUX
PÉRIGUEUX, BORDEAUX
ST-JUNIEN, ANGOULÊME
MANUFACTURE BERNARDAUD
Gare de Limoges-Bénédictins
JARDIN DU CHAMP DE JUILLET
ST-PAUL ST-LOUIS
ST-JOSEPH
HÔTEL DU DÉPARTEMENT
Rond-Point Margaine
Pl. Denis-Dussoubs
Musée National Adrien-Dubouché - Cité de la céramique
Pl. Stalingrad
Pl. de la République
Pl. Fontaine-des-Barres
Sq. Jean Giraudoux
Saint-Pierre-du-Queyroix
Pl. Jourdan
P.A.S.T.E.L
CITÉ ADMINISTRATIVE A.S.P.
Pl. Winston Churchill
Place du Présidial
Pl. d'Aine
JARDIN D'ORSAY
Pl. des Carmes
St-Michel-des-Lions
Cour du Temple
Halles
Pl. de la Motte
Musée de la Résistance
HAUTE-CITÉ
Cité des métiers et des arts
Cathédrale St-Étienne
R. de la Boucherie
Pl. de la Barreyrrette
St-Aurélien
Pl. des Bancs
Pl. Manigne
HÔTEL DE RÉGION
Musée des Beaux-Arts
Souterrain de la Règle
Aquarium du Limousin
Boulevard L. Blanc
Pl. du Forum
Pl. L. Betoulle
Jardins de l'Évêché
Pl. F. Roosevelt
Pl. des Jacobins
MÉDIATHÈQUE
STE-MARIE
Pont Neuf
150 m
Bellac
Oradour-s-Glane
Ambazac
Pont du Dognon
St-Léonard-de-Noblat
Le Palais-s-Vienne
Panazol
Couzeix
Aixe-s-Vienne
Isle
Condat-s-Vienne
Solignac
Feytiat
Nantiat
Nieul
Veyrac
St-Junien-les-Combes
Peyrilhac
Chaptelat
Rilhac-Rancon
Verneuil
St-Priest-Taurion
St-Just-le-Martel
Royères
Eyjeaux
Boisseuil
Le Vigen
Chalusset
St-Hilaire-Bonneval
Pierre-Buffière

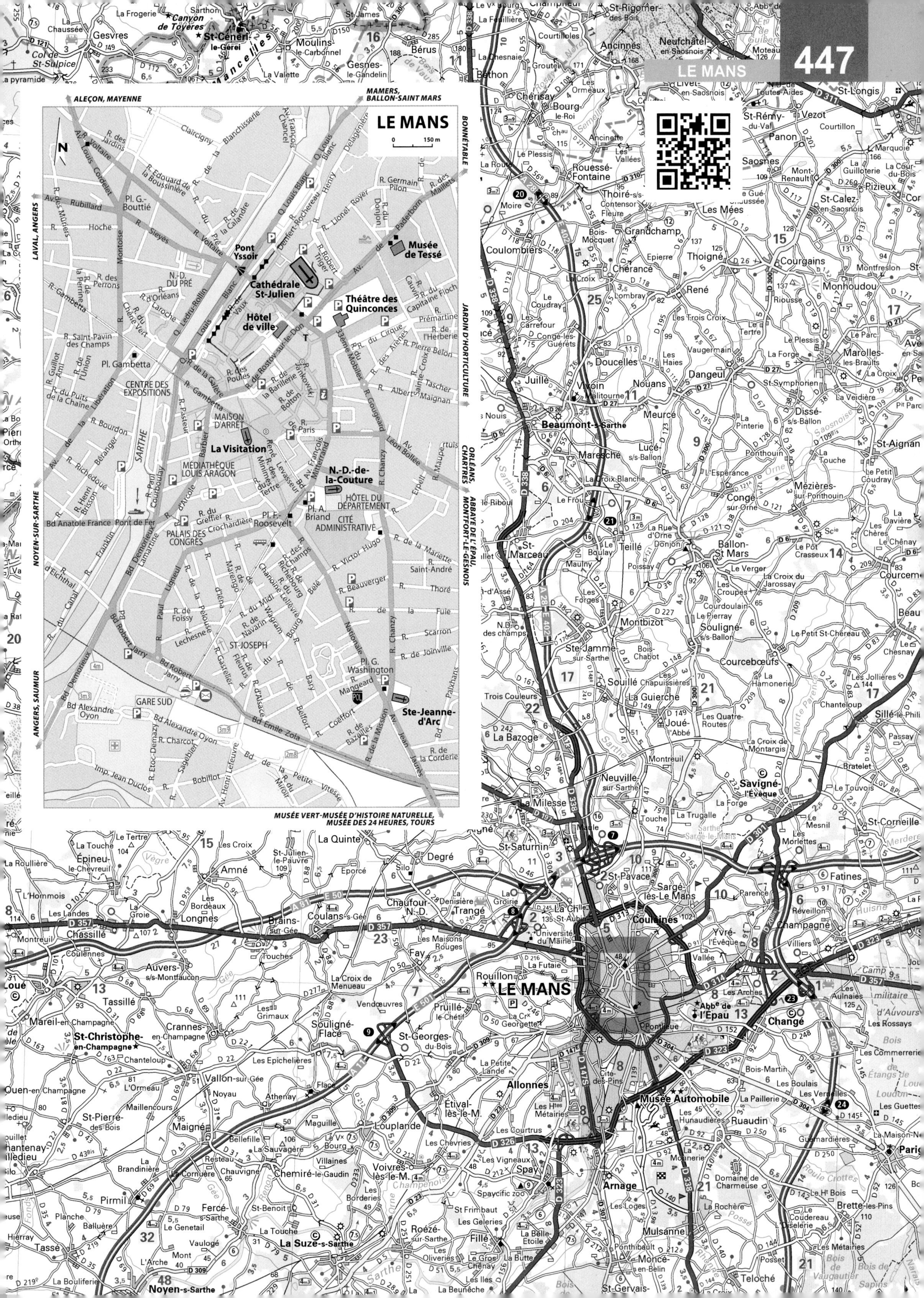
LE MANS
0 150 m
ALEÇON, MAYENNE
MAMERS, BALLON-SAINT MARS
BONNÉTABLE
LAVAL, ANGERS
JARDIN D'HORTICULTURE
ORLÉANS, CHARTRES
ABBAYE DE L'ÉPAU, MONTFORT-LE-GESNOIS
NOYEN-SUR-SARTHE
ANGERS, SAUMUR
MUSÉE VERT-MUSÉE D'HISTOIRE NATURELLE, MUSÉE DES 24 HEURES, TOURS
Pont Yssoir
Cathédrale St-Julien
Musée de Tessé
Théâtre des Quinconces
Hôtel de ville
Pl. G.-Bouttié
N.-D. DU PRÉ
Pl. Gambetta
CENTRE DES EXPOSITIONS
MAISON D'ARRÊT
La Visitation
MÉDIATHÈQUE LOUIS ARAGON
N.-D.-de-la-Couture
HÔTEL DU DÉPARTEMENT
Pl. A. Briand
CITÉ ADMINISTRATIVE
Pl. F.-Roosevelt
PALAIS DES CONGRÈS
Pont de Fer
Bd Anatole France
ST-JOSEPH
Pl. G. Washington
Ste-Jeanne-d'Arc
GARE SUD
SARTHE
LE MANS
Beaumont-s-Sarthe
Ballon-St Mars
Savigné-l'Évêque
Coulaines
Allonnes
Arnage
Changé
Abbe de l'Épau
Musée Automobile
St-Christophe-en-Champagne
La Suze-s-Sarthe
Noyen-s-Sarthe
St-Céneri-le-Gérei
Canyon de Toyères
Mulsanne
Parigné

*** MARSEILLE

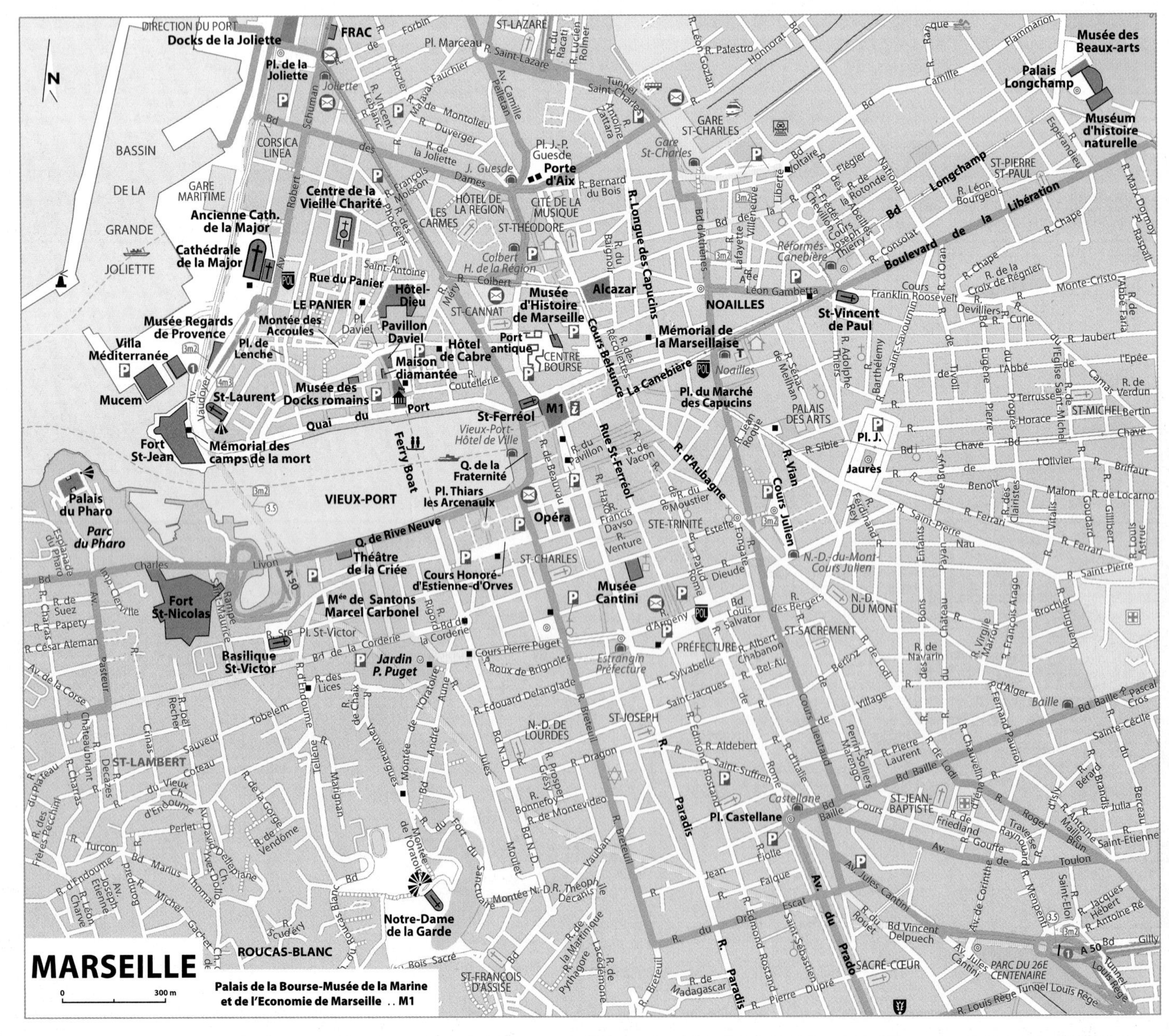

MARSEILLE

ROUCAS-BLANC

0   300 m

Palais de la Bourse-Musée de la Marine
et de l'Économie de Marseille .. M1

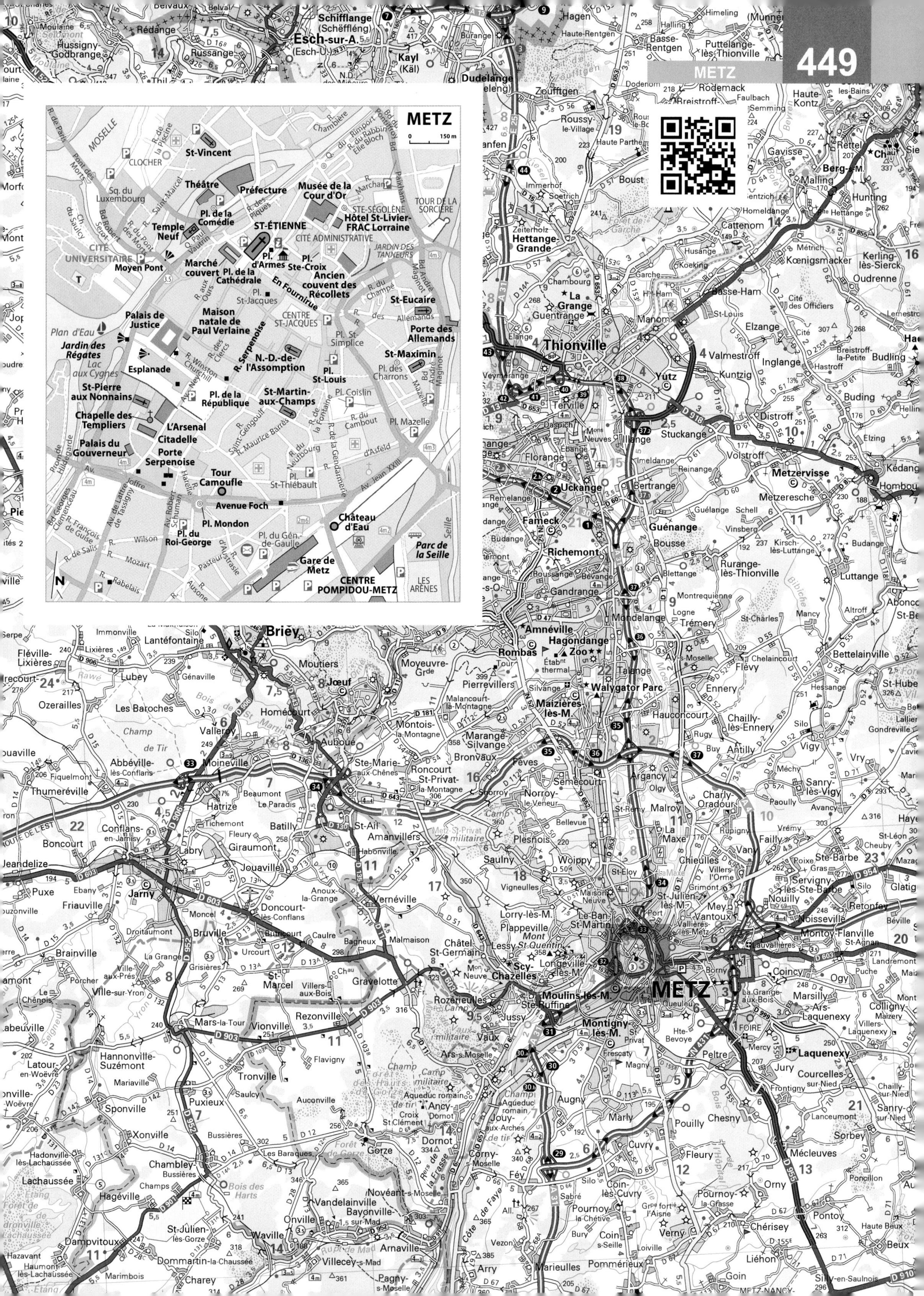
METZ
150 m
St-Vincent
Théâtre
Préfecture
Musée de la Cour d'Or
Pl. de la Comédie
Temple Neuf
ST-ÉTIENNE
Hôtel St-Livier-FRAC Lorraine
CITÉ ADMINISTRATIVE
CITÉ UNIVERSITAIRE
Moyen Pont
Marché couvert
Pl. de la Cathédrale
Pl. d'Armes
Pl. Ste-Croix
Ancien couvent des Récollets
En Fournirue
JARDIN DES TANNEURS
TOUR DE LA SORCIÈRE
St-Eucaire
Porte des Allemands
Palais de Justice
Maison natale de Paul Verlaine
CENTRE ST-JACQUES
Plan d'Eau
Jardin des Régates
Lac aux Cygnes
Esplanade
R. Serpenoise
N.-D.-de-l'Assomption
Pl. St-Louis
St-Maximin
St-Pierre aux Nonnains
Pl. de la République
St-Martin-aux-Champs
Chapelle des Templiers
L'Arsenal
Citadelle
Palais du Gouverneur
Porte Serpenoise
Tour Camoufle
Avenue Foch
Pl. Mondon
Château d'Eau
Pl. du Roi-George
Gare de Metz
Parc de la Seille
CENTRE POMPIDOU-METZ
LES ARÈNES
Esch-sur-A.
Dudelange
Thionville
Yutz
Hettange-Grande
Uckange
Fameck
Guénange
Richemont
Amnéville
Hagondange
Rombas
Walygator Parc
Maizières-lès-M.
Briey
Jœuf
Homécourt
Jarny
Conflans-en-Jarnisy
Moineville
St-Privat-la-Montagne
Woippy
Metzervisse
Kœnigsmacker
Ste-Barbe
Montoy-Flanville
METZ
Montigny-lès-M.
Moulins-lès-M.
Scy-Chazelles
Longeville-lès-M.
Gravelotte
Rezonville
Mars-la-Tour
Gorze
Ars-s-Moselle
Novéant-s-Moselle
Marly
Pouilly
Peltre
Laquenexy
Verny
Cherisey
Orny
Mécleuves
Courcelles-sur-Nied
A 31
A 4
D 903
D 603
D 955

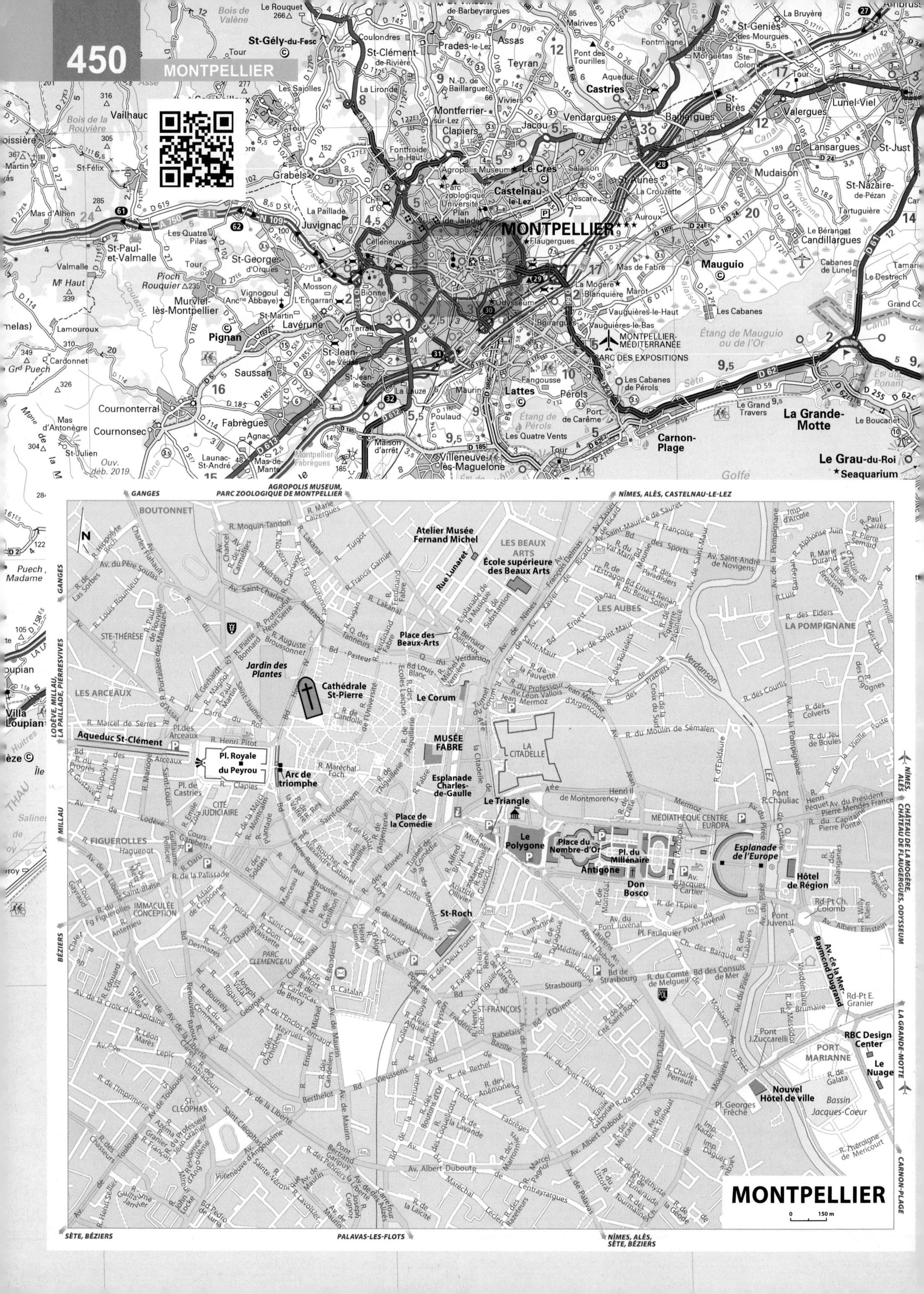
St-Gély-du-Fesc
St-Clément-de-Rivière
Prades-le-Lez
Assas
Teyran
Castries
St-Geniès-des-Mourgues
Montferrier-sur-Lez
Clapiers
Jacou
Vendargues
Baillargues
St-Brès
Valergues
Lunel-Viel
Grabels
Agropolis Museum
Le Crès
Castelnau-le-Lez
Salaison
St-Aunès
Mudaison
Lansargues
St-Just
St-Nazaire-de-Pézan
Juvignac
MONTPELLIER
Flaugergues
Mauguio
Candillargues
Vailhauquès
St-Paul-et-Valmalle
St-Georges-d'Orques
Murviel-lès-Montpellier
Pignan
Lavérune
St-Jean-de-Védas
Saussan
Fabrègues
Cournonterral
Cournonsec
Lattes
Pérols
MONTPELLIER-MÉDITERRANÉE
PARC DES EXPOSITIONS
Étang de Mauguio ou de l'Or
Carnon-Plage
La Grande-Motte
Le Grau-du-Roi
Seaquarium
Villeneuve-lès-Maguelone
Odysseum
MONTPELLIER
GANGES
AGROPOLIS MUSEUM, PARC ZOOLOGIQUE DE MONTPELLIER
NÎMES, ALÈS, CASTELNAU-LE-LEZ
BOUTONNET
Atelier Musée Fernand Michel
LES BEAUX ARTS
École supérieure des Beaux Arts
Rue Lunaret
Place des Beaux-Arts
LES AUBES
LA POMPIGNANE
STE-THÉRÈSE
Jardin des Plantes
Cathédrale St-Pierre
Le Corum
LES ARCEAUX
Aqueduc St-Clément
Pl. Royale du Peyrou
Arc de triomphe
MUSÉE FABRE
LA CITADELLE
Esplanade Charles-de-Gaulle
Le Triangle
Place de la Comédie
Le Polygone
Place du Nombre-d'Or
Pl. du Millénaire
Antigone
Don Bosco
MÉDIATHÈQUE CENTRE EUROPA
Esplanade de l'Europe
Hôtel de Région
CITÉ JUDICIAIRE
FIGUEROLLES
IMMACULÉE CONCEPTION
St-Roch
PARC CLEMENCEAU
ST-FRANÇOIS
PORT MARIANNE
RBC Design Center
Le Nuage
Nouvel Hôtel de ville
Bassin Jacques-Coeur
ST-CLÉOPHAS
LODÈVE, MILLAU, LA PAILLADE, PIERRESVIVES
MILLAU
BÉZIERS
NÎMES, ALÈS
CHÂTEAU DE LA MOGÈRE, CHÂTEAU DE FLAUGERGUES, ODYSSEUM
LA GRANDE-MOTTE
CARNON-PLAGE
SÈTE, BÉZIERS
PALAVAS-LES-FLOTS
NÎMES, ALÈS, SÈTE, BÉZIERS
0 150 m

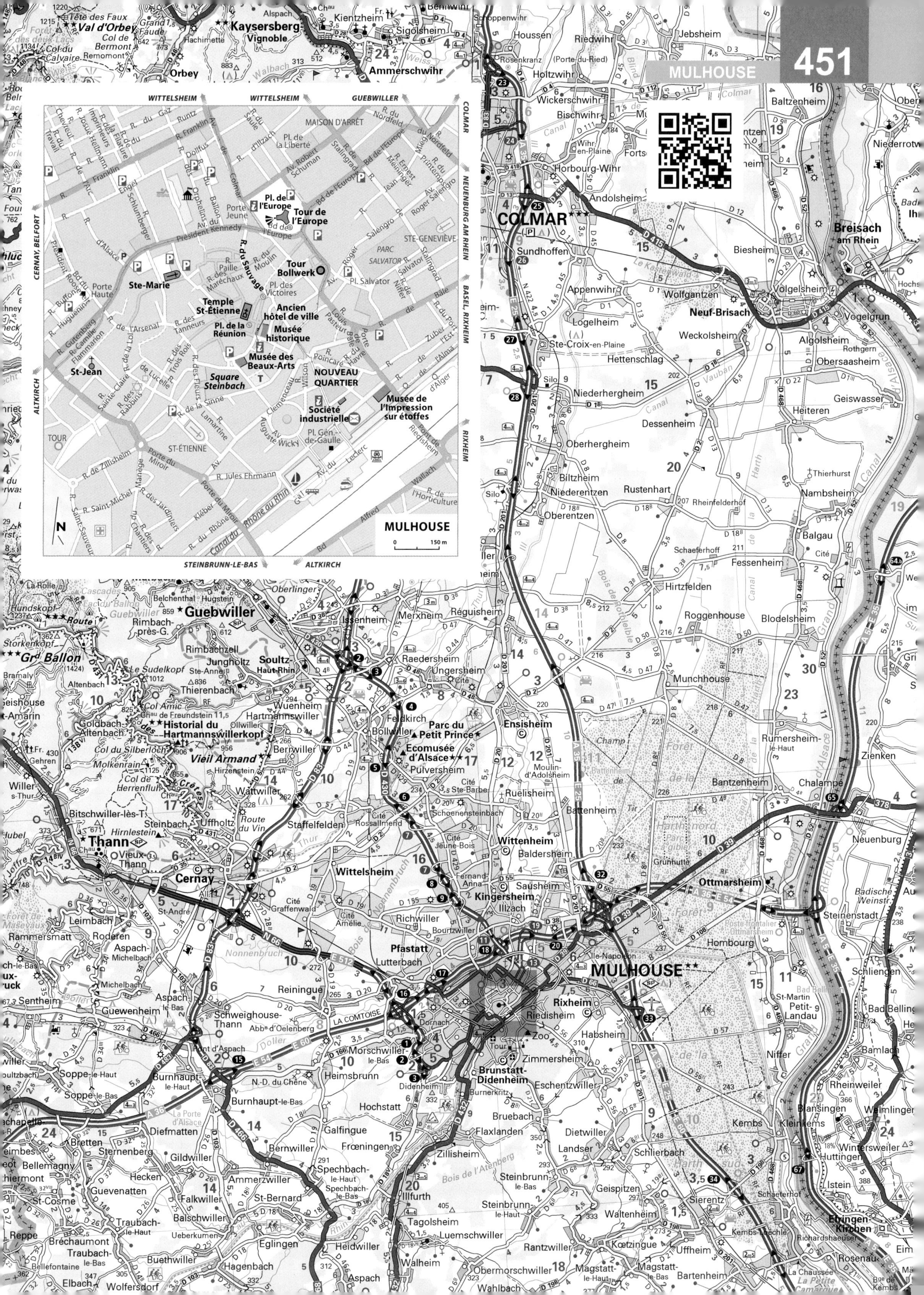
Kaysersberg-Vignoble
Val d'Orbey
Orbey
Ammerschwihr
Sigolsheim
Kientzheim
Houssen
Riedwihr
Jebsheim
Holtzwihr
Wickerschwihr
Bischwihr
Baltzenheim
Horbourg-Wihr
Andolsheim
COLMAR
Sundhoffen
Breisach am Rhein
Biesheim
Volgelsheim
Neuf-Brisach
Wolfgantzen
Appenwihr
Logelheim
Weckolsheim
Vogelgrun
Algolsheim
Obersaasheim
Ste-Croix-en-Plaine
Hettenschlag
Niederhergheim
Oberhergheim
Dessenheim
Geiswasser
Heiteren
Biltzheim
Niederentzen
Oberentzen
Rustenhart
Nambsheim
Balgau
Fessenheim
Hirtzfelden
Roggenhouse
Blodelsheim
Munchhouse
Rumersheim-le-Haut
Chalampé
Bantzenheim
Neuenburg
Ottmarsheim
Steinenstadt
Hombourg
Schliengen
Niffer
Kembs
Bamlach
Rheinweiler
Efringen-Kirchen
Rosenau
MULHOUSE
Rixheim
Riedisheim
Habsheim
Zimmersheim
Brunstatt-Didenheim
Eschentzwiller
Dietwiller
Landser
Schlierbach
Sierentz
Uffheim
Bartenheim
Magstatt-le-Haut
Rantzwiller
Steinbrunn-le-Bas
Steinbrunn-le-Haut
Zillisheim
Illfurth
Tagolsheim
Luemschwiller
Walheim
Heidwiller
Aspach
Hochstatt
Galfingue
Frœningen
Bernwiller
Spechbach-le-Haut
Spechbach-le-Bas
Ammerzwiller
St-Bernard
Eglingen
Hagenbach
Gildwiller
Falkwiller
Balschwiller
Buethwiller
Burnhaupt-le-Haut
Burnhaupt-le-Bas
Diefmatten
Sternenberg
Bretten
Guevenatten
Traubach-le-Haut
Traubach-le-Bas
Bréchaumont
Elbach
Wolfersdorf
Soppe-le-Haut
Soppe-le-Bas
Pont d'Aspach
Schweighouse-Thann
Aspach-le-Bas
Guewenheim
Sentheim
Michelbach
Aspach-Michelbach
Roderen
Rammersmatt
Leimbach
Thann
Vieux-Thann
Cernay
Steinbach
Uffholtz
Wattwiller
Staffelfelden
Wittelsheim
Richwiller
Pfastatt
Lutterbach
Reiningue
Morschwiller-le-Bas
Heimsbrunn
Didenheim
Kingersheim
Illzach
Sausheim
Baldersheim
Battenheim
Wittenheim
Ruelisheim
Pulversheim
Ensisheim
Réguisheim
Feldkirch
Bollwiller
Ungersheim
Raedersheim
Merxheim
Issenheim
Soultz-Haut-Rhin
Guebwiller
Jungholtz
Thierenbach
Wuenheim
Hartmannswiller
Berrwiller
Historial du Hartmannswillerkopf
Vieil Armand
Parc du Petit Prince
Ecomusée d'Alsace
Grd Ballon
Bitschwiller-lès-T.
Willer-s-Thur
MULHOUSE
WITTELSHEIM
GUEBWILLER
COLMAR
NEUENBURG AM RHEIN
BASEL, RIXHEIM
RIXHEIM
ALTKIRCH
STEINBRUNN-LE-BAS
CERNAY, BELFORT
Pl. de l'Europe
Tour de l'Europe
Tour Bollwerk
Ste-Marie
Temple St-Étienne
Pl. de la Réunion
Ancien hôtel de ville
Musée historique
Musée des Beaux-Arts
Square Steinbach
NOUVEAU QUARTIER
Société industrielle
Musée de l'Impression sur étoffes
St-Jean
ST-ÉTIENNE
STE-GENEVIÈVE
MAISON D'ARRÊT
Pl. Salvator
Pl. des Victoires
Pl. de la Liberté
Pl. Gén.-de-Gaulle
150 m

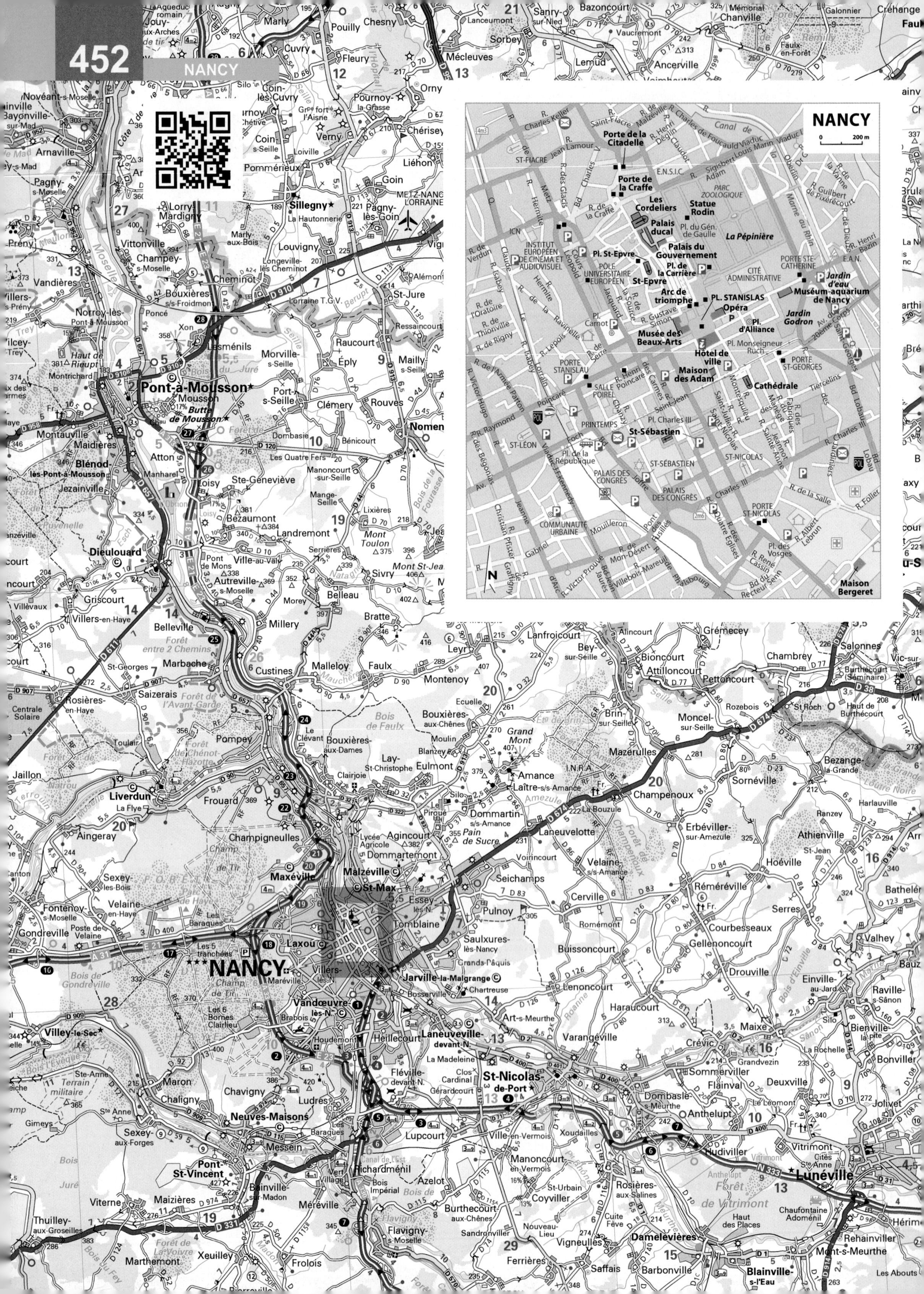
NANCY
0
200 m
Porte de la Citadelle
Porte de la Craffe
Les Cordeliers
Palais ducal
Statue Rodin
La Pépinière
Palais du Gouvernement
Pl. St-Epvre
St-Epvre
Pl. de la Carrière
Arc de triomphe
PL. STANISLAS
Opéra
Pl. d'Alliance
Musée des Beaux-Arts
Hôtel de ville
Maison des Adam
Cathédrale
St-Sébastien
Jardin d'eau
Muséum-aquarium de Nancy
Jardin Godron
PORTE STE-CATHERINE
PORTE ST-GEORGES
PORTE STANISLAS
PORTE ST-NICOLAS
CITÉ ADMINISTRATIVE
INSTITUT EUROPÉEN DE CINÉMA ET AUDIOVISUEL
PÔLE UNIVERSITAIRE EUROPÉEN
PARC ZOOLOGIQUE
E.N.S.I.C.
ST-FIACRE
SALLE POIREL
PRINTEMPS
ST-LÉON
ST-SÉBASTIEN
ST-NICOLAS
PALAIS DES CONGRÈS
COMMUNAUTÉ URBAINE
Pl. Carnot
Pl. de la République
Pl. Charles III
Pl. Monseigneur Ruch
Pl. des Vosges
Maison Bergeret
Pont-à-Mousson
Butte de Mousson
Dieulouard
Liverdun
Maxéville
Malzéville
St-Max
Laxou
NANCY
Villers-lès-N.
Vandœuvre-lès-N.
Jarville-la-Malgrange
Essey-lès-N.
Tomblaine
Saulxures-lès-Nancy
Seichamps
Pulnoy
Laneuveville-devant-N.
St-Nicolas-de-Port
Dombasle-s-Meurthe
Lunéville
Neuves-Maisons
Pont-St-Vincent
Champigneulles
Frouard
Pompey
Custines
Amance
Champenoux
Forêt de Haye
Forêt de Champenoux
Forêt de Vitrimont
Villey-le-Sec
Blénod-lès-Pont-à-Mousson
Sillegny
Metz-Nancy Lorraine
Lorraine T.G.V.
Blainville-s-l'Eau
Damelevières
Rosières-aux-Salines
Varangéville
Flavigny-s-Moselle
Richardménil
Ludres
Chaligny
Maron
Messein

NANTES

★★★ NANTES

Orvault
Sautron
St-Herblain
Couëron
St-Jean-de-Boiseau
Indre
Haute-Indre
Basse-Indre
Chantenay
Trentemoult
Rezé
Bouguenais
St-Sébastien-s-Loire
Vertou
Basse-Goulaine
Goulaine ★
Hte-Goulaine
La Chapelle-Heulin
Le Loroux-Bottereau
St-Joseph
Ste-Luce-s-L
Thouaré-s-L
La Madeleine
Doulon
Bellevue
NANTES-ATLANTIQUE
St-Aignan-Grandlieu
Pont-St-Martin
Les Sorinières
La Haie-Fouassière
St-Fiacre-s-Maine
Château-Thébaud
Monnières
Le Pallet
Mouzillon
Planète sauvage ★★
St-Mars-de-Coutais
Réserve naturelle
Passay
Port-St-Père
Bouaye
Brains
La Montagne
St-Léger-les-Vignes
Clisson

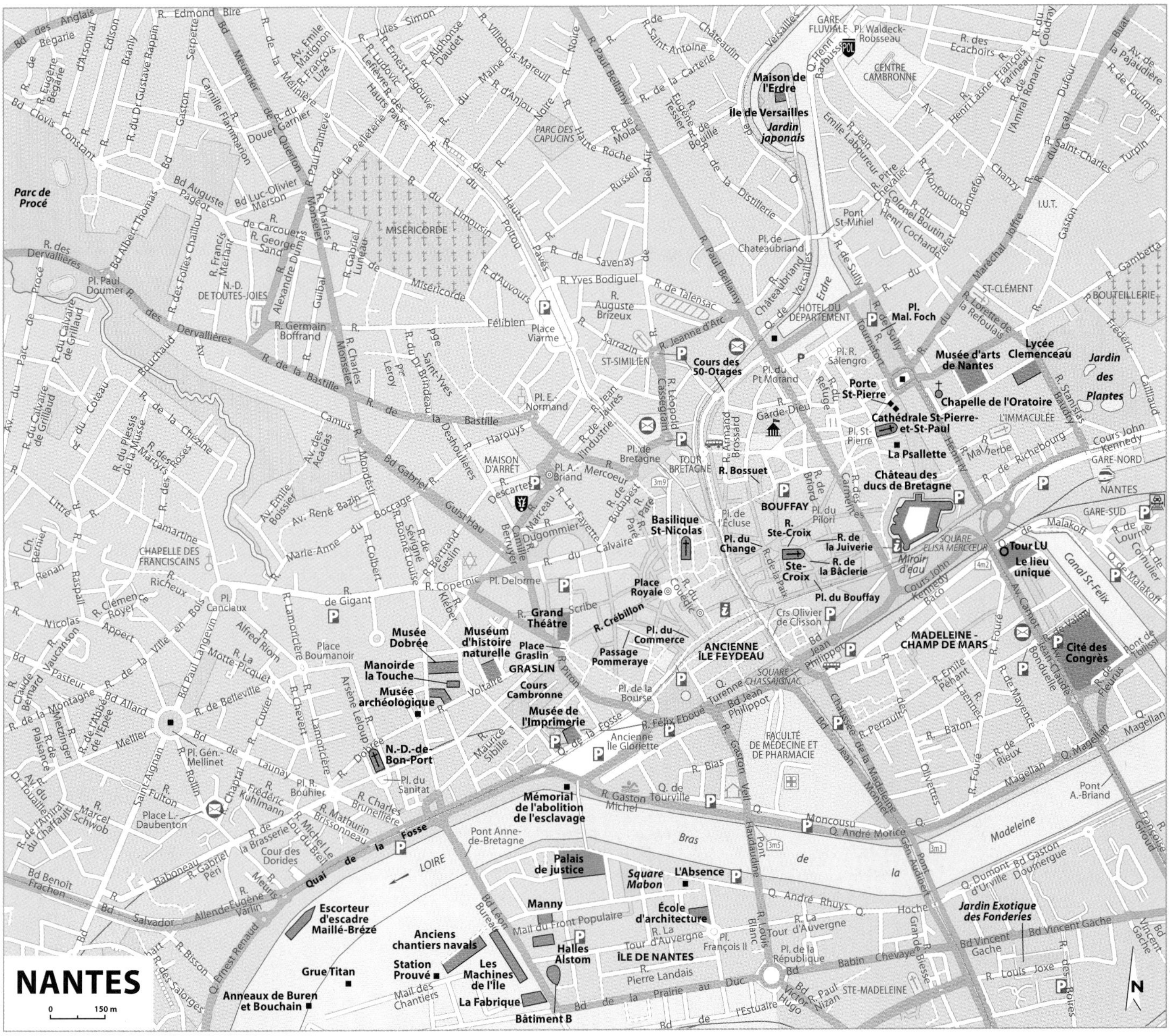

Map (city centre)

Parc de Procé
Parc des Capucins
Maison de l'Erdre
Île de Versailles — Jardin japonais
CENTRE CAMBRONNE
GARE-FLUVIALE
Pl. Waldeck-Rousseau
MISÉRICORDE
PARC DES CAPUCINS
Pl. de Toutes-Joies
Pl. Paul Doumer
Pl. Paul Bellamy
Place Viarme
ST-SIMILIEN
HÔTEL DU DÉPARTEMENT
Pl. Mal. Foch
Musée d'arts de Nantes
Lycée Clemenceau
Jardin des Plantes
L'IMMACULÉE
Porte St-Pierre
Chapelle de l'Oratoire
Cathédrale St-Pierre-et-St-Paul
La Psallette
GARE-NORD
NANTES
GARE-SUD
Cours des 50-Otages
Pl. du Pt Morand
Pl. R. Salengro
Garde-Dieu
TOUR BRETAGNE
R. Bossuet
Pl. de Bretagne
MAISON D'ARRET
PL. A. Briand
Pl. Mercoeur
Château des ducs de Bretagne
Miroir d'eau
SQUARE ELISA MERCOEUR
Tour LU — Le lieu unique
Canal St-Félix
BOUFFAY
Pl. du Pilori
R. Ste-Croix
R. de la Juiverie
R. de la Bâclerie
Pl. du Change
Basilique St-Nicolas
Pl. du Bouffay
Ste-Croix
Musée Dobrée
Manoir de la Touche
Musée archéologique
Muséum d'histoire naturelle
Place Graslin — GRASLIN
Cours Cambronne
Musée de l'Imprimerie
N.-D.-de-Bon-Port
Place Royale
R. Grand Théâtre
R. Crébillon
Passage Pommeraye
Pl. du Commerce
ANCIENNE ÎLE FEYDEAU
Pl. de la Bourse
MADELEINE - CHAMP DE MARS
Cité des Congrès
SQUARE CHASSAIGNAC
FACULTÉ DE MÉDECINE ET DE PHARMACIE
Mémorial de l'abolition de l'esclavage
Palais de justice
Square Mabon
L'Absence
Manny
École d'architecture
ÎLE DE NANTES
Pont Anne-de-Bretagne
Escorteur d'escadre Maillé-Brézé
Anciens chantiers navals
Grue Titan
Station Prouvé
Les Machines de l'Île
La Fabrique
Anneaux de Buren et Bouchain
Halles Alstom
Bâtiment B
Jardin Exotique des Fonderies
Pont A.-Briand
Quai de la Fosse
LOIRE
STE-MADELEINE

0   150 m

N

Belleville-sur-Vie

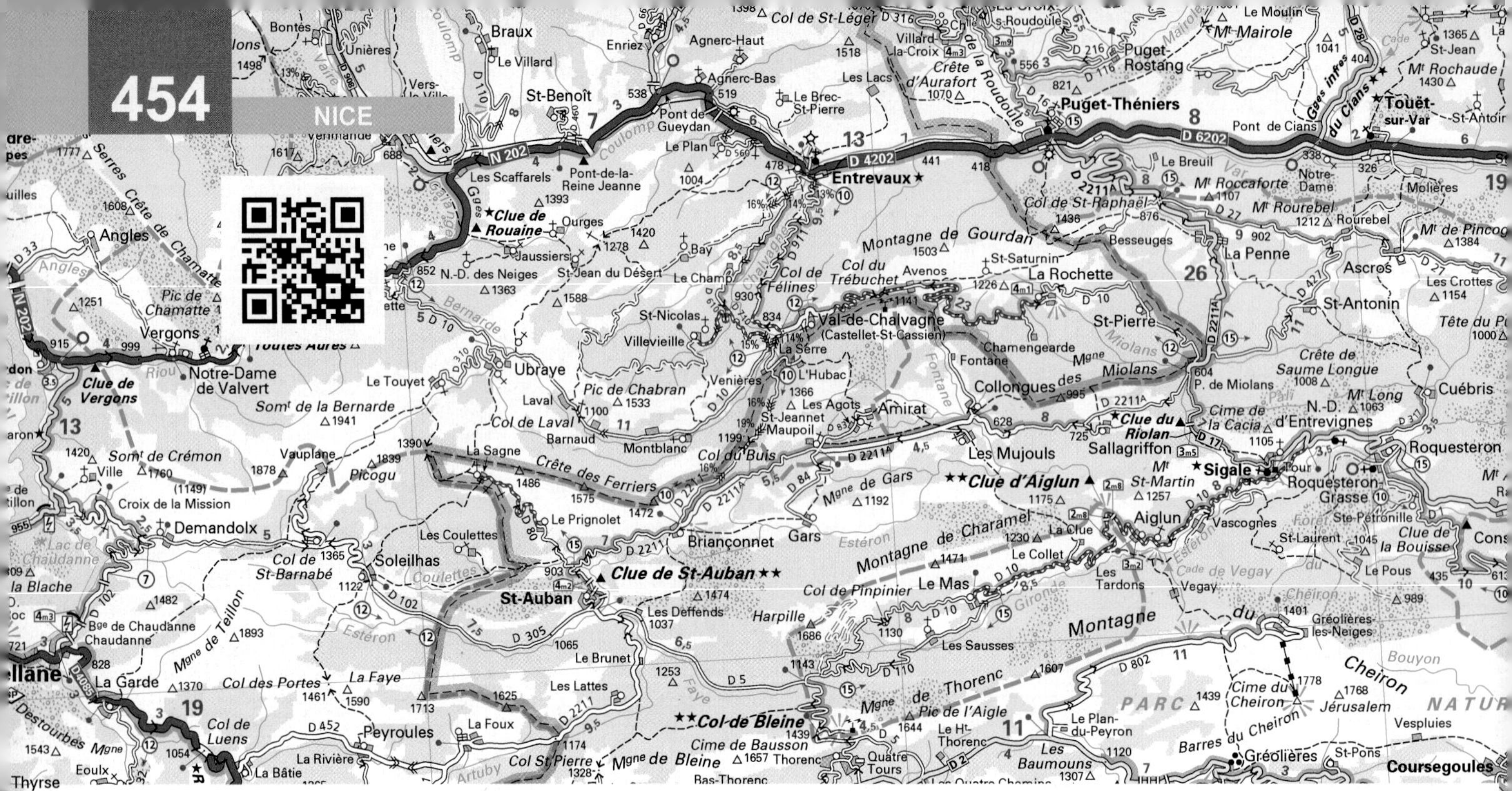

NICE

0   200 m

BAIE DES ANGES

Major labels (upper regional map): Braux, Le Villard, St-Benoît, Agnerc-Haut, Agnerc-Bas, Puget-Théniers, Puget-Rostang, Touët-sur-Var, Entrevaux, Clue de Rouaine, N.-D. des Neiges, Val-de-Chalvagne (Castellet-St-Cassien), La Rochette, La Penne, St-Pierre, St-Antonin, Vergons, Clue de Vergons, Notre-Dame de Valvert, Ubraye, Amirat, Collongues, Sallagriffon, Sigale, Clue du Riolan, Clue d'Aiglun, Roquesteron, Aiglun, Vascognes, Demandolx, Soleilhas, St-Barnabé, Picogu, Crête des Ferriers, Briançonnet, Clue de St-Auban, St-Auban, Le Mas, Montagne de Charamel, Cime du Cheiron, Gréolières-les-Neiges, La Garde, Col des Portes, La Faye, Peyroules, La Foux, Col de Bleine, Thorenc, Le Plan-du-Peyron, Barres du Cheiron, Gréolières, Coursegoules, Pic de l'Aigle, PARC NATUREL, Quatre Chemins, Bas-Thorenc.

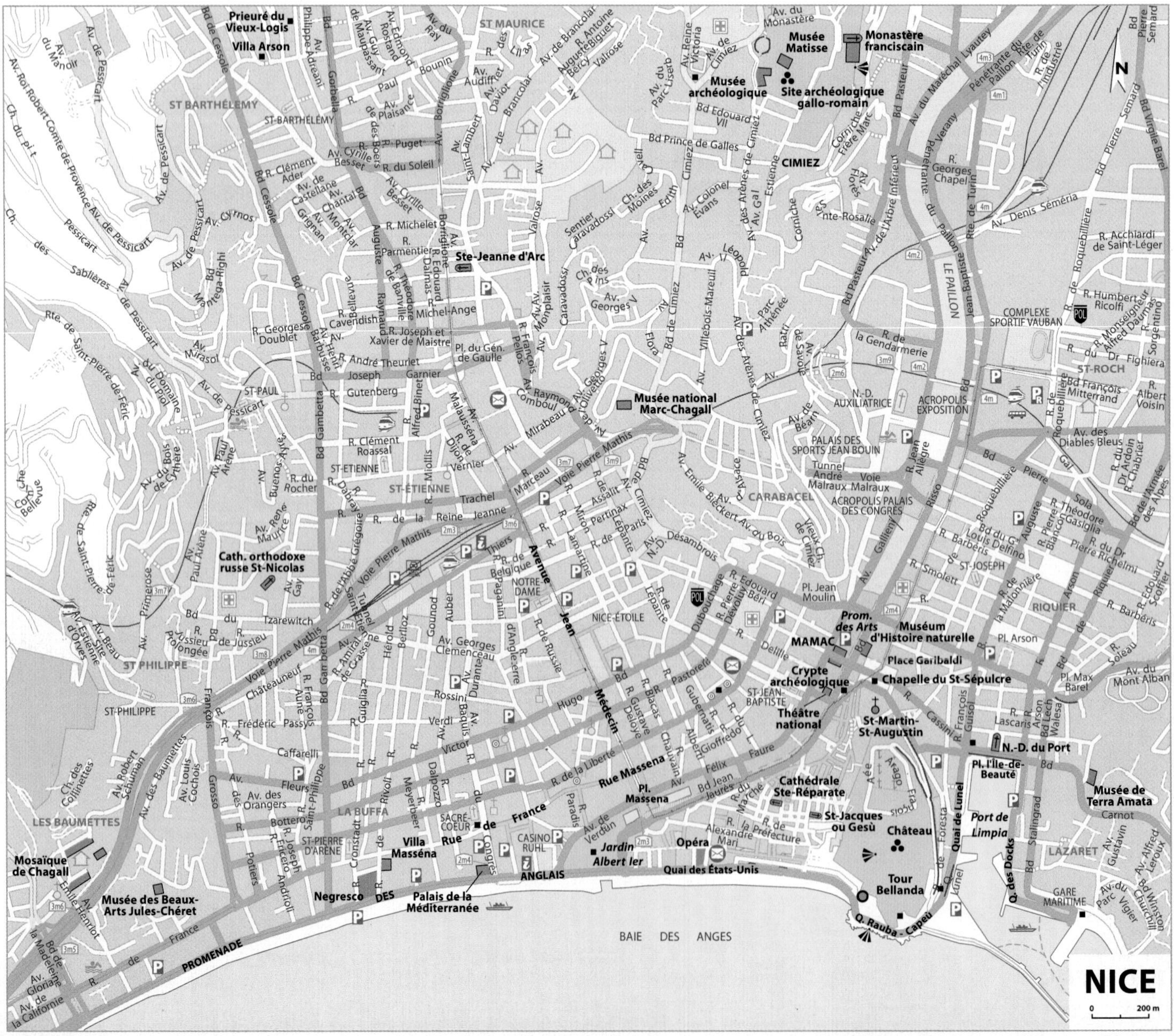

City map labels (NICE): Prieuré du Vieux-Logis, Villa Arson, ST BARTHÉLEMY, ST MAURICE, Musée Matisse, Monastère franciscain, Musée archéologique, Site archéologique gallo-romain, CIMIEZ, Ste-Jeanne d'Arc, Musée national Marc-Chagall, Cath. orthodoxe russe St-Nicolas, ST-PAUL, ST-ÉTIENNE, ST-PHILIPPE, LES BAUMETTES, Mosaïque de Chagall, Musée des Beaux-Arts Jules-Chéret, Negresco, Palais de la Méditerranée, Villa Masséna, Pl. Masséna, Rue Masséna, Casino Ruhl, Jardin Albert Ier, Opéra, Quai des États-Unis, PROMENADE DES ANGLAIS, NICE-ÉTOILE, NOTRE DAME, SACRÉ-CŒUR, Théâtre national, Cathédrale Ste-Réparate, Crypte archéologique, St-Jean-Baptiste, St-Martin-St-Augustin, MAMAC, Muséum d'Histoire naturelle, Place Garibaldi, Chapelle du St-Sépulcre, N.-D. du Port, Pl. Île-de-Beauté, Musée de Terra Amata, Port de Limpia, LAZARET, GARE MARITIME, Château, Tour Bellanda, St-Jacques ou Gesù, ACROPOLIS EXPOSITION, PALAIS DES SPORTS Jean Bouin, ACROPOLIS PALAIS DES CONGRÈS, COMPLEXE SPORTIF VAUBAN, ST-ROCH, LE PAILLON, CARABACEL, RIQUIER, ST-JOSEPH, N.-D. AUXILIATRICE, Georges Chapell, BAIE DES ANGES.

Lower edge labels: La Motte, Les Pins Parasols, Forêt domaniale des Terres Gastes, Zoo, Col N.-D., Pic de l'Ours, Miramar, La Figueirette, Le Trayas-Supérieur.

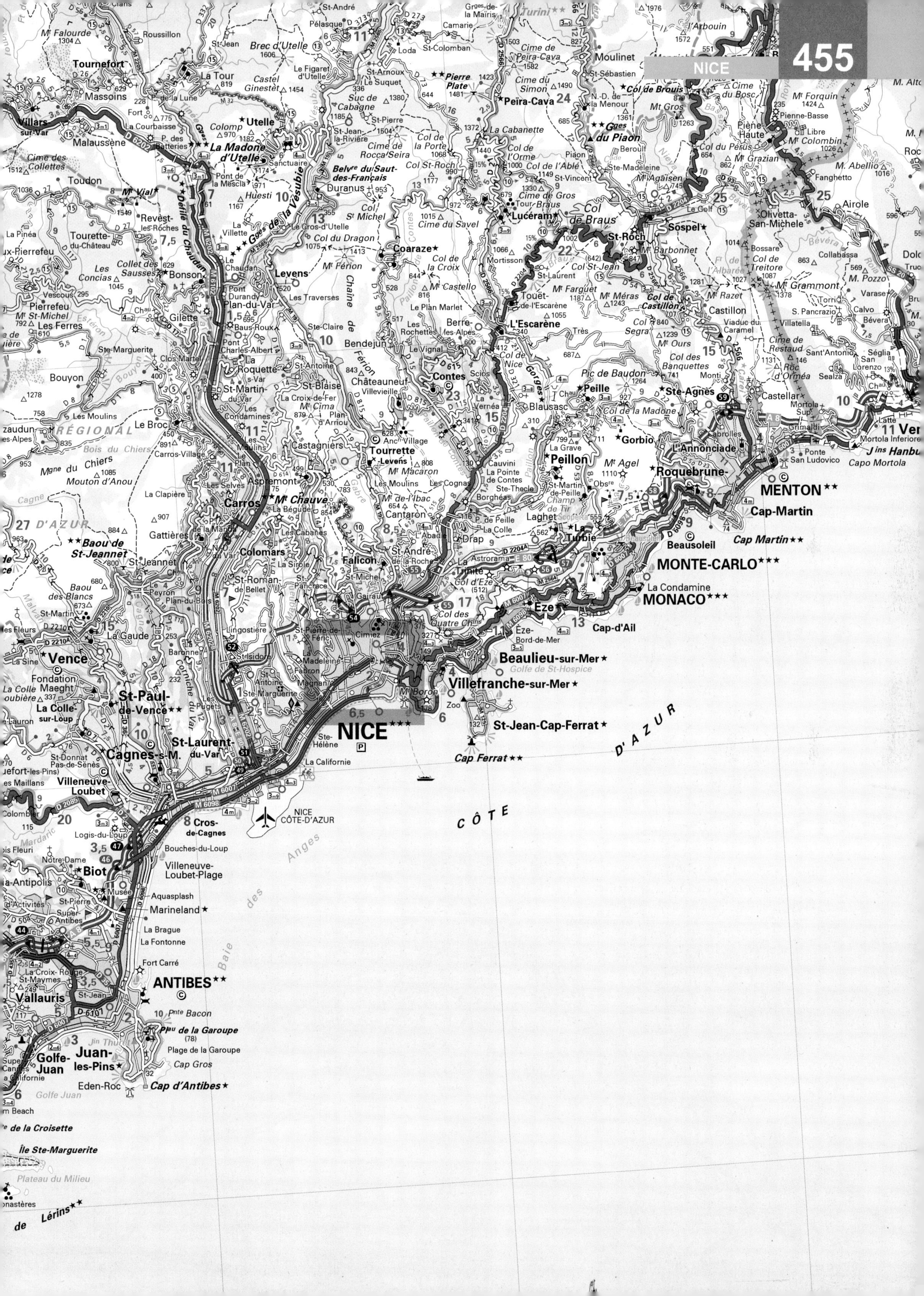
Tournefort
Massoins
Villars-sur-Var
Malaussène
Toudon
La Tour
Utelle
La Madone d'Utelle
Gges de la Vésubie
Défilé du Chaudan
Revest-les-Roches
Tourette-du-Château
Bonson
Gilette
Les Ferres
Bouyon
Le Broc
Levens
Duranus
Coaraze
Lucéram
Peïra-Cava
Moulinet
Col de Brouis
Sospel
Castillon
Ste-Agnès
Peille
Peillon
L'Escarène
Contes
Châteauneuf
Bendejun
Tourrette-Levens
Cantaron
St-André-de-la-Roche
Falicon
Aspremont
Carros
Colomars
Gattières
St-Jeannet
Baou de St-Jeannet
La Gaude
Vence
St-Paul-de-Vence
Cagnes-s-M.
St-Laurent-du-Var
Villeneuve-Loubet
Cros-de-Cagnes
Biot
Marineland
ANTIBES
Vallauris
Golfe-Juan
Juan-les-Pins
Cap d'Antibes
Plateau de la Garoupe
Île Ste-Marguerite
de Lérins
NICE
NICE CÔTE-D'AZUR
Baie des Anges
CÔTE D'AZUR
Villefranche-sur-Mer
Beaulieu-sur-Mer
St-Jean-Cap-Ferrat
Cap Ferrat
Èze
Cap-d'Ail
MONACO
MONTE-CARLO
Beausoleil
La Turbie
Roquebrune-Cap-Martin
Cap Martin
MENTON
Gorbio
Castellar
Airole
Olivetta-San-Michele

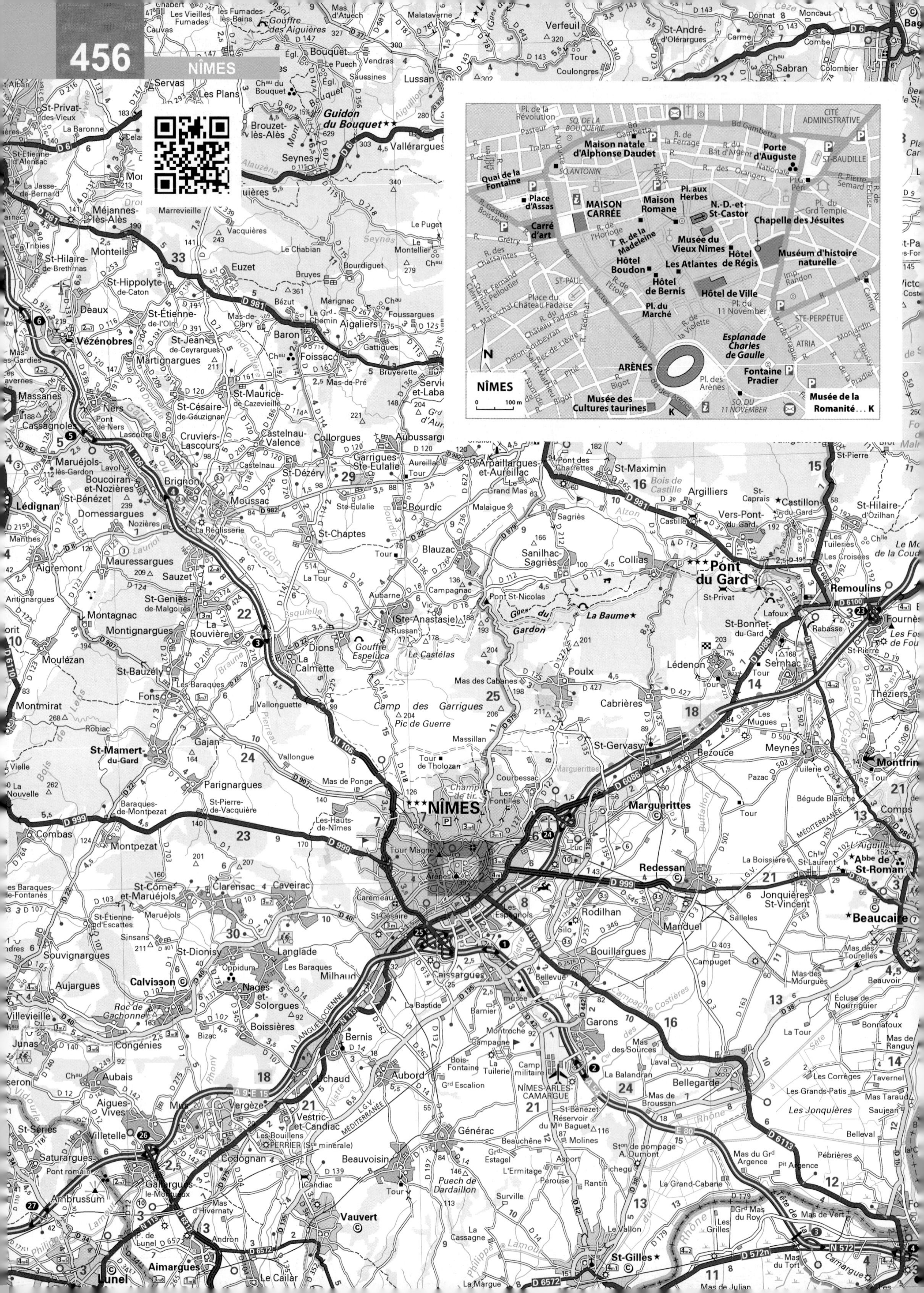
NÎMES
Pl. de la Révolution
SQ. DE LA BOUQUERIE
Bd Gambetta
CITÉ ADMINISTRATIVE
Maison natale d'Alphonse Daudet
Porte d'Auguste
ST-BAUDILLE
Quai de la Fontaine
SQ. ANTONIN
R. des Orangers
Place d'Assas
MAISON CARRÉE
Maison Romane
Pl. aux Herbes
N.-D.-et-St-Castor
Carré d'art
Chapelle des Jésuites
R. de la Madeleine
Musée du Vieux Nîmes
Muséum d'histoire naturelle
Hôtel Boudon
Les Atlantes
Hôtel de Régis
ST-PAUL
Hôtel de Bernis
Hôtel de Ville
Place du Château Fadaise
Pl. du Marché
Pl. du 11 Novembre
STE-PERPÉTUE
Esplanade Charles de Gaulle
ATRIA
ARÈNES
Fontaine Pradier
Pl. des Arènes
Musée des Cultures taurines
Musée de la Romanité... K
100 m
Guidon du Bouquet
Gouffre des Aiguières
Bouquet
Lussan
Verfeuil
St-André-d'Olérargues
Sabran
Bagnols
Servas
Les Plans
St-Privat-des-Vieux
La Baronne
Brouzet-lès-Alès
Seynes
Vallérargues
Méjannes-lès-Alès
Monteils
Euzet
St-Hilaire-de-Brethmas
St-Hippolyte-de-Caton
Deaux
St-Étienne-de-l'Olm
Vézénobres
St-Jean-de-Ceyrargues
Martignargues
Baron
Foissac
Aigaliers
Massanes
Ners
St-Maurice-de-Cazevieille
St-Césaire-de-Gauzignan
Cassagnoles
Cruviers-Lascours
Castelnau-Valence
Collorgues
Aubussargues
Maruéjols-lès-Gardon
Boucoiran-et-Nozières
Brignon
Garrigues-Ste-Eulalie
St-Dézéry
Arpaillargues-et-Aureillac
St-Maximin
Lédignan
St-Bénézet
Moussac
Bourdic
Argilliers
Castillon-du-Gard
St-Hilaire-d'Ozilhan
Domessargues
St-Chaptes
Blauzac
Sanilhac-Sagriès
Collias
Pont du Gard
Remoulins
Aigremont
Mauressargues
Sauzet
St-Geniès-de-Malgoires
Montagnac
Montignargues
La Rouvière
Dions
La Calmette
Gouffre Espeluca
Le Castélas
La Baume
Fournès
St-Bonnet-du-Gard
Ledenon
Sernhac
Moulézan
St-Bauzély
Fons
Poulx
Cabrières
Théziers
Montmirat
Camp des Garrigues
Pic de Guerre
St-Mamert-du-Gard
Gajan
St-Gervasy
Bezouce
Meynes
Montfrin
Parignargues
Tour de Tholozan
Courbessac
Marguerittes
NÎMES
Combas
Montpezat
Les-Hauts-de-Nîmes
Tour Magne
Redessan
Abbe de St-Roman
Clarensac
Caveirac
St-Côme-et-Maruéjols
Jonquières-St-Vincent
Beaucaire
Rodilhan
Manduel
Souvignargues
Langlade
St-Dionisy
Calvisson
Nages-et-Solorgues
Milhaud
Caissargues
Bouillargues
Aujargues
Boissières
Garons
Bellegarde
Junas
Congénies
Bernis
Aubais
Uchaud
Aubord
Nîmes-Arles-Camargue
Aigues-Vives
Vergèze
Vestric-et-Candiac
Générac
Villetelle
Codognan
Beauvoisin
Puech de Dardaillon
Gallargues-le-Montueux
Ambrussum
Vauvert
St-Gilles
Lunel
Aimargues
Le Cailar
Gardon
Rhône
Vidourle
LA LANGUEDOCIENNE
MÉDITERRANÉE

ORLÉANS

0 100 m

Frac Centre - Val de Loire
Muséum
Hôtel du Département
Parc Louis Pasteur
Médiathèque
St-Paterne
Palais des Sports
Pavillons d'Escures
Campo Santo
Hôtel de ville
Musée des Beaux-Arts
Cercil
Ancien Évêché
Cathédrale Ste-Croix
Place Ste-Croix
Hôtel Groslot
Place du Martroi
Pavillon de la Chancellerie
Hôtel des Créneaux
Hôtel Cabu
Maison de Jeanne-d'Arc
Centre Ch-Péguy
Notre-Dame des Miracles
Notre-Dame de Recouvrance
Hôtel de Région
Salle des Thèses
Préfecture
St-Pierre-le-Puellier
St-Aignan
St-Donatien
St-Laurent
St-Euverte
St-Marc
Centre de Conférences
Carré St-Vincent
Quai du Châtelet
Pont George-V
Pont du M. Joffre
Pont René Thinat
Quai Fort-des-Tourelles
Loire

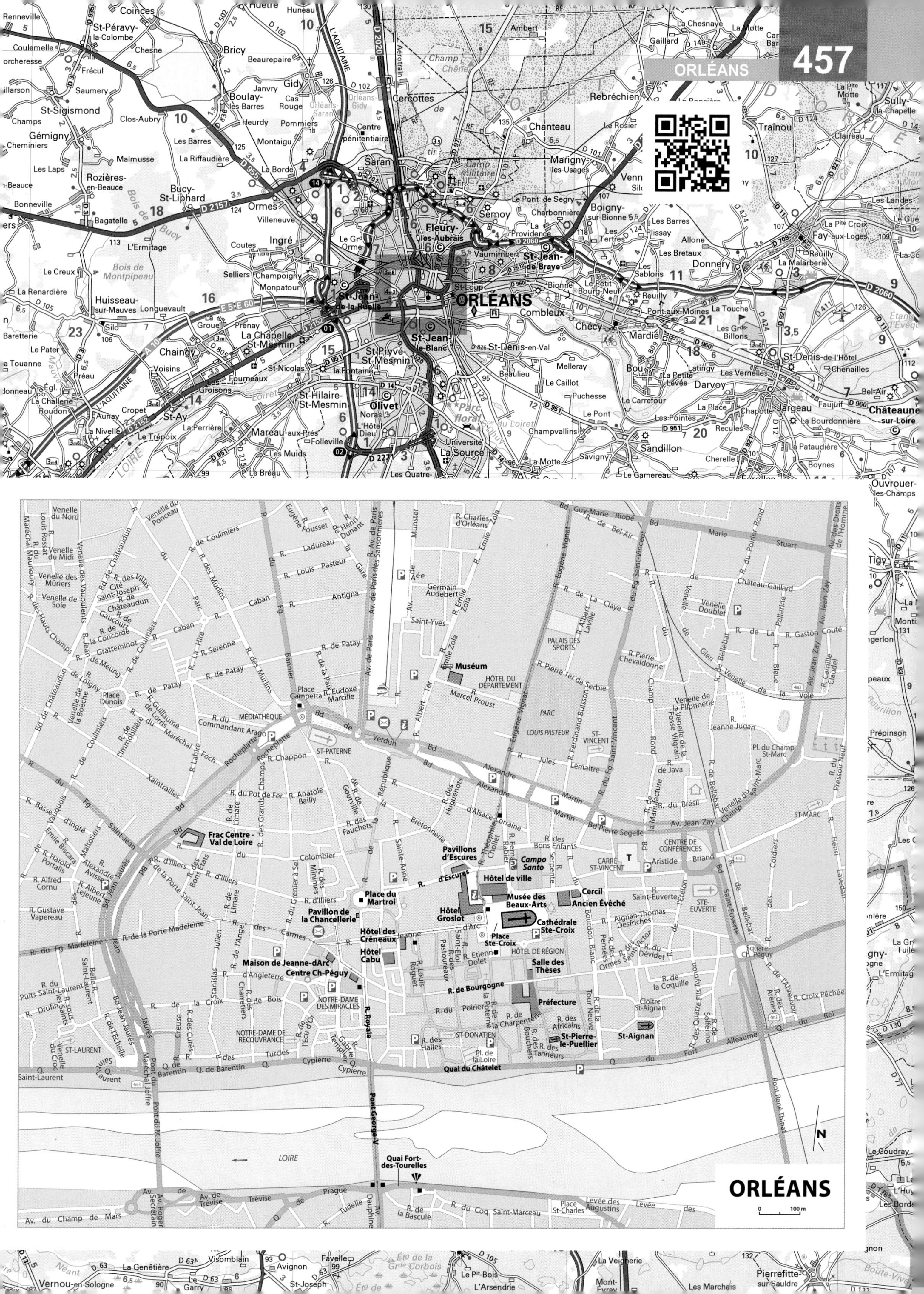

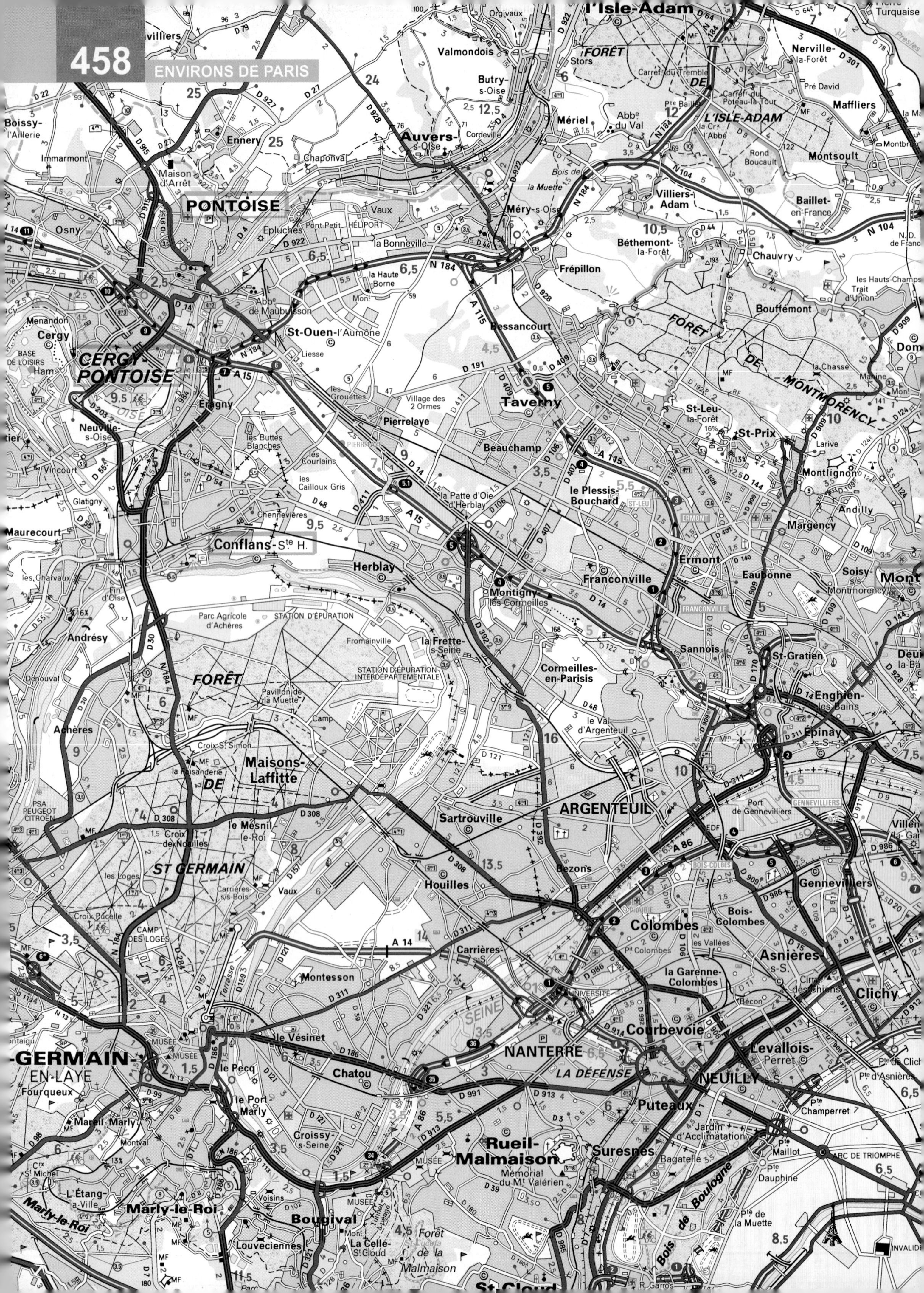
l'Isle-Adam
Valmondois
Butry-s-Oise
Auvers-s-Oise
Méry-s-Oise
Mériel
Abbe du Val
FORÊT DE L'ISLE-ADAM
Nerville-la-Forêt
Maffliers
Montsoult
Villiers-Adam
Baillet-en-France
Béthemont-la-Forêt
Chauvry
Frépillon
Ennery
Boissy-l'Aillerie
Immarmont
Maison d'Arrêt
PONTOISE
Osny
Epluches
Vaux
la Bonneville
Abbe de Maubuisson
St-Ouen-l'Aumône
Liesse
Bessancourt
Bouffémont
FORÊT DE MONTMORENCY
Menandon
Cergy
BASE DE LOISIRS
CERGY-PONTOISE
Neuville-s-Oise
Eragny
Pierrelaye
Village des 2 Ormes
Taverny
St-Leu-la-Forêt
St-Prix
Montlignon
Andilly
Margency
Beauchamp
le Plessis-Bouchard
Ermont
Eaubonne
Soisy-s/s-Montmorency
Franconville
Vincourt
Maurecourt
Conflans-Ste H.
Herblay
Montigny-lès-Cormeilles
Andrésy
Parc Agricole d'Achères
STATION D'ÉPURATION
la Frette-s-Seine
Cormeilles-en-Parisis
Sannois
St-Gratien
Enghien-les-Bains
Epinay-s-S.
FORÊT DE ST GERMAIN
Achères
Maisons-Laffitte
le Mesnil-le-Roi
Sartrouville
ARGENTEUIL
Port de Gennevilliers
Bezons
Houilles
Carrières-s-S.
Colombes
Gennevilliers
Bois-Colombes
Asnières-s-S.
Montesson
la Garenne-Colombes
Clichy
le Vésinet
Courbevoie
Levallois-Perret
NANTERRE
LA DÉFENSE
NEUILLY-s-S.
ST-GERMAIN-EN-LAYE
Fourqueux
le Pecq
Chatou
le Port-Marly
Puteaux
Croissy-s-Seine
Rueil-Malmaison
Suresnes
Mareil-Marly
L'Étang-la-Ville
Marly-le-Roi
Bougival
Louveciennes
La Celle-St Cloud
Forêt de la Malmaison
St-Cloud
Bois de Boulogne
ARC DE TRIOMPHE
Pte Maillot
Pte Dauphine
Pte de la Muette
Jardin d'Acclimatation
Bagatelle
INVALIDES

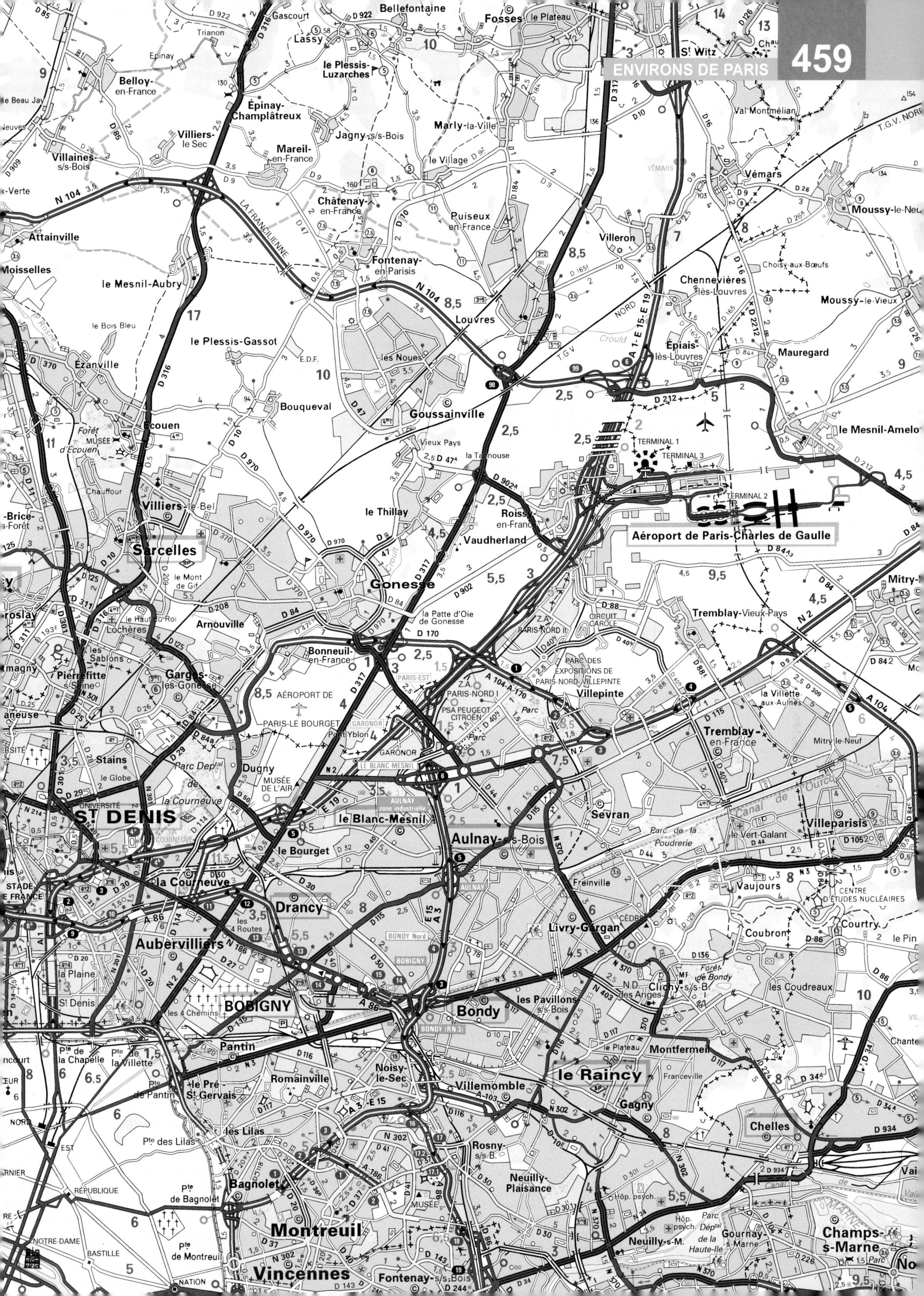
Gascourt
Bellefontaine
Fosses
le Plateau
St Witz
Trianon
Lassy
Epinay
Belloy-en-France
le Plessis-Luzarches
Épinay-Champlâtreux
Val Montmélian
Marly-la-Ville
Villiers-le-Sec
Jagny-s/s-Bois
Mareil-en-France
Villaines-s/s-Bois
le Village
Vémars
Moussy-le-Neuf
Châtenay-en-France
Puiseux-en-France
LA FRANCILIENNE
Attainville
Villeron
Moisselles
Fontenay-en-Parisis
Choisy-aux-Bœufs
Chennevières-lès-Louvres
le Mesnil-Aubry
Moussy-le-Vieux
Louvres
le Bois Bleu
le Plessis-Gassot
E.D.F.
les Noues
T.G.V. NORD
Crould
Épiais-lès-Louvres
Mauregard
Ézanville
Bouqueval
Goussainville
Ecouen
Forêt d'Ecouen
MUSÉE
Vieux Pays
la Tarmouse
TERMINAL 1
TERMINAL 3
TERMINAL 2
le Mesnil-Amelot
Chauffour
Villiers-le-Bel
le Thillay
Roissy-en-France
Vaudherland
Aéroport de Paris-Charles de Gaulle
Sarcelles
le Mont de Gif
Gonesse
Tremblay-Vieux-Pays
Arnouville
la Patte d'Oie de Gonesse
CIRCUIT CAROLE
Z.A. PARIS-NORD II
Mitry-Mory
Groslay
le Haut du Roi
Lochères
Bonneuil-en-France
PARC DES EXPOSITIONS DE PARIS-NORD-VILLEPINTE
les Sablons
Pierrefitte-s-Seine
Garges-lès-Gonesse
PARIS-EST
Z.A. PARIS-NORD I
Villepinte
la Villette-aux-Aulnes
AÉROPORT DE PARIS-LE BOURGET
PSA PEUGEOT CITROËN
Parc
Tremblay-en-France
Mitry-le-Neuf
GARONOR
Pont Yblon
Stains
le Globe
Parc Dep^tal de la Courneuve
Dugny
MUSÉE DE L'AIR
LE BLANC MESNIL
AULNAY zone industrielle
Sevran
Canal de l'Ourcq
UNIVERSITÉ
ST DENIS
le Blanc-Mesnil
Aulnay-s/s-Bois
Parc de la Poudrerie
le Vert-Galant
Villeparisis
le Bourget
STADE DE FRANCE
la Courneuve
Freinville
Vaujours
CENTRE D'ÉTUDES NUCLÉAIRES
Drancy
AULNAY
les 4 Routes
Aubervilliers
BONDY Nord
Livry-Gargan
CÈDRE
Coubron
Courtry
le Pin
BOBIGNY
Forêt de Bondy
la Plaine
St Denis
les 4 Chemins
BOBIGNY
N.D. des Anges
Clichy-s/s-B.
les Coudreaux
Bondy
les Pavillons-s/s-Bois
BONDY (RN 3)
Pantin
le Plateau
Montfermeil
Chantereine
Pte de la Chapelle
Pte de la Villette
Romainville
Noisy-le-Sec
le Raincy
Franceville
le Pré-St-Gervais
Pte de Pantin
Villemomble
Gagny
Chelles
NORD
EST
les Lilas
Pte des Lilas
Rosny-s/s-B.
Neuilly-Plaisance
RÉPUBLIQUE
Pte de Bagnolet
Bagnolet
MUSÉE
Hôp. psych.
NOTRE-DAME
BASTILLE
Pte de Montreuil
Montreuil
Hôp. psych. Parc Dép^tal de la Haute-Ile
Neuilly-s-M.
Gournay-s-Marne
Champs-s-Marne
NATION
Vincennes
Fontenay-s/s-Bois

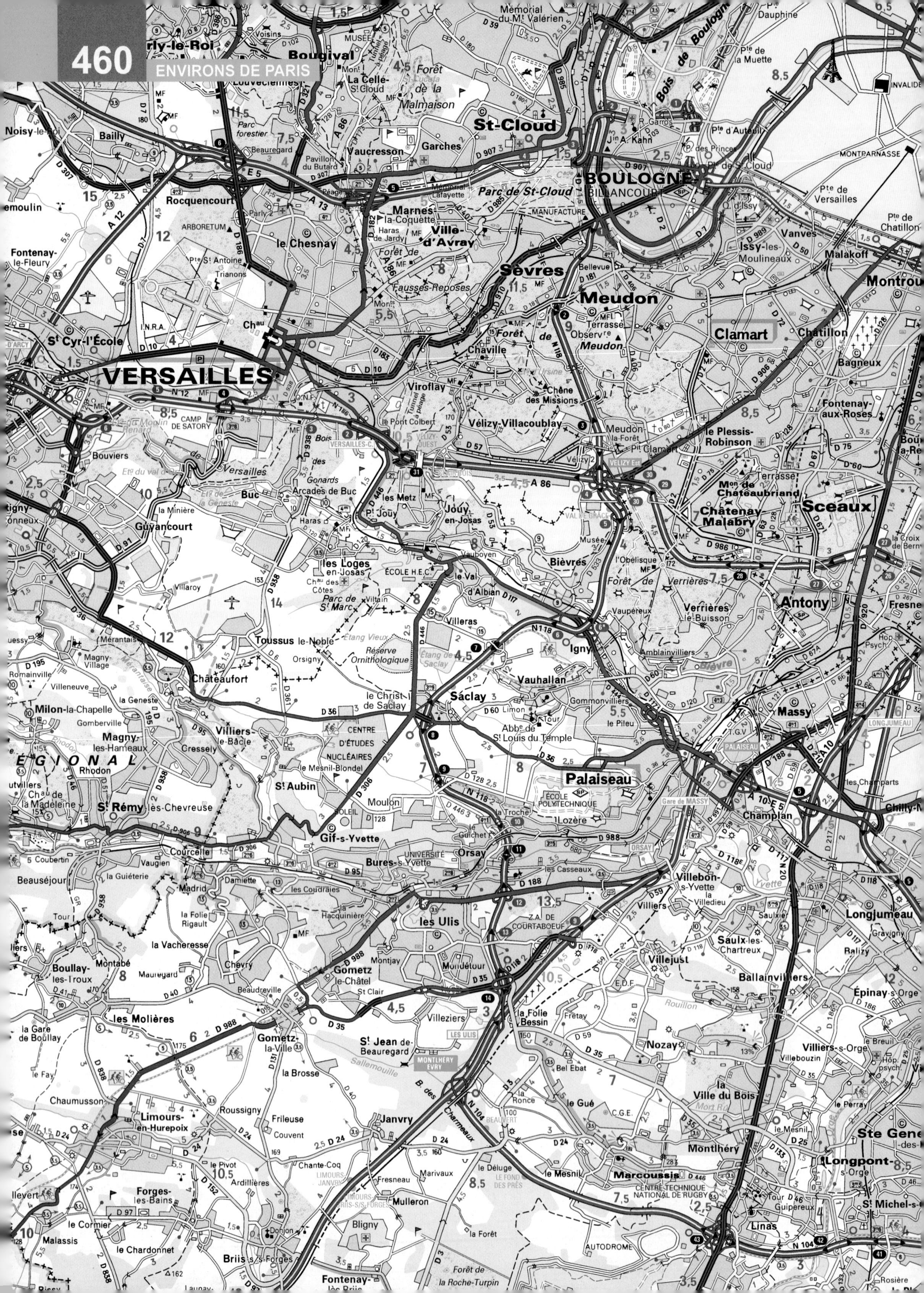

Bougival
La Celle-St Cloud
Forêt de la Malmaison
St-Cloud
BOULOGNE-BILLANCOURT
Bois de Boulogne
Pte de la Muette
INVALIDES
MONTPARNASSE
Noisy-le-Roi
Bailly
Parc forestier
Vaucresson
Garches
Pte d'Auteuil
Pte de St-Cloud
Rocquencourt
Parc de St-Cloud
MANUFACTURE
Pte de Versailles
Pte de Chatillon
Marnes-la-Coquette
Ville-d'Avray
le Chesnay
ARBORETUM
Forêt de Fausses-Reposes
Issy-les-Moulineaux
Vanves
Malakoff
Fontenay-le-Fleury
Trianons
Sèvres
Meudon
Montrouge
St Cyr-l'École
I.N.R.A.
Observre
Terrasse
Clamart
Châtillon
Bagneux
VERSAILLES
Chaville
Forêt de Meudon
Viroflay
Chêne des Missions
Fontenay-aux-Roses
CAMP DE SATORY
Vélizy-Villacoublay
Meudon-la-Forêt
le Plessis-Robinson
le Pont Colbert
Bouviers
Bois des Gonards
Arcades de Buc
Buc
VÉLIZY
Mon de Chateaubriand
Sceaux
Guyancourt
les Metz
Jouy-en-Josas
Châtenay-Malabry
Bièvres
l'Obélisque
Forêt de Verrières
Les Loges-en-Josas
ÉCOLE H.E.C.
le Val d'Albian
Verrières-le-Buisson
Antony
Villaroy
Parc de St Marc
Villeras
Igny
Vauhallan
Amblainvilliers
Toussus-le-Noble
Orsigny
Réserve Ornithologique
Étang de Saclay
Châteaufort
Magny-Village
Milon-la-Chapelle
Villeneuve
le Christ de Saclay
Saclay
Gommonvilliers
Massy
LONGJUMEAU
Villiers-le-Bâcle
Magny-les-Hameaux
Gressely
CENTRE D'ÉTUDES NUCLÉAIRES
Abbe de St Louis du Temple
Palaiseau
REGIONAL
Rhodon
le Mesnil-Blondel
St Aubin
ÉCOLE POLYTECHNIQUE
les Champarts
Chilly-M
Chau de la Madeleine
St Rémy-lès-Chevreuse
Moulon
Lozère
Gare de MASSY
Champlan
Gif-s-Yvette
Orsay
Courcelle
Vaugien
UNIVERSITÉ
Bures-s-Yvette
les Casseaux
Villebon-s-Yvette
Beauséjour
la Guiéterie
Madrid
les Coudraies
Villiers
la Villedieu
Saulxier
Longjumeau
la Folie Rigault
Hacquinière
les Ulis
Z.A. DE COURTABOEUF
Gravigny
la Vacheresse
Chevry
Saulx-les-Chartreux
Balizy
Montjay
Villejust
Boullay-les-Troux
Montabé
Mauregard
Gometz-le-Châtel
Mondétour
E.D.F.
Ballainvilliers
Épinay-s-Orge
Beaudreville
St Clair
Villeziers
la Folie Bessin
Fretay
Rouillon
les Molières
Nozay
Villiers-s-Orge
la Gare de Boullay
Gometz-la-Ville
St Jean-de-Beauregard
MONTLHERY EVRY
Villebouzin
Sallemouille
le Fay
la Brosse
Bel Ebat
B. des Charmeaux
Chaumusson
la Ronce
le Gué
C.G.E.
la Ville du Bois
le Perray
Limours-en-Hurepoix
Roussigny
Frileuse
Couvent
Janvry
BEAUVERT
Montlhéry
le Mesnil
Ste Gene
Longpont-s-Orge
Chante-Coq
LIMOURS-JANVRY
le Pivot
Ardillières
Marivaux
le Déluge
LE FOND DES PRÉS
le Mesnil
Marcoussis
CENTRE TECHNIQUE NATIONAL DE RUGBY
Forges-les-Bains
Fresneau
Mulleron
LIMOURS-BRIIS-S/S-FORGES
St Michel-s
Tour Guipereux
le Cormier
Bligny
Malassis
le Chardonnet
Donjon
la Forêt
Linas
AUTODROME
Briis-s-Forges
Forêt de la Roche-Turpin
Fontenay-lès-Briis
Rosière

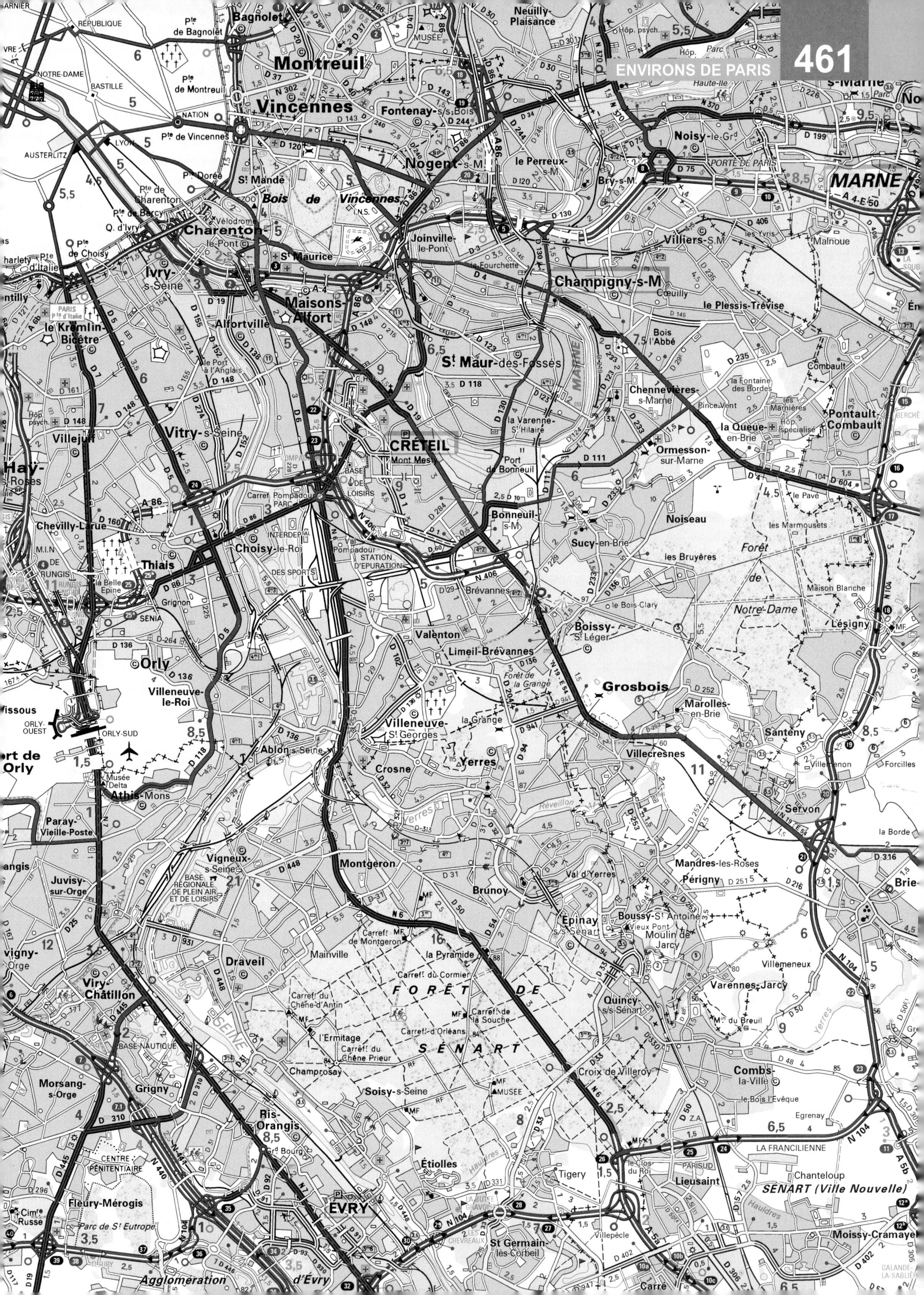
Bagnolet
Montreuil
Vincennes
Fontenay-s/s-Bois
Neuilly-Plaisance
Nogent-s-M.
le Perreux-s-M.
Noisy-le-Grd
Bry-s-M.
MARNE
St Mandé
Bois de Vincennes
Charenton-le-Pont
St Maurice
Joinville-le-Pont
Villiers-s-M.
Champigny-s-M
Ivry-s-Seine
Maisons-Alfort
Alfortville
le Kremlin-Bicêtre
St Maur-des-Fossés
Chennevières-s-Marne
le Plessis-Trévise
Pontault-Combault
la Queue-en-Brie
Vitry-s-Seine
Villejuif
CRÉTEIL
Ormesson-sur-Marne
Bonneuil-s-M
Sucy-en-Brie
Noiseau
Chevilly-Larue
Thiais
Choisy-le-Roi
Forêt de Notre-Dame
Lésigny
Boissy-St Léger
Valenton
Limeil-Brévannes
Orly
Villeneuve-le-Roi
Grosbois
Marolles-en-Brie
Santeny
Villeneuve-St Georges
Yerres
Villecresnes
Crosne
Athis-Mons
Ablon-s-Seine
Servon
Paray-Vieille-Poste
Vigneux-s-Seine
Montgeron
Brunoy
Mandres-les-Roses
Périgny
Juvisy-sur-Orge
Epinay s/s-Sénart
Boussy-St Antoine
Draveil
FORÊT DE SÉNART
Quincy-s/s-Sénart
Varennes-Jarcy
Viry-Châtillon
Combs-la-Ville
Morsang-s-Orge
Grigny
Soisy-s-Seine
Ris-Orangis
Étiolles
Tigery
Lieusaint
SENART (Ville Nouvelle)
Fleury-Mérogis
EVRY
St Germain-lès-Corbeil
Moissy-Cramayel
Agglomération d'Évry

Paris

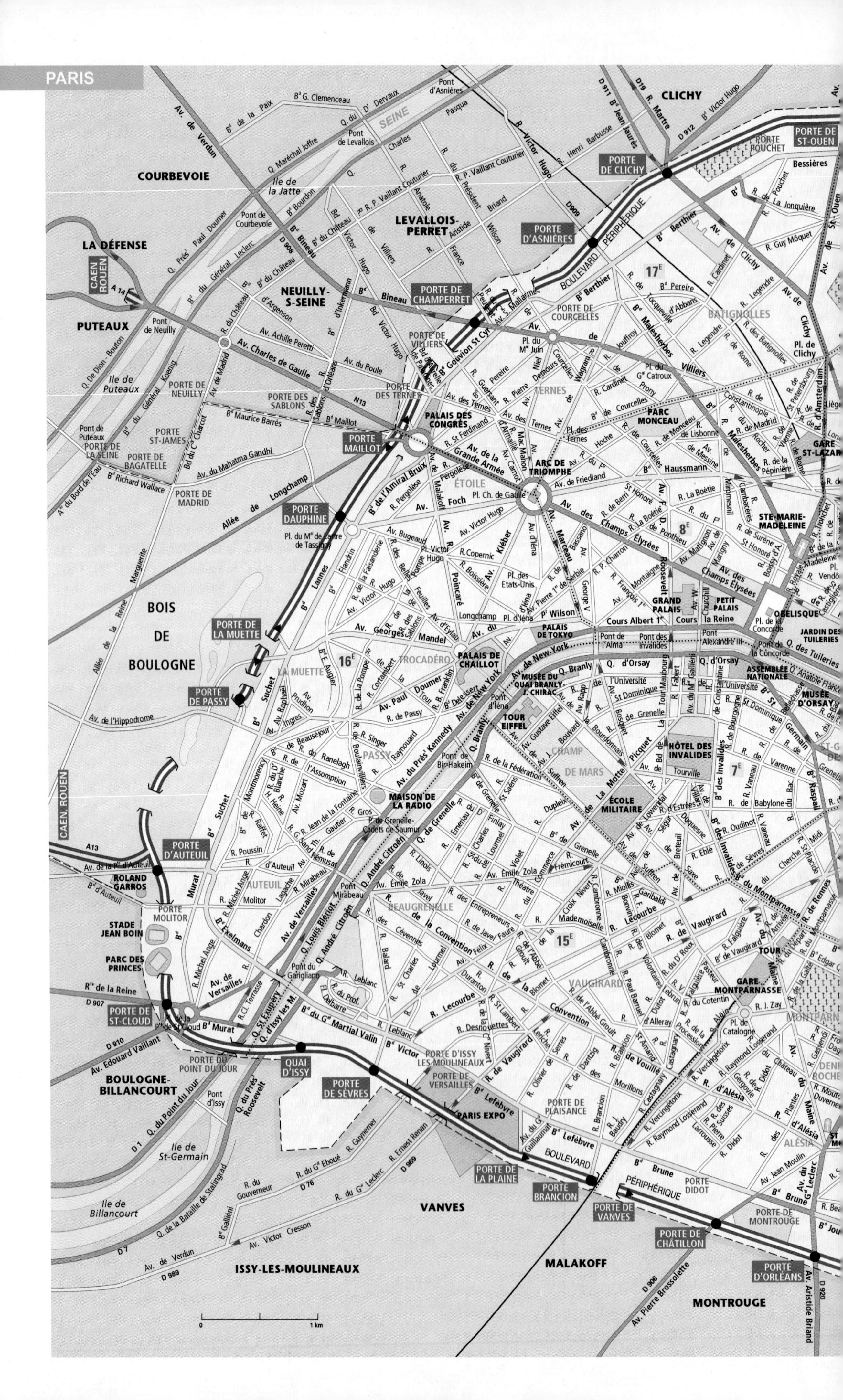

SEINE

CLICHY

COURBEVOIE

LEVALLOIS-PERRET

PORTE DE ST-OUEN

PORTE POUCHET

PORTE DE CLICHY

PORTE D'ASNIÈRES

LA DÉFENSE

CAEN ROUEN

PUTEAUX

NEUILLY-S-SEINE

PORTE DE CHAMPERRET

PORTE DE COURCELLES

17ᴱ

BATIGNOLLES

GARE ST-LAZARE

Ile de la Jatte

Ile de Puteaux

PORTE DE NEUILLY

PORTE DES SABLONS

PORTE DES TERNES

PALAIS DES CONGRÈS

PORTE MAILLOT

PARC MONCEAU

STE-MARIE-MADELEINE

PORTE DE ST-JAMES

PORTE DE LA REINE

PORTE DE BAGATELLE

PORTE DE MADRID

ARC DE TRIOMPHE

ÉTOILE

8ᴱ

PORTE DAUPHINE

BOIS DE BOULOGNE

PORTE DE LA MUETTE

LA MUETTE

16ᴱ

TROCADÉRO

PALAIS DE CHAILLOT

GRAND PALAIS

PETIT PALAIS

OBÉLISQUE

JARDIN DES TUILERIES

PALAIS DE TOKYO

MUSÉE D'ORSAY

ASSEMBLÉE NATIONALE

PORTE DE PASSY

TOUR EIFFEL

CHAMP DE MARS

HÔTEL DES INVALIDES

7ᴱ

PASSY

MAISON DE LA RADIO

ÉCOLE MILITAIRE

CAEN, ROUEN

A13

PORTE D'AUTEUIL

ROLAND GARROS

AUTEUIL

BEAUGRENELLE

PORTE MOLITOR

STADE JEAN BOUIN

VAUGIRARD

15ᴱ

GARE MONTPARNASSE

PARC DES PRINCES

TOUR MONTPARNASSE

PORTE DE ST-CLOUD

BOULOGNE-BILLANCOURT

QUAI D'ISSY

PORTE DE SÈVRES

PORTE D'ISSY LES MOULINEAUX

PORTE DE VERSAILLES

PORTE DE PLAISANCE

ALÉSIA

PORTE DU POINT DU JOUR

Ile de St-Germain

PARIS EXPO

PORTE DE LA PLAINE

PORTE BRANCION

PORTE DE VANVES

Ile de Billancourt

VANVES

MALAKOFF

PORTE DE CHÂTILLON

PORTE DE MONTROUGE

ISSY-LES-MOULINEAUX

PORTE D'ORLEANS

MONTROUGE

0   1 km

Paris

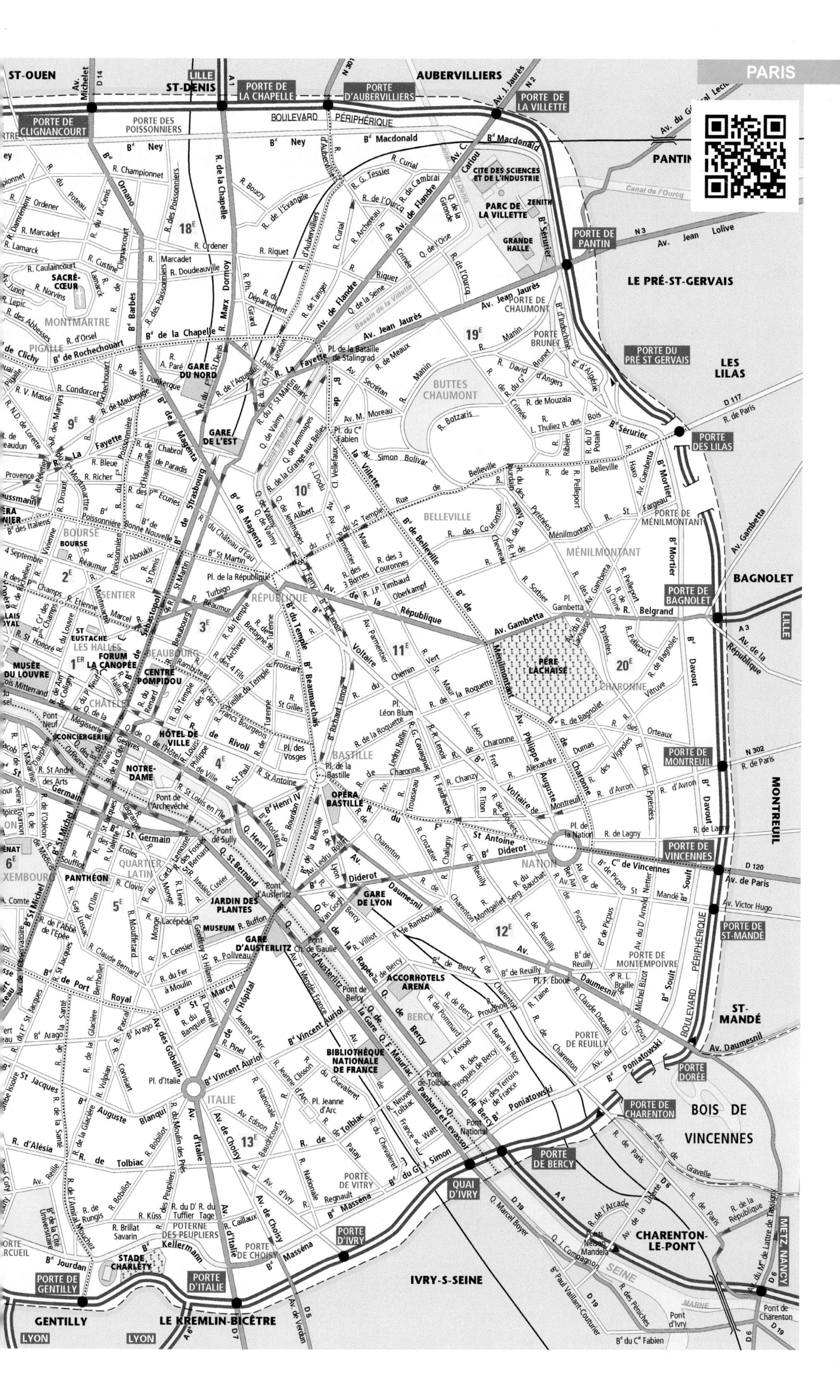
ST-OUEN
ST-DENIS
AUBERVILLIERS
PORTE DE LA CHAPELLE
PORTE D'AUBERVILLIERS
PORTE DE LA VILLETTE
PORTE DE CLIGNANCOURT
PORTE DES POISSONNIERS
BOULEVARD PÉRIPHÉRIQUE
PANTIN
Canal de l'Ourcq
CITÉ DES SCIENCES ET DE L'INDUSTRIE
PARC DE LA VILLETTE
ZENITH
GRANDE HALLE
PORTE DE PANTIN
Av. Jean Lolive
LE PRÉ-ST-GERVAIS
18E
SACRÉ-CŒUR
MONTMARTRE
PIGALLE
GARE DU NORD
GARE DE L'EST
Bassin de la Villette
Av. Jean Jaurès
PORTE DE CHAUMONT
19E
PORTE BRUNET
PORTE DU PRÉ ST GERVAIS
LES LILAS
BUTTES CHAUMONT
9E
10E
BELLEVILLE
PORTE DES LILAS
PORTE DE MÉNILMONTANT
MÉNILMONTANT
BOURSE
2E
SENTIER
RÉPUBLIQUE
Pl. de la République
11E
3E
LES HALLES
FORUM LA CANOPÉE
CENTRE POMPIDOU
BEAUBOURG
MUSÉE DU LOUVRE
1ER
CHÂTELET
CONCIERGERIE
HÔTEL DE VILLE
NOTRE-DAME
4E
BASTILLE
OPÉRA BASTILLE
Av. Gambetta
PÈRE LACHAISE
20E
CHARONNE
BAGNOLET
PORTE DE BAGNOLET
PORTE DE MONTREUIL
MONTREUIL
Pl. de la Nation
NATION
PORTE DE VINCENNES
Cours de Vincennes
PORTE DE ST-MANDÉ
ST-MANDÉ
6E
PANTHÉON
QUARTIER LATIN
5E
JARDIN DES PLANTES
MUSEUM
GARE D'AUSTERLITZ
GARE DE LYON
12E
ACCORHOTELS ARENA
BERCY
PORTE DE MONTEMPOIRE
PORTE DE REUILLY
PORTE DORÉE
PORTE DE CHARENTON
BOIS DE VINCENNES
BIBLIOTHÈQUE NATIONALE DE FRANCE
Pl. d'Italie
ITALIE
13E
PORTE DE BERCY
QUAI D'IVRY
PORTE D'IVRY
PORTE DE VITRY
STADE CHARLÉTY
PORTE DE GENTILLY
PORTE D'ITALIE
POTERNE DES PEUPLIERS
PORTE DE CHOISY
IVRY-S-SEINE
CHARENTON-LE-PONT
SEINE
MARNE
GENTILLY
LE KREMLIN-BICÊTRE
LYON
LILLE
METZ, NANCY

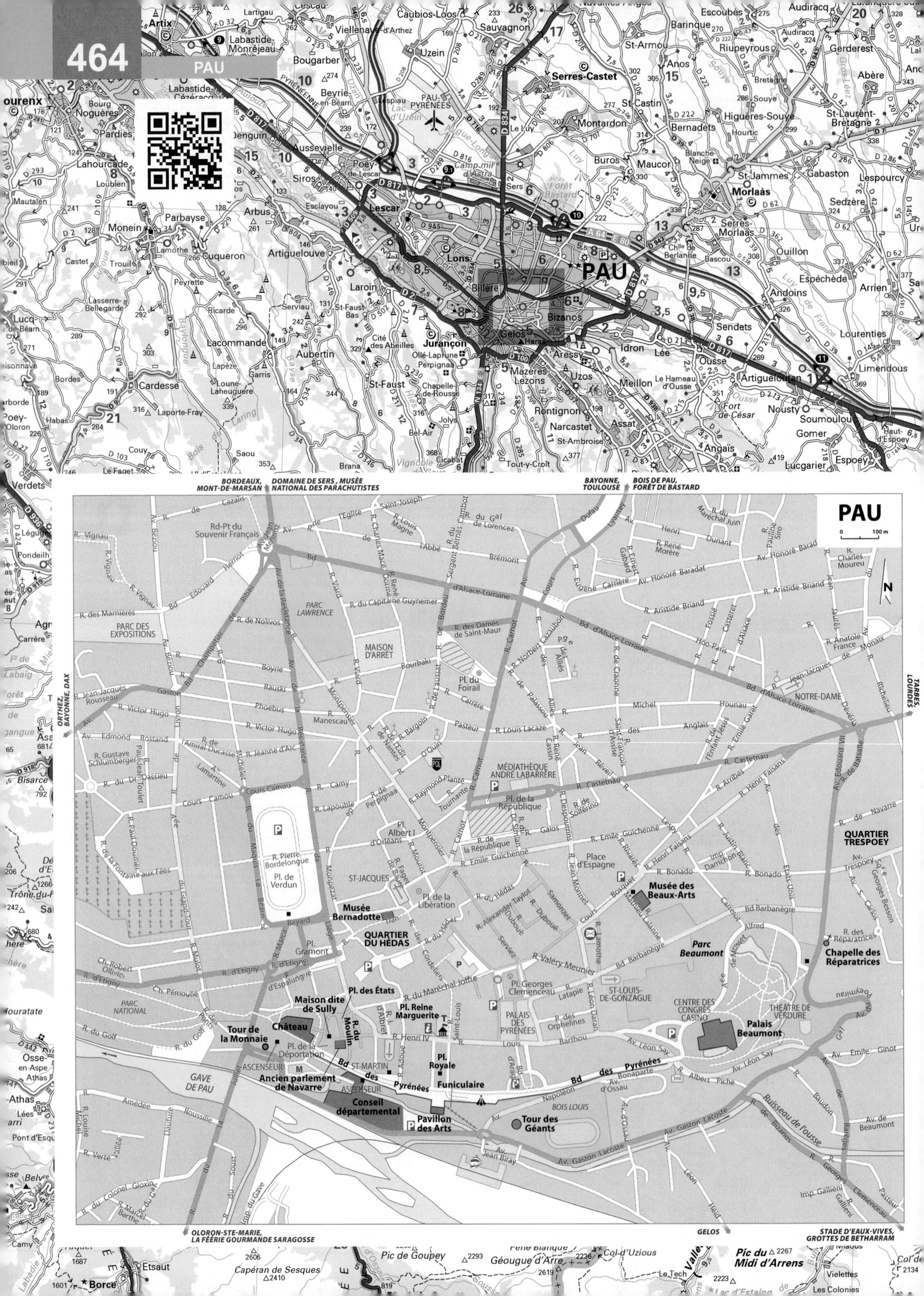
Artix
Lartigau
Caubios-Loos
Sauvagnon
Escoubès
Audiracq
Labastide-Monréjeau
Viellenave-d'Arthez
Uzein
Barinque
St-Armou
Riupeyrous
Gerderest
Bougarber
Serres-Castet
Anos
Abère
Labastide-Cézéracq
PYRÉNÉENNE
Beyrie-en-Béarn
PAU-PYRÉNÉES
Bretagne
St-Castin
Higuères-Souye
St-Laurent-Bretagne
Lourenx
Bourg
Noguères
Pardies
Denguin
Aussevielle
Lac d'Uzein
Montardon
Bernadets
Le Luy
Poey-de-Lescar
Camp mil. d'Astra
Buros
Maucor
Blanche-Neige
St-Jammes
Gabaston
Lespourcy
Lahourcade
Loubien
Siros
Sers
Forêt Bastard
Morlaàs
Sedzère
Mautalen
Esclayou
Lescar
Serres-Morlaàs
Monein
Parbayse
Arbus
Artiguelouve
Lamothe
Cuqueron
Lons
Chlle de Berlanne
Bascou
Ouillon
Castet
Trouilh
PAU
Espéchède
Arrien
Billère
Laroin
Andoins
Peyrette
Serviau
St-Faust-Bas
Bizanos
Lasserre-Bellegarde
Ricarde
Sendets
Lourenties
Lucq-de-Béarn
Gelos
Haras
Idron
Lée
Cité des Abeilles
Jurançon
Lacommande
Aubertin
Ollé-Laprune
Perpignaa
Aressy
Ousse
Artigueloutan
Limendous
Bordes
Cardesse
Garris
Loune-Laheuguère
St-Faust
Chapelle-de-Rousse
Mazères-Lezons
Uzos
Meillon
Le Hameau d'Ousse
Fort de César
Nousty
Soumoulou
Habas
Laporte-Fray
Laring
Jolys
Rontignon
Narcastet
Assat
Gomer
Haut-d'Espoey
Bel-Air
St-Ambroise
Angaïs
Couy
Bois de
Saou
Cicabat
Tout-y-Croît
Espoey
Le Faget
Brana
Vignoble
Lucgarier
BORDEAUX, MONT-DE-MARSAN
DOMAINE DE SERS, MUSÉE NATIONAL DES PARACHUTISTES
BAYONNE, TOULOUSE
BOIS DE PAU, FORÊT DE BASTARD
PAU
100 m
N
Rd-Pt du Souvenir Français
PARC LAWRENCE
PARC DES EXPOSITIONS
MAISON D'ARRÊT
Pl. du Foirail
NOTRE-DAME
ORTHEZ, BAYONNE, DAX
TARBES, LOURDES
Bd d'Alsace-Lorraine
Av. Honoré Baradat
R. Aristide Briand
Cours Lyautey
R. Carnot
Av. de la Résistance
R. Montpensier
MÉDIATHÈQUE ANDRÉ LABARRÈRE
Pl. de la République
Cours Camou
R. Castetnau
R. Émile Guichenné
QUARTIER TRESPOEY
R. Pierre Bordelongue
Pl. de Verdun
ST-JACQUES
Pl. Albert I
Pl. de la Libération
Place d'Espagne
Musée des Beaux-Arts
Musée Bernadotte
QUARTIER DU HÉDAS
Bd Barbanègre
Parc Beaumont
Chapelle des Réparatrices
PARC NATIONAL
Maison dite de Sully
Pl. des États
Pl. Reine Marguerite
Pl. Georges Clemenceau
ST-LOUIS-DE-GONZAGUE
PALAIS DES PYRÉNÉES
CENTRE DES CONGRÈS CASINO
THÉÂTRE DE VERDURE
Palais Beaumont
Tour de la Monnaie
Château
R. du Moulin
Pl. de la Déportation
ASCENSEUR
ST-MARTIN
Pl. Royale
Ancien parlement de Navarre
Funiculaire
Bd des Pyrénées
GAVE DE PAU
Conseil départemental
Pavillon des Arts
BOIS LOUIS
Tour des Géants
Av. Gaston Lacoste
Av. Jean Biray
Ruisseau de l'Ousse
Av. Léon Say
OLORON-STE-MARIE, LA FÉERIE GOURMANDE SARAGOSSE
GELOS
STADE D'EAUX-VIVES, GROTTES DE BETHARRAM
Etsaut
Borce
Capéran de Sesques
Pic de Goupey
Géougue d'Arre
Col d'Uzious
Pic du Midi d'Arrens
Vielettes
Les Colonies

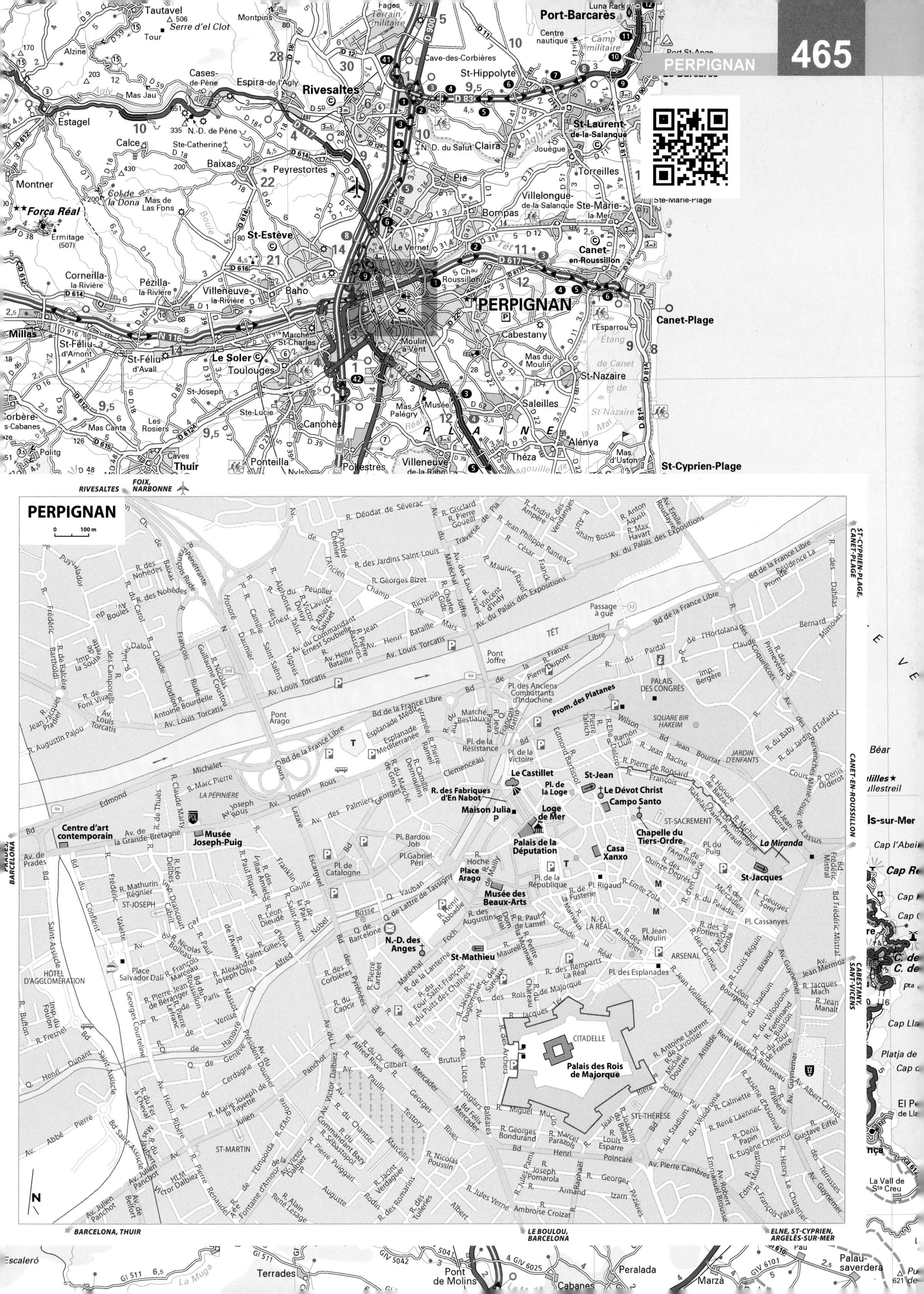
Tautavel
Serre d'el Clot
Port-Barcarès
Centre nautique
Camp militaire
Rivesaltes
Cases-de-Pène
Espira-de-l'Agly
Estagel
Cave-des-Corbières
St-Hippolyte
St-Laurent-de-la-Salanque
N.-D. de Pène
Calce
Ste-Catherine
N.-D. du Salut
Claira
Jouègue
Baixas
Peyrestortes
Torreilles
Montner
Col de la Dona
Mas de Las Fons
Pia
Villelongue-de-la-Salanque
Ste-Marie-la-Mer
Força Réal
Ermitage (507)
St-Estève
Bompas
Le Vernet
Canet-en-Roussillon
Corneilla-la-Rivière
Pézilla-la-Rivière
Villeneuve-la-Rivière
Baho
Château Roussillon
PERPIGNAN
Canet-Plage
Millas
St-Féliu-d'Amont
St-Féliu-d'Avall
Marché St-Charles
Le Soler
Toulouges
Moulin à Vent
Cabestany
l'Esparrou
Étang de Canet et de St-Nazaire
Mas du Moulin
St-Nazaire
St-Joseph
Ste-Lucie
Canohès
Mas Palégry
Musée
Saleilles
Mas Canta
Les Rosiers
P L A I N E
Alénya
Théza
Mas d'Uston
Thuir
Ponteilla
Pollestres
Villeneuve-de-la-Raho
St-Cyprien-Plage
PERPIGNAN
RIVESALTES
FOIX, NARBONNE
ST-CYPRIEN-PLAGE, CANET-PLAGE
CANET-EN-ROUSSILLON
CABESTANY, SAINT-VICENS
PRADES, BARCELONA
BARCELONA, THUIR
LE BOULOU, BARCELONA
ELNE, ST-CYPRIEN, ARGELÈS-SUR-MER
TÊT
Pont Joffre
Pont Arago
Passage à gué
PALAIS DES CONGRÈS
SQUARE BIR HAKEIM
JARDIN D'ENFANTS
Prom. des Platanes
LA PÉPINIÈRE
Centre d'art contemporain
Musée Joseph-Puig
Le Castillet
St-Jean
Le Dévot Christ
Campo Santo
R. des Fabriques d'En Nabot
Maison Julia
Loge de Mer
Palais de la Députation
Chapelle du Tiers-Ordre
Casa Xanxo
ST-SACREMENT
La Miranda
St-Jacques
Place Arago
Musée des Beaux-Arts
N.-D. LA RÉAL
ARSENAL
N.-D. des Anges
St-Mathieu
ST-JOSEPH
HÔTEL D'AGGLOMÉRATION
Place Salvador Dali
CITADELLE
Palais des Rois de Majorque
STE-THÉRÈSE
ST-MARTIN
Pl. de Catalogne
Pl. de la Résistance
Pl. de la Victoire
Pl. de la Loge
Pl. de la République
Pl. Rigaud
Pl. des Esplanades
Pl. Cassanyes
Pl. du Puig
Pl. Jean Moulin
Pl. Bardou Job
Pl. Gabriel-Péri
Pl. des Anciens Combattants d'Indochine
Av. du Palais des Expositions
Bd de la France Libre
Av. Louis Torcatis
Esplanade Méditerranée
Escalerò
Terrades
Pont de Molins
Peralada
Cabanes
Marzà
Palau-saverdera
La Muga
La Vall de Sta Creu

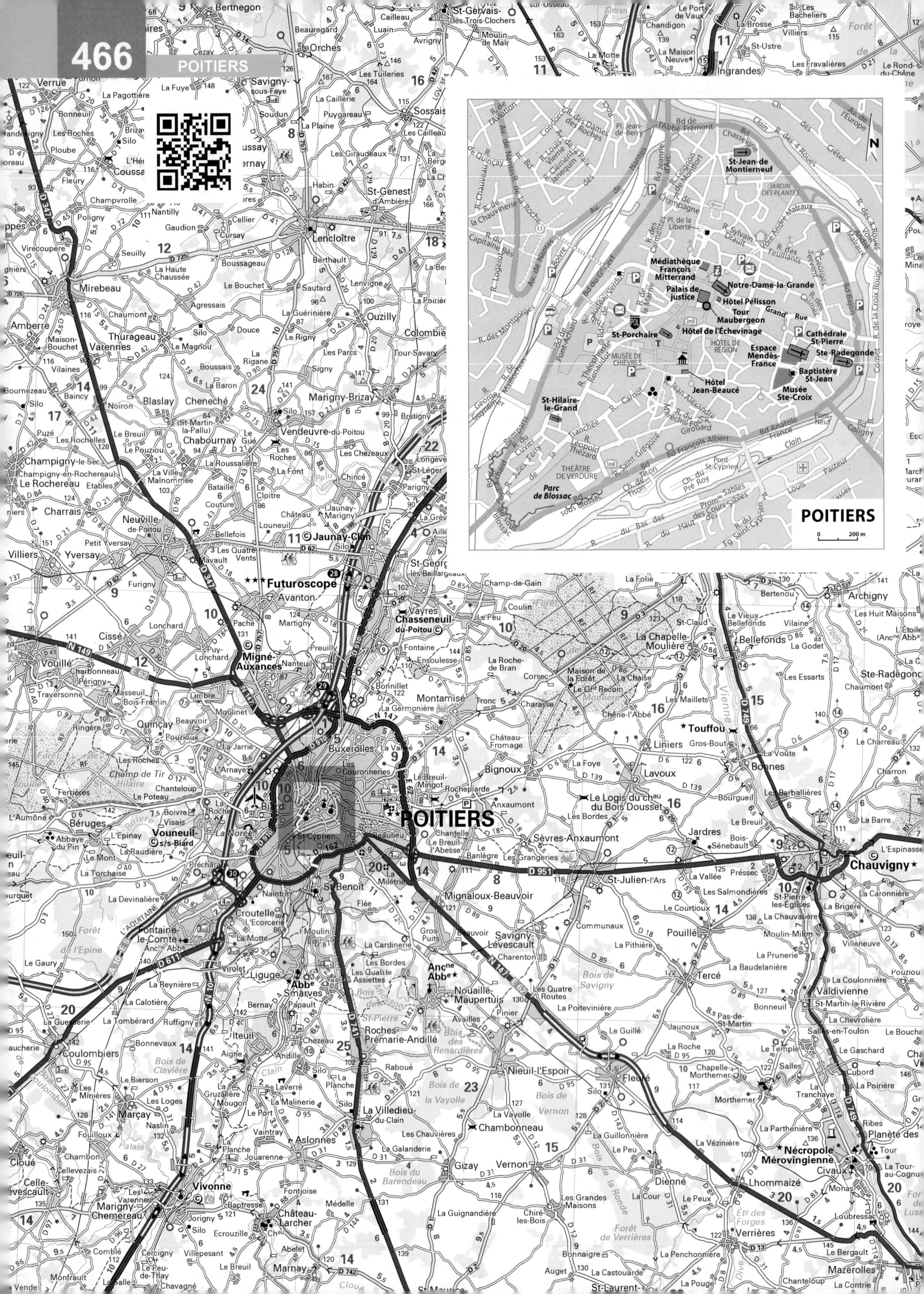
POITIERS
St-Jean-de Montierneuf
Jardin des Plantes
Médiathèque François Mitterrand
Palais de justice
Notre-Dame-la-Grande
Hôtel Pélisson
Tour Maubergeon
Hôtel de l'Échevinage
St-Porchaire
Hôtel de Région
Musée de Chièvres
Cathédrale St-Pierre
Espace Mendès-France
Ste-Radegonde
Baptistère St-Jean
Musée Ste-Croix
Hôtel Jean-Beaucé
St-Hilaire-le-Grand
Théâtre de Verdure
Parc de Blossac
Bd Anatole France
Bd François Albert
Clain
Futuroscope
Jaunay-Clan
Chasseneuil-du-Poitou
Migné-Auxances
Vouillé
Mirebeau
Lencloître
Neuville-de-Poitou
Vendeuvre-du-Poitou
Buxerolles
Vouneuil-s/s-Biard
St-Benoît
Ligugé
Vivonne
Chauvigny
Touffou
Nouaillé-Maupertuis
Mignaloux-Beauvoir
St-Julien-l'Ars
Nécropole Mérovingienne
Civaux
Lhommaizé
Fleuré
Chambonneau
Gizay
Château-Larcher
Marçay
Coulombiers
Roches-Prémarie-Andillé
La Villedieu-du-Clain
Aslonnes
Dienné
Verrières
Mazerolles
Tercé
Pouillé
Bignoux
Montamisé
La Chapelle-Moulière
Bellefonds
Bonnes
Lavoux
Liniers
Jardres
Sèvres-Anxaumont
Savigny-Lévescault
Valdivienne
Nieuil-l'Espoir
Vernon
Croutelle
Fontaine-le-Comte
Béruges
Quinçay
Ayron
Cissé
Avanton
Marigny-Brizay
Chabournay
Cheneché
Blaslay
Thurageau
Varennes
Ouzilly
Sossais
St-Genest-d'Ambière
Champigny-le-Sec
Le Rochereau
Charrais
Yversay
Villiers
Amberre
Vienne
Forêt de Moulière
Bois de Savigny
Forêt de Verrières
Bois de la Vayolle
Bois des Renardières
N 149
N 147
N 10
D 951
D 347
D 910
D 741
A 10
E 62

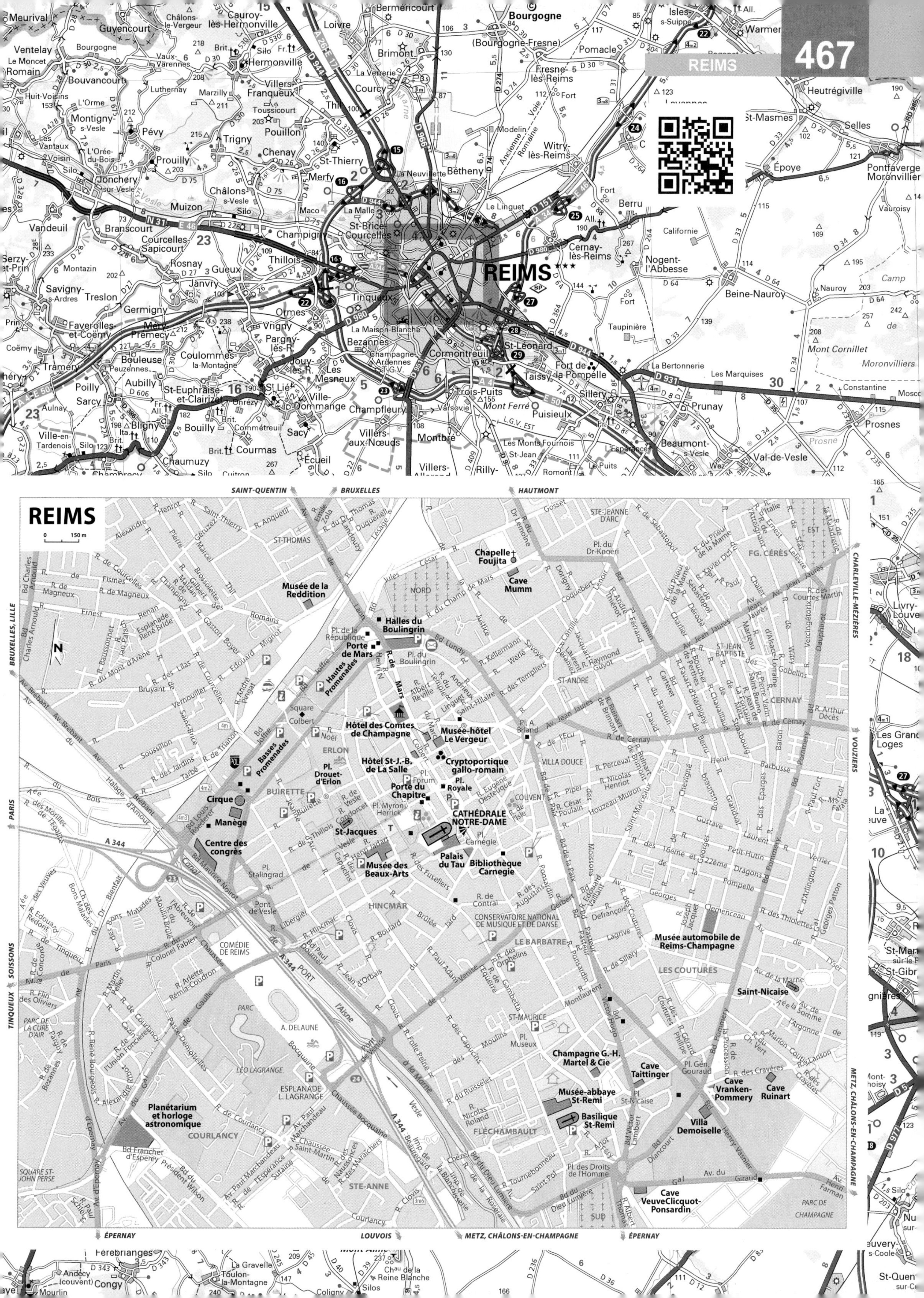

REIMS
467
Bourgogne
Bermericourt
Isles-s-Suippe
Warmeriville
Brimont
Loivre
Cauroy-lès-Hermonville
Hermonville
Guyencourt
Meurival
Ventelay
Bouvancourt
Villers-Franqueux
Courcy
Pomacle
Fresne-lès-Reims
Heutrégiville
Montigny-s-Vesle
Pévy
Trigny
Pouillon
Chenay
St-Thierry
Merfy
La Neuvillette
Bétheny
Witry-lès-Reims
St-Masmes
Selles
Époye
Pontfaverger-Moronvilliers
Prouilly
Jonchery-sur-Vesle
Châlons-s-Vesle
Muizon
Berru
California
Nogent-l'Abbesse
Cernay-lès-Reims
Vandeuil
Branscourt
Courcelles-Sapicourt
Champigny
St-Brice-Courcelles
REIMS
Beine-Nauroy
Rosnay
Gueux
Thillois
Janvry
Savigny-s-Ardres
Treslon
Tinqueux
Ormes
Germigny
Faverolles-et-Coëmy
Méry-Prémecy
Vrigny
Pargny-lès-R.
Bezannes
La Maison-Blanche
St-Léonard
Cormontreuil
Fort de la Pompelle
Taissy
Mont Cornillet
Moronvilliers
Coulommes-la-Montagne
Bouleuse
Tramery
Jouy-lès-R.
Les Mesneux
Champagne Ardennes T.G.V.
La Bertonnerie
Les Marquises
Aubilly
Poilly
Sarcy
St-Euphraise-et-Clairizet
St-Lié
Ville-Dommange
Champfleury
Trois-Puits
Sillery
Prunay
Puisieulx
Mont Ferré
Constantine
Prosnes
Bligny
Bouilly
Sacy
Villers-aux-Nœuds
Montbré
Ville-en-Tardenois
Courmas
Chaumuzy
Écueil
Les Monts Fournois
St-Jean
L'Espérance
Beaumont-s-Vesle
Val-de-Vesle
Villers-Allerand
Rilly-
Romont
Le Puits
REIMS
SAINT-QUENTIN
BRUXELLES
HAUTMONT
BRUXELLES, LILLE
CHARLEVILLE-MÉZIÈRES
PARIS
VOUZIERS
TINQUEUX SOISSONS
METZ, CHÂLONS-EN-CHAMPAGNE
ÉPERNAY
LOUVOIS
METZ, CHÂLONS-EN-CHAMPAGNE
ÉPERNAY
ST-THOMAS
STE-JEANNE D'ARC
FG. CÉRÈS
Chapelle Foujita
Cave Mumm
Musée de la Reddition
Halles du Boulingrin
Porte de Mars
Pl. du Boulingrin
Hautes Promenades
Basses Promenades
Square Colbert
Hôtel des Comtes de Champagne
Musée-hôtel Le Vergeur
ERLON
Hôtel St-J.-B. de La Salle
Cryptoportique gallo-romain
Pl. Drouet-d'Erlon
Porte du Chapitre
Pl. Royale
BUIRETTE
Cirque
Manège
Centre des congrès
St-Jacques
CATHÉDRALE NOTRE-DAME
Palais du Tau
Bibliothèque Carnegie
Musée des Beaux-Arts
ST-ANDRÉ
ST-JEAN-BAPTISTE
CERNAY
VILLA DOUCE
COUVENT
HINCMAR
CONSERVATOIRE NATIONAL DE MUSIQUE ET DE DANSE
LE BARBATRE
Musée automobile de Reims-Champagne
LES COUTURES
Saint-Nicaise
COMÉDIE DE REIMS
PARC
A. DELAUNE
ST-MAURICE
Champagne G.-H. Martel & Cie
Cave Taittinger
Cave Vranken-Pommery
Cave Ruinart
Musée-abbaye St-Remi
Basilique St-Remi
Villa Demoiselle
LÉO LAGRANGE
ESPLANADE L. LAGRANGE
Planétarium et horloge astronomique
COURLANCY
FLÉCHAMBAULT
STE-ANNE
SUD
Cave Veuve Clicquot-Ponsardin
PARC DE CHAMPAGNE
PARC DE LA CURE D'AIR
SQUARE ST-JOHN PERSE
Ferebrianges
Andecy (couvent)
Congy
La Gravelle
Toulon-la-Montagne
Chau de la Reine Blanche
Silos
St-Quentin-sur-Coole

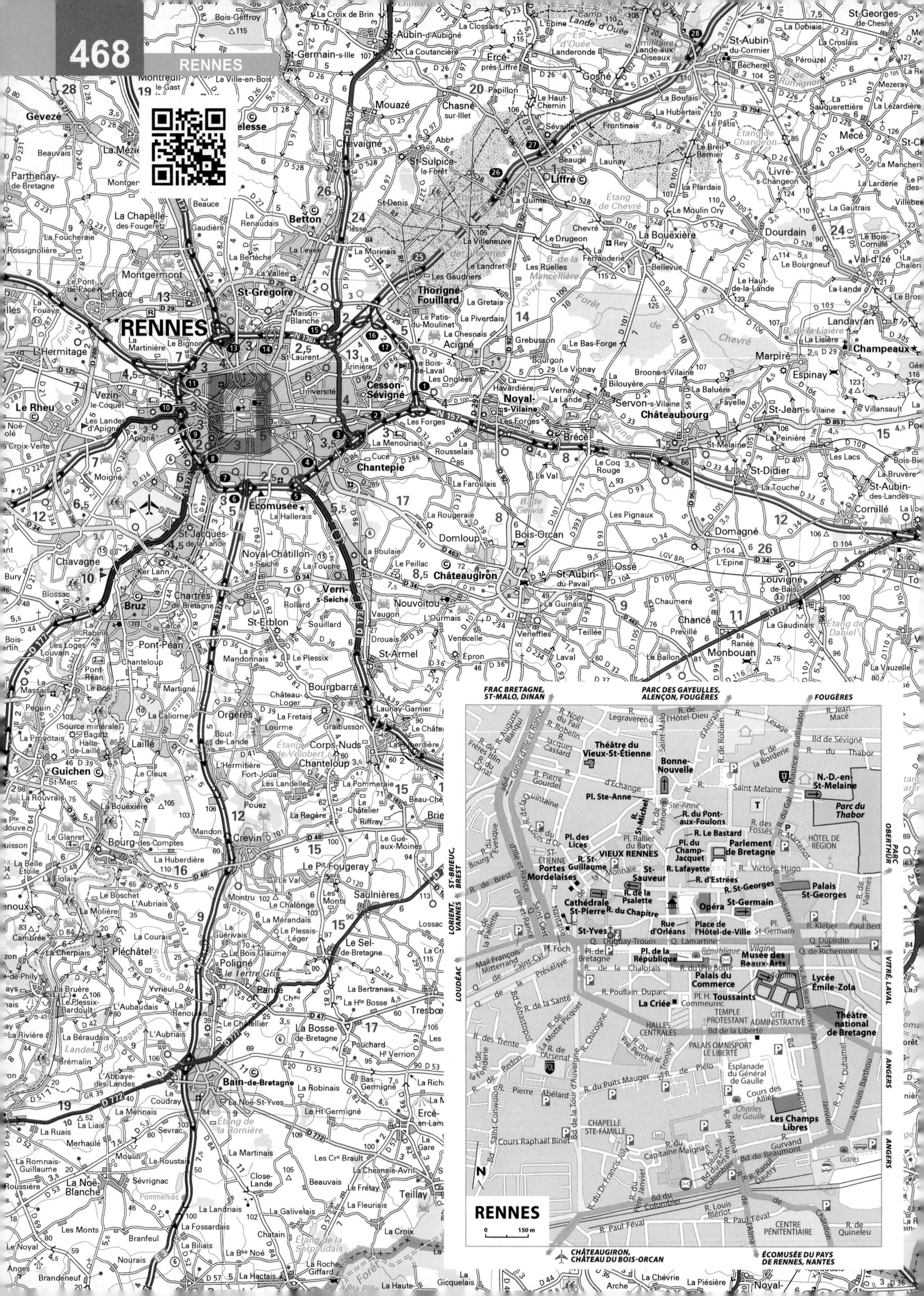
RENNES
St-Grégoire
Cesson-Sévigné
Chantepie
Betton
Thorigné-Fouillard
Acigné
Noyal-s-Vilaine
Châteaubourg
Liffré
La Bouëxière
Dourdain
Champeaux
Pacé
Montgermont
Le Rheu
Vezin-le-Coquet
L'Hermitage
Chavagne
Bruz
Chartres-de-Bretagne
St-Jacques-de-la-Lande
Noyal-Châtillon-s-Seiche
Vern-s-Seiche
Châteaugiron
Domloup
St-Erblon
Pont-Péan
Orgères
Laillé
Guichen
Bourgbarré
Corps-Nuds
Chanteloup
Crevin
Le Pt Fougeray
Saulnières
Poligné
Pancé
Pléchâtel
Bain-de-Bretagne
La Bosse-de-Bretagne
Teillay
Ercé-en-Lamée
La Noë-Blanche
St-Aubin-d'Aubigné
Mouazé
Chevaigné
St-Sulpice-la-Forêt
Chasné-sur-Illet
Ercé-près-Liffré
Gosné
St-Aubin-du-Cormier
Mecé
Val-d'Izé
Landavran
Marpiré
Servon-s-Vilaine
Brécé
St-Didier
Domagné
Ossé
St-Aubin-du-Pavail
Nouvoitou
St-Armel
Monbouan
Louvigné-de-Bais
Cornillé
Écomusée
Frac Bretagne, St-Malo, Dinan
Parc des Gayeulles, Alençon, Fougères
Fougères
Lorient, Vannes
St-Brieuc, Brest
Loudéac
Vitré, Laval
Parc Oberthür
Angers
Châteaugiron, Château du Bois-Orcan
Écomusée du Pays de Rennes, Nantes
Théâtre du Vieux-St-Étienne
Bonne-Nouvelle
N.-D.-en-St-Melaine
Parc du Thabor
Pl. Ste-Anne
Pl. des Lices
VIEUX RENNES
Parlement de Bretagne
Portes Mordelaises
St-Sauveur
Cathédrale St-Pierre
Opéra
St-Germain
Palais St-Georges
St-Yves
Rue d'Orléans
Place de l'Hôtel-de-Ville
Pl. de la République
Musée des Beaux-Arts
Palais du Commerce
Lycée Émile-Zola
Toussaints
La Criée
Théâtre national de Bretagne
Halles Centrales
Temple protestant
Cité administrative
Palais omnisport Le Liberté
Esplanade du Général de Gaulle
Les Champs Libres
Chapelle Ste-Famille
Gares
Centre pénitentiaire
RENNES
150 m

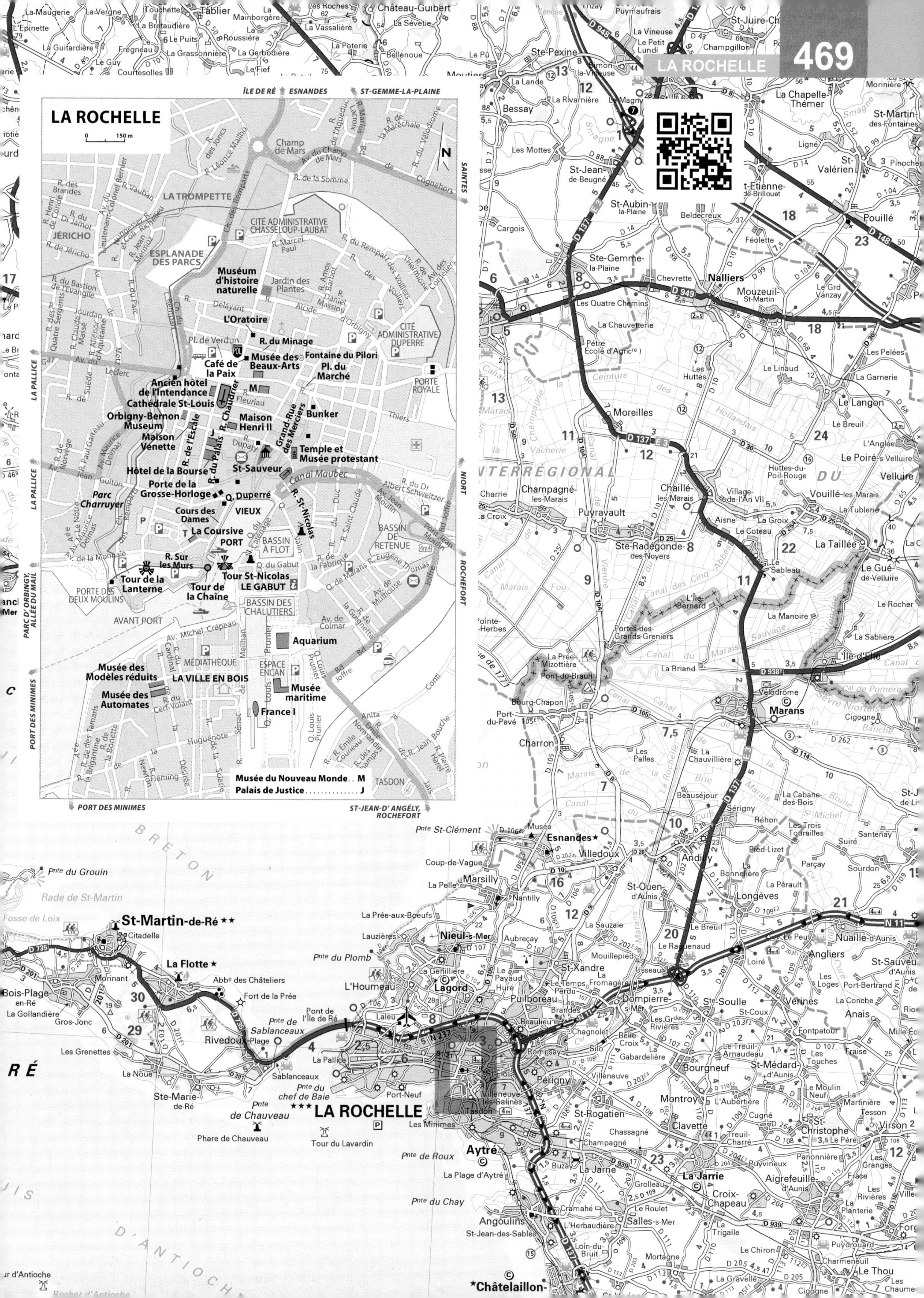
LA ROCHELLE
0 150 m
N
ÎLE DE RÉ ESNANDES
ST-GEMME-LA-PLAINE
SAINTES
NIORT
ROCHEFORT
LA PALLICE
PARC D'ORBIGNY, ALLÉE DU MAIL
PORT DES MINIMES
ST-JEAN-D'ANGÉLY, ROCHEFORT
Champ de Mars
LA TROMPETTE
JÉRICHO
CITÉ ADMINISTRATIVE CHASSELOUP-LAUBAT
ESPLANADE DES PARCS
Muséum d'histoire naturelle
Jardin des Plantes
L'Oratoire
R. du Minage
Musée des Beaux-Arts
Fontaine du Pilori
Pl. du Marché
CITÉ ADMINISTRATIVE DUPERRE
PORTE ROYALE
Café de la Paix
Ancien hôtel de l'Intendance
Cathédrale St-Louis
Orbigny-Bernon Museum
Maison Vénette
Maison Henri II
Bunker
Temple et Musée protestant
Hôtel de la Bourse
St-Sauveur
Canal Maubec
Porte de la Grosse-Horloge
Q. Duperré
Parc Charruyer
Cours des Dames
VIEUX PORT
La Coursive
BASSIN À FLOT
BASSIN DE RETENUE
R. Sur les Murs
Tour de la Lanterne
Tour St-Nicolas
LE GABUT
Tour de la Chaîne
PORTE DES DEUX MOULINS
AVANT PORT
BASSIN DES CHALUTIERS
Aquarium
MÉDIATHÈQUE
Musée des Modèles réduits
LA VILLE EN BOIS
Musée des Automates
ESPACE ENCAN
Musée maritime
France I
TASDON
Musée du Nouveau Monde.. M
Palais de Justice.............. J
St-Martin-de-Ré ★★
La Flotte ★
Rivedoux-Plage
Sablanceaux
LA ROCHELLE
Pnte de Chauveau
Phare de Chauveau
Tour du Lavardin
Les Minimes
Aytré
La Jarrie
Marans
Esnandes ★
Marsilly
Nieul-s-Mer
Lagord
Puilboreau
Dompierre-s-Mer
Périgny
Nalliers
Chaillé-les-Marais
Ste-Radegonde-des-Noyers
Châtelaillon-
Angoulins
Aigrefeuille-d'Aunis
Croix-Chapeau
Salles-s-Mer
N 11
N 237
D 137
D 939
RÉ

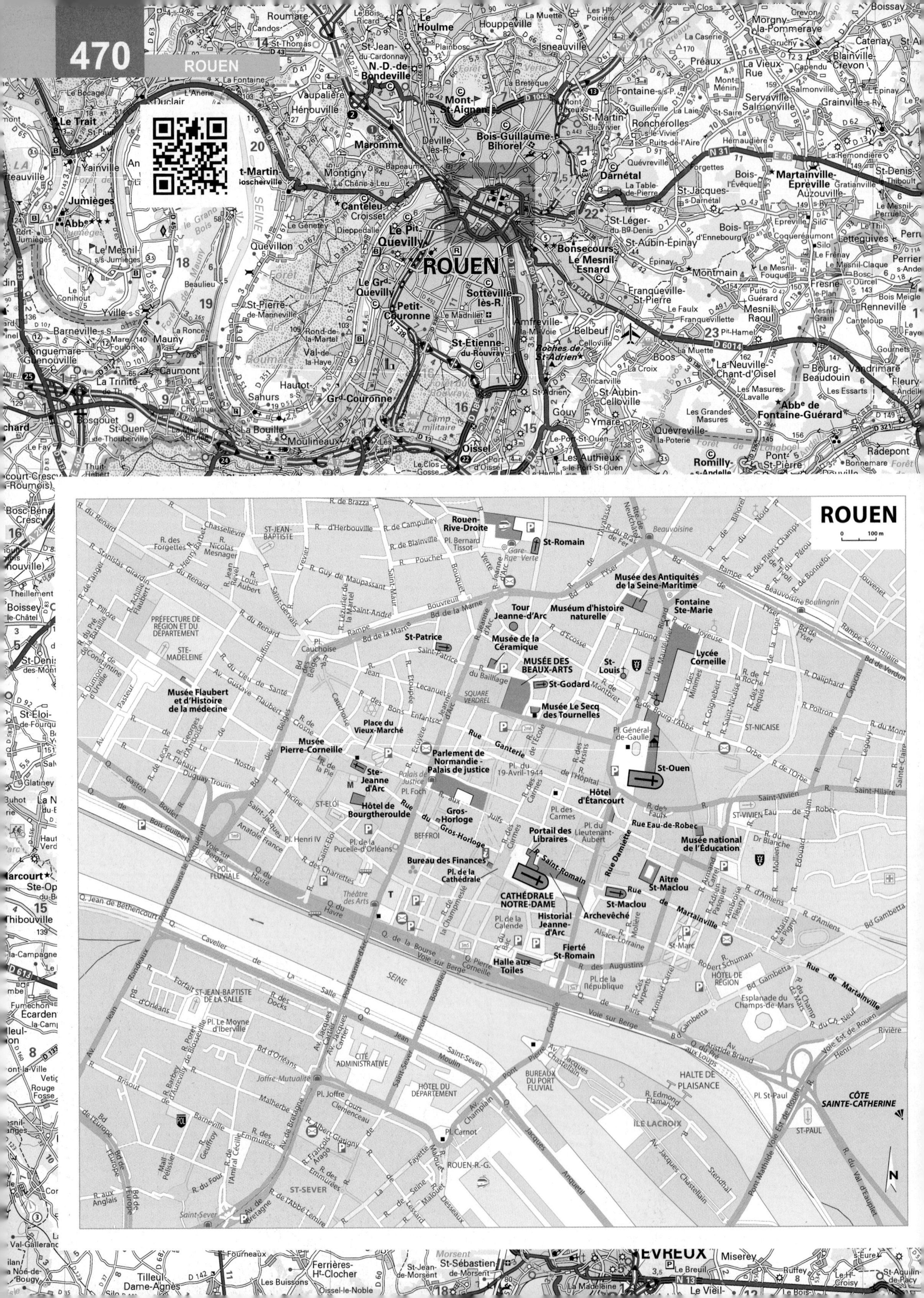
ROUEN
Le Houlme
Houppeville
Isneauville
N.-D.-de-Bondeville
Mont-St-Aignan
Bois-Guillaume-Bihorel
Maromme
Déville-lès-R.
Darnétal
Canteleu
Le Pt-Quevilly
Le Grd-Quevilly
Petit-Couronne
Sotteville-lès-R.
St-Étienne-du-Rouvray
Grd-Couronne
Oissel
Bonsecours
Le Mesnil-Esnard
Franqueville-St-Pierre
Belbeuf
Boos
Jumièges
Le Trait
Yainville
Duclair
St-Martin-de-Boscherville
Martainville-Épreville
Fontaine-Guérard
Romilly-s-Andelle
Seine
ÉVREUX
ROUEN
Rouen-Rive-Droite
St-Romain
Musée des Antiquités de la Seine-Maritime
Fontaine Ste-Marie
Tour Jeanne-d'Arc
Muséum d'histoire naturelle
St-Patrice
Musée de la Céramique
MUSÉE DES BEAUX-ARTS
St-Godard
St-Louis
Lycée Corneille
Musée Le Secq des Tournelles
Musée Flaubert et d'Histoire de la médecine
PRÉFECTURE DE RÉGION ET DU DÉPARTEMENT
Place du Vieux-Marché
Musée Pierre-Corneille
Ste-Jeanne d'Arc
Parlement de Normandie - Palais de justice
Pl. Général-de-Gaulle
St-Ouen
Hôtel d'Étancourt
Hôtel de Bourgtheroulde
Gros-Horloge
Rue du Gros-Horloge
Portail des Libraires
Rue Eau-de-Robec
Musée national de l'Éducation
Bureau des Finances
Pl. de la Cathédrale
CATHÉDRALE NOTRE-DAME
Rue Saint-Romain
Rue Damiette
Aître St-Maclou
St-Maclou
Rue de Martainville
Historial Jeanne-d'Arc
Archevêché
Fierté St-Romain
Halle aux Toiles
Théâtre des Arts
HÔTEL DE RÉGION
Esplanade du Champs-de-Mars
SEINE
CITÉ ADMINISTRATIVE
HÔTEL DU DÉPARTEMENT
BUREAUX DU PORT FLUVIAL
HALTE DE PLAISANCE
ÎLE LACROIX
CÔTE SAINTE-CATHERINE
ST-SEVER
ROUEN-R.-G.
Pl. Carnot
Pl. Joffre
Voie sur Berge
Q. du Havre
Q. de la Bourse
Av. Jacques Chastellain
Bd d'Orléans
Rue de Martainville
Bd Gambetta
Bd de Verdun

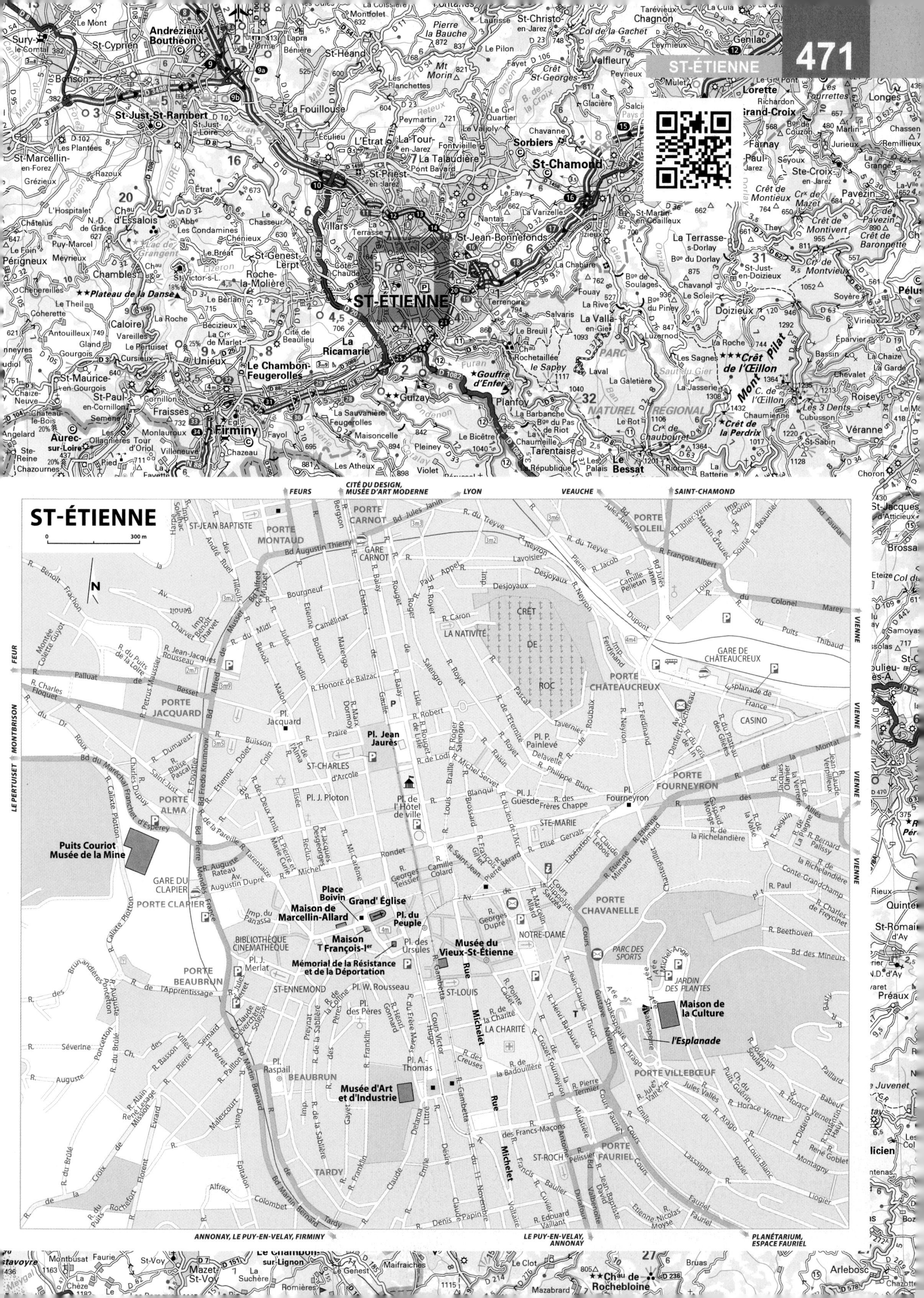
ST-ÉTIENNE
0 300 m
N
FEURS
CITÉ DU DESIGN, MUSÉE D'ART MODERNE
LYON
VEAUCHE
SAINT-CHAMOND
FEUR
MONTBRISON
LE PERTUISET
VIENNE
ANNONAY, LE PUY-EN-VELAY, FIRMINY
LE PUY-EN-VELAY, ANNONAY
PLANÉTARIUM, ESPACE FAURIEL
ST-JEAN BAPTISTE
PORTE MONTAUD
PORTE CARNOT
GARE CARNOT
PORTE SOLEIL
Bd Augustin Thierry
Bd Jules Janin
CRÊT DE ROC
LA NATIVITÉ
GARE DE CHÂTEAUCREUX
PORTE CHÂTEAUCREUX
Esplanade de France
CASINO
PORTE JACQUARD
Pl. Jacquard
Pl. Jean Jaurès
ST-CHARLES
Pl. J. Ploton
Pl. de l'Hôtel de ville
Pl. P. Painlevé
Pl. J. Guesde
Pl. Fourneyron
PORTE FOURNEYRON
PORTE ALMA
STE-MARIE
Puits Couriot Musée de la Mine
GARE DU CLAPIER
PORTE CLAPIER
Place Boivin
Grand' Église
Maison de Marcellin-Allard
Pl. du Peuple
Maison T François-Ier
Pl. des Ursules
Musée du Vieux-St-Étienne
Mémorial de la Résistance et de la Déportation
NOTRE-DAME
PORTE CHAVANELLE
PARC DES SPORTS
JARDIN DES PLANTES
Maison de la Culture
l'Esplanade
BIBLIOTHÈQUE CINÉMATHÈQUE
Pl. J. Merlat
PORTE BEAUBRUN
ST-ENNEMOND
Pl. W. Rousseau
ST-LOUIS
LA CHARITÉ
Pl. des Pères
Pl. Raspail
BEAUBRUN
Pl. A.-Thomas
Musée d'Art et d'Industrie
PORTE VILLEBŒUF
Rue Michelet
ST-ROCH
PORTE FAURIEL
TARDY
Bd Martin Bernard
Bd du Maréchal Franchet d'Esperey
Bd Pierre Mendès France
Cours Victor Hugo
Cours Fauriel
R. Gambetta
R. de la République
Sury-le-Comtal
Andrézieux-Bouthéon
St-Just-St-Rambert
La Fouillouse
L'Etrat
La Talaudière
Sorbiers
St-Chamond
St-Priest-en-Jarez
Villars
St-Jean-Bonnefonds
La Ricamarie
Le Chambon-Feugerolles
Firminy
Unieux
Roche-la-Molière
St-Genest-Lerpt
Aurec-sur-Loire
Chambles
Périgneux
★★Plateau de la Danse
★Gouffre d'Enfer
★★Guizay
Planfoy
Le Bessat
Tarentaise
PARC NATUREL RÉGIONAL
★★★Crêt de l'Œillon
Mont Pilat
★Crêt de la Perdrix
Rive-de-Gier
Lorette
Grand-Croix
Pélussin
Véranne
Roisey
Le Chambon-sur-Lignon
★★Chau de Rochebloine
Arlebosc
Mazet-St-Voy

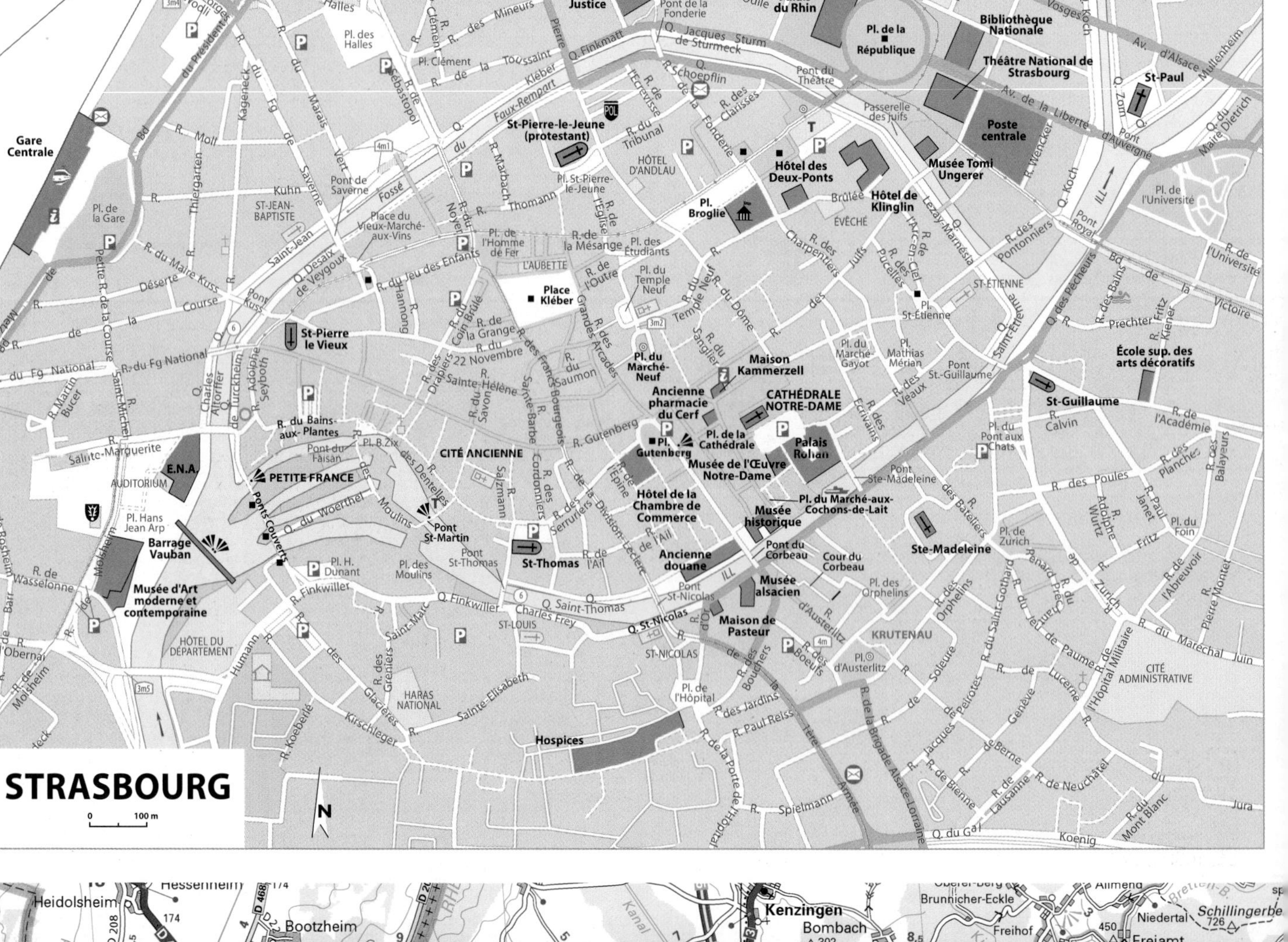
STRASBOURG
0 100 m
N
Place de Haguenau
Parc des Contades
Place Ungerer
QUARTIER ALLEMAND
St-Pierre le Jeune
Palais de Justice
Palais du Rhin
Pl. de la République
Bibliothèque Nationale
Théâtre National de Strasbourg
St-Paul
Poste centrale
Musée Tomi Ungerer
Gare Centrale
St-Pierre-le-Jeune (protestant)
HÔTEL D'ANDLAU
Hôtel des Deux-Ponts
Hôtel de Klinglin
Pl. Broglie
Place Kléber
L'AUBETTE
Pl. de la Gare
ST-JEAN-BAPTISTE
St-Pierre le Vieux
Pl. du Marché-Neuf
Maison Kammerzell
Ancienne pharmacie du Cerf
CATHÉDRALE NOTRE-DAME
Palais Rohan
Pl. de la Cathédrale
Pl. Gutenberg
Musée de l'Œuvre Notre-Dame
Hôtel de la Chambre de Commerce
Musée historique
Pl. du Marché-aux-Cochons-de-Lait
CITÉ ANCIENNE
PETITE FRANCE
Ponts Couverts
Barrage Vauban
E.N.A.
AUDITORIUM
Pl. Hans Jean Arp
Musée d'Art moderne et contemporaine
Pont St-Martin
St-Thomas
Ancienne douane
Musée alsacien
Maison de Pasteur
Cour du Corbeau
KRUTENAU
St-Guillaume
École sup. des arts décoratifs
Ste-Madeleine
CITÉ ADMINISTRATIVE
HÔTEL DU DÉPARTEMENT
HARAS NATIONAL
Hospices
ST-LOUIS
ST-NICOLAS
ST-ÉTIENNE
Pl. de l'Université
ILL

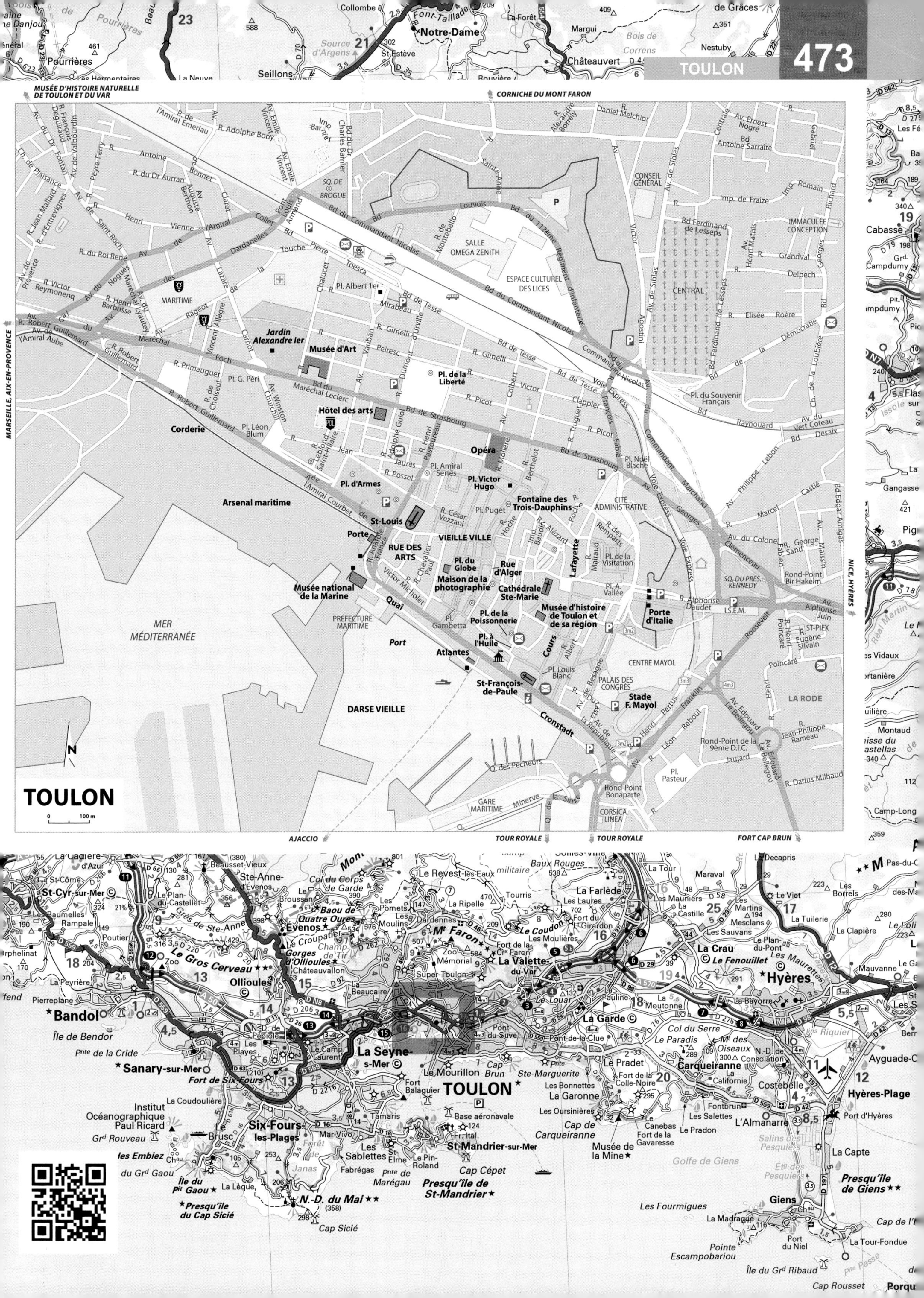

TOULON

MUSÉE D'HISTOIRE NATURELLE DE TOULON ET DU VAR

CORNICHE DU MONT FARON

MER MÉDITERRANÉE

Jardin Alexandre Ier
Musée d'Art
Hôtel des arts
Corderie
Arsenal maritime
St-Louis
Porte
RUE DES ARTS
Musée national de la Marine
PRÉFECTURE MARITIME
Quai
Port
Atlantes
DARSE VIEILLE
St-François-de-Paule

Pl. Albert 1er
Pl. de la Liberté
Pl. G. Péri
Pl. Léon Blum
Pl. d'Armes
Pl. Amiral Senès
Pl. Victor Hugo
Pl. Puget
VIEILLE VILLE
Pl. du Globe
Maison de la photographie
Rue d'Alger
Cathédrale Ste-Marie
Pl. de la Poissonnerie
Pl. à l'Huile
Opéra
Fontaine des Trois-Dauphins
Lafayette
CITÉ ADMINISTRATIVE
Pl. de la Visitation
Pl. A. Vallée
Musée d'histoire de Toulon et de sa région
Porte d'Italie
Cours
Pl. Louis Blanc
PALAIS DES CONGRÈS
CENTRE MAYOL
Stade F. Mayol
Pl. Pasteur

ESPACE CULTUREL DES LICES
SALLE OMEGA ZENITH
CONSEIL GÉNÉRAL
CENTRAL
IMMACULÉE CONCEPTION
Cabasse
Pl. du Souvenir Français
SQ. DE BROGLIE
SQ. DU PRÉS. KENNEDY
Rond-Point Bir Hakeim
I.S.E.M.
ST-PIEX
LA RODE
Rond-Point de la 9ème D.I.C.
Rond-Point Bonaparte
GARE MARITIME
CORSICA LINEA

MARSEILLE, AIX-EN-PROVENCE
NICE, HYÈRES

N

0   100 m

AJACCIO   TOUR ROYALE   TOUR ROYALE   FORT CAP BRUN

St-Cyr-sur-Mer
La Cadière d'Azur
Ste-Anne-d'Evenos
Evenos
Le Gros Cerveau
Ollioules
Gorges d'Ollioules
Châteauvallon
Bandol
Île de Bendor
Sanary-sur-Mer
Fort de Six-Fours
Institut Océanographique Paul Ricard
Gr^d Rouveau
les Embiez
du Gr^d Gaou
Île du P^it Gaou
La Lèque
Presqu'île du Cap Sicié
N.-D. du Mai
Cap Sicié
Six-Fours-les-Plages
Brusc
Mar-Vivo
Les Sablettes
St-Elme
Le Pin-Roland
St-Mandrier-sur-Mer
Cap Cépet
Presqu'île de St-Mandrier
La Seyne-s-Mer
Le Camp Laurent
Fort Balaguier
Tamaris
Base aéronavale
Fort Italie
Cap Brun
Le Mourillon
TOULON
Le Revest-les-Eaux
Mt Faron
Zoo
Super-Toulon
La Valette-du-Var
Le Touar
La Garde
Le Pradet
La Garonne
Cap de Carqueiranne
Musée de la Mine
La Farlède
Les Laures
La Crau
Le Fenouillet
Le Coudon
Carqueiranne
Costebelle
Hyères
Hyères-Plage
L'Almanarre
Port d'Hyères
La Capte
Giens
Presqu'île de Giens
Golfe de Giens
Les Fourmigues
La Madrague
Port du Niel
Cap de l'
Pointe Escampobariou
Île du Gr^d Ribaud
Cap Rousset
Porqu

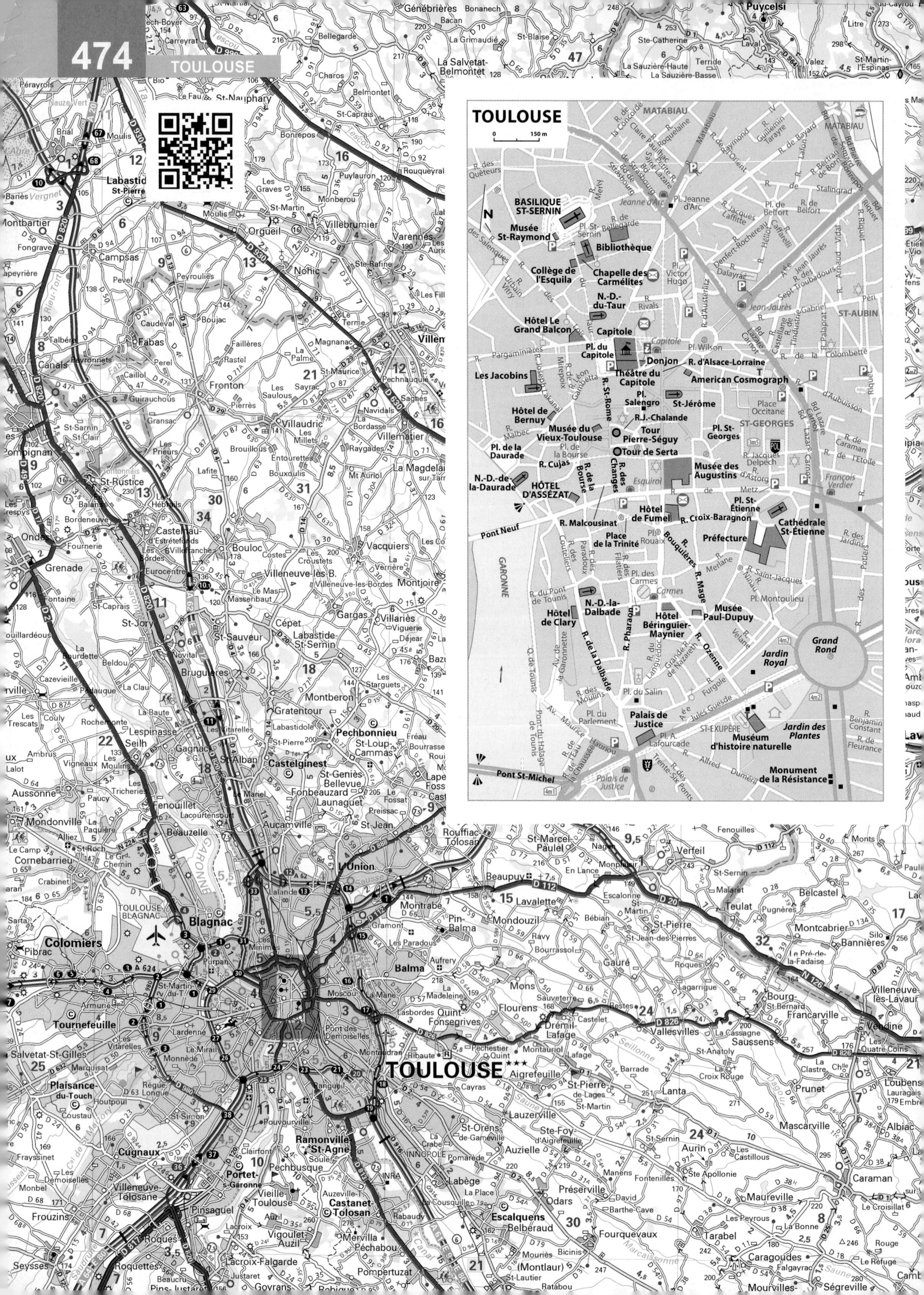
TOULOUSE
0
150 m
MATABIAU
BASILIQUE ST-SERNIN
Musée St-Raymond
Bibliothèque
Collège de l'Esquila
Chapelle des Carmélites
N.-D.-du-Taur
Hôtel Le Grand Balcon
Capitole
Pl. du Capitole
Donjon
R. d'Alsace-Lorraine
Théâtre du Capitole
American Cosmograph
Les Jacobins
Pl. Salengro
St-Jérôme
Hôtel de Bernuy
R.J.-Chalande
Musée du Vieux-Toulouse
Tour Pierre-Séguy
Tour de Serta
Pl. de la Daurade
R. Cujas
Musée des Augustins
N.-D.-de-la-Daurade
HÔTEL D'ASSÉZAT
R. de la Bourse
R. des Changes
Hôtel de Fumel
R. Croix-Baragnon
R. Malcousinat
Pl. St-Étienne
Cathédrale St-Étienne
Pont Neuf
Place de la Trinité
Préfecture
GARONNE
R. Bouquières
R. Mage
N.-D.-la-Dalbade
Hôtel de Clary
Hôtel Béringuier-Maynier
Musée Paul-Dupuy
R. Pharaon
R. Ozenne
R. de la Dalbade
Grand Rond
Jardin Royal
Pl. du Salin
Palais de Justice
ST-EXUPÉRY
Muséum d'histoire naturelle
Jardin des Plantes
Monument de la Résistance
Pont St-Michel
Pl. Wilson
Pl. St-Georges
ST-GEORGES
ST-AUBIN
Place Occitane
Pl. Victor Hugo
Pl. Jeanne d'Arc
Pl. de Belfort
Jean-Jaurès
Capitole
Esquirol
Carmes
Pl. des Carmes
Pl. Montoulieu
François Verdier
Palais de Justice
Génébrières
Bonanech
Puycelsi
Bellegarde
La Grimaudié
St-Blaise
Ste-Catherine
La Salvetat-Belmontet
La Sauzière-Haute
La Sauzière-Basse
Labastide St-Pierre
Montbartier
Campsas
Orgueil
Villebrumier
Nohic
Varennes
Bouloc
Fronton
Castelnau-d'Estrétefonds
Villaudric
Vacquiers
Villeneuve-lès-B.
Montjoire
Grenade
St-Jory
St-Sauveur
Bruguières
Labastide-St-Sernin
Montberon
Gratentour
Pechbonnieu
St-Loup-Cammas
Lespinasse
Seilh
Gagnac-s-G.
St-Alban
Castelginest
Aussonne
Fenouillet
Aucamville
Mondonville
Beauzelle
Cornebarrieu
L'Union
Blagnac
Colomiers
Pibrac
Tournefeuille
Balma
Salvetat-St-Gilles
Plaisance-du-Touch
Cugnaux
Ramonville-St-Agne
TOULOUSE ★★★
Portet-s-Garonne
Villeneuve-Tolosane
Castanet-Tolosan
Escalquens
Labège
Vigoulet-Auzil
Verfeil
Lavalette
Mondouzil
Montrabé
Pin-Balma
Flourens
Drémil-Lafage
Quint-Fonsegrives
Aigrefeuille
Lanta
Vallesvilles
Saussens
Teulat
Bourg-St-Bernard
Francarville
Montcabrier
Bannières
Vendine
Loubens-Lauragais
Caraman
Prunet
Mascarville
Maureville
Aurin
Tarabel
Odars
Préserville
Fourquevaux
Caragoudes
Ségreville
Mourvilles-
Belcastel
Villeneuve-lès-Lavaur
Auzielle
Lauzerville
St-Orens-de-Gameville
Ste-Foy-d'Aigrefeuille
Frouzins
Roques
Seysses
Pinsaguel
Lacroix-Falgarde
Pompertuzat
Belberaud

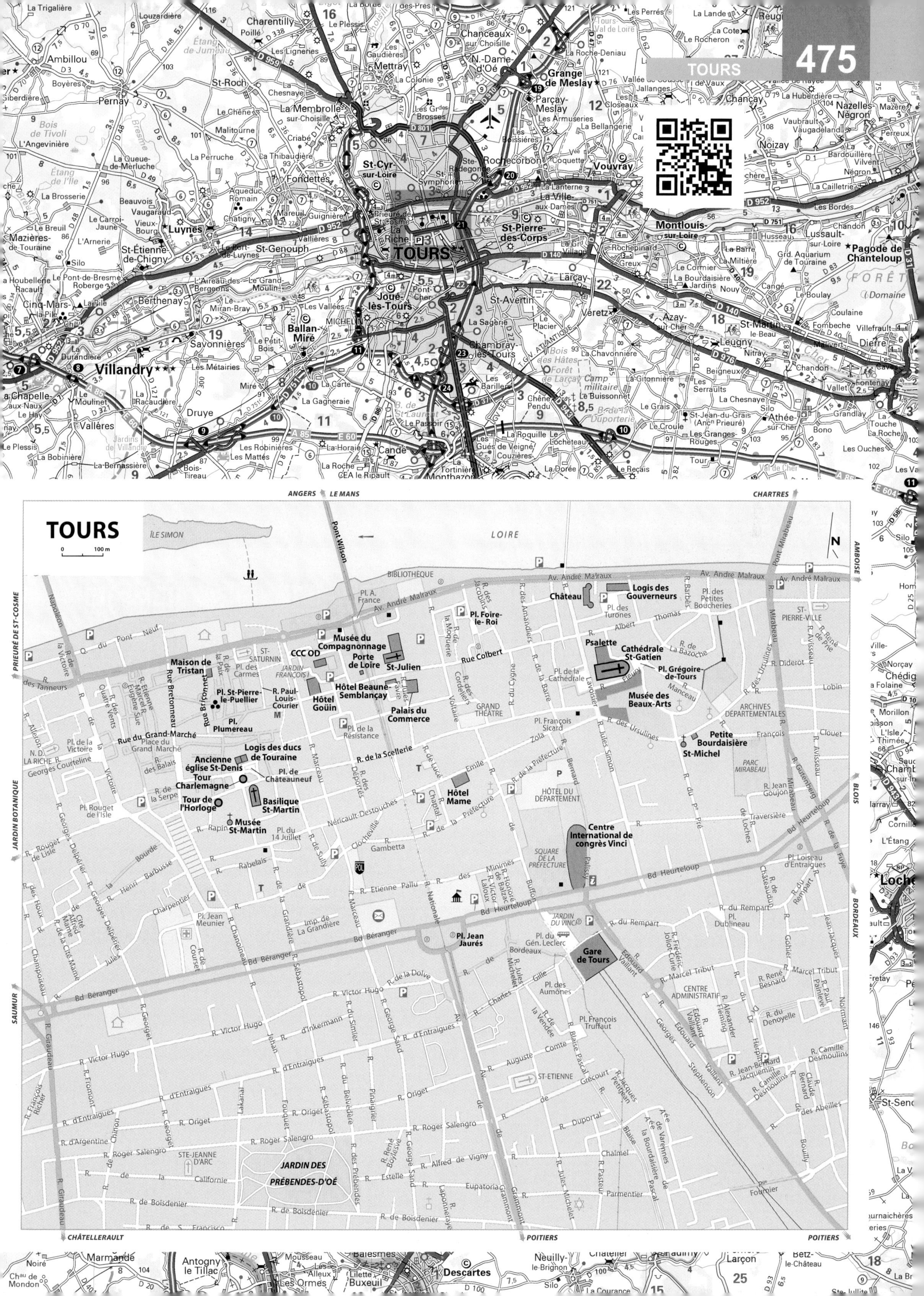
TOURS
LOIRE
ÎLE SIMON
ANGERS
LE MANS
CHARTRES
AMBOISE
BLOIS
BORDEAUX
POITIERS
CHÂTELLERAULT
SAUMUR
JARDIN BOTANIQUE
PRIEURÉ DE ST-COSME
Pont Wilson
Pont Mirabeau
BIBLIOTHÈQUE
Av. André Malraux
Château
Logis des Gouverneurs
Musée du Compagnonnage
CCC OD
Porte de Loire
St-Julien
Maison de Tristan
Pl. St-Pierre-le-Puellier
Pl. Plumereau
Hôtel Beaune-Semblançay
Hôtel Goüin
Palais du Commerce
Pl. Foire-le-Roi
Rue Colbert
GRAND THÉÂTRE
Psalette
Cathédrale St-Gatien
Pl. Grégoire-de-Tours
Musée des Beaux-Arts
ARCHIVES DÉPARTEMENTALES
Petite Bourdaisière
St-Michel
PARC MIRABEAU
Rue du Grand-Marché
Place du Grand Marché
Logis des ducs de Touraine
Ancienne église St-Denis
Tour Charlemagne
Pl. de Châteauneuf
Tour de l'Horloge
Basilique St-Martin
Musée St-Martin
R. de la Scellerie
Hôtel Mame
HÔTEL DU DÉPARTEMENT
Centre International de congrès Vinci
SQUARE DE LA PRÉFECTURE
Bd Heurteloup
Pl. Jean Jaurès
JARDIN DU VINCI
Gare de Tours
Bd Béranger
CENTRE ADMINISTRATIF
ST-ÉTIENNE
STE-JEANNE D'ARC
JARDIN DES PRÉBENDES-D'OÉ
R. Victor Hugo
R. d'Entraigues
R. Roger Salengro
R. de Boisdenier
Tours
St-Cyr-sur-Loire
St-Pierre-des-Corps
Joué-lès-Tours
Vouvray
Montlouis-sur-Loire
Villandry
Luynes
Fondettes
Savonnières
Ballan-Miré
Chambray-lès-Tours
St-Avertin
Grange de Meslay
Pagode de Chanteloup
Descartes

Plans de ville sur votre smartphone

Town plans on your smartphone / Stadtpläne auf Ihrem Smartphone /
Stadsplattegronden op uw smartphone
Piante di città sul tuo smartphone / Planos de ciudades en su smartphone

Ajaccio	Annecy	Arles	Bastia

Bayonne	Biarritz	Blois	Carcassonne

Châlons-en-Champagne	Châlon-sur-Saône	Chambéry	Chartres

Lorient	Monaco	Nevers	Troyes

France 1/1 200 000
Frankreich - 1: 1 200 000 / Frankrijk - 1: 1 200 000
Francia - 1: 1 200 000

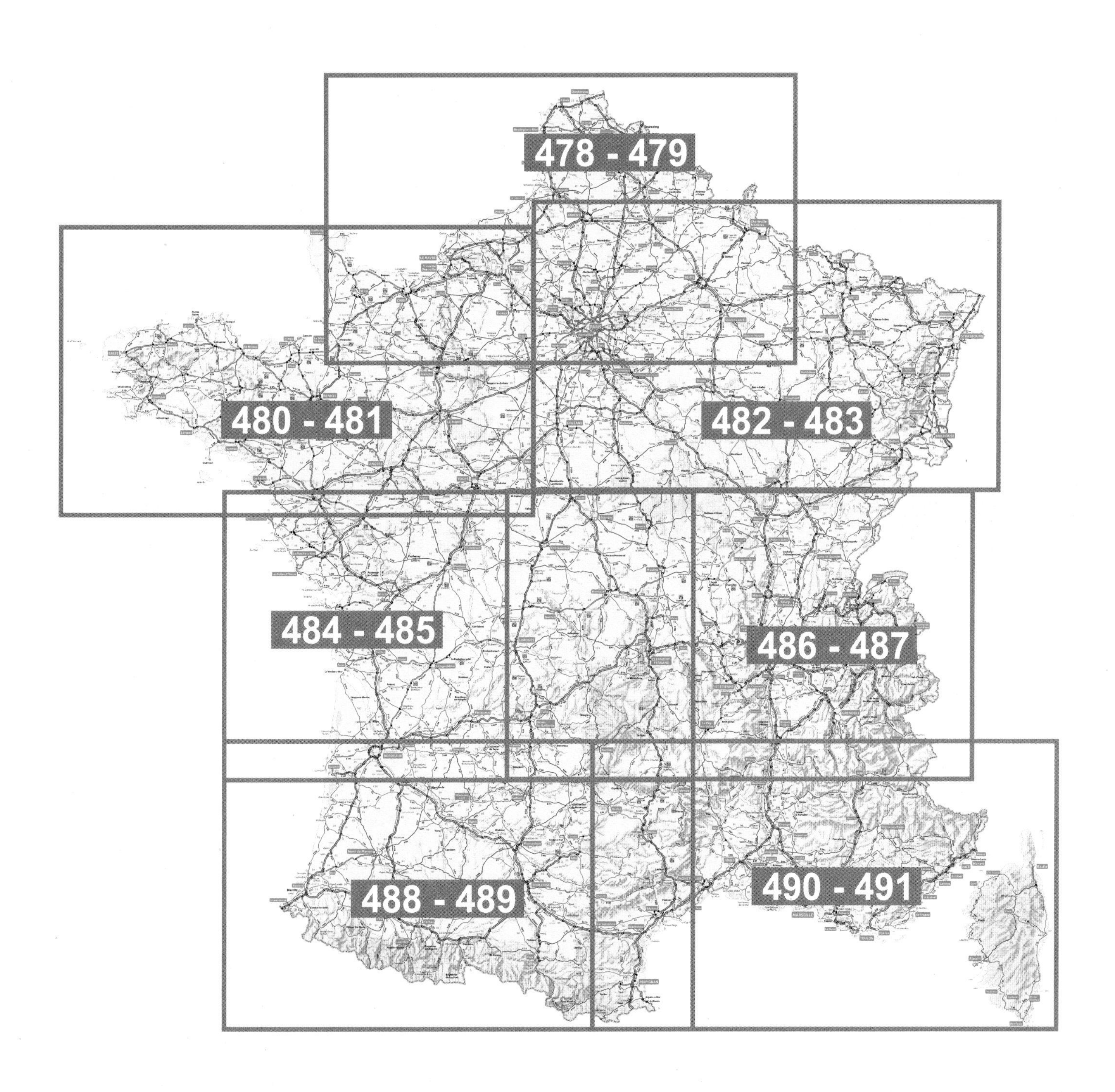

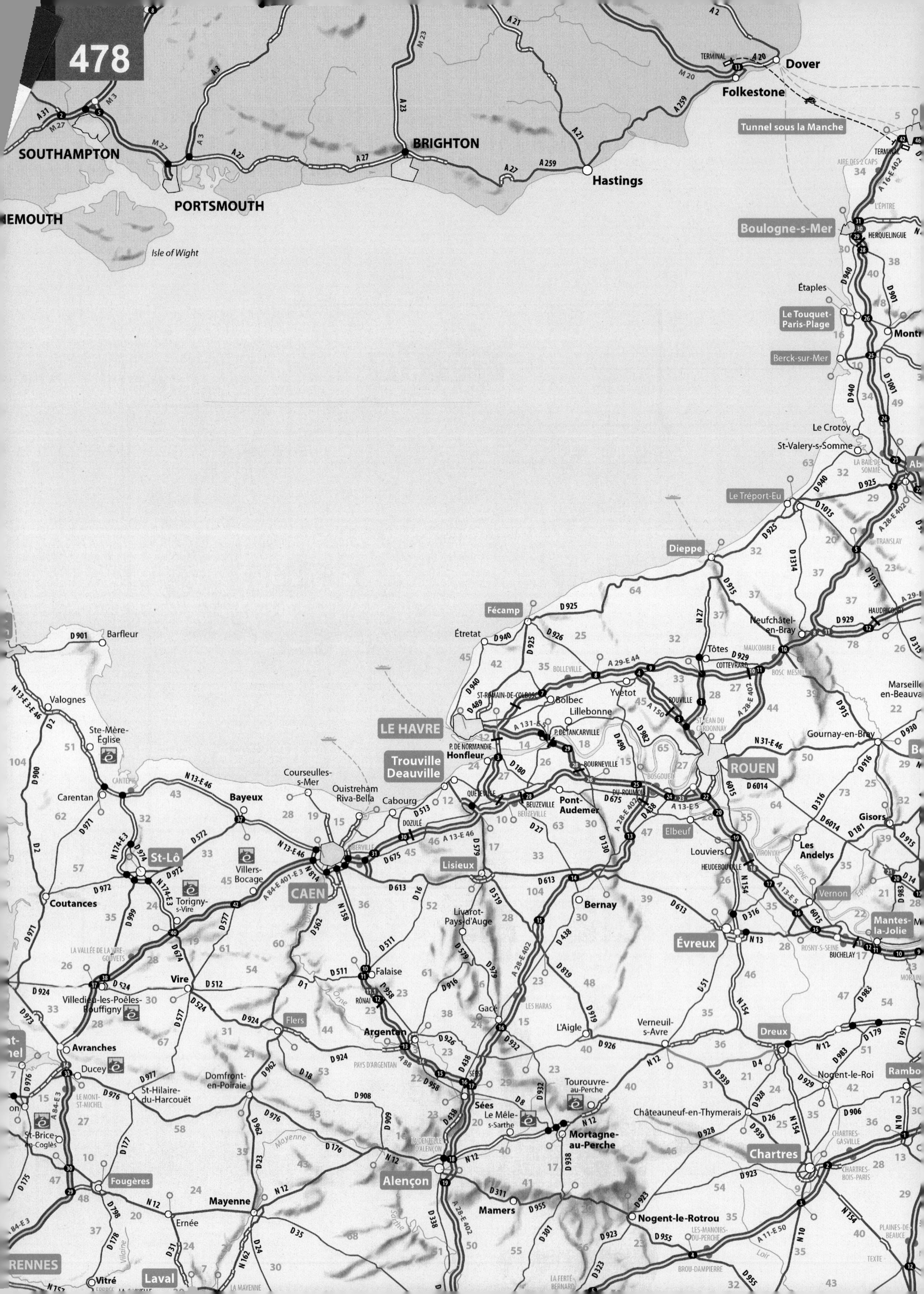
SOUTHAMPTON
PORTSMOUTH
BRIGHTON
Hastings
Folkestone
Dover
Tunnel sous la Manche
Isle of Wight
Boulogne-s-Mer
Étaples
Le Touquet-Paris-Plage
Berck-sur-Mer
Le Crotoy
St-Valery-s-Somme
Le Tréport-Eu
Dieppe
Fécamp
Étretat
Neufchâtel-en-Bray
Tôtes
Yvetot
Bolbec
Lillebonne
LE HAVRE
Honfleur
Trouville Deauville
ROUEN
Gournay-en-Bray
Marseille-en-Beauvais
Barfleur
Valognes
Ste-Mère-Église
Carentan
Bayeux
Courseulles-s-Mer
Ouistreham Riva-Bella
Cabourg
Pont-Audemer
Elbeuf
Louviers
Les Andelys
Gisors
Vernon
Mantes-la-Jolie
St-Lô
Coutances
Villers-Bocage
Torigny-s-Vire
CAEN
Lisieux
Livarot-Pays-d'Auge
Bernay
Évreux
Vire
Falaise
Villedieu-les-Poêles-Rouffigny
Flers
Argentan
Gacé
L'Aigle
Verneuil-s-Avre
Dreux
Avranches
Ducey
Domfront-en-Poiraie
St-Hilaire-du-Harcouët
Sées
Le Mêle-s-Sarthe
Tourouvre-au-Perche
Mortagne-au-Perche
Châteauneuf-en-Thymerais
Nogent-le-Roi
Chartres
St-Brice-en-Coglès
Fougères
Alençon
Mamers
Mayenne
Ernée
Nogent-le-Rotrou
RENNES
Vitré
Laval
Rambo

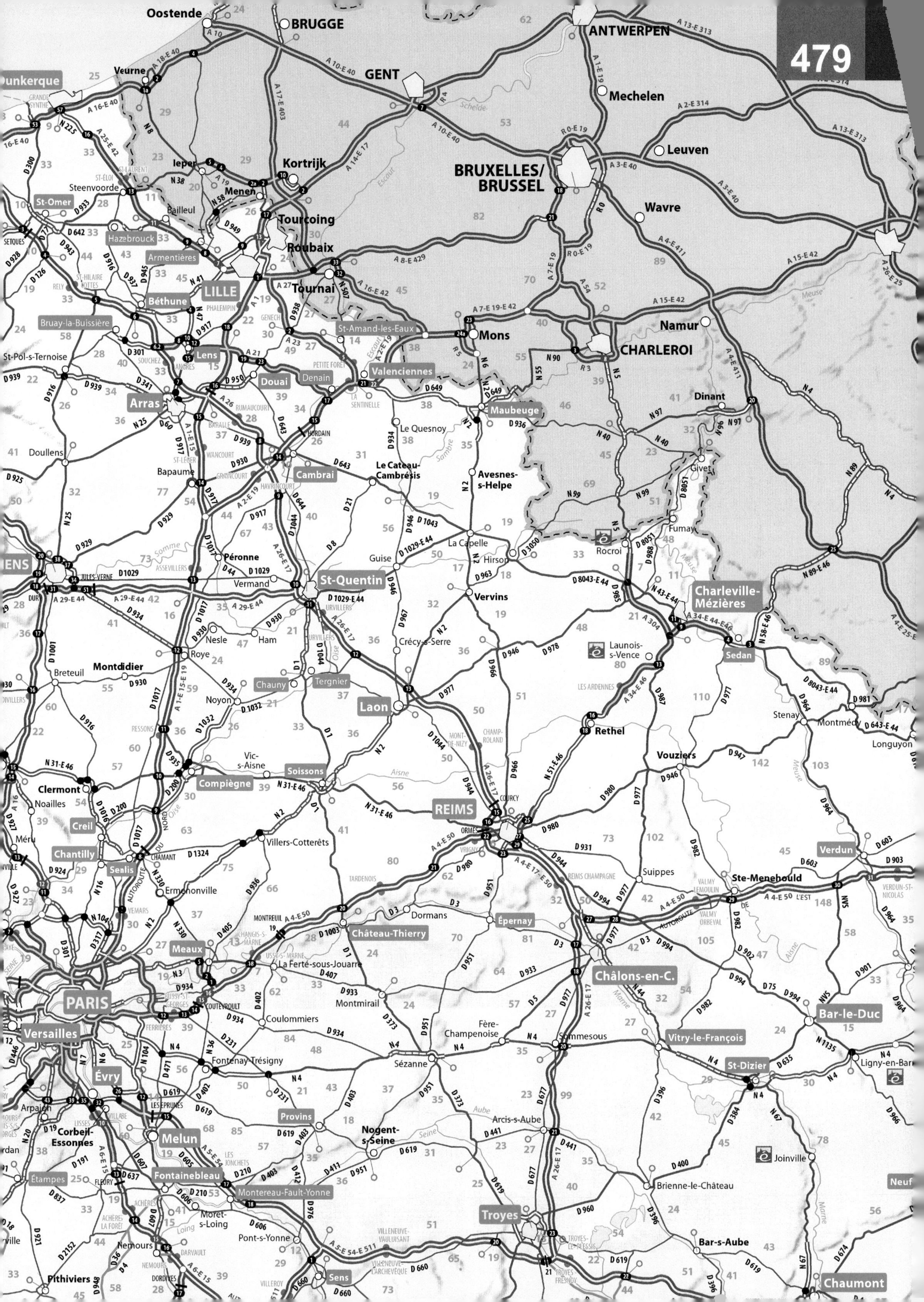
Oostende
BRUGGE
ANTWERPEN
Dunkerque
Veurne
GENT
Mechelen
Leuven
Ieper
Kortrijk
BRUXELLES/
BRUSSEL
Menen
Steenvoorde
St-Omer
Bailleul
Tourcoing
Wavre
Hazebrouck
Roubaix
Armentières
LILLE
Tournai
Béthune
Bruay-la-Buissière
St-Amand-les-Eaux
Mons
Namur
St-Pol-s-Ternoise
Lens
CHARLEROI
Douai
Denain
Valenciennes
Arras
Dinant
Maubeuge
Le Quesnoy
Doullens
Bapaume
Cambrai
Le Cateau-Cambrésis
Avesnes-s-Helpe
Givet
Fumay
Péronne
La Capelle
Guise
Hirson
Rocroi
St-Quentin
Vermand
Vervins
Charleville-Mézières
Nesle
Ham
Roye
Crécy-s-Serre
Launois-s-Vence
Sedan
Montdidier
Breteuil
Chauny
Tergnier
Noyon
Laon
Stenay
Montmédy
Longuyon
Rethel
Vouziers
Vic-s-Aisne
Soissons
Clermont
Compiègne
Noailles
REIMS
Creil
Méru
Villers-Cotterêts
Chantilly
Senlis
Verdun
Ermenonville
Suippes
Ste-Menehould
Dormans
Épernay
Château-Thierry
Meaux
La Ferté-sous-Jouarre
Châlons-en-C.
PARIS
Montmirail
Coulommiers
Bar-le-Duc
Versailles
Fère-Champenoise
Sommesous
Vitry-le-François
Fontenay-Trésigny
Sézanne
St-Dizier
Ligny-en-Barrois
Évry
Arpajon
Corbeil-Essonnes
Provins
Nogent-s-Seine
Arcis-s-Aube
Melun
Joinville
Étampes
Fontainebleau
Montereau-Fault-Yonne
Brienne-le-Château
Moret-s-Loing
Troyes
Pont-s-Yonne
Nemours
Bar-s-Aube
Pithiviers
Sens
Chaumont

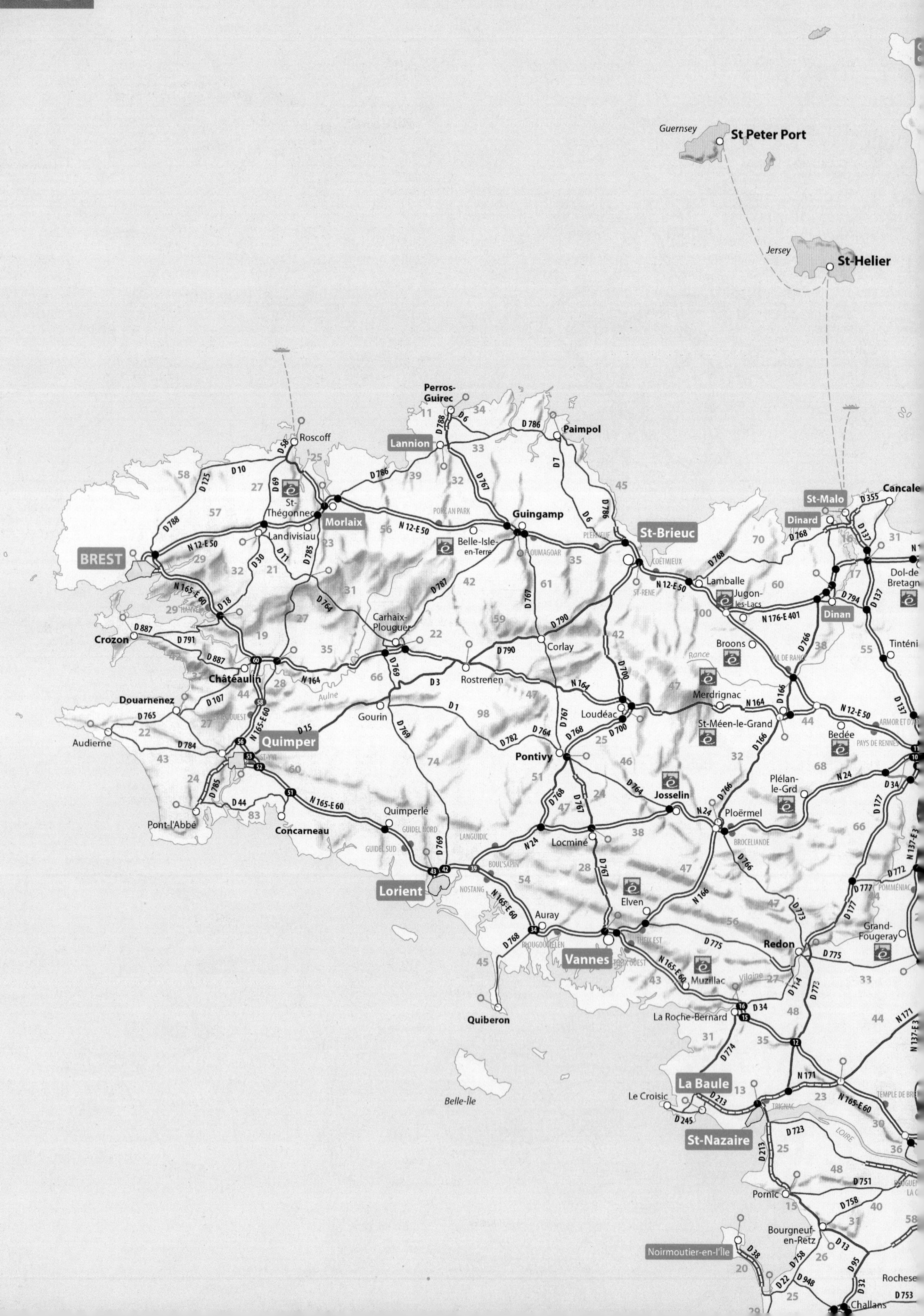
Guernsey
St Peter Port
Jersey
St-Helier
Perros-Guirec
Lannion
Paimpol
Roscoff
St-Thégonnec
Morlaix
Landivisiau
BREST
Guingamp
Belle-Isle-en-Terre
St-Brieuc
Lamballe
Jugon-les-Lacs
St-Malo
Dinard
Dinan
Cancale
Dol-de-Bretagne
Carhaix-Plouguer
Crozon
Châteaulin
Douarnenez
Audierne
Quimper
Pont-l'Abbé
Concarneau
Quimperlé
Lorient
Gourin
Rostrenen
Corlay
Loudéac
Pontivy
Broons
Merdrignac
St-Méen-le-Grand
Bedée
Plélan-le-Grd
Josselin
Ploërmel
Locminé
Elven
Auray
Vannes
Quiberon
Belle-Île
Muzillac
Redon
La Roche-Bernard
Grand-Fougeray
La Baule
Le Croisic
St-Nazaire
Pornic
Bourgneuf-en-Retz
Noirmoutier-en-l'Île
Challans
Tinténiac

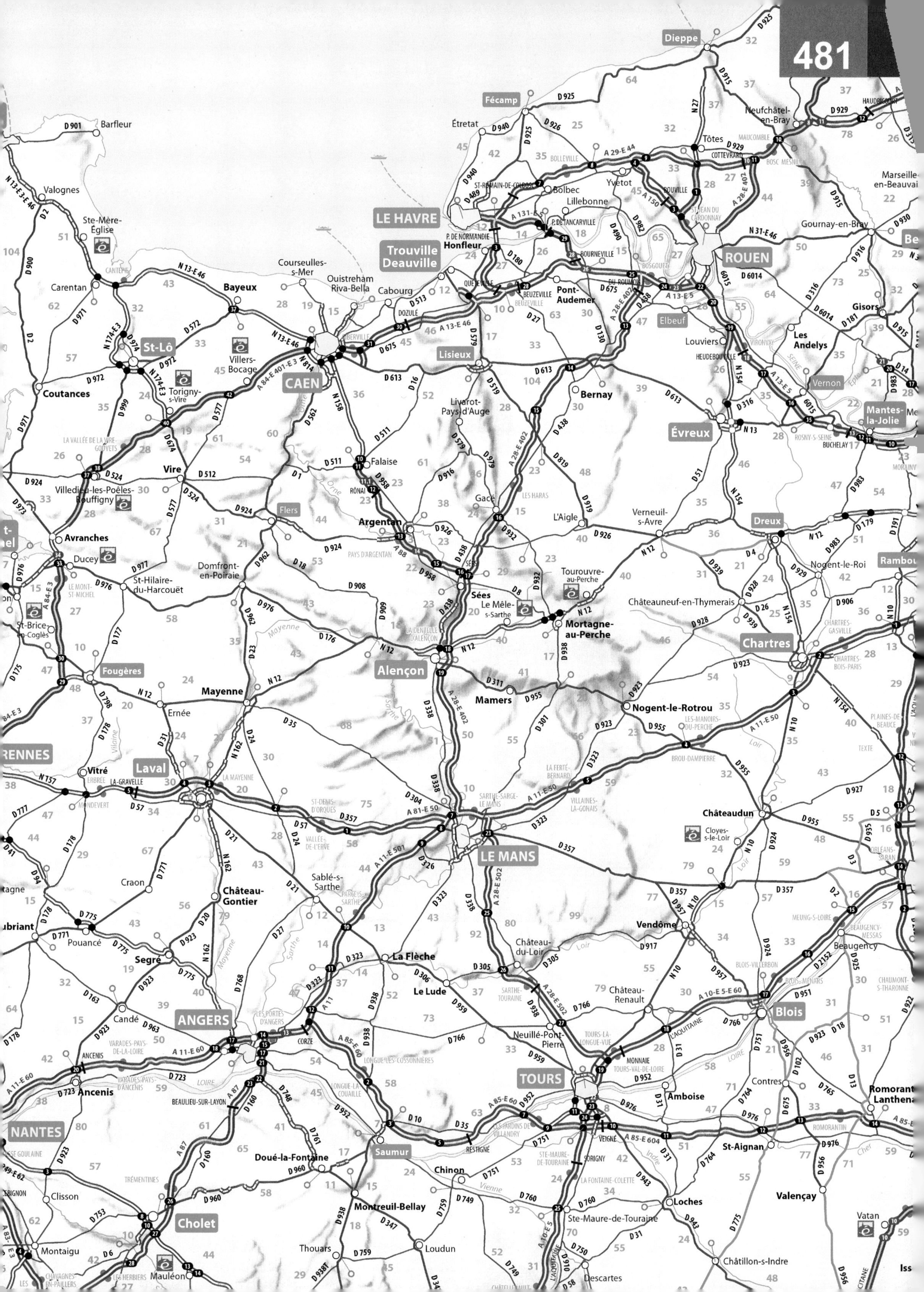
Dieppe
Fécamp
Étretat
Barfleur
Neufchâtel-en-Bray
Tôtes
Bolbec
Yvetot
Lillebonne
Valognes
Ste-Mère-Église
LE HAVRE
Honfleur
Trouville Deauville
ROUEN
Gournay-en-Bray
Marseille-en-Beauvais
Carentan
Bayeux
Courseulles-s-Mer
Ouistreham Riva-Bella
Cabourg
Pont-Audemer
Elbeuf
Louviers
Les Andelys
Gisors
St-Lô
Villers-Bocage
Torigny-s-Vire
CAEN
Lisieux
Coutances
Bernay
Vernon
Mantes-la-Jolie
Livarot-Pays-d'Auge
Évreux
Vire
Falaise
Villedieu-les-Poêles-Rouffigny
Gacé
L'Aigle
Verneuil-s-Avre
Dreux
Flers
Argentan
Avranches
Ducey
Domfront-en-Poiraie
St-Hilaire-du-Harcouët
Sées
Le Mêle-s-Sarthe
Tourouvre-au-Perche
Nogent-le-Roi
Châteauneuf-en-Thymerais
St-Brice-en-Coglès
Mortagne-au-Perche
Chartres
Fougères
Alençon
Mayenne
Ernée
Mamers
Nogent-le-Rotrou
RENNES
Vitré
Laval
Châteaudun
Cloyes-s-le-Loir
LE MANS
Craon
Château-Gontier
Sablé-s-Sarthe
Vendôme
Pouancé
Segré
La Flèche
Château-du-Loir
Beaugency
Le Lude
Château-Renault
Blois
Candé
ANGERS
Neuillé-Pont-Pierre
Ancenis
TOURS
Amboise
Contres
Romorantin-Lanthenay
NANTES
Doué-la-Fontaine
Saumur
Chinon
St-Aignan
Clisson
Montreuil-Bellay
Loches
Valençay
Cholet
Ste-Maure-de-Touraine
Vatan
Montaigu
Thouars
Loudun
Mauléon
Descartes
Châtillon-s-Indre

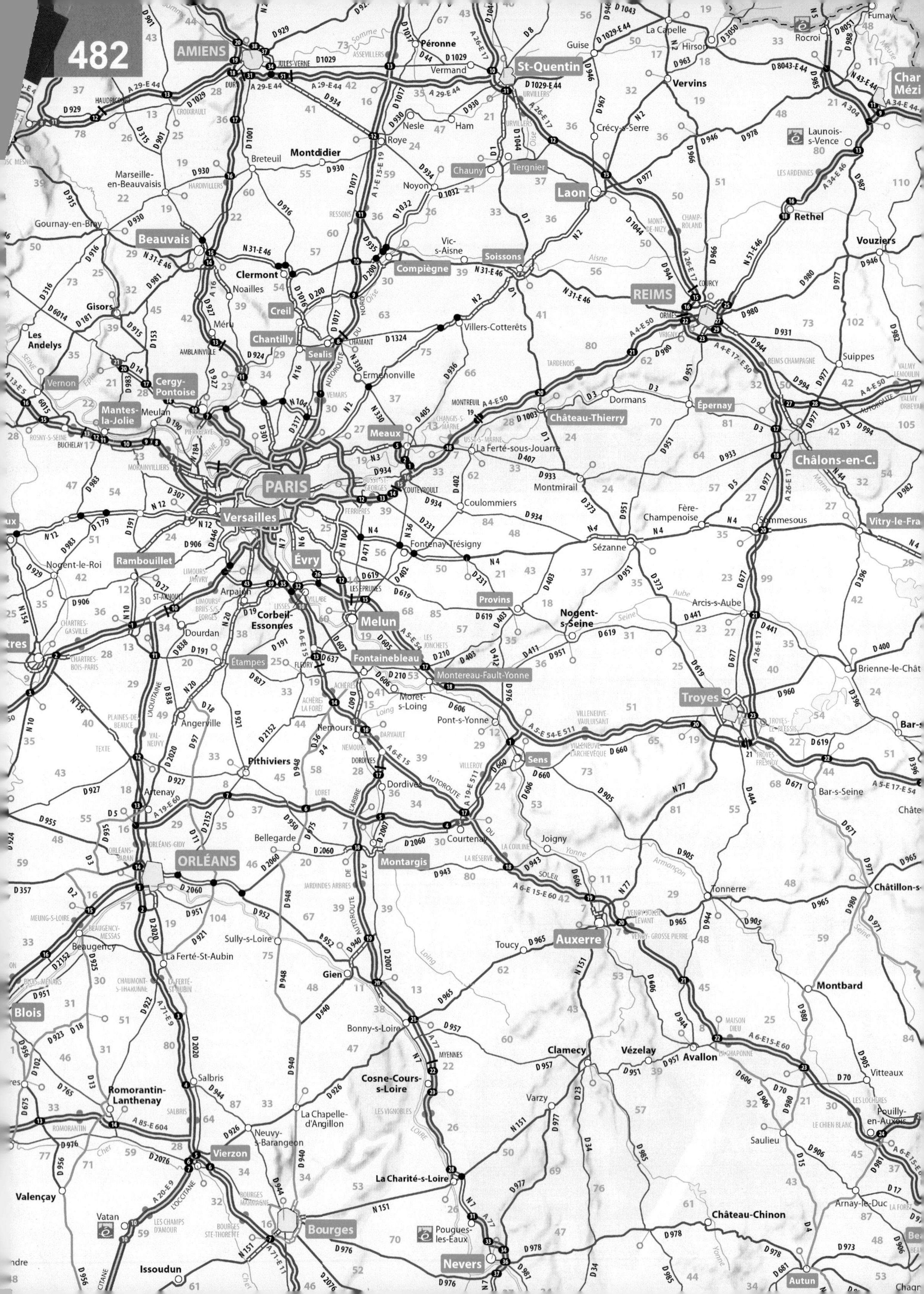
AMIENS
Péronne
St-Quentin
Guise
La Capelle
Hirson
Rocroi
Fumay
Vervins
Vermand
Ham
Nesle
Roye
Montdidier
Breteuil
Crécy-s-Serre
Launois-s-Vence
Chauny
Tergnier
Laon
Noyon
Rethel
Marseille-en-Beauvaisis
Gournay-en-Bray
Beauvais
Clermont
Noailles
Compiègne
Soissons
Vic-s-Aisne
Vouziers
REIMS
Gisors
Les Andelys
Creil
Chantilly
Senlis
Méru
Villers-Cotterêts
Ermenonville
Vernon
Cergy-Pontoise
Mantes-la-Jolie
Meulan
Dormans
Épernay
Château-Thierry
Suippes
Meaux
La Ferté-sous-Jouarre
Châlons-en-C.
PARIS
Versailles
Montmirail
Coulommiers
Fère-Champenoise
Sommesous
Vitry-le-Fra
Sézanne
Fontenay-Trésigny
Nogent-le-Roi
Rambouillet
Évry
Arpajon
Corbeil-Essonnes
Melun
Provins
Nogent-s-Seine
Arcis-s-Aube
Dourdan
Étampes
Fontainebleau
Montereau-Fault-Yonne
Brienne-le-Chât
Moret-s-Loing
Troyes
Angerville
Nemours
Pont-s-Yonne
Pithiviers
Sens
Bar-s-Seine
Artenay
Dordives
Bellegarde
Courtenay
Joigny
ORLÉANS
Montargis
Tonnerre
Châtillon-s-
Beaugency
Sully-s-Loire
Toucy
Auxerre
La Ferté-St-Aubin
Gien
Montbard
Blois
Bonny-s-Loire
Clamecy
Vézelay
Avallon
Salbris
Cosne-Cours-s-Loire
Vitteaux
Romorantin-Lanthenay
Varzy
La Chapelle-d'Angillon
Pouilly-en-Auxois
Saulieu
Neuvy-s-Barangeon
Vierzon
Valençay
La Charité-s-Loire
Arnay-le-Duc
Château-Chinon
Vatan
Bourges
Pougues-les-Eaux
Nevers
Issoudun
Autun

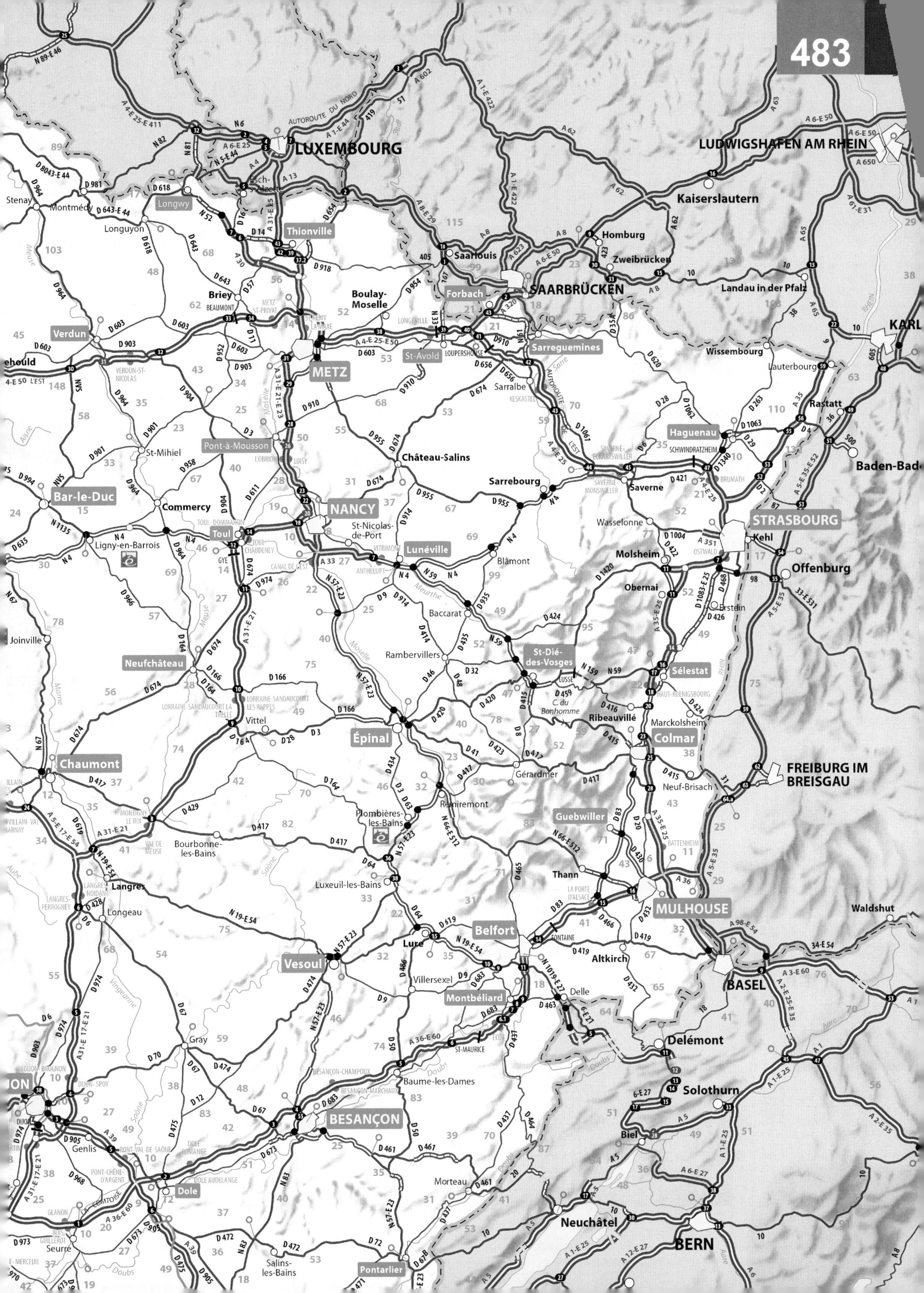
LUXEMBOURG
Esch-s-Alzette
Longwy
Thionville
Stenay
Montmédy
Longuyon
Briey
Verdun
Boulay-Moselle
Saarlouis
Forbach
SAARBRÜCKEN
Homburg
Zweibrücken
Kaiserslautern
LUDWIGSHAFEN AM RHEIN
Landau in der Pfalz
Wissembourg
Lauterbourg
Sarreguemines
St-Avold
METZ
Sarralbe
Château-Salins
Pont-à-Mousson
St-Mihiel
Bar-le-Duc
Commercy
Ligny-en-Barrois
Toul
NANCY
St-Nicolas-de-Port
Lunéville
Blâmont
Sarrebourg
Saverne
Haguenau
Rastatt
Baden-Baden
STRASBOURG
Kehl
Offenburg
Wasselonne
Molsheim
Obernai
Erstein
Baccarat
Rambervillers
St-Dié-des-Vosges
Sélestat
Ribeauvillé
Marckolsheim
Colmar
Neuf-Brisach
FREIBURG IM BREISGAU
Joinville
Neufchâteau
Vittel
Épinal
Gérardmer
Remiremont
Plombières-les-Bains
Guebwiller
Thann
MULHOUSE
Chaumont
Bourbonne-les-Bains
Langres
Longeau
Luxeuil-les-Bains
Lure
Belfort
Altkirch
BASEL
Waldshut
Vesoul
Villersexel
Montbéliard
Delle
Delémont
Solothurn
Biel
Gray
Baume-les-Dames
BESANÇON
Genlis
Dole
Morteau
Neuchâtel
BERN
Seurre
Salins-les-Bains
Pontarlier
DIJON
AUTOROUTE DU NORD
AUTOROUTE DE L'EST
Moselle
Meuse
Marne
Aube
Saône
Doubs
Meurthe
Rhein

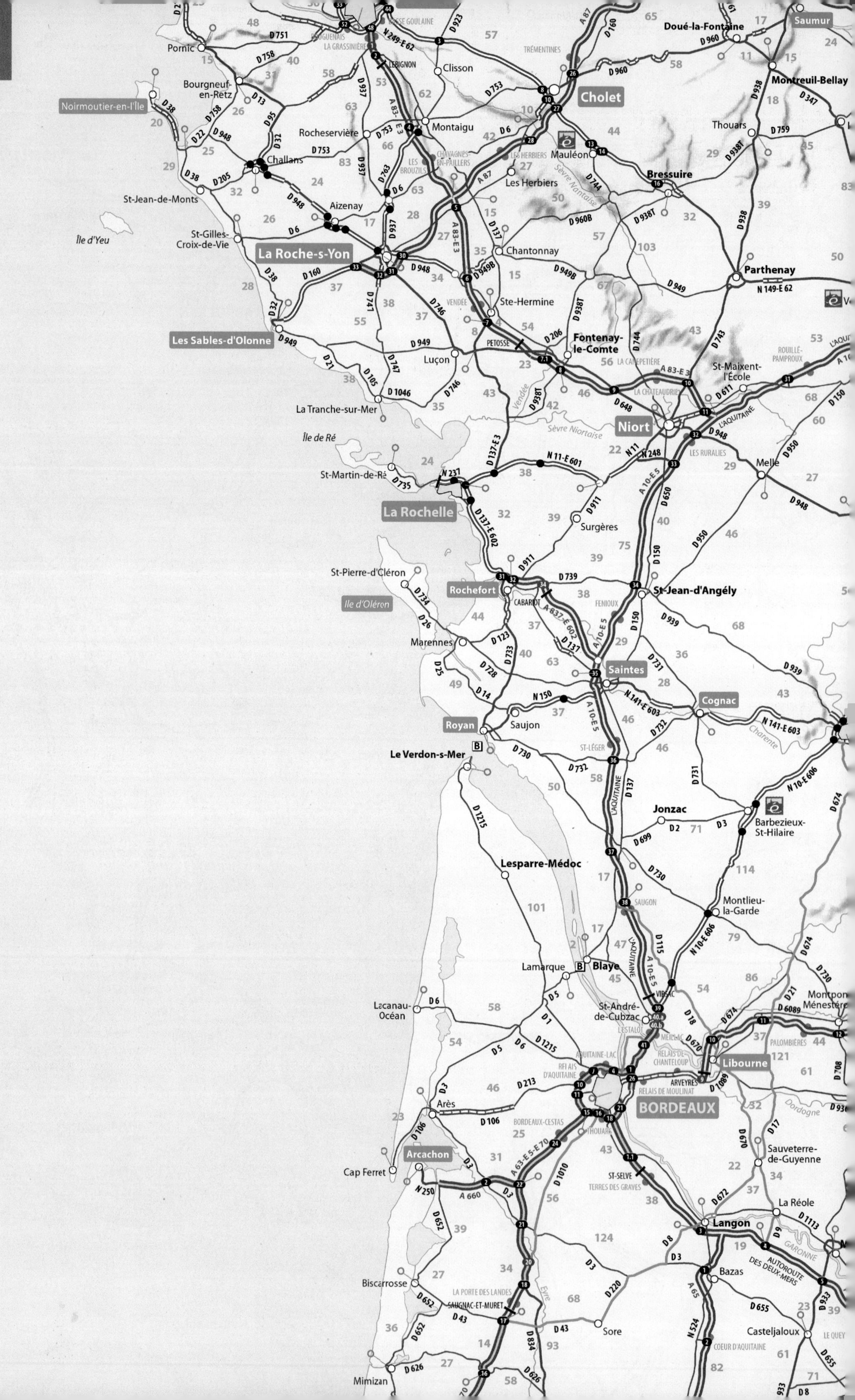
Pornic
Bourgneuf-en-Retz
Noirmoutier-en-l'Île
Clisson
Cholet
Doué-la-Fontaine
Saumur
Montreuil-Bellay
Thouars
Rocheservière
Montaigu
Challans
Mauléon
Les Herbiers
Bressuire
St-Jean-de-Monts
Aizenay
Île d'Yeu
St-Gilles-Croix-de-Vie
La Roche-s-Yon
Chantonnay
Parthenay
Ste-Hermine
Les Sables-d'Olonne
Fontenay-le-Comte
Luçon
St-Maixent-l'École
La Tranche-sur-Mer
Niort
Île de Ré
St-Martin-de-Ré
Melle
La Rochelle
Surgères
St-Pierre-d'Oléron
Île d'Oléron
Rochefort
St-Jean-d'Angély
Marennes
Saintes
Cognac
Royan
Saujon
Le Verdon-s-Mer
Jonzac
Barbezieux-St-Hilaire
Lesparre-Médoc
Montlieu-la-Garde
Lamarque
Blaye
Lacanau-Océan
St-André-de-Cubzac
Libourne
Arès
BORDEAUX
Arcachon
Cap Ferret
Sauveterre-de-Guyenne
La Réole
Langon
Biscarrosse
Bazas
Sore
Casteljaloux
Mimizan

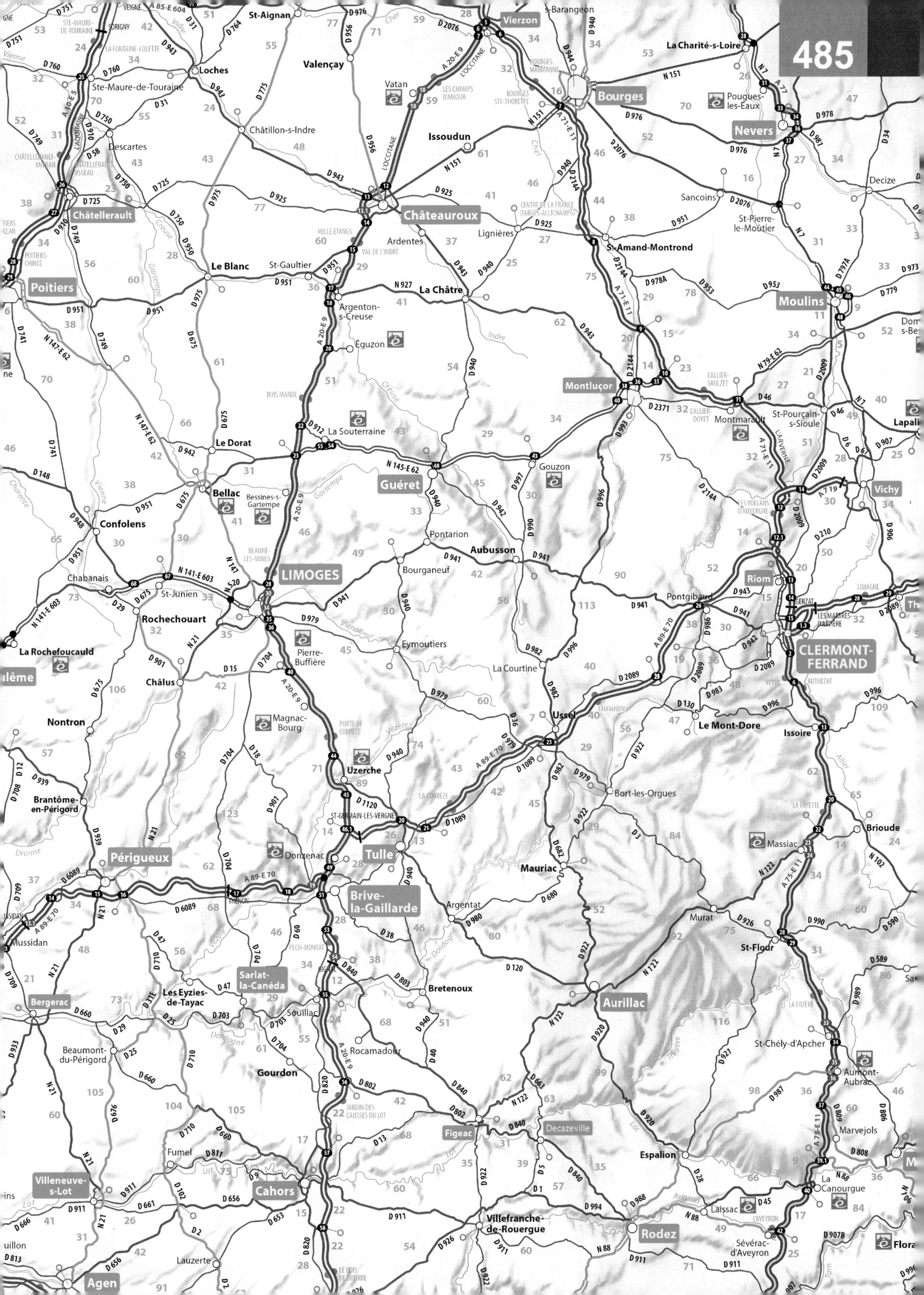

Vierzon
Bourges
Nevers
La Charité-s-Loire
Loches
Valençay
Issoudun
Châteauroux
Châtellerault
Poitiers
Le Blanc
La Châtre
St-Amand-Montrond
Moulins
Montluçon
Guéret
Limoges
Vichy
Riom
Clermont-Ferrand
Aubusson
Ussel
Tulle
Brive-la-Gaillarde
Périgueux
Bergerac
Sarlat-la-Canéda
Cahors
Figeac
Decazeville
Aurillac
Rodez
Villeneuve-s-Lot
Agen
Issoire
Brioude
St-Flour
Mauriac
Le Mont-Dore
Villefranche-de-Rouergue
Espalion
Marvejols

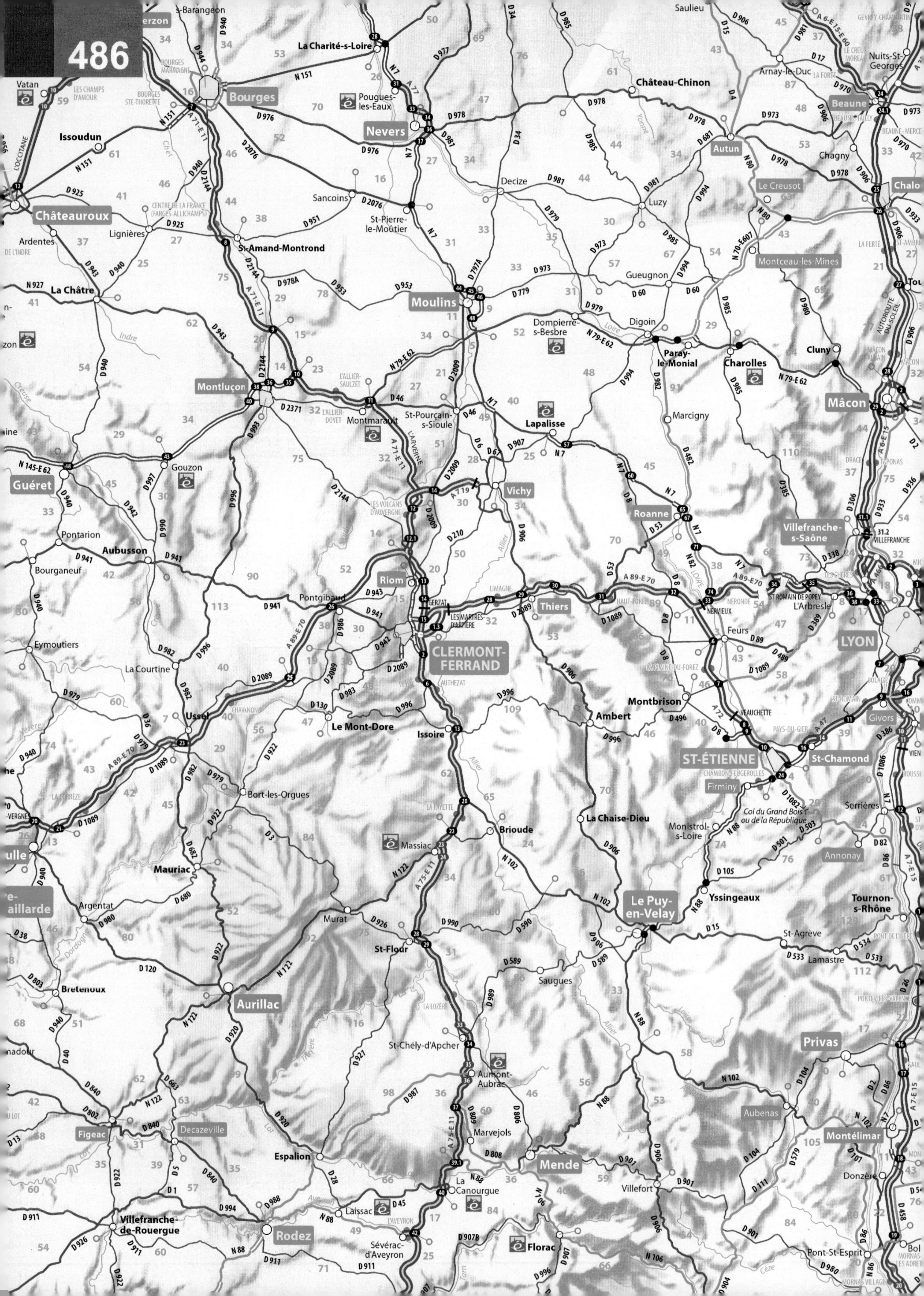

La Charité-s-Loire
Bourges
Pougues-les-Eaux
Nevers
Château-Chinon
Saulieu
Arnay-le-Duc
Nuits-St-Georges
Beaune
Vatan
Issoudun
Autun
Chagny
Le Creusot
Châteauroux
Sancoins
St-Pierre-le-Moûtier
Decize
Luzy
Ardentes
Lignières
St-Amand-Montrond
Montceau-les-Mines
La Châtre
Gueugnon
Moulins
Dompierre-s-Besbre
Digoin
Paray-le-Monial
Charolles
Cluny
Montluçon
Mâcon
Montmarault
St-Pourçain-s-Sioule
Lapalisse
Marcigny
Gouzon
Guéret
Vichy
Roanne
Villefranche-s-Saône
Pontarion
Aubusson
Bourganeuf
Riom
Pontgibaud
Thiers
L'Arbresle
LYON
Feurs
CLERMONT-FERRAND
Eymoutiers
La Courtine
Montbrison
Ambert
Givors
Ussel
Le Mont-Dore
Issoire
ST-ÉTIENNE
St-Chamond
Firminy
Bort-les-Orgues
La Chaise-Dieu
Monistrol-s-Loire
Serrières
Brioude
Massiac
Mauriac
Annonay
Yssingeaux
Le Puy-en-Velay
Tournon-s-Rhône
Argentat
Murat
St-Flour
St-Agrève
Lamastre
Saugues
Bretenoux
Aurillac
Privas
St-Chély-d'Apcher
Aumont-Aubrac
Figeac
Decazeville
Marvejols
Aubenas
Montélimar
Espalion
Mende
Donzère
La Canourgue
Villefort
Laissac
Villefranche-de-Rouergue
Rodez
Sévérac-d'Aveyron
Florac
Pont-St-Esprit

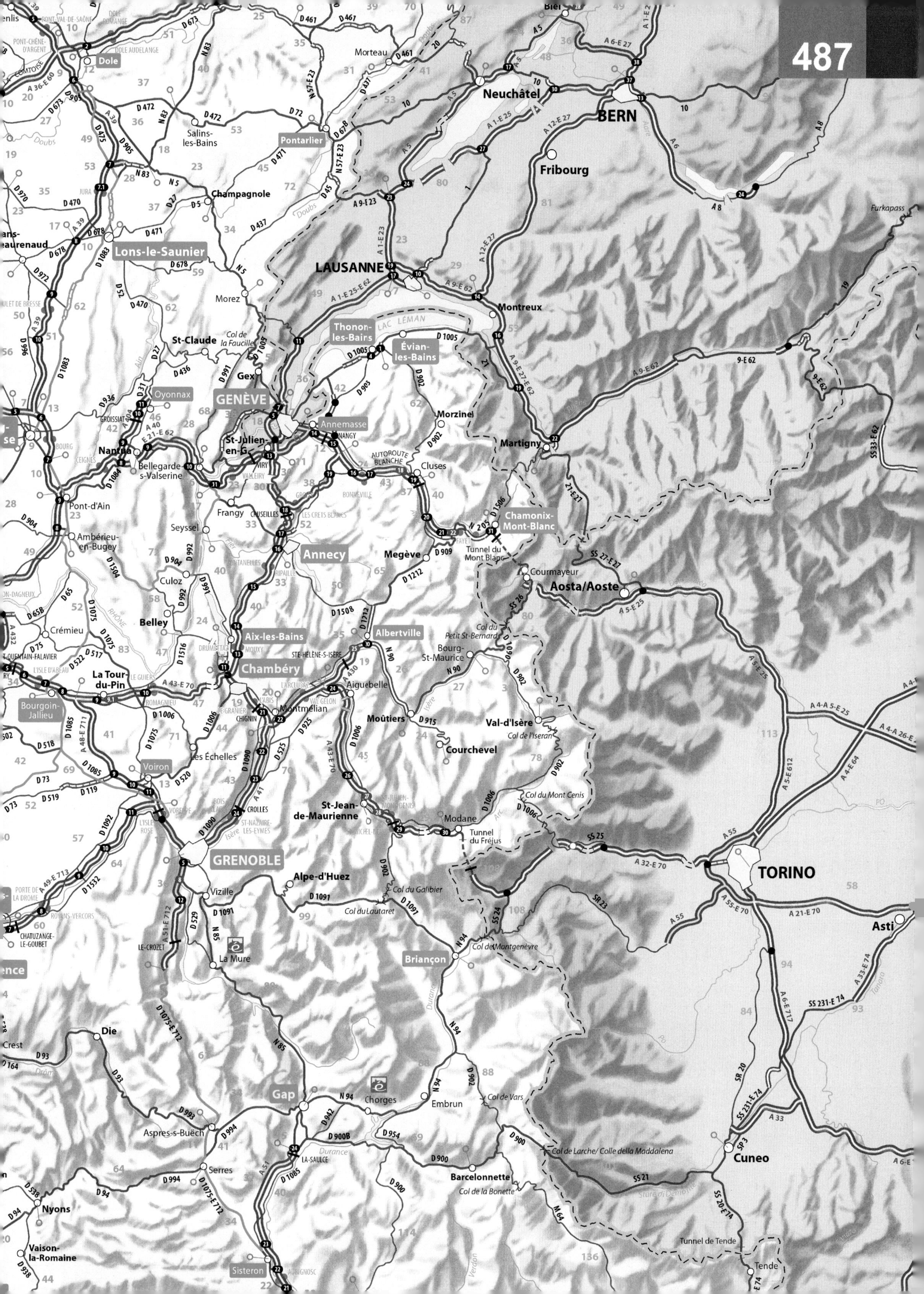

Dole
Morteau
Biel
Neuchâtel
BERN
Fribourg
Pontarlier
Salins-les-Bains
Champagnole
Lons-le-Saunier
LAUSANNE
Montreux
Morez
St-Claude
Col de la Faucille
Thonon-les-Bains
Évian-les-Bains
LAC LÉMAN
Gex
GENÈVE
Oyonnax
Nantua
Annemasse
St-Julien-en-G.
Bellegarde-s-Valserine
Morzine
Martigny
Cluses
Furkapass
Pont-d'Ain
Frangy
Seyssel
Ambérieu-en-Bugey
Annecy
Megève
Chamonix-Mont-Blanc
Tunnel du Mont Blanc
Courmayeur
Aosta/Aoste
Culoz
Belley
Crémieu
Aix-les-Bains
Albertville
Col du Petit St-Bernard
Bourg-St-Maurice
Chambéry
La Tour-du-Pin
Bourgoin-Jallieu
Aiguebelle
Montmélian
Moûtiers
Val-d'Isère
Col de l'Iseran
Courchevel
Les Échelles
Voiron
Col du Mont Cenis
St-Jean-de-Maurienne
Modane
Tunnel du Fréjus
GRENOBLE
Alpe-d'Huez
Col du Galibier
Col du Lautaret
Vizille
TORINO
Asti
La Mure
Col de Montgenèvre
Briançon
Die
Crest
Gap
Chorges
Embrun
Col de Vars
Aspres-s-Buëch
Serres
Col de Larche/ Colle della Maddalena
Cuneo
Barcelonnette
Col de la Bonette
Nyons
Vaison-la-Romaine
Sisteron
Tunnel de Tende
Tende

Lesparre-Médoc
Montlieu-la-Garde
Ribérac
Lamarque
Blaye
Lacanau-Océan
St-André-de-Cubzac
Montpon-Ménestérol
Mussidan
Libourne
Ares
BORDEAUX
Ste-Foy-la-Grande
Bergerac
Arcachon
Cap Ferret
Sauveterre-de-Guyenne
La Réole
Langon
Marmande
Biscarrosse
Bazas
Tonneins
Sore
Casteljaloux
Aiguillon
Mimizan
Nérac
Roquefort
Castets
Mont-de-Marsan
Condom
Hossegor
Capbreton
Dax
Nogaro
Aire-s-l'Adour
Bayonne
Peyrehorade
Biarritz
Orthez
Mirande
DONOSTIA-SAN SEBASTIÁN
St-Jean-de-Luz
Cambo-les-Bains
Pau
Castelnau-Magnoac
Tarbes
Oloron-Ste-Marie
St-Jean-Pied-de-Port
Lannemezan
Lourdes
Argelès-Gazost
Bagnères-de-Bigorre
Montréjeau
PAMPLONA
Cauterets
St-Lary-Soulan
Tunnel du Somport
Tunnel d'Aragnouet-Bielsa
Bagnères-de-Luchon

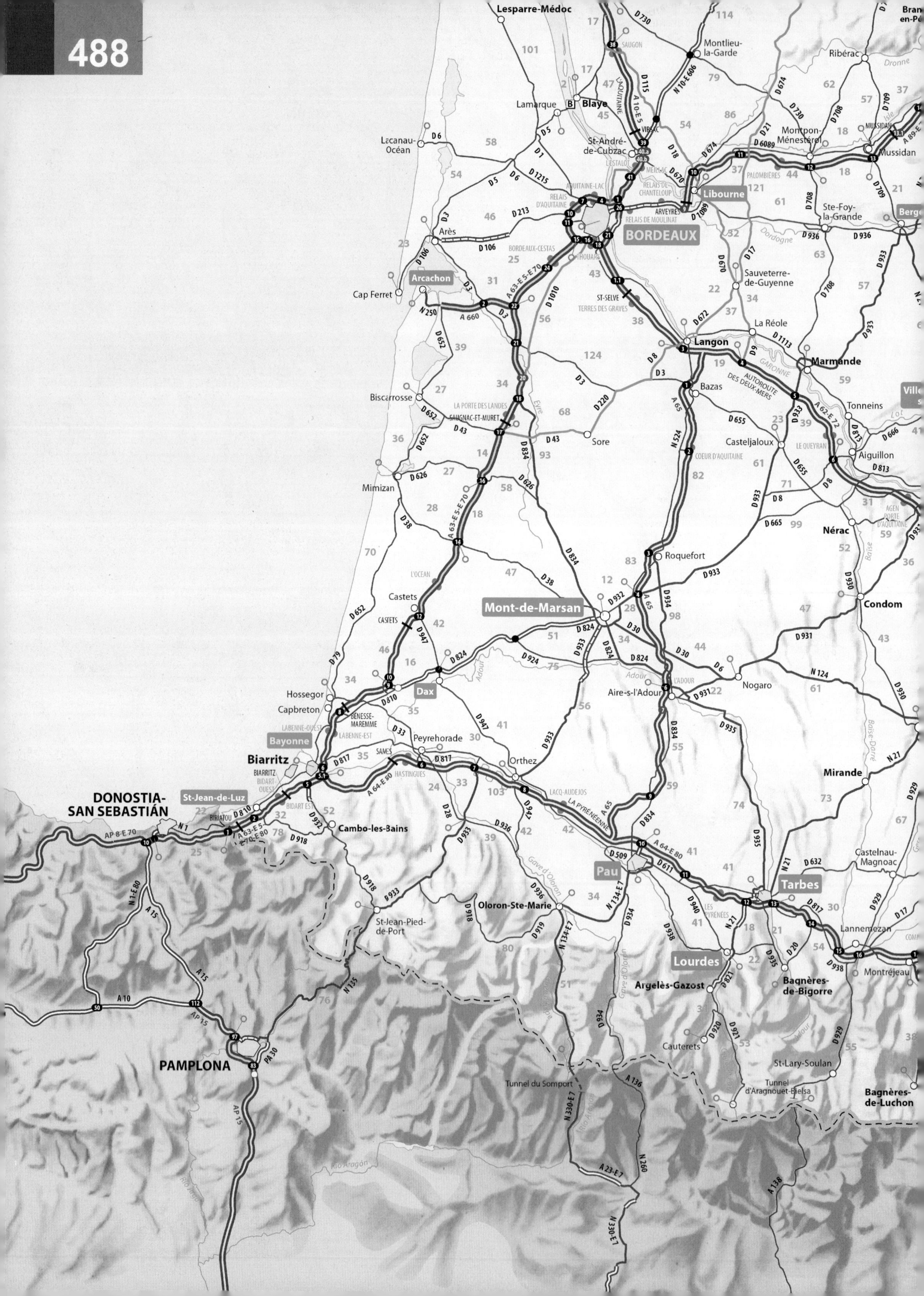

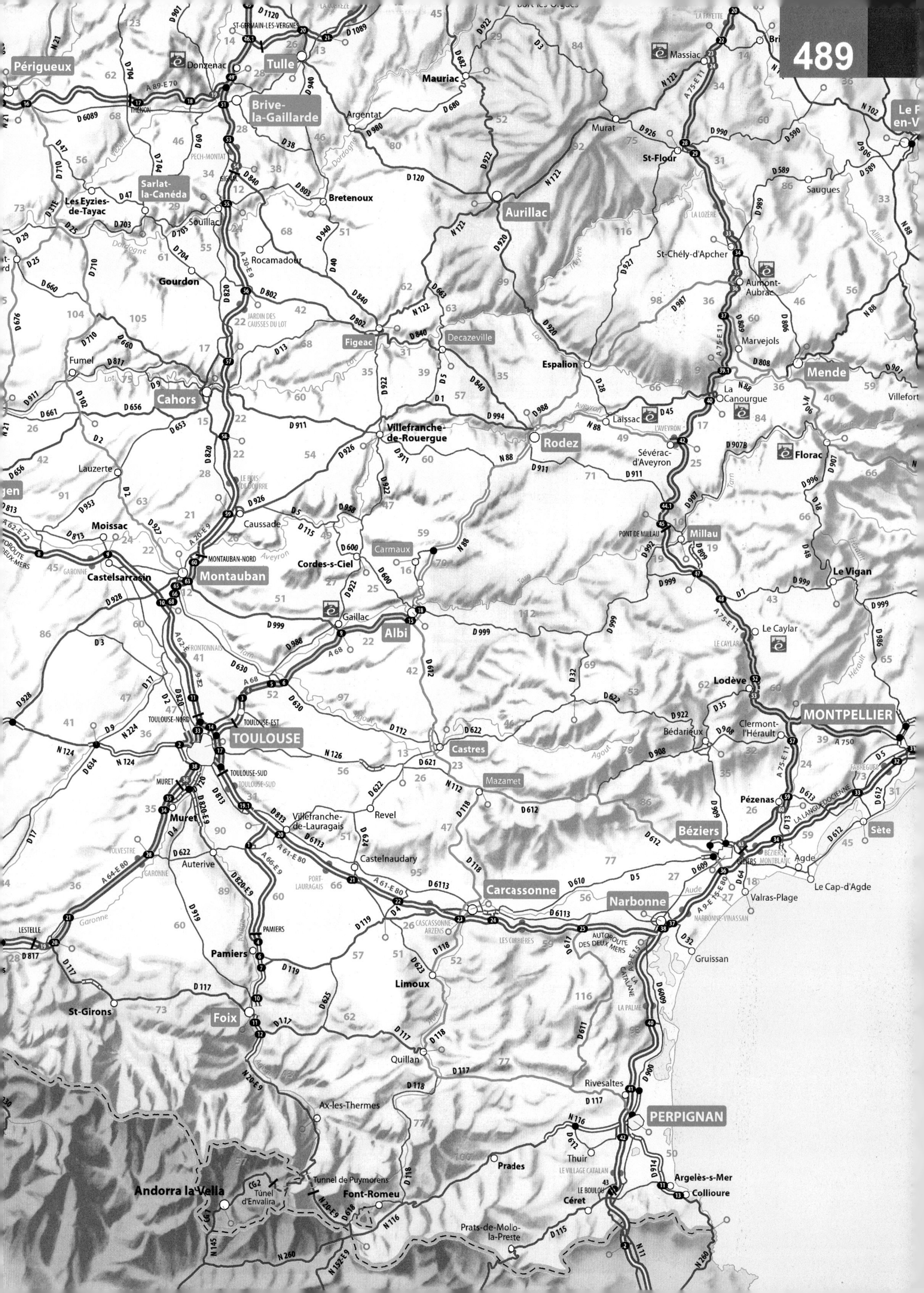
Périgueux
Donzenac
Tulle
Brive-la-Gaillarde
Mauriac
Argentat
Massiac
Murat
St-Flour
Saugues
Sarlat-la-Canéda
Les Eyzies-de-Tayac
Souillac
Bretenoux
Aurillac
Rocamadour
Gourdon
St-Chély-d'Apcher
Aumont-Aubrac
Marvejols
Mende
Figeac
Decazeville
Espalion
Fumel
Cahors
La Canourgue
Laissac
Villefranche-de-Rouergue
Rodez
Sévérac-d'Aveyron
Florac
Lauzerte
Caussade
Moissac
Millau
Carmaux
Cordes-s-Ciel
Montauban
Castelsarrasin
Le Vigan
Gaillac
Albi
Le Caylar
Lodève
MONTPELLIER
TOULOUSE
Castres
Bédarieux
Clermont-l'Hérault
Mazamet
Muret
Villefranche-de-Lauragais
Revel
Pézenas
Béziers
Sète
Agde
Auterive
Castelnaudary
Carcassonne
Narbonne
Le Cap-d'Agde
Valras-Plage
Pamiers
Gruissan
Limoux
St-Girons
Foix
Quillan
Rivesaltes
Ax-les-Thermes
PERPIGNAN
Thuir
Prades
Argelès-s-Mer
Collioure
Andorra la Vella
Font-Romeu
Céret
Prats-de-Mollo-la-Preste

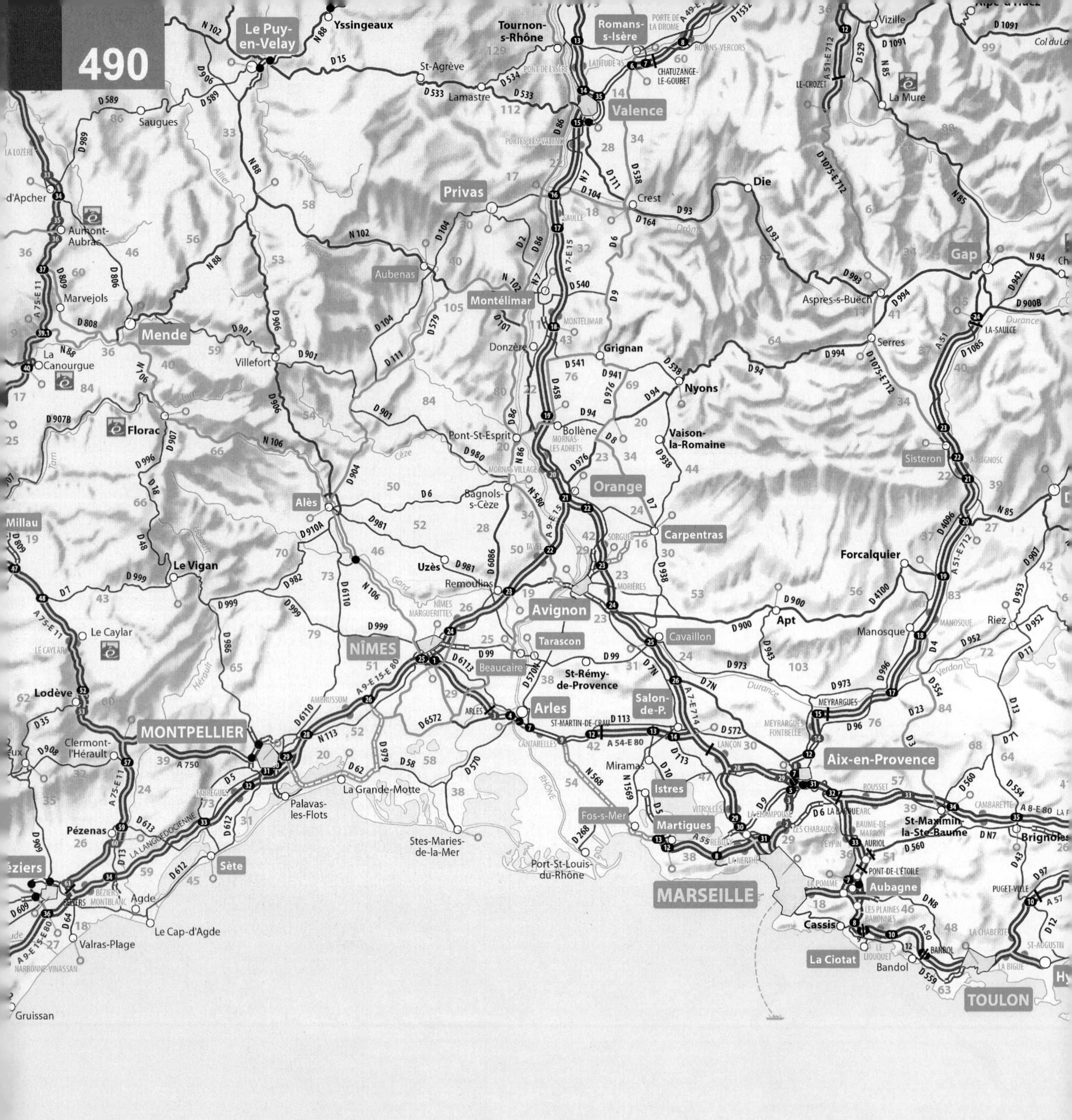

Le Puy-en-Velay
Yssingeaux
Tournon-s-Rhône
Romans-s-Isère
Vizille
St-Agrève
Lamastre
Valence
Saugues
La Mure
Privas
Die
Crest
d'Apcher
Aumont-Aubrac
Aubenas
Montélimar
Gap
Marvejols
Mende
Donzère
Grignan
Aspres-s-Buëch
Serres
La Canourgue
Villefort
Nyons
Florac
Pont-St-Esprit
Bollène
Vaison-la-Romaine
Sisteron
Alès
Bagnols-s-Cèze
Orange
Millau
Carpentras
Le Vigan
Uzès
Remoulins
Forcalquier
Avignon
Le Caylar
Nîmes
Tarascon
Cavaillon
Apt
Manosque
Riez
Beaucaire
St-Rémy-de-Provence
Lodève
Arles
Salon-de-P.
Montpellier
Clermont-l'Hérault
Aix-en-Provence
Miramas
Istres
La Grande-Motte
Palavas-les-Flots
Fos-s-Mer
Martigues
St-Maximin-la-Ste-Baume
Brignoles
Pézenas
Stes-Maries-de-la-Mer
Port-St-Louis-du-Rhône
Béziers
Sète
Agde
Marseille
Aubagne
Le Cap-d'Agde
Valras-Plage
Cassis
La Ciotat
Bandol
Toulon
Gruissan

GNAN
elès-s-Mer
Collioure

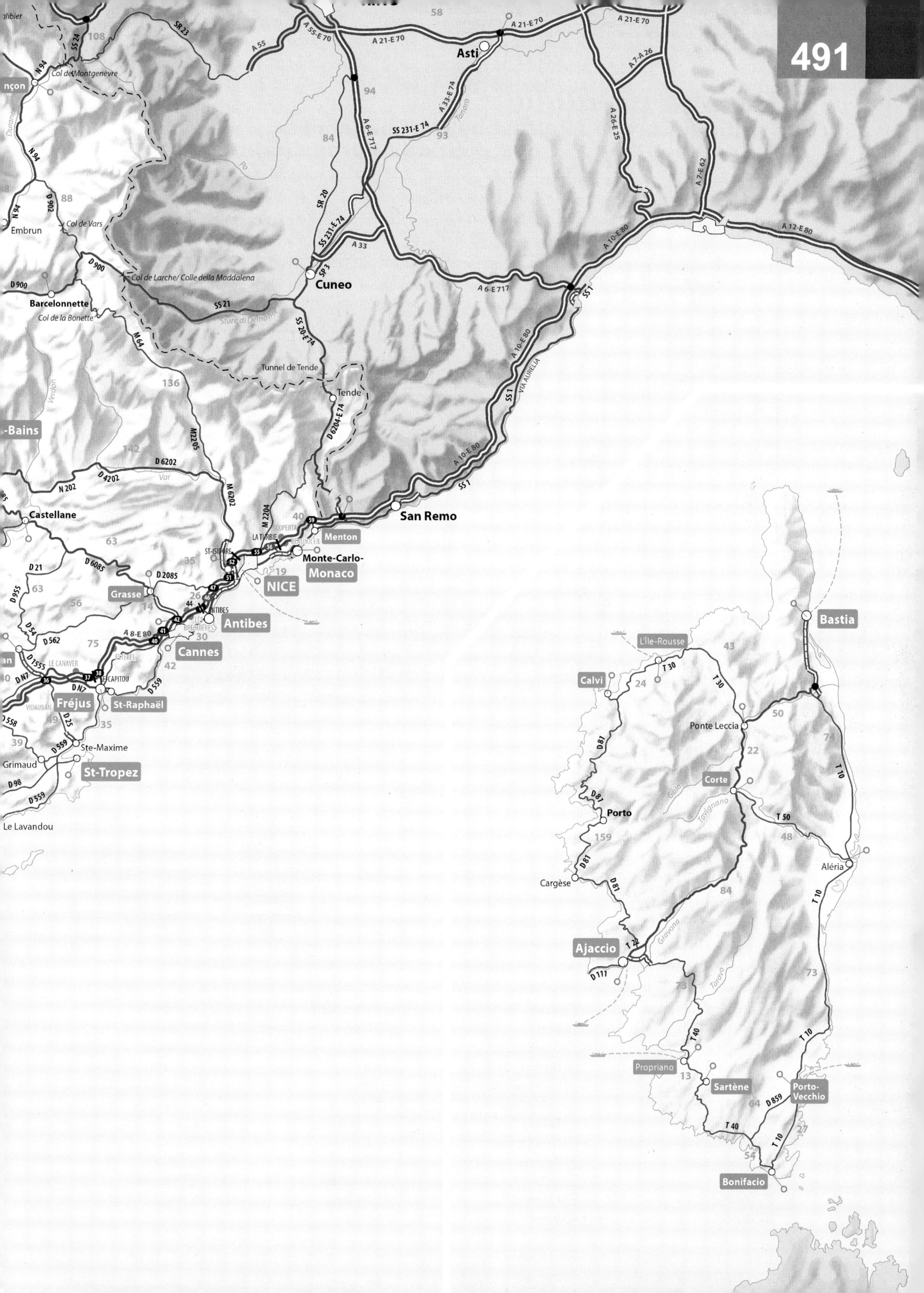
Asti
A 21-E 70
A 55-E 70
A 55
SR 23
SS 24
Col de Montgenèvre
N 94
Durance
Embrun
Col de Vars
D 902
D 900
Barcelonnette
Col de la Bonette
Col de Larche/ Colle della Maddalena
SS 21
Stura di Demonte
Cuneo
SP 3
A 33
SS 231-E 74
SR 20
A 6-E 717
SS 20-E 74
A 33-E 74
Tanaro
Po
A 7-A 26
A 26-E 25
A 7-E 62
A 12-E 80
A 10-E 80
SS 1
VIA AURELIA
Tunnel de Tende
Tende
D 6204-E 74
M 64
M 2205
Verdon
-Bains
D 6202
D 4202
N 202
Var
M 6202
M 2204
Castellane
D 6085
D 21
D 955
D 2085
D 54
D 562
Grasse
San Remo
Menton
Monte-Carlo-
Monaco
NICE
LA TURBIE
ST-ISIDORE
ANTIBES
Antibes
Cannes
A 8-E 80
LE CANAVER
D 1555
D N7
VIDAUBAN
Fréjus
St-Raphaël
D 559
D 25
Ste-Maxime
Grimaud
St-Tropez
D 98
Le Lavandou
Bastia
L'Île-Rousse
T 30
Calvi
Ponte Leccia
D 81
Corte
Golo
Tavignano
T 50
T 10
Porto
Aléria
Cargèse
Ajaccio
T 22
D 111
Gravona
Taravo
T 40
Propriano
Sartène
D 859
Porto-
Vecchio
Bonifacio

Europe politique
Political Europe / Politische Europakarte
Europa politiek / Europa politica / Europa política

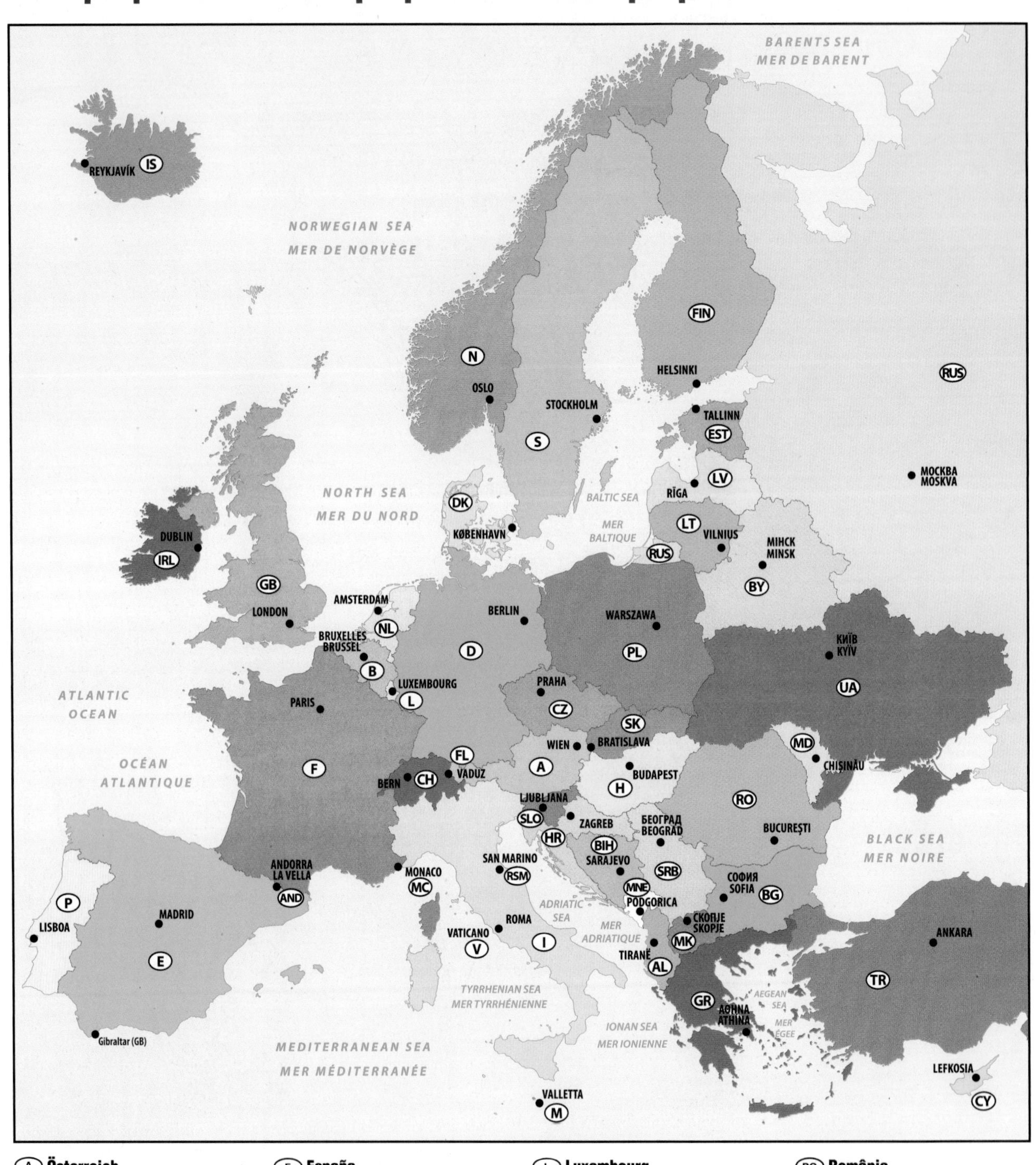

(A) Österreich	(E) España	(L) Luxembourg	(RO) România
(AL) Shqipëria	(EST) Eesti	(LT) Lietuva	(RSM) San Marino
(AND) Andorra	(F) France	(LV) Latvija	(RUS) Rossija
(B) Belgique, België	(FIN) Suomi, Finland	(M) Malta	(S) Sverige
(BG) Balgarija	(FL) Liechtenstein	(MC) Monaco	(SK) Slovensko
(BIH) Bosna i Hercegovina	(GB) United Kingdom	(MD) Moldova	(SLO) Slovenija
(BY) Belarus´	(GR) Elláda	(MK) Makedonija	(SRB) Srbija
(CH) Schweiz, Suisse, Svizzera	(H) Magyarország	(MNE) Crna Gora	(TR) Türkiye
(CY) Kýpros, Kibris	(HR) Hrvatska	(N) Norge	(UA) Ukraïna
(CZ) Česko	(I) Italia	(NL) Nederland	(V) Vaticano
(D) Deutschland	(IRL) Ireland	(P) Portugal	
(DK) Danmark	(IS) Ísland	(PL) Polska	

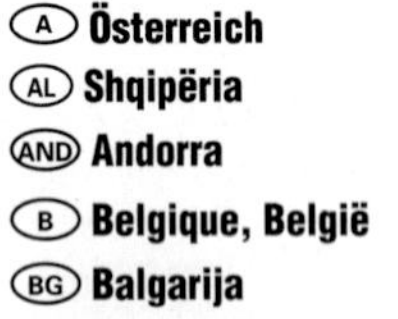

EUROPE
EUROPA
1/3 500 000

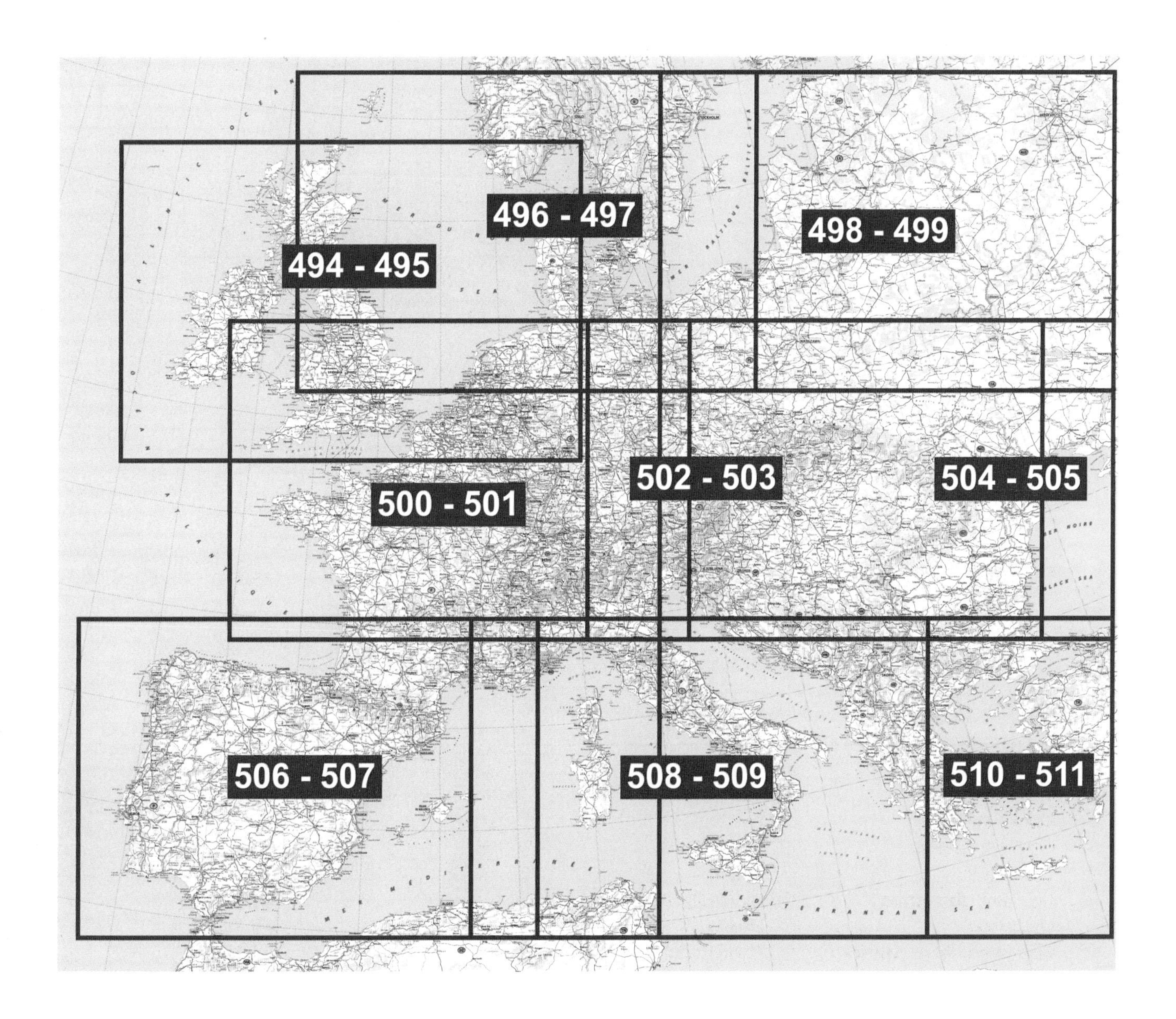

494 - 495

496 - 497

498 - 499

500 - 501

502 - 503

504 - 505

506 - 507

508 - 509

510 - 511

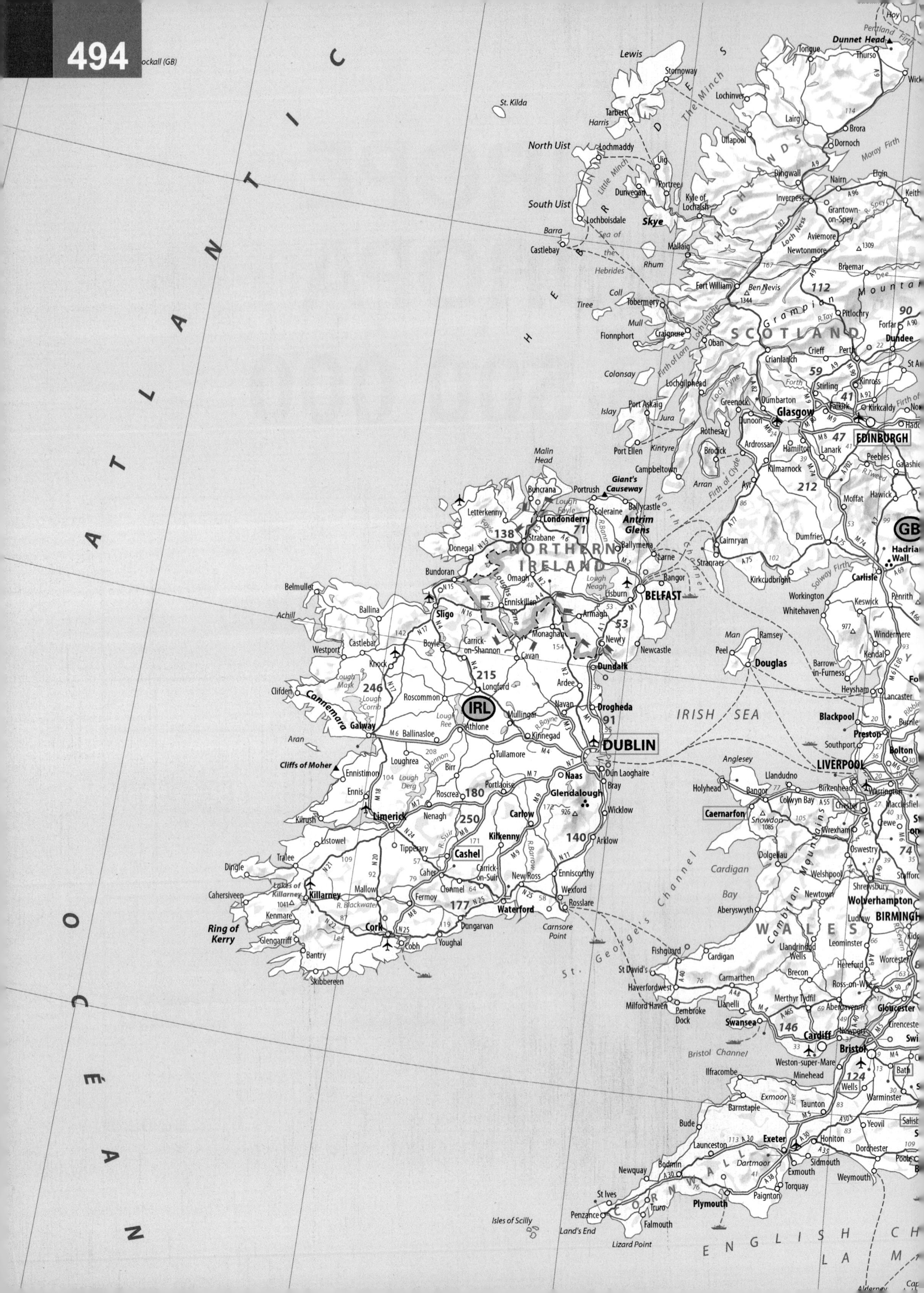
Rockall (GB)
ATLANTIC
OCÉAN
St. Kilda
Lewis
Stornoway
Harris
Tarbert
North Uist
Lochmaddy
Uig
Portree
Dunvegan
Skye
South Uist
Lochboisdale
Barra
Castlebay
Sea of the Hebrides
Rhum
Coll
Tiree
Tobermory
Mull
Craignure
Fionnphort
Colonsay
Islay
Port Askaig
Jura
Port Ellen
Kintyre
Campbeltown
Arran
HEBRIDES
The Minch
Little Minch
Lochinver
Ullapool
Tongue
Thurso
Dunnet Head
Pentland Firth
Hoy
Wick
Lairg
Brora
Dornoch
Moray Firth
Dingwall
Nairn
Elgin
Inverness
Grantown-on-Spey
Aviemore
Newtonmore
Loch Ness
Kyle of Lochalsh
Mallaig
Fort William
Ben Nevis
1344
Braemar
Pitlochry
Grampian Mountains
HIGHLANDS
SCOTLAND
Oban
Firth of Lorn
Loch Linnhe
Forfar
Dundee
Perth
Crieff
Crianlarich
Kinross
Stirling
Forth
Lochgilphead
Loch Fyne
Dumbarton
Glasgow
Greenock
Dunoon
Rothesay
Falkirk
Kirkcaldy
Firth of Forth
EDINBURGH
Ardrossan
Hamilton
Lanark
Brodick
Kilmarnock
Peebles
Galashiels
Ayr
Firth of Clyde
Hawick
Moffat
Cairnryan
Dumfries
Stranraer
Kirkcudbright
Solway Firth
Carlisle
Hadrian's Wall
GB
North Channel
Malin Head
Buncrana
Lough Foyle
Portrush
Giant's Causeway
Coleraine
Ballycastle
Antrim Glens
Letterkenny
Londonderry
Strabane
Donegal
NORTHERN IRELAND
Ballymena
Larne
Omagh
Lough Neagh
Bangor
BELFAST
Lisburn
Bundoran
Belmullet
Ballina
Sligo
Enniskillen
Lough Erne
Armagh
Achill
Westport
Castlebar
Knock
Boyle
Carrick-on-Shannon
Monaghan
Newry
Newcastle
Dundalk
Cavan
Clifden
Connemara
Lough Mask
Lough Corrib
Roscommon
Longford
IRL
Ardee
Navan
Drogheda
Galway
Ballinasloe
Athlone
Lough Ree
Mullingar
Kinnegad
DUBLIN
Aran
Cliffs of Moher
Loughrea
Tullamore
Birr
Lough Derg
Shannon
Ennistimon
Ennis
Portlaoise
Naas
Dun Laoghaire
Bray
Glendalough
Kilrush
Limerick
Nenagh
Roscrea
Carlow
Wicklow
Arklow
Listowel
Tipperary
Cashel
Kilkenny
Tralee
Dingle
Caher
Carrick-on-Suir
New Ross
Enniscorthy
Wexford
Rosslare
Carnsore Point
Cahersiveen
Lakes of Killarney
Killarney
Mallow
Fermoy
Clonmel
Waterford
Kenmare
Ring of Kerry
Cork
Dungarvan
Glengarriff
Cobh
Youghal
Bantry
Skibbereen
IRISH SEA
St. George's Channel
Man
Ramsey
Peel
Douglas
Workington
Keswick
Penrith
Whitehaven
Windermere
Kendal
Barrow-in-Furness
Heysham
Lancaster
Blackpool
Preston
Southport
Bolton
LIVERPOOL
Anglesey
Holyhead
Bangor
Llandudno
Colwyn Bay
Birkenhead
Warrington
Chester
Caernarfon
Snowdon
1085
Wrexham
Crewe
Macclesfield
Cardigan Bay
Dolgellau
Cambrian Mountains
Oswestry
Welshpool
Shrewsbury
Stafford
Newtown
Wolverhampton
BIRMINGHAM
Aberystwyth
WALES
Ludlow
Leominster
Fishguard
Cardigan
Llandrindod Wells
Hereford
Worcester
St David's
Brecon
Haverfordwest
Carmarthen
Ross-on-Wye
Milford Haven
Pembroke Dock
Llanelli
Merthyr Tydfil
Abergavenny
Gloucester
Cirencester
Swansea
Cardiff
Newport
Bristol Channel
Bristol
Weston-super-Mare
Bath
Ilfracombe
Minehead
Wells
Exmoor
Warminster
Barnstaple
Taunton
Bude
Yeovil
Launceston
Exeter
Honiton
Dorchester
Dartmoor
Sidmouth
Exmouth
Poole
Newquay
Bodmin
Weymouth
Torquay
Paignton
CORNWALL
St Ives
Truro
Plymouth
Penzance
Falmouth
Land's End
Isles of Scilly
Lizard Point
ENGLISH CHANNEL
LA MANCHE
Alderney

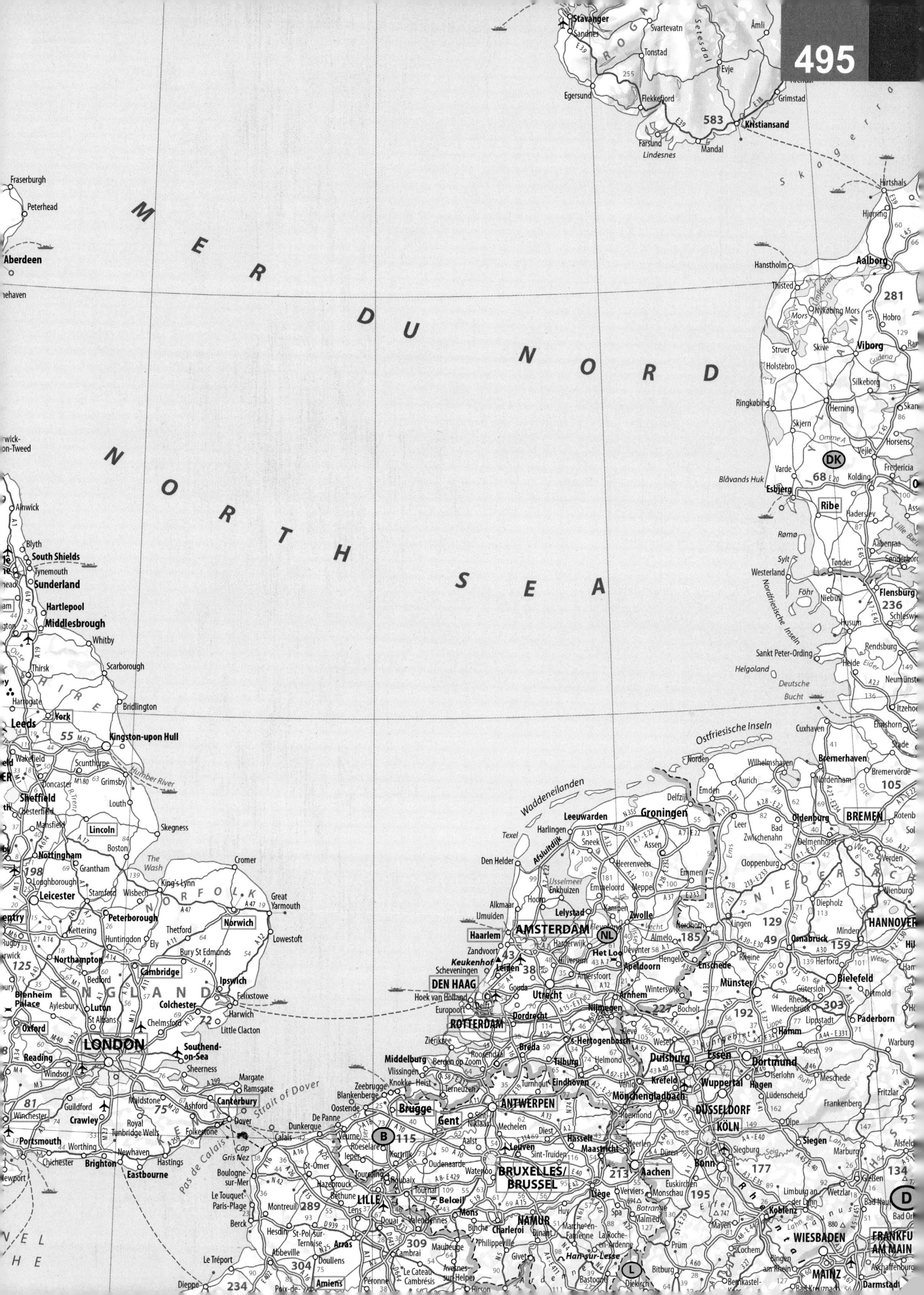
MER DU NORD
NORTH SEA
Stavanger
Sandnes
Svartevatn
Setesdal
Åmli
ROGALAND
Tonstad
Evje
Egersund
Flekkefjord
Grimstad
Kristiansand
Farsund
Lindesnes
Mandal
Skagerrak
Hirtshals
Hjørring
Fraserburgh
Peterhead
Aberdeen
Aalborg
Hanstholm
Thisted
Mors
Nykøbing Mors
Hobro
Struer
Skive
Viborg
Holstebro
Silkeborg
Ringkøbing
Herning
Skjern
Horsens
DK
Vejle
Varde
Fredericia
Blåvands Huk
Esbjerg
Kolding
Ribe
Haderslev
Rømø
Aabenraa
Sylt
Tønder
Westerland
Föhr
Niebüll
Flensburg
Nordfriesische Inseln
Husum
Schleswig
Rendsburg
Sankt Peter-Ording
Heide
Helgoland
Deutsche Bucht
Neumünster
Itzehoe
Cuxhaven
Elmshorn
Ostfriesische Inseln
Stade
Norden
Wilhelmshaven
Bremerhaven
Aurich
Bremervörde
Emden
Nordenham
Waddeneilanden
Delfzijl
Leeuwarden
Groningen
Oldenburg
BREMEN
Texel
Harlingen
Leer
Bad Zwischenahn
Sneek
Assen
Delmenhorst
Afsluitdijk
Heerenveen
Cloppenburg
Den Helder
Emmen
Verden
NIEDERSACHSEN
IJsselmeer
Enkhuizen
Emmeloord
Meppel
Nienburg
Hoorn
Kampen
Alkmaar
Lelystad
Zwolle
Diepholz
IJmuiden
Nordhorn
Lingen
HANNOVER
Haarlem
AMSTERDAM
NL
Almelo
Minden
Harderwijk
Zandvoort
Het Loo
Deventer
Hengelo
Osnabrück
Keukenhof
Hilversum
Apeldoorn
Enschede
Herford
Scheveningen
Leiden
Amersfoort
Rheine
Bielefeld
DEN HAAG
Gouda
Utrecht
Winterswijk
Münster
Gütersloh
Hoek van Holland
Arnhem
Rheda-Wiedenbrück
Detmold
Europoort
Delft
Nijmegen
Bocholt
Lippstadt
Paderborn
ROTTERDAM
Dordrecht
Hamm
Zierikzee
Kleve
Wesel
Soest
Warburg
Breda
's-Hertogenbosch
Ruhrgebiet
Middelburg
Roosendaal
Bergen op Zoom
Tilburg
Helmond
Duisburg
Essen
Dortmund
Vlissingen
Knokke-Heist
Terneuzen
Eindhoven
Venlo
Krefeld
Wuppertal
Iserlohn
Meschede
Zeebrugge
Turnhout
Hagen
Blankenberge
Mönchengladbach
Lüdenscheid
Fritzlar
Oostende
Brugge
Gent
ANTWERPEN
Roermond
DÜSSELDORF
Frankenberg
De Panne
Sint-Niklaas
Mechelen
Diest
KÖLN
Olpe
Dunkerque
Veurne
B
Aalst
Hasselt
Heerlen
Siegen
Alsfeld
Roeselare
Kortrijk
Leuven
Maastricht
Düren
Siegburg
Marburg
Ieper
Oudenaarde
BRUXELLES/ BRUSSEL
Sint-Truiden
Aachen
Bonn
Gießen
Tourcoing
Roubaix
Waterloo
Euskirchen
Wetzlar
LILLE
Tournai
Belœil
Liège
Verviers
Monschau
Limburg an der Lahn
Bad Nauheim
Hazebrouck
Béthune
Spa
Koblenz
D
Lens
Mons
NAMUR
Huy
Botrange
Eifel
Bad Homburg
Douai
Valenciennes
Binche
Charleroi
Malmedy
Mayen
Taunus
Marche-en-Famenne
La Roche-en-Ardenne
WIESBADEN
FRANKFURT AM MAIN
Arras
Maubeuge
Philippeville
Dinant
Prüm
Cochem
Rhein
Cambrai
Givet
Han-sur-Lesse
Bingen am Rhein
Aschaffenburg
Le Cateau-Cambrésis
Avesnes-sur-Helpe
Bastogne
Bitburg
MAINZ
Hirson
L
Diekirch
Bernkastel-Kues
Bad Kreuznach
Darmstadt
Péronne
Amiens
Doullens
Abbeville
St-Pol-sur-Ternoise
Hesdin
Montreuil
Berck
Le Touquet-Paris-Plage
Boulogne-sur-Mer
Gris Nez
Cap Gris Nez
Calais
Pas de Calais
Strait of Dover
Le Tréport
Dieppe
St-Omer
Ashford
Canterbury
Margate
Ramsgate
Dover
Folkestone
Maidstone
Sheerness
Southend-on-Sea
Royal Tunbridge Wells
Hastings
Eastbourne
Newhaven
Brighton
Worthing
Crawley
Guildford
Winchester
Portsmouth
Chichester
Reading
Windsor
LONDON
Chelmsford
Colchester
Harwich
Felixstowe
Little Clacton
Ipswich
Oxford
Aylesbury
Luton
St Albans
Blenheim Palace
ENGLAND
Cambridge
Bury St Edmunds
Northampton
Bedford
Huntingdon
Ely
Thetford
Lowestoft
Norwich
Great Yarmouth
NORFOLK
Kettering
Peterborough
Stamford
Wisbech
King's Lynn
Cromer
Leicester
Loughborough
Grantham
The Wash
Nottingham
Boston
Skegness
Lincoln
Louth
Mansfield
Chesterfield
Sheffield
Doncaster
Grimsby
Scunthorpe
Humber River
Wakefield
Leeds
Kingston-upon Hull
York
Bridlington
Harrogate
Thirsk
Scarborough
Whitby
Middlesbrough
Hartlepool
Sunderland
Tynemouth
South Shields
Blyth
Alnwick
Berwick-upon-Tweed

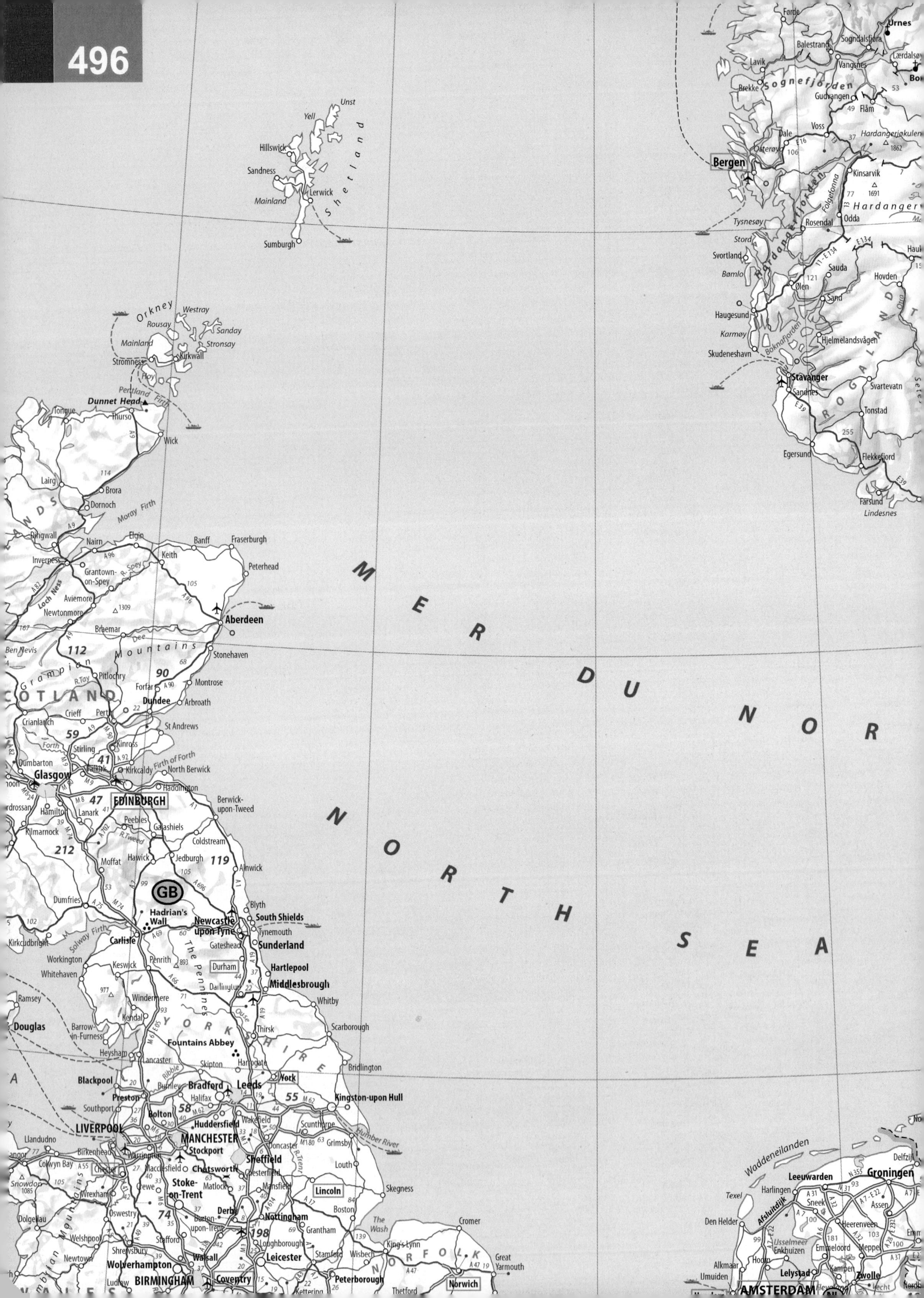
MER DU NORD
NORTH SEA
Shetland
Unst
Yell
Hillswick
Sandness
Lerwick
Mainland
Sumburgh
Orkney
Westray
Rousay
Sanday
Stronsay
Mainland
Kirkwall
Stromness
Hoy
Pentland Firth
Dunnet Head
Tongue
Thurso
Wick
Lairg
Brora
Dornoch
Moray Firth
Dingwall
Nairn
Elgin
Banff
Fraserburgh
Peterhead
Inverness
Keith
Grantown-on-Spey
Loch Ness
Aviemore
Newtonmore
Aberdeen
Braemar
Ben Nevis
Grampian Mountains
Stonehaven
Pitlochry
Forfar
Montrose
Dundee
Arbroath
SCOTLAND
Crieff
Perth
Crianlarich
St Andrews
Stirling
Kinross
Dumbarton
Falkirk
Kirkcaldy
Firth of Forth
North Berwick
Glasgow
Haddington
EDINBURGH
Hamilton
Lanark
Berwick-upon-Tweed
Peebles
Galashiels
Kilmarnock
Coldstream
Moffat
Hawick
Jedburgh
Alnwick
GB
Dumfries
Hadrian's Wall
Blyth
Newcastle upon Tyne
South Shields
Tynemouth
Carlisle
Gateshead
Sunderland
Solway Firth
Kirkcudbright
Workington
Whitehaven
Keswick
Penrith
Durham
Hartlepool
The Pennines
Darlington
Middlesbrough
Ramsey
Windermere
Whitby
Kendal
Douglas
Barrow-in-Furness
YORKSHIRE
Thirsk
Scarborough
Fountains Abbey
Heysham
Lancaster
Skipton
Harrogate
Bridlington
Blackpool
Bradford
Leeds
York
Preston
Burnley
Halifax
Kingston-upon Hull
Southport
Bolton
Huddersfield
Wakefield
LIVERPOOL
Scunthorpe
Grimsby
Humber River
Llandudno
MANCHESTER
Birkenhead
Warrington
Stockport
Doncaster
Sheffield
Colwyn Bay
Chester
Macclesfield
Chatsworth
Chesterfield
Louth
Snowdon
Stoke-on-Trent
Matlock
Mansfield
Lincoln
Skegness
Wrexham
Crewe
Derby
Boston
Dolgellau
Oswestry
Burton-upon-Trent
Nottingham
The Wash
Cromer
Welshpool
Stafford
Grantham
Loughborough
King's Lynn
Newtown
Shrewsbury
Walsall
Leicester
Stamford
Wisbech
NORFOLK
Great Yarmouth
Wolverhampton
BIRMINGHAM
Coventry
Peterborough
Thetford
Norwich
Ludlow
Kettering
Førde
Urnes
Balestrand
Sogndalsfjøra
Lærdalsøyri
Lavik
Vangsnes
Brekke
Sognefjorden
Gudvangen
Flåm
Dale
Voss
Hardangerjøkulen
Osterøy
Bergen
Kinsarvik
Folgefonna
Hardangerfjorden
Hardanger
Tysnesøy
Rosendal
Odda
Stord
Svortland
Bømlo
Sauda
Hovden
Ølen
Sand
Haugesund
Karmøy
Boknafjorden
Hjelmelandsvågen
Skudeneshavn
Stavanger
Sandnes
ROGALAND
Svartevatn
Tonstad
Egersund
Flekkefjord
Farsund
Lindesnes
Waddeneilanden
Delfzijl
Leeuwarden
Groningen
Harlingen
Texel
Afsluitdijk
Sneek
Assen
Den Helder
Heerenveen
IJsselmeer
Alkmaar
Enkhuizen
Emmeloord
Meppel
IJmuiden
Hoorn
Lelystad
Kampen
Zwolle
AMSTERDAM

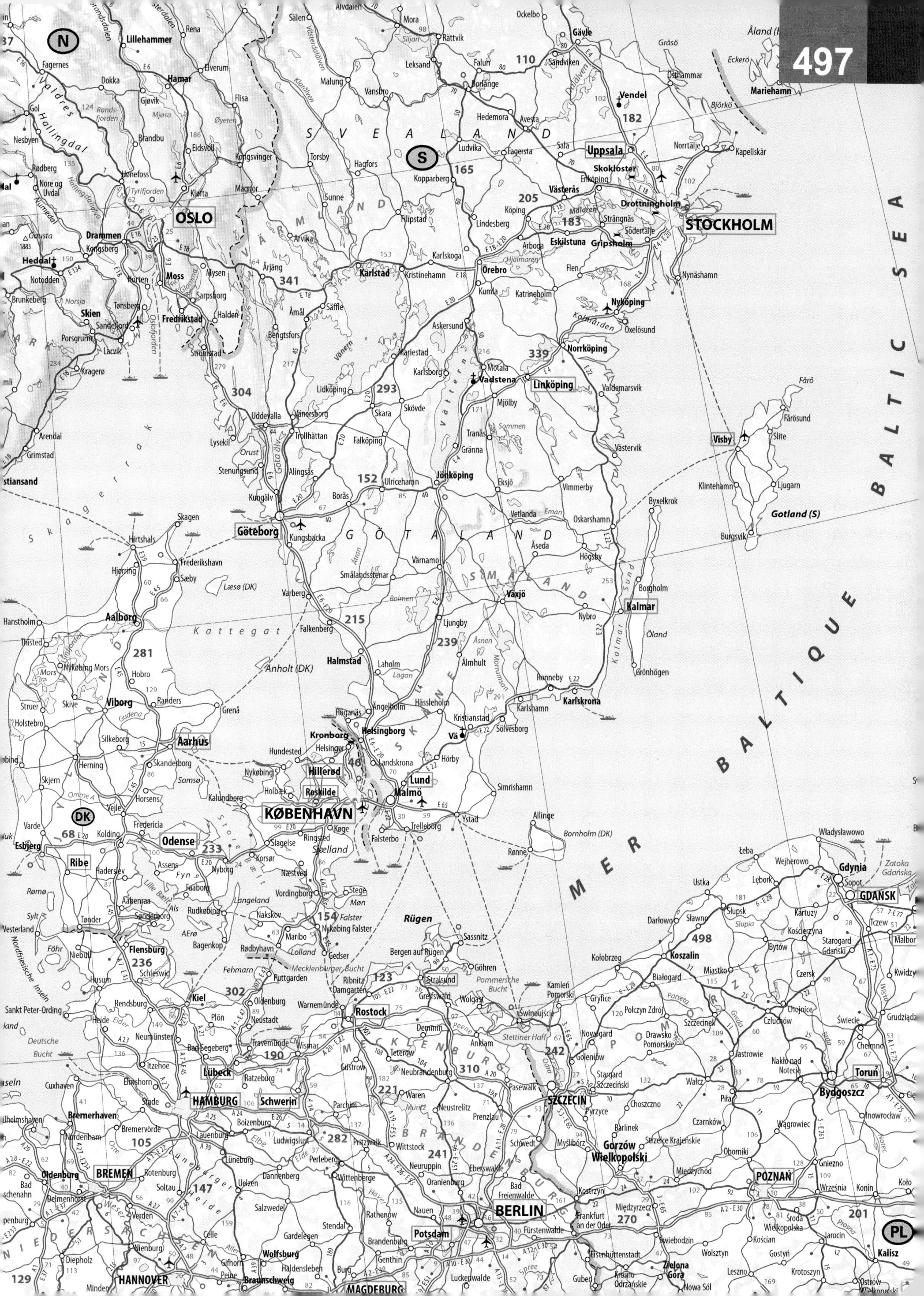
N
S
DK
PL
S V E A L A N D
V Ä R M L A N D
G Ö T A L A N D
S M Å L A N D
B A L T I C S E A
M E R B A L T I Q U E
Skagerrak
Kattegat
OSLO
STOCKHOLM
KØBENHAVN
BERLIN
HAMBURG
BREMEN
HANNOVER
SZCZECIN
GDAŃSK
POZNAŃ
Göteborg
Uppsala
Västerås
Örebro
Karlstad
Norrköping
Linköping
Jönköping
Nyköping
Kalmar
Karlskrona
Växjö
Halmstad
Helsingborg
Malmö
Lund
Visby
Gotland (S)
Öland
Bornholm (DK)
Aalborg
Aarhus
Odense
Viborg
Esbjerg
Ribe
Flensburg
Kiel
Lübeck
Schwerin
Rostock
Stralsund
Rügen
Potsdam
Gdynia
Koszalin
Bydgoszcz
Toruń
Gorzów Wielkopolski
Lillehammer
Hamar
Drammen
Moss
Fredrikstad
Skien
Gävle
Mariehamn
Åland
Drottningholm
Gripsholm
Skokloster
Kronborg
Hillerød
Roskilde
Sjælland
Falster
Anholt (DK)
Læsø (DK)
Vänern
Vättern
Mälaren
Hjälmaren

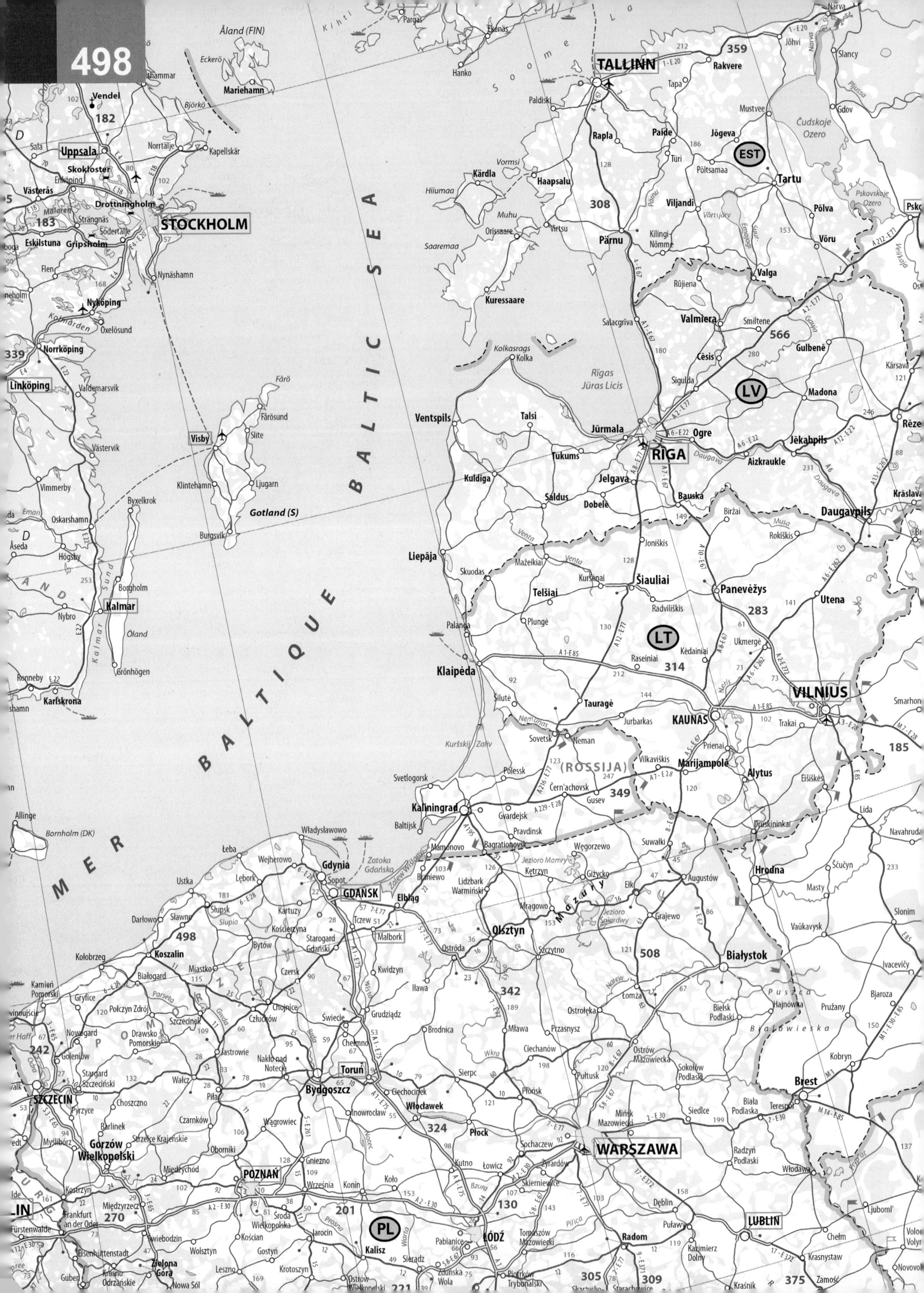
Åland (FIN)
Mariehamn
Eckerö
Björkö
Vendel
182
Uppsala
Norrtälje
Kapellskär
Skokloster
Enköping
Västerås
Sala
Drottningholm
Strängnäs
Södertälje
183
STOCKHOLM
Eskilstuna
Gripsholm
Flen
Nynäshamn
Nyköping
Oxelösund
Kolmården
Norrköping
339
Linköping
Valdemarsvik
Västervik
Vimmerby
Oskarshamn
Byxelkrok
Åseda
Högsby
Borgholm
Kalmar
Nybro
Öland
Grönhögen
Ronneby
Karlskrona
Kalmar Sund
Visby
Fårö
Fårösund
Slite
Klintehamn
Ljugarn
Burgsvik
Gotland (S)
Allinge
Bornholm (DK)
BALTIC SEA
MER BALTIQUE
Hanko
Ekenäs
Pargas
TALLINN
Paldiski
Rakvere
Jõhvi
Narva
Slancy
359
Tapa
Rapla
Paide
Jõgeva
Mustvee
Gdov
Čudskoje Ozero
EST
Türi
Põltsamaa
Tartu
Vormsi
Kärdla
Hiiumaa
Haapsalu
Muhu
Orissaare
Virtsu
Saaremaa
Kuressaare
308
Pärnu
Viljandi
Võrtsjärv
Kilingi-Nõmme
Põlva
Pskovskoje Ozero
Võru
Valga
Rūjiena
Salacgrīva
Valmiera
Smiltene
566
Gulbene
Cēsis
Sigulda
LV
Madona
Kolkasrags
Kolka
Rīgas Jūras Līcis
Ventspils
Talsi
Jūrmala
Ogre
RĪGA
Tukums
Jēkabpils
Aizkraukle
Daugava
Kuldīga
Jelgava
Saldus
Dobele
Bauska
Biržai
Daugavpils
Rokiškis
Liepāja
Skuodas
Mažeikiai
Joniškis
Šiauliai
Panevėžys
Telšiai
Kuršėnai
Radviliškis
Utena
283
Plungė
Palanga
LT
Kėdainiai
Ukmergė
Raseiniai
314
Klaipėda
Šilutė
Tauragė
Jurbarkas
KAUNAS
VILNIUS
Trakai
Sovetsk
Neman
185
Prienai
Kuršskij Zaliv
(ROSSIJA)
Vilkaviškis
Marijampolė
Alytus
Polessk
Svetlogorsk
Čern'achovsk
Gusev
349
Eišiškės
Kaliningrad
Gvardejsk
Baltijsk
Pravdinsk
Druskininkai
Lida
Bagrationovsk
Mamonovo
Węgorzewo
Suwałki
Hrodna
Władysławowo
Łeba
Wejherowo
Gdynia
Zatoka Gdańska
Lębork
Sopot
GDAŃSK
Ustka
Braniewo
Lidzbark Warmiński
Kętrzyn
Giżycko
Ełk
Augustów
Mazury
Słupsk
Kartuzy
Elbląg
Mrągowo
Grajewo
Darłowo
Sławno
498
Tczew
Kościerzyna
Starogard Gdański
Malbork
Olsztyn
508
Białystok
Kołobrzeg
Koszalin
Bytów
Ostróda
Szczytno
Slonim
Miastko
Czersk
Kwidzyn
Białogard
Iława
342
Kamień Pomorski
Gryfice
Połczyn Zdrój
Chojnice
Człuchów
Świecie
Grudziądz
Łomża
Ostrołęka
Bielsk Podlaski
Hajnówka
Pružany
Szczecinek
Drawsko Pomorskie
Brodnica
Mława
Przasnysz
Nowogard
242
Goleniów
Jastrowie
Chełmno
Ciechanów
Ostrów Mazowiecka
Kobryn
Stargard Szczeciński
Wałcz
Nakło nad Notecią
Toruń
Sierpc
Pułtusk
Sokołów Podlaski
Brest
SZCZECIN
Piła
Bydgoszcz
Ciechocinek
Płońsk
Pyrzyce
Choszczno
Inowrocław
Włocławek
Mińsk Mazowiecki
Biała Podlaska
Terespol
Siedlce
Barlinek
Czarnków
Wągrowiec
324
Płock
Myślibórz
Gorzów Wielkopolski
Strzelce Krajeńskie
Oborniki
Gniezno
Kutno
Łowicz
Sochaczew
WARSZAWA
Żyrardów
Radzyń Podlaski
Włodawa
Międzychód
POZNAŃ
Września
Konin
Koło
Skierniewice
Kostrzyn
Międzyrzecz
Środa Wielkopolska
201
130
Dęblin
Ljuboml'
Frankfurt an der Oder
270
Jarocin
PL
ŁÓDŹ
Tomaszów Mazowiecki
Puławy
LUBLIN
Fürstenwalde
Świebodzin
Kościan
Pabianice
Radom
Chełm
Eisenhüttenstadt
Wolsztyn
Gostyń
Kalisz
Sieradz
Kazimierz Dolny
Krasnystaw
Zielona Góra
Leszno
Krotoszyn
Zduńska Wola
Piotrków Trybunalski
Guben
Krosno Odrzańskie
Nowa Sól
Ostrów Wielkopolski
221
305
309
Kraśnik
375
Zamość

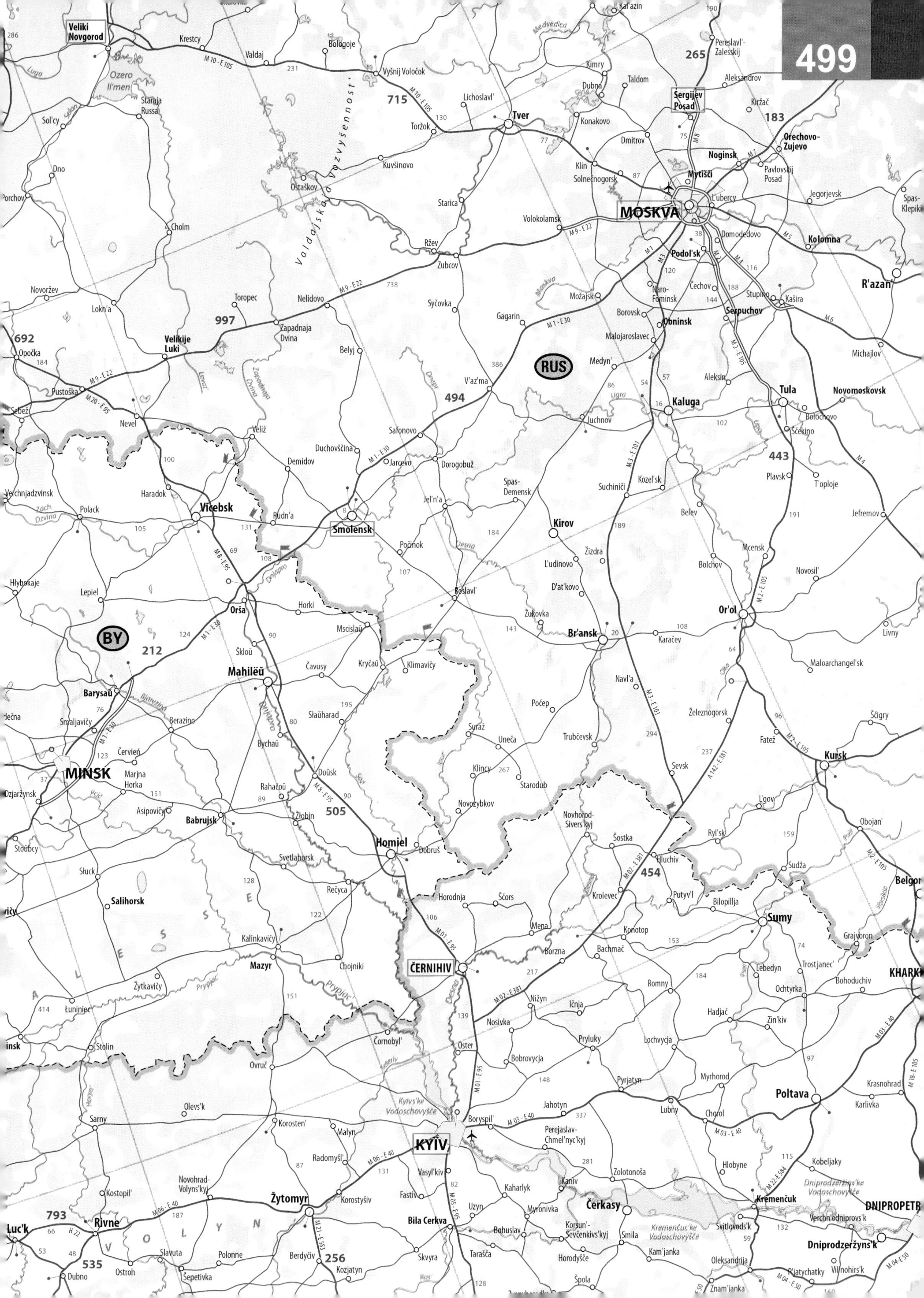
Veliki Novgorod
Krestcy
Valdaj
Bologoje
Vyšnij Voloček
Ozero Il'men
Staraja Russa
Sol'cy
Dno
Porchov
Cholm
Novoržev
Lokn'a
Toropec
Nelidovo
Velikije Luki
Zapadnaja Dvina
Opočka
Pustoška
Sebež
Nevel
Medvedica
Kal'azin
Kimry
Dubna
Taldom
Pereslavl'-Zalesskij
Aleksandrov
Sergijev Posad
Kiržač
Lichoslavl'
Tver
Toržok
Konakovo
Dmitrov
Kuvšinovo
Ostaškov
Valdajskaja Vozvyšennost'
Klin
Solnečnogorsk
Mytišči
Noginsk
Orechovo-Zujevo
Pavlovskij Posad
Starica
Volokolamsk
MOSKVA
L'ubercy
Jegorjevsk
Spas-Klepiki
Ržev
Zubcov
Domodedovo
Podol'sk
Kolomna
Syčovka
Možajsk
Naro-Fominsk
Čechov
Stupino
Kašira
R'azan'
Gagarin
Borovsk
Obninsk
Serpuchov
Malojaroslavec
Belyj
Medyn'
RUS
Michajlov
V'az'ma
Aleksin
Tula
Novomoskovsk
Kaluga
Juchnov
Bolochovo
Ščekino
Safonovo
Duchovščina
Jarcevo
Dorogobuž
Veliž
Demidov
Haradok
Vicebsk
Polack
Verchnjadzvinsk
Rudn'a
Smolensk
Spas-Demensk
Jel'n'a
Suchiniči
Kozel'sk
Plavsk
T'oploje
Belev
Jefremov
Kirov
Počinok
Žizdra
Mcensk
Bolchov
Novosil'
L'udinovo
D'at'kovo
Roslavl'
Hlybokaje
Lepiel
Orša
Horki
Žukovka
Br'ansk
Karačev
Or'ol
Livny
BY
Mscislaŭ
Škloŭ
Mahilёŭ
Čavusy
Kryčaŭ
Klimavičy
Maloarchangel'sk
Barysaŭ
Navl'a
Smaljavičy
Berazino
Slaŭharad
Počep
Železnogorsk
Ščigry
Červień
Bychaŭ
Suraž
Uneča
Trubčevsk
Fatež
MINSK
Marjna Horka
Dzjaržynsk
Rahačoŭ
Doŭsk
Klincy
Starodub
Sevsk
Kursk
Asipovičy
Babrujsk
Žlobin
Novozybkov
Novhorod-Sivers'kyj
L'gov
Obojan'
Stoŭbcy
Homiel
Dobruš
Šostka
Hluchiv
Ryl'sk
Sluck
Svetlahorsk
Sudža
Belgor
Salihorsk
Rečyca
Horodnja
Ščors
Krolevec
Putyvl'
Bilopillja
Sumy
Kalinkavičy
Mena
Konotop
Grajvoron
Mazyr
Chojniki
ČERNIHIV
Borzna
Bachmač
Lebedyn
Trostjanec'
KHARK
Žytkavičy
Romny
Bohoduchiv
Luniniec
Ochtyrka
Nižyn
Ičnja
Stolin
Čornobyl'
Nosivka
Hadjač
Zin'kiv
Oster
Pryluky
Lochvycja
Ovruč
Bobrovycja
Myrhorod
Pyrjatyn
Olevs'k
Kyïvs'ke Vodoschovyšče
Jahotyn
Krasnohrad
Poltava
Karlivka
Sarny
Korosten'
Malyn
Boryspil'
Lubny
Chorol
KYÏV
Perejaslav-Chmel'nyc'kyj
Radomyšl'
Kobeljaky
Hlobyne
Novohrad-Volyns'kyj
Vasyl'kiv
Zolotonoša
Dniprodzeržyns'ke Vodoschovyšče
Kostopil'
Fastiv
Kaharlyk
Kaniv
Kremenčuk
DNIPROPETR
Žytomyr
Korostyšiv
Uzyn
Myronivka
Čerkasy
Luc'k
Rivne
Bila Cerkva
Bohuslav
Korsun'-Ševčenkivs'kyj
Smila
Kremenčuc'ke Vodoschovyšče
Svitlovods'k
Verchn'odniprovs'k
Dniprodzeržyns'k
Slavuta
Polonne
Berdyčiv
Skvyra
Tarašča
Horodyšče
Kam'janka
Oleksandrija
Ostroh
Dubno
Šepetivka
Kozjatyn
Špola
Znam'janka
P'jatychatky
Vil'nohirs'k
POLESSIE
VOLYN
Pryp'jat'
Dnjapro
Desna
Dzvina
Moskva
Ugra
Oka
Luga
M10-E105
M9-E22
M1-E30
M20-E95
M8-E95
M3-E101
M2-E105
M4
M5
M6
M7
M8
M01-E95
M02-E381
M03-E40
M06-E40
M05-E95
M21-E583
M22-E584
M18-E105
A142-E381
715
997
692
494
212
505
265
183
443
454
793
535
256

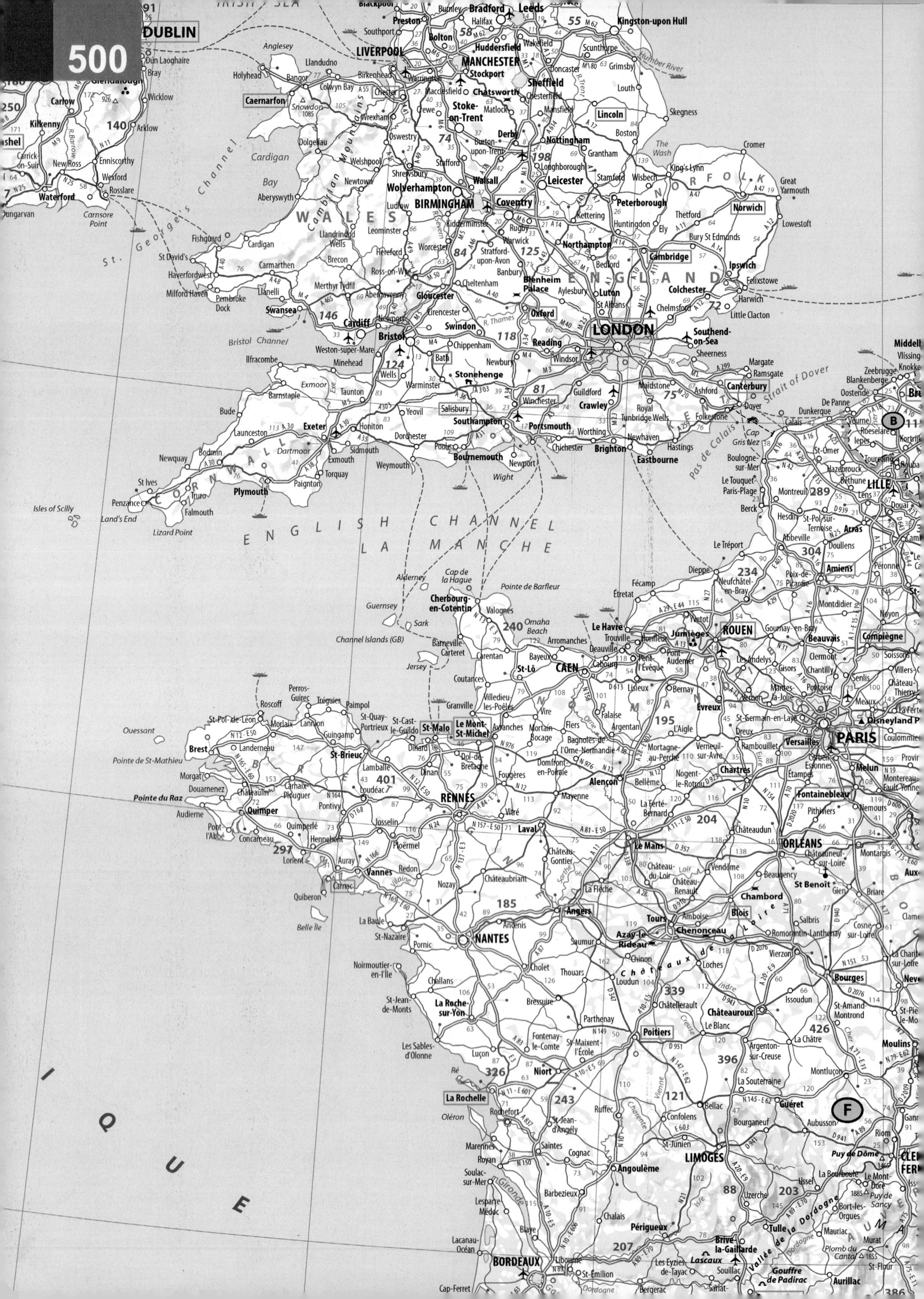

DUBLIN
Dun Laoghaire
Bray
Glendalough
Wicklow
Arklow
Carlow
Kilkenny
Enniscorthy
Wexford
Rosslare
New Ross
Waterford
Carrick-on-Suir
Dungarvan
Carnsore Point
Anglesey
Holyhead
Bangor
Llandudno
Colwyn Bay
Caernarfon
Snowdon
Dolgellau
Cambrian Mountains
Cardigan Bay
St. George's Channel
WALES
Aberystwyth
Newtown
Welshpool
Llandrindod Wells
Fishguard
Cardigan
St David's
Haverfordwest
Milford Haven
Pembroke Dock
Carmarthen
Llanelli
Swansea
Merthyr Tydfil
Brecon
Abergavenny
Cardiff
Newport
Bristol Channel
Blackpool
Preston
Southport
LIVERPOOL
Birkenhead
Chester
Wrexham
Oswestry
Shrewsbury
Burnley
Bradford
Leeds
Halifax
Huddersfield
Wakefield
Bolton
MANCHESTER
Stockport
Warrington
Macclesfield
Crewe
Stoke-on-Trent
Stafford
Chatsworth
Matlock
Sheffield
Chesterfield
Mansfield
Derby
Nottingham
Burton-upon-Trent
Loughborough
Leicester
Kingston-upon-Hull
Humber River
Scunthorpe
Grimsby
Doncaster
Louth
Lincoln
Skegness
Boston
Grantham
The Wash
Cromer
King's Lynn
Stamford
Wisbech
NORFOLK
Great Yarmouth
Norwich
Lowestoft
Thetford
Peterborough
Kettering
Huntingdon
Ely
Bury St Edmunds
Cambridge
Ipswich
Felixstowe
Harwich
Colchester
Chelmsford
Little Clacton
Wolverhampton
BIRMINGHAM
Walsall
Coventry
Kidderminster
Leominster
Ludlow
Rugby
Warwick
Stratford-upon-Avon
Worcester
Hereford
Ross-on-Wye
Northampton
Bedford
Luton
St Albans
Banbury
Cheltenham
Gloucester
Blenheim Palace
Aylesbury
Oxford
ENGLAND
Cirencester
Swindon
R. Thames
Reading
Windsor
LONDON
Southend-on-Sea
Sheerness
Margate
Ramsgate
Canterbury
Maidstone
Ashford
Dover
Folkestone
Strait of Dover
KENT
Weston-super-Mare
Bristol
Chippenham
Bath
Minehead
Wells
Stonehenge
Newbury
Salisbury
Winchester
Guildford
Crawley
Royal Tunbridge Wells
Hastings
Eastbourne
Newhaven
Brighton
Worthing
Chichester
Portsmouth
Southampton
Newport
Wight
Bournemouth
Poole
Weymouth
Dorchester
Yeovil
Warminster
Taunton
Honiton
Exeter
Exmoor
Ilfracombe
Barnstaple
Bude
Launceston
Dartmoor
Exmouth
Sidmouth
Torquay
Paignton
Plymouth
CORNWALL
Bodmin
Newquay
St Ives
Truro
Falmouth
Penzance
Land's End
Lizard Point
Isles of Scilly
ENGLISH CHANNEL
LA MANCHE
Alderney
Guernsey
Sark
Jersey
Channel Islands (GB)
Cap de la Hague
Cherbourg-en-Cotentin
Pointe de Barfleur
Valognes
Omaha Beach
Barneville-Carteret
Carentan
St-Lô
Bayeux
Arromanches
CAEN
Cabourg
Deauville
Trouville
Honfleur
Le Havre
Étretat
Fécamp
Dieppe
Le Tréport
Neufchâtel-en-Bray
Yvetot
Jumièges
ROUEN
Pont-l'Évêque
Pont-Audemer
Lisieux
Bernay
Évreux
Les Andelys
Vernon
Mantes-la-Jolie
Gisors
Beauvais
Gournay-en-Bray
Compiègne
Soissons
Clermont
Chantilly
Senlis
Pontoise
Meaux
Disneyland Paris
St-Germain-en-Laye
Versailles
PARIS
Rambouillet
Dreux
Coulommiers
Melun
Corbeil-Essonnes
Étampes
Fontainebleau
Nemours
Pithiviers
Montereau-Fault-Yonne
Provins
Calais
Boulogne-sur-Mer
Cap Gris Nez
Pas de Calais
Le Touquet-Paris-Plage
Berck
Montreuil
Hesdin
St-Omer
Hazebrouck
Béthune
Lens
LILLE
Douai
Arras
St-Pol-sur-Ternoise
Doullens
Abbeville
Amiens
Poix-de-Picardie
Péronne
Montdidier
Noyon
Dunkerque
De Panne
Oostende
Blankenberge
Zeebrugge
Ieper
Roeselare
Kortrijk
Tourcoing
Roubaix
Coutances
Granville
Villedieu-les-Poêles
Vire
Falaise
Argentan
Flers
Mortain
Avranches
Le Mont-St-Michel
St-Malo
Dinard
Dinan
St-Cast-le-Guildo
Bagnoles-de-l'Orne-Normandie
Domfront-en-Poiraie
Alençon
Mortagne-au-Perche
L'Aigle
Verneuil-sur-Avre
Chartres
Nogent-le-Rotrou
Bellême
La Ferté-Bernard
Le Mans
Châteaudun
ORLÉANS
Montargis
Châteauneuf-sur-Loire
St Benoit
Gien
Briare
Roscoff
Morlaix
Perros-Guirec
Tréguier
Lannion
Paimpol
St-Quay-Portrieux
Guingamp
St-Brieuc
Lamballe
St-Pol-de-Léon
Brest
Landerneau
Ouessant
Pointe de St-Mathieu
Morgat
Douarnenez
Châteaulin
Carhaix-Plouguer
Loudéac
Pontivy
Pointe du Raz
Audierne
Quimper
Pont-l'Abbé
Concarneau
Quimperlé
Hennebont
Lorient
Auray
Carnac
Quiberon
Belle Île
Vannes
Josselin
Ploërmel
Redon
RENNES
Vitré
Fougères
Mayenne
Laval
Château-Gontier
Châteaubriant
Nozay
La Baule
St-Nazaire
NANTES
Ancenis
Pornic
Noirmoutier-en-l'Île
Challans
St-Jean-de-Monts
La Roche-sur-Yon
Les Sables-d'Olonne
Luçon
Angers
La Flèche
Château-du-Loir
Château-Renault
Vendôme
Beaugency
Chambord
Blois
Amboise
Tours
Chenonceau
Azay-le-Rideau
Chinon
Saumur
Châteaux de la Loire
Cholet
Bressuire
Thouars
Loudun
Parthenay
Romorantin-Lanthenay
Salbris
Cosne-sur-Loire
Vierzon
Loches
Châtellerault
Poitiers
Issoudun
Bourges
Châteauroux
Le Blanc
St-Amand-Montrond
La Châtre
Argenton-sur-Creuse
Montluçon
La Souterraine
Guéret
Aubusson
Bourganeuf
Bellac
Confolens
Fontenay-le-Comte
St-Maixent-l'École
Niort
Ré
La Rochelle
Rochefort
Oléron
St-Jean-d'Angély
Saintes
Cognac
Ruffec
Angoulême
Marennes
Royan
Soulac-sur-Mer
Gironde
Lesparre-Médoc
Barbezieux
Chalais
Blaye
Lacanau-Océan
BORDEAUX
Libourne
St-Émilion
Cap-Ferret
Bergerac
Périgueux
St-Junien
LIMOGES
Uzerche
Ussel
Brive-la-Gaillarde
Lascaux
Les Eyzies-de-Tayac
Souillac
Sarlat
Tulle
Vallée de la Dordogne
Gouffre de Padirac
Aurillac
Mauriac
Bort-les-Orgues
Puy de Dôme
Puy de Sancy
Le Mont-Dore
La Bourboule
Plomb du Cantal
Murat
St-Flour
Riom
Moulins
Nevers
La Charité-sur-Loire

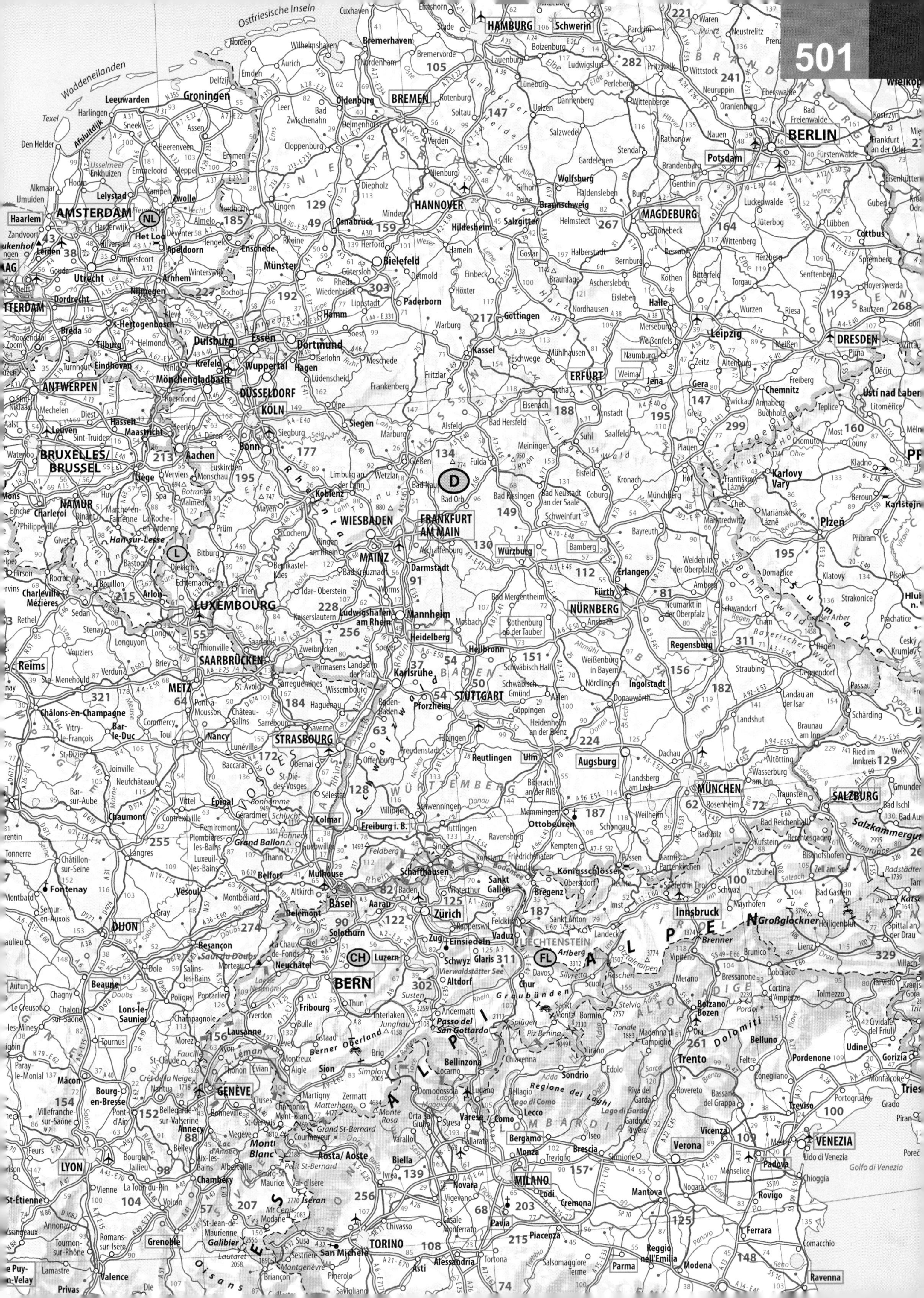
HAMBURG
Schwerin
BREMEN
BERLIN
Potsdam
HANNOVER
MAGDEBURG
AMSTERDAM
NL
Haarlem
DÜSSELDORF
KÖLN
ANTWERPEN
BRUXELLES/
BRUSSEL
ERFURT
DRESDEN
D
WIESBADEN
FRANKFURT
AM MAIN
MAINZ
L
LUXEMBOURG
SAARBRÜCKEN
NÜRNBERG
STUTTGART
STRASBOURG
MÜNCHEN
SALZBURG
CH
BERN
Luzern
FL
LIECHTENSTEIN
Innsbruck
DIJON
GENÈVE
LYON
MILANO
TORINO
VENEZIA
Reims
METZ
Nancy
Bonn
Essen
Dortmund
Duisburg
Leipzig
Kassel
Würzburg
Augsburg
Zürich
Basel
Colmar
Freiburg i. B.
Mannheim
Heidelberg
Karlsruhe
Regensburg
Plzeň
Verona
Trento
Bergamo
Aosta/ Aoste
A L P E N
A L P I
N I E D E R S A C H S E N
Ostfriesische Inseln
Waddeneilanden

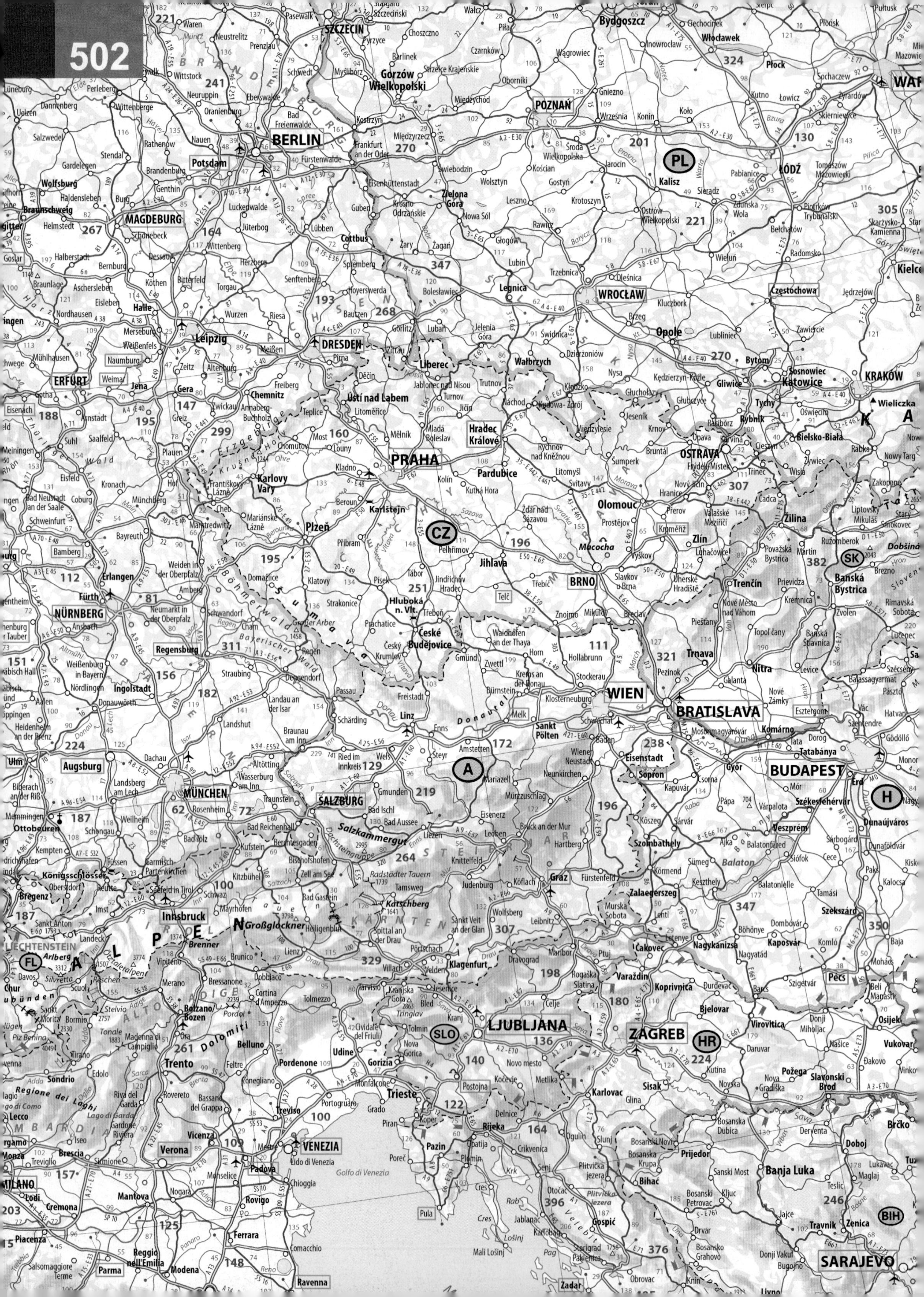
BERLIN
Potsdam
SZCZECIN
Gorzów Wielkopolski
POZNAŃ
Bydgoszcz
Włocławek
Płock
Łódź
Kalisz
PL
Frankfurt an der Oder
Zielona Góra
Magdeburg
Braunschweig
Wolfsburg
Halle
Leipzig
DRESDEN
Chemnitz
Erfurt
Jena
Gera
Cottbus
Legnica
WROCŁAW
Opole
Częstochowa
Katowice
KRAKÓW
Gliwice
Bytom
Sosnowiec
Liberec
Ústí nad Labem
Hradec Králové
PRAHA
Pardubice
Karlovy Vary
Plzeň
CZ
Jihlava
BRNO
Olomouc
OSTRAVA
Zlín
Žilina
SK
Banská Bystrica
Trenčín
Nitra
Trnava
BRATISLAVA
WIEN
Sankt Pölten
Linz
A
Salzburg
Graz
Klagenfurt
Innsbruck
München
Augsburg
Nürnberg
Regensburg
Ingolstadt
Erlangen
Fürth
Bamberg
Bayreuth
Ulm
České Budějovice
Győr
BUDAPEST
H
Székesfehérvár
Veszprém
Sopron
Szombathely
Zalaegerszeg
Pécs
Kaposvár
Maribor
LJUBLJANA
SLO
ZAGREB
HR
Rijeka
Trieste
Udine
VENEZIA
Padova
Verona
Vicenza
Treviso
Trento
Bolzano/Bozen
Milano
Brescia
Bergamo
Parma
Modena
Ferrara
Ravenna
Banja Luka
BIH
SARAJEVO
Osijek
Slavonski Brod
Zenica
Bihać
Dolomiti
Salzkammergut
Großglockner
ALPEN
Balaton
Golfo di Venezia
LIECHTENSTEIN
FL

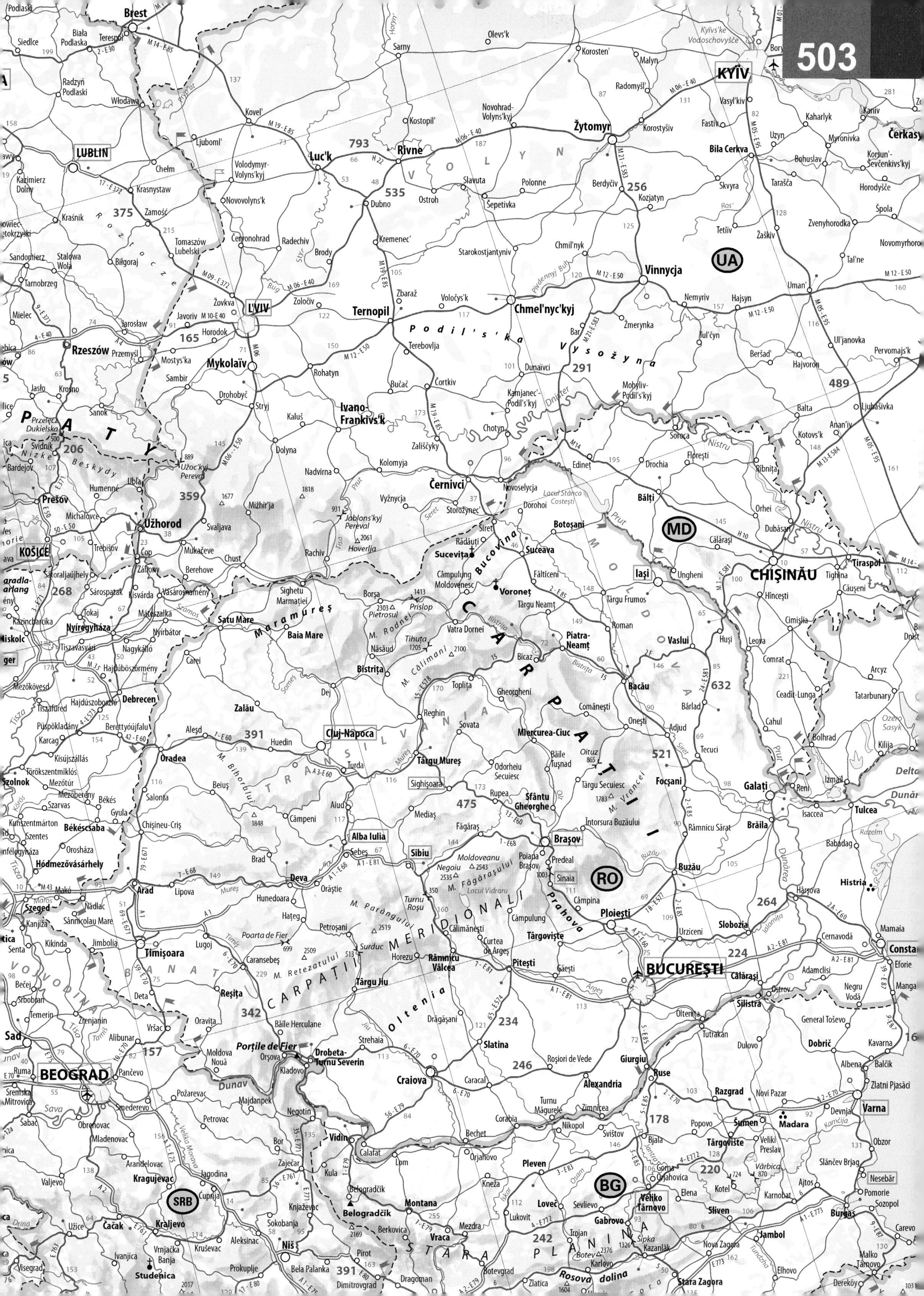

Brest
Biała Podlaska
Siedlce
Radzyń Podlaski
Włodawa
LUBLIN
Chełm
Krasnystaw
Kraśnik
Zamość
Tomaszów Lubelski
Biłgoraj
Sandomierz
Stalowa Wola
Tarnobrzeg
Mielec
Rzeszów
Przemyśl
Jarosław
Krosno
Jasło
Sanok
Kovel'
Ljuboml'
Volodymyr-Volyns'kyj
Novovolyns'k
Červonohrad
Radechiv
Brody
Luc'k
Rivne
Dubno
Ostroh
Kremenec'
Sarny
Olevs'k
Kostopil'
Korosten'
Malyn
KYÏV
Radomyšl'
Novohrad-Volyns'kyj
Žytomyr
Korostyšiv
Fastiv
Vasyl'kiv
Bila Cerkva
Berdyčiv
Kozjatyn
Slavuta
Polonne
Šepetivka
Starokostjantyniv
Chmil'nyk
Vinnycja
Žmerynka
Bar
Chmel'nyc'kyj
Ternopil
Zbaraž
Voločys'k
Terebovlja
Čortkiv
Bučač
Dunaïvci
Kamjanec'-Podil's'kyj
Chotyn
Zališčyky
Ivano-Frankivs'k
Kaluš
Rohatyn
L'VIV
Žovkva
Javoriv
Horodok
Mostys'ka
Sambir
Mykolaïv
Drohobyč
Stryj
Dolyna
Nadvirna
Kolomyja
Vyžnycja
Černivci
Storožynec'
Novoselycja
Kaharlyk
Myronivka
Čerkasy
Uzyn
Bohuslav
Korsun'-Ševčenkivs'kyj
Taraščа
Horodyšče
Skvyra
Tetiïv
Žaškiv
Zvenyhorodka
Špola
Novomyrhorod
Tal'ne
Uman'
Nemyriv
Hajsyn
Tul'čyn
Beršad'
Hajvoron
Ul'janovka
Pervomajs'k
Mohyliv-Podil's'kyj
Balta
Ljubašivka
Anan'iv
Kotovs'k
Soroca
Florești
Drochia
Edineț
Ribnița
Bălți
Orhei
Dubăsari
Călărași
Ungheni
CHIȘINĂU
Tiraspol
Tighina
Căușeni
Hîncești
Cimișlia
Leova
Comrat
Ceadîr-Lunga
Arcyz
Tatarbunary
Cahul
Bolhrad
Kilija
Izmail
Reni
Podil's'ka Vysočyna
VOLYN
UA
MD
RO
BG
SRB
Užhorod
Mukačeve
Svaljava
Berehove
Chust
Rachiv
Čop
Záhony
Mižhir'ja
Užoc'kyj Pereval
Jablons'kyj Pereval
Hoverlja
Prešov
Košice
Michalovce
Humenné
Trebišov
Bardejov
Svidník
Sátoraljaújhely
Sárospatak
Kisvárda
Vásárosnamény
Mátészalka
Nyíregyháza
Tokaj
Kazincbarcika
Miskolc
Nyírbátor
Nagykálló
Tiszavasvári
Hajdúböszörmény
Debrecen
Hajdúszoboszló
Mezőkövesd
Tiszafüred
Püspökladány
Berettyóújfalu
Karcag
Kisújszállás
Törökszentmiklós
Szolnok
Mezőtúr
Mezőberény
Békés
Gyula
Békéscsaba
Kunszentmárton
Szentes
Orosháza
Hódmezővásárhely
Makó
Szeged
Kanjiža
Sânnicolau Mare
Nădlac
Arad
Lipova
Chișineu-Criș
Salonta
Oradea
Aleșd
Beiuș
Carei
Satu Mare
Baia Mare
Sighetu Marmației
Borșa
Prislop
Pietrosul
Vatra Dornei
Câmpulung Moldovenesc
Rădăuți
Sucevița
Siret
Suceava
Dorohoi
Botoșani
Fălticeni
Voroneț
Iași
Târgu Frumos
Târgu Neamț
Piatra-Neamț
Roman
Vaslui
Huși
Bacău
Bârlad
Adjud
Tecuci
Onești
Comănești
Bicaz
Gheorgheni
Toplița
Miercurea-Ciuc
Băile Tușnad
Oituz
Târgu Secuiesc
Sfântu Gheorghe
Brașov
Poiana Brașov
Predeal
Sinaia
Câmpina
Ploiești
Târgoviște
Buzău
Râmnicu Sărat
Focșani
Galați
Brăila
Tulcea
Isaccea
Babadag
Histria
Hârșova
Slobozia
Urziceni
Cernavodă
Mamaia
Constanța
Eforie
Mangalia
Adamclisi
Negru Vodă
Călărași
Silistra
Ostrov
BUCUREȘTI
Găești
Pitești
Curtea de Argeș
Câmpulung
Râmnicu Vâlcea
Călimănești
Horezu
Târgu Jiu
Drăgășani
Slatina
Craiova
Caracal
Roșiori de Vede
Alexandria
Giurgiu
Oltenița
Turnu Măgurele
Zimnicea
Corabia
Bechet
Calafat
Drobeta-Turnu Severin
Orșova
Porțile de Fier
Băile Herculane
Strehaia
Reșița
Oravița
Caransebeș
Lugoj
Timișoara
Jimbolia
Deta
Vršac
Alibunar
Pančevo
BEOGRAD
Zrenjanin
Kikinda
Senta
Bečej
Srbobran
Temerin
Ruma
Sremska Mitrovica
Šabac
Obrenovac
Smederevo
Požarevac
Majdanpek
Negotin
Kladovo
Mladenovac
Petrovac
Bor
Zaječar
Knjaževac
Arandelovac
Kragujevac
Jagodina
Ćuprija
Valjevo
Užice
Čačak
Kraljevo
Kruševac
Vrnjačka Banja
Aleksinac
Sokobanja
Niš
Prokuplje
Studenica
Ivanjica
Bela Palanka
Pirot
Dimitrovgrad
Dragoman
Vidin
Kula
Belogradčik
Lom
Montana
Berkovica
Vraca
Mezdra
Orjahovo
Kneža
Pleven
Nikopol
Svištov
Lukovit
Loveč
Sevlievo
Trojan
Gabrovo
Kazanlăk
Karlovo
Veliko Tărnovo
Gorna Orjahovica
Elena
Bjala
Ruse
Razgrad
Popovo
Tărgovište
Šumen
Novi Pazar
Madara
Veliki Preslav
Vărbica
Kotel
Sliven
Jambol
Nova Zagora
Stara Zagora
Karnobat
Ajtos
Burgas
Pomorie
Sozopol
Nesebăr
Slănčev Brjag
Obzor
Varna
Devnja
Dobrič
Balčik
Albena
Kavarna
Zlatni Pjasăci
Tutrakan
Dulovo
General Toševo
Elhovo
Malko Tărnovo
Carevo
Botevgrad
Zlatica
Šipka
Botev
Rosova dolina
Stara Planina
Brad
Deva
Orăștie
Hunedoara
Hațeg
Petroșani
Sebeș
Alba Iulia
Sibiu
Mediaș
Aiud
Câmpeni
Turda
Cluj-Napoca
Huedin
Zalău
Dej
Bistrița
Năsăud
Reghin
Târgu Mureș
Sovata
Sighișoara
Odorheiu Secuiesc
Rupea
Făgăraș
Întorsura Buzăului
Moldoveanu
Negoiu
M. Făgărașului
Lacul Vidraru
Turnu Roșu
M. Parângului
M. Retezatului
Poarta de Fier
Surduc
M. Rodnei
M. Călimani
Tihuța
M. Bihorului
M. Vrancei
Maramureș
Bucovina
CARPAȚII
CARPAȚII MERIDIONALI
TRANSILVANIA
MOLDOVA
Oltenia
Prahova
BANAT
VOJVODINA
Karpaty
Beskydy
Nízke
Roztocze
Przełęcz Dukielska
Dunav
Dunărea
Nistru
Dnister
Prut
Siret
Mureș
Someș
Olt
Jiu
Argeș
Ialomița
Buzău
Bistrița
Tisa
Sava
Velika Morava
Lacul Stânca Costești
Razelm

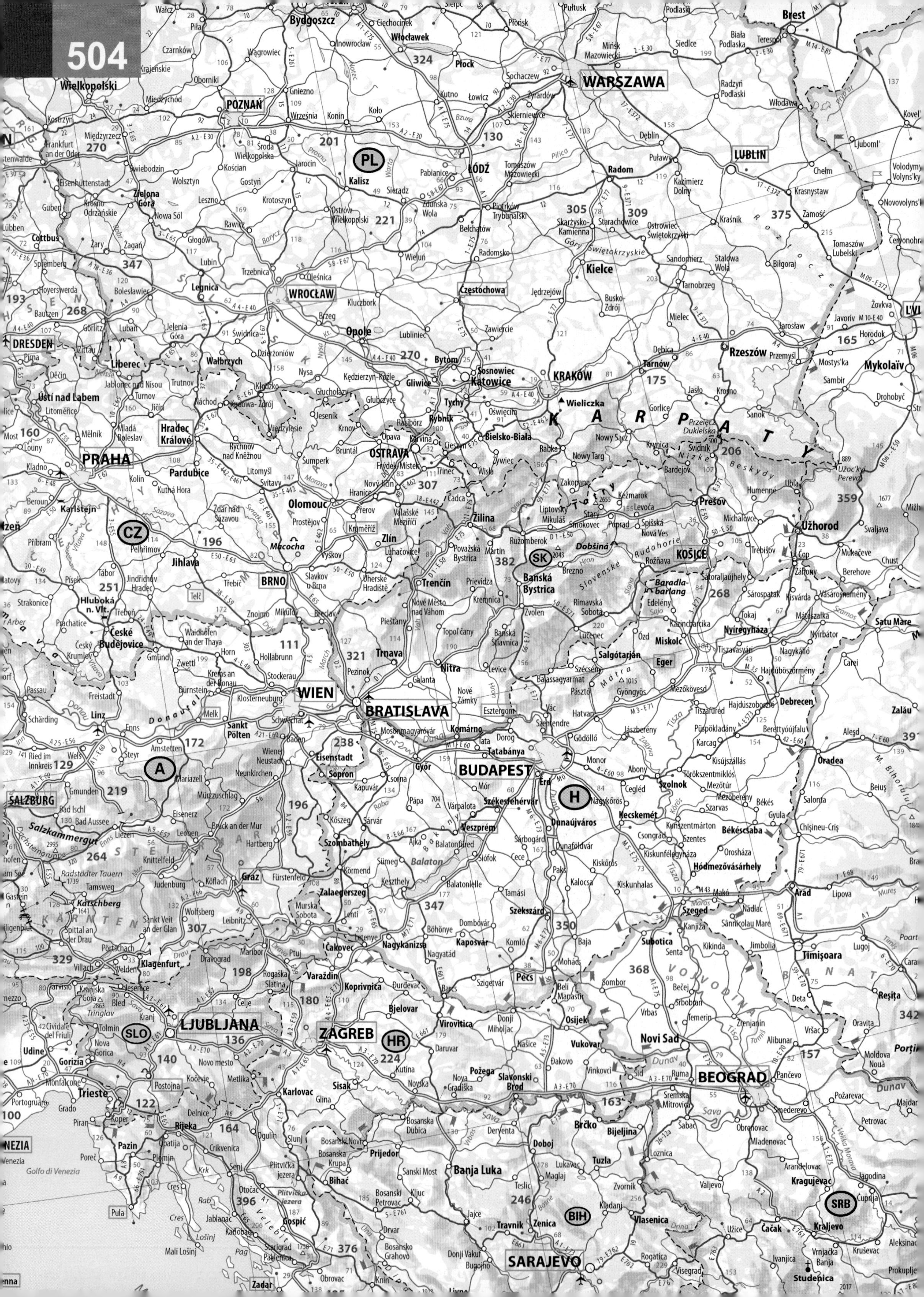
PL
CZ
SK
A
H
SLO
HR
BIH
SRB
WARSZAWA
POZNAŃ
WROCŁAW
ŁÓDŹ
LUBLIN
KRAKÓW
Katowice
Częstochowa
Bydgoszcz
Włocławek
Płock
Gniezno
Konin
Kalisz
Radom
Kielce
Rzeszów
Tarnów
Opole
Gliwice
Bytom
Sosnowiec
Bielsko-Biała
Legnica
Zielona Góra
Cottbus
DRESDEN
Liberec
Ústí nad Labem
PRAHA
Hradec Králové
Pardubice
Olomouc
OSTRAVA
BRNO
Jihlava
Zlín
České Budějovice
Žilina
Trenčín
Banská Bystrica
Poprad
Prešov
KOŠICE
Nitra
Trnava
WIEN
BRATISLAVA
Linz
Sankt Pölten
Graz
Klagenfurt
SALZBURG
Győr
BUDAPEST
Miskolc
Nyíregyháza
Debrecen
Eger
Szolnok
Kecskemét
Székesfehérvár
Veszprém
Szombathely
Balaton
Pécs
Szeged
Békéscsaba
Oradea
Satu Mare
Arad
Timișoara
Brest
Kovel'
L'VIV
Mykolaïv
Užhorod
LJUBLJANA
Maribor
ZAGREB
Varaždin
Karlovac
Rijeka
Trieste
Udine
Osijek
Novi Sad
Subotica
BEOGRAD
Kragujevac
Kraljevo
Čačak
Banja Luka
Tuzla
Zenica
SARAJEVO
Bihać
Zadar
Pula
KARPATY
Tatry
Dunav
Tisza
Sava
VOJVODINA
BANAT

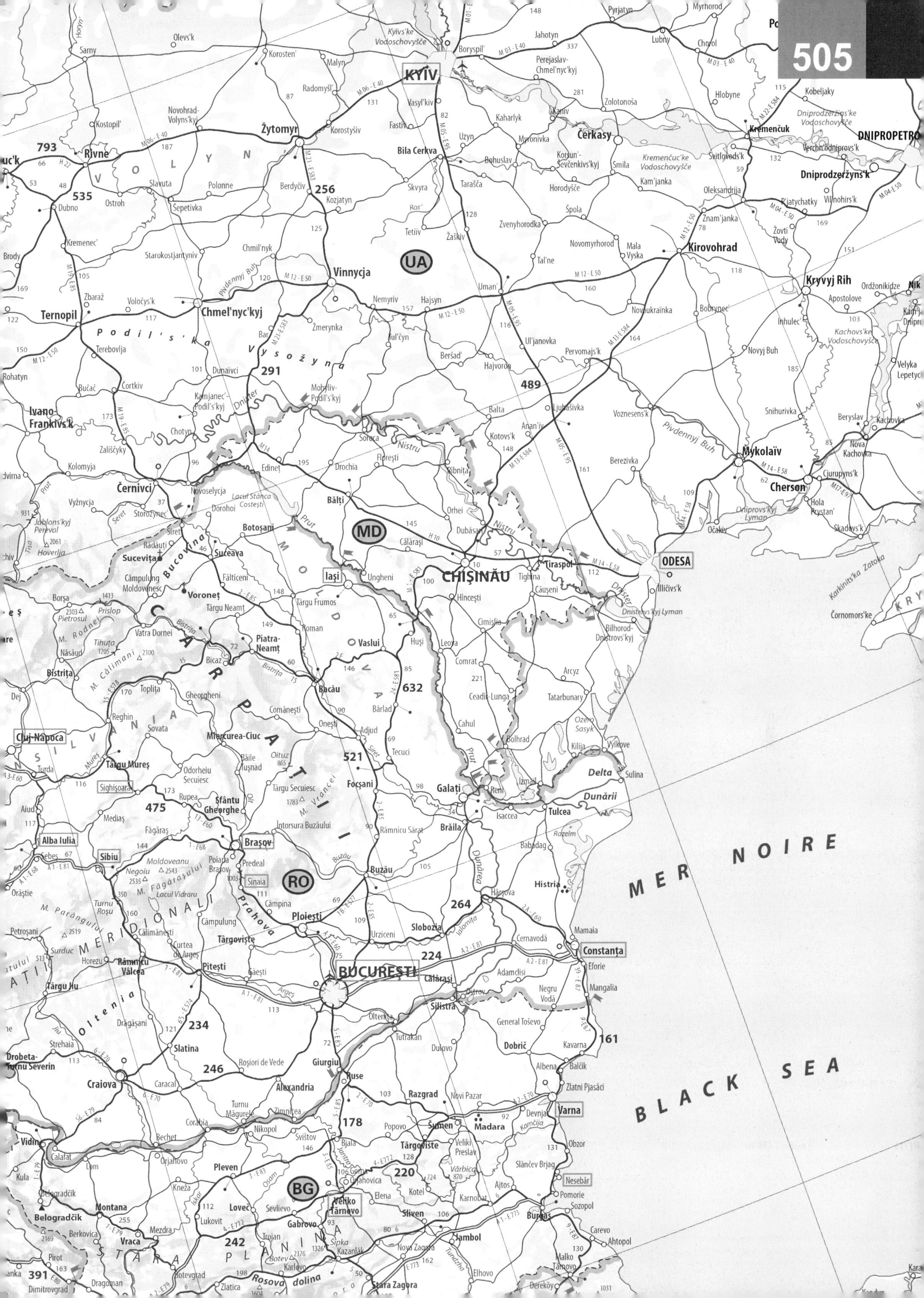
KYÏV
Žytomyr
Rivne
Ternopil
Chmel'nyc'kyj
Vinnycja
Ivano-Frankivs'k
Černivci
Čerkasy
Kremenčuk
Dnipropetrovs'k
Dniprodzeržyns'k
Kirovohrad
Kryvyj Rih
Mykolaïv
Cherson
ODESA
UA
MD
RO
BG
CHIŞINĂU
Bălţi
Tiraspol
Iaşi
Suceava
Botoşani
Piatra-Neamţ
Bacău
Vaslui
Galaţi
Brăila
Tulcea
Constanţa
Cluj-Napoca
Târgu Mureş
Sighişoara
Braşov
Sibiu
Alba Iulia
Sinaia
Ploieşti
Buzău
Focşani
Piteşti
Râmnicu Vâlcea
BUCUREŞTI
Călăraşi
Slobozia
Craiova
Drobeta-Turnu Severin
Slatina
Alexandria
Giurgiu
Ruse
Silistra
Dobrič
Varna
Nesebăr
Burgas
Šumen
Razgrad
Târgovište
Veliko Tărnovo
Pleven
Lovec
Gabrovo
Montana
Vraca
Vidin
Belogradčik
Sliven
Jambol
Stara Zagora
Kazanlăk
V O L Y N
Podil's'ka Vysožyna
C A R P A Ţ I I
M O L D O V A
MERIDIONALI
Oltenia
Bucovina
STARA PLANINA
Delta Dunării
Dunărea
Dnister
Nistru
Prut
Pivdennyj Buh
MER NOIRE
BLACK SEA
793
535
256
291
489
632
521
475
264
224
234
246
178
220
242
391
161

Cabo Ortegal
Ortigueira
A Coruña
Ferrol
Viveiro
Ribadeo
Luarca
Avilés
Gijón
Costa Verde
Golfe d
Golfo d
Costa Verde
SANTANDER
Castro-Urdiales
Bermeo
Lekeitio
Zumaia
Betanzos
Vilalba
Mondoñedo
127
184
A-8 - E-70
Tineo
273
146
Villaviciosa
Ribadesella
Llanes
Altamira
114
Laredo
Santoña
A-8 - E-70
91
124
Carballo
Ordes
Corcubión
Cabo Finisterre
Santiago de Compostela
Lugo
A Fonsagrada
OVIEDO
Pola de Siero
Mieres
Picos de Europa △
N-634
72
Reinosa
106
Torrelavega
el Escudo
1011
186
A-8
Bilbao
Gernika-Lumo
70
Nola
Padrón
153
AP-53
Lalín
Monforte de Lemos
113
Villafranca del Bierzo
Villablino
AP-66
120
León
Cervera de Pisuerga
Aguilar
183
Osorno la Mayor
Miranda de Ebro
86
VITORIA-GASTEIZ
Logroño
22
Sta Uxía de Ribeiro
99
83
Ponferrada
Astorga
103
AP-71
La Bañeza
301
N-601
183
A-62 - E-80
AP-1 - E-5 - E-80
N-120
Sto Domingo de la Calzada
Cambados
PONTEVEDRA
299
92
A-6 - E-70
Ourense
51
162
N-120
A Pobra de Trives
272
64
272
Palencia
86
A-231
BURGOS
2262
Sierra de la Demanda
VIGO
Bajona
A-52
Verín
163
A-52
Puebla de Sanabria
Benavente
139
Medina de Rioseco
277
N-627
Salas de los Infantes
Tui
Valença do Minho
Xinzo de Limia
A-52
277
155
82
Sto Domingo de Silos †
Viana do Castelo
150
Ponte da Barca
146
Bragança
Río Tera
VALLADOLID
30
A-11
Tordesillas
82
Peñafiel
94
El Burgo de Osma
119
Soria
A-15
Braga
Chaves
115
N-122 - E-82
109
72
90
A-6
Aranda de Duero
N-122
Póvoa de Varzim
Guimarães
Mirandela
Miranda do Douro
Zamora
Toro
68
85
A-62 - E-80
Cuéllar
119
Riaza
1404
Somosierra
Medinaceli
Matosinhos
113
A-7
26
M-4-E82
67
Medina del Campo
72
181
A-601
234
Sigüenza
157
A-2 - E-90
Alcolea del Pinar
PORTO
A-4 - E-82
Vila Real
91
Lamego
Río Duero
Salamanca
A-50
111
Arévalo
Peñaranda de Bracamonte
220
Segovia
114
A-6
AP-51
Navacerrada
2430
1860
Riaza
152
Guadalajara
Espinho
352
Albergaria-a-Velha
120
A-24 - E-801
IP-2 - E-802
Vilar Formoso
Ciudad Rodrigo
152
Peña de Francia
1723
La Alberca
El Barco de Ávila
Ávila
Sierra de Guadarrama
El Escorial
MADRID
Alcalá de Henares
R-2
81
La Alcarría
Sacedón
Río Guadiela
E
Cu
Aveiro
114
315
Viseu
Buçaco ▲
83
Celorico da Beira
Seia
Guarda
A-23
Béjar
2592
Sierra de Gredos
Jarandilla de la Vera
Arenas de San Pedro
120
Río Alberche
Maqueda
R-4
A-3
Ocaña
Aranjuez
Tarancón
A-3 - E-901
Figueira da Foz
319
Coímbra
105
Pombal
Covilhã
98
Fundão
452
Coria
Río Alagón
Plasencia
EX-A1
Navalmoral de la Mata
A-5 - E-90
Talavera de la Reina
408
Río Tajo
TOLEDO
Mora
73
125
Quintanar de la Orden
246
Belmonte
171
Alarcón
208
407
Leiria
Batalha
Fátima
204
Tomar
123
Castelo Branco
Alcántara
EX-A1
Sierra de Guadalupe
1601
Navahermosa
Madridejos
A-4
Alcázar de San Juan
A-43
A-43
Nazaré
Alcobaça
Caldas da Rainha
Abrantes
Sertã
Ponte de Sor
Marvão
245
Valencia de Alcántara
N-521
Cáceres
A-58
Trujillo
467
88
Guadalupe
Montes de Toledo
117
391
407
Berlenga
Peniche
Torres Vedras
Santarém
IP-2
246
Portalegre
Río Tejo
214
Estremoz
Elvas
Mérida
Villanueva de la Serena
Herrera del Duque
Río
47
Daimiel
Tomelloso
A-43
La Roda
Cabo da Roca
Sintra
Cascais
Estoril
Almada
LISBOA
64
112
Vendas Novas
Montemor-o-Novo
E-159
Badajoz
A-5 - E-90
Almendralejo
69
195
Villanueva del Fresno
Castuera
Almadén
1323
Puertollano
Río Jabalón
Valdepeñas
Ciudad Real
A-41
57
34
Manzanares
N-322
Setúbal
Alcácer do Sal
Évora
225
Zafra
Jerez de los Caballeros
A-66 - E-803
Llerena
Peñarroya-Pueblonuevo
Pozoblanco
143
Villanueva de Córdoba
A-4 - E-5
La Carolina
Bailén
Linares
Villacarrillo
207
Santiago do Cacém
Sines
474
Aljustrel
183
Beja
N-260
Serpa
223
Moura
Rosal de la Frontera
Aracena
Minas de Riotinto
Constantina
Fuente Obejuna
Villanueva de Córdoba
Montoro
402
63
Andújar
37
Córdoba
A-4 - E-5
Baeza
Úbeda
Cazorla
Caravaca de la Cruz
Odemira
Ourique
Castro Verde
Mértola
Villanueva de los Castillejos
Valverde del Camino
N-433
SEVILLA
A-4 - E-5
Carmona
146
162
Baena
Jaén
425
Martos
Alcalá la Real
Priego de Córdoba
A-92
Huéscar
277
A-91
Lagos
Cabo de S. Vicente
Sagres
A-22
Portimão
Albufeira
33
A-2
Tavira
Vila Real de Sto António
Ayamonte
A-49 - E-1
92
Huelva
A-49 - E-1
Alcalá de Guadaíra
98
Écija
110
A-364
Osuna
213
105
Lucena
Loja
192
A-92
Guadix
Baza
164
210
Huércal Overa
125
Faro
Golfo de Cádiz
Sanlúcar de Barrameda
Arcos de la Frontera
A-382
123
Utrera
135
Morón de la Frontera
A-394
140
Campillos
Antequera
49
126
Alhama de Granada
Granada
3482
Sierra Nevada
Lanjarón
203
119
Almería
Cabo de Gata
El Puerto de Sta María
Jerez de la Frontera
Medina-Sidonia
Ronda
142
59
MÁLAGA
A-7 - E-15
Torremolinos
Nerja
Vélez-Málaga
84
Motril
Adra
A-7 - E-15
Cádiz
San Fernando
124
Vejer de la Frontera
68
Marbella
Fuengirola
Estepona
Costa del Sol
A-48
15
La Línea de la Concepción
Algeciras
Tarifa
Gibraltar (GB)
Estrecho de Gibraltar
Cap Spartel
Ceuta (E)
42
TANGER
Alborán (E)

P
E

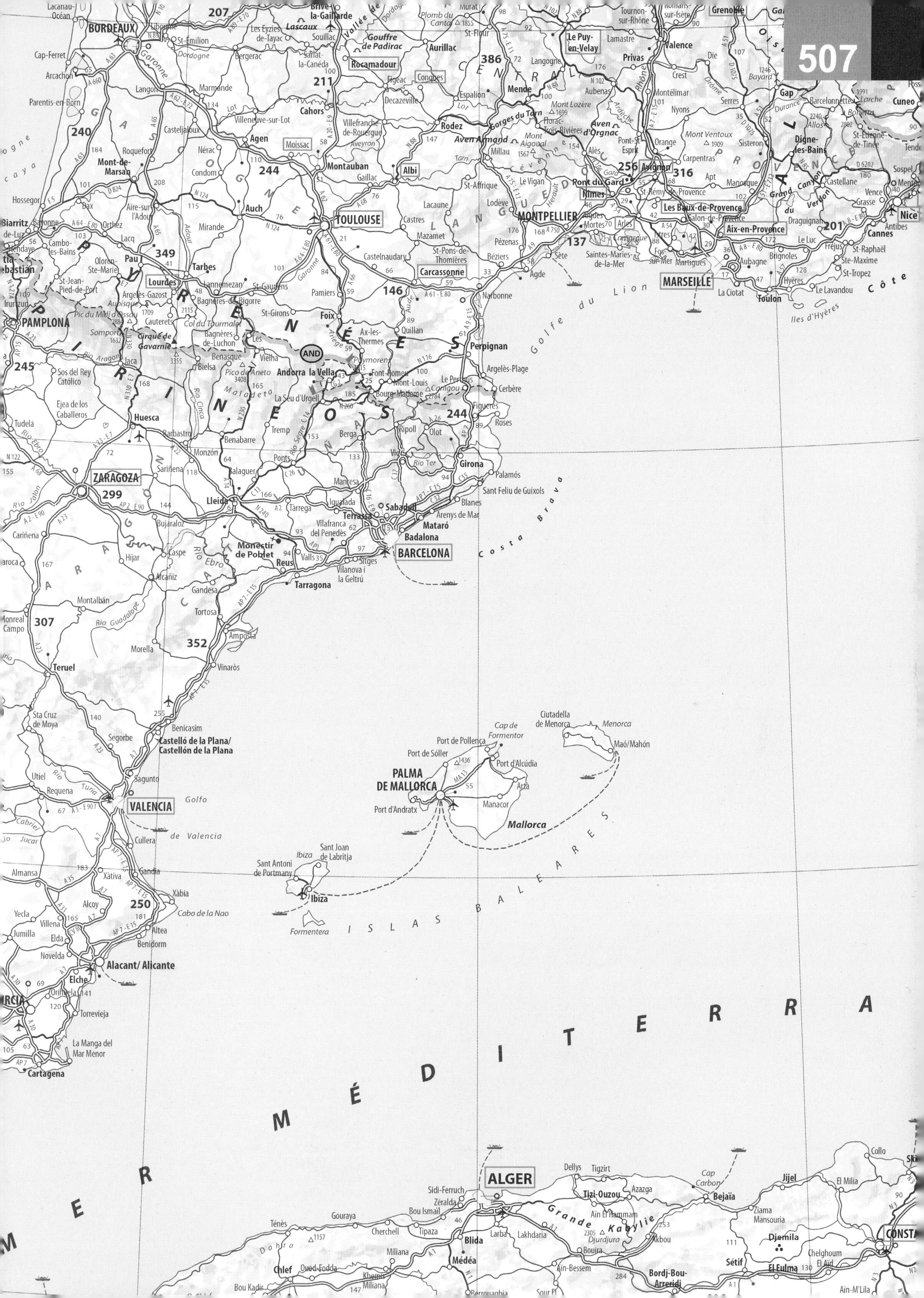

BORDEAUX
TOULOUSE
MONTPELLIER
MARSEILLE
PAMPLONA
ZARAGOZA
BARCELONA
VALENCIA
ALGER
PALMA
DE MALLORCA
Andorra la Vella
Perpignan
Carcassonne
Lourdes
Nîmes
Avignon
Aix-en-Provence
Nice
Toulon
Girona
Lleida
Tarragona
Castelló de la Plana/
Castellón de la Plana
Alacant/ Alicante
Cartagena
Ibiza
Mallorca
Menorca
Formentera
I S L A S   B A L E A R E S
Golfe du Lion
Costa Brava
Golfo de Valencia
Grande Kabylie
M E R   M É D I T E R R A

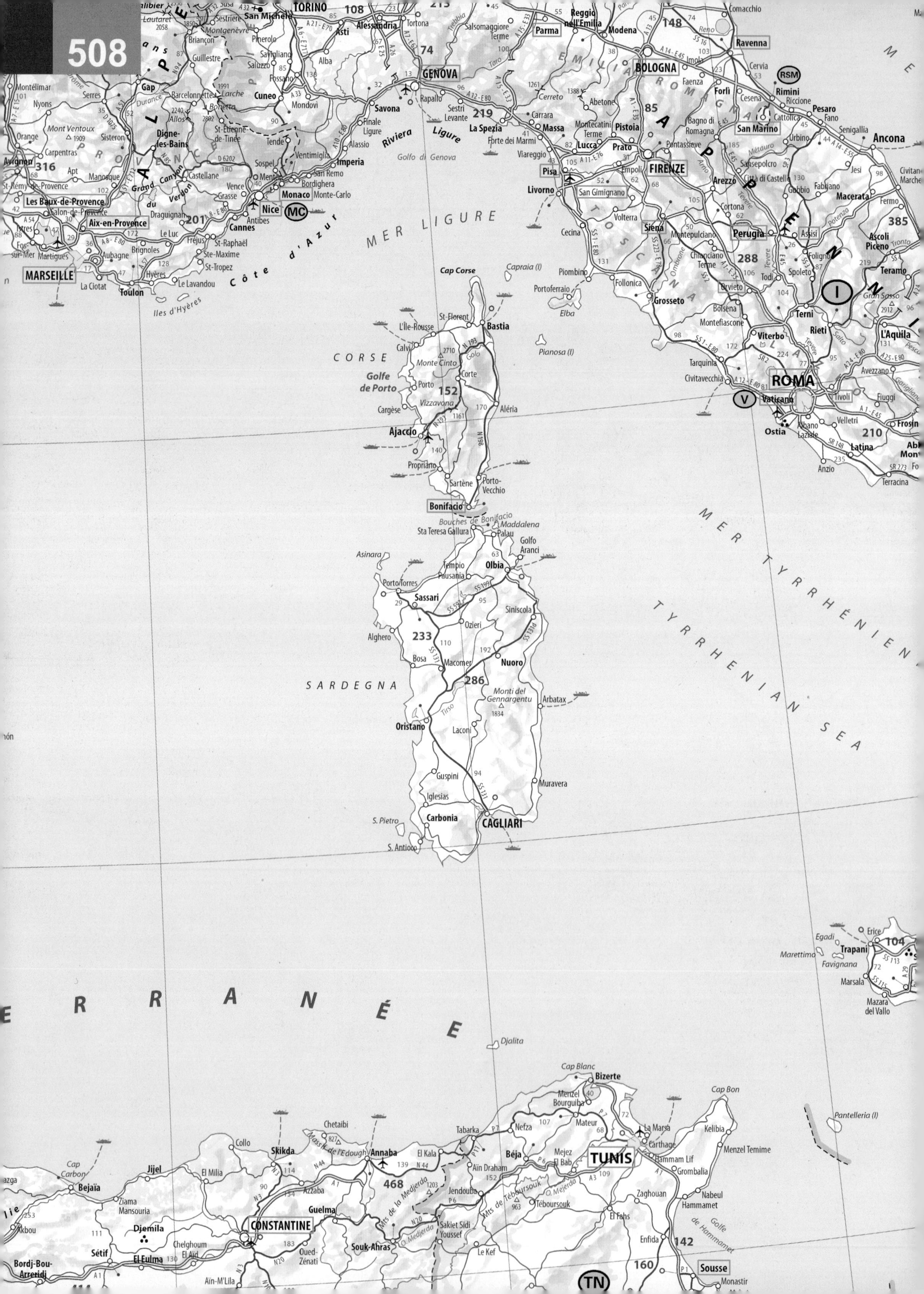

MER LIGURE
Côte d'Azur
Riviera Ligure
Golfo di Genova
CORSE
SARDEGNA
MER TYRRHÉNIENNE
TYRRHENIAN SEA
R R A N É E
TORINO
GENOVA
BOLOGNA
FIRENZE
ROMA
MARSEILLE
TUNIS
CONSTANTINE
CAGLIARI
Bastia
Ajaccio
Bonifacio
Sassari
Olbia
Nuoro
Oristano
Nice
Monaco
Cannes
Toulon
Livorno
Pisa
Siena
Perugia
Ancona
Rimini
San Marino
Ravenna
Parma
Modena
Bizerte
Annaba
Trapani
Marsala
Sousse

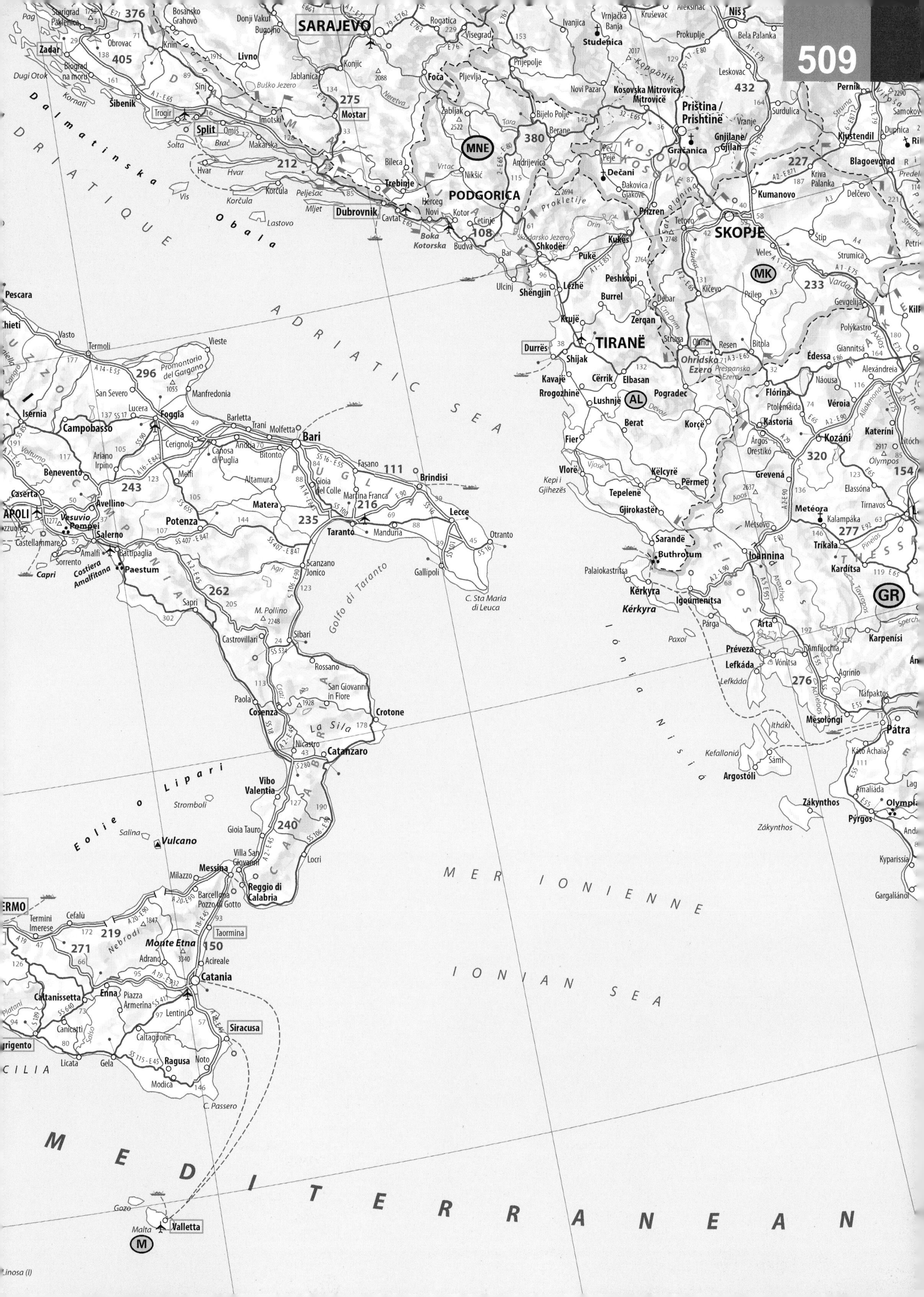
SARAJEVO
PODGORICA
TIRANË
SKOPJE
Priština / Prishtinë
MNE
AL
MK
GR
M
ADRIATIC SEA
Jadransko more
Obala
Dugi Otok
Zadar
Biograd na moru
Šibenik
Trogir
Split
Omiš
Makarska
Hvar
Brač
Šolta
Vis
Korčula
Lastovo
Mljet
Pelješac
Dubrovnik
Cavtat
Boka Kotorska
Kotor
Budva
Cetinje
Bar
Ulcinj
Herceg Novi
Trebinje
Bileća
Nikšić
Mostar
Konjic
Jablanica
Imotski
Sinj
Knin
Livno
Bosansko Grahovo
Donji Vakuf
Bugojno
Rogatica
Višegrad
Foča
Pljevlja
Žabljak
Prijepolje
Bijelo Polje
Berane
Andrijevica
Novi Pazar
Ivanjica
Vrnjačka Banja
Studenica
Kruševac
Aleksinac
Niš
Prokuplje
Bela Palanka
Leskovac
Kosovska Mitrovica / Mitrovicë
Peć / Pejë
Dečani
Đakovica / Gjakovë
Prizren
Gračanica
Gnjilane / Gjilan
Vranje
Surdulica
Pernik
Samokov
Kjustendil
Dupnica
Blagoevgrad
Kriva Palanka
Kumanovo
Delčevo
Tetovo
Štip
Veles
Strumica
Gevgelija
Prilep
Kičevo
Debar
Struga
Ohrid
Ohridsko Ezero
Prespansko Ezero
Resen
Bitola
Shkodër
Skadarsko Jezero
Kukës
Pukë
Lezhë
Shëngjin
Peshkopi
Burrel
Zerqan
Krujë
Durrës
Shijak
Kavajë
Rrogozhinë
Cërrik
Elbasan
Pogradec
Lushnjë
Berat
Korçë
Fier
Vlorë
Kepi i Gjihezës
Tepelenë
Këlcyrë
Përmet
Gjirokastër
Sarandë
Buthrotum
Palaiokastritsa
Kérkyra
Igoumenitsa
Párga
Paxoí
Préveza
Lefkáda
Vónitsa
Árta
Ioánnina
Métsovo
Kastoriá
Flórina
Édessa
Véroia
Kozáni
Kateríni
Ólympos
Grevená
Metéora
Kalampáka
Tríkala
Kardítsa
Karpenísi
Amfilochía
Agrínio
Mesolóngi
Náfpaktos
Pátra
Itháki
Kefalloniá
Sámi
Argostóli
Zákynthos
Pýrgos
Olympía
Kyparissía
Gargaliánoi
Pescara
Chieti
Vasto
Termoli
Vieste
Promontorio del Gargano
Manfredonia
San Severo
Foggia
Lucera
Isérnia
Campobasso
Benevento
Ariano Irpino
Cerignola
Barletta
Trani
Molfetta
Bari
Andria
Canosa di Puglia
Bitonto
Melfi
Altamura
Gioia del Colle
Fasano
Brindisi
Martina Franca
Matera
Taranto
Manduria
Lecce
Otranto
Gallipoli
C. Sta Maria di Leuca
Golfo di Taranto
Potenza
Avellino
Caserta
Napoli
Vesuvio
Pompei
Salerno
Castellammare
Sorrento
Amalfi
Costiera Amalfitana
Capri
Battipaglia
Paestum
Sapri
M. Pollino
Scanzano Jonico
Castrovillari
Sibari
Rossano
San Giovanni in Fiore
La Sila
Crotone
Paola
Cosenza
Nicastro
Catanzaro
Vibo Valentia
Gioia Tauro
Locri
Villa San Giovanni
Reggio di Calabria
Messina
Milazzo
Barcellona Pozzo di Gotto
Isole Eolie o Lipari
Stromboli
Salina
Vulcano
Cefalù
Termini Imerese
Nebrodi
Monte Etna
Taormina
Acireale
Adrano
Catania
Caltanissetta
Enna
Piazza Armerina
Lentini
Siracusa
Agrigento
Canicattì
Caltagirone
Licata
Gela
Ragusa
Noto
Modica
C. Passero
SICILIA
Palermo
Gozo
Malta
Valletta
Linosa (I)
MER IONIENNE
IONIAN SEA
Iónia Nisiá
MEDITERRANEAN
MER ADRIATIQUE
Kornati
Puglia
Campania
Calabria
Kosovo
Ipeiros
Thessalia
Makedonia

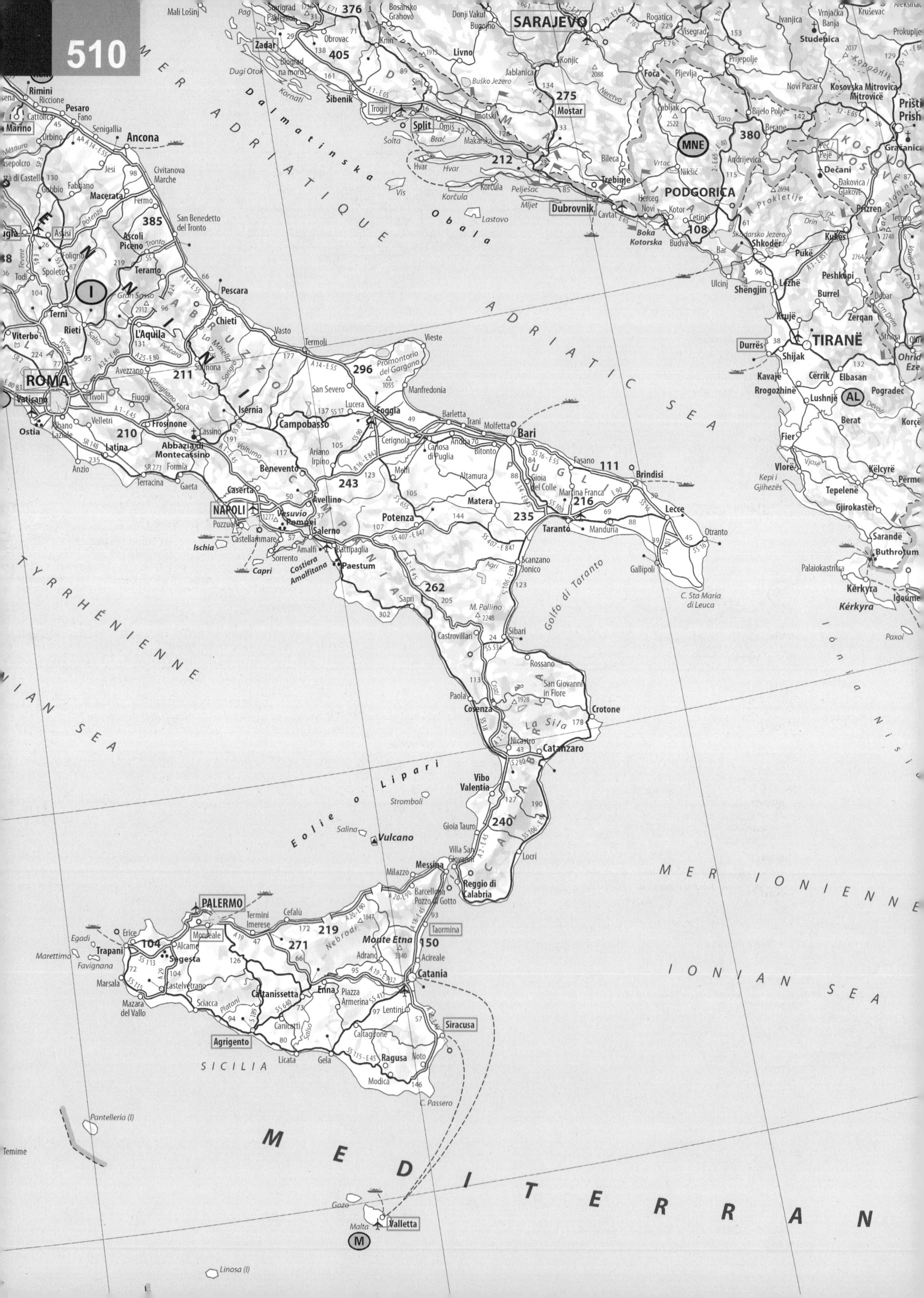
MER ADRIATIQUE
Dalmatinska Obala
ADRIATIC SEA
TYRRHÉNIENNE
TYRRHENIAN SEA
MER IONIENNE
IONIAN SEA
MEDITERRAN
SARAJEVO
Mostar
Split
Zadar
Šibenik
Trogir
Dubrovnik
Boka Kotorska
PODGORICA
MNE
Shkodër
Durrës
TIRANË
AL
Elbasan
Berat
Vlorë
Gjirokastër
Sarandë
Kérkyra
Prishtinë
Kosovska Mitrovica
Rimini
Pesaro
Ancona
Macerata
Ascoli Piceno
Teramo
Pescara
Chieti
L'Aquila
Rieti
Terni
Viterbo
Assisi
ROMA
Vaticano
Ostia
Tivoli
Frosinone
Latina
Abbazia di Montecassino
Gaeta
Isernia
Campobasso
Termoli
Vieste
Promontorio del Gargano
Foggia
Manfredonia
Barletta
Trani
Molfetta
Bari
Benevento
Caserta
NAPOLI
Vesuvio
Pompei
Avellino
Salerno
Amalfi
Costiera Amalfitana
Paestum
Capri
Ischia
Sorrento
Potenza
Matera
Altamura
Brindisi
Lecce
Otranto
Taranto
Gallipoli
Golfo di Taranto
C. Sta Maria di Leuca
Cosenza
Crotone
Catanzaro
La Sila
Vibo Valentia
Reggio di Calabria
Messina
Eolie o Lipari
Stromboli
Vulcano
Salina
PALERMO
Monreale
Trapani
Segesta
Erice
Marsala
Agrigento
Caltanissetta
Enna
Monte Etna
Taormina
Catania
Siracusa
Ragusa
Noto
Modica
SICILIA
C. Passero
Pantelleria (I)
Linosa (I)
Gozo
Malta
Valletta
M
I

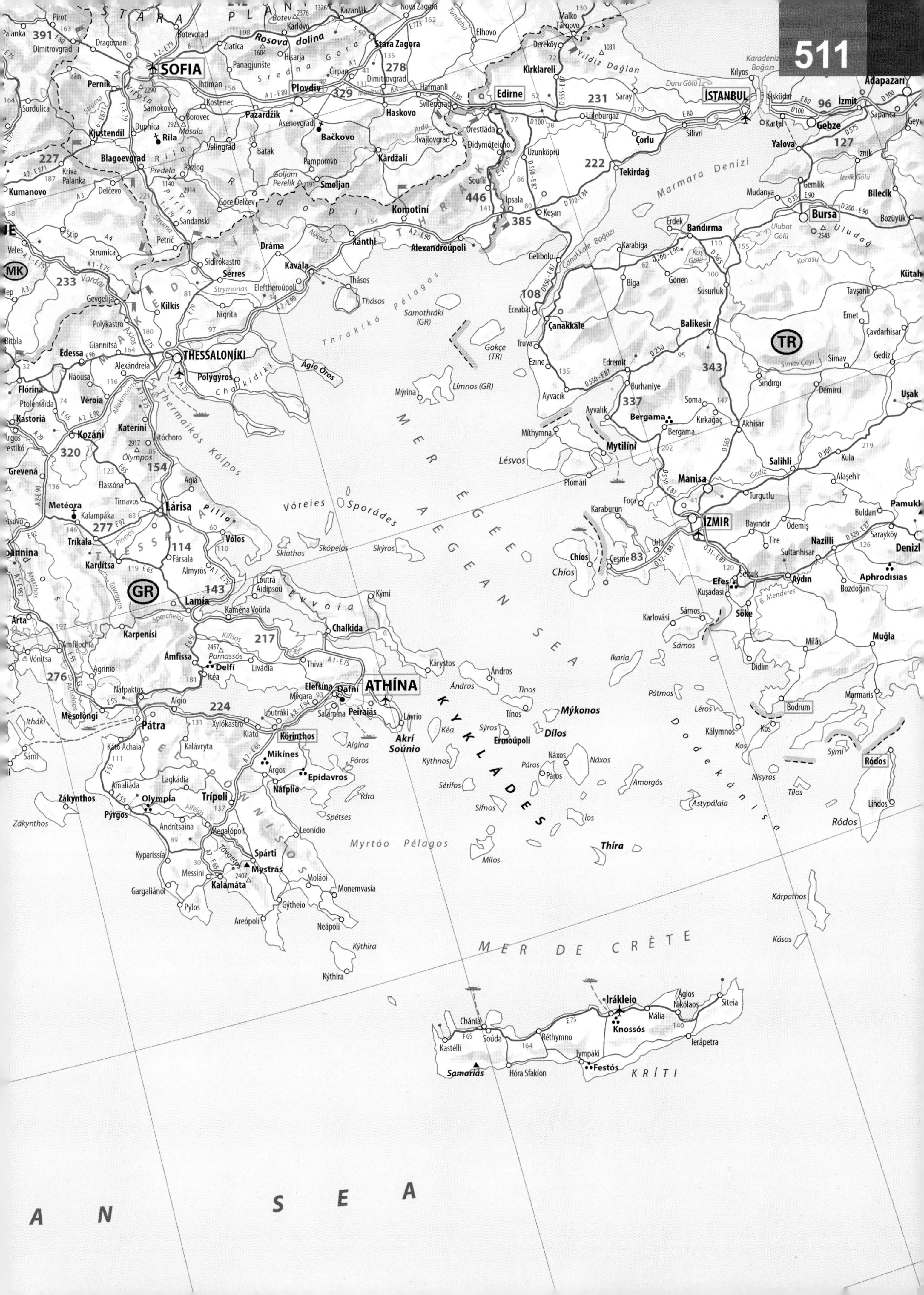

STARA PLANINA
Pirot
Palanka
391
Dimitrovgrad
Dragoman
Botevgrad
Zlatica
Rosova dolina
Karlovo
Kazanlăk
Nova Zagora
Stara Zagora
Elhovo
Malko Tărnovo
Dereköy
Yıldız Dağları
Kırklareli
SOFIA
Pernik
Trăn
Panagjurište
Hisarja
Sredna Gora
Čirpan
278
Dimitrovgrad
Harmanli
Ihtiman
Plovdiv
329
Haskovo
Svilengrad
Edirne
231
Saray
İSTANBUL
Kilyos
Üsküdar
Kartal
96
İzmit
Adapazarı
Gebze
Sapanca
Surdulica
Kostenec
Samokov
Borovec
Pazardžik
Asenovgrad
Bačkovo
Ivajlovgrad
Orestiáda
Didymóteicho
Lüleburgaz
Çorlu
Silivri
Yalova
127
İznik
Kjustendil
Dupnica
Rila
Musala
Velingrad
Batak
Kărdžali
Uzunköprü
222
Tekirdağ
Marmara Denizi
Gemlik
Bilecik
227
Blagoevgrad
Kriva Palanka
Predela
Razlog
Pamporovo
Goljam Perelik
Smoljan
Soufli
446
Mudanya
Bursa
Bozüyük
Kumanovo
Delčevo
Pirin
Goce Delčev
Rodopi
Komotini
Ipsala
Keşan
385
Erdek
Bandırma
Uludağ
Sandanski
Štip
Petrič
Strumica
Veles
Xánthi
Alexandroúpoli
THRÁKI
Gelibolu
Çanakkale Boğazı
Karabiga
Kuş Gölü
MK
Dráma
Kavála
Sidirókastro
Sérres
Biga
Gönen
Susurluk
Kütahya
233
Gevgelija
Thásos
Eleftheroúpoli
Strymonas
Samothráki (GR)
Thrakikó Pélagos
108
Eceabat
Çanakkale
Tavşanlı
Kilkís
Nigríta
Polýkastro
Balıkesir
Emet
Çavdarhisar
TR
Bitola
Édessa
Giannitsá
THESSALONÍKI
Ágio Óros
Gokçe (TR)
Truva
Ezine
Edremit
Sımav
Gediz
Náousa
Alexándreia
Polýgyros
Chalkidikí
Límnos (GR)
Mýrina
Burhaniye
343
Sındırgı
Demirci
Flórina
Ptolemaïda
Véroia
Ayvacık
Ayvalık
337
Bergama
Soma
Kırkağaç
Akhisar
Uşak
Kastoriá
Kozáni
Kateríni
Litóchoro
Thermaïkós Kólpos
Míthymna
Mytilíni
Lésvos
Salihli
Kula
320
Ólympos
154
MER ÉGÉE
AEGEAN SEA
Plomári
Manisa
Alaşehir
Grevená
Elassóna
Tírnavos
Agiá
Pílio
Turgutlu
Metéora
Kalampáka
Lárisa
Vóreies Sporádes
Karaburun
Foça
İZMIR
Bayındır
Ödemiş
Pamukkale
Buldan
277
Tríkala
THESSALÍA
Vólos
114
Fársala
Skiáthos
Skópelos
Skýros
Chíos
Urla
Çeşme
83
Tire
Nazilli
Sarayköy
Denizli
Ioánnina
Kardítsa
Almyrós
Selçuk
Efes
Kuşadası
Aydın
Aphrodisias
GR
143
Loutrá Aidipsoú
Évvoia
Kými
Bozdoğan
Lamía
Árta
Kaména Voúrla
Karlovási
Sámos
Söke
Karpenísi
Amfilochía
217
Chalkída
Sámos
Muğla
Vónitsa
Amfissa
Parnassós
Delfí
Livádia
Thíva
Kárystos
Ikaría
Milâs
Agrínio
Itéa
Ándros
Dodekánisa
Didim
276
Náfpaktos
Elefsína
Dafní
Mégara
ATHÍNA
Peiraiás
Tínos
Pátmos
Marmaris
Mesolóngi
Aígio
224
Loutráki
Salamína
Lávrio
KYKLÁDES
Mýkonos
Léros
Bodrum
Ithákí
Pátra
Xylókastro
Kiáto
Kórinthos
Aígina
Akrí Soúnio
Kéa
Sýros
Ermoúpoli
Dílos
Kálymnos
Kos
Sými
Ródos
Sámi
Káto Achaïa
Kalávryta
Mikínes
Póros
Kýthnos
Náxos
Páros
Amorgós
Nísyros
Tílos
Lagkádia
Árgos
Epídavros
Sérifos
Náfplio
Ýdra
Zákynthos
Amaliáda
Olympía
Trípoli
Sífnos
PELOPÓNNISOS
Astypálaia
Líndos
Pýrgos
Alfeiós
Spétses
Íos
Ródos
Andritsaina
Megalópoli
Leonídio
Myrtóo Pélagos
Thíra
Kyparissía
Spárti
Mílos
Messíni
Mystrás
Kalamáta
Taÿgetos
Moláoi
Gargaliánoi
Monemvasía
Kárpathos
Pýlos
Gýtheio
Areópoli
Neápoli
Kásos
Kýthira
MER DE CRÈTE
Irákleio
Ágios Nikólaos
Siteía
Chaniá
Mália
Kastélli
Soúda
Réthymno
Knossós
Ierápetra
Tympáki
Samariás
Hóra Sfakíon
Festós
KRÍTI
AN SEA

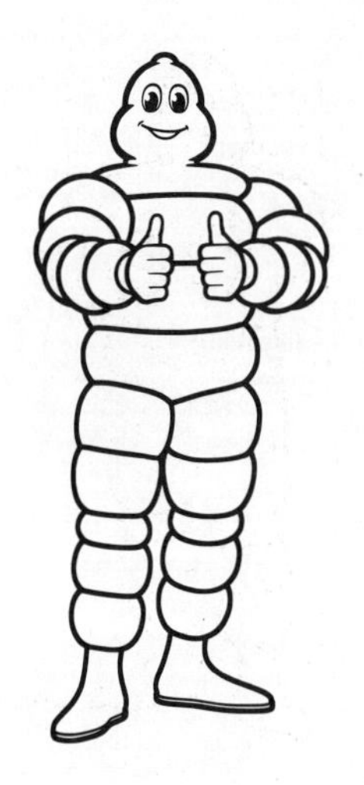

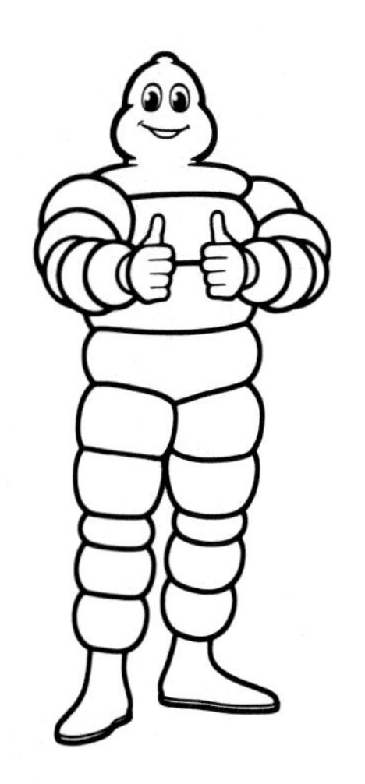

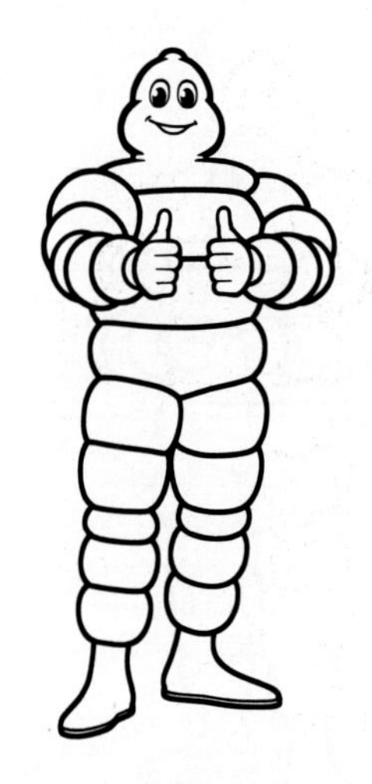

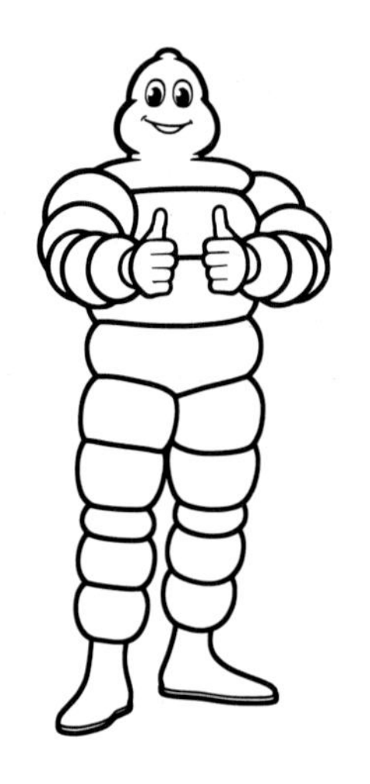

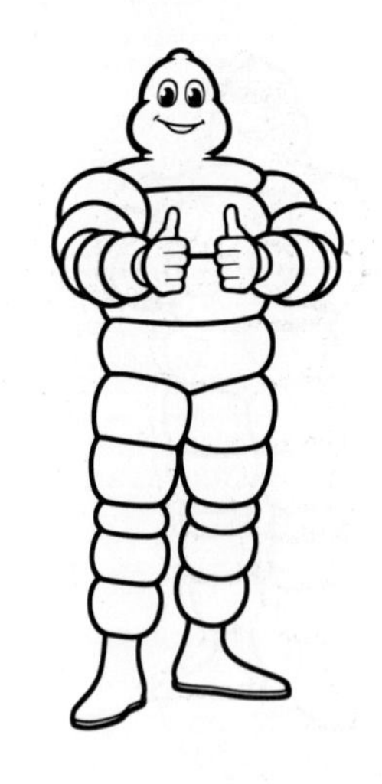

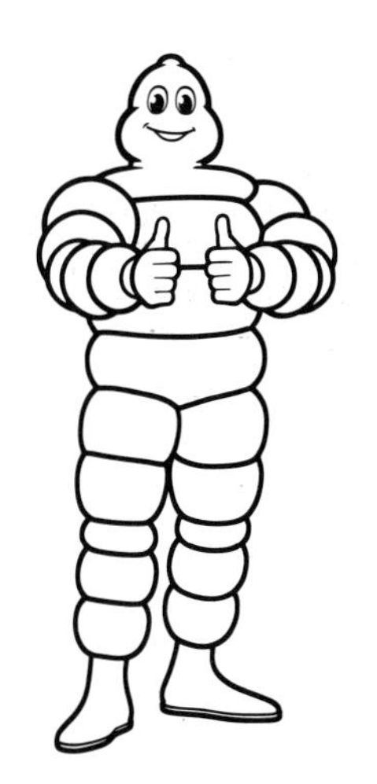

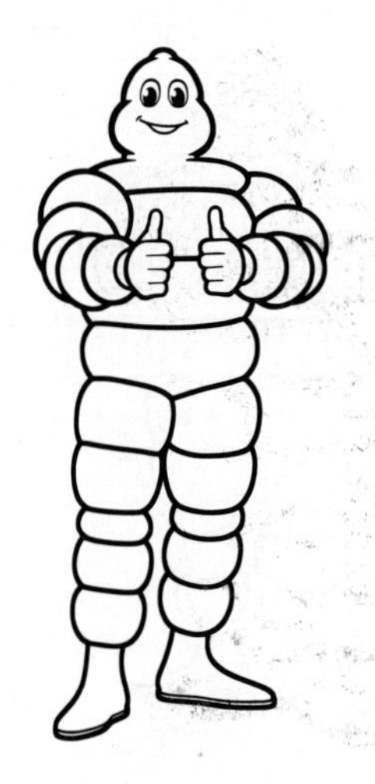

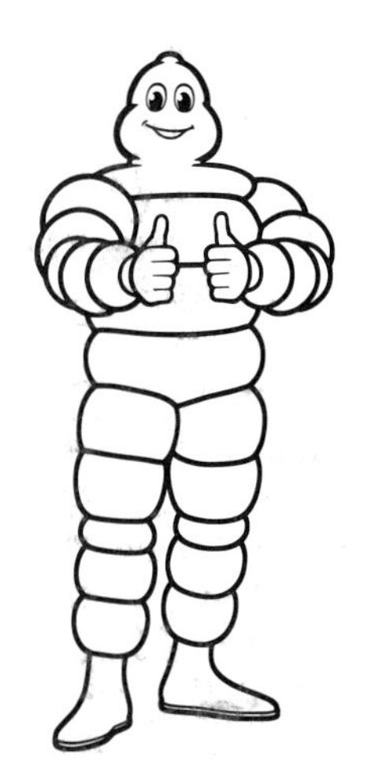

MICHELIN INNOVE SANS CESSE POUR UNE MEILLEURE MOBILITÉ PLUS SÛRE, PLUS ÉCONOME, PLUS PROPRE ET PLUS CONNECTÉE.

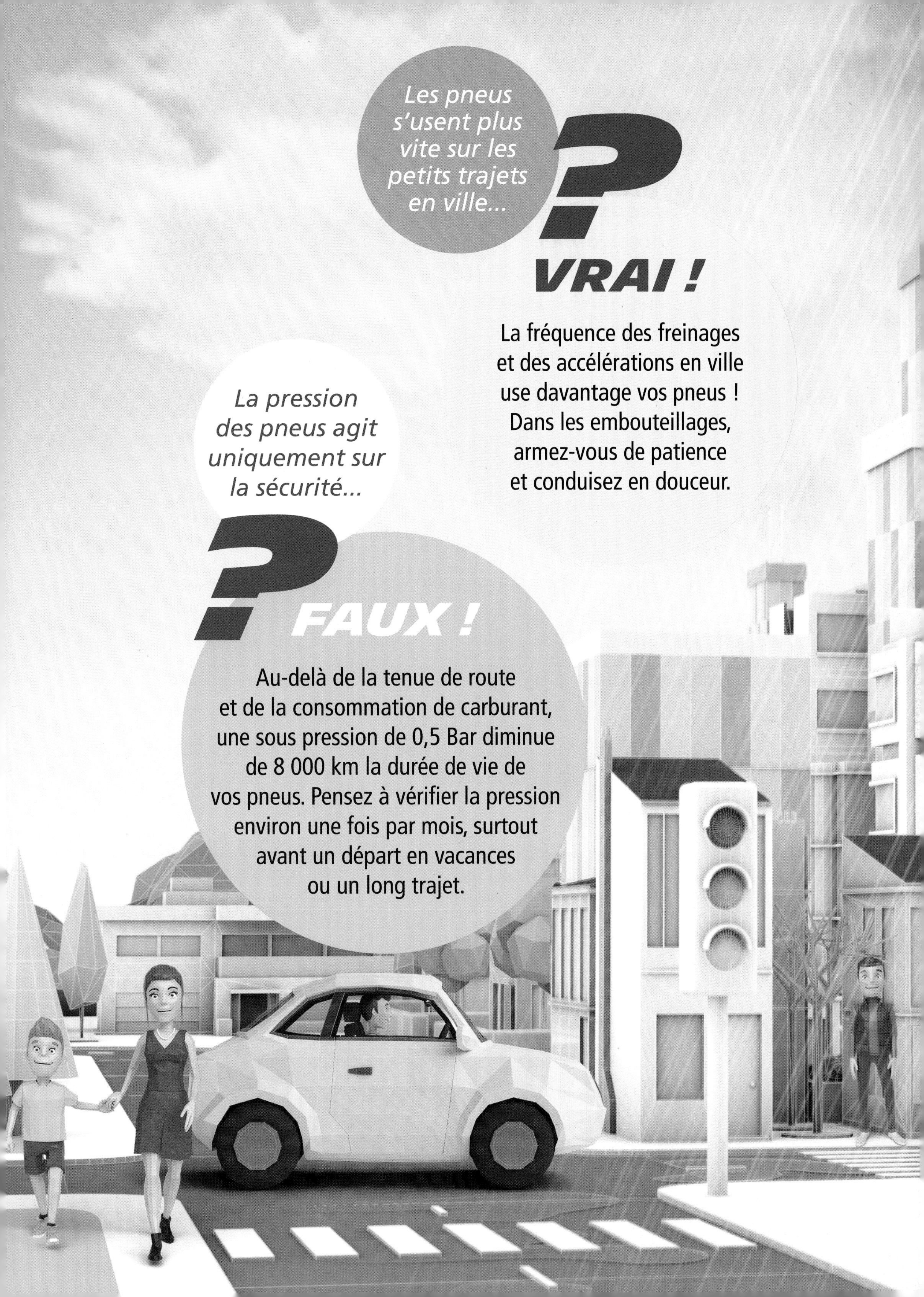
Les pneus s'usent plus vite sur les petits trajets en ville...
VRAI !
La fréquence des freinages et des accélérations en ville use davantage vos pneus ! Dans les embouteillages, armez-vous de patience et conduisez en douceur.
La pression des pneus agit uniquement sur la sécurité...
FAUX !
Au-delà de la tenue de route et de la consommation de carburant, une sous pression de 0,5 Bar diminue de 8 000 km la durée de vie de vos pneus. Pensez à vérifier la pression environ une fois par mois, surtout avant un départ en vacances ou un long trajet.

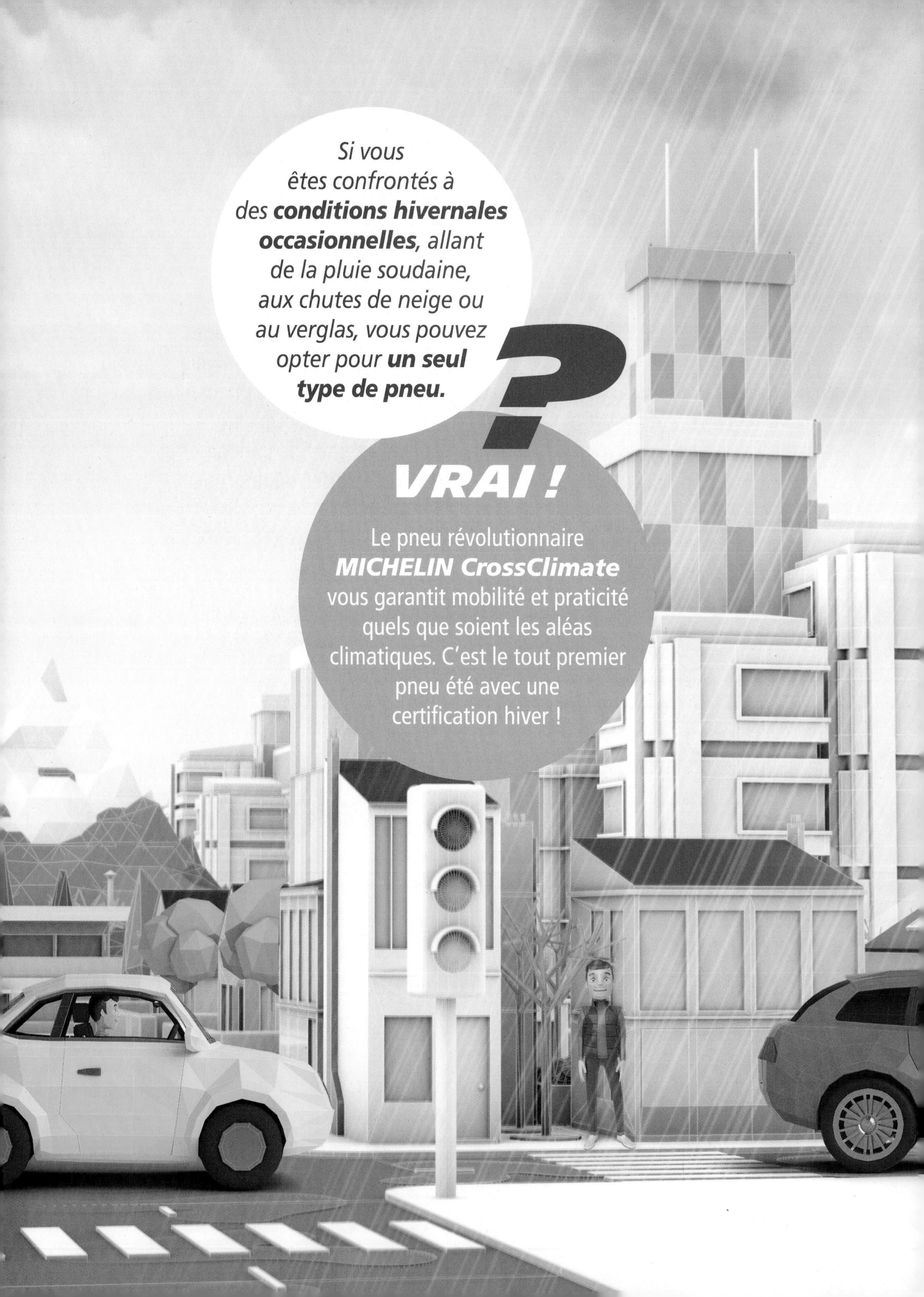
Si vous
êtes confrontés à
des **conditions hivernales**
occasionnelles, allant
de la pluie soudaine,
aux chutes de neige ou
au verglas, vous pouvez
opter pour **un seul**
type de pneu.
?
VRAI !
Le pneu révolutionnaire
MICHELIN CrossClimate
vous garantit mobilité et praticité
quels que soient les aléas
climatiques. C'est le tout premier
pneu été avec une
certification hiver !

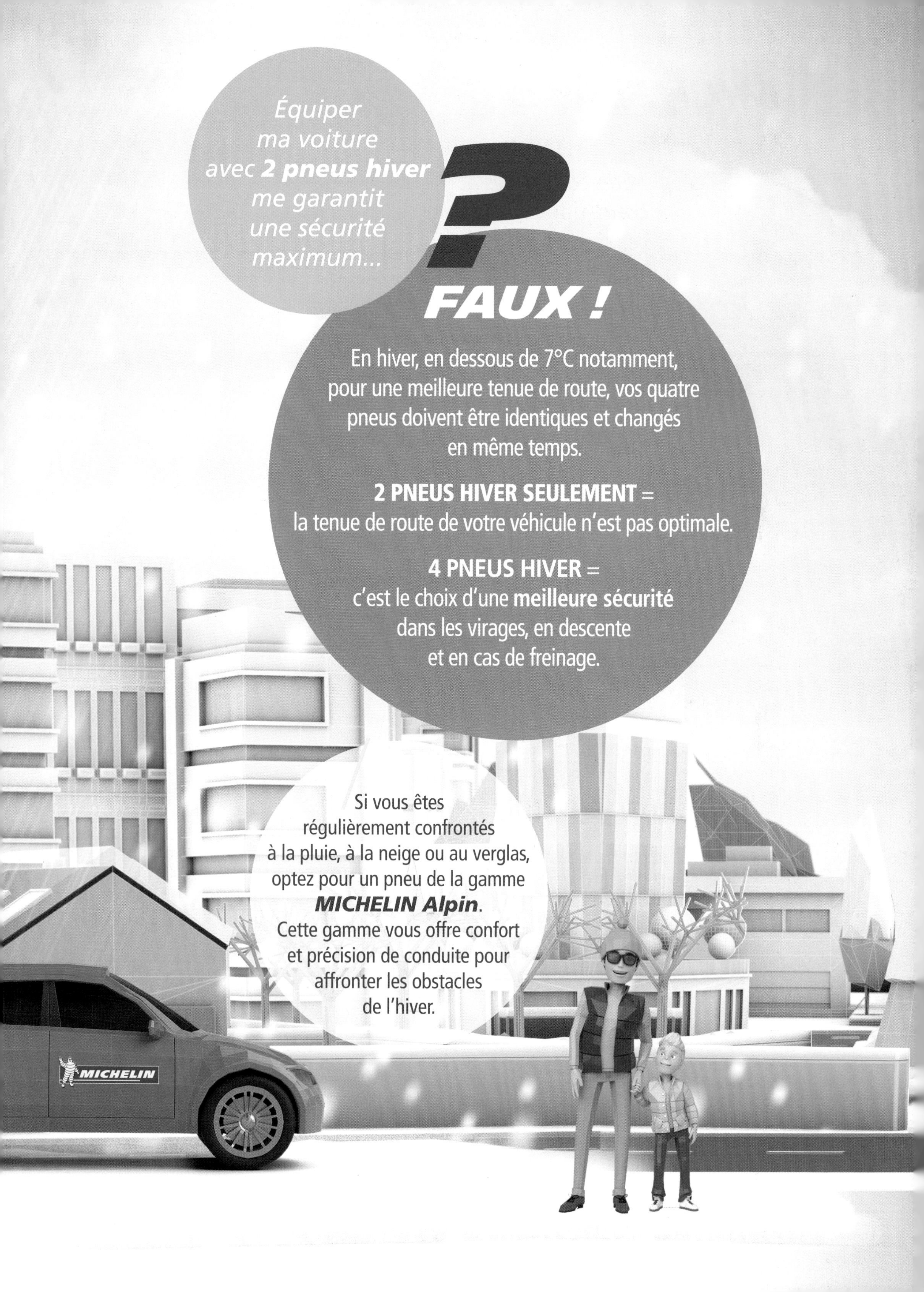

Équiper ma voiture avec **2 pneus hiver** me garantit une sécurité maximum...

?

FAUX !

En hiver, en dessous de 7°C notamment, pour une meilleure tenue de route, vos quatre pneus doivent être identiques et changés en même temps.

2 PNEUS HIVER SEULEMENT = la tenue de route de votre véhicule n'est pas optimale.

4 PNEUS HIVER = c'est le choix d'une **meilleure sécurité** dans les virages, en descente et en cas de freinage.

Si vous êtes régulièrement confrontés à la pluie, à la neige ou au verglas, optez pour un pneu de la gamme **MICHELIN Alpin**. Cette gamme vous offre confort et précision de conduite pour affronter les obstacles de l'hiver.

MICHELIN

MICHELIN S'ENGAGE

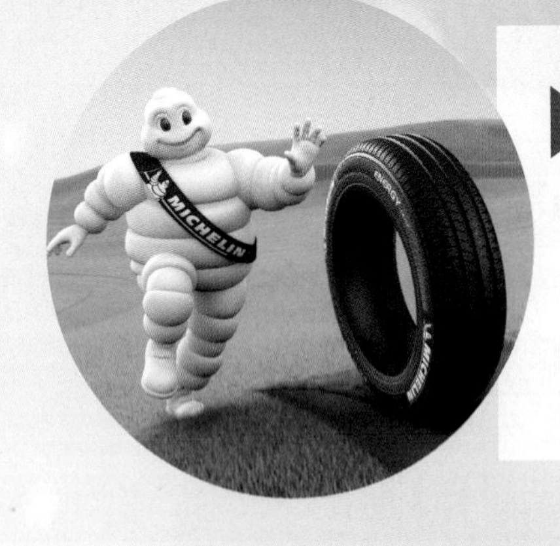

▶ MICHELIN EST
LE **N°1 MONDIAL**
DES PNEUS ÉCONOMES
EN ÉNERGIE POUR
LES VÉHICULES LÉGERS.

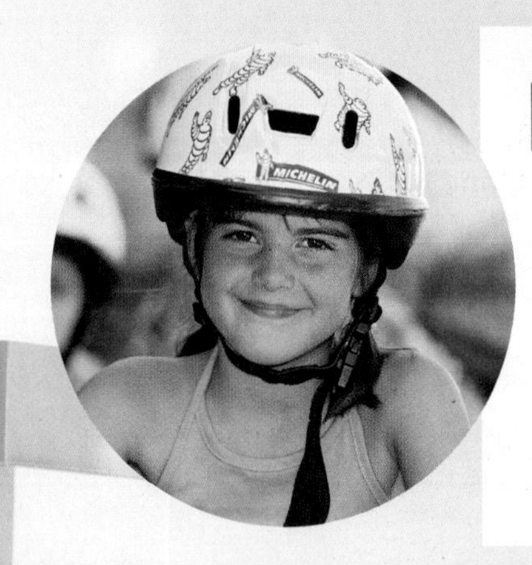

▶ POUR **SENSIBILISER**
LES PLUS JEUNES
À LA SÉCURITÉ ROUTIÈRE,
MÊME EN DEUX-ROUES :
DES ACTIONS DE TERRAIN
ONT ÉTÉ ORGANISÉES
DANS **16 PAYS** EN 2015.

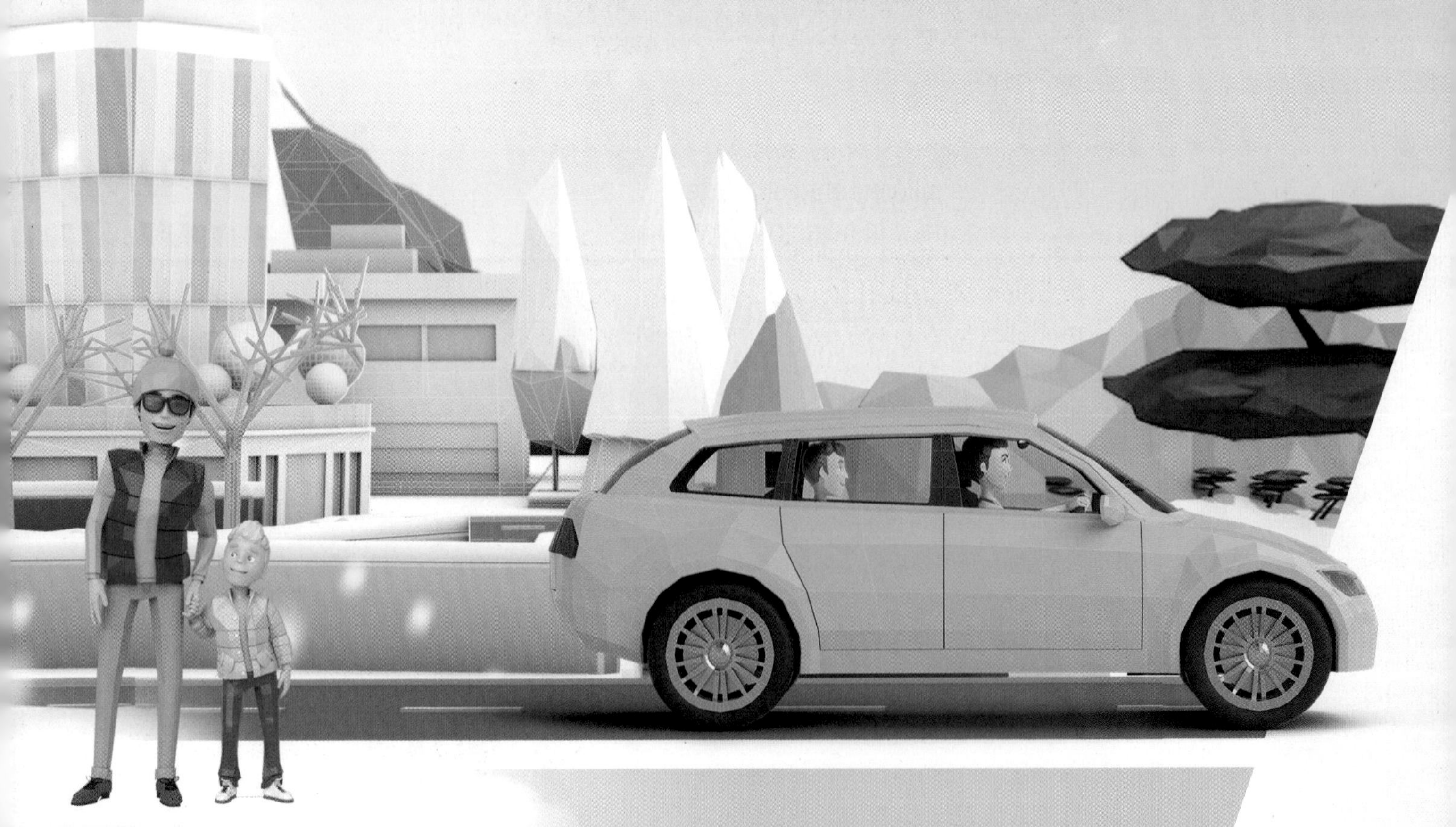

QUIZ

1 POURQUOI BIBENDUM, LE BONHOMME MICHELIN, EST BLANC ALORS QUE LE PNEU EST NOIR ?

Le personnage de Bibendum a été imaginé à partir d'une pile de pneus, en 1898, à une époque où le pneu était fabriqué avec du caoutchouc naturel, du coton et du soufre et où il est donc de couleur claire. Ce n'est qu'après la Première guerre mondiale que sa composition se complexifie et qu'apparaît le noir de carbone. Mais Bibendum, lui, restera blanc !

2 SAVEZ-VOUS DEPUIS QUAND LE GUIDE MICHELIN ACCOMPAGNE LES VOYAGEURS ?

Depuis 1900, il était dit alors que cet ouvrage paraissait avec le siècle, et qu'il durerait autant que lui. Et il fait encore référence aujourd'hui, avec de nouvelles éditions et la sélection sur le site MICHELIN Restaurants - Bookatable dans quelques pays.

3 DE QUAND DATE « BIB GOURMAND » DANS LE GUIDE MICHELIN ?

Cette appellation apparaît en 1997 mais dès 1954 le Guide MICHELIN signale les « repas soignés à prix modérés ». Aujourd'hui, on le retrouve sur le site et dans l'application mobile MICHELIN Restaurants - Bookatable.

Si vous voulez en savoir plus sur Michelin en vous amusant, visitez l'Aventure Michelin et sa boutique à Clermont-Ferrand, France :
www.laventuremichelin.com

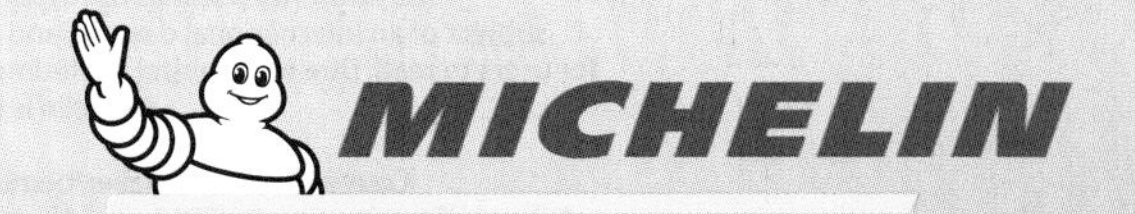